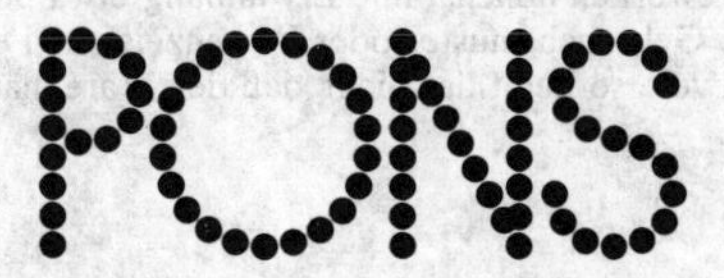

Weis Mattutat
Französisch-Deutsch

Bearbeitet von Prof. Dr. Erich Weis
unter Mitwirkung von Dr. Heinrich Mattutat
Neubearbeitung unter Mitwirkung von
Prof. Christian Nugue

Globalwörterbuch
Ernst Klett Verlag

In diesem Werk erfolgt die Nennung von Waren, wie in Nachschlagewerken üblich, ohne Erwähnung etwa bestehender Patente, Gebrauchsmuster oder Warenzeichen. Fehlt ein solcher Hinweis, so heißt das nicht, daß der Warenname frei ist.

CIP-Titelaufnahme der Deutschen Bibliothek

Pons-Globalwörterbuch. — Stuttgart : Klett
Englisch—deutsch u. Deutsch—englisch ausserdem
im Verl. Collins, London, Glasgow

Französisch—deutsch = Teil 1 / Weis ; Mattutat. Bearb. von
Erich Weis unter Mitw. von Heinrich Mattutat. Neubearb.
unter Mitw. von Christian Nugue. —
2., neubearb. Aufl., Nachdr. — 1989
ISBN 3-12-517231-4
NE: Weis, Erich [Mitverf.]

2., neubearbeitete Auflage 1985 — Nachdruck 1989

Einbandgestaltung: Erwin Poell, Heidelberg.
Fotosatz: KLETT DRUCK Stuttgart/Korb.
Druck: May & Co. Nachf. GmbH, Darmstadt.
Printed in Germany.
ISBN 3-12-517231-4

mort, e [mɔr, mɔrt] *a* gestorben; tot *a. fig; fig* wie tot; *(Stadt)* (wie) ausgestorben; leblos; regungs-, bewegungslos; (toten)still; *com* still, flau; *(Körperteil)* abgestorben; unempfindlich; *(Holz, Laub)* trocken, dürr; *(Farbe)* matt, glanzlos; *(Zeitung)* eingegangen.

Es werden zahlreiche Hinweise für die Verwendung des Stichworts und seiner Übersetzungen im Satzzusammenhang gegeben, z. B. durch

zusätzliche Erklärungen,

mystère [mistɛr] *m rel* Mysterium *n;* Geheimlehre *f; allg* Geheimnis, Rätsel; *theat hist* Mysterienspiel ...

Angabe des Fachgebiets bei fachsprachlichen Begriffen.

narcotique *a* narkotisch, betäubend; *fig* langweilig.

Kennzeichnung von Wörtern mit übertragender Bedeutung *(fig).*

pif [pif] **1.** *m pop* (große) Nase *f;* **2.** *interj* paff! ~, *paf!* piff, paff (, puff)! **~fer** *arg* riechen; **~frer, se** *vx pop* sich vollfressen; **~omètre** *m (fam): juger au* ~ über den Daumen peilen.

Kennzeichnung von Stilschichten, die von der Hochsprache abweichen (*arg, fam. lit* etc.).

vin [vɛ̃] *m* Wein *m;* Weinlaune, -seligkeit *f; entre deux ~s* nicht ganz nüchtern; *cuver son ~* s-n Rausch aus=schlafen; *mettre de l'eau dans son ~ (fig)* einen Pflock zurück=stecken, gelindere Saiten auf=ziehen; *quand le ~ est tiré, il faut le boire* wer A sagt, muß auch B sagen; *grand ~, ~ du cru* Auslesewein *m; pointe f de ~* kleine(r) Schwips *m; pris de ~* betrunken; *tache f de ~* Muttermal *n; ~ blanc, chaud, du cru* od *du pays, de fruits, en fût, de liqueur, médicinal, mousseux, ordinaire, d'origine, rouge* Weiß-, Glüh-, Land-, Obst-, Faß-, Süß- *od* Dessert-, Kranken-, Schaum-, Tisch-, Natur-, Rotwein *m;...*

Idiomatische Ausdrücke, Beispielsätze, Sprichwörter und **zusammengesetzte Ausdrücke** sind reichlich vorhanden und drucktechnisch durch Kursivschrift abgehoben.

zéphyr, *a.* **-ir** [zefir] *m* sanfte(r) Wind; Zephir, Zephyr *m (Stoff).*

Unterschiedliche Schreibweisen eines Wortes sind angegeben.

Vorwort

Ein modernes, für den allgemeinen Gebrauch bestimmtes Wörterbuch hat vielen Forderungen gerecht zu werden Es soll der Schule wie dem Beruf dienen und für die private Lektüre wie als treuer Reisebegleiter oder zuverlässiger Ratgeber bei Übersetzungen geeignet sein. Man erwartet, daß sich das vielfältige geistige und materielle Leben unserer Zeit in seinen Spalten spiegelt.

Um den Rahmen eines handlichen Nachschlagewerkes nicht zu sprengen, galt es, aus der Fülle auszuwählen und den Wortschatz zu erfassen, der zum lebendigen Sprachgut gehört.

Bei dieser Auswahl kamen dem Herausgeber seine lexikographischen Erfahrungen und seine Tätigkeit als Lehrer, Übersetzer und Dolmetscher zustatten.

Der Lehrer weiß, daß ein modernes Wörterbuch über die einfache Wortgleichung hinausgehen muß, wenn es im Unterricht als Lehrmittel einen Platz beanspruchen und dazu beitragen will, daß der Schüler selbständig arbeiten lernt.

Der Praktiker kennt die Not des Augenblicks, die zu rascher und zuverlässiger Orientierung zwingt, und ist sich darüber im klaren, daß viele fachliche Begriffe, Neuwörter und sprachliche Wendungen griffbereit zur Verfügung stehen müssen.

Diese Erfahrungen wurden bei dem — nach den neuesten lexikographischen Methoden sorgfältig bearbeiteten — Wörterbuch der französischen und deutschen Sprache genützt. Folgende Grundsätze dienten als Richtschnur:

1. Kursiv gesetzte und, sofern es sich nicht um Abkürzungen handelt, in Klammern stehende Erläuterungen grenzen den deutschen Begriff ab und veranschaulichen seinen Anwendungsbereich.
2. Die sachgetreue Wiedergabe auch entlegener Bedeutungen und das treffende deutsche Wort für den jeweiligen Kontext, vor allem im Bereich von Wissenschaft und Technik, treten an die Stelle von Umschreibungen und ungenauen Übertragungen.
3. Zahlreiche, in der Regel den Fachsprachen angehörende Wortfügungen, die im Französischen mit Präpositionen gebildet und im Deutschen meist durch ein zusammengesetztes Wort wiedergegeben werden, sind auch dann aufgeführt, wenn ihre Bildung im Französischen und Deutschen scheinbar keine Schwierigkeiten bereitet. Dadurch können eigene Wortbildungen nachgeprüft werden, und es läßt sich feststellen, ob der gewählte Ausdruck in der französischen Sprache tatsächlich verwendet wird.
4. Idiomatische Ausdrücke, feste Redewendungen, Beispiele und Wortreihen verdeutlichen den Gebrauch der Wörter im Satz, ihre Verbindungen mit anderen Wörtern und ihre funktionellen Möglichkeiten.
5. Besondere Beachtung findet die Verwendung der Präpositionen und ihre für das Französische typischen Darstellungsweisen.
6. Die Sprachschichten — Hochsprache, Umgangssprache, Berufs-, Fach- und Sondersprachen — sind im Französischen ebenso wie im Deutschen berücksichtigt.

Französische Linguisten unter der Leitung von Prof. Christian Nugue haben beide Teile des Wörterbuchs gründlich überprüft. Die Durchsicht führte zu größerer Genauigkeit bei der Erfassung der Wortinhalte, zu gezielterer idiomatischer Richtigkeit und zu noch stärkerer Betonung der heute gesprochenen Sprache.
Der Sprachentwicklung der letzten Jahre wurde weitgehend Rechnung getragen. So wurden bei der vorliegenden Überarbeitung ca. 2000 Neuwörter je Sprachrichtung eingefügt, wobei der Schwerpunkt auf Bereiche gelegt wurde, wie Informatik (z. B. Baustein, Befehl, Bit, Chip, Decoder, Diskette ...), Datenverarbeitung (z. B. Datennetz, -pflege, -schutz, -träger, Drucker ...), Raumfahrt (z. B. Raketentechnik, Raumlabor, Satellitenfernsehen, -funk, -träger ...) und Umwelt (z. B. Abgastest, Autogas, bleifrei, Umweltbelastung, -kriminalität, -politik, Waldsterben ...). Das größere Format und die übersichtlichere Typographie tragen zu noch besserer Auffindbarkeit und Lesbarkeit des Wörterbuchs bei.

Stuttgart und Wien
Prof. Dr. Erich Weis

Ernst Klett Verlag
Redaktion Wörterbuch

Erläuterungen

1. Schriften

Es werden folgende Schriften verwendet:

Fettdruck	für die Stichworteinträge und für die arabischen Ziffern;
Grundschrift	in [...] für die Lautschrift;
Kursivschrift	für Angaben von Wortart und Genus etc., für Erklärungen, für Bezeichnungen des Sachgebiets und der Sprachebene sowie für Anwendungsbeispiele und Redewendungen;
Grundschrift	für die deutschen Übersetzungen der französischen Stichwörter, Anwendungsbeispiele und Redewendungen.

Beispiel: **accès** [aksɛ] *m* Zugang, Zutritt *m*, Zufahrt *f;* Betreten *n; med* Anfall *m;* Anwandlung *f; inform* Zugriff *m; (Zorn)* Ausbruch *m; donner ~ à* führen zu; Zutritt geben zu; *temps d'~ (inform)* Zugriffszeit *f.*

2. Stichwortanordnung

Die fett gedruckten Hauptstichwörter sind alphabetisch angeordnet.
In einigen Fällen wurde die strenge alphabetische Anordnung verlassen, wenn dadurch eine größere Zahl Stichwörter unter einem Titelkopf zusammengezogen werden konnten und keine Unklarheit entstand.

Beispiel: **achèvement.**

3. Tilde ~

Die Tilde ~ ersetzt:

a) den fett gedruckten Titelkopf (Hauptstichwort).

Beispiel: **abandon** [abɑ̃dɔ̃] *m* Aufgabe;...
~ner = abandonner.

b) den durch | abgetrennten ersten Teil des Titelkopfes.

Beispiel: **absen|ce** [apsɑ̃s] *f* Abwesenheit...;
~t, e = absent, absente;
~téisme = absentéisme;
~téiste = absentéiste
~ter, s' = s'absenter.

c) das unmittelbar vorausgehende fettgedruckte Stichwort in den Beispielsätzen.

Beispiel: **accord|er** [akɔrde] *tr* in Einklang bringen,...
~eur *m: ~ de pianos* = accordeur de pianos.

d) den unverändert bleibenden Stamm des Stichwortes in den Beispielsätzen.

Beispiel: **advenir** [advənir] *irr imp...*
qu'est-il ~u de lui? = qu'est-il advenu de lui?

4. Paralleltilde ≈

Unfeste Zusammensetzungen von (deutschen) Verben mit Partikeln sind durch Paralleltilde ≈ getrennt.

Beispiel: ein≈lassen.

5. Geschlechtsbezeichnung

Mit der Geschlechtsbezeichnung *(m, f, n)* sind versehen:

a) die französischen Wörter, die fett gedruckt im Titelkopf oder als Untertitel erscheinen; ferner die mit einem Bindestrich zusammengesetzten Wörter.

Beispiel: *cache-cache m*

und die Wörter, die den ersten Teil eines mit einer Präposition gebildeten Ausdrucks darstellen

Beispiel: *cuiller f, service m, tasse f à café.*

b) die deutschen Wörter, wobei nur das letzte von zwei oder mehreren gleichgeschlechtlichen Substantiven die Geschlechtsbezeichnung erhält.

Beispiel: Handlung, Tat *f, jur* Rechtsgeschäft, Abkommen *n,* Vertrag *m* ...

6. Doppelte Schreibweise

Die doppelte Schreibweise eines Wortes wird, wenn beide Formen gebräuchlich sind, angegeben:

a) durch Einklammern von Buchstaben.

Beispiel: **lacto(-densi)mètre**

b) durch Anführen der zweiten Form.

Beispiel: **chien** [ʃjɛ̃] *...;* **~lit, chie-en-lit . . .**

7. Bezeichnung der Ergänzungen des Verbs, des Adjektivs und des Substantivs

Die Präposition bei der prädikativen Ergänzung des Verbs, des Adjektivs und des Substantivs wird dann angegeben, wenn der Gebrauch in beiden Sprachen voneinander abweicht.
Ferner findet sich ein Hinweis auf den Kasus des deutschen Substantivs, wenn das französische Verb das Objekt im Akkusativ verlangt.

Beispiel: **agir** ... beeinflussen (*sur qn* jdn);
amuser ... die Zeit vertreiben (*qn* jdm);
âpre ... gierig (*à* nach, auf *acc*).

8. Rechtschreibung

Für die Rechtschreibung der deutschen Wörter diente als Grundlage *Duden, Rechtschreibung der deutschen Sprache und der Fremdwörter, 18. Aufl. Mannheim 1980;* für die Rechtschreibung der französischen Wörter der *Petit Robert, Dictionnaire alphabétique et analogique de la langue française, Société du Nouveau Littré, Nouvelle édition, Paris 1978.*

9. Grammatik

Als grammatikalische Ergänzung eignen sich:
„Französische Sprachlehre" von H. W. Klein und F. Strohmeyer, Ernst Klett Verlag, Stuttgart 1968; „Le Bon Usage" von Maurice Grevisse, 11. Aufl., Paris 1980.

10. Aussprache

Zur Bezeichnung der Aussprache wurden die phonetischen Zeichen der *Association Phonétique Internationale* verwendet.
Für die Umschrift der einzelnen Wörter wurde der „Petit Robert"zu Rate gezogen.
Im allgemeinen ist nur der fett gedruckte Titelkopf phonetisch umschrieben. Die auf den Titelkopf folgenden Stichwörter bleiben ohne Umschreibung, wenn sich die Aussprache nach den Grundregeln der französischen Aussprache richtet. Das gilt auch für die weiblichen Formen der Adjektive, die als Titelkopf erscheinen. Entspricht jedoch die Aussprache der auf den Titelkopf folgenden Stichwörter nicht den Grundregeln der französischen Aussprache, so ist diese entweder ganz oder in dem Teil bezeichnet, der die Abweichung aufweist.

Beispiel: **cal|cite** [kalsit] ...; **~cium** [-sjɔm] = [kalsjɔm].

Bezüglich des im Wortstamm betonten [-ɔ-] oder [-o-], das bei konjugierten Verben oder abgeleiteten Wörtern den Ton verliert, ist zu beachten:

a) [-ɔ-] *bleibt* [-ɔ-]. Die Vokalharmonie wirkt sich nicht aus.

Beispiel: **modal** [mɔdal], **mode** [mɔd], **modeler** [mɔdle].

b) [-o-] richtet sich nach folgenden Regeln:

Bei einem Verb bleibt immer [-o-].

Beispiel: **il ose** [il oz], **oser** [oze], **il osera** [il ozra].

Bei Substantiven, Adjektiven und abgeleiteten Adverbien bleibt in der Regel [-o-]. Abweichende Fälle sind angegeben.

Beispiel: **pose** [poz], **poser** [poze],
position [pozisjɔ̃], **posément** [posemɑ̃].

Danach richten sich auch die abgeleiteten Verben auf -ir:

Beispiel: **gros** [gro], **grossir** [grosir].

Die *Wortbetonung* ist nicht angegeben, da die Silben eines Wortes im Satzgefüge gleich lang ausgesprochen und gleichmäßig betont werden. Nur die letzte Silbe eines alleinstehenden Wortes oder einer Wortgruppe hat einen etwas verstärkten Akzent, den anzugeben sich in einem Wörterbuch erübrigt.

11. Silbentrennung

Im Französischen trennt man nach Sprechsilben.

Beispiel: **in-té-res-sant.**

Im einzelnen gelten folgende Regeln:

a) ein einfacher Konsonant zwischen zwei Vokalen geht zur folgenden Silbe.
Beispiel: **ca-ma-ra-de; pro-me-na-de.**

b) von zwei oder drei zwischen Vokalen stehenden Konsonanten tritt der letzte zur folgenden Silbe.

Beispiel: **ar-gent; obs-cur; res-ter.**

c) nicht getrennt werden;

1. Konsonant + l oder r.
Beispiel: **ta-ble; spec-ta-cle; é-tran-gler; af-freux; en-trer.**

2. Der nur einen Laut darstellenden Gruppen **ch, ph, gn, th.**
Beispiel: **a-che-ter; or-tho-gra-phe; cam-pa-gne; go-thi-que.**

3. Aufeinanderfolgende Vokale.

Beispiel: **cu-rio-si-té; théâ-tre; ou-vriè-re; tu-er.**

4. **x** und **y** zwischen zwei Vokalen.

Beispiel: **exa-men; em-ployer.**

12. Zeichensetzung

Im Französischen werden folgende Satzzeichen verwendet:

le point (.)	*la virgule* (,)
les deux point (:)	*le point-virgule* (;)
le point d'exclamation (!)	*le point d'interrogation* (?)
le tiret (—)	*le trait d'union* (-)
les parenthèses ( )	*les crochets* [ ]
les guillemets (« »)	*les points de suspension* (...)

Die französischen Satzzeichen werden im allgemeinen wie die deutschen verwendet, jedoch sind folgende Besonderheiten zu beachten:

Das Komma *(la virgule)*

a) notwendige Relativsätze, Objektsätze, Infinitivsätze, indirekte Fragesätze und nachgestellte Adverbialsätze werden nicht durch Kommata abgetrennt.

Beispiel: J'ai enfin trouvé le livre que je cherchais depuis longtemps.
Je crois qu'il faut partir.
J'irai le voir avant qu'il ne parte.

b) längere adverbiale Bestimmungen am Anfang eines Satzes werden durch Komma abgetrennt. Ein Komma steht auch anstelle eines nicht wiederholten Verbs.

Beispiel: Au demeurant, on ne doit rien exagérer.
Le cheval s'approchant lui donne un coup de pied; le loup, un coup de dent.

Das Ausrufezeichen *(le point d'exclamation)*

a) das Ausrufezeichen steht nach Interjektionen und nur nach echten Ausrufesätzen. Beachte die Kleinschreibung nach dem Ausrufezeichen.

Beispiel: hélas! tiens! halte!
Que vous êtes joli! que vous me semblez beau!

b) der Imperativ hat kein Ausrufezeichen.

Beispiel: Asseyez-vous.

Die Auslassungspunkte *(les points de suspension)*

Die Auslassungspunkte zeigen an, daß ein Satz oder ein Satzteil nicht vollendet ist; sie stehen oft anstelle eines deutschen Gedankenstrichs.

Beispiel: Que faire?... Je suis désespéré.

Der Gedankenstrich *(le tiret)*

Der Gedankenstrich wird verwendet, um bei einem Gespräch den Wechsel des Gesprächspartners anzuzeigen. Zuweilen vertritt er eine Klammer.

Beispiel: Quand venez-vous? — Demain.

Der Bindestrich *(le trait d'union)*

Der Bindestrich verbindet die einzelnen Teile eines zusammengesetzten Wortes und die Verbform mit nachgestellten Pronomen.

Beispiel: arc-en-ciel; rends-le-moi.

Die Anführungszeichen *(les guillemets)*

Die Anführungszeichen stehen am Anfang und Ende einer direkten Rede oder eines Zitats. Sie dienen ferner zur Hervorhebung eines einzelnen Wortes.

Beispiel: «Vous voilà déjà dehors», avait-il dit de sa voix flûtée.
L-accusé déclara qu-il «travaillait» dans le cambriolage.

13. Große Anfangsbuchstaben

Mit großen Anfangsbuchstaben schreibt man:

a) das erste Wort eines Satzes, einer direkten Rede und eines Zitats.

b) Eigennamen.

Beispiel: Alexandre le Grand.

c) geographische Namen. Steht ein charakteristisches Adjektiv dabei, so wird nur dieses groß geschrieben.

Beispiel: la mer Baltique.

d) die Bezeichnung für die Angehörigen eines Volkes.

Beispiel: les Français.

e) alle Bezeichnungen für Gott.

Beispiel: le Christ; le Créateur.

f) kirchliche Feste, kirchliche und öffentliche Einrichtungen.

Beispiel: Pâques, la Légion d'honneur.

g) Titel von Kunstwerken. Bei längeren Titeln wird meist nur das erste bedeutende Wort groß geschrieben; ferner wird das Adjektiv groß geschrieben, das dem Substantiv vorausgeht.

Beispiel: la Transfiguration; les Femmes savantes; la Divine Comédie.

h) Titel in der höflichen Anrede.

Beispiel: Madame, Monsieur le Président.

i) die Himmelsrichtungen, wenn sie ein Gebiet bezeichnen.

Beispiel: dans le Midi.

Liste der Abkürzungen

a	Adjektiv *adjectif*
a.	auch *aussi*
acc	Akkusativ *accusatif*
adv	Adverb *adverbe*
aero	Luftfahrt *aéronautique*
agr	Landwirtschaft *agriculture*
allg	allgemein *généralement*
anat	Anatomie *anatomie*
arch	Architektur *architecture*
arg	Argot *argot*
astr	Astronomie *astronomie*
attr	Attribut *épithète*
aux	Hilfszeitwort *auxiliaire*
bes.	besonders *principalement*
biol	Biologie *biologie*
bot	Botanik *botanique*
chem	Chemie *chimie*
com	Handel *commerce*
cond	Konditional *conditionnel*
conj	Konjunktion *conjonction*
cosm	Raumfahrt *astronautique*
d.	der, die, das, dem, den
dat	Dativ *datif*
dial	Dialekt *dialecte*
dim	Diminutiv *diminutif*
ea.	einander *l'un l'autre*
ecol	Umwelt *environnement*
e-e, e-m, e-n, e-r, e-s	eine, einem, einen, einer, eines *(à, d')un, e*
el	Elektrizität *électricité*
etc	und so weiter *et cœtera*
etw	etwas *quelque chose*
f	weiblich *féminin*
fam	familiär *familier*
fig	bildlich *figuré*
film	Film *cinéma*
gen	Genitiv *génitif*
geog	Geographie *géographie*
geol	Geologie *géologie*
gram	Grammatik *grammaire*
hist	Geschichte *histoire*
hum	humoristisch *humoristique*
impers	unpersönlich *impersonnel*
ind	Indikativ *indicatif*
inf	Infinitiv *infinitif*
inform	Informatik *informatique*
interj	Interjektion *interjection*
inv	unveränderlich *invariable*
irr	unregelmäßiges oder unvollständiges Verb *verbe irrégulier ou défectif*
itr	intransitiv *intransitif*
jem, jdm, jdn, jds	jemand(em, en, es) *(à, de) quelqu'un*
jur	juristisch *juridique*
lit	gehoben *littéraire*
loc	Eisenbahn *chemin de fer*
m	männlich *masculin*
mar	Seewesen *marine*
math	Mathematik *mathématiques*
med	Medizin *médecine*
mil	Militärwesen *militaire*
min	Mineralogie, Bergbau *minéralogie, mines*
mot	Kraftfahrwesen *automobilisme*
mus	Musik *musique*
n	sächlich *neutre*
od, od	oder *ou*
opt	Optik *optique*
orn	Vogelkunde *ornithologie*
p	Person *personne*
parl	Parlament *parlement*
péj	herabsetzend *péjoratif*
pharm	Arzneimittelkunde *pharmacologie*
phot	Fotografie *photographie*
phys	Physik *physique*
pl	Plural *pluriel*
poet	poetisch *poétique*
pol	Politik *politique*
pop	populär *populaire*
pp	Partizip des Perfekts *participe passé*
ppr	Partizip des Präsens *participe présent*
pred	prädikative Ergänzung *attribut*
pref	Vorsilbe *préfixe*
prn	Pronomen *pronom*
prov	Sprichwort *proverbe*
prp	Präposition *préposition*
qc	etwas *quelque chose*
qn	jemand(en) *quelqu'un*
radio	Rundfunk *radio*
rel	Religion *religion*
s	Substantiv *substantif*
s.	siehe *voir*

S	Sache *chose*
scient	wissenschaftlich *scientifique*
sing	Einzahl *singulier*
s-e, s-m, s-n, s-r, s-s	seine, seinem, seinen, seiner, seines *(à, de) son, sa*
sport	Sport *sport*
tech	Technik *technique*
tele	Telefon, Telegrafie, Fernsehen *téléphonie, télégraphie, télévision*
theat	Theater *théâtre*
tr	transitiv *transitif*
typ	Buchdruck *typographie*
u., u.	und *et*
v	Verb *verbe*
vulg	vulgär *vulgaire*
vx	veraltet *vieux*
z. B.	zum Beispiel *par exemple*
zoo	Zoologie *zoologie*
zs.	zusammen *ensemble*
Zssg	Zusammensetzung *mot composé*

Liste der Lautschriftzeichen

Vokale

[i]	lit [li], lyre [lir]
[e]	blé [ble]
[ɛ]	tes [tɛ], lait [lɛ]
[a]	patte [pat]
[ɑ]	pâte [pɑt]
[ɔ]	comme [kɔm]
[o]	pot [po], gauche [goʃ]
[u]	chou [ʃu]
[y]	tulle [tyl]
[ø]	peu [pø]
[œ]	peur [pœr]
[ə]	le [lə], me [mə]

Nasale

[ɛ̃]	pain [pɛ̃], brin [brɛ̃]
[ɑ̃]	vent [vɑ̃], sans [sɑ̃]
[ɔ̃]	ton [tɔ̃]
[œ̃]	un [œ̃], brun [brœ̃]

Halbvokale

[j]	pied [pje]
[ɥ]	lui [lɥi]
[w]	loi [lwa], oui [wi]

Konsonanten

[p]	papa [papa]
[t]	tante [tɑ̃t]
[k]	sac [sak]
[b]	robe [rɔb]
[d]	vide [vid]
[g]	gare [gar]
[f]	neuf [nœf]
[v]	vent [vɑ̃]
[s]	sa [sa], caisse [kɛs]
[z]	zèbre [zɛbr], rose [roz]
[ʃ]	chat [ʃa]
[ʒ]	jeu [ʒø], garage [garaʒ]
[l]	le [lə]
[r]	rue [ry]
[m]	ma [ma]
[n]	bonne [bɔn]
[ɲ]	digne [diɲ]
[ŋ]	ping-pong [piŋ pɔ̃ŋ]

: bedeutet, daß der unmittelbar davorstehende Vokal lang ist.

ˀ bezeichnet den festen Stimmeinsatz bei Vokalen am Anfang einer Silbe. *Beispiel:* le hêtre [le ˀɛtr].

A

A [a] *depuis A jusqu'à Z* von A bis Z; *prouver par A plus B* einwandfrei beweisen; *A majuscule, a minuscule* große(s) A, kleine(s) a.

à [a] *prp* **1.** *Ort:* nach; in; auf; an; von; *aller ~ Paris* nach P. fahren; *aller ~ l'école* in die, zur Schule gehen; *être ~ P.* in P. sein; *jeter ~ l'eau* ins Wasser werfen; *être ~ moitié chemin, ~ mi-chemin* auf halbem Wege sein; *avoir qc ~ la main* etw in der Hand haben; *(Wunde)* etw an der Hand haben; *tenir qc ~ la main* etw in *od* an der Hand halten; *~ cent km de P.* 100 km von P. (entfernt); *être ~ mille lieues de la vérité* von der Wahrheit weit entfernt sein; *se mettre ~ table* sich zu *od* an den Tisch setzen; *de la tête aux pieds* von Kopf bis Fuß; *~ cent mètres d'ici* 100 m von hier (entfernt), auf 100 m Entfernung; **2.** *Zeit:* in; zu; um; an; auf; bei; *au printemps* im Frühling; *~ l'aube* im Morgengrauen; *~ demain!* bis morgen! *~ toute heure* jederzeit; *~ tout ~ l'heure!* bis nachher! *de temps ~ autre* von Zeit zu Zeit; *je viendrai ~ six heures* ich komme um 6 Uhr; *~ la longue* auf die Dauer; *~ ce moment* in diesem Augenblick; *~ ces mots* bei diesen Worten; *~ sa mort* bei s-m Tode; *renvoyer ~ huitaine* um acht Tage verschieben; **3.** *Ziel, Folge:* in; zu; an; *oft dat: réduire ~ la misère* ins Elend stürzen; *écrire ~ un ami* e-m Freund schreiben; *tirer ~ sa fin* s-m Ende zu≈gehen; *aimer ~ jouer* gern spielen; *continuer ~ travailler* weiter≈arbeiten; *je le donne ~ mon frère* ich gebe es meinem Bruder; *je le prends ~ témoin* er kann es bestätigen; *chambre ~ louer* Zimmer zu vermieten; *se mettre ~ l'ouvrage* sich an die Arbeit machen; **4.** *Art u. Weise, Mittel:* auf; mit; zu; bis: *~ mes frais* auf meine Kosten; *machine f ~ vapeur* Dampfmaschine *f; ~ grand-peine* mit großer Mühe; mit knapper Not; kaum; *~ cent francs la pièce* das Stück zu 100 Franken; *~ deux* zu zweien *od* zweit; *~ vos souhaits!* (auf Ihre) Gesundheit! *~ le voir* wenn man ihn sieht; *~ vous entendre* wenn man Sie hört; *pas ~ pas* Schritt für Schritt; **5.** *Besitz, Merkmal: ce livre est ~ mon frère* dieses Buch gehört meinem Bruder; *il a une maison ~ lui* er hat ein eigenes Haus; *une maison ~ deux étages* ein zweistöckiges Haus *n; grâce ~ Dieu* Gott sei Dank; **6.** *Ausrufe: au feu!* Feuer! *~ moi vx* her zu mir! Hilfe! *au diable!* zum Teufel! *au voleur!* Diebe! *au secours!* Hilfe! *~ votre aise!* bitte! wie es Ihnen beliebt! *~ la vôtre!* auf Ihr Wohl! prost!

abaiss|able [abɛsabl] *a (Gleichung)* reduzierbar; **~ant, e** erniedrigend; demütigend; **~e** *f* (ausgerollter) Teig *m (für Pasteten, Kuchen);* **~-langue** *m inv med* (Zungen-)Halter, Spatel *m;* **~ement** *m* Herablassen *n;* Senkung; Verminderung *f; (Arm)* Sinkenlassen *n; (Preis)* Herabsetzung, Senkung, Ermäßigung *f; (Mauer)* Abtragen; *(Temperatur)* Sinken *n,* Sturz *m; (Wasser)* Fallen, Sinken *n; (Boden)* Senkung *f; (Stimme)* Sinkenlassen; *(mus)* Herabstimmen *n; el* Abfall *m; (Gleichung)* Reduktion *f; (Lot)* Fällen; *med (Star)* Stechen *n; (Gebärmutter)* Vorfall *m;* Senkung *f; geog* Neigung, Senkung, Kimmtiefe *f; geol* Abböschen, Abflächen *n; fig* Verfall *m;* Abnahme; Erniedrigung, Demütigung, Herabsetzung; Demut; Herablassung *f; ~ du coût de la vie* Senkung *f* der Lebenshaltungskosten; *~ d'impôt* Steuersenkung *f; ~ des prix* Preissenkung *f; ~ du taux d'escompte* Diskontsenkung *f;* **~er** [-e(ɛ)se] *tr* herab≈, nieder≈lassen; erniedrigen; senken; *(Preis)* senken; *(Kosten)* vermindern, herab≈setzen, verringern; *(Gegenstand)* niedriger hängen, stellen, setzen; *(Blick)* nieder≈schlagen; *(Stimme)* sinken lassen; *(Mauer)* ab≈tragen; *(Teig)* (dünn) aus≈wellen, -rollen; *(Zweig)* zurück≈schneiden; *mus* herunter≈stimmen; *(Zahl)* herunter≈ziehen; *(Gleichung)* reduzieren; *(Lot)* fällen; *fig* demütigen, erniedrigen; *s' ~* sich senken; sinken; ab≈nehmen; sich nieder≈lassen; *(Wind)* sich legen, nach≈lassen; *(Nebel, a. Temperatur)* fallen; *fig* sich demütigen; sich herab≈lassen; sich weg≈werfen; *s' ~ (jusqu')à faire qc* sich herab≈würdigen *od* so weit gehen, etw zu tun; *s'~ au niveau de* *qn* sich zu jdm herab=lassen; *qui s'élève s'~e* Eigenlob stinkt; ~**eur** *m med* Niederziehmuskel, Depressor; *el* Abwärtstransformator *m*.

abajoue [abaʒu] *f zoo* Backentasche; *(Mensch)* Hängebacke *f*.

abandon [abɑ̃dɔ̃] *m* Aufgabe; Preisgabe; *fig* Hingabe, Aufopferung *f;* Verzicht *m;* Verlassenheit, Hilflosigkeit; Vernachlässigung *f; sport* Aufgeben, Zurückziehen *n; fig* Ungezwungenheit, Offenherzigkeit *f; jur* Verzicht *m*, Abtretung, Aufgabe *f; (Kind)* Aussetzen *n; tech* Abgabe *f; (laissé) à l'~* verwildert, verwahrlost; *faire ~ de qc* etw auf=geben; *parler avec ~* offenherzig reden, freimütig sprechen; *tout est à l'~* alles geht drunter u. drüber; *~ malicieux* böswillige(s) Verlassen *n;* ~**né, e** [-ɔn-] *a* verlassen; verwahrlost; *(Verhalten)* zügellos; *(Ort)* verödet; *s m f* Verlassene(r *m*) *f;* ~**ner** verlassen; im Stich lassen; auf=geben, preis=geben, verzichten (*qc* auf e-e S); vernachlässigen; *(Kind)* aus=setzen; *mil (Stellung)* räumen; *jur* ab=treten; *(Gegenstand)* fahren=lassen; *med sport* auf=geben; *chem* ab=geben; *s'~* sich hin=geben, sich überlassen; *(e-m Laster)* frönen; *(Benehmen)* sich gehen=lassen; sich hin=reißen lassen (*à qc* zu etw); sich vernachlässigen; *(Person)* sich auf=geben; *~ ses fonctions* sein Amt auf=geben; *~ la partie* den Kampf auf=geben, den Mut verlieren.

abaque [abak] *m* Abakus *m*, Deckplatte *f* des Säulenkapitells; Rechentafel *f*, Nomogramm *n*.

abasourd|ir [abazurdir] betäuben, (ganz) benommen machen; verblüffen, verdutzen; ~**issant, e** verblüffend; betäubend; ~**issement** *m* Verwirrung; Benommenheit; Verblüffung *f*.

abat [aba] *m vx (pluie d'abat)* Regenguß *m;* Schlachten *n; pl* Innereien *f pl; ~ d'eau* Wolkenbruch *m; ~-faim m inv* Gericht *n*, das den ersten Hunger stillt; *~-foin m inv* Heuloch *n; ~-jour m inv* Lampen-, Blendschirm *m;* Dachfenster, Deckenlicht *n; ~-son m inv tele* Schallkammer *f; (Kirchturm)* Schallbrett *n; ~-vent m inv* Wetterdach *n;* Fensterladen; Schornsteinaufsatz *m;* ~**tage** *m* (Ab-)Schlachten; *(Baum)* Fällen, Umhauen; Abholzen *n*, Holzeinschlag; *min* Abbau *m;* Gewinnung *f; (Steine)* Abhauen, Gewinnen *n; fam* Rüffel *m; arg* stattliche(s) Aussehen *n*, Schneid, Schwung *m; mar* Umlegen *n; tech* Hebelkraft *f; (Wirkerei)* Abschlagen *n; (Maurer)* Verhau *m* od *n; ~ clandestin* Schwarzschlachtung *f; ~ urgent* Notschlachtung *f;* ~**tant, e** *a (Hitze)* drückend; *s m* Tischklappe; Kipplade *f; siège m ~* Klappsitz *m; ~ de cuvette, de W.-C.* Klosettbrille *f*, -deckel *m;* ~**tement** *m* Niedergeschlagenheit, Mutlosigkeit; Mattigkeit; *(Steuern)* Senkung *f*, Nachlaß *m; ~ à la base* Freibetrag *m; ~ des prix* Preissenkung *f;* ~**teur** *m* Schlächter; *min* Hauer; Steinbrecher; Fäller *m; ~ de besogne* tüchtige(r) Arbeiter *m; ~ de bois* Holzfäller; *fig* Verführer *m; ~ de quilles (fig)* Aufschneider *m;* ~**tis** [-ti] *m (Bäume)* Fällen; *(Tiere)* Töten; Gemetzel *n; (Bauwerk)* Trümmer *pl;* Schutt *m;* Späne *m pl;* (Gänse-)Klein *n; (Schlachten)* Abfälle *m pl; mil* Verhau *m* od *n; vulg* Arme u. Beine *pl; faire des ~ (mil)* Verhaue an=legen; ~**toir** *m* Schlachthaus *n;* ~**tre** *irr* nieder=, ab=werfen, -reißen, -schlagen; *(Baum)* fällen; *(Tier)* schlachten; erlegen; *(Mauer)* ab=tragen; *(Befestigungen)* schleifen; *(Kopf)* ab=schlagen; *(Vogel, Flugzeug)* ab=schießen; *(Kegel)* um=legen; *(Gras)* mähen; *(Karten)* auf=decken; *mar* ab=fallen, drehen; *fig* schwächen; nieder=drücken, deprimieren; entmutigen; *(Stolz)* dämpfen; *min* gewinnen; *(Wirkerei)* ab=schlagen; schießen; *s' ~* ein=stürzen, zs.=fallen, herunter=fallen; sich stürzen (*sur* auf *acc*); nieder=prasseln; *(Wind)* sich legen; *aero* ab=stürzen; *(Gewitter)* nieder=gehen; *(Vögel)* sich nieder=lassen; *fig* den Mut sinken lassen, verzagen; *~ de la besogne* fix, tüchtig arbeiten; *~ à coups de fusil* nieder=schießen; *~ à l'explosif* los=sprengen; *~ son jeu* die Karten auf den Tisch legen; *~ des kilomètres (fam)* Kilometer fressen; *~ les tentes* die Zelte ab=brechen; *il abat de la besogne (fam)* er geht ran; ~**tu, e** [-ty] *fig* niedergeschlagen, entmutigt; entkräftet, abgespannt.

abâtard|ir [abɑ(a)tardir] entarten lassen, bastardieren; verderben; *s'~* entarten, bastardieren; verwildern; ~**issement** *m* Entartung, Bastardierung *f*.

abb|atial, e [abasjal] Abts-, Abtei-; ~**aye** [abe(ɛ)i] *f* Abtei *f;* Kloster(gebäude *n pl*) *n;* ~**é** *m* Abt; Priester *(in Frankreich);* Abbé *m; le moine répond comme l'~ chante* wie der Herr, so's Gescherr; ~**esse** *f* Äbtissin *f*.

abc [abese] *m* Abc *n;* Fibel *f; fig* Anfangsgründe *m pl*.

abc|éder [apsede] vereitern; **~ès** [apsɛ] *m* Abszeß *m*, Geschwür *n*.

abdi|cation [abdikasjɔ̃] *f* Abdankung; *(Amt)* Niederlegung; Aufgabe *f*, Verzicht *m*; **~quer** *tr (Thron)* entsagen (*qc* e-r S *dat*); *(Amt)* nieder=legen; *fig* zurück=treten (*qc* von etw), verzichten (*qc* auf e-e S), auf=geben; *itr* ab=danken.

abdom|en [abdɔmɛn] *m* Unterleib *m*, Abdomen *n*; *(Insekt)* Hinterleib *m*; **~inal, e** Unterleibs-, Bauch-; *cavité f ~e* Bauchhöhle *f*.

abduct|eur [abdyktœr] *m* Abziehmuskel, Abduktor *m*; **~ion** [-ksj ɔ̃] *f med* Abduktion *f*.

abécédaire [abesedɛr] *a* alphabetisch; *s m* Fibel *f*; *~ illustré* Bilderfibel *f*.

abeille [abɛj] *f* Biene *f*; *~ mâle* Drohn(e *f*) *m*; *~ mère, reine f des ~s* Bienenkönigin *f*; *~ ouvrière* Arbeitsbiene, Arbeiterin *f*.

aberr|ant, e [abɛrɑ̃, -ɑ̃t] abweichend, abirrend; aus der Art schlagend; völlig falsch; **~ation** *f* Abirren *n*, Abweichung; *astr opt* Aberration; *zoo bot* Abart *f*; *fig* Irrtum *m*, Verirrung *f*; Unsinn *m*; **~er** ab=weichen, ab=irren.

abêt|ir [abe(ɛ)tir] verdummen; *s'~ (fam)* dumm, blöde werden, verblöden; *s'~ par le vin* den Verstand vertrinken; **~issement** *m* Verdummung, Verblödung *f*.

abhorr|é, e [abɔre] verhaßt; **~er** verabscheuen.

abîm|e [abim] *m* Abgrund *m*, Tiefe *f*; *geog* Schlund; *fig* Abgrund, Ruin *m*; Kluft *f*; *fig* Welt (*de* von), Unermeßlichkeit, Unsumme *f*; *être au bord de l'~* am Rande des Abgrunds stehen; *l'~ appelle l'~* ein Unglück kommt selten allein; **~er** beschädigen, ramponieren, verderben, *fam* kaputt=machen; scharf kritisieren, *fam* zerreißen; *s'~* versinken, verloren=gehen *(a. mar)*; zs.=stürzen; beschädigt werden; *fam* kaputt=gehen; *fig* sich vertiefen, sich versenken (*dans* in *acc*).

abject, e [abʒɛkt] niederträchtig, gemein; **~ion** [-ksjɔ̃] *f* Gemeinheit, Niedertracht *f*.

abjur|ation [abʒyrasjɔ̃] *f* (feierliches) Entsagen; Abschwören *n*; *fig* Verzichtleistung *f*; **~er** ab=schwören; *(Meinung)* auf=geben.

ablatif [ablatif] *m* Ablativ *m*.

ablation [ablasjɔ̃] *f med (Organ)* Ablation, Ablösung; *(Gletschereis)* Abschmelzen *n*; *(Erde)* Abtragen; *geol* Ablation *f*.

ab|lette [ablɛt] *f* Weißfisch *m*; **~lution** *f* Waschung *a. rel*; *fig* Reinigung *f*; *faire ses ~s (fam)* sich waschen.

abnégation [abnegasjɔ̃] *f* Selbstverleugnung *f*; Verzicht *m*, Opferbereitschaft *f*, -geist *m*; *plein d'~* opferbereit, selbstvergessen; *faire ~ de soi* sich auf=opfern.

aboi [abwa] *m* Bellen *n*; *être aux ~s (Jagd)* gestellt sein; *fig* in e-r verzweifelten Lage, in der Klemme sein; **~ement** [abwamɑ̃] *m* Gebell, Bellen; *fig* Belfern, Geschrei, Gezeter *n*.

abol|ir [abɔlir] ab=schaffen; *(Gesetz)* außer Kraft setzen; beseitigen; **~ition** *f* Abschaffung; *jur* Aufhebung *f*.

abomin|able [abɔminabl] abscheulich; greulich, ekelhaft; verhaßt; *c'est ~!* das ist (wirklich) e-e Schande!; **~ation** *f* Abscheu, Greuel, Ekel *m*; *avoir qc, qn en ~* etw, jdn verabscheuen; *être en ~ à qn* für jdn ein rotes Tuch sein; *(Bibel)* jdm ein Greuel sein; **~er** *fam* verabscheuen; hassen.

abond|amment [abɔ̃damɑ̃] *adv* in Fülle, reichlich; **~ance** *f* Fülle *f*, Überfluß *m*; Flüssigkeit, Leichtigkeit *f* der Rede; *en ~* im Überfluß; *en grande ~* in Hülle und Fülle; *parler d'~* aus dem Stegreif reden; *parler avec ~* flüssig reden; *~ de biens ne nuit pas* besser zuviel als zuwenig; *corne f d'~* Füllhorn *n*; **~ant, e** reichlich, ausgiebig; *(Stil)* reich, überströmend; *(Rede)* ideenreich; *(Regen)* heftig; **~er** reichlich vorhanden sein; Überfluß haben (*en* an *dat*); *il ~e dans mon sens* er pflichtet mir bei; er ist ganz meiner Meinung.

abonn|é, e [abɔne] *m f* Abonnent, Bezieher; Verbraucher *m*; *~é, e du téléphone* (Fernsprech-)Teilnehmer *m*; *loc* Zeitkarteninhaber *m*; *il n'y a pas d'~ au numéro que vous avez demandé* kein Anschluß unter dieser Nummer; **~ement** *m* Abonnement *n*, laufende(r) Bezug *m*; Entleihgebühr; *loc* Zeitkarte *f*; *theat* Abonnement *n*, Miete; *sport* Dauerkarte; (regelmäßige) Abgabe, Gebühr *f*; *tele* Anschluß *m*; *prendre un ~* sich abonnieren (*à* auf *acc*); *loc* e-e Zeitkarte kaufen; *souscrire un ~* abonnieren, *conditions f pl d'~* Bezugsbedingungen *f pl*; *~ hebdomadaire* Wochenkarte *f*; *~ postal* Postbezug *m*; **~er** abonnieren (*qn à qc* jdn auf e-e S); *s'~ à qc (Zeitung)* etw beziehen; für etw e-e Zeitkarte kaufen; e-n *(Gas-, elektrischen)* Anschluß ein=richten lassen.

abord [abɔr] *m* Zugang *m*, Zufahrt; Annäherung; Ankunft *f*; Anlegen *n*;

Landung; *fig* Aufnahme *f,* Empfang *m;* Wesen, Verhalten *n (gegenüber anderen Menschen); pl* Umgebung *f; mil* Vorgelände *n; loc* Annäherung *f* (*de* an *acc*); *d'~* zuerst, zunächst; *tout d'~* zuallererst; *dès l'~* gleich von Anfang an; von vornherein; *au premier ~, de prime ~* am Anfang, im ersten Augenblick, von Anfang an, vom ersten Augenblick an; *être d'un ~ facile (fig)* (leicht) zugänglich sein; **~able** zugänglich *a. fig; (Preis)* erschwinglich; **~age** *m mar* Entern *n; mar aero* Zs.stoß *m;* Anlegen *n; mil* Ansturm *m;* **~er** *itr mar* landen, an=legen, längsseits kommen; vor Anker gehen; *tr mar* an=laufen; entern; zs.=stoßen (*qc* mit etw); stoßen (*qc* gegen etw); *aero* an=fliegen; *(Person)* an=reden; *(Problem)* an=packen, in Angriff nehmen; *(Frage)* vor=nehmen, erörtern, an=schneiden; *(Feind)* an=greifen; *(Arbeit)* beginnen, in Angriff nehmen.

aborigène [abɔriʒɛn] *a* einheimisch; *s m f* Eingeborene(r *m*), Einheimische(r *m*) *f; pl* Ureinwohner *m pl.*

aborn|ement [abɔrnəmɑ̃] *m (Grundstück)* Abgrenzung; Markierung *f;* **~er** *(Grundstück)* ab=grenzen, ab=stecken.

abortif, ive [abɔrtif, -iv] *a* abtreibend; *s m* Abtreibungsmittel *n.*

abouch|ement [abuʃmɑ̃] *m* Unterredung, Zs.kunft, Fühlungnahme; *tech* Einmündung *f;* **~er** *(Personen)* zs.=bringen; in Verbindung bringen; e-e Unterredung vermitteln (*les intéressés* zwischen den Interessenten); *tech* ineinander=fügen; *s' ~* zs.=treffen; sich besprechen (*avec* mit); *med* ein=münden.

aboul|er [abule] *pop* raus=rücken; *fam (Geld)* blechen; *s'~ (arg)* (an=)kommen; *(arg) ~e!* her damit! **~ie** *f* Willenlosigkeit *f;* **~ique** willenlos.

about [abu] *m* Balkenkopf, Zapfen *m; tech* Stirn *f,* Ende *n; ~ de tôle* Plattenstoß *m;* **~age** *m (Tau)* Verknüpfen *n;* **~ement** *m tech* Zs.fügen *n,* Verbindung *f;* **~er** anea.=fügen; *(Taue)* verknüpfen.

about|ir [abutir] **1.** *(toucher, confiner)* grenzen, stoßen (*à* an *acc*), reichen (*à* bis zu *dat*); *son champ aboutit au mien, à la route* sein Feld grenzt an meines, sein Feld reicht bis zur Straße; **2.** *(affluer, converger, finir)* zs.=laufen; *(Fluß)* münden; *la Weser aboutit à la mer du Nord* die Weser mündet in die Nordsee; **3.** *(atteindre un résultat, mener à sa fin, réussir)* führen (*à* zu); *cela aboutira à une catastrophe* das führt zu einer Katastrophe; kommen (*à* zu); *~ à qc* etw erreichen; *cela aboutit à une bagarre* es kam zu einer Schlägerei; zu einem Ergebnis führen; *il a finalement abouti* er hat schließlich Erfolg gehabt; durch=dringen; *son plan n'a pas abouti* er ist mit seinem Plan nicht durchgedrungen; *bot* reifen; *faire ~ qc* etwas zu einem guten Ende, zustande bringen; verwirklichen; *l'enquête n'a pas abouti* die Untersuchung ist ergebnislos verlaufen, hat kein Ergebnis gehabt; **~issant, e** *a* anstoßend, angrenzend; *s m tenants et aboutissants* angrenzende Grundstücke *n pl; connaître les tenants et les ~s (fig)* gut im Bilde sein; *fig* Begleitumstände; **~issement** *m* Ergebnis, Ende *n,* Ausgang, Erfolg *m;* Krönung *f; (arch)* Widerlager *n.*

aboy|er [abwaje] bellen, an=schlagen; an=bellen (*après, a. contre, à qn* jdn); *fam* schreien, zetern; *fig* belästigen (*après qn* jdn); *(Magen)* knurren; *(Kanonen)* donnern; *~ à la lune* den Mond an=bellen; sich unnütz ereifern; *chien qui aboie ne mord pas* bellende Hunde beißen nicht; **~eur, euse** *a* bellend; belfernd; *s m* Kläffer; Schreier; Ausrufer; Zeitungsverkäufer; bissige(r) Kritiker; *orn* Grünschenkel, Glutt; *pol* Hetzredner *m.*

abracadabr|a [abrakadabra] *m* Zauberformel; Faselei *f;* Abrakadabra *n;* **~ant, e** erstaunlich, sonderbar, verblüffend.

abras|if, ive [abrazif, -iv] *a* (ab-)schleifend; *s m tech* Schleifmittel *n;* **~ion** [-zjɔ̃] *f med* Abschabung *f; tech* Abschleifen *n; geol* Abtragung, Abrasion *f (durch die Brandung).*

abrég|é [abreʒe] *m* Zs.fassung *f,* (kurzer) Abriß; Auszug *m; en ~* (kurz) zs.gefaßt; auszugsweise; **~ement** [abrɛʒmɑ̃] *m* Verkürzung, Zs.fassung *f;* **~er** [-bre-] *(Wort)* ab=kürzen; *(Buch)* zs.=fassen; *(Silbe)* kürzen; *(Gegenstand, Zeitdauer)* verkürzen; *pour ~* um mich kurz zu fassen.

abreuv|age, ~ement [abrœvaʒ, -mɑ̃] *m* Tränken; *(Schiff)* Wässern *n;* **~er** tränken; begießen; *(Faß)* mit Wasser an=füllen; in Wasser tauchen; bewässern; *(Leder)* ab=tränken; *(Mauerwerk)* an=feuchten; *fig* überhäufen (*d'outrages* mit Beleidigungen); *s'~* s-n Durst löschen (*de* mit); *(Tier)* saufen; *fig* nicht genug kriegen (können) (*de* von); schwelgen (*de* in *dat*); *~ qn de chagrins* jdm viel Kummer bereiten; *~é de larmes* in Tränen gebadet;

~oir *m* Tränke; Schwemme *f; (Vögel)* Trinknapf *m.*
abréviat|eur [abrevjatœr] *m* Verfasser *m* e-r Kurzfassung; **~if, ive** abkürzend; **~ion** [-sjõ] *f* Abkürzung *f.*
abri [abri] *m (Ort)* Obdach *n;* Zufluchtsort, Unterschlupf *m;* Schutzdach *n,* -hütte; Wartehalle; Unterkunft *f; tech* Gehäuse *n; loc* Führerstand *m; mil* Deckung *f,* Unterstand; Luftschutzraum, -keller; *fig* Schutz *m; à l' ~ de* geschützt gegen, sicher vor *dat; à l' ~ de l'air* unter Luftabschluß; *à l'~ d'un arbre* unter e-m Baum; *à l'~ des chars* panzersicher; *à l'~ des éclats* splittersicher; *à l'~ des gaz* gassicher; *à l'~ des vues* gegen Sicht gedeckt; *mettre à l'~* unter Dach u. Fach bringen; unter⸗stellen; *mil* sichern; *(Truppen)* unter⸗bringen; *se mettre à l'~* sich unter⸗stellen; *mil* in Deckung gehen; *~ actif* Kampfstand *m; ~ antiaérien* Fliegerdeckung *f;* Luftschutzraum, -keller *m; ~ bétonné* Betonbunker *m; ~ à l'épreuve des bombes* bombensichere(r) Unterstand *m; ~ pour marqueurs* Anzeigerdeckung *f; ~ de mitrailleuse* MG-Nest *n; ~ de sous-marin* U-Boot-Bunker *m; ~ contre le vent* Windschutz *m.*
abricot [abriko] *s m* Aprikose *f; a* aprikosenfarbig; **~ier** [-kɔtje] *m* Aprikosenbaum *m.*
abri|ter [abrite] schützen; bergen; verstecken; verwahren; *(Auto)* unter⸗stellen; *mar* bekalmen; *(Person)* beherbergen; *s'~* sich schützen (*contre, de* gegen, vor *dat*); sich unter⸗stellen; *mil* in Deckung gehen; **~vent** *m* Windschutz *m;* Schutzdach *n; (Gärtnerei)* Strohmatte *f.*
abrog|atif, ive [abrɔgatif, -iv] aufhebend; **~ation** *f jur* Aufhebung, Außerkraftsetzung *f;* **~atoire** aufhebend; **~er** [-ʒe] *jur* auf⸗heben, außer Kraft setzen; ab⸗schaffen.
abrupt, e [abrypt] steil, abschüssig, schroff; jäh abfallend; *fig (Stil)* holperig, ungelenk; *(Charakter)* schroff, rauh, grob, ungeschliffen.
abrut|i, e [abryti] *a fig* abgestumpft, verblödet, vertiert; stumpfsinnig geworden; *s m fam* Dummkopf *m;* **~ir** stumpfsinnig machen, verblöden; *fig* ab⸗stumpfen, verdummen; *s'~* stumpfsinnig werden; vertieren, verblöden; *fig* sich betäuben; *s'~ par la boisson* s-n Verstand versaufen; *s'~ de travail (fam)* sich kaputt⸗arbeiten; **~issant, e** geisttötend, abstumpfend; *(Arbeit)* unmenschlich; **~issement** *m* Stumpfsinn *m;* Verblödung *f.*
abscisse [apsis] *f math* Abszisse *f.*
abscons, e [abskõ, -õs] dunkel, schwerverständlich, unklar.
absen|ce [apsɑ̃s] *f* Abwesenheit *f;* Nichterscheinen, Ausbleiben; Fehlen *n; jur* Verschollenheit *f;* Mangel *m; pl* Geistesabwesenheit, Zerstreutheit *f; en l'~* in Abwesenheit (*de qn* jds); *briller par son ~* durch Abwesenheit glänzen; *remarquer l'~* vermissen (*de qn* jdn); *il a des ~s* er ist zeitweilig geistesabwesend; *déclaration f d'~ (jur)* Verschollenheitserklärung *f; ~ de courant* Stromausfall *m; ~ d'éblouissement* Blendfreiheit *f; ~ illégale* unerlaubte Abwesenheit *f; ~ de ressources* Mittellosigkeit *f;* **~t, e** [-sɑ̃, -t] *a* abwesend; nicht zu Hause; verreist; fern; zerstreut, unaufmerksam; *s m f* Abwesende(r *m*), Fehlende(r *m*) *f; être ~* fehlen; nicht dasein (*de qc* bei etw); *liste f des ~s* Abwesenheitsliste *f;* **~téisme** *m* Fehlen, Krankfeiern *n; taux m d'~* Abwesenheitsquote *f; ~ parlementaire* Nichterscheinen *n* der Abgeordneten; *~ scolaire* Schulschwänzen *n;* **~téiste** *a* nichtanwesend, fehlend; *s m f* Fehlende(r) *m f,* Nichtanwesende(r) *m f;* Schulschwänzer(in *f*) *m;* **~ter, s'** sich (kurz) entfernen; weg⸗gehen; verreisen; fern⸗bleiben.
absid|e [apsid] *f arch* Apsis *f;* Chor(abschluß) *m;* **~iole** [-djɔl] *f* Chorkapelle; kleine Apsis *f.*
absinthe [apsɛ̃t] *f bot* Wermut; Absinth *m (Likör); fig* Bitterkeit *f.*
absolu, e [apsɔly] *a* unumschränkt, absolut; ausschließlich; unbedingt; vollkommen; *gram* unverbunden, unabhängig; *(Alkohol)* rein; *s m* Absolute(s) *n; majorité f ~e* absolute Mehrheit *f;* **~ment** *adv* unumschränkt; unbedingt; vollständig, völlig; durchaus, ganz; absolut; *refuser ~* rundweg ab⸗lehnen; *c'est ~ défendu!* das ist strengstens verboten! *~ rien* gar nichts; **~tion** *f* Lossprechung (von Sünden), Absolution *f; jur* Freispruch *m* (mangels gesetzlicher Handhabe); **~tisme** *m* unumschränkte Herrschaft *f;* Absolutismus *m;* **~tiste** *a* absolutistisch, unumschränkt; *s m* Absolutist *m;* **~toire** los-, freisprechend.
absor|bable [apsɔrbabl] absorbierbar; **~bant, e** *a* absorbierend, aufsaugend; *fig* stark in Anspruch nehmend; *s m* Absorptionsmittel *n; travail m ~* aufreibende Arbeit *f;* **~bé, e** *fig* vertieft, versunken (*dans* in *acc*); *~ par*

le spectacle de qc in den Anblick e-r S versunken; ~**ber** auf=saugen, auf=zehren, schlucken, in sich auf=nehmen; *(Speise)* zu sich nehmen; *fig* stark in Anspruch nehmen; *chem* binden; *tech* absorbieren; *(Stoß)* auf=fangen; *(Ware)* auf=nehmen; *(Luft)* atmen; *s'~* sich versenken, sich vertiefen, auf=gehen (*dans qc* in e-r S); ~ *le pouvoir d'achat excédentaire* den Kaufkraftüberhang ab=schöpfen; ~**ption** *f* Aufsaugen *n;* Aufnahme *f; fig* Auslöschen, Verschwinden; Aufgehen, Sichversenken *n* (*dans* in *acc*); *tech chem* Absorption *f;* ~ *de capital* Kapitalabschöpfung *f;* ~ *de chaleur* Wärmeaufnahme *f.*

absou|dre [apsudr] *irr rel* los-, frei=sprechen; die Absolution erteilen (*qn* jdm); *jur* für straflos erklären; ~**te** *f* Absolution *f (am Gründonnerstag, am Schluß der Totenmesse);* Tumbagebete *n pl.*

abstenir, s' [apstənir] *irr* sich enthalten (*de qc* e-r S *gen*); unterlassen, bleiben=lassen; meiden; *pol* sich der Stimme enthalten; *ne pas pouvoir* ~ nicht umhin=können; ~ *au vote* sich der Stimme enthalten; *il préfère* ~ er will sich lieber nicht ein=mischen.

abstention [apstɑ̃sjɔ̃] *f* Enthaltung; Unterlassung; Verzichtleistung; Stimmenthaltung *f;* ~**nisme** [-sjɔ-] *m* Wahlmüdigkeit *f;* ~**niste** *m* Nichtwähler *m.*

abster|gent, e [apstɛrʒɑ̃, -t] *a med vx* reinigend; *s m vx* Wundwaschmittel *n;* ~**ger** *med vx* aus=waschen; ~**sion** [-sjɔ̃] *f vx* (Wund-)Reinigung, (Wund-)Waschung *f.*

abstinen|ce [apstinɑ̃s] *f* Enthaltsamkeit, Mäßigkeit, Abstinenz; *(Speisen)* Enthaltung *f* (*de qc* e-r S *gen); faire* ~ fasten; Enthaltsamkeit üben; *jour m d'~* Fasttag *m;* ~**t, e** *a* enthaltsam, mäßig, genügsam; *s m* Abstinenzler *m.*

abstr|acteur [apstraktœr] *m* Verstandesmensch; Haarspalter, Wortklauber *m;* ~**actif, ive** abstrakt; unanschaulich; ~**action** *f* abstrakte(r) Begriff *m;* Abstraktion; Verallgemeinerung *f; péj* Hirngespinst *n; par* ~ abstrakt; *faire* ~ ab=sehen (*de qc* von etw), beiseite lassen (*de qc* etw); *ce sont des ~s* das ist Theorie; *puissance f d'~* Abstraktionsvermögen *n;* ~ *faite de* abgesehen von; ~**aire** *irr* abstrahieren; begrifflich erfassen; *(e-n Begriff)* ab=ziehen; getrennt, gesondert betrachten; *s'~* sich zurück=ziehen (*de* von), meiden; sich vertiefen, sich vergraben (*dans* in *acc*); ~**ait, e** [-trɛ, -ɛt] *a* abstrakt, rein begrifflich; (nur) gedacht; *(Zahl)* abstrakt, unbenannt; *fam* schwerverständlich; *s m* Abstrakte(s) *n;* ~**us, e** [-y, -yz] dunkel, abstrus; schwerverständlich.

absurd|e [apsyrd] unsinnig, absurd, ungereimt, abgeschmackt; unvernünftig; *pousser qc à l'~* etw ad absurdum führen; *il tombe dans l'~* jetzt redet er Unsinn; *c'est* ~ das ist Unsinn; ~**ité** *f* Ungereimtheit *f,* Widersinn *m;* Absurdität *f;* ungereimte(s) Zeug *n.*

abus [aby] *m* Mißbrauch; Mißstand *m;* Übermaß *n,* Übertreibung *f;* Unfug *m; faire* ~ Mißbrauch treiben (*de* mit); ~ *de confiance* Vertrauensbruch *m;* Unterschlagung *f;* ~ *de pouvoir* Amtsmißbrauch *m;* ~**er** [-ze] *tr* täuschen, hintergehen; verführen; *itr* mißbrauchen (*de qc, qn* etw, jdn); zu weit gehen; aus=nutzen (*de qn* jdn); *(Frau)* entehren, verführen (*de qn* acc); *s'~* sich täuschen, sich irren; sich Illusionen hin=geben; *je ne veux pas* ~ *de vous* ich will nicht zuviel von Ihnen verlangen; *j'~e de votre temps* ich raube Ihre Zeit; ~**if, ive** mißbräuchlich; irreführend, falsch; übermäßig.

abyssal, e [abisal] *geog* Tiefsee-; *geol* plutonisch; *fig* unergründlich (tief); *roches f ~es* Tiefengestein *n;* ~**e** *m* Tiefseegraben *m.*

abyss|in, e [abisɛ̃, -in]; ~**inien, ne** *a* abessinisch; *A~ s m f* Abessinier(in *f*) *m;* **A~inie, l'** *f* Abessinien *n.*

acabit [akabi] *m fam* Art *f,* Charakter *m,* Kaliber *n (Mensch); de bon ~ (Sache)* von guter Qualität; *(Mensch)* tadellos, einwandfrei.

acacia [akasja] *m* Akazie *f; faux* ~ unechte Akazie, Robinie *f.*

académi|cien [akademisjɛ̃] *m* Mitglied *n* e-r Akademie, *bes. der Académie française;* ~**e** [-mi] *f* Akademie; Schule *f;* Unterrichts-, Schulbezirk; *(Malerei)* Akt; *fam* Körper *m;* ~**que** akademisch *(a. Stil); fig* geziert.

acajou [akaʒu] *m* Mahagoni(holz) *n,* -baum *m.*

acanthe [akɑ̃t] *f bot* Bärenklau *f* od *m; arch* Akanthus(blatt *n*) *m.*

acariâtre [akarjɑtr] streitsüchtig, zänkisch, mürrisch; *(Charakter)* schwierig.

acariens [akarjɛ̃] *m pl* Milben *f pl (Ordnung).*

acarus [akarys] *m* (Krätz-)Milbe *f.*

accabl|ant, e [akablɑ̃, -ɑ̃t] er-, niederdrückend; *(Wetter)* schwül; *(Schmerz)* quälend; *(Hitze)* drückend; *preuves f pl ~es* erdrückende Beweise *m pl;* **~ement** [~bləmɑ̃] *m* Niedergeschlagenheit, Verzagtheit, Gedrücktheit *f;* **~er** nieder=drücken, -schmettern; überwältigen; überlasten; überhäufen (*de* mit); belästigen; *(Land)* ruinieren, erschöpfen; *~ de reproches* mit Vorwürfen überhäufen; *~é de dettes* stark verschuldet; *~é de douleurs* von Schmerzen gequält; *~é de fatigue* todmüde; *~é de travail* überlastet; *~é de vieillesse* altersschwach.

accalmie [akalmi] *f* (vorübergehende) Windstille *f; fig* (kurzer) Augenblick *m* der Ruhe; Atempause; *com* Stille, geschäftlich ruhige Zeit, *mil* Gefechtspause *f.*

accapar|ement [akaparmɑ̃] *m* wucherische(r) Aufkauf *m;* Hamstern; Mit-Beschlag-Belegen *n;* **~er** auf=kaufen; hamstern; an sich *(acc)* reißen, mit Beschlag belegen; *(Aufmerksamkeit)* auf sich *(acc)* ziehen; *~ par un trust* vertrusten; **~eur** *m* Aufkäufer, Wucherer *m; ~ (de marchandises)* Hamsterer *m.*

accéder [aksede] Zugang haben (*à* zu); Zutritt haben (*jusqu'à qn* bei jdm); *(e-m Vertrag)* bei=treten; *(e-r Bedingung)* zu=stimmen; *(e-r Ansicht)* bei=pflichten; *(Bitte)* gewähren (*à qc* etw).

accélér|ateur, trice [akseleratœr] *a* beschleunigend; *s m tech* Beschleuniger; *mot* Gaspedal *n; phot* Zeitraffer *m;* **~ation** *f* Beschleunigung; *fig* rasche Durchführung *od* Erledigung *f; ~ de la pesanteur* Erdbeschleunigung *f; ~ de propulsion* Antriebsbeschleunigung *f;* **~é, e** *a (Puls)* beschleunigt; *(Geschwindigkeit)* zunehmend; *s m phot* Zeitraffer(aufnahme *f*) *m;* **~er** beschleunigen; *mot* Gas geben; *s'~* schneller werden; **~omètre** [-rɔ-] *m* Beschleunigungsmesser *m.*

accent [aksɑ̃] *m* Akzent *m;* Betonung *f,* Ton *m; (Art der)* Aussprache *f; (Stimme)* Klang, Ton; *(Malerei)* kräftige(r) Pinselstrich; *fig* Nachdruck *m;* Hervorhebung *f; donner de l'~ à qc* etw hervor=treten lassen; *mettre l'~ sur qc* etw (besonders) betonen, hervor=heben, heraus=stellen; *l'~ tombe sur la première syllabe* der Ton liegt auf der ersten Silbe; **~uation** [-tya-] *f* Betonung *f;* Tonfall *m;* **~uer** [-tye] betonen; e-n Akzent setzen (*qc* auf *acc*); hervor=heben, unterstreichen; verstärken; *s'~* klarer, deutlicher werden; zu=nehmen, sich verstärken; *traits m pl ~és* scharf ausgeprägte Züge *m pl.*

accept|able [akseptabl] annehmbar; *(Angebot)* vernünftig; befriedigend; in gutem Zustand; **~ation** *f* Über-, Ab-, Annahme *f; com* Akzept(vermerk *m*) *n; présenter à l'~* zur Annahme vor=legen; *revêtir de l'~* mit Akzept versehen; **~er** auf=, ab=, an=nehmen; in Empfang nehmen, zu=stimmen (*qc* e-r S *dat); (Wechsel)* akzeptieren; **~eur** *m com* Akzeptant, Bezogene(r) *m;* **~ion** [-sjɔ̃] *f (Wort)* Sinn *m,* Bedeutung *f; sans ~ de personne* ohne Ansehen der Person; *~ figurée* übertragene Bedeutung *f.*

accès [aksɛ] *m* Zugang, Zutritt *m,* Zufahrt *f;* Betreten *n; med* Anfall *m;* Anwandlung *f; inform* Zugriff *m; (Zorn)* Ausbruch *m; donner ~ à* führen zu; Zutritt geben zu; *temps d'~ (inform)* Zugriffszeit *f.*

access|ibilité [aksɛsibilite] *f* Zugänglichkeit *f;* **~ible** zugänglich; erreichbar, empfänglich (*à* für); verständlich; *(Preis)* erschwinglich; **~ion** *f* Beitritt; Zuwachs *m;* Zustimmung; *(Thron)* Besteigung *f; ~ à la propriété* Eigentumsgewinnung *f.*

accessit [aksɛsit] *m* ehrenvolle Erwähnung *f;* Lob *n, (bes. Schule)* Auszeichnung *f.*

accessoi|re [aksɛswar] *a* nebensächlich, untergeordnet; unwesentlich; Neben-; zusätzlich; *s m* Nebensache; unbedeutende Einzelheit *f; tech* Zubehör(teil) *n;* Werkzeug *n; pl* Armatur *f; pl theat* Requisiten *n pl; frais m pl ~s* Nebenkosten *pl; ~s d'automobile(s)* Autozubehör *n; ~s de la mode* modische(s) Beiwerk *n;* **~riste** *m* Zubehörlieferant; *theat* Requisiteur *m.*

accident [aksidɑ̃] *m* Zufall; Vorfall; Unfall *m,* Unglück *n; mot* Defekt *m,* Panne; *min* Störung; *(Boden)* Unebenheit *f; mus* Versetzungszeichen *n; med* Komplikation, (Krankheits-) Erscheinung *f;* Akzidens *n; par ~* zufällig; *avoir un ~* verunglücken; *~ d'auto* Autounfall *m; ~ d'avion* od *aérien, de chemin de fer, de (la) circulation* Flugzeug-, Eisenbahn-, Verkehrsunfall *m,* -unglück *n; ~ domestique* Haushaltsunfall *m,* Unfall *m* im Haushalt; ~ d'exploitation, industriel Betriebsunfall *m; ~ de terrain* Geländesprung *m; (fig) ~ de parcours* Ausrutscher *m; ~ de trajet* Unfall *m* auf dem Weg zur *od* von der Arbeitsstätte; *~ du travail* Arbeitsunfall *m;* **~é, e** *a (Leben)* bewegt; *(Landschaft)* uneben, unruhig, hügelig; *(Stil)* abwechslungsreich; holperig; *min* gestört; *(Person)* verunglückt; *s m f* Verunglückte(r *m*) *f;* **~el, le** zufällig;

unwesentlich; akzident(i)ell; *mort f ~le* tödliche(r) Unfall; Unfalltod *m;* **~er** abwechslungsreich gestalten; *fam* verunglücken lassen.

acclam|ation [aklamasjɔ̃] *f* Zuruf; lebhafte(r), laute(r) Beifall; Jubel *m; voter par ~* durch Zuruf wählen; **~er** zu=jubeln (*qn* jdm); applaudieren (*qn* jdm); *(Vorschlag)* begrüßen; *(zum König)* aus=rufen.

acclimat|ation [aklimatasjɔ̃] *f* Akklimatisierung *f;* **~ement** *m* (natürliche) Anpassung; Adaptation *f;* **~er** akklimatisieren; *fig* ein=führen, verpflanzen, heimisch machen; *s'~* heimisch werden, sich ein=, an=passen.

accoint|ance [akwɛ̃tɑ̃s] *f péj* (vertrauter) Umgang; Verkehr *m;* Beziehung *f;* **~er, s'** vertraut werden (*à* mit); *fam* sich ein=lassen (*avec qn* mit jdm).

accol|ade [akɔlad] *f* Umarmung *f, bes.* mit feierlichem Kuß; Ritterschlag *m; mus typ* Klammer *f; arch* Eselsrükken; Kielbogen *m;* **~ader** *mus typ* mit Klammern verbinden; *fam* umarmen; **~age** *m agr* Anbinden *n;* **~ement** *m* Zs.klammern, Verbinden *n;* **~er** umarmen; zs.=, nebenea.=stellen, verbinden; *mil* an=schließen (*à* an *acc*); *(Reben)* auf=binden; *arch* an=bauen, zs.=fügen; *typ* mit Klammern verbinden, *s'~* sich um=schlingen, sich an=klammern; sich ein=lassen (*à qn* mit jdm); **~ure** *f agr (Stroh-)*Band *n; typ* Ligaturen *f pl.*

accommod|able [akɔmɔdabl] *(Streit)* leicht beizulegen(d); **~ant, e** verträglich, gefällig; umgänglich; willfährig; **~ation** *f (Auge)* Akkommodation; Anpassung *f;* Einrichten *n;* **~ement** *m* Ausgleich *m,* Übereinkommen *n; com* Abfindung, Übereinkunft *f,* Vergleich *m; en venir à un ~* e-n Vergleich schließen; **~er** versöhnen; *(Angelegenheit)* regeln; *(Speisen)* zu=bereiten; *(Streit)* schlichten; *s'~* sich ein=, an=gewöhnen; sich an=passen (*de* an *acc*); zufrieden sein; sich ab=finden (*de* mit *acc*); das Beste machen (*de* aus); zu e-m Vergleich kommen; sich schicken (*à* in *acc*).

accompagn|ateur, trice [akɔ̃paɲatœr, -tris] *m f mus* Begleiter(in *f*) *m;* Begleitperson *f;* Zugbegleiter(in *f*) *m;* **~ement** *m* Begleitung *f;* Zusatz *m,* Zubehör *n;* Begleiterscheinung *f; d'~ (mil)* Begleit-; *engin m d'~* Begleitwaffe *f;* **~er** begleiten *a. mus;* mit=gehen (*qn* mit jdm); *s'~ de* verbunden sein mit, mit sich bringen, im Gefolge haben.

accompl|i, e [akɔ̃pli] vollendet; vollkommen; *fig* tüchtig, ausgezeichnet, erstklassig; *(Wunsch, Pflicht)* erfüllt; *20 ans ~s* volle 20 Jahre; **~ir** voll-, beenden; *(Aufgabe)* erfüllen; *(Versprechen)* halten; *(Plan)* durch=, aus=führen; *(großes Werk)* zustande bringen, vollbringen; *(Arbeit)* aus=führen; *(Gesetz)* befolgen; *(e-r Verpflichtung)* nach=kommen; *(Befehl)* aus=führen; *(Verbrechen)* begehen; *s'~* in Erfüllung gehen, ein=treffen; **~issement** *m* Vollendung; Erfüllung; Durchführung; Verwirklichung; (Ab-)Leistung *f.*

accord [akɔr] *m* Übereinstimmung; Eintracht *f;* richtige(s) Verhältnis *n;* Ausgleich *m;* Einigung; Vereinbarung, Übereinkunft; Verabredung, Absprache *f;* Vertrag *m; com* Abfindung *f; mus* Akkord *m; radio* Einstellung, Abstimmung *f; d'~!* einverstanden! abgemacht! zugegeben! *d'un commun ~* einstimmig, in gegenseitigem Einverständnis; *en ~ avec* im Einverständnis mit; *conclure un ~* e-n Vertrag ab=schließen; *frapper un ~* e-n Akkord an=schlagen; *jeter les bases d'un ~* die Grundlagen für e-n Vertrag legen; *mettre d'~* in Einklang bringen; *tomber d'~* zu e-r Vereinbarung kommen; einig werden (*de, sur* über *acc*); *nous sommes d'~* wir sind einig; wir sind (damit) einverstanden; *bouton m d'~* Abstimmknopf *m; gamme f d'~* Abstimmbereich *m; ~ additionnel* od *complémentaire, commercial, de compensation, économique, intérimaire, monétaire, moratoire, de paiement, prêt et bail* Zusatz-, Handels-, Verrechnungs-, Wirtschafts-, Zwischen-, Währungs-, Stillhalte-, Zahlungs-, Leih- u. Pachtabkommen *n; ~ collectif* Kollektivvertrag *m; ~s sur les prix* Preisabmachungen *f pl; ~ sur les salaires* Lohnabsprache *f;* **~able** (ab)stimmbar; vereinbar; **~age** *m mus* Stimmen *n; tele radio* Abstimmung *f;* **~ailles** [-aj] *f pl vx* Verlobung *f.*

accord-cadre [akɔrkadr] *m (pl ~s-~s)* Rahmenabkommen *n.*

accordéon [akɔrdeɔ̃] *m* Akkordeon *n,* Ziehharmonika *f;* **~iste** [-ɔn-] *m* Ziehharmonikaspieler *m.*

accord|er [akɔrde] *tr* in Einklang bringen, vereinen; versöhnen; verleihen, schenken, gewähren; vereinbaren, aus=machen; *mus* stimmen; *radio* ab=stimmen; *fig* zu=geben, ein=räumen; zu=gestehen; *(Bitte)* gewähren; *(Antrag)* bewilligen; *(Bedeutung)* bei=messen; *(Farben)* aufea. ab=stimmen; *s'~* überein= stimmen; zuea.passen; harmonieren (*à, avec* mit); sich einigen, überein≈kommen; *mus* auf-ea. abgestimmt sein; *radio* sich ein≈stellen (*sur* auf *acc*); ~ *sa confiance (parl)* das Vertrauen aus≈sprechen; ~ *un délai de paiement* e-e Zahlung stunden; ~ *des dommages et intérêts* Schadenersatz zu≈sprechen; ~ *sa main (Frau)* ihr Jawort geben (*à qn* jdm); **~eur** *m*: ~ *de pianos* Klavierstimmer *m;* **~oir** *m mus* Stimmschlüssel *m.*

accor|e [akɔr] *a mar* steil; *s f mar* Stütze *f;* **~er** *mar* ab≈stützen.

accort, e [akɔr, -t] *(nur f)* liebenswürdig; zuvorkommend.

accost|able [akɔstabl] zugänglich *(a. von Personen);* **~age** *m mar* Anlegen, Landen *n;* **~er** *fam* an≈reden (*qn* jdn); *mar* an≈legen (*qc* an e-r S).

accot|ement [akɔtmɑ̃] *m (Straße)* Bankette, Berme *f,* Seitenstreifen *m;* Bettung *f (neben dem Geleise);* Radfahrweg; Fußweg *m; (Uhr)* Reibung *f;* ~ *de stationnement (mot)* Parkstreifen *m;* **~er** (auf≈)stützen, an≈lehnen (*à, contre, sur* an *acc*); **~oir** *m* Arm-, Seitenlehne *f.*

accouch|ée [akuʃe] *f* Wöchnerin *f;* **~ement** *m* Niederkunft, Entbindung; *fig* Geburt, Entstehung *f; maison f d'~* Entbindungsheim *n;* **~er** *tr* entbinden; *itr* entbunden werden (*de* von), nieder≈kommen (*de* mit), zur Welt bringen (*de qc* e-e S); *fig* zustande bringen (*de qc* e-e S); *fam* heraus≈rücken (*de* mit); **~eur, se** *m f* Geburtshelfer *m;* Hebamme *f.*

accoud|ement [akudmɑ̃] *m* Aufstützen *n* (der Ellbogen); *mil* Tuchfühlung *f;* **~er, s'** sich (mit dem Ellbogen) auf≈stützen (*sur, à* auf *acc*); **~oir** *m* (Arm-)Lehne *f; (Terrasse, Fenster)* Brüstung *f,* Geländer *n.*

accoupl|ement [akupləmɑ̃] *m* Paarung; Verbindung; *tech* Kupplung; *radio* Kopplung *f;* ~ *articulé, à griffes* od *à crabots, hydraulique* Gelenk-, Klauen-, Strömungskupplung *f;* ~ *en parallèle, en série* Parallel-, Reihenschaltung *f;* ~ *universel* Universalgelenk *n;* **~er** paaren; zs.≈fügen; *tech* kuppeln; *radio* koppeln; (Wagen) zs.≈koppeln; *el* schalten; *s'~ (zoo)* sich paaren.

accour|ir [akurir] *irr* herbei≈eilen, -laufen; *(Menge)* zs.≈strömen; **~se** *f arch* Umgang *m.*

accoutr|ement [akutrəmɑ̃] *m* Ausstaffierung, Ausrüstung *f;* lächerliche(r) Aufzug *m;* **~er** aus≈staffieren, auf≈, heraus≈putzen.

accoutum|ance [akutymɑ̃s] *f* (An-)Gewöhnung; Gewohnheit *f;* **~é, e** gewöhnlich; gewohnt; *il n'y est pas ~* er ist nicht daran gewöhnt; **~er** gewöhnen (*à* an *acc*); *s'~ à* die Gewohnheit an≈nehmen zu; sich gewöhnen an *acc;* vertraut werden mit.

accrédit|er [akredite] akkreditieren (*auprès de* bei); Glauben, *com* Kredit verschaffen (*qn* jdm); verbreiten; **~eur** *m* Bürge *m;* **~if, ive** *a* Kredit-; *s m* Akkreditiv *n,* Kreditbrief *m.*

accroc [akro] *m* Riß *m;* Schwierigkeit *f,* Hindernis *n; fam (Regel)* Verstoß; *(Ruf)* Fleck, Schatten *m; il y a un ~ dans l'affaire* die Sache hat e-n Haken.

accroch|age [akrɔʃaʒ] *m* Ein-, Anhaken; Befestigen; Aufhängen *n; tech* Aufhängung *f;* Intrittkommen *n; mot* Zs.stoß *m,* Anfahren *n; (Boxen)* Clinch *m,* Umklammerung *f; loc* Ankuppeln; *min* Füllort *n; mil* Zs.stoß; *fam* Zwischenfall, Streit *m;* (unerwartete) Schwierigkeit *f; point m d'~* strittige(r) Punkt *m;* **~e-cœur** *m* Schmachtlocke *f;* **~er 1.** ~ *(Bild, Mantel)* auf≈hängen; ~ *un tableau au mur* ein Bild an die Wand hängen; *mot* an≈fahren; *il a ~é un véhicule à l'arrêt* er hat einen parkenden Wagen angefahren; *mil (Gegner)* fesseln; *tech* kuppeln; *tele* ein≈hängen; *mar* entern; *fam (einen guten Posten)* ergattern; *fig (Blick)* auf≈fangen; **2.** *s'~* sich an≈klammern *a. fig (au bras de qn, à un espoir* an jds Arm *(acc),* an e-e Hoffnung); *s'~ à qn* sich an jdn hängen; *s'~ à qc* sich an e-er S fest≈halten; *sa robe s'est accrochée aux barbelés* ihr Kleid hat sich am Stacheldraht festgehakt; *(Boxen)* ea. um≈klammern; *(Diskussion)* ea. in die Haare geraten, sich streiten (*à propos de* über *acc*); *se l'~ (fig)* den Gürtel enger schnallen; auf e-e S verzichten, etw in den Kamin schreiben; *s'~ au terrain (mil)* sich an das Gelände an≈klammern; *ça ~e (fam)* das hat e-n Haken; die Verbindung, Zs.arbeit klappt; *ils ~ent ensemble (fam)* sie passen zs.; **~eur** *s m min* Anschläger; *fig* Schieber *m; a* hartnäckig.

accroire [akrwar] : *en faire ~ à qn* jdm etw weis≈, vor≈machen.

accroissement [akrwasmɑ̃] *m* Wachstum *n,* Zuwachs *m,* Zunahme, Vermehrung, Vergrößerung *f;* Anwachsen, Steigen *n,* Steigerung *f,* Anstieg *m; taux m d'~ de la population par an* jährliche(r) Bevölkerungszuwachs *m;* ~ *démographique* Bevölkerungszunahme *f;* ~ *des impôts* Steuererhöhung *f.*

accroître [akrwatr] *irr* vergrößern, erweitern, steigern, aus=breiten; *s'~* größer werden, sich verbreiten; sich vermehren.

accroup|ir, s' [akrupir] sich nieder=kauern, sich ducken; (sich) nieder=hocken; *(Tiere)* sich setzen; *être, se tenir ~i* kauern; hocken; **~issement** *m* geduckte Haltung *f;* (Nieder-) Kauern *n.*

accru, e [akry] *a fig* verstärkt; *(Anstrengung)* vermehrt.

accueil [akœj] *m* Empfang *m,* Aufnahme *f; faire bon ~* gut auf=nehmen (*à qc, qn* etw, jdn); **~lant, e** zugänglich, freundlich, liebenswürdig, gastfreundlich; **~lir** *irr* an=, auf=nehmen, empfangen; *(e-m Gesuch)* statt=geben; *(Wechsel)* honorieren; *(Bitte)* erhören, gewähren; *(plötzliches Ereignis)* überraschen; nieder=prasseln (*qn* auf jdn); *être bien ~i* Anklang finden; gut, herzlich aufgenommen werden.

acculer [akyle] in die Enge treiben; *s'~* sich mit dem Rücken stellen (*à* an *acc, contre* gegen); *(Pferd)* (sich) hoch auf=bäumen; *~ qn aux extrémités* jdn zum Äußersten treiben.

accumul|ateur, accu [akymylatœr, aky] *m el* Akku(mulator), Sammler; *(Wasser)* Speicher, Bunker *m; ~ d'eau chaude* Heißwasserspeicher *m;* **~ation** *f (Geld, Kapital)* Anhäufung, Ansammlung; *tech* Speicherung, Stauung *f;* **~er** auf=, an=häufen; zs.=tragen; *(Pfennige)* zs.=scharren; *(Geld)* horten; *(Energie)* auf=speichern; *s'~* an=wachsen; sich an=sammeln; sich (ver)mehren; *(Hindernisse)* größer werden.

accus|able [akyzabl] (an)klagbar; tadelnswert; **~ateur, trice** *s m f* Ankläger(in *f*) *m; a* anklagend; **~atif** *m* Akkusativ, Wenfall *m;* **~ation** *f* Anklage; An-, Beschuldigung *f; mettre en ~* an=klagen; *mettre en état d'~* in den Anklagezustand versetzen; *porter une ~* Klage erheben (*contre* gegen); **~é, e** *s m f* Angeklagte(r *m*) *f; a* betont, ausgeprägt, stark hervortretend; *traits m pl ~s* scharfe Gesichtszüge *m pl; ~ m de réception* Empfangsbestätigung *f;* **~er** an=klagen, beschuldigen, bezichtigen (*qn de qc* jdn e-r S *gen*); Anklage erheben (*qn* gegen jdn); *(Zunahme)* an=zeigen, auf=weisen; *(Umrisse)* hervor=heben, hervor=treten lassen; *s'~* sich an=klagen, sich beschuldigen; hervor=treten; *~ son jeu* s-e Karten auf=decken; *~ réception* den Empfang bestätigen (*de qc* e-r S *gen*).

acéphale [asefal] kopflos; *fig* dumm.

acér|é, e [asere] verstählt; *(Klinge)* scharf; spitzig; *(Worte)* beißend, giftig; **~er** verstählen; (zu=)spitzen, scharf machen; *fig* scharf=machen.

acerb|e [asɛrb] sauer, herb, bitter *a. fig;* **~ité** *f* Säure *(bes. von Früchten);* Bitterkeit, Herbheit, Schärfe *f.*

acét|ate [asetat] *m* Azetat, essigsaure(s) Salz *n; ~ d'alumine* essigsaure Tonerde *f;* **~eux, se** essigsauer; **~ification** *f* Essigbildung *f;* **~ique** essigsauer; **~one** *f* Azeton *n;* **~ylène** [-tilɛn] *m* Azetylen *n.*

achaland|age [aʃalɑ̃daʒ] *m* Kundschaft *f;* Kunden *m pl;* Werbung *f;* **~er** (Kunden) werben (*un hôtel* für ein Hotel); in Mode bringen; *bien ~é (Laden)* gut=gehend; mit starkem Zuspruch.

acharn|é, e [aʃarne] *(Kampf)* erbittert; *(Gegner)* hartnäckig; grimmig; versessen (*à* auf *acc*); zäh; **~ement** *m (Tier)* Gier; *fig* Erbitterung, Wut; Leidenschaft(lichkeit); Ausdauer, Zähigkeit, Versessenheit *f;* **~er** *(Tier)* hetzen (*contre* auf *acc*); *fig* auf=reizen; erbittern; *s'~* unaufhörlich verfolgen (*sur, contre qn* jdn); verbissen kämpfen *od* arbeiten; *s'~ à faire qc* etw eifrig betreiben, hartnäckig hinter e-r S her sein.

achat [aʃa] *m* Kauf; An-, Einkauf *m;* Anschaffung *f; acquérir par voie d'~* käuflich erwerben; *faire des ~s* Einkäufe tätigen *od* machen, ein=kaufen; *contrat, pouvoir, prix m d'~* Kaufvertrag *m,* -kraft *f,* -preis *m; ~ au comptant, en gros, à tempérament, à terme, d'occasion* Bar-, Großein-, Abzahlungs-, Termin-, Gelegenheitskauf *m.*

achemin|ement [aʃ(ə)minmɑ̃] *m* Beförderung; *(Nachricht)* Übermittlung *f; (Post)* Beförderungsvermerk *m;* **~er** in Marsch setzen (*sur, vers* nach); *(Paket)* befördern; *(Zustand)* hin=führen (*à* zu), ein=leiten; *(Nachricht, Transport)* weiter=leiten; *s'~* sich auf den Weg machen; s-e Schritte lenken, sich begeben (*vers* nach).

achet|er [aʃte] (ein=)kaufen (*à* bei); an=, ab=kaufen; bestechen; *(Erfahrung)* erkaufen; *(Waren)* beziehen; *(bei e-r Versteigerung)* erstehen; *~ en bloc* in Bausch u. Bogen kaufen; *~ (au) comptant* (in) bar bezahlen; *~ à bon compte, bon marché* billig kaufen; *~ à crédit* auf Kredit, Abzahlung kaufen; *~ au détail* im Einzelhandel, im kleinen, stückweise, einzeln kaufen; *~ qc dix francs* etw für 10 Franken kaufen; *~ en gros* im Großhandel, in großer Menge, im großen kaufen; ~ *de première main* aus erster Hand kaufen; ~ *en masse* auf=kaufen; ~ *à tempérament* auf Teil-, Ratenzahlung, ratenweise, *fam* auf Stottern kaufen; **~eur, se** *m f* Käufer(in *f*); Ein-, Ankäufer; *(Ware)* Bezieher, Abnehmer *m; être* ~ als Käufer auf=treten; *trouver* ~ e-n Abnehmer finden; ~ *d'occasion* Gelegenheitskäufer *m.*

achev|é, e [aʃəve] vollendet; fertig; *fig* vollkommen; *(Schurke)* durchtrieben, reinsten Wassers; *(Narr)* Erz-; ruiniert; **~er** vollenden; beenden; fertig=stellen; *(Leben, Tag)* ab=, beschließen; den Garaus machen (*qn* jdm), töten; zugrunde richten (*qn* jdn); *(Flasche)* aus=trinken; (*un animal* e-m Tier) den Gnadenstoß geben; *s'*~ zu e-m Ende, zum Abschluß kommen; zugrunde gehen; fertig, *fig* vollkommen werden; *(Frist)* laufen; ~ *de faire qc* etw vollends tun.

achèvement [aʃɛvmɑ̃] *m* Vollendung *f;* Abschluß *m;* Fertigstellung *f;* Ausbau *m.*

achopp|ement [aʃɔpmɑ̃] *m* Hindernis *n,* Schwierigkeit, Klippe *f; pierre f d'*~ Stein *m* des Anstoßes; **~er** an=stoßen; straucheln; *fig* scheitern; *s'*~ stolpern *(bes. fig).*

achromatique [akrɔmatik] achromatisch, farblos, farbenfrei.

acid|e [asid] *a* sauer, säuerlich; *fig* scharf, beißend; *s m* Säure *f; résistant aux ~s* säurefest, säurebeständig; ~ *acétique* Essigsäure *f; ~s aminés* Aminosäuren *f pl;* ~ *carbonique* Kohlensäure *f;* ~ *chlorhydrique* Salzsäure *f; ~s gras* Fettsäuren *f pl;* ~ *nitrique* Salpetersäure *f;* ~ *phénique* Phenol *n;* ~ *pyroligneux* Holzessig *m;* ~ *sulfhydrique* Schwefelwasserstoff *m;* ~ *sulfurique* Schwefelsäure *f;* ~ *tannique* Gerbsäure *f;* **~ifère** [-difɛr] säurehaltig; **~ifiant, e** [-difjɑ̃] säurebildend; **~ification** *f* Ansäuern *n;* **~imètre** *m* Säuremesser *m;* **~ité** *f* Säuregrad *m;* saure Beschaffenheit *f,* saure(r) Geschmack *m;* **~ulé, e** [-dyle] säuerlich; *fig* scharf, beißend; *(bonbons) ~s m pl* (saure) Drops *m* od *n pl;* **~uler** an=säuern; *s'*~ säuerlich werden.

acier [asje] *m* Stahl *m; d'~, en* ~ stählern; ~ *affiné* Edelstahl *m;* ~ *en barres* Stabstahl *m;* ~ *brut* Rohstahl *m;* ~ *carré* Vierkantstahl *m;* ~ *cémenté* Zementstahl *m;* ~ *chromé* Chromstahl *m;* ~ *de construction* Baustahl *m;* ~ *coulé, fondu* Gußstahl *m;* ~ *de décolletage* Automatenstahl *m;* ~ *doux* Flußeisen *n;* ~ *forgé* Schmiedestahl *m;* ~ *inoxydable* nichtrostende(r) Stahl *m;* ~ *laminé* Walzstahl *m;* ~ *à outils* Werkzeugstahl *m;* ~ *rond* Rundstahl *m;* ~ *au tungstène* Wolframstahl *m.*

aciér|age [asjeraʒ] *m* (Ver-)Stählung *f;* **~ation** *f* Stahlbereitung; Verstählung *f;* **~er** (ver)stählen; **~eux, se** stählern; stahlhaltig, -artig; **~ie** *f* Stahlwerk *n,* Hütte *f.*

acmé [akme] *m* od *f* Höhepunkt *m (e-r Krankheit).*

acné [akne] *f med* Akne; Finne *f,* Pikkel *m.*

acolyte [akɔlit] *m* Gehilfe; Gefährte; Helfershelfer; *rel* Akoluth *m.*

acompte [akɔ̃t] *m* Abschlagszahlung; Anzahlung *f;* Vorschuß *m;* Rate *f; par ~s* auf Raten; *donner, verser un* ~ e-e Anzahlung leisten, an=zahlen; *payer par ~s* in Raten zahlen; ~ *mensuel* Monatsrate *f;* ~ *versé* Vorauszahlung *f.*

aconit [akɔnit] *m bot* Eisenhut *m.*

acoquin|ant, e [akɔkinɑ̃] verlockend; *fig* herabziehend; **~é, e** *fig* gefesselt; **~er** verlocken (*qn* jdn); es angetan haben (*qn* jdm); *s'*~ sich ein=lassen (*à* mit).

à|-côté [akote] *m* Nebenerscheinung; Nebeneinnahme; Begleiterscheinung *f; (prp) à côté de Paris* in der Umgebung von Paris; **~-coup** *m* Ruck, Stoß *m;* Stockung *f; par ~s* stoß-, ruckweise; *sans ~s* stoßfrei; stufenweise; reibungslos.

acousti|cien [akustisjɛ̃] *s m* Akustiker *m;* **~que** [-tik] *a* akustisch; *s f* Akustik, Schallehre *f.*

acquér|eur [akerœr] *m* Käufer, Erwerber *m;* **~ir** *irr tr* erwerben; kaufen, an=schaffen; erlangen; *(Achtung)* gewinnen; *(Gewohnheit)* an=nehmen; *(Erfahrungen)* sammeln; *itr (Wein)* besser werden, an Güte zu=nehmen; ~ *la certitude, la preuve de qc* in e-r Sache zur Überzeugung, Gewißheit gelangen; *je vous suis tout acquis* ich bin ganz auf Ihrer Seite, Sie können auf mich zählen; *c'est un point acquis* es steht fest.

acquêt [akɛ] *m* Erwerb; Gewinn *m; pl jur* Errungenschaft *f; communauté f réduite aux ~s* Zugewinn-, Errungenschaftsgemeinschaft *f.*

acquiesc|ement [akjɛsmɑ̃] *m* Zustimmung; Einwilligung (*à* in *acc*); *(Urteil)* Anerkennung *f;* **~er** bei=, zu=stimmen; ein=willigen (*à* in *acc*) ein=gehen (*à* auf *acc*); *(Urteil)* an=erkennen (*à qc* etw); *(e-m Gesuch)* entsprechen.

acquis, e [aki, -iz] *a* erworben; *fig* gesichert; *(Person)* ergeben (*à qn, qc* jdm, e-r S); *s m* erworbene Kenntnisse *od* Erfahrungen *f pl;* Wissen *n; biol* erworbene Eigenschaften *f pl;* Einfluß *m (e-r Person); droits m pl* ~ wohlerworbene Rechte *n pl; faits m pl* ~ feststehende Tatsachen *f pl;* **~itif, ive** [-zi-] Erwerbs-; **~ition** *f* Erwerb; Kauf *m;* Anschaffung; *(Kenntnisse)* Erlangung *f;* erworbene(s) Gut *n;* Errungenschaft *f; faire l'~ de qc* etw erwerben; *prix m d'~* Anschaffungspreis *m; ~ des données (inform)* Datenerfassung *f; ~ du langage (gram)* Spracherwerb *m; ~ de terrain* Grunderwerb *m.*

acquit [aki] *m* Quittung *f,* Empfangsschein *m;* Zahlungsbestätigung *f; par ~ de conscience* zur Beruhigung des Gewissens; pro forma; *par manière d'~* nachlässig, flüchtig; *pour ~* Betrag (dankend) erhalten; *donner ~* den Empfang bescheinigen; *~-à-caution m* Zollbegleitschein, Ausfuhrschein *m; ~ de douane* Zollschein *m; ~ de transit* Durchgangsschein *m;* **~table** zahlbar; tilgbar; **~tement** *m* (Be-)Zahlung, Begleichung; Tilgung; Abgeltung; *(Schulden)* Abdeckung; *(Steuern)* Entrichtung *f; jur* Freispruch *m;* **~ter** (be-)zahlen, entrichten, begleichen; quittieren; *(Schuld)* ab≈tragen; *(Rechnung)* quittieren; *(Wechsel)* ein≈lösen; *(Versprechen)* erfüllen; *(Wort)* halten; befreien (*qn de qc* jdn von etw); *jur* frei≈sprechen; *s'~* leisten, verrichten (*de qc* etw); *(Pflicht)* erfüllen, tun; *(e-r Verpflichtung)* nach≈kommen; *(Schuld)* ab≈tragen; *(Auftrag)* aus≈führen; *(Amt)* verwalten; *~ sa conscience* der Stimme seines Gewissens folgen; *vendre à l'~é* verzollt verkaufen.

âcre [ɑkr] beißend; ätzend; *(Geschmack)* scharf; *fig* bissig, verletzend; *(Klang, Ton)* schrill, durchdringend; **~té** [-krə-] *f* Schärfe; Herbheit; Bitterkeit; *fig* Bissigkeit *f.*

acrimoni|e [akrimɔni] *f* Bitterkeit, Schärfe; *(Wesensart)* Bissigkeit *f;* **~eux, se** [-njø] bitter, gallig; *fig* bissig, scharf.

acrobat|e [akrɔbat] *m* Akrobat; Seiltänzer; *fig* Phrasendrescher; *fam* Spaßmacher *m;* **~ie** [-si] *f* Seiltänzerei *f; pl aero* Kunstflug *m; tours m pl d'~* Kunststücke *n pl;* **~ique** [-tik] akrobatisch.

acro|mégalie [akrɔmegali] *f med* Akromegalie *f,* Riesenwuchs *m* der Extremitäten; **~pole** [-pɔl] *f* Akropolis *f;* **~stiche** [-krɔstiʃ] *m* Akrostichon *n;* **~tère** [-tɛr] *m* Giebelplatte, -verzierung *f.*

act|e [akt] *m* Handlung, Tat *f; jur* Rechtsgeschäft, Abkommen *n,* Vertrag *m,* Urkunde, Erklärung *f;* Schein; *theat* Akt, Aufzug; *rel* Akt; *fig* Zeitabschnitt *m,* Periode *f; pl* Urkunden *f pl,* Protokolle, Register *n pl; dont ~* ausgefertigt; *demander ~* beurkunden lassen (*de qc* etw); *dresser, passer un ~* schriftlich beurkunden (*de qc* etw); e-e Urkunde auf≈setzen; *faire ~* handeln (*de* in der Eigenschaft als); *faire ~ d'autorité* ein Machtwort sprechen; *faire ~ de présence* sich sehen lassen; *faire ~ de bonne volonté* s-n guten Willen zeigen; *prendre ~* zu Protokoll nehmen (*de qc* etw); *fig* sich merken, zur Kenntnis nehmen (*de qc* etw); *~ d'accusation* Anklageschrift *f; ~ d'adhésion* Beitritt *m; A~s des Apôtres* Apostelgeschichte *f; ~ authentique* öffentliche Urkunde *f; ~ de baptême, décès, mariage, naissance* Tauf-, Toten-, Trau-, Geburtsschein *m; ~ constitutif* Gründungsurkunde *f; ~ de cautionnement* Bürgschein *m; ~ de cession* Übertragungsurkunde *f; ~s de l'état civil* Standesamtsregister *n; ~ manqué* Fehlleistung *f; ~ de nantissement* Pfandbrief *m; ~ notarié* notariell beglaubigte Urkunde *f; ~ de notoriété* Erbschein *m; ~ de propriété* Eigentumsurkunde *f; ~ récognitif* Anerkennungsurkunde *f; ~ sous seing privé* Privaturkunde *f; ~ de société* Gesellschaftsvertrag *m; ~ de vente* Kaufbrief *m; ~ de dernière volonté* letztwillige Verfügung *f;* **~eur, trice** *m f* Schauspieler(in *f*) *m; fig* handelnde Person *f;* **~if, ive** *a* tätig, handelnd; eifrig, rührig, tatkräftig, aktiv; rege, munter; beweglich; *(Mittel)* wirksam; *mil* aktiv; *s m gram* Aktiv *n; com* Aktiva *n pl,* Besitzstand *m; avoir à son ~* für sich verbuchen können; *dettes f pl ~ives (com)* Außenstände *pl; population f ~ive* erwerbstätige Bevölkerung *f.*

actinie [aktini] *f* Seerose *f.*

action [aksjõ] *f* Handlung, Tat, Tätigkeit; *(Redner, Schauspieler)* Lebhaftigkeit; Heftigkeit; *chem tech* Wirkung *f;* Vorgang *m; jur* Klage *f; (Person)* Einfluß *m; com* Aktie *f;* Anteilschein; *min* Kux *m; mil* Schlacht *f,* Gefecht *n,* Einsatz *m; theat* Handlung *f;* Verlauf *m; en ~ (Waffe)* feuernd; *créer od émettre, détenir, libérer, transférer des ~s* Aktien aus≈geben, besitzen, ein≈zahlen, übertragen (*à* auf *acc*) *entrer en ~* ein≈greifen, in Aktion treten; auf=treten, auf=tauchen; *être, mettre en* ~ in Betrieb sein, setzen; *intenter une* ~ Klage erheben; *souscrire à des* ~*s* Aktien zeichnen; *capital-*~*s m* Aktienkapital *n; champ m d'*~ Wirkungsbereich *m; émission f d'*~*s* Aktienausgabe *f; liberté f d'*~ Handlungsfreiheit *f; lot, paquet m d'*~*s* Aktienpaket *n; société f par* ~*s* Aktiengesellschaft *f; zone f d'*~ Wirkungsbereich; *mil* Befehlsbereich, Abschnitt *m;* ~ *d'apport* eingebrachte Aktie *f;* ~ *de banque, de capital* Bank-, Kapitalaktie *f;* ~ *bénéficiaire* gewinnberechtigte Aktie *f;* ~ *combinée* Zs.wirken, Inea.greifen *n;* ~ *de coordination* Gleichschaltung *f;* ~ *de grâce* Danksagung *f;* ~ *nominative* Namensaktie *f;* ~ *ordinaire* Stammaktie *f;* ~ *privilégiée, de préférence* Vorzugsaktie *f;* ~ *au porteur* Inhaberaktie *f;* ~ *retardatrice* hinhaltende Verteidigung *f;* ~ *du ressort (tech)* Federzug *m;* ~**naire** [-ksjɔ-] *m* Aktieninhaber *m;* ~**nement** *m* Antrieb *m;* Schaltung; Betätigung *f;* ~**ner** *jur* ver-, ein=klagen, belangen; *tech* an=treiben, in Gang setzen, schalten, *(Menschen)* an=treiben; *(Waffe)* betätigen; *s'*~ *(fam)* sich regen; sich verausgaben.

acti|vation [aktivasjõ] *f* Aktivierung *f;* ~**ver** beleben; beschleunigen; fördern; *(Feuer)* schüren; *s'*~ geschäftig sein; ~**vité** *f* Tätigkeit, Regsamkeit *f;* Fleiß *m;* Wirksamkeit *f;* Betätigung, Beschäftigung *f; tech* Gang; aktive(r) Dienst *m;* Gewerbe *n; en pleine* ~ auf vollen Touren, im Gang, in Betrieb; *en* ~ *de service* im aktiven Dienst; *mettre en* ~ in Betrieb setzen; *champ m d'*~ Tätigkeitsfeld *n;* ~ *aérienne* Flugtätigkeit *f;* ~ *de patrouilles* Spähtrupptätigkeit *f.*

actuaire [aktɥɛr] *m* Versicherungsmathematiker *m.*

actu|alisation [aktɥalizasjõ] *f* Aktualisierung *f;* ~**aliser** verwirklichen; auf die Höhe bringen; aktualisieren, gegenwartsnah gestalten; ~**alité** *f* Zeitgemäßheit, Aktualität, Gegenwart(snähe) *f; pl* Zeit-, Tagesgeschehen *n; film* Wochenschau *f; radio* Zeitfunk *m; (Mode)* (das) Neueste; *d'*~ aktuell; ~**el, le** gegenwärtig; heutig; augenblicklich; wirklich; *geol* rezent; *(Frage)* brennend; *(Umstände)* bestehend, herrschend; ~**ellement** *adv* zur Zeit, momentan, derzeit.

acuité [akɥite] *f* Schärfe *(a. des Geistes); (Schmerz)* Heftigkeit *f; (Krankheit)* akute(r) Verlauf *m; (Ton)* Höhe *f;* ~ *auditive* Schärfe *f* des Gehörs; ~ *de la résonance (radio)* Abstimmschärfe *f;* ~ *visuelle* Sehschärfe *f.*

acu|lé, e [akyle] *bot zoo* stacheltragend; ~**léiforme** stachelförmig; ~**miné, e** *(Blatt)* spitz zulaufend; ~**poncture** *f med* Akupunktur *f;* ~**tangle** spitzwink(e)lig.

adage [adaʒ] *m* Sprichwort *n;* Sinnspruch *m.*

adamantin, e [adamãtɛ, -in] *lit* diamantartig; hart wie Diamant; steinhart.

adapt|able [adaptabl] anpaßbar; *pièce* ~ Zusatzteil *n;* ~**ateur** *m* *(Lampe)* Zwischensockel *m; el* Vorsatzgerät, Verlängerungsstück *n;* (Film-, Rundfunk-)Bearbeiter; *phot* Adapter *m;* ~**ation** *f* Anpassung(svermögen *n*); *(Auge)* Adaptation; *theat* Bearbeitung (*au théâtre, au cinéma* für das Theater, den Film); *mil* Anweisung zum Zs.wirken; Nachdichtung *f;* ~ *cinématographique* Verfilmung *f;* ~ *radiophonique* Funkbearbeitung *f;* ~**er** an=passen (*à qc* an e-e S); adaptieren; *tech* zs.=fügen; ein=passen; an=bringen; *theat* bearbeiten; nach=dichten; *mil (Truppen)* zu=weisen, zu=teilen; *s'*~ sich an=passen (*à* an *acc*), sich ein=fügen (*à* in *acc*); zuea. passen; *(an den Boden)* sich an=schmiegen; *susceptible de s'*~ anpassungsfähig.

addenda [adɛ̃da] *m* Zusätze *m pl* (am Ende e-s Buches).

additif, ive [aditif, -iv] *a math* additiv; *s m chem* Additiv *n;* Zusatz; Nachtrag, Zuschlag *m.*

addition [adisjõ] *f* Zusatz *m;* Beimischung; Hinzufügung; Addition *f;* Zs.zählen *n; (Buch)* Beiordnung; *(Gasthaus)* Rechnung *f; faire une* ~ zs.=zählen; *garçon, l'*~*, s'il vous plaît* (Herr) Ober, bitte zahlen! ~**nel, le** [-sjɔ-] *a* zusätzlich; weitere(r, s); *s m* Additiv *n; centimes m pl* ~*nels* Steuerzuschlag *m; ligne f* ~*nelle (mus)* Hilfslinie *f;* ~**ner** zs.=zählen; *(Flüssigkeit)* bei=mischen, zu=setzen (*qc à qc* etw e-r S); ~**neuse** *f* Addiermaschine *f.*

adduct|eur [adyktœr] *a* Zuleitungs-; *s m anat* Heranzieher, Adduktor; Zuleitungskanal *m; el* Zuführungsleitung *f;* ~**ion** [-sjõ] *f* Zuführung, Zuleitung *f;* ~ *d'eau* Wasserversorgung *f.*

adén|ite [adenit] *f* Drüsenentzündung *f (bes. der Lymphdrüse);* ~**oïde** [-nɔid] Drüsen-; ~**ome** [-nom] *m* Drüsenepithelgeschwulst *f,* Adenom *n.*

adent [adã] *m* Verzahnung; Zinke; Kerbe *f;* ~**er** [-te] verzahnen.

adepte [adɛpt] *m* Eingeweihte(r), Anhänger *(e-r Sekte, Lehre);* Alchimist *m.*

adéqua|t, e [adekwa, -at] adäquat, genau entsprechend; übereinstimmend (*à* mit); *(Begriff)* genau, treffend; angemessen; synonym; **~tion** [-sjõ] *f* Entsprechung *f.*

adhér|ence [aderɑ̃s] *f* Anhaften *n;* Halt *m; fig* enge Verbindung; *med* Verwachsung; *tech* Adhäsion *f,* Haftvermögen *n; el* Reibungswiderstand *m;* **~ent, e** *a* (an)haftend (*à* an *dat*), klebend; *anat* verwachsen (*à* mit); *s m* Anhänger *m; (Verein)* Mitglied *n; pl* Anhang *m;* **~er** fest=kleben (*à* an *dat*); (an=)haften; beharren (*à* auf, *dat,* bei); *(e-r Meinung)* bei=, zu=stimmen; sich zu eigen machen; *(e-m Vertrag, e-r Gesellschaft)* bei=treten; *(in e-e Partei)* ein=treten (*à* in *acc*); ~ *à la route, au sol (mot)* eine gute Bodenhaftung haben.

adhés|if, ive [adezif, -iv] *a* klebrig, (an-) haftend; *fig* beistimmend; *s m phot* Trockenklebeblatt *n;* Klebstoff *m;* Bindemittel *n; emplâtre m* ~ Heftpflaster *n; pouvoir m* ~ Bindekraft *f; substance f ~ive* Klebstoff *m;* **~ion** *f* Adhäsion *f,* Haftvermögen *n; fig* Zustimmung; Teilnahme; *med* Verwachsung *f; donner son* ~ s-n Beitritt erklären; *signer un bulletin d'~* e-e Beitrittserklärung unterschreiben.

adiabatique [adjabatik] adiabatisch, wärmeisolierend.

adiante [adjɑ̃t] *m bot* Frauenhaar *n.*

adieu [adjø] *interj* lebe wohl! *s m pl* Abschied *m; sans ~!* bis nachher! *dire* ~ Lebewohl sagen (*à qn* jdm); *faire ses ~x* Abschied nehmen (*à qn* von jdm); *dîner m d'~x* Abschiedsessen *n.*

adip|eux, se [adipø, -øz] *anat* Fett-; **~ose** *f* Fettsucht *f.*

adirer [adire] *jur (Akten)* verlegen.

adjacen|ce [adʒasɑ̃s] *f* Aneinanderstoßen; Angrenzen *n;* **~t, e** anea.stoßend, angrenzend (*à* an *acc*); Neben-; *angles m pl ~s* Nebenwinkel *m pl; rue f ~e* Nebenstraße *f.*

adjectif, ive [adʒɛktif, -iv] *a* adjektivisch; *s m* Eigenschaftswort, Adjektiv *n.*

adjoin|dre [adʒwɛ̃dr] *irr (Person)* bei=geben, zu=gesellen; hinzu=ziehen; *(Sache)* an=bringen; vereinigen, zs.=legen; *(Gebäude)* an=bauen; *s'~ qn* jdn hinzu=ziehen; jdn zu Hilfe nehmen; **~t, e** [-ʒwɛ̃, -ɛ̃t] *a* beigeordnet; Hilfs-; *s m* Gehilfe; Beigeordnete(r), Stellvertreter *m; être* ~ beigeordnet sein (*à qn* jdm); *officier m* ~ Adjutant *m.*

adjonction [adʒɔ̃ksjɔ̃] *f* Bei-, Hinzufügung *f;* Zusatz *m;* Hinzuziehung; Beiordnung *f; loc* Bei-, Zusetzen *n.*

adjudant [adʒydɑ̃] *m* Feldwebel, Wachtmeister *m; ~-chef m* Oberfeldwebel, Oberwachtmeister *m.*

adjudicat|aire [adʒydikatɛr] *m* Ersteher, Ersteigerer; Submittent *m; se rendre ~ de qc* etw (gegen Meistgebot) ersteigern; **~if, ive** zuerkennend; **~ion** [-sjõ] *f* Zuerteilung *f,* Zuschlag *m;* Versteigerung; *(Arbeiten)* Vergebung, Ausschreibung *f; par ~* durch Ausschreibung, auf dem Submissionsweg; *mettre en ~* aus=schreiben; *vente f par ~* Versteigerung *f; ~ forcée* Zwangsversteigerung *f.*

adjuger [adʒyʒe] zu=schlagen, zu=erkennen; *(Arbeiten)* vergeben; *jur* zu=sprechen (*qc à qn* jdm etw); *s'~* sich an=eignen, sich zu=legen; ~ *au plus offrant* dem Meistbietenden zu=schlagen.

adjur|ation [adʒyrasjõ] *f rel* Beschwörung; inständige Bitte *f;* **~er** beschwören; inständig bitten.

adjuvant, e [adʒyvɑ̃, -ɑ̃t] *a* mitwirkend; *s m med* Unterstützungsmittel, Adjuvans *n.*

admettre [admɛtr] *irr* **1.** *(laisser entrer)* auf=nehmen, zu=lassen; *il a été admis à l'hôpital* er ist im Krankenhaus aufgenommen worden; *il a été admis au barreau* er ist als Anwalt zugelassen worden. **2.** *(tenir pour acceptable) (Meinung)* gelten lassen; an=nehmen; ein=räumen, zu=geben (*que* daß); *admettons* zugegeben; *admettons que vous ayez raison* angenommen, Sie haben recht; *(Widerspruch)* ertragen, dulden; *il n'admet pas la contradiction* er duldet keinen Widerspruch; *(e-m Antrag)* statt=geben, entsprechen; *je ne peux ~ votre demande* ich kann Ihrem Verlangen nicht entsprechen; *n'~ aucune exception* keine Ausnahme gestatten; *la chose n'admet aucun retard* die Sache duldet keinen Aufschub; *il est communément admis que* allgemein wird angenommen, daß.

administr|ateur, trice [administratœr, -tris] *m f* Verwalter(in *f*); Geschäftsführer(in *f*); Pfleger *m;* Mitglied *n* e-s Verwaltungsrates; ~ *délégué* Delegierte(r) *m* des Verwaltungsrates; ~ *de la faillite* Konkursverwalter *m;* ~ *fiduciaire* Treuhänder *m; ~-gérant m d'un journal* Herausgeber *m* e-r Zeitung; ~ *des revenus d'une ville* Stadtkämmerer *m; ~-séquestre m* Zwangsverwalter *m;* **~atif, ive** Verwaltungs-; **~ation** *f*

Verwaltung; Behörde; Geschäftsführung; *med* Verabreichung; *(Sakramente)* Spendung, Austeilung *f; conseil m d'~* Verwaltungs-, Aufsichtsrat *m; ~ communale* Stadtverwaltung *f; ~ de la faillite* Konkursverwaltung *f; ~ de la justice* Rechtspflege *f; ~ des mines* Bergamt *n; ~ supérieure* Aufsichtsbehörde *f;* **~és** [-tre] *m pl* Bürger *m pl;* **~er** verwalten; besorgen; *(Recht)* sprechen; *(Zeugen)* an=führen; *(Urkunden)* vor=legen; *(Geschäfte)* vor=nehmen; *(Beweis)* liefern; *(Medikament)* verabreichen, ein=geben; *rel* spenden, aus=teilen; (mit den Sterbesakramenten) versehen; *fam (Schläge)* verpassen; *s'~* ein=nehmen (*une purge* ein Abführmittel); sich zu=teilen; *~ une verte semonce* e-n scharfen Verweis erteilen.

admir|able [admirabl] bewundernswert; prächtig; erstaunlich; wunderbar; **~ateur, trice** *m f* Bewunderer; Verehrer(in *f*) *m;* **~atif, ive** bewundernd; Bewunderung ausdrückend; voller Bewunderung; **~ation** *f* Bewunderung *f; pl* bewunderte Personen *f pl od* Gegenstände *m pl;* **~er** bewundern; staunen (*qc* über etw).

admis, e [admi, -iz] *a* gebräuchlich; anerkannt; *être ~ de vivre chez qn* in jds häusliche Gemeinschaft aufgenommen sein; *il est ~* er ist aufgenommen (*in e-e Gesellschaft, e-n Verein);* **~sibilité** [-si-] *f* Zulassung; Gültigkeit *f; (Schule)* Bestehen *n* des ersten Teils einer Prüfung; **~sible** *a* zulässig; gültig; statthaft; annehmbar; *s m f* Prüfling *m,* der den ersten Teil e-r Prüfung bestanden hat; **~sion** *f* Zulassung; *(Verein)* Aufnahme *f; (Büro)* Empfang *m; tech* Zufuhr *f,* Eintritt, Einlaß *m,* Füllung; *(Krankenhaus)* Einlieferung *f; carte f d'~* Einlaß-, Zulassungskarte *f; condition f d'~* Aufnahmebedingung *f; cotisation f d'~* Eintrittsgeld *n;* Aufnahmegebühr *f; examen m d'~* Aufnahmeprüfung *f; soupape f d'~* Einlaßventil *n.*

admon|estation [admɔnɛstasjɔ̃] *f* Verwarnung *f,* Verweis *m;* Vorhaltung *f;* **~ester** verwarnen, zurecht=weisen, tadeln; **~ition** *f* Ermahnung *f;* Verweis *m.*

adolescen|ce [adɔlɛsɑ̃s] *f* Jugendalter *n;* **~t, e** *a* jugendlich; halbwüchsig; *s m f* Jüngling, Halbwüchsige(r) *m;* junge(s) Mädchen *n.*

adonner [adɔne] *(Wind)* sich in Fahrtrichtung drehen; *s'~* sich widmen; *(e-r Leidenschaft)* frönen; ganz auf=gehen (*à* in *dat*).

adopt|able [adɔptabl] annehmbar; **~ant** *m* Adoptierende(r) *m;* **~é, e** *m f* Adoptivkind *n;* **~er** an Kindes Statt an=nehmen, adoptieren; *(Meinung)* übernehmen, sich zu eigen machen; *(e-m Plan)* bei=pflichten; *(Sitte, Sprache, Gesetz)* an=nehmen; *(Haltung)* an=nehmen; *faire ~* durch=setzen, zur Annahme bringen; *~ un amendement* e-m Abänderungsantrag statt=geben; *~ le budget* den Haushalt verabschieden; *~ une motion, l'ordre du jour, une résolution* e-n Antrag, die Tagesordnung, e-e Entschließung an=nehmen; *~ à l'unanimité* einstimmig an=nehmen; **~if, ive** an Kindes Statt angenommen; Adoptiv-; *père m ~* Pflege-, Adoptivvater *m;* **~ion** [-sjɔ̃] *f* Annahme an Kindes Statt; Wahl, Billigung, Auf-, Über-, Annahme *f; ~ du budget* Verabschiedung *f* des Haushaltsplans.

ador|able [adɔrabl] anbetungs-, verehrungswürdig; reizend, wunderbar; **~ateur, trice** *m f* Verehrer(in *f*); Anbeter(in *f*) *m;* **~ation** *f* Anbetung, Verehrung *f; être en ~ devant qn* jdn abgöttisch verehren; **~er** an=beten; verehren; vergöttern, leidenschaftlich lieben, *fam* furchtbar gern mögen.

ados [ado] *m* schräg an die Gartenmauer gelehnte Rabatte; Böschung *f;* **~sement** [-dɔs-] *m* Anlehnung (*à, contre* an *acc*); *arch* Schiftung *f;* **~ser** an=lehnen (*à, contre,* an *acc*); *(an ein anderes Gebäude)* an=bauen.

adoubement [adubmɑ̃] *m hist* Schwertleite *f.*

adouc|ir [adusir] *tr* versüßen; mildern; beruhigen; erträglich gestalten; erleichtern; *(Schmerz)* lindern; *(Zorn)* besänftigen; *(Farbe)* ab=schwächen, ab=stufen; verreiben; *(Worte)* mäßigen; *tech* enthärten; polieren; *(Metall)* an=lassen; tempern; *(Wasser)* enthärten; *s'~ (Kälte)* nach=lassen; *(Wind)* sich legen; **~issage** *m* Glattschleifen *n;* **~issant, e** *a* mildernd; *s m* lindernde(s) Mittel *n;* Weichspüler *m;* **~issement** *m* Milderung *(a. Wetter);* Erleichterung *f,* Trost *m; fig* Abschwächung *f; tech* Weichmachen, Enthärten *n; (Fläche)* Verzierung *f; ~ de l'eau* Wasserenthärtung *f;* **~isseur** *m ~ d'eau* Wasserenthärter *m.*

adress|e [adrɛs] *f* **1.** Anschrift, Adresse; Aufschrift; (förmliche) Ansprache *f,* Schreiben *n;* Denkschrift *f; mettre l'~ sur une enveloppe* die Anschrift auf e-n Briefumschlag schreiben; *c'est à votre ~* das gilt Ihnen; das ist auf Sie gemünzt; *bureau m d'~s* Adressenbüro *n; livre m d'~s (Belgien)* Adreßbuch *n; machine f à ~s* Adressiermaschine *f;* ~ *télégraphique* Telegrammanschrift *f;* **2.** Geschicklichkeit, Gewandtheit; Fertigkeit *f;* **3.** *inform* Adresse *f;* **4.** *(Wörterbuch)* Eintrag *m;* **~er** *(Brief)* richten (*à* an *acc*); (zu=)senden; schicken, verweisen (*à* an *acc*); *(Buch)* widmen; *(Rat)* geben; *(Blick)* zu=werfen; *(Wort)* richten (*à* an *acc*); *(Frage)* stellen (*à qn* jdm); *(Ansprache)* halten; *(Dank)* sagen; *(Vorwurf)* machen; *(Antrag)* stellen; *(Gesuch)* ein=reichen (*à qn* bei jdm); *s'*~ sich wenden, sich richten (*à* an *acc*); *s'*~ *à* ... Näheres bei ...; *s'*~ *en confiance* sich vertrauensvoll wenden (*à* an *acc*); ~ *toute demande de renseignements* Auskünfte (erhalten) (*à* durch); ~ *la parole* an=reden (*à qn* jdn), das Wort richten (*à qn* an jdn).

Adriatique, l' [adrijatik] *f* die Adria, das Adriatische Meer *n.*

adroit, e [adrwa, -at] geschickt, gewandt (*de* mit, *à* in, bei); *fig* schlau, erfinderisch.

adul|ateur, trice [adylatœr, -tris] *s m f* Schmeichler(in *f*); Speichellecker *m; a* schmeichlerisch; kriecherisch; **~ation** *f* Schmeichelei, Kriecherei; Lobhudelei *f;* **~er** kriecherisch schmeicheln (*qn* jdm); *(Kind)* vergöttern.

adulte [adylt] *a* er-, ausgewachsen; *s m f* Erwachsene(r *m*) *f; âge m* ~ Mannesalter *n; cours m d'~s* Fortbildungsschule *f.*

adult|érant, e [adylterɑ̃, -ɑ̃t] verfälschend; **~érateur** *m* Verfälscher *m;* **~ération** *f* Verfälschung *f;* **~ère** *a* ehebrecherisch; *s m f* Ehebrecher(in *f*) *m*; Ehebruch *m;* **~érer** verfälschen; **~érin, e** im Ehebruch erzeugt; *bot* hybrid.

advenir [advənir] *irr imp* sich ereignen, geschehen; *qu'est-il ~u de lui?* was ist aus ihm geworden? *advienne que pourra* komme, was wolle.

adven|tice [advɑ̃tis] *a* hinzukommend, zufällig eintretend; *bot* wildwachsend; **~tif, ive** *bot* an ungewohnter Stelle auftretend.

adverb|e [advɛrb] *m* Adverb, Umstandswort *n;* **~ial, e** [-bjal] adverbial.

advers|aire [advɛrsɛr] *m* Gegner, Widersacher; Feind *m;* **~e** entgegengesetzt, feindlich; *(Schicksal)* widrig; *(Kritik)* unfreundlich; *partie f* ~ Gegenpartei *f;* **~ité** *f* Mißgeschick *n;* Not *f,* Unglück *n.*

aér|age [aeraʒ] *m* (Ent-)Lüftung, Luftzufuhr, Ventilation; *min* Wetterführung *f; installation f d'~* Belüftungsanlage *f; puits m d'* ~ Wetterschacht *m;* **~ation** *f* (Be-, Ent-)Lüftung *f;* **~er** (durch=, aus=lüften, ventilieren; *min* bewettern; **~ien, ne** *a* luftig; Luft-; oberirdisch; *min* übertägig; *(Gangart)* beschwingt; *fig* zart, duftig, federleicht, ätherisch; *s m* Antenne; *tele* Luftleitung *f; activité f ~ne* Fliegertätigkeit *f; attaque f ~ne* Luftangriff *m; ligne f ~ne (el)* Oberleitung *f; service m* ~ Luftverkehr *m; vue f ~ne* Luftbild *n;* **~ifère** Luft (zu)führend; porös; **~ium** [-rjɔm] *m* Lungenheilstätte *f.*

aéro|bie [aerɔbi] *a bot* aerob; *s m* Aerobier *m;* **~-club** *m* Aero-Klub *m;* **~drome** [-drom] *m* Flughafen *m;* Flugfeld *n;* **~dynamique** *a* stromlinienförmig, windschnittig; *s f* Strömungslehre, Aerodynamik *f; forme f* ~ Stromlinienform *f;* **~dyne** [-din] *f* Luftfahrzeug *n* „schwerer als Luft"; **~gare** *f* Flughafengebäude *n; (in der Stadt)* Terminal *m* od *n;* **~glisseur** *m* Luftkissenfahrzeug *n;* **~gramme** *m* Luftpostleichtbrief *m;* **~lithe** [-lit] *m* Meteorstein *m;* **~mètre** *m* Aerometer *n;* **~naute** [-not] *m* Luftschiffer *m;* **~nautique** *a* aeronautisch; Flieger-; *s f* Luftfahrt *f; industrie f* ~ Flugzeugindustrie *f;* **~naval, e** *a: base f ~e* Seeflughafen *m; s f* Marinefliegerei *f;* **~nef** *m* Luftfahrzeug *n;* ~ *interplanétaire* Raumschiff *n;* **~phobie** *f* Angst *f* vor Zugluft; **~plane** *m vx* Flugzeug *n;* **~port** *m* Flughafen *m; direction f de l'~* Flughafenleitung *f;* ~ *d'arrivée* Ankunftflughafen *m;* ~ *de rattachement* Heimatflughafen *m;* **~porté** *a: troupes f pl ~es* Luftlandetruppen *f pl;* **~postal, e** Luftpost-; **~sol** Luft- Boden-; *s m* Aerosol *n;* **~spatial, e** *a* Luft- und Raumfahrt-; *s f* Luft- und Raumfahrttechnik *f;* **~stat** [-sta] *m* Luftballon *m;* **~station** *f* Luftschiffbau *m;* **~statique** *a* Luftschiff-; *s f* Aerostatik *f;* **~stier** [-stje] *m* Luftschiffer *m;* **~technique** *a* flugtechnisch; *s f* Flugtechnik *f;* **~torpille** *f* Lufttorpedo *m.*

affab|ilité [afabilite] *f* Freundlichkeit; Leutseligkeit *f;* **~le** freundlich, liebenswürdig, leutselig (*à, avec, envers* zu, mit, gegen).

affabulation [afabylasjõ] *f s. fabulation; (Fabel)* Moral; *(Roman)* Handlung *f.*

affad|ir [afadir] geschmacklos, schal, fade machen; *fig* verwässern; *s'~* fade werden; *fig* matt, schwach, langweilig, farblos werden; *(Person)* verweichlichen; **~issement** *m* Ge-

schmackloswerden *n;* Ekel *m;* Erschlaffung *f.*
affaibl|ir [afe(ɛ)blir] (ab=)schwächen; entkräften; erschöpfen; entnerven; vermindern; *(Gefühl)* ab=stumpfen; *(Mut)* dämpfen; *(Farbe)* aus=bleichen; *s'~* schwach werden; ab=nehmen; erschlaffen; verblassen; nach=lassen; ab=klingen; **~issant, e** schwächend; **~issement** *m* Schwächung; Entkräftung; Abnahme; Erschöpfung *f; (Farbe)* Verblassen; *(Kurs)* Nachlassen *n; phot* Abschwächung *f.*
affair|e [afɛr] *f* Angelegenheit, Sache; Frage; Gelegenheit *f;* Vorgang *m;* Geschichte; Schwierigkeit, Unannehmlichkeit *f;* Streit *m; com* Geschäft *n;* Unternehmung *f; jur* Rechtsstreit, Prozeß *m; mil* Schlacht *f,* Kampf *m,* Gefecht *n; pl* Amt *n;* öffentliche Angelegenheiten *f pl; mes ~s* meine Siebensachen *f pl;* mein Hab und Gut *n; pour ~s (com)* in Geschäften; *sans ~s (Börse)* lustlos; *avoir ~ à qn* mit jdm zu tun haben, *avec qn* in Geschäftsverbindung stehen; *être dans les ~s* geschäftlich tätig sein; *faire l'~ de qn* jdm gerade recht sein, gelegen kommen; *faire un chiffre d'~s (Beträge)* um=setzen; *mettre une ~ au point* e-e Angelegenheit in Ordnung bringen; *monter une ~* ein Geschäft auf die Beine stellen; *plaider une ~* e-n Prozeß führen; *se tirer d'~* sich aus der Affäre ziehen; *j'en fais mon ~* lassen Sie das meine Sorge sein! *il a fait de bonnes ~s* er hat gute Geschäfte gemacht; *il est hors d'~* er ist außer Gefahr; *vous faites mon ~* Sie sind mein Mann; *c'est une ~!* das ist prima! *cela fera l'~* das genügt; *cela ne peut faire l'~* das reicht nicht; *c'est une ~ d'État (fam)* das ist äußerst wichtig; *c'est toute une ~* das ist recht umständlich *od* schwierig; *c'est l'~ d'un instant* das geht im Handumdrehen; *ce n'est pas votre ~* das geht Sie nichts an; *c'est juste mon ~* das ist gerade, was ich brauche; *cela ne fait rien à l'~* das tut nichts zur Sache; *c'est son ~* das ist etwas für ihn; das ist seine Sache; *son ~ est faite* er ist erledigt; *l'~ est dans le sac* die Sache ist erledigt; *la belle ~!* Unsinn! das ist e-e Kleinigkeit! *accroissement, développement m, diminution f, essor m des ~s* Geschäft szunahme, -entwicklung, -abnahme *f,* -aufschwung *m; chiffre m d'~s (com)* Umsatz *m; expérience, pratique f des ~s* Geschäftserfahrung *f; gens pl d'~s* Geschäftsleute *pl; homme m d'~s* Geschäftsmann *m; lettre f d'~s* Geschäftsbrief *m; marche f, monde m des ~s* Geschäftsgang *m,* -welt *f; nouvelles ~s* Neuabschlüsse *m pl; voyage m d'~s* Geschäftsreise *f; ~ blanche* ergebnislose(s) Geschäft *n; ~s civiles* Zivilsachen *f pl; ~ criminelle* Kriminalfall *m; pl* Strafsachen *f pl; A~s étrangères* auswärtige Angelegenheiten *f pl;* Außenpolitik *f; ~s de faible importance* Bagatellsachen *f pl; ~ de mœurs* Sexskandal *m; jur* Sittlichkeitsverbrechen *n; ~ de pots-de-vin* Bestechungsgeldaffäre *f; ~ de temps* Frage *f* der Zeit; **~é, e** stark *od* überbeschäftigt; **~ement** *m* Geschäftigkeit *f;* **~er, s'~** sich eifrig zu schaffen machen; *~ autour de qn* sich eifrig um jdn bemühen; **~isme** *m* Geschäftemacherei *f;* **~iste** *m* G(e)schaftlhuber; Geschäftemacher *m.*
affaiss|ement [afɛsmɑ̃] *m* Senkung *f;* Zs.sacken, Absinken, Sichsetzen; Zs.brechen *n; med* Verfall *m,* Entkräftung *f; (Geschwulst)* Abnehmen *n; ~ du sol* Bodensenkung *f;* **~er** [e(ɛ)se] nieder=drücken; senken; *fig* (nieder=)beugen, mindern; *s'~* sich senken, ab=sinken; zs.=fallen; nach=geben; *(Boden)* sich setzen, sich senken; *(Balken, Draht)* durch=hängen, durch=sacken; *(Person)* zurück=sinken; den Mut verlieren; *med* zs.=brechen; *(Geschwulst, Geist)* ab=nehmen.
affaler [afale] *(Tau)* herunter=lassen; *~ sur, vers la côte* der Küste zu=treiben; *s'~* herunter=rutschen; getrieben werden; *fam* hin=fallen, sich fallen lassen, zs.=sacken.
affam|é, e [afame] *a* hungrig (*de* nach); ausgehungert; begierig (*de* nach); *s m: il a l'air d'un ~* er sieht ausgehungert aus; **~er** aus=hungern; *s'~ (fig)* noch gieriger werden; **~eur** *m fig* Blutsauger *m.*
affec|tation [afɛktasjɔ̃] *f* (Zweck-)Bestimmung; Zuweisung, Zuteilung; *(Gebäude, Geld)* Verwendung; *(Stelle)* Einweisung *f* (*à* in *acc*); gekünstelte(s) Wesen *n;* Ziererei; Geschraubtheit; Geltungssucht, *f* -bedürfnis *n;* Heuchelei, Verstellung *f; donner une autre ~ à qn* jdn versetzen; *~ hypothécaire* Hypothekenbestellung *f;* **~té, e** geziert, geschraubt; bestimmt (*à* für); *être ~* betroffen werden (*de* von); *med* befallen, angegriffen sein (*de* von); *être ~ à des travaux* zum Arbeitseinsatz kommen; **~ter** an=, ein=, zu=weisen; bestimmen

(*à* für); *mil* zu=teilen; beeinflussen; erregen; in Mitleidenschaft ziehen, berühren, an=gehen; betrüben; *(Form)* an=nehmen; vor=geben, sich den Schein geben; zur Schau tragen; so tun, als ob ... ; *(Grundstück)* belasten; *math (mit e-m Zeichen)* versehen; *med* an=greifen; *s'*~ bekümmert sein (*de qc* über e-e S); sich zu Herzen nehmen (*de qc* etw); **~tif, ive** Gefühls-, Gemüts-; empfindsam; *la vie ~ive* das Gefühlsleben *n.*

affection [afɛksjõ] *f* Anhänglichkeit; Zärtlichkeit, Zuneigung; Liebe; seelische Regung; *med* Erkrankung; Krankheit *f,* Leiden *n; prendre qn en ~* jdn lieb=gewinnen; **~ner** [-sjɔ-] gewogen sein (*qn* jdm), gern haben (*qn* jdn); e-e Vorliebe haben (*qc* für etw).

affec|tivité [afɛktivite] *f* Gefühl, Gemüt(sleben) *n;* **~tueux, se** [-tɥø, -øz] herzlich, zärtlich, liebevoll.

afférent, e [aferɑ̃, -ɑ̃t] *jur* zukommend, ent-, zufallend; betreffend; *anat* zuführend.

afferm|age [afɛrmaʒ] *m* Verpachtung *f;* Pachtvertrag *m;* **~er** (ver-)pachten.

afferm|ir [afɛrmir] (be)festigen, festmachen; *fig* stärken, kräftigen; *(Person)* bestärken (*dans* in *dat*); ab=härten; *(Börse)* festigen; *s'~* stärker, kräftiger werden; **~issement** *m* Stärkung, Kräftigung; *fig* Festigung *f.*

affét|é [afete] geziert; gesucht; *(Stil)* gekünstelt; **~erie** [-ɛt-] *f* Ziererei; Künstelei *f.*

affich|age [afiʃaʒ] *m (Plakat)* Anschlag, Aushang *m;* Ankleben von Zetteln; Aushängen *n; fam* Zurschaustellung *f; tableau, panneau m d'~* Anschlagtafel *f,* Schwarze(s) Brett *n; ~ du prix* Preisauszeichnung *f;* **~e** *f* Anschlag, Aushang *m;* Bekanntmachung *f;* Plakat *n; annoncer par voie d'~s* durch Aushang bekannt=geben; *apposer, coller, placarder une ~* ein Plakat an=kleben; *~ aérienne* Himmelsschrift *f; ~ électorale* Wahlplakat *n; ~ horaire* Aushangfahrplan *m; ~ lumineuse* Lichtreklame *f; ~ murale* Wandreklame *f; ~ de prix* Preistafel *f,* -aushang *m; ~ de publicité* Werbeplakat *n; ~-réclame f* Reklameanschlag *m; ~ de théâtre* Theaterplakat *n; ~ de vitrine* Schaufensterplakat *n;* **~er** *(Plakat)* an=schlagen; *(Zettel)* an=kleben, an=heften; öffentlich bekannt=machen; deutlich zeigen; zur Schau stellen; prahlen (*qc* mit etw); *(Frau)* ins Gerede bringen; *s'~* sich öffentlich sehen lassen; sich zur Schau stellen; *défense d'~* Ankleben verboten! **~eur** Plakatkleber *m;* **~iste** *m* Gebrauchsgraphiker *m.*

affid|avit [afidavit] *m com* Affidavit *n;* eidesstattliche Versicherung *f.*

affil|age [afilaʒ] *m* Schärfen, Schleifen; Anspitzen; Drahtziehen *n;* **~ée:** *d'~* hinterea.; **~er** schärfen, schleifen, wetzen; *(Messer)* ab=ziehen; *avoir la langue bien ~ée* ein gutes Mundwerk, e-e böse Zunge haben; **~eur** *m* Schleifer *m;* **~iation** [-lja] *f (Verein)* Aufnahme, Zugehörigkeit *f;* Anschluß *m,* Angliederung *f;* Beitritt *m* (*à* zu); **~ié, e** [-lje] *a* aufgenommen, angeschlossen; *s m* Mitglied *n; société f ~e* Zweiggesellschaft *f;* **~ier** an=gliedern (*à* an *acc*); auf=nehmen (*à* in *acc*); *s'~* Mitglied werden (*à* bei); sich an=schließen (*à* an *acc*); bei=treten; **~oir** *m,* **~oire** *f* Schleif-, Wetzstein; Messerschärfer; Streichriemen *m.*

affin|age [afinaʒ] *m (Metall)* Vergütung, Frischung, Vered(e)lung; Reinigung *f; (Hanf)* Abhecheln; *(Tuch)* Scheren *n;* **~ement** *m fig* Verfeinerung *f; tech* Feinspitzen *n;* **~er** *tech* läutern, reinigen; veredeln, frischen; vergüten; *(Draht)* fein=ziehen; *(Nagel)* spitzen; *(Flachs)* hecheln; *(Tuch)* scheren; *(Pappe)* pressen; *(Wein, Käse)* ab=lagern; *(Geschmack)* verbessern; *(Speise)* schmackhafter machen; schlank machen; *fig* verfeinern, verbessern, ausdrucksvoller gestalten; *(Verstand)* schärfen; *s'~* sich verfeinern, sich läutern; *(Gesicht)* spitz werden; **~ité** *f* Verwandtschaft; Verschwägerung; *fig* Ähnlichkeit; *chem* Affinität *f;* **~oir** *m* Hechel *f.*

affirm|atif, ive [afirmatif, -iv] *a* bejahend; *(Person, Ton)* entschieden, bestimmt; *s m* bejahende(r) Ausdruck *m; s f* Bejahung *f; dans l'~ative* zutreffendenfalls; *réponse f ~ative* positive Antwort *f;* **~ation** *f* Bejahung; Bestätigung; Versicherung *f; gram* bejahende(r) Ausdruck *m; ~ de soi--même* Selbstbestätigung *f;* **~er** behaupten; bejahen, bestätigen, versichern; *(Recht)* geltend machen; *jur* an Eides Statt versichern; *s'~* offenbar werden; sich durch=setzen, sich behaupten.

affleur|age [aflœraʒ] *m* Rühren *n* im Holzschliff; **~ement** *m tech* Ausgleichung, Nivellierung *f; min* Ausstreichen *n;* Ausbiß *m;* Zutageliegende(s) *fig* Hervortreten, Emportauchen *n;* **~er** *tr* aus=gleichen; (ein=)ebnen; *tech* aus=fluchten; *(Boden)* eben machen; *(Holzschliff)* um=rühren; *(Rand, Ufer)* erreichen; *itr (Bretter)* zs.=passen; *min* zu Tage aus=gehen; *faire ~ l'eau à la bouche* das Wasser im Munde zs.=laufen lassen.

affliction [afliksjõ] *f* Betrübnis, Trübsal; Bedrängnis *f;* Kummer *m.*

afflig|eant, e [afliʒɑ̃, -ɑ̃t] traurig; betrüblich; schmerzlich; **~er** betrüben; bedrücken; *(Krankheit)* heim=suchen; *être ~é* betrübt sein; *s'~* sich grämen; *je m'~e, je suis ~é* es tut mir sehr leid (*de, que* zu, daß).

afflouer [aflue] *mar* (wieder) flott=machen.

afflu|ence [aflyɑ̃s] *f* Zufluß, An-, Zudrang, Zulauf; Überfluß *m;* Menge; *(Waren)* Zufuhr *f; heures f pl d'~* Hauptgeschäftszeit, -verkehrszeit *f,* Flutstunden *f pl;* **~ent, e** *a* zuströmend; *(Fluß)* Neben-; *s m* Nebenfluß *m;* **~er** *(Fluß)* fließen, sich ergießen (*dans* in *acc*); *(Gedanken)* zu=fließen; *(Menge)* zs.=, herbei=strömen; **~x** [afly] *m (Blut)* Andrang *m; (Kapital)* Ansammlung; *(Hitze)* Welle *f; (Menschen)* Andrang, Zulauf *m.*

affol|ant, e [afɔlɑ̃, -ɑ̃t] verwirrend, bestürzend; erschreckend; **~é, e** verwirrt, erschrocken, außer sich (*de* vor); *(Magnetnadel)* abspringend; **~ement** *m* Verwirrung, Erregung *f,* panische(r) Schrecken *m;* **~er** *tr* verwirren; erschrecken; betören; *s'~* verwirrt werden; die Selbstbeherrschung verlieren; keinen klaren Gedanken fassen können; beinahe den Verstand verlieren (*de qc, qn* vor e-r Sache, durch jdn).

affouage [afwaʒ] *m* Holzgerechtigkeit *f.*

affouill|ement [afujmɑ̃] *m* Unterspülung, Auswaschung *f;* **~er** *(Wasser)* aus=waschen; aus=höhlen.

affourag|ement [afuraʒmɑ̃] *m (Vieh)* Füttern *n;* Fütterung *f;* **~er** füttern.

affranch|i, e [afrɑ̃ʃi] *a* freigelassen; *(Brief)* freigemacht, frankiert; *s m f* Freigelassene(r *m*) *f; fam* amoralische(r) Mensch *m;* **~ir** frei=lassen; *fig* befreien (*qn de qc* jdn von etw); *(Brief)* frei=machen; *mar* lenzen; *fam* auf=klären, auf dem laufenden halten, warnen; *machine f à ~* Frankiermaschine *f;* **~issement** *m* Freilassung, Befreiung; *(Brief)* Freimachung *f;* Porto *n; ~ insuffisant* ungenügend frankiert.

affres [a(ɑ)fr] *f pl* Schrecken *m (pl),* Entsetzen, Grauen *n.*

affr|ètement [afrɛtmɑ̃] *m* Befrachtung *f;* Frachtgeld; Chartern *n;* **~éter** *(Schiff)* befrachten; chartern; **~éteur** *m* Befrachter *m.*

affreux, se [afrø, -øz] schrecklich, furchtbar; abscheulich; grauenvoll.

affriander [afrijɑ̃de] *(Tiere)* an=locken, ködern; *fig* verführen.

affriol|ant, e [afrijɔlɑ̃, -ɑ̃t] lecker, wohlschmeckend; *fig* verführerisch; **~er** (an=)locken, ködern *a. fig.*

affront [afrõ] *m* Beleidigung, Beschimpfung; Schande, Schmach *f; boire un ~* e-e Beleidigung ein=stekken; *faire un ~ à qn* jdn (öffentlich) beschimpfen; **~er** [-te] die Stirne, Trotz bieten (*qn* jdm); *(e-r Gefahr)* trotzen (*qc* dat); *(Wundränder)* anea.=fügen; *s'~* ea. gegenüber=stehen, handgemein werden, sich streiten.

affubl|ement [afybləmɑ̃] *m* (lächerlicher) Aufzug *m;* **~er** heraus=putzen (*qn de qc* jdn mit etw); *s'~* sich aus=staffieren; sich heraus=putzen.

affusion [afyzjõ] *f med* Begießung *f.*

affût [afy] *m (Jagd)* Anstand *m; mil* Lafette *f; tech* Gestell *n;* Bohrsäule *f; être à l'~* auf dem Anstand sein; *fig* auf der Lauer liegen; *~ automatique* Selbstfahrlafette *f; ~ perché* Hochsitz *m; ~-traineau m* MG-Schlitten *m;* **~age** [-taʒ] *m* Schärfen *n;* Schliff; Werkzeugsatz *m; mil* Schaftung *f;* **~er** (an=)schärfen; schleifen; *(Säge)* aus=feilen; mit Werkzeugen aus=rüsten; *(Pferd)* in Form bringen; *(Bleistift)* (zu=)spitzen; *mil* mit e-r Lafette versehen; **~eur** *m* Schleifer *m;* Sägenfeile *f;* Jäger *m* auf dem Anstand; **~euse** *f* Schleifmaschine *f;* **~iau** [-tjo] *pop* Kleinkram *m* Zeug *n.*

afin [afɛ̃] *: ~ de (prp)* um zu; *~ que (conj) mit subj* damit; auf daß.

africain, e [afrikɛ̃, -ɛn] *a* afrikanisch; *s m f A~* Afrikaner(in *f*) *m;* **Afrique, l'** *f* Afrika *n.*

afro-américain, e [afroamerikɛ̃, -ɛn] *a* afroamerikanisch; *s m f* Afroamerikaner(in *f*) *m.*

aga|çant, e [agasɑ̃, -ɑ̃t] ärgerlich; *(Geräusch)* auf die Nerven gehend; *(Mensch)* lästig; *(Blick)* herausfordernd; **~cement** *m* Erregung, Ungeduld, Nervosität *f;* Ärger *m;* **~cer** erregen, reizen; ärgern; belästigen; nekken; heraus=fordern; **~cerie** *f* Neckerei; Schäkerei *f; faire des ~s* schäkern, flirten (*à qn* mit jdm).

agame [agam] *a bot* kryptogamisch; *s f pl* Kryptogamen *f pl.*

agape [agap] *f rel* Liebesmahl; *pl* Festessen *n.*

agaric [agarik] *m* Blätterpilz *m.*

agate [agat] *f* Achat *m.*

agave, agavé [agav, -ave] *m* Agave *f.*

age [aʒ] *m* Pflugbalken, Grendel *m*.
âge [ɑ(a)ʒ] *n* (Menschen-, Lebens-)Alter *n;* Zeit(abschnitt *m*); Epoche *f; à l'~ de 30 ans* mit 30, im Alter von 30 Jahren; *à mon ~* in meinem Alter; *à la fleur de l'~* in den besten Jahren; *d'~ scolaire* im schulpflichtigen Alter; *d'un certain ~, entre deux ~s* älter; in (den) mittleren Jahren, nicht mehr ganz jung; *hors d'~* veraltet; *avoir passé l'~* zu alt sein (*de* um zu); *être atteint par la limite d'~* die Altersgrenze erreicht haben; *être d'~ à* od *en ~ de* im richtigen Alter sein, um zu; alt genug sein, um zu; *être avancé en ~* in vorgerücktem Alter sein; *bien porter son ~* so alt aus=sehen, wie man ist; noch rüstig sein; *on ne lui donnerait pas son ~* er sieht nicht so alt aus, wie er ist; *quel ~ a-t-il?* wie alt ist er? *j'ai passé l'~* ich bin zu alt (dazu); *il est de mon ~* wir sind gleich alt; *bas, jeune ~* Kindes-, Jugendalter *n; grand ~* hohe(s) Alter *n; moyen(-)~, moyen ~* Mittelalter *n; retour m d'~* Wechseljahre *n pl; troisième ~* Rentenalter *n; (Menschen)* Senioren *m pl*, ältere Mitbürger *m pl; ~ ingrat* Flegeljahre *n pl; ~ limite* Altersgrenze *f; ~ mûr, viril* Mannesalter *n; ~ nubile* heiratsfähige(s) Alter *n; ~ d'or* Goldene(s) Zeitalter *n; ~ de la pierre, du bronze, de fer* Stein-, Bronze-, Eisenzeit *f; ~ de puberté* Pubertätsalter *n;* **âgé, e** [ɑ(a)ʒe] alt; bejahrt; *~ de vingt ans* 20 Jahre alt.

agenc|e [aʒɑ̃s] *f* Geschäftsstelle; Agentur *f;* Büro *n;* Vertretung *f;* Korrespondenzbüro *n; ~ d'affaires* Maklergeschäft *n; A~ France Presse* französische Presseagentur; *~ de location* Vorverkaufskasse *f; ~ maritime* Schiffahrtsagentur *f; ~ matrimoniale* Heiratsvermittlungsinstitut *n; A~ nationale pour l'emploi* Arbeitsamt *n; ~ de placement* Stellenvermittlungsbüro *n; ~ de presse* Presseagentur *f; ~ de publicité* Anzeigenbüro *n;* Werbeagentur *f; ~ de renseignements* Auskunftei *f; ~ de théâtre* Theateragentur *f; ~ de tourisme, de voyage* Reisebüro; *~ de travaux* Arbeitsvermittlung *f;* **~ement** *m* Einrichtung; Anordnung; Aufstellung; Disposition *f;* **~er** ein=richten; an=ordnen; auf=stellen, disponieren; *(Satz)* auf=bauen; **~eur** *m* Organisator *m*.
agenda [aʒɛ̃da] *m* Merk-, Notizbuch.
agenouill|ement [aʒnujmɑ̃] *m* Niederknien *n;* Fußfall *m;* **~er, s'** nieder=knien, das Knie beugen; **~oir** [-nujwar] *m* Kniebänkchen *n;* Betschemel *m*.
agent [aʒɑ̃] *m* wirkende Kraft *f;* Mittel *n; med* Träger, Erreger *m;* Ursache *f;* Agent, Bevollmächtigte(r), Vertreter; Geschäftsträger; Beamte(r); Angestellte(r); Schutzmann *m; ~ acquisiteur* Anzeigenwerber *m; ~ de l'administration publique* Behördenangestellte(r) *m; ~ d'assurances* Versicherungsvertreter *m; ~ de brevet* Patentanwalt *m; ~ de change* Wechsel-, Börsenmakler; Effektenhändler *m; ~ de la circulation* Verkehrsschutzmann *m; ~ commercial* Handelsvertreter *m; ~ comptable* Rechnungsführer *m; ~ de décomposition* Zersetzungsmittel *n; ~ double* Doppelagent *m; ~ de durcissement* Härter *m; ~ exclusif* Alleinvertreter *m; ~ fiduciaire* Treuhänder *m; ~ général* Generalvertreter *m; ~s de guerre chimique* Kampfstoffe *m pl; ~ immobilier* Grundstücksmakler *m; ~ de lavage* Waschmittel *n; ~ de liaison* Verbindungsmann *m; ~ local* Platzagent *m; ~ de maîtrise* Meister *m; ~ matrimonial* Heiratsvermittler *m; ~ pathogène* Krankheitserreger *m; ~ de police* Polizist *m; ~ de probation* Bewährungshelfer(in *f*) *m; ~ provocateur* Agent provocateur *m; ~ recruteur* Anzeigenwerber *m; ~ de renseignements* Auskunftsbeamte(r); Gewährsmann *m; ~ de surveillance* Aufsichtsperson *f; ~ de transmission motocycliste (mil)* Kradmelder *m*.
agglomér|ant [aglɔmerɑ̃] *m* Bindemittel *n;* **~at** [-ra] *m geol* Agglomerat, Konglomerat, Trümmergestein; *min* Sintererzeugnis *n;* **~ation** *f* Anhäufung, Zs.ballung; Ortschaft, Siedlung, Stadt; Menge *f;* Groß-; *~ en briquettes* Brikettierung *f; l'~ parisienne* Groß-Paris *n;* **~é** *m* Brikett *n;* Formstein *m; ~ de cuir* Kunstleder *n; ~ perforé* Wabenstein *m;* **~er** an=häufen; *fig* zs.=ballen; brikettieren.
agglutin|ant, e [aglytinɑ̃, -ɑ̃t] *a* bindend, klebend, backend; *(Sprache)* agglutinierend; *s m* Bindemittel *n;* Klebstoff *m;* **~atif, ive** *a* verklebend; *s m* Heftpflaster; Bindemittel *n;* **~ation** *f* An-, Verkleben; *med* Verheilen; *tech* Backen *n;* Agglutination *f;* **~er** verkleben; *(Sprache)* agglutinieren; *s'~* zs.-, an=kleben; *med* ver-, an=wachsen; *tech* backen.
aggrav|ant, e [agravɑ̃, -ɑ̃t] erschwerend; **~ation** *f med* Verschlimmerung; *(Wetter)* Verschlechterung; *(Strafe)* Verschärfung; *(Risiko)* Erhöhung *f; ~ orageuse* zunehmende

Gewitterneigung *f;* **~er** verschlimmern; verschärfen; *s'~* schlimmer werden; zu=nehmen; sich verschärfen.

agil|e [aʒil] gewandt, flink, behend(e); *(Geist)* beweglich; *rendre ~* beflügeln; **~ité** *f* Gewandtheit; Biegsamkeit; Gelenkigkeit; Beweglichkeit *f.*

agio [aʒjo] *m* Aufschlag *m;* Agio *n; pl* Bankprovision *f;* **~tage** [-ɔt-] *m* Börsenspekulation *f,* -wucher; Bankschwindel *m;* **~ter** spekulieren, Börsenwucher treiben; **~teur** Börsenspekulant *m.*

ag|ir [aʒir] *itr* handeln; (ein=)wirken (*sur* auf *acc*); vermitteln (*auprès de* bei); beeinflussen (*sur qn* jdn); verfahren; *chem* reagieren; sich benehmen; *jur* vor=gehen (*contre* gegen); *faire ~* in Bewegung setzen; zum Handeln veranlassen; *~ de soi-même* aus eigener Initiative handeln; *~ bien (mal) avec (envers, à l'égard de) qn* sich gut (schlecht) gegenüber jdm benehmen; *~ pour qn* sich für jdn verwenden; *~ en justice* gerichtliche Schritte unternehmen; *s'~: il s'agit de* es handelt sich um; *il s'agit de moi* es betrifft mich; *il s'agit pour moi de ...* es ist mir darum zu tun, zu ...; *il s'agit de savoir si ...* es ist die Frage, ob ...; *de quoi s'agit-il?* wovon ist die Rede? worum dreht *od* handelt es sich? *manière f d'~* Handlungsweise *f;* **~issant, e** tätig; lebendig; betriebsam; *med* wirksam; **~issements** *m pl* Umtriebe *m pl;* Machenschaften *f pl.*

agit|ant, e [aʒitɑ̃, -ɑ̃t] er-, aufregend; **~ateur** [-ta-] *m* Aufwiegler; Hetzredner, Agitator; *tech* Rührapparat *m* -werk *n; chem* Rührstab *m;* **~ation** *f* (heftige) Bewegung; Aufregung; Erregung; Unruhe; *pol* Hetze, Agitation; Gärung *f; tech* Umrühren; *(Flut)* Wogen; *(Schwanz)* Wedeln; *(Herz)* Klopfen *n; (Lippen)* Beben *n;* **~er** bewegen; er-, auf=regen; beunruhigen; *(Fahne)* schwenken; wedeln (*la queue* mit dem Schwanz); *(Baum)* schütteln; *chem* um=rühren; *(Frage)* diskutieren; besprechen; *(Volk)* auf=wiegeln; *(Blut)* in Wallung bringen; *s'~* sich (hin u. her) bewegen; unruhig werden; in Erregung geraten; *(Fahne)* flattern (*sur la hampe* an der Fahnenstange); *(Blätter)* sich bewegen.

agnat, e [agnɑ, -ɑt] *m f* Verwandte(r *m) f* im Mannesstamm.

agneau [aɲo] *m* Lamm; Lamm-, Schaffell; Lammfleisch; *fig* frommes Lamm *n; ~ pascal* Osterlamm *n.*

agne|lage [aɲəlaʒ] *m* (Zeit *f* des) Lammen(s) *n;* **~ler** lammen; **~let** [-lɛ] *m* Lämmchen *n.*

Agnès [aɲɛs] *f* Agnes; *fig* Unschuld *f* vom Lande.

agon|ie [agɔni] *f* Todeskampf *m,* Agonie *f; être à l'~* in den letzten Zügen liegen; **~ir** *tr* überhäufen (*de reproches* mit Vorwürfen); **~isant, e** *a* mit dem Tode ringend; *s m f* Sterbende(r *m) f;* **~iser** *itr* mit dem Tode ringen; *a.* vegetieren; *fig* zs.=brechen, dem Ende zu=gehen *od* nahe sein.

agoraphobie [agɔrafɔbi] *f med* Platzangst *f.*

agraf|e [agraf] *f* Haken *m,* (Heft-) Klammer; Spange *f;* Falz *m;* Schnalle *f;* **~er** zu=, ein=, an=haken; (an=)heften; (an=)klammern; falzen; *fam* ergreifen, erwischen; **~euse** *f* Hefter *m.*

agraire [agrɛr] landwirtschaftlich; Akker-; Agrar-; *réforme f ~* Bodenreform *f.*

agrammatical [agramatikal] *a* grammatikalisch unrichtig.

agrand|ir [agrɑ̃dir] vergrößern *a. phot;* aus=dehnen, erweitern; aus=bauen; übertreiben; *fig* erhöhen, erheben; veredeln; adeln; größer erscheinen lassen; reicher, mächtiger machen; *s'~* sich vergrößern; größer werden; sich aus=dehnen; s-n Besitz erweitern; **~issement** *m* Vergrößerung *a. phot;* Erweiterung *f; arch* Anbau *m; fig* Erhöhung *f;* **~isseur** *m phot* Vergrößerungsapparat *m.*

agrarien, ne [agrarjɛ̃, -ɛn] *a* die Landwirtschaftsgesetze betreffend; *s m* Agrarier *m.*

agré|able [agreabl] angenehm; liebenswürdig; anziehend, verführerisch; *(Nachricht)* willkommen; *(Äußeres)* gefällig; *(Speise)* wohlschmekkend; *pour vous être ~* um Ihnen e-n Dienst zu erweisen; *joindre l'utile à l'~* das Angenehme mit dem Nützlichen verbinden; **~é** [ɑgree] *m jur* Sachwalter *m;* **~er** *tr* genehmigen; günstig auf=, entgegen=nehmen; zu=stimmen (*qc* e-r S *dat*); gut=heißen; zu=lassen; *(e-m Antrag)* statt=geben (*qc* dat); *(Briefende) veuillez ~ mes respects* mit vorzüglicher Hochachtung; *itr* gefallen.

agrég|at [agrega] *m* Maschinensatz *m;* Aggregat *n;* Zuschlagstoff; Zusatz *m;* Anhäufung *f;* **~ation** *f* Aufnahme; *min* Anhäufung *f;* Aggregation *f;* **~é** [-ʒe] angehäuft; *professeur m ~* Agrégé *m;* **~er** aufea.=häufen; *(in e-e Gesellschaft)* auf=nehmen (*à* in *acc*); *s'~* sich ein=gliedern.

agrément [agremɑ̃] *m* Zustimmung, Einwilligung, Billigung; Abmachung; Zulassung; Annehmlichkeit; Anmut *f*, Liebreiz *m;* Vergnügen *n; pl* Verzierungen *f pl; voyage m d'~* Vergnügungsreise *f;* **~er** verzieren; *(Unterhaltung)* würzen.

agrès [agrɛ] *m pl mar* Takelwerk *n;* Turngeräte *n pl; (Ballon)* Tauwerk *n.*

agress|er [agrese] überfallen; **~eur** *m* Angreifer *m;* **~if, ive** herausfordernd; angriffslustig, aggressiv; **~ion** *f* Angriff; Überfall *m; ~ aérienne* Luftangriff *m;* **~ivité** *f* Angriffslust *f.*

agreste [agrɛst] ländlich; *bot* wild(wachsend); *fig* roh, ungehobelt.

agri|cole [agrikɔl] landwirtschaftlich; Landwirtschafts-; Feld-; *machine f ~* landwirtschaftliche Maschine *f; produits m pl ~s* landwirtschaftliche Erzeugnisse *n pl;* Feldfrüchte *f pl; travail m ~* Feldarbeit *f;* **~culteur, trice** *m f* Landwirt(in *f*) *m;* **~culture** *f* Landwirtschaft *f,* Ackerbau *m.*

agriffer [agrife] mit Krallen packen; *s'~* sich an=, fest=krallen; *fam* sich fest=klammern (*à* an *acc*).

agripper [agripe] *fam* (gierig) ergreifen, packen; *s'~* sich hängen (*à* an *acc*); sich fest=halten, sich fest=klammern (*à* an *acc*).

agro|logie [agrɔlɔʒi] *f* Landwirtschaftskunde *f;* **~nome** [-n ɔm] *m: ingénieur-~ m* Diplomlandwirt *m;* **~nomie** *f* Landwirtschaftskunde *f;* **~nomique** landwirtschaftskundlich; *institut m ~* landwirtschaftliche Hochschule *f.*

agrumes [agrym] *m pl* Zitrusfrüchte *f pl;* Agrumen *f pl.*

aguerr|i, e [agɛri] abgehärtet; kampf-, kriegsgewohnt; **~ir** ab=härten (*à, contre* gegen); gewöhnen (*à, contre* an *acc*); **~issement** *m* Abhärtung; Gewöhnung *f* (*à qc* an e-e S).

aguets [agɛ] *m pl: être, se tenir aux ~* auf der Lauer liegen; *se mettre aux ~* sich auf die Lauer legen.

aguich|ant, e [agiʃɑ̃, -ɑ̃t] *fam* verführerisch; verlockend; **~er** *fam* reizen, verlocken, verführen.

ah [ɑ] *interj* ah! oh! ach! *~ oui!* natürlich! freilich!

ahur|i, e [ayri] *a* verblüfft, verdutzt; verwirrt; *s m: il reste planté là comme un ~* er steht mit offenem Munde da; **~ir** verblüffen, verdutzen, verwirren; **~issement** *m* Bestürzung; Verwirrung; Verblüffung *f.*

aï [ai] *m zoo* Faultier *n.*

aiche, èche, esche [ɛʃ] *f (Angeln)* Köder *m.*

aid|e [ɛd] **1.** *f* Hilfe *f;* Beistand *m,* Unterstützung; Beihilfe; Fürsorge *f;* **2.** *m f* Hilfe *f,* Helfer *m;* Hilfskraft *f,* Gehilfe *m;* Gehilfin *f;* Assistent(in *f*) *m; à l'~ de* mit Hilfe, vermittels *gen; appeler qn à son ~* jdn zu Hilfe rufen; *venir en ~* zu Hilfe kommen (*à qn* jdm); *à l'~!* Hilfe! *~ m de camp* Adjutant *m; ~ m chirurgien* Assistenzarzt *m* eines Chirurgen; *~ m de cuisine* Küchenhilfe *f; ~ f économique* Wirtschaftshilfe *f; ~ f à l'étranger* Auslandshilfe *f; ~ familiale* Familienpflegerin *f; ~-géomètre m* Vermessungsgehilfe *m; ~ f immédiate* Soforthilfe *f; ~-maçon m* Handlanger *m; ~-mémoire m* Zs.fassung *f;* Merkblatt *n;* Stichwörter *n pl; ~ f soignante* (Kranken-)Pflegerin *f; ~ f transitoire* Übergangsbeihilfe *f;* **~er** [e(ɛ)de] *tr qn* jdm helfen, jdm bei=stehen; *aide-moi donc!* hilf mir doch!; *il l'~e à faire ses devoirs* er hilft ihm bei den Hausaufgaben; *il m'a ~é dans cette situation difficile* er hat mir in dieser schwierigen Lage beigestanden; unterstützen *(acc); il m'a ~é de ses conseils* er hat mich mit Ratschlägen unterstützt; *~ à* fördern *(acc),* bei=tragen zu; *il a ~é au développement de cette industrie* er hat die Entwicklung dieser Industrie gefördert; *il m'a ~é pour mon déménagement* er war mir beim Umzug behilflich; *~ qn à mettre, enlever son manteau* jdm in den Mantel, aus dem Mantel helfen; *~ qn à remporter la victoire* jdn zum Sieg verhelfen; *~ qn à traverser la rue* jdm über die Straße helfen, *~ qn à se sortir d'un mauvais pas* jdm aus der Patsche helfen *(fam); (Haushalt)* aus=helfen *elle nous ~e à l'occasion* sie hilft gelegentlich bei uns aus; *elle m'a ~é à ranger* sie hat mir aufräumen geholfen *od* beim Aufräumen geholfen; *s'~ (de qc)* (etw) benützen, verwenden; Gebrauch machen *(von etw);* sich bedienen (e-r S *gen*); ea. helfen.

aïe [aj] *interj* au! autsch! o weh!

aïeu|l [ajœl] *m* Großvater; Ahn(herr) *m;* **~le** *f* Großmutter; Ahnfrau *f;* **~ls** *m pl vx* Großväter *m pl;* Großeltern *pl;* **~x** [ajø] *pl lit* Vorfahren, Ahnen *pl.*

aigl|e [ɛgl] *m zoo* Adler; *fig* As, Genie *n,* Kanone *f; rel* Adlerpult *n;* Papierformat *n* (0,75 × 1,06 u. 0,94 × 0,60 m); *f mil* Adler *m; ce n'est pas un ~* er hat das Pulver nicht erfunden; **~efin** [-gləfɛ̃] *m* Schellfisch *m;* **~on, ne** [-glɔ̃, -ɔn] *a* Adler-; *s m* junge(r) Adler *m.*

aigre [ɛgr] *a* sauer; *(Stimme)* kreischend; gellend; *(Wind)* scharf; *(Kälte)* schneidend, durchdringend; *(Charakter)* mürrisch; *(Frau)* zänkisch; *(Farbe)* grell; *(Metall)* kaltbrüchig; spröde; *(Wort)* bitter; *(Rede)* spitz; *(Wein)* herb; säuerlich; *s m* Säure; Schärfe *f; tourner à l'~* sauer werden; e-n Stich bekommen; *~-doux (Früchte)* süßsauer; *fig* sauersüß.

aigrefin [ɛgrəfɛ̃] *m* **1.** Schwindler, Hochstapler; **2.** Schellfisch *m.*

aigrelet, te [ɛgrəlɛ, -ɛt] säuerlich.

aigr|ette [ɛgrɛt] *f* Silberreiher; *(Vogel, Hut)* Federbusch *m; (Insekt)* Haarbüschel *n; (Same)* Flugschirm *m; Art* Diamanten-, Perlenbrosche *f; (Rauch)* Wölkchen *n,* Kringel *m; (Pflanze, el)* Büschel *n; (Glas)* Schliff *m;* **~etté, e** [ɛgrete] *bot (Same)* mit Flugschirm.

aigr|eur [ɛgrœr] *f* Säure; *tech* Sprödigkeit; *fig* Bitterkeit; Verbitterung *f;* Groll *m; pl med* Magensäure *f;* Sodbrennen *n;* **~ir** [ɛgrir] *itr* sauer werden; *fig* bitter werden; *tr* säuern; *fig* (v)erbittern; *(Sache)* verschlimmern; *(Streit)* verschärfen; *s'~* sauer, *fig* bitter werden; sich ärgern; schlimmer werden.

aigu, uë [egy] *a* spitz(ig); zugespitzt; *(Schrei)* durchdringend; *(Stimme)* gellend; *(Ton)* hoch; schrill; *(Blick)* scharf; *(Verstand)* durchdringend, scharf; *(Schmerz)* stechend; *med* akut; *(Winkel)* spitz; *fig* heftig; *(Reden)* spitz; *s f* hohe(r) Ton *m.*

aigue-marine [ɛgmarin] *f* Aquamarin *m.*

aiguière [ɛgjɛr] *f* Wasserkanne *f.*

aiguill|age [e(ɛ)gɥijaʒ] *m* Weiche *f;* Weichenbezirk *m,* -gestänge *n;* Steuerung *f; inform* Schaltung *f; poste m, cabine f d'~* Stellwerk *n;* **~e** *f* Nadel *f a. bot;* Zeiger *m; (Waage)* Zünglein *n;* (Berg-, Turm-)Spitze *f;* Obelisk *m; loc* Weiche(nzunge) *f; min* Spitzeisen *n; med* Punktionsnadel, Lanzette *f; chem* nadelförmige(r) Kristall *m; de fil en ~* eins gab das andere; *chercher une ~ dans une botte de foin* eine Stecknadel in einem Heuhaufen suchen; *enfiler une ~* e-e Nadel ein=fädeln; *renverser, talonner l'~* die Weiche um=stellen, auf=fahren; *on le ferait passer par le trou d'une ~* er ist sehr schüchtern, hat Angst; *commande f de l'~* Weichenstellung *f;* Weichenantrieb *m; déclinaison, déviation* od *élongation* od *inclinaison f de l'~* Ablenkung *f,* Ausschlag *m* der Magnetnadel; *indicateur m d'~(s)* Weichensignal *n; ~ aimantée* Magnetnadel *f; ~ de boussole* Kompaßnadel *f; ~ à broder, à coudre, à repriser, à tricoter* Stick-, Näh-, Stopf-, Stricknadel *f; ~ du cadran* Skalenzeiger *m; ~ d'emballeur* Packnadel *f; ~ d'enregistrement* Aufnahmenadel *f; ~ de glace* Eisnadel *f; ~ d'horloge* Uhrzeiger *m; ~ pour phono(graphe)* Grammophonnadel *f; ~ de pin* Kiefernadel *f; ~ à tracer* Radiernadel *f; ~ trotteuse* Sekundenzeiger *m;* **~ée** *f* (Länge *f* e- s) Nähfaden(s) *m;* **~er** *loc* die Weichen stellen, *(~ le train)* (für den Zug) die Fahrstraße legen; (den Zug) um=setzen; *fig* lenken, leiten; **~eter** *mar* fest=zurren; **~ette** *f* Nestel, Schuhsenkel *m;* Zurrtau *n;* lange, dünne Fleischschnitte; *pl mil* Achselschnur *f;* **~eur** *m* Weichensteller, -wärter *m; ~ du ciel* Fluglotse *m;* **~ier** [-gɥije] *m* Nadler *m;* Nadelbüchse *f;* **~on** *m* Stachel; *fig* (An-) Sporn, Antrieb, Reiz *m; donner des coups d'~* an=spornen *(à qn* jdn); **~onner** *(Tier)* an=treiben; *(Appetit)* an=regen, reizen; *(Menschen)* an=spornen, auf=stacheln.

aiguis|age [e(ɛ)g(ɥ)izaʒ] *m* Schärfen, Schleifen, Wetzen; *(Klinge)* Abziehen *n;* **~er** *(Messer)* schleifen; *(Sichel)* wetzen; *(Klinge)* schärfen, ab=ziehen; *(Bleistift)* (an=)spitzen; *chem* säuern; *fig* (auf=)reizen; an=feuern; *(Appetit)* an=regen; *(Spottgedicht)* noch beißender machen; *(Verstand)* schärfen; *(Stil)* aus=, durch=feilen; *pierre f à ~* Schleifstein *m;* **~eur** *m* Schleifer *m;* **~oir** *m* Schleifmaschine *f.*

ail [aj] *m* Knoblauch *m* (*pl* **aulx** [o] , *bot* **ails**); **~lade** [ajad] *f* Knoblauchbutter, -sauce *f;* mit Knoblauch geriebenes (und mit Olivenöl begossenes) Stück *n* Brot; **~ler** mit Knoblauch würzen.

ail|e [ɛl] *f* Flügel *m a. mil aero sport; (Vogel) poet* Schwinge; *aero* Tragfläche *f; (Bombe)* Leitwerk *n; mot* Kotflügel; *arch* Flügel; *tech* Flansch, Schenkel; *fig* Schutz *m; à tire d'~(s)* flink, mit Windeseile; *sous l'~ de qn* unter jds Fittichen; *avoir du plomb dans l'~* schwer krank, *fig* in e-r schwierigen Lage sein; *battre des ~s (Vogel)* mit den Flügeln schlagen; *battre de l'~, ne battre que d'une ~ (fig)* auf dem letzten Loch pfeifen; *se brûler les ~s* sich die Finger verbrennen; *rogner les ~s* die Flügel stutzen *(à qn* jdm); *voler de ses propes ~s (fig)* auf eigenen Füßen stehen; *~ basse* Tiefdecker *m; ~ cantilever* freitragende(r) Flügel *m; ~ haute* Hochdecker *m; ~ du nez* Nasenflügel *m; ~ volante* Nurflügelflugzeug *n;* **~é, e** [e(ɛ)le] geflügelt; *fig* beflügelt, beschwingt; **~er** mit Flügeln versehen; *fig* beflügeln; **~eron** [ɛlrɔ̃] *m aero* Querruder *n; (Vogel)* Flügelspitze; *(Hai)* Flosse; *(Mühlrad)* Schaufel; *(MG)* Kühlrippe *f; arg* Arm *m;* **~ette** *f (Bombe)* Stabilisierungsflosse; *(Heizkörper)* Rippe *f; arch* (kleiner) Anbau; *(Gewehr, Ventilator)* Flügel *m; (Turbine)* Schaufel *f; pl* Lamellen *f pl; écrou m, vis f à ~s* Flügelmutter, -schraube *f; ~ de refroidissement* Kühlrippe *f;* **~ier** *m sport* Außen-, Flügelstürmer *m.*

ailleurs [ajœr] anderswo(hin), woanders, sonst(wo); anders, sonstwo(hin); *d'~* übrigens; überdies; anderswoher; *nulle part ~* nirgendwo sonst; sonst nirgends; *partout ~* sonst überall; *par ~* andererseits; übrigens, außerdem; auf anderem Wege.

ailloli [ajɔli] *m* Ailloli *n* (Olivenöl *n* mit zerstoßenem Knoblauch).

aimable [ɛmabl] liebenswürdig, reizend; anziehend; *(Umgang)* höflich, zuvorkommend; freundlich; *c'est très ~ à vous* es ist sehr freundlich von Ihnen.

aiman|t, e [ɛmɑ̃, -t] **1.** *a* liebevoll, zärtlich; **2.** *s m* Magnet *m; ~ en fer à cheval, en forme de barreau* Hufeisen-, Stabmagnet *m;* **~tation** *f* Magnetisierung *f;* **~té, e** magnetisch; *aiguille f ~e* Magnetnadel *f;* **~ter** magnetisieren; *s'~* magnetisch werden.

aim|é, e [ɛme] *a* geliebt; *s m f: le (la) bien-~(e)* der (die) Geliebte; **~er** [e(ɛ)me] lieben; gern haben; mögen; *(Lebensmittel)* gern essen *od* trinken; *s'~* sich (selbst) lieben; ea. lieben; *~ d'amour* von Herzen lieben; *~ (à) faire* gern tun; *~ que* es für gut finden, daß; wünschen, daß; *~ mieux* lieber tun; vor=ziehen; lieber mögen; *se faire ~ de qn* jds Zuneigung gewinnen; *j'~e mieux cela* das höre ich lieber; das ziehe ich vor; *j'~erais mieux dormir* ich möchte, würde lieber schlafen.

aine [ɛn] *f anat* Leiste; Leistenbeuge *f.*

aîn|é, e [ɛne] *a* älter, ältest; erstgeboren; senior; *s m f* Ältere, Älteste(r *m*) *m f; il est mon ~ de deux ans* er ist zwei Jahre älter als ich; **~esse** *f* Erstgeburt *f; droit m d'~* Erstgeburtsrecht *n.*

ainsi [ɛ̃si] *adv* so; auf diese Weise; derart; zum Beispiel; *s'il en est ~* wenn dem so ist; *pour ~ dire* sozusagen; *~ soit-il!* amen! *~ des autres choses, ~ du reste* u. so fort; *~ va le monde* das ist der Lauf der Welt; *conj* daher, also, folglich; *~ que* (so-) wie, gleichwie.

air [ɛr] *m* **1.** Luft, Atmosphäre *f a. fig;* Lufthauch; Wind *m; min* Wetter *n; fig* Ausstrahlung *f; en l'~ (a)* leichtsinnig, unbegründet; *adv* in der Luft; *en plein ~* unter freiem Himmel; *changer d'~* den Wohnort, *fam* die Tapeten wechseln; *donner de l'~ à qc* etw aus=lüften; *être dans l'~* in der Luft hängen *od* liegen; *être en l'~ (pol)* gestürzt sein; durchea. sein; unruhig sein; *(beruflich)* in der Luft hängen; *flanquer en l'~ (fam)* ab=stoßen; weg=werfen, über den Haufen werfen; *laisser échapper l'~* die Luft heraus=lassen; *mettre en l'~* in Unordnung, Verwirrung bringen; *pop* um=bringen; *prendre l'~* Luft schöpfen; *(aero)* auf=steigen; *regarder en l'~* nach oben sehen, in die Luft gukken; *tirer en l'~* in die Luft schießen; *vivre de l'~ du temps* von der Luft leben; *il y a de l'~* es ist windig; *il n'y a pas d'~* es weht kein Lüftchen; *il y a des courants d'~* es zieht; *tout est en l'~* alles geht drunter u. drüber; *adduction, amenée f d'~* Luftzuführung *f; armée f de l'~* Luftwaffe *f; bilan m en l'~* Rohbilanz *f; chauffage m à l'~ chaud* Warmluftheizung *f; conditionnement m d'~* Klimatisierung *f; couche f d'~* Luftschicht *f; courant m d'~* Luftzug *m; évacuation f de l'~* Entlüftung *f; hôtesse f de l'~* Stewardeß *f; paroles f pl en l'~* leere(s) Gerede *n; poche f d'~* Luftsack *m; pompe f à ~* Luftpumpe *f; prise f d'~* Ansaugstutzen *m; projet m en l'~* Luftschloß *n; promesse f en l'~* leere(s) Versprechen *n; résistance f de l'~* Luftwiderstand *m; routes f pl de l'~* Luftverkehrsnetz *n; traite f en l'~* Kellerwechsel *m; trou m d'~* Luftloch *n; ~ chaud, comprimé, froid* od *frais* Heiß-, Druck-, Kalt- *od* Frischluft *f; ~-conditionné, e* mit Klimaanlage; *~ grisouteux* Schlagwetter *n pl; ~ libre, liquide, lourd, vicié* frische, flüssige, schwüle, muffige *od* verbrauchte Luft *f;* **2.** Aussehen *n;* Ausdruck *m;* Art; Erscheinung *f;* Äußere(s) *n;* Ähnlichkeit; *(Pferd)* Gangart *f; avoir l'~ de* so aus=sehen, als ob; *avoir un ~ de famille* e-e gewisse Ähnlichkeit haben; *avoir bon, mauvais ~* gut, schlecht aus=sehen; *avoir l'~ bon* gutmütig aus=sehen; *avoir un ~ de supériorité* überlegen wirken; *avoir l'~ comme il faut* anständig aus=sehen; *ne pas en avoir l'~* sich nichts an=merken lassen; *prendre, se donner de grands ~s* groß=tun, vornehm tun; *ne prenez pas ces ~s là!* tun Sie doch nicht so! *cela en a tout l'~* das sieht ganz danach aus; *de quoi as-tu l'~!* wie siehst du aus! **3.** Melodie; Weise *f;* Lied *n;* Arie *f; en avoir l'~ et la chanson (fig)* wirklich sein, was man zu sein scheint; *vous n'êtes pas dans l'~* Sie singen falsch; *c'est l'~ qui fait la chanson* der Ton macht die Musik; *~ de danse* Tanzweise *f; ~ populaire* Volkslied *n.*

airain [ɛrɛ̃] *m* Erz *n; fig* Härte *f; d'~* ehern; *avoir un cœur d'~* ein Herz von Stein haben; *avoir un front d'~* unverschämt *od* unerschütterlich sein.

airbus [ɛrbys] *m* Airbus *m.*

aire [ɛr] *f* Tenne *f;* Estrich; freie(r) Platz; *math* Flächeninhalt *m;* Oberfläche *f; mar* Windstrich *m; min* Grenzfläche *f; (Raubvogel)* Horst *m; ~ d'atterrissage et de décollage* Rollfeld *n; ~ du cercle* Kreisfläche *f; ~ au ciment* Estrich *m; ~ de danger* Gefahrenherd *m; ~ de jeux* Spielplatz *m; ~ de repos* Rastplatz *m.*

airelle [ɛrɛl] *f ~ myrtille* Heidelbeere, Blaubeere *f; ~ rouge* Preiselbeere *f.*

ais|ance [ɛzɑ̃s] *f* Leichtigkeit, Ungezwungenheit, Freiheit *f;* Wohlstand *m; avec ~* ungezwungen; *donner de l'~* Spielraum geben; *vivre dans l'~* in guten Verhältnissen leben; *cabinet m d'~s* Toilette *f; fosse f d'~s* Abortgrube *f;* **~e** [ɛz] *f* Wohlbehagen *n,* Behaglichkeit; Bequemlichkeit *f;* Wohlstand *m; à l'~* bequem; *à votre ~* bitte schön! wie es Ihnen beliebt! *être à son ~* in guten Verhältnissen leben; sich wohl fühlen; *être mal à son ~* sich unbehaglich fühlen; *mettre qn à son* (od *à l')~* jdm über seine Verlegenheit hinweg=helfen; jdn beruhigen; *en prendre à son ~ (fam)* es sich leicht=machen; ganz ungeniert tun; *je suis bien ~* ich freue mich (*de zu (inf), de qc* über etw); *mettez-vous à l'~, à votre ~* machen Sie es sich bequem; legen Sie bitte ab! **~é, e** leicht; *(Benehmen)* frei, ungezwungen; *(Stil)* flüssig; *(Moral)* leicht; *(Person)* vermögend; *je le crois ~ément* ich glaube es gern.

aisselle [ɛsɛl] *f* Achsel(höhle) *f; creux m de l'~* Achselhöhle *f.*

Aix-la-Chapelle [ɛkslaʃapɛl] *f* Aachen *n.*

ajointer [aʒwɛ̃te] *tech* zs.=fügen.

ajonc [aʒɔ̃] *m* Stechginster *m.*

ajour [aʒur] *m* (Mauer-)Öffnung *f;* **~é, e** durchbrochen; **~er** *arch* durchbrechen.

ajour|nement [ajurnəmɑ̃] *m* Verschiebung, Vertagung; *jur* Vorladung *f;* **~ner** verschieben, vertagen; *jur* vor=laden; *mil* zurück=stellen; *s'~ (Versammlung)* sich vertagen; *être ~né (bei e-r Prüfung)* durch=fallen.

ajout|age [aʒutaʒ] *m* **1.** *tech* Beimengung *f,* Zusatz *m;* **2.** *s. ajutage;* **~é** *m (Buch)* Anhang, Zusatz *m;* **~er** hinzu=, bei=fügen; vermehren (*à qc* etw); *s'~* hinzu=kommen; *~ons que* dazu kommt, daß; *~ foi* Glauben schenken (*à qn, qc* jdm, e-r S).

ajust|age [aʒystaʒ] *m* Einpassung; *(Apparat)* Einstellung, Justierung; Verstellung; Zurichtung *f;* **~ement** [-tə-] *m tech* Einstellung; Passung *f;* Sitz *m; fig* Abstimmung, Anpassung *f;* Putz, Schmuck; *(Geschäft)* Ausgleich *m; ~ des salaires* Lohnausgleich *m;* **~é, e** auf Taille gearbeitet; **~er** ein=, an=passen; ein=richten, ein=stellen; zu=richten; in Ordnung bringen; richtig=stellen, berichtigen; *(Waage)* eichen; *(Gewehr)* justieren; zielen; *(Zimmer)* ein=richten; *(Instrumente)* aufea. ab=stimmen; *s'~* passen (*à* zu), zs.=passen; *(Kleidung)* an=liegen; sich zurecht=machen; **~eur** *m* Schlosser, Zurichter *m; ~-monteur m* Monteur *m.*

ajut|age [aʒytaʒ] *m* Verbindungsröhre *f,* Stutzen *m;* Düse *f; ~ d'arrosage* Spritzdüse *f.*

alacrité [alakrite] *f* Lebhaftigkeit, Munterkeit *f.*

alaire [alɛr] Flügel-; *charge f ~ (aero)* Flächenbelastung *f.*

alambi|c [alɑ̃bik] *m* Destillierapparat, -kolben *m,* Retorte *f; passer à l'~* destillieren; *fig* genau prüfen; **~qué, e** [-ke] spitzfindig; *(Stil)* gekünstelt; **~quer** *fig* überfeinern; spitzfindig machen.

alangu|i, e [alɑ̃gi] erschlafft; **~ir** schlaff machen; schwächen, entkräften; *s'~* erschlaffen; hin=welken; **~issement** *m* Schwächung, Erschlaffung; Entkräftung *f.*

alarm|ant, e [alarmɑ̃, ~ɑ̃t] beunruhigend, beängstigend, alarmierend; **~e** *f* Alarm *m;* Unruhe, Angst *f;* Schrekken *m; donner l'~* Alarm schlagen; *(auf e-e Gefahr)* aufmerksam machen; *sonner l'~* Sturm läuten; *fausse ~* blinde(r) Alarm *m; fig a.* Schreckschuß *m; installation f d'~* Alarmanlage *f; signal m d'~ (loc)* Notbremse *f;* **~er** auf=, erschrecken, beunruhigen; alarmieren; *s'~* in Unruhe geraten (*de* über + *acc*); sich ängstigen (*de* wegen); **~iste** *s m* Unruhestifter *m; a* beunruhigend.

albâtre [albɑtr] *m* Alabaster *m; d'~* Alabaster-; alabasterweiß.
albatros [albatro(ɔ)s] *m orn* Albatros *m.*
albinos [albinos] *m* Albino *m.*
albug|iné, e [albyʒine] *anat (Gewebe, Häute)* weiß; **~ineux, se** weißlich; **~o** [albygo] *m* Hornhautfleck *m.*
album [albɔm] *m* Album; Skizzenbuch; Stammbuch *n; ~ de photo(graphie)s* Photoalbum *n; ~ de timbres-poste* Briefmarkenalbum *n.*
albu|men [albymɛn] *m* Eiweiß *n; bot (Same)* Nährgewebe *n;* **~mine** *f* Albumin *n,* Eiweißstoff *m;* **~miné** *bot (Same)* mit Nährgewebe; **~mineux, se** eiweißhaltig; **~minoïde** *a* Eiweiß-; *s m chem* Albuminoid *n.*
alcal|i [alkali] *m* Alkali *n; ~ végétal* Pottasche *f; ~ volatil* Salmiakgeist *m;* **~in** alkalisch; **~oïde** *m* Alkaloid *n.*
alchim|ie [alʃimi] *f* Alchimie *f;* **~iste** Alchimist *m.*
alcoo|l [alkɔl] *m* Alkohol, Weingeist *m;* alkoholische(s) Getränk *n;* Schnaps *m; ~ de bois* Holzgeist *m; ~ à brûler* Brennspiritus *m; ~ solidifié* Hartspiritus *m;* **~lat** [-la] *m* Alkoholauszug *m;* **~lémie** *f* Blutalkoholspiegel *m;* **~lique** *a* alkoholisch; *s m f* Alkoholiker(in *f*) *m;* **~liser** Alkohol zu=setzen (*qc* e-r S dat); *s'~ (fam)* sich einen (Rausch) an=trinken; **~lisme** *m* Alkoholmißbrauch *m;* Alkoholvergiftung *f;* **~mètre** *m* Alkoholmesser *m.*
alco(o)test [alkɔtɛst] *m (Warenzeichen)* Alcotest *m.*
alcôve [alkov] *f* Alkoven *m;* Bettnische; Schlafkammer *f.*
alcyon [alsjõ] *m* Eisvogel *m.*
aldéhyde [aldeid] *m chem* Aldehyd *n.*
aléa [alea] *m* Zufall *m;* Wagnis *n;* **~toire** unsicher, ungewiß; gewagt, riskant, zufallsbedingt.
alémanique [alemanik] alemannisch.
alêne [alɛn] *f* Ahle *f,* Pfriem *m.*
alentour [alɑ̃tur] ringsum; *d'~* benachbart, umliegend, in der Umgebung; **~s** *m pl* Umgebung; Nachbarschaft *f.*
alert|e [alɛrt] *s f* Alarm *m;* Aufregung *f; interj* Alarm! Achtung! *a* munter; rege; *(Beine)* flink; *(Stil)* lebhaft; *en ~* in Bereitschaft; *en état d'~* in Alarmbereitschaft; *donner l'~* Alarm schlagen; *sonner la sirène d'~* (Flieger-)Alarm geben; *fausse ~* blinde(r) Alarm *m; fin f d'~* Entwarnung *f; système m d'~* Warnvorrichtung *f; ~ aérienne, aux avions* Fliegeralarm *m; ~ à la bombe* Bombenalarm *m; ~ aux chars, aux gaz* Panzer-, Gasalarm *m;* **~er** alarmieren.
alés|age [alezaʒ] *m* Bohrung *f,* Zylinderdurchmesser *m;* **~er** aus=bohren; **~euse** *f* Bohrmaschine *f;* **~oir** *m* Zylinderbohrer *m; min* Bohrbüchse; Reibahle *f;* **~ure** *f* Bohrspäne *m pl.*
alevin [alvɛ̃] *m* Fischbrut *f;* **~er** [-vi-] Fischbrut ein=setzen (*une rivière* in e-n Fluß).
alexandrin, e [alɛksɑ̃drɛ̃, -in] *s m* Alexandriner *m; a* alexandrinisch.
alezan, e [alzɑ̃, -an] *a (Pferd)* fuchsrot; *s m (Pferd)* Fuchs *m.*
alfa [alfa] *m* Alfa-, Espartogras *n.*
algarade [algarad] *f* Ausfall *m;* Beleidigung *f;* Streit *m,* Szene *f.*
alg|èbre [alʒɛbr] *f* Algebra *f; c'est de l'~ pour moi* das sind böhmische Dörfer für mich; **~ébrique** algebraisch.
Alg|er [alʒe] *m* Algier *n;* **l'~érie** *f* Algerien *n;* **~érien, ne** *s m f* Algerier(in *f*) *m; (a) a~* algerisch.
algi|de [alʒid] *med: être ~* ein starkes Kältegefühl haben; **~dité** *f* Kältegefühl *n.*
algorithme [algɔritm] *m a. inform* Algorithmus *m.*
algue [alg] *f* Alge *f.*
alib|i [alibi] *m* Alibi *n; fournir un ~* sein Alibi nach=weisen; **~oron** [-bɔrɔ̃] *m* Esel; *fig* Dummkopf *m; maître m ~* Meister *m* Langohr.
alidade [alidad] *f* Diopterlineal *n.*
alién|abilité [aljenabilite] *f jur* Veräußerlichkeit *f;* **~able** veräußerlich; übertragbar; **~ant, e** *a* entfremdend; **~ateur** *m* Veräußerer *m;* **~ation** *f* Ent-, Veräußerung *f;* Verlust *m; fig* Entfremdung *f; ~ mentale* Geisteskrankheit *f;* **~é, e** *m f* Irre(r *m*), Geistesgestörte(r *m*) *f; a* geistig umnachtet, geisteskrank; *maison f, asile m d'~s* Heilanstalt *f* für Geisteskranke; **~er** veräußern; *(Freiheit)* auf=geben; *(Sympathie)* verscherzen; *(Menschen)* entfremden; *s'~ (Sympathien)* verlieren, verscherzen; *~ l'esprit de qn* jdn um den Verstand bringen; **~iste** *m* Arzt *m* für Geisteskranke.
ali|fère [alifɛr] *(Insekt)* geflügelt; **~forme** flügelförmig.
align|ée [aliɲe] *f* Reihe *f;* **~ement** [-ɲə-] *m* Ausrichtung; Bauflucht, Fluchtlinie; *pol* Gleichschaltung, Abstimmung *f (de qc sur qc* e-r S auf e-e S); *radio* Abgleich *m; mil* Richtung *f; mettre à l'~ (pol)* aus=richten; *à droite ~!* richt't euch! *plan m d'~* Baufluchtenplan *m; ~ droit (loc)* gerade Strecke *f; ~ des monnaies* Währungsausgleich *m; ~ des prix* Angleichung *f* der Preise; **~er** aus=richten; in e-e gerade Linie stellen; nach der Schnur richten; besäumen;

(Geld) fam blechen; *mil* an=treten lassen; *s'~* sich in die Reihe stellen; sich aus=richten (*sur* nach); *fam* sich messen (*avec* mit); *~ des chiffres* Zahlen anea.=, auf=reihen; *~ ses phrases* sich deutlich, gewählt *od* präzise aus= drücken.
aliment [alimɑ̃] *m* Nahrungsmittel *n; pl* Lebensmittel *n pl; jur* Unterhaltsbeiträge *m pl,* Alimente *n pl;* **~aire** Ernährungs-, Nahrungs-; Nähr-; *créance f ~* Alimentenforderung *f; situation f ~* Ernährungslage *f; pâtes f pl ~s* Teigwaren *f pl;* **~ation** *f* Ernährung, Verpflegung; Beköstigung; *tech* Zuführung, Speisung, Beschikkung *f,* Einlauf *m; (MG)* Durchladen *n; carte f d'~* Lebensmittelkarte *f; ligne f d'~* Zuführungsleitung *f; magasin m d'~* Lebensmittelgeschäft *n; rayon m d'~* Lebensmittelabteilung *f; système m d'~ en carburant* Kraftstoffanlage *f; ~ par bande* Gurtzufuhr *f; ~ en carburant* Brennstoffzufuhr *f; ~ en charbon* Kohlenversorgung *f; ~ de chaudière* Kesselspeisung *f; ~ en courant* Stromversorgung *f; ~ par dépression* Unterdruckförderung *f; ~ en eau* Wasserversorgung *f; ~ énergétique* Energieversorgung *f; ~ enfantine* Kindernahrung *f; ~ forcée* Aufladen *n; ~ naturiste* Rohkost *f; ~ de régime* Reformkost *f; ~ sur le secteur* Netzanschluß *m; ~ par tambour* Trommelzufuhr *f;* **~er** ernähren, verpflegen; (mit Lebensmitteln) versorgen; *tech* speisen; beschicken; versorgen; *fig* Stoff geben (*qc* e-r S dat), unterhalten; *s'~* sich ernähren; Nahrung zu sich nehmen.
alinéa [alinea] *m* Absatz *m;* eingerückte Zeile, Anfangszeile *f; par ~s* absatzweise.
alis|e [aliz] *f* Mehlbeere *f;* **~ier** *m* Mehlbeerbaum *m.*
alit|é [alite] bettlägerig; **~ement** *m* Bettlägerigkeit, strenge Bettruhe *f;* **~er** ans Bett fesseln; *s'~ (Kranker)* sich zu Bett legen.
alizé [alize] *s m pl* u. *a: vents m pl ~s* Passat(wind)e *m pl.*
allaise [alɛz] *f (Fluß)* Sandbank *f.*
allait|ement [alɛtmɑ̃] *m* Stillen, Säugen *n; ~ au biberon* Flaschenernährung *f; ~ mixte* halbe Milch *f;* **~er** [-e(ɛ)te] säugen; *(Kind)* stillen.
allant, e [alɑ̃, -ɑ̃t] *a* gut auf den Beinen; beweglich, munter; kräftig; *s m* Unternehmungsgeist; Schwung; Schneid *m; avoir de l'~ (fam)* auf Draht sein.
alléch|ant, e [aleʃɑ̃, -ɑ̃t] verlockend, verführerisch; **~er** (an=)locken; ködern; *fig* verführen; **allèchement** [-lɛʃ-] *f* Verlockung *f,* Reiz *m,* Verführung *f.*
allée [ale] *f* Allee *f;* Durchgang *m (zwischen zwei Mauern); (Kirche)* Gang *m; min* Feld *n; ~ d'abattage* Abbaufeld *n; ~ de garage (mot)* Parkstreifen *m; ~ latérale* Seitengang *m; les ~s et venues* das Hin und Her; die Laufereien *f pl.*
allégation [alegasjɔ̃] *f* Vorbringen *n; (Zitat)* Anführung *f; (Grund)* Vorschützen *n;* Angabe *f.*
allégeance [aleʒɑ̃s] *f jur* Untertänigkeit *f; serment m d'~* Huldigungseid *m.*
allé|gement [alɛʒmɑ̃] *m* Erleichterung, Entlastung; *(Last)* Verminderung; *(Not)* Linderung *f; mar* Löschen, Ableichtern *n; ~ fiscal* Steuerermäßigung *f;* **~ger** erleichtern; *mar* leichtern; *(Schmerz)* lindern.
allégor|ie [alegɔri] *f* Sinnbild *n,* Allegorie *f;* **~ique** sinnbildlich, allegorisch; **~iser** (sinn)bildlich erläutern, allegorisieren.
all|ègre [alɛgr] frisch, munter; rüstig; *(Geist)* lebhaft; **~égresse** *f* Freude *f,* Jubel *m; cri m d'~* Jauchzer *m; pl* Freudengeschrei *n,* Jubel *m.*
alléguer [alege] *(Grund)* vor=bringen, an=führen, vor=schützen, vor=geben; sich berufen (*qc* auf e-e S).
alléluia [aleluja] *m* Halleluja, Alleluja *n,* Lobgesang *m.*
Allema|gne, l' [almaɲ] *f* Deutschland *n; ~ entière* Gesamtdeutschland *n; l'~ de l'est* Ostdeutschland *n,* die DDR; *l'~ de l'ouest, fédérale* Westdeutschland *n,* die Bundesrepublik; **~nd, e** [-mɑ̃, -ɑ̃d] *s m f* Deutsche(r *m*) *f; ~ de l'est* Ostdeutsche(r *m*) *f; ~ de l'ouest* Westdeutsche(r *m*) *f; a~, e a* deutsch; *s m gram* Deutsch(e) *n.*
aller [ale] *irr* **1.** gehen; fahren; reisen; fließen; *geol* streichen, verlaufen; **2.** *(Art) ~ à pied* zu Fuß gehen; *~ à cheval* reiten; *~ à bicyclette* rad=fahren; *~ en auto* (im) Auto fahren; *~ en bateau, en train* mit dem Schiff, Zug fahren; *~ en avion* fliegen; *~ par le train à cinq heures* mit dem Fünfuhrzug fahren; *~ nu-pieds* barfuß gehen; *~ au pas* im Schritt gehen; *~ au galop* galoppieren; *~ son petit train* im alten Trott weiter=gehen; *~ à file* hinterea. gehen; *~ de front* nebenea. gehen; *~ de compagnie* gemeinsam gehen; *~ vite* rasch voran=schreiten; *~ loin* es weit bringen; **3.** *(Richtung) ~ à Paris* nach Paris fahren, reisen,

gehen; ~ *à la campagne* aufs Land gehen; ~ *chez le coiffeur* zum Friseur gehen; ~ *vers la gauche, la droite* nach links, nach rechts tendieren; sich nach links, nach rechts verlagern; ~ *de place en place* von Ort zu Ort gehen; ~ *par monts et par vaux* über Berg und Tal gehen; ~ *jusqu'à tel endroit* bis zu e-r bestimmten Stelle gehen; ~ *en avant* voran=schreiten; ~ *devant* voraus=gehen; ~ *au-devant des désirs de qn* jds Wünschen zuvor=kommen; ~ *à la rencontre de qn* jdm entgegen=gehen; ~ *à l'eau* Wasser holen; ~ *le long de qc* an e-r S entlang=gehen; ~ *dehors* hinaus=gehen; ~ *de haut en bas* von oben nach unten gehen; ~ *en justice* vor Gericht gehen; ~ *son chemin* s-s Weges gehen; sich um seine Angelegenheiten kümmern; seinen Weg machen; ~ *jusqu'au bout* durch=halten; ~ *chercher* (ab=)holen; ~ *trouver* auf=suchen; ~ *voir* besuchen; ~ *sur ses 40 ans* auf die 40 zu=gehen; ~ *à sa perte* sich ins Verderben stürzen; ~ *de mal en pis* immer schlimmer werden; **4.** *(Handlung)* ~ *à la chasse* auf die Jagd gehen; ~ *à son travail* an s-e Arbeit gehen; ~ *au marché* auf den Markt gehen; ~ *aux informations* Erkundigungen ein=ziehen; ~ *au feu* hitzebeständig sein; ~ *à la lessive* waschecht sein; ~ *à l'échec* e-n Mißerfolg erleiden; ~ *au succès* erfolgreich sein; ~ *aux nues (theat)* e-n Bombenerfolg haben; ~ *de pair* zs.=gehören; Hand in Hand gehen; ~ *au plus pressé* das Dringendste tun; ~ *droit au fait* sofort zur Sache kommen; **5.** *(Hilfszeitwort) (nahe Zukunft) je vais partir* ich reise jetzt gleich ab; ich gehe jetzt gleich weg; *le spectacle va commencer* das Schauspiel fängt gleich an; *nous allions sortir quand* ... wir wollten eben weg=gehen, als ... ; *(Verstärkung) ne va pas dire (que)* sag doch nicht (, daß); *allons, amis, courage!* los, Freunde, Mut! *(Entwicklung) son mal va croissant* sein Leiden wird immer schlimmer; **6.** *(Ausdrücke) l'eau va à la rivière* Geld kommt immer zu Geld; *vous allez fort (fam)* Sie übertreiben; *son pouls va bien* sein Puls schlägt regelmäßig; *cette robe vous va bien* dieses Kleid steht Ihnen gut; *ces gants vont bien avec votre manteau* diese Handschuhe passen gut zu Ihrem Mantel; *la route va tout droit à* ... der Weg führt unmittelbar nach ...; *il va droit devant lui* er läßt sich nicht beirren; *il se laisse* ~ er läßt sich gehen *(in der Kleidung); il n'y va pas par quatre chemins* er nimmt kein Blatt vor den Mund; er geht, steuert direkt auf sein Ziel los; *il va vite en besogne* die Arbeit geht ihm von der Hand; *il ne lui va pas à la cheville* er kann ihm nicht das Wasser reichen; *cela lui va comme un gant* das sitzt ihm wie angegossen; *ainsi va le monde* das ist der Lauf der Welt; *il en va ainsi lorsqu'on* ... so geht es (einem), wenn man ... ; *il n'en ira pas ainsi* so geht es nicht; *il s'entend à faire* ~ *son monde (fam)* er versteht es, s-e Leute in Trab zu halten; *il y va de* es geht um; *cela va de soi* das versteht sich von selbst; *(Befinden) comment allez-vous? (fam) comment ça va?* wie geht es Ihnen? *ça va bien, mal* es geht mir gut, schlecht; *ça va* es geht (so); es genügt; *ça me va* das paßt mir; einverstanden; *je vais mieux* es geht mir besser; *(Befehlsformen) allons!* hören Sie mal! na, na! nun! auf! los! vorwärts! *allons donc!* ach was! unmöglich! wirklich! *allez!* lassen Sie nur! *allez-y!* nur zu! (nur) los! *allez-y doucement!* (nur) sachte! *allez toujours!* nur weiter! *on y va!* gleich! sofort! ich komme schon! *va!* (es ist ja) schon gut! meinetwegen! *va-t'en!* fort mit dir! raus! *va-t'en au diable* scher dich zum Teufel! *allez-vous promener!* lassen Sie mich in Ruhe! **7.** *s m* Gang *m;* Gehen *n;* (Hin-)Fahrt *f; au pis* ~ schlimmstenfalls; *un (billet d')~ et retour* e-e Rückfahrkarte *f; match m* ~ *(sport)* Hinspiel *n; pis* ~ Notbehelf *m; vol m* ~ Hinflug *m; voyage m d'~ et retour* Hin- u. Rückreise *f;* **8.** *s'en* ~ weg=, fort=gehen, -reisen, -fahren; *(Kugel)* fliegen; *(Mensch)* sterben; *(Wasser)* heraus=fließen; *(Faß)* leck sein; *(Alkohol)* sich verflüchtigen; *(Rausch)* vergehen; sich auf=lösen; *(Fleck)* sich entfernen lassen, heraus=gehen; *je m'en vais vous raconter ça (fam)* ich erzähle es Ihnen gleich; *le bouton s'en va* der Knopf ist lose.

allergi|e [alɛrʒi] *f med* Allergie, Überempfindlichkeit *f (gegen bestimmte Stoffe);* **~que** *med* überempfindlich, allergisch.

alli|able [aljabl] *(Metall)* mischbar; legierbar; **~age** *m* Legierung, Metallversetzung; Mischung *f a. fig; sans* ~ unvermischt, echt; ~ *antifriction* Lagermetall *n;* ~ *dur* Hartmetallegierung *f) n;* ~ *léger* Leichtmetallegierung *f) n.*

alli|ance [aljɑ̃s] *f* Bund *m,* Bündnis *n;*

Verbindung; Vereinigung; Schwägerschaft, Verschwägerung; Ehe *f;* Ehering *m; contracter une ~* ein Bündnis schließen; **~é, e** *a* verbündet; verschwägert; verwandt; *s m* Verbündete *(f m);* Verwandte(r) *m f;* Freund(in *f*) *m;* **~er** verbünden; verbinden; vereinigen; in Einklang bringen; verschwägern; *tech* legieren, vermischen; *s'~* zs.=passen; sich vereinigen, sich verbünden (*à, avec* mit); *s'~ à une famille* in e-e Familie ein=heiraten.

alli|gator [aligatɔr] *m* Alligator *m.*

allitération [aliterasjõ] *f* Alliteration *f,* Stabreim *m.*

allô [alo] *interj tele* hallo!

allostop [alostɔp] *m* Mitfahrzentrale *f.*

allocation [alɔkasjɔ̃] *f* Unterstützung; Zulage; Vergütung *f; ~ de chômage* Arbeitslosenunterstützung *f; ~ pour enfants* Kinderbeihilfe *f; ~ d'études* Studienbeihilfe *f; ~s familiales* Familienbeihilfe *f; ~ pour frais de représentation* Aufwandsentschädigung *f; ~ journalière* Tagegeld *n; ~ (de) logement* Wohnungsbeihilfe *f; ~ en nature* Deputat *n; ~ de nuit* Nachtdienstzulage *f; ~ pour perte de gain* Verdienstausfallentschädigung *f; ~ supplémentaire* Nebenbezüge *m pl; ~-vieillesse f* Altersunterstützung *f.*

allocu|taire [alɔkytɛr] *m* Angesprochene(r) *m;* **~tion** *f* (kurze) Ansprache *f; prononcer une ~* e-e Ansprache halten.

allogène [alɔʒɛn] fremdstämmig, -rassig.

allon|ge [alɔ̃ʒ] *f* Ansatz *m,* Verlängerungsstück *n; (Metall)* Kappe *f;* Fleischerhaken *m; sport* Armlänge *f; (Wechsel)* Anhang; *fig* Zusatz *m;* **~gé, e** *a* verlängert, länglich, langgestreckt; *s m pl pop* die Toten; *avoir le visage ~, une mine ~e (fam)* ein langes Gesicht machen; **~gement** *m* (Aus-)Dehnung; Streckung; Verlängerung *f;* **~ger** verlängern; (aus=) strecken; aus=dehnen; länger machen; *(Tisch)* aus=ziehen; *(Soße)* verdünnen; *min* auf=fahren; *mil (Feuer)* vor=verlegen; *aero (~ le vol)* aus=schweben; *(Schritt)* beschleunigen; *fam (Schlag)* verpassen; *s'~ (Tage, Gesicht)* länger werden; *(Gummi)* sich (aus=)dehnen; sich aus=strecken; *(Person)* sich hin=legen; *pop* (viel) ertragen, durch=machen; *pop* sich genehmigen; *arg* gestehen.

allopathie [alɔpati] *f* Allopathie *f.*

allo|tir [alɔtir] *jur* auf=teilen; **~tissement** *m* Aufteilung *f.*

allotropie [alɔtrɔpi] *f chem* Allotropie *f.*

allouer [alwe] genehmigen, bewilligen; zu=gestehen; *(Kredit)* ein=räumen; *(Summe)* aus=werfen.

allum|age [alymaʒ] *m* Zündung, Entflammung *f;* (Auf-)Leuchten *n;* Zündanlage *f; couper l'~* die Zündung aus=schalten; *avance f, retard m à l'~ (mot)* Früh-, Spätzündung *f; bougie f (d'~)* Zündkerze *f; contacteur m d'~* Zündschalter *m; durée f d'~* Brenndauer *f; fil m d'~* Zündkerzenkabel *n; heure f d'~* Brennstunde *f; ordre m d'~* Zündfolge *f; ~ par batterie, par magnéto* Batterie-, Magnetzündung *f; ~ de départ* Anlaßzündung *f; ~ par incandescence, par rupture* Glüh-, Abreißzündung *f; ~ irrégulier* Fehlzündung *f; ~ prématuré (Munition)* Frühzündung *f; ~ retardé* Spätzündung *f;* **~e-cigares** *m inv* Zigarrenanzünder *m;* **~e-feu** *m inv* (Feuer-)Anzünder; leicht brennbare(r) Stoff *m;* **~e-gaz** *m inv* Gasanzünder *m;* **~er** *(Feuer)* ent-, an=zünden, (an=) machen; *(Zigarette)* an=stecken; *(Brennbares)* an=, entzünden, an=stecken; in Brand stecken; *(Brand)* entfachen; *el* ein=schalten, *(Licht)* (an=)machen, *fam* an=knipsen; *(Hochofen)* an=blasen; *mot min* zünden; *fig* an=feuern, entflammen; *(Begierde)* erregen; *fam* an=machen (*qn* jdn); *s'~* sich entzünden, an=gehen, Feuer fangen; hell werden; auf=leuchten; *(Krieg)* aus=brechen; *(Gesicht)* rot an=laufen; *fig* auf=flammen; *~ le sang de qn* jdn zur Weißglut bringen; *lampe ~ée* brennende Lampe *f;* **~ette** *f* Zünd-, Streichholz *n; Art* Kuchen *m; mince comme une ~* dünn wie e-e Hopfenstange; *frotter une ~ sur la boîte* ein Streichholz an der Schachtel entzünden; *boîte f d'~s* Streichholzschachtel *f; ~-bougie* Wachsstreichholz *n;* **~eur** *m* (An-)Zünder *m;* **~euse** *f pop* Animierdame, Kokotte *f;* **~oir** *m tech* Anzünder *m;* Feuerzeug *n;* Zündapparat *m.*

allure [alyr] *f* Gang(art *f*) *m;* Geschwindigkeit *f;* Tempo *n; tech* Lauf *m; min* Streichen *n; (Tier)* Fährte *f;* Aussehen *n,* Haltung *f;* Verhalten; Benehmen *n; (Geschäft)* Gang; *(Ereignis)* Verlauf *m; aller à toute ~* mit voller Geschwindigkeit fahren; *prendre des ~s de* sich gebärden wie; *cela a de l'~* das hat Chic, Stil *m,* Klasse *f; ~ dégagée* saloppe Note *f; ~ du marché* Marktlage *f.*

allus|if, ive [alyzif, -iv] anzüglich, e-e Anspielung enthaltend; **~ion** *f* Andeutung, Anspielung; Anzüglichkeit *f; faire ~ à* an=spielen auf *(acc).*
alluv|ial, e [alyvjal] alluvial; angeschwemmt; *terrains m pl ~iaux* Schwemmland *n;* **~ion** *f* Anschwemmung; Ablagerung *f; ~ métallifère (geol)* Seife *f;* **~ionnaire** [-vjɔn-] alluvial; *dépôt m ~* Anschütte, Verlandung *f;* **~ionnement** *m* Anschwemmen *n.*
almanach [almana] *m* Almanach, Kalender *m (Buch);* Jahrbuch *n.*
aloès [alɔɛs] *m bot* Aloe *f.*
aloi [alwa] *m* Feingehalt *m; fig* Qualität, Beschaffenheit *f; de bon ~* gut, gediegen, echt; *plaisanterie f de mauvais ~* unpassende(r) Scherz *m.*
alopécie [alɔpesi] *f* Haarausfall *m.*
alors [alɔr] *adv* dann; in diesem Augenblick; damals; jetzt, nun; unter diesen Umständen; in diesem Fall; *jusqu'~* bis dahin; *~ que (conj)* während, als.
alose [aloz] *f* Alse *f (Fisch).*
alouette [alwɛt] *f* Lerche *f; ~ huppée* Haubenlerche *f.*
alourd|ir [alurdir] schwer *od* schwerfällig machen; belasten; beschweren; *(Figur)* dick machen; *(Wetter)* bedrücken; *(Schulden)* vergrößern; *s' ~* schwer *od* schwerfällig werden; im Kurs fallen; *(Figur)* dick werden; **~issant, e** *(Hitze)* drückend; erschwerend, belastend; **~issement** *m* Schwerfälligkeit; Abstumpfung; drükkende Last *f.*
aloyau [alwajo] *m (Rind)* Rückenstück *n;* Lendenbraten *m.*
alpaga [alpaga] *m zoo* Alpaka *n (a. Wollstoff).*
alp|age [alpaʒ] *m* Alm, Almwirtschaft *f;* **A~es, les** [alp] *f* die Alpen *pl;* **~estre, ~in, e** alpin; Alpen-; *plantes ~ines* Alpenpflanzen *f pl;* **~inisme** *m* Bergsteigen, Klettern *n;* **~iniste** *m* Alpinist, Bergsteiger *m.*
alphab|et [alfabɛ] *m* Alphabet; Abc *n;* (Schul-)Fibel *f; n'en être qu'à l'~* erst in den Anfängen stecken; **~étique** alphabetisch; **~étisation** *f (Entwicklungsländer)* Unterweisung *f* von Analphabeten; **~étiser** Analphabeten unterweisen.
alphanumérique [alfanymerik] *a inform* alphanumerisch.
Alsac|e, l' [alzas] *f* das Elsaß; **a~ien, ne** elsässisch; *s m f A~, ne* Elsässer (-in *f*) *m.*
altér|abilité [alterabilite] *f* Veränderlichkeit *f;* **~able** veränderlich; *(Lebensmittel)* (leicht) verderblich; *(Material)* nicht haltbar; **~ant, e** *a* u. *s m* durstig machend; *pharm* umstimmend(-es Mittel *n*); **~ateur, trice** *m f* Fälscher(in *f*) *m;* **~ation** *f* Veränderung; Störung; Verschlechterung, Verfälschung; *(Gesichtszüge)* Entstellung; *geol* Verwitterung; *(Metall)* Oxydation; *(Gesundheit)* Zerrüttung; *mus* Alterierung; *(Text)* Verstümmelung; *(Wahrheit)* Entstellung; *(Sinn)* Verdrehung *f; ~ de la couleur* Verfärbung *f;* **~er** (ver)ändern; verwandeln; (ungünstig) beeinflussen; stören; verschlechtern; verderben; (ver)mindern; fälschen; entstellen; *(Farbe)* bleichen; *(Lebensmittel)* verfälschen; *(Gesundheit)* untergraben, zerrütten; *(Metall)* oxydieren; *(Sinn)* entstellen; *(Wahrheit)* verdrehen; *(Freundschaft)* Abbruch tun *dat,* gefährden; *(Text)* verstümmeln; *mus* alterieren; durstig machen; *s'~* sich (völlig) verändern; verderben; sich zersetzen; *(Wein)* ab=stehen; *être ~é de qc (fig)* nach etw dürsten.
altercation [altɛrkasjõ] *f* (heftige) Ausea.setzung *f;* Zank, Streit *m.*
alter|nance [altɛrnɑ̃s] *f* Abwechslung *f;* Wechsel(folge *f*); Stromwechsel *m; min* Wechsellagerung *f; ~ des cultures* Fruchtwechsel *m;* **~nant, e** abwechselnd; **~nateur** *m* Wechselstromgenerator *m; ~ triphasé* Drehstrommaschine *f;* **~natif, ive** *a* (ab-) wechselnd; wechselweise; Alternativ-; *s f* Wechsel *m,* Abwechslung; Folge; Alternative, Wahl *f (zwischen zwei Möglichkeiten); se trouver dans une fâcheuse ~ive* vor e-r schwierigen Entscheidung stehen; *courant m ~* Wechselstrom *m; mouvement m ~* hin- und hergehende Bewegung *f; le mouvement ~ (fig)* die Alternativen; **~ne** *bot* wechselständig; *angle m ~* Wechselwinkel *m;* **~ner** *itr* ab=wechseln; sich ab=lösen (*avec* mit); aufea.=folgen; *tr* abwechselnd an=pflanzen.
altesse [altɛs] *f* Hoheit *f.*
altier, ère [altje, -ɛr] hochmütig, herrisch; anmaßend; stolz.
alti|mètre [altimɛtr] *m* Höhenmesser *m; ~ enregistreur* Höhenschreiber *m; ~ sonique* akustische(r) Höhenmesser *m;* **~tude** *f geog aero* Höhe(nlage) *f; prendre de l'~* Höhe gewinnen; *faible ~* niedrige (Flug-)Höhe *f; ~ de largage (aero)* Abwurfhöhe *f; ~ de montée* Steighöhe *f; ~ de vol* Flughöhe *f.*
alto [alto] *m mus* Alt(stimme *f*) *m;* Bratsche, Altgeige *f.*
alto- [alto] : **~cumulus** *m* grobe

Schäfchenwolke *f;* ~**stratus** *m* hohe Schichtwolke *f.*

altru|isme [altryism] *m* Altruismus *m;* Selbstlosigkeit, Uneigennützigkeit *f;* ~**iste** *a* altruistisch, selbstlos, uneigennützig; *s m* Altruist *m.*

alumin|age [alyminaʒ] *m (Stoff)* Imprägnieren *n;* ~**aire** alaunhaltig; ~**ate** [-nat] *m chem* Aluminat *n;* ~**e** *f* Aluminiumoxyd *n,* Tonerde *f;* ~**erie** *f* Aluminiumfabrik *f;* ~**eux, se** tonerdehaltig, -artig; ~**ium** [-njɔm] , *a.* **alu** *m* Aluminium *n;* ~**othermie** *f* Thermitverfahren *n.*

alun [alœ̃] *m* Alaun *m;* ~**age** [-lyn-] *m (Textil)* Alaunung *f;* ~**er** [alyne] mit Alaun behandeln; ~**erie** [-ynəri], ~**ière** *f* Alaunfabrik *f.*

alu|nir [alynir] auf dem Mond landen; ~**nissage** *m* Landung *f* auf dem Mond.

alunite [alynit] *f* Alaunstein *m.*

alv|éole [alveɔl] *m (Wabe)* Zelle *f; (Beton)* Nest *n; tech* Kammer; Öffnung; Kugelpfanne *f;* Kabelrohrstrang *m; anat* Alveole *f;* Lungenbläschen *n;* Zahnhöhle; *mil* eingegrabene Geschützstellung *f; (Schreibtisch)* Fach *n; aero* Schacht *m, (Garage)* Box *f;* ~**éolé, e** zellenförmig; zellig; ~**in, e** *med* Unterleib(s)-.

amabilité [amabilite] *f* Liebenswürdigkeit; Freundlichkeit; Zuvorkommenheit *f; faire mille ~s à qn* jdm gegenüber überaus zuvorkommend sein.

amadou [amadu] *m* Zunder *m,* Lunte *f;* ~**er** [-dwe] *fam* schmeicheln (*qn* jdm), beruhigen, für sich *(acc)* gewinnen.

amaigr|i, e [ame(ɛ)gri] abgemagert, abgezehrt; ~**ir** *itr* ab=magern; ab=nehmen, mager, dünner, schlanker werden, schwinden; an Umfang verlieren; *tr* mager machen, zehren (*qn* an jdm); *fig* arm machen, ruinieren; *(Boden)* aus=laugen; erschöpfen; *tech* an=schärfen; durch Behauen dünner machen; ~**issement** *m* Abmagerung *f; cure f d'~* Abmagerungs-, Entfettungskur *f.*

amalgam|ation [amalgamasjɔ̃] *f* Amalgamierung *f;* ~**e** *m* Amalgam *n; fig* Mischung *f,* Durcheinander *n;* ~**er** amalgamieren; (ver)mischen, zs.=bringen (*à* mit), verquicken, vermengen.

amand|aie [amɑ̃dɛ] *f* Mandelbaumpflanzung *f;* ~**e** *f bot* Mandel *f;* Kern, Same *m (e-r Steinfrucht); en ~* mandelförmig; *yeux m pl en ~* Mandelaugen *n pl; ~ pralinée* gebrannte Mandel *f;* ~**é** *m* Mandelmilch *f;* ~**ier** *m* Mandelbaum *m.*

amant, e [amɑ̃, -ɑ̃t] *m f* Geliebte(r *m*) *f;* Liebhaber *m.*

amarante [amarɑ̃t] *s f bot* Tausendschön *n,* Amarant *m; a* amarantfarben, trübrot.

amarr|age [amaraʒ] *m* Ankern; *(Schiff)* Festmachen *n;* Ankerplatz *m;* Verankerung *f; cosm* Kopp(e)lung *f;* Kopp(e)lungsmanöver *n; mât m d'~* Abspannmast *m;* ~**e** *f* (Halte-) Tau *n; aero* Fangleine *f; fig* Band *n;* ~**er** fest=binden, -legen; vertäuen; verankern.

amaryllis [amarilis] *m* Amaryllis, Narzissenlilie *f.*

amas [amɑ] *m* Haufen *m,* Anhäufung, Ansammlung *f; geol* Stock *m,* Lager *n; ~ de neige* Schneewehe *f;* ~**ser** [ama-] an=, auf=häufen; e-n Vorrat an=legen (*qc* von etw), auf=speichern; *(Wasser)* sammeln; *(Truppen)* zs.=ziehen; *(Menschen)* versammeln; *(Kenntnisse)* sammeln, zs.=tragen; *(Geld)* sparen; *s'~* zs.=laufen; sich an=häufen; sich versammeln; *(Gewitter)* sich zs.=ziehen; ~**sette** *f* Farbenspatel *m* od *f;* ~**seur** *m* Sammler; Sparer; knick(e)rige(r) Mensch *m.*

amateur [amatœr] *m* Liebhaber *(e-r Sache);* Freund; Dilettant; *sport* Amateur; *fam* Freier *m; en ~* aus Liebhaberei; *péj* dilettantisch; *valeur f d'~* Liebhaberwert *m.*

amaurose [amoroz] *f med* (völlige) Erblindung, Amaurose *f.*

amazone [amazon] *f* Amazone; Reiterin *f;* Mannweib; Reitkostüm *n.*

ambages [ɑ̃baʒ] *f pl: sans ~* ohne Umschweife; *parler sans ~* kein Blatt vor den Mund nehmen.

ambassad|e [ɑ̃basad] *f* Gesandtschaft; Botschaft *f;* Gesandtschafts-, Botschaftsgebäude *n;* ~**eur** *m* Botschafter; Gesandte(r) *m;* ~**rice** *f* Botschafterin; Frau *f* e-s Botschafters *od* Gesandten.

ambi|ance [ɑ̃bjɑ̃s] *f* Umwelt, Umgebung, Atmosphäre, Stimmung *f; ~ générale* herrschende Stimmung *f;* ~**ant, e** umgebend; *influences f pl ~es* Umwelteinflüsse *m pl;* ~**dextre** beidhändig.

ambigu, uë [ɑ̃bigy] *a* zweideutig; doppel-, vieldeutig; *s m vx* Mischung *f;* Sammelsurium *n,* Mischmasch *m;* ~**ïté** [ɑ̃bigɥite] *f* Zweideutigkeit *f; sans ~* unzweideutig.

ambit|ieux, se [ɑ̃bisjø, -øz] *a* ehrgeizig; begierig (*de* nach); *(Pläne)* hochfliegend; *(Stil)* geziert; *s m* ehrgeizige(r) Mensch *m:* ~**ion** *f* Ehrgeiz *m;* Streben *n; assouvir son ~* s-n Ehrgeiz befriedigen; ~**ionner** [-sjɔne] erstreben, begehren, trachten (*qc* nach etw); sehnlichst wünschen.

amble [ɑ̃bl] *m (Pferd)* Paßgang *m.*

ambr|e [ɑ̃br] *m* Ambra(duft *m*) *n;* ~ *jaune* Bernstein *m;* **~é, e** bernsteinfarben; nach Ambra duftend; **~oisie** [-brwazi] *f* Ambrosia *f;* **~osiaque** [-brɔzjak] ambrosisch.

ambul|ance [ɑ̃bylɑ̃s] *f* Feldlazarett *n; mot* Sanitäts-, Krankenwagen *m; train m d'~* Lazarettzug *m;* **~ancier** *m* Krankenwärter *m;* **~ant, e** *a* umherziehend; wandernd; reisend; *(Leben)* unstet; *s m* Postschaffner *m; bureau m ~, poste f ~e* Postwagen *m;* Bahnpost *f; marchand m ~* Hausierer *m;* **~atoire** wandernd; *fig fam* veränderlich, wandelbar.

âme [ɑm] *f* Seele *f;* Geist *m;* Leben; Wesen *n,* Persönlichkeit *f,* Ich *n;* Mensch *m;* Gefühl, Herz, Gemüt *n,* Gedanke *m;* Gewissen *n;* seelische Kraft; Triebfeder *f;* Ausdruck *m,* Begeisterung *f; (Kanone)* Seele, Bohrung *f; tech* Steg; *(Kabel)* Kern *m,* Ader; *(Geige)* Seele *f;* Stimmholz; Motto *n; pl* Einwohner *m pl; à fendre l'~* herzzerreißend; *de toute son ~* von ganzem Herzen; mit allen Kräften; *en mon ~ et conscience* nach bestem Wissen u. Gewissen; *sans ~* gefühllos; *sur mon ~!* auf mein Wort! *avoir l'~ chevillée au corps* zäh wie e-e Katze sein; *chanter avec ~* mit Gefühl singen; *donner de l'~ au marbre* dem Marmor Leben ein=hauchen; *se donner à qn corps et ~* sich jdm ganz hin=geben; *être comme un corps sans ~* ganz verzweifelt sein; *être l'~ damnée de qn* jdm mit Leib u. Seele verschworen sein; *être, errer comme une ~ en peine* weder ein noch aus wissen; ziellos hin- u. her=gehen; *rendre l'~* den Geist auf=geben; *on ne voyait ~ vivante* es war keine Menschenseele zu sehen; *une bonne ~ (fam)* e-e treue Seele *f; égalité f d'~* Gleichmut *m; état m d'~* Gemütsverfassung, Stimmung *f; vague m à l'~ (fam)* Sehnsucht *f,* Weltschmerz *m; ~ damnée* Verdammte(r) *m.*

amélior|ation [ameljɔrasjɔ̃] *f* Verbesserung; Verschönerung; *(Boden)* Melioration; *tech* Vered(e)lung; *(Kurs)* Erholung; *(Wetter)* Besserung, Aufhellung; *med* Besserung *f; ~ des relations (pol)* Verbesserung der Beziehungen; Entspannung *f;* **~er** (ver)bessern; mildern; reformieren; *(Boden)* meliorieren; *(Waren)* veredeln; *(Haus)* verschönern; *s'~* besser werden; an Wert, Gehalt zu=nehmen; *(Wetter)* sich auf=klären.

amen [amɛn] amen; *s m* Amen; *fam* Ende *n; dire ~ à tout ce qu'on dit* zu allem ja und amen sagen.

aménag|ement [amenaʒmɑ̃] *m* Einrichtung, -teilung; Raumaufteilung; Anordnung; Anlage; Ausstattung; Bewirtschaftung *f; arch* Ausbau *m;* Errichtung; *min* Ausrichtung; *(Wald)* Nutzung; Ertragsregelung *f; (Bodenschätze)* Aufbereitung *f; plan m d'~* Bebauungsplan *m; ~ de courant* Stromführung *f; ~ des eaux* Wasserwirtschaft *f; ~ intérieur* Inneneinrichtung *f; ~ régional* Landesplanung *f; ~ du territoire* Bodenplanung *f; ~ de la ventilation (min)* Wetterführung *f; ~ des villes* Stadtplanung *f;* **~er** ein=richten; an=ordnen; (zweckmäßig) bewirtschaften; *(Wald)* nutzen; *(Baum)* auf=schneiden; *(Raum)* möblieren; *(Haus)* aus=bauen, her=richten; *mil (Gelände)* verstärken; (Gesetz) verbessern.

amend|able [amɑ̃dabl] *(Boden)* meliorierbar; *jur* durch e-e Geldstrafe zu sühnen; **~e** [amɑ̃d] *f* Geld-, Ordnungsstrafe *f; sous peine d'~* bei Strafe; *être à l'~* Strafe bezahlen müssen; *faire ~ honorable* (öffentlich) Abbitte tun; **~ement** *m* Besserung; Bodenverbesserung, Melioriérung; Düngung; *jur* Abänderung(santrag *m*) *f;* Zusatz *m;* Umdisponierung *f; déposer un ~* e-n Abänderungsantrag ein=bringen; **~er** verbessern; *(Boden)* meliorieren; düngen; *jur* e-n Zusatz machen (*qc* zu etw); ab=ändern.

amène [amɛn] *(Ort)* angenehm; *(Person)* liebenswürdig; höflich.

amen|ée [amne] *f* Zufuhr, Zuführung *f; câble m d'~* Zuführungskabel *n; ~ d'air* Luftzuführung *f; ~ de courant* Stromzuführung *f; ~ d'eau* Wasserzufuhr *f; ~ de l'essence* Kraftstofförderung *f; ~ de fil (el)* Kontaktstelle *f;* **~er** heran=, herbei=, zu=führen; *fam tech* her=, bei=bringen; *fig* bringen (*à* zu), überzeugen, veranlassen; *(Mode)* ein=führen; *(Gespräch)* lenken (*sur* auf *acc*); *(Vergleich)* ziehen; *(Folge)* nach sich ziehen; hervor=rufen; verursachen; *(Flagge)* streichen; *(Segel)* ein=ziehen; *~ qn à son opinion* jdn für seine Meinung gewinnen; *~ à soi toute la couverture (fig)* alle Vorteile an sich *(acc)* reißen; *amène-toi! (pop)* komm her! *mandat m d'~ (jur)* Vorführungsbefehl *m.*

aménité [amenite] *f* Annehmlichkeit; Liebenswürdigkeit, Zuvorkommenheit, Freundlichkeit *f; traiter qn sans ~* jdn unfreundlich behandeln.

amenuiser [amənɥize] *(Brett)* dünner, kleiner, schlanker machen; *(Stock)* zu=spitzen; *s'~* kleiner werden, schwinden, sich verringern.

amer, ère [amɛr] **1.** *a* bitter; herb; *(Spott)* beißend; beleidigend; *s m* (Ochsen-, Fisch-)Galle *f;* Magenbitter, Bittere(r) *m;* **2.** *m mar* Seezeichen *n; aero* Landmarke *f; avoir la bouche amère* e-n bitteren Geschmack im Munde haben; **~tume** [-tym] *f* Bitterkeit *f,* bittere(r) Geschmack *m; fig* bittere(s) Gefühl *n;* Verbitterung; *(Worte)* Schärfe *f;* Groll *m; ressentir de l'~* ein Gefühl der Bitterkeit haben.

amér|icain, e [amerikɛ̃, -ɛn] *a* amerikanisch; *A~, e s m f* Amerikaner(in *f*) *m; pin m ~* Pitchpine *f;* **~icaniser** amerikanisieren; **~icanisme** *m* Amerikanismus *m,* amerikanische Ausdrucksweise; Bewunderung *f* für Amerika; **l'Amérique** *f* Amerika *n; ~ du Nord, du Sud, Centrale* Nord-, Süd-, Mittelamerika *n.*

amerr|ir [ame(ɛ)rir] *aero* wassern; **~issage** *m* Wasserung, Wasserlandung *f; ~ forcé* Notlandung *f* auf dem Wasser.

améthyste [ametist] *f min* Amethyst *m.*

ameubl|ement [amœbləmɑ̃] *m* Möbel *n pl;* Möblierung; (Zimmer-, Wohnungs-)Einrichtung *f; maison f d'~* Möbelgeschäft *n; tissu m d'~* Bezugsstoff *m;* **~ir** *(Boden)* auf=lockern, bearbeiten; *jur* zum Mobiliarvermögen rechnen; **~issement** *m (Boden)* Auflockerung, Bearbeitung; *jur* Mobiliarisierung *f.*

ameuter [amøte] *(Hunde)* zs.=koppeln; *(Menschen)* zs.=trommeln; *fig* auf=hetzen, auf=wiegeln; *s'~* sich zs.=rotten; zs.=laufen, -strömen.

ami, e [ami] *s m f* Freund(in *f*) *m; a.* Geliebte(r *m*) *f;* Kamerad(in *f*) *m; a* befreundet; verbündet; freundlich; *se faire des ~s* Freunde gewinnen; *ma petite ~e* mein Schätzchen; *bonne ~e* Liebchen *n; société f des ~s* Quäker *m pl; ~ de collège, d'enfance, des livres, de plume* Schul-, Jugend-, Bücher-, Brieffreund *m;* **~able** [amjabl] freundlich; verträglich; gütlich; *vendre à l'~* freihändig verkaufen; *arrangement m à l'~* gütliche Regelung *f; ~ compositeur m* Schlichter *m.*

amiante [amjɑ̃t] *m* Asbest *m; carton m d'~* Asbestpappe *f.*

ami|be [amib] *f* Amöbe *f;* **~bien, ne** Amöben-.

amical, e [amikal] *a* freundschaftlich; freundlich; herzlich; *s f* Verein(igung *f*) *m.*

amidon [amidɔ̃] *m* Stärke *f; colle f d'~* Kleister *m;* **~nage** [-dɔn-] *m* Stärken *n;* **~ner** stärken.

aminc|ir [amɛ̃sir] verdünnen; dünner machen; verjüngen; schlanker machen *od* erscheinen lassen; *s'~* dünner, schlanker werden; *robe f ~issante* schlank machende(s) Kleid *n;* **~issement** *m* Verdünnung *f;* Herunterwalzen *n.*

amino-acide [aminoasid] *m* Aminosäure *f.*

amir|al [amiral] *m* Admiral *m; contre-~ m* Konteradmiral *m; vice-~ m* Vizeadmiral *m;* **~auté** [-rote] *f* Admiralität *f.*

amitié [amitje] *f* Freundschaft; Zuneigung; Freundlichkeit; Gefälligkeit; *(Tier)* Anhänglichkeit *f; prendre qn en ~, se prendre d'~ pour qn* mit jdm in freundschaftliche Beziehungen treten; jdn lieb=gewinnen; *faites-moi l'~ de* seien Sie so freundlich u.; *faites-lui mes ~s* richten Sie ihm meine herzlichsten Grüße aus.

ammon|iac, aque [amɔnjak] *a: gaz m ~* Ammoniak *n;* **~iacal, e:** *eau f ~e* Ammoniakwasser *n; sel m ~* Salmiak *m;* **~iaque** *f* Ammoniaklösung *f,* Salmiakgeist *m; nitrate m d'~* Ammoniumnitrat *n; sulfate m d'~* Ammoniumsulfat *n;* **~ite** *f zoo* Ammonit *m.*

amnésie [amnezi] *f med* Amnesie *f,* Gedächtnisverlust *m.*

amniocentèse [amnjɔsɑ̃tɛz] *f med* Fruchtwasseruntersuchung *f.*

amn|istie [amnisti] *f* Amnestie *f,* Straferlaß *m,* -freiheit *f;* **~istié** *m* Amnestierte(r), Begnadigte(r) *m;* **~istier** amnestieren, begnadigen.

amocher [amɔʃe] *pop* kaputt=machen, versauen, ruinieren; verdreschen, prügeln.

amoindr|ir [amwɛ̃drir] (ver)mindern; verringern; beeinträchtigen, schwächen; schmälern; *s'~* geringer werden; ab=nehmen; sich vermindern; **~issement** *m* Verminderung; Verringerung; Schwächung; Beeinträchtigung *f.*

amoll|ir [amɔlir] weich machen; *fig* schwächen; verweichlichen; erweichen; *s'~* schlaff werden; erschlaffen; **~issant, e** erschlaffend; entnervend; **~issement** *m* Weichmachen, -werden *n; fig* Verweichlichung *f;* Erschlaffen *n.*

amoncel|er [amɔ̃sle] an=, auf=häufen; auf=schichten; auf=türmen; auf=sta-

peln; ~**lement** [-sɛl-] *m* Anhäufung *f;* Auftürmen *n.*
amont [amɔ̃] *m: en* ~ stromaufwärts; *en* ~ *de* oberhalb *gen; d'*~ stromaufwärts gelegen.
amoral, e [amɔral] amoralisch.
amor|çage [amɔrsaʒ] *m (Pumpe)* Ansaugen; *(Bombe)* Scharfmachen *n; el* Zündung *f; mot* Anwerfen *n; (Röhren)* Selbsterregung; *(Schwingung)* Erregung *f;* ~**ce** *f* Zünder *m;* Zündhütchen *n;* Köder *m;* Anfangsstück *n (e-r Arbeit);* erste(r) Bauabschnitt; erste(r) Entwurf; *(Flügel)* Ansatz *m; fig* Anziehung, Verführung, Verlockung *f;* ~ *initiale* Initialzündung *f;* ~ *à retardement* Zeitzünder *m;* ~**cer** an=fangen, beginnen, in Angriff nehmen, ein=leiten, in die Wege leiten, ein=setzen; ködern; mit e-m Köder versehen; *(Verhandlungen)* ein=leiten; *(Schritte)* unternehmen; *(Pumpe)* an=saugen lassen; *arch* an=fangen; *(Geschoß)* scharf machen; die Sprengkapsel ein=setzen (*qc* in e-e S); *min* an=hauen; *(Loch)* an=bohren; *el* zünden; *tech* an=körnen; *mot* an=werfen; *fig* verlocken, ködern; verführen; *s'*~ in Gang kommen, sich bilden, entstehen, auf=kommen; ~ *l'atterrissage* zur Landung an=setzen.
amorphe [amɔrf] amorph, gestaltlos; *fig fam* energielos, schlapp.
amort|ir [amɔrtir] dämpfen *a. fig,* ab=drosseln; ab=federn; *(Farbe)* ab=schwächen; *(Fleisch)* mürbe machen; *fig* ab=kühlen, ab=stumpfen; *(Schmerz)* lindern; mildern; *(Schuld)* ab=tragen, tilgen, löschen; ab=bezahlen, amortisieren; *(Hypothek)* ab=lösen; *(Güter)* ab=buchen, ab=schreiben; *s'*~ schwächer werden, nach=lassen, an Kraft verlieren; *com* sich amortisieren; ~**issable** tilgbar, ablösbar; ~**issement** *m* Tilgung, Abzahlung, Abtragung, Amortisierung; Abschreibung, Abbuchung; *fig* Abschwächung, Beruhigung; *tech* Dämpfung; *arch* Giebelbekrönung *f;* ~ *du bruit* Schalldämpfung *f;* ~ *d'un emprunt* Tilgung *f* e-r Anleihe; ~ *hydraulique* Öldruckfederung *f;* ~ *sur hypothèque* Hypothekentilgung *f;* ~ *pour usure* Abschreibung *f* für Abnutzung; ~**isseur** *m* Dämpfer; Puffer *m;* ~ *(de choc)* Stoßdämpfer *m;* ~ *de son* Schalldämpfer *m;* ~ *de vibration* Schwingungsdämpfer *m.*
amour [amur] *m* Liebe; Zuneigung; Leidenschaft *f;* Liebling *m;* Geliebte(r *m*) *f;* Herzchen *n;* Liebhaberei *f; pl* Liebschaften *f pl; pour l'*~ *de Dieu* um Himmels willen; *pour l'*~ *de vous* Ihnen zuliebe; *déclaration, lettre f d'*~ Liebeserklärung *f,* -brief *m; petit* ~ Putte *f;* ~ *de la liberté* Freiheitsliebe *f;* ~ *maternel* Mutterliebe *f;* ~ *de la patrie* Vaterlandsliebe *f;* ~ *du prochain* Nächstenliebe *f;* ~*-propre m* Selbstgefälligkeit; Selbstachtung *f,* Ehrgefühl *n;* ~ *de soi* Eigenliebe *f;* ~**acher, s'** [-aʃe] sich verlieben, sich vernarren (*de* in *acc*); ~**ette** *f* Liebelei *f; bot* Zittergras *n;* ~**eux, se** *a* verliebt (*de* in *acc*); liebevoll; zärtlich; eingenommen (*de* für); *s m f* Verliebte(r*m*) *f; theat* Liebhaber(rolle *f*) *m.*
amovib|ilité [amɔvibilite] *f* Ver-, Absetzbarkeit *f;* ~**le** [amɔvibl] ver-, absetzbar; widerruflich; *(Rad)* beweglich; verstellbar; abnehmbar; auswechselbar.
amp|érage [ɑ̃pɛraʒ] *m* Stromstärke *f;* ~**ère** *m* Ampere *n;* ~*-heure m* Amperestunde *f;* ~*mètre m* Amperemeter *n,* Strommesser *m;* ~*-tour m* Amperewindung *f.*
amphi|bie [ɑ̃fibi] *a* amphibisch, beidlebig; *fig fam* gemischt; *s m zoo* Lurch *m,* Amphibie *f; typ* Schweizerdegen *m; avion m* ~ Wasser-Land-Flugzeug *n; opérations f pl* ~*s (mil)* Kampfhandlungen *f pl* mit Einsatz von See-, Land- u. Luftstreitkräften; *voiture f* ~ Amphibienfahrzeug *n;* ~**bologie** *f* Zweideutigkeit *f;* ~**bologique** zweideutig; zweifelhaft; ~**gouri** [-guri] *m* Unsinn *m;* Kauderwelsch *n;* ~**gourique** verworren; unverständlich; ~**théâtre** *m* Amphitheater *n; theat* (Ränge im) Zuschauerraum; Hörsaal *m;* Zuschauer, Zuhörer *m pl;*
amphitryon [ɑ̃fitrijɔ̃] *m* Gastgeber *m.*
ampl|e [ɑ̃pl] weit; geräumig; *(Ernte)* reich; umfangreich; umfassend; *(Bericht)* ausführlich; gründlich; reichlich; *jusqu'à plus* ~ *informé* bis weitere Unterlagen verfügbar sind; *pour plus*~*s renseignements s'adresser à* Näheres bei; *faire plus* ~ *connaissance de qn* jdn näher kennen=lernen; ~**eur** *f* Umfang *m;* Ausmaß *n;* Größe; Weite; Geräumigkeit; *(Stil)* Fülle *f; prendre de l'*~ sich aus=weiten; (an=-)wachsen; ~**ifiant, e** vergrößernd; verstärkend; ~**ificateur** *m el* Verstärker; *phot* Vergrößerungsapparat; Hörapparat *m;* ~ *acoustique* Lautverstärker *m;* ~ *pour enregistrement sur films* Tonfilmverstärker *m;* ~ *à haute fréquence* Hochfrequenzverstärker *m;* ~ *à lampe(s)* Röhrenverstärker *m;* ~ *vidéo (tele)* Bildverstärker *m;* ~**ification** *f* Erweiterung; (umständliche) Ausar-

beitung *f;* Ausführungen *f pl; péj* Übertreibung; *el* Verstärkung; Vergrößerung *f;* **~ificatrice** *f* Verstärkerröhre *f;* **~ifier** [-fje] erweitern; *(Thema)* aus=arbeiten, entwickeln; *(Text)* umständlich behandeln, besprechen; *péj* übertreiben; verschönern; *phot* vergrößern; *(el Ton)* verstärken; **~itude** *f* Weite, Ausdehnung; *phys* Amplitude, Schwingungsweite *f,* Ausschlag *m; (Wurf)* Reichweite *f; (Temperatur)* Unterschied *m; fig* Stärke *f; ~ magnétique* Mißweisung *f* des Kompasses; *~ des oscillations d'un pendule* Pendelausschlag *m.*

ampoul|e [ɑ̃pul] *f* Ampulle *f;* Kolben, Glasballon *m; el* Glühlampe, -birne; *med* Blase *f;* **~é, e** *fig* geschraubt, übertrieben; hochtrabend; *(Hand, Stahl)* blasig.

amput|ation [ɑ̃pytasjɔ̃] *f med* Amputation; *fig* Beschneidung, Verkürzung *f;* **~é** *s m* Amputierte(r) *m; a* amputiert; **~er** *med* amputieren; *(Baum)* kappen, stutzen; *fig* be-, ab=schneiden, weg=nehmen, berauben, mindern; *(Kredit)* kürzen.

amuïr, s' [amɥir] *(Sprechlaut)* verstummen, fallen.

amulette [amylɛt] *f* Amulett *n.*

amure [amyr] *f mar* Halse *f.*

amus|ant, e [amyzɑ̃, -ɑ̃t] unterhaltend; belustigend; kurzweilig; **~ement** *m* Vergnügen *n,* Unterhaltung, Belustigung *f;* Zeitvertreib *m;* **~er** unterhalten, belustigen, zerstreuen; die Zeit vertreiben (*qn* jdm); täuschen; ab=lenken; auf=, hin=halten (*qn* jdn); *s'~* sich unterhalten, sich zerstreuen, sich amüsieren; sich lustig machen (*de* über *acc*); *pour s'~* zum Spaß; *~ le tapis (fam)* viele Worte machen; über belanglose Dinge reden; **~ette** *f fam* Scherz; Zeitvertreib *m;* **~eur, se** *m f* Spaßmacher; Schwätzer(in *f*) *m.*

amygdal|e [ami(g)dal] *f anat* Mandel *f;* **~in, e** Mandelöl enthaltend; **~ite** *f* Mandelentzündung *f.*

amylacé, e [amilase] stärkehaltig, -artig.

an [ɑ̃] *m* Jahr *n; dans un ~* in e-m Jahr; *en l'~* im Jahre; *par ~* jährlich; *tous les ~s* jedes Jahr, alljährlich; *aller sur ses 20 ~s* auf die 20 zu=gehen; *avoir 20 ~s* 20 Jahre alt sein; *il s'en moque comme de l'~ quarante (fam)* das ist ihm schnuppe; *il y a un ~* vor e-m Jahr, vor Jahresfrist; *bon ~, mal ~* im Jahresschnitt; *jour m de l'~* Neujahrstag *m; nouvel an* Jahreswechsel *m; l'~ dernier, passé* letztes, voriges, vergangenes Jahr.

ana|baptiste [anabatist] *m* Wiedertäufer *m;* **~chorète** [-kɔ-] *m* Einsiedler, Anachoret *m;* **~chronique** [-krɔ-] anachronistisch; **~chronisme** *m* Anachronismus *m;* **~glyphe, ~glypte** [-glif, -glipt] *a* plastisch, (halb)erhaben; *s m film* plastische Wiedergabe; (halb-)erhabene Arbeit *f;* **~gramme** *f* Anagramm *n.*

analeptique [analɛptik] *a pharm* stärkend.

analgé|sie [analʒezi] *f* Schmerzunempfindlichkeit *f;* **~sique** schmerzbetäubend.

ana|logie [analɔʒi] *f* Analogie, Ähnlichkeit; Verwandtschaft *f;* **~logique** analog; **~logue** *a* analog, ähnlich; entsprechend; vergleichbar; verwandt; *s m* Entsprechung *f.*

analpha|bète [analfabɛt] *m f* Analphabet(in *f*) *m;* **~bétisme** *m* Unwissenheit *f;* Analphabetentum *n.*

ana|lysable [analisabl] analysierbar; **~lyse** *f* Analyse; Zerlegung, Zergliederung; Untersuchung; Zs.fassung *f;* Auszug *m* des wesentlichen Inhalts; Aufgliederung *f;* (kritischer) Bericht *m,* Gutachten *n;* Beurteilung; Angabe; *math* Analysis; *tele* Abtastung *f; en dernière ~* letzten Endes; nach reiflicher Überlegung; *ligne f d'~ (tele)* Bildzeile *f; ~ entrelacée (tele)* Zeilensprungverfahren *n; ~ du marché, spectrale* Markt-, Spektralanalyse *f; ~ du sang* Blutprobe *f;* **~lyser** analysieren, zerlegen, zergliedern; untersuchen, prüfen; bestimmen; auf=gliedern; kritisch (aus=)werten; beurteilen; *(Buch)* rezensieren; **~lyseur** *m* Analysengerät *n;* **~lyste** *m* Analytiker *m;* **~lyste-programmateur, trice** *m f* Systemanalytiker(in *f*) *m;* **~lytique** analytisch; *compte rendu ~* zs.fassende(r) Bericht *m; table f ~* Inhaltsverzeichnis *n.*

ananas [anana(s)] *m* Ananas *f.*

anar [anar] *m f fam* Anarchist(in *f*) *m;* **~chie** *f* Anarchie, Unordnung, Zügellosigkeit *f;* **~chique** gesetzlos; zügellos; anarchisch; **~chiste** *s m* Anarchist *m; a* anarchistisch.

ana|thématiser [anatematize] *tr* mit dem (Kirchen-)Bann belegen; *fig* verfluchen, verdammen; **~thème** *m* Bann(fluch); Verfluchte(r) *m; fig* Verwünschung *f;* heftige(r) Tadel *m.*

ana|tomie [anatɔmi] *f* Anatomie *f; fam* Körperbau *m; faire l'~ de qc* etw (sorgfältig) zergliedern; *pièce f d'~* anatomische(s) Präparat *n;*

~**tomique** anatomisch; ~**tomiser** sezieren; *fig* analysieren, auf≈gliedern; ~**tomiste** *m* Anatom *m*.
anc|estral, e [ɑ̃sɛstral] von den Vorfahren herstammend; alt(überliefert); ~**être** [-sɛtr] *m* Vorfahr, Vorvater, Ahn(herr) *m; pl* Vorfahren, Ahnen *m pl*.
anche [ɑ̃ʃ] *f (Blasinstrumente, Orgel)* Zunge *f;* Mundstück *n* (mit Zunge).
anchois [ɑ̃ʃwa] *m zoo* Anschovis *f; beurre m d'*~ Sardellenbutter *f*.
ancien, ne [ɑ̃sjɛ̃, -ɛn] *a* alt; ehemalig, früher; dienstälter; *s m* Dienstältere(r); Alte(r); *rel* Kirchenälteste(r); *les* ~*s* die Alten *(Griechen und Römer);* ~ *combattant m* (ehemaliger) Kriegsteilnehmer *m;* ~**neté** *f* Alter; Dienstalter *n; par ordre d'*~ dem Dienstalter nach.
ancolie [ɑ̃kɔli] *f bot* Akelei *f*.
ancr|age [ɑ̃kraʒ] *m* Ankerplatz *m;* Verankerung; *tech* Verstopfung *f;* ~**e** [ɑ̃kr] *f* Anker *m; arch* Ankereisen *n; être, se mettre à l'*~ vor Anker liegen, gehen; *jeter, lever l'*~ Anker werfen, den Anker lichten; *bouée, chaîne f d'*~ Ankerboje, -kette *f;* ~ *de dérive, flottante* Treibanker *m;* ~ *de salut* Notanker *m;* ~**er** verankern; befestigen *a. fig;* verklammern; *s'*~ *(fig)* sich fest≈setzen; sich ein≈nisten.
andain [ɑ̃dɛ̃] *m agr* Schwaden; Schwaden; Strich *m*.
andouill|e [ɑ̃duj] *f* Schlackwurst *f; pop* Dummkopf *m; dépendeur m d'*~ *(fam)* lange(r) Laban, Lulatsch *m;* ~ *fumée* geräucherte Wurst *f (mit Schweinedarm gemacht);* ~**er** *m (Geweih)* Ende *n,* Sproß *m,* Sprosse *f;* ~**ette** *f* Bratwurst *f (mit Schweinedarm gemacht).*
André [ɑ̃dre] *m* Andreas *m;* ~**e** *f* Andrea *f*.
androgyne [ɑ̃drɔʒin] *m* Zwitter *m; a* Zwitter-.
ân|e [ɑn] *m* Esel; *fig* Dummkopf *m; à dos d'*~ auf dem Esel (reitend); *en dos d'*~ spitz (gewölbt); *faire l'*~ *pour avoir du son* sich dumm stellen (um etw zu erfahren); *il bride l'*~ *par la queue* er zäumt das Pferd am Schwanz auf; *il y a tant d'*~*s à la foire qui s'appellent Martin* es gibt noch mehr Leute, die Meyer heißen; *c'est l'*~ *du moulin* er ist der Sündenbock *m; dos m d'*~ *(geol)* Eselsrücken *m; (Straße)* Bodenwelle *f*.
anéant|ir [aneɑ̃tir] vernichten, zugrunde richten; vertilgen; *(Feind)* nieder≈kämpfen, auf≈reiben; *(Brauch)* ab≈schaffen, beseitigen, aus≈rotten; *(Hoffnung)* zerstören; *(Menschen)* ermüden, erschöpfen, entkräften; nieder≈schmettern; *s'*~ zs.≈stürzen; vergehen; verschwinden; *(vor Gott)* sich demütigen; *je suis* ~*i* ich bin wie vor den Kopf geschlagen; ~**issement** *m* Vernichtung, Zerstörung *f;* Verlust; Verfall *m;* Zerrüttung *f;* Ende *n; fig* (tiefste) Demütigung, Zerknirschung *f*.
anecdot|e [anɛkdɔt] *f* Anekdote, (lustige, kurze) Geschichte *f;* ~**ier** *m* Anekdoten-, Geschichtenerzähler *m;* ~**ique** anekdotisch.
anémi|e [anemi] *f* Blutarmut, Anämie; *com* Flaute *f,* Geschäftsrückgang *m;* ~**er** [-mje] Blutarmut verursachen; ~**que** [-mik] blutarm; bleichsüchtig; *fig* kraftlos.
anémo|graphe [anemɔgraf] *m* Windschreiber *m;* ~**mètre** *m* Anemometer *n,* Windmesser *m*.
anémone [anemɔn] *f bot* Anemone *f,* Buschwindröschen *n;* ~ *de mer* Seerose *f*.
ân|erie [ɑ(a)nri] *f* Eselei, Dummheit *f;* ~**esse** *f* Eselin *f*.
anéroïde [anerɔid] *a: baromètre m* ~ Aneroidbarometer *n*.
anesthési|e [anɛstezi] *f* Unempfindlichkeit; Betäubung, Anästhesie *f;* ~**er** [-zje] betäuben, unempfindlich machen; ~**que** [-zik] anästhesierend; unempfindlich machend.
anet(h) [anɛt] *m bot* Dill *m*.
anévrisme [anevrism] *m* Pulsadergeschwulst *f*.
anfractu|eux, se [ɑ̃fraktɥø, -øz] gewunden, verschlungen; *(Umriß)* unregelmäßig; *(Felsen)* schroff; ~**osité** [-tɥɔz-] *f* Unebenheit; Krümmung; Vertiefung *f*.
ang|e [ɑ̃ʒ] *m* Engel *m; mon* ~ mein Engel, Schätzchen; *comme un* ~ hervorragend *adv; être aux* ~*s* im sieb(en)ten Himmel sein; *être le bon* ~ *de qn* jds guter Engel sein; *rire aux* ~*s* albern lachen; herzlich lachen; *(kleines Kind)* lächeln; *patience f d'*~ Engelsgeduld *f;* ~ *gardien* Schutzengel *m;* ~**elet** [-ɛ] *m* Engelchen *n;* ~**élique** *a* engelhaft; himmlisch; *s f bot* Engelwurz *f;* ~**élus** [-lys] *m* Angelusläuten *n,* Engelgruß *m;* Abendläuten *n*.
angine [ɑ̃ʒin] *f* Angina *f;* ~ *de poitrine* Angina *f* pectoris.
anglais, e [ɑ̃glɛ, -ɛz] *a* englisch; *s m* Englisch(e) *n; s f* Hängelocke; Schrägschrift *f; A*~ *s m f* Engländer(in *f*) *m; filer à l'*~*e* sich (auf) französisch empfehlen.
angl|e [ɑ̃gl] *m* Winkel *m;* Ecke; Kante *f; (Stern)* Aspekt *m; pl (Charakter)*

rauhe(n) Seiten *f pl; fig* Gesichtspunkt *m; voir qc sous un certain ~* etw unter e-m bestimmten Gesichtspunkt sehen; *côtés m pl d'un ~* Schenkel *m pl* e-s Winkels; *~ adjacent, alterne, correspondant* Neben-, Wechsel-, Gegenwinkel *m; ~ aigu, droit, obtus* spitze(r), rechte(r), stumpfe(r) Winkel *m; ~ d'attaque* Anstell-, *aero* Anflug-, Ansetzwinkel *m; ~ de cabrée* Steigwinkel *m; ~ facial* Gesichtswinkel *m; ~ d'incidence* Anstell-, Einfallwinkel *m; ~ de jet (aero)* Vorhaltewinkel *m; ~ de mire (mil)* Treffwinkel *m; ~ mort* tote(r) Winkel; *~ de route (aero)* Flugwinkel *m; ~ de visée* Blick-, Gesichtswinkel *m.*

Angleterre, l' [ɑ̃glətɛr] *f* England *n.*

angl|ican, e [ɑ̃glikɑ̃, -an] anglikanisch; *Église ~e* Englische Hochkirche *f;* **~iche** *s m f pop* Engländer(in *f*) *m; a* englisch; **~iciser** [-size] englisch machen; *s'~* englisch werden; englische (Lebens-)Formen nach=ahmen; **~icisme** *m* englische Spracheigentümlichkeit *f;* Anglizismus *m;* **~iciste** *m* Anglist *m;* **~omanie** *f* übertriebene Nachahmung *f* englischer Sitten, Anglomanie *f;* **~ophobie** *f* Ablehnung *f* alles Englischen; **~ophone** *a* englischsprachig; *s m f* Englischsprechende(r *m*) *f;* **~o-saxon, ne** *a* angelsächsisch; *A~-S~ s m* Angelsachse *m.*

angoiss|ant, e [ɑ̃gwasɑ̃, -ɑ̃t] beängstigend; beklemmend; **~e** *f* Bangigkeit; Angst(gefühl *n*); Beklemmung, Qual, Pein *f; être dans des ~s mortelles* in Todesängsten schweben *od* sein; **~er** ängstigen, beunruhigen.

angora [ɑ̃gɔra] *m* Angora(wolle *f*) *n; lapin, chat ~* Angorakaninchen *n,* -katze *f.*

anguill|e [ɑ̃gij] *f* Aal *m; il y a ~ sous roche* da steckt etw dahinter; *~ électrique* Zitteraal *m; ~ fumée* Spickaal *m;* **~ère** [-gijɛr] *f* Aalkasten, -teich *m;* **~ule** [-jyl] *f* Fadenwurm *m.*

angul|aire [ɑ̃gylɛr] winklig; eckig; *dent f ~* Eckzahn *m; pierre f ~* Eckstein *m;* **~eux, se** *(Form, Gesicht)* eckig; kantig; *fig* schwierig, hart.

anhél|ation [anelasjɔ̃] *med* Keuchen *n;* **~er** keuchen.

anhydr|e [anidr] wasserfrei; **~ide** *m* Anhydrid *n; ~ carbonique* Kohlendioxyd *n;* **~ite** *f* Anhydrit *n.*

anicroche [anikrɔʃ] *f fam* (kleine) Schwierigkeit *f,* Haken *m.*

ânier [ɑ(a)nje] *m* Eselstreiber *m.*

aniline [anilin] *f* Anilin *n.*

animadversion [animadvɛrsjɔ̃] *f* Mißbilligung *f,* Tadel *m;* Antipathie *f.*

animal [animal] *s m* Tier *n; fig* Dummkopf; Grobian *m; ~,e a* tierisch; *fig* brutal; *espèce d'~!* du Kamel! *charbon m ~* Tierkohle *f; colle f ~e* Knochenleim *m; règne m ~* Tierreich *n; ~ de boucherie* Stück Schlachtvieh *n; ~ domestique* Haustier *n; ~ expérimental* Versuchstier *n; ~ à sang chaud, froid* Warm-, Kaltblüter *m; ~ de trait* Zugtier *n;* **~cule** [-kyl] *m* mikroskopisch kleine(s) Tier *n; fig* kleine(r) Mensch *m;* **~ier** *m* Tiermaler, -bildhauer *m;* **~isation** *f (Nahrung)* Assimilierung *f;* **~iser** assimilieren; *fig* auf die Stufe e-s Tieres stellen; **~ité** *f* tierische(s) Wesen; Tierreich *n; (Mensch)* (das) Körperliche.

anim|ateur, trice [animatœr, -tris] *a* lebenspendend, belebend; anregend; *s m fig* mitreißende(r) Mensch; Stimmungsmacher; Animateur *m;* Quizmaster; Conférencier; Volksbildungspädagoge; Initiator, Förderer, Leiter *m; (Unternehmen)* Seele, Triebfeder *f;* **~ation** *f* Beseelung; Lebendigkeit, Lebhaftigkeit *f;* Aufschwung *m;* rege(s) Leben *n; (Straße)* lebhafte(r) Verkehr, Betrieb *m; avec ~* lebhaft; *sans ~* matt; *mettre de l'~ dans qc* etw mit=reißen; **~é, e** beseelt; belebt, lebendig; lebhaft; *(Streit)* heftig; aufgebracht (*contre* gegen); *(Verkehr)* rege; *(Straße)* verkehrsreich; *dessins m pl ~s* Trickfilm *m;* **~er** *tr* beleben, Leben verleihen (*qc* e-r S); beseelen; auf=muntern, an=feuern; *(Zuhörer)* mit=reißen; *(Menschen)* auf=stacheln, auf=reizen; *(Leidenschaften)* beherrschen (*qn* jdn); *(Unternehmen)* in Schwung bringen; *tech* an=treiben, bewegen; *s'~* lebendig werden, Leben erhalten; sich beleben; sich in Bewegung setzen; lebhaft(er) werden; in Eifer geraten; *(Augen)* Glanz bekommen; in Wut geraten, wütend, heftig werden; sich auf=regen.

animisme [anumizm] *m* Animismus *m.*

animosité [animozite] *f* Groll *m,* Erbitterung *f;* Unwillen *m;* Feindseligkeit; Bitterkeit; Heftigkeit *f; avoir de l'~ contre qn* gegen jdn etw haben.

anis [ani(s)] *m* Anis *m;* **~er** [-ze] mit Anis würzen; **~ette** *f* Anislikör *m.*

ankylo|se [ɑ̃kiloz] *f* Gelenksteife, Ankylose *f;* **~ser** unbeweglich, steif machen; *s'~* steif werden; *fig* ein=rosten; *(Glieder)* ein=schlafen.

annal, e [anal] *jur* jährlich; **~es** *f pl*

Annalen *pl*, Jahrbücher *n pl;* ~**iste** *m* Annalist *m.*

Anne [an] *f* Anna *f.*

ann|eau [ano] *m* Ring *m;* (Ketten-) Glied *n;* Öse *f; (Schlüssel)* Ring *m; (Schloß)* Riegel *m; (Haar)* Locke *f; bot* Kranz *m; pl (Schlange)* Windungen *f pl; (Schere)* Griffe *m pl;* ~ *de joint* Dichtungsring *m;* ~ *de serviette* Serviettenring *m;* ~**elé, e** [anle] *a* ringförmig (angeordnet); *(Haar)* lokkig; ~**eler** ringeln, kräuseln; ~**elet** [anəlɛ] *m* Ringlein; *arch* Riemchen *n;* ~**élides** *m pl* Ringelwürmer *m pl.*

année [ane] *f* (Lebens-)Jahr *n;* Jahrgang *m; d'~ en ~, d'une ~ à l'autre* von Jahr zu Jahr; *toute l'~* das ganze Jahr (hindurch); *être dans sa quarantième ~* im 40. Lebensjahr stehen; *souhaiter la bonne ~ à qn* jdm ein gutes neues Jahr wünschen; *fin f de l'~* Jahresende *n;* ~ *bissextile* Schaltjahr *n;* ~ *budgétaire* Etats-, Haushaltsjahr *n;* ~ *civile* Kalenderjahr *n;* ~ *d'épreuve* Probejahr *n;* ~ *d'exercice* Geschäftsjahr *n;* ~ *fiscale* Finanz-, Rechnungsjahr *n;* ~*-lumière f* Lichtjahr *n;* ~ *passée* Vorjahr *n;* ~ *de service* Dienstjahr *n;* ~ *sous revue* Berichtsjahr *n;* ~ *scolaire* Schuljahr *n.*

annex|e [anɛks] *s f* Nebengebäude *n; jur* Nachtrag, Zusatz *m; (Schriftstück)* Anlage *f;* Beiheft *n; (Brief)* Beilage *f;* Anhang *m; com* Filiale *f; a* Neben-; zugehörig; *en* ~ als *od* in der Anlage; ~**er** bei=, an=fügen, bei=legen; *(Land)* ein=verleiben, annektieren; ~**ion** *f* Einverleibung *f;* Anschluß *m,* Annexion *f.*

annihil|ation [aniilasjõ] *f jur* Annullierung, Nichtigkeitserklärung, Aufhebung; Vernichtung *f;* ~**er** vernichten; *(Vergangenheit)* aus=löschen; *(Anstrengung)* zunichte machen; *jur* für nichtig erklären; *s'~ (Kräfte)* sich auf=heben.

anniversaire [anivɛrsɛr] *a* jährlich wiederkehrend; *s m* Jahrestag; Geburtstag *m; fête f* ~ Jubiläum *n;* ~ *de la mort* Todestag *m.*

annonc|e [anõs] *f* Ankündigung, Bekanntmachung; (Zeitungs-)Anzeige *f,* Inserat; Vor-, Anzeichen *n; radio* Ansage; *tele* Voranmeldung; *loc* Vormeldung *f; pl rel* Gottesdienstordnung *f; faire des ~s* in der Zeitung werben; *mettre une ~ dans un journal* in e-r Zeitung inserieren; *bureau m d'~s* Inseratenbüro *n; feuille f d'~s* Anzeigenseite *f; réception f des ~s* Inseratenannahme *f;* ~ *bouche-trou* Füller *m;* ~ *classée* Kleinanzeige *f;* ~ *d'échange* Tauschanzeige *f;* ~ *encartée* Anzeigenbeilage *f;* ~ *d'expédition* Versandanzeige *f;* ~ *de naissance, de mariage, de décès* Geburts-, Heirats-, Todesanzeige *f;* ~ *préliminaire* Voranzeige *f;* ~ *publicitaire* Reklame, Werbeanzeige *f;* ~ *du train* Zugmeldung *f;* ~**er** ver-, an=kündigen; an=zeigen; *(Stelle)* aus=schreiben; *(Person)* melden; (öffentlich) bekannt=machen; voraus=sagen, hin=weisen (*qc* auf e-e S); *(Evangelium)* verkünden; *(Zug)* ab=melden; inserieren; *radio* an=sagen; *s'~* sich an=melden; *le temps s'~e beau* das Wetter verspricht schön zu werden; ~**eur** *m (Zeitung)* Inserent; *radio* Ansager *m;* ~**iateur, trice** *a* ankündigend; *s m* Ankündiger *m;* Ankündigungs-, Vorsignal *n; tableau m* ~ Meldetafel *f; tele* Klappenschrank *m;* ~ *d'appel (tele)* Rufzeichen *n;* ~ *de fin* Schlußzeichen *n;* **A~iation** *f* Mariä Verkündigung *f; a~* Ankündigung *f;* ~**ier** *m* Inserent; *typ* Annoncensetzer *m.*

annot|ateur [anɔtatœr] *m* Verfasser *m* von (kritischen) Anmerkungen; Kommentator *m;* ~**ation** *f* (kritische) Anmerkung; Erläuterung; *jur* Vormerkung *f;* ~**er** mit Anmerkungen versehen; ab=haken.

annu|aire [anɥɛr] *m* Jahrbuch *n;* Jahresübersicht *f;* Verzeichnis *n; relever des adresses dans un ~* e-m Adreß- *od* Fernsprechbuch Anschriften entnehmen; ~ *du commerce* Handels-, Branchenadreßbuch *n;* ~ *(du téléphone)* Telefonbuch *n;* ~**el, le** *a* jährlich; Jahres-; *couche f ~le (Baum)* Jahresring *m;* ~**ité** [anɥite] *f* Jahreszahlung, -rate; jährliche (Abschlags-) Zahlung *f.*

annul|abilité [anylabilite] *f* Anfechtbarkeit *f;* ~**able** anfechtbar; ~**aire** *a* ringförmig; *s m* Ringfinger *m;* ~**ation** *f* Nichtigkeits-, Kraftloserklärung; Streichung; *(Auftrag)* Rückgängigmachung; Abbestellung; *(Ehe)* Aufhebung *f; bouton m d'~ (tele)* Löschtaste *f; cause f d'~* Anfechtungsgrund *m; demande f en ~* Aufhebungsklage *f;* ~**er** für ungültig erklären; *(Urteil)* auf=heben; widerrufen; rückgängig machen; *(Schuld)* tilgen; *tele* löschen; *fig* zunichte machen; *tech (Verschluß)* lösen; *s'~* sich auf=heben.

anobie, anobium [anɔbi, -bjɔm] *m* Holzwurm; Klopfkäfer *m.*

anobl|ir [anɔblir] adeln, in den Adelsstand erheben; ~**issement** *m* Erhebung *f* in den Adelsstand.

anod|e [anɔd] *f* Anode *f;* ~**in, e** unschädlich; ungefährlich; harmlos; *med* schmerzstillend; *fig* unbedeutend; **~ique:** *courant m* ~ Anodenstrom *m.*

anomal, e [anɔmal] regelwidrig, unregelmäßig; ungewöhnlich; anomal; **~ie** *f* Regelwidrigkeit, Unregelmäßigkeit, Anomalie, Seltsamkeit *f.*

ânon [ɑnɔ̃] *m* Eselsfüllen *n; fig* Dummkopf, Esel *m;* **~ner** [-nɔne] herunter= leiern; stockend *od* monoton lesen.

anonym|at [anɔnima] *m* Anonymität *f;* **~e** *a* anonym, ohne Namen, namenlos; *s m* Unbekannte(r), Anonymus *m; société f* ~ Aktiengesellschaft *f.*

anor|ak [anɔrak] *m* Anorak *m.*

anorexie [anɔrɛksi] *f med* Appetitlosigkeit *f.*

anormal, e [anɔrmal] *a* anormal, unregelmäßig; ungewöhnlich; ungerecht; *s m* anormale(r) Mensch *m.*

ans|e [ɑ̃s] *f* Henkel; Griff; Bügel; *(Bombe)* Ring *m; fam* Arm *m; mar* (kleine) Bucht; *med* Schlinge, Schleife *f; prendre par l'~* am Henkel- (an=) fassen; **~ette** *f* kleine(r) Henkel; Ring *m.*

anspect [ɑ̃spɛk] *m* Hebebaum *m.*

antagon|ique [ɑ̃tagɔnik] widerstreitend; **~isme** *m* Widerstreit *m;* Feindschaft *f;* **~iste** *s m* Gegner, Widersacher, Antagonist *m; a. med* Gegenmittel *n; a* entgegenwirkend; feindlich.

antalgique [ɑ̃talʒik] schmerzstillend.

antan [ɑ̃tɑ̃] *m vx: d'~* vorjährig; früher; vergangen.

Antarc|tide, l' [ɑ̃tarktid] *f* die Antarktis; **a~tique** antarktisch; *l'océan m A~* das Südpolarmeer; *pôle m* ~ Südpol *m.*

ante [ɑ̃t] *f* vorspringende(r) Eckpfeiler; (Pinsel-)Griff *m.*

anté|bois [ɑ̃tebwa] *m* Stoßleiste *f;* **~cédent, e** [-se-] *a* vorhergehend, vorig, früher; *s m* Präzedenzfall; Vordersatz *m; math* Vorderglied; *pl* Vorleben *n; sans ~s* beispiellos; *sans ~s judiciaires* nicht vorbestraft.

Antéchrist [ɑ̃tekrist] *m* Antichrist *m.*

antédiluvien, ne [ɑ̃tedilyvjɛ̃, -ɛn] vorsintflutlich; *fig* altmodisch.

antenne [ɑ̃tɛn] *f mar (Art)* Rahe *f; (Insekt)* Fühler *m; radio* Antenne *f; fil m d'~* Antennendraht *m; une heure d'~* eine Stunde *f* Sendezeit; ~ à accords multiples mehrfach abgestimmte Antenne *f; ~ antiparasite* abgeschirmte Antenne *f; ~ de balise, doublet* Dipolantenne *f; ~ basse, couchée* Erdantenne *f; ~ à cadre* Rahmenantenne *f; ~ collective* Gemeinschaftsantenne *f; ~ dirigée, directive, parabolique* Richtantenne *f; ~ d'émission* Sendeantenne *f; ~ extérieure* Hochantenne *f; ~ intérieure* Zimmerantenne *f; ~-mât, ~-sabre f* Stabantenne *f; ~ en nappe* Flächenantenne *f; ~ pendante* Schleppantenne *f; ~ unifilaire* Eindrahtantenne *f; passer l'~ (tele)* übergeben (*à qn* jdn).

anté|pénultième [ɑ̃tepenyltjɛm] *f* drittletzte Silbe *f;* **~rieur, e** vorhergehend; früher; älter (*à* als); Vorder-; *face f ~e* Vorderseite *f;* **~riorité** [-rjɔ-] *f* (zeitlicher) Vorrang *m,* Vorzeitigkeit *f.*

anthélie [ɑ̃teli] *f astr* Gegensonne *f.*

anthère [ɑ̃tɛr] *f bot* Staubbeutel *m.*

anthologie [ɑ̃tɔlɔʒi] *f* Anthologie; Sammlung, Auswahl *f; ~ lyrique* Gedichtsammlung *f.*

anthracit|e [ɑ̃trasit] *m* Anthrazit *m;* **~eux, se** *a: charbon m* ~ Magerkohle *f.*

anthrax [ɑ̃traks] *m med* Karbunkel *m.*

anthropo|ïde [ɑ̃trɔpɔid] *a* menschenähnlich; *s m* Menschenaffe *m;* **~logie** *f* Anthropologie, Lehre *f* vom Menschen; **~logique** anthropologisch; **~logiste, ~logue** *m* Anthropologe *m;* **~métrie** *f* Anthropometrie *f;* **~morphe** [-mɔrf] menschenähnlich; **~morphisme** *m* Vermenschlichung *f;* **~phage** [-faʒ] *m* Menschenfresser *m;* **~phagie** *f* Menschenfresserei *f;* **~pithèque** [-tɛk] *m* Affenmensch *m;* **~sophe** [-zɔf] *a* anthroposophisch; *s m f* Anthroposoph(in *f*) *n;* **~sophie** *f* Anthroposophie *f.*

anti|acide [ɑ̃tiasid] säurefest; **~aérien, ne** Flugabwehr-; *artillerie f ~ne* Flakartillerie *f; défense f ~ne* Luftschutz *m;* **~alcoolique** *a* antialkoholisch; *s m* Antialkoholiker *m;* **~atomique** *a: abri* ~ Atombunker *m;* **~-balistique** *a* Flugabwehr-; **~base** laugenfest; **~blanc** europäerfeindlich, gegen die Weißen eingestellt; **~biotiques** *m pl pharm* Antibiotika *n pl;* **~brouillard** *a inv: phares ~ (mot)* Nebelscheinwerfer *mpl* **~bruit** *a inv* Lärmschutz-; *casque* ~ Lärmschutzhelm *m; écran, mur* ~ Lärmschutzwall *m; législation* ~ Lärmbekämpfungsgesetze *n pl; lutte* ~ Lärmbekämpfung *f;* **~cancéreux, se** *a: centre* ~ Krebsforschungsinstitut; Krebskrankenhaus *n;* **~casseurs** *a: loi* ~ Vandalismusgesetz *n (vor allem gegen gewalttätige Ausschreitungen während Demonstrationen).*

antichambre [ɑ̃tiʃɑ̃br] *f* Vorzimmer *n; courir les ~s* guten Wind machen.

anti|char [ɑ̃tiʃar] *a* Panzerabwehr-; *barrage m* ~ Panzersperre *f; bouchon, verrou m* ~ Panzerriegel *m; lutte f* ~ *rapprochée* Panzernahbekämpfung *f;* ~**chrétien, ne** [-kre-] antichristlich.

anti|cipation [ɑ̃tisipasjõ] *f* Vorwegnahme, Vorausnahme *f,* Vorgriff; *jur* Eingriff *m; par* ~ im, zum voraus; *roman m d'*~ Zukunftsroman *m;* ~ *de paiement* Vorauszahlung *f;* ~**cipé, e** Voraus-; vorzeitig, im voraus; vorweggenommen; *opinion f* ~*e* vorgefaßte Meinung *f;* ~**ciper** *tr* vorweg=-, voraus=nehmen; vor=greifen (*qc* auf e-e S); *itr* vor=greifen (*sur* auf *acc*); im voraus verbrauchen; über=greifen (*sur* in *acc*); ~ *un paiement* im voraus zahlen.

anti|clérical,e [ɑ̃tiklerikal] *a* antiklerikal; ~**clinal, e** *a* sattelförmig; *s m geol* Sattel *m;* ~**conceptionnel, le** empfängnisverhütend; ~**conformisme** *m* Nonkonformismus *m;* ~**conformiste** *a* nonkonformistisch; *s m f* Nonkonformist(in *f*) *m;* ~**congélant** *m* Gefrierschutzmittel *n;* ~**constitutionnel, le** verfassungswidrig; ~**corps** *m med* Antikörper *m;* ~**corrosif, ive** korrosionsfest; *peinture f* ~*ive* Schutzfarbe *f;* ~**cyclone** [-on] *m* Hoch(druckgebiet) *n;* Antizyklone *f.*

antidater [ɑ̃tidate] zurück=datieren.

anti|dépresseur [ɑ̃tidepresœr] *a* antidepressiv; *s m* Antidepressivum *n;* ~**dérapant, e** *a* rutschfest, -sicher; *s m* Gleitschutz *m; pneus m pl* ~*s* rutschfeste, griffige Reifen *m pl; chaîne f* ~*e* Schneekette *f;* ~**détonant, e** *a mot* klopffest; *s m* Antiklopfmittel *n; pouvoir m* ~ Klopffestigkeit *f;* ~**dote** *m* Gegengift, -mittel *n.*

antienne [ɑ̃tjɛn] *f rel* Antiphon *f,* Wechselgesang *m; chanter toujours la même* ~ immer wieder dasselbe Lied an=stimmen.

anti|-éblouissant, e [ɑ̃tiebluisɑ̃, -ɑ̃t] blendfrei; *dispositif m* ~ Blendschutz *m;* ~**friction:** *métal m* ~ Lager-, Weißmetall *n;* ~**gang** *a: brigade* ~ *Sonderkommando der Polizei gegen Bandenkriminalität;* ~**gel** *m* Frostschutzmittel *n;* ~**giratoire** drallsicher; ~**grippe** *a: vaccin* ~ Grippeschutzimpfung *f;* Grippeschutzimpfstoff *m;* ~**grisouteux, se** schlagwettersicher; ~**histaminique** *m* Antihistamin *n;* ~**halo** *phot* lichthoffrei; ~**hygiénique** unhygienisch.

antilope [ɑ̃tilɔp] *f* Antilope *f.*

anti|militarisme [ɑ̃timilitarism] *m* Antimilitarismus *m;* ~**militariste** *m* Antimilitarist *m;* ~**-mites** *a* mottensicher; *s m* Mottenschutzmittel *n.*

antimoine [ɑ̃timwan] *m* Antimon *n;* ~ *oxydé* Antimonblüte *f.*

antinational, e [ɑ̃tinasjɔnal] *a* antinational; volksfeindlich; ~**névralgique** antineuralgisch; ~**nomie** *f* Antinomie *f,* Widerspruch *m;* ~**nucléaire** *a* der Kernkraftgegner; *militant* ~ Kernkraftgegner *m; s m f* Kernkraftgegner(in *f*) *m;* ~**nuisances** *a ecol: les techniques* ~ die Umweltschutztechnik *f;* ~**pape** *m* Gegenpapst *m;* ~**parasitage** *m radio* Entstörung *f,* Abschirmen *n;* ~**parasite** *m* Störschutz *m;* ~**parasiter** entstören, ab=schirmen; ~**pathie** [-ti] *f* Antipathie, Abneigung *f,* Widerwille *m;* Unvereinbarkeit; Disharmonie *f;* ~**pathique** unsympathisch, zuwider, widerwärtig; unvereinbar (*à* mit); ~**pelliculaire** *a* gegen Schuppen; ~**pode** [-pɔd] *m* Antipode *m; fig* Gegenteil *n* (*de* von); *aux* ~*s (fig)* weit weg; wo der Pfeffer wächst; ~**polluant, e** *a* umweltfreundlich; ~**professionnel, le** berufswidrig; ~**putride** fäulnishindernd; ~**pyrétique** fieberwidrig; ~**pyrine** *f* Antipyrin *n.*

antiqu|aille [ɑ̃tikaj] *f* Plunder *m;* ~**aire** *m* Antiquitätenhändler *m;* ~**e** *a* antik; uralt; altmodisch; *(Schönheit)* verblüht; *s m* antike Kunst(werke *n pl*) *f; f* antike(s) Kunstwerk *n;* Antike *f;* ~**ité** *f* Altertum *n,* Antike *f;* hohe(s) Alter *n; pl* Altertümer *n pl;* Antiquitäten *pl; collection f d'*~*s* Antiquitätensammlung *f.*

anti|rabique [ɑ̃tirabik] gegen die Tollwut wirkend; ~**religieux, se** religionsfeindlich; ~**révolutionnaire** gegenrevolutionär; ~**rouille** *a* rostfrei; *s m* Rostschutz *m;* ~**satellite** *a mil* Satellitenabwehr-; ~**sèche** *f* Spickzettel *m;* ~**sémite** *m* Antisemit *m;* ~**sémitique** antisemitisch; ~**sepsie** [-sɛpsi] *f med* Antisepsis *f;* ~**septique** *a* u. *s m* antiseptisch; keimtötend(es Mittel *n*); ~**-sous-marin, e** *a mil* U-Boot-Abwehr-; *défense* ~*e* U-Boot-Abwehr *f;* ~**spasmodique** *a u. s m* krampfstillend(es Mittel*n*); ~**terroriste** *a: lutte* ~ Terroristenbekämpfung *f; mesures* ~*s* Maßnahmen *f pl* zur Terroristenbekämpfung *f;* ~**thèse** *f* Antithese *f,* Gegensatz *m;* ~**thétique** gegensätzlich; ~**totalitaire** gegen die totalitäre Staatsform gerichtet; ~**toxine** *f* Gegengift, Antitoxin *n;* ~**vénérien, ne** gegen Geschlechtskrankheiten wirkend.

Antoine [ɑ̃twan] *m* Anton *m.*
antonyme [ɑ̃tɔnim] *m* Antonym, Wort *n* gegensätzlicher Bedeutung.
antre [ɑ̃tr] *m* Höhle; Grotte *f.*
anu|rie [anyri] *f* Harnverhaltung *f;* **~s** *m* [anys] After *m.*
Anvers [ɑ̃vɛr(s)] *f* Antwerpen *n.*
anxi|été [ɑ̃ksjete] *f* Bangigkeit, Beklemmung; innere Unruhe, Angst *f;* **~eux, se** bang, ängstlich, beklommen; unruhig; begierig.
aorte [aɔrt] *f anat* Aorta, große Körperschlagader *f.*
août [u] *m* August *m;* **~ien, ne** [ausjɛ̃,-ɛn] *m f* Augusturlauber(in *f*) *m.*
apache [apaʃ] *m* Bandit, Gangster, Gauner *m.*
apais|ant, e [apɛzɑ̃, -ɑ̃t] beruhigend, tröstend; **~ement** *m* Beruhigung, Besänftigung; Befriedung; *(Zorn)* Beschwichtigung; Erleichterung, Linderung *f;* **~er** [-e(ɛ)ze] beruhigen; besänftigen; beschwichtigen; *(schlechte Laune)* mildern; *(Schmerz)* lindern; *(Durst)* löschen; *(Hunger)* stillen; *(Sinne)* befriedigen; *(Götter)* versöhnen; *(Streit)* schlichten; *(Aufruhr)* unterdrücken; *s'~* sich beruhigen; *(Wind, Fieber)* sich legen; *(Sturm, Lärm)* nach=lassen.
apanage [apanaʒ] *m jur* Leibgedinge; Erbteil *a. fig; fig* Schicksal, Los *n.*
aparté [aparte] *m* Selbstgespräch *n;* Gruppe *f,* in der ein Gespräch abseits von andern geführt wird; *en ~ (Gespräch)* abseits von ander(e)n geführt; *theat* beiseite.
apath|ie [apati] *f* Teilnahmslosigkeit, Gleichgültigkeit, Apathie *f;* **~ique** gleichgültig, teilnahmslos, apathisch.
apatride [apatrid] *a* heimat-, vaterlandslos; staatenlos; *s m f* Staatenlose(r *m*) *f.*
apax [apaks] *m (Buch)* Unikum *n;* eigene Wortprägung *f.*

apepsie [apɛpsi] *f* schlechte Verdauung, Verdauungsstörung *f.*
aper|ception [apɛrsɛpsjɔ̃] *f* Wahrnehmung *f;* **~cevable** [-sə-] wahrnehmbar; **~cevoir** *irr* bemerken, erblicken, sehen, wahr=nehmen, beobachten, fest=stellen; unterscheiden; *s'~* wahr=nehmen, bemerken, gewahr werden (*de qc* e-e S); **~çu** [-sy] *m* (kurzer) Ein-, Überblick *m;* Übersicht; *fig* Vorstellung; Darstellung *f,* Bericht *m;* Zs.fassung; (geistreiche) Bemerkung *f;* ~ *des frais* Kostenüberschlag *m.*
apér|itif, ive [aperitif, -iv] *a* appetitanregend; *s m* Aperitif *m;* **~o** [apero] *m fam* Aperitif *m.*
apesanteur [apəzɑ̃tœr] *f phys* Schwerelosigkeit *f.*
apeuré, e [apœre] erschrocken, ge-, verängstigt, eingeschüchtert.
apex [apɛks] *m* Scheitel *m,* Spitze *f; astr* Apex *m.*
aphasie [afazi] *f* Aphasie *f,* Verlust *m* der Sprache.
aphélie [afeli] *m astr* Sonnenferne *f,* Aphel *n.*
apho|ne [afɔn] *a* stimmlos, tonlos; **~nie** *f* Stimmverlust *m;* Stimmlosigkeit *f.*
aphorisme [afɔrizm] *m* Aphorismus, Sinnspruch *m;* **~oristique** *a* aphoristisch.
aphrodisiaque [afrɔdizjak] *a u. s m* erotisch anregend(es Mittel *n*).
aph|te [aft] *m* Aphthe *f;* **~teux, se** *a: fièvre f ~se* Maul- u. Klauenseuche *f.*
aphyle [afil] *a* blattlos.
api|cole [apikɔl] Bienen(zucht)-; **~culteur, trice** *m f* Imker(in *f*), Bienenzüchter(in *f*) *m;* **~culture** *f* Bienenzucht *f.*
apito|iement [apitwamɑ̃] *m* Bemitleiden, Erbarmen *n;* **~yer** [-twaje] rühren (*qn* jdn), Mitleid erregen (*qn* jds); *s'~ sur qn* jdn bemitleiden; *sur qc* von etw gerührt werden.
aplan|ir [aplanir] (ein=)ebnen; planieren, ab=tragen; aus=gleichen; *tech* schlichten; *(Weg)* bahnen; *fig (Schwierigkeiten)* beseitigen, beheben, aus dem Weg räumen; *(Gegensätze)* überbrücken; **~issement** *m* Planierung, Einebnung, Abtragung *f;* Ausgleichen *n; (Schwierigkeiten)* Beseitigung; *(Streit)* Schlichtung *f.*
aplat|ir [aplatir] ab=platten, platt *od* flach schlagen, ab=flachen; *(Haare)* glatt=drücken; *(Falten)* glatt=streichen; *fig fam (Gegner)* klein=kriegen; *s'~* platt werden; *pop* hin=fallen, sich lang=legen; *fig fam* zu Kreuz kriechen (*devant* vor *dat*); *s'~ par terre* sich flach auf den Boden legen; **~issement** *m* Abflachung, Abplattung; *fig fam* Demütigung, Erniedrigung *f;* ~ *des forces* Mattigkeit, Entkräftung *f;* **~isseur** *m* Plattschläger *m;* **~issoir** *m* Streckhammer *m.*
aplomb [aplɔ̃] *m* senkrechte Stellung; *fig* (innere) Sicherheit; Kühnheit, Kaltblütigkeit; Frechheit, Dreistigkeit *f; pl* (ausgewogene) Haltung *f (des Pferdes); d'~* senkrecht, lotrecht; *min* seiger; *être bien d'~ sur ses jambes* fest auf den Beinen stehen; *maintenir d'~* im Gleichgewicht halten; *mettre d'~* auf=richten; *je ne me sens pas bien d'~ (fam)* ich bin nicht ganz auf

der Höhe; *cela me remettra d'~* das wird mich wieder auf die Beine bringen; *il a de l'~* er ist frech, unverschämt; *quel ~!* welche Unverschämtheit!

Apocalyp|se [apɔkalips] *f* Apokalypse; Offenbarung *f* des Johannes; **a~tique** apokalyptisch; *(Stil)* dunkel.

apocryphe [apɔkrif] apokryph, unecht; unzuverlässig; verdächtig.

apode [apɔd] *a* fußlos; *bot* ungestielt; *(Fisch)* ohne Bauchflossen.

apogée [apɔʒe] *m (Mond)* Erdferne *f*, Apogäum *n; fig* Höhepunkt, Zenit, Gipfel *m.*

apoli|tique [apɔlitik] *a* unpolitisch; **~tisme** *m* unpolitische Haltung *f.*

apo|logétique [apɔlɔʒetik] *a* rechtfertigend; Verteidigungs-; **~logie** *f* Verteidigung(sschrift); Rechtfertigung *f;* **~logiste** *m* Verteidiger, Lobredner *m;* **~logue** *m* (Lehr-)Fabel *f;* **~névrose** *f anat* Aponeurose, Sehnenhaut *f;* **~phtegme** [apɔftɛgm] *m* Kern-, Sinnspruch *m;* **~physe** [-fiz] *f* (Knochen-)Fortsatz *m;* **~plectique** *a* zum Schlagfluß neigend; *s m f* Apoplektiker(in *f*) *m;* **~plexie** *f* Schlaganfall *m; être frappé d'~* e-n Schlaganfall bekommen *od* erleiden; **~stasie** *f rel* Abtrünnigkeit *f*, Abfall *m; fig* Imstichlassen *n;* **~stasier** *rel* ab=fallen; **~stat** [-sta] *m rel* Apostat, Abtrünnige(r); Renegat *m.*

aposter [apɔste] postieren

apos|tille [apɔstij] *f (Schreiben)* Zusatz *m;* Randbemerkung *f;* empfehlende Worte *n pl;* **~tiller** mit Bemerkungen versehen; empfehlende Worte hinzu=fügen (*qc* zu etw).

apos|tolat [apɔstɔla] *m* Apostolat, Apostelamt *n;* **~tolique** apostolisch; päpstlich.

apostro|phe [apɔstrɔf] *f* Anrede *f;* Verweis, *fam* Anpfiff, Anranzer; Apostroph *m*, Auslassungszeichen *n;* **~pher** hart an=fahren, *fam* an=schnauzen, an=pfeifen.

apothéose [apɔteoz] *f* Apotheose, Vergötterung *f;* höchste(s) Lob *n; fig* Triumph *m.*

apothicaire [apɔtikɛr] *m vx, hum* Apotheker *m; compte m d'~ (fig)* Milchmädchenrechnung *f.*

apôtre [apotr] *m* Apostel; *fig* Verfechter, Vorkämpfer *m; se faire l'~ de* sich ein=setzen für; *faire le bon ~* scheinheilig tun; *Actes m pl des A~s* Apostelgeschichte *f.*

apparaître [aparɛtr] *irr* erscheinen, in Sicht, zum Vorschein kommen; auf=tauchen; hervor=treten; sich zeigen; sich enthüllen; *il apparaît que* es ist offensichtlich, daß; *il m'apparaît que* ich habe den Eindruck, daß; *il est apparu que* es hat sich herausgestellt, daß.

appar|at [apara] *m* Prunk *m*, Gepränge *n;* **~aux** [-ro] *m pl* Schiffs-, Turngerät(e) *n (pl).*

appareil [aparɛj] *m* Aufzug, Pomp *m;* Begleitung *f:* Apparat *m*, Geräte *n;* Ausrüstung *f;* Instrument *n;* Vorrichtung, Einrichtung; Maschine *f;* Photoapparat *m*, Kamera *f; arch* Mauerverband; *med* Verband *m; anat* Organe *n pl; mar* Takel; *(Küche)* Bindemittel *n; (Zahn)* Prothese; *aero* Maschine *f; tele* Apparat *m; ~ accessoire (tele)* Nebenapparat *m; ~ administratif* Verwaltungsapparat *m; ~ à air chaud* Winderhitzer *m; ~ anglais croisé* Kreuzverband *m; ~ d'arrêt* Fang-, Sperrvorrichtung *f; ~ d'atterrissage sans visibilité* Blindlandegerät *n; ~ avertisseur m* Warngerät *n;* Signalapparat *m; ~s de bord* Bordinstrumente *n pl; ~ à bossage (arch)* Rustika *f; ~ à calquer* Lichtpausapparat *m; ~ de changement de voie (loc)* Weiche *f; ~ de chargement (mil)* Ladevorrichtung *f; ~ en coffre* Kastengerät *n; ~ de commande* Schaltgerät *n; ~ de conduite de tir* Kommandogerät *n; ~ de contrôle* Prüfgerät *n; ~ de couplage* Schaltvorrichtung *f; ~ tous-courants* Allstromgerät *n; ~ de déclenchement* Auslösevorrichtung *f; ~ de démarrage* Anlasser *m; ~ digestif* Verdauungsapparat *m; ~ directeur* Richtkreis *m; ~ de direction (mot)* Steuerung *f; ~ d'éclairage* Beleuchtungskörper *m*, Leuchte *f; ~ d'écoute* Horchgerät *n; ~ émetteur* Sendegerät *n; ~ d'enregistrement* Aufnahmegerät *n; ~enregistreur* Registrierapparat *m*, Schreibgerät *n; ~ d'essai* Versuchsgerät *n; ~ de fermeture* Verschlußvorrichtung *f; ~ à fiches visibles* Sichtkartei *f; ~ frigorifique* Gefrieranlage *f; ~ fumigène* Raucherzeuger *m;* Nebelgerät *n; ~ de gymnastique* Turngerät *n; ~ indicateur* Anzeigegerät *n; ~ intégrateur* Zählwerk *n; ~ intérieur* (Innen-)Einrichtung *f; ~ à jet de sable* Sandstrahlgebläse *n; ~ de lecture pour microfilm* Mikrofilmlesegerät *n; ~ de levage* Hebezeug *n;* Kran *m; ~ localisateur de radio-guidage* Ansteuerungssender *m; ~ de manœuvre (loc)* Stellwerk *n; ~ de mesure* Meßgerät *n; ~ de mesure photographique* Bildmeßgerät *n; ~ de mire à grille* Kreiskornvisier *n; ~ de mise de* *feu* Zündvorrichtung *f; ~ de mise en marche* Anlaßgerät *n; ~ mobile* Tischapparat *m; ~ moteur* Triebwerk *n; ~ mural (tele)* Wandapparat *m; ~ à ondes courtes* Kurzwellengerät *n; ~ photogrammétrique* Bildmeßgerät *n; ~ photo(graphique)* Bild-, Aufnahmegerät *n;* Fotoapparat *m; ~ ~ à films* Reihenbildgerät *n; ~ ~ fixe* eingebaute(s) Bildgerät *n; ~ ~ grand champ* Weitwinkelkamera *f; ~ photostat* Photostat *m; ~ de pointage optique* optische(s) Zielgerät *n; ~ de prise de courant* Stromabnehmer *m; ~ de prise de vue* Lichtbildkamera *f;* Aufnahmeapparat *m; ~ de projection* Bildwerfer *m; ~ protecteur* Schutzvorrichtung *f; ~ radar* Funkmeßgerät *n; ~ radio* Funkgerät *n; ~ radiogoniométrique* Peilgerät *n; ~ de radio-guidage à ondes modulées* Bake *f* mit 2 Modulationen; *~ de radiothérapie* Höhensonne *f; ~ de réanimation* Wiederbelebungsgerät *n; ~ respiratoire* Atemgerät; *anat* Atmungsorgane *n pl; ~s sanitaires* sanitäre Einrichtung *f; ~ de sauvetage* Rettungsgerät *n; ~ de signalisation optique* Blinkgerät *n; ~ à signaux* Signalapparat *m; ~ à souder* Schweißapparat *m; ~ soufflant* Gebläse *n; ~ de surveillance* Überwachungsgerät *n; ~ de tableau* Schalttafelinstrument *n; ~ télégraphique écrivant* Schreibtelegraf *m; ~ téléphonique* Fernsprecher *m; ~ téléphotographique* Bildfunkgerät *n; ~ de télévision* Fernsehgerät *n; ~ pour tirage de plans* od *à tirer les bleus* Lichtpausgerät *n; ~ de transmission (tele)* Geber *m; ~ de T.S.F.* Rundfunkgerät *n; ~ de visée* Visiereinrichtung *f; ~ de voie (loc)* Weiche; Kreuzung *f.*

appareil|lage [aparɛjaʒ] *m* Anlage, Apparatur, Ausrüstung *f,* Gerät *n; mar* Abfahrt *f,* Lichten *n* der Anker; *~ d'éclairage* Beleuchtungsarmatur *f; ~ électrique* elektrische Anlage *f;* **~lement, ~lage** *m (Tiere)* Zs.spannen; Koppeln; Paaren; *(Gegenstände)* Zs.passen *n;* **~ler 1.** *itr* das Schiff klar=machen; die Anker lichten; *tr arch* zu=richten; **2.** *tr (Tiere)* paaren; *(Handschuhe)* paarweise zs.=legen; *(Farben)* aufea. abstimmen; **~leur** *m* Steinmetz; Zurichter; Installateur *m.*

appar|emment [aparamɑ̃] *adv* anscheinend; offenbar; wahrscheinlich; **~ence** *f* (An-)Schein *m;* Äußere(s) *n;* Gestalt; Erscheinung *f;* Aussehen *n;* Form; *fig* Spur *f;* Anzeichen *n;* Wahrscheinlichkeit *f; en ~* scheinbar; *se donner des ~s* sich den Anschein geben; so tun, als ob; *sauver, sauvegarder les ~s* den Schein wahren; *on ne doit pas juger sur les ~s* der Schein trügt; **~ent, e** sichtbar; *fig* offensichtlich, greifbar; anscheinend; scheinbar, täuschend; **~enté, e** verwandt *a. fig;* verschwägert; *fig* in Übereinstimmung (*à* mit); *pol* nahestehend; **~entement** *m pol* Wahlbündnis *n;* Listenverbindung *f;* **~enter** verschwägern; *(Listen)* verbinden; *s'~* (hin)ein=heiraten (*à* in *acc*); sich verschwägern (*à* mit); *fig* sich an=schließen (*à* an *acc*); *(Sachen)* zuea. passen.

appari|ement [aparimɑ̃] *m* Paarung; *fig* Verbindung; Partnerschule *f;* **~er** [-rje] *(Tiere)* paaren; *(Handschuhe, Strümpfe)* paarweise zs.=stellen; **~euse** *f* Ehestifterin *f.*

appariteur [aparitœr] *m* Gerichtsdiener; *(Universität)* Pedell; (Bibliotheks-)Gehilfe *m.*

apparition [aparisjɔ̃] *f* Erscheinen, Auftauchen, Auftreten *n;* Erscheinung *f;* Gespenst *n,* Spuk; *(Krankheit)* Ausbruch; kurze(r) Besuch *m,* Stippvisite *f; (Buch)* Erscheinen *n,* Veröffentlichung *f; geol* Vorkommen *n.*

apparoir [aparwar] *irr* hervor=gehen (*de* aus); offensichtlich sein.

appartement [apartəmɑ̃] *m* Wohnung *f; meubler un ~* e-e Wohnung möblieren; *occuper un ~* e-e Wohnung bewohnen; in e-r Wohnung wohnen; *plantes f pl d'~* Zimmerpflanzen *f pl.*

apparten|ance [apartənɑ̃s] *f* Zugehörigkeit; Mitgliedschaft *f;* Nebengebäude *n pl;* Zubehör *n; sans ~ politique* parteilos; **~ir** *irr* gehören (*à qn, qc* zu jdm, etw); an=gehören (*à qn* jdm); zu=stehen, gebühren; sich beziehen (*à* auf *acc*), betreffen (*à qc* etw); *s'~* sein eigener Herr sein; *il appartient aux parents* es ist Aufgabe der Eltern (*de* zu); *il vous appartient* es ist Ihre Sache (*de* zu).

appas [apɑ] *m pl fig* (weibliche) Reize *m pl;* Verlockungen *f pl.*

appât [apɑ] *m* Köder *m; fig* Lockung *f; attirer avec un ~* mit e-m Köder an=locken; **~er** *(Vögel)* füttern; *(Geflügel)* stopfen, nudeln; *(Fische)* ködern; *(Vögel)* an=locken; *(Falle)* mit e-m Köder versehen; *fig* verlocken, verführen.

appauvr|i, e [apovri] verarmt; **~ir** arm machen; schwächen; *(Boden)* aus=laugen; *(Rasse)* verschlechtern; *s'~* arm werden, verarmen; *(Fähigkeiten)* verkümmern, nach=lassen; *(Rasse)* degenerieren, entarten; **~issement** *m* Verarmung; Verkümmerung; Erschöpfung; Verschlechterung *f.*

appeau [apo] *m* Lockpfeife *f;* Lockvogel *m; se laisser prendre à l'~ (fig)* auf den Leim gehen.

appel [apɛl] *m* (Zu-)Ruf; Aufruf *m;* Einladung *f;* (telefonischer, Funk-) Anruf *m; tele* Rufzeichen; *(Namen)* Verlesen *n; inform* Aufruf *m; mil* Appell *m;* Einberufung *f; (Kapital)* Einforderung; Aufforderung (zur Nach(be)zahlung); *jur* Berufung; *fig* Lockung *f,* Reiz *m; faire ~ à qn* sich an jdn wenden; *faire ~ à toutes ses forces* sich zs.=reißen; *faire ~ au juge* e-e richterliche Entscheidung an=rufen; *faire l'~ des causes (jur)* die Parteien auf=rufen; *faire ~ de qc* gegen etw Berufung ein=legen; *juger sans ~* in letzter Instanz entscheiden; *cour f d'~* Berufungsgericht *n; disque m d'~ (tele)* Nummernscheibe *f; ordre m d'~* Einberufungsbefehl *m; vote m par ~ nominal* Abstimmung *f* durch namentlichen Aufruf; *~ à l'aide* Hilferuf *m; ~ d'air (Ofen)* Luftzuführung *f; ~ de détresse* Notruf *m; ~ de la langue* Schnalzer *m* mit der Zunge; *~ local* Anruf *m* im Ortsverkehr; *~ lumineux* Leuchtzeichen *n; ~ nominal* Namensaufruf *m; ~ d'offre* Angebotsausschreibung *f; ~ du regard* Augenzwinkern *n; ~ des témoins* Zeugenaufruf *m;* **~ant** [-pə-] *m* **1.** Berufungskläger *m;* **2.** Lockvogel *m; se porter ~* Berufung ein=legen; **~é** **[-ple]** *m* Befugte(r), Berufene(r); Nacherbe; *mil* Einberufene(r) *m.*

appel|er [aple] *tr* (an=, herbei=, hervor=)rufen; auf=rufen, vor=laden; *mil* ein=berufen; zs.=rufen; nennen, heißen; *(in ein Amt)* berufen; *(Ziel)* erstreben; *(Blicke)* auf sich *(acc)* ziehen; *(Aufmerksamkeit)* lenken (*sur* auf *acc*); *(Unglück, Segen)* herbei=wünschen; *(Kraft)* erfordern; *(Folge)* nach sich ziehen; *(Namen)* auf=rufen; *(Geld)* ein=fordern; *(zum Zweikampf)* heraus=fordern; *(Tiere)* lokken; *tele* an=rufen, an=läuten (*qn* bei jdm); *itr (Glocken)* läuten; *(Hund)* an=schlagen; *(Urteil)* sich verwahren (*de* gegen); *en ~* appellieren (*à* an *acc*); sich berufen (*à* auf *acc*); *s'~* heißen; sich nennen; *faire ~ le médecin* den Arzt holen lassen; *~ l'ascenseur* den Fahrstuhl kommen lassen; *~ qn à son aide* jdn zu Hilfe rufen; *~ une cause (jur)* die Parteien auf=rufen; *(en) ~ d'un jugement* gegen ein Urteil Berufung ein=legen; *~ en justice* vor Gericht laden; *~ à la mémoire* ins Gedächtnis zurück=rufen; *~ en témoignage* als Zeugen vor=laden; **~latif** [apɛla-] *m* Gattungsname *m;* **~lation** *f* Bezeichnung, Benennung *f;* Name *m;* Buchstabieren *n; ~ d'origine* Herkunftsbezeichnung *f.*

appendic|e [apɛ̃dis] *m* Ansatz(stück *n*) *m; anat* Fortsatz; Anhang; *bot* Lappen; Flügel *m; (Brief)* An-, Einlage *f; arch* Anbau *m; ~ iléo-caecal* od *vermiforme (anat)* Wurmfortsatz *m;* **~ite** *f* Blinddarmentzündung *f.*

appentis [apɑ̃ti] *m* Pultdach *n;* Schuppen *m.*

appesant|ir [apəzɑ̃tir] beschweren, schwer machen; schwerfällig machen *od* werden lassen; *(Geist)* ab=stumpfen; *s'~* schwerfällig, träge werden; (schwer) lasten (*sur* auf *dat*); ermatten; *~ sa domination* s-e Herrschaft stärker fühlen lassen; *~ sa main* s-e Hand fühlen lassen (*sur qn* jdn); *s'~ sur un sujet* e-n Gegenstand breit=treten; *s'~ sur des détails* sich zu lange bei Einzelheiten auf=halten; **~issement** *m* Schwerfälligkeit; Trägheit; Schwere *f.*

appét|ence [apetɑ̃s] *f* Lust, Begierde *f* (*de, pour* auf *acc,* nach); **~issant, e** appetitlich, einladend; *fig* anziehend, verführerisch; **~it** **[-ti]** *m* Appetit *m* (*pour* auf *acc*); *fig* Begierde *f;* Verlangen *n* (*de* nach); *assouvir, ouvrir l'~* den Appetit befriedigen, an=regen; *manger à (rester, demeurer sur) son ~* sich (nicht) satt essen; *l'~ vient en mangeant* der Appetit kommt beim Essen.

applaud|ir [aplodir] Beifall spenden *od* klatschen (*qn, qc* jdm, e-r S); *fig* beifällig auf=nehmen, zu=stimmen (*qc* e-r S), billigen, bei=pflichten (*qn* jdm); *itr* (Beifall) klatschen; bei=pflichten (*à qc* e-r S *dat*), billigen (*à qc* e-e S); *~ des deux mains* Beifall klatschen; *je l'~is de son choix* ich beglückwünschte ihn zu s-r Wahl; **~issement** *m* Beifall(klatschen *n*) *m; fig* Lob *n,* Zustimmung *f; tempête f d'~s* Beifallssturm *m;* **~isseur** *m* Beifall klatschende(r) Zuhörer *od* Zuschauer; Claqueur; *fig* Lobredner *m.*

appli|cable [aplikabl] an-, verwendbar (*à* auf *acc,* für); gültig (*à partir de* ab); entsprechend; *(Wort)* passend; *(Flächen)* kongruent, deckungsgleich; *être ~ à* angewandt werden können auf *acc;* **~cateur** *m* jem, der etw an=wendet; **~cation** *f* Anwendung (*de qc à* e-r S auf *acc*); Verwendung; Durchführung; Bestimmung;

Beziehung *f; tech* Aufdrücken, Auftragen (*sur* auf *acc*); *(Pflaster)* Auflegen *n; fig* Fleiß, Eifer *m,* Aufmerksamkeit; *pl* Applikation *f; sport* angewandte Übungen *f pl; par* ~ *de* gemäß *dat; faire l'~ de qc à qc* etw auf e-e S an=wenden; *mettre toute son* ~ s-n ganzen Fleiß verwenden (*à* auf *acc*); *champ m d'~* Anwendungsbereich *m; ordonnance f d'~* Durchführungsbestimmung *f; point m d'~* Ansatzpunkt *m;* ~ *par analogie* sinngemäße Anwendung *f;* ~ *à la brosse* Streichen *n;* ~ *de la peine* Strafmaß *n;* ~ *au pistolet, par pulvérisation* Spritzverfahren *n.*

applique [aplik] *f arch* Auflege-, Zierstück *n;* Wandleuchte *f,* Wandarm *m;* ~ *à plafond* Deckenleuchte *f.*

appli|qué, e [aplike] fleißig, strebsam; *(Wissenschaft)* angewandt; appliziert; **~quer 1.** auf=, an=legen; ~ *une échelle au mur* e-e Leiter an die Wand an=legen *od* an=lehnen; ~ *deux feuilles l'une contre l'autre* zwei Blätter aufea.=kleben; *(Salbe)* auf=tragen; *(Stempel)* auf=drücken; *(Heilmittel)* applizieren, verabreichen; *fam (Ohrfeige)* geben, versetzen; *(Holz)* ein=legen; *(Aufmerksamkeit)* richten (*à* auf *acc*); *fig* an=wenden, verwenden; *on ne peut ~ cette méthode* diese Methode ist nicht zu verwenden; *on ne peut ~ cette méthode à ce problème* man kann diese Methode auf dieses Problem nicht an=wenden; *il a ~é toute son énergie à (inf)* er hat seine ganze Energie dafür eingesetzt, daß ...; *(Vorschlag)* aus=, durch=führen; ~ *tous ses soins à* s-e ganze Sorgfalt verwenden auf *(acc);* **2.** *s'~* haften (*sur, à* an *dat*); *le pansement ne s'~e pas bien sur la peau* der Verband haftet schlecht an der Haut; passen (*à* zu); *ce qualificatif s'~e bien à lui* diese Bezeichnung paßt gut zu ihm; *(Sache)* anwendbar sein auf *(acc); la règle ne s'~e pas dans ce cas* die Regel kann man auf diesen Fall nicht anwenden; *cette mesure s'~e à tous* diese Maßnahme betrifft alle; *(s'efforcer)* sich bemühen, sich an=strengen, sich Mühe geben; *s'~ à obtenir qc* sich um e-e S bemühen; *s'~ à (inf)* sich darum bemühen *(inf); (revendiquer)* sich zu=schreiben, für sich in Anspruch nehmen; **3.** *(passif)* aufgelegt werden, aufea.geklebt werden.

appoint [apwɛ̃] *m* Rest *m,* Zuschußsumme *f;* Kleingeld *n;* Abschlußwechsel *m; fig* Beitrag, Teil *m;* Hilfe *f;* Zusatz *m;* Ergänzung *f; faire l'~* mit abgezähltem Geld bezahlen; *fig* das Fehlende ergänzen; ~ *de puissance* Kraftreserve *f;* **~age** [-taʒ] *m* Anspitzen *n;* **~ements** *m pl* Entlohnung, Besoldung *f;* Gehalt, Diensteinkommen *n (e-s Beamten); être aux* ~ Gehalt beziehen (*de* von); *toucher ses* ~ sein Gehalt beziehen; *indication f des ~ demandés* Angabe *f* der Gehaltsansprüche; ~ *à débattre* Entlohnung *f* nach Übereinkunft; ~ *mensuels* Monatsgehalt *n;* ~ *minima* Mindestgehalt *n;* **~er** besolden; an=, zu=spitzen; *(Stoff)* zs.=heften.

appont|age [apɔ̃taʒ] *m* Landung *f* (auf e-m Flugzeugträger); **~ement** *m* Landungsbrücke *f;* **~er** *aero* (auf e-m Flugzeugträger) landen.

apport [apɔr] *m* Hinterlegung *f;* Beitrag *m;* Einlage(kapital *n*) *f;* Anteil *m;* eingebrachte(s) Gut *n; tech* Zufuhr *f;* Zusatz *m; geol* Anschwemmung *f;* **~s** *en société* Stammeinlage *f;* **~er** [-te] (bei=, mit=)bringen; *(sein Teil)* bei=tragen; heran=, herbei=schaffen; verursachen, mit sich bringen, nach sich ziehen; *(Beweis, Erklärung)* bei=bringen, liefern; *(Gründe)* an=führen; ~ *de l'attention* Aufmerksamkeit schenken (*à qc* e-r S); ~ *son concours à qc* bei etw mit=wirken; ~ *des difficultés à qc, qn* etw erschweren; jdm Hindernisse in den Weg legen; ~ *de l'empressement* Eifer an den Tag legen; ~ *des facilités* erleichtern (*à qc* etw); ~ *du soin à* Sorgfaltverwenden auf *(acc);* ~ *un soulagement à qc* etw lindern.

appos|er [apoze] *(Marke)* auf=kleben (*sur qc* auf e-e S); *(Plakat)* an=schlagen, an=kleben, an=bringen; *(Bedingung)* hinzu=fügen; *(Stempel)* auf=drücken; *(Visum)* ein=tragen (*sur* in *acc*); ~ *le(s) scellé(s) à qc* etw gerichtlich versiegeln; ~ *sa signature* unterschreiben (*à qc* e-e S); **~ition** *f (Siegel)* Anbringen *n; (Gestein)* Anlagerung; *gram* Beifügung, Apposition *f; (Hände)* Auflegen *n.*

appréci|able [apresjabl] (be)merkbar, wahrnehmbar; berechenbar; *fig* nennenswert; beachtlich; **~ateur** *m* Schätzer *m;* **~atif, ive** den Wert bestimmend; *dresser un état ~ des marchandises* ein Warenverzeichnis mit Wertangabe an=fertigen; **~ation** *f* (Ein-)Schätzung, Beurteilung; Bewertung; Würdigung; Auffassung; *(Wein)* Probe *f; par une ~ équitable* nach billigem Ermessen; *pouvoir m d'~ du juge* richterliche(s) Ermessen *n;* ~ *des distances* Entfernungsschätzen *n;* ~**er** (ab≈)schätzen; zu schätzen wissen; achten; sich freuen (*qc* e-r S, über e-e S); würdigen; beurteilen; sich e-e richtige Vorstellung machen (*qc* von etw).

appréhen|der [apreɑ̃de] (be)fürchten, darum bangen (*de+inf, que (ne) + subj* daß); *jur* ergreifen; ~**sion** [-sjɔ̃] *f* Bangigkeit, Besorgnis, Furcht (*de* vor *dat*).

appren|dre [aprɑ̃dr] *irr* (er)lernen (*qc* etw, *à faire qc* etw zu tun); erfahren; *(Geheimnis)* entdecken, heraus≈bekommen; hören; lehren (*qc à qn* jdn e-e S) bei≈bringen, unterrichten (*qc* in *dat*); mit≈teilen, auf≈klären (*qc à qn* jdn über e-e S), berichten; melden; ~ *par cœur* auswendig lernen; ~ *à connaître* kennen≈lernen; *cela m'~dra à vivre* das soll mir e-e Lehre sein; ~**ti, e** [-ti] *m f* Lehrling, -junge *m;* Lehrmädchen *n; fig* Neuling *m;* ~ *n'est pas maître* es ist noch kein Meister vom Himmel gefallen; ~ *maçon, menuisier, tailleur* Maurer-, Schreiner-, Schneiderlehrling *m;* ~ *sorcier (fig)* Zauberlehrling *m;* ~**tissage** *m* Lehre; Lehrzeit; Schulung *f;* Anfänge, erste Versuche *m pl; entrer en* ~ in die Lehre ein≈treten *od* gehen; *faire son* ~ s-e Lehre durch≈machen; *faire l'~ de qc* etw erlernen; *contrat m d'~* Lehrvertrag *m; école f d'~* Berufsschule *f.*

apprêt [aprɛ] *m (Stoff, Papier, Leder)* Appretur, Zurichtung, Ausrüstung *f,* Glanz *m;* Steife; *(Malerei)* Grundierung(smittel *n*); *(Küche)* Zubereitung, Würze *f; fig* gekünstelte(s) Wesen *n,* Ziererei, Affektiertheit *f; pl* (letzte)Vorbereitungen *f pl; sans* ~ natürlich, ungekünstelt; *peinture f d'~* Glasmalerei *f;* ~**age** [-taʒ] *m* Steifen, Zurichten *n;* ~**é, e** *(Stil, Sprache)* gekünstelt, unnatürlich; ~**er** zu≈, vor≈bereiten; zurecht≈legen, -machen; her≈richten, fertig≈machen; *(Küche)* zu≈bereiten, kochen, würzen; *(Stoff)* steifen, aus≈rüsten, appretieren; *(Malerei)* grundieren; *s'~* sich zurecht≈machen; sich vor≈bereiten, sich an≈schicken, sich fertig≈machen; nahe daran sein; an≈setzen (*à* zu); sich gefaßt machen (*à* auf *acc*); sich zu≈ziehen, sich aus≈setzen (*à qc* e-r S); *(Gewitter)* im Anzug sein; *je m'~ais à ...* ich wollte gerade ... ; ~**eur** *m* Ausrüster; Zurichter; Glasmaler *m;* ~ *de gants* Handschuhformer *m;* ~**euse** *f* (Hut-)Formerin *f.*

apprivois|able [aprivwazabl] zähmbar; ~**ement** *m* Zähmen *n; fig* Ein-, Angewöhnung *f;* ~**er** zähmen; *s'~* zahm werden; *fig* umgänglich(er), gesellig(er), zutraulich(er) werden; sich gewöhnen (*avec* an *acc*); sich vertraut machen (*à* mit).

approbat|eur, trice [aprɔbatœr, -tris] *a* beifällig, zustimmend; *s m f* Lobredner(in *f*) *m;* ~**if, ive** billigend, beifällig, zustimmend; ~**ion** [-sjɔ̃] *f* Zustimmung, Genehmigung, (Erklärung *f* des) Einverständnis(ses) *n;* Beifall *m;* Anerkennung *f; avec* ~ zustimmend; *incliner la tête en signe d'~* zustimmend mit dem Kopf nicken.

approch|able [aprɔʃabl] zugänglich *a. fig;* ~**ant, e** *a* ähnlich, nahekommend, vergleichbar; *s m (Lotterie)* Los *n* in der Nähe der Gewinnummer; ~**e** *f* Annäherung *f,* Herannahen *n; (Nacht, Winter)* Ein-, Anbruch; *mil* Anmarsch; *aero* Anflug *m; (Tiere)* Paarung *f;* Zugang (*de* zu); *fig* Umgang, Verkehr (*de* mit); *typ* Zwischenraum *m;* Annäherungszeichen *n; pl (Stadt)* Zufahrtstraßen *f pl; (Festung)* Außenwerke *n pl; mil* Vorgelände *n;* (Gefechts-)Annäherung *f; fig* Annäherungsversuche *m pl; à l'~ de l'hiver* (zu) Anfang des Winters; *aux ~s de la cinquantaine* wenn man auf die 50 zugeht; *marche f d'~* Anmarsch *m; route f d'~* Anmarschstraße *f;* ~**é, e** annähernd; *valeur f ~e* Näherungswert *m.*

approcher [aprɔʃe] *tr* näher≈, vor≈rücken; näher≈bringen *od* stellen (*qc de qc* etw an e-e S); nahe≈kommen; Zutritt haben (*qn* bei jdm); verkehren (*qn* mit jdm); *(Tiere)* sich paaren; *itr* nahe-, heran≈kommen (*de* dat); (hin≈)gehen (*de* zu); ähneln (*de* dat); *s'~ de* sich nähern, näher kommen *dat; ~ez(-vous)!* treten Sie näher! ~ *du but, de la vérité* dem Ziel, der Wahrheit näher-, nahe≈kommen; *le printemps ~e* es geht aufs Frühjahr zu; *la nuit ~e* die Nacht bricht herein.

approfond|ir [aprɔfɔ̃dir] vertiefen; *(Loch)* tiefer bohren *od* graben; *min* weiter ab≈teufen; *fig* (genauer, gründlicher) prüfen, tiefer ein≈dringen (*qc* in e-e S), genau untersuchen; sich eingehend beschäftigen (*qc* mit etw); *s'~* tiefer werden; *fig* sich vertiefen; ~**issement** *m* Vertiefung; *fig* Prüfung *f,* Studium *(e-r Frage);* Durchdenken *n.*

appropri|ation [aprɔprijasjɔ̃] *f* Anpassung *f;* Zurechtmachen *n;* Einrichtung; Aneignung *f;* ~**é, e** geeignet, angemessen, sachgemäß, entsprechend, passend, zweckdienlich; ~**er** an≈passen (*à* an *acc*); bemessen (*à* nach); ein≈richten; *s'~ qc* sich etw an≈eignen; sich e-r S *(gen)* bemächtigen; *fig* sich e-r S *(dat)* an≈passen, e-r S *(dat)* entsprechen.

approuv|é [apruve] *pp: lu et* ~ gelesen u. genehmigt; *s m* Gegenzeichnung *f;* ~**er** *tr* genehmigen, billigen; bei≈, zu≈stimmen (*qn* jdm), einverstanden sein (*qn* mit jdm); loben.

approvisionn|ement [aprɔvizjɔnmɑ̃] *m* Versorgung, Zufuhr, Lieferung; Bereitstellung; Ausstattung, Anschaffung; Verpflegung *f; pl* Vorrat *m; bureau m d'*~ Beschaffungsamt *n; centre m d'*~ Beschaffungsstelle *f;* Verpflegungsamt *n; ligne f d'*~ *(mil)* rückwärtige Verbindung *f; officier m d'*~ Verpflegungsoffizier *m; service m d'*~ Einkaufsabteilung *f;* ~ *d'air* Luftzufuhr *f;* ~ *en carburant (mot)* Brennstoffversorgung *f;* ~ *en combustibles* Brennstoffversorgung *f;* ~ *en* od *d'eau* Wasserversorgung *f,* -vorrat *m;* ~ *en énergie (électrique)* (Elektro-)Energieversorgung *f;* ~ *en essence* Treibstoffversorgung *f;* ~ *en gaz* Gasversorgung *f;* ~ *en matières premières* Rohstoffversorgung *f;* ~ *en munitions* Munitionsvorrat *m;* ~ *en vivres* Lebensmittelversorgung *f;* ~**er** versorgen, beliefern; versehen (*de* mit); aus≈statten, aus≈steuern; *(Konto)* auf≈füllen; *mil* verpflegen; *(Waffe)* (durch≈)laden; *s'*~ sich versorgen, sich ein≈decken, sich versehen (*de, en* mit); *s'*~ *en essence* tanken; ~**eur, se** *m f* Lieferant(in *f*) *m.*

approximat|if, ive [aprɔksimatif, -iv] annähernd, ungefähr; ~**ion** [-sjɔ̃] *f* annähernde Schätzung *f;* Näherungswert *m.*

appui [apɥi] *m* Stütze; *arch* Lehne, Brüstung *f,* Riegel *m; tech* Auflager *n,* Unterlage *f;* Lager; Gestänge; *fig (Stimme)* Hervorheben *n; fig* Unterstützung, Hilfe *f,* Rückhalt *m; à l'*~ *de*zum Nachweis, zur Unterstützung *gen; sans* ~ hilflos; auf sich gestellt; *être l'*~ *de qn, servir d'*~ *à qn* jdm e-e Stütze sein; *prendre sous son* ~ unter s-n Schutz nehmen; *prêter son* ~ *à qn* jdm bei≈stehen; *venir à l'*~ *de* zu Hilfe kommen (*qc, qn* e-r S, jdm); unterstützen; *armes f pl d'*~ Begleitwaffen *f pl; artillerie f d'*~ Begleitartillerie *f; hauteur f d'*~ Brusthöhe *f; pièce f à l'*~ Beweisstück *n;* Beleg *m; point m d'*~ Dreh-, Stützpunkt *m; tir m d'*~ Unterstützungsfeuer *n;* ~ *aérien* Luftwaffenunterstützung *f;* ~ *aérien-renseignements* Unterstützung *f* durch Luftaufklärung; ~ *d'arrêt* Abspannmast *m;* ~ *avant (sport)* Liegestütz *m;* ~ *de caoutchouc* Gummiunterlage *f;* ~ *de feu* Feuerunterstützung *f;* ~ *télégraphique* Isolatorstütze *f;* ~*-tête m* Kopflehne *f;* Deckchen *n* in Kopfhöhe *(auf e-m Sessel); mot* Kopfstütze *f.*

appuyer [apɥije] **1.** *itr (exercer une pression)* ruhen, sich stützen (*sur* auf *acc*), lasten (*sur* auf *dat*); *la voûte* ~*ie sur les arcs-boutants* das Gewölbe ruht auf den Strebepfeilern; **2.** *itr (Person)* ~ *sur le bouton, sur la sonnette* auf die Klingel, auf den Knopf drücken; ~*yez!* bitte (Knopf) drükken!; *fig* hervor≈heben, betonen; auf e-e S Nachdruck legen; ~ *sur un mot en parlant* beim Sprechen ein Wort besonders betonen; **3.** ~ *tr (*~ *qc)* auf≈stützen, legen, lehnen, stellen; ~ *le bras sur la table* den Arm auf den Tisch auf≈stützen, *une échelle contre un mur* e-e Leiter an die Mauer an≈legen *od* an≈lehnen, *la tête sur l'épaule de qn* den Kopf an jds Schulter *(acc)* legen; ~ *un appentis à une maison* e-n Schuppen an das Haus an≈bauen; *fig* unterstützen, bekräftigen; ~ *ses paroles d'un geste* s-e Worte mit e-r Handbewegung bekräftigen; *(aider qn)* unterstützen, fördern, helfen, empfehlen; ~ *la candidature de qn* jds Bewerbung unterstützen; ~ *la proposition de qn* jds Vorschlag unterstützen; ~ *sur la droite, la gauche,* sich nach rechts, links wenden; sich rechts, links halten; *s'*~ sich stützen, sich lehnen (*sur* auf *acc; à, contre* an *acc*); *mil* sich an≈lehnen (*sur* an *acc*); sich stemmen (*sur* auf *acc*); *fig* sich verlassen (*sur qn* auf jdn); sich berufen (*sur* auf *acc*); sich gründen (*sur qc* auf e-e S); *fam* sich auf den Hals laden (*qc* etw); ~ *sur le champignon (fam mot)* Gas geben; ~ *sur la chanterelle (mus)* e-n Ton aus≈halten; *fig* den wesentlichen Punkt heraus≈greifen; die schwache Stelle treffen; ~ *sur la détente (Gewehr)* ab≈drücken; ~*yez à droite, à gauche!* rechts, links heran! *cela s'*~*ie sur de bonnes raisons* das hat s-e guten Gründe.

âpre [ɑpr] rauh; *(Weg)* uneben; *(Wind)* scharf; *(Geschmack)* herb; *(Leben)* schwer, hart; *(Kampf)* heftig; *(Wort)* barsch, streng; *(Wesen)* schroff; gierig (*à* nach, auf *acc*); ~ *au gain* gewinnsüchtig; ~**té** [ɑprəte] *f (Land)* Rauheit, Herbheit; *(Weg)* Unebenheit; *(Klima)* Härte; *fig* Strenge; Heftigkeit; Gier *f;* ~ *au gain* Gewinnsucht *f.*

après [aprɛ] **1.** *prp zeitlich:* nach; ~ *cela* danach; ~ *quoi* darauf, danach;

wonach; *örtlich:* nach, hinter; *l'un ~ l'autre* e-r nach dem ander(e)n; *venir ~ qn* hinter jdm her=gehen; *Rangordnung:* nach; *Beziehung:* nach, hinter ... her; auf; über; *d'~* gemäß, entsprechend *dat; (fam)* auf Grund von; *d'~ nature* nach der Natur; *attendre ~ qc, qn* auf etw, jdn warten; *soupirer ~* sich sehnen nach; *courir ~ qn* jdm nach=laufen; *crier ~ qn (fam)* jdn herunter=machen; *être ~ qn, qc* hinter jdm, etw her sein; **2.** *adv* danach, darauf, nachher, später, dann; *longtemps ~* lange danach; *peu ~* kurz darauf; *immédiatement ~* unmittelbar danach; *ci-~* weiter unten, nachstehend; *et ~?* und?, u. dann? *l'instant d'~* im nächsten Augenblick; *~ coup* hinterher, hintendrein; nachträglich; *~ tout* alles zs.genommen, alles in allem; *fam* na ja, schließlich; *conj: ~ que* nachdem; *pop: ~* steht häufig für *à, sur, contre,* z. B. *monter ~ un mur, s'essuyer ~ la serviette;* **~-demain** übermorgen; *~-dîner m* Abend *m;* **~-guerre** *m* Nachkriegszeit *f;* **~-midi** *m* od *f* Nachmittag *m; cet ~* heute nachmittag; *dans l'~* nachmittags; im Laufe des Nachmittags; **~-rasage** *m* After-shave *n,* Rasierwasser *n;* **~-ski** *m inv* Après-Ski *n;* **~-vente** *a: service ~* Kundendienst *m.*

à-propos [apropo] *m* günstige Gelegenheit; Zweckmäßigkeit, Schicklichkeit *f;* Gelegenheitsgedicht, -stück *n (theat); manquer d'~* unpassend sein; nicht hierher gehören; *(Person)* keinen Takt, kein Fingerspitzengefühl haben; *esprit m d'~* Schlagfertigkeit *f.*

apsides [apsid] *f pl astr* Apsiden *f pl.*

apt|e [apt] fähig, imstande (*à* zu); tauglich; geeignet; begabt; geschickt; *être ~ à* sich eignen zu, taugen für; *~ à apprendre* mit raschem Auffassungsvermögen; *~ au combat* kampffähig; *~ à la marche* marschfähig; *~ à remplir les fonctions* den Aufgaben gewachsen; *~ au service militaire* militärtauglich; *~ au travail* arbeitsfähig; *~ à voler* flugtauglich; **~itude** *f* Fähigkeit, Eignung, Tauglichkeit *f;* Geschick *n;* Anlage; Begabung *f; justifier son ~* s-e Befähigung nach=weisen; *certificat m d'~* Befähigungsnachweis *m; ~ à se mettre au diapason* Einfühlungsvermögen *n* (*de* in *acc*); *~ à monter (aero)* Steigfähigkeit *f; ~ professionnelle* berufliche Eignung *f; ~ au travail* Arbeitsfähigkeit *f; ~ au vol* Flugtauglichkeit *f.*

aptère [aptɛr] *a (Insekt)* flügellos, ungeflügelt; *s m pl* Apteren *f pl.*

apur|ement [apyrmɑ̃] *m com* Prüfung *f; ~ de compte* Rechnungsabschluß *m;* **~er** *(Rechnung)* prüfen, bereinigen; *(Konto)* ab=schließen; *avoir ses comptes bien ~és (fig)* mit s-m Gewissen im reinen sein.

apyr|étique [apiretik] *a* fieberfrei; *s m* Fiebermittel *n;* **~exie** [-rɛksi] *f* Fieberlosigkeit *f.*

aqua|fortiste [akwafɔrtist] *m* Radierer *m;* **~plane** *m* Brett *n* zum Wellenreiten; **~planing** *m* Aquaplaning *n;* **~relle** *f* Aquarell *n;* **~relliste** *m* Aquarellmaler *m;* **~rium** [akwarjɔm] *m* Aquarium *n;* **~tique** im Wasser wachsend *od* lebend; Wasser-; *(Farbe)* grünlich, seegrün.

aqueduc [akdyk] *m* Aquädukt *m.*

aqueux, se [akø, -z] wässerig, wasserhaltig.

aqui|cole [akɥikɔl] im Wasser lebend; Wasser-; **~culture** *f* Zucht *f* von Wassertieren u. pflanzen; **~fère** wasserhaltig, -führend.

aquilin [akilɛ̃] *a am* Adler-; *nez m ~* Adlernase *f.*

aquilon [akilɔ̃] *m poet* Nordwind *m.*

arab|e [arab] *a* arabisch; *s m* (das) Arabisch(e); *A~ s m f* Araber(in *f*) *m;* **~esque** [-bɛsk] *f* Arabeske *f; pl* Rankenverzierungen; *fig* Ausschmükkungen, Phantasien *f pl;* **~ique** arabisch; **~isant** *m* Arabist *m;* **~iser** arabisch machen; **Arabie, l'~** *f* Arabien *n.*

arable [arabl] *agr* bestellbar; *terre f ~* Ackerboden *m.*

arachide [araʃid] *f* Erdnuß *f.*

arachnéen, ne [arakneɛ̃, -ɛn] *a* spinnen-, spinnweb(en)artig; *fig* hauchdünn; Spinnen-.

araignée [are(ɛ)ɲe] *f* Spinne *f; (Fischerei)* feine(s) Netz *n; fig* widerliche Person *f; il a une ~ dans le plafond (pop)* bei ihm ist e-e Schraube locker; *pattes f pl d'~ (fig)* Spinnenfinger *m pl;* sehr feine Schrift *f; toile f d'~* Spinnengewebe *n.*

arané|en, ne [araneɛ̃, -ɛn] spinnenartig; **~eux, se** spinnwebartig; **~ides** *m pl* Spinnen *f pl (Ordnung);* **~iforme** spinnenförmig.

aras|er [arɑ(a)ze] ab=hobeln; ab=sägen; *geol* ab=schleifen; *(Fundament)* aus=gleichen; **~es** *f pl (Mauer)* Ausgleichsschicht *f.*

aratoire [aratwar] Acker-; Feld-; *instruments m pl ~s* landwirtschaftliche Geräte *n pl; travaux m pl ~s* Feldarbeiten *f pl.*

arbal|ète [arbalɛt] *f* Armbrust; (Marder-, Haselmaus-)Falle *f;* **~étrier**

[-letrije] *m* Bindersparren; Armbrustschütze *m.*

arbitr|age [arbitraʒ] *m* Schiedsspruch *m;* Schlichtung *f;* Schiedsgericht *n;* Schiedsgerichtsbarkeit *f;* Schiedsgerichtsverfahren *n; com* Arbitrage *f; sport* Schiedsrichteramt *n; soumettre à un* ~ e-m Schiedsspruch unterwerfen; *conseil m d'~* Schlichtungsausschuß *m; Cour f d'~ de la Haye* Haager Schiedsgerichtshof *m; erreur f d'~ (sport)* Irrtum *m* des Schiedsrichters; **~agiste** *m com* Arbitrageur *m;* **~aire** *a* willkürlich; *jur* dem Ermessen überlassen; *s m* Willkür *f;* **~al, e** schiedsgerichtlich; *jugement m* ~ Schiedsspruch *m; tribunal m* ~ Schiedsgericht *n;* **~e** *m* Schiedsrichter; *(Boxen)* Ringrichter, Vermittler, Schlichter *m; libre* ~ freie(r) Wille *m;* ~ *indépendant (Gewerkschaft)* Schlichter *m;* **~er** durch Schiedsspruch entscheiden; schlichten; *com* schätzen (*à* auf *acc*); *com* arbitrieren; ~ *un match de football* bei e-m Fußballspiel Schiedsrichter sein.

arbor|er [arbɔre] *(Fahne)* auf=pflanzen, *mar* hissen; *(Abzeichen)* an=stecken; (deutlich) zeigen, aus=stellen, zur Schau stellen; **~escent, e** [-rɛsɑ̃] baumartig; Baum-; **~icole** auf Bäumen lebend; Baum-; **~iculture** *f* Baumzucht *f.*

arbousier [arbuzje] *m* Erdbeerbaum *m.*

arb|re [arbr] *m* Baum *m; tech* Welle, Achse, Spindel *f; les ~s lui cachent la forêt* er sieht den Wald vor (lauter) Bäumen nicht; *tel ~, tel fruit* der Apfel fällt nicht weit vom Stamm; ~ *à cames* Nockenwelle *f;* ~ *de commande, moteur* Antriebswelle *f;* ~ *fruitier* Obstbaum *m;* ~ *généalogique* Stammbaum *m;* ~ *nain* Zwergbaum *m;* ~ *de Noël* Weihnachtsbaum *m;* ~ *de transmission* Übertragungswelle *f;* ~ *de la science du bien et du mal (rel)* Baum *m* der Erkenntnis; **~risseau** *m* Bäumchen *n,* Strauch *m;* **~uste** *m* Strauch, Busch *m;* ~ *épineux* Dornbusch *m;* **~ustif, ive** strauchartig.

arc [ark] *m* Bogen; *(~ de cercle)* Kreisbogen; *astr* Kreis *m; avoir plusieurs cordes à son ~ (fig)* mehrere Eisen im Feuer haben, vielseitig sein; *bander l'~* den Bogen spannen; *tirer à l'~* mit dem Bogen schießen; *~-boutant m* Strebe-, Schwibbogen *m;* Strebe(pfeiler *m*) *f;* ~ *de grand cercle (geog)* Orthodrome *f; ~-en-ciel m* Regenbogen *m;* ~ *en plein cintre* Rundbogen *m; ~-doubleau m* Gurtbogen *m;* ~ *électrique* Lichtbogen *m;* ~ *en fer à cheval* Hufeisenbogen *m;* ~ *ogival, en ogive* Spitzbogen *m;* **~ade** *f* Arkade, Bogen-, Laubengang; *anat* Bogen; *(Brille)* Steg *m;* ~ *sourcilière* Augenbrauenbogen *m,* **~ane** *m* Geheimnis, Arkanum *n;* **~anne** *f* Rötel *m;* **~ature** *f* (Blend-)Bogenwerk *n;* **~-bouter** (durch Streben) ab=stützen, ab=fangen, ab=steifen, verstreben; *s'~* sich (gewaltig) stützen (*contre qc* auf e-e S); sich stemmen (*contre qc* gegen etw).

arceau [arso] *m* Gewölbebogen; kleine(r) Brückenbogen *m.*

arch|aïque [arkaik] archaisch; alt, veraltet, altertümlich; **~aïsme** *m* Archaismus *m,* veraltete Ausdrucksweise *f.*

archal [arʃal] *m: fil m d'~* Messingdraht *m.*

archange [arkɑ̃ʒ] *m* Erzengel *m.*

arche [arʃ] *f* Arche *f;* Brückenjoch *n;* ~ *d'alliance (rel)* Bundeslade *f.*

archéo|logie [arkeɔlɔʒi] *f* Archäologie *f;* **~logique** archäologisch; **~logue** *m* Archäologe *m.*

archer [arʃe] *m* Bogenschütze *m.*

archet [arʃɛ] *m mus* Bogen; *tech* Bügel *m.*

archétype [arketip] *m* Archetypus *m,* Urbild *n.*

arche|vêché [arʃəveʃe] *m* Erzbistum *n;* erzbischöfliche(s) Palais *n;* **~vêque** [arʃəvɛk] *m* Erzbischof *m.*

archi|- [arʃi] *(préf der höchsten Steigerung)* Erz-, Haupt-, Ober-; über-; **~bondé, e; ~comble** *fam* überfüllt.

archi|diacre [arʃidjakr] *m* Archidiakon *m;* **~duc, ~duchesse** *m f* Erzherzog(in *f*) *m;* **~épiscopal, e** erzbischöflich; **~épiscopat** *m* erzbischöfliche Würde *f.*

archipel [arʃipɛl] *m geog* Archipel *m.*

archiprêtre [arʃiprɛtr] *m* Erzpriester *m.*

archi|tecte [arʃitɛkt] *m* Architekt, Baumeister; *fig* Erbauer *m; ~-décorateur m* Innenarchitekt *m; ~-paysagiste m* Landschaftsgestalter *m;* **~tectonique** architektonisch; **~tecture** *f* Architektur; Baukunst; Bauform *f; fig* Gefüge *n,* Bau *m;* ~ *des jardins* Landschaftsgestaltung *f;* ~ *utilitaire* Zweckbauen *n.*

architrave [arʃitrav] *f* Architrav, Tragbalken *m.*

archi|ves [arʃiv] *f pl* Archiv *n;* Urkunden(sammlung *f*) *f pl;* Registratur *f;* **~viste** *m* Archivar *m.*

arçon [arsɔ̃] *m* Sattelbaum; *(Rebe)* langgeschnittene(r) einjährige(r)

Trieb *m; cheval m d'~ (sport)* Pferd *n (Gerät).*
arctique [arktik] *a* arktisch; *s m* Arktis *f; cercle m ~* Polarkreis *m; l'océan m Glacial A~* das Nördliche Eismeer.
ard|ent, e [ardɑ̃, -ɑ̃t] brennend; glühend; *(Haar) blond ~* feuerrot; *(Fieber)* hitzig; *fig* heftig, leidenschaftlich; lebhaft; eifrig (*à* bei), feurig *(a. Pferd),* heißblütig; *(Wunsch)* sehnlich; *aimer ardemment* heiß lieben; *être sur des charbons ~s (fig)* (wie) auf glühenden Kohlen sitzen; *chapelle f ~e* von brennenden Kerzen umgebene(r) Sarg *m; miroir, verre m ~* Brennspiegel *m,* -glas *n; ~**eur** f* Glut; Hitze *f; (Durst)* Brennen *n; fig* (Lebens-)Kraft; Leidenschaft; Heftigkeit; Sehnsucht *f;* Feuer *n,* Energie *f,* Eifer *m; ~ d'estomac, d'urine* Sod-, Harnbrennen *n.*
ardillon [ardijɔ̃] *m (Schnalle)* Dorn *m.*
ardois|e [ardwaz] *f* Schiefer *m; (tablette f d'~)* Schiefertafel *f; crayon m d'~* Griffel *m; feuille f d'~* Schieferplatte*f; ~ argileuse, d'asbeste* Ton-, Asbestschiefer *m; ~**é, e** [ardwaze]* schieferblau; ~**er** mit Schiefer (be-) decken; schieferfarbig an=streichen; ~**ier, ère** *a* schieferartig; Schiefer-; *s m* Schieferbruchbesitzer; Schieferbrecher *m; f* Schieferbruch *m.*
ardu, e [ardy] steil; schwer zugänglich; *fig* schwierig, schwer.
ar|e [ar] *m* Ar *n; ~**éage** m* Vermessung *f* in Ar.
arénacé, e [arenase] sandig.
arène [arɛn] *f* Arena, Kampfbahn *f; poet* Sand *m; pl hist* Amphitheater *n; se jeter dans l'~* den Kampf auf=nehmen.
aréni|cole [arenikɔl] *zoo* im Sand lebend; ~**fère** sandhaltig.
aréol|aire [areɔlɛr] *a: tissu m ~ (anat)* Zellgewebe *n; ~**e** f anat* Hof *m,* Masche *f;* Warzenhof; *astr* Hof *m.*
aréomètre [areɔmɛtr] *m* Aräometer *n,* Senkwaage *f.*
arêt|e [arɛt] *f bot* Granne *f,* Bart *m; (Fisch)* Gräte *arch* (Dach-)Grat *m,* Kante *f; geog* (Gebirgs-)Rücken, Grat, Kamm *m; (Flächen)* Kante *f; à ~ vive* scharfkantig; *adoucir les ~s* die Härten mildern; *bois m à vives ~s* Kantholz *n; ~**ier** m* Gratsparren *m,* Firstpfette *f; ~**ière** f* Firstplatte *f.*
argent [arʒɑ̃] *m* Silber; Geld *n;* Silberfarbe *f; d'~* silbern; silberglänzend; *avoir de l'~ sur soi* Geld bei sich haben; *en avoir pour son argent* auf seine Kosten kommen; *emprunter de l'~* ein Darlehen auf=nehmen, Geld leihen (*à qn* von jdm); *être à court d'~* knapp bei Kasse sein; *gagner de l'~* Geld verdienen; *manger son ~* sein Geld auf=zehren; *manquer d'~* um Geld verlegen sein; *payer en ~ comptant* bar bezahlen; *placer de l'~ à long terme* Geld langfristig an=legen; *prélever de l'~* Geld ab=heben; *prendre qc pour de l'~ comptant* etw für bare Münze nehmen; *prêter de l'~* ein Darlehen gewähren, Geld leihen (*à qn* jdm); *toucher de l'~* Geld erhalten *od* bekommen; *il en a pour son ~* er kann damit zufrieden sein; *l'~ est rare* Geld ist knapp; *marché m, rareté f de l'~* Geldmarkt *m,* -knappheit *f; somme f d'~* Geldsumme *f; vif-argent m* Quecksilber *n a. fig; ~ en caisse* Kassenbestand *m; ~ au comptant* Bargeld *n; ~ immobilisé* fest angelegte(s) Geld *n; ~ liquide* Bargeld *n; ~ mignon* Nadelgeld *n; ~ monnayé* gemünzte(s) Geld *n; ~ de poche* Taschengeld *n; ~ sonnant* Hartgeld *n.*
argen|tan [arʒɑ̃tɑ̃] *m* Neusilber *n;* ~**tation,** ~**ture** *f* Versilberung *f;* ~**té, e** silbrig; silbern; *(Ton)* silberhell; *pop* reich; ~**ter** versilbern; mit e-r Silberschicht belegen; (*~ les cheveux* den Haaren) e-n Silberglanz verleihen; ~**terie** *f* Silbergeschirr *n;* ~**teur** *m* Versilberer *m;* ~**tier** *m* Besteckschrank; *(grand) ~ fam* Finanzminister *m;* ~**tifère** silberhaltig.
argen|tin, e [arʒɑ̃tɛ̃, -in] **1.** *a* silbern; silberhell; **2.** *a* argentinisch; *A~, e s m f* Argentinier(in *f*) *m;* **l'A~tine** *f* Argentinien *n.*
argil|e [arʒil] *f* Ton, Letten *m; ~ blanche* Kaolin *n; colosse m aux pieds d'~* Koloß *m* mit tönernen Füßen; *~ à blocaux* Geschiebemergel *m; ~ réfractaire* feuerfeste(r) Ton *m;* ~**eux, se** tonig, lettig; ~**ière** *f* Tongrube *f;* ~**ifère** tonhaltig.
argot [argo] *m* Argot *n,* Slang *m;* Gauner-, Standessprache *f;* ~**ique** [-ɔt-] der Gauner- *od* Standessprache angehörig, Argot-.
argousin [arguzɛ̃] *m péj* Polyp, Polizist*m.*
arguer [argɥe] *tr* schließen, folgern (*de* aus); *itr* vor=bringen, an=führen (*de qc* etw); als Vorwand benutzen (*de qc* etw); *~ une pièce de faux (jur)* e-e Urkunde als falsch an=fechten; *~ sur tout* über alles reden *od* diskutieren.
argumen|t [argymɑ̃] *m* Beweis(grund *m,* -mittel *n*) *m,* Argument *n; (Buch)* Zs.fassung; Inhaltsangabe *f; tech* Phasenwinkel *m; ~-massue m* durchschlagende(s) Argument *n;* ~**tateur,**

trice *a* streitsüchtig; *s m* streitsüchtige(r) Mensch; Widerspruchsgeist *m;* **~tation** *f* Beweisführung; Schlußfolgerung; Dialektik *f;* **~ter** folgern, Schlußfolgerungen ziehen (*de* aus); argumentieren, Beweisgründe an=führen (*contre* gegen).

aria [arja] **1.** *m fam* Widerwärtigkeit, Unannehmlichkeit *f;* **2.** *f mus* Arie *f.*

arid|e [arid] trocken, dürr; unfruchtbar; *fig* gefühllos, kalt; *(Thema)* undankbar; uninteressant; **~ité** *f* Trockenheit; Dürre; *fig* Gefühllosigkeit; Leere; Kälte; *(Geist)* Sterilität *f.*

aristocrat|e, *pop* **aristo** [aristɔkrat, aristo] *a* aristokratisch; *s m f* Aristokrat(in *f*) *m;* **~ie** [-si] *f* Aristokratie *f;* **~ique** [-tik] aristokratisch.

aristoloche [aristɔlɔʃ] *f bot* Osterluzei *f.*

arithmét|icien [aritmetisjɛ̃] *m* Rechner, Arithmetiker *m;* **~ique** *a* arithmetisch; *s f* Arithmetik *f;* Rechenbuch; Lehrbuch *n* der Arithmetik.

arlequin [arləkɛ̃] *m* Hanswurst *m; fig* Wetterfahne *f; (Küche)* Allerlei *n (aus Speiseresten);* **~ade** [-ki-] *f* Harlekinade *f;* Possen *f pl;* Possenreißerei *f.*

armateur [armatœr] *m* Reeder *m.*

armature [armatyr] *f* Beschlag *m;* Gerüst *n (a. fig);* Umkleidung, Hülle; Verstärkung; *(Kabel)* Armierung, Bewehrung *f; (Kondensator)* Belag *m; (Apparat)* Armatur *f; mus* Vorzeichen *n (pl).*

arm|e [arm] *f* Waffe; Waffengattung *f;* Gewehr *n; pl* Wappen *n; braquer, pointer, diriger une ~* e-e Waffe richten (*vers* auf *acc*); *déposer, rendre les ~s* die Waffen strecken; *faire ses premières ~s (fig)* mit s-r *od* s-e Laufbahn beginnen; *faire, tirer des ~s* fechten; *mettre bas les ~s* die Feindseligkeiten ein=stellen; *l'~ sur l'épaule droite!* das Gewehr über! *~ à la bretelle!* Gewehr um=hängen! *reposez ~s!* Gewehr ab! *maître m d' ~* Fechtmeister *m; place f d'~s* Paradeplatz *m; port m d'~s* Waffenschein *m; suspension f d'~s* Einstellung *f* der Feindseligkeiten; *~ d'accompagnement* Begleitwaffe *f; ~ antiaérienne* Flak; *~ antichar* Pak *f; ~s atomiques, nucléaires* Atom-, Kernwaffen *f pl; ~ automatique* Maschinenwaffe *f; ~ de bord* Bordwaffe *f; ~s chimiques, biologiques, nucléaires* ABC-Waffen *f pl; ~ de combat rapproché* Nahkampfwaffe *f; ~ d'estoc et de taille* Hieb- u. Stoßwaffe *f; ~ à feu* Feuerwaffe *f; ~ offensive, défensive* Angriffs-, Verteidigungswaffe *f; ~ orientable* ausschwenkbare Waffe *f; ~ à tir rapide* Schnellfeuerwaffe *f;* **~é, e** bewaffnet (*de* mit); *fig* versehen (*de* mit); *tech* armiert; bewehrt; *mar* ausgerüstet; *(Revolver)* gespannt; *(Bombe)* geschärft; *béton m ~* Eisenbeton *m;* **~ée** *f* Armee; *fig* Menge, Schar *f; ~ de terre* Heer *n; ~ de l'air* Luftwaffe *f; ~ de mer* Marine *f; ~ permanente* stehende(s) Heer *n; ~ du salut* Heilsarmee *f;* **~ement** *m* Bewaffnung; Bestückung; Rüstung; *mar* Ausrüstung; Reederei *f; magasin m d'~* Waffenkammer *f; réduction f des ~s* Abrüstung *f; ~ additionnel, complémentaire* Nachrüstung *f; ~ atomique, nucléaire* nukleare Rüstung *f,* nukleare Bewaffnung *f;* **~er** bewaffnen (*de* mit); aus=rüsten, bestücken; *(zum Krieg)* rüsten; *fig* versehen (*de* mit); stärken; *(Pistole, Feder)* spannen; *(Kanone)* laden; *(Zünder)* scharf machen; *(Schiff)* bemannen; *tech* armieren, verstärken, beschlagen; *s'~* sich (be)waffnen, *fig* sich wappnen (*de* mit); *~ qn contre un autre* jdn gegen e-n ander(e)n zum Widerstand auf=stacheln; *~ qn chevalier* jdn zum Ritter schlagen; *s'~ de tout son courage* s-n ganzen Mut zs.=nehmen; *s'~ contre un danger* sich gegen e-e Gefahr schützen; *s'~ de patience* sich mit Geduld wappnen; **~istice** *m* Waffenstillstand *m.*

armoir|e [armwar] *f* Schrank; *fig* Schrankkoffer *m; ~-classeur f* Registraturschrank *m; ~ frigorifique* Kühlschrank *m; ~ à linge, à habits, à souliers* Wäsche-, Kleider-, Schuhschrank *m; ~ à outils* Werkzeugkasten, -schrank *m; ~ à pharmacie* Hausapotheke *f.*

armoiries [armwari] *f pl* Wappen *n.*

armoise [armwaz] *f bot* Beifuß *m.*

armorial [armɔrjal] *m* Wappenbuch *n.*

armur|e [armyr] *f* Rüstung *f;* Panzer; *fig* Schutz, Schirm *m; el* Armatur *f; mus* Vorzeichen *n (pl); (Textil)* Bindung *f;* Baumschutz *m;* **~erie** *f* Waffenfabrik *f;* Waffenhandel *m; mil* Waffenmeisterei *f;* **~ier** *m* Waffenhändler, -fabrikant; *mil* Waffenmeister *m.*

arnica [arnika] *f bot* Arnika *f.*

aromat|e [arɔmat] *m* (stark) duftende pflanzliche Substanz *f;* **~ique** würzig, aromatisch; **~iser** würzen.

arôme [arom] *m* Aroma *n,* Wohlgeruch, Duft *m.*

aronde [arɔ̃d] *f: queue f d'~ (tech)* Schwalbenschwanz *m.*

arpège [arpɛʒ] *m mus* Arpeggio *n.*
arpent [arpɑ̃] *m* Morgen *m (Maß);* **~age** *m* Vermessung *f;* **~er** aus=, vermessen; ab=stecken; *fig* mit großen Schritten durchmessen; hin u. her gehen (*qc* in e-r S); **~eur** *m* Feld-, Landmesser *m;* **~euse** *f zoo* Spannraupe *f.*
arpète, arpette [arpɛt] *m f pop* Laufbursche *m;* Laufmädchen *n.*
arqu|é, e [arke] gebogen, geschweift; gekrümmt; geschwungen; gewölbt; **~er** *tr* biegen, wölben; *itr* sich durch= biegen, krumm werden; *pop* laufen; *s'~* sich biegen, sich krümmen, sich wölben.
arrach|age [araʃaʒ] *m (Unkraut)* Ausreißen, Jäten; *(Kartoffeln)* Roden; *(Baumstumpf)* Ausroden *n;* **~e-clou** *m* Nageleisen *n;* **~ement** *m* Ausreißen; Herausziehen; Herausnehmen; Weg-, Losreißen *n;* ~ *des adieux* Abschiedsschmerz *m;* **~e-pied:** *d'~* unablässig, ununterbrochen, in einem fort; **~er** entreißen, fort=, weg=, ab= nehmen; (her-) aus=reißen; *(Kartoffeln)* roden, ernten; *(Zahn)* ziehen; *(Glied)* weg=reißen; *(Nagel)* heraus= ziehen; *(Haare)* aus=raufen, aus=reißen, aus=zupfen; *(Federn)* aus=rupfen; *(Plakat)* ab=reißen; *tech* aus= brechen; ab=reißen; *(Versprechen)* ab=nötigen; *(Lächeln)* entlocken; *(Geständnis)* erpressen; *(Entscheidung)* erzwingen; *s'~ de, à* sich los= reißen von, aus; *s'~ qn, qc* sich um jdn, etw reißen, streiten; *s'~ les cheveux de colère* sich vor Ärger die Haare raufen; ~ *des larmes à qn* jdn zum Weinen bringen; *s'~ les yeux* ea. die Augen aus=kratzen; **~eur, se** *m f* Ausreißer; *mentir comme un ~ de dents* wie gedruckt lügen; lügen, daß sich die Balken biegen; *min* Rauber *m;* Kartoffelschleuder *f,* -roder *m* (*a.* **~oir** *m*).
arraisonn|ement [arɛzɔnmɑ̃] *m (Schiff)* Überprüfung *f;* **~er** *mar* überprüfen.
arrang|eable [arɑ̃ʒabl] reparierbar; *(Streit)* gütlich beizulegen(d); **~eant, e** verträglich; gefällig; **~ement** *m* Anordnung; Einrichtung; Aufstellung; Zs.stellung; *jur* Abmachung *f,* Übereinkommen *n,* Vergleich *m;* Abfindung *f;* Abkommen *n;* Maßregeln *f pl; mus* Bearbeitung *f; faire un ~* ein Abkommen treffen; *terminer un procès par un ~* e-n Prozeß gütlich bei=legen; **~er** (an=)ordnen; ein=richten; zs.=stellen; zurecht=legen, -setzen, -stellen; *(Haar)* zurecht=machen; vor=bereiten; *mar* verstauen; (wieder) in Ordnung bringen; reparieren; *(Text)* überarbeiten; *(Theaterstück)* bearbeiten; *(Zs.kunft)* vermitteln; *(Streit)* bei=legen, schlichten; zufrieden=stellen; *fam* herunter=reißen, übel behandeln; *s'~* sich zurecht=machen *(a. Frisur, Kleidung);* es sich bequem machen; sich ein=richten; Mittel u. Wege finden (*pour* um); *jur* einig werden, ein Abkommen treffen, sich vergleichen; sich erledigen; *(mit Gläubigern)* sich ausea.=setzen; sich ab=finden (*de* mit), zufrieden sein (*de* mit); *~qn de la belle manière (fam)* jdn arg, übel, schön zu=richten; *cela m'~e tout à fait* das paßt mir gut; damit bin ich einverstanden; so ist es mir recht; *cela s'~e très bien* das läuft sich zurecht; *cela s'~era* das wird schon gehen; *ça m'~ait* das würde mir passen; *il s'est fait ~ (fam)* er hat sich übers Ohr hauen lassen; er hat sich arg, übel zu=richten lassen; *le temps s'~e* das Wetter wird besser; *les choses ont l'air de s'~* die Lage scheint besser zu werden.
arrérages [areraʒ] *m pl com* Rückstände *m pl.*
arrestation [arɛstasjɔ̃] *f* Verhaftung; Haft *f; mettre en (état d')~* verhaften; ~ *préventive* Schutzhaft *f.*
arrêt [arɛ] *m* Anhalten; Stillstehen *n;* Halt; Aufenthalt *m;* Fahrtunterbrechung *f; (Geschäfte)* Stillstand *m,* Stockung; Störung; *(Verfahren)* Einstellung; *(Maschine)* Außerbetriebsetzung; Stillegung *f; mot* Ausfall; *(Wettkampf)* Abbruch *m;* Urteil *n,* Entscheidung *(der letzten Instanz);* Verfügung *f; tech* Anschlag *m;* Fangvorrichtung, Arretierung *f; pl mil* Arrest *m; marche—~!* ein — aus! ~ *momentané* vorübergehend außer Betrieb *cale f, sabot m d'~* Hemmschuh *m; chien m d'~* Vorstehhund *m; dispositif m d'~* Sperrvorrichtung *f; groupement m d'~ (mil)* Sperrverband *m; isolateur m ~* Abspannisolator *m; maison f d'~* Haftanstalt *f; mandat m d'~* Haftbefehl *m; ~ d'autobus* Haltestelle *f; mus* Fermate *f; robinet m d'~* Absperrhahn *m; signal m d'~* Haltesignal *n; temps m d'~* Stillstand *m;* Pause *f; tir m d'~* Sperrfeuer *n; vis f d'~* Feststellschraube *f;* ~ *de circulation* Verkehrsstockung *f;* ~ *du cœur* Herzschlag *m;* ~ *par défaut* Versäumnisurteil *n;* ~ *facultatif* Bedarfshaltestelle *f;* ~ *de fonctionnement* Betriebsstörung *f;* ~ *de mort* Todesurteil *n;* ~ *du travail* Arbeitsruhe; -pause; -niederlegung *f;* **~é, e** [-e(ɛ)te] *a* abgemacht, fest, si-

cher; unerschütterlich; *(Bild)* vollendet; *s m* Erlaß *m;* Verfügung *f;* Beschluß; *com* Abschluß *m; être* ~ fest⸗stehen; ~ *de caisse, de compte* Kassen-, Kontoabschluß *m;* ~**er** *tr* an⸗, auf⸗halten; hemmen; stoppen; unterbrechen; außer Betrieb setzen, ab⸗stellen, ab⸗schalten; unterbrechen, still⸗legen (stillegen), ein⸗stellen; fest⸗machen, befestigen; *(Wasser)* ein⸗dämmen, stauen; *(Blut)* stillen; *(Kampf)* ab⸗brechen; *jur* verhaften, fest⸗nehmen; *(Sache)* beschlagnahmen, ein⸗ziehen; *(Blick)* heften (*sur* auf *acc*); *(Aufmerksamkeit)* richten (*sur* auf *acc*), fesseln; *(Wahl)* treffen; *(Entscheidung)* fällen; *(Dienstboten)* ein⸗stellen; *(Zimmer)* mieten; *(Zeitpunkt, Strecke)* fest⸗legen, bestimmen; beschließen; *(Konto)* (ab⸗) schließen; *(Zahlungen)* ein⸗stellen; *itr* an⸗halten, stehen⸗bleiben; auf⸗hören; *s'*~ stehen⸗bleiben; stoppen; (inne⸗)halten; *(Kleid)* reichen, gehen (*à* bis an *acc*); *(Zeit)* still⸗stehen; sich auf⸗halten; zu fließen auf⸗hören; sich entscheiden (*à* für); berücksichtigen (*à qc* e-e S); Rücksicht nehmen, achten (*à* auf *acc*); bestehen (*sur* auf *dat*), verweilen (*sur* bei); *son choix s'est ~é sur* s-e Wahl fiel auf *(acc);* ~**oir** *m tech* Feststeller *m.*

arrhes [ar] *f pl* Auf-, Angeld *n;* Anzahlung *f; fig* Pfand *n.*

arrière [arjɛr] *adv* zurück; Rückwärts-; *s m* hintere(r) Teil *m;* Rückseite *f; mar* Heck *n; sport* Verteidiger *m; mil* rückwärtige(s) Gebiet *n; pl* rückwärtige Verbindungen *f pl; en* ~ rückwärts; zurück; hinten; *en ~ de* hinter; *(en) ~!* zurück! *faire un pas en* ~ zurück⸗treten; *faire machine* od *marche* ~ rückwärts fahren; *fig* einen Rückzieher machen; *être en ~ sur son temps* hinter s-r Zeit zurück sein; *rester en* ~ zurück⸗bleiben; *feu m* ~ Rücklicht *n; marche f ~ (mot)* Rückwärtsgang *m; plage f* ~ Achterdeck *n; siège m* ~ Rücksitz *m; vent m* ~ Rückenwind *m;* ~**-ban** *m* Landsturm *m; (fig fam) convoquer le ban et l'*~ Hinz u. Kunz zs.⸗trommeln; ~**-bouche** *f* Rachenhöhle *f,* Schlund *m;* ~**-boutique** *f* Ladenstube *f;* ~**-corps** *m* zurückstehende(r) Gebäudeteil, Rückbau *m;* ~**-cour** *f* Hinter-, Lichthof *m;* ~**-faix** *m* Nachgeburt *f;* ~**-fleur** *f* Nachblüte *f;* ~**-fond** *m* tiefste(r) Grund *m; fig* Innerste(s) *n;* ~**-garde** *f* Nachhut *f;* ~**-gorge** *f* Rachen *m;* ~**-goût** *m* Nachgeschmack *m;* ~**-grand-mère** *f* Urgroßmutter *f;* ~**-grand-père** *m* Urgroßvater *m;* ~**-main** *f* Handrücken *m; (Pferd)* Hinterhand *f;* ~**-pensée** *f* Hintergedanke *m;* ~**-petit-fils** *m,* ~**-petite-fille** *f* Urenkel(in *f*) *m;* ~**-petits-enfants** *m pl* Urenkel *m pl;* ~**-plan** *m* Hintergrund *m; passer, reléguer à l'*~ in den Hintergrund treten, drängen; ~**-saison** *f* Nachsaison *f;* Spätsommer; Spätherbst *m;* ~**-train** *m (Tier)* Hinterteil *n; (Wagen)* Hintergestell *n;* ~**-voussure** *f arch* Leibungsbogen *m.*

arriéré, e [arjere] *a (Zahlung)* rückständig; *(Kind)* zurückgeblieben; *s m* Rückstand *m; faire rentrer des ~s* Rückstände ein⸗treiben.

arrim|age [arimaʒ] *m mar* Verstauen *n; aero* Trimmung *f; cosm* Kopp(e)lung *f,* Kopp(e)lungsmanöver *n;* ~**er** (ver)stauen; schichten; trimmen; ~**eur** *m* Stauer; Trimmer *m.*

arriv|age [arivaʒ] *m mar* Anlegen *n; com* Ankunft; Zufuhr *f;* Wareneingang *m;* eingegangene Waren *f pl; ~s de bétail au marché* Viehauftrieb *m;* ~**ant, e** *m f* Ankommende(r *m*) *f;* Ankömmling *m;* ~**ée** *f* Ankunft *f;* Eintreffen *n;* Anfahrt; *loc* Einfahrt *f; (Brief)* Eingang; *aero* Anflug; *(Ereignis)* Eintritt *m; fig* Erscheinen, Kommen *n; tech* Zufuhr, Zuführung *f;* Zufluß, Zulauf *m; (Fahrplan)* an; *à mon* ~ bei meiner Ankunft; *déclaration f d'*~ Eingangsmeldung *f; gare f d'*~ Ankunftsbahnhof *m; voie f d'*~ Einfahrtsgleis *n; ~ d'air* Luftzuführung *f; ~ de câble* Kabelzuführung *f; ~ du coup (mil)* Einschlag *m; ~ de courant* Stromzuleitung *f; ~ d'essence* Benzinzufuhr *f; ~ finale* Endstation *f; ~ au sol en parachute* Fallschirmlandung *f; ~ tête-à-tête (sport)* tote(s) Rennen *n.*

arri|ver [arive] *itr* an⸗kommen, ein⸗treffen; *(Zug)* ein⸗fahren; *aero* landen; wassern; *mar* ein⸗laufen; gelangen (*à* zu); kommen (*à* an *acc*); reichen (*à* bis); *(Ziel)* erreichen (*à qc* etw), gelangen (*à qc* zu etw); *fig* Karriere machen; *(Nacht)* herein⸗brechen; *(Zeit)* kommen; *(Flüssigkeit)* zu⸗fließen; *(Luft)* ein⸗strömen; *(Granate)* auf⸗treffen; kommen (*à qc* zu etw); Erfolg haben, s-n Weg machen; *(Ereignis)* sich ereignen, ein⸗treffen, geschehen; vor⸗kommen; zu⸗stoßen, begegnen *dat; en ~ à faire qc* schließlich etw tun; *y* ~ etw fertig⸗bringen; *fam (mit dem Geld)* aus⸗kommen; *~ à échéance* fällig werden; *~ à expiration* erlöschen, ungültig werden; *~ à l'heure (loc)* fahrplanmäßig ein⸗treffen; pünktlich kommen; ~ *aux oreilles de qn* jdm zu Ohren kommen; ~ *à bon port* unversehrt ein=treffen; ~ *en retard (loc)* mit Verspätung ein=treffen; zu spät kommen; *n'~ à rien* zu nichts kommen; *j'~e à* es gelingt mir zu; ich komme dazu, zu; *l'automobile ~e droit sur nous* das Auto fährt direkt auf uns *(acc)* zu; *s'il n'~e rien d'ici là* wenn (bis dahin) nichts dazwischenkommt; *cela peut ~ à tout le monde* das kann jedem passieren; *il ~e que* es trifft sich, es ergibt sich, daß; *(mit subj)* es könnte sein, daß; *un malheur n'~e jamais seul* ein Unglück kommt selten allein; **~visme** *m* Strebertum *n;* **~viste** *m f* Karrieremacher *m,* Karrierefrau *f.*

arrog|ance [arɔgɑ̃s] *f* Anmaßung, Arroganz *f,* Hochmut *m;* hochfahrende(s) Wesen *n;* Dünkel *m;* **~ant, e** anmaßend, arrogant; überheblich; dünkelhaft; *fam* patzig.

arroger, s' [sarɔʒe] sich an=maßen; sich widerrechtlich zu=eignen; sich heraus=nehmen.

arroi [arwa] *m: être en mauvais ~* in schlechtem, traurigem Zustand, in Unordnung sein.

arrond|i, e [arɔ̃di] *a* rund(lich); abgerundet; abgestumpft; *(Gesicht)* voll; *(Satz)* ausgewogen; *s m* abgerundete Form *f;* **~ir** ab=, auf=runden (*à* auf *acc*); *tech* e-e Rundung geben (*qc* e-r S *dat*), ab=kanten; *mar* um=fahren; *s'~* rund werden, sich ab=runden; sich vergrößern; ~ *sa fortune* sein Vermögen vergrößern; ~ *par défaut* nach unten ab=runden; **~issage** *m tech* Rundung *f;* **~issement** *m* (Ab-)Rundung *f;* (Verwaltungs-)Bezirk *m; fig* Erweiterung; *(Satz)* Ausgewogenheit *f.*

arros|age [arozaʒ] *m* Besprengen; Begießen *n; aero* Massenwurf *m; (Feld)* Berieselung *f; installation f d'~* Berieselungsanlage *f; voiture f d'~* Sprengwagen *m;* **~ement** *m* Bewässerung *f; mil* Kugelregen *m;* **~er** befeuchten (*de* mit); begießen; besprengen; berieseln; bewässern; bespritzen; *(mit Blut)* tränken; *(mit Tränen)* benetzen; *(Fluß)* durchfließen, fließen (*Paris* durch P.); *(Braten, Beförderung)* begießen; *phot* wässern; *fig fam* Gelder geben (*qn* jdm); **~eur** *m* Sprengwärter; Sprengwagen; Rasensprenger *m;* **~euse** *f* Sprengwagen *m; ~-balayeuse f* Spreng- und Kehrmaschine *f;* **~oir** *m* Gießkanne *f; pomme f d'~* (Gießkannen-)Brause *f.*

arsenal [arsənal] *m* (Marine-)Arsenal; Zeughaus *n;* Waffenfabrik *f.*

arsenic [arsənik] *m* Arsen *n; ~ blanc* Arsenik *n;* **~al, e** arsenhaltig.

arsouille [arsuj] *m f pop* Schmutzfink *m,* -liese *f;* Wüstling; Zuhälter *m.*

art [ar] *m* Kunst; Kunstfertigkeit; Geschicklichkeit *f;* Kunstgriff *m; les beaux-~s* die schönen Künste; *les ~s libéraux* die Freien Künste; *les ~s plastiques* die bildenden Künste; *école f des ~s et métiers (Art)* technische Hochschule *f; homme m de l'~* Fachmann *m; objet m d'~* Kunstgegenstand *m; œuvre f d'~* Kunstwerk *n; ~ décoratif, ~ du décor intérieur* Raumkunst *f; ~s décoratifs* Kunstgewerbe *n; ~s martiaux* Kampfsportarten *f pl; ~s ménagers* Hauswirtschaft *f; ~ militaire* Kriegskunst *f; ~ des mines* Bergbaukunde *f; ~ populaire* Volkskunst *f.*

art|ère [artɛr] *f* Puls-, Schlagader, Arterie; *fig* Verkehrsader *f; el* Speisekabel *n; ~ de distribution* Verteilungskabel *n;* **~ériel, le** arteriell; Schlagader-; **~ériole** *f* kleine Arterie *f;* **~ériosclérose** *f* Arterienverkalkung *f;* **~érite** *f* Arterienentzündung *f.*

artésien, ne [artezjɛ̃, -ɛn] : *puits m ~* artesische(r) Brunnen *m.*

arthrit|e [artrit] *f* Arthritis, Gelenkentzündung *f;* **~ique** arthritisch, gichtisch; **arthrose** [artroz] *f* Arthrose, chronische Arthritis *f.*

arthropodes [artrɔpɔd] *m pl zoo* Arthropoden *pl,* Gliederfüßer *m pl.*

artichaut [artiʃo] *m* Artischocke *f; avoir un cœur d'~ (fig fam)* ein Herz für viele haben; **~ière** *f* Artischokkenfeld *n.*

article [artikl] *m* Artikel, Abschnitt, Punkt; Paragraph; Gegenstand; *(Rechnung)* Posten; (Zeitungs-)Artikel, Aufsatz, Beitrag; (Handels-)Artikel *m,* Ware *f; gram* Artikel *m,* Geschlechtswort; *(Insekt)* Glied *n; à l'~ de la mort* in der Todesstunde; *faire l'~* s-e Ware heraus=stellen; zur Geltung bringen; *~s en acier* Stahlwaren *f pl; ~ additionnel* Zusatzartikel *m; ~ de bureau* Bürobedarfsartikel *m; ~ de consommation* Verbrauchsartikel *m; ~ en coton* Baumwollware *f; ~ courant* Bedarfsartikel *m; ~ de dépense* Ausgabenposten *m; ~ documentaire* Tatsachenbericht *m; ~ d'écoulement facile* leicht verkäufliche(r) Artikel *m; ~ destiné à l'expédition* Versandartikel *m; ~ d'exportation* Ausfuhrartikel *m; ~ de fond* Leitartikel *m; ~ illustré* bebilderter Artikel *m; ~ d'importation* Einfuhrartikel *m; ~ incendiaire* Hetzartikel *m; ~s de layette* Babyartikel *m pl; ~*

de luxe Luxusartikel *m;* ~*s de mariage* Ehevertrag *m;* ~*s de ménage* Haushaltwaren *f pl;* ~*s de mercerie* Kurzwaren *f pl;* ~*s de mode, de Paris* Modeartikel *m pl,* -waren *f pl;* ~ *pour offrir* Geschenkartikel *m;* ~ *à vil prix* Schleuderartikel *m;* ~ *de réclame* Reklameartikel *m;* ~ *de série* Massenartikel *m;* ~ *de sport* Sportartikel *m;* ~*s textiles* Textilien *pl;* ~*s en tricot* Trikotagen *f pl;* ~*s tricotés* Strick- u. Wirkwaren *f pl.*

articul|aire [artikylɛr] Gelenk-; *apophyse f* ~ Gelenkfortsatz *m;* ~**ation** *f* Gelenk *n; tech* Gelenkverbindung; Schwenkachse; *mil* Gliederung, Gruppierung; *(Phonetik)* Artikulation, Lautbildung *f;* ~ *à boulet, à rotule, sphérique* Kugelgelenk *n;* ~ *à cardan* Kreuzgelenk *n;* ~ *des faits (jur)* nach Artikeln geordnete Aufzählung *f* der Tatsachen; ~**é, e** gegliedert; *tech* gelenkig; angeschlossen (*sur* an *dat*), schwenkbar; beweglich; verstellbar; *fig* klar, deutlich vernehmbar; *bien* ~ wohl artikuliert; ~**er** gliedern; inea.=fügen; *(Laut)* artikulieren, bilden; deutlich aus=sprechen; *fig* aus=sprechen, behaupten, sagen; *(Wort)* hervor=bringen; *jur* Punkt für Punkt vor=tragen; *mil* gliedern, teilen.

artific|e [artifis] *m* Kunstgriff *m,* List, Arglist *f,* Kniff *m; tech* Zündmittel *n; feu m d'*~ Feuerwerk *n; pièce f d'*~ Feuerwerkskörper *m;* ~ *de signalisation* Leuchtzeichen *n;* ~**iel, le** künstlich; Kunst-; nachgemacht; *(Zahn)* falsch; *fig* gekünstelt, unnatürlich; ~**ier** *m* Feuerwerker *m;* ~**ieux, se** (hinter)listig, schlau, verschmitzt.

artill|erie [artijri] *f* Artillerie *f; pièce f d'*~ Geschütz *n;* ~ *d'accompagnement* Begleitartillerie *f;* ~ *d'action d'ensemble* Schwerpunktartillerie *f;* ~ *antiaérienne, de défense contre avions* Flakartillerie *f;* ~ *d'appui direct* Nahkampfartillerie *f;* ~ *d'assaut* Sturmartillerie *f;* ~ *automotrice* Geschütze *n pl* auf Selbstfahrlafette *f;* ~ *de campagne* Feldartillerie *f;* ~ *à longue portée* Fernkampfartillerie *f;* ~ *de montagne* Gebirgsartillerie *f;* ~ *motorisée, tractée* Kraftzugartillerie *f;* ~ *à grande puissance* schwerste Artillerie *f;* ~**eur** *m* Artillerist; Kanonier *m.*

artimon [artimɔ̃] *m: mât m d'*~ Fockmast *m.*

artisan, e [artizɑ̃, -an] *m f* Handwerker(in *f*); *fig* Urheber, Schöpfer *m; à l'œuvre on connaît l'*~ das Werk lobt den Meister; ~ *d'art* Kunsthandwerker *m;* ~**al, e** handwerklich; ~**at** [-na] *m* Handwerk *n;* Handwerker *m pl;* ~ *de construction* Bauhandwerk *n.*

artist|e [artist] *a* künstlerisch; *s m f* Künstler(in *f*) *m;* ~ *de cirque* Artist *m;* ~ *dramatique* Schauspieler *m;* ~ *peintre* Kunstmaler *m;* ~ *publicitaire* Gebrauchsgraphiker *m;* ~*-relieur m* Kunstbuchbinder *m;* ~*s de la scène, de l'écran* Künstler *m pl* von Bühne, Film; ~**ique** künstlerisch; ~**iquement** *adv* kunstvoll.

arum [arɔm] *m bot* Aron(s)stab *m.*

aryen, ne [arjɛ̃, -ɛn] *a* arisch; *s m f* Arier (-in *f*) *m.*

as [as] *m (Würfel)* Eins *f; (Karten)* As *n; sport* Kanone *f; fam* Phänomen *n; aero* Jagdflieger *m* mit vielen Abschüssen; *être (plein) aux* ~ *(pop)* Geld wie Heu haben; *(fam) être ficelé (fichu, foutu) comme l'*~ *de pique* schlecht gekleidet *od* gebaut sein.

asbeste [azbɛst] *m* Asbest *m.*

ascaride [askarid] *m* Spulwurm *m.*

ascend|ance [asɑ̃dɑ̃s] *f (Verwandtschaft)* aufsteigende Linie; *astr* Aszendenz *f; aero* Aufwind *m;* ~ *frontale, orographique, thermique* Front-, Hang-, Wärmeaufwind *m;* ~**ant, e** *a* aufsteigend; *fig* fortschreitend; *s m astr* Aufgang(spunkt) *m;* Blutsverwandte(r) in aufsteigender Linie, Aszendent; *fig* Einfluß *m,* Autorität *f* (*sur* über *acc*); *prendre un grand* ~ e-n großen Einfluß gewinnen (*sur* auf *acc*).

ascens|eur [asɑ̃sœr] *m* Aufzug, Fahrstuhl, Lift *m; cage f d'*~ Aufzugschacht *m;* ~ *de marchandises* Lastenaufzug *m;* ~**ion** *f* Aufstieg *m;* (Berg-)Besteigung *f; (Flüssigkeit)* Aufsteigen *n; (Temperatur)* Anstieg; *fig* Aufstieg; *astr* Aufgang *m; l'A*~ (Christi) Himmelfahrt *f; faire l'*~ *de qc* etw besteigen, erklettern; ~**ionnel, le** aufsteigend; Steig-; Auftriebs-; *capacité f* ~*le* Steigfähigkeit *f; force f* ~*le* Auftrieb *m; vitesse f* ~*le* Steiggeschwindigkeit *f;* ~**ionniste** *m* Bergsteiger, Kletterer *m.*

asc|èse [asɛz] *f* (geistige) Askese *f;* ~**ète** *m* Asket *m;* ~**étique** asketisch; ~**étisme** *m* Askese; Asketik *f.*

asep|sie [asɛpsi] *f* Asepsis, Keimfreiheit *f;* ~**tique** keimfrei, aseptisch; ~**tiser** keimfrei machen, desinfizieren.

asexué, e [asɛksɥe] *biol* geschlechtslos.

asiatique [azjatik] *a* asiatisch; *A*~ *s m*

f Asiat(in *f*) *m;* **l'Asie** [asi] *f* Asien *n; l'~ Mineure* Kleinasien *n.*
asile [azil] *m* Asyl *n;* Zufluchtsort *m;* Heim, Haus *n;* Pflegeanstalt *f; droit m d'~* Asylrecht *n; ~ d'aliénés* Heil- und Pflegeanstalt *f* für psychisch Kranke; *~ de nuit* Nachtasyl *n; ~ de vieillards* Altersheim *n.*
asocial, e [asɔsjal] asozial; *s m f* Asoziale(r *m*) *f.*
aspect [aspɛ] *m* Anblick *m;* Aussehen, Äußere(s) *n; fig* Gesichtspunkt; Blickwinkel; *astr* Aspekt *m; changer d'~* e-e andere Gestalt an=nehmen; *donner l'~* das Aussehen verleihen (*de qc* gen); *envisager qc sous tous les ~s* etw von allen Seiten betrachten; *la chose prend un autre ~* die Sache bekommt ein anderes Gesicht; *~ frontal* Stirnansicht *f; ~ de l'image (tele)* Bildeindruck *m.*
asperge [aspɛrʒ] *f* Spargel *m; fig* Hopfenstange *f; pointes f pl d'~* Spargelspitzen *f pl.*
asperger [aspɛrʒe] *tr* besprengen, benetzen; bespritzen; *(Braten)* begießen.
aspergerie [aspɛrʒəri] *f* Spargelbeet *n,* -pflanzung *f.*
aspérité [asperite] *f* Rauheit *a. fig; (Weg)* Unebenheit *f; plein d'~s* rauh.
aspers|ion [aspɛrsjɔ̃] *f* Besprengen; Bespritzen *n;* **~oir** *m* Weihwedel *m.*
asphalt|age [asfaltaʒ] *m* Asphaltierung *f;* **~e** *m* Asphalt(belag) *m; couche f d'~* Asphaltschicht *f; ~ coulé* Asphaltguß *m; ~ pilé* Stampfasphalt *m;* **~er** asphaltieren; *carton m ~é* Asphaltpappe *f;* **~eur** *m* Asphaltarbeiter *m;* **~ique** asphaltartig; Asphalt-; *enduit m ~* Asphaltanstrich *m.*
asphodèle [asfɔdɛl] *m* Affodill *m,* Mittelmeerlilie *f.*
asphyx|iant, e [asfiksjɑ̃, -ɑ̃t] erstikkend; *(Luft)* stickig *(a. fig);* **~ie** [-ksi] *f* Ersticken *n;* **~ié, e** [-ksje] *a* erstickt *a. fig; s m f* Erstickte(r *m*) *f;* **~ier** ersticken *tr; s'~* ersticken *itr.*
aspic [aspik] *m* Natter *f;* Lavendel *m; (Küche)* Fleischgallerte *f,* Aspik *m; langue f d'~ (fig)* Lästerzunge *f.*
aspir|ant, e [aspirɑ̃, -ɑ̃t] *a* (an)saugend; Saug-; *s m f* Bewerber(in *f*), Kandidat(in *f*); *mil* (Offiziers-)Anwärter; Fahnenjunker; Seekadett *m;* **~ateur, trice** *a* saugend; *s m* Staubsauger; *tech* Exhaustor *m,* Absaugvorrichtung *f;* **~ation** *f tech* Ab-, Ansaugen *n;* Saugwirkung *f;* Atemholen, Einatmen; *gram* Aspirieren *n;* Aspiration, Behauchung *f;* Hauch *m; fig* Streben *n,* Sehnsucht *f,* Verlangen *n,* Drang *m; conduite f d'~* Saugleitung *f; tuyau m d'~* Saugrohr *n;* **~atoire** saugend; **~er** *itr* streben, trachten (*à* nach); (hin=)zielen (*à* auf *acc;* nach); sich sehnen (*à* nach); es abgesehen haben (*à qc* auf e-e S); sich bewerben (*à qc* um etw); *tr* ein= atmen; *tech* an=, (ab=)saugen; *gram* aspirieren, behauchen; *fig* an=ziehen; **~ine** *f* Aspirin *n; comprimé m d'~* Aspirintablette *f.*
assag|ir [asaʒir] vernünftig, klüger machen; *(Leidenschaft)* zügeln, im Zaum halten; *s'~* vernünftig, klüger werden; **~issement** *m* Mäßigung; vernünftige Haltung *f.*
assaill|ant, e [asajɑ̃, -ɑ̃t] *a* angreifend; *s m* Angreifer *m;* **~ir** *irr tr* (plötzlich) an=greifen; her=fallen (*qn* über jdn); überfallen; sich stürzen, ein=stürmen (*qn* auf jdn); *fig* quälen; belästigen; *(Wetter)* überraschen; *~ qn de questions* jdn mit Fragen bestürmen.
assain|ir [ase(ɛ)nir] *tr ecol* sanieren; *(Sumpf)* trocken=legen, entwässern; *(Luft, Wasser)* reinigen; *(Wirtschaft, Finanzen, Währung)* sanieren; **~issement** *m ecol* Sanierung *f; (Sumpf)* Trockenlegung, Entwässerung *f; (Luft, Wasser)* Reinigung *f; (Wirtschaft, Finanzen, Währung)* Sanierung *f.*
assaisonn|ement [asɛzɔnmɑ̃] *m* Würze *f;* Würzen *n a. fig; fig* Pikante(s) *n;* **~er** würzen; schmackhaft machen; *(Salat)* an=machen, an=richten.
assassin, e [asasɛ̃, -in] *s m* Mörder *m; a* mörderisch; Mörder-; **~at** [-ina] *m* Mord *m; fig* Vernichtung, Zerstörung *f; ~ légal* Justizmord *m;* **~er** (er)morden, um=bringen; *fig* (zu Tode) lang=weilen; quälen; *~ de reproches* mit Vorwürfen überhäufen, -schütten.
assaut [aso] *m* Angriff, (An-)Sturm; Sturmangriff; *(Fechten)* Gang; *fig* Wettstreit *m; faire ~ de qc* sich (selbst) in e-r S überbieten; *avec qn* jdn in etw *(dat)* zu überbieten suchen; *faire ~ d'éloquence* e-e große Beredsamkeit entwickeln; *donner l'~* Sturm laufen (*à qc* auf e-e S); *se lancer à l'~* vor=stürmen (*de qc* gegen etw); *prendre d'~* erstürmen; *char m d'~* Kampfwagen *m; ~ à la baïonnette* Bajonettangriff *m.*
assèch|ement [asɛʃmɑ̃] *m* Trockenlegung; Entwässerung; Austrocknung *f.*
assécher [aseʃe] *tr* trocken=legen; aus=trocknen.
assembl|age [asɑ̃blaʒ] *m* Zs.stellung, -setzung, -fügung; Vereinigung *f; typ* Zs.tragen *n; tech* Verband *m,* Verbin-

dung, Fügung *f;* Zs.bau *m,* Montage *f;* Satz *m,* Garnitur; *el* Schaltung *f;* ~ *à crémaillère* Versatz *m;* ~ *à tenon (et mortaise)* Verzapfung *f;* ~**ée** *f* Versammlung *f,* Kreis *m,* Gesellschaft *f;* Konvent *m; rel* Gemeinde(versammlung) *f; assister à une* ~ e-r Versammlung bei=wohnen; *convoquer, tenir une* ~ e-e Versammlung ein=berufen, ab=halten; *élire qn au sein d'une* ~ jdn aus der Mitte e-r Versammlung wählen; *présider une* ~ bei e-r Versammlung den Vorsitz führen; ~ *constituante* verfassunggebende Versammlung *f; A*~ *européenne* Europarat *n;* ~ *générale* General-, Hauptversammlung *f;* ~ *législative* gesetzgebende Versammlung *f;* ~ *nationale* Nationalversammlung *f;* ~ *plénière* Vollversammlung *f;* ~**er** zs.=fügen, -stellen, -setzen; zs.=bauen, montieren; e-e Verbindung her=stellen (*qc* von, mit *gen*), verbinden; anea.=setzen; auf=häufen; *(Personen)* versammeln, zs.=berufen; *typ* zs.=tragen; *(Buchstaben)* setzen; *mil* zs.=ziehen; *s'*~ sich versammeln; zs.=kommen, -treten; *(Wolken)* sich zs.=ballen; *qui se ressemble s'*~*e* gleich u. gleich gesellt sich gern; ~**eur, se** *m f typ* Ausschießer; *tech* Monteur; Herrichter *m.*

assener [as(ə)ne] : ~ *un coup* e-n Schlag versetzen; *bien assené (fig)* gut gegeben.

assentiment [asɑ̃timɑ̃] *m* Einwilligung, Zustimmung, Billigung *f; donner son* ~ *à* ein=willigen in *acc;* s-e Zustimmung geben zu; *il fit un signe d'*~ er nickte zustimmend.

asseoir [aswar] *irr (Person, a. Tier)* (nieder=)setzen; *(Haus)* bauen (*sur* auf *acc*); *(Standbild)* errichten; *mil (Lager)* auf=schlagen; *(Macht)* festigen; *s'*~ sich (nieder=)setzen (*sur* auf *acc*), Platz nehmen; sich nieder=lassen; *faire* ~ Platz nehmen, sich setzen lassen; *faire* ~ *qn à sa table* jdn zu Tisch laden; *s'*~ *auprès de qn* sich zu jdm setzen; *s'*~ *en cercle autour de la table* sich im Kreis um den Tisch setzen; ~ *une hypothèque* e-e Hypothek auf=nehmen; ~ *un impôt sur qc* etw mit e-r Steuer belegen; ~ *son opinion sur des preuves* s-e Ansicht auf Beweise stützen; *je m'assieds dessus (fam)* ich pfeife darauf; *on me fit* ~ man gab mir e-n Stuhl; *cela m'a assis (fam)* ich war sprachlos; *pp:* **assis, e** [asi, -iz] sitzend; errichtet, aufgebaut; *fig* fest begründet, gesichert, ausgewogen; *être assis* sitzen; *fig* beruhen (*sur* auf *dat*); *rester assis* sitzen bleiben; *voter par assis et levé* durch Aufstehen u. Sitzenbleiben ab=stimmen; *place f assise* Sitzplatz *m.*

assermenter [asɛrmɑ̃te] ver-, beeidigen.

assertion [asɛrsjɔ̃] *f* Behauptung, Versicherung, Beteuerung *f.*

asserv|ir [asɛrvir] *irr* unterjochen, knechten, unterwerfen; *fig* beherrschen; *s'*~ sich unterwerfen; sich in Abhängigkeit begeben (*à* von); *(qn, qc)* sich (jdn, etw) dienstbar machen; *être* ~*i* ergeben sein (*à qn* jdm); ~**issement** *m* Unterjochung, Unterwerfung; Knechtschaft; (sklavische) Hingabe *f* (*à* an *acc*); *tech* Steuergerät *n;* Nachlaufsteuerung *f.*

assesseur [asɛsœr] *m jur* Beisitzer, Schöffe *m.*

assez [ase] *adv* genug, genügend, ausreichend, zur Genüge; *(abschwächend)* ziemlich, leidlich; *avoir* ~ *et plus qu'il n'en faut* mehr als genug haben; *j'en ai* ~ *(fam)* ich hab' es satt; ich hab' genug; *soyez* ~ *bon pour* seien Sie so freundlich u.; *juste* ~ gerade genug; in ausreichender Menge; *pas* ~ zu wenig; ~ *bien* befriedigend; ziemlich gut; gut genug; ~ *grand pour* groß genug, um zu.

assi|du, e [asidy] pünktlich; regelmäßig; fleißig, emsig, eifrig; beharrlich, beständig; *être* ~ *auprès de qn* sich sehr um jdn bemühen; ~**duité** [-dɥi-] *f* Pünktlichkeit, Regelmäßigkeit *f;* Fleiß, Eifer *m;* Stetigkeit *f; pl* dauernde(s) Bemühen *n;* Aufmerksamkeiten *f pl;* ~**dûment** [-dy-] *adv* pünktlich; fleißig, beharrlich; ununterbrochen, unablässig.

assiég|eant, e [asjeʒɑ̃, -ɑ̃t] *a* belagernd; *s m* Belagerer *m;* ~**er** belagern; ein=schließen, umgeben; *(Menge)* sich drängen (*qn* um jdn); belästigen (*qn* jdn); *(Krankheit)* quälen, bedrücken; ~ *de questions* mit Fragen bestürmen.

assiett|e [asjɛt] *f* Teller; Tellervoll *m;* Lage *f,* Platz; *(Reiter)* Sitz *m;* Gleichgewicht *n; mar* richtige Lage *f,* Trimm *m; tech* Unterlage *f,* Fundament *n;* Festigkeit; *jur* Grundlage *f;* Unterpfand *n;* Steuerveranlagung; *(Wald)* Schlagfläche *f; ne pas être, ne pas se sentir dans son* ~ (körperlich) nicht auf der Höhe sein; *piquer l'*~ als Schmarotzer, auf anderer Leute Kosten leben; *casseur m d'*~*s* Radaubruder *m; période f d'*~ Veranlagungszeitraum *m;* ~ *anglaise* kalte(r) Aufschnitt *m;* ~ *au beurre (fig)* Futterkrippe *f;* ~ *en carton* Pappteller *m; ~ de l'impôt (sur les revenus)* (Einkommen-)Steuerveranlagung *f; ~ plate, creuse* flache(r), tiefe(r) Teller *m; ~ à soupe, à dessert, à gâteaux* Suppen-, Dessert-, Kuchenteller *m;* **~ée** *f* Tellervoll *m.*

assign|ation [asiɲasjɔ̃] *f* An-, Zuweisung; *jur* Vorladung *f;* **~er** an=, zu=weisen (*qc à qn* jdm etw); bestimmen, fest=setzen; *jur* vor=laden.

assimil|able [asimilabl] vergleichbar; assimilierbar; **~ateur, trice** angleichend, assimilierend; **~ation** *f* Angleichung; *jur* Gleichstellung; *biol* Assimilation *f,* Stoffwechsel *m;* Verdauung; *fig* geistige Verarbeitung, Aneignung; *(Menschen)* Assimilierung *f,* völlige(s) Aufgehen *n* (*à* in *dat*), Eingliederung (*à* in *acc*) *f; (faculté f d'~)* Aufnahmefähigkeit *f; ~ intellectuelle et psychique d'un événement, d'une expérience* Erlebnisverarbeitung *f;* **~er** an=gleichen, gleich=stellen; vergleichen (*à* mit); assimilieren; verdauen; sich an=eignen, ein=verleiben; ein=gliedern; (geistig) verarbeiten; *s'~* sich vergleichen (*à* mit); sich an=gleichen; sich assimilieren; in sich *(acc)* auf=nehmen; auf=gehen (*à* in *dat*); sich zu eigen machen.

assis, e [asi, -iz] *s. asseoir;* **~e** *f (Mauer)* Steinschicht, -lage; Grundplatte *f,* Fundament *n; geol* Schicht, Stufe; *fig* Grundlage; Sitzungsperiode *f* des Schwurgerichts; *tenir les ~s* Sitzung halten; *cour f d'~s* Schwurgericht *n.*

assist|ance [asistɑ̃s] *f* Anwesende *m pl,* Zuhörerschaft *f,* Publikum *n;* Unterstützung, Hilfe *f,* Beistand *m,* Mitwirkung; Fürsorge *f;* Vertreter *m (e-s Reisebüros); donner, prêter son ~ à qn* jdm helfen, Beistand leisten; *~ judiciaire* Armenrecht *n; ~ médicale* Krankenfürsorge *f; ~ publique* öffentliche Fürsorge *f;* **~ant, e** *m f* Gehilfe *m,* Gehilfin *f;* Assistent(in *f*) *m; pl* Anwesende *m pl; médecin m ~* Assistenzarzt *m; ~e médicale* (Zahn-)Arzthelferin *f; ~e sociale* Sozialpflegerin, Werksfürsorgerin *f;* **~é, e** *a* öffentlich unterstützt; im Beisein (*de* von); *s m* Unterstützungsempfänger *m;* **~er** *itr: ~ à* bei=wohnen *dat,* zugegen sein bei; teil=nehmen an *dat;* mit=erleben; *tr: ~ qn* jdm helfen, jdn unterstützen, jdm behilflich sein; jdm bei=stehen.

associ|ation [asɔsjasjɔ̃] *f* Verbindung; Vereinigung *f,* Verein, Verband *m,* Gesellschaft; Union; *jur* Bande *f; ~ affiliée* Zweiggesellschaft *f; ~ des banques de virement* Giroverband *m; ~ de bienfaisance* Wohltätigkeitsverein *m; ~ à but déterminé* Zweckverband *m; ~ de couleurs* Farbenzs.stellung *f; ~ de défense* Bürgerinitiative *f; ~ d'employeurs* Arbeitgeberverband *m; ~ d'idées* Gedankenverbindung, Ideenassoziation *f; ~ d'intérêts* Interessengemeinschaft *f; ~ de malfaiteurs* Verbrecherbande *f; ~ en nom collectif* Offene Handelsgesellschaft *f; ~ ouvrière* Arbeiterverband *m; ~ en participation* Beteiligungsgeschäft *n; ~ de presse* Presseverband *m; ~ professionnelle* Berufs-, Fachverband *m; ~ protectrice* Schutzverband *m; ~ syndicale* Gewerkschaft *f; ~ tarifaire* Tarifgemeinschaft *f; ~ reconnue d'utilité publique* gemeinnützige(r) Verein *m;* **~é, e** *m f* Gesellschafter(in *f*), Teilhaber(in *f*), Partner(in *f*) *m;* Mitglied *n; ~ commanditaire* stille(r) Teilhaber *m; ~ indéfiniment responsable* unbeschränkt haftende(r) Gesellschafter, Komplementär *m;* **~er** *(Person)* als Gesellschafter, Teilhaber an=nehmen; vergesellschaften; zs.=schließen; (mitea.) verbinden, (ea.) zu=gesellen; teil=nehmen lassen (*à* an *dat*); *(Sachen)* vereinigen, verbinden (*à* mit); *(Farben, Wörter)* zs.=stellen; *s'~* als Teilhaber, Mitarbeiter ein=treten *od* an=nehmen; sich assoziieren (*à, avec* mit); sich an=schließen (*à* an *acc*); sich verbünden; sich vereinigen, sich verbinden; mit=arbeiten (*à* an *dat*), *(e-r Auffassung)* bei=treten; *(Unglück)* Anteil nehmen (*à* an *dat*); *(Schmerz)* teilen; *(Farben)* zuea. passen.

assoiffé, e [aswafe] durstig; *fig* begierig (*de* auf *acc*) *~ de plaisirs* vergnügungssüchtig; *~ de sang* blutdürstig.

assolement [asɔlmɑ̃] *m agr* Fruchtwechsel *m;* Fruchtfolge *f.*

assombri|r [asɔ̃brir] verdunkeln; verdüstern; verfinstern *a. fig; s'~* düster, trübe werden, sich verfinstern; sich umwölken *a. fig;* nach=dunkeln; **~issement** *m* Verdunk(e)lung; Verdüsterung *f.*

assomm|ant, e [asɔmɑ̃, -ɑ̃t] *fam (Sache)* unangenehm, lästig, gräßlich; langweilig; ermüdend; *(Hitze)* drükkend; *(Person)* unerträglich; unausstehlich; lästig; *il est ~* er geht mir auf die Nerven; **~er** nieder=schlagen; *(Vieh)* schlachten; *(durch Hitze)* betäuben; *fig* überwältigen, verwirren, aus der Fassung bringen; nieder=drücken; belästigen (*de* mit), plagen, peinigen; zu Tode langweilen; *~ à* *coups de bâton* mit dem Stock zusammen=schlagen; *il est ~é (fig)* er ist ganz niedergeschlagen; **~eur** *m* Schlächter; Totschläger *m;* **~oir** *m* Totschläger *m (Instrument);* Fuchsfalle; *fam* Kneipe *f; coup m d'~* schwere(r) Schicksalsschlag *m.*

Assomption [asɔ̃psjɔ̃] *f* Mariä Himmelfahrt *f (15. August).*

assonance [asɔnɑ̃s] *f* Assonanz *f,* Gleichklang; unreine(r) Reim *m.*

assort|i, e [asɔrti] (zs.)passend; entsprechend, im (rechten) Verhältnis (stehend) (*à* zu); verbunden (*de* mit); *magasin m bien ~* Geschäft *n* mit großer Auswahl; **~iment** *m* Zs.stellung *f; com* Satz *m,* Garnitur *f,* Service *n;* Vorrat *m;* Auswahl *f; (Bücher)* Sortiment *n; (Küche)* bunte Platte *f;* **~ir** *tr* (passend) zs.=stellen; *(Farben)* aufea. ab=stimmen; (paarweise) vereinigen; vervollständigen; an=passen (*à* an *acc*); *(Geschäft) (mit Waren)* versehen (*de* mit); *itr* zs.=passen; abgestimmt sein (*à, avec* auf *acc*); *s'~* zuea. passen, zs.=passen; gut stehen (*à* zu); aufea. abgestimmt sein; sich versehen (*de* mit), versehen, ausgestattet sein (*de* mit).

assoup|i, e [asupi] dösend, halb eingeschlafen; *fig* beruhigt; schlummernd; **~ir** ein=schläfern; *fig* lindern, beruhigen, dämpfen; *(Streit)* unterdrücken; *(Skandal)* vertuschen; *s'~* ein=schlummern, ein=nicken; *fig* sich beruhigen, nach=lassen, sich legen, ab=stumpfen; erschlaffen; **~issant, e** einschläfernd; beruhigend; betäubend; **~issement** *m* Schläfrigkeit *f,* Schlummer *m; fig* Beruhigung; Betäubung, Unterdrückung; Vertuschung; Trägheit, Schlaffheit; Lähmung *f.*

assoupl|ir [asuplir] geschmeidig, biegsam machen; auf=lockern; *(Menschen)* gefügig machen; zähmen; *(Sprache)* schleifen; *(Maßnahmen)* mildern, ab=schwächen; *s'~* weich, geschmeidig, *(fig)* fügsam werden; **~issant** *m* Weichspüler *m;* **~issement** *m* Geschmeidigmachen *n; (Glieder)* Lockerung *f; (Charakter)* Umgänglichmachen *n; (Maßnahmen)* Abschwächung *f.*

assourd|ir [asurdir] betäuben; *(Geräusch)* dämpfen; *(Ton, Farbe)* ab=schwächen; **~issant, e** betäubend; **~issement** *m* Betäubung; Dämpfung, Abschwächung; vorübergehende Taubheit *f.*

assouv|ir [asuvir] (völlig) sättigen; *(Neugier)* befriedigen; *(Rache)* stillen; *(Zorn)* kühlen; *s'~* sich sättigen; s-e Gelüste befriedigen; **~issement** *m* Sättigung; Befriedigung; Stillung; Ruhe *f.*

assujett|i, e [asyʒe(ɛ)ti] *pp* unterworfen; *s m pl* Steuerpflichtige *m pl; être ~* unterstehen (*à qc* dat); *être ~ à un travail* an e-e Arbeit gebunden sein; *~ à l'assurance, à des cotisations, aux droits de douane, à l'impôt sur le revenu, à la taxe* versicherungs-, beitrags-, zoll-, einkommensteuer-, abgabenpflichtig; **~ir** unterwerfen, unterjochen; bezwingen; binden (*à* an *acc*), verpflichten (*à* zu), auf=erlegen (*qc à qn* jdm etw); *(Sache)* befestigen, fest=machen, (ver-) binden (*à* mit); *s'~* erobern, unterwerfen; sich unterwerfen; sich beugen, sich fügen, sich an=passen, sich (streng) halten (*à* an *acc*); **~issant, e** *fig* mühselig; lästig; **~issement** *m* Unterwerfung, Unterjochung; Abhängigkeit *f;* Zwang *m,* Gebundenheit; Verpflichtung, Bindung *f;* Sichfügen *n.*

assumer [asyme] *(Last)* auf sich *(acc)* nehmen; *(Amt, Aufgabe, Rolle, Verantwortung)* übernehmen; *s'~* sich selbst akzeptieren.

assur|able [asyrabl] versicherbar, versicherungsfähig; **~ance** *f* Selbstvertrauen *n;* Sicherheit; Bestimmtheit; Überzeugung *f;* (festes) Vertrauen *n;* Zusicherung, Garantie, Bürgschaft; Versicherung *f* (*contre* gegen); *en toute ~* ohne Bedenken; *plein d'~* zuversichtlich; selbstsicher; *avoir de l'~* sicher auf=treten; *contracter une ~* e-e Versicherung ab=schließen; *perdre son ~* s-e (Selbst-)Sicherheit verlieren; *soutenir avec ~* mit Sicherheit behaupten; *veuillez agréer l'~ de mon respect* od *de mes sentiments respectueux* mit vorzüglicher Hochachtung; *agent m d'~* Versicherungsagent *m; compagnie f d'~s* Versicherungsgesellschaft *f; conclusion f d'une ~* Versicherungsabschluß *m; conditions f pl d'~* Versicherungsbedingungen *f pl; contrat m d'~* Versicherungsvertrag *m; courtier m d'~* Versicherungsmakler *m; début m de l'~* Versicherungsbeginn *m; employé m d'~* Versicherungsbeamte(r), -angestellte(r) *m; escroquerie f à l'~* Versicherungsbetrug *m; montant m de l'~* Versicherungssumme *f; objet m de l'~* Versicherungsgegenstand *m; période f d'~* Versicherungszeit *f; police f d'~* Versicherungspolice *f; prime f d'~* Versicherungsprämie *f; rachat m d'~* Versicherungsrückkauf *m; timbre m d'~* Versicherungsmarke *f; type, régime m d'~* Versicherungsform *f; valeur f d'~* Versicherungswert *m; ~ (contre les) accidents, ~-accidents* Unfallversicherung *f; ~ (sur les) automobiles, ~-automobile* Kraftfahrzeugversicherung *f; ~ de(s) bagages* Reisegepäckversicherung *f; ~-capitalisation f, ~-épargne f* Sparversicherung *f; ~-chômage f* Arbeitslosenversicherung *f; ~ collective* Gruppenversicherung *f; ~ complémentaire* Zusatzversicherung *f; ~ contre les dégâts des eaux* Wasserschadenversicherung *f; ~ (en cas de) décès* (Lebens-)Versicherung *f* auf den Todesfall; *f; ~ dotale, de dot* Aussteuerversicherung *f; ~ de fret* Frachtversicherung *f; ~ contre la grêle* Hagelversicherung *f; ~ (contre) l'incendie* Feuerversicherung *f; ~ immobilière* Gebäudeversicherung *f; ~-invalidité f* Invalidenversicherung *f; ~ libérée* beitragsfreie Versicherung *f; ~-maladie f* Krankenversicherung *f; ~ maritime* Seeversicherung *f; ~ mobilière* Hausratversicherung *f; ~ mutuelle* Versicherung *f* auf Gegenseitigkeit; *~ obligatoire* Pflichtversicherung *f; ~ avec participation aux bénéfices* Versicherung *f* mit Gewinnbeteiligung; *~ contre la pluie* Regenversicherung *f; ~-rentes f* Rentenversicherung *f; ~-responsabilité civile f* Haftpflichtversicherung *f; ~ tous risques* Vollkaskoversicherung *f; ~ scolaire* Schülerversicherung *f; ~-sinistre f* Schadenversicherung *f; ~(s) sociale(s)* Sozialversicherung *f; ~ temporaire, à terme, ~-risque f* Risikoversicherung *f; ~ au tiers* Haftpflichtversicherung *f; ~ tous risques* Vollkaskoversicherung *f; ~-transports f* Transportversicherung *f; ~-vie f, ~sur la vie* Lebensversicherung *f; ~-vieillesse f* Altersversicherung *f; ~-vol f, ~ contre le vol* Diebstahlversicherung *f; ~ contre le vol avec effraction* Einbruchsdiebstahlversicherung *f;* **~é, e** *s m f* Versicherte(r *m*) *f;* Versicherungsnehmer *m; a* sicher. gewiß; gesichert (*contre* gegen); *fig* kühn; *(Ton)* fest; *mal ~* unsicher; **~ément** *adv* bestimmt; ganz sicher.

assur|er [asyre] *tr* **1.** *(fixer, consolider qc)* fest=machen, befestigen; *~ une persienne* einen Fensterflügel befestigen; *~ ses arrières (mil)* für Rückendeckung sorgen; *~ les frontières* die Grenzen befestigen; *cette victoire leur ~a l'empire de la Gaule* durch diesen Sieg haben sie sich die Herrschaft über Gallien gesichert; *(garantir)* zu=sichern; *~ à qn une somme annuelle* jdm e-e jährliche Summe zu=sichern; *(prendre une assurance pour qc)* versichern; *~ une maison* ein Haus versichern, e-e Versicherung für ein Haus ab=schließen; **2.** *(procurer, pourvoir à)* beschaffen, besorgen, sorgen für; *~ ses positions* sich e-en guten Stand verschaffen; *~ le ravitaillement d'une ville* e-e Stadt mit Nahrungsmitteln versorgen; *~ le fonctionnement d'un service* e-en Dienst versehen; *~ une permanence* den Bereitschaftsdienst übernehmen; *~ l'avenir de qn* jds Zukunft sicher=stellen; **3.** *(affirmer qc)* behaupten, versichern (*que,* daß); *~ qn que* jdm versichern, beteuern, daß; *~ qn de qc* jdm etw aus=drücken; *~ez-le de ma sympathie* versichern Sie ihn meiner Sympathie; *cet accueil l'assurait des bonnes dispositions du public* dieser Empfang überzeugte ihn vom guten Willen des Publikums; **4.** *s'~* e-e ruhige Haltung ein=nehmen; *~ez-vous bien sur les jambes* sehen Sie zu, daß Sie das Gleichgewicht behalten! *(se prémunir)* sich *(gegen e-e S)* versichern, sichern, schützen; *(beim Bergsteigen)* sich durch ein Seil sichern; *s'~ un droit de préemption* sich ein Vorkaufsrecht sichern; *s'~ de la personne de qn* jdn verhaften, fest=nehmen; *assurez-vous des principales villes!* bemächtigen Sie sich der wichtigsten Städte! *assurez-vous que la porte est fermée* sehen Sie nach, ob die Tür auch geschlossen ist; *d'un coup d'œil elle s'était ~ée que* mit einem Blick hatte sie sich überzeugt, daß; *vx s'~ sur, dans qc* sich auf e-e S verlassen; **~eur** *m* Versicherer *m.*

aster [astɛr] *m* Aster, Sternblume *f.*

astér|isme [asterism] *m astr* Sternbild *n; phys* Asterismus *m;* **~isque** *m typ* Sternchen *n;* **~oïde** *m* Planetoid, Asteroid *m.*

asthén|ie [asteni] *f* Kraftlosigkeit, Schwäche, Asthenie *f;* **~ique** kraftlos; asthenisch.

asthm|atique [asmatik] *a* asthmatisch, kurzatmig; *s m f* Asthmatiker(in *f*) *m;* **~e** [asm] *m* Asthma *n.*

asticot [astiko] *m* (Fleisch-)Made *f;* Wurm *(in Lebensmitteln);* Köder *m;* **~er** [-kɔte] *fam* ärgern; schikanieren.

astigmat|e [astigmat] *opt* astigmatisch; **~isme** *m* Astigmatismus *m.*

astiqu|age [astikaʒ] *m* Putzen, Wichsen, *arg mil* Wienern *n;* **~er** putzen, wichsen; polieren; *s'~ (fam)* sich auf Hochglanz bringen; *pop* sich schlagen.

astragale [astragal] *m anat* Sprungbein *n*, Talus; *(Säule)* Rundstab, Halsring *m*.
astrakan, astracan [astrakɑ̃] *m* Persianer *m (Pelz)*.
astr|al, e [astral] Stern-; *influence f ~e* Einfluß *m* der Sterne; **~e** *m* Gestirn *n*, Stern *m a. fig; contempler les ~s* die Gestirne beobachten; *fig* in sich versunken sein; *beau comme un ~* bezaubernd schön.
astreignant, e [astrɛɲɑ̃, -ɑ̃t] mühselig, anstrengend.
astreindre [astrɛ̃dr] *irr* zwingen, an=halten, nötigen (*qn à qc* jdn zu etw); verpflichten; *(e-r Vorschrift)* unterwerfen; *s'~* sich zwingen; sich unterziehen (*à qc* e-r S).
astrict|if, ive [astriktif, -iv] *med* zs.ziehend, adstringent; **~ion** [-ksjɔ̃] *f* Adstriktion, Zs.ziehung *f*.
astringent, e [astrɛ̃ʒɑ̃, -t] *a* adstringierend, zs.ziehend; *s m* zs.ziehende(s) Mittel *n*.
astro|logie [astrɔlɔʒi] *f* Astrologie *f*; **~logique** astrologisch; **~logue** *m* Astrologe *m*; **~naute** *m f* Astronaut(in *f*) *m*, Raumfahrer(in *f*) *m*; **~nautique** *f* (Welt-) Raumfahrt *f*; **~nef** [-nɛf] *m* Raumschiff *n*; **~nome** *m* Astronom [-nɔm] *m*; **~nomie** *f* Astronomie, Sternkunde *f*; **~nomique** astronomisch; **~physique** *f* Astrophysik *f*.
astuc|e [astys] *f* Schlauheit, Verschlagenheit; List *f*; Witz, Kniff, Trick *m*; *plein d'~* schlau, listig; **~ieux, se** schlau, verschlagen, listig, abgefeimt; erfindungsreich, raffiniert.
asymétr|ie [asimetri] *f* Asymmetrie *f*; **~ique** asymmetrisch.
asymptote [asɛ̃ptɔt] *f* Asymptote *f*.
asynchrone [asɛ̃krɔ(o)n] asynchron.
ataraxie [ataraksi] *f* (seelische) Ausgeglichenheit, Seelenruhe *f*.
atav|ique [atavik] atavistisch; **~isme** *m biol* Rückschlag *m*, Wiedererscheinen *n* von Merkmalen der Vorfahren, Atavismus *m*.
ataxie [ataksi] *f med* Ataxie, Störung *f* des Zs.arbeitens von Muskelgruppen; *~ locomotrice (progressive)* Rückenmarksschwindsucht *f*.
atchoum! [atʃum] *interj* hatschi!
atelier [atəlje] *m* Werkstatt; Arbeitsstätte *f*; Atelier *n*; Lehrlinge, Schüler *m pl (e-s Meisters)*; Arbeiter *m pl*; Arbeitsgruppe; (Freimaurer-)Loge *f*; *pl* Werk *n*, Fabrik, Betriebsanlage *f*; *chef m d'~* Werkmeister *m*; *~ d'ajustage* Zurichtung; Schlosserei *f*; *~ d'apprentissage* Lehrwerkstatt *f*; *~ de chaudronnerie* Kesselschmiede *f*; *~ de chemin de fer* Eisenbahnausbesserungswerk *n*; *~ de composition* Setzerei *f*; *~ de constructions mécaniques* Maschinenfabrik *f*; *~-école m* Lehrwerkstätte *f*; *~ d'emboutissage* Preßwerk *n*; *~ d'entretien* Instandhaltungs-, Wartungswerkstatt *f*; *~ de lithographie* lithographische Anstalt *f*; *~ de modelage* Modelltischlerei *f*; *~ de montage* Montagehalle; *~ de moulage* Formerei *f*; *~ de préparation mécanique* Aufbereitung(swerkstatt) *f*; *~ de réparations* Reparaturwerkstätte *f*; *~ de serrurier* Schlosserei *f*; *~ de tournage* Dreherei *f*; *~ de transmission (mil)* Nachrichtentrupp *m*; *~ typographique* Offizin, Buchdruckerei *f*.
atermo|iement [atɛrmwamɑ̃] *m* (Zahlungs-)Aufschub *m*; Fristverlängerung *f*; *pl* Ausflüchte *f pl*; **~yer** [-mwaje] *itr* die Dinge hin=ziehen, Zeit zu gewinnen suchen; *com* e-e Frist gewähren.
athé|e [ate] *s* Atheist, Freidenker *m*; *a* atheistisch, gottlos; freidenkerisch; **~isme** *m* Gottlosigkeit *f*, Atheismus *m*; Leugnung *f* des Daseins Gottes.
athén|ée [atene] *m* Lesehalle *f*; Vortragsinstitut *n*; *(Belgien)* höhere Schule *f*; **~ien, ne** *a* athenisch; *A~, ne s m f* Athener(in *f*) *m*; **Athènes** [-ɛn] *f* Athen *n*.
atherm|ane, ~ique [atɛrman, -mik] wärmeundurchlässig.
athl|ète [atlɛt] *m* Athlet, Wettkämpfer; Kraftmensch; *fig* Vorkämpfer *m*; **~étique** athletisch; kräftig; **~étisme** *m* (Leicht-)Athletik *f*.
atlante [atlɑ̃t] *m arch* Gebälkträger *m*.
atlan|tique [atlɑ̃tik] *a* atlantisch; *s m*: **l'A~** der Atlantische Ozean, Atlantik; **~tisme** *m pol* Unterstützung *f* der NATO; **~tiste** *a pol* pro NATO; *s m f* NATO-Anhänger(in *f*) *m*.
atlas [atlas] *m anat geog* Atlas *m*.
atmosph|ère [atmɔsfɛr] *f* Atmosphäre; Lufthülle; *fig* Umgebung; Stimmung *f*; **~érique** [-ferik] *a* atmosphärisch; *conditions f pl ~s* Witterungsverhältnisse *n pl*; *couche f ~* Luftschicht *f*; *perturbations f pl ~s* (Luft-)Störungen *f pl*; *pression f ~* Luftdruck *m*.
atom|e [atom] *m* Atom *n*; *fig* Kleinigkeit *f*, Körnchen *n*; *un ~ de ...* ein bißchen ... ; **~icité** [-tɔ-] *f chem* Wertigkeit *f*; **~ique** Atom-; atomisch; atomar; *bombe f ~* Atombombe *f*; *contrôle m ~* Atomkontrolle *f*; *désintégration f ~* Atomzertrümmerung *f*; *énergie f ~* Atomenergie *f*;

masse f ~ Atomgewicht *n; nombre m ~ (chem)* Ordnungszahl *f; noyau m ~* Atomkern *m; physique f ~* Atomphysik *f; pile f ~* Atomreaktor *m; poids m ~* Atomgewicht *n; transmutation f ~* Atomumwandlung *f;* **~isation** *f* Zerstäubung; *fig* Atomisierung, Auflösung *f* in kleinste Teile; *dispositif m d'~ préalable* Vorvergaser *m;* **~iser** atomisieren; in kleinste Teile auf=lösen; zerstäuben; **~iseur** *m* Zerstäuber *m;* Spray *m* od *n.*

aton|e [atɔn] schlaff, abgespannt; *(Augen)* ausdruckslos; *(Mensch)* kraftlos; *(Silbe)* unbetont; **~ie** *f med* Schwäche; Erschlaffung *f;* **~ique** schlaff.

atours [atur] *m pl* Putz, Schmuck *m.*

atout [atu] *m* Trumpf; *fam* (entscheidender) Schlag *m; tenir, avoir tous les ~s en main (fig)* alle Trümpfe in der Hand haben; *jouer ~* Trumpf aus=spielen.

atrabilaire [atrabilɛr] griesgrämig; reizbar.

âtre [ɑtr] *m* Herd *m;* Feuerstelle *f,* Kamin *m.*

atroc|e [atrɔs] furchtbar, entsetzlich, schrecklich, abscheulich; grausam; qualvoll; **~ité** *f* Entsetzlichkeit; Grausamkeit *f;* Frevel *m; pl* Greuel *m pl,* Grausamkeiten *f pl; fam* schauderhafte Dinge *n pl.*

atrophi|e [atrɔfi] *f med* Atrophie, ungenügende Ernährung *f;* Schwund *m; fig* Verkümmerung *f;* **~er** [-fje] (ab=) schwächen; *(Sinne)* ab=stumpfen; verkümmern lassen; *s'~* schwinden, verkümmern.

attabler, s' [atable]: sich an den Tisch setzen.

attach|ant, e [ataʃɑ̃, -ɑ̃t] *(Buch)* fesselnd; *(Person)* anziehend; *(Gespräch)* spannend; **~e** *f* Befestigung; Leine; Kette; Schnur *f;* Band *n; tech* Aufhängung *f,* Anschlußpunkt *m;* Lasche *f;* Haken *m;* Klammer; Brosche, Agraffe; Büro-, Heftklammer *f; (Armband)* Schloß *n; anat* Insertion; Gelenkfügung *f; pl fig* Beziehungen; (Ver-)Bindungen *f pl; être comme un chien à l'~* sehr angebunden sein; *mettre à l'~* an die Kette legen; *port m d'~* Heimathafen *m;* **~é** *m pol* Attaché *m;* **~ement** *m* Zuneigung; Anhänglichkeit *f;* Festhalten *n;* Eifer *m; pl arch* Baukosten(vor)anschlag *m.*

attacher [ataʃe] **1.** *itr fam (Gericht)* an=brennen, -backen, -hängen (*à la casserole* am Topf); **2.** *tr (fixer, lier)* befestigen, fest=binden (*à qc* an e-e S); fest=stecken; an=nageln; an=nähen; *(avec de la colle)* an=kleben; *~ qn au poteau de torture* jdn an den Marterpfahl binden; ver-, an=knüpfen; *(Hund, Tier)* an=ketten, an=schnallen, an die Kette legen; **3.** *tr (constituer un lien)* verbinden; *mille souvenirs l'~ent à la maison de ses parents* er fühlt sich durch tausend Erinnerungen an sein Elternhaus gebunden; **4.** *(fixer l'attention)* fesseln; *une lecture attachante* eine fesselnde Lektüre; *sa beauté ~e tous les regards* durch ihre Schönheit zieht sie alle Blicke auf sich (*acc*); *~ son regard den Blick heften* (*sur* auf *acc*); *(Wünsche)* richten (*sur* auf *acc*); **5.** *(attribuer, conférer)* bei=messen, zu=schreiben; *je n'y ~e aucune importance* ich messe der S keine Bedeutung bei; **6.** (*faire dépendre)* ab=hängen lassen (*à* von); **7.** *s'~* (an=)haften; *cette odeur s'~e à tous les vêtements* dieser Geruch haftet an allen Kleidern; *il s'~e trop aux détails* er bleibt zu sehr im einzelnen stecken; sich fest=klammern; verbunden sein (*à* mit); *(Meinung)* beharren (*à* auf *dat*); *(Ziel)* verfolgen (*à* acc); *s'~ à qn* jdn lieb=gewinnen, sich an jdn an=schließen; *s'~ aux pas de qn* sich an jds Fersen *(acc)* heften; *s'~ à faire qc* sich bemühen, etw zu tun.

attaqu|able [atakabl] angreifbar; *(Meinung)* anfechtbar; **~ant** *m* Angreifer *m;* **~e** *f* Angriff; *med* Anfall; *mus* Einsatz *m; chem* Ätzen; Zerfressen *n; tech* Antrieb *m;* Speisung *f; min* Anhieb *m; déclencher, enrayer, renvoyer, repousser une ~* e-n Angriff ein=leiten, ab=wehren, ab=blasen, ab=schlagen; *être d'~ (fam)* in Form sein; *mettre en place pour l'~* zum Angriff bereit=stellen; *passer à l'~* zum Angriff vor=gehen; *fausse ~* Finte *f; ordre, plan m d'~* Angriffsbefehl, -plan *m; ~ aérienne* Luftangriff *m; ~ à basse altitude* Tieffliegerangriff *m; ~ d'apoplexie* Schlaganfall *m; ~ à la bombe* Bombenangriff *m; ~ d'enveloppement* Umfassungsangriff *m; ~ de front* Frontalangriff *m; ~ imprévue* Überfall *m; ~ ininterrompue* rollende(r) Angriff *m; ~ de nerfs* Nervenschock *m; ~ à main armée* (bewaffneter) Raubüberfall *m; ~ de nuit* Nachtangriff *m; ~ en piqué* Stuka-Angriff *m; ~ surprise* Überraschungsangriff *m;* **~er** angreifen; an=fallen; *(Krankheit)* bekämpfen, *(Arbeit)* in Angriff nehmen; *(Urteil)* an=fechten; *(en justice)* (gerichtlich) belangen; *mus (Ton)* wieder=geben; *(Musikstück)* zu spielen beginnen; *fig* an=sprechen (*qn sur qc* jdn auf e-e S); *(Thema)* an=schneiden; *med* befallen; *tech* an=treiben; *chem* an=fressen, ätzen; *min* an=hauen; *s'~* sich messen (*à qn* mit jdm), sich heran=wagen (*à qc* an e-e S.); den Kampf auf=nehmen (*à qc* mit etw); *~ par surprise* überfallen; *~ vigoureusement* drauflos=gehen.

attarder [atarde] auf=halten, verzögern; *s'~* sich verspäten, sich auf=halten (*à* mit, bei); *fig* zurück=bleiben.

attein|dre [atɛ̃dr] *irr tr (Ziel)* erreichen; ein=holen; *(mit e-m Gegenstand)* treffen; *(Krankheit)* befallen, heim=suchen; *(dem Ruf)* schaden; erschüttern; *(Ruhe)* stören; *fig* verletzen; *(Preis)* erzielen; *(Summe)* aus=machen; *itr* gelangen (*à, jusqu'à* zu, bis (zu); mit Mühe erreichen; *~ qn au vif* jdn tief verletzen; *~ à son but* sein Ziel erreichen; **~t, e** [atɛ̃, -ɛ̃t] *(von e-r Krankheit)* befallen, betroffen; **~te** *f* Angriff; Schaden; Stoß, Schlag *m;* Einbuße, Beeinträchtigung; Verletzung; Gefährdung; Reichweite *f; mil* Treffer; *med* Anfall *m,* Befallenwerden *n* (*de* von); *(Klima)* Unbilden *pl; hors d'~* unerreichbar; außer Reich-, Schußweite; *porter ~ à qc* etw beeinträchtigen; *(Ehre)* an=tasten; *(dem Ansehen)* schaden.

attel|age [atlaʒ] *m* Anspannen; *(Pferde)* Gespann; *(Ochsen)* Joch *n;* Viererzugfahren, Vierspännigfahren *n;* Bespannung; (Anhänger-)Kupplung *f; tech* Verbindungsstück *n; fig* Gespann *n; ~ à un cheval* Einspänner *m;* **~er** [atle] ein=, an=spannen (*à* an *acc*); *(Wagen)* bespannen; *(Anhänger)* (an=)kuppeln, an=hängen; *s'~* sich hinein=knien (*à* in *acc*), sich machen (*à* an *acc*); *~ qn à un travail* jdn für e-e Arbeit ein=spannen; **~le** [-ɛl] *f med* Schiene *f; tech* Griff *m; pl* Kum(me)t *n (Pferdegeschirr).*

attenant, e [at(ə)nɑ̃, -ɑ̃t] angrenzend; *(Zimmer)* anstoßend; *~ à* dicht bei; *être ~* an=grenzen (*à* an *acc*).

attendant [atɑ̃dɑ̃] : *en ~ (adv)* inzwischen, einstweilen; *en ~ que (conj)* bis.

atten|dre [atɑ̃dr] warten (*qn* auf jdn); erwarten (*qc de qn* etw von jdm, *qn* jdn); *(Ende)* ab=warten; *(Ereignis)* erwarten; *com* entgegen=sehen (*qc* dat); *fam* ungeduldig warten (*après qn* auf jdn); *s'~ à qc* mit etw rechnen; etw erwarten *od* erhoffen; auf e-e S gefaßt sein; *aller ~ qn à la gare* jdn vom Bahnhof ab=holen; *(se) faire ~* (auf sich) warten lassen; *~ beaucoup de qn* viel von jdm erwarten, sich viel von jdm versprechen; *~ez (donc)!* e-n Augenblick! hören Sie mal! *~ez (à) demain* warten Sie bis morgen! *~ez-vous-y!* verlassen Sie sich darauf! *on peut s'~ à tout* man kann sich auf alles gefaßt machen; *le résultat ne se fit pas ~* die Folgen blieben nicht aus; **~du** *prp* mit Rücksicht auf *acc;* in Anbetracht *gen; s m pl jur* Gründe *m pl (für ein Urteil); conj: ~ que* da, weil.

attendr|ir [atɑ̃drir] *(Fleisch, Gemüse)* weich, mürbe machen; *fig* erweichen; rühren; *s'~* weich *od* mürbe werden; *fig* gerührt werden (*sur qc* von etw); Mitleid haben (*sur* mit); **~issant, e** rührend; **~issement** *m* Rührung *f,* Mitleid *n.*

attent|at [atɑ̃ta] *m* Attentat *n,* Anschlag; Angriff *m; (Freiheit)* Beeinträchtigung, Verletzung *f; ~ aux mœurs* Sittlichkeitsverbrechen *n; ~ contre la propriété* Sachbeschädigung *f; ~ à la pudeur* unzüchtige Handlung *f; ~ à la vie* Mordversuch *m;* **~atoire** *jur* verletzend; eingreifend (*à* in *acc*); **~er** e-n Anschlag machen (*à qn* auf jdn); sich vergreifen (*à qn* an jdm); beeinträchtigen, an=tasten (*à qc* e-e S); *~ à ses jours* sich das Leben nehmen wollen, e-n Selbstmordversuch verüben; *~ à la vie de qn* jdm nach dem Leben trachten.

attent|e [atɑ̃t] *f* Erwartung, Hoffnung; Wartezeit; *mil* Bereitschaft *f; être dans l'~ de* warten, gespannt sein auf *acc; garder, observer une attitude d'~* e-e abwartende Haltung ein=nehmen; *salle f, salon m d'~* Wartesaal *m,* -zimmer *n; situation f d'~* vorläufige Stellung *f; zone f d'~ (mil)* Bereitstellungsraum *m;* **~if, ive** aufmerksam; bedacht; rücksichtsvoll (*à* auf *acc*); **~ion** [atɑ̃sjɔ̃] *f* Aufmerksamkeit; Zuvorkommenheit; Höflichkeit; Rücksicht; Sorgfalt *f; interj* Achtung! Vorsicht! *avoir des ~s pour qn* gegenüber jdm sehr zuvorkommend sein; *attirer l'~ sur qc* auf e-e S aufmerksam machen; *faire ~* acht=geben (*à* auf *acc*); *occuper l'~ de qn* jds Aufmerksamkeit in Anspruch nehmen; *cela mérite ~* das verdient Beachtung; **~ionné, e** [-sjɔ-] zuvorkommend; rücksichtsvoll; **~isme** *m pol* abwartende Haltung *f;* **~iste** *m* jem, der e-e abwartende Haltung einnimmt.

atténu|ant, e [latenɥɑ̃, -ɑ̃t] *jur* mildernd; *chem* verdünnend; abschwächend; **~ation** *f jur* Milderung; Verminderung; *chem* Verdünnung; *phot* Abschwächung *f;* **~er** *chem* verdünnen; vermindern; dämpfen; *fig* ab=schwächen; *jur* mildern.

atterr|age [atɛraʒ] *m mar* Landeplatz *m;* **~ant, e** niederschmetternd; **~er** nieder=schmettern, überwältigen; **~ir** *mar aero* landen (in, auf *dat*); ~ *avec vent arrière, debout* mit Rückenwind, Gegenwind landen; **~issage** *m* Landen *n,* Landung *f; feu m d'~* Landelicht, -feuer *n; train m d'~ escamotable (aero)* einziehbare(s) Fahrgestell *n;* ~ *en aveugle* Blindlandung *f;* ~ *brutal* Bumslandung *f;* ~ *forcé* Notlandung *f;* ~ *de précision* Ziellandung *f;* ~ *train rentré* od *sur le ventre* Bauchlandung *f;* ~ *par mauvaise visibilité* Schlechtwetterlandung *f;* **~issement** *m geol* Anschwemmung *f;* **~isseur** *m aero* Fahrwerk, -gestell *n;* ~ *à béquille* Landesporn *m;* ~ *escamotable, relevable* einziehbare(s) Fahrgestell *n.*

attest|ation [atɛstasjõ] *f* Bescheinigung *f;* Zeugnis *n;* ~ *authentique* öffentliche Beurkundung *f;* ~ *sous serment* eidesstattliche Versicherung *f;* **~er** bescheinigen, bestätigen, bezeugen; beurkunden; als Zeugen an=rufen (*de qc* e-r S); ~ *sous (la foi du) serment* unter Eid aus=sagen.

attiéd|ir [atjedir] temperieren, lauwarm machen; *fig* ab=kühlen; erkalten lassen; vermindern; *s'~* lau werden; ab=nehmen; **~issement** *m* Abkühlung; (leichte) Erwärmung *f;* Erkalten *n.*

attifer [atife] *fam* heraus=putzen (*de* mit); mit Schmuck behängen.

attiger [atiʒe] *fam* übertreiben.

attique [atik) a attisch; *s m arch* Attika *f.*

attir|ail [atiraj] *m* Ausrüstung *f;* Gerät, Zubehör; *fig* Gepränge *n; fam* (unnötiger) Kram *m,* Drum u. Dran *n;* **~ance** *f fig* Anziehungskraft *f;* Reiz *m;* Verlockung *f;* **~ant, e** reizend, verlockend; **~er** an=ziehen; (an=)lokken; nach sich ziehen; *s'~* sich (gegenseitig) an=ziehen; *fig* sich zu=ziehen, auf sich lenken; *(Achtung)* gewinnen; ~ *l'attention* Aufsehen erregen; ~ *qn par des caresses* sich bei jdm ein=schmeicheln; ~ *tous les cœurs* alle Herzen gewinnen; ~ *qn par des promesses* jdn durch Versprechungen ködern; *un malheur en ~e un autre* ein Unglück kommt selten allein.

attis|ement [atizmõ] *m* Schüren, Anfachen *n;* **~er** [atize] schüren, an=fachen; *fig* auf=stacheln, reizen; **~oir** *m* Schürhaken *m.*

attitré, e [atitre] bestallt; beauftragt; regelmäßig; *client, hôte m* ~ Stammkunde, -gast *m.*

attitude [atityd] *f* Haltung; Stellung(nahme), Einstellung *f;* Verhalten, *péj* Getue *n.*

attouchement [atuʃmõ] *m* Berührung *f.*

attract|if, ive [atraktif, -iv] anziehend; *force f ~ive* Anziehungskraft *f;* **~ion** [-ksjõ] *f* Anziehung(skraft), Zugkraft; Sehenswürdigkeit *f; pl theat* Zugnummern, Attraktionen, Varietédarbietungen *f pl;* ~ *terrestre* Erdanziehung *f.*

attrait [atrɛ] *m* Anziehung *f;* Reiz, Zauber *m,* Lockung *f; (Angeln)* Köder *m.*

attrap|ade [atrapad] *f,* **~age** *m fam* Tadel, Rüffel *m;* Zank, Streit *m;* **~e** *f* Falle *f;* Scherzartikel *m;* Fopperei *f;* Schwindel; falsche(r) Schein *m; mar* Tau *n; faire une* ~ *à qn* jdn herein=legen; *~-mouches m inv* Fliegenfänger *m; bot* insektenfressende Pflanze *f; ~-nigaud m* Bauernfängerei *f;* **~er** fangen; erwischen; erreichen; ein=holen; *(Gespräch)* auf=fangen, auf=schnappen; *(Ziel)* treffen; *(Schlag)* ab=bekommen; *(Krankheit)* sich zu=ziehen; *fig* erfassen; nach=machen; aus=schelten; *pop* an=ranzen; *fig* herein=legen, täuschen; verführen; *s'~* herein=fallen, hängen=bleiben (*à* an *dat*); *med* sich übertragen, ansteckend sein; sich streiten (*avec* mit); sich packen; sich stoßen; *s'~ aux cheveux* sich in die Haare geraten.

attrayant, e [atrɛjɑ̃, -ɑ̃t] anziehend; reizend; (ver)lockend.

attri|buable [atribɥabl] zuzuschreiben(d); **~buer** zu=sprechen, zu=erkennen; zu=schreiben (*à qn* jdm); *(Bedeutung)* bei=messen, bei=legen; *(Rolle)* zu=weisen; *(Betrag)* zu=teilen; *(Schuld)* zu=schieben; *(Arbeiten)* vergeben; *s'~* sich zu=schreiben, für sich in Anspruch nehmen; sich an=maßen; **~but** [-by] *m* Eigenschaft *f;* Attribut; Kennzeichen, Merkmal; *gram* Prädikatsnomen *n;* **~butif, ive** zuerkennend, zuerteilend; *gram* attributiv; *clause f ~tive de juridiction* Gerichtsstandsklausel *f;* **~bution** *f* Zuweisung; Zuerkennung, Zuteilung; Zuwendung; *(Arbeiten)* Vergebung; *(Preis)* Verleihung; *jur* (Amts-)Befugnis *f;* Vorrecht *n; pl* Amtsgewalt *f,* Kompetenzen *f pl;* Geschäftskreis *m,* Wirkungsfeld *n; pour* ~ zuständigkeitshalber; *cela sort de mes ~s* dafür bin ich nicht zuständig.

attrist|ant, e [atristɑ̃, -ɑ̃t] traurig, betrüblich; *(Wetter)* düster, niederdrük-

kend; ~**er** betrüben, traurig stimmen; *s'~* traurig werden (*de, sur* wegen).
attroup|ement [atrupmɑ̃] *m* Auflauf *m;* ~**er, s'** zs.=laufen, sich zs.=rotten.
aubade [obad] *f* Morgenständchen *n; péj* Katzenmusik *f.*
aubaine [obɛn] *f fig* Glücksfall; unerwartete(r) Vorteil; gute(r) Fund *m.*
aube [ob] *f* (Morgen-)Dämmerung *f; fig* Anfang, Beginn *m; (Turbine)* Schaufel(-rad *n*) *f;* Flügel *m; rel* Albe *f.*
aubépine [obepin] *f* Weiß-, Hagedorn *m.*
aubère [obɛr] *(Pferd)* falb.
auberge [obɛrʒ] *f* Wirtshaus *n,* Gastwirtschaft *f; on n'est pas encore sortis de l'~ (fam)* es ist kein Ende abzusehen; *~ de (la) jeunesse* Jugendherberge *f.*
aubergine [obɛrʒin] *f* Eierfrucht, Aubergine *f.*
aubergiste [obɛrʒist] *m f* (Gast-)Wirt(in *f*) *m.*
aubier [obje] *m* Splint(holz *n*) *m.*
auburn [ɔbœrn] *inv* kastanien-, rotbraun.
aucun, e [okœ̃, -yn] *(verneinend)* keine(r), niemand, nicht ein einziger; kein(e, r), keinerlei; *(bejahend)* irgendein(e, r); *je n'ai ~ droit à cela* ich habe kein Recht darauf *(acc); sans ~e exception* ohne jede Ausnahme; *(d')~s prétendent* einige behaupten; *~e idée!* keine Ahnung!; ~**ement** [-ynmɑ̃] *adv* keineswegs, durchaus nicht; in irgendeiner Weise; im mindesten.
audac|e [odas] *f* Kühnheit; Keckheit; Unverschämtheit, Ungeniertheit, Anmaßung; Dreistigkeit *f;* ~**ieux, se** *a* kühn; draufgängerisch; keck; frech; *(Lüge)* unverschämt; *(Kleid)* gewagt; *s m* Frechdachs *m.*
au-deçà, au-dedans, au-dehors, au-delà, au-dessous, au-dessus, au-devant *s. deçà etc.*
aud|ibilité [odibilite] *f* Hörbarkeit; Vernehmbarkeit *f; zone f d'~* Hörbereich *m;* ~**ible** hör-, vernehmbar; *fréquence f ~* Tonfrequenz *f.*
audien|ce [odjɑ̃s] *f* Anhören, Gehör *n;* Audienz; Unterredung; *jur* Sitzung *f,* Gerichtstag, Termin; Zuhörerschaft *f; donner ~ à qn* jdm Gehör schenken; *tenir, ouvrir, fermer une ~* e-e Sitzung ab=halten, eröffnen, schließen; *trouver, avoir ~ auprès de qn* bei jdm Gehör, Anklang finden; *salle f d'~* Sitzungssaal *m; ~ de conciliation* Sühnetermin *m; ~ principale, au fond* Hauptverhandlung *f;* ~**cier:** *huissier m ~* Gerichtsdiener *m.*
audiomètre [odjɔmɛtr] *m* Audiometer *n.*
audion [odjõ] *m* Audionröhre *f.*
audio-visuel, le [odjɔvizɥɛl] *a* audiovisuell; *s m l'~* Audiovision *f; méthode ~le* audiovisuelle Hilfsmittel *n pl.*
audi|teur, trice [oditœr, -tris] *m f* Hörer(in *f*) *m; pl* Zuhörer(innen *f pl*) *m pl; ~ à la Cour des Comptes* Rechnungsrat *m;* ~**tif, ive** (Ge-)Hör-; *appareil m ~* Hörapparat *m; nerf m ~* Hörnerv *m;* ~**tion** *f* Hören *n;* Hörbarkeit *f;* Anhören *n; (Zeugen)* Vernehmung *f; radio* Empfang *m,* Übertragung; *theat* Aufführung; (Probe-)Vorstellung *f; erreur f d'~* Hörfehler *m; ordre m des ~s (radio)* Hörfolge *f; ~ des comptes* Rechnungsprüfung *f; ~ contradictoire* Kreuzverhör *n;* ~**toire** *m* Hörsaal; Gerichtssaal *m;* Zuhörer *m pl;* Zuhörerschaft; *rel* Gemeinde *f; fig* Leser *m pl;* ~**torat** [-a] *m* Amt *n* e-s Rechnungsrats; ~**torium** [-ɔrjɔm] *m radio* Sendesaal *m,* Studio *n.*
aug|e [oʒ] *f* Behälter *m; tech* Mulde *f; agr* Trog; *(Maurer)* Speisekasten; *(Wasserrad)* Becher *m;* Rinne *f;* (Mühl-)Kanal *m; geol* Trogtal *n; el* Zelle *f;* ~**ée** *f* Trogvoll *m;* ~**et** [-ʒɛ] *m* Näpfchen *n (für Vögel);* kleine(r) Trog *m; ~ de meule* Schleiftrog *m.*
augment|ation [o(ɔ)gmɑ̃tasjõ] *f* Vermehrung; Erhöhung; Steigerung; Erweiterung; Vergrößerung; Zunahme *f;* Zuwachs; Zuschlag *m;* Zulage; *(Wissen)* Bereicherung *f; ~ de la circulation, du trafic* Verkehrszunahme *f; ~ de(s) droits* Zollerhöhung *f; ~ de/du poids* Gewichtszunahme *f; ~ de la population* Bevölkerungszunahme *f; ~ de poussée (Rakete)* Schubsteigerung *f; ~ de la pression* Druckanstieg *m; ~ de(s) prix* Preissteigerung; Teuerung *f; ~ de la production* Produktionssteigerung *f; ~ de rendement* Leistungssteigerung, Mehrleistung *f; ~ de salaire* Lohnerhöhung *f; ~ du taux d'escompte* Diskonterhöhung *f; ~ de traitement* Gehaltserhöhung *f; ~ de la vente* Absatzsteigerung *f;* ~**er** *tr* vermehren, vergrößern; erhöhen; *(Werk)* erweitern; *(Preis)* herauf=setzen, auf=schlagen (*de* um); *(Gehalt)* auf=bessern; *(Qualität)* verbessern; *(Energie)* steigern; *(Kräfte)* vermehren; *~ qn* jds Gehalt *od* Lohn auf=bessern, jdm e-e Gehalts- *od* Lohnerhöhung gewähren; *itr* größer werden; zu=nehmen; *(Preis)* steigen; *(Waren)* teurer werden; *(Zahl)* wachsen, sich erhöhen.
augur|e [o(ɔ)gyr] *m hist* Augur *m;*

Vorzeichen *n; être de bon (mauvais)* ~ (Un-)Glück verkünden *od* bedeuten; *oiseau m de mauvais* ~ Unglücksrabe *m;* **~er** prophezeien, voraus=sagen.

auguste [o(ɔ)gyst] erhaben.

aujourd'hui [oʒurdɥi] heute, heutzutage; *(d')~ en huit* heute in acht Tagen; *à partir d'~* von heute an, ab; *jusqu'(à) ~* bis heute; *ce n'est pas d'~ que je le connais* ich kenne ihn nicht erst seit heute.

au(l)n|aie [onɛ] *f* Erlenwäldchen *n;* **~e** [on] *m* Erle *f.*

aumôn|e [o(ɔ)mon] *f* Almosen *n; demander l'~* betteln; *donner, faire l'~* ein Almosen geben; **~ier, ère** *a* mildtätig; *s m* Anstaltsgeistliche(r); *mil* Feldgeistliche(r) *m.*

aune [on] *f* Elle *f; m s. au(e)ne.*

auparavant [oparavɑ̃] vorher; zuvor.

auprès [oprɛ] *prp:* ~ *de* neben, (dicht) bei; im Vergleich zu; *adv* nahebei; *tout* ~ ganz in der Nähe.

aura [ora] *f med* Vorgefühl *n; fig* Aura, Umgebung, Atmosphäre *f.*

auré|ole [oreɔl] *f* Heiligen-, Glorienschein, Nimbus *a. fig; astr* Hof; *phot* Lichthof; *anat* Warzenhof *m;* **~oler** mit e-m Nimbus umgeben.

auri|culaire [ɔ(o)rikylɛr] *a: confession f* ~ Ohrenbeichte *f; témoin m* ~ Ohrenzeuge *m; s m* kleine(r) Finger *m;* **~cule** *f bot* Aurikel *f.*

auri|fère [ɔ(o)rifɛr] *a* goldhaltig; **~fier** mit Gold plombieren.

aurochs [o(ɔ)rɔk(s)] *m* Auerochse *m.*

aurore [ɔrɔr] *f* Morgenröte *f;* Tagesanbruch *m; fig* Jugend *f;* Beginn *m;* Vorzeichen *n; poet* Osten *m; a inv* goldgelb; ~ *boréale, australe* Polarlicht; Nord-, Südlicht *n.*

auscult|ation [o(ɔ)skyltasjɔ̃] *f med* Behorchen *n;* ~ *ultrasonore (tech)* Ultraschallprüfung *f;* **~er** auskultieren, ab=horchen; *fam* untersuchen.

auspice [o(ɔ)spis] *m* Vorbedeutung *f;* Vorzeichen *n; sous les ~s de qn* unter jds Schirmherrschaft; *sous des ~s favorables* unter günstigen Umständen.

aussi [osi] *adv* auch; gleichfalls; überdies; so; *conj* daher auch, deswegen, deshalb, darum; ~ ... *que* (eben)so ... wie; ~ *bien* genausogut; übrigens; ohnehin; *mais* ~ überdies; **~tôt** *adv* sofort, sogleich; alsbald; *~tôt (que) conj* sobald (als).

aussière [osjɛr] *f mar* Trosse *f.*

aust|ère [o(ɔ)stɛr] streng, hart; *(Raum)* nüchtern; *(Gebäude)* schmucklos; **~érité** *f* Härte, Strenge *f;* Ernst *m;* Schmucklosigkeit; *pl* Buße *f;* Bußübungen *f pl.*

austral, e [o(ɔ)stral] südlich; Süd-; *hémisphère m* ~ Südhalbkugel *f; pôle m* ~ Südpol *m.*

Australi|e, l' [o(ɔ)strali] *f* Australien *n;* **a~en, ne** [-ljɛ̃, -ɛn] australisch; *A~, ne s m f* Australier(in *f*) *m.*

autan [otɑ̃] *m* Süd(ost)wind *m.*

autant [otɑ̃] *adv* ebenso(viel); ebensosehr; das gleiche, dasselbe; ~ *que* ebenso ... wie; *(pour)* ~ *que (conj, meist mit ind)* soviel; soweit; insofern; *pour* ~ *que je sache* soviel ich weiß; *pour* ~ dafür, deswegen; *d'~* ebensoviel; *d'~ (plus) que* um so mehr als; zumal, da; *d'~ moins* um so weniger; *d'~ mieux* um so besser; *d'~ plus* um so mehr; *d'~ plus grand* um so größer; ~ *faire cela* man kann genausogut das machen; ~ *dire* man kann also sagen; das heißt *od* bedeutet; ~ *(vaut)* nahezu, so gut wie; ~ *que possible* soviel als, soweit wie möglich; möglichst; ~ ... ~ so(viel) ... so(viel); ~ *de têtes,* ~ *d'avis* soviel Köpfe, soviel Sinne; ~ *de fois* ebensooft; *tout* ~ gleichviel.

autarc|ie [otarsi] *f* Autarkie, Selbstversorgung *f;* **~ique** autark(isch).

autel [o(ɔ)tɛl] *m* Altar *m; tech* Feuerbrücke *f; maître-~ m* Hochaltar *m.*

auteur [otœr] *m* Verfasser, Autor; Urheber, Schöpfer; Erfinder; *jur* Täter; Anstifter; Gewährsmann *m; droit m d'~* Urheberrecht *n; femme f* ~ Verfasserin *f.*

authent|icité [o(ɔ)tɑ̃tisite] *f* Glaubwürdigkeit, Echtheit; Zuverlässigkeit *f;* **~ifier, ~iquer** *(vx)* beglaubigen, (öffentlich) beurkunden; **~ique** authentisch, glaubwürdig, echt; rechtsgültig; beglaubigt; natürlich, wahr; *acte m* ~ notarielle Urkunde *f; texte m* ~ amtliche(r) Wortlaut *m.*

auto [oto] **1.** *f* Auto *n,* (Kraft-)Wagen *m;* **2.** *in Zssgen:* selbst-, Selbst-; *aller en* ~ mit dem Auto fahren (*à* nach), *accident m d'~* Autounfall *m;* ~ *à pédales* Tretauto *n;* **~-allumage** [-tɔ-] *m* Selbstentzündung *f;* ~ *par point chaud* Glühzündung *f;* **~biographie** *f* Autobiographie *f;* **~biographique** autobiographisch; **~bus** [otobys] *m* Autobus *m;* **~car** *m* Überlandautobus *m;* ~ *d'excursion* Reiseomnibus *m; m;* ~ *sur rails* Schienenbus *m;* **~censure** *f* Selbstzensur *f;* **~chenille** *f* Raupenfahrzeug *n;* **~chtone** [ɔ(o)tɔktɔn] *a* eingeboren, autochthon; *s m f* Eingeborene(r *m*) *f;* **~clave** *a: marmite f* ~ Schnellkochtopf; *s m* Autoklav *m,* Sterilisierapparat *m;* **~collant** *a* selbstklebend; *s m* Aufkleber *m;*

~**crate** *m* Autokrat *m;* ~**cratie** [-si] *f* Autokratie *f;* ~**cratique** autokratisch; ~**critique** *f* Selbstkritik *f;* ~**dafé** *m* Autodafé *n;* ~**défense** *f* Selbstverteidigung *f;* ~**destructeur, trice** *a* selbstzerstörend; ~**destruction** *f* Selbstzerstörung *f;* ~**détermination** *f pol* Selbstbestimmung *f;* ~**didacte** *m* Autodidakt *m;* Selbstlerner *m;* ~**drome** [-drom] *m* Autorennbahn *f;* ~**dyne** [-din] *m el* Schwingaudion *n.*

auto-école [otɔekɔl] *f* Fahrschule *f; moniteur d'*~ Fahrschullehrer *m.*

auto|enregistreur [otɔɑ̃rəʒistrœr] *a* selbstschreibend; ~**-épurateur, trice** *a* selbstreinigend; *pouvoir* ~ Selbstreinigungskraft *f;* ~**-épuration** *f ecol* Selbstreinigung *f;* ~**excitation** *f el* Selbsterregung *f;* ~**fécondation** *f* Selbstbefruchtung *f;* ~**financement** *m* Selbstfinanzierung *f;* ~**gène** *a: (Training)* autogen; *soudage m* ~ Autogenschweißung *f;* ~**gestion** *f* Selbstverwaltung *f* durch die Arbeiterschaft; ~**gestionnaire** *a* (von der Arbeiterschaft) selbstverwaltet; ~**gire** *m* Tragschrauber *m,* Windmühlenflugzeug *n;* ~**graphe** *a* eigenhändig geschrieben; in der Urschrift; *s m* Original *n,* Urschrift; Originalhandschrift *f;* Autogramm *n;* ~**graphier** hektographieren; ~**graphique** autographisch; ~**-induction** *f* Selbstinduktion *f;* ~**-inflammation** *f* Selbstentzündung *f;* ~**mate** *m* Automat; (Spielzeug-)Roboter *m,* (mechanisch bewegte) Puppe *f;* ~**maticité** *f* selbsttätige(s) Arbeiten *n;* ~**mation** *f* Automation *f;* ~**matisation** *f* Automatisierung *f;* ~**matique** *a* automatisch, selbsttätig; mechanisch; unwillkürlich; *s m (tele)* Selbstwähler *m; entièrement* ~ vollautomatisch; *salle f* ~ *(tele)* Wählerraum *m; téléphonie f* ~ Selbstwählfernsprechwesen *n;* ~**matisme** *m* Automatismus; *tech* selbsttätige(s) Arbeiten *n;* Selbsttätigkeit *f;* ~**mitrailleuse** *f* Straßenpanzerwagen; Spähwagen *m.*

automn|al, e [o(ɔ)tɔ(m)nal] herbstlich; ~**e** [otɔn] *m* Herbst *m; en, à l'*~ im Herbst.

automobil|e [o(ɔ)tɔmɔbil] *a* selbstfahrend; Automobil-; Auto-; *s f* Auto(mobil) *n,* Kraftwagen *m; accident m d'*~ *Autounfall m; circulation f* ~ Kraftfahrzeugverkehr *m; club m* ~ Automobilklub *m; course f d'*~*s* Autorennen *n; industrie f* ~ Automobilindustrie *f; salon m de l'*~ Automobilausstellung *f;* ~**isme** *m* Automobilsport *m;* ~**iste** *m* Autofahrer *m.*

auto|moteur, trice [o(ɔ)tɔmɔtœr, -tris] *a* selbstfahrend; Selbstfahr-; *s m* Motorschiff *n; f* Triebwagen *m; affût m* ~ Selbstfahrlafette *f; frein m* ~ selbsttätige Bremse *f;* ~**nettoyant, e** *(Ofen)* selbstreinigend; ~**nome** [-nɔm] autonom; selbständig, unabhängig; *les* ~*s* die Alternativen *pl;* ~**nomie** *f* Autonomie; Selbständigkeit; Unabhängigkeit; Eigengesetzlichkeit *f;* ~ *tarifaire* Tarifautonomie *f;* ~ *de vol (aero)* Flugweite; Flugdauer *f;* ~ *de la volonté* Willensfreiheit *f;* ~**nomiste** *m* Autonomist *m;* ~**-portrait** *m* Selbstbildnis *n;* ~**propulsé, e** mit Eigenantrieb; ~**propulsion** *f* Selbstantrieb *m.*

autopsie [ɔ(o)tɔpsi] *f* Autopsie, Leichenöffnung; Sektion *f.*

autoradio [ɔ(o)tɔradjo] *m* Autoradio *n.*

auto|rail [ɔ(o)tɔraj] *m* Triebwagen *m;* ~**rama** *m* Freilichtkino *n* für Autofahrer; ~**route** Autobahn *f* ~**routier, ère** *a* Autobahn-.

auto|satisfaction [ɔ(o)tɔsatisfaksjɔ̃] *f* Selbstgefälligkeit *f;* ~**stabilité** *f* Eigenstabilität *f.*

auto|-stop [ɔ(o)tɔstɔp] *m:* Trampen *n; faire de l'*~ per Anhalter reisen *od* fahren, trampen; ~**-stoppeur, euse** Anhalter(in *f*) *m,* Tramper(in *f*) *m.*

autosuggestion [ɔ(o)tɔsygʒɛstjɔ̃] Autosuggestion *f.*

autori|sation [ɔ(o)tɔrizasjɔ̃] *f]* Genehmigung, Einwilligung, Zustimmung; Ermächtigung; Erlaubnis; Befugnis; Berechtigung; *jur* Konzession, Bewilligung; Zulassung *f; par* ~ im Auftrag, i. A. *sans* ~ unberechtigt; unbefugt; *soumis à une* ~ genehmigungspflichtig; *sur* ~ *préalable* nach vorheriger Genehmigung *f; accorder, demander une* ~ e-e Genehmigung erteilen, beantragen; *donner son* ~ s-e Zustimmung erteilen; *montrer, exhiber une* ~ e-n Erlaubnisschein vor=weisen; ~ *écrite* schriftliche Ermächtigung *f;* ~ *d'exportation, d'importation* Aus-, Einfuhrgenehmigung *f;* ~ *de plaider* Prozeßvollmacht *f;* ~ *de séjour* Aufenthaltserlaubnis *f;* ~**sé, e** berechtigt, befugt; qualifiziert; ermächtigt; genehmigt; gestattet, zugelassen; *(Kritiker)* maßgeblich; *dans les milieux* ~*s* in den maßgebenden, offiziellen Kreisen; *je me crois* ~ *à dire* ich glaube sagen zu dürfen; *dûment* ~ ordnungsgemäß bevollmächtigt; ~ *à disposer* verfügungsberechtigt; ~ *à représenter* vertretungsberechtigt; ~ *à signer* zeichnungsberechtigt; ~**ser** **1.** *(renforcer, justifier) (lit)* begünstigen, rechtfertigen; *ils veulent seulement ~ leurs crimes* sie möchten nur ihre Schandtaten rechtfertigen; *je le tiens de milieux ~és* ich habe es von maßgebender Seite erfahren; **2.** *(habiliter)* ermächtigen, bevollmächtigen; *~ qn à signer un contrat* jdn zum Abschließen eines Vertrags ermächtigen; *qn ~e qc* jd willigt in e-e S ein; *il l'a ~ée à se marier* er hat ihr die Einwilligung zur Ehe erteilt; *~ qn* jdm die Erlaubnis geben (*à* zu), gestatten (*qc* e-e S); *les questions ne sont pas ~ées* Fragen sind nicht gestattet; **3.** *(Sache) (donner la possibilité de)* rechtfertigen, ermutigen, veranlassen; *la situation l'~ait à l'action* die Umstände ermutigten ihn zur Tat; *ces faits m'~ent à conclure que* daraus kann ich schließen, daß; *les circonstances m'~ent à dire* die Umstände veranlassen mich zu sagen; **4.** *s'~ de qc* sich berufen, sich stützen auf *acc* sich rechtfertigen mit; *il s'~e des Saintes Écritures* er beruft sich auf die Heilige Schrift; *m'~ez-vous à parler en votre nom?* darf ich in Ihrem Namen sprechen? **~taire** *a* autoritär; diktatorisch; herrisch, herrschsüchtig; gebieterisch; *s m* herrschsüchtige(r) Mensch *m;* **~tarisme** *m* autoritäre Staatsform *f* herrschsüchtige(s) Wesen *n;* **~té** *f* Machtbefugnis, Gewalt, Macht; Herrschaft; Machtvollkommenheit; Behörde, Obrigkeit, Amtsgewalt *f;* Einfluß *m,* Autorität *f,* Gewicht, Ansehen *n; (Gesetz)* zwingende Kraft; *(Person)* Autorität *f,* Gewährsmann, Zeuge *m; de sa propre ~* eigenmächtig; *acquérir l'~ de la chose jugée* Rechtskraft erlangen; *avoir ~ sur qn* über jdn Gewalt haben; *donner, conférer, déférer, déléguer l'~* die Amtsgewalt übertragen; *faire ~* Geltung haben, maßgebend sein; als Autorität gelten; *abus m d'~* Mißbrauch *m* der Amtsgewalt; *coup m d'~* Machtanspruch *m; régime m d'~* autoritäre Staatsform *f; ~ absolue* unumschränkte Gewalt *f; ~ administrative* Verwaltungsbehörde *f; ~ compétente* zuständige Behörde *f; ~ de contrôle* Aufsichtsbehörde *f; ~ exécutive* vollziehende Gewalt *f; ~ de justice* richterliche Machtvollkommenheit *f; ~ de recours* Rechtsmittelinstanz *f; ~ suprême* oberste Regierungsgewalt *f; ~ de surveillance* Aufsichtsbehörde *f; ~ de tutelle* Vormundschaftsbehörde *f.*

autour [otur] **1.** *s m* Hühnerhabicht *m;* **2.** *adv* (rings)umher *od* herum; **3.** *prp: ~ de* um ... herum; ringsum; ungefähr, gegen, etwa; *s'attacher une ceinture ~ des reins* sich e-n Gürtel um=binden; *se disposer ~ de qn* sich um jdn auf=stellen; *faire un circuit ~ de la ville* um die Stadt herum=fahren; *tourner ~ de la question* um die Frage herum=gehen; *il a ~ de 40 ans* er ist etwa 40 (Jahre alt); *il gagne ~ de* er verdient ungefähr.

autre [otr] *a prn* andere(r, s); sonstige(r, s); weitere(r, s); *d'un ~ côté* andererseits; *de l'~ côté* jenseits; auf der anderen Seite *a. fig; ~ part* anderswo; *d'~ part* andererseits; *de part et d'~* auf beiden Seiten; *il n'y a d'~ remède que* es gibt kein anderes Mittel als; *une ~ fois, un ~ jour* ein andermal; *un ~ jour* an e-m andern Tag; *d'~s fois* dann wieder; *l'~ fois* das letzte Mal; *l'~ jour* neulich; vor kurzem; *en d'~s temps* sonst; *de temps à ~* von Zeit zu Zeit; dann u. wann; *prendre qn pour un ~* jdn für e-n andern halten; *tant d'~s* so viele andere; *qui d'~?* wer, wen sonst? *quelqu'un d'~* jemand anders; *tout ~* jeder andere; *aucun ~, nul ~, personne (d')~* kein anderer; sonst niemand; niemand anders; *comme dit l'~* wie man sagt; *nous ~s* wir; *à d'~s! (fam)* den Bären können Sie andern auf=binden! Unsinn! erzählen Sie das jdm anders! *entre ~s (choses)* unter anderem; *l'un ..., l'~* der eine ..., der andere; *l'un et l'~* der eine wie der andere; beide; *c'est (tout) l'un ou (tout) l'~* entweder das e-e oder das andere; *ni l'un ni l'~* weder der eine noch der andere; keiner (von beiden); *l'un l'~* einander; *l'un dans l'~* alles in allem; *s'unir l'un à l'~* sich mitea. vereinigen; *d'un jour à l'~* von e-m Tag auf den ander(e)n; *marcher l'un après l'~, l'un avec l'~, l'un à côté de l'~* hinterea., nebenea. gehen, laufen, marschieren; *c'est (tout) ~ chose* das ist etwas (ganz) anderes; *parlons d'~ chose* reden wir von etw anderem; *rien (d')~* nichts anderes; *il n'en fait jamais d'~s* er kann nicht aus s-r Haut; *il en sait bien d'~s* er ist mit s-m Latein noch nicht zu Ende, er hat noch ganz andere Sachen auf Lager; *j'en ai vu bien d'~s* das ist noch gar nichts; *en voici bien d'une ~* da werden Sie erst staunen! *~s temps, ~s mœurs* andere Zeiten, andere Sitten; *~ chose est promettre, ~ chose est tenir* Versprechen u. Halten sind zweierlei; *parler de choses et d'~s* von diesem u. jenem reden; **~fois** früher, ehemals, einst; **~ment** *adv* anders; sonst; ~ *dit* anders ausgedrückt; *il n'en est pas ~ avec moi* es geht mir ebenso; *pas ~* nicht besonders; *cela n'est pas ~ utile* das ist nicht besonders nützlich; *bien ~, tout ~* weit (mehr); *ceci est tout ~ important* das ist (noch) viel wichtiger; *elle est ~ (plus) belle que sa sœur* sie ist unvergleichlich viel schöner als ihre Schwester.

Autrich|e, l' [otriʃ] *f* Österreich *n;* **~ien, ne** *s m f* Österreicher(in *f*) *m; a~ien, ne* österreichisch.

autruche [otryʃ] *f orn* Strauß *m; avoir un estomac d'~* alles vertragen können; *pratiquer la politique de l'~* Vogel-Strauß-Politik treiben; *plume f d'~* Straußenfeder *f.*

autrui [otrɥi] *m* ein anderer; andere *pl;* andere Leute *pl;* der Nächste; *agir pour le compte d'~* für fremde Rechnung handeln; *s'approprier le bien d'~* sich fremdes Gut an≈eignen; *ne fais pas à ~ ce que tu ne voudrais pas qu'on te fît* was du nicht willst, daß man dir tu', das füg' auch keinem andern zu.

auvent [ovɑ̃] *m* (kleines) Vordach, Wetterdach *n; tech* Windfang; Luftschlitz *m,* Klappe *f.*

auxiliaire [ɔ(o)ksiljɛr] *a* Hilfs-; Neben-, Zweig-; mitwirkend; helfend; *s m f* Helfer(in *f*), Gehilfe *m,* Gehilfin, Hilfe; Hilfskraft *f; m* Hilfsmittel; Hilfszeitwort *n;* Soldat *m* der Hilfsdienste; *batterie f ~* Verstärkungsbatterie *f; bureau m ~* Nebenstelle *f; médecin m ~ (mil)* Unterarzt *m; service m ~ (mil)* Hilfsdienst *m; troupes f pl ~s* Hilfstruppen *f pl; verbe m ~* Hilfszeitwort *n.*

avach|ir [avaʃir] auf≈weichen; weich, schlaff machen; *fig* schwächen; *s'~* weich, schlaff werden; die Form verlieren; sich gehen≈lassen; träge werden; *des chairs ~ies* wabbelige(s) Fleisch *n; homme m ~i* schlappe(r) Mensch *m;* **~issement** *m* Erschlaffung; Formlosigkeit *f; (Geist)* Verfall *m.*

aval [aval] *m* **1.** Wechselbürgschaft *f,* Aval *n;* **2.** Talrichtung *f; en ~* strom-, fluß-, talabwärts; *en ~ de* unterhalb *gen;* **~age** *m (Schiff)* Talfahrt *f; (Weinfaß)* Einkellern *n;* **~iser** e-e Wechselbürgschaft übernehmen (*qc* für etw); **~iste** *m* Wechselbürge *m.*

avalanche [avalɑ̃ʃ] *f* Lawine *f; ~ de paroles* Flut *f* von Worten.

aval|er [avale] ver-, hinunter≈schlukken; verschlingen; *(vx)* senken, herab≈lassen; *min* ab≈teufen; *(Getränk)* hinunter≈stürzen; *(Arznei)* ein≈nehmen; *fig* ein≈stecken, hin≈nehmen; *faire ~ qc à qn* jdm etw weis≈machen; jdn dazu bringen, e-e Sache einzustecken, hinzunehmen; *~ des couleuvres (fig)* Kränkungen ein≈stecken; *~ d'un seul coup, d'un trait* in e-m Zug aus≈trinken; *~ des kilomètres (fam)* Kilometer fressen; *~ sa langue* stumm wie ein Fisch sein; schrecklich gähnen; *~ les mots* die Wörter verschlucken; *~ une pilule* e-e (bittere) Pille schlucken; *~ de travers* sich verschlucken; *ces pilules s'~ent facilement* man kann diese Pillen leicht schlucken; **~e-tout** *m* Vielfraß *m; ~e tout-cru m fam* Eisenfresser; eingebildete(r), hochnäsige(r) Mensch *m;* **~eur** *m* Vielfraß *(Mensch);* Säufer; *fig* Großsprecher; *min* Schachthauer *m;* **~oire** *f (Pferd)* Hinterzeug *n; fam* Kehle *f.*

à-valoir [avalwar] *m inv* Absatzhonorar *n.*

avanc|e [avɑ̃s] *f mil* Vormarsch *m,* Vordringen *n;* Vorsprung; *(Rennen)* Vorlauf; Vorteil; Vorbau, Gebäudevorsprung; *com* Vorschuß *m,* Vorauszahlung *f; tech* Vorschub, Vorlauf, Hingang *m; pl* Entgegenkommen *n;* erste Schritte *m pl;* Annäherungsversuche *m pl; à l'~, d'~, en ~, par ~* im voraus, vorher; zu früh; *avoir de l'~ sur qn* jdm voraus sein; *arriver en ~* zu früh an≈kommen, sich verfrühen; *arriver avec cinq minutes d'~* fünf Minuten zu früh an≈kommen; *calculer à l'~* voraus≈berechnen; *commander d'~* voraus≈bestellen; *payer d'~* voraus≈bezahlen; *faire une ~ à qn* jdm e-n Vorschuß geben; *faire des ~s à qn* jdm entgegen≈kommen *fig;* sich jdm zu nähern versuchen; *ma montre a de l'~* meine Uhr geht vor; *la belle ~!* was nützt das? *paiement m d'~* Vorausbezahlung *f; ~ à l'allumage* Vor-, Frühzündung *f; ~ de caisse* Barvorschuß *m;~ des frais* Kostenvorschuß *m; ~ sur nantissement* Lombardvorschuß *m; ~ de phase* Phasenvoreilung *f;* **~é, e** vorspringend; *(Posten)* vorgeschoben; *fig* fort-, vorgeschritten; *(Gedanken)* (sehr) fortschrittlich; *(Ereignis)* vorzeitig; *(Arbeit)* vorgeschritten; *(Früchte)* überreif; *(Fleisch)* (leicht) angegangen; *à une heure ~e* in vorgerückter Stunde; *être d'un âge (très) ~* in vorgerücktem Alter, bejahrt sein; *me voilà bien ~!* nun bin ich so klug wie zuvor! *~e dans la grossesse* hochschwanger; **~ée** *f* Vorsprung *m;* Vordach; *mil* Vorfeld, Vorgelände *n;* **~ement** *m* (Mauer-) Vorsprung;

Fortschritt *m*, Vorrücken *n;* Förderung; Vervollkommnung, Besserung; *(Beamter)* Beförderung *f;* Aufrücken *n; tech* Vorschub, Vortrieb *m; (Stollen)* Vortreiben *n; min* Abbaufortschritt *m; avoir de l'~* befördert werden; *donner de l'~* befördern (*à qn* jdn); *tableau m d'~* Rangliste *f;* **~er** [avɑ̃se] *tr* vor=rücken, -schieben, -strecken, näher schieben; *(Uhr)* vor=stellen; *(Vorgang)* beschleunigen; *(Zeitpunkt)* vor=verlegen; *(Plan)* vor=bringen; behaupten; *(Arbeit)* fördern, voran=treiben; forcieren; beschleunigen; *(Geld)* vor=schießen, vor=strecken; *itr* vor=rücken, näher kommen; vorwärts gehen; weiter=gehen *od* -kommen; vor=dringen; *(Fels)* vor=springen; vor=stehen; über=greifen; überragen; *(Uhr)* vor=gehen; *mil* vor=gehen (*sur* auf *acc*); *(Arbeit)* Fortschritte machen, voran=kommen; *(Beamter)* auf=rücken, befördert werden; *(Nacht)* vor=schreiten; *(Mond)* zu=nehmen; *min* auf=fahren; vor=bauen; *s'~* näher kommen, zu=gehen (*vers* auf *acc*); (her)vor=treten; sich nähern; *(Gebäude)* vor=springen; *(im Beruf)* voran=kommen; *(Zeit)* vor=rücken; im voraus arbeiten; *faire ~* vor=rücken lassen; vorwärts=stoßen; voran=bringen; vor=schieben; *ne pas ~ d'une semelle* nicht vom Fleck kommen; *~ en âge* älter werden; *~ par bonds (mil)* sich sprungweise vor=arbeiten; *~ en combattant (mil)* vor=stoßen; *~en courant* vorwärts springen; *s'~ péniblement* sich weiter=schleppen; *s'~ jusqu'à prétendre* so weit gehen zu behaupten; *~ en rampant* vorwärts kriechen; *s'~ trop* sich zu weit vor=wagen; zu weit gehen; *le jour s'~e* der Tag geht zu Ende.

avanie [avani] *f* Schimpf *m*, Beschimpfung *f*.

avant [avɑ̃] *prp (zeitlich)* vor; eher als; *~ la fin de l'année* vor Jahresende; *~ une heure* innerhalb e-r Stunde; *~ peu* binnen kurzem, in Kürze, (sehr) bald; *jour m d'~* Vortag *m; une heure ~* e-e Stunde vorher; *(Reihenfolge)* vor; *la maison ~ l'église* das Haus, das vor der Kirche kommt; *~ tout* vor allem; zunächst; *il était à dix pas en ~ de nous* er war 10 Schritte vor uns; *(mit Inf.) réfléchis bien ~ de parler* überlege wohl, ehe du redest; *conj: ~ que (mit subj)* bevor, ehe; *adv (zeitlich)* vorher, zuvor, früher; *quelques jours ~* einige Tage vorher; *comme ~* wie zuvor *od* vorher; *bien ~ dans la nuit* spät in der Nacht; *(Richtung, Bewegung) en ~* vorwärts, voran, voraus; *en ~, marche!* im Gleichschritt — marsch! *aller trop ~ dans le bois* zu weit in den Wald hinein=gehen; *entraîner vers l'~* fort=, mit=reißen; *mettre qn en ~* jdn in den Vordergrund stellen; heraus=stellen; *mettre qc en ~* etw vor=bringen, *(Ansicht)* vertreten; *regarder en ~* vorwärts, in die Zukunft blicken; *s m* Vorderteil *n; mar* Bug; *(Fußball)* Stürmer *m; aller de l'~* (tüchtig) vorwärts=, voran=kommen *a. fig; fig (Sache)* energisch an=greifen, an=packen; *essieu m ~* Vorderachse *f; marche f ~ (mot)* Vorwärtsgang *m; roue f ~* Vorderrad *n; siège m ~* Vordersitz *m; traction f ~* Vorderradantrieb *m;* **~-bras** *m inv* Unterarm *m;* **~-centre** *m* Mittelstürmer *m;* **~-corps** *m inv* Vorbau; Gebäudevorsprung *m;* **~-cour** *f* Vorhof *m;* **~-coureur** *m* Vorläufer; Vorbote *m; signe m ~* Vorzeichen *n;* **~dernier, ère** *a* vorletzte(r); *s m f* Vorletzte(r *m*) *f;* **~-garde** *f* Vorhut *f; fig* Vorkämpfer *m pl; être à l'~ de* an der Spitze *gen* stehen; *pointe f d'~ (mil)* Spitze *f;* **~-gardiste** *a* avantgardistisch; **~-goût** *m* Vorgeschmack *m;* **~-guerre** *m* od *f* Vorkriegszeit *f; conditions f pl d'~* Vorkriegsverhältnisse *n pl; prix m d'~* Vorkriegspreis *m;* **~-hier** [avɑ̃tjɛr] *adv* vorgestern; **~-port** *m* Außen-, Vorhafen *m;* **~-poste** *m* (Gefechts-)Vorposten *m; combat m d'~s* Vorpostengefecht *n;* **~-première** *f theat* Voraufführung *f;* **~-projet** *m* Vorentwurf *m;* **~-propos** *m inv* Vorwort *n*, Vorrede *f;* **~-saison** *f* Vorsaison *f;* **~-scène** *f* Proszeniumsloge *f;* **~-série** *f* Nullserie *f;* **~-toit** *m* Vordach *n;* **~-train** *m (Wagen)* Vordergestell *n;* Protze *f;* Protzwagen *m; (Tier)* Vorderteil *n;* **~-veille** *f* vorgestrige(r) Tag *m*.

avantag|e [avɑ̃taʒ] *m* Vorteil; Nutzen; Gewinn; Vorzug *m*, Vergnügen *n*, Genugtuung *f;* Vorsprung *m;* Überlegenheit *f;* (Plus-)Punkt; *(Tennis)* Vorteil *m; à l'~ de qn* zu jds Vorteil; vorteilhaft für jdn; *bénéficier d'un ~* im Vorteil sein; *habillé à son ~* vorteilhaft gekleidet; *faire valoir ses ~s* s-e Vorzüge zur Geltung bringen; *se montrer, paraître à son ~* sich von seiner besten Seite zeigen; *tirer ~ de qc* aus etw Vorteil ziehen; *ne pas s'en tirer à son ~* den kürzeren ziehen; schlecht weg=kommen; *j'ai l'~ de vous connaître* ich habe das Vergnügen, Sie zu kennen; *il y a ~ à procéder ainsi* es empfiehlt sich, so vorzugehen; *cela présente beaucoup d'~s* das bietet viele Vorteile; *vous avez sur lui cet ~* Sie haben ihm voraus, Sie sind ihm darin überlegen (*que* daß); *~ en nature* Deputat *n*, Naturalleistung *f; ~ pécuniare* finanzieller Vorteil *m*, finanzielle Vergütung *f m;* **~er** *tr* bevorzugen, begünstigen; *(Kleid)* vorteilhaft sein (*qn* für jdn), gut stehen (*qn* jdm); **~eux, se** vorteilhaft; günstig; lohnend; *(Mensch)* eingebildet, *(Ton)* anmaßend; *présenter qc sous un jour ~* etw in günstigem Licht erscheinen lassen; *des prix ~* günstige Preise *m pl; coiffure f ~euse* vorteilhafte Frisur *f.*

avar|e [avar] *a* geizig; übertrieben sparsam (*de* mit); *(Erde)* karg; *s m f* Geizhals *m;* geizige(s) Weib *n; être ~* geizen (*de* mit); *~ de ses paroles* wortkarg; **~ice** *f* Geiz *m;* Knauserei *f;* **~icieux, se** *a vx* knaus(e)rig; *s m f* Knauser *m;* knauserige Frau *f.*

avari|e [avari] *f* Seeschaden *m*, Havarie *f;* Transportschaden *m a. aero;* Beschädigung; *tech* Störung *f;* Bruch; Unfall; *fig* Schaden, Mangel *m; fam* Syphilis *f; franc d'~* unbeschädigt; *~ de machine* Maschinenschaden *m; ~ de la tuyauterie* Rohrbruch *m;* **~é, e** [avarje] *a* schadhaft, beschädigt, defekt; verdorben; *pop vx* syphilitisch; *s m f* Syphilitiker(in *f*) *m;* **~er** beschädigen, verderben.

avatar [avatar] *m* Verwandlung; Veränderung *f; pl fam* Wechselfälle *m pl*, Schwierigkeiten *f pl*, Abenteuer *n pl.*

à vau-l'eau [avolo] stromabwärts; bergab; *aller ~* mißlingen, fehl=schlagen, zu Wasser werden; verwahrlosen.

Avé, ~ Maria [ave, ~ marja] *m (Gebet)* Ave-Maria; Gegrüßet seist du, Maria *n.*

avec [avɛk] *prp* **1.** *(Begleitung)* mit; *vivre ~ qn* mit jdm zs.=leben; *ils sont toujours l'un ~ l'autre* sie sind immer zs., beiea.; *vous venez ~? (fam)* kommen Sie mit? *être d'accord ~ qn* mit jdm gleicher Meinung, einig sein; *se marier ~ qn* jdn heiraten; *~ le jour* bei Tagesanbruch; *~ la nuit* bei Einbruch der Dunkelheit; *~ cela (fam)* dabei; außerdem, überdies; *et ~ cela?* sonst noch etwas? *~ cela que* wie wenn; doch ... nicht; *pop* um so mehr als; **2.** *(Beziehung) être en relations ~ qn* mit jdm in Verbindung stehen; *~ elle on ne sait jamais* bei ihr weiß man nie (, woran man ist); *être bien, mal ~ qn* mit jdm gut, schlecht stehen; *prendre des leçons ~ qn* Stunden bei jdm nehmen; **3.** *(Gegensatz) la guerre ~* der Krieg mit; *~ tout cela* trotz all(e)dem; **4.** *(Ursache)* infolge *gen;* **5.** *(Mittel) ~ de la patience* mit Geduld; *~ telle somme* mit e-r bestimmten Summe; *~ le temps* im Lauf(e), mit der Zeit; **6.** *(Art u. Weise) ~ joie* mit Freude, freudig; *agir ~ prudence* mit Vorsicht, vorsichtig handeln, zu Werke gehen; **7.** *(Trennung) divorcer d'~ qn* sich von jdm scheiden lassen; sich von jdm trennen; sich mit jdm überwerfen; **8.** *(bei Speisen) déjeuner ~ du chocolat* Schokolade frühstücken; *adv fam* (da)mit, obendrein, dazu; *il est parti ~* er ist damit fort.

avelin|e [avlin] *f* Lambertshaselnuß *f;* **~ier** *m* Haselnußstrauch *m.*

aven [avɛn] *m geol* Naturschacht *m.*

avenant, e [avnɑ̃, -ɑ̃t] *a* freundlich; zuvorkommend; *s m (Versicherung)* Nachtrag; Zusatzvertrag *m; à l'~* im Verhältnis, entsprechend; *et tout à l'~* u. so alles weitere.

avènement [avɛnmɑ̃] *m rel* Kommen; Erscheinen *n; (Herrscher)* Thronbesteigung *f; fig* Beginn *m.*

avenir [avnir] *m* Zukunft *f;* (berufliches) Fortkommen *n*, Laufbahn; Nachwelt; *jur* Aufforderung *f* e-s Anwalts an s-n Gegenanwalt, bei e-r Sitzung zu erscheinen; *à l'~* in Zukunft; von jetzt *od* nun an; *dans un proche ~, un ~ prochain* in naher Zukunft; *espérer en l'~* auf bessere Tage hoffen; *avoir un brillant ~ devant soi* glänzende (Zukunfts-)Aussichten haben; *son ~ est assuré* er (sie) ist versorgt; seine (ihre) Zukunft ist gesichert; *projets m pl d'~* Zukunftspläne *m pl.*

avent [avɑ̃] *m* Advent *m.*

aventur|e [avɑ̃tyr] *f* unerwartete(s) Ereignis *od* Erlebnis; Abenteuer *n;* Vorfall *m;* Wagnis, Risiko *n; à l'~* auf gut Glück, aufs Geratewohl; *d'~, par ~* zufällig; *dire la bonne ~ à qn* jdm die Zukunft voraus=sagen; *tenter l'~* sein Glück versuchen; *diseuse f de bonne ~* Wahrsagerin *f; roman m d'~s* Abenteuerroman *m; ~ (amoureuse)* Liebesabenteuer *n;* **~é, e** gewagt; riskant; unsicher; **~er** wagen; aufs Spiel setzen; *s'~* etw wagen; es wagen, riskieren (*à faire qc* etw zu tun); sich ein=lassen (*dans* auf *acc*); sich wagen (*dans* in *acc*); (unter Gefahren) vor=stoßen (*dans* in *acc*); *(fig) s'~ sur un chemin, un terrain glissant* sich aufs Eis wagen; *s'~ trop loin* sich zu weit vor=wagen; **~eux,**

se abenteuerlich, waghalsig, gewagt; **~ier, ère** *m f* Abenteurer(in *f*) *m;* Glücksritter *m;* **~ine** *f* Glimmerstein *m.*

avenu, e [avny]: *nul et non* ~ null u. nichtig; **~e** *f* Zugang *m;* Allee; (breite) Zufahrts-, Zugangsstraße *f; fig* Weg *m.*

avér|é, e [avere] wahr, gesichert, unzweifelhaft, erwiesen; **~er, s'** sich bewahrheiten; sich heraus=stellen, sich erweisen.

avers [avɛr] *m (Münze)* Vorderseite *f.*

averse [avɛrs] *f* Platzregen, (Regen-) Guß, Regenschauer *m; fig* Flut *f; essuyer, recevoir une* ~ in e-n Regenguß geraten; ~ *de neige* Schneeschauer *m.*

aversion [avɛrsjõ] *f* Abneigung, Antipathie *f;* Widerwille(n), Abscheu *m* (*de* vor *dat*); *avoir de l'~ pour* (od *contre*) *qn, avoir qn en* ~ gegen jdn e-e Abneigung haben, jdn nicht leiden können; *faire qc avec* ~ etw (nur) widerwillig tun; *inspirer de l'~ à qn* jdn an=ekeln, an=widern.

avert|i, e [avɛrti] *a* erfahren; vorsichtig, klug, gewitzigt; vertraut (*de* mit); *(Frau)* emanzipiert; *s m* erfahrene(r) Mann *m; (fam) tenez-vous pour* ~ lassen Sie es sich gesagt sein; **~ir** benachrichtigen, unterrichten (*qn de qc* jdn vor etw); an=zeigen, an=kündigen (*qn de qc* jdm etw); e-n Wink geben (*qn* jdm); warnen (*de* vor *dat*); verwarnen, (er)mahnen; **~issement** *m* Benachrichtigung, Mitteilung, Nachricht, *com* Anzeige *f;* Wink, Fingerzeig *m;* Warnung; Mahnung, Androhung; Verwarnung *f,* Verweis *m; (Buch)* Vorrede *f;* Vorwort *n; jur* Aufforderung *f* zur Steuerzahlung; *tele* Meldung *f; loc* Vorsignal *n; négliger un* ~ e-e Warnung in den Wind schlagen; *délai m d'~* Kündigungsfrist *f; lettre f d'~* Mahnbrief *m;* ~ *météorologique* Wetterwarnung *f;* ~ *taxé* gebührenpflichtige Verwarnung *f;* ~ *de tempête* Sturmwarnung *f;* **~isseur** *s m* Warner *m;* Warnsignal; Meldegerät *n; theat* Regiegehilfe *m;* Hupe *f,* Horn *n;* ~ *d'incendie* Feuermelder *m; a: sifflet m* ~ Signal-, Warnungspfeife *f; (signal m)* ~ Vorsignal *n.*

aveu, [avø] *m* Geständnis; Bekenntnis *n; (Schuld)* Anerkennung; *jur* Zustimmung, Einwilligung *f; de l'~ de tout le monde* nach einstimmigem Urteil; *arracher un* ~ ein Geständnis erpressen (*à qn* von jdm); *faire l'~ de qc* etw gestehen; *faire des ~x* ein Geständnis ab=legen (*de* über *acc*); gestehen; *homme m sans* ~ Landstreicher; hergelaufene(r), gesinnungslose(r) Mensch *m.*

aveugl|ant, e [avœglɑ̃, -ɑ̃t] blendend; *(Sonne)* grell; *(Leidenschaft)* sinnverwirrend; **~e** *a* blind *a. fig; fig* verblendet; seiner Sinne nicht mächtig; unkritisch; *s m f* Blinde(r *m*) *f; en* ~ blind(-lings); ohne Überlegung; *changer, troquer son cheval borgne contre un* ~ vom Regen in die Traufe kommen; *juger d'une chose comme un* ~ *des couleurs* über e-e S ohne Kenntnis urteilen; *au royaume des ~s, les borgnes sont rois* unter den Blinden ist der Einäugige König; *chien m d'~* Blindenhund *m; ~-né, e,* ~ *de naissance a* blind geboren; *s m f* Blindgeborene(r *m*) *f;* **~ément** *adv* blindlings; **~ement** *m fig* Blindheit; Verblendung *f,* Wahn *m;* **~er** blenden *(a. durch Licht); fig* verblenden, mit Blindheit schlagen; *mar* kalfatern, *(Leck)* verstopfen; ab=dichten; *arch* blind ein=setzen; *s'~ sur qc* für etw blind sein; etw nicht (ein=)sehen wollen; sich über e-e S, in e-r S täuschen; **~ette:** *à l'~* blind(lings); von ungefähr; *agir à l'~* ohne Überlegung handeln; *aller à l'~* im dunkeln tappen.

aveul|ir [avølir] schwächen; schlapp, willenlos machen; *s'~* erschlaffen; **~issement** *m* Erschlaffung; Willenlosigkeit *f.*

aviat|eur, trice [avjatœr, -tris] *m* Flieger(in *f*) *m; brevet m de pilote* ~ Flugschein *m;* **~ion** [-sjɔ̃] *f* Luftfahrt *f,* Flugwesen *n,* Fliegerei *f; compagnie f d'~* Luftfahrtgesellschaft *f; salon m de l'~* Luftfahrtausstellung *f; terrain m d'~* Flugplatzgelände, Flugfeld *n; usine f d'~* Flugzeugfabrik *f;* ~ *civile* Zivilluftfahrt *f;* ~ *commerciale* Handelsluftfahrt *f;* ~ *légère de défense* Heimatjagdstreitkräfte *f pl;* ~ *militaire* Militärfliegerei *f;* ~ *navale* Marinefliegerei *f;* ~ *sportive* Sportfliegerei *f;* ~ *de surveillance* Luftüberwachung *f;* ~ *tactique* taktische Luftwaffe *f;* ~ *de transport* Verkehrsluftfahrt *f.*

avicult|eur [avikyltœr] *m* Vogel-, Geflügelzüchter *m;* **~ure** *f* Vogel-, Geflügelzucht *f.*

avid|e [avid] gierig (*de* nach); begierig (*de* auf *acc,* nach); *être* ~ *de qc* auf e-e S begierig, erpicht sein; ~ *d'apprendre* lernbegierig; ~ *d'argent* geldgierig; ~ *de gain* gewinnsüchtig; ~ *de savoir* wissensdurstig; **~ement** *adv* begierig; *écouter* ~ mit gespitzten Ohren zu=hören; ~**ité** *f* Gier; Begierde *f*.

avil|i, e [avili] heruntergekommen; verächtlich; gemein; ~**ir** erniedrigen, herab=würdigen; entwerten; *s'*~ sich erniedrigen, sich entwürdigen, sich weg=werfen; *(Waren)* im Wert, Preis sinken; ~**issant, e** erniedrigend; herabwürdigend; *(Verhalten)* unwürdig, gemein; ~**issement** *m* Erniedrigung; Entwürdigung; Entwertung *f*.

avin|é, e [avine] betrunken; *(Atem)* nach Wein riechend; *voix f ~e* Säuferstimme *f*; ~**er, s'** sich betrinken.

avion [avjɔ̃] *m* Flugzeug *n*; *par* ~ mit, per Luftpost; *monter en* ~ in ein, ins Flugzeug steigen; *prendre l'*~ das Flugzeug benutzen; fliegen; *défense f contre ~s* Luftabwehr *f*; *détection f des ~s* Flugzeugwahrnehmung *f*; *équipage m d'un* ~ Flugzeugbesatzung *f*; *passagers m pl d'un* ~ Fluggäste, Flugzeugpassagiere *m pl*; ~ *d'accompagnement* Begleitflugzeug *n*; ~ *à ailes basses, hautes* Tief-, Hochdecker *m*; ~ *à ailes repliables* Faltflügelflugzeug *n*; ~ *amphibie* Wasser-Land-Flugzeug, Amphibienflugzeug *n*; ~ *d'appui direct, d'assaut* Schlachtflugzeug *n*; ~ *d'artillerie* Artillerieflugzeug *n*; ~ *d'attaque en piqué* Sturzbomber, Stuka *m*; *(~) bimoteur, monomoteur, quadrimoteur* zwei-, ein-, viermotorige(s) Flugzeug *n*; *(~) biplace* Zweisitzer *m*; *(~) biplan* Doppeldecker *m*; *(~) biréacteur* zweimotorige(s) Düsenflugzeug *n*; ~ *de bombardement* Bombenflugzeug *n*, Bomber *m*; ~ *de bombardement stratégique* Fernkampfflugzeug, strategisches Bombenflugzeug *n*; *~-canard* schwanzlastige(s) Flugzeug *n*; *~-cargo m* Frachtflugzeug *n*; ~ *de chasse* Jagdflugzeug *n*; *~-cible m* Zielflugzeug *n*; *~-citerne m* Tankflugzeug *n*; ~ *commercial* Verkehrsflugzeug *n*; ~ *à double fuselage* Doppelrumpfflugzeug *n*; *~-école m*, ~ *d'entraînement, d'instruction* Schulflugzeug *n*; ~ *d'escorte* Gleitflugzeug *n*; *~-estafette m* Kurierflugzeug *n*; *~-fusée m* Raketenflugzeug *n*; ~ *à grand rayon d'action* Langstreckenflugzeug *n*; ~ *d'interception* Abfangjäger *m*; ~ *lanceur, porteur* Mutterflugzeug *n*; *(~) monoplace* Einsitzer *m*; *(~) monoplan* Eindecker *m*; ~ *d'observation* Beobachtungsflugzeug *n*; ~ *à piston* Kolbenflugzeug; ~ *postal* Postflugzeug *n*; ~ *de première ligne* Frontflugzeug *n*; ~ *publicitaire* Reklameflugzeug*n*; ~ *de pulvérisation* Streuflugzeug *n*; ~ *à réaction* Düsen-, Turbinen-, Strahlantriebflugzeug *n*; ~ *de reconnaissance tactique* Nahaufklärer *m*; ~ *de reconnaissance* Erkundungsflugzeug *n*; ~ *remorqueur* Schleppflugzeug *n*; ~ *pour repérage d'artillerie* Artilleriebeobachtungsflugzeug *n*; ~ *sanitaire m* Sanitätsflugzeug *n*; ~ *de sauvetage en mer* Seenotflugzeug *n*; ~ *supersonique* Überschallflugzeug *n*; ~ *télécommandé, téléguidé* ferngesteuerte(s) Flugzeug *n*; ~ *terrestre* Landflugzeug *n*; ~ *torpilleur* Torpedoflugzeug *n*; ~ *de tourisme* Sportflugzeug *n*; ~ *toutes missions* Mehrzweckflugzeug *n*; ~ *de transport* Transportflugzeug *n*; ~ *de transport militaire, de troupes* Truppentransportflugzeug *n*; ~ *(de transport) de passagers* Passagierflugzeug *n*; ~ *à turbopropulseur* Turbo-Prop-Flugzeug *n*; ~ *à turboréacteur* Turbojet *m*; ~ *à voilure tournante* Drehflügelflugzeug *n*; *~-citerne m* Tankflugzeug *n*; *~-hôpital m mil* Lazarettflugzeug *n*; *~-suicide m* Kamikazeflugzeug *n*; ~**nette** *f* Kleinflugzeug *n*.

aviron [avirɔ̃] *m* Ruder *n*, Riemen; Rudersport *m*; *faire de l'*~ *(sport)* rudern.

avis [avi] *m* Ansicht, Meinung; Auffassung; *(in e-r Versammlung)* Stimme; *(Ausschuß)* Stellungnahme *f*, Gutachten *n*; Beschluß *m*; Warnung *f*, Rat(-schlag) *m*, Mahnung; Benachrichtigung, Mitteilung, Verständigung; Ankündigung, Bekanntmachung, Anzeige *f*; *com* Avis *m* od *n*; *à mon* ~ meiner Meinung nach; *après* ~ nach Stellungnahme; *de l'*~ *de tous, de tout le monde* nach allgemeiner Ansicht; *jusqu'à nouvel* ~ bis auf weiteres; *pour* ~ mit der Bitte um Stellungnahme; *sans autre* ~ ohne weitere Benachrichtigung; *sans* ~ *préalable* ohne vorherige Benachrichtigung; *sauf* ~ *contraire* sofern keine gegenteilige Mitteilung vorliegt; *suivant* ~ laut Bericht; *changer d'*~ s-e Meinung ändern; *dire, donner, exprimer, faire connaître son* ~ s-e Auffassung, Meinung äußern; *donner* ~ *de qc* etw bekannt=machen; *donner un* ~ *consultatif* ein (unverbindliches) Gutachten ab=geben; *être du même* ~ *que* gleicher Meinung sein wie; *être d'un* ~ *contraire* od *opposé* entgegengesetzter Ansicht sein; *prendre l'*~ *de qn* jds Rat ein=holen; jdn zu Rate ziehen; *recueillir l'*~ *de qn* von jdm ein Gutachten ein=holen; *les* ~ *sont partagés* die Meinungen sind geteilt; *son*

~ *l'a emporté, a prévalu* s-e Ansicht ist durchgedrungen, hat sich durchgesetzt; *autant de têtes autant d'~* soviel Köpfe, soviel Sinne; *(il) m'est ~ que* mir scheint, daß; ich bin der Meinung, daß; ~ *d'arrivée (com)* Empfangs-, Eingangsbestätigung *f; loc* Ankunftsanzeige, Rückmeldung *f;* ~ *d'avarie* Schadensmeldung *f;* ~ *de la cession (com)* Abtretungsanzeige *f;* ~ *consultatif* Gutachten *n;* ~ *de crédit* Gutschriftanzeige *f;* ~ *de débit* Lastschriftanzeige *f;* ~ *des défauts* Mängelrüge *f;* ~ *de départ (aero)* Startmeldung *f;* ~ *de droit* Rechtsgutachten *n;* ~ *par écrit* schriftliche Benachrichtigung *f;* ~ *d'estimation* Feststellungsbescheid *m;* ~ *d'expédition* Versandanzeige *f;* ~ *des experts* Sachverständigengutachten *n;* ~ *d'imposition, d'impôt* Steuerbescheid *m;* ~ *au lecteur* Vorwort *n;* ~ *mortuaire* Todesanzeige *f;* ~ *motivé* eingehend begründete(s) Gutachten *n;* ~ *de non-remise* Unzustellbarkeitsanzeige *f;* ~ *de paiement* Auszahlungsschein *m;* ~ *de perte* Verlustanzeige *f;* ~ *au public* (öffentliche) Bekanntmachung *f;* ~ *de réception* Empfangs-, Rückschein *m;* ~ *de remboursement* Nachnahme *f;* ~ *de taxation* (Steuer-)Feststellungsbescheid *m;* ~ *télégraphique* Telegramm *n;* ~ *de tempête* Sturmwarnung *f;* ~ *de traite* Wechselanzeige *f;* ~ *de versement* Einzahlungsbescheinigung *f;* ~ *de virement* Gutschriftzettel *m.*

avi|sé, e [avize] *a* klug; schlau; vorsichtig; **~ser** *tr* erblicken, bemerken; an=kündigen (*qn de qc* jdm etw); an=zeigen; benachrichtigen; *com* avisieren; *itr* überlegen, nach=denken (*à* über *acc*); sorgen (*à* für); *s'~* bemerken, wahr=nehmen, gewahr werden (*de qc* gen); auf den Gedanken kommen, darauf verfallen (*de* zu); *s'~ de faire qc* sich unterstehen, es sich ein=fallen lassen, etw zu tun; ~ *aux moyens* auf Mittel und Wege sinnen; *il est temps d'~* es ist Zeit, sich darum zu kümmern, e-n Ausweg zu finden; *de quoi s'~e-t-il?* was fällt ihm ein? *on ne s'~e jamais de tout* man kann nie an alles denken; **~so** *m mar* Aviso *m;* Patrouillen-, Minenräumboot *n.*

avitaill|ement [avitajmɑ̃] *m* Versorgung *f;* **~er** *tr* mit Treibstoff versorgen.

avitaminose [avitaminoz] *f med* Avitaminose *f,* Vitaminmangel *m.*

aviver [avive] beleben; (wieder) auf=frischen; *(Feuer)* an=fachen, schüren; *(Glanz)* hervor=treten lassen; *(Wunde)* an=frischen; *fig (Wunde)* wieder auf=reißen; *fig (Streit)* schüren; *(Schmerzen)* erneuern; *(den Geist)* an=regen; *s'~* lebhaft(er) werden, sich beleben.

avoc|aillon [avɔkajɔ̃] *m* Winkeladvokat *m;* **~asserie** *f* Rechtsverdreherei *f;* **~cat, e** [-a, -at] *m f* Rechtsanwalt *m,* -wältin *f;* (plädierender) Anwalt; Verteidiger(in *f*); Fürsprecher(in *f*) *m; se faire inscrire au tableau des ~s* sich in die Anwaltsliste eintragen lassen; *l'ordre m des ~s* Anwaltsstand *m; Conseil m de l'ordre des ~s* Anwaltskammer *f;* ~*-conseil* Rechtsbeistand *m;* ~ *général* öffentliche(r) Ankläger, Oberstaatsanwalt *m;* ~ *d'office* Offizialverteidiger, Pflichtverteidiger, Armenanwalt *m.*

avoine [avwan] *f* Hafer *m; farine f, flocons m pl, paille f d'~* Hafermehl *n,* -flocken *f pl,* -stroh *n.*

avoir [avwar] *irr tr* haben, besitzen; ~ *de l'argent* Geld haben; *n'~ pas le sou, pas un centime, (pop) pas un radis* keinen Pfennig haben; ~ *de quoi* wohlhabend sein; ~ *de quoi vivre* genug zum Leben haben; *(Gegenstand)* haben, halten; ~ *une canne à la main* e-n Stock in der Hand halten; ~ *des marchandises en magasin* Waren führen; *(Kleidung)* tragen; ~ *un veston gris* e-e graue Jacke tragen; *(Zugehörigkeit)* ~ *les cheveux blonds* blonde Haare haben; ~ *l'oreille fine* gut hören; ein gutes Gehör haben; *(Umfang) le mur a deux mètres de haut* die Mauer ist 2 m hoch; *(Eigenschaften)* ~ *le cœur sur la main* offenherzig sein; ~ *du courage* Mut haben, mutig sein; ~ *qualité pour* berechtigt, befugt sein zu; *(Empfindungen, Bedürfnisse)* ~ *besoin* nötig haben, brauchen (*de qc, de qn* etw, jdn); ~ *envie* Lust haben (*de* zu); ~ *grand besoin d'argent* in Geldverlegenheit sein; ~ *faim, soif* hungrig, durstig sein; Hunger, Durst haben; *j'ai froid* ich friere, mir ist kalt; *j'ai chaud* mir ist warm; ~ *l'estomac, le ventre creux* e-n leeren Magen haben; e-n Wolfshunger haben; ~ *mal à la tête* Kopfweh haben; ~ *confiance en qn* Vertrauen zu jdm haben; *j'ai à cœur de* es liegt mir am Herzen zu; ~ *tendance à faire qc* dazu neigen, etw zu tun; *(Beziehung)* ~ *commerce avec qn* mit jdm verkehren; *n'~ qu'à faire* nur zu tun brauchen; *n'~ que faire de qc* etw nicht brauchen; *(Zeit, Wetter)* ~ *le temps* Zeit haben; ~ *du beau temps* schönes Wetter haben; ~ *16 ans* 16 Jahre (alt) sein; ~ *lieu* statt=

finden; *(bekommen)* ~ *la parole* das Wort haben; ~ *le prix* den Preis erhalten; ~ *qn (fam)* jdn erwischen; herein=legen; überzeugen; besiegen; *il nous aura* er wird uns in die Tasche stecken; *qu'est-ce qu'il a?* was fehlt ihm? was hat er? *(mit prp) en* ~ *(pop)* mutig sein; *en* ~ *assez, (fam) marre* es satt haben; *en* ~ *plein le dos* die Nase voll haben; *en* ~ *à qn* es auf jdn abgesehen haben; *en* ~ *dans l'aile* etwas abbekommen haben; *contre, à qui en a-t-il?* wer hat ihm etwas getan? *j'en ai par-dessus la tête* es hängt mir zum Hals raus; ~ *pour but* zum Ziel haben; ~ *pour ami, ennemi* zum Freund, Feind haben; *(mit y) il y a* es gibt, es ist (sind) vorhanden; *il y avait beaucoup de monde* es waren viele Leute da; *il n'y a pas de quoi* gern geschehen! keine Ursache! *qu'est-ce qu'il y a?* was ist los? *y a-t-il loin d'ici?* ist es weit von hier? *combien de temps y a-t-il qu'il est arrivé?* seit wann ist er da? *il y a deux ans* vor 2 Jahren; es ist 2 Jahre her; *s m* Vermögen, Hab u. Gut *n;* Besitz *m;* Guthaben *n,* Aktiva *n pl; com* Haben *n; bloquer l'*~ das Guthaben sperren; *établir un compte par doit et* ~ e-e Bilanz auf=stellen; *porter une somme à l'*~ *de qn* jdm e-e Summe gut=schreiben; *doit et* ~ Soll u. Haben *n; note f d'*~ Gutschriftanzeige *f; reliquat m d'un* ~ Restguthaben *n;* ~ *en banque* Bankguthaben *n;* ~ *dans une caisse* od *sur compte d'épargne* Sparguthaben *n;* ~ *en espèces* Barguthaben *n;* ~ *à l'étranger* Auslandsguthaben *n;* ~ *net* Reinvermögen *n;* ~ *en portefeuille* Wertpapierbestand *m;* ~ *social* Gesellschafts-, Vereinsvermögen *n;* ~ *en titres* Effektenbesitz *m;* ~ *total* Gesamtvermögen *n;* Aktiva *n pl.*

avoisin|ant, e [avwazinɑ̃, -ɑ̃t] benachbart, angrenzend; ~**er** an=grenzen (*qc* an e-e S); *fig* nahe=kommen, ähneln (*qc* dat).

avort|ement [avɔrtəmɑ̃] *m* Abtreibung *f;* ~ *thérapeutique* Schwangerschaftsabbruch *m; fig* Mißlingen, Fehlschlagen *n;* ~**er** *itr* ab=treiben; *faire* ~ *qn* bei jdm e-e Abtreibung herbei=führen; *se faire* ~ ab=treiben; *tr* e-e, die Abtreibung vor=nehmen bei; ~**eur, euse** *m f* jem, der e-e Abtreibung vornimmt; *fig* mißlingen, fehl=schlagen; ~**on** *m* Fehlgeburt *f,* Abgängling *m;* Frühgeburt; Mißgeburt *f; fig* Machwerk *n; fig* Fehlschlag *m.*

avou|é [avwe] *m* (nicht plädierender) Anwalt *m;* ~**er** an=erkennen; sich bekennen (*qn, qc* zu jdm, e-r S); billigen, gut=heißen; die Verantwortung übernehmen (*qn de qc* für jdn in e-r S); (ein=)gestehen, zu=geben; bekennen; *s'*~ *coupable* sich schuldig bekennen; *s'*~ *vaincu* s-e Niederlage zu=geben, sich geschlagen geben; *le but* ~*é* der ausgesprochene Zweck.

avril [avril] *m* April *m; faire un poisson d'*~ *à qn* jdn in den April schikken.

ax|e [aks] *m* Achse; *tech* Welle; Spindel *f;* Bolzen *m;* ~ *d'atterrissage, balisé (aero)* Einflugschneise *f,* Leitstrahl *m;* ~*s de coordonnées (math)* Achsenkreuz, Koordinatensystem *n;* ~ *coudé* Kurbelachse *f;* ~ *d'effort (mil)* Schwerpunkt *m;* ~ *d'extinction (tele)* Empfangsminimum *n;* ~ *longitudinal, de roulis* Längsachse *f;* ~ *neutre* Nullachse *f;* ~ *optique* Sehachse *f;* ~ *de pied de bielle, de piston* Kolbenbolzen *m;* ~ *de progression* Vormarschstraße *f;* ~ *de rotation* Drehachse *f;* ~ *de symétrie* Symmetrie-, Schwerpunktachse *f;* ~ *de tangage, transversal* Querachse *f;* ~ *de tir* Schußrichtung *f;* ~ *de transmission (tele mil)* Stammleitung *f;* ~ *de la voie (loc)* Gleismitte *f;* ~**er** auf e-e Achse beziehen; *fig* aus=richten (*sur* nach); richten (*sur* auf *acc*); ~**ial, e** axial; Achsen-; ~**illaire** [-ilɛr] Achsel-; *bot* axillar; ~**iome** [-om] *m* Axiom *n,* Grundsatz *m;* ~**is** [aksis] *m* zweite(r) Halswirbel, Epistropheus *m.*

ayant [ɛjɑ̃] *ppr avoir;* ~ **cause** *m* Rechtsnachfolger *m;* ~ **droit** *m* Empfangs-, Bezugsberechtigte(r) *m.*

azalée [azale] *f bot* Azalee *f.*

ayatollah [ajatɔla] *m* Ayatollah, Ajatollah *m.*

azimut [azimyt] *m* Azimut *n* od *m;* Scheitelkreis *m;* wahre Peilung; *fam* Richtung *f;* ~ *de la direction balisée (aero)* Leitstrahlrichtung *f;* ~**al, e** Azimut-; azimutal; ~**er** *pop (Schlag)* zielen; nieder=schlagen.

azot|ate [azɔtat] *m* Nitrat *n;* ~**e** *m* Stickstoff *m;* ~**é, e** stickstoffhaltig; ~**eux,se** salpetrigsauer; ~**ique** salpetersauer; *acide m* ~ Salpetersäure *f;* ~**ure** *m* Nitrid *n.*

azur [azyr] *m* Azur *m;* Azurblau *n; la Côte f d'A*~ die französische Riviera; ~**é, e** azur-, himmelblau; ~**er** himmelblau färben.

azyme [azim] *a* ungesäuert; *s m* ungesäuerte(s) Brot *n; fête f des A*~*s* Fest *n* der ungesäuerten Brote.

B

B [be]: *ne parler que par B et par F* (nur) unflätige Reden im Munde führen.
baba [baba] *s m* Rosinenkuchen *m; a inv: (fam) rester* ~ ganz verblüfft, verdutzt sein.
Babel [babɛl] *f* Babylon, Babel *n; une (tour de)* ~ *(fig)* ein Tohuwabohu *n.*
babeurre [babœr] *m* Buttermilch *f.*
babil [babil] *m vx* od *lit* Geplauder; *(Kind)* Geplapper; *(Vogel)* Gezwitscher; *(Quelle)* Murmeln *n;* **~lage, ~lement** [-j-] *m* Plaudern, Plappern *n;* **~ler** [-je] schwatzen; *(Kinder, Frauen)* plappern, schnattern; *(Übles)* reden; *(Amsel)* pfeifen; *(Quelle)* murmeln; plätschern.
babines [babin] *f pl (Hund)* Lefzen; *fam* Lippen *f pl; s'en donner par les* ~ *(fam)* fressen wie ein Scheunendrescher; *se (pour)lécher les* ~ *(fam)* sich die Finger *(nach etwas)* lecken.
babiole [babjɔl] *f fam* Kinderspielzeug *n; fig* Kleinigkeit, Lappalie *f.*
bâbord [babɔr] *m mar* Backbord *n; faire feu de tribord et de* ~ *(fig)* alle Hebel in Bewegung setzen.
babouche [babuʃ] *f* Schlappen, Pantoffel *m.*
babouin [babwɛ̃] *m* Pavian *m.*
baby|-sitter [ba(e)bisitœr] *m f* Babysitter *m;* **~-sitting** *m* Babysitten *n; faire du* ~ *chez qn* bei jdm babysitten.
bac [bak] *m* **1.** Trog, Bottich; Kasten *m;* Schale *f; (Akku)* Behälter *m; min* Rutsche *f;* ~ *collecteur* Auffangschale *f;* ~ *à laver* Waschtrog *m;* ~ *à sable* Sandkasten *m;* **2.** Fähre *f; passer qn en* ~ jdn über≈setzen; ~ *à traille* Gier-, Seilfähre *f.*
bac(calauréat) [bak(alɔrea)] *m* (französische) Reifeprüfung *f.*
baccara [bakara] *m (Spiel)* Bakkarat *n.*
bacchanal [bakanal] *s m fam* (Höllen-)Lärm *m;* **~es** *f pl* Bacchanalien *pl;* Orgie *f; sing fig fam* (Sauf-)Gelage *n.*
bacchante [bakɑ̃t] *f* Bacchantin *f; fig* ausgelassene(s) Weib *n; pl pop* Schnurrbart *m.*
bâch|e [bɑʃ] *f* (Wagen-)Plane *f; tech* (Wasser-)Reservoir *n,* Behälter; *(Gärtnerei)* Glaskasten *m;* Schleppnetz; *pop* Bettuch *n; voiture f à* ~ Planwagen *m;* **~er** mit e-r Plane bedecken; *se* ~ *(arg)* sich in die Falle hauen.
bachelier, ère [baʃəlje, -ɛr] *m f* Abiturient(in *f*) *m.*
bachique [baʃik] bacch(ant)isch; *chanson f* ~ Trinklied *n.*
bachot [baʃo] *m* **1.** kleine Fähre; **2.** *fam* Reifeprüfung *f;* **~age** [-ʃɔtaʒ] *m fam* Büffelei *f; boîte f à* ~ *(fam)* Presse *f;* **~er** *fam* e-e (Reife-)Prüfung (flüchtig) vor≈bereiten; pauken; **~eur** *m* Fährmann; *fam* Büffler *m.*
bacill|aire [basilɛr] *a* stabförmig; *med* Bazillen-; *s m f* Lungentuberkulosekranke(r *m*) *f;* **~e** [-sil] *m* Bazillus *m;* ~ *de la typhoïde* Typhusbazillus *m.*
bâcl|age [bɑklaʒ] *m* Sperrung *(e-s Hafens, Flusses); fam* Pfuscherei *f;* **~er** *fam (Arbeit)* (hin≈)pfuschen, (hin≈) schlampern, hin≈hauen; flüchtig erledigen; *(Angelegenheit)* übers Knie brechen.
bactéri|cide [bakterisid] keimtötend; **~e** [-ri] *f* Bakterie *f;* **~en, ne** [-rjɛ̃, -ɛn] Bakterien-; **~ologie** [-rjɔ-] *f* Bakteriologie *f;* **~ologiste, ~ologue** *m* Bakteriologe *m.*
badaud, e [bado, -od] *m f* Gaffer *m;* **~er** gaffen, Maulaffen feil≈halten; **~erie** *f* Einfältigkeit; Gafferei *f.*
baderne [badɛrn] *f fam vieille* ~ alte(r) Trottel *m.*
badge [badʒ] *m* Button *m.*
badigeon [badiʒɔ̃] *m* Tünche *a. fig;* Kalkmilch *f;* Bildhauerkitt *m;* **~nage** [-ʒɔ-] *m* Weißen, Tünchen *n;* **~ner** tünchen, weißen; *(Loch)* verkitten; *med* bepinseln; *hum* an≈malen, schminken; **~neur** *m* Tüncher *m.*
badigoinces [badigwɛ̃s] *f pl fam* Lippen *f pl.*
badin, e [badɛ̃, -in] *a* scherzend, tändelnd; mutwillig; *s m aero* Fahrtmesser *m;* **~age** *m* Getändel, Geschäker *n.*
badine [badin] *f* (Reit-)Gerte *f.*
badin|er [badine] tändeln, scherzen, spaßen; spielen; *(Band)* flattern; **~erie** *f* Spielerei *f;* Scherz *m.*
baffe [baf] *f pop* Ohrfeige *f.*
bafouer [bafwe] lächerlich machen, (ver)höhnen.
bafou|illage [bafujaʒ] *m fam* Unsinn

m; Faselei *f; mot arg* Kotzen *n;* **~ille** *f fam* Brief *m;* **~iller** undeutlich, unzs.hängend reden; faseln; *mot pop* kotzen.

baffle [bafl] *m* Lautsprecherbox *f.*

bâfr|e [bɑfr] *pop* Fressen *n;* **~ée** *f pop* Fresserei *f;* **~er** *pop* sich voll=fressen; **~eur, se** *m f fam* Vielfraß *m.*

bagag|e [bagaʒ] *m meist pl* (Reise-)Gepäck; *(Schriftsteller)* Werk *n;* Kenntnisse *f pl; avec armes et ~s* mit Sack und Pack; *faire enregistrer ses ~s* sein Gepäck auf=geben; *plier ~ (fam)* sich davon=machen; sein Bündel schnüren; *retirer ses ~s* sein Gepäck (von der Gepäckaufbewahrung) (ab=)holen; *assurance f de ~s* Gepäckversicherung *f; bulletin m de ~s* Gepäckzettel, -schein *m; bureau m (d'enregistrement) des ~s* Gepäckannahme(stelle) *f; charrette f à bagages* (kleiner) Gepäckwagen *m; consigne f des ~s* Gepäckaufbewahrung *f; enregistrement m des ~s* Gepäckaufgabe *f; fourgon m à ~s* Gepäckwagen *m; ~s accompagnés* Reisegepäck *n; ~s à main* Handgepäck *n; ~s de route (mil)* Marschgepäck *n;* **~iste** *m (Hotel)* Gepäckträger, Hoteldiener *m.*

bagarr|e [bagar] *f* Krawall *m;* Schlägerei *f;* **~er** *fam* kämpfen, streiten; **~eur** *m* streitsüchtige(r) Mensch, Kampfhahn *m.*

bagatelle [bagatɛl] *f* Kleinigkeit, Bagatelle; Liebschaft *f; ~s!* Unsinn! Lappalien! *être porté sur la ~ (pop)* ein Schürzenjäger sein; *perdre son temps à des ~s* mit nebensächlichen, unwichtigen Dingen seine Zeit verlieren.

bagn|ard [baɲar] *m* Zuchthäusler, Sträfling *m;* **~e** *m* Zuchthaus *n* mit Zwangsarbeit.

bagnole [baɲɔl] *f fam (Auto)* (alter) Kasten *m,* Mühle *f;* Auto *n,* Straßenkreuzer *m; ça, c'est de la ~ (fam)* das ist ein tolles Ding; das ist prima, Klasse.

bagou(t) [bagu] *m* Zungenfertigkeit *f; avoir du ~ (fam)* ein gutes Mundwerk haben.

bagu|e [bag] *f* (Finger-)Ring *m; tech* Buchse *f;* (Schleif-)Ring *m; (Zigarre)* Bauchbinde *f; monter un diamant en ~* e-n Diamanten in e-n Ring fassen; *porter une ~ au doigt* e-n Ring am Finger tragen; *~ d'arrêt, de réglage* Stellring *m; ~ d'assemblage* Flanschring *m; ~ de caoutchouc* Gummiring *m; (el) ~ de contact, collectrice, de frottement* Schleifring *m; ~-coussinet m* Buchse *f; ~ d'étanchéité, de garniture* Dichtungsring *m; ~ de fiançailles* Verlobungsring *m; ~ filetée* Gewindering *m; ~ de fixation* Befestigungsring *m; ~ de graissage* Schmierring *m; ~ d'identité (Taube)* Erkennungsring *m; ~ de piston* Kolbenring *m; ~ de serrage* Sprengring *m.*

baguenau|der [bagnode] *pop* die Zeit vertrödeln; sich herum=treiben; **~derie** *f* Herumtrödeln; Geschwätz *n;* **~dier** *m* Blasenstrauch; Zeitverschwender *m; Art* Ringspiel *n.*

baguer [bage] *(Vogel)* beringen; *(Baum)* ringeln; *(Zigarre)* mit e-r Bauchbinde versehen; *(Schneiderei)* an=, zs.=heften, zu Fäden schlagen; *fig* ringförmig umgeben.

baguette [bagɛt] *f* (dünner) Stab *m,* Stäbchen *n;* Gerte, Rute *f;* (Profil-, Zier-)Leiste *f; mus* Taktstock; Bogen; Malerstock; Zeigestock *m;* lange(s), dünne(s) Brot *n,* Stange *f; (Hose)* Galon *m; faire marcher, mener qn à la ~* jdn an der Kandare haben; *passer par les ~s* Spießruten laufen; *coup m de ~* Rutenstreich *m; ~ de chef d'orchestre* Taktstock *m; ~ à jour* Zwikkel *m (am Strumpf); ~ magique, de fée* Zauberstab *m; ~ de tambour* Trommelstock *m; pl fig* struppige Haare *n pl; ~ de sourcier* Wünschelrute *f.*

baguier [bagje] *m* Ring-, Schmuckkästchen *n.*

bah [bɑ] *interj* pah! ach was! Unsinn!

bahut [bay] *m* Truhe *f;* Schrank; Koffer *m;* abgerundete Mauerbekrönung *f; arg* Brummi *m; (Schule)* Penne *f.*

bai, e [bɛ] *a (Pferd)* (rot)braun; *~ châtain* kastanienbraun; *s m* Braune(r) *m.*

baie [bɛ] *f* **1.** Bucht, Bai; (Wand-, Mauer-)Öffnung *f;* breite(s) Fenster *n; tech* Rahmen *m;* Gestell *n; ~ de clocher* Schalloch *n; ~ de fenêtre, de porte* Fenster-, Türöffnung *f;* **2.** Beere *f.*

baign|ade [bɛɲad] *f* Baden; Bad *n;* Badeplatz *m;* **~er** [beɲe] *tr* baden; *(Pferd)* in die Schwemme reiten; *(Reisfeld)* überschwemmen; bewässern; *(Fluß)* durchfließen, durchströmen; vorbei=fließen (*qc* an e-r S); bespülen; an=, befeuchten, benetzen; *fig* ganz ein=tauchen, umgeben, erfüllen; überstrahlen, überglänzen; *itr* eingetaucht sein; *(in e-r Flüssigkeit)* liegen, schwimmen; *fig* erfüllt, durchdrungen sein; *se ~* (sich) (im Freien) baden; *aller se ~* zum Schwimmen gehen; *~ dans son sang* in s-m Blut schwimmen; *~é de larmes* tränenüberströmt;

~*é de soleil* sonnenüberflutet; ~*é de sueur* in Schweiß gebadet; ~**eur, se** *m f* Bademeister *m;* Badefrau *f;* Badende(r *m*) *f;* Bade-, Kurgast *m;* (Zelluloid-)Babypuppe *f; f* Badehaube *f,* -mantel *m;* ~**oire** *f* Badewanne; *theat* (Parterre-)Loge *f; mar* Laufsteg *m.*

bail [baj] *m, pl baux* Miete, Pacht; Vermietung *f;* Pacht-, Mietvertrag *m; donner à* ~ verpachten; *prendre une maison à* ~ ein Haus mieten; *je n'ai pas fait de* ~ *avec lui (fam)* ich bin nicht mit ihm verheiratet; *c'est un* ~*! fam* das ist e-e lange Zeit! *durée f du* ~ Mietzeit *f; prix m du* ~ Mietzins *m;* ~ *emphytéotique* Erbpacht *f.* ~**leur,** ~**leresse** [bajœr, bajrɛs] *m f* Vermieter(in *f*), Verpächter(in *f*); ~ *de fonds* stille(r) Teilhaber(in *f*); Geldgeber(in *f*) *m;* ~**li** [baji] *m* (Land-)Vogt, Amtmann *m.*

bâill|ant, e [bɑjɑ̃, -ɑ̃t] *(Abgrund)* gähnend; *(Tür)* halboffen; *(Spalt)* klaffend; ~**ement** *m* Gähnen; Klaffen *n;* ~ *bruyant* laute(s) Gähnen *n;* ~**er** gähnen (*de* vor, aus); *(Tür)* klaffen, nicht gut schließen; *(Stoff)* Falten werfen.

bâillon [bajɔ̃] *m* Knebel *m; mettre un* ~ *à qn (fig)* jdm den Mund stopfen; ~**ner** knebeln *a. fig; (Tür)* von außen verrammeln; *fig* mundtot machen.

bain [bɛ̃] *m* Bad; *a. pl* Badezimmer; *pl* Frei-, Schwimmbad *n;* Badewanne *f; entrer dans le* ~ ins B. steigen; *envoyer qn au* ~ *(fam)* jdm die kalte Schulter zeigen; *être dans le* ~ im Bild sein; *mettre qn dans le* ~ *(fig)* jdn ins Bild setzen; *se mettre dans le* ~ sich an e-e neue Umgebung gewöhnen; sich in e-e neue Arbeit stürzen; *prendre un* ~ *chaud, tiède, froid* ein heißes, lauwarmes, kaltes B. nehmen; *remplir, vider le* ~ das B. voll=-, aus=laufen lassen; *cabine f de* ~ Badekabine *f; costume, maillot m de* ~ Badeanzug *m; caleçon, slip m de* ~ Badehose *f; établissement m de* ~ Bad(eanstalt *f*) *n; peignoir m* (*de* ~) Bademantel*m; salle f de* ~*s* Badezimmer *n; installation f de salle de* ~ Badezimmereinrichtung *f; serviette, sortie f de* ~ Badetuch *n;* ~ *d'air, de boue, de lumière, de soleil, de vapeur* Luft-, Moor-, Licht-, Sonnen-, Dampfbad *n;* ~ *culturel* Kulturerlebnis *n;* ~*s-douches m pl* öffentliche Badeanstalt; *min* Waschkaue *f;* ~ *de fixage (phot)* Fixierbad *n;* ~ *de foule* Bad *n* in der Menge; ~ d'huile Ölbad *n;* ~ *de mer, de rivière* See-, Flußbad *n;* ~*-marie m tech* Wasserbad; *(Herd)* Schiff *n;* ~ *de siège, de pieds* Sitz-, Fußbad *n;* ~ *de teinture (Textil)* Färbeflotte *f.*

baïonnette [bajɔnɛt] *f* Seitengewehr *n; avec la* ~ *au canon* mit aufgepflanztem Seitengewehr; ~ *au canon!* Seitengewehr — pflanzt auf! *remettez* ~*!* Seitengewehr — an Ort! *douille f à* ~ Bajonettfassung *f; fermeture f à* ~ Bajonettverschluß *m.*

bais|emain [bɛzmɛ̃] *m* Handkuß *m;* ~**ement** *m rel* Küssen *n;* ~**er** [be(ɛ)ze] *tr (Hand, Gesicht)* küssen; *vulg* ficken (*qn* jdn); *se faire* ~ *(vulg)* beschissen werden; *itr vulg* ficken; *s m* Kuß *m.*

baiss|e [bɛs] *f* Sinken, Fallen *n;* Senkung; Verminderung *f;* Rückgang; *fig* Abstieg *m;* Schwächung *f; com* (Preis-)Sturz *m,* Sinken *n,* Baisse *f; ses actions sont en* ~ *(fig)* seine Aktien fallen; *les cours sont en* ~ die Kurse fallen; ~ *de consommation* Verbrauchsrückgang *m;* ~ *des primes* Prämiensenkung *f;* ~ *des prix* Preissenkung *f;* -rückgang, -abbau *m;* ~ *de production, de température* Produktions-, Temperaturrückgang *m;* ~ *de tension* Spannungsabfall *m;* ~**er** [be(ɛ)se] *tr* senken; niedriger hängen, setzen, stellen, machen; *(Vorhang)* herab=, herunter=lassen; *(Schleier)* herunter=ziehen; *(Kragen)* herunter=klappen; *(Autofenster)* herunter=lassen; *(Radio)* leiser (ein=) stellen; *mus* tiefer stimmen; *(Licht)* ab=blenden; *(Flagge)* streichen; *(Augen)* nieder=schlagen; *(Verdeck)* herunter=klappen; *(Fahrgestell)* aus=fahren; *(Preis)* herunter=, herab=setzen, senken; *itr* sich vermindern; fallen, sinken; ab=nehmen; schwächer werden; nach=lassen; *mus* tiefer werden; *(Preis)* zurück=gehen; *se* ~ sich beugen, sich bücken, sich neigen; sich senken; ~ *les prix* die Preise senken *od* drücken; ~ *l'oreille (fig)* den Kopf hängen lassen; ~ *le ton (fig)* kleinlaut werden; *il a bien* ~*é* s-e Kräfte haben nachgelassen, *fam* er hat ganz schön abgebaut; ~**ier** *m* Baissespekulant *m.*

bajoue [baʒu] *f (Schwein, Kalb)* Backe; *(Mensch)* Hängebacke *f.*

bakélite [bakelit] *f* Bakelit *n.*

bal [bal] *m* Ball *m;* Tanzgesellschaft *f;* Ballsaal *m; ouvrir le* ~ den Ball eröffnen; *costume m, robe f de* ~ Ballkleid *n; robe f de* ~ *masqué* (Masken-)Kostüm *n; salle f de* ~ Ballsaal *m; soulier m de* ~ Ballschuh *m;* ~ *de bienfaisance* Wohltätigkeitsball *m;* ~ *blanc* Ball *m* junger Mädchen *(ohne Herren);* ~ *costumé* od *travesti, mas-*

qué Kostüm-, Maskenball *m; ~ d'enfants* Kinderball *m; ~ privé* Hausball*m*.

bal|ade [balad] *f fam* Spaziergang, Bummel *m; ~***ader** *fam (Kind)* spazieren=führen; *se ~ (fam)* spazieren=gehen; herum=bummeln; *envoyer qn ~* jdn weg=schicken; *fam* jdn zum Teufel, Kuckuck schicken; *se ~ en auto* im Auto spazieren=fahren; *~***adeur, se** *m f* Bummler(in *f*) *m; m mot* Schaltrad *n; f* Hand-, Ableuchtlampe *f; (Fahrzeug)* Anhänger; Karren *m; avoir l'humeur ~se* gern herum=bummeln; gern die Tapeten wechseln.

baladin, e [baladɛ̃, -in] *m f vx* Possenreißer; Schmierenkomödiant(in *f*) *m*.

balafr|e [balafr] *f* Hiebwunde; Schmarre *f;* Schmiß *m; ~***er** e-n Schmiß, e-e Schmarre bei=bringen (*qn* jdm).

balai [balɛ] *m* (Kehr-)Besen *m; el* Bürste *f*, Stromabnehmer *m; donner un coup de ~ à une pièce* ein Zimmer (flüchtig) aus=kehren; *coup m de ~ (fig)* Säuberungsaktion, Massenentlassung *f; manche m à ~* Besenstiel *m; (Person)* dünne Latte *f; aero* Steuerknüppel *m; ~ de crin* Roßhaarbesen *m; ~ à épousseter* Staubbesen *m; ~ mécanique* Teppichkehrmaschine *f; ~ de plumes* Federwisch *m; ~ de table* Tischbesen *m*.

balan|ce [balɑ̃s] *f* Waage *f a. astr; com* Ausgleich *m;* Begleichung; Bilanz *f;* Abschluß; Saldoauszug *m; pol* Gleichgewicht *n; (Krebsfang)* (kleines) Netz *n; être en ~* schwanken; unentschlossen sein; in der Schwebe sein; *faire pencher, incliner, emporter la ~ (fig)* den Ausschlag geben; *faire la ~* ab=rechnen; die Bilanz ziehen; *mettre, jeter un poids dans la ~* ein gewichtiges Wort mit=reden; *mettre dans la ~* auf die Waagschale legen; *fig* vergleichen; *mettre en ~ (fig)* das Für u. Wider *gen* ab=wägen; *tenir qn, qc en ~* jdn im ungewissen lassen; etw in der Schwebe lassen; *tenir la ~ égale entre* unparteiisch sein zwischen; *la ~ est favorable* od *en excédent, défavorable* od *en déficit* die Bilanz ist aktiv, passiv; *fléau m, aiguille f, plateaux m pl de la ~* Waagebalken *m*, Zeiger *m* der Waage, Waagschalen *f pl; ~ de caisse* Kassenabschluß *m; ~ du commerce extérieur* Außenhandelsbilanz *f; ~ d'un compte* Saldo *m; ~ des comptes, des paiements* Zahlungsbilanz *f; ~ de cuisine* Küchenwaage *f; ~ électronique* Elektronenwaage *f; ~ d'entrée* Eröffnungsbilanz *f; ~ hydrostatique* Wasserwaage *f; ~ à plateaux* Tafelwaage *f; ~ de précision* Präzisionswaage *f; ~ de sortie* Schlußbilanz *f; ~ de torsion* Drehwaage *f; ~***cé, e** *a* unentschlossen; *s m* Schwebeschritt *m; (fam) bien ~* wohlgebaut; *coup m ~* Swing *m; ~***cement** *m* Wiegen, Schaukeln, Hin- u. Herschwanken *n;* Schwingung *f; (Treppe)* Verziehen *n; fig* Unschlüssigkeit *f*, Zögern *n; fig* Ausgewogenheit, Harmonie *f;* Ebenmaß *n; ~***cer 1.** *itr (absolument) fig (Mensch)* schwanken, unschlüssig sein, zögern; *(Sache)* in der Schwebe sein; *entre les deux mon cœur ~ce fam* ich schwanke zwischen d(ies)en zwei Entschlüssen; **2.** *tr (remuer qc)* schaukeln; hin- u. her=bewegen; *~ les jambes* mit den Beinen baumeln; *~ la tête* mit dem Kopf wackeln; *~ les hanches (en marchant)* (beim Gehen) sich in den Hüften wiegen; *~ les cloches* die Glocken läuten; *~ une épée* ein Schwert schwingen; *~ des pierres (pop)* mit Steinen werfen; *~ un objet* e-en Gegenstand (weg=, hin=)schmeißen; *fig (se débarrasser de)* sich e-r S *(gen)* entledigen, *(e-n Angestellten)* entlassen, *(e-e Frau)* sitzen=lassen; **3.** *(équilibrer)* ins Gleichgewicht bringen, im Gleichgewicht halten; *(Gemälde, Satz)* ab=runden, harmonisch gestalten; *(Kräfte)* aus=gleichen, auf=wiegen; gleich=kommen (*qc e-r S dat*); *(Ausgaben)* decken; *com* be-, aus=gleichen; ab=rechnen; die Bilanz ziehen (*qc* aus etw); *~ un compte* ab=rechnen; e-e Rechnung begleichen; *~ les écritures* Bilanz ziehen; *(comparer) (Vorteile)* gegenea. ab=wägen, prüfen, vergleichen; *mar (Maschine)* probelaufen lassen; *mot* durch=drehen; **4.** *se ~* sich wiegen, sich hin- u. her=bewegen; *(fig)* sich aus=gleichen, sich die Waage, das Gleichgewicht halten; *s'en ~ fam* sich nichts aus e-r S machen, darauf pfeifen; *~***cier** *m (Uhr)* Pendel *n*, Perpendikel *n* od *m;* Unruh *f; tech* Ausgleicher, Schwinghebel *m;* Wippe *f;* Pumpenschwengel; Waagebalken *m; (Seiltänzer)* Balancierstange; *(Münze)* Prägepresse *f;* Waagenfabrikant, -händler *m; pl (Boot)* Ausleger *m pl; ~***çoire** *f* Schaukel, Wippe; *pl fig fam* Dummheiten, Possen, Albernheiten *f pl*.

balay|age [balɛjaʒ] *m* Fegen, Auskehren *n; radio* Abtastung; *mot* Spülung *f; fréquence f de ~ (radio)* Kippfrequenz *f; générateur m de ~* Zeittaktgeber *m; ~ en boucle (mot)* Umkehrspülung *f;* ~ *à haute définition* Feinabtastung *f;* ~ *conique* Kegelabtastung*f;* ~ *électronique* Bildzerlegung *f* mit der Kathodenstrahlröhre *f;* ~**er** [-e(ɛ)je] *(Zimmer)* (aus=)kehren; *(Schmutz)* weg=fegen; *(Straße)* fegen; *(Wind)* (hin=)fegen (*qc* über e-e S); weg=reißen; *mil* bestreichen; *(Lichtstrahl)* hin=gleiten (*qc* über e-e S), ab=tasten; *(Hindernis)* beseitigen; *(Sorgen)* verjagen; *(Magen)* reinigen; *fam* entlassen (*qn* jdn); ~**ette** *f* Handfeger, Kehrwisch *m;* ~**eur, se** *m f* Straßenkehrer *m; f* (Straßen-)Kehrmaschine *f;* ~**ures** *f pl* Kehricht; *(Meer)* Auswurf; *fig* Abschaum *m.*

balbuti|ant, e [balbysjɑ̃, -ɑ̃t] stotternd; ~**ement** [-simɑ̃] *m* Stottern, Stammeln; *(Betrunkener)* Lallen *n; fig* allererste Anfänge *m pl;* ~**er** [-sje] stottern, stammeln; lallen.

balcon [balkɔ̃] *m* Balkon *a. theat; theat* erste(r) Rang *m; aero* Kanzel *f; se mettre au* ~ sich auf den Balkon setzen; ~ *de tir (aero)* Schwalbennest *n.*

baldaquin [baldakɛ̃] *m* Baldachin; Thron-, Altarhimmel *m.*

Bâle [bɑl] *f* Basel *n.*

balein|e [balɛn] *f* Wal(fisch) *m;* Fischbein *n; blanc m de* ~ Walrat *m* od *n; huile f de* ~ Walfischtran *m; pêche f à la* ~ Walfang *m;* ~ *de col* Kragenstäbchen *n;* ~ *de corset* Korsettstange *f;* ~**eau** *m* junge(r) Wal *m;* ~**é, e** mit Fischbein versteift; ~**ier** *m* Walfänger *m;* ~**ière** *f* lange(s) schmale(s) Beiboot *n;* ~**optère** [-nɔptɛr] *m* Finnwal *m.*

balis|age [balizaʒ] *m aero* Befeuerung, Bodenbeleuchtung; Zielanflugpeilanlage; *mar* Betonnung *f;* Baken *f pl;* ~ *de ligne* Flugstreckenbefeuerung *f;* ~**e** *f* Bake, Boje; Meßstange *f; antenne f de* ~ Dipolantenne *f; signal m de* ~ Einflugzeichen *n;* ~ *d'approche* Ansteuerungsfeuer *n;* ~ *radio* Halbwegmarkierungssender *m;* ~ *émettrice de signaux de radioguidage équilibrés* Bake *f* für A-N-System; ~ *lumineuse d'approche* Landelicht *n;* ~ *radio à faisceau dirigé obligé* Fächermarkierungsbake *f;* ~ *radio à faisceau vertical* Zonenbake *f* mit vertikalem Leitstrahl; ~**é, e** *aero* befeuert; *mar* mit Baken bezeichnet; *axe, faisceau, secteur m* ~ Einflugschneise *f;* ~**er** *aero* befeuern; *mar* betonnen, mit Baken bezeichnen.

balisier [balizje] *m bot* indische(s) Blumenrohr *n.*

balist|e [balist] *f* Wurfmaschine *f; zoo* Hornfisch *m;* ~**ique** *s f* Ballistik *f; a* ballistisch.

baliv|age [balivaʒ] *m (Wald)* Schlagauszeichnung *f;* ~**eau** *m (Wald)* Laßreitel, -reis *n; arch* Rüstbaum; *min* (starker) Stempel; *(Garten)* junge(r) unbeschnittene(r) Baum *m.*

baliverne [balivɛrn] *f* Albernheit *f,* Kindereien, Possen *f pl;* ~*s que tout cela!* alles Unsinn!

Balkans, les [balkɑ̃] *m pl* Balkan-(Halbinsel *f*) *m.*

ballade [balad] *f* Ballade *f.*

ballant, e [balɑ̃, -ɑ̃t] *a* schlenkernd; *s m* Schwingen, Schwanken *n;* Durchhang; *mar* durchhängende(r) Teil *m* e-s Taues; *marcher les bras* ~*s* im Gehen mit den Armen schlenkern; *câble m* ~ durchhängende(s) Tau *n; jambes f pl* ~*es* baumelnde Beine *n pl.*

ballast [balast] *m (Straße)* Schotter *m; loc* Bettung(smaterial *n*) *f;* Bahndamm; *mar* Wassertank; *(U-Boot)* Tauchtank; Ballast *m.*

balle [bal] *f* **1.** Ball *m;* Ballspiel *n; jouer à la* ~ B. spielen; *prendre, saisir la* ~ *au bond (fig)* die Gelegenheit beim Schopf ergreifen; *renvoyer la* ~ *(fig fam)* schlagfertig antworten; ea. den schwarzen Peter zu=schieben; *à vous la* ~*!* Sie sind dran! *la* ~ *tombe au filet* der B. fliegt ins Netz; *enfant m de la* ~ Schauspielerkind *n;* ~ *coupée* geschnittene(r) Ball *m;* ~ *dure (Tennis)* scharfe(r) B.; ~ *de filet* Netzball *m;* ~ *de golf, de ping-pong, de tennis* Golf-, Tischtennis-, Tennisball *m;* ~ *à jouer* Spielball *m;* **2.** Geschoß *n,* Kugel *f; à l'épreuve des* ~*s* kugelsicher; *être atteint, blessé, frappé par une* ~ von e-r Kugel getroffen werden; *faire* ~ *(fig)* treffen; sitzen; *mettre, loger une* ~ *dans le but* das Ziel treffen; *tirer à* ~ scharf schießen; *boîte f à* ~*s* Patronenkasten *m; nombre m de* ~*s mises au but* Trefferzahl *f;* ~ *éclairante* Leuchtkugel *f;* ~ *de fusil, de mitrailleuse, de revolver* Gewehr-, MG-, Revolverkugel *f;* ~ *incendiaire* Brand-, Phosphorgeschoß *n;* ~ *perforante* Stahlkerngeschoß *n;* ~ *traçante, traceuse* Leuchtspurgeschoß *n;* **3.** *com* Ballen *m; mettre en* ~*(s)* in Ballen packen; **4.** Spreu *f;* **5.** *pop (Geld)* ~*s* alte Francs *m pl.*

ball|erine [balrin] *f* Ballettänzerin *f;* ~**et** [-lɛ] *m* Ballett *n; maître m de* ~ Ballettmeister *m.*

ballon [balɔ̃] *m* **1.** (großer) Ball; Fußball *m; arrêter le* ~ *de la main* den Ball mit der Hand ab=wehren; *donner un coup de tête au* ~ köpfen; *être* *rapide sur le* ~ schnell am Ball sein; *frapper le* ~ *du poing* fausten; *passer le* ~ den Ball ab=geben; *pousser le* ~ *dans le but, dans les filets* den Ball ins Tor, Netz stoßen; *maîtrise f du* ~ Ballbeherrschung *f;* ~ *de basket-ball, de foot-ball, de hand-ball* Korb-, Fuß-, Handball *m;* ~ *d'entraînement (Boxen)* Punchingball *m;* **2.** Ballon *m; être enflé, gonflé comme un* ~ *(fig)* ein aufgeblasener Kerl sein; *faire* ~ *(pop)* auf e-e S verzichten; *monter en* ~ mit e-m Ballon auf=steigen; *ramener le* ~ *à terre* den Ballon ein=holen; *enveloppe, nacelle f d'un* ~ Ballonhülle, -gondel *f; pneu m* ~ Ballonreifen *m;* ~ *de barrage, de protection* Sperrballon *m;* ~ *captif* Fesselballon *m;* ~ *d'essai* Versuchsballon *m a. fig;* ~ *libre* Freiballon *m;* ~ *d'observation* Beobachtungsballon *m;* ~*-sonde m* Registrierballon *m;* ~ *stratosphérique* Stratosphärenballon *m;* **3.** *geog* Kuppe *f; le B~ d'Alsace* der Elsässer Belchen *m;* **4.** *Art* Trinkglas *n; chem* Glaskolben, -ballon *m;* ~ *d'oxygène* Sauerstoffflasche *f;* **~nement** *m med* Blähung *f;* **~ner** auf=blasen; *med* auf=blähen; **~net** [-ɔnɛ] *m* kleine(r) Ballon *m; aero* Gaszelle *f; aero* Luftsack *m; barrage m de* ~*s* Ballonsperre *f.*

ballot [balo] *s m* (kleiner) Ballen; *(Bücher)* Packen; *fam* Dummkopf *m; a fam* dumm; *par* ~*s* ballenweise; *rester planté, figé comme un* ~ dumm da=stehen; *oreille f d'un* ~ Zipfel *m* e-s Ballens; **~tage** [-lɔ-] *m* unentschiedene Wahl *f (ohne absolute Mehrheit e-s Kandidaten); scrutin m de* ~ Stichwahl *f;* **~tement** *m* Schaukeln, Hin- u. Herschütteln *n;* **~ter** *tr* hin- u. her=schütteln, -werfen; schaukeln; ~ *qn* jdn zwischen Furcht u. Hoffnung schweben lassen; *itr* wakkeln; hin- u. her=rutschen, -schwanken, -laufen; *être* ~*é entre des sentiments contraires* von widerstreitenden Gefühlen hin- u. hergerissen werden.

ballottine [balɔtin] *f Art* Sülze *f.*

bal(l)uchon [balyʃɔ̃] *m fam* Bündel *n; faire son* ~ sein Bündel schnüren.

balnéaire [balneɛr] Bade-; *station f* ~ Seebad *n.*

balourd, e [balur, -urd] *a* schwerfällig, plump; ungewandt; ungeschickt; dumm; *s m* Tölpel, Tolpatsch *m; tech* Unwucht *f; f* dumme(s) Huhn *n,* dumme Gans *f;* **~ise** *f* Dummheit, Ungeschicklichkeit; Schwerfälligkeit, Tolpatschigkeit *f.*

balsamine [balzamin] *f* Springkraut *n.*

basalmique [balzamik] balsamisch; *fig* beruhigend.

balt|e [balt] *a: les pays m pl* ~*s* das Baltikum; **~ique** baltisch; *la (mer) B~* die Ostsee.

balustr|ade [balystrad] *f* Geländer; Gitter *n;* Barriere; Brüstung *f;* Laufsteg *m;* **~e** *m* Baluster *m,* Geländersäule *f;* Gitterstab; Federzirkel *m.*

bambin, e [bɑ̃bɛ̃, -in] *m f fam* kleine(r) Junge *m;* kleine(s) Mädchen *n.*

bamboch|ade [bɑ̃bɔʃad] *f (Malerei)* volkstümliche *od* burleske, ländliche Szene *f; fam* Bierreise *f;* **~e** *f fam* Zechgelage *n; faire* ~ auf den Bummel gehen; **~er** *fam* ein tolles Leben führen; **~eur** *m fig fam* Nachtschwärmer *m.*

bambou [bɑ̃bu] *m* Bambus(stab) *m; (pop) avoir le coup de* ~ bekloppt sein.

bamboula [bɑ̃bula] *m* od *f* (Neger-) Trommel *f; f* Negertanz *m; (pop) faire la* ~ tüchtig, anständig feiern.

ban [bɑ̃] *m* Trommelwirbel; Tusch; *fam* Beifall *m (durch rhythmisches Händeklatschen);* Verbannung, Acht *f; pl (Heirat)* Aufgebot *n; mettre qn au* ~ *de la société* jdn gesellschaftlich ächten, jdn schneiden.

banal, e [banal] gemeinnützig; Gemeinde-; *fig* gewöhnlich, alltäglich, abgedroschen; *propos m* ~ Gemeinplatz *m;* **~iser** zu e-m Gemeinplatz machen; **~ité** *f* Abgedroschenheit, Alltäglichkeit, Plattheit *f; débiter des* ~*s* abgedroschenes Zeug reden.

banan|e [banan] *f* Banane *f;* **~ier** *m* Bananenstaude *f,* -dampfer *m;* **~ia** *m (Warenzeichen)* Trinkschokolade *f.*

banc [bɑ̃] *m* Bank; *geol* (feste) Schicht; *min* Bank *f,* Mittel *n; tech* Werkbank *f,* Gestell, Bett *n; (Textil)* Fleier *m; petit* ~ Fußschemel *m;* ~ *des accusés* Anklagebank *f;* ~ *d'argile* Tonschicht *f;* ~ *de brume* Nebelbank *f;* ~ *d'essai* Prüf-, Bremsstand *m;* ~ *de glace* Eisbank *f,* -feld *n;* ~ *d'huîtres* Austernbank *f;* ~ *de nuages* Wolkenbank *f;* ~ *de poissons* Fischbank *f;* ~ *de rochers* Steinschicht; *mar* Felsbank *f;* ~ *de sable* Sandbank *f;* **~able** bankfähig; **~aire** bankgeschäftlich; Bank-.

bancal, e [bɑ̃kal] *a* krummbeinig; hinkend; *(Gegenstand)* wack(e)lig; *s m* Krummsäbel; krummbeinige(r) Mensch *m.*

banco [bɑ̃ko] : *faire* ~ *(Spiel)* allein gegen die Bank spielen.

band|age [bɑ̃daʒ] *m* Verband *m,* Bandage *f;* Verbandszeug *n,* Binde *f;*

(Rad) Beschlag; Reifen; Mantel *m; Bereifung f; (Bogen)* Spannen *n; appliquer un* ~ e-n Verband an=legen; ~ *d'accouplement* Kupplungsbelag *m;* ~ *compressif* Druckverband *m;* ~ *de corps* Bauchbinde *f;* ~ *en épi* Kornährenverband *m;* ~ *herniaire* Bruchband *n;* ~ *plâtré* Gipsverband *m;* ~ *préservatif* Lagerungsverband *m;* ~**agiste** *m* Bandagist *m.*

bande [bɑ̃d] *f* **1.** Band *n;* Binde *f;* Streifen; Rand; (Leder-)Riemen *m; (Kleid)* Band *n,* Blende *f,* Besatz; *phot* Film(streifen) *m; aero* Reihenaufnahme; *(Billard)* Bande *f; mil* (Patronen-)Gurt *m; tech* Bandeisen *n;* Leiste; Schiene; Einfassung *f; com* Streifband *n; mar* Seite; Schlagseite; Schräglage *(in der Kurve); zoo* Streifung *f; radio* Band *n,* Bereich *m; par la* ~ *(fig fam)* auf Umwegen; *enregistrer sur* ~ *magnétique* auf (Ton-) Band auf=nehmen; *obtenir qc par la* ~ *(fam)* etw hintenherum erreichen; ~ *d'agrafure* Haftstreifen *m;* ~ *chargeur* Ladestreifen *m;* ~ *de chargement* Verladeband *n;* ~ *collante* Klebstreifen *m;* ~ *dessinée* Cartoon *m;* ~ *élastique* Gummizug *m;* ~ *éliminée* Sperrbereich *m;* ~ *enroulée* Gurttrommel *f;* ~ *d'étoffe* Stoffbahn *f;* ~ *de feutre* Filzstreifen *m;* ~ *de fréquence* Wellenbereich *m;* ~ *isolante, isolatrice* Isolierband *n;* ~ *magnétique* Tonband *n;* ~ *de papier* Papierstreifen *m;* ~ *passante* Ablaufstreifen *m;* ~ *perforée* Lochstreifen *m;* ~ *publicitaire* Buchbinde *f;* Streifband *n* mit Werbetext; ~ *de roulement* Lauf-, Reifendecke *f;* ~*-son,* ~ *sonore* Tonspur *f;* ~ *de sparadrap* Heftpflaster *n;* ~ *de terrain* Geländestreifen *m;* ~ *transporteuse* Förder-, Transportband *n;* ~ *de triage* Leseband *n;* **2.** Schar *f,* Haufen *m,* Bande *f;* Schwarm *m; fam* Clique *f; (Wölfe)* Rudel *n; (Büffel)* Herde *f; (Vögel)* Zug, Flug *m; (Rebhühner)* Kette *f; en, par* ~*s* scharen-, haufenweise; *(Tiere)* rudelweise; *(pop)* ~ *de lâches!* feige Bande! *faire* ~ *à part* sich ab=sondern; *chef, meneur m de la* ~ Bandenführer *m;* ~ *de voleurs* Diebesbande *f.*

bandeau [bɑ̃do] *m* Binde *f;* (Stirn-, Mützen-, Haar-)Band *n; arch* Leiste *f,* Flachstab *m;* Sohlgesims *n; (Krankenschwester)* Haube *f;* Anzeigenstreifen *m; arracher le* ~ *des yeux de qn (fig)* jdm die Augen öffnen; *avoir un* ~ *sur les yeux (fig)* ganz verblendet sein; *fam* ein Brett vor dem Kopf haben.

band|elette [bɑ̃dlɛt] *f* Binde *f;* Bändchen, Bändel *n; arch* schmale(r) Flachstab *m; com* Banderole *f,* Streifband *n;* ~ *agglutinative* Streifen *m* Heftpflaster; ~**er** *tr (Augen, Wunde)* verbinden; *(Feder, Sehne)* spannen; *(Muskeln)* straffen; *(Geist)* an=strengen, an=spannen; *(Gewölbe)* schließen; *itr* gespannt sein; *fam* e-e Erektion haben; *se* ~ sich straffen *a. fig;* ~**ereau** *m* Trompetenschnur *f;* ~**erole** *f* Wimpel *m;* Streifband *n;* Stempelstreifen *m;* Spruchband *n;* Gewehrriemen; *(Jagd)* Lappen *m.*

bandit [bɑ̃di] *m* (Straßen-)Räuber, Bandit; Gauner *m;* ~**isme** *m* Gangstertum *n.*

bandoulière [bɑ̃duljɛr] *f* Trag-, Schulterriemen *m; porter un appareil photographique en* ~ e-n Fotoapparat umgehängt tragen.

bang [bɑ̃g] *m fam* Knall *m;* ~ *supersonique* Überschallknall *m.*

banjo [bɑ̃ʒo] *m mus* Banjo *n.*

banlieu|e [bɑ̃ljø] *f* Vororte *m pl; il vit en* ~ er wohnt in e-m Vorort; train m de ~ Vorortzug *m;* ~**sard** [-zar] *m* Vorstädter, Vorortbewohner *m.*

bannière [banjɛr] *f* Banner *n;* Kirchenfahne; Standarte *f; pop* Hemd *n;* ~*s déployées* mit fliegenden Fahnen; *marcher sous la* ~ *de qn* unter jds Fahne marschieren; *il a fallu la croix et la* ~ man mußte Himmel u. Hölle in Bewegung setzen.

bann|i, e [bani] *a* verbannt; *s m f* Verbannte(r *m*) *f;* ~**ir** verbannen; *jur* des Landes verweisen; fort=jagen; entfernen; aus=schließen, aus=stoßen; *(Brauch)* unterdrücken; *(Sorgen)* fahren=lassen; *(Wort)* aus=merzen; *(Getränk)* meiden; ~ *de la mémoire* aus dem Gedächtnis tilgen; ~**issement** *m jur* Verbannung, Ausweisung; *fig* Beseitigung *f.*

banqu|e [bɑ̃k] *f* Bank(haus *n*) *f,* Bankgeschäft *n;* Spielbank *f;* Bankwesen *n; déposer de l'argent à la* ~ Geld auf die Bank legen; *se faire ouvrir un compte à la* ~ sich ein Bankkonto ein=richten; *faire sauter la* ~ die Bank sprengen; *billet m de* ~ Banknote *f; compte m en* ~ Bankkonto *n; crédit m en* ~ Bankkredit *m; employé m de* ~ Bankangestellte(r) *m; frais m pl de* ~ Bankspesen *pl; procuration f de* ~ Bankprokura *f; succursale f d'une* ~ Filiale, Zweigstelle *f* e-r Bank; ~ *agricole* Landwirtschaftsbank *f;* ~ *de change* Wechselbank *f;* ~ *commerciale, de commerce* Handelsbank *f;* ~ *de compensation* Abrechnungsbank *f;* ~ *coopérative*

Genossenschaftsbank *f; ~ de crédit* Kreditanstalt *f; ~ de dépôts* Depositenkasse *f; ~ de données (inform)* Datenbank *f; ~ d'émission* Notenbank *f; ~ d'escompte* Diskontbank *f; ~ hypothécaire* Hypothekenbank *f; ~ immobilière, foncière* Bodenkreditanstalt *f; ~ industrielle* Gewerbebank *f; ~ du lait* Milchsammelstelle *f; ~ d'organes* Organbank *f; ~ de prêts* Darleh(e)nskasse *f; ~ du sang* Blutbank *f; ~ du sperme* Samenbank *f; ~ de virement* Girokasse *f; ~ des yeux* Augenbank *f;* **~eroute** *f* Bankrott *m,* Zahlungseinstellung *f; fig* völlige(r) Zs.bruch *m; ~ frauduleuse* betrügerische(r) Bankrott *m;* **~eroutier** *m* Bankrotteur *m.*

banquet [bɑ̃kɛ] *m* Bankett, Festmahl; Essen *n; ~ nuptial, de noces* Hochzeitsessen *n; ~ sacré* Kommunion *f;* **~eter** tafeln; schmausen; **~eteur** *m* Gast *(bei e-m Essen);* Zecher *m.*

banquette [bɑ̃kɛt] *f* Bank *f (ohne Rückenlehne); mil* Schützenauftritt; Gehweg *m;* Berme *f;* Sims *m;* Fensterbank *(aus Stein); min* Unterbank *f;* Staketenzaun *m; jouer devant, pour les ~s (theat)* vor leerem Haus spielen.

banquier [bɑ̃kje] *m* Bankier; *(Spiel)* Bankhalter *m.*

banquise [bɑ̃kiz] *f* Packeis *n.*

banquiste [bɑ̃kist] *m* Schwindler *m.*

baobab [baɔbab] *m* Affenbrotbaum *m.*

bapt|ême [batɛm] *m* Taufe *f; donner, administrer, conférer le ~* taufen (*à qn* jdn); *recevoir le ~ du feu* die Feuertaufe erhalten; *bonnet m de ~* Taufhäubchen *n; certificat m de ~* Taufschein *m; nom m de ~* Taufname *m; registre m de ~* Taufregister *n; ~ de l'air (Flugzeug)* Jungfernflug *m; ~ de la ligne, du tropique* Äquatortaufe *f;* **~iser** taufen; e-n Spitznamen geben (*qn* jdm); benennen; *~ le vin* Wasser in den Wein gießen, den Wein taufen; **~ismal, e** Tauf-; *eau f ~e* Taufwasser *n; fonts m pl ~aux* Taufbecken *n; tenir un enfant sur les fonts ~aux* ein Kind über die Taufe halten; **~istaire** *a* Tauf-; *s m* Auszug *m* aus dem Taufregister; **B~iste** *m* Baptist *m; Jean-~* Johannes der Täufer; **~istère** *m* Baptisterium *n,* Taufkapelle *f.*

baquet [bakɛ] *m* Kübel, Zuber, Bottich; Kanister *m; ~ à traire* Melkkübel *m.*

bar [bar] *m* **1.** Bar(tisch *m*); Stehbierhalle *f;* **2.** Seebarsch *m;* **3.** *(Luftdruck)* Bar *n (= 1 Million dyn/cm²).*

baragouin [baragwɛ̃] *m* Kauderwelsch *n;* **~er** [-gwine] *fam itr* kauderwelschen; *tr (Sprache)* radebrechen.

baraka, baracca [baraka] *f fam* Glück *n; avoir la ~* Glück, Schwein haben.

baraqu|e [barak] *f* Baracke; Nissenhütte; Bude; *fig pop* Bruchbude *f; ~ foraine* Jahrmarktsbude *f; ~ d'habitation* Wohnbaracke *f;* **~ement** *m* Unterbringung *f* in e-m Barackenlager; Baracken *f pl,* Barackenlager *n.*

baraterie [baratri] *f mar* Baratterie *f.*

baratin [baratɛ̃] *m pop* lange(s) Gerede *n; faire du ~ à qn* jdn ein=seifen *fig;* **~er** dummes Zeug reden.

barat|tage *m* Buttern *n;* **~te** *f* Butterfaß *n,* -maschine *f;* **~ter** buttern.

barbacane [barbakan] *f mil* Außenwerk *n;* Schießscharte *f;* Wasserabfluß *m;* schmale(s), hohe(s) Fenster *n.*

barbant, e [barbɑ̃, -ɑ̃t] *fam* langweilig.

barbaque [barbak] *f pop* Fleisch *n.*

barbar|e [barbar] *a* barbarisch; unzivilisiert, ungesittet; unmenschlich; grausam, roh; *s m* Barbar; unkultivierte(r), grobe(r) Mensch *m;* **~ie** *f* Barbarei; Kulturlosigkeit; Roheit; Unwissenheit; Grausamkeit; *(Stil)* Sprachwidrigkeit *f; orgue m de B~* Drehorgel *f;* **~isme** *m* sprachliche(r) Schnitzer; Verstoß *m* gegen den guten Geschmack.

barbe [barb] *f* Bart(haar *n*) *m; (Katze)* Schnurrhaare *n pl; (Hahn)* Kehl-, Kinnlappen *m; (Fisch)* Knorpelflossen *f pl; (Wal)* Barten *f pl; (Feder)* Fahne *f; (Pfeil)* Widerhaken *m; (Ähre)* Granne *f; astr* (Kometen-) Schweif *m; (Stoff)* Fasern *f pl; (Brot)* Schimmel; *(Papier)* rauhe(r) Rand *m; tech* Gußnaht *f;* Schlüsselbart; *(Schloß)* Angriff *m;* Berberpferd *n; pop* Langeweile *f; à la ~ de qn* in jds Gegenwart, vor jds Nase; jdm zum Trotz; *avoir de la ~* e-n Bart haben; *se (faire) faire la ~* sich rasieren (lassen); *se laisser pousser la ~* sich den Bart wachsen lasssen; *porter toute sa ~* e-n Vollbart tragen; *rire dans sa ~ (fig)* sich ins Fäustchen lachen; *(pop) la ~!* das genügt! *quelle ~!* wie ärgerlich! *pour la ~ ou les cheveux?* Rasieren oder Haarschneiden? *brosse f, savon m à ~* Rasierpinsel *m,* -seife *f; homme m à ~* bärtige(r) Mann *m; vieille ~* Greis; schlaue(r) Fuchs, routinierte(r) Bursche *m; ~-de-capucin* wilde Zichorie *f; ~ en pointe* Spitzbart *m.*

barbeau [barbo] *m (Fisch)* Flußbarbe; Kornblume *f; pop* Zuhälter *m.*
barbelé, e [barbəle] *a* mit Widerhaken versehen; *s m* u. *fil m de fer ~* Stacheldraht *m; s m pl* Stacheldrahtverhau *m* od *n.*
barber [barbe] *fam* langweilen.
barbet, ette [barbɛ, -ɛt] *m f* Pudel *m; suivre qn comme un ~* jdm wie ein Hund nach=laufen.
barb|iche [barbiʃ] *f* Kinnbärtchen *n;* **~ichon** *m* kleine(r) Pudel *m;* **~ier** *m* Barbier, Frisör *od* Friseur *m;* **~ifiant, e** *fam* langweilig; **~ifier** *fam* rasieren; langweilen; **~illon** [-jɔ̃] *m (Hahn)* Kehl-, Kinnlappen *m; (Fisch)* Barbe *f; zoo* Bartfaden; *(Angel)* Widerhaken *m.*
barbon [barbɔ̃] *m fam* Graukopf *m.*
barbot|age [barbɔtaʒ] *m* Plätschern, Perlen; *tech* Tauchbad; Weichfutter *n; graissage m par ~* Tauchschmierung *f;* **~er** *itr (im Wasser)* (herum=) plätschern; *(im Schlamm)* (herum=) waten; *chem* perlen; *mar* keine Fahrt haben; *fig* sich verheddern; in Verwirrung, durchea.=geraten; *tr pop* stibitzen, klauen; **~eur** *m* Hausente; Gefäß *n* (zum Waschen der Erze); Rührwerk *n; chem* Waschflasche *f; pop* Dieb *m.*
barboteuse [barbɔtøz] *f* Strampel-, Spielhöschen *n pl.*
barbotière [babɔtjɛr] *f* Ententeich; Mischzuber *m* (für Pferdefutter).
barbotin [barbɔtɛ̃] *m* Kettenrad *n,* -rolle *f.*
barbotine [barbɔtin] *f Art* Töpferton *m.*
barbouill|age [barbujaʒ] *m* (Mauer-) Anstrich *m; (Schrift)* Gesudel; *(Malerei)* Geschmier(e) *n,* Kleckserei *f; fig* Gefasel *n;* **~er** *tr* ver-, beschmieren, besudeln; *(Leinwand)* beklecksen; *(Papier)* bekritzeln; *(Wand)* grob an=streichen; *fig* in schlechtem Stil schreiben; *fig fam vx* (daher=)stottern, gacksen, (in den Bart) murmeln; *fig fam (den Magen)* um=drehen, verderben; *se ~* sich beschmieren (*de* mit); *fig* sich den Kopf voll=pfropfen; *avoir le cœur ~é* sich unwohl fühlen; seekrank sein; *le temps se ~e* der Himmel überzieht sich; **~eur, se** *m f* (Be-)Schmierer; Anstreicher; *fig fam* Kleckser; Groschenschmierer; Schwätzer *m.*
barbouze [barbuz] *f fam* Bart *m; fam* Agent *m.*
barbu, e [barby] bärtig; behaart; mit Grannen versehen; *fig* stachelig; **~e** *f* Glattbutt *m.*
barc|arolle [barkarɔl] *f mus* Barkarole *f;* **~asse** *f* Barkasse *f; fam* alte(r) Kahn *m.*
bard [bar] *m* Trage *f.*
barda [barda] *m arg mil* Gepäck *n,* Tornister *m.*
bardane [bardan] *f* Klette *f.*
barde [bard] **1.** *m* Barde *m;* **2.** *f* Pferdeharnisch *m;* Reitkissen *n;* Speckschnitte *f.*
bardeau [bardo] *m* (Dach-)Schindel *f; typ* Defektenkasten *m; toit m de ~x* Schindeldach *n.*
barder [barde] **1.** auf e-e Trage laden; **2.** panzern; *(Küche)* mit Speckschnitten umwickeln; spicken; **3.** *pop* gefährlich werden; scharf her=gehen; *être ~é contre qc* gegen etw gewappnet sein; *être ~é de décorations* mit Orden übersät sein; *ça a ~é (pop)* da hat's geknallt.
bardot, bardeau [bardo] *m* (kleiner) Maulesel *m.*
barème [barɛm] *m* Rechentabelle; (Lohn-)Skala *f;* Tarif(ordnung *f*) *m; ~ de conversion* Umrechnungstabelle *f; ~ des salaires* Lohntabelle *f; ~ de transports* Frachttarif *m; ~ varié* gleitende Skala *f.*
barge [barʒ] *f* **1.** Uferschnepfe; **2.** Barke *f.*
barguign|age [bargiɲaʒ] *m fam* Zaudern, Zögern *n;* **~er** zaudern, zögern; **~eur** *m* Zauderer *m.*
baril [bari(l)] *m* (kleines) Faß *n; mettre en ~* ein=tonnen; *~ de goudron, de harengs, de poudre* Teer-, Herings-, Pulverfaß *n;* **~let** [-rijɛ] *m* Fäßchen; *(Uhr)* Federgehäuse *n; (Revolver)* Trommel *f; (Koksofen)* Teervorlage; *(Orgel)* Walze *f;* Pumpenstiefel; *opt (Linse)* Körper *m; anat* Mittelohr *n.*
bariol|age [barjɔlaʒ] *m* Farbengemisch; *fig* Durcheinander *n;* **~é, e** bunt(scheckig); **~er** bunt bemalen; *fig* buntscheckig erscheinen lassen.
barman [barman] *m* Kellner; Barmixer *m.*
baro|graphe [barɔgraf] *m* Barograph *m;* **~mètre** *m* Barometer, Wetterglas *n; le ~ monte, descend, est au beau fixe, à la pluie, au variable* das Barometer steigt, fällt, steht auf schön, auf Regen, auf veränderlich; *~ altimétrique* Höhenmesser *m; ~ anéroïde* Aneroidbarometer *n; ~ à coquille* Dosenbarometer *n; ~ enregistreur* Höhenschreiber, Barograph *m; ~ à mercure* Quecksilberbarometer *n;* **~métrique** Barometer-; *capsule, échelle, hauteur f ~* Barometerdose, -skala *f,* -stand *m; pression f ~* Luftdruck *m; variations f pl ~s* Luftdruckschwankungen *f pl.*

baron, ne [bɑrɔ̃, -ɔn] *m f* **1.** Baron(in *f*) *m;* Freiherr *m,* Freifrau *f;* **2.** *m (Küche)* Keulen *f pl* u. Filetstücke *n pl.*

baroque [barɔk] *a* seltsam, wunderlich; eigenartig; verschnörkelt; *arch* barock; *s m* Barock *n* od *m.*

barou|d [barud] *m* Kampf(geist) *m;* **~deur** *s m* kriegerische(r) Mensch *m; a* kampflustig.

barouf [baruf], **baroufle** [barufl] *m pop* Spektakel, Klamauk, Krawall *m.*

barqu|e [bark] *f* Barke *f;* Kahn, Nachen *m,* Boot *n; mener, conduire la ~* das Ruder führen; *(fig)* den Ton an=geben; *il mène bien sa ~* er versteht sein Geschäft; *~ à rames, à voiles, de pêcheur* Ruder-, Segel-, Fischerboot *n;* **~ette** *f* Kahn *m;* Löffelbiskuit *n* od *m; tech* (kahnförmiges) Gefäß *n,* Behälter *m.*

barrage [baraʒ] *m* (Ab-)Sperrung; Abdämmung; (Straßen-)Sperre; Sperrmauer; Talsperre *f;* Stauwerk, -wehr *n;* Damm *m; (Scheck)* Kreuzen; *fig* Hindernis *n; établir un ~* e-e Sperre errichten; *faire ~ à qn* jdm Hindernisse in den Weg legen; *match m de ~* Ausscheidungsspiel *n; tir m de ~* Sperrfeuer *n; ~ aérien* Luftsperre *f; ~ antichar* Panzersperre *f; ~ de ballonnets* Ballonsperre *f; ~ de D.C.A.* Flaksperre *f; ~ de filets* Netzsperre *f; ~ de mines* Minensperre *f; ~ de planches* Bretterverschlag *m; ~ de police* Polizeisperre *f; ~-réservoir m* Talsperre *f;* Staubecken *n; ~ roulant (mil)* Feuerwalze *f; ~ de rue* Straßensperre *f.*

barre [bɑr] *f* Stab *m;* (Quer-) Stange *f;* Riegel *m;* Querleiste; *el* Schiene *f; tele* Balken *m;* Stabeisen *n; aero* Gurtung; *jur* Gerichtsschranke *f;* Schlagbaum; (Metall-)Barren *m; mar* Barre, Sandbank, Springflut *f;* Ruder *n,* Ruderspinne, Spake *f;* (Quer-)Strich *m; med* Leib-, Bauchweh *n; (Seife)* Riegel; *mus* Taktstrich; *mus* Baßbalken *m; sport* Reckstange *f; (Barren)* Holm *m; avoir ~(s) sur qn* jdm gegenüber im Vorteil sein, etw voraus=haben; *(jur) paraître à la ~* vor Gericht erscheinen; *donner un coup de ~* die Richtung ändern; *à qn (fig fam)* jdm e-n Schlag versetzen; *être raide comme une ~ de fer (fig)* starr an s-n Grundsätzen fest=halten; *prendre, tenir la ~ (fig)* das Ruder fest in die Hand nehmen, in der Hand halten; *tirer une ~* e-n (Schluß-)Strich ziehen; *traduire, mander à la ~* vor Gericht laden; *c'est de l'or en ~ (fig fam)* das ist Gold wert; *~ d'accouplement* Schub-, Spurstange *f; ~ d'alésage* Bohrspindel *f; ~ d'appui* Brustlehne *f; ~ d'attelage* Zugstange *f; ~ à béton* Armierungseisen *n; ~ à bornes* Klemmleiste *f; ~ de chariotage* Zugspindel *f; ~ collectrice* Sammelschine *f; ~ de commande* Stellstange *f; ~ du compositeur (typ)* Mittelsteg *m; ~ conductrice* Führungsleiste *f; ~ de contrôle (phys)* Regelstab *m; ~ de cuivre* Kupferschiene *f; ~ de direction, directrice* Lenkstange *f; ~ de distribution* Sammelschine *f; ~ droite* Montageeisen *n; ~ d'enclenchement* Verschlußschieber *m; ~ d'espacement* Zwischenraumtaste *f; ~ de fer* Eisenstange *f,* -stab *m; ~ fixe* Reck *n; ~ de flot* Flutwelle *f; ~ de fraction* Bruch-, Schrägstrich *m; ~ de grès* Sandsteinmauer *f; ~ à mine* Brechstange *f;* Stoßbohrer *m; ~ omnibus* Sammelschiene *f; ~s parallèles (sport)* Barren *m; ~ du pare-chocs* Stoßstange *f; ~ (de plage)* Brandung *f; ~ à pointe* Brecheisen *n; ~ profilée* Profilstab *m; ~ ronde* Rundeisen *n; ~ de section carrée* Vierkanteisen *n; ~ de torsion* Drehstab *m; ~ de treillis* Fachwerk-, Gitterstab *m;* **~é, e** *(Straße)* gesperrt; *(Tür)* verriegelt; *(Scheck)* gekreuzt; **~eau** *m* (Gitter-) Stab *m,* Stange *f;* Querholz *n; (Leiter)* Sprosse *f; jur* Anwaltsstand *m;* die Anwälte; *être inscrit au ~* Anwalt sein; **~ement** *m (Scheck)* Kreuzen *n.*

barrer [bare] *(Straße)* (ver)sperren; *(Tür)* verriegeln; *(Durchgang)* sperren; *(Fluß)* stauen; *(Scheck)* kreuzen; *(Wort)* (aus=)streichen; *(ein t)* mit e-m Querstrich versehen; *fig* quer=laufen *(qc* über e-e S); *mar (das Ruder)* führen; *se ~ (pop)* verschwinden, ab=hauen, verduften; *~ le passage, la route à qn* jdm den Weg verlegen; *fig* jdm Steine in den Weg legen.

barrette [barɛt] *f* **1.** Barett *n;* Kardinalshut *m;* **2.** Stäbchen *n,* Stift *m;* (Ordens-, Haar-)Spange *f; (Schmuck)* Barettnadel *f; (Uhr)* Ankerkloben *m.*

barreur [barœr] *m mar* Rudergänger *m.*

barrica|de [barikad] *f* Barrikade; (Straßen-)Sperre *f; dresser une ~* e-e B. errichten; **~der** *(Straße)* versperren; *(Tür)* verrammeln; *(Menschen)* ein=schließen; *se ~* sich verbarrikadieren; *~ sa porte (fig)* für niemand(en) zu sprechen sein.

barrière [barjɛr] *f* Schranke *f;* Schlagbaum *m;* Einzäunung *f fig* Hindernis *n; ~s douanières* Zollschranken, -mauern *f pl.*

barrique [barik] *f* Faß *n,* Tonne *f (meist 225 l); être gros comme une ~ (fig)* dick wie e-e Tonne sein; *être plein comme une ~ (pop)* (sternhagel)voll sein.

barr|ir [barir] *(Elefant)* trompeten; **~issement, ~it** [-ri] *m* Trompeten *n.*

barrot [baro] *m* **1.** *mar* Querbalken *m;* **2.** Sardellenfaß *n;* **~oter** voll=stauen.

barye [bari] *f* Mikrobar *n (Druck von 1 dyn/cm²).*

baryte [barit] *f* Bariumhydroxyd *n.*

baryton [baritõ] *m* Bariton *m;* **~ner** Bariton singen.

baryum [barjɔm] *m* Barium *n.*

bas, se [bɑ, bɑ(a)s] **1.** *a* niedrig, nieder; klein; tief(liegend); *(Wasser)* seicht, flach; *(Stimme)* tief, leise; *(Himmel)* düster, trübe, mit Wolken bedeckt; *geog* Unter-; Nieder-; tiefer gelegen; *(Kopf, Ohren)* hängend; *(Wert)* gering, *(Preis)* niedrig; *(Kurs)* flau; *(Rang)* untergeordnet; nieder; jung, unmündig; *hist* Spät-; *(Stil)* gewöhnlich; vulgär; *(Moral)* gemein, nieder(trächtig); *à ~ prix* billig, wohlfeil; *à voix ~se* leise; *au ~ bout* am unteren Ende (*de* gen); *au ~ mot* mindestens; *en ~ âge* in zartem Alter; *en ce ~ monde* in dieser Welt, auf Erden; *s'en aller l'oreille ~se (fig)* betreten abziehen; *avoir la vue ~se* kurzsichtig sein *a. fig; faire main ~se sur qc* sich an e-r S. vergreifen; *faire parler qn d'un ton plus ~ (fig fam)* jdm e-n Dämpfer auf=setzen; *le jour est ~* der Tag geht zu Ende; *le soleil est ~* die Sonne steht tief; *Chambre f ~se* Unterhaus *n; coup m ~ (sport)* Tiefschlag *m; fig* Gemeinheit *f; marée f ~se* Ebbe *f; messe f ~se* stille Messe *f; ville f ~se* Unterstadt *f; ~ses cartes f pl* niedere Karten *f pl; ~ses classes f pl d'une école* Grundschul-, Anfangsklassen *f pl; ~-côté m arch* Seitenschiff *n;* Straßenrand; Fuß-, Gehweg *m; ~-dessus m* Mezzosopran *m; ~se extraction, naissance, origine* niedere Herkunft *f; ~-fond m* Niederung; *(Fluß, Meer)* Untiefe; *pl fig* Hefe *f* (des Volkes); *~-foyer m* Frisch-, Rennfeuer *n; ~-latin m* Spätlatein *n; ~ morceaux m pl* Fleisch *n* zweiter Qualität; *~ peuple m* niedere(s) Volk *n; ~se pression f (Wetter)* Tiefdruck *m; ~-produit m* minderwertige(s) Produkt *n; ~-relief m (Kunst)* Basrelief *n; ~ses terres f pl* Niederungen *f pl; ~-toit m min* Dachschichten *f pl; ~-ventre m* Unterleib *m;* **2.** *s m* untere(r) Teil *m,* untere(s) Ende *n; (Druckseite, Berg)* Fuß; *(Kleid)* untere(r) Rand, Saum *m; fig* Niedrige(s), Gemeine(s) *n; mus* untere Lage *f; au ~ de* am unteren Ende *gen; du* od *de haut en ~* von oben bis unten; *fig* von oben herab; *par le ~* von unten her; *regarder qn de ~ en haut* jdn von Kopf bis Fuß betrachten; *des hauts et des ~* ein Auf u. Ab; *~ de casse (typ)* kleine Buchstaben *m pl;* Unterkasten *m;* **3.** *s m* Strumpf *m; aller comme un ~ de soie (fig)* wie angegossen sitzen; *mettre* od *enfiler, enlever* od *ôter* od *retirer ses ~* seine Strümpfe an=, aus=ziehen; *remailler, repriser des ~* Strümpfe auf=maschen, stopfen; *une maille de mon ~ a filé* ich habe e-e Laufmasche; *bout, pied, talon m, tige f, mailles f pl d'un ~* Spitze *f,* Fuß *m,* Ferse, Länge *f,* Maschen *f pl* e-s Strumpfes; *paire f de ~* Paar *n* Strümpfe; *~ sans couture* nahtlose(r) Strumpf *m; ~ de dame, de soie, de sport, de nylon* Damen-, Seiden-, Sport-, Nylonstrumpf *m; ~ de laine* Woll-, *fig* Sparstrumpf *m;* **4.** *adv* nieder, niedrig; tief; *à ~ de* her-, hinunter von; *en ~* unten; hinunter; *d'en ~* von unten; *en ~ de, au ~ de* am Fuße *gen;* von ... herab; *par en ~* nach unten zu; *chanter trop ~* zu tief singen; *couler ~ (itr)* unter=gehen; *tr* versenken; *être tombé ~ (fig)* auf einem Tiefpunkt angelangt sein; *être à ~* am Boden liegen; *fig (Pläne)* ins Wasser gefallen sein; *(Person)* erledigt sein; *mettre ~* weg=, nieder=legen; *fig* beiseite schieben; *(Waffen)* nieder=legen, *fig* sich für besiegt erklären; *(Tier)* Junge werfen; *mettre chapeau ~* den Hut ziehen; *fig devant qn* jds Überlegenheit an=erkennen; *mettre pavillon ~* die Flagge streichen; *mettre, jeter à ~* nieder=werfen, zerstören, vernichten; *mettre plus ~* tiefer hängen; *mettre qn plus ~ que terre (fig fam)* jdn zerreißen, herunter=machen; *se précipiter la tête en ~* sich kopfüber hinunter=stürzen; *tomber ~ (Kurs)* zs.=brechen; *(Thermometer)* unter Null sinken; *fig* sehr herunter=kommen, auf den Hund kommen; *tomber en ~ de l'échelle* von der Leiter herunter=fallen; *plus ~* weiter unten; später; nachher; *chapeau ~!* Hut ab! *~ les mains, ~ les pattes! (fam)* Hände, Finger weg! *à ~ la tyrannie!* nieder mit der Tyrannei!

basalte [bazalt] *m* Basalt *m.*

basan|e [bazan] *f* (braunes) Schafleder *n; (Reithose)* Lederbesatz; *pop* Tritt *m* ins Hinterteil; *arg* Haut *f;* **~é, e**

gebräunt, sonn(en)verbrannt; **~er** bräunen.

bascul|ant, e [baskylɑ̃, -ɑ̃t] kippbar; schwenkbar; umlegbar; *benne f ~e* Kippkübel *m; pont m ~* Klappbrücke *f; wagon m ~* Kippwagen *m;* **~e** *f* Klappe, Wippe, Kippe *f;* (Pumpen-) Schwengel *m;* Schaukel; Kippschaltung; Waage *f; aero* Männchen *n; à ~* kippbar; *faire la ~* um=kippen, sich über=schlagen; *barrière f à ~* Schlagbaum(schranke *f*) *m; brouette f à ~* Kippkarren *m; cheval m à ~* Schaukelpferd *n; commutateur m à ~* Kontaktwippe *f; fauteuil à ~* Schaukelstuhl *m; fléau m de ~* Waagebalken *m; grille f à ~* Kipprost *m; mouvement, jeu m de ~* Wipp-, Schaukelbewegung *f; plate-forme f, tablier m d'une ~* Brücke, Tafel *f* e-r Waage; *politique f de ~* Schaukelpolitik *f; wagonnet m à ~* Kipplore *f; ~ automatique* automatische Waage *f; balance à ~* Brückenwaage *f; ~ à courseur mobile* Laufgewichtswaage *f; ~ à grue* Kranwaage *f; ~ pour les personnes* Personenwaage *f; ~ du pharmacien* chemische Waage *f;* **~er** (um=)kippen; schwenken; schwingen; schaukeln; **~eur** *m* Kipper *m.*

bas|e [bɑz] *f* Grundlage; *(Geometrie)* Grundfläche, Grundlinie *f;* Unterbau *m,* Basis *f; (Säule)* Fuß; Untersatz, Sockel *m; math* Grundzahl; *mil* Basis; Bereit-, Ausgangsstellung *f;* Stützpunkt *m; chem* Base *f;* Grundbestandteil; *mus* Grundton *m; fig* Grundlage, Basis *f,* Fundament *n; sur la ~ de* auf Grund *gen; établir, poser, jeter les ~s* die Grundlagen legen; *être à la ~ de qc* e-r Sache zugrunde liegen; *fonder sur des ~s sûres* auf e-e sichere Grundlage stellen; *pécher par la ~* von e-m falschen Ansatzpunkt aus=gehen; *porter sur la ~ de départ* in die Ausgangsstellung vor=schieben; *prendre qc pour ~* etw zugrunde legen; *se replier sur ses ~s* sich auf seine Ausgangsstellung zurück=ziehen; *servir de ~ à un calcul* e-r Berechnung als Grundlage dienen; *abattement m à la ~* Freibetrag *m (Steuer); industries f pl de ~* Grundstoffindustrie *f; ligne f de ~* Grundlinie *f; prix m de ~* Grundpreis *m; produit m de ~* Grundstoff *m; salaire m de ~* Grundlohn *m; taxe f de ~* Grundgebühr *f; troupes f pl sur la ~ de départ (mil)* Bereitstellungen *f pl; unité f de ~ (mil)* Anschlußeinheit *f; ~ aérienne* Luft-, Flugstützpunkt *m; ~ aéronavale* Marinefliegerstützpunkt *m; ~ de calcul* Berechnungs-, Kalkulationsgrundlage *f; ~ de départ* Ausgangsstellung *f; ~ de discussion* Gesprächsgrundlage *f; ~ du forfait* Akkordbasis *f; ~ d'imposition* Besteuerungsgrundlage *f; ~ juridique, légale* Rechtsgrundlage *f; ~ de lancement (Raketen)* Abschußbasis *f; ~ logistique* Versorgungsstützpunkt *m; ~ navale* Marinestützpunkt *m; ~ des nuages continue, interrompue* geschlossene, zerrissene Wolkendecke *f; ~ d'opérations* Operationsbasis *f; ~ de ravitaillement* Nachschubbasis *f; ~ de temps* Zeitgröße *f; ~ de temps d'image* Bildzeitbasis *f; ~ de transit* Durchgangsbasis *f;* **~er** *fig* stützen (*sur* auf *acc*); *se ~ sur* beruhen, sich stützen auf *acc.*

basilic [bazilik] *m zoo* Basilisk *m; bot* Königskraut *n.*

basilique [bazilik] *f arch* Basilika *f.*

basique [bazik] basisch.

basket [baskɛt] *m fam* Basketball, Korbball *m;* Basketballschuh *m;* **~-ball** [baskɛtbol] *m* Korbball *m.*

basoche [bazɔʃ] *f péj* Juristen *m pl.*

basqu|ais, e [baskɛ, -ɛz] *a* baskisch; *B~, e s m f* Baske *m,* Baskin *f;* **~e 1.** *a u. s m f* = *(B)~ais, e; béret m ~* Baskenmütze *f; pays m ~* Baskenland *n; tambour m de ~* Schellentrommel *f,* Tamburin *n;* **2.** *s f* (Rock-)Schoß *m; être toujours (sus)pendu aux, ne pas quitter les ~s de qn (fam)* jdm nicht von den Fersen, *fam* von der Pelle gehen.

basse [bɑ(a)s] *f* Baß *m;* Baßstimme *f;* Bassist *m; (Klavier)* Baßsaite; -geige *f; mar* Untiefe *f; ~ continue* Generalbaß *m; ~-cour f* Hühnerhof *m; ~-fosse f* Verlies *n; ~ noble, profonde* tiefe(r) Baß *m; ~-taille f vx* erste(r) Baß *m;* **~ment** *adv* gemein, niedrig.

bassesse [basɛs] *f (Mystik)* menschliche Schwäche, Anfälligkeit *f,* Elend *n; (Gefühle, Gedanken)* Niedrigkeit, niedrige Gesinnung, Niederträchtigkeit, Erbärmlichkeit; Unterwürfigkeit; *(Ausdruck, Handlung)* Gemeinheit *f.*

basset [basɛ] *m* Dachshund, Dackel; *fam* kleine(r), kurzbeinige(r) Mann *m.*

bassin [basɛ̃] *m* (Fluß-, Kohlen-)Bekken, Bassin *n;* Wanne; (Waag-)Schale *f; mar* Hafenbecken *n,* Binnenhafen *m;* Dock; *geog anat* Becken *n;* Mulde *f;* flache(s) Sohlental *n;* e-e Schale voll; *~ d'arrosage* Wasserkasten *m; ~ de chasse* Schleusenkammer *f; ~ collecteur* Sammelbehälter *m; ~ de décantation* Klärbecken *n; ~ de dépôt* Schlammteich *m; ~ d'un fleuve*

Stromgebiet *n; ~ de la fontaine* Brunnenbecken *n; ~ houiller* Steinkohlenbecken *n; ~ hygiénique, plat, de lit* Bettschüssel *f,* Schieber *m; ~ minier* Bergbaugebiet *n; ~ de pisciculture* Fischteich *m; ~ de radoub* Trockendock *n; ~ de radoub flottant* Schwimmdock *n; ~ de retenue* Staubecken *n;* **~age** [basinaʒ] *m* Besprengen *n;* **~ant, e** *fam* langweilig.

bassin|e [basin] *f* Wanne *f;* Kessel *m;* **~er** an=feuchten; besprengen; *(Wunde)* feucht betupfen; mit e-r Wärmeflasche an=wärmen; *fam* langweilen; auf die Nerven fallen (*qn* jdm); **~et** [-nɛ] *m* Sturmhaube; Zündpfanne *f; bot* Hahnenfuß *m;* kleine Schale *f; cracher au ~ (fig fam)* widerwillig Geld heraus=rücken; *~ du rein* Nierenbecken *n;* **~oire** *f* Bettwärmer *m (mit Kohlenglut); (~ anglaise, à eau chaude)* Wärmeflasche *f.*

bass|iste [bɑ(a)sist] *m* Bassist, Cellist *m;* **~on** *m* Fagott(ist, -bläser *m*) *n.*

baste [bast] *interj vx* basta! genug! ach was!

bastingage [bastɛ̃gaʒ] *m* Reling *f.*

bastion [bastjɔ̃] *m* Bastion *f,* Bollwerk *n; fig* Eckpfeiler *m.*

bastonnade [bastɔnad] *f* Tracht *f* Prügel.

bastringue [bastrɛ̃g] *m fam* einfache(s) Tanzlokal *n; fig pop* Heidenlärm *m;* Radaumusik *f.*

bat [bat] *m sport* Schlagholz *n,* Schläger *m;* Länge *f (e-s Fisches);* **~-flanc** [baflɑ̃] *inv m* Holzpritsche *f (Pferdestall);* Querbalken *m;* Zwischenwand *f (aus Holz).*

bât [bɑ] *m* Packsattel *m; animal m de ~* Lasttier *n; cheval m de ~* Lastpferd *n; fig* Packesel *m; c'est là que le ~ le blesse* da drückt ihn der Schuh.

bataclan [bataklɑ̃] *m fam* Kram, Plunder *m.*

bataill|e [bataj] *f* Schlacht *f;* Kampf; Streit *m,* Handmenge *n;* Schlachtordnung *f; arriver après la ~ (fig)* zu spät kommen; *avoir les cheveux en ~* zerzauste Haare haben; *dresser un plan de ~* e-n Schlachtplan entwerfen; *livrer ~ à qn* jdm e-e Schlacht liefern; *champ m de ~* Schlachtfeld *n; cheval m de ~* Streitroß; *fig* Steckenpferd, Lieblingsthema *n; ordre m de ~* Kriegs-, Truppengliederung *f; plan m de ~* Schlachtplan *m a. fig; ~ d'anéantissement* Vernichtungsschlacht *f; ~ décisive* Entscheidungsschlacht *f; ~ électorale* Wahlschlacht *f; ~ d'encerclement* Kesselschlacht *f; ~ de fleurs* Blumenkorso *m; ~ navale, aérienne* See-, Luftschlacht *f; ~ de rupture* Durchbruchsschlacht *f;* **~er** *fig* sich herum=streiten; *fam* sich ab=mühen, sich ab=rackern, sich plagen (*pour* um zu); **~eur, se** *a* streitsüchtig, rauflustig; *s m* streitsüchtige(r) Mensch *m; humeur f ~euse* Streitlust *f;* **~on** *m* Bataillon *n;* Abteilung; *fig* Schar *f; chef m de ~* Bataillonskommandant *m; ~ antichars* Panzerjägerabteilung *f; ~ de chars* Panzerabteilung *f; ~ de dépôt* Ersatzbat. *n; ~ du génie* Pionierbat. *n; ~ d'infanterie de montagne* Gebirgsjägerbat. *n; ~ d'infanterie motorisée* motorisierte(s) Infanteriebat. *n; ~ d'instruction* Lehrbat. *n; ~ de mitrailleurs* MG-Bat. *n; ~ de transmissions* Nachrichtenabteilung *f.*

bâtard, e [bɑ(a)tar, -ard] *a* unehelich, natürlich; Bastard-; unecht; entartet; Misch-, Zwitter-; *s m f* uneheliche(s) Kind *n; (Hund)* Mischrasse *f; écriture f ~e* Bastardschrift *f; titre m ~ (typ)* Schmutztitel *m.*

bateau [bato] *m* Schiff *n;* (großer) Dampfer *m; mar* Boot *n;* Kahn, Nachen; *mil* Ponton; *pop* Kindersarg, Quadratlatschen *m;* Schiffsladung *f; (fam) monter un ~ à qn* jdm e-n Bären auf=binden; *prendre le ~* mit dem Schiff fahren; *pont m de ~x* Schiffbrücke *f; sujet-~ m* abgedroschene(s) Thema *n; ~ charbonnier* Kohlenschiff *n; ~-citerne m, ~ pétrolier* (Öl-)Tanker *m; ~ de course* Rennboot *n; ~ dragueur* Schwimmbagger *m;* Minenräumboot *n; ~-feu m* Feuerschiff *n; ~ à fond plat* Flachboot *n; ~ frigorifique* Kühlschiff *n; ~ à hélice* Schraubendampfer *m; ~ à moteur* Motorboot *n; ~-mouche m* kleine(r) Personendampfer *m; ~ de pêche, pêcheur* Fischdampfer *m;* Fischereifahrzeug *n; ~-phare m* Leuchtschiff *n; ~-pilote m* Lotsenboot *n; ~ de plaisance* Vergnügungsdampfer *m; ~ pliant* Faltboot *n; ~ pneumatique* Schlauchboot *n; ~ à rames* Ruderboot *n; ~ de rivière, fluvial* Flußdampfer *m; ~ à roues* Raddampfer *m; ~ de sauvetage* Rettungsboot *n; ~-stop m: en ~* als blinder Passagier; *~ à vapeur* Dampfer *m,* Dampfschiff *n.*

batel|age [batlaʒ] *m* Be-, Entladen *(e-s Schiffes);* Fährgeld *n;* Taschenspielerei *f;* **~ée** *f* Schiffsladung *f;* **~er 1.** Kunststücke vor=führen; **2.** auf e-m Schiff transportieren; **~et** [-əlɛ] *m* kleine(s) Boot *n;* Nachen *m;* **~eur** [-tlœr] *m* Gaukler, Taschenspieler *m;* ~**ier** [-təlje] *m* (Fluß-)Schiffer; Gondoliere; Fährmann *m;* ~**lerie** [-tɛlri] *f* (Fluß-)Schifffahrt *f.*

bath [bat] *pop* prima, Klasse, großartig.

bathy|métrie [batimetri] *f* Tiefseemessung *f;* ~**scaphe** [-tiskaf] *m* Taucherkugel *f.*

bât|i, e [bɑ(a)ti] *pp a* ge-, erbaut; *(Gelände)* bebaut; *s m* Rahmen *m;* Gestell *n;* Unterbau, Bock *m; (Textil)* Fadenschlag, Heftstich; Heftfaden *m; bien* ~ gut gewachsen; ~ *dormant* Blendrahmen *m;* ~ *de montage* Helling *f;* ~*-moteur m* Motorbock *m;* ~**iment** *m* Bauhandwerk, -fach *n;* Gebäude *n,* Bau *m; mar (großes)* Fahrzeug, Schiff *n; construire* od *édifier, entretenir un* ~ ein Gebäude errichten, unterhalten; *être du* ~ *(fig)* vom Fach sein; *corps m de* ~ Hauptgebäude *n; industrie f du* ~ Bauhandwerk, -gewerbe *n; entreprise f de* ~ Bauunternehmen *n; entrepreneur m de* ~ Bauunternehmer *m; ouvrier m du* ~ Bauhandwerker *m; peintre m en* ~ Anstreicher, Maler *m; prix m du* ~ Baupreis *m;* ~ *de l'administration, administratif* Verwaltungsgebäude *n;* ~ *d'extraction, du puits* Schachtgebäude *n;* ~ *frigorifique* Kühlschiff *n;* ~ *de guerre* Kriegsschiff *n;* ~ *industriel* Fabrikgebäude *n,* Industriebau *m;* ~ *des machines* Maschinenhaus *n;* ~ *marchand* Handelsschiff *n.*

bati|r [batir] *tr* (er)bauen; errichten; gründen; *(Programm)* entwerfen; *(Theorie)* auf=stellen; *(Hoffnungen)* hegen; *(Satz, Maschine)* konstruieren; *(Kleid)* heften; *(Gelände)* bebauen; *(Zeitung)* zs.=stellen; *se* ~ sich bauen; aufgebaut werden; *il s'est* ~*i* man hat gebaut; ~ *des châteaux en Espagne* Luftschlösser bauen; ~ *à chaux et à ciment, sur le roc* solide bauen; ~ *sur le roc (fig)* auf Fels bauen; ~ *de ciment, en pierre, en brique* mit Zement, aus Stein, aus Backstein bauen; ~ *de ses propres mains* mit eigenen Händen (auf=)bauen; ~ *sur le sable (fig)* auf Sand bauen; *pierre f à* ~ Baustein *m; terrain m à* ~ Baugelände *n; remembrement m des terrains à* ~ Baulandumlegung *f;* ~**issage** *m (Kleid)* Heften; *(Filz)* Formen *n;* ~**isse** *f* Mauerwerk; Bauwerk; Gemäuer; *fam* Haus *n;* ~**isseur, se** *m* Erbauer; Baunarr; *fig* Gründer(in *f*) *m; a* baulustig.

batifol|age [batifɔlaʒ] *m fam* Schäkern, Tändeln *n;* ~**er** *fam* scherzen, schäkern; sich die Zeit (angenehm) vertreiben; sich tummeln.

batiste [batist] *f* Batist *m; mouchoir m de* ~ Batisttaschentuch *n.*

bâton [bɑ(a)tɔ̃] *m* Stock; Stab; Knüppel, Prügel; Pfahl *m,* Stange *f;* Schaft; Stachel *m (zum Antreiben des Viehs);* Pritsche *f;* Bergstock *m;* Strickholz *n;* Schistock; *(Schule)* Rohrstock; *loc* Zugstab *m; fig* Stütze *f; pl (Schreiben)* Striche *m pl; s'appuyer sur un* ~ sich auf e-n Stab stützen; *mener une vie de* ~ *de chaise (fig)* ein sehr ungeregeltes Leben führen; *mettre des* ~*s dans les roues* Knüppel zwischen die Beine werfen; *parler à* ~*s rompus* vom Hundertsten ins Tausendste kommen; *retour m de* ~ *(fam)* unangenehme Überraschung *f;* ~ *d'aveugle* Blindenstock *m;* ~ *à barbe* Rasierseife *f;* ~ *de berger* Hirtenstab *m;* ~ *de cire à cacheter* Siegellackstange *f;* ~ *de commandement* Kommandostab *m;* ~ *de craie* Stück *n* Kreide; ~ *de magicien* Zauberstab *m;* ~ *de pèlerin* Pilgerstab *m;* ~ *de rouge (à lèvres)* Lippenstift *m;* ~**nat** [-tɔna] *m* Amt *n* des Präsidenten der Anwaltskammer; ~**ner** (durch=)prügeln; ~**net** [-nɛ] *m* Stäbchen *n;* Stäbchenbakterie; stäbchenförmige Zelle *f;* ~ *glacé* Eis *n* am Stiel; ~**nier** *m* Präsident *m* der Anwaltskammer.

batraciens [batrasjɛ̃] *m pl zoo* Lurche *m pl.*

batt|able [batabl] schlagbar, besiegbar; ~**age** *m (Teppich)* Klopfen; *(Getreide)* Dreschen; *(Pfahl)* Einrammen; Buttern *n; fig fam* Rummel *m,* Geschrei *n;* übertriebene Propaganda *f; faire beaucoup de* ~ viel Aufheben(s) machen (*autour de* um); ~**ant, e** *a: le cœur* ~ mit klopfendem Herzen; *tambour m* ~ mit klingendem Spiel; *mener qn tambour* ~ jdn straff am Zügel führen; *qc* etw rasch u. einwandfrei erledigen; *pluie f* ~*e* Platzregen *m; porte f* ~*e* Flügeltür *f; s m* Tür-, Fensterflügel; Klöppel, Glokkenschwengel *m;* (Tisch-)Klappe, (Tür-)Klinke; *(Webstuhl)* Lade *f; mar* flatternde(s) Fahnentuch; *arg* Herz *n; à deux* ~*s* zweiflüg(e)lig.

batt|e [bat] *f* Schlägel; *(Steinmetz)* Klöpfel *m;* Handramme; Pritsche; Waschbank *f;* Kricketschläger *m;* Schlagholz *n;* ~**ée** *f* Tür-, Fensteranschlag *m;* Schlagleiste *f.*

battellement [batɛlmɑ̃] *m* Traufziegelreihe *f.*

battement [batmɑ̃] *m* Schlagen, Klopfen; *(Hände)* Klatschen; *(Re-*

gen) Peitschen; *(Füße)* Stampfen; *(Tanz)* Battement; *(Augenlider)* Zukken *n; phys* Schwebung, Schwingung; *arch* Patte, Schlagleiste *f;* Zeitraum *m; (Uhr)* Ticken *n; ~ d'ailes* Flügelschlagen *n; ~ du cœur* Schlagen *n* des Herzens; Herzklopfen *n; ~ du pouls* Pulsschlag *m.*

batterie [batri] *f mil el* Batterie *f;* Akku(mulator), Sammler; *mus* Trommelschlag; Arpeggiolauf; Triller *m; (Saite)* Zupfen *n;* Schlaginstrumente *n pl;* Schlagzeug *n; en ~! (mil)* in Stellung! *charger la ~* die B. auf=laden; *dresser ses ~s (fig)* schwere Geschütze auf=fahren; *se mettre en ~* in Stellung gehen; *caisse f de ~* Batteriekasten *m; groupe m de charge de ~* Ladeaggregat *n; ~ d'anode* Anodenbatterie *f; ~ antiaérienne, de D.C.A.* Flakbatterie *f; ~ antichar* Pak-Kompanie *f; ~ de chaudière* Kesselanlage *f; ~ de chauffage* Heizbatterie *f; ~ côtière* Küstenbatterie *f; ~ de cuisine* Küchengeschirr *n; fig pop* Klempner-, Blechladen *m (Orden); ~ déchargée* entladene Batterie *f; ~ locale* Ortsbatterie *f; ~ de pile* Primärbatterie *f; ~ de projecteurs* Scheinwerferbatterie *f; ~ sèche* Trockenbatterie *f.*

batt|eur [batœr] *m* Schläger; Drescher *m; (Spinnerei)* Flachmaschine *f; (Jagd)* Treiber; Schlagzeugspieler *m; ~ électrique* Mixer *m; ~ d'œufs* Eierrührmaschine *f; ~ de pavé* Pflastertreter *m;* **~euse** *f* Dreschmaschine *f;* **~oir** *m* Klopfer; Schlegel *m,* Schlagholz *n; fig fam* Pranke, kräftige Hand *f.*

battre [batr] *irr* **1.** *tr* schlagen *a. fig sport,* prügeln; *(Eisen)* schmieden, hämmern; *(Eier)* rühren; *(Erde)* fest=stampfen; rammen; *(Getreide)* dreschen; *(Karten)* mischen; *(Nuß)* ab=schlagen; *(Sense)* dengeln; *(Teppich)* klopfen; *(Ufer)* bespülen; *(Feind)* schlagen, besiegen; *mil (Gelände)* bestreichen; durchstreifen; *~ en brèche* e-e Bresche schlagen (*qc* in e-e S); *fig* erschüttern; *(Argument)* entkräften; *~ le briquet* das Feuerzeug an=zünden; *~ les buissons* auf den Busch klopfen *a. fig; ~ la grosse caisse (fig)* die Reklametrommel rühren; *~ la campagne* herum=streifen; *fig* vom Thema ab=schweifen; wirres Zeug reden; *~ qn à coups de poing, de pied, de bâton* jdn mit Faustschlägen bearbeiten, mit dem Fuß treten, mit dem Stock schlagen; *~ le fer pendant qu'il est chaud* das Eisen schmieden, solange es heiß ist; *~ la mesure* den Takt schlagen; *~ monnaie* Münzen schlagen; *~ les oreilles de qn* jdm in den Ohren liegen; *~ le pavé* umher=schlendern; umher=irren; *~ comme plâtre* windelweich schlagen; *~ son plein* auf dem Höhepunkt, in vollem Schwang sein; *~ un record* e-n Rekord schlagen; *~ la* (od *en*) *retraite* zum Rückzug blasen; *fig* klein bei=geben; *~ la semelle* mit den Füßen stampfen; *~ le* (od *du*) *tambour* die Trommel schlagen, trommeln; *~ les vitres (Hagel)* an das Fenster schlagen; **2.** *itr* schlagen, klopfen, pochen; wackeln, baumeln, schwingen; *(Maschine)* in Gang sein, gehen, laufen; *~ des ailes* flattern, mit den Flügeln schlagen; *~ de l'aile (fig)* auf der Nase liegen; in schlechter Verfassung sein; *(Geschäft)* schlecht=gehen; *~ à coups réguliers (Herz, Uhr)* regelmäßig schlagen; *~ froid à qn* jdm die kalte Schulter zeigen; *~ des mains* in die Hände klatschen; *~ des paupières* mit den Augenlidern zukken; *~ pavillon français* unter französischer Flagge segeln; *le cœur lui bat* er hat Herzklopfen; *la nouvelle nous fit ~ le cœur* die Nachricht ließ unser Herz höher schlagen; *les tempes, les cils battent* die Schläfen pochen, die Wimpern zucken; *la pluie bat contre les vitres* der Regen schlägt an die Fenster; **3.** *se ~* sich schlagen; mitea. kämpfen; sich balgen; (herum=)streiten (*avec* mit); *prêt à se ~* kampfbereit; *se ~ les flancs pour qc (fig)* wegen e-r S umsonst alle Hebel in Bewegung setzen; *se ~ avec qn à coups de poing* sich mit jdm herum=raufen, -prügeln; *je m'en bats l'œil (pop)* ich pfeife darauf.

battu, e [baty] *pp* geschlagen; verprügelt; gepeitscht; besiegt; *(Erde)* gestampft; *(Weg)* ausgetreten; *avoir l'air d'un chien ~* wie ein geprügelter Hund aus=sehen; *avoir les yeux ~s* schwarze Ringe um die Augen haben; *suivre les chemins ~s (fig)* im alten G(e)leis(e), *fam* Trott bleiben; *se tenir pour ~* seine Sache verloren geben; *crème f ~e* Schlagsahne *f; fer m ~* Eisenblech *n; œufs m pl ~s en neige* Eierschnee *m; ~ de la mer, des vents, d'orages* meer-, wind-, sturmgepeitscht.

battue [baty] *f* Treibjagd; Razzia *f;* Pferdegetrappel *n,* Hufschlag *m; (Kokon)* Klopfen, Dreschen *n.*

bau [bo] *m mar* Querbalken *m.*

baudet [bodɛ] *m* (Zucht-)Esel *a. fig;* große(r) Sägebock *m.*

baudrier [bodrije] *m* Wehr-, Degen-

gehänge *n;* Sturmriemen *m; B~ d'Orion (astr)* Jakobsstab *m.*
baudruche [bodry] *f* Goldschlägerhaut *f; homme m en ~* Blender *m.*
bauge [boʒ] *f* Strohlehm *m; (Wildschwein)* Lager; *(Eichhörnchen)* Nest *n; fig* Schweinestall *m; se vautrer comme un cochon dans sa ~ (fig)* sich im Schmutz wälzen.
baume [bom] *m* Balsam; *fig* Trost *m;* Linderung *f; fleurer comme ~* balsamisch duften; *verser, répandre du ~ sur une blessure (fig)* Balsam auf e-e Wunde träufeln; *~ des jardins (bot)* Frauenminze *f.*
bauxite [bo(ɔ)ksit] *f min* Bauxit *m.*
bavard, e [bavar, -ard] *a* schwatzhaft, geschwätzig; *(Rede)* weitschweifig; *(Augen)* sprechend; *(Bach)* (dahin)plätschernd; *s m f* Schwätzer *m,* Klatschbase *f;* **~age** *m* Geschwätz; Gerede *n;* **~er** *itr* schwatzen; klatschen; *tr vx* plaudern (*qc* über *acc*).
bav|arois, e [bavarwa, -az] *a* bay(e-)risch; *B~, e s m f* Bayer *m,* Bay(e)rin *f;* **B~ière, la** Bayern *n.*
bav|e [bav] *f* Speichel; Geifer *a. fig;* Schaum *(um den Mund); (Schnecke)* Schleim; *(Larven)* Seidenfaden *m;* **~er** Speichel, Schleim ab=sondern; *(Kind) fam* sabbern, sabbeln, trielen; *(Flüssigkeit)* heraus=fließen, rinnen; *fig* (be)geifern, Schmutz werfen (*sur qc* auf e-e S); *pop vx* babbeln; *en ~ (pop)* vom Stengel fallen; schuften, leiden müssen; **~ette** *f* Lätzchen *n;* (Brust-)Schurz *m; arch* Vorstoßblech *n;* Traufplatte *f; (Küche)* untere(s) Lendenstück *n; être encore à la ~ (fig fam)* noch nicht trocken hinter den Ohren sein; *tailler des ~s* die Zeit verplaudern; **~eux, se** *a* geifernd; *(Omelett)* teigig, breiig; *(Wunde)* eit(e)rig; *typ* zs.fließend, unscharf; *s m pop* Zeitung *f;* **~ocher** [-vɔʃe] *tr typ* unscharf drucken *od* stechen; *itr (Tinte)* aus=fließen; **~ochure** *f* Schmitz; einseitig unscharfe(r) Druck *m;* **~oir** *m* Lätzchen *n.*
bavolet [bavɔlɛ] *m Art* Haube *(der Bäuerin),* Schleife *f (an der Kopfbedeckung der Frau); mot* (hintere) Rahmenverkleidung *f.*
bavure [bavyr] *f tech* Gußnaht *f,* Bart; *(Tuch)* vorstehende(r) Rand *m; typ* unsaubere Stelle *f;* Geschmier(e) *n;* Fehler *m;* Fehlverhalten *n; sans ~(s) (fig pop)* untadelig, einwandfrei; reibungslos.
bayadère [bajadɛr] *f* Bajadere *f.*
bayart [bajar] *m s. bard.*
bayer [baje] : *~ aux corneilles* Maulaffen feil=halten.
bazar [bazar] *m* Basar *m;* Kaufhalle *f; fig pop* ungepflegte(s) Haus *n; tout le ~ (pop)* der ganze Kram; **~der** *pop* verscheuern, zu Geld machen; weg=schmeißen.
bazooka [bazuka] *m* Bazooka, Panzerfaust *f.*
béant, e [beɑ̃, -ɑ̃t] offen; *(Wunde)* klaffend; *fig* staunend, verwundert, sprachlos (*de* vor *dat*).
béat, e [bea, -at] *a (ironisch)* ruhig, friedlich, still; albern; scheinheilig, frömmelnd; *s m f* Frömmler *m;* Betschwester *f;* **~ification** *f* Seligsprechung *f;* **~ifier** selig=sprechen; **~ifique** beseligend; **~itude** *f* Glückseligkeit *f;* Glück *n; (Bibel)* Seligpreisung *f.*
beau, bel, belle [bo, bɛl] *a* **1.** *(Mensch, Tier, Pflanze)* schön, hübsch; stattlich; wohlgestaltet; *un ~ physique* ein schönes Äußeres; *une belle fille (fam)* ein hübsches, fesches Mädchen; *il est bel homme* er ist ein stattlicher Mann; *un ~ port, une belle prestance* e-e imponierende Erscheinung; *pour les beaux yeux de qn* um jds schöner Augen willen; *déchirer à belles dents (fig)* herunter=machen (*qn* jdn); *dévorer, manger à belles dents* gierig verschlingen, essen; *cela vous fait une belle jambe* das nützt Ihnen nicht viel; da sind Sie genauso schlau wie vorher; *porter ~* den Kopf hoch tragen *a. fig;* **2.** *(Kleidung) fam* elegant, schick; *se faire ~* sich hübsch an=ziehen; sich fein, schön machen; *le ~ monde* die vornehme Gesellschaft; *un ~ monsieur* ein gut-gekleideter, feiner Herr; **3.** *(Natur)* schön, herrlich, lieblich; *(Wetter)* schön, heiter, ruhig, klar; *un ~ soleil* strahlende Sonne *f; avoir ~ temps* schönes Wetter haben; *il fait ~* es ist schön(es Wetter); *un ~ jour od matin* e-s schönen Tages; *la mer est belle* das Meer ist ruhig; *(fig) à la belle étoile* unter freiem Himmel; **4.** *(zeitlich) il y a ~ temps* es ist schon lange her; es ist geraume Zeit verflossen (*que* seitdem); **5.** *(geistig)* schön, glänzend, großartig; geschickt, gewandt; beachtlich; *(Eigenschaften)* bewundernswert, würdig, erhaben; *bel esprit m* geistreiche(r), geistig interessierte(r) Mensch *m; ~ style* gute(r) Stil *m; belle plume f* glänzende(r) Schriftsteller(in *f*) *m; ~ joueur* gute(r) Verlierer *m;* **6.** *(Verhalten)* passend, schicklich, einwandfrei; *il n'est pas ~ (de)* es schickt sich nicht (zu); **7.** günstig, angenehm, vorteilhaft, blühend; interessant; *belle santé f* blühende

Gesundheit *f; belle occasion f* günstige Gelegenheit *f; présenter qc sous un ~ jour* etw in günstigem Licht dar=stellen; *avoir un ~ jeu (Spiel)* e-e gute Hand haben; *avoir ~ jeu avec* leichtes Spiel haben mit; *l'avoir belle* e-e günstige Gelegenheit haben; es gut treffen; *il fait ~* es ist tröstlich, angenehm, erfreulich (*de* zu); *donner ~ jeu à qn* es jdm leicht= machen; **8.** *(Umfang, Gewicht, Menge)* schön, hoch, groß, beträchtlich, bedeutend; *(Tier)* fett; *bel âge m* beste(s) Alter *n; une belle somme (d'argent)* e-e schöne, beträchtliche Summe (Geldes); *belle gifle f* gewaltige Ohrfeige *f; ~ papier (com) m* erstklassige(r) Wechsel *m;* **9.** *(ironisch)* schön, übel, seltsam; *de belles paroles* schöne *od* leere Worte, bloße Redensarten *f pl; vous avez fait du ~ travail* da haben Sie was Schönes angerichtet; *arranger qn de la belle manière* jdn schön behandeln; mit jdm schonungslos um=gehen; *tout cela est bel et bon* das ist alles schön u. gut; *être dans de ~x draps* schön in der Patsche sitzen; *il en fait de belles (fam)* er macht schöne Geschichten; *en faire voir de belles à qn* jdn behandeln, daß ihm Hören u. Sehen vergeht; *en conter, en dire de belles à qn* jdm e-n Bären auf=binden; *en dire de belles sur qn* nette Geschichten über jdn erzählen; *vous me la baillez belle* Sie wollen mich herein= legen; *l'échapper belle* mit knapper Not davon=, entkommen; *avoir ~ faire qc* vergeblich etw tun; *il a ~ faire des efforts* er mag sich noch so sehr an=strengen; *vous avez ~ dire* Sie haben gut reden *od* lachen; **10.** *(Verstärkung) au ~ milieu* mittendrin (*de* in *dat*); *mourir de sa belle mort* e-s natürlichen Todes sterben; **11.** *s m f* Schöne(r *m*) *f;* Geck *m; m* (das) Schöne *n; (Spiel)* entscheidende Partie *f;* interessante, angenehme, begeisternde Seite *f (e-r S); acheter du ~* gute Qualität kaufen; *faire le ~ (Hund)* Männchen machen; *(Mensch)* sich zieren; *c'est du ~! (fam)* das ist e-e schöne Leistung! *le temps se met au ~* es wird schönes Wetter; **12.** *(adverbial) voir tout en ~* alles durch e-e rosa Brille, rosig sehen; *bel et bien* bestimmt, unzweifelhaft; rundweg; *tout cela est bel et bien, mais* das ist alles gut u. schön, aber; *de plus belle* von neuem; noch stärker; *de plus en plus ~* immer besser; **~x-arts** [-zar] *m pl* schöne Künste *f pl;* **~-fils** *m* Schwiegersohn; Stiefsohn *m;* **~-frère** *m* Schwager; Stiefbruder *m;* **~x-parents** *m pl* Schwiegereltern *pl;* **~-père** *m* Schwieger-, Stiefvater *m.*

beauté [bote] *f* Schönheit; schöne Frau *f; de toute ~* wunderschön (*pour* in bezug auf *acc*); *être dans tout l'éclat de la ~* in voller Schönheit erstrahlen; *être en ~* besonders hübsch aus=sehen *(Frau); se faire une ~ (fam)* sich schminken; *terminer une épreuve en ~ (fam)* e-e Prüfung mit Glanz bestehen; *concours m de ~* Schönheitskonkurrenz *f; crème f de ~* Schönheitskrem *f, a. m; institut m de ~* Schönheitssalon *m; reine f de ~* Schönheitskönigin *f.*

beaucoup [boku] *adv* **1.** viel(e) *(de);* recht, sehr viel; *~ de monde* viel Leute; *c'est ~ pour son âge* das ist viel für sein Alter; *c'est un peu ~ (fam)* das ist ein bißchen viel; *il y en a ~ qui ...* es gibt viele, die ... ; **2.** sehr; *merci ~* danke sehr, vielmals; *aimer ~* sehr, leidenschaftlich gern haben; *s'intéresser ~ à qc* an e-r S sehr, lebhaft interessiert sein; **3.** l ange; *cela ne durera pas ~* es dauert nicht lange; **4.** viel, weit; *~ meilleur, plus* weit besser, viel mehr; *~ trop* viel zuviel; **5.** *de ~: il s'en faut de ~* es fehlt viel daran; noch lange nicht; *dépasser de ~* bei weitem übertreffen; **6.** *à ~ près* bei weitem nicht.

beaupré [bopre] *m mar* Bugspriet *m.*

bébé [bebe] *m* kleine(s) Kind, Baby *n; emmailloter un ~* ein Kind wickeln; *faire le ~ (fam)* sich kindisch benehmen; *~ à la mamelle* Säugling *m,* Brustkind *n;* **~-éprouvette** *m* Retorten-, Laborbaby *n.*

bec [bɛk] *m (Vogel, fam Mensch)* Schnabel *m; pop* Schnauze; *(Feder)* Spitze; *(Kanne)* Tülle, *fam* Schnauze *f; (Pfeife, mus)* Mundstück *n; geog* Landzunge; (Anker-)Flunke; *tech* Nase *f; (Käfer)* Rüssel *m; avoir le ~ bien affilé* ein gutes Mundwerk haben; *avoir ~ et ongles (fig)* Haare auf den Zähnen haben, sich zu verteidigen wissen; *avoir le ~ gelé (fam)* nicht den Mund auf=tun; *avoir le ~ salé (fam)* (immer) durstig sein; *en avoir jusqu'au ~ (fam)* voll, satt sein; *claquer du ~ (fam)* Hunger haben; *clore, clouer le ~ à qn (fam)* jdm den Mund stopfen; *donner du ~ (fam)* küssen (*à qn* jdn); *faire son petit ~* sich zieren; *laisser, tenir qn le ~ dans l'eau* jdn im ungewissen lassen; *ouvrir le ~ (fam)* den Mund auf=machen, -tun, *pop* den Schnabel auf= sperren; *se prendre de ~ avec qn* *(fam)* mit jdm streiten; *se rincer le* ~ *(fam)* trinken; *tomber sur un* ~ *(pop)* auf ein unerwartetes Hindernis stoßen; *coup m de* ~ Schnabelhieb *m; prise f de* ~ *(fam)* Zank *m;* ~*-d'âne* [bɛkdɑn] *m* Kreuzmeißel *m;* ~ *de brûleur* Brennereinsatz *m;* ~ *Bunsen* Bunsenbrenner *m;* ~ *de canard* Laderutsche *f;* ~*-de-cane m* Türgriff *m;* ~ *de chargement m* Fülltrichter *m;* ~*-de-corbeau m* Drahtschere *f;* ~*-de--corbin m* Hohlmeißel *m;* ~*-fin m fig* Feinschmecker *m;* ~*-croisé m (orn)* Kreuzschnabel *m;* ~ *de gaz m* Laslaterne *f;* ~ *à gaz m* Gasbrenner *m;* ~*-de-grue m bot* Kranichschnabel *m;* ~*-de-lièvre m med* Hasenscharte *f.*

bécane [bekan] *f fam* Fahrrad *n;* Maschine *f.*

bécarre [bekar] *m mus* Auflösungszeichen *n.*

bécass|e [bekas] *f* (Wald-)Schnepfe; *fig fam* (dumme) Gans *f;* ~ *de mer (orn)* Strandläufer *m;* ~**eau** *m* junge Schnepfe *f.*

bécassine [bekasin] *f* Bekassine, Sumpfschnepfe *f; fig* dumme(s) Mädchen, Gänschen *n.*

bêch|age [bɛʃaʒ] *m* Umgraben *n; fig* scharfe Kritik *f;* ~**e** [bɛʃ] *f* Spaten; *tech* Sporn *m;* ~**er** [be(ɛ)ʃe] (um=) graben; *fig fam* durch=hecheln (*qn* jdn); ~**oir,** ~**on** *m* Hacke *f,* Karst *m.*

béchamel [beʃamɛl] *f* Bechamelsoße, -tunke *f.*

béchique [beʃik] *a* u. *s m* hustenstillend(es Mittel *n*).

bécot [beko] , *fam* Küßchen *n;* ~**er** [-kɔte] *fam* ab=küssen, ab=knutschen.

becqu|ebois [bɛkbwɑ] *m* Grünspecht *m;* ~**ée** [be(ɛ)-] *f* Schnabelvoll *m; donner la* ~ *à un bébé* e-n Säugling füttern; ~**etance** *f pop* Futter, Essen *n;* ~**eter, béqueter** picken; *pop* futtern; *fig* reizen; *se* ~ *(Tauben)* sich schnäbeln.

bedaine [bədɛn] *f fam* (dicker) Bauch, Wanst *m.*

bédane [bedan] *m s. bec-d'âne.*

bédé [bede] *f fam* Cartoon *m.*

bedeau [bədo] *m* Küster *m.*

bedon [bədɔ̃] *m fam* (Schmer-)Bauch; bauchige(r) Teil *m (e-s Gegenstands);* ~**ner** [-dɔne] e-n Bauch an=setzen.

Bédouin, e [bedwɛ̃, -in] *m* Beduine *m.*

bé|e [be] *a f: être bouche* ~ *devant qn* jdn an=staunen, rückhaltlos bewundern; *rester bouche* ~ Mund u. Nase auf=sperren; ~**er** [bee] weit offen= stehen; ~ *à, après qc* sich nach etw sehnen; ~ *d'admiration* vor Verwunderung den Mund weit auf=sperren.

beffroi [bɛfrwa] *m* Wacht-, Rathausturm; Glockenstuhl *m;* Sturmglocke *f.*

bég|aiement [begɛmɑ̃] *m* Stottern; Stammeln; *(Kind)* Lallen *n; fig* erste(n) Versuche *m pl;* ~**ayant, e** [-ge(ɛ)jɑ̃, -ɑ̃t] stotternd; lallend; ~**ayer** (daher=)stottern; stammeln; lallen; *(fremde Sprache)* radebrechen.

bégonia [begɔnja] *m bot* Begonie *f; charrier (cherrer) dans les* ~*s (pop)* dick auf=tragen, übertreiben.

bègue [bɛg] *s m f* Stotterer *m; a: être* ~ stottern.

bégueule [begœl] *s f* prüde Frau *f; a* prüde, spröde; engherzig; ~**rie** *f* Prüderie *f.*

béguin [begɛ̃] *m* Häubchen *n; fig fam* Liebschaft *f; avoir un* ~ *pour qn (fam)* in jdn vernarrt sein.

béguine [begin] *f* Begine; *fam* Betschwester *f.*

behavio|risme [bia(e)rjɔrizm] *m* Verhaltensforschung *f;* ~**riste** *m f* Verhaltensforscher(in *f*) *m.*

beige [bɛʒ] *a* beige; ungefärbt; *s f* Serge *f* aus roher Wolle.

beigne [bɛɲ] *f pop* Ohrfeige *f.*

beignet *m* Krapfen *m;* ~ *aux pommes* Apfelkrapfen, -pfannkuchen, -strudel *m.*

béjaune [beʒon] *m* junge(r) Vogel; *fig* Gelbschnabel *m.*

bel [bɛl] *s. beau.*

bêl|ement [bɛlmɑ̃] *m (Schaf)* Blöken; *(Ziege)* Meckern; *fig* Gejammer *n;* ~**er** *itr* blöken; meckern; *fig* jammern; *tr (Gedicht)* herunter=leiern; *fam* schmalzig singen.

belette [bəlɛt] *f zoo* Wiesel *n.*

belg|e [bɛlʒ] *a* belgisch; *B*~ *s m f* Belgier(in *f*) *m;* **B**~**ique, la** Belgien *n.*

bél|ier [belje] *m zoo astr* Widder; *tech* Rammbär; Sturmbock *m;* ~ *hydraulique* Wasserhebewerk *n;* ~**ière** *f* (Klöppel-)Ring *m;* Glöckchen *n (des Widders).*

belladone [bɛladɔn] *f* Tollkirsche *f.*

bellâtre [bɛlatr] *a* schön, aber ausdruckslos; *s m* Geck *m.*

belle [bɛl] *s. a. beau; s f* Schöne *f;* Entscheidungsspiel *n; la B*~ *au bois dormant* Dornröschen *n;* ~**-fille** *f* Schwiegertochter; Stieftochter *f;* ~**s-lettres** *f pl* Belletristik, schöne Literatur *f.*

bellement [bɛlmɑ̃] *adv* sachte; rundweg.

belle|-mère, [bɛlmɛr] *fam* ~**-maman** *f* Schwiegermutter; Stiefmutter *f;* ~**-de-nuit** *f* Wunderblume; *fig fam*

Straßenmädchen *n;* Dirne *f;* **~-sœur** *f* Schwägerin; Stiefschwester *f.*

belli|cisme [bɛlisism] *m* kriegerische Gesinnung *f;* **~ciste** *m* Kriegstreiber *m;* **~gérance** *f* Status *m* e-r kriegführenden Macht; **~gérant, e** *a* kriegführend, streitend; *s m pl* kriegführende Mächte *f pl;* **~queux, se** kriegerisch; streit-, kampflustig.

belluaire [bɛlɥɛr] *m* Gladiator; Tierbändiger *m.*

belote [bəlɔt] *f Art* Kartenspiel *n.*

belvédère [bɛlvedɛr] *m* Aussichtsturm *m,* -platte *f.*

bémol [bemɔl] *m mus* Erniedrigungszeichen *n.*

ben [bɛ̃] *adv s. bien.*

bénédicité [benedisite] *m* Tischgebet *n (vor Tisch).*

bénédictin [benediktɛ̃] *m* Benediktiner *m;* **~tine** *f* [-tin] Benediktinerin *f;* Benediktiner(likör) *m.*

bénédiction [benediksjɔ̃] *f* Segen *m;* Einsegnung, Einweihung *f;* ~ *nuptiale* Trauung *f.*

bénéfic|e [benefis] *m* Vorteil, Nutzen *m* (*fam* **bénef** [benɛf]); *jur* Rechtswohltat *f,* Vorrecht *n; typ* Überschuß *m; com* Ausbeute *f;* Gewinn, Erwerb, Verdienst *m; avec part aux ~s* mit Gewinnbeteiligung; *donner une représentation au ~ de qn* e-e Vorstellung zugunsten jds geben; *être intéressé aux ~s* am Gewinn beteiligt sein; *faire de beaux ~s* e-n schönen Gewinn erzielen; *rapporter des ~s* Gewinn ab=werfen; *distribution f d'un ~* Gewinnausschüttung; *excédent m de ~* Mehrgewinn *m; impôt m sur les ~s* Ertrags-, Erwerbssteuer *f; marge f de ~ (brut)* (Roh-) Gewinnspanne *f; part f de ~s* Gewinnanteil *m; participation f aux ~s* Gewinnbeteiligung *f; répartition f de ~* Gewinnausschüttung *f; ~ d'aliénation* Veräußerungsgewinn *m; ~s de l'année* Jahresüberschuß *m; ~ brut, net* Brutto-, Nettogewinn *m; ~s commerciaux, industriels* Geschäftsgewinn *m; ~ ecclésiastique* Pfründe *f; ~ d'exploitation* Betriebsgewinn, -ertrag *m; ~ de gestion* Verwaltungskostenersparnis *f; ~ sur participations* Gewinn *m* aus Beteiligungen; *~ du pauvre* Armenrecht *n; ~ de placement* Gewinn *m* aus Kapitalanlagen; **~iaire** [-sjɛr] *a* Gewinn-; *s m* Begünstigte(r), Berechtigte(r); *(Wechsel)* Nehmer; Remittent *m; être ~* einträglich sein; *marge, part f, solde m ~* Gewinnspanne *f,* -anteil, -überschuß *m; ~ d'allocation de chômage* Arbeitslosenunterstützungsempfänger(in *f*) *m; ~ d'une annuité, d'une rente* Rentenempfänger(in *f*) *m;* **~ier** *tr* Vorteil, Nutzen ziehen (*de, sur* aus); e-r Vergünstigung teilhaftig werden; *il en a ~ié* es ist ihm zugute gekommen.

bénéfique [benefik] *(Astrologie)* günstig; heilbringend.

bénévole [benevɔl] *(Leser)* geneigt, wohlmeinend; *(Hilfe, Dienst)* freiwillig; unbezahlt.

benêt [bənɛ] *s m* Dummkopf *m; a m* dumm.

béni-oui-oui [beni-] *m* Jasager *m.*

bén|ignité [beniɲite] *f* Güte; *(Krankheit)* Gutartigkeit *f;* **~in, igne** [-nɛ̃, -niɲ] gütig, gutmütig; schwächlich; *fig* wohltuend, günstig; milde; gutartig *a. med,* harmlos.

Bénin, le [benɛ̃] Benin *n; b~ois a* beninisch; *s m f* Beniner(in *f*)*m.*

bén|ir [benir] (ein=)segnen, den Segen sprechen (*qc* über e-e S); (ein=)weihen; preisen, loben; *être ~i des dieux (fam)* vom Glück begünstigt sein; **~it, e** [-i, -it] gesegnet, geweiht; *eau ~e f* Weihwasser *n;* **~itier** [-itje] *m* Weihwasserkessel *m.*

benjamin, e [bɛ̃ʒamɛ̃, -in] *m f* jüngste(s) Kind *n.*

benjoin [bɛ̃jwɛ̃] *m* Benzoe *f.*

benne [bɛn] *f (Weinlese)* Tragkorb, Kübel; *tech* Kippwagen; Wagenkasten; *min* Förderwagen, -korb *m; ~ basculante* Kippwagen *m; ~ de chargement* Begichtungskübel *m; ~ d'épuisement* Schöpfkübel *m; ~ piocheuse* Schürfkübel *m; ~ preneuse* Greifer(kübel) *m; ~ de ramassage* Müllwagen *m; ~ suspendue (Drahtseilbahn)* Kabine *f.*

benoît, e [bənwa, -at] *a* sanft-, gutmütig; scheinheilig; *B~ s m* Benedikt *m.*

benz|ène [bɛ̃zɛn] *m* Reinbenzol *n; ~ sulfoné* Benzolsulfosäure *f;* **~énique** Benzol-; **~ine** *f* Reinbenzol *n;* **~oïne** *f* Benzoin *n;* **~ol** *m* Benzol *n.*

béotien, ne [beɔsjɛ̃, -ɛn] *a* schwerfällig; grob; amusisch; *être ~* nichts verstehen (*en* von); *s m f* ungebildeter Mensch; *fam* Kulturbanause *m.*

bequet [bəkɛ] *m typ* Zusatzblatt *n.*

béquill|ard [bekijar] *m* Mensch *m,* der an Krücken geht; **~e** *f* Krücke; *fig* Stütze, Hilfe *f; tech* Sporn *m,* Kufe *f;* Haltebolzen *m;* Stütze; Türklinke *f;* Drücker *m;* (Garten-)Harke *f;* **~er** *itr* an Krücken gehen; *tr (Schiff)* mit Schoren stützen; *(Boden)* (mit e-r Harke) auf=lockern.

berbère [bɛrbɛr] *a* Berber-; *B~ m* Berber *m.*

bercail [bɛrkaj] *m* Schafstall; *fig* Schoß *m* der Kirche; Familie *f*, Heim *n*, Heimat *f*.

ber|ceau [bɛrso] *m* Wiege; *fig* Kindheit *f*; Anfang, Beginn; *arch* Gewölbebogen; Laubengang *m*; *mil* Lafette *f*; *Art* Stichel *m*; *voûte f en ~* Tonnengewölbe *n*; *~ de construction* Helling *f*; *~ de moteur* Motorlagerung *f*, -vorbau *m*; **~celonnette** *f* Hängewiege *f*; **~cement** *m* Wiegen *n*; *fig* Beruhigung *f*, Trost *m*; **~cer** wiegen, schaukeln; *fig (Schmerz)* stillen; trösten; ein=schläfern; *se ~* sich schaukeln; *se ~ de faux espoirs* sich in falschen Hoffnungen wiegen; *~ qn de vaines promesses* jdn mit leeren Versprechungen hin=halten; **~ceur, se** *a* wiegend, einlullend; *s f* Wiegenlied *n*; Schaukelstuhl *m*.

béret [berɛ] *m* (Basken-)Mütze *f*; *~ marin* Matrosenmütze *f*.

bergamote [bɛrgamɔt] *f bot* Bergamotte *f*.

berge [bɛrʒ] *f* Böschung *f*; (steiles) (Fluß-)Ufer *n*; (steiler) (Berg-)Abhang *m*; spitze Klippen *f pl*; *arg* Jahr *n*.

berg|er [bɛrge] *m* Schäfer; *fig* Hirt(e) *m*; *cabane f de ~* Schäferhutte *f*; *chien m de ~* Schäferhund *m*; **~ère** *f* Schäferin *f*; *Art* Sessel *m*; **~erette** *f* junge Schäferin *f*; **~erie** *f* Schafstall *m*; Schäferei *f*; Schäfergedicht *n*.

bergeronnette [bɛrʒərɔnɛt] *f orn* Bachstelze *f*.

berline [bɛrlin] *f* Kutsche; *mot* viertürige Limousine *f*; *min* Förderwagen *m*.

berlingot [bɛrlɛ̃go] *m* Karamelbonbon *m* od *n*; *arg* Wagen *m*.

berlue [bɛrly] *f*: *avoir la ~ (fam)* Männchen, Gespenster sehen; *fig* mit Blindheit geschlagen sein.

berme [bɛrm] *f* Berme *f*, Böschungsabsatz *m*; Gehweg *m* auf e-r Böschung.

bernache, ~acle [bɛrnaʃ, -akl] *f zoo* Ringelgans; Entenmuschel *f*.

Bernard [bɛrnar] *m* Bernhard *m*; *saint-b~ard m* Bernhardiner(-hund) *m*; *b~ard-l'(h)ermite m* Einsiedlerkrebs *m*; **~ardin, e** *m f* Bernhardinermönch *m*, -nonne *f*.

berne [bɛrn] *f*: *mettre le pavillon en ~* halbmast flaggen.

berner [bɛrne] prellen; foppen; betrügen.

bernique [bɛrnik] *interj fam* weit gefehlt! nichts da!

béryl [beril] *m min* Beryll *m*.

besace [bəzas] *f* Bettelsack *m*.

bésef, bézef [bezef] *pop* viel.

besogn|e [bəzɔɲ] *f* Arbeit, Beschäftigung *f*; Geschäft; Werk *n*; Aufgabe *f*; *abattre de la ~* tüchtig arbeiten; *aller vite en ~* schnell voran=machen; *vous avez fait là de la belle ~* da haben Sie was Schönes angerichtet; **~er** arbeiten; sich ab=mühen; **~eux, se** bedürftig.

besoin [bəzwɛ̃] *m* Bedürfnis *n*; Not *f*, Mangel *m*; *com* Bedarf *m*; Notanschrift; *pl* Notdurft *f*; *avoir ~ de qn, qc* jdn, etw nötig haben, brauchen; *éprouver, (res-)sentir un ~* ein Bedürfnis verspüren; *être dans le ~* bedürftig sein, Mangel haben; *parer aux ~s urgents* für den dringendsten Bedarf, die dringendsten Bedürfnisse Vorsorge treffen; *pourvoir, satisfaire, subvenir aux ~s de qn* jds Bedürfnisse befriedigen; *je n'ai pas ~ de vous dire que* ich brauche Ihnen nicht zu sagen, daß; *au ~, si ~ est, en cas de ~, si le ~ s'en fait sentir, s'il en est ~* im Notfall; *est-il ~ de vous dire* ich brauche Ihnen wohl kaum zu sagen (*que* daß); *~ en capital* Kapitalbedarf *m*; *~s énergétiques* Energiebedarf *m*; *~s intérieurs* Inlandsbedarf *m*; *~ en matières premières* Rohstoffbedarf *m*; *~ de nourriture* Nahrungsbedürfnis *n*; *~ de tendresse* Zärtlichkeitsbedürfnis *n*.

best|ial, e [bɛstjal] tierisch; viehisch; roh; **~ialité** *f* (viehische) Roheit; *jur* Sodomie *f*; **~iaux** [-tjo] *m pl* Vieh *n*; *être entassés, parqués comme des ~* wie Vieh zs.gepfercht sein; **~iole** *f* Tierchen *n*.

bêta, ~sse [bɛta, -as] *m f* Dummkopf *m*; dumme Person *f*; *gros ~!* Dummerchen!

bétail [betaj] *m* Vieh *n*; *gros, petit* od *menu ~* Groß-, Kleinvieh *n*; *élevage m du ~* Viehzucht *f*; *têtes f pl de ~* Stück *n pl* Vieh; *~ sur pied, vivant* lebende(s) Vieh *n*.

bêt|e [bɛt] *s f* Tier *n*; *fig* Dummkopf *m*; *pl* Vieh; Wild; Ungeziefer *n*; *a* dumm, einfältig; *~ comme une cruche, une oie, un pot* stock-, strohdumm; *chercher la petite ~ (Person)* übergenau, peinlich genau sein; alles bekritteln; *faire la ~* sich dumm stellen; *reprendre du poil de la ~* wieder Mut fassen; wieder selbstbewußt auf=treten; *c'est ma ~ noire* das ist mir ein Dorn im Auge; diese Person kann ich nicht aus=stehen; *~s d'abattoir* Schlachtvieh *n*; *~ à concours* gute(r) Prüfungstyp *m*; *~s à cornes* Hornvieh *n*; *~ à bon Dieu* Marien-, Glückskäfer *m*; *~s fauves (cerfs, chevreuils)* Rotwild *n*; *~ féroce, sauvage* wilde(s) Tier *n*; *~s ovines* Schafe *n pl*; *~s fau-*

ves (sangliers) Schwarzwild *n; ~ de somme* Lasttier *n; ~s de trait, de labour* Zugvieh *n;* **~ifier** *tr* verdummen; *itr* dummes Zeug reden; **~ise** [bɛtiz] *f* Dummheit *f;* dumme(s) Zeug *n,* Unsinn; dumme(r) Streich, Schnitzer *m; fig* Kleinigkeit, Lappalie *f.*

béton [betɔ̃] *m* Beton *m; bloc m en ~* Betonstein *m; construction f en ~ armé* Stahlbetonbau *m; plaque f de ~* Betonplatte *f; ~ armé* Eisen-, Stahlbeton *m; ~ de bois* Holzzement *m; ~ cellulaire* Zellen-, Schaumbeton *m; ~ coulé* Gußbeton *m; ~ damé, pilonné* Stampfbeton *m; ~ précontraint, vibré* Spann-, Rüttelbeton *m; ~ projeté* Spritzbeton *m;* **~nage** *m* Betonierung *f;* **~ner** betonieren; **~neuse** Betonmischmaschine *f;* **~nière** *f* Betonmischer *m.*

bette [bɛt] *f: (~ à côte, à carde) bot* Mangold *m.*

bette|rave [bɛtrav] *f* Rübe *f; alcool m de ~* Rübenschnaps *m; champ m de ~* Rübenfeld *n; ~ fourragère, sucrière* Futter- *od* Runkel-, Zuckerrübe *f; ~ rouge* rote Rübe, Be(e)te *f;* **~ravier, ère** *a* Rüben-; *s m* Rübenbauer *m.*

beugl|ant, e [bøglɑ̃, -ɑ̃t] *m pop* Tingeltangel *m* od *n;* **~e** *f pop* Gejohle, Gegröle *n;* **~ement** [-glə-] *m (Rind)* Brüllen; Johlen *n;* **~er** brüllen; *fam* grölen; johlen; *radio* auf volle Lautstärke eingestellt sein.

beurr|e [bœr] *m* Butter *f; typ* Speck *m; battre le ~* buttern; *compter pour du ~ (fam)* nicht mitgerechnet, nicht in Betracht gezogen, vergessen werden; *faire son ~* sein Schäfchen ins trokkene bringen; *mettre du ~ dans les épinards* s-e Lage verbessern; *on y entre comme dans du ~* das ist butterweich; *ça ne met pas de ~ dans les épinards (fam)* das macht den Kohl nicht fett; *assiette f au ~ (fig)* Futterkrippe *f; boîte f, couteau, papier m à ~* Butterdose *f,* -messer, -brotpapier *n; lait m de ~* Buttermilch *f; motte f de ~* Butterklumpen *m; œil m au ~ noir* blaue(s) Auge *n; petit ~* Butterkeks *m* od *n; tartine f de ~* Butterbrot *n; ~ d'anchois* Sardellenbutter *f; ~ fermier* Landbutter *f; ~ fondu* Butterschmalz *n; ~ frais, rance* frische, ranzige B.; *~ noir* braune Butter *f.*

beurré [børe] *m* Butterbirne *f.*

beurrer [børe] mit Butter bestreichen; **~erie** *f* Molkerei *f;* **~ier, ère** *a* Butter-; *s m* Butterdose *f.*

beuverie [bœvri] *f* Sauferei *f.*

bévue [bevy] *f* Versehen *n;* Mißgriff; Schnitzer, *fam* Bock *m; commettre une ~* e-n Bock schießen.

biais, e [bjɛ, -ɛz] *a* schief; schräg; *s m* schräge Fläche, schiefe Ebene; Schräge, Gehrung; *fig* Seite *f;* Aus-, Umweg *m; pl* Schrägstreifen *m pl; de, en ~* schief, von der Seite; *fig* auf Umwegen; *couper une étoffe en ~* e-n Stoff schräg schneiden; *par quel ~ le prendre?* auf welche Weise kann man ihm bei=kommen? **~er** schräg, schief laufen; *fig* Winkelzüge, Umwege machen; schonend um=gehen (*avec qc* mit etw).

bibasique [bibazik] *a* zweibasisch.

bibelot [biblo] *m* Nippsache *f; pl* Akzidenzdruck *m.*

biberon [bibrɔ̃] *m* (Saug-)Flasche; Schnabeltasse *f;* Trinker *m; élever un enfant au ~* ein Kind mit der Flasche auf=ziehen; *être à l'âge du ~* im Säuglingsalter sein; *être encore au ~ (fig fam)* noch nicht trocken hinter den Ohren sein; **~ner** *pop* saufen.

bibi [bibi] *s m fam* Hütchen *n; prn pop* ich, mir, mich.

bibine [bibin] *f pop* Gesöff, dünne(s) Bier *n.*

Bibl|e [bibl] *f* Bibel *f; papier m b~* Dünndruckpapier *n; ~ illustrée* Bilderbibel *f;* **b~ique** biblisch.

biblio|- [biblijɔ-] in *Zssgen* Buch-, Bücher-; **~bus** [-bys] , **~car** *m* Fahrbücherei *f;* **~graphe** *m* Bibliograph *m;* **~graphie** *f* Bibliographie *f;* Literatur-, Bücherverzeichnis *n;* Bücherkunde *f; ~ spécialisée* Fachliteratur *f;* **~graphique** bibliographisch; *référence f ~* Quellennachweis *m;* **~mane** *m* Büchernarr *m;* **~manie** *f* Bücherleidenschaft *f;* **~phile** *m* Bibliophile, Bücherfreund *m;* **~philique** bibliophil; **~thécaire** *m* Bibliothekar; Bücherwart *m; ~ chargé des renseignements bibliographiques* B. der Auskunftsstelle; *~ pour enfants* od *jeunes* Jugendbibliothekar *m; ~ de succursale* Bibliothekar *m* e-r Zweigstelle; **~théconomie** *f* Bibliothekswissenschaft *f;* **~thèque** *f* Bücherschrank *m,* -regal, -brett, -bord *n;* Bibliothek, Bücherei *f;* Bibliothekssaal *m;* Sammlung *f a. fig; rat m de ~ (fig)* Bücherwurm *m; ~ de consultation sur place* Präsenzbibliothek; Handbücherei *f; ~ encyclopédique* allgemeine B.; *~ enfantine, municipale, ouvrière* Kinder-, Stadt-, Arbeiterbücherei *f; ~ itinérante* Fahrbücherei *f; ~ de prêt* Leihbücherei *f; ~ murale* Bücherwand *f; ~ publique* Volksbücherei *f,* öffentliche B.; *~ de recherche* wissenschaftliche B.; *~*

scolaire, universitaire Schul-, Universitätsbibliothek *f; ~ specialisée* Fachbibliothek *f; ~ tournante* Wanderbücherei *f; ~ vivante (fam)* lebende(s) Wörterbuch, gelehrte(s) Haus *n.*

bi|camérisme [bikamerizm] *m* Zweikammersystem *n;* **~carbonate** *m: ~ de potassium, de sodium* doppeltkohlensaure(s) Kalium, Natron *n;* **~carré, e** *math* vierten Grades; **~centenaire** *m* Zweihundertjahrfeier *f;* **~céphale** [-sefal] *a* doppelköpfig; *aigle f ~* Doppeladler *m;* **~ceps** [-sɛps] *m* zweiköpfige(r) (Oberarm-) Muskel *m; avoir du ~ (fig fam)* Muskeln haben, kräftig, stark sein.

bich|e [biʃ] *f* Hirschkuh, Hindin *f; ma petite ~* mein Schätzchen; **~er** *pop: ça ~e* es geht gut; **~ette** *f* junge Hindin *f.*

bichon [biʃɔ̃] *m* Malteser *(Hund); fam* Liebling *m (Kind).*

bichonner [biʃɔne] *(Haar)* kräuseln; *(Kind)* heraus=putzen; *fig* verhätscheln; *se ~* sich putzen.

bi|colore [bikɔlɔr] zweifarbig; **~concave** bikonkav; **~convexe** bikonvex; **~coque** [-kɔk] *f* Baracke, Hütte *f; fam* Haus *n;* **~corne** *m* Zweispitz *m.*

bicot [biko] *m arg péj* Araber *m.*

bicyclette [bisiklɛt] *f* (Fahr-)Rad *n; aller, monter à (en) ~* rad=fahren, radeln; *enfourcher sa ~* auf das R. steigen; *course f de ~s* Radrennen *n; ~ de course* Rennrad *n; ~ pliable* Klapp(fahr)rad *n.*

bide [bid] *m pop* Bauch *m; fam* Flop *m.*

bidet [bidɛ] *m* (kleines) Reitpferd *n;* Klepper *m;* Bidet *n.*

bidoche [bidɔʃ] *f pop* Fleisch *n.*

bidon [bidɔ̃] *m* Kanne *f;* Kanister; *pop* Bauch *m; ~ d'essence, d'huile* Benzin-, Ölkanister *m; ~ à lait* Milchkanne *f; ~ (de soldat)* Feldflasche *f.*

bidon|nant, e [bidɔnɑ̃] *pop* komisch; **~ner, se** *pop* laut lachen.

bidonville [bidɔ̃vil] *m* Elendsviertel, Bidonville *n.*

bidule [bidyl] *m fam* Dingsda *n.*

biell|e [bjɛl] *f tech* Pleuel *m,* Pleuel-, Kurbel-, Schub-, Treib-, Lenkstange *f; commande f par ~* Kurbelantrieb *m; palier m de (tête de) ~* Pleuel(kopf)lager *n; tête f de ~* Pleuelkopf *m; ~ d'accouplement* Kupplungsstange *f; ~ d'attaque (el)* Schaltstange f; *~ oscillante* Schwinge *f; ~ (de piston) (mot)* Kolbenstange *f;* **~ette** *f* Schwingarm; *mot* Spurstangenhebel *m.*

bien [bjɛ̃] **1.** *adv (Art u. Weise)* gut, wohl; schön; recht; weit; viel; sehr; *aller, se porter ~* sich wohl befinden; *être ~ avec qn* sich mit jdm gut stehen; *se mettre ~ avec qn* sich mit jdm gut stellen; *venir ~ (bot)* gedeihen; *voilà qui commence ~!* das fängt ja schön, gut an! *tout lui va ~* alles steht ihm (ihr) gut; *tout est ~ qui finit ~* Ende gut, alles gut; *il est ~ de sa personne* er sieht gut aus; *c'est ~ simple* das ist ganz einfach; *c'est ~ fait* das geschieht Ihnen recht; *il ne se sent pas ~* er fühlt sich nicht wohl; *les gens ~* die feinen Leute, die Oberschicht; *un homme ~* ein ordentlicher Mensch; *fort, très ~* sehr gut; *~ autrement* ganz anders; *~ évidemment* ganz offensichtlich; *~ longtemps, souvent* sehr lange, oft; *~ meilleur, moins* weit besser, weniger; **2.** *adv (Quantität)* sehr, viel, recht, wirklich; allerdings; gern; ungefähr, etwa; ausdrücklich; *se donner ~ de la peine* sich (sehr) viel Mühe geben; *je voudrais ~ savoir* ich möchte gern wissen; *~ des gens* (sehr) viele Leute; *~ d'autres* zahlreiche, viele andere; *il est ~ entendu que* es versteht sich von selbst, daß; *~ entendu* selbstverständlich; *il y a ~ une heure* es ist wohl, ungefähr e-e Stunde her; *rira ~ qui rira le dernier* wer zuletzt lacht, lacht am besten; **3.** *conj: ~ que (mit subj, selten ind, cond)* obwohl, obgleich; *si ~ que* so daß; *quand ~ même* selbst wenn; sogar wenn; *ou ~* oder aber; *aussi ~ que* ebenso wie; **4.** *(Ausdrücke) eh (*od *hé) ~!* nun! *~ plus* noch mehr; *tant ~ que mal* so gut wie möglich; wohl oder übel; **5.** *s m* Gute(s); Wohl; Beste(s); Gut *n,* Habe *f,* Vermögen *n;* Vorteil *m;* Glück *n; en tout ~ tout honneur* anständig; in ehrlicher Absicht; *dire du ~, parler en ~ de qn, qc* gut über jdn, etw sprechen; *faire du ~ à qn* jdm Gutes tun; *interpréter, prendre tout en ~* alles in rosigem Licht sehen; *mener une entreprise à ~* ein Unternehmen zum Erfolg führen; *périr corps et ~s* mit Mann u. Maus unter=gehen; *vouloir du ~ à qn* es mit jdm gut meinen; *le mieux est l'ennemi du ~* das Bessere ist des Guten Feind; *administration f des ~s* Güterverwaltung *f; assurance f des ~s* Sachversicherung *f; changement m en ~* Besserung *f; communauté f des ~s* Gütergemeinschaft *f; confiscation f des ~s* Vermögenseinziehung *f; gestion f de ~s* Vermögensverwaltung *f; investissement m de ~s* Vermögensanlage *f; liquidation f de ~s* Vermögensausea.setzung *f; séparation f de ~s* Gütertrennung *f; totalité f des ~s* Gesamtvermögen *n; transmission f du ~* Vermögensübertragung *f; ~-aimé, e a* vielgeliebt; *s m f* Liebling *m;* Geliebte(r *m*) *f; ~s de consommation* Verbrauchsgüter *n pl; ~s corporels* materielle Güter *n pl; ~-dire m* Redegewandtheit *f; ~s dotaux* Mitgift *f; ~s économiques* Wirtschaftsgüter *n pl; ~-être m* Wohlbefinden, -behagen; Wohl *n;* Wohlstand *m; ~ d'exploitation* Betriebsvermögen *n; ~ de famille* Stammgut *n; ~ foncier* Grundstück *n; pl* Liegenschaften *pl; ~-fondé m jur* Begründetheit, Berechtigung, Stichhaltigkeit *f; ~-fonds m* Grundstück *n; pl* Liegenschaften *pl; ~-pensant, e* angepaßt; *placer de l'argent en ~* Geld in Grundstücken an=legen; *~s immatériels* geistige Güter *n pl; ~s immobiliers, immeubles* Immobilien *pl,* unbewegliche(s) Vermögen *n; ~s indivis* Gemeinschaftsvermögen *n; ~-intentionné, e* wohlmeinend, -gesinnt; *~s investis* Anlagevermögen *n; ~s de mainmorte* Vermögen *n* der Toten Hand; *~s meubles, mobiliers* Mobiliarvermögen *n,* bewegliche(s) V.; Fahrnis *f; ~s paraphernaux* Sondergut *n (der Frau); ~s de production* Produktionsgüter *n pl; ~ public* Gemeinwohl *n; ~s réels* Sachwerte *m pl; ~s de (la) succession* Erbschaftsvermögen *n; ~s vacants* herrenlose(s) Gut *n;* **~faisance** [-fəzɑ̃s] *f* Wohltätigkeit *f; association, œuvre f de ~* Wohltätigkeitsverein *m; bureau m de ~* Wohlfahrts-, Fürsorgeamt *n;* **~faisant, e** wohltätig, -tuend; günstig; **~fait** *m* Wohltat *f;* **faiteur, trice** [-fɛ-] *m f* Wohltäter(in *f*) *m;* **~heureux, se** [bjɛ̃n-] *a* (über)glücklich, glückselig; *rel* selig; *s m* Selige(r) *m; avoir l'air d'un ~* verklärt aus=sehen; *dormir comme un ~* den Schlaf des Gerechten schlafen.

biennal, e [bjɛnal] zweijährig; 2 Jahre dauernd; alle 2 Jahre stattfindend.

bienséance [bjɛ̃seɑ̃s] *f* Anstand *m;* Schicklichkeit, Anständigkeit *f; pl* gute Sitten *f pl; manquer à la ~* gegen den A. verstoßen; **~séant, e** anständig; schicklich.

bientôt [bjɛ̃to] bald; *à ~!* auf baldiges Wiedersehen! *cela est ~ dit* das ist leicht gesagt.

bien|veillance [bjɛ̃vɛjɑ̃s] *f* Wohlwollen *n;* Liebenswürdigkeit, Freundlichkeit *f;* Entgegenkommen *n;* **~veillant, e** wohlwollend; gütig; freundlich; günstig. **~venu, e** *a* willkommen; *s m f: soyez le (la) ~(e)* seien Sie willkommen! *s f* Willkommen *n; souhaiter la ~e à qn* jdn willkommen heißen.

bière [bjɛr] *f* **1.** Bier *n; ce n'est pas de la petite ~ (fig fam)* das ist nicht von Pappe; *petite ~* Dünnbier *n; verre m à ~* Bierglas *n; ~ blonde, brune, aigre* helle(s), dunkle(s), saure(s) B.; *~ en canettes, à la pression* Flaschen-, Schankbier *n; ~ forte* Starkbier *n;* **2.** Sarg *m; mettre en ~* in den S. legen; ein=sargen.

bif|fer [bife] aus=, durch=streichen; ab=bestellen; *~ d'un trait de plume* mit e-m Federstrich durch=streichen; *~ez les mentions inutiles* Nichtzutreffendes streichen **~fure** *f* Ausstreichen *n;* Strich *m.*

bifocal, e [bifɔkal] *opt* mit zwei Brennpunkten.

bifteck [biftɛk] *m* Beefsteak *n; ~ saignant, à point* halb, gut durchgebratene(s) B.

bifur|cation [bifyrkasjõ] *f* Abzweigung(sstelle); Gabelung *a. fig; loc* Weiche; *(Fluß)* Bifurkation *f; gare f de ~* Abzweigungsbahnhof *m; voie f de ~* Schienenstrang *m* e-r Abzweigung; **~quer** sich gabeln, ab=zweigen; *fig* e-e andere Richtung ein=schlagen.

biga|me [bigam] *a* in Doppelehe lebend; *s m* Bigamist *m;* **~mie** *f* Bigamie *f.*

bigarr|é, e [bigare] bunt(scheckig *fig*); *grès m ~* Buntsandstein *m* **~er** bunt machen *a. fig;* **~ure** *f* Buntscheckigkeit, Vielfarbigkeit *f;* bunte(s) Durcheinander *n; fig* Verschiedenartigkeit *f.*

bigl|e [bigl] *a* schielend; *s m f* Schielende(r *m*) *f;* **~er** schielen.

bigophone [bigɔfɔn] *m pop* Telefon *n.*

bigorne [bigɔrn] *f* Hornamboß *m.*

bigorneau [bigɔrno] *m* **1.** kleine(r) Hornamboß *m;* **2.** Uferschnecke *f.*

bigorner [bigɔrne] auf dem (Horn-) Amboß schmieden; *pop* kaputt=machen; beschädigen; *se ~ (pop)* sich prügeln.

bigot, e [bigo, -ɔt] *a* frömmelnd, bigott; *s m f* Frömmler *m;* Betschwester *f;* **~erie** *f* Frömmelei *f.*

bigoudi [bigudi] *m* Lockenwickel *m.*

bigre [bigr] *m interj fam* Donnerwetter! **~ment** [-grə-] *adv fam* sehr, verdammt.

bi|hebdomadaire [biɛbdɔmadɛr] zweimal wöchentlich erscheinend.

bihoreau [biɔro] *m orn* Nachtreiher *m.*

bijou [biʒu] *m* Juwel, Kleinod *n; fig*

Schatz *m; pl* Schmuck *m; mettre, porter des ~x* Schmuck an≈legen, tragen; *boîte f à ~x* Schmuckkästchen *n;* **~terie** *f* Juweliergeschäft *n;* Schmuckwarenhandel *m,* -industrie *f;* Schmuck *m; ~ fantaisie* unechte(r) Schmuck *m; ~ en filigrane* Filigranschmuck *m;* **~tier, ère** *a* Schmuck-; *s m* Juwelier *m; industrie f ~ère* Schmuckwarenindustrie *f.*

bi|labial, e [bilabjal] *a* bilabial; *s f* bilabiale(r) Laut *m;* **~labié, e** *bot* mit zweiteiliger Lippe; **~lame** *m* Bimetallstreifen *m.*

bilan [bilɑ̃] *m* Bilanz *f,* (Jahres-)Abschluß *m;* Schlußabrechnung; Vermögensaufstellung *f; fig* Endergebnis *n; camoufler, truquer, déguiser le ~* die B. frisieren *od* verschleiern; *déposer son ~* den Konkurs an≈melden; *dresser, établir, arrêter un ~* e-e B. auf≈stellen; *camouflage m de ~* Bilanzverschleierung *f; clôture f du ~* Bilanzabschluß *m; établissement m du ~* Bilanzaufstellung *f; ~ actif, déficitaire* Aktiv-, Passivbilanz *f; ~ annuel, de fin d'année* Jahresabschluß *m; ~ de clôture* (Ab-)Schlußbilanz *f; ~ du commerce extérieur* Außenhandelsbilanz *f; ~ d'entrée, d'ouverture* Eröffnungsbilanz *f; ~ hebdomadaire* Wochenbilanz *f,* -ausweis *m (Bank); ~ intermédiaire* Zwischenbilanz *f; ~ mensuel* Monatsabschluß *m; ~ de santé* Generaluntersuchung *f,* Checkup *m; ~ semestriel* Halbjahresbilanz *f; ~ de société* Geschäftsbericht *m.*

bilatéral, e [bilateral] bilateral.

bilboquet [bilbɔkɛ] *m* Stehaufmännchen; *Art* Spiel *n.*

bil|e [bil] *f* Galle; *fig* schlechte Laune *f,* Zorn *m; décharger sa ~ sur qn* seine schlechte Laune an jdm aus≈lassen; *échauffer, émouvoir, remuer la ~* den Zorn erregen; *se faire de la ~* u. **~er, se** *pop* sich *(dat)* Sorgen machen; sich beunruhigen; **~eux, se** *pop* beunruhigt, sorgenvoll, besorgt; **~iaire** Gallen-; *calculs m pl ~s* Gallensteine *m pl;* **~ieux, se** gallig; zornig, leicht aufbrausend.

bilingu|e [bilɛ̃g] zweisprachig; **~isme** [-lɛ̃gɥism] *m* Zweisprachigkeit *f.*

billard [bijar] *m* Billard(spiel) *n,* -tisch, -saal; *pop* Operationstisch *m; faire une partie de ~* e-e Partie B. spielen; *c'est du ~ (fam)* das ist kinderleicht; *cette route est un vrai ~ (fig fam)* die (Land-)Straße ist in hervorragendem Zustand; *~ électrique* Flipper *m.*

bille [bij] *f* Billardkugel; Murmel; (kleine) Kugel *f;* (Holz-)Klotz *m;* (Eisenbahn-)Schwelle; *min* Kappe *f; (Schokolade)* Riegel *m; pop* Gesicht *n; arg* Birne *f; arg* Dummkopf *m; roulement m à ~s* Kugellager *n; stylo m à ~* Kugelschreiber *m.*

billet [bijɛ] *m* Eintritts-, Fahrkarte; Bescheinigung *f;* (kurzes) Schreiben *n;* Zettel; Brief *m;* Mitteilung, Anzeige *f; com* Schuldschein, -brief, Wechsel; (Geld-)Schein *m; mettre ses ~s dans le portefeuille* seine Geldscheine in die Brieftasche stecken; *poinçonner le ~* die (Fahr-)Karte lochen; *prendre un ~* e-e Karte lösen; *je vous donne* od *fiche mon ~ que (fam)* ich schwöre Ihnen, daß; *~ d'aller et retour* Hin- u. Rückfahrkarte *f; ~ d'avion* Flugschein *m; ~ de banque* Banknote *f; ~ combiné fer-car* kombinierte Fahrkarte *f* für Bahn u. Bus; *~ de complaisance* Gefälligkeitswechsel *m; ~ circulaire, de correspondance* Rundreise-, Umsteigefahrschein *m; ~ collectif, de groupe* Sammelfahrschein *m; ~ de confession* Beichtzettel *m; ~ de couchette* Liegewagenkarte *f; ~ bon dimanche, d'enfant* Sonntags-, Kinderfahrkarte *f; ~ d'entrée* Eintrittskarte *f; ~ de faveur* Freikarte *f; ~ de fin de semaine, de week-end* Wochenendfahrkarte *f; ~ gagnant, non gagnant* Lotteriegewinn, Treffer *m;* Niete *f; ~ de logement* Quartierzettel *m; ~ (de loterie)* (Lotterie-)Los *n; ~ à ordre* Orderwechsel *m; ~ au porteur* auf den Inhaber lautende Anweisung *f; ~ de quai* Bahnsteigkarte *f; ~ de santé* Gesundheitsattest *n; ~ de supplément* Zusatzkarte *f; ~ de théâtre* Theaterkarte *f; ~ touristique* Touristenkarte *f; ~ à vue* Sichttratte *f.*

billette [bijɛt] *f* **1.** Zoll(erlag)schein *m;* **2.** Holzscheit; Stück *n* (Brenn-)Holz *n; min* Stempel; *tech* (Vierkant-) Knüppel *m.*

billevesée [bij-, bilvəze] *f* Hirngespinst, ungereimte(s) Zeug *n.*

billion [biljɔ̃] *m* Billion, *vx* Milliarde *f.*

billon [bijɔ̃] *m* Scheidemünze; (Acker-)Furche *f;* Rebholz *n;* Balken *m.*

billot [bijo] *m* (Holz-)Block, Klotz *m; tech* Unterlage *f; mar* Stapelblock; Knüppel *(zum Fesseln des Viehs);* Versandkorb *m (für Früchte).*

bi|lobé, e [bilɔbe] *bot* zweilappig; *arc m ~ (arch)* Zweipaßbogen *m;* **~mane** *a* zweihändig.

bi|mensuel, le [bimɑ̃sɥɛl] zweimal im Monat (erscheinend); **~mestriel, le** [-mɛstrijɛl] alle zwei Monate (erscheinend); **~métallisme** *m* Doppelwährung *f;* **~moteur** *a m u. s m* zweimotorig(es Flugzeug *n*).

bin|age [binaʒ] *m agr* Umhacken *n; rel* zweimalige(s) Messelesen *n (an einem Tag);* **~aire** binär; aus zwei Stoffen bestehend; **~ard, ~art** *m* (zweirädriger) Lastwagen *m.*

bin|er [bine] *tr* hacken; *itr rel* zweimal die Messe lesen; **~ette** *f* (Häufel-) Hacke, Gartenhaue *f; pop* Rübe *f,* Gesicht *n;* **~eur, se** *m f* Hackmaschine *f.*

biniou [binju] *m* bretonische(r) Dudelsack *m.*

bi|nocle [binɔkl] *m* Kneifer *m;* Lorgnette *f;* Opernglas *n;* **~noculaire** *a* binokular; *s f* Scherenfernrohr *n;* **~nôme** *m math* Binom *n.*

bio|chimie [bjɔʃimi] *f* Biochemie *f;* **~dégradable** biologisch abbaubar; **~dégradation** *f* biologische(r) Abbau *m;* **~gaz** *m* Biogas *n;* **~graphe** *m* Biograph *m;* **~graphie** *f* Lebensbeschreibung, Biographie *f;* **~graphique** biographisch; **~logie** *f* Biologie *f; ~ spatiale* Raumbiologie *f;* **~logique** biologisch; **~logiste, ~logue** *m* Biologe *m;* **~masse** *f* Biomasse *f;* **~métrie, ~métrique** *f* Biometrie, biologische Statistik *f;* **~physique** *f* Biophysik *f,* **~psie** *f* Biopsie *f;* **~sphère** *f* Biosphäre *f.*

bioxyde [biɔksid] *m* Bioxyd, Bioxid *n.*

bi|parti, e; ~partite [biparti, -tit] *(Vertrag)* zweiseitig; **~pède** [-pɛd] *a* zweifüßig; *s m* Zweifüßler *m;* **~pied** *m* Zweibein *n,* Gabelstütze *f;* **~place** *a* zweisitzig; *s m* zweisitzige(s) Flugzeug *n;* **~plan** *m aero* Doppeldecker *m;* **~polaire** zwei-, doppelpolig.

biqu|e [bik] *f fam* Ziege *f; vieille ~ (pop)* alte Mähre; alte Ziege, Zicke *f (Frau);* **~et, te** [-kɛ, -ɛt] *m f* Zicklein *n.*

biquotidien, ne [bikɔtidjɛ̃, -ɛn] zweimal täglich.

bi|réacteur *a m u. s m* (Flugzeug *n*) mit zwei Strahltriebwerken; **~réfringence** *f opt* Doppelbrechung *f.*

birman, e [birmɑ̃, -an] *a* birmanisch; *B~, e s m* u. *f* Birmane *m,* Birmanin *f;* **B~ie, la** Burma, Birma *n.*

bis, e [bi, biz] graubraun; *pain ~* Schwarzbrot *n; teint m ~* dunkelbraune Gesichtsfarbe *f; toile f ~e* ungebleichte Leinwand *f.*

bis [bis] *adv* noch einmal; *mus* da capo; *(bei Hausnummern)* a; *pref:* zweimal, doppel(t); **~aïeul, e** [-z-] *s m f* Urgroßvater *m,* -mutter *f;* **~annuel, le** zweijährig.

bisbille [bizbij] *f fam* Zank, Zwist *m.*

biscaïen [biskajɛ̃] *m fam* Hagelkorn *n;* (kleine) Kugel *f.*

biscornu, e [biskɔrny] ungestalt, unförmig; seltsam; *fig fam* verschroben.

bis|cotte [biskɔt] *f* Zwieback *m;* **~cuit** *m* Keks *m* od *n;* Biskuit *n* od *m; (unglasiertes)* Biskuitporzellan *n; ~ pour chiens* Hundekuchen *m; ~ à la cuiller* Löffelbiskuit *n* od *m;* **~cuiter** *(Porzellan)* zweimal brennen; **~cuiterie** *f* Keksfabrik *f.*

bise [biz] *f* Nord(ost)wind; *fam* Kuß *m.*

biseau [bizo] *m* Schrägfläche, Fase, schräge Kante, Meißelschneide *f;* Setz-, Schrotmeißel *m;* Kantbeitel *m; typ* Facette *f; mus* Oberlabium *n; en ~* abgeschrägt; **~tage** [-zə-] *m* Abschrägung, Abkantung *f;* Abfasen *n;* Schrägschliff *m;* Schäftung *f;* **~ter** ab=schrägen; *(Holz)* ab=fasen, ab=kanten; schräg schleifen; facettieren; *(Karten)* zinken.

biser [bize] **1.** um=färben; **2.** *(Samenkörner)* schwarz werden; **3.** *fam* e-n Kuß geben (*qn* jdm).

bismuth [bizmyt] *m* Wismut *n.*

bison [bizɔ̃] *m* Bison *zoo m.*

bisou [bizu] *m fam* Küßchen *n.*

bisqu|e [bisk] *f* **1.** Krebssuppe *f;* **2.** *pop* Zorn *m;* schlechte Laune *f;* **~er** *pop* platzen, sich ärgern; *faire ~ qn* jdn auf die Palme bringen.

bissac [bisak] *m* Bettelsack *m.*

bissectrice [bisɛktris] *f* Winkelhalbierende *f.*

bisser [bise] *theat* wiederholen (lassen) (*qn, qc* jdn, etw).

bis|sextile [bisɛkstil] *a f: année f ~* Schaltjahr *n;* **~sexué, e** [-sɛksɥe] zweigeschlechtlich.

bistouri [bisturi] *m* Operationsmesser *n.*

bistourner [bisturne] verbiegen, verdrehen; *(Tier)* kastrieren.

bist|re [bistr] *a inv* schwarzbraun; *s m* Bister *m* od *n,* Manganbraun; Rußschwarz *n;* **~rer** bräunen.

bistro(t) [bistro] *m fam* Kneipe *f;* Kneipwirt *m.*

bit [bit] *m inform* Bit *n.*

bitt|e [bit] *f mar* Beting *m* od *f; (im Hafen)* Poller *m;* **~er** *v* an der Beting, am Poller befestigen; *s m* **[bitɛr]** Bitter *m (Aperitif);* **~ure, biture** *f; (pop) prendre une ~* sich besaufen.

bitum|age [bitymaʒ] *m* Asphaltieren *n;* **~e** *m* Bitumen, Erdpech; *fam* Pflaster *n;* **~(in)er** mit Bitumen bestreichen; asphaltieren; **~ineux, se** bituminös; *schiste m ~* Ölschiefer *m.*

bivalen|ce [bivalɑ̃s] *f chem* Zweiwertigkeit *f;* **~t, e** zweiwertig.

bivalve [bivalv] *zoo* zweischalig.
bivouac [bivwak] *m* Biwak *n; s'installer au* ~ das B. beziehen; *feux m pl de* ~ Biwakfeuer *n;* ~**quer** biwakieren.
bizarre [bizar] seltsam, sonderbar, wunderlich; ~**rie** [-rri] *f* Seltsamkeit, Wunderlichkeit *f*.
bizou [bizu] *m s. bisou.*
bizut(h) [bisy] *m arg* Student im 1. Jahr, Fuchs *m*.
black|bouler [blakbule] (durch Abstimmung) ab=lehnen; überstimmen; *(beim Examen)* durch=fallen lassen; ~**-out** [-awt] *m* Nachrichtensperre; *mil* Verdunk(e)lung *f*.
blafard, e [blafar, -ard] fahl; bleich.
blagu|e [blag] *f* Tabaksbeutel *m; fig fam* blaue(r) Dunst *m;* erfundene Geschichte, Übertreibung *f*, Schwindel; Streich; Mißgriff *m*, Ungeschicklichkeit *f; sans ~?* wirklich? (das ist ja) allerhand! ~ *à part,* ~ *dans le coin (pop)* Scherz beiseite; *faire une* ~ e-e Dummheit machen; e-n Streich spielen *(à qn* jdm*); prendre tout à la* ~ nichts ernst nehmen; *raconter des ~s à qn* jdm blauen Dunst vor=machen; ~**er** *itr fam* auf=schneiden; schwindeln; scherzen; plaudern; *tr* auf=ziehen, verspotten, sich lustig machen (*qn* über jdn); ~**eur, se** *a fam* spöttisch; *s m* Aufschneider; Spötter; Spaßvogel *m*.
blair [blɛr] *m pop* Nase *f;* Gesicht *n;* Kopf *m*.
blaireau [blɛro] *m zoo* Dachs; (Rasier-, Maler-)Pinsel *m*.
blairer [blɛre] *pop* riechen (können).
blâm|able [blɑmabl] tadelnswert; zur Kritik Anlaß gebend; ~**e** *m* Tadel; Verweis, Vorwurf *m; s'attirer, encourir le* ~ *de qn* sich *(dat)* jds Tadel zu=ziehen; ~**er** tadeln *(qn de* od *pour qc* jdn wegen etw); rügen; e-n Verweis erteilen (*qn* jdm).
blanc, blanche [blɑ̃, blɑ̃ʃ] *a* weiß; sauber, rein; *(Blatt)* unbeschrieben, unausgefüllt; *(Waffe)* blank; *(Nacht)* schlaflos; *(Stimme)* tonlos; *(Schlag)* vergeblich; *(Tinte)* unsichtbar; *s m f (Rasse)* Weiße(r *m*) *f; s m* Weiß(e) *n;* weiße Farbe *f;* Weißwein; *typ* Durchschuß; Zwischenraum *m* leere Stelle *f; (vx)* Ziel(scheibe *f*); Eiweiß *n; bot* Mehltau, Schimmel *m; com* Weißwaren *f pl; s f mus* halbe Note *f;* weiße(r) (Billard-) Ball; *m pl* Blindmaterial *n*, unbedruckte Stellen *f pl; aborder qn de but en* ~ jdn mir nichts, dir nichts an=reden; *battre des ~s en neige* Eiweiß zu Schnee schlagen; *chauffer à* ~ *(tech)* auf Weißglut erhitzen; *fig* bis zur Weißglut reizen; *devenir* ~ *comme un linge* weiß wie Kreide werden; *donner à qn carte blanche* jdm freie Hand lassen; *laisser en* ~ offen, unausgefüllt, unbeschrieben lassen; *se manger le* ~ *des yeux (fam)* sich die Augen aus=kratzen; *marquer un jour d'un caillou* ~ e-n Tag (im Kalender) rot an=streichen; *montrer patte blanche* sich als zuverlässig erweisen, sich legitimieren; *regarder qn dans le* ~ *des yeux* jdn scharf an=sehen; *rougir jusqu'au* ~ *des yeux* bis über beide Ohren rot werden; *saigner qn à* ~ jdn (stark) zur Ader lassen, zum Weißbluten bringen; *fig* jdn aus=saugen; *tirer à* ~ e-n Warnschuß abgeben; blind schießen; *bal m* ~ Mädchenball *m; chèque m en* ~ Blankoscheck *m; coupe f blanche* Kahlschlag *m; farine f blanche* Weizen-, Weißmehl *n; magasin m de* ~ Wäschegeschäft *n; mal m* ~ Nagelgeschwür *n; mariage m* ~ Scheinehe *f; pain m* ~ Weißbrot *n; signature f en* ~ Blankounterschrift *f; viande f blanche* Geflügel-, Kaninchen-, Kalbfleisch *n; vin m* ~ Weißwein *m; ~-bec m* Grünschnabel *m;* ~ *de céruse* Bleiweiß *n;* ~ *de chaux* Kalkwasser *n;* ~ *d'Espagne, de Meudon* Schlämmkreide *f;* ~ *de fard* weiße Schminke *f;* ~ *de poulet* Hühnerbrust *f;* ~ *de tête (typ)* Kopfsteg *m;* ~ *d'œuf* Eiweiß *n;* ~ *opaque* Deckweiß *n; ~-seing m* (Blanko-)Vollmacht *f;* ~ *de zinc* Zinkweiß *n*.
blanch|âtre [blɑ̃ʃɑtr] weißlich; ~**e** *f s. blanc; B~-neige f* Schneewittchen *n;* ~**et, te** *a* weißlich; *fig* sauber, gepflegt; *s m chem* Seihtuch *n; typ* Filzunterlage *f;* Druckfilz; *med* Schwamm; *bot* Feldlattich *m;* ~**eur** *f* Weiß(e *f*) *n; fig* Reinheit *f;* ~**i, e** gebleicht; *(Haar)* ergraut; *(Wand)* geweißt; *je suis* ~ es wird für mich gewaschen; ~**iment** *m* Weißen, Tünchen; Bleichen; Weißwerden *n;* ~**ir** *tr* weißen; weiß machen; auf=hellen; *(Zähne)* putzen; *(Wäsche)* waschen, reinigen; *(Metall)* blank putzen; bleichen; *tech* glatt=hobeln, *(à la lime)* feilen; *typ* Absätze machen (*qc* in e-e S), auf=lockern; *(Baum)* e-e Markierung, Platte an=bringen; *fig* rein=waschen (*qn* jdn); *fig med* vorübergehend verschwinden lassen; *itr* weiß, bleich werden; *(Haar)* ergrauen; *(Tag)* grauen; *se* ~ sich weiß machen; *fig* sich rein=waschen; *se* ~ *le visage avec de la poudre* sich das Gesicht weiß pudern; ~**issage** *m (Wäsche)* Waschen *n; (Zucker)* Raffinierung *f;*

envoyer du linge au ~ Wäsche in die Wäscherei geben; *payer la note de* ~ die Wäscherechnung bezahlen; **~isserie** *f* Reinigung *f*, Kleiderbad *n*; **~isseur, se** *m f* Wäscher, Bleicher *m*; Wäscherin, Waschfrau *f*.

blandice [blɑ̃dis] *f* Schmeichelei *f*.

blanquette [blɑ̃kɛt] *f* Gutedeltraube; Sommerbirne *f*; leichte(r) Weißwein *m* aus dem Languedoc; *(~ de veau)* Kalbsragout *n*.

blas|é, e [blɑ(a)ze] *a* gleichgültig, unempfänglich; angeekelt; blasiert; *s m* blasierte(r) Mensch *m*; **~er** übersättigen, ab=stumpfen; *se* ~ überdrüssig werden (*sur, de qc* e-r S *gen*).

blason [blazɔ̃] *m* Wappen(kunde *f*) *n*; **~ner** *(Wappen)* malen, erklären.

blas|phémateur, trice [blasfematœr, -tris] *s m f* Gotteslästerer *m*; *a* gotteslästernd; **~phématoire** gotteslästerlich; **~phème** *m* Gotteslästerung *f*; Schimpf *m* Schmähung *f*; **~phémer** *tr itr* (Gott) lästern; schmähen, (be)schimpfen.

blatte [blat] *f zoo* Schabe *f*.

blé [ble] *m* Getreide; Korn *n*, Weizen *m*; Korn-, Getreidefeld; *pop* Geld *n*; *battre, moudre, vanner le* ~ Getreide dreschen, mahlen, schwingen; *être pris comme dans un* ~ in der Falle sitzen; *mettre le* ~ *en grange* das Korn ein=fahren; *manger son* ~ *en herbe* sein Geld vorher aus=geben; *champ m de* ~ Getreidefeld *n*; *commerce f du* ~ Getreidehandel *m*; *culture f de* ~ Getreide(an)bau *m*; *grenier m à* ~ Getreide-, Kornspeicher *m*, *maladies f pl du* ~ Getreidekrankheiten *f pl*; *petits ~s* Gerste *f* u. Hafer *m*; *récolte f du* ~ Getreideernte *f*; *semailles f pl du* ~ Aussaat des Getreides; ~ *d'Espagne, d'Inde, de Turquie* Mais *m*; ~ *de Guinée* Sorghum *n*, Kaffernhirse *f*; ~ *noir* Buchweizen *m*; ~ *de semence* Saatgetreide *n*.

bled [blɛd] *m (Nordafrika)* Hinterland *n*; *arg mil* trostlose Gegend *f*; *pop* Kaff *n*.

blêm|e [blɛm] (sehr) bleich, (leichen-) blaß; *(Licht)* fahl; **~ir** [blemir] bleich, fahl werden; erbleichen, -blassen; **~issement** *m* Erblassen *n*.

blende [blɛ̃d] *f* (Zink-)Blende *f*.

blennorragie [blɛnɔraʒi] *f* Gonorrhö(e) *f*, Tripper *m*.

blépharite [blefarit] *f* Augenlidentzündung *f*.

bléser [bleze] die Zischlaute *(s, sch etc)* verwechseln; lispeln.

bless|ant, e [blɛsɑ̃, -ɑ̃t] verletzend, beleidigend; **~é, e** *a* verwundet; verletzt *a. fig (dans un accident d'auto* bei e-m Autounfall); *fig* beleidigt; *s m* Verletzte(r); Verwundete(r) *m*; ~ *grave, léger* Schwer-, Leichtverletzte(r) *m*; **~er** verletzen, verwunden; wund reiben, drücken; beschädigen; *fig* beeinträchtigen; unangenehm berühren, weh tun (*qn* jdm); *fig* beleidigen, kränken; *se* ~ sich *(acc)* verletzen; *fig* beleidigt sein; ~ *légèrement, grièvement, mortellement* od *à mort* leicht, schwer, tödlich verletzen; ~ *la vue, l'oreille* das Auge, das Ohr verletzen; *il se ~e pour un rien* er ist wegen e-r Kleinigkeit beleidigt, *fam* eingeschnappt; **~ure** *f* Wunde, Verwundung, Verletzung; *fig* Beleidigung *f*; *infliger une* ~ e-e Verletzung bei=bringen; ~ *par imprudence* fahrlässige Körperverletzung *f*.

blet, te [blɛ, -ɛt] *(Obst)* überreif, teigig; *fig* bräunlich; **~tir** [ble(ɛ)-] teigig werden.

bleu, e [blø] *a* blau; *s m* Blau *n*; blaue(r) Fleck; *fam* Rekrut; Neuling; herbe(r), schlechte(r) Rotwein *m*; Blaupause *f*; Monteuranzug, *pop* blaue(r) Anton; Blauhai *m*; *(Milch, Wein)* Blauwerden *n*; *s f pop* Absinth *m*; *tirant sur le* ~ mit e-m Stich ins Blaue; *être* ~ *de froid* blau vor Kälte sein; *passer au* ~ *(fig)* sich in blauen Dunst auf=lösen; *(vx) n'y voir que du* ~ nichts verstehen von; *voir tout en* ~ alles in rosigem Licht sehen; *(vx) en voir de ~es* sein blaues Wunder erleben; *bas m* ~ Blaustrumpf *m*; *bifteck m* ~ halbdurchgebratene(s) Beefsteak *n*; *carpe f au* ~ Karpfen *m* blau; *conte m* ~ Märchen *n*, Fabel *f*; *cordon m* ~ gute(r) Koch *m*, gute Köchin *f*; *crayon m* ~ Blaustift *m*; *petit* ~ leichte(r) Rotwein *m*; Telegramm *n*; Rohrpostbrief *m*; *peur f ~e (fam)* Todesangst *f*; *ruban m* ~ blaue(s) Band *n*; ~ *d'Auvergne* Art Schimmelkäse; Hühnerhund *m*; ~ *clair, foncé, gris, horizon, pâle* hell-, dunkel-, grau-, himmel-, blaßblau; ~ *marine, d'outremer, de Prusse* Marine-, Ultramarin-, Preußischblau *n*; **~âtre** bläulich; **~et, bluet** [bløɛ, blyɛ] *m* Kornblume *f*; **~ir** *tr* blau machen, an=laufen lassen; *itr* blau werden, an=laufen; **~issement** *m* Blaufärbung *f*; **~té, e** bläulich; **~ter** leicht bläuen.

blind|age [blɛ̃daʒ] *m mil mar el* Panzerung; *tech* Verkleidung *f*; *min* eiserne(r) Ausbau *m*; *el* Abschirmung, Entstörung; Entstörkappe *f*; *plaque f de* ~ Panzerplatte *f*; ~ *contre les rayonnements* Strahlenabschirmung *f;* **~é, e** *a* gepanzert; abgeschirmt; *fig* immun; betrunken; *s m* Panzerwagen *m; arme f ~e* Panzerwaffe, -truppe *f; armée, division f ~e* Panzerarmee, -divison *f; formation f ~e* Panzerverband *m; train m ~* Panzerzug *m; véhicule m ~* Panzerwagen *m;* **~er** panzern; in Eisen aus=bauen; *el* ab=schirmen; *fig* immun machen; schützen; *(Kehle)* aus=pichen; *se ~ (pop)* sich betrinken.

bloc [blɔk] *m* Block; (Holz-)Klotz; Klumpen; Haufen *m; geol* Scholle *f; loc* Blockapparat, -verschluß; *tech* Satz *m; fig* große Menge *f;* Ganze(s); *fam* Kittchen *n; à ~* ganz, gänzlich, vollständig; *en ~* im ganzen; in Bausch u. Bogen; *taillé dans un seul ~* aus e-m Stück gehauen; *tout d'un ~* aus e-m Stück; *acheter en ~* alles zs., die Gesamtmenge kaufen; *faire ~* e-n Block bilden, wie Pech u. Schwefel zs.=halten; *travailler à ~ (fam)* wie ein Pferd arbeiten; *gonflé à ~ (Reifen)* vollgepumpt; *fig fam* tapfer, kühn, verwegen; *~ de caisse* Kassenblock *m; ~-calendrier, éphéméride* Kalenderblock *m; ~ à copier* Durchschreibeblock *m; ~-correspondance m* Briefblock *m; ~ de cylindres* Zylinderblock *m; ~ à dessin* Zeichenblock *m; ~ de granit, de marbre* Granit-, Marmorblock *m; ~ erratique* Findling *m (Stein); ~ moteur* Motorblock *m; ~-notes m pl* Notizblock *m; ~ opératoire* Operationssaal *m; ~ socialiste* Ostblock *m,* das sozialistische Lager; ~ sonore (film) Toneinheit *f;* **~age** *m* Blockieren, Absperren *n;* Verriegelung *f;* Blockverschluß *m; arch* Schotterung, Packlage; *typ* Blockade *f;* Fliegenkopf *m; com* Sperre, Sperrung *f,* Stopp *m; ~ automatique* Selbsthemmung *f; ~ de commande* Auftragssperre *f; ~ des comptes* Kontensperrung *f; ~ des salaires et des prix* Lohn- u. Preisstopp *m;* **~us** [-kys] *m* Blockade, Sperre *f; rompre le ~* die Blockade brechen.

blockhaus [blɔkos] *m inv.* Gefechtsstand; *mar* Kommandoturm *m.*

blond, e [blɔ̃, -ɔ̃d] *a* (hell)blond; hell; *(Stoff)* beige; *(Ähren)* gelb; *s m* (Hell-) Blond *n;* blonde Farbe *f;* blonde(r) Mann *m; s f* Blondine *f; fam* helle(s) Bier *n;* Seidenspitze *f;* **~asse** strohblond; **~in, e** *m f* Blondkopf *m,* Blondine *f;* **~ir** blond, gelblich, golden werden.

bloom [blum] *m* vorgewalzte(r) Stahlblock *m.*

bloquer [blɔke] zs.=fassen, -schließen; blockieren, sperren; verriegeln; ein=schließen; *arch* mit Bruchsteinen aus=füllen; *typ* blockieren; *tech* fest=stellen, -klemmen, -bremsen; *(Fußball)* stoppen; *(Kredit)* sperren; *fig* hemmen; *se ~* sich fest=fahren; *les mots se bloquaient dans sa gorge* die Worte blieben ihm im Halse stecken.

blottir, se [blɔtir] sich ducken, sich kauern; sich drücken, sich pressen, sich schmiegen (*contre* an *acc*).

blous|e [bluz] *f* Kittel *m;* Jacke; Bluse *f; ~-chemise f* Hemdbluse *f; ~-tablier* Kittel(schürze *f*) *m; ~ de travail* Arbeitskittel *m;* **~er** *itr* sich bauschen; *tr fig fam* täuschen, herein=legen; begaunern; *se ~* sich bauschen; *fig fam* sich täuschen; **~on** *m* kurze, lose Jakke, Joppe *f;* Jumper *m; ~ noir* Rocker *m; ~ de sportif à fermeture-éclair* Sportjacke *f* mit Reißverschluß.

bluet [blyɛ] *m s. bleuet.*

bluff [blœf] *m* Bluff *m,* Täuschung; Angabe *f;* **~er** *fam* bluffen; an=geben; **~eur, se** *m f* Angeber(in *f*) *m.*

blut|age [blytaʒ] *m* Beuteln *n; taux m de ~* Ausmahlungssatz *m;* **~er** beuteln, sieben; **~oir** *m* (Mehl-)Beutel *m.*

boa [bɔa] *m zoo (Mode)* Boa *f.*

bobard [bɔbar] *m fam* Schwindel *m;* aufgebauschte Geschichte; Falschmeldung, (Zeitungs-)Ente *f.*

bobèche [bɔbɛʃ] *f* Leuchtermanschette, -tülle *f; pop* Kopf *m.*

bob|inage [bɔbinaʒ] *m* (Auf-)Spulen *n;* (Be-)Wicklung *f; ~ d'inducteur* Feld-, Erregerwicklung *f; ~ d'induit* Ankerwicklung *f;* **~ine** *f* Spindel, Spule, Rolle *f; fam* (komisches) Gesicht *n; vider une ~* e-e Rolle ab=spulen; *~ d'accord, de syntonisation* Abstimmspule *f; ~ d'allumage* Zündspule *f; ~ débitrice, réceptrice* Ab-, Aufwickelspule *f; ~ à disques* Scheibenspule *f; ~ de film, de pellicule* Filmspule *f,* Rollfilm *m; ~ inductrice* Erregerspule *f; ~ de réactance, de self* Drosselspule *f; ~ du ruban encreur* Farbbandspule *f;* **~iner** (auf=)spulen, -wikkeln; **~ineur, se** Spuler(in *f*) *m;* **~ineuse** *f,* **~inoir** *m* Spulmaschine *f.*

bobo [bobo] *m fam* Wehwehchen *n.*

bobsleigh [bɔbslɛg] *m sport* Bob *m; ~ à deux* Zweierbob *m.*

boc|age [bɔkaʒ] *m* durchschnittene(s) Gelände *n;* Knicklandschaft *f (Nordd.) vx* Gebüsch, Gehölz *n;* **~ager, ère** buschreich, von Gebüsch unterbrochen; in Gebüschen wohnend.

bocal [bɔkal] *m* Glasbehälter *m (mit weiter Öffnung);* Einmachglas; Brutglas *n (für Fische).*

boche [bɔʃ] *m pop péj* Deutsche(r) *m.*

bock [bɔk] *m* Glas Bier (¼ l); Seidel *n;* ~ *à injections (med)* Irrigator *m.*
bœuf [bœf, *pl* bø] *s m* Ochs(e) *m;* Rind; Ochsen-, Kuh-, Rindfleisch *n; fig fam* Bulle, starke(r) Mann *m; a pop* großartig, hervorragend; gewaltig; *atteler des ~s à la charrue* Ochsen vor den Pflug spannen; *avoir un ~ sur la langue* den Mund halten, dicht=halten; *mettre la charrue avant les ~s* das Pferd beim Schwanz auf=zäumen; *parquer des ~s à l'étable* Ochsen in den Stall bringen; *travailler comme un ~* wie ein Pferd arbeiten; *souffler comme un ~* ganz außer Atem sein; *babines f pl du ~* Lefzen *f pl* des Ochsen; *côte f de ~ braisée* geschmorte(s) Ochsenrippenstück *n; culotte f de ~* Ochsenschwanzstück *n; filet m de ~* Ochsenlende *f,* Rinderfilet *n; langue f de ~* Ochsenzunge *f; nerf m de ~* Ochsenziemer *m; paire f de ~s* Ochsengespann *n; queue f de ~* Ochsenschwanz *m; salade f de museau de ~* Ochsenmaulsalat *m; sauté m de ~* Rindsragout *n; ~ de boucherie* Schlachtochse *m; ~ (à la) mode* garnierte(r) Rinderbraten *m; ~ rôti* Rinder-, Schmorbraten *m.*
bof [bɔf] *interj: ~! egal!*
bog(g)ie [bɔ(g)ʒi] *m loc* Drehgestell *n.*
bogue [bɔg] *f* äußere Kastanienschale *f;* Ring *m* am Schmiedehammer.
bohème [bɔɛm] *a* unordentlich; Künstler-; *s m* Bohemien; Bummler, Tagedieb *m; f* Künstlerwelt; Bohemewirtschaft *f.*
Boh|ême, la [bɔɛm] Böhmen *n;* **b~émien, ne** *a* böhmisch; *B~, ne s m f* Zigeuner(in *f*) *m; campement m, roulotte f de B~s* Zigeunerlager *n,* -wagen *m.*
boire [bwar] *v irr* trinken; sich (gern) betrinken; bechern, zechen; *(Geld)* vertrinken; *(Tier)* saufen; auf=saugen; *fig* auf=nehmen, verschlingen; *(Beleidigung)* schlucken, ein=stecken; *s m* Trinken *n; se ~* trinkbar sein: sich trinken lassen; *~ un bouillon (fig)* e-e Schlappe ein=stecken; *~ du café, de l'eau, du lait, du vin* Kaffee, Wasser, Milch, Wein trinken; *~ à petits coups* nippen; *~ le calice jusqu'à la lie* den Kelch bis zur Neige leeren; *~ un coup (fam)* einen zu sich nehmen, etwas (Alkoholisches) trinken; *~ une tasse (fam)* Wasser schlucken; *~ dans le creux de la main, dans un verre, à même la bouteille, à une source* aus der hohlen Hand, aus e-m Glas, aus der Flasche, an e-r Quelle trinken; *~ comme une éponge, un trou (pop)* wie ein Loch saufen; *~ à petites gorgées, à longs* od *larges traits* in kleinen Schlücken, in langen Zügen trinken; *~ du petit lait* (ein Lob) mit Behagen genießen; *~ l'obstacle* das Hindernis spielend nehmen; *~ à la santé de qn* auf jds Gesundheit *(acc)* trinken; *~ sec (alkoholische Getränke)* unvermischt, tüchtig trinken; *~ des yeux* mit den Augen verschlingen; *ce n'est pas la mer à ~* es wird schon gehen, ist zu schaffen; *c'est la mer à ~* da ist kein Ende abzusehen; *je boirais la mer et les poissons* ich habe e-n schrecklichen Durst; *le vin est tiré, il faut le ~* was man sich eingebrockt hat, muß man aus=löffeln; *qui a bu boira* die Katze läßt das Mausen nicht; *air m, chanson f à ~* Trinklied *n.*
bois [bwa(ɑ)] *m* Gehölz; Wäldchen *n;* Wald *m;* Holz *n;* Baum; Schaft, Stiel *m;* Gestell *n;* Kegel *m;* (Hirsch-) Geweih *n;* Holzblasinstrumente *n pl;* Holzschnitt *m; à la cloche de ~* heimlich; *de ~* hölzern, aus Holz; *débiter le ~* das H. zu=schneiden; *être du ~ dont on fait les flûtes (fig)* aus weichem Holz geschnitzt, sehr umgänglich sein; *faire, fendre, casser du ~* Holz spalten, hacken; *faire flèche de tout ~ (fig)* alle Register ziehen; *métrer, cuber le ~* das H. vermessen; *montrer visage de ~* keine Miene verziehen; *trouver visage de ~* vor verschlossener Tür stehen; *je touche du ~* toi, toi, toi! unberufen! *je vous montrerai de quel ~ je me chauffe* das lasse ich mir nicht gefallen; ich werde euch (Ihnen) zeigen, was ich kann; *il n'est ~ si vert qui ne s'allume* jede Geduld hat ein Ende; *le ~ pétille* das H. knistert; *assemblage m des ~* Holzverbindung *f; charbon m de ~* Holzkohle *f; cheville f de ~* Holzdübel *m; croix f de ~* Holzkreuz *n; déjettement m du ~* Arbeiten *n* des Holzes; *éclat m de ~* Holzsplitter *m; fibre f, fil m de ~* Holzfaser *f; goudron m de ~* Holzkohlenteer *m; homme m des ~* Orang-Utan *m; imprégnation f du ~* Holzimprägnierung *f; lambrissage m en ~* Holzvertäfelung *f; machine f à travailler le ~* Holzbearbeitungsmaschine *f; maison f de ~* Holzhaus *n; montant m en ~* Holzpfosten *m; pan, treillis m de ~* (Holz-)Fachwerk *n; panneau m de ~* Holztäfelung *f; pâte f de ~* Holzkitt *m; pont m de ~* Holzbrücke *f; sciure f de ~* Sägemehl *n; support m en ~* Holzschwelle *f,* -trä-

ger *m; volée f de ~ vert* Tracht *f* Prügel; schwere Niederlage *f;* Rüffel *m; ~ d'acajou, de bouleau, de cèdre, de chêne, de frêne, de hêtre, de mélèze, de pin, de sapin, de tilleul* Mahagoni-, Birken-, Zedern-, Eichen-, Eschen-, Buchen-, Lärchen-, Kiefern-, Tannen-, Lindenholz *n; ~ d'aubier* Splintholz *n; ~ sans branches, sans nœuds* astfreie(s) H.; *~ de brin* entrindete(s) H., Stammholz *n; ~ carré, équarri* Kantholz *n; ~ chablis* Windbruch *m; ~ à chantournage* Laubsägeholz *n; ~ de charpente* Zimmer-, Bauholz *n; ~ de chauffage, à brûler* Brennholz *n; ~ de cœur* Kernholz *n; ~ conifère* Nadelholz *n; ~ de construction* Bauholz *n; ~ contreplaqué* Sperrholz *n; ~ débité* Schnittholz *n; ~ de déchet* Abfallholz *n; ~ dur* Hartholz *n; ~ écorcé* geschälte(s) H.; *~ d'échafaudage* Gerüstholz *n; ~ entaillé* Kerbholz *n; ~ fendillé* rissige(s) H.; *~ de fente* Spaltholz *n; ~ feuillu* Laubholz *n; ~ de fil* Langholz *n; ~ de grume* Rundholz *n* mit Rinde; *~ de lit* Bettgestell *n; ~ de mine* Grubenholz *n; ~ mort* dürre(s) H.; Leseholz *n; ~ noueux* astreiche(s) H.; *~ d'œuvre* Nutz-, Bauholz *n; ~ de placage* Furnierholz *n; ~ précieux* Edelholz *n; ~ de rebut* Holzabfälle *m pl; ~ résineux* Nadelholz *n; ~ rond* Rundholz *n; ~ de sciage* Schnittholz *n; ~ en sève, vert, vif* grüne(s) H.; *~ de souche* Wurzelholz *n; ~ de soutènement de taille (min)* Stempel *m; ~ veiné* gemaserte(s) H.

bois|age [bwazaʒ] *m* (Holz-)Verkleidung *f; min* Holzausbau *m,* Zimmerung *f;* **~ement** *m* Aufforstung *f;* **~é, e** getäfelt; bewaldet; **~er** (ver)täfeln; mit Holzwerk verkleiden; *min* aus=, verbauen; zimmern; auf=forsten; **~erie** *f* Holzverkleidung, Holztäfelung *f.*

boiss|eau [bwaso] *m* Scheffel; Kaminformstein *m; tech* Gehäuse *n,* Topf *m; tech* Hahnküken *n; mettre la lumière sous le ~* sein Licht unter den Scheffel stellen; **~elée** [-sle] *f* Scheffelvoll *m;* **~ellerie** [-sɛlri] *f* Herstellung *f,* Vertrieb *m* von Haushaltswaren aus Holz.

boisson [bwasõ] *f* Getränk *n; être adonné à la ~* dem Trunk ergeben sein; *la ~ monte* od *porte à la tête* das Getränk steigt in den Kopf; *débit m de ~* Ausschank *m; droit m sur les ~s* Getränkesteuer *f; pris de ~* betrunken.

boîte [bwat] *f* Schachtel; Büchse; Dose *f;* Kasten *m; tech* Kapsel *f;* Gehäuse *n;* Riegeltopf; Feuerwerkskörper; Briefkasten *m; pop péj* Bude *f,* Kasten *m,* Schmiere, Penne, Fabrik *f,* Lokal, Kittchen *n; avoir l'air de sortir d'une ~* wie aus dem Ei gepellt sein; *fermer sa ~ (pop)* den Mund, den Rand, die Klappe halten; *jeter, mettre une lettre à la ~* e-n Brief in den Briefkasten werfen; *mettre qn en ~ (fam)* sich über jdn lustig machen; *retirer les lettres de la ~* den Briefkasten leeren; *~ d'accouplement* Kupplungsgehäuse *n; ~ d'allumettes* Streichholzschachtel *f; ~ d'arrêt* Endverschluß *n; ~ (d'artifices)* Feuerwerkskörper *m; ~ à bijoux* Schmuckkästchen *n; ~ en bois, en argent* Holz-, Silberkästchen *n; ~ à bornes* Klemmenkasten *m; ~ à bourrage* Stopfbuchse *f; ~ à cames* Nockengehäuse *n; ~ en carton* Pappschachtel *f;* Schutzkarton *m; ~ à cartouches* Patronenkasten *m; ~ à casiers (typ)* Setzkasten *m; ~ à chirurgie* Besteckkasten *m; ~ à cigares* Zigarrenkiste *f; ~ à cirage* Wichsdose *f; ~ de commande* Antriebsgehäuse *n; ~ à compartiments* Kasten *m* mit Fächern; *~ à compas* Reißzeug *n; ~ conductrice* Führungsbuchse *f; ~ de connexion* Abzweigdose *f; ~ de conserve* Konservendose *f; ~ de construction* Baukasten *m; ~ (de contact) à fiches* Anschluß-, Steckdose *f; ~ de couleurs* Mal-, Tuschkasten *m; ~ de coupure* Schaltkasten *m; ~ crânienne* Schädelkapsel, Hirnschale *f; ~ de dérivation* Abzweigdose *f; ~ de direction* Lenkgehäuse *n; ~ de distribution* Endverzeiger; Verteilerkasten *m; ~ à échantillons* Musterkoffer *m; ~ d'embrayage* Kupplungsgehäuse *n; ~ d'engrenage* Getriebekasten *m; ~ à épices* Gewürzdose *f; ~ d'essieu* Achslager *n; ~-étoupe f* Stopfbuchse *f; ~ à feu* Feuerbüchse *f; ~ à fiches* Zettelkasten *m; ~ à fricot* (kleiner) Essenträger *m; ~ à gants* Handschuhkasten *m; ~ de garde* Schutzkasten *m; ~ à garniture* Stopfbuchse *f; ~s gigognes* inea.schiebbare Schachteln *f pl; ~ de graissage, à graisse, de lubrification* Schmierbüchse, -buchse *f; ~ d'horloge* Uhrgehäuse *n; ~* d'interruption Ausschalter *m; ~ de jonction* Abzweig-, Anschlußdose; Kabelmuffe *f; ~ à lait* Milchkanne *f; ~ (aux, à lettres)* Briefkasten *m; ~ de la manivelle* Kurbelgehäuse *n,* -kasten *m; ~ à musique* Spieldose *f; ~ noire* Flugschreiber *m; ~ de nuit* Nachtlokal *n; ~ à onglet* Gehrlade *f; ~ à ordures* Abfalleimer; Müllkasten *m; ~ à outils* Werkzeugkasten *m; ~ à ouvrage* Nähkasten *m; ~ de peinture* Malkasten *m; ~ postale* Postschließfach *n; ~ à poudre* Puderdose *f; ~ de prise de courant* Steckdose *f; ~ de raccord(ement)* (Anschluß-)Steckdose *f;* Kabelbrett *n; ~ de roue* Nabenbuchse *f; ~ à sable* Sandkasten *m; ~ à savon* Seifendose *f; ~ de secours, à pansements* Verband(s)kasten *m; ~ à sel* Salzfaß *n; ~ de vitesse* Getriebe *n; ~ à trois, à quatre vitesses* Drei-, Vierganggetriebe *n.*

boit|er [bwate] hinken *a. fig;* humpeln; *(Tisch)* wackeln; *fig* hapern; *~ du pied droit, gauche* auf dem rechten, linken Fuß hinken; **~eux, se** *a* hinkend *a. fig;* humpelnd; lahm; *(Möbelstück)* wack(e)lig; *fig* schief; ohne Bestand; *(Satz)* holp(e)rig; *s m f* Hinkende(r *m*) *f.*

boîtier [bwatje] *m* (Uhr-)Gehäuse *n;* Mikrophonkapsel *f;* Kasten *m* mit Fächern; *tech* Gehäuse, Lager *n.*

boitiller [bwatije] leicht hinken.

bol [bɔl] *m* Schale; *prendre un ~ d'air* frische Luft schnappen; *~ alimentaire* im Mund geformte Speisekugel *f.*

bolche|vik [bɔlʃəvik] **, ~viste** *a* bolschewistisch; *s m* Bolschewist *m;* **~visation** *f* Bolschewisierung *f;* **~visme** *m* Bolschewismus *m.*

bolée [bɔle] *f* Schalevoll *f.*

boléro [bɔlero] *m* Bolero(-jäckchen *n*) *m.*

bolet [bɔlɛ] *m* Röhrling *m (Pilz); ~ (comestible)* Steinpilz *m.*

bolide [bɔlid] *m* Meteor(stein *m*) *m* od *n; (~ de course) fig* (schwerer) Rennwagen *m; passer comme un ~* vorbei=flitzen, -sausen.

bolier [bɔlje] *m s. boulier.*

Bolivie, la [bɔlivi] Bolivien *n;* **b~n, ne** bolivianisch.

bombance [bɔ̃bɑ̃s] *f* Schlemmerei *f; faire ~* schlemmen, schwelgen.

bombarde [bɔ̃bard] *f* Schalmei *f; (Orgel)* Baßbrummer *m;* Bombarde *f (Geschütz).*

bombar|dement [bɔ̃bardmɑ̃] *m* Beschießung; Bombardierung *f,* Bombenangriff *m; (Konfetti)* Werfen *n; ~ aérien* Luftangriff *m; ~ à basse, haute altitude* Bombenangriff *m* aus geringer, großer Höhe; *~ atomique* Kernbeschuß *m; ~ coup par coup* Einzel(ab)wurf *m; ~ en formation, en groupe* Bombenangriff *m* in geschlossenem Verband; *~ de jour, de nuit* Tag-, Nacht(bomben)angriff *m; ~ en piqué* Sturzbomberangriff *m; ~ de précision* Präzisionsabwurf *m; ~ en traînée* od *chapelet* Reihenwurf *m;* **~der** *tr* beschießen; *aero* bombardieren *a. fig;* mit Bomben belegen; bewerfen (*de* mit); *fig fam* bestürmen, überhäufen; auf e-n Posten katapultieren (*qn* jdn); *itr pop* rauchen; **~dier** *m* Kampf-, Bombenflugzeug *n,* Bomber; Bombenschütze *m; ~ de jour* Tagbomber *m; ~ léger, lourd* leichte(s), schwere(s) Kampfflugzeug *n; ~ en piqué* Stuka, Sturzkampfbomber *m; ~ quatrimoteur* viermotorige(r) Bomber *m; ~ à réaction* Düsenbomber *m.*

bombardon [bɔ̃bardɔ̃] *m mus* Bombardon *n,* tiefe Tuba *f.*

bombe [bɔ̃b] *f* Bombe *f a.* (Glas-)Ballon *m; pop* Fest *n,* Schmauserei *f;* Spray-, Sprühdose *f; à l'épreuve des ~s* bombensicher; *arriver, tomber comme une ~ (fam)* plötzlich, unvermutet hereingestürzt kommen; *arroser de ~s* mit Bomben belegen; *éclater comme une ~ (fig)* wie e-e B. platzen; *faire la ~ (pop)* flott leben; bummeln; prassen, schwelgen; *faire l'effet d'une ~ (fig)* wie eine Bombe ein=schlagen; *lâcher, larguer, jeter, lancer des ~s (sur)* Bomben (ab=) werfen (auf *acc*); *abri m contre les ~s* Bunker *m; attentat m à la ~* Bombenattentat *n; déclencheur m de ~s* Bombenauslöser *m; délogé à coups de ~s* ausgebombt; *éclat m de ~* Bombensplitter *m; effet m de souffle d'une ~* Luftdruckwirkung *f* e-r B.; *panneau m, trappe f de la soute à ~s* Bombenklappe *f; tapis m de ~s* Bombenteppich *m; ville f détruite par les ~s* zerbombte Stadt *f; ~ A, atomique* Atombombe *f; ~ d'artifice* Kanonenschlag *m;* Höllenmaschine *f; ~ d'avion* Fliegerbombe *f; ~ au but* Treffer *m; ~ au cobalt* Kobaltbombe *f; ~ éclairante, explosive, fumigène, incendiaire, au napalm, au phosphore* Leucht-, Spreng-, Nebel-, Brand-, Napalm-, Phosphorbombe *f; ~ éclairante à parachute* Fallschirmleuchtbombe *f, pop* Christbaum *m; ~-électron f* Thermitbombe *f; ~ glacée* Eisbombe *f; ~ H, à hydrogène* Wasserstoffbombe *f; ~ lacrymogène* Tränengasbombe *f; ~-maquette f* Exerzierbombe *f; ~ à paroi mince* (Luft-)Mine *f; ~ à neutrons* Neutronenbombe, -waffe *f; ~ percutante, perforante* Aufschlag-, Panzerbombe *f; ~ à retardement* Zeitbombe *f; ~ sous-marine* Unterwasserbombe *f; ~ thermonucléaire* Atom-, Wasserstoffbombe *f; ~ torpille* Lufttorpedo *m.*

bomb|é, e [bɔ̃be] gewölbt; bauchig; konvex; geschweift; **~ement** *m* Wölbung, Schweifung *f;* **~er** *tr* wölben, schweifen, aus=bauchen; sprühen; *se ~* sich wölben; *se ~ de qc (pop)* bei etw in den Mond gucken; *~ un slogan sur un mur* Parolen an e-e Wand sprühen.

bombonne, bonbonne [bɔ̃bɔn] *f* Korbflasche *f.*

bombyx [bɔ̃biks] *m zoo* Seidenspinner *m.*

bon, bonne [bɔ̃, bɔn] **1.** *a* gut; einwandfrei, richtig, genau; günstig; angenehm; glücklich; lustig, witzig; brav, gutmütig; liebenswürdig; lieb; ordentlich; tüchtig, beträchtlich; geeignet, geschickt, brauchbar (*pour* für); gültig (*pour* für); fertig, bereit (*à* zu, für); **2.** *s m* Gute(s) *n;* Gute(r) *m, pl* Gute(n) *m pl;* Nutzen, Vorteil *m; com* Anweisung *f,* Gutschein *m; ~ an, mal an* im Jahres(durch)schnitt; *assez ~* ausreichend; *de ~ cœur* herzlich gern; *une bonne fois* ein für allemal; *de bonne foi* aufrichtig; gutgläubig; *de bonne heure* früh(zeitig); *(à) ~ marché* billig; *de ~ matin* sehr früh; *à ~ port* sicher; *pour de ~, tout de ~* wirklich, ernstlich; *sauf bonne fin* unter üblichem Vorbehalt; *arriver ~ premier* mit großem Vorsprung als erster an=kommen; *n'attendre, n'espérer, ne présager rien de ~* nichts Gutes erwarten (*de* von); *avoir bonne main* e-e glückliche Hand haben; *en conter, en dire de bonnes* schöne Geschichten erzählen; *croire, juger ~* für gut erachten; *être en ~s termes avec qn* mit jdm gut stehen; *faire ~ poids* gut wiegen; *sentir ~* gut riechen; *tenir ~* stand=halten; *bonne année!* glückliches Neujahr! *à la bonne heure!* so ist's recht! das ist schön! *comme ~ vous semble* wie es Ihnen beliebt, nach Ihrem Gutdünken; *j'y mettrai ~ ordre* das werde ich schon in Ordnung bringen; *il n'est ~ à rien* er ist zu nichts zu gebrauchen; *c'est ~ à savoir* das muß man sich merken; *il fait ~* es ist schönes Wetter; es ist angenehm (*Inf.* zu); *il ne fait pas ~* es ist nicht gut (*Inf.* zu) *vous en avez de bonnes!* Sie scherzen! *à quoi ~?* wozu? *~ d'achat* Bezug(s)schein *m; ~ à boire, à manger* trink-, eßbar; *~ de caisse* Kassenanweisung *f; ~ de commande* Bestellschein *m; ~ à la composition (typ)* satzreif; *~ d'essence* Benzingutschein *m; ~ de livraison* Lieferschein *m; ~ à mettre en page (typ)* umbruchreif; *~ mot m* Witz *m; ~ de pain* Brotmarke *f; ~-papa* Opa *m; ~ point m* Pluspunkt *m; ~ au porteur* auf den Inhaber lautende(r) Gutschein *m; ~ à tirer* druckreif; *~ du Trésor* Schatzanweisung *f; ~-vouloir m* Wohlwollen *n.*

bonace [bɔnas] *f mar* Windstille; *fig* Ruhe *f,* Frieden *m.*

bonasse [bɔnas] ruhig; zu gut(mütig); **~rie** *f* zu große Gutmütigkeit *f.*

bon|bon [bɔ̃bɔ̃] *m* Bonbon *m* od *n; boîte f de ~s* Pralinenschachtel *f; sac, cornet m de ~s* Tüte *f* Bonbons; *~ au chocolat* Praline *f; ~ fourré* gefüllte(r, s) B.; **~bonne** *s. bombonne;* **~bonnière** *f* Bonbonniere, Geschenkpackung *f* mit Süßigkeiten; kleine elegante Wohnung *f.*

bond [bɔ̃] *m* Sprung, Satz; Abprall *m; d'un ~* in einem Satz; *du premier ~* auf Anhieb; sofort; *de ~ ou de volée* irgendwie; *avancer par ~s (mil)* sprungweise vor=gehen; *faire faux ~* sein Wort brechen; versetzen (*à qn* jdn); *faire un ~ en avant* vor=springen; *saisir la balle au ~ (fig)* die Gelegenheit beim Schopf ergreifen; *pour un ~, pas gymnastique, en avant (mil)* Sprung auf, marsch, marsch!

bond|e [bɔ̃d] *f (Reservoir)* Abfluß(öffnung *f*) *m;* Zapf-, Spundloch *n; lâcher la ~ à ses larmes, à sa colère* seinen Tränen freien Lauf lassen, seine Wut aus=toben; **~é, e** überfüllt; **~er** bis zum Spund füllen; *mar* voll=stauen; *fig* voll=stopfen.

bondieusard, e [bɔ̃djøzar, -d] *a* frömmelnd; *s m pop* Frömmler *m.*

bond|ir [bɔ̃dir] *itr* ab=, auf=prallen; (auf=)springen; hüpfen (*de joie* vor Freude) in die Höhe fahren; auf=, zurück=prallen; sprunghaft an=steigen; *(Wellen)* auf=schlagen; *il me fait ~* er macht mich rasend; **~issant, e** hüpfend, springend; *(Brust)* keuchend; **~issement** *m* Aufspringen; Hüpfen *n.*

bondon [bɔ̃dɔ̃] *m* Spund(zapfen) *m;* Spundloch *n; Art* Stangenkäse *m;* **~ner** spunden.

bonheur [bɔnœr] *m* Glück *n; au petit ~* auf gut Glück; *par ~* glücklicherweise; *porter ~* Glück bringen; *rien ne trouble, ne gâche, n'assombrit son ~* nichts trübt sein Glück.

bonhom|ie [bɔnɔmi] *f* Gutmütigkeit *f;* **~me** *s m* gutmütige(r) Mensch, gute(r) Kerl, Knirps, kleine(r) Mann; Alte(r) *m; a* gutmütig; *aller, poursuivre son petit ~ de chemin* gemächlich s-n Weg gehen; *dessiner des bonshommes* Männchen malen; *~ de neige* Schneemann *m; ~ Noël* Weihnachtsmann; Knecht Ruprecht *m; ~ en pain d'épice* Honigkuchenmann *m.*

boni [bɔni] *m* Überschuß, Mehrbetrag *m;* Guthaben *n.*

boniche [bɔniʃ] *f péj* Mädchen *n,* Minna *f.*

boni|fication [bɔnifikasjõ] *f* Verbesserung; *com* Vergütung *f;* Bonus *m;* **~fier** verbessern; *com* vergüten; *se ~* besser werden; sich bessern.

boniment [bɔnimɑ̃] *m* prahlerische Anpreisung; Reklame *f; fam* Quatsch, Schwindel *m; pas de ~s!* mach mir (doch) nichts vor! **~er** prahlerisch an=preisen; schwindeln; **~eur** *m* Marktschreier *m.*

bonjour [bõʒur] *m interj* guten Tag! guten Morgen! *souhaiter, donner le ~ à qn* jdm e-n guten Tag wünschen; *simple comme ~* kinderleicht.

bonne [bɔn] *f* Hausgehilfin *f; ~ à tout faire* Mädchen *n* für alles; *~ d'enfants* Kindermädchen *n; a f s. bon;* **~-maman** *f* Oma *f;* **~ment** *adv* aufrichtig, ehrlich, offen(herzig); *tout ~* einfach, wahrhaftig, wahrlich.

bonnet [bɔnɛ] *m* Mütze; Kappe; Haube *f; (Wiederkäuer)* Netzmagen *m; avoir la tête près du ~* leicht auf=brausen; *gros ~ (fig)* große(s) Tier *n; jeter son ~ par-dessus les moulins* sich über alles hinweg=setzen; *opiner du ~* zu allem ja und amen sagen; voll zu=stimmen; *prendre qc sous son ~* etw auf seine Kappe nehmen; *c'est blanc ~ et ~ blanc* das ist Jacke wie Hose; *deux têtes sous un ~* ein Herz u. eine Seele; *gros ~ (fig)* hohe(s) Tier *n; ~ de bain* Bademütze *f; ~ de baptême* Taufhäubchen *n; ~ de matelot* Matrosenmütze *f; ~ de nuit* Nachtmütze *f; ~ à poils* Bärenmütze *f; ~ de police* Feldmütze *f;* **~ter** wirken; **~terie** [-nɛtri] *f* Wirkerei *f;* Strumpfwaren, Trikotagen *f pl;* Wirk- u. Strickwarenindustrie *f;* **~tier, ère** [-ntie, -ɛr] *m f* Strumpfwaren-, Trikotagenhändler(in *f*), -fabrikant *m.*

bonnette [bɔnɛt] *f* Kinderhäubchen; *mar* Beisegel *n; phot* Vorsatzlinse *f; ~ écran jaune* Gelbfilter *n.*

bonsaï [bõzaj] *m* Bonsai *m.*

bonsoir [bõswar] *m interj* guten Abend! gute Nacht! *souhaiter, donner le ~* e-n guten Abend wünschen.

bonté [bõte] *f* Güte; (gute) Qualität; Gutmütigkeit; Gefälligkeit, Freundlichkeit *f; ayez la ~ de ...* seien Sie so gut u. ... ; *~ du cœur* Herzensgüte *f.*

bonus [bɔnys] *m (Versicherung)* Bonus *m.*

bonze [bõz] *m* Bonze; *pop* alte(r) Trottel *m.*

bookmaker [bukmekœr] *m sport* Buchmacher *m.*

boom [bum] *m* Boom *m.*

boomerang [bumrɑ̃g] *m* Bumerang *m; faire ~ (fig)* e-e Rückwirkung haben.

boqueteau [bɔkto] *m* Wäldchen *n.*

bor|acite [bɔrasit] *f min* Borazit *m;* **~ax** [-aks] *m* Borax *m.*

borborygme [bɔrbɔrigm] *m* Magenknurren, Kollern (im Magen) *n.*

bord [bɔr] *(Straße, Wald, Brunnen)* Rand *m; (Tisch)* Kante; Küste *f,* Ufer *n; (Kleid)* Saum *m,* Borte; Einfassung; *(Hut)* Krempe *f; mar* Bord *m;* Schiff *n; au ~ de* am Rande *gen;* neben *a. fig; ~ à ~* Seite an Seite; dicht nebenea.; *aller, rester à ~* an Bord gehen, bleiben; *avoir un mot sur le ~ des lèvres* ein Wort auf der Zunge haben; *être au (sur le) ~ de* im Begriff sein zu; *être au ~ des larmes* den Tränen nahe sein; *être du ~ de qn* derselben Partei wie jem an=gehören; die gleiche Meinung wie jem haben; *jeter par-dessus ~* über Bord werfen; *quitter le ~* das Schiff verlassen; *virer de ~* die Richtung, Meinung ändern; *journal m de ~ (fig)* Tagebuch *n; livre m de ~ (mar)* Logbuch *n; sur les ~s* gelegentlich; *tableau m de ~* Armaturenbrett *n; ~ d'attaque* Vorderkante *f; ~ rabattu* Umbördelung *f;* Flansch *m;* **~age** *m mar* (Schiffs-)Planke *f; (Kleidung)* Einfassen, Besetzen *n;* **~é** *m* Borte *f,* Saum *m,* Tresse; *mar* Planke *f.*

bordeaux [bɔrdo] *m* Bordeaux(-Wein) *m.*

bordée [bɔrde] *f mar* Breitseite; Wache *f;* Gang *m (e-s lavierenden Schiffes); courir, tirer une ~ (mar)* lavieren; *fam* von Kneipe zu Kneipe ziehen; *une ~ d'injures* ein Hagel von Schimpfworten.

bordel [bɔrdɛl] *m* Bordell *n.*

bordelais, e [bɔrdəlɛ, -ɛz] *a* aus Bordeaux; *s f* Faß *n* von 225 l.

border [bɔrde] ein=fassen, besetzen, säumen; bördeln; sich entlang=ziehen (*qc* an e-r S); *mar* entlang=fahren (*qc* an e-r S); *(Segel)* bei=holen; *(Ruder)* ein=holen; *(Schiff)* beplanken; *~ un lit* das Bettlaken ein=schlagen; ein Bett machen.

bordereau [bɔrdəro] *m* Verzeichnis *n;* Liste, Aufstellung *f;* Auszug; Begleitschein *m; ~ d'achat* Kaufschein *m; ~ de caisse* Kassenzettel *m; ~ de compte* Kontoauszug *m; ~ d'envoi, d'expédition* Begleitschein *m; ~ d'es-*

compte Diskontrechnung *f; ~ de paie, de salaires* Lohnliste *f; ~ de versement* Einzahlungsschein *m.*

borderie [bɔrdəri] *f* kleine(s) Pachtgut *n.*

bordure [bɔrdyr] *f* Rand; Saum; Rahmen *m;* Küste; Borte, Einfassung, Saumblende; Verbrämung; Umrandung; Zierleiste *f;* (Hut-)Rand *m;* Rabatte *f; en ~ de* am Rande *gen,* entlang *dat; ~ guide-roue* Leitplanke *f; ~ de pavés* Bordstein *m; ~ réfléchissante* Leuchtbordstein *m; ~ de quai* Bahnsteigkante *f.*

bore [bɔr] *m chem* Bor *n.*

bor|éal, e [bɔreal] nördlich; Nord-; **~ée** *f poet* Nordwind *m.*

borgne [bɔrɲ] *a* einäugig; *(Rechnung)* unklar; *(Fenster)* ohne Aussicht; *(Haus, Straße)* finster, verrufen; *(Hotel)* zweideutig; *s m f* Einäugige(r *m*) *f; au royaume des aveugles, les ~s sont rois* unter Blinden ist der Einäugige König.

bori|que [bɔrik] *: acide m ~* Borsäure *f;* **~qué, e:** *eau f ~e* Borwasser *n.*

born|age [bɔrnaʒ] *m* Abgrenzung; *mar* Küstenschiffahrt *f; pierre f de ~* Grenzstein *m;* **~e** *f* Grenz-, Mark-, Eckstein *m; el* Klemme *f; fam* Kilometer *m; pl* Grenzen; *fig* Schranken *f pl; sans ~s* grenzenlos; *dépasser, franchir les ~s* die Grenzen überschreiten; *rester planté comme une ~* wie ein Stock da=stehen; *se tenir dans des ~s* sich in Grenzen halten; *tension f aux ~s* Klemmenspannung *f; ~ de dérivation* Abzweigklemme *f; ~-fontaine f* kleine(r) Brunnen *m (am Straßenrand); ~ frontière* Grenzstein *m; ~ d'incendie* Hydrant *m; ~ kilométrique* Kilometerstein *m; ~ lumineuse* Leuchtpfosten *m (e-r Verkehrsinsel);* **~é, e** begrenzt, beschränkt *a. fig;* dumm, borniert; **~er** mit Grenzsteinen bezeichnen; ab=, begrenzen; beschränken *a. fig; se ~* sich begnügen (*à* mit), sich beschränken (*à* auf *acc*); *se ~ au strict nécessaire* sich auf das unbedingt Notwendige beschränken.

boscot, te [bɔsko, -ɔt] *pop* buck(e)lig.

bos|niaque [bɔznjak] *;* **~nien, ne** *a* bosnisch; *B~ s m f* Bosniake *m,* Bosniakin *f;* **B~nie, la** Bosnien *n.*

bosquet [bɔskɛ] . *m* Wäldchen *n;* Baumgruppe *f.*

bossage [bɔsaʒ] *m* Bossierung *f;* Ansatz, Vorsprung *m.*

bosse [bɔs] *f* Beule *f;* Buckel, Höcker *m;* Unebenheit, Erhebung; Ausbauchung; Bosse; erhabene Arbeit *f,* Relief *n;* Modellfigur *f,* Gipsabguß *m; mar* Tau(ende) *n; avoir la ~ de* begabt sein für; *se faire une ~* e-e Beule bekommen; *se payer une ~ de rire (fam)* sich köstlich amüsieren; e-n Mordsspaß haben; *rouler sa ~ (pop)* immer auf Achse sein; *ne rêver que plaies et ~s* streitsüchtig sein; **~lage** *m* getriebene Arbeit *f;* **~lé, e** getrieben; *(Landschaft)* uneben, hügelig; **~ler** in getriebener Arbeit her=stellen, bossieren, bosseln; durch Beulen verunstalten; *se ~* Beulen bekommen; **~lure** *f* getriebene Arbeit; Verbeulung, Delle *f.*

bosser [bɔse] *tr* mit e-m Tauende befestigen; *itr pop* schuften.

bossette [bɔsɛt] *f* Bosse; Scheuklappe *f.*

bossoir [bɔswar] *m* Ankerbalken *m; (~ d'embarcation)* Davit *m.*

bossu, e [bɔsy] *a* buck(e)lig; höckerig; hüg(e)lig; *s m f* Bucklige(r *m*) *f; rire comme un ~* sich vor Lachen den Bauch halten; **~er** [-sɥe] verbeulen.

bot, e [bo, bɔt] verwachsen; *pied m ~* Klumpfuß *m.*

bota|nique [bɔtanik] *a* botanisch; *s f* Botanik, Pflanzenkunde *f;* **~niste** *m* Botaniker *m.*

bott|e [bɔt] *f* **1.** Bündel, Büschel, Bund *n;* **2.** Stiefel *m;* **3.** (großes) Faß *n;* **4.** Kornwurm; **5.** *(Fechten)* Stoß, Ausfall *m; avoir du foin dans ses ~s* Geld wie Heu haben; *chercher une aiguille dans une ~ de foin* e-e Stecknadel im Heuhaufen suchen; *cirer, (pop) lécher les ~s de qn* vor jdm katzbuckeln, kriechen; *y laisser ses ~s* auf dem Platz bleiben; um=kommen; *lier, mettre en ~s* bündeln; *mettre, ôter ses ~s* seine Stiefel an=, aus=ziehen; *porter, pousser une ~* e-n Ausfall machen; *fig* ausfällig werden; e-e verfängliche Frage stellen; *se quereller à propos de ~s* sich wegen nichts u. wieder nichts streiten; *coup m de ~* Fußtritt *m; tige f de ~* Stiefelschaft *m; ~ en caoutchouc* Gummistiefel *m; ~ à l'écuyère* Reitstiefel *m; ~ de fleurs* (großer) Blumenstrauß *m; ~ de foin, de paille* Bund *n* Heu, Stroh; *~s de sept lieues* Siebenmeilenstiefel *m pl; ~ de paperasses* Stoß, Haufen *m* (altes) Papier; *~ de radis* Bund *n* Rettiche, Radieschen; *~ secrète* Finte *f; ~ à tige* Marsch-, Schaftstiefel *m;* **~é, e** gestiefelt; *avoir l'air d'un singe ~ (fig)* häßlich sein wie die Nacht; *chat m ~* Gestiefelte(r) Kater *m;* **~eler** bündeln; **~elette** *f* kleine(s) Bündel *n;* **~eleuse** *f* Binder *m (Maschine);* **~er** Stiefel an=

fertigen, verkaufen, an=ziehen (*qn* jdm); *fam* e-n (Fuß-)Tritt versetzen (*qn* jdm); ~ *un ballon* e-n Ball mit dem Fuß an=stoßen; ~ *le derrière, les fesses à qn (pop)* jdm in den Hintern treten; *ça me* ~*e (fam)* das finde ich Spitze *fam;* ~**ier** *m* Schuhmacher, -händler *m;* ~**illon** [-jõ] *m* **1.** Bündelchen *n;* **2.** Halbstiefel *m.*

bottin [bɔtɛ̃] *m* Adreßbuch *n.*

bottine [bɔtin] *f* Halbstiefel *m;* (Knöpf-)Stiefel(chen *n*); ~ *à élastiques* Zugstiefel *m.*

botulisme [bɔtylism] *m* Wurst-, Fleischvergiftung *f.*

boubouler [bubule] *(Eule)* schreien.

bouc [buk] *m* (Ziegen-)Bock; *fig* schmutzige(r) *od* geile(r) Kerl; Spitz-, Kinnbart *m;* ~ *émissaire* Sündenbock *m.*

boucan [bukɑ̃] *m* **1.** geräucherte(s) Fleisch *n;* **2.** Bacchanal *n; pop* Lärm, Radau *m;* ~**ané, e** geräuchert; *(Gesicht)* gegerbt; ~**aner** *tr* räuchern; *(Gesicht)* gerben; *itr* Büffel jagen; ~**anier** *m* Bukanier, Büffeljäger; Seeräuber *m.*

bouch|e [buʃ] *f* Mund(höhle *f*) *m; (Tier)* Maul *n;* Schnauze *f;* Rachen *m;* Öffnung *f,* Eingang *m;* Loch *n; (Vulkan)* Schlund *m; meist pl (Fluß)* Mündung *f; tech* Mundstück *n; de* ~ *en* ~ von Mund zu Mund; *avoir la* ~ *amère* e-n bitteren Geschmack auf der Zunge haben; *avoir le cœur à la* ~ das Herz auf der Zunge haben; *avoir la* ~ *enfarinée (fam)* vertrauensselig sein; *avoir la* ~ *bien garnie* schöne Zähne haben; *demeurer* ~ *close* od *cousue* reinen Mund halten; *être à* ~ *que veux-tu* im Überfluß leben; *être, rester* ~ *bée* Mund u. Augen auf=sperren; *faire la petite* ~ sich zieren; *ne point faire la petite* ~ kein Blatt vor den Mund nehmen; *faire venir l'eau à la* ~ den Mund wäßrig machen; *fermer la* ~ *à qn* jdm den Mund stopfen; *garder qc pour la bonne* ~ etw bis zuletzt auf=sparen; *laisser qn sur sa bonne* ~ (bei) jdm e-n guten Eindruck hinterlassen; *porter à la* ~ zum Munde führen; *rester, demeurer sur la bonne* ~ auf=hören, wenn es am besten schmeckt; *sentir de la* ~ aus dem Munde riechen; *traiter qn à* ~ *que veux-tu* jdn fürstlich bewirten; *l'eau en vient à la* ~ da läuft e-m das Wasser im Munde zs.; *coins m pl de la* ~ Mundwinkel *m pl; fine* ~ Feinschmecker *m; provisions f pl de* ~ Mundvorrat, Proviant *m;* ~ *à* ~ *m* Mund-zu-Mund-Beatmung *f;* ~ *de chaleur* Luftheizung *f;* ~ *d'eau* Wasseranschluß *m;* ~ *d'égout* Kanaldeckel *m;* ~ *à feu* Geschütz *n;* ~ *d'incendie* Hydrant *m;* ~ *inutile* unnütze(r) Esser *m;* ~*-à-oreille m* Flüsterpropaganda *f;* ~*-trou m fig* Lückenbüßer; *(Zeitung)* Füller *m;* ~**é, e** verstopft; versperrt; *(Wetter)* bedeckt; *(Flasche)* verkorkt; in der Flasche; *fig* beschränkt, dumm; ~**ée** *f* Bissen, Mundvoll *m; ne faire qu'une* ~ *de qc* mit etw schnell fertig werden; *ne pas pouvoir avaler une* ~ keinen Bissen hinunter=bringen; ~ *à la reine* Königinpastete *f.*

boucher [buʃe] *v* ver-, zu=stopfen; zu=machen; *(Flasche)* verkorken; *(Augen)* zu=halten; *arch* zu=mauern; zu=schmieren; *tech* ab=dichten; *(Weg, Aussicht)* versperren; *se* ~ sich verstopfen; *se* ~ *le nez* sich die Nase zu=halten; *se* ~ *les yeux, les oreilles* nichts sehen, hören wollen.

bouch|er, ère [buʃe, -ɛr] *m f* Fleischer(sfrau *f*) *m,* Metzger(sfrau *f*) *m; fig* Bluthund, Schlächter *m.* ~**erie** *f* Fleischerei, Metzgerei, Schlachterei *f;* Schlachter-, Fleischer-, Metzgerladen *m;* Schlachthaus; *fig* Gemetzel *n; animaux m pl de* ~ Schlachtvieh *n.*

bouchon [buʃõ] *m* (Stroh-, Heu-)Wisch *m; (Wäsche)* Bündel *n;* Pfropfen, Stöpsel, Kork, Korken; Zapfen; Spund *m;* Wirtshaus; Verkehrsstau(ung *f*) *m; tech* Verschluß(schraube *f*) *m;* Dichtung *f; el (~ éliminateur)* Sperrkreis; *min* Einbruch *m; mil* Abriegelung *f; faire sauter le* ~ den Pfropfen knallen lassen; ~ *fusible* Schmelzpatrone *f;* ~ *de radiateur* Kühlerverschluß *m;* ~ *de remplissage* Einfüllstutzen *m;* ~**nement** *m (Pferd)* Abreiben *n;* ~**ner** zu e-m Bündel zs.=rollen; *(Pferd)* ab=reiben; *fig fam* herzen, liebkosen; *se* ~ sich ab=reiben.

boucl|age [buklaʒ] *m mil* Umzing(e)lung, Umfassung; *com* Abstimmung *f;* ~**e** *f* Schnalle; Spange *f;* Ring *m;* Schlaufe, Öse *f;* Bügel *m;* Schleife; Kurve; (Haar-)Locke; *(Fluß)* Windung, Schleife *f; aero* Überschlag *m;* ~ *d'attache* Klipp *m;* ~ *de ceinture* Gürtelschnalle *f;* ~ *de cheveux* Haarlocke *f;* ~ *d'oreille, de rideau* Ohr-, Vorhangring *m;* ~ *de programme (inform)* Schleife *f;* ~**ement** *m com* Abschluß *m;* ~**er** *tr* an=, zu=schnallen; beringen; sperren; *mil* umzingeln; *fam* ein=sperren, -schließen; in Locken legen; *fam* ab=schließen, beenden; *pop (Laden)* schließen; *itr* sich locken, sich ringeln; e-e Schleife ziehen; *aero* e-n Überschlag machen;

arch sich wölben; ~ *une affaire (fam)* e-e Sache erledigen, ab=schließen; ~ *le budget* den Haushalt aus=gleichen; ~ *une ligne* e-e Leitung am Ende kurz=schließen; ~ *la lourde (arg)* die Tür schließen; ~ *sa malle* seinen Koffer packen; **~ette** *f* Löckchen *n.*

bouclier [buklije] *m* Schild *a. fig; fig* Schutz; *zoo* Brustschild *m; min* Ortsvertäfelung *f; levée f de ~s (fig)* öffentliche(r) Protest *m;* ~ *thermique (cosm)* Hitzeschild *n.*

bouddh|ique [budik] *a* buddhistisch; **~isme** *m* Buddhismus *m;* **~iste** *s m f* Buddhist(in *f*) *m; a* buddhistisch.

boud|er [bude] *tr* schmollen (*qn* mit jdm); ablehnen (*qc* etw); *itr* mißgestimmt sein, schlechte Laune haben; schlecht gelaunt sein; *bot* nicht gedeihen; *(Domino)* passen; ~ *au jeu* widerwillig spielen; *ne pas ~ (à la besogne) (fam)* sich tüchtig ins Zeug legen; **~erie** *f* Schmollen *n;* schlechte Laune *f;* **~eur, se** *a* schmollend; *s m f* Trotzkopf *m.*

boud|in [budɛ̃] *m* Blutwurst *f;* Bündel *n,* Rolle *f; arch* Wulst, Rundstab; *tech* Rad-, Spur-, Laufkranz; Sandsack *m; arg* häßliche Frau *f; en ~* spiralförmig; *s'en aller en eau de ~* im Sande verlaufen; *ressort m à ~* Spiralfeder *f;* **~iné, e** eingezwängt; *doigts m pl ~s* (Brat)wurstfinger *m pl;* **~iner** spinnen, zwirnen; *se ~ (fam)* sich hinein=zwängen (*dans* in *acc*).

boudoir [budwar] *m* Boudoir, (kleines) Damenzimmer *n.*

boue [bu] *f* Schmutz; Dreck; Schlamm; Satz; Eiter *m; geol* Ablagerung; *min* Trübe *f;* Schmant *m; pl eco* Schlamm *m; fig* wertlose(s) Zeug *n;* niedrige Gesinnung *f; couvrir qn de ~* jdn mit Schmutz bewerfen; *patauger dans la ~* im Schlamm herum=waten; *se salir, se souiller de ~* sich beschmutzen; *traîner qn dans la ~* jdn in den Schmutz ziehen; *bain m de ~* Schlammbad *n; tache f de ~* Schmutzfleck *m; ~s d'épuration* Klärschlamm *m; ~ glaciaire (geol)* Geschiebemergel *m.*

bouée [bwe] *f* Boje, Bake *f; ~ d'amarrage* Vertäuungsboje *f; ~ lumineuse* Leuchtboje *f; ~ de sauvetage* Rettungsring *m; ~ à sifflet* Heulboje *f.*

bou|eur, ~eux [buœr, buø] *m* Straßenkehrer *m;* Müllfuhrmann *m;* **~eux, se** [buø, -øz] schmutzig, drekkig; schlammig; *(Quelle)* mineralhaltig; *typ* unrein gedruckt.

bouffant, e [bufɑ̃, -t] *a* bauschig; *s m* Bausch *m; (Frisur)* Tolle *f; s f* Reifrock *m; culotte f ~e* Pluderhose *f; manche f ~e* Puffärmel *m.*

bouffarde [bufard] *f fam* (Tabaks-)Pfeife *f.*

bouffe [buf] *a* komisch; *s m theat* Buffo *m; s f pop* Fraß *m;* Fresserei *f.*

bouff|ée [bufe] *f* Hauch; Dunst *m;* (Rauch-)Wolke *f;* Qualm; Stoß; *fig* Anfall *m;* Anwandlung *f; par ~s* stoß-, ruckweise; *tirer des ~s de sa pipe* qualmen, paffen; ~ *d'air* Luftstoß *m; ~ de chaleur* warme(r) Luftstrom, -hauch *m; med* fliegende Hitze *f; ~ délirante* Wahnsinnsanfall *m; ~ de fièvre* Fieberanfall *m; ~ de froid* kalte(r) Luftstrom *m; ~ de parfum* Duftwolke; *~ de vent* Windstoß *m;* **~er** sich bauschen; *(Teig)* gehen; *(Mauer)* sich (nach außen) wölben; *mar fam (Wind)* wehen; *pop* fressen; *fig* auf=fressen, in Anspruch nehmen; *(pop) avoir envie de ~ qn* jdn vor Wut erwürgen können; *aujourd'hui, il a bouffé du lion! (fam)* heute ist er schwer in Form; *(pop) ~ des briques* nichts zu beißen haben; *(pop) se ~ le nez* sich streiten; **~ette** *f* Schleife; Quaste *f;* **~i, e** *fig* aufgeblasen; *(Stil)* schwülstig; hochtrabend; *(Gesicht)* aufgedunsen; *(Augen)* geschwollen; **~ir** an=schwellen (lassen); auf=treiben; **~issure** *f med* Aufgedunsenheit; *fig* Aufgeblasenheit, Überheblichkeit, Gespreiztheit *f; (Stil)* Schwulst *m.*

bouffon, ne [bufɔ̃, -ɔn] *a* komisch, närrisch, possenhaft; *s m* Possenreißer; Clown *m;* lächerliche Person *f;* Possenhafte(s) *n;* **~ner** Possen reißen; **~nerie** *f* Posse *f;* Schwank *m;* Possenreißen *n;* Possenhaftigkeit *f.*

bouge [buʒ] *m* elende(s) Loch *n (Wohnung);* Spelunke; *tech* Ausbauchung *f; (Faß)* Bauch *m.*

bougeoir [buʒwar] *m* Handleuchter, Kerzenhalter *m.*

bougeotte [buʒɔt] *f; (fam) avoir la ~* kein Sitzfleisch haben; ewig auf Achse sein.

bouger [buʒe] sich rühren, sich regen, sich bewegen.

bougie [buʒi] *f* (Wachs-, Stearin-, *mot* Zünd-)Kerze; *phys* Candela (cd); *med* Sonde *f,* Katheter *m; les ~s ne donnent pas* die Zündkerzen funktionieren nicht; *bec m de l'isolant de la ~* Isolatorfuß *m* der Zündkerze; *encrassement m de la ~* Verschmutzen *n* der Kerze; *tache f de ~* Kerzenfleck *m.*

bou|gnat, ~gna [buɲa] *m pop* Kohlenhändler *m.*

bougnoule [buɲul] *m péj;* Araber *m.*
bougon,ne [bugɔ̃, -ɔn] *a fam* mürrisch, sauertöpfisch, miesepet(e)rig; *s m* Nörgler *m;* **~ner** *fam* brummen, murren; **~neur** *m* Brummbär *m.*
bougr|e, ~esse [bugr, -grɛs] *m f pop* Schuft, Kerl *m;* miese(s) Weibsbild, Frauenzimmer *n; interj* verflixt! *bon ~* gute(r) Kerl *m; pauvre ~* arme(r) Teufel *m; ~ de temps* Hunde-, Sauwetter *n; ~ d'imbécile!* (du) Dummkopf! **~ement** [-grə-] *adv pop* verdammt, verteufelt, verflixt.
boui-boui [bwibwi] *m fam* Tingeltangel *m* od *n;* (miese) Kneipe *f.*
bouif [bwif] *m arg* Schuster *m.*
bouillabaisse [bujabɛs] *f* Fischsuppe *f (in der Provence); pop* Durcheinander *n.*
bouillant, e [bujɑ̃, -t] kochend; siedend; heiß; *fig* aufbrausend; hitzig; erregt; heftig; *~ de colère, de fureur* zorn-, wutschnaubend.
bouille [buj] *f* Milchkanne; *(Fischfang)* Störstange *f; (Winzer)* Tragkorb *m,* Kiepe *f; pop* Dez, Kopf *m.*
bouilleur [bujœr] *m* Branntweinbrenner; Siedekessel *m; ~ de cru* Branntweinbrenner *m* (für den Hausgebrauch).
bouilli, e [buji] *a* gekocht; *s m* gekochte(s) Rind-, Hammelfleisch *n; viande f ~e* gekochte(s) Fleisch, Suppenfleisch *n.*
bouill|ie [buji] *f* Brei; Papp *m; en ~* verkocht; *mettre en ~ (fam)* zu Brei schlagen; *~ de bébé, d'avoine, de pommes de terre* Kinder-, Hafer-, Kartoffelbrei *m; ~ de chiffons* Lumpenbrei *m;* **~ir** *irr* kochen *itr a. fig,* sieden; *(Wein)* gären; *avoir de quoi faire ~ sa marmite* genug zum Leben haben; *faire ~ à petit feu* auf kleiner Flamme (ab=)kochen; *faire ~ (fig)* rasend machen; *~ de colère, d'impatience* vor Wut kochen, vor Ungeduld zittern; **~oire** *f* Wasserkessel *m.*
bouillon [bujɔ̃] *m* (Luft-)Blase; Welle, Flut *f; typ* Remittenden *f pl,* Krebse *m pl;* unverkaufte Zeitungen *f pl; (Kleid)* Bausch *m,* Falte; (Fleisch-)Brühe, Bouillon *f;* billige(s) Restaurant *n; boire, prendre un ~* e-e Tasse Brühe trinken; *(beim Baden)* Wasser schlucken; *fig fam* durch Spekulation verlieren; *~-blanc m bot* Königskerze *f; ~ de culture* Nährlösung *f, fig* -boden *m; ~ de légumes, de tortue* Gemüse-, Schildkrötensuppe *f; ~ de viande* Fleischbrühe *f;* **~nant, e** kochend; *fig* aufbrausend; **~nement** *m* Sprudeln, Aufwallen; Gären *n; fig* Wallung *f;* **~ner** sprudeln, (auf=)wallen; schäumen, auf=brausen; gären; *typ* remittieren; *~ de colère, de fureur* vor Zorn beben, vor Wut kochen.
bouillotte [bujɔt] *f* Wasserkessel *m;* Wärmflasche *f; pop* Kopf *m,* Birne *f.*
boulaie [bulɛ] *f* Birkenwald *m,* -wäldchen *n.*
boulang|e [bulɑ̃ʒ] *f* Mehl; *(Teig)* Kneten; *(Brot)* Backen; *fam* Bäckerhandwerk *n;* **~er, ère** *s m f* Bäcker(sfrau *f*) *m; a: garçon m ~* Bäckergeselle *m;* **~er** *v: ~ de la farine* Mehl verbakken; **~erie** *f* Bäckerei *f;* Bäckerladen *m.*
boul|e [bul] *f* Kugel *f;* Ball *m;* Knäuel *n; (Degen, Stock)* Knauf; *pop* Kopf *m; tech* Kugel, Walze *f; avoir une ~ dans la gorge (fam)* e-n Kloß im Halse haben; *avoir les nerfs en ~* mit den Nerven herunter, wütend, reizbar sein; *faire ~ de neige (fig)* an=wachsen; *faire des yeux en ~ de loto* große Augen machen; *se mettre en ~* sich zs.=rollen; *fig* wütend werden; *perdre la ~ (fam)* verrückt werden; *~ de fil* Garnknäuel *n; ~ de gomme* Hustenbonbon *m* od *n; ~ (militaire)* Kommißbrot *n; ~ de neige* Schneeball *m; ~-de-neige f (bot)* Gemeine(r) Schneeball *m; ~ puante* Stinkbombe *f; ~ à thé* Tee-Ei *n; jeu m de ~s* Kugelspiel(platz *m*) *n.*
bouleau [bulo] *m* Birke *f.*
bouledogue [buldɔg] *m* Bulldogge *f.*
bouler [bule] rollen; laufen; *(pop) envoyer ~* zum Teufel jagen; hinaus=komplimentieren.
boul|et [bulɛ] *m* (Kanonen-)Kugel *f; (~ de charbon)* Eiformbrikett *n,* Eierkohle *f; tirer à ~s rouges sur qn (fig)* jdn schonungslos an=greifen; *traîner un ~ (fig)* e-e schwere Last zu schleppen haben; **~ette** *f* Kügelchen *n;* Bulette *f,* gebratene(s) Fleischklößchen *n; faire une ~ (fam)* e-n Schnitzer machen; e-n Bock schießen; *~ de pain, de papier* Brot-, Papierkügelchen *n.*
boulevard [bulvar] *m* Boulevard *m; ~ périphérique* Ringstraße *f* (in Paris); **~ier** *s m* Boulevardbummler, Lebemann *m; a* Boulevard-.
bouleversé|é, e [bulvɛrse] verwüstet; *fig* verstört; erschüttert; **~ement** *m* Umsturz *m;* Umwälzung; (völlige) Umgestaltung; Umschichtung; *fig* Erschütterung *f;* **~er** um=stürzen; zerstören, verwüsten; durchea.=bringen, -werfen; um=schichten; *fig* zerrütten,

auf≈wühlen, aus der Fassung bringen; erschüttern; (völlig) verwandeln.
boulier [bulje] *m* **1.** *(Schule)* Rechenbrett *n;* **2.** große(s) Schleppnetz *n* (*a. bolier m*).
boul|imie *f* Heißhunger *m a. fig;* **~imique** heißhungrig.
boulin *m* Nistloch *(der Tauben); arch* Rüstloch *n,* -stange *f.*
boulingrin [bulɛ̃grɛ̃] *m* eingefaßte(r) Rasenplatz *m.*
bouliste [bulist] *m* Kugelspieler *m.*
boulon [bulɔ̃] *m* (Schrauben-)Bolzen; *(~ d'éclisse) loc* Laschenbolzen *m;* Schraube *f; min* Anker *m; ~ d'assemblage, de serrage* Klemmbolzen *m; ~ à clavette* Splintbolzen *m;* **~nage** *m* Bolzenverbindung; Verschraubung *f;* **~ner** *tr* verbolzen; an≈schrauben; *itr pop* schuften; **~nerie** *f* Bolzenfabrik *f.*
boulot, te [bulo, ɔt] *a* rund(lich); klein u. dick; *s m f* kleine(r) Dicke(r *m*) *f; m arg* Arbeit, Beschäftigung *f; aller au ~ (arg)* zur Arbeit gehen; *pain m ~* Rundbrot *n.*
boulotter [bulɔte] *pop* essen.
boum [bum] *interj* bum(s)!
bouque [buk] *f mar* Einfahrt *f,* Kanal *m.*
bouqu|et [bukɛ] *m* (Baum-)Gruppe *f;* (Blumen-)Strauß *m;* Büschel, Bund *n; (Wein)* Blume *f,* Bukett; Büschelfeuerwerk *n; fig* Vereinigung; Zs.fassung; Gedichtsammlung *f (galanter Verse);* Feinste(s) *n,* Höhepunkt, Schlußeffekt *m; cueillir, faire un ~ de fleurs* e-n Blumenstrauß pflücken, binden; *réserver qc pour le ~* etw bis zuletzt, für den Höhepunkt auf≈sparen; *voilà le ~! (fam)* das ist der Gipfel! das hat gerade noch gefehlt! *ça, c'est le ~ (fam)* das ist ein starkes Stück; **~etier, ère** *m f* Blumenhändler(in *f*) *m;* Blumenmädchen *n; m* Blumenvase *f.*
bouquetin [buktɛ̃] *m zoo* Steinbock *m.*
bouquin [bukɛ̃] *m* **1.** *fam* Schmöker *m;* antiquarische(s) Buch *n;* **2.** *zoo* Rammler *m;* **3.** *(Pfeife)* Mundstück *n;* **~iner** [-ki-] **1.** *fam* schmökern; *fam* lesen; **2.** *(Hase, Kaninchen)* sich paaren; **~ineur** *m* Bücherwurm *m;* Leseratte *f;* **~iniste** *m* Antiquar(iatsbuchhändler) *m.*
bourb|e [burb] *f* Schlamm, Morast *m;* **~eux, se** schlammig, morastig; Schlamm-; *fig* unrein; **~ier** *m* Schlamm-, Sumpfloch *n; fig* Pfuhl *m; s'engager dans un ~* in e-n Sumpf, *fig* in e-e üble Geschichte geraten; **~illon** [-jɔ̃] *m med* Eiterpfropf; *(Tintenfaß)* Satz *m.*
bourbonien, ne [burbɔnjɛ̃, -ɛn] bourbonisch.
bourde [burd(ə)] *f fam* grobe(r) Fehler, Schnitzer *m; mar* Stütze *f.*
bourdon [burdɔ̃] *m* **1.** Hummel *f;* **2.** *mus* Brummbaß; Brummer *m; (Orgel)* Schnarrwerk *n;* große Glocke; **3.** *typ* Leiche *f;* **4.** Pilgerstab *m;* **5.** *pop* Heimweh *n,* Sehnsucht *f; faux ~* Drohn(e *f*) *m;* freie Choralbegleitung *f;* **~nement** *m* Brummen, Summen; *(Motor)* Dröhnen; Stimmengewirr; *(Menge)* Gemurmel *n;* dumpfe(r) Lärm *m; ~ d'oreilles* Ohrensausen *n;* **~ner** *itr* summen, brummen; schwirren; murmeln; dröhnen; *(Ohren)* sausen; *tr (Melodie)* summen; vor sich hin singen; *(qc à qn) vx* jdm mit etw in den Ohren liegen; *(Glocke)* an≈schlagen; **~neur, se** summend, brummend.
bourg [bur] *m* Marktflecken *m;* **~ade** [-gad] *f* kleine(r) ausea.gezogene(r) Marktflecken *m;* **~eois, e** [burʒwa] *s m f* Bürger(in *f*); Hausherr, Arbeitgeber, Meister; Zivilist; Philister, Spieß(bürg)er; Kulturbanause *m; f pop* (Ehe-)Frau, Gattin *f; a* bürgerlich; spießig, gewöhnlich; kleinstädtisch; *être en tenue ~e* in Zivil sein; *petit ~* Kleinbürger *m;* **~eoisie** *f* Bürgertum *n;* Bürgerschaft *f.*
bourgeon [burʒɔ̃] *m* Knospe *f; (Weinstock)* Auge *n; med* Pickel *m,* Finne; *med* Granulation *f;* **~nement** *m* Knospen; Ausschlagen *n;* **~né, e** voller Pickel, pickelig; **~ner** Knospen treiben, knospen; Pickel bekommen.
bourgeron [burʒərɔ̃] *m* Arbeitskittel *m;* Drillichjacke *f.*
bourgmestre [burgmɛstr] *m* Bürgermeister *m.*
Bourg|ogne, la [burgɔɲ], Burgund *n; b~ m* Burgunder(wein) *m;* **~uignon, ne** [-giɲɔ̃, -ɔn] burgundisch.
bourlinguer [burlɛ̃ge] *mar* schwer gegen Wellen u. Wind kämpfen; (auf allen Meeren) herum≈fahren; *fig pop* viel reisen, herum≈kommen.
bourrache [buraʃ] *f* Gurkenkraut *n.*
bourrade [burad] *f* Stoß; Puff *m; fig* scharfe Antwort *f;* scharfe(r) Angriff *m.*
bourrage [buraʒ] *m* Stopfen; Besetzen *n;* Dichtung, Packung *f;* Stopfmaterial *n; boîte f à ~* Stopfbuchse *f; ~ de crâne* propagandistische Bearbeitung *f;* Schwindel *m; ~ isolant* Isolierschicht *f.*
bourrasque [burask] *f* (jäher) Windstoß; Wutanfall; *fig* Sturm *m.*

bourre [bur] *f* Füll-, Wollhaar *n;* Flock-, Scherwolle *f; bot* Flaum; Pfropf *m; Art* Spiel *n;* (weibliche) Ente *f; fig fam* Füllsel, wertlose(s) Zeug *n; pop* Schupo *m; de première ~ (pop)* erstklassig; *~ de soie* Flockseide *f; ~ de verre* Glasfaser *f.*

bourreau [buro] *m* Henker, Scharfrichter; *fig* Peiniger *m; ~ des cœurs* Herzensbrecher *m; ~ de travail (fig)* Arbeitstier *n.*

bourré, e [bure] vollgestopft, -gepfropft; (an)gefüllt, gespickt; gesättigt; *pop* besoffen.

bourrée *f* Reisigbündel *n;* Tanz *m* in der Auvergne.

bourr|èlement [burɛlmɑ̃] *m* unerträgliche(r) Schmerz *m; fig* Tortur, Qual *f;* **~eler** *fig* peinigen, quälen.

bourrelet [burlɛ] *m* Wulst *m* od *f;* Bausch; Rand; Knoten *m;* (Sitz-)Polster, Tragkissen *n; tech* Wulst, Flansch, (Spur-)Kranz *m;* Rille *f;* Zahnhals *m; ~ de chair, de graisse* Fleisch-, Fettwulst *m.*

bourr|elier [burəlje] Sattler *m;* **~ellerie** [-rɛlri] *f* Sattlerei *f.*

bourr|er [bure] (voll⸗)stopfen, füllen; *(Koffer)* voll⸗pfropfen, -stopfen *a. fig; min* besetzen; *(Kind)* überfüttern, nudeln; *pop* verdreschen, puffen; *se ~ (l'estomac)* sich den Magen über⸗laden, sich voll⸗fressen; *pop* sich prügeln; *~ de coups* verprügeln; *~ le crâne de qn* jdm etw weis⸗machen; **~eur** *m: ~ de crâne* Lügner, Schwindler *m.*

bourrette [burɛt] *f* Rohseide *f.*

bourri|che [buriʃ] *f* längliche(r) Korb *m* (ohne Henkel); **~chon** *m pop* Kopf *m; se monter le ~* sich etw ein⸗bilden; **~cot, ~quot** [-o] *m* kleine(r) Esel *m; (pop) c'est kif-kif ~* das ist Jacke wie Hose; **~in** *m arg mil* Pferd *n;* **~que** *f* Eselin; Mähre *f; fig pop* Dummkopf; *(fam) faire tourner qn en ~* jdn verrückt machen; jdn verdummen; *soûl comme une ~* sternhagelvoll; **~quet** [-ɛ] *m* Eselchen *n; tech* Zugkasten *m;* Haspel *f.*

bourroir [burwar] *m* Stampfer *m.*

bourru, e [bury] *bot* filzig; *(Stein)* unbehauen, roh; *(Seide)* flockig; *(Wein)* ungegoren; *fig* mürrisch, barsch, schroff.

bours|e [burs] *f* (Geld-)Börse *f,* Geldbeutel *m;* Geld; Stipendium *n,* Freistelle *f; (Jagd)* Kaninchengarn; Futteral *n,* Beutel *m;* Netz *n; bot* Kapsel; *com* Börse *f; pl* Hodensack *m; sans ~ délier* ohne e-n Pfennig auszugeben; *avoir la ~ plate, légère* knapp bei Kasse sein; *avoir la ~ ronde, bien garnie* gut bei Kasse sein; *faire ~ à part, commune* getrennte, gemeinsame Kasse führen, machen; *spéculer, jouer à la ~* an der Börse spekulieren; *tenir les cordons de la ~* über das Geld verfügen; die Kasse führen; *la ~ a monté, a baissé, est déprimée* die B. ist gestiegen, gefallen, gedrückt; *bulletin m de la ~* Börsen-, Kursbericht *m; chute f de la ~* Börsensturz *m; clôture f de la ~* Börsenschluß *m; cotation f en ~* Börsennotierung *f; cours m de ~* Börsenkurs *m; négociable en ~* börsenfähig; *~ aux actions, de commerce, des grains* od *blés, des produits naturels* Aktien-, Handels-, Getreide-, Produktenbörse *f; ~ du travail* Arbeitsbörse *(in Paris);* Gewerkschaftsversammlung *f,* -gebäude *n; ~ des valeurs* Wertpapier-, Effektenbörse *f* **~icaut, ~icot** [-o] *m* Spargroschen *m;* **~icotage** [-kɔ-] *m* Börsenschwindel *m;* **~icoter** an der Börse spekulieren; **~icoteur, ~icotier** *m* Börsenspekulant *m;* **~ier** *m* Stipendiat; Börsenjobber *m.*

bours|ouflé, e [bursufle] *(Gesicht)* aufgedunsen; *(Stil)* geschwollen, schwülstig; *(Farbe)* aufgequollen; *(Mensch)* eingebildet; **~oufler** an⸗schwellen, auf⸗quellen lassen; *fig* auf⸗blähen, -blasen; *se ~* sich werfen, auf⸗quellen, blasig werden; **~ouflure** *f* Aufblähung; Aufwölbung; *(Glas)* Schliere; *(Gesicht)* Aufgedunsenheit; *(Stil)* Schwülstigkeit *f,* Schwulst *m.*

bouscul|ade [buskylad] *f* Herumstoßen; Gedränge; Durcheinander *n;* Hast *f;* **~er** durchea.⸗werfen, in Unordnung bringen; drängen; an⸗rempeln; herum⸗stoßen; *(Feind)* überrumpeln, überrennen; *(Widerstand)* brechen; *fam* hetzen; *se ~* sich drängeln, hasten; *être ~é* gehetzt sein; viel Arbeit haben.

bous|e [buz] *f* (Kuh-)Mist, Fladen *m;* **~eux** *m pop* Bauer *m;* **~ier** *m* Mistkäfer *m.*

bous|illage [busijaʒ] *m* Strohlehm *m; fig* Pfuscharbeit *f; pop* Tätowieren *n;* **~iller** *itr* im Lehmbau errichten; stümpern, flüchtig arbeiten; roh entwerfen; *tr pop* kaputt⸗machen; versauen; um⸗bringen.

bousin [buzɛ̃] *m* bröckelige Erdkruste *f (auf Steinblöcken);* schlechte(r) Torf; *pop* Lärm, Tumult *m; pop* Kneipe *f.*

boussole [busɔl] *f* Kompaß *m; fig* Richtung *f;* Leitstern *m; perdre la ~ (fig fam)* den Kopf verlieren; *aiguille, boîte f de la ~* Kompaßnadel *f,*

-gehäuse *n; ~ gyroscopique* Kreiselkompaß *m; ~ de marche, de poche* Marsch-, Taschenkompaß *m.*

boustifaille [bustifaj] *f pop* Fraß *m,* Fresserei *f.*

bout [bu] *m* Ende *n,* Spitze; *(Schuh)* Kappe *f; (Zigarette)* Mundstück *n; (Tuch)* Zipfel *m; (Brust)* Warze; *(Stock)* Zwinge *f,* Knauf *m; mar* Tauende *n; mar* Bug *m; (zeitlich)* Ende *n;* Ab-, Verlauf *m;* Stück(chen), Endchen *n; (petit ~)* Knirps *m; (Zigarre)* Stummel; *(Kerze)* Stumpf *m; ~ à ~* aneinander; *à ~* am Ende; *au ~ de* nach (Ablauf von); *tout au ~* am äußersten Ende; *à ~ portant* aus nächster Nähe; *à tout ~ de champ* bei jeder Gelegenheit; *au ~ du compte* schließlich; *d'un ~ à l'autre, de ~ en ~* von Anfang bis zu Ende; von oben bis unten; durch u. durch; durchweg; von e-m Ende zum ander(e)n; *brûler la chandelle par les deux ~s* sein Hab u. Gut verschwenden; *être au ~ de, à ~ de* am Ende *gen* sein; *être au ~ de son rouleau* verbraucht, erschöpft sein; sein Pulver verschossen haben; *faire un ~ de conduite à qn* jdn ein Stück begleiten; *faire un ~ de lecture* ein bißchen lesen; *joindre les deux ~s* mit seinem Geld aus=kommen; *jouer un ~ de rôle (fig)* die zweite Geige spielen; *manger du ~ des dents* ohne Appetit, widerwillig essen; *mener qn par le ~ du nez* jdn an der Nase herum=führen; *mettre les ~s (pop)* ab=hauen, durch=brennen; *mettre ~ à ~* anea.=fügen; *prendre qc par le bon ~* etw richtig an=fangen; *ne pas remuer le ~ du petit doigt* keinen Finger rühren; *répondre du ~ des lèvres* von oben herab antworten; unwillig, lässig antworten; *rire du ~ des dents* gezwungen lachen; *savoir qc sur le ~ du doigt* etw ausgezeichnet, aus dem Effeff verstehen; etw auswendig können; *tenir le bon ~* im Vorteil sein; *fam* fast fertig sein (mit e-r Arbeit); *venir à ~ de qc* mit etw fertig werden; etw zustande bringen; *j'ai le mot sur le ~ de la langue* das Wort schwebt mir auf der Zunge; *haut, bas ~ de table* obere(s), untere(s) Tischende *n; ~ du doigt, du nez* Finger-, Nasenspitze *f; ~ filtrant* Filtermundstück *n; ~ d'homme* Knirps *m; ~ d'oreille* Ohrläppchen *n.*

bout|ade [butad] *f* Geistesblitz; Einfall; Scherz *m;* Grille, Laune *f* **~e-en-train** [butɑ̃trɛ̃] *m fam inv* Betriebs-, Vereinsnudel *f;* **~efeu** *m* Lunte *f; min* Schießmeister; *fam* Rädelsführer, Unruhestifter *m.*

bouteill|e [butɛj] *f* Flasche *f; déboucher une ~* e-e F. entkorken; *mettre en ~s* in Flaschen ab=füllen; *prendre de la ~ (fam)* altern; *c'est la ~ à l'encre (fam)* das ist e-e undurchsichtige Geschichte; *bière f en ~s* Flaschenbier *n; casier m à ~s* Flaschenkasten, -schrank *m; col, goulot m de ~* Flaschenhals *m; cul m de ~* Flaschenboden *m; ventre m, panse f de ~* Flaschenbauch *m; ~ de bière, de vin* Flasche *f* Bier, Wein; *~ à bière, à eau, à vin* Bier-, Wasser-, Weinflasche *f; ~ isolante, thermos* Thermosflasche *f; ~ de Leyde* Leidener F.; *~ métallique* Stahlflasche *f; ~ à oxygène* Sauerstoffflasche *f;* **~er** *m* Mundschenk *m;* **~on** *m mil* Feldkessel; Essenträger *m; fig pop* Gerücht, Gerede *n.*

boute|roue [butru] *f* Prellstein *m;* **~-selle** *m: sonner le ~ (mil)* zum Aufsitzen blasen.

boutiqu|e [butik] *f* Laden *m;* Werkstatt *f;* Warenvorrat; *~ (de foire)* Stand *m;* Bude *f;* Fischkasten *m; ~ hors taxes* Duty-free-Shop *m; toute la ~ (pop)* der ganze Kram; **~ier, ère** *m f* Ladeninhaber(in *f*), Krämer *m.*

boutoir [butwar] *m (Schwein)* Rüssel *m; coup m de ~ (fig)* verletzende Äußerung *f.*

bouton [butɔ̃] *m* Knospe *f; med* Pickel, *pl* Ausschlag; *(Kleider, Tür, Schublade, Klingel)* Knopf *m; tech* Taste *f; el* (Licht-)Schalter *m;* Warze *f; (Geige)* Wirbel *m; (Gewehr)* Korn *n; (Gewehr)* Korn *n; appuyer sur un ~* e-e Taste drücken; *avoir des ~s sur le visage* Pickel im Gesicht haben; *coudre un ~* einen Knopf an=nähen; *tourner le ~* das Licht an=, aus=knipsen; *radio* an=, ab=stellen; *le ~ a sauté* der Knopf ist abgegangen; *~ d'accord, de syntonisation* Abstimmknopf *m; ~ d'ajustage* Einstellknopf *m; ~ d'appel (tele)* Ruftaste *f; ~ de blocage* Feststellknopf *m; ~ de chaleur* Hitzebläschen *n; ~ de chemise, de col, de culotte, de manchette* Hemden-, Kragen-, Hosen-, Manschettenknopf *m; ~ de conversation* Sprechtaste *f; ~ de corne, de corozo, de nacre, de verre* Horn-, Steinnuß-, Perlmutter-, Glasknopf *m; ~ de démarreur (mot)* Anlaßknopf *m; ~ fantaisie* Zierknopf *m; ~ de lingerie* Wäscheknopf *m; ~ de mise au point* Einstellknopf *m; ~ d'or* Butterblume *f; ~ à pression, ~-pression m* Druckknopf *m; ~ de réglage* Bedienungsknopf *m; ~ de rose* Rosenknospe *f; ~ de sonnerie* Wecktaste *f; ~ de sonnette* Klingelknopf *m; ~ de tissu* stoffbezogene(r) Knopf *m;* **~nage** [-tɔ-] *m* Zuknöpfen *n;* **~nant, e** zum Zuknöpfen; **~né, e** zugeknöpft *a. fig;* mit Pickeln; *bot* mit Knospen; *être ~né jusqu'au menton (fig)* sehr zugeknöpft sein; **~ner** *itr* knospen; *med* Pickel bekommen; sich zu=knöpfen lassen; *tr* zu=knöpfen; **~neux, se** pick(e)lig; **~nier** *m* Knopffabrikant *m;* **~nière** *f* Knopfloch(maschine *f*) *n; fig* lange(r), tiefe(r) Schnitt *m; avoir une fleur à la ~* e-e Blume im Knopfloch tragen; *~ fermée* blinde(s) K.; *~ main* handgenähte(s) K.

bout-rimé [burime] *m* Gedicht *n* mit gegebenen Endreimen; *pl* gegebene Endreime *m pl.*

bout|urage [butyraʒ] *m* Vermehrung *f* durch Stecklinge; **~ure** *f* Steckling, Ableger, Setzling *m;* **~urer** *tr* durch Setzlinge vermehren; ab=legen, ab=senken; *itr* Ableger treiben.

bouv|et [buvɛ] *m* **1.** junge(r) Ochse; **2.** Falzhobel *m;* **~ier** *m* Ochsentreiber; Kuhhirt; *fig* grobe(r) Kerl *m.*

bouvreuil [buvrœj] *m orn* Dompfaff, Gimpel *m.*

bov|idés [bɔvide] *m pl* Rinder *n pl;* **~in, e** *a* Rind(er)-; *s m* Rind *n; pl com* Rinderbestand *m.*

box [bɔks] *m* Einzelgarage; Box *f,* Verschlag *(im Stall für ein Pferd); (Krankenhaus)* kleine(r) Isolierraum *m; ~ de l'accusé* Anklagebank *f.*

box|e [bɔks] *f* Boxen *n,* Boxsport *m; s'entraîner à la ~ avec un punching-ball* am Ball trainieren; *combat, match m de ~* Boxkampf *m; gants m pl de ~* Boxhandschuhe *m pl;* **~er** boxen; **~eur** *m* Boxer *m; ~ poids lourd* Schwergewichtsboxer *m.*

boyau [bwajo] *m* (Tier-, *fam* menschlicher) Darm; Schlauch; (enger) Graben, Gang; *mil* Laufgraben *m; corde f à ~* Darmsaite *f (an Geige, Tennisschläger); ~ de bicyclette* Fahrradschlauch *m; ~ en caoutchouc* Gummischlauch *m;* **~derie** *f* Därme verarbeitende Industrie *f.*

boy|cottage [bɔjkɔtaʒ] *m* Boykott *m,* (Auftrags-)Sperre *f;* **~cotter** boykottieren; *(Aufträge)* sperren.

boy-scout [bɔjskut] *m* Pfadfinder *m.*

braban|çon, ne [brabɑ̃sɔ̃, -ɔn] *a* brabantisch; *la B~ne* die belgische Nationalhymne *f;* **~t** *m* Karrenpflug *m; le B~* Brabant *n.*

bracelet [braslɛ] *m* Armband *n; montre f ~* Armbanduhr *f; ~-montre m* Uhrarmband *n; ~ en or* goldene(s) A.

brachial, e [brakjal] Arm-; *muscle m ~* Armmuskel *m.*

brachycéphale [brakisefal] brachyzephal, kurzköpfig.

braconn|age [brakɔnaʒ] *m* Wilddieberei *f;* **~er** wildern; *~ sur les terres d'autrui (fig)* jdm ins Gehege kommen; **~ier** *m* Wilddieb *m.*

bractée [brakte] *f bot* Deckblatt *n.*

brad|er [brade] verschleudern; **~erie** [-dri] *f* (Straßen-)Verkauf *m* zu herabgesetzten Preisen; **~eur** *m* Straßenhändler *m.*

braguette [bragɛt] *f* Hosenlatz, -schlitz *m.*

brai [brɛ] *m* Pech *n; ~ de houille* Steinkohlenpech *n.*

braill|ard, e [brajar, -rd] *a fam* ewig schreiend; *s m f* Schreihals *m;* **~ement** [brajmɑ̃] *m* Gekreisch; Gegröle *n;* **~er** *itr fam* schreien, kreischen, johlen; *(Hund)* jaulen; *tr* (ein Lied) grölen; **~eur, se** *a* schreiend, kreischend; *s m f* Schreier *m.*

brai|ment [brɛmɑ̃] *m* Schreien *n* (des Esels).

brainstorming [brɛnstɔrmiŋ] *m* Brainstorming *n.*

braire [brɛr] *irr (Esel)* schreien, iahen; *fam* schreien, grölen; plärren.

braise [brɛz] *f* (Holz-)Kohle(nglut) *f; pop* Geld *n; avoir des yeux de ~* feurige Augen haben; *être sur la ~ (fig)* auf glühenden Kohlen sitzen; *passer sur qc comme chat sur ~* flüchtig über e-e S hinweg=gehen; **~ser** schmoren; **~siller** [-ije] funkeln.

bram|ement [brammɑ̃] *m (Hirsch)* Röhren *n;* **~er** *(Hirsch)* röhren; *fig* heulen; *fam* grölen, plärren; weinen (*après* um).

bran [brɑ̃] *m* (grobe) Kleie; *pop* Kacke *f; ~ de scie* Sägespäne *m pl.*

brancard [brɑ̃kar] *m* Kranken-, Tragbahre *f; (MG)* Schlitten *m; pl* Gabeldeichsel *f; ruer dans les ~s (fig)* aufsässig sein; rebellieren; **~er** auf e-r Tragbahre transportieren; **~ier** *m* Krankenträger *m.*

branch|age [brɑ̃ʃaʒ] *m* Astwerk, Gezweig; Reisig; (Hirsch-)Geweih *n; tech* Abzweigung *f;* **~e** *f* Ast, Zweig *m;* Seitenwurzel; *tech* Ver-, Abzweigung *f,* Anschluß; *(Zirkel)* Arm, Schenkel *m; (Hirsch)* Stange *f; (Leuchter, Fluß)* Arm *m; (Weg)* Abzweigung *f; (Schere)* Griff *m; (Gabel)* Zinke *f; (Brille)* Bügel *m; (Kompaß)* Bein *n; arch* Rippe *f; (Familie)* Zweig *m,* Linie *f; (Verwaltung, Gewerbe)* Fach *n,* (Geschäfts-)Zweig *m;* Branche; *(Wissenschaft)* Disziplin *f,* Fach *n; pl* Zweiggeschäfte *n pl; au* *courant de la ~ (com)* branchenkundig; *avoir de la ~ (fam)* gut, rassig, vornehm aus=sehen; *se partager en ~s* sich verzweigen; *percher sur une ~ (Vogel)* auf e-m Zweig sitzen; sich auf e-n Zweig setzen; *sauter de ~ en ~ (fig)* von e-m (Gesprächs-)Gegenstand zum ander(e)n springen; *scier la ~ sur laquelle on est assis* den Ast ab=sägen, auf dem man sitzt; *il s'accroche à toutes les ~s (fig)* ihm ist jedes Mittel recht; *(ma) vieille ~!* alter Junge! *~-clef f* Schlüsselindustrie *f; ~ économique* Wirtschaftszweig *m; ~ d'exploitation* Erwerbszweig *m; ~ de fabrication* Fabrikationszweig *m; ~ de raccordement* Anschlußgleis *n; ~ de tube* Abzweigrohr *n;* **~é, e** *tele* angezapft; angeschlossen, angeschaltet; *vous êtes ~? (fam)* ist der Groschen gefallen? **~ée** *f* Zweigvoll *m;* **~ement** *m tech* Ver-, Abzweigung, Zweigleitung *f;* Anschluß *m; el* Schaltung; *loc* Weiche *f; boîte f de ~, manchon m pour ~* Abzweigmuffe *f; ligne f de ~* Zweigleitung *f; schéma m de ~* Schaltplan *m; tuyau m de ~* Abzweigrohr *n; ~ d'abonné (tele)* Hausanschluß *m; ~ direct sur le secteur* Netzanschluß *m;* **~er** *tr* ab=zweigen; an=schließen; *el* schalten; *fig* in Verbindung setzen; *itr (Vogel)* sich auf e-n Ast setzen; *~ en parallèle (à), en série (avec)* parallel, in Reihe schalten; *~ sur le réseau de la ville* an das städtische Netz an=schließen.

branchies [brɑ̃ʃi] *f pl (Fisch)* Kiemen *f pl.*

brande [brɑ̃d] *f* (Besen-)Heide *f;* Heidekrautbüschel *n.*

brandebourg [brɑ̃dbur] *m* **1.** Rockschnur; **2.** Gartenlaube *f;* **3.** B~ Brandenburg *n.*

brandevin [brɑ̃dvɛ̃] *m* Branntwein *m.*

brandir [brɑ̃dir] schwingen; schwenken.

brandon [brɑ̃dɔ̃] *m* Strohfackel *f;* (Feuer-)Brand; Strohwisch *m (zur Andeutung der Beschlagnahme); ~ de discorde (fig)* Unruhestifter *m;* Ursache *f* e-s Streites.

bran|lant, e [brɑ̃lɑ̃, -ɑ̃t] wack(e)lig; *fig* schwankend; *avoir la tête ~e* mit dem Kopf wackeln; **~e** *m (Glocke)* Schwingen *n;* Schwung *m; (Kopf)* Wackeln *n;* Reigentanz; *fig* Anstoß, Antrieb, Impuls *m; commencer, mener, ouvrir le ~ (fig)* den Reigen eröffnen; *donner le ~ à qc, mettre qc en ~* etw in Gang bringen; den Auftakt zu etw geben; *se mettre en ~* sich in Bewegung setzen, sich an=schicken; *suivre le ~ général* dem allgemeinen Beispiel folgen; *~-bas m inv fig* Aufregung *f,* Durcheinander *n,* Umtrieb *m; mar* Handgriffe *m pl* beim Aufstehen u. beim Schlafengehen *(der Mannschaft); ~-bas de combat* Vorbereitung *f* auf den Kampf; *mar* Schiff klar zum Gefecht! **~ement** *m* Schaukeln, Schwanken, Wackeln *n;* **~e-queue** *m* Bachstelze *f;* **~er** *tr* wackeln (*la tête* mit dem Kopf); *itr* wanken, schwanken, wakkeln; *~ dans le* (od *au*) *manche* nicht fest am Stiel sitzen; *fig* unsicher sein; wack(e)lig, auf der Kippe stehen.

braqu|age [brakaʒ] *m mot* Einschlag *m* der Vorderräder; (Steuerungs-) Ausschlag *m; angle m de ~ (tech)* Einschlagwinkel *m; rayon m de ~ (tech)* Wendekreis *m;* **~e** *s m* Hühnerhund *m; a fam* verrückt, durchgedreht; verblendet; **~er** *(Instrument, Waffe)* richten (*sur* auf *acc*); ein=stellen; *mot* steuern, lenken, *(Steuer)* ein=schlagen; *(Räder) aero* aus=schlagen; *~ qn contre qc, qn (fig)* jdn gegen etw, jdn auf=bringen, -hetzen; *être ~é* eingestellt sein (*contre* gegen); *~ les yeux, l'attention* die Augen, die Aufmerksamkeit richten (*sur* auf *acc*); **~et** [-ɛ] *m (Fahrrad)* Kettenrad *n; changer de ~ (Gang)* um=schalten.

bras [bra] *m* Arm, *anat* Oberarm *m; fig* Arbeitskraft; *fig* Macht, Gewalt; *(Wal)* Flosse *f; (Polyp)* Fangarm *m; (Krebs)* Schere; *bot* Ranke *f; (Ruder)* Griff *m; (Lehnstuhl)* (Arm-)Lehne *f; (Kran)* Ausleger *m; (Rad)* Speiche *f; (Waage)* Balken, Hebel; *(Pumpe)* Schwengel *m; (Bahre)* Tragstange *f; tech* Arm, Flügel, Hebel, Ausleger, Träger *m; pl mar* Brassen *f pl; ~ dessus, ~ dessous* Arm in Arm; *à ~* mit Muskelkraft; *à pleins ~* mit voller Kraft; *à tour de ~, à ~ raccourcis* mit aller Gewalt; *à ~-le -corps* mitten um den Leib; *à ~ ouverts* mit offenen Armen; *à ~ tendu* mit ausgestrecktem Arm; *en ~ de chemise* in Hemdsärmeln; *gros, long comme le ~ (fam)* übertrieben feierlich; *avoir le ~ long (fig)* e-n langen Arm, weitreichenden Einfluß haben; *avoir qn, qc sur les ~* jdn, etw auf dem Hals haben; *avoir les ~ ballants* die Arme hängen=lassen; *avoir les ~ rompus* wie gerädert sein; *couper ~ et jambes à qn (fig)* jdn völlig lähmen; *donner, offrir le ~ à qn* jdm den Arm geben, an=bieten; *se jeter dans les ~ de qn* sich in jds Arme werfen; *lever, baisser, plier, étendre le ~* den Arm heben, senken, beugen, aus=strecken; *rester les ~*

croisés (fig) die Hände in den Schoß legen; *saisir qn par le* ~ jdn am Arm packen; *tendre les* ~ *à* od *vers qn* jdn um Hilfe an=flehen; *ne vivre que de ses* ~ nur von seiner Hände Arbeit leben; *les* ~ *m'en tombent* ich bin wie vor den Kopf geschlagen, vom Donner gerührt; *charrette f à* ~ Handkarren *m;* ~ *à bascule* Schwenkarm *m;* ~ *de levier* Hebelarm *m;* ~ *de mer, de rivière* Meeres-, Flußarm *m;* ~ *orientable, oscillant* Schwenkarm *m;* **~age, ~ement** [brɑ-] *m* Löten *n;* **~er** löten.

brasero [brɑ(a)zero] *m* Wärmpfanne *f;* offene(r) Wärmeofen *m (bei Straßenarbeiten).*

bras|ier [brazje] *m* (Kohlen-, Feuers-) Glut; Feuersbrunst; *fig* Glut, Hitze *f;* Kohlenbecken *n;* **~illant, e** funkelnd; glänzend; **~illement** *m* Meeresleuchten *n;* **~iller** *tr* (auf Kohlen) rösten; *itr (Meer)* leuchten, funkeln.

brass|age [brasaʒ] *m (Bier)* Maischen; *(Metall)* Umrühren; *fig* Durcheinanderwürfeln, Mischen *n; salle f de* ~ Sudhaus *n;* **~ard** *m* Armbinde *f,* -schutz *m;* ~ *de deuil* Trauerflor *m;* **~e** *f mar* Faden (1,62 m *od* 1,83 m); *(Schwimmen)* Stoß *m; nager (à) la* ~ brust=schwimmen *(meist im Inf.);* **~ée** *f* Armvoll; lange(r) Schwimmstoß *m;* **~er** *(Bier)* maischen; *(Most)* bereiten; durchea.=, (um=)rühren; *(Blätter)* umher=wirbeln; *fig (Intrigen)* an=zetteln; *mar* brassen; ~ *des affaires* viele Geschäfte (flüchtig) betreiben.

brass|erie [brasri] *f* (Bier-)Brauerei *f;* Braugewerbe; Bierlokal, Speisehaus *n;* **~eur** *m* Brauer, Mälzer; Brustschwimmer *m;* ~ *d'affaires* G(e)schaftlhuber, Hansdampf *m* in allen Gassen.

brassière [brasjɛr] *f* (Baby-)Jäckchen *n;* Untertaille *f,* Leibchen *n; (im Auto)* Handgriff *m,* Armschlaufe *f;* Tragriemen; Armgurt *m; mettre qn en ~s (fig)* jdn am Gängelband führen.

brassin [brasɛ̃] *m* Braupfanne *f,* -kessel *m.*

brasure [brɑzyr] *f* Hartlot, -löten *n;* Lötstelle *f.*

brav|ache [bravaʃ] *m* Prahlhans *m;* **~ade** *f* Herausforderung *f,* Trotz *m;* Prahlerei *f;* **~e** *a* tapfer, mutig, beherzt; mannhaft; wacker, tüchtig; brav, bieder; rechtschaffen; *s m* tapfere(r) Mann, Held *m; mon ~! (fam)* mein Lieber! *un homme* ~ ein tapferer Mann *m; un* ~ *homme* ein gute(r) Kerl *m;* **~ement** *adv* tapfer; wacker; offen, anständig; *fam* geschickt; **~er** trotzen (*qn* jdm); verletzen; spotten (*qn* jdm), heraus=fordern, verachten, nicht scheuen; **~erie** *f* Kühnheit; Prahlerei *f.*

bravo [bravo] **1.** *interj* bravo! *s m pl* Beifall *m;* **2.** *s m* (*pl* **~i**) gedungene(r) Mörder *m.*

bravoure [bravur] *f* Tapferkeit *f; air, morceau m de* ~ Bravourarie *f,* -stück *n.*

brebis [brəbi] *f* (Mutter-)Schaf *n; fromage, lait, toison m de* ~ Schafkäse *m,* -milch *f,* -fell *n;* ~ *galeuse (fig)* räudige(s) Schaf *n.*

brèche [brɛʃ] *f* Riß *m;* Scharte; Bresche; Öffnung, Lücke *f,* Spalt *m; geol* Breccien *f pl,* Trümmergestein *n; (Wald)* kahle Stelle *f; fig* Schaden *m; battre en* ~ e-e Bresche schlagen (*qc* in etw); *fig* erschüttern; *être toujours sur la* ~ immer kampfbereit *od* tätig sein; *colmater une* ~ e-e Lücke schließen; *constituer, ouvrir une* ~ e-e Bresche schlagen; *monter sur la* ~ auf die Bresche steigen; *~-dent m f* zahnlückige(r) Mensch *m.*

bredouill|age, ~ement [brədujaʒ, -ujmɑ̃] *m* Stammeln, Gestotter *n,* undeutliche Aussprache *f od* Worte *n pl.*

bredouille [brəduj] *: être* ~ mit leeren Händen da=stehen; *revenir* ~ *(de la chasse, de la pêche)* ohne Beute, ohne etw gefangen zu haben, unverrichteterdinge zurück=kehren.

bredouill|er [brəduje] undeutlich sprechen; Wörter verschlucken; stammeln; **~eur** *m* Stotterer *m.*

bref, brève [brɛf, brɛv] *a* kurz(gefaßt); *s m rel* Breve *n;* Kirchenkalender *m; f* kurze Silbe *od* Note *f; adv* kurz u. gut; mit e-m Wort; *à* ~ *délai* kurzfristig; *dans le plus* ~ *délai* baldigst, baldmöglichst; *pour être* ~ um es kurz zu machen; *être* ~ sich kurz fassen; *expliquer en* ~ kurz erläutern.

bréhaigne [breɛɲ] *(Tier)* unfruchtbar.

brel|an [brəlɑ̃] *m (Spiel)* drei gleiche Karten *f pl; fam* Trio *n.*

breloque [brəlɔk] *f* Anhänger *m,* billige(s) Schmuckstück *n; battre la* ~ *fam* dummes Zeug, Blech reden.

brème [brɛm] *f (Fisch)* Brasse *f,* Brassen *m.*

breneux, se *(vx)* [brənø, -øz] schmutzig.

Brésil, le [brezil] Brasilien *n; bois m de b~* Rotholz *n;* **b~ien, ne** *a* brasilianisch; *B~, ne s m f* Brasilianer(in *f*) *m;* **b~ler** [-j-] *itr* zerbröckeln.

Bretagne, la [brətaɲ] die Bretagne.

bretelle [brətɛl] *f* Schulterriemen, Traggurt *m; pl* Hosenträger *m pl;*

Verbindungsstraße *f; l'arme à la ~!* Gewehr um=hängen! *position f en ~* Riegelstellung *f; ~ d'autoroute* Autobahnauffahrt, -ausfahrt *f; ~ de raccordement* Autobahnzubringer *m.*

breton, ne [brətɔ̃, -ɔn] *a* bretonisch; *B~, ne s m f* Bretone *m,* Bretonin *f.*

brette [brɛt] *f* Schläger *m (Waffe);* **~teler** [brɛtle] kröneln.

breuvage [brøvaʒ] *m* Getränk *n;* Trank *m.*

brève *s. bref.*

brevet [brəvɛ] *m* Diplom, Zeugnis; *(~ d'invention)* Patent *n; acte m en ~* Urkunde *f,* von der der Notar kein Original behält; *demander un ~* e-e Erfindung zum Patent an=melden; *bureau m des ~s* Patentamt *n; détenteur m d'un ~* Patentinhaber *m; ~ de capacité* Prüfungszeugnis *n; ~ de nomination* Ernennungsurkunde *f;* **~é,e** [brəvte] *a* patentiert; Diplom-; *s m* Generalstäbler *m; commandant m ~ d'Etat-major* Major *m* im Generalstab; **~er** patentieren.

bréviaire [brevjɛr] *m* Brevier *n.*

brévité [brevite] *f* Kürze *f.*

bribe [brib] *f meist pl (Fleisch)* Brokken *m a. fig;* Stuckchen *n; meist pl* Rest *m,* Überbleibsel *n pl;* Trümmer *pl; fig* Bruchstück *n (e-r Unterhaltung, e-s Werkes).*

bric [brik] : *de ~ et de broc (adv)* planlos; von überallher; **~-à-brac** *m* Trödel(-kram) *m,* Gerümpel *n;* Trödelladen *m; marchand m de ~* Trödler *m.*

bricol|age [brikɔlaʒ] *m* Basteln *n;* **~e** *f (Pferd)* Siele *f;* Brust-, Zugriemen, -gurt; *(Gepäckträger)* Tragriemen *m;* (Hirsch-)Netz *n;* Angelschnur *f* mit zwei Haken; *(Kugel) vx* Rückprall *m;* Gelegenheitsarbeit; Bastelei; *fig* Kleinigkeit *f; (coup m de) ~ (Billard)* Bandenstoß *m;* **~er** Gelegenheitsarbeit verrichten; basteln; *(Billard)* auf Bande spielen; *(e-m Pferd)* den Brustriemen an=legen; **~eur, se** *m f* Bastler(in *f*); Gelegenheitsarbeiter *m.*

brid|e [brid] *f* Zügel, Zaum(zeug *n*) *m; (Hut)* Kinnband *n;* Schlaufe *f;* Riegel *m; tech* Eisenklammer, Flansch *m,* Bügel *m; à ~ abattue, à toute ~* mit verhängten Zügeln; spornstreichs; *avoir la ~ sur le cou* tun u. lassen dürfen, was man will; sich selbst überlassen sein; *lâcher la ~ à qc, à qn* e-r S jdm die Zügel schießen lassen; e-r S freien Lauf lassen; *laisser la ~ sur le cou de qn (fig)* jdm freie Hand, die Zügel locker lassen; *mettre la ~ à un cheval* e-m Pferd den Zügel an=legen; *prendre les ~s (fig)* die Zügel in die Hand nehmen; *tenir la ~ haute à qn (fig)* jdn im Zaum halten; *tourner ~* um=kehren; *fig* seine Meinung ändern; *~ d'attache* Rohrschelle *f; ~ de raccordement* Anschlußflansch *m;* **~er** (auf=)zäumen; *fig* zügeln, im Zaum halten; *(Kleidung)* zu eng sein (*qn* jdm); *(Knopfloch)* ab=stecken; *tech* (an=)flanschen; (um=)bördeln; an=, zs.=binden; *(Geflügel)* Flügel u. Beine zs.=binden (*une poule* e-m Huhn); *(avoir les) yeux ~és* Schlitzaugen *n pl* (haben); **~on** *m (Pferd)* Trense *f.*

bridg|e [bridʒ] *m* Bridge *n; (Zahn)* Brücke *f; jouer au ~,* **~er** Bridge spielen; **~eur, se** Bridgespieler(in *f*) *m.*

brie [bri] *m* Brie(käse) *m.*

briève|ment [brijɛvmɑ̃] *adv* kurz; **~té** *f* Kürze; *(Stil)* Knappheit *f.*

brigad|e [brigad] *f* Brigade *f;* Trupp *m,* Rotte, Kolonne *f; chef m de ~* Kolonnenführer *m; général m de ~* Generalleutnant *m; ~ blindée* Panzerbrigade *f;* **~ier** *m* Gefreite(r); Vorarbeiter, Rottenführer; (Gendarmerie-)Unteroffizier; *mar* Vormann *m.*

brigand [brigɑ̃] *m* (Straßen-)Rauber *m; (fam) histoires f pl de ~* Räuberpistolen, Märchen *f pl;* **~age** *m* Straßenraub *m.*

brigu|e [brig] *f* Quertreiberei, Machination *f,* Manöver *n,* Umtriebe *m pl;* **~er** *itr* intrigieren; *tr* trachten (*qc* nach etw); sich bewerben, sich bemühen (*qc* um etw); durch Intrigen zu erreichen suchen; **~eur** *m* Bewerber *m.*

brill|amment [brijamɑ̃] *adv* glänzend *a. fig;* **~ance** *f phys* Leuchtdichte; Helligkeit *f;* **~ant, e** *a* glänzend *a. fig,* leuchtend, strahlend; schimmernd; *(Augen)* funkelnd; *fig* prächtig; glanzvoll; herrlich; *(Geist)* sprühend; *s m* Glanz; schöne(r) Schein *m; fig* Pracht *f;* Brillant *m; être ~* in bester Verfassung sein, eine glänzende Figur machen; glänzend in Form sein; *être ~ de santé* vor Gesundheit strotzen; *~ argenté* Silberbronze *f; ~ (pour métaux)* Putzmittel *n;* **~anter** brillantieren, auf Brillant schleifen; glänzen, schimmern lassen; *pp (Stil)* gekünstelt; **~antine** *f* Haaröl *n,* Brillantine *f;* Glanzperkal *m;* **~er** glänzen, leuchten, strahlen, schimmern, funkeln, glitzern, gleißen; *(Sonne)* scheinen; *fig* sich aus=zeichnen, hervor=ragen; erstrahlen; *~ par son absence* durch Abwesenheit glänzen; *faire ~* auf Hochglanz polieren; *faire ~ ses avantages* sich von s-r besten Seite zeigen; *tout ce qui ~e n'est pas or* es ist nicht alles Gold, was glänzt.

brimade [brimad] *f* Schikane *f; (Neulinge)* Hereinlegen *n.*

brimbaler [brɛ̃bale] *tr* bimmeln (lassen), läuten; *itr fam* schwanken.

brimborion [brɛ̃bɔrjɔ̃] *m* Lappalie, Kleinigkeit *f; pl* billige(s) Zeug *n.*

brimer [brime] schikanieren, striezen, quälen.

brin [brɛ̃] *m* Sproß *m;* Reis *n;* Halm *m;* Fädchen *n,* Faser; Litze(ndraht *m*), Ader *f;* Strang *m,* Trumm *n; fam* Stückchen, bißchen *n; attendre un ~* e-n Augenblick warten; *ne pas avoir un ~ d'espérance* keinen Funken Hoffnung haben; *faire un ~ de toilette* sich ein wenig zurecht=machen; *prendre un ~ de repos* ein bißchen aus=ruhen; *il n'y a pas un ~ de vent* es weht kein Lüftchen; *bois m de ~* Stammholz *n; ~ d'herbe, de paille* Gras-, Strohhalm *m; ~ de laine* Wollhaar *n.*

brindezingue [brɛ̃dzɛ̃g] *a, s f: (pop) être (dans les) ~(s)* besoffen sein.

brindille [brɛ̃dij] *f* dünne(r) Zweig *m; pl* Reisig *n.*

bringue [brɛ̃g] *f* Stück *n; pop* lange Hopfenstange *f (Frau); pop* Lotterleben *n;* Sauferei *f.*

brio [brijo] *m fig* Feuer *n; jouer avec ~* virtuos spielen.

brioche [brijɔʃ] *f Art* kleine(r) Kuchen; *fig fam* Schnitzer *m; pop* Birne *f,* Kopf; *pop* Bauch *m; s'en aller, partir en ~ (pop)* ausea.=fallen.

brique [brik] *f* Back-, Ziegelstein, Mauerziegel *m;* Brikett *n; (pop) bouffer des ~s* Kohldampf schieben; *maçonnerie f en ~s* Backsteinmauerwerk *n; maison f de ~(s)* Backsteinhaus *n; rangée f de ~s* Backsteinschicht *f; terre f à ~* Ziegelerde *f; ~ creuse* Hohl(block)stein *m; ~ non cuite* ungebrannte(r) Stein *m; ~ hollandaise, recuite* Klinker *m; ~ légère* Schwemm-, Leichtbaustein *m; ~ en limon* Lehmziegel *m; ~ de parement* Verblendziegel *m; ~ perforée* Lochziegel, Wabenstein *m; ~ profilée* Form-, Profilstein *m; ~ réfractaire* Schamottestein *m; ~ de revêtement* Verblendstein *m; ~ de savon* Riegel *m* Seife.

briquer [brike] *fam* reinigen, putzen.

briquet [brikɛ] *m* Feuerzeug *n; min* Arbeitspause *f; pierre f à ~* Feuerstein *m; ~ à essence, de poche* Benzin-, Taschenfeuerzeug *n;* **~age** [-k(ə)taʒ] *m* Backsteinmauerung; ziegelsteinartige Bemalung *f;* **~er** [brikte] ziegelsteinartig bemalen; **~erie** [-kɛtri] *f* Ziegelei *f;* **~eur** [-ktœr] *m* Backsteinmaurer *m;* **~ier** *m* Ziegelbrenner, -händler *m;* **~te** [-kɛt] *f* Brikett *n;* **~ter** [-kɛte] brikettieren.

bris [bri] *m* (Auf-, Zer-)Brechen *n;* Bruch *m;* gewaltsame Öffnung *f; mar* Trümmer *pl; assurance f contre le ~ des glaces* Glasversicherung *f; ~ de prison* Ausbrechen *n* aus dem Gefängnis; *~ de tuyau* Rohrbruch *m;* **~ant, e** [-zɑ̃] *s m* Felsenriff *n;* Brandung *f;* Wellenbrecher *m; a* brisant.

bris|card, ~quard [briskar] *m hist* alte(r) Soldat *m.*

brise [briz] Brise *f,* leichte(r) Wind *m; ~-bise m inv* Scheibengardine *f;* Fensterschutz *m (gegen Zugluft); ~-carotte f (min)* Kernbrecher *m; ~-fer, ~-tout m inv* Tölpel, Tolpatsch *m; ~-glace m inv* Eisbrecher *m; ~-jet m* Wasserstrahlregler *m; ~-lames m inv* Wellenbrecher *m; ~-mottes m inv* Schollenbrecher *m; ~-vent m inv* Windschirm *m.*

brisé, e [brize] zerbrochen; geknickt *a. fig; fig* gebrochen; *~ de fatigue* wie gerädert, zerschlagen; *comble m ~* Mansardendach *n.*

brisées [brize] *f pl (Jagd)* Bruch *m; aller, courir, marcher sur les ~ de qn (fig)* jdm ins Gehege kommen; *suivre les ~ de qn* jdm nach=eifern; in jds Fußstapfen treten.

bris|ement [brizmɑ̃] *m* Brechen *n; (~ des vagues)* Brandung *f; ~ de cœur (fig)* tiefe(r) Schmerz *m;* **~er** *tr* zerbrechen, zerschlagen, zertrümmern, zerkleinern; *(Tür)* ein=schlagen, auf=brechen; *(Siegel)* auf=, erbrechen; *(Flachs)* brechen; *(Zweig)* knicken; *fig* vernichten, zerstören, schwächen; ermüden, erschöpfen; *(Rede, Unterhaltung)* ab=brechen; *(Ketten)* sprengen; *(Joch)* ab=schütteln; *itr mar* zerschellen (*contre* an *acc*); branden (*à* an *acc*); *se ~* (zer)brechen; zersplittern; branden; zerschellen (*contre* an *acc*); in Trümmer gehen; *aero* Bruch machen; *(Licht)* sich brechen; *(Angriff)* sich zerschlagen; *fig* zs.=brechen; scheitern; *(se) ~ en menus morceaux* in tausend Stücke zerbrechen, schlagen; *~ les oreilles, le tympan de qn* jdm in den Ohren liegen; *~ons là(-dessus)!* genug davon! Schluß damit! **~eur, se** *m f* Zerstörer(in *f*); *tech* Vorreißer *m; ~ de grève (fig)* Streikbrecher *m.*

bristol [bristɔl] *m* Zeichen-, Visitenkartenpapier *n;* Visitenkarte *f.*

brisure [brizyr] *f* Bruch, Sprung, Knick *m; geol* Spalte *f;* Scharniergelenk *n.*

britannique [britanik] *a* britisch; *s m f* *B~* Brite *m*, Britin *f*; *l'Empire ~* das britische Weltreich; *les îles B~s* die Britischen Inseln.

broc [bro] *m* Kanne *f*, Krug *m*; *~ à vin, à bière* Wein-, Bierkrug *m*.

brocant|age [brɔkɑ̃taʒ] *m* Antiquitäten-, Altwarenhandel *m*; **~e** *f fam* Antiquitätenhandel; kleine(r) Einkauf *m*; Gelegenheits-, Schwarzarbeit *f*; **~er** *itr* schachern, trödeln; mit Raritäten handeln; *tr* verschachern; **~eur, se** *m f* Antiquitätenhändler(in *f*); Trödler(in *f*) *m*.

brocar|d [brɔkar] *m* **1.** Stichelei *f*, Spott; **2.** junge(r) (Dam-)Hirsch *m*; *lancer des ~s à qn* jdn sticheln; **~der** sticheln (*qn* jdn); **~deur, se** *m f* Stichler(in *f*) *m*.

brocart [brɔkar] *m* Brokat *m*.

broch|age [brɔʃaʒ] *m (Textil)* Heften; *(Buch)* Broschieren *n*; *~ au fil de lin, au fil métallique* Faden-, Drahtheftung *f*; **~e** *f* Bratspieß *m*; Brosche, Vorstecknadel; *(Textil)* Spindel; (Metall-)Stricknadel *f*; *tech* Dorn, Stift, Bolzen, Daumen, Zapfen *m*, Klammer *f*; *el* Kontakt(stift), Nagel, Pfriem *m*; *pl (Eber)* Hauer *m pl*; *faire cuire en* (od *à la*) *~* am Spieß braten; *~ à emballage* Packnadel *f*; *~ filetée* Gewindespindel *f*; *~ mâle, femelle* Steckstift *m*, -hülse *f*; **~é, e** *a* geheftet, broschiert; durchwirkt; *s m* durchwirkte(s) Gewebe *n*; **~ée** *f* Bratspießvoll *m*; **~er** durchwirken, plattieren; *(Buch, Textil)* broschieren; zs.=heften; *(Pferd)* beschlagen; *tech* räumen; *fig fam* flüchtig, oberflächlich machen; *(fig) ~ant sur le tout* obendrein, als Zugabe.

brochet [brɔʃɛ] *m* Hecht *m*.

broch|eter [brɔʃte] mit dem (Brat-)Spieß durchbohren; **~ette** *f* kleine(r) Bratspieß *m*; Stückchen *n* am Bratspieß; (Ordens-)Spange, Schnalle *f*; *pl typ* Band *n*; *élever à la ~ (fig)* auf=päppeln; verzärteln; **~eur** *m* Hefter; Broschierer *m*; **~euse** *f* Heftmaschine *f*; **~oir** *m* Niethammer *m*; **~ure** *f* eingewebte(s) Muster *n*; Broschüre *f*; Heftchen *n*; Broschur *f*.

brocoli [brɔkɔli] *m* Spargelkohl *m*, Brokkoli *pl*.

brodequin [brɔdkɛ̃] *m* Schnür-, Halbstiefel *m*.

brod|er [brɔde] sticken; *fig* verschönern; (aus=)schmücken *(a. e-e Erzählung)*; *~ au crochet* häkeln; *métier m à ~* Stickmaschine *f*; *~é d'or* goldgestickt; **~erie** *f* Stickerei; *fig* Ausschmückung *f*; *garnir de ~s* bestikken; *~ d'argent, d'or* Silber-, Goldstikkerei *f*; *~ à la main, à la machine* Hand-, Maschinenstickerei *f*; **~eur, se** *m f* Sticker(in *f*); *fig* Aufschneider(in *f*) *m*; *~euse mécanique* Stickmaschine *f*.

broiement [brwamɑ̃] *m* Zermalmen, Zerquetschen *n*.

brom|e [brom] *m chem* Brom *n*; **~er** bromieren; **~ure** *m*: *~ d'argent* Silberbromid, Bromsilber *n*; *~ de potassium* Kaliumbromid, Bromkalium *n*.

bronche [brɔ̃ʃ] *f* Bronchie *f*, Luftröhrenast *m*.

broncher [brɔ̃ʃe] stolpern (*contre qc* über e-e S); straucheln; *fig* zögern; sich täuschen; murren; e-e (ungeduldige) Bewegung machen; *sans ~* ohne mit der Wimper zu zucken.

bron|chique [brɔ̃ʃik] Bronchial-; Luftröhren-; **~chite** *f* Luftröhrenentzündung, Bronchitis *f*; **~chitique** *a* Bronchitis-; *s m f* an Bronchitis Leidende(r *m*) *f*; **~chopneumonie** [brɔ̃kɔ-] *f* lobuläre Pneumonie *f*; **~chorrhée** [brɔ̃kɔre] *f* Luftröhrenschleimfluß *m*; **~chotomie** [brɔ̃kɔtɔmi] *f* Luftröhrenschnitt *m*.

bronzage [brɔ̃zaʒ] *m* Bronzieren *n*; *(Haut)* Bräune *f*.

bronze [brɔ̃z] *m* Bronze *f*; Erz *n*; *de ~* fest, solide, athletisch; *fig* unbeugsam; gefühllos; *âge m de ~* Bronzezeit *f*; *fondeur m en ~* Erzgießer *m*; *(statue f de) ~* Bronze(figur) *f*; **~zé, e** *a* bronziert; *(Haut)* gebräunt; hart; widerstandsfähig; **~zer** bronzieren; *(Haut)* bräunen; *fig* verhärten; **~zeur** *m* Bronzearbeiter *m*.

bross|age [brɔsaʒ] *m* (Aus-)Bürsten *n*; **~e** *f* Bürste *f*; Pinsel *m*; *donner un coup de ~* ab=bürsten (*à qc* etw); *cheveux m pl en ~* Meckifrisur *f*; *~ à chapeaux, à chaussures, à cheveux, à dents, à ongles* Hut-, Schuh-, Haar-, Zahn-, Nagelbürste *f*; *~ à cirer, à reluire, à décrotter* od *à poussière* od *à épousseter* Auftrag-, *od* Creme-, Glanz-, Schmutzbürste *f*; *~ à étriller* Striegel *m*; *~ à laver, à parquet* Wasch-, Bohnerbürste *f*; *~ métallique* Draht-, Stahlbürste *f*; *~ en nylon* Nylonbürste *f*; **~er** (ab=, aus=) bürsten; frottieren; *(Parkett)* bohnern; *(Pferd)* striegeln; *(Bild)* schnell, flüchtig malen; *fig fam* verprügeln; *~ à contrepoil, à rebrousse-poil* gegen den Strich bürsten; *fig* e-n groben Überblick geben (*de* über *acc*); *se ~ le ventre* Kohldampf schieben, *fig fam* in den Mond gucken; *(fam) tu peux te brosser* da kannst du lange warten; **~erie** *f* Bürstenfabrikation,

-binderei *f,* -handel *m;* **~ier** *m* Bürstenhändler, -binder *m.*

brou [bru] *m* (grüne) Nußschale *f;* ~ *de noix* Nußbeize *f;* Nußschalenbranntwein *m.*

brouet [bruɛ] *m* dünne Suppe *f.*

brouet|te [bruɛt] *f* (einrädriger) Schubkarren *m; pousser une ~te* e-n Sch. schieben; **~tée** *f* Schubkarrenvoll *m;* Karrenladung *f;* **~ter** karren; **~teur** *m min* Schlepper *m.*

brouhaha [bruaa] *m* Lärm *m,* Getöse; (Stimmen-)Gewirr *n.*

brouill|age [brujaʒ] *m radio* Störung *f; appareil, avion m de* ~ Störflugzeug *n; émetteur m de* ~ Störsender *m; intensité f du* ~ Störgrad *m; zone f de* ~ Störgebiet *n;* ~ *arbitraire* geplante Störung, HF-Störung *f;* **~amini** *m fig fam* Durcheinander *n,* Wirrwarr *m.*

brouill|ard [brujar] *m* **1.** Nebel *m;* **2.** *com* Kladde *f; avoir un* ~ *sur* od *devant les yeux (fig)* e-n Schleier vor den Augen haben; *être dans le(s)* ~*(s)* benebelt, beschwipst sein; *il fait du* ~ es ist neb(e)lig; *le* ~ *s'élève, se dissipe* der N. steigt, löst sich auf; *je n'y vois que du* ~ das ist mir schleierhaft, das verstehe ich nicht; *mince couche f de* ~ Bodennebel *m; papier m* ~ *(vx)* Löschpapier *n; pris dans le* ~ in N. gehüllt; ~ *artificiel, épais, humide* od *pluvieux, sec, ténu* künstliche(r), dichte(r), feuchte(r), trockene(r), dünne(r) Nebel *m;* ~ *élevé, matinal, au sol* Hoch-, Früh-, Bodennebel *m;* ~ *flottant* Nebelschwaden *m;* ~ *de fond (radio)* Verschwimmung, Verwaschung *f;* ~ *d'huile* Sprühöl *n;* **~asse** *f* Sprühregen, feuchte(r) Nebel *m;* **~asser** leise regnen, nieseln.

brouille [bruj] *f* Zwist, Streit *m;* Zerwürfnis *n;* Mißhelligkeit *f; être en* ~ *avec qn* sich mit jdm überworfen haben, mit jdm auf gespanntem Fuß stehen.

brouill|é, e [bruje] *(Wetter)* trübe, neb(e)lig; *(Bild)* undeutlich; *(Karten)* gemischt; *(Flüssigkeit)* trübe; *radio* gestört; *(Blick)* getrübt; *fig* unzs.hängend; verwirrt; verwechselt; *(fig) (Spuren)* verwischt; *être* ~ *avec qn* mit jdm böse, zerstritten, *fam* verkracht sein, sich mit jdm überworfen haben; *être* ~ *avec les mathématiques, les chiffres, les noms propres* mit der Mathematik auf Kriegsfuß stehen; Zahlen, Eigennamen nicht behalten können; *œufs m pl* ~*s* Rührei(er) *n (pl)* **~er 1.** *tr (Ordnung, Plan, Papiere, Fäden)* durchea.=bringen; *(Farben)* trüben, verwischen; *(Radiosendung)* stören; *(Eier)* rühren; *(Blick)* trüben; *(Karten)* mischen; ~ *les cartes, les fils (fig)* Verwirrung stiften; *fig* in Verwirrung bringen, verwirren; *(Erinnerungen)* verwechseln; ~ *des amis* Freunde entzweien; ~ *qn avec qn* jdn mit jdm verfeinden **2.** *se* ~ trübe, farblos, undeutlich werden; *(Fenster, Brillengläser)* beschlagen; *(Haut, Teint)* unsauber werden; *(Himmel)* sich beziehen; durcheina.= geraten, in Verwirrung geraten; *se* ~ *avec qn* sich mit jdm überwerfen (*od fam* verkrachen); **~erie** *f* Uneinigkeit *f,* Zerwürfnis *n; fam* Krach *m;* **~eur** *m* Störsender *m.*

brouillon, ne [brujɔ̃, -ɔn] *a* verwirrt; unordentlich; *s m* **1.** Wirrkopf *m;* **2.** (Roh-)Entwurf *m,* Skizze *f,* Konzept *n; com* Kladde *f; faire le* ~ *de* e-n ersten Entwurf machen *gen; écrire un* ~ ins unreine schreiben; *mettre un* ~ *au net, au propre* e-n Entwurf aus= arbeiten, ins reine schreiben.

brouss|ailles [brusaj] *f pl* Gestrüpp, Buschwerk; Dickicht *n; en* ~ *(Haare)* verfilzt; **~ailler** mit Buschwerk bepflanzen; **~ailleux, se** mit Buschwerk, Gestrüpp bedeckt; *fig* struppig; **~ard** *m* Kenner, Bewohner *m* des Busches *(in Afrika);* **~e** *f* **1.** Busch *m;* Gestrüpp, Gebüsch *n;* **2.** dicke Milch *f (von Schaf od Ziege);* **~in** *m* Knorren *m.*

brout [bru] *m* Treibreis *n,* Schößling *m.*

broutage [britaʒ] *m mot* Rattern *n.*

brout|ement [brutmɑ̃] *m* Abweiden *n;* **~er** *tr* ab=weiden, -fressen; *itr* grasen, weiden; *(Werkzeug, Motor)* unregelmäßig arbeiten; *où la chèvre est attachée, il faut qu'elle* ~*e* man muß sich nach der Decke strecken; **~ille** [-ij] *f* Zweig-(lein *n*) *m; fig fam* Kleinigkeit, Bagatelle, Lappalie; Belanglosigkeit *f; pl* Reisig *n.*

broy|age [brwajaʒ] *m* Zerkleinerung *f;* (Ver-)Mahlen, Schroten *n;* **~er** zerkleinern, zerstoßen, zerreiben, zerdrücken, zerquetschen; zermalmen; (zer)mahlen; schroten; *(Flachs)* brechen; ~ *du noir (fig)* alles schwarz sehen; Grillen fangen; **~eur, se** *m f* Zerkleinerer; (Hanf-)Brecher; (Farben-)Reiber; Stößel *m; f* Kollermühle *f;* ~ *d'ordures* Müllzerkleinerer *m.*

brr [brr] *interj (Furcht)* hu! *(Kälte)* brr.

bru [bry] *f* Schwiegertochter *f.*

brucelles [brysɛl] *f pl (Uhrmacher)* Kornzange; Pinzette *f.*

brucellose [brysɛloz] *f* Maltafieber *n.*

Bruges [bryʒ] *f* Brügge *n.*

brugnon [bryɲɔ̃] *m* Nektarine *f.*

brui|ne [brɥin] *f* Nieseln *n*, Sprühregen *m*; **~ner** nieseln.
bruir [brɥir] *(Stoff)* dämpfen.
brui|re [brɥir] *irr* rauschen, rascheln; säuseln; summen; *(Dampf)* zischen; **~ssant, e** rauschend; brausend; **~ssement** *m* Rauschen, Rascheln; Säuseln; Summen; Zischen *n*.
bruit [brɥi] *m* Geräusch *n*; Lärm *m*; Getöse; Krachen; Donnern, Rollen; Dröhnen; Geklirr; Rattern; Gerassel; Brausen; Sausen; Geknatter; Knistern; *inform* Störung *f*; *fig* Gerücht; Aufsehen *n*; Ruf *m*; Nachricht *f*; *sans ~* geräuschlos; leise, sacht; *faire du ~* von sich reden machen; *faire grand ~* Aufsehen erregen; Staub auf=wirbeln; viel Aufhebens machen (*de* von); *ne pas faire grand ~* nicht viel Wesens machen; *faire courir, répandre un ~* ein Gerücht in Umlauf setzen *od* verbreiten; *pas de ~!* Ruhe! *le ~ court* es geht das Gerücht; *isolé contre le ~* schalldicht; *~ en l'air* bloße Gerüchte *n pl*; *~ à crever le tympan, à rompre la cervelle, à fendre la tête* ohrenbetäubende(r) Lärm *m*; *~ de l'échappement (mot)* Auspufflärm *m*; *~ de fond* Grund-, Störgeräusch *n*; *~ de ferraille* Klappern *n*; *~ de friture* Kratzgeräusch *n*; *~ parasite* Nebengeräusch *n*; *~ de salle* Raumgeräusch *n*; *~ télégraphique* Telegraphiergeräusch *n*; *~ d'origine thermique* Wärmerauschen *n*, Grieß *m*; **~age** *m radio* Geräuschkulisse *f*; **~er** e-e Geräuschkulisse verwenden; **~eur** *m* Geräuschingenieur *m*.
brûl|able [brylabl] brennbar; **~age** *m* Ab-, Verbrennen *n*; **~ant, e** brennend *a. fig*; glühend; siedend, kochend heiß; *fig* lebhaft, leidenschaftlich, feurig; *question f ~e* akute, brennende Frage *f*; *terrain m ~ (fig)* heiße(s) Eisen *n*; *zèle m ~* Feuereifer *m*; **~é, e** *a* verbrannt; *(Speise)* angebrannt; *(Lampe)* durchgebrannt; *fig* entlarvt; verdächtigt; geplagt; *s m*: *avoir un goût de ~* angebrannt schmecken; *cela sent le ~* es riecht angebrannt; *fig* es ist brenzlig, es steht faul damit; *odeur f de ~* Brandgeruch *m*; *tache f de ~* Brandfleck *m*.
brûle|-gueule [brylgœl] *m* Stummelpfeife *f*; **~-parfum** *m* Räucherfaß *n*; **~-pourpoint:** *à ~* ins Gesicht hinein, geradeheraus; mir nichts, dir nichts.
brûl|er [bryle] **1.** *itr (absolument)* (ver)brennen; *(Stadt)* in Flammen stehen; *(Suppe)* an=brennen; *(Gras)* verdorren; *fig* glühen, lodern; *~ de curiosité, d'impatience* vor Neugierde, vor Ungeduld brennen; *les mains lui ~ent* es brennt ihm auf den Nägeln; *les pieds lui ~ent* der Boden brennt ihm unter den Füßen; *vous ~ez (Spiel)* es wird heiß; **2.** *tr* (an=, ab=, ver)brennen; verfeuern; *(Wald, Haus)* in Brand stecken; *(Wolldecke)* (ver)sengen; *(Säure)* zerfressen, an=greifen; *(Fieber)* verzehren; *(Kaffee)* rösten; *(Branntwein)* brennen; diskreditieren; *~ la cervelle à qn* jdm e-e Kugel durch den Kopf jagen; *~ de l'encens devant qn* jdm Weihrauch streuen; *~ une étape (fig)* e-e Stufe überspringen, rasch voran=kommen; *(theat) ~ les planches* hinreißend spielen; *~ une gare* e-n Bahnhof durchfahren; *~ le pavé* wie besessen rennen; *~ la politesse à qn* jdn ohne Abschied verlassen; *~ un signal* ein Signal überfahren; *~ ses vaisseaux (fig)* alle Brücken hinter sich ab=brechen; **3.** *se ~* sich (ver-) brennen; *se ~ les ailes, les doigts* sich die Finger verbrennen; *se ~ la cervelle* sich e-e Kugel durch den Kopf jagen; *se ~ avec de l'eau bouillante* sich verbrühen; **~erie** *f* Branntweinbrennerei *f*; **~eur, se** *m f* Brandstifter(in *f*); Branntweinbrenner; *tech* Brenner *m*; *~ à alcool, Bunsen, à gaz, à souder* Spiritus-, Bunsen-, Gas-, Schweißbrenner *m*; *~ de planches* feurige(r) Schauspieler *m*; **~is** [-i] *m* abgebrannte Wald-, Feldfläche *f*; **~oir** *m* Kaffeebrenner *m*, Röste *f*; **~ot** [-o] *m mar* Brandschiff *n*; scharfe(s) Getränk *n*; stark gewürzte Speise *f*; *fig* Hitzkopf *m*; *attacher un ~ au flanc d'un navire (fig)* die Bombe zum Platzen bringen; **~ure** *f* Verbrennung, Brandwunde *f*; Brennen; Versengen *n*; *faire une ~* ein Loch brennen (*à* in *acc*).
brumaire [brymɛr] *m* Monat des franz. Revolutionskalenders (23. X.—21. XI.).
brum|asse [brymas] *f* leichte(r) Nebel *m*; **~asser** leicht neblig sein; **~e** *f* (dichter) Nebel *m*; *banc, rideau m, trompe f de ~* Nebelbank *f*, -schleier *m*, -horn *n*; **~er** neblig sein; **~eux, se** neblig; dunstig; *fig* unklar, düster, traurig.
brun, e [brœ̃, bryn] *a* braun; brünett; dunkelhaarig; *s m* braune Farbe *f*; Dunkelhaarige(r) *m*; *f* Brünette *f*; dunkle(s) Bier *n*; Abenddämmerung *f*; *~ clair, foncé* hell-, dunkelbraun; *sur od à la ~e* in der Dämmerung; **~âtre** [brynatr] bräunlich; **~et, te** [-ɛ, -ɛt] brünett; **~i, e** gebräunt; poliert; **~ir** *tr* bräunen; braun färben *od* machen,

beizen; *(Metall)* brünieren; glätten, polieren; *itr* braun werden; **~issage** *m* Polieren *n; (Metall)* Politur *f;* Brünieren *n;* Glanz *m;* **~issement** *m (Haare, Haut)* Braunwerden *n;* **~isseur** *m* Polierer *m;* **~issoir** *m* Polierstahl *m;* **~issure** *f* Politur; Polierkunst; *bot* Blattbräune *f.*

brusqu|e [brysk] grob, barsch, brüsk, schroff; heftig; unerwartet, plötzlich; **~er** beschleunigen, überstürzen, übereilen; plötzlich tun; brüsk behandeln; rauh, barsch an=fahren (*qn* jdn); Gewalt an=tun (*qc* dat); ~ *une affaire* e-e Sache übers Knie brechen; ~ *un voyage* sich kurz zu e-r Reise entschließen; *ne rien* ~ nichts überstürzen, nichts übers Knie brechen; **~erie** *f* Barschheit, Schroffheit; Heftigkeit; schroffe Äußerung *f.*

brut, e [bryt] roh, unver-, unbearbeitet; ungebrannt, unaufbereitet; ungehobelt; formlos, unorganisch; *com* brutto; *fig* grob, schwerfällig, brutal; gewöhnlich; *acier m* ~ Rohstahl *m; bête f ~e* Bestie *f; cuivre m* ~ Rohkupfer *n; fonte f ~e* Roheisen *n; matière f ~e* Rohstoff *m; pétrole m* ~ Rohöl *n; poids m* ~ Bruttogewicht *n;* **~al, e** *a* brutal, rücksichtslos, gewalttätig; grob, roh, gemein; *(Schmerz)* heftig; *s m* brutale(r) Mensch, Grobian *m;* **~aliser** brutal, grob, roh behandeln; mißhandeln; **~alité** *f* Grobheit, Roheit; Gewalttätigkeit, Rücksichtslosigkeit; Brutalität; Unhöflichkeit *f,* flegelhafte(s) Benehmen *n;* grobe Worte *n pl;* **~e** *f* Tier *n; fig* Rohling, brutale(r) Mensch; grobe(r) Klotz *m.*

Bruxelles [brysɛl] *f* Brüssel *n.*

bruy|amment [brɥijamɑ̃] *adv* geräuschvoll, laut; **~ant, e** lärmend, laut, geräuschvoll; ohrenbetäubend; gellend; schallend.

bruyère [brɥijɛr] *f* Heidekraut *n,* Erika; Heide *f; coq m de* ~ Auerhahn *m.*

bryophytes [brijɔfit] *f pl* Bryophyten *m pl,* Moospflanzen *f pl.*

buanderie [byɑ̃dri] *f* Wäscherei; Waschküche *f.*

bubon [bybɔ̃] *m* Drüsengeschwulst *f;* **~ique:** *peste f* ~ Beulenpest *f.*

buccal, e [bykal] *a* Mund-; *cavité f ~e* Mundhöhle *f.*

bûch|e [byʃ] *f* (Holz-)Scheit *n,* Klotz; *fig fam* Dummkopf *m; arg* Streichholz *n; (fam) ramasser une* ~ hin=fallen; ~ *de Noël Art* Kuchen *m (zu Weihnachten, in Form eines Holzklotzes);* **~er 1.** *s m* Holzstall *m,* -lege *f;* Holzstoß, Scheiterhaufen *m;* **2.** *v fam* ochsen, büffeln; *se* ~ sich prügeln; ~ *son examen* auf seine Prüfung büffeln; **~eron** *m* Holzhauer, -fäller *m;* **~eronnage** *m* Holzfällen *n;* **~ette** *f* (Holz-)Span *m;* Stückchen *n* Holz; **~eur, se** *m f* Ochser, Büffler *m.*

bucolique [bykɔlik] bukolisch; ländlich; Hirten-; Schäfer-; *poème m* ~ Schäfergedicht *n.*

budg|et [bydʒɛ] *m* Haushalt(splan); Etat *m;* Budget *n; approuver le* ~ den Haushalt verabschieden; *boucler son* ~ mit seinem Geld aus=kommen; *écorner, établir* od *dresser son* ~ seinen Etat überschreiten, auf=stellen; *inscrire au* ~ in den Etat auf=nehmen; *voter le* ~ den Haushalt genehmigen; *le* ~ *se chiffre* der Haushalt beläuft sich (*à* auf *acc*); *commission f du* ~ Haushaltskommission *f; discussion f du* ~ Etatberatungen *f pl; équilibre m du* ~ Ausgleich *m* des Haushalts; *projet m du* ~ Haushaltsvoranschlag *m; vote m du* ~ Haushaltsbewilligung *f;* ~ *additionnel, annexe, complémentaire* Nachtrags-, Zusatzhaushalt *m;* ~ *de la commune* Gemeindehaushalt *m;* ~ *des dépenses* Ausgabenbudget *n;* ~ *de l'Etat* Staatshaushalt *m;* ~ *(extra)ordinaire* (außer)ordentliche(r) Haushalt *m;* ~ *de publicité* Werbefonds *m;* ~ *des recettes* Einnahmebudget *n;* ~*-vacances m* Urlaubskasse *f;* **~étaire** etatmäßig; Haushalts-; Etat-; *année f* ~ Haushaltsjahr *n; loi f* ~ Haushaltsgesetz *n; prévisions f pl ~s* Haushaltsansatz *m;* **~étivore** *m hum* Schmarotzer, Staatsbeamte(r) *m.*

buée [bɥe] *f* Dunst; Dampf(wolke *f*); Beschlag *m;* Ausdünstung *f;* Schwaden; *poet* Brodem *m; tech* Schwitzwasser *n.*

buffet [byfɛ] *m* Speise-, Geschirrschrank *m;* Anrichte *f;* Büfett *n;* Schanktisch; *pop* Magen *m;* ~ *de gare* Bahnhofswirtschaft *f;* ~ *d'orgues* Orgelgehäuse *n;* Hausorgel *f; danser devant le* ~ *(fam)* nichts zu beißen haben; **~ier** [byftje] *m* Bahnhofswirt *m.*

buffle [byfl] *m zoo* Büffel(leder *n*) *m;* **~terie** [-flə(ɛ)tri] *f mil* Lederzeug *n.*

bugle [bygl] *m mus* Bügelhorn *n; bot* Günsel *m.*

building [bildiŋ] *m* Hochhaus; Bürogebäude *n;* Wohnblock *m.*

buire [bɥir] *f* Kanne *f (aus Metall).*

buis [bɥi] *m* Buchsbaum *m;* Glättholz *n;* **~saie, ~sière** *f* Buchsbaumgehölz *n;* **~son** *m* Gebüsch *n;* Busch *m,* Strauchwerk *n; (Küche)* pyramidenförmig aufgebaute(s) Gericht; *(Gar-*

ten) Zwergobst *n; se sauver à travers les ~s (fig)* Ausflüchte suchen, faule Ausreden machen; *faire, trouver ~ creux (fig)* das Nest leer finden; *~ ardent (rel)* brennende(r) Dornbusch *m; bot Art* Weißdorn *m;* **~sonneux, se** buschig; mit Gebüsch bewachsen; **~sonnier, ère** im Gebüsch lebend; Busch-; *faire l'école ~ère* die Schule schwänzen; seine Arbeit vernachlässigen.

bulb|e [bylb] *m bot (a. f) arch* Zwiebel; Knolle *f; anat* Knoten *m,* Verdikkung *f; se développer sur un ~* sich aus e-r Zwiebel entwickeln; *clocher m à ~* Zwiebelturm *m; ~ dentaire, pileux* Zahn-, Haarwurzel *f; ~ de jacinthe, de tulipe* Hyazinthen-, Tulpenzwiebel *f; ~ (rachidien)* verlängerte(s) Rückenmark *n;* **~eux, se** zwiebelförmig, knollig; Zwiebel-; *anat* knotig, verdickt; *plante f ~euse* Knollengewächs *n.*

bulgar|e [bylgar] *a* bulgarisch; *B~ s m f* Bulgare *m,* Bulgarin *f;* **B~ie, la** Bulgarien *n.*

bulldozer [buldɔzœr] *m* Planierraupe *f.*

bulle [byl] *f* (Luft-)Blase *a. anat; rel hist* Bulle; *anat* Blatter *f; (Cartoon)* (Sprech-)Blase *f; niveau m à ~* Wasserwaage *f; papier m ~* Konzeptpapier *n; ~ d'air, d'eau, gazeuse, de savon, de vapeur* Luft-, Wasser-, Gas-, Seifen-, Dampfblase *f.*

bulletin [byltɛ̃] *m* Zettel, Schein *m;* Bescheinigung *f,* Attest *n;* Bericht *m; pol* (Wahl-)Stimme *f; compter, dépouiller les ~s* die Stimmen aus= zählen; *mettre son ~ dans l'urne* seinen Stimmzettel in die (Wahl-)Urne werfen; *~ de l'armée* Heeresbericht *m; ~ de bagages* Gepäckschein *m; ~ blanc* leere(r) Stimmzettel *m; ~ de la bourse* Börsenbericht *m; ~ des changes, de la cote, des cours* Kurszettel *m; ~ de chargement* Ladeschein *m; ~ de commande* Bestellschein *m; ~ de consigne* Gepäck(hinterlegungs)schein *m; ~ de contribution* Steuerzettel *m; ~ de décès* Totenschein *m,* Sterbeurkunde *f; ~ de demande (Bibliothek)* Bestellschein *m; ~ de dépôt* Einlieferungs-, Lagerschein *m; ~ d'enneigement* Schneebericht *m; ~ d'expédition* Versandschein *m;* Paketkarte *f; ~ financier* Börsenbericht *m; ~ de livraison* Lieferschein *m; ~ des lois* Gesetzessammlung *f; ~ de maladie* Krankenschein *m; ~ météorologique* Wetterbericht *m; ~ de naissance* Geburtsschein *m; ~s nuls, valables* ungültige, gültige Stimmen *f pl; ~ officiel* Gesetz-, Amtsblatt *n; ~ de paie* Lohnzettel *m; ~ de prêt* Leihzettel *m; ~ de renseignements* Lagebericht *m; ~-réponse m* Antwortschein *m; ~ de santé* Krankheitsbericht *m; ~ de sortie* Entlassungs-, Ausgangsschein *m; ~ de souscription (com)* Zeichnungsformular *n; (Bücherei)* Bestellschein *m; ~ trimestriel* Vierteljahrszeugnis *n; ~ de vote* Stimmzettel *m.*

bulleux, se [bylø] blasig.

buraliste [byralist] *m f* Postbeamte(r) *m,* -beamtin *f;* Kassierer(in *f*); (Steuer-)Einnehmer; Tabakhändler(in *f*) *m.*

bure [byr] *f* grobe(r), braune(r) Wollstoff; *min* Blindschacht *m.*

bureau [byro] *m* Schreibtisch *m;* Büro *n,* Kanzlei, Dienststelle *f,* Amt *n, a. tele* Abteilung *f;* Amts-, Geschäfts-, Schreibzimmer *n;* Agentur; *theat* Kasse *f;* Schalter *m;* Büropersonal *n;* geschäftsführende(r) Ausschuß, Vorstand *m;* Leitung *f; pendant les heures de ~* während der Geschäftszeit; *être sur le ~ (fig fam)* in Bearbeitung sein; *chef m de ~* Bürovorsteher *m; deuxième ~ (mil)* Abteilung Ic; *fournitures f pl de ~* Bürobedarf *m; frais m pl de ~* Bürokosten *pl; heures f pl de ~* Bürostunden *f pl; machines f pl de ~* Büromaschinen *f pl; meubles m pl de ~* Büromöbel *n pl; ~ ambulant* Bahnpostamt *n; ~ d'annonces* Inseratenbüro *n; ~ automatique (tele)* Wähleramt *n; ~ de bienfaisance* Wohlfahrts-, Fürsorgeamt *n; ~ des brevets* Patentamt *n; ~ du cadastre* Katasteramt *n; ~ central (tele)* Vermittlung(samt *n*) *f; ~ central de la poste militaire* Feldpostleitstelle *f; ~ de change* Wechselstube *f; ~ des chèques postaux* Postscheckamt *n; ~ comptable* Buchhaltung *f; ~ du conservateur des hypothèques* Grundbuchamt *n; ~ de construction* Baubüro *n; ~ de construction des lignes télégraphiques* Telegrafenbauamt *n; ~ du courrier* Registratur *f; ~ de dessin* Zeichenbüro *n; ~ de douane* (Grenz-)Zollamt *n; ~ d'échange* Umtauschstelle *f; ~ d'encaissement* Inkassobüro *n; ~ d'enregistrement des bagages* Gepäckabfertigung *f; ~ de l'état civil* Standesamt *n; ~ d'études* Konstruktionsbüro *n; ~ d'expédition* Versandstelle *f;* Speditionsbüro *n; ~ des finances* Finanzamt *n; ~ d'informations* Auskunftsbüro *n,* -stelle *f; ~ du livre foncier* Grundbuchamt *n; ~ de location* Tageskasse *f; ~ des messages* Nachrichtensammelstelle *f; ~*

des objets trouvés Fundbüro *n; ~ à panneaux coulissants* Rollschreibtisch *m; ~ payeur* Zahlstelle *f; ~ de la place* Ortskommandantur *f; ~ de placement* Arbeitsnachweis *m;* Stellenvermittlung *f; ~ du port* Hafenamt *n; ~ postal militaire* Feldpostamt *n; ~ de poste* Postamt, *(dans la gare)* Bahnpostamt *n; ~ de publicité* Reklamebüro *n; ~ de recherches* Suchdienst *m; ~ de réception* Annahmestelle *f; ~ de recrutement* Wehrmeldeamt *n; ~ de renseignements* Auskunftstelle, Auskunftei *f; ~ de tabac* (staatlicher) Tabakladen *m; ~ du timbre* Stempelamt *n; ~ de tourisme* Verkehrsamt *n; B~ International du Travail* Internationale(s) Arbeitsamt *n; ~ des ventes* Verkaufsbüro *n; ~ de vérification des poids et mesures* Eichamt *n; ~ de vote* Wahlausschuß *m; ~ de voyages* Reisebüro, Verkehrsamt *n;* **~crate** *m* Bürokrat; Federfuchser *m;* **~cratie** [-krasi] *f* Bürokratie *f;* **~cratique** bürokratisch.

burette [byrɛt] *f* (Essig-, Öl-)Kännchen; *rel* Meßkännchen *n; pop* Kopf *m.*

burgrave [byrgrav] *m* Burggraf; *fam* altmodische(r) Greis *m.*

burin [byrɛ̃] *m* (Grab-)Stichel, Meißel *m; fait au ~* gestochen; **~age** [-ri-] *m* Meißeln *n;* **~er** *tr* meißeln, gravieren; *itr pop* ochsen.

burlesque [byrlɛsk] *a* burlesk, possenhaft; *s m* Possenhafte(s), Burleske *n.*

burnous [byrnu(s)] *m* Burnus *m.*

bus [bys] *m* (Auto-)Bus *m.*

busard [byzar] *m orn* (Feld-)Weih *m.*

busc [bysk] *m* Fischbein *n;* Korsettstange *f.*

buse [byz] *f* **1.** *orn* (Mäuse-)Bussard; *fig fam* Dummkopf; **2.** Schacht *m,* Düse *f;* Zerstäuber *m;* Rohr; oberschlächtige(s) Mühlgerinne *n; ~ d'aérage (min)* Wetterschacht *m; ~ d'aération* Lüftungsöffnung *f; ~ d'air* Luftdüse *f; ~ d'aspiration* Saugstutzen *m; ~ d'injection* Einspritzdüse *f.*

bus|qué, e [byske] gebogen; *nez m ~* Adlernase *f;* **~quer** krümmen.

buste [byst] *m* Büste *f;* Oberkörper *m; (portrait m en ~)* Brustbild *n.*

but [by, byt] *m* Ziel; *(Fußball)* Tor *n; fig* Absicht *f,* Zweck *m; dans le ~ de* in der Absicht zu; *de ~ en blanc* geradeheraus, unüberlegt; unvorbereitet; *arriver au ~* zum Ziel gelangen; *atteindre le ~* das Ziel erreichen; *dépasser le ~* über das Ziel hinaus⸗schießen; *envoyer le ballon dans les ~s* das Leder ins Netz jagen; *en être à un ~ partout* 1 : 1 (eins zu eins) stehen; *frapper au but (fig) (in e-r S)* den springenden Punkt sehen; *gagner par trois ~s à un* 3 : 1 (drei zu eins) gewinnen; *manquer le ~* das Ziel verfehlen; vorbei⸗schießen; *marquer, réussir un ~* ein Tor schießen; *poursuivre un ~* ein Ziel, e-e Absicht verfolgen; *toucher au ~* das Ziel erreichen; *viser au ~* zielen; *~!* Treffer! *coup m au ~* Treffer *m; gardien m de ~* Torwart *m; ~ éducatif* Erziehungsziel *n; ~ fiscal* Steuerzweck *m; ~ terrestre* Erdziel *n.*

butane [bytan] *m* Butan(gas) *n.*

buté, e [byte] eigensinnig; *(Geist)* eng, beschränkt.

but|ée [byte] *f* Eckpfeiler *m;* Widerlager *n;* Druck; Anschlag; *mil* Begrenzer *m; vis f de ~* Anschlagschraube *f; ~ à billes* Kugeldrucklager *n;* **~er** *tr* (ab⸗)stützen; *fig* unterstützen; *pop* um⸗legen; *itr* stoßen (*contre qc* an e-e S); stolpern; *se ~* stoßen (*contre un mur* auf *od* an e-e Wand; *à un obstacle* auf ein Hindernis); *fig* versessen sein, beharren (*à* auf *acc*).

butin [bytɛ̃] *m* Beute; *fig* Ausbeute *f.*

butiner [bytine] *(Biene)* Honig sammeln.

butoir [bytwar] *m* Prellbock; Puffer; Radabweiser, Prellstein *m;* Stoßnadel *f.*

butor [bytɔr] *m orn* Rohrdommel *f; fig fam* Tölpel *m.*

butt|e [byt] *f* (Erd-)Hügel; *mil* Schießstand; Kugelfang; *min* Stempel; *loc* Ablaufberg *m; ~ témoin* Zeugenberg *m; être en ~ à* ausgesetzt sein *dat;* **~er** *agr* häufeln; hacken; stolpern; **~eur, ~oir** *m* Schnitzmesser *n;* Häufelpflug *m.*

buvable [byvabl] trinkbar; *fam fig* erträglich, annehmbar, möglich.

buvard [byvar] *m* Löscher *m; (papier m ~)* Löschblatt, Löschpapier *n;* Schreibunterlage *f.*

buv|etier, ère [byvtje, -ɛr] *m f* Schankwirt(in *f*) *m;* **~ette** *f* Kneipe, Schenke *f;* Erfrischungsraum *m;* Kantine; (einfache) Bahnhofswirtschaft; *(Bad)* Trinkhalle *f;* Trunk *m;* **~eur, se** *m f* Trinker(in *f*) *m;* Zecher *m;* **~oter** (häufig) nippen.

by-pass [bajpas] *m* Überströmkanal *m;* Umleitung *f.*

byzantin, e [bizɑ̃tɛ̃, -in] byzantinisch; *discussions f ~es* überflüssige, unangebrachte Unterhaltung *f.*

C

çà [sa] **1.** *adv* hier(her); ~ *et là* hier u. da; da u. dort; hierhin u. dorthin; **2.** *interj* nun! ah! auf! *ah!* ~ im Ernst! ~ *alors!* nanu! ~ *oui!* das schon!
cabal|e [kabal] *f* Kabbala; Kabbalistik; Clique; Kabale *f,* Ränke *m pl;* **~er** Ränke schmieden; **~eur, se** *m f* Ränkeschmied, Intrigant(-in *f*) *m.*
cabalistique [kabalistik] geheimnisvoll; unverständlich.
caban [kabɑ̃] *m Art* Regenmantel *m (mit Kapuze).*
caban|e [kaban] *f* Hütte *f;* (kleiner) Stall *m;* Zuchtbauer *n* od *m; (Jagd)* Laubhütte *f; fam* Haus *n,* Kajüte *f,* Zelt *n (auf Kähnen); aero* Spannturm *m; pop* Gefängnis *n;* ~ *à lapins* Kaninchenstall *m;* **~on** *m* Hüttchen *n;* Jagdhütte; Gummizelle *f; (Provence)* (kleines) Landhaus *n.*
cabaret [kabarɛ] *m* Wirtshaus *n,* Schenke *f,* Lokal *n, fam* Kneipe; Gast-, Schankwirtschaft *f;* Restaurant; Konzert-Café; Nachtlokal; (Kaffee-, Tee-, Likör-)Service *n;* Likörschrank *m;* ~ *borgne* Kaschemme *f;* anrüchige(s) Lokal *n;* **~ier, ère** [-r(ə)-] (Gast-, Schank-) Wirt(in *f*) *m.*
cabas [kabɑ(a)] *m* Binsen-, Einkaufskorb *m.*
cabernet [kabɛrnɛ] *m südwestfranz. Rebensorte f.*
cabestan [kabɛstɑ̃] *m* Spill *n;* (Schiffs-, Anker-)Winde *f.*
cabiai [kabjɛ] *m* Wasserschwein *n.*
cabillaud [kabijo] *m* Kabeljau *m.*
cabillot [kabijo] *m* Holzpflock *m.*
cabin|e [kabin] (Schiffs-, Bade-)Kabine; *mar* Kajüte, Koje *f; tech* Käfig *m; mot* Führerhaus *n;* ~ *(d'aiguillage) (loc)* Stellwerk *n;* ~ *d'ascenseur* Fahrkorb, -stuhl *m;* ~ *de conduite, de manœuvre (tech)* Führerstand *m;* ~ *étanche, pressurisée* Überdruckkabine *f;* ~ *largable (aero)* abwerfbare Einstiegklappe *f;* ~ *du mécanicien* Lokführerstand *m;* ~ *de navigation, de pilotage (aero)* Navigationsraum *m;* ~ *des passagers* Fluggastkabine *f,* -raum *m;* ~ *de projection (film)* Vorführraum *m;* ~ *de(s) signaux (loc)* Signalstellwerk *n;* ~ *spatiale* Raumkapsel *f;* ~ *téléphonique* (öffentliche) Fernsprechzelle *f;* **~et** [-ɛ] *m* (kleines) Nebenzimmer; Arbeits-, Sprech-, Studierzimmer; Kabinett *n,* Sammlung *f;* Kabinett-, Fächerschrank *m; pol* Kabinett *n;* Regierung *f; chef m de* ~ Kabinettschef *m; homme m de* ~ Stubenhocker *m; question f de* ~ *(parl)* Kabinettsfrage *f;* ~ *(d'affaires)* (Rechtsanwalts-)Praxis; Kundschaft *f;* **~s** *(d'aisances)* Abort *m,* Toilette *f,* WC *n;* ~ *de consultation* Sprechzimmer *n;* ~ *de débarras* Abstellraum *m;* ~ *fantôme (pol)* Schattenkabinett *n;* ~ *de groupe* Gruppenpraxis *f;* ~ *de lecture (payant)* Leihbücherei *f;* ~ *particulier* Klub-, Vereins-, Nebenzimmer *n;* ~ *de physique* physikalische Sammlung *f;* ~ *de toilette* Waschraum *m;* Ankleidezimmer *n;* ~ *de travail* Arbeits-, Studier-, Herrenzimmer *n.*
câbl|age [kɑ(a)blaʒ] *m* Verkabelung, Verdrahtung; Leitungsführung *f; (Textil)* Verkorden *n;* **~e** [kɑ(a)bl] *m* Tau, dicke(s) Seil *n;* Trosse *f;* Kabel *n;* Leine *f; el* Draht *m,* Leitung *f; dérouler, poser un* ~ ein Kabel legen; *bobine f à* ~, *touret m de* ~ Kabeltrommel *f; chaîne-*~ *f* Kabel-, Ankerkette *f; chute f de* ~ Kabelschacht *m; cosse f de* ~ Kabelschuh *m; rapport m par* ~ Kabelbericht *m; tresse f de* ~ Kabellitze *f; treuil m à* ~ Seil-, Kabelwinde *f;* ~ *aérien* Luftkabel *n;* ~ *aérien de transport* Seilförderbahn *f;* ~ *alimentaire* Zuleitungs-, Speisekabel *n;* ~ *d'allumage* Zünd(kerzen)kabel *n;* ~ *d'amarrage, de retenue* Halteleine *f;* ~ *d'amenée, d'arrivée* Zuleitungskabel *n;* ~ *d'ancre* Ankertau *n;* ~ *antenne* Antennenlitze *f;* ~ *blindé* entstörte(s) Kabel, Panzerkabel *n;* ~ *de chanvre* Hanfseil *n;* ~ *de commande* Steuerseil *n;* ~ *à deux conducteurs* zweiad(e)rige(s) Kabel *n;* ~ *d'éclairage* Lichtleitung *f;* ~ *d'extraction* Förderseil *n;* ~ *de frein* Bremsseil *n;* ~ *de halage (mar)* Haltetau; *tech* Zugseil *n;* ~ *de haute mer* Tiefseekabel *n;* ~ *interurbain* Fernleitungskabel *n;* ~ *métallique* od *en acier* Drahtseil *n;* ~ *de raccordement* Anschlußkabel *n;* ~ *de remorque* Abschleppseil *n;* ~ *sous-marin* (Über-) Seekabel *n;* ~ *souterrain* Erdkabel *n;* ~ *téléphonique* Fernsprechkabel *n,* -leitung *f;* ~ *tendeur* Fang-, Spannka-

bel *n; ~ à haute tension* Hochspannungskabel *n; ~ tracteur* Zugseil *n; ~ de transmission* Treibseil *n;* **~é** *m* (dicke) Schnur *f; ~ coton* Baumwollzwirn *m;* **~er** verkabeln; verkorden; kabeln, drahten; **~erie** *f* Kabelwerk *n;* **~euse** *f* Verseilmaschine *f;* **~ier** [-blije] *m* Kabeldampfer *m.*

câblo|distribution [kablɔdistribysjɔ̃] *f* Kabelfernsehen *n;* **~gramme** *m* Kabeltelegramm *n.*

câboch|ard, e [kabɔʃar, -rd] *a fam* quer-, dickköpfig; halsstarrig; *s m f* Quer-, Dickkopf *m;* **~e** *f* (Schuh-)Nagel *m; fam* Birne *f,* Kopf *m; fig* Köpfchen *n,* Verstand *m;* **~on** *m* Tapezier-, Ziernagel; mug(e)lige(r) (Edel-)Stein *m.*

caboss|e [kabɔs] *f* Kakaoschote *f; fam* Beule *f,* blaue(r) Fleck *m;* **~er** verbeulen.

cabot [kabo] *m* **1.** *s. chabot;* **2.** *fam* schlechte(r) Schauspieler; *arg* Hund; *arg mil* Gefreite(r) *m;* **~age** [-ɔt-] *m* Küstenschiffahrt *f;* **~er** die Küste befahren; **~eur, ier** *m* Küstenfahrer *m (Mann, Schiff).*

cabotin, e [kabɔtɛ̃, -in] *m f* Schmierenkomödiant(in *f*); *fig* (Schau-)Spieler, Komödiant *m;* **~inage** *m fam* Komödiantentum *n; fig* Schauspielerei; Verstellung; Angeberei *f;* **~iner** *fam* schauspielern.

caboulot [kabulo] *m pop* Winkelkneipe *f.*

cabr|é, e [kabre] *a (Pferd)* hoch aufgebäumt, aufgerichtet; *aero* überzogen; *fig* angriffslustig; argwöhnisch; *s m* Steigflug *m;* **~er** *aero* über=ziehen; auf=richten; *fig* kopfscheu machen (*qn* jdn); *se ~ (Pferd)* sich bäumen; *fig* sich auf=bäumen, sich auf die Hinterbeine stellen; sich sträuben (*contre* gegen); in Harnisch geraten, heftig werden.

cabri [kabri] *m* Zicklein *n; saut(ill)er comme un ~* herum=tollen.

cabr|iole [kabrijɔl] *f* Luftsprung; *com* Zs.-bruch, Krach *m; fig* scherzhafte Ausflucht; plötzliche Meinungsänderung *f; faire la ~ (fig)* sich an=passen; **~ioler** Luftsprünge machen.

cabriolet [kabrijɔlɛ] *m* Kabriolett *n a. mot;* Handschelle *f;* (Schuh-)Leisten; *Art* kleine(r) Sessel *m.*

cabus [kaby] : *chou m ~* Kopfkohl *m.*

caca [kaka] *m (Kindersprache u. fig)* Kacke *f; faire ~* kacken.

cacahouète, cacahouette [kakawɛt] *f* Erdnuß *f.*

caca|o [kakao] *m* Kakao(bohne *f*) *m; ~ en poudre* Kakaopulver *n;* **~oyer, ~otier** [-ɔje, -ɔtje] *m* Kakaobaum *m;* **~oyère, ~otière** *f* Kakaopflanzung *f.*

cacarder [kakarde] *(Gans)* schnattern.

caca|toès [kakatɔɛs] , **~tois** *m orn* Kakadu *m.*

cachalot [kaʃalo] *m zoo* Pottwal *m.*

cach|e [kaʃ] *f* Versteck *n,* Schlupfwinkel *m; m phot* Kopiermaske *f; ~-cache m inv* Versteckspiel *n; jouer à ~-cache* Versteck (-en) spielen; *~-col m inv* Halstuch *n,* Schal *m; ~-corset m inv* Untertaille *f; ~-cou m inv* Halstuch *n,* Schal *m; ~-entrée m inv* Schlüssellochdeckel *m; ~-flammes m inv* Mündungsfeuerdämpfer *m; ~-misère m inv* Mantel *m* von guter Qualität, der e-e erbärmliche Kleidung verdeckt; *~-museau m inv Art* Gebäck *n; ~-nez m inv* Halstuch *n,* Schal *m; ~-oreilles m* Ohrenschützer *m; ~-pot m inv* Blumentopfmanschette *f;* Übertopf *m; ~-poussière m inv* Staubmantel *m; ~-radiateur m inv* Heizkörperverkleidung *f; ~-sexe m* Schlüpfer *m,* knappes Höschen *n; ~-tampon, ~-mouchoir m inv* Suchen *n* e-s versteckten Gegenstandes *(Kinderspiel);* **~é, e** unsichtbar; verborgen; geheim; *esprit m ~* Duckmäuser *m.*

cachectique [kaʃɛktik] von Kräfteverfall betroffen.

cachemire [kaʃmir] *m* Kaschmir(schal) *m; fam* Geschirrtuch *n.*

cacher [kaʃe] verstecken, verbergen, ver-, zu=decken; *fig* verheimlichen; geheim=halten, verschweigen; *(Affäre)* vertuschen; *(Geheimnis)* hüten; bergen; *se ~ de qn* jdm etw verheimlichen; *ne pas se ~ de qc* kein Hehl aus etw machen; *~ son jeu (fig)* mit verdeckten Karten spielen; *veux-tu te ~!* schämst du dich nicht!

cachet [kaʃɛ] *m* (Privat-)Siegel; Petschaft *n;* Stempel *m;* Abonnementkarte *f;* Preis *m, (Unterrichtsstunde)* Honorar *n; theat* (einmalige) Gage; *pharm* Oblate(nkapsel); Tablette *f; fig* Stempel *m,* Gepräge *n;* Ausdruck; Charakter *m; (~ à part)* besondere Note *f; appliquer, apposer, mettre un ~* versiegeln (*sur qc* etw); mit e-m (Dienst-)Stempel versehen; *courir le ~ (fam)* möglichst viele Privatstunden geben; *bague f à ~* Siegelring *m; ~ d'aspirine* Aspirintablette *f; ~ de caoutchouc* Gummistempel *m; ~ de contrôle* Kontrollstempel *m; ~ de la maison* Schutzmarke *f; ~ officiel* Dienstsiegel *n; ~ de la poste* Poststempel *m.*

cacheter [kaʃte] (ver)siegeln; *cire f à ~* Siegellack *m.*
cachette [kaʃɛt] *f* (kleines) Versteck *n; en ~* heimlich.
cachexie [kaʃɛksi] *f med* Kräfteverfall *m.*
cachot [kaʃo] *m* Kerker; Karzer; strenge(r) Arrest *m;* Gefängnis *n.*
cachot|terie [kaʃɔtri] *f* Heimlichtuerei *f;* **~tier, ère** *m f* Heimlichtuer, Geheimniskrämer *m.*
cachou [kaʃu] tabakbraun.
cacique [kasik] *m* schlaue(r) Fuchs; alte(r) (Partei-)Führer; *arg* Primus *m* beim Concours der École Normale Supérieure.
caco|chyme [kakɔʃim] *a med* schwächlich; *fig* launisch, schrullenhaft; *s m f* Schwächling; launische(r) Mensch *m;* **~graphie** *f* fehlerhafte Rechtschreibung *f;* schlechte(r) Stil *m;* **~logie** *f* Fehler *m* im Ausdruck, in der (Satz-)Konstruktion; **~phonie** *f* Mißklang *m.*
cact|(ac)ées [kakt(as)e] *f pl* Kakteen *f pl;* **~us** [-tys] , **~ier** [-tje] *m* Kaktus *m;* Opuntie *f.*
cadastr|al, e [kadastral] *a* Kataster-, Grundbuch-; **~e** *m* Kataster, Grundbuch *n; ~ des impôts* Steuerregister *n; ~ parcellaire* Liegenschaftskataster *n;* **~er** ins Grundbuch ein=tragen.
cadav|éreux, se [kadaverø, -øz] leichenblaß, -haft; Leichen-; **~érique** *a* Leichen-; **~re** *m* Leiche *f,* Leichnam; Kadaver *m,* Aas *n; sentir le ~ (fig)* den Braten riechen.
caddie [kadi] *m* Golfjunge.
caddy [kadi] *m (pl caddies)* Einkaufswagen *m.*
cadeau [kado] *m* (kleines) Geschenk *n; envoyer une babiole en ~* e-e Kleinigkeit als Geschenk schicken; *faire ~ de qc à qn* jdm etw schenken; *~ de fin d'année, de noce, de Noël, publicitaire* Neujahrs-, Hochzeits-, Weihnachts-, Reklamegeschenk *n.*
cadenas [kadna] *m* Vorhängeschloß *n;* (Halsband-)Schließe *f; mettre un ~ aux lèvres de qn* jdn zum Schweigen bringen; **~ser** [-se] mit e-m Vorhängeschloß verschließen.
cadenc|e [kadɑ̃s] *f* Rhythmus, Takt *m;* Kadenz *f,* Tonfall; Ruhepunkt; Gleichschritt *m; tech* Tempo *n,* Leistung, Produktion *f; marquer, perdre la ~* den Takt schlagen; aus dem T. kommen; *sans ~!* ohne Tritt! *~ journalière* Tagesleistung *f; ~ rapide* Schnellfeuer *n; ~ de route* Marschtempo *n; ~ de tir* Schußfolge, Feuergeschwindigkeit *f;* **~é, e** rhythmisch; *(au) pas m ~* (im) Gleichschritt *m;* **~er** *fig* rhythmisch gliedern; *(~ son pas)* Schritt, Tritt halten.
cadet, te [kadɛ, -ɛt] *a* jünger, jüngste *(von Geschwistern); s m f* jüngere(r) Sohn *m,* jüngere Tochter; Jüngste(r *m*); Dienstjüngere(r *m*) *f;* Golfjunge *m; (fier ~)* Draufgänger; *mil* Kadett; *sport* Neuling *m; branche f ~te* jüngere Linie *(e-r Dynastie); il est mon ~ de ...* er ist ... jünger als ich; *c'est le ~ de mes soucis (fam)* das ist meine geringste Sorge.
cadmium [kadmjɔm] *m chem* Kadmium *n.*
cadr|age [kɑ(a)draʒ] *m* (Bild-)Format *n;* Umrahmung; *tele phot* Bildeinstellung *f; ~ cartographique* Kartierung *f;* **~an** [ka-] *m* Zifferblatt *n;* Skalenscheibe; *radio* Skala *f; mar* Quadrant; *(alter Baum)* Kernriß *m; faire le tour du ~ (fig fam)* 12 Stunden schlafen; an den Ausgangspunkt zurück=kehren; *~ d'accord* Abstimmskala *f; ~ (d'appel) (tele)* Nummernscheibe *f; ~ de boussole* Kompaßrose *f; ~ lumineux* Leuchtzifferblatt *n; ~ solaire* Sonnenuhr *f.*
cadre [kadr] *m* (Bilder-, Fenster-, Tür-, Fahrrad-)Rahmen *m;* (Ein-)Fassung *f;* Gestell *n; radio* Rahmenantenne *f; tech* Spant(ring); *mil* Kader, Stamm(personal *n*); *mil* Verband *m; mar* Koje *f; (Verwaltung, Unternehmen)* Vorgesetzte, leitende Männer *m pl;* (Führungs-)Stab; Stellenplan; *fig* Rahmen *m;* Anlage *f;* Plan, Entwurf *m;* Bereich *m* (od *n*); Kreis *m; pl mil* Etatstärke *f; dans le ~ de qc* im Rahmen *gen; hors ~* außerplanmäßig, überzählig; *être rayé des ~s* entlassen werden; *sortir du ~ de ses fonctions* seine Befugnisse überschreiten; *loi f sur les ~s et effectifs* Wehrgesetz *n; loi-~ f* Rahmengesetz *n; ~ à broderie* Stickrahmen *m; ~ à fond mobile* Wechselrahmen *m; ~ à gonio* Peilrahmen *m; ~ moyen* mittlere(r) Angestellte(r) *m; ~ noir (faire-part de décès)* Trauerrand *m; ~ orienté* Richtantenne *f; ~ du radiateur (mot)* Kühlergehäuse *n; ~ rectangulaire (el)* Kreuzspule *f; ~ de séchage* Trokkengestell *n; ~ de serrage* Spannrahmen *m; ~ supérieur* leitende(r) Angestellte(r) *m;* **~er** überein=stimmen (*avec* mit), passen (*avec* zu); *faire ~* in Übereinstimmung bringen, passend machen; *com* frisieren.
caduc, uque [kadyk] gebrechlich, schwach; *fig* vergänglich; unmodern, überholt; *bot zoo* abfallend, *jur* ungültig, nichtig; verfallen, verjährt; *arbre*

m à feuilles caduques Laubbaum *m;* **~ité** *f* Gebrechlichkeit; *fig* Hinfälligkeit, Vergänglichkeit; *jur* Nichtigkeit, Ungültigkeit *f.*

cæc|al, e [sekal] *a* Blinddarm-; *appendice m* ~ Wurmfortsatz *m;* **~um** [-ɔm] *m* Blinddarm *m.*

cafard, e [kafar, -ard] **1.** *s m f* Heuchler(-in *f*), Frömmler(in *f*); *fam (Schule)* Petzer *m; a* heuchlerisch, scheinheilig; **2.** *m zoo* Küchenschabe *f;* **3.** *m fam* traurige Gedanken *m pl;* Weltschmerz *m;* Kater *m;* trübe Stimmung *f; a* traurig; *j'ai le* ~ ich habe den Moralischen; ~er *itr fam (Schule)* an=geben, petzen; den Moralischen haben, *fam* Trübsal blasen; **~eux, se** down, trübsinnig; *être d'humeur ~se* den Moralischen haben.

café [kafe] *s m* Kaffee *m;* Café, Kaffeehaus *n;* Gaststätte *f; a* kaffeebraun; *brûler, griller, torréfier du* ~ K. rösten; *faire du* ~ K. machen; *inviter qn à prendre le* ~ jdn zum Kaffee ein=laden; *moudre le* ~ den K. mahlen; *prendre, boire du* ~ K. trinken; *cuiller f, service m, tasse f à* ~ Kaffeelöffel *m,* -service *n,* -tasse *f; garçon m de* ~ Kellner *m; grain m de* ~ Kaffeebohne *f; marc m de* ~ Kaffeesatz *m; plantation f de* ~ Kaffeeplantage, -pflanzung *f; tasse f de* ~ Tasse *f* K.; *~-brasserie m* Gastwirtschaft *f; ~-chantant, ~-concert m* Kabarett *n;* Tingeltangel *m* od *n;* ~ *complet* Kaffeegedeck *n;* ~ *décaféiné* koffeinfreie(r) K.; ~ *filtre* Filterkaffee *m;* ~ *glacé* Eiskaffee *m;* ~ *au lait,* ~ *crème* Milchkaffee *m,* Melange *f;* ~ *au malt* Malzkaffee *m;* ~ *moulu* Filterkaffee *m;* ~ *noir, nature* schwarze(r) K.; ~ *en poudre* gemahlene(r) K.; *~-restaurant m* Restaurant u. Café *n;* ~ *soluble* Pulverkaffee *m;* ~ *-théatre* Kabarett *n; c'est un peu fort de* ~ *(pop)* das ist starker Tabak, ein starkes Stück, dick aufgetragen; **~ier** [-feje] *m* Kaffeestrauch; -pflanzer *m;* **~ière** *f* Kaffeeplantage, -pflanzung *f;* **~ine** [-fein] *f* Koffein *n;* **~iné, e** koffeinhaltig.

caf(e)tan [kaftɑ̃] *m* Kaftan *m.*

cafe|teria, cafétéria [kafeterja] *f* Cafeteria *f;* **~tier, ère** [kaftje, -ɛr] *m f* Inhaber(in *f*) *m* e-s Cafés; Schankwirt(in *f*) *m; f* Kaffeekanne *f; pop* Kopf *m; ~ère automatique* Kaffeemaschine *f.*

cafouiller [kafuje] *fam* sich verheddern; schlecht funktionieren; *mot fam* kotzen.

Cafre [kafr] *m* Kaffer *m.*

cag|e [kaʒ] *f* Käfig *m,* Bauer *n* od *m;* (Uhr-)Kasten *m; arch* Außenmauern *f pl; tech* Gehäuse; Gerüst; Gitter *n; fam* Kasten *m (Gefängnis, Schule etc);* (Pförtner-)Loge *f; pop* Kabuff *n; fig* Bande *n pl;* ~ *d'ascenseur* Aufzugschacht *m;* ~ *d'escalier* Treppenhaus *n;* ~ *d'extraction (min)* Förderkorb *m;* ~ *à lapins* Kaninchenstall *m;* ~ *thoracique (anat)* Brustkorb *m;* ~ *vitrée* Glaskasten *m;* **~eot** [-o] *m* Gitterkasten, -korb *m;* Lattenkiste *f.*

cagibi [kaʒibi] *m fam* kleine(s) Zimmer, Kabuff *n;* (Pförtner-)Loge *f.*

cagneux, se [kaɲø, øz] X-beinig; *jambes f pl ~euses* X-Beine *n pl.*

cagnotte [kaɲɔt] *f* (Spiel-)Kasse *f;* Sparschwein *n.*

cagot, e [kago, -ɔt] *a* scheinheilig; *s m f* Frömmler, Mucker *m;* **~erie** *f* Frömmelei *f;* **~isme** *m* Scheinheiligkeit *f.*

cagoule [kagul] *f Art* (Mönchs-)Kutte; *(am Hals geschlossene)* Kapuze *f.*

cahier [kaje] *m* (Schreib-)Heft; Verzeichnis *n; typ* Lage *f* Papier; Bogen(-satz); Faszikel *m; hist* Denkschrift *f;* ~ *de brouillon, de devoirs, d'écolier* Konzept-, Übungs-, Schulheft *n;* ~ *des charges* Submissions-, Lieferungsbedingungen *f pl,* Lastenheft *n.*

cahin-caha [kaɛ̃kaa] *adv fam* holpernd, hinkend, humpelnd; so lala; zur Not.

cah|ot [kao] *m* Stoß, Ruck *m (e-s Wagens); (Weg)* Unebenheit *f; fig* Hindernis *n,* Schwierigkeit *f;* **~age, ~ement** [-ɔt-] *m* Rütteln, Stoßen *n;* **~ant, e; ~eux, se** holp(e)rig; **~er** *tr* stoßen, rütteln; *fig* hin u. her werfen; *itr* rumpeln.

cahute [kayt] *f* (elende) Hütte *f.*

caïd [kaid] *m* Chef *m,* einflußreiche Person *f; pop* (Banden-)Führer, schwere(r) Junge *m.*

caïeu [kajø] *m* Zwiebelbrut, Brutzwiebel *f.*

caillasse [kajas] *f geol* Kieselgur *f;* Schotter *m.*

caille [kaj] *f orn* Wachtel *f; fam* Schätzchen *n.*

caillé [kaje] *m* dicke Milch, Sauermilch *f;* Kasein *n.*

caille|botis [kajbɔti] *m* durchbrochene, gitterartige Füllung *f,* Lattenrost *m;* **~botte** *f* Quark *m;* **~botté, e** käsig.

caille-lait [kajlɛ] *m inv* Labkraut *n.*

caill|er [kaje] gerinnen machen; *se* ~ gerinnen; *ça caille!* es ist eiskalt!

caill|eter [kajte] *vx* schnattern, schwatzen; **~ette** *s f* **1.** *zoo* Labmagen *m;* **2.**

Klatsche, Schwatzbase *f; a* schwatzhaft; **~ot** [-jo] *m* (Blut-)Klümpchen *n.*

caillou [kaju] *m* Kiesel(stein); (kleiner) Stein *m a. fig; pl* Splitt *m; pop* Birne *f,* Kopf *m; pl fam* Edelsteine, Diamanten *m pl; n'avoir plus de mousse sur le ~ (pop)* e-e Glatze haben; *~ du Rhin* Rheinkiesel *m; ~x roulés* grobe(r) Kies *m;* Geröll *n;* **~tage** *m* Beschotterung *f;* Schotter *m; Art* Fayence *f;* **~ter** beschottern; **~teux, se** steinig; **~tis** [-i] *m* Schotter *m; geol* Geröll *n.*

caïman [kaimɑ̃] *m zoo* Kaiman, Alligator *m.*

Caire, le [kɛr] Kairo *n.*

cairn [kɛrn] *m* (keltisches) Hügelgrab *n;* (aufgeschichteter) Steinkegel *m.*

caiss|e [kɛs] *f* Kiste *f,* Kasten *m;* Kasse; Zahlstelle; *mot* Karosserie; (Wagen-)Pritsche *f; (Uhr)* Gehäuse *n; (Küche)* Papierform; *mus* Trommel *f;* Körper *(der Streichinstrumente); agr* Kübel; *pop* Magen *m,* Brust *f; arg mil* Kasten, Bau *m; battre la (grosse) ~ (fig)* die Werbetrommel rühren; *clouer une ~* e-e Kiste zu=nageln; *faire l'état de la ~* Kasse(nsturz) machen; *partir avec la ~* mit der Kasse durch=gehen, -brennen; *tenir la ~* die Kasse führen; *avance f de ~* Kassenvorschuß *m; balance f de ~* Kassenbilanz *f,* -abschluß *m; bon m de ~* Kassenanweisung *f; bordereau m de ~* Kassenzettel *m; compte m de ~* Kassenkonto *n; fonds m pl de ~, montant m en ~* Kassenbestand *m; déficit m, tare f de ~* Kassenfehlbetrag *m; entrée f de ~* Kasseneingang *m; escompte m de ~* Kassenrabatt *m; espèces f pl en ~* Barbestand *m; große ~* Pauke *f; livre m de ~* Kassenbuch *n; livret m de ~ d'épargne* Sparkassenbuch *n; pièce f de ~* Kassenbeleg *m; vérification f de ~* Kassenprüfung *f; ~ d'amortissement* Schuldentilgungskasse *f; ~ d'assurance-maladie* Krankenkasse *f; ~ à claire-voie* Lattenkiste *f; ~ communale* Gemeinde-, Stadtkasse *f; ~ des contributions* Steuerkasse *f; ~ de dépôts* Depositenkasse *f; ~ à eau (mar)* Wassertank *m; ~ enregistreuse* Registrierkasse *f; ~ d'épargne* Sparkasse *f; ~ d'escompte* Wechselbank *f; ~ à fleurs* Blumenkasten *m; ~ à huile* Öltank *m; ~ de livres* Bücherkiste *f; ~ (locale) de maladie* (Orts-)Krankenkasse *f; ~ de maladie de l'entreprise* Betriebskrankenkasse *f; ~ à médicaments* Arzneikasten *m; ~ à munitions* Munitionskiste *f; ~ noire* Geheimfonds *m; ~ à outils* Werkzeugkasten *m; ~ de prêts* Darleh(e)nskasse *f; ~ publique, d'État* Staatskasse *f; ~ de(s) retraite(s)* Pensionskasse *f; ~ à sable (mil)* Sandkasten *m; ~ à savon* Seifenkiste *f; ~ du service de paie* Besoldungskasse *f; ~ du tympan (anat)* Paukenhöhle *f;* **~ier, ère** *m f* Kassierer(in *f*); Kassenbeamter, -verwalter *m;* **~on** *m* Kastenwagen; Wagen-, Sitzkasten *m; mar* Kastenbank *f; arch* Fach *n,* Füllung; *(Decke)* Kassette *f; tech* Senkkasten; *mil (~ de munitions)* Munitionswagen; *pop* Kopf *m; se faire sauter le ~* sich e-e Kugel durch den Kopf jagen; *~ d'altitude* Unterdruckkammer *f; ~ de torsion* Torsionsnase *f; ~ de vivres (mil)* Verpflegungswagen *m.*

cajol|er [kaʒɔle] liebkosen, hätscheln; schmeicheln (*qn* jdm), umschmeicheln (*qn* jdn); **~erie** *f* Liebkosung, Schmeichelei *f;* **~eur, se** *a* anschmiegsam; schmeichlerisch; *s m f* Schmeichler *m,* Schmeichelkatze *f.*

cake [kɛk] *m* englische(r) Teekuchen *m.*

cal [kal] *m* Schwiele; Knochennarbe *f.*

calage [kalaʒ] *m tech* Einstellung; Schränkung; Verkeilung; Sperrung; *vis f de ~* Einstellschraube *f; ~ de l'allumage* Zündeinstellung *f.*

calam|ine [kalamin] *f min* Galmei *m; tech* Ölkohle *f;* Verbrennungsrückstände *m pl; enlever la ~ d'une bougie de moteur* e-e verrußte Zündkerze reinigen; **~iné, e** *mot* verrußt.

calamistrer [kalamistre] *(die Haare)* kräuseln.

calamite [kalamit] *f* Kalamit, Riesenschachtelhalm *m.*

calam|ité [kalamite] *f* allgemeine(s) Unglück; Elend *n;* (große) Not; Notlage *f,* -stand *m;* Mißgeschick *n;* **~iteux, se** unheilvoll; elend; traurig.

calandr|age [kalɑ̃draʒ] *m (Textil)* Kalandern; *(Papier)* Glätten *n;* **~e** *f* **1.** Kalanderlerche *f;* **2.** Kornwurm *m;* **3.** (Wäsche-)Rolle, Mange(l) *f;* Kalander *m; mot* Kühlerhaube *f; ~ à catir* Glanzpresse *f; ~ à linge* Wäschemange(l) *f; ~ satineuse* Satiniermaschine *f;* **~er** rollen, mangeln; kalandern; satinieren.

calanque [kalɑ̃k] *f* kleine Bucht *f (am Mittelmeer).*

calcaire [kalkɛr] *a* kalkhaltig; *s m* Kalk(stein) *m; ~ conchylien, coquillier* Muschelkalk *m; ~ lithographique* Lithographenschiefer *m; ~ marneux* Kalkmergel *m.*

calcanéum [kalkaneɔm] *m anat* Fersenbein *n.*

calcarifère [kalkarifɛr] kalkhaltig.

calcédoine [kalsedwan] *f min* Chalzedon *m.*
calcéolaire [kalseɔlɛr] *f* Pantoffelblume *f.*
calc|ification [kalsifikasjɔ̃] *f med* Verkalkung *f;* **~in** *m tech* Glasstaub; Kesselstein *m.*
calci|nation [kalsinasjɔ̃] *f* Brennen, Glühen *n,* Kalzinierung *f;* **~ner** (Kalk) brennen, kalzinieren; *tech* rösten, (aus=)glühen; *(Braten)* verbrennen; *fig* aus=dörren.
cal|cite [kalsit] *f min* Kalkspat *m;* **~cium** [-sjɔm] *m chem* Kalzium *n.*
calcul [kalkyl] *m* **1.** Rechnen *n;* (Be-, Aus-, Er-)Rechnung *f;* Arithmetik *f; fig* Plan *m,* Erwartung, Berechnung; *com* Kalkulation *f;* **2.** *med* (Gallen-, Nieren-)Stein; Grieß *m; déterminer par le* ~ errechnen; *effectuer, faire des ~s* Berechnungen an=stellen; *faire une erreur de* ~ e-n Rechenfehler machen; *faire la preuve de la justesse d'un* ~ die Probe machen; *faire à qn le ~ de qc* jdm etw vor=rechnen; *se tromper dans ses ~s (fig)* sich verrechnen; die Rechnung ohne den Wirt machen; *base f de ~ (com)* Kalkulationsbasis *f; erreur f de* ~ Rechenfehler *m; règle f à* ~ Rechenschieber *m;* ~ *approché, approximatif* Überschlagsrechnung *f;* ~ *des bénéfices* Gewinnermittlung *f;* ~ *biliaire* Gallenstein *m;* ~ *différentiel, fonctionnel, infinitésimal, intégral, logarithmique, matriciel, tensoriel, vectoriel* Differential-, Funktionen-, Infinitesimal-, Integral-, Logarithmen-, Matrizen-, Tensoren-, Vektorenrechnung *f;* ~ *des frais* Kostenberechnung *f;* ~ *de l'impôt* Steuerermittlung *f;* ~ *des intérêts* Zins(be-)rechnung *f;* ~ *mental* Kopfrechnen *n;* ~ *de la moyenne (Statistik)* Mittelung *f;* ~ *du prix de revient* Selbstkostenberechnung *f;* ~ *des probabilités* Wahrscheinlichkeitsrechnung *f;* ~ *de rentabilité* Rentabilitätsberechnung *f;* ~ *rénal* Nierenstein *m;* ~ *de résistance* Festigkeitsberechnung *f;* ~ *vésical* Blasenstein *m;* **~able** berechenbar; **~ateur, trice** *a* (be)rechnend; *s m f* Rechner(in *f*); Kalkulator; vorausschauende(r), berechnende(r) Mensch *m;* Rechenmaschine *f;* ~*trice électronique* elektronische Rechenmaschine *f;* ~ *numérique* Digitalrechner *m;* ~*trice de poche* Taschenrechner *m;* **~er** (aus=, be-, er-) rechnen; (aus=)kalkulieren; *fig* erwägen, prüfen, überlegen; ~ *de tête, mentalement* im Kopf rechnen; *machine f à* ~ Rechenmaschine *f;* **~ette** *f* Taschenrechner *m;* **~eux, se** *a* Nieren-, Blasenstein-; an Nieren-, Blasensteinen leidend; *s m f* an Nieren-, Blasensteinen Leidende(r *m*) *f.*
cal|e [kal] *f* **1.** Keil, Span *m;* Unterlage *f; (~ de roue)* Bremsklotz, -schuh *m; tech* Blecheinlage *f;* **2.** Schiffs-, Kiel-, Laderaum *m;* (Lade-)Rampe *f;* Helling *f* od *m,* Stapel *m,* Dock *n; être à fond de ~ (fig)* mittellos, in Not sein; *mettre sur ~s (mot)* auf=bocken; *mise f sur* ~ Kiellegung *f;* ~ *d'ajustage (tech)* Paßstück *n;* ~ *à bagages (aero)* Gepäckraum *m;* ~ *de chargement* Verladerampe *f;* ~ *de construction* Helling *f* od *m;* ~*-pied m (Fahrrad)* Fußhaken *m;* ~ *sèche* Trockendock *n;* **~é, e** befestigt; verkeilt; *(fig pop) être* ~ was los haben; beschlagen sein (*en* in *dat*); fein 'raus sein; schwierig sein.
cale|basse [kalbas] *f bot* Kalebasse *f,* Flaschenkürbis *m;* Kürbisflasche *f; pop* Kopf *m,* Birne *f;* Hängebusen *m* **~bassier** *m* Kalebassenbaum *m.*
calèche [kalɛʃ] *f* Kalesche *f.*
caleçon [kalsɔ̃] *m* Unterhose *f;* ~ *de bain* Badehose *f.*
caléfaction [kalefaksjɔ̃] *f phys* Erwärmung, Erhitzung *f.*
calembour [kalɑ̃bur] *m* Wortspiel *n;* Kalauer *m.*
calembredaine [kalɑ̃brədɛn] *f* dumme Reden *f pl;* dumme(r) Streich *m.*
calen|des [kalɑ̃d] *f pl: renvoyer aux ~ grecques* auf den Nimmerleinstag verschieben; **~drier** *m* Kalender; Terminplan *m;* ~*-bloc,* ~ *à effeuiller, éphéméride* Abreißkalender *m;* ~ *mural* Wandkalender *m;* ~ *perpétuel* immerwährende(r) K.; ~ *de poche* Taschenkalender *m.*
calepin [kalpɛ̃] *m* Notizbuch *n;* Werkzeichnung *f.*
caler [kale] **1.** *tr* unterlegen; an=lehnen (*contre* an *acc*); fest auf=legen (*sur* auf *acc*); *tech* verkeilen, verriegeln; verklemmen, blockieren; versetzen; bremsen; ein=stellen; auf=pressen; *mot* ab=würgen; *(Kügelchen)* schnellen; *itr mot* stehen=bleiben; sich fest=laufen; *fam* auf=geben; zurück=weichen (*devant* vor *dat*); **2.** *tr (Segel, Mast)* herunter=lassen; *(Netz)* ins Wasser tauchen; *itr (Schiff)* Tiefgang haben; *se* ~ auf=legen; *mot* stehen=bleiben; *se ~ les joues, se les ~ (fig pop)* tüchtig essen; *se ~, ~ la voile (fig fam)* gelindere Saiten auf=ziehen; klein bei=geben.
cal(e)ter [kalte] *arg* ab=hauen, türmen, stiften gehen.
calf|at [kalfa] *m* Kalfaterer *m; fer m*

de ~ Abdichteisen *n;* ~**ater** ab≈dichten; kalfatern.

calfeutrer [kaføtre] *(Fenster-, Türritzen)* ver-, zu≈stopfen; *allg* stopfen; *se* ~ *(chez soi)* in der Stube, am Ofen hocken.

calibr|age [kalibraʒ] *m* Feineinstellung; Eichung; *min* Klassierung *f;* ~**e** *m* Durchmesser *m;* (lichte) Weite *f; mil tech* Kaliber *n;* Bohrung; *tech* (Schub-) Lehre; Stärke; Größe; Schablone *f;* Taster *m; fig fam* Format, Kaliber *n,* Schlag *m,* ~ *pour diamètres (tech)* Lochlehre *f;* ~ *pour fils de fer, mâchoire, de tolérance, à vis* Draht-, Rachen-, Grenz-, Schraubenlehre *f;* ~**er** kalibrieren, eichen, richten; *min* klassieren; *(Früchte)* klassifizieren; ~**eur** *m* (Meß-)Kaliber *n;* ~ *d'air* Luftdüse *f;* ~**euse** *f phot* Schneidemaschine *f.*

calice [kalis] *m* (Blumen-, Abendmahls-)Kelch; *fig* Kelch *m (des Leidens); boire le* ~ *jusqu'à la lie* den Kelch bis zur Neige leeren.

calicot [kaliko] *m* Kaliko, Kattun.

calicule [kalikyl] *m* Blütenhülle *f.*

calif|at [kalifa] *m* Kalifat *n;* ~**e** *m* Kalif *m.*

califourchon [kalifurʃɔ̃] *m: à* ~ rittlings.

câlin, e [kalɛ̃, -in] *a* schmeichelnd, schmusend; *s m f* Schmeichler, Schmuser *m,* Schmeichelkatze *f;* ~**er** liebkosen, hätscheln; ~**erie** *f* Schmeichelei, Schmuserei *f.*

calisson [kalisɔ̃] *m* Marzipanschnittchen *n.*

calleux, se [kalø, -øz] schwielig; *fig* verhärtet, unempfindlich; *corps m* ~ *(anat)* Balken *m.*

calli|graphe [kaligraf] *m* Schönschreiber *m;* ~**graphie** *f* Kalligraphie, Schönschreibkunst *f;* ~**graphie** schön≈schreiben; ~**graphique** kalligraphisch.

callosité [kalozite] *f* Schwiele, Hornhaut; Verhärtung *f a. fig.*

calmant, e [kalmɑ̃, -ɑ̃t] *a* beruhigend; schmerzstillend; *s m* Beruhigungs-, schmerzstillende(s) Mittel *n.*

calmar [kalmar] *m* Kalmar *m (eßbarer Tintenfisch).*

calm|e [kalm] *a* ruhig, still; windstill; *s m* Ruhe, Stille; *fig* innere Ruhe; *com* Flaute *f; conserver, garder son* ~ seine Ruhe bewahren; ~ *plat* Wind-, Meeresstille *f;* ~**er** beruhigen, stillen; mildern, lindern, besänftigen; *se* ~ sich legen, sich beruhigen; nach≈lassen; *(Wind)* ab≈flauen; *(Leidenschaft)* sich ab≈kühlen.

calmir [kalmir] *(Meer)* sich beruhigen; *(Wind)* sich legen.

calomel [kalɔmɛl] *m pharm* Kalomel, Quecksilberchlorid *n.*

calomni|ateur, trice [kalɔmnjatœr, -tris] *s m f* Verleumder(in *f*) *m; a* verleumderisch; ~**e** [-ni] *f* Verleumdung *f;* ~**er** [-nje] verleumden; entstellen; falsch dar≈stellen; ~**eux, se** verleumderisch.

calori|e [kalɔri] *f* Kalorie, Wärmeeinheit *f;* ~**fère** *a* Heiz-; *s m* Heizung(sanlage) *f;* ~ *à air chaud, à eau chaude, à vapeur* Warmluft-, Warmwasser-, Dampfheizung *f;* ~**fiant, e** wärmend, erhitzend; ~**fication** *f zoo* Wärmeerzeugung *f;* ~**fique** wärmeerzeugend; *pouvoir m* ~ Heizwert *m; source f* ~ Wärmequelle *f;* ~**fuge** *a* wärmedämmend; *s m* Isolierung, Wärmedämmung *f;* ~**fuger** (wärme)isolieren, dämmen; ~**mètre** *m* Wärmemesser *m;* ~**métrie** *f* Wärmemessung *f;* ~**métrique** kalorimetrisch; ~**que** *s m vx* Wärme *f; a* Wärme-; Heiz-; ~**ser** *(Metall)* alitieren.

calot [kalo] *m* **1.** Holzkeil *m;* **2.** *fam mil* Feldmütze; **3.** große Kugel *f; arg* Auge *n.*

calot|te [kalɔt] *f* Käppchen *n;* Mütze *f; fig* Pfaffen *m pl,* Klerus *m; pol fam* Schwarze(n) *m pl;* (Hut-)Boden; bauchige(r) Topf *m;* (kleine) Kuppel; (Berg-)Kuppe; Ohrfeige; *tech* Kalotte, Kappe *f;* Deckel *m; (künstl.)* (Zahn-)Krone; *(Fallschirm)* Hülle; *arch* Haube, Kappe *f;* ~ *des cieux (fam)* Himmelsgewölbe *n;* ~ *du crâne, crânienne* Schädeldecke *f;* ~ *glaciaire* Polkappe *f;* ~ *sphérique* Kugelhaube *f;* ~**ter** *fam* ohrfeigen; *arg* klauen.

calqu|e [kalk] *m* Pause *f; fig* Abklatsch *m; papier-*~ *m* Pauspapier *n;* ~**er** durch≈pausen, -zeichnen; *fig* nach≈ahmen, kopieren; ~**oir** *m* stumpfe(r) Griffel *m (zum Durchpausen).*

calter [kalte] *s. cal(e)ter.*

calumet [kalymɛ] *m* (Indianer-)Pfeife *f;* ~ *de la paix* Friedenspfeife *f.*

calus [kalys] *m* Schwiele; *fig* Unempfindlichkeit; Hartherzigkeit *f.*

calvados [kalvados] *m* Apfelschnaps, -branntwein *m.*

calvaire [kalvɛr] *m (Kunst)* Passion; Kreuzigung *f;* Kalvarienberg; *fig* Leidensweg; *m le C*~ Golgatha *n.*

cal|vinien, ne [kalvinjɛ̃, -ɛn] kalvinistisch; ~**viniste** *s m* Kalvinist, Reformierte(r) *m; a* kalvinistisch.

calvitie [kalvisi] *f* Kahlköpfigkeit *f.*

camaïeu [kamajø] *m* geschnittene(r) (Edel-)Stein *m;* Grisaille *f,* einfarbige(s) Gemälde; *fig* langweilige(s) Buch *od* Stück *n; en* ~ in sich gemustert.

camail [kamaj] *m* Umhang *m* (der Geistlichen); (Frauen) Cape *n; hist* Kopfschutz *m.*

camarade [kamarad] *m f* Kamerad(in *f*), Gefährte *m,* Gefährtin *f; pol* Genosse *m,* Genossin *f; fam* Freund *m; n'être pas, plus* ~ ausea. sein; *faire* ~ *(mil)* sich ergeben; ~ *d'école* Schulkamerad, -freund, Mitschüler *m;* ~ *d'enfance* Jugendfreund *m;* ~ *d'infortune* Leidensgefährte, -genosse *m;* ~ *de jeu* Spielkamerad *m;* ~ *de lit* Schlafgenosse *m;* ~**rie** *f* Kameradschaft; Clique; Cliquenwirtschaft *f.*

camard, e [kamar] *a* platt(nasig); *(fig fam) La C~e* der Tod.

Camargue, la [kamarg] Camargue *f.*

camarilla [kamarija] *f* Clique; Kamarilla *f.*

cambiste [kɑ̃bist] *s m* Wechsel-, Devisenmakler *m; a* Wechsel-.

Cambodge, le [kɑ̃bɔdʒ] Kambodscha *n.*

cambouis [kɑ̃bwi] *m* (alte) (Wagen-, Maschinen-)Schmiere *f.*

cambr|é, e [kɑ̃bre] geschweift; gewölbt; *(Kreuz)* hohl; *(Pferd)* faßbeinig; *(Leder)* gewalkt; *bien* ~ wohlgestaltet; ~**er** biegen, beugen, krümmen, wölben; *(Leder)* walken; *se* ~ sich auf=richten; den Körper straffen.

cambrien, ne [kɑ̃brijɛ̃, -ɛn] *a geol* kambrisch; *s m* Kambrium *n.*

cambrillon [kɑ̃brijɔ̃] *m (Schuh)* Einlage *f.*

cambrio|lage [kɑ̃brijɔlaʒ] *m* Einbruch(sdiebstahl) *m;* ~**ler** ein=brechen *(qc* in *acc);* ~**leur** *m* Einbrecher *m.*

cambr|ousard, e [kɑ̃bruzar, -d] *s m f pop* Bauer *m,* Bäuerin *f; a* vom Lande; bäuerisch; ~**ouse,** ~**ousse** *f pop* Land *n.*

cambrure [kɑ̃bryr] *f* Wölbung *f,* Überhöhung, Schweifung *f; (Schuh)* Gelenk *n;* Absatzschweifung; *(Stil)* Geziertheit *f;* ~ *orthopédique* (Plattfuß-)Einlage *f.*

cambus|e [kɑ̃byz] *f mar* Kombüse; kleine Kantine; *fam* Winkelkneipe, Kaschemme; Bruchbude *f;* ~**ier** *mar* Bottler; Kantinenwirt *m.*

cam|e [kam] *f tech* Hebearm, -daumen, Nocken *m,* Nase; Kurvenscheibe *f;* Zahn *m; (Kokain) arg* Schnee; *arbre m à* ~*s* Nockenwelle *f;* ~**é, e** high, auf dem Trip.

camée [kame] *m* Kamee *f.*

caméléon [kameleɔ̃] *s m zoo* Chamäleon *n a. fig; fig* Wetterfahne *f; a* schillernd.

cam|élia [kamelia] *bot* Kamelie *f;* ~**élidés** [-melide] *m pl* Kamele *n pl (als Familie).*

camelot [kamlo] *m* Straßenhändler; Zeitungsverkäufer; Verteiler *m* von Prospekten; ~ *du roi* aktive(r) Royalist *m;* ~**e** [-ɔt] *f* Ramsch(ware *f*), Schund *m;* Pfuscherei *f; fam* Kram *m.*

caméra [kamera] *f* (Film-)Kamera *f; braquer une* ~ *sur qn* e-e K. auf jdn richten; *chaîne f de* ~*s* Kameraaggregat *n; chariot m pour* ~ Dolly *f,* fahrbare(r) Kameraständer *m; moniteur m de* ~ Kamerakontrollgerät *n; réglages m pl généraux de* ~ (Kamera-)Justierung *f;* ~ *cinéma* Filmkamera *f;* ~ *électronique* Elektronenkamera *f;* ~ *à film étroit* Schmalfilmkamera *f;* ~ *de poche, sonore, de studio* Taschen-, Ton-, Atelierkamera *f;* ~ *de télévision* Fernsehkamera *f.*

camér|ier [kamerje] *m* päpstliche(r) Kammerherr; Kammerdiener *m;* ~**ière, iste** *f* Kammerfrau *f; fam* Zimmer-, Dienstmädchen *n.*

camion [kamjɔ̃] *m* **1.** Rollwagen *m; mot* Lastauto, -(kraft)wagen; zweirädrige(r) (Schub-)Karren; **2.** *tech* Farbentopf *m;* **3.** sehr kleine Stecknadel *f;* ~*-atelier m* Werkstattwagen *m;* ~*-benne m* Müllwagen *m;* ~ *à benne basculante* Kipper *m;* ~*-citerne m* Tankwagen *m;* ~*-dépanneur m* Abschleppwagen *m;* ~*-grue m* Übertragungswagen *m,* Ü-Wagen *m;* ~ *porte-chars* Panzertransportwagen *m;* ~ *à remorque* Lastzug *m;* ~ *(à) semi-remorque* Sattelschlepper *m;* ~ *tout-terrain* geländegängige(r) Lastkraftwagen *m;* ~*-treuil m* Windenwagen *m;* ~**nage** *m* Straßentransport; Fuhrlohn *m,* Rollgeld *n;* Straßenverkehrsunternehmen *n;* ~**ner** mit dem Lastwagen transportieren, ab=rollen; ~**nette** *f* Lieferwagen *m;* ~**neur** *m* Rollkutscher; Lastwagenfahrer, -besitzer; Karrengaul *m.*

camisole [kamizɔl] *f* Unterjacke *f;* ~ *de force* Zwangsjacke *f.*

camomille [kamɔmij] *f bot* Kamille *f.*

camoufl|age [kamuflaʒ] *m* Tarnung; Verkleidung, Maske; Verdunk(e)lung; *com* Verschleierung *f; bâche f de* ~ Tarnplane *f; filet m de* ~ Tarnnetz *n; peinture f de* ~ Tarnanstrich *m; teinte f de* ~ Tarnfarbe *f; vêtement m de* ~ Tarnanzug *m;* ~ *de bilan* Bilanzverschleierung *f;* ~**e** *f arg* Kerze *f,* Licht *n;* ~**er** tarnen; verdunkeln; *(Bilanz)* verschleiern; *(Absicht)* verbergen; verdecken; *arg* frisieren; ~ *par brouillard artificiel* ein=nebeln.

camouflet [kamuflɛ] *m fam* (grobe) Beleidigung, Kränkung; *mil* Quetschmine *f*.

camp [kɑ̃] *m* (Heer-, Truppen-, Zelt-) Lager *n; Camping-*, Zeltplatz *m; fig* Partei *f*, Lager *n; (Spiel)* Mannschaft *f; en ~ volant* ohne festen Wohnsitz; *établir le ~* das Lager auf=schlagen; *lever, (fam) ficher, (pop) foutre le ~* das Lager ab=brechen; auf=brechen; ab=hauen; *partagé en deux ~s* in zwei Lager gespalten; *fiche le ~! (pop)* hau ab! *aide m de ~* Adjutant *m; lit m de ~* Feldbett *n; ~ d'aviation* (Militär-)Flugplatz *m; ~ de concentration* Konzentrationslager *n* (KZ); *~ d'entraînement* Truppenübungsplatz *m;* Trainingslager *n; ~ d'instruction* Übungs-, Truppenlager *n; ~ de jeunes* Jugendlager *n; ~ de prisonniers* Gefangenenlager *n; ~ de réfugiés* Flüchtlingslager *n; ~ de toile* Zeltlager *n; ~ de vacances* Ferienlager *n; ~ volant* Streifkorps *n*.

campa|gnard, e [kɑ̃paɲar, -d] *a* ländlich; Land-; *s m f* Landmann; Landbewohner; Bauer *m*, Bäuerin *f;* **~gne** *f* **1.** (offenes) Gelände, flache(s) Land; Feld; Landhaus; *poet* Gefilde *n*, Flur *f; pl* Ländereien *f pl;* **2.** *mil* Feldzug *m a. com;* Feld; Manövergelände *n; fig* Expedition; *com* Kampagne; Saison; *à la ~* auf dem Lande; aufs Land; *en rase ~* in offenem Gelände; auf freiem Feld; *en tenue de ~* feldmarschmäßig; *battre la ~* umher=streifen; *fig* Unsinn reden; *entrer en ~* e-n Feldzug beginnen, *fig* ein Unternehmen starten; *être en ~* im Gange sein; sich an=strengen sich bemühen; *faire ~ (mil)* im Felde stehen *od* sein; *fig* ein=treten (*pour qn* für jdn); *mettre en ~* in Gang, auf die Beine bringen, in Bewegung setzen; *vivre à la ~* auf dem Lande leben; *(pop) je l'emmène à la ~* er kann mir den Buckel herunter=rutschen; *année f de ~* Kriegsjahr *n (im Dienst); armée f en ~* Feldheer *n; artillerie f de ~* Feldartillerie *f; maison f de ~* Landhaus *n*, -sitz *m; partie f de ~* Ausflug *m* aufs Land, Landpartie *f; pièce f de ~* Feldgeschütz *n; plan m de ~* Feldzugsplan *m; séjour m à la ~* Landaufenthalt *m; service m en ~* Felddienst *m; vie f à* od *de la ~* Landleben *n; ~ électorale* Wahlfeldzug *m; ~ de presse, de propagande* Presse-, Propagandafeldzug *m; ~ de publicité, publicitaire* Werbefeldzug *m;* **~gnol** *m* Wühl-, Feldmaus *f*.

campa|ne [kɑ̃pan] *f* Troddel *f; arch* (glockenförmiges) Kapitell *n;* **~nile** *m* Kampanile, (freistehender) Glockenturm *m;* **~nulacées** [-lase] *f pl bot* Glockenblütler *m pl;* **~nule** *f* Glockenblume *f*.

campé, e [kɑ̃pe] gelagert; feststehend (*sur* auf *dat*); *bien ~ (fam)* gutsituiert; *personnage m bien ~ (theat)* gut gezeichneter Charakter *m;* lebendig dargestellte Rolle *f; nous voilà bien ~s!* da haben wir's!

campêche [kɑ̃pɛʃ] *m: bois m de ~* Blau-, Blutholz *n*.

camp|ement [kɑ̃pmɑ̃] *m* Feldlager; Lager(platz *m*); Vorkommando *n; matériel m de ~* Lager-, Zeltausrüstung *f;* **~er** *itr* das Lager auf=schlagen; lagern, kampieren, zelten; *fig* sich auf=halten, wohnen, sein; *tr* lagern, kampieren, zelten lassen; plazieren; *(Hut)* auf=stülpen; *(Ohrfeige) fam* versetzen; wirkungsvoll erzählen *od* dar=stellen; *se ~* sich auf=pflanzen (*devant* vor *dat*); sich (breitbeinig) auf=stellen; sich (bequem) nieder=lassen; *~ là qn* jdn im Stich lassen; *~ sous la tente* zelten; **~eur, se** *m f* Zeltwanderer(in *f*); Zeltler(in *f*), Camper(in *f*) *m;* **~ing** [-piŋ] *m* Zelten, Zeltwandern, Camping *n; faire du ~* zelten; *matériel m de ~* Campingausrüstung *f; terrain m de ~* Zelt-, Campingplatz *m; ~-car m* Wohnmobil *n*, Campingbus *m; ~ à la ferme* Zelten *n* auf dem Bauernhof; *~ sauvage* wilde(s) Zelten *n;* **~os** [-po] *m fam* Urlaub *m;* Freizeit *f; avoir ~* frei haben; *donner ~ à qn* jdm frei=geben.

camphr|e [kɑ̃fr] *m pharm* Kampfer *m;* **~é, e** Kampfer-; *s f* Kampferkraut *n;* **~er** mit Kampfer versetzen; *(Pelz)* ein=kampfern.

camus, e [kamy, -yz] plattnasig; *fig* platt, verdutzt, verblüfft.

Canad|a, le [kanada] *m* Kanada *n;* **C~ien, ne** *s m f* Kanadier(in *f*) *m; c~, ne a* kanadisch; *s f* pelzgefütterte Lederjacke *f*.

canadair [kanadɛr] *m* Löschflugzeug *n*.

canaill|e [kanaj] *s f* Pöbel, Mob *m*, Gesindel, Pack *n;* Kanaille *f*, Lump, Schuft, Drecksack *m; a* pöbelhaft; *fam* schelmisch; **~erie** *f* Schuftigkeit *f;* Schurkenstreich *m*.

canal [kanal] *m* Kanal *m a. fig; vx* Meerenge *f; vx* Flußarm; Wasserweg *m;* (Wasser-, Gas-)Leitung; Zuführung *f;* Schlitz *m;* Röhre; Bohrung; Rinne, Gosse; (Säulen-)Rille *f; anat bot* Kanal, Gang *m*, Röhre; *fig* Vermittlung *f; par le ~ de* durch; auf dem Wege über *acc; ~ aérodynamique* Windkanal *m; ~ d'air* Luftkanal *m; ~ d'assèchement* Entwässerungskanal *m; ~ biliaire (anat)* Gallengang *m; ~ de drainage* Sickerkanal *m; ~ d'écoulement* Abflußkanal *m; ~ d'irrigation* Bewässerungskanal *m; ~ lacrymal* Tränengang *m; ~ lactifère* Milchgang *m; ~ latéral* Seitenkanal *m; ~ navigable* Schiffahrtskanal *m; ~ de raccordement* Stichkanal *m; ~ de ralenti* Steigrohr *n; ~ de télévision* Fernsehkanal *m; ~ de transfert* Überströmschlitz *m;* **~icule** *m* kleine Röhre; Rille *f;* **~isable** kanalisierbar; **~isation** *f* Kanalisierung, Kanalisation; Leitung(snetz *n*); (Rohr-)Leitung *f;* Verlegen *n* von Leitungen; *el* Leitungsanlage; Düsenbohrung *f; ~ aérienne* Oberleitungsnetz *n; ~ d'air* Luftzuführung *f; ~ d'eau, de gaz* Wasser-, Gasleitung *f; ~ d'égout, des eaux usées* Abflußleitung *f; ~ d'électricité* elektrische(s) Leitungsnetz *n; ~ d'essence* Benzinleitung *f; ~ d'huile* Ölleitung *f;* **~iser** kanalisieren, schiffbar machen; *(Gas, Öl, el)* zu=führen; *fig* lenken; zs.=fassen, zentralisieren.

canamelle [kanamɛl] *f* Zuckerrohr *n.*

canapé [kanape] *m* Couch *f,* Sofa *n;* in Butter geröstete Brotschnitte *f; ~ -lit m* Schlafsofa *n,* -couch *f.*

canard [kanar] *s m* Ente *f;* Erpel, Enterich *m;* Schnabeltasse *f;* in ein Getränk eingetauchte(s) Stück *n* Zucker; (Zeitungs-)Ente *f; arg* Käseblatt *n; mus* falsche Note; *fam vx* Schindmähre *f; a (Schiff)* vorn zu tiefgehend; *mouillé comme un ~* naß wie e-e Katze, patschnaß; *plonger comme un ~* gut tauchen; *~ boiteux* marode(s) Unternehmen *n; ~ sauvage* Wildente *f;* **~eau** *m* junge Ente *f;* **~er** *tr* ab=knallen (*qn* jdn); *itr* falsch singen *od* spielen; *mar* vorn zu tief gehen; **~ière** *f* Ententeich *m;* Entenflinte *f.*

canari [kanari] *m* Kanarienvogel *m.*

canasson [kanasɔ̃] *m pop* Schindmähre *f,* (alter) Gaul *m.*

cancan [kɑ̃kɑ̃] *m* Klatsch *m,* Geschwätz *n,* Nachrede *f;* Cancan *m (Tanz);* **~er** [-kane] *(Ente)* schnattern; klatschen, tratschen; **~ier, ère** *a* klatschhaft, -süchtig; *s m f* (übler) Schwätzer *m,* Klatschbase *f.*

canc|er [kɑ̃sɛr] *m zoo* (Taschen-)Krebs; *med* Krebs; *fig* Krebsgeschwulst *f; C~ (astr)* Krebs *m; ~ de l'estomac, du sein* Magen-, Brustkrebs *m;* **~éreux, se** *a* krebsartig, -krank; Krebs-; *s m f* Krebskranke(r *m) f;* **~érigène** krebserregend; **~érisation** *f* Krebsbildung *f;* **~érologie** *f* Krebsforschung *f;* **~érologue** *m f* Krebsforscher(in *f*) *m.*

cancre [kɑ̃kr] *m* Taschenkrebs *m,* Krabbe *f; fig fam* armer Schlucker; schlechte(r) Schüler *m.*

cancrelat [kɑ̃krəla] *m zoo* Küchenschabe *f.*

candélabre [kɑ̃delabr] *m* Armleuchter, Kandelaber *m.*

candeur [kɑ̃dœr] *f* Reinheit; Aufrichtigkeit, Treu-, Offenherzigkeit; Naivität *f.*

candi [kɑ̃di] *a m* kandiert, Kandis-; *s m (sucre m ~)* Kandiszucker *m.*

candida|t [kɑ̃dida] *m* Kandidat, Bewerber (*à* um), Anwärter (*à* auf *acc*); Prüfling *m; être ~ à un poste* sich um e-e Stelle bewerben; *à un examen* sich zu e-r Prüfung melden; *se porter ~ (parl)* kandidieren; *liste f des ~s* Kandidatenliste *f;* **~ture** *f* Kandidatur, Bewerbung, Anwartschaft *f; poser sa ~ (pol)* kandidieren; sich als Kandidat auf=stellen lassen (*à* für).

candide [kɑ̃did] rein; aufrichtig, treu-, offenherzig; naiv.

candir [kɑ̃dir] u. *se ~ (Zucker)* sich kandieren; *(Früchte)* sich mit Zucker überziehen.

can|e [kan] *f* (weibliche) Ente *f;* **~er** *fam* kneifen, die Hosen voll haben; versagen; ab=kratzen; **~eter** auf= spulen; **~eton** *m* junge Ente *f,* junge(r) Erpel *m;* **~ette** *f* **1.** Entchen *n;* **2.** (Bier-)Flasche; *tech* Spule *f,* Kötzer *m;* **~eur** *m fam* Angsthase *m.*

canevas [kanva] *m* Packleinwand *f;* Segeltuch *n;* Stickgaze *f,* Stramin *m;* Siebtuch; *fig* Gitternetz *n;* Disposition *f,* Gedankenschema *n;* Entwurf *m; ~ géodésique, de lignes géographiques (geog)* Gradnetz *n.*

caniche [kaniʃ] *m* Pudel *m.*

canicul|aire [kanikylɛr] *a* Hundstags-; **~e** *f* Hundsstern *m (Sirius);* Hundstage *m pl.*

canidés [kanide] *m pl* Hunde *m pl (als Familie).*

canif [kanif] *m* (kleines) Taschenmesser *n.*

canin, e [kanɛ̃, -in] *a* Hunde-; *s f* Eckzahn *m; m pl* Hunde *m pl (als Gattung); dent f ~e* Eck-, Augenzahn *m; faim f ~e* Bärenhunger *m; race f ~e* Hunderasse *f; rage f ~e* (Hunde-)Tollwut *f.*

canitie [kanisi] *f med* Grau-, Weißhaarigkeit *f.*

caniveau [kanivo] *m* Rinnstein *m;* Rinne, Gosse *f;* Abwasser-, Leitungs-, Kabelkanal *m; min* Rösche *f.*

cann|a [kana] *m bot* (indisches) Blumenrohr *n;* ~**age** *m* Rohrgeflecht; Rohrflechten *n;* ~**aie** *f* Röhricht *n;* (Zucker-)Rohrpflanzung *f;* ~**e** *f bot* Rohr, Schilf *n;* Rohr-, Spazierstock *m; (Maß)* Rute; Glasbläserpfeife *f; sport* (Hockey-, Golf-)Schläger; *fam* Schistock *m;* ~ *à pêche* Angelrute *f;* ~ *à sucre* Zuckerrohr *n;* ~**é, e** *a* Rohr-; *chaise f* ~*e* Rohrstuhl *m;* ~**eler** [kanle] *arch* kannelieren, aus=kehlen, riefe(l)n.

cann|elier [kanəlje] *m* Zimtbaum *m;* ~**elle** *f* Zimt; Faßhahn *m; bâton m de* ~ Zimtstange *f; pl* Stangenzimt *m; poudre f de* ~ gemahlene(r) Zimt *m.*

cannelure [kanlyr] *arch* Riefelung, Hohlkehle, Rille; *tech* Furche *f,* Kaliber *n.*

canner [kane] mit e-m Rohrgeflecht versehen.

cannette [kanɛt] *f* Zettelkötzer; Faßhahn; Zündhahn *m.*

cann|ibale [kanibal] *s m* Kannibale, Menschenfresser *m; a* kannibalisch; ~**ibalisme** *m* Kannibalismus *m.*

cano|ë [kanɔe] *m* Kanu; Paddelboot *n; faire du* ~ Kanu fahren; paddeln; ~**éisme** *m* Paddeln *n;* ~**éiste** *m f* Paddler(in *f*); Kanufahrer(in *f*) *m.*

canon [kanɔ̃] *m* **1.** Kanone *f,* Geschütz *n; (Feuerwaffe)* Lauf *m,* Rohr *n a. allg; tech* Röhre; Reitstockpinole *f; (Pumpe)* Stiefel; *(Schlüssel)* Schaft *m; (Schloß)* Dornführung *f; (Gefäß)* Zylinder *m;* Faß *n; pop* Flasche *f,* Glas *n* Wein; *(Pferd, Rind)* Schienbein *n; fig fam* Sexbombe *f;* **2.** *rel mus typ* Kanon *m; allg* Regel, Richtschnur *f;* maßgebliche(s) Verzeichnis *n; braquer, pointer un* ~ e-e K. richten (*sur* auf *acc*); *tirer un coup de* ~ e-n Kanonenschuß ab=feuern; *le* ~ *gronde, rugit, tonne* die K. donnert; *boulet m de* ~ Kanonenkugel *f; chair f à* ~ Kanonenfutter *n; droit m* ~ kanonische(s) Recht *n; tube m du* ~ Kanonenrohr *n;* ~ *d'accompagnement* Begleitgeschütz *n;* ~ *antiaérien, de D.C.A.* Flugabwehrgeschütz *n,* Flak *f;* ~ *antichar* Panzerabwehrgeschütz *n,* Pak *f;* ~ *d'assaut* Sturmgeschütz *n;* ~ *atomique* Atomkanone *f;* ~ *automatique* Maschinenkanone *f;* ~ *d'avion* Bordkanone *f;* ~ *de campagne* Feldgeschütz *n;* ~ *à eau* Wasserwerfer *m;* ~ *à électrons (radio)* Elektronenröhre *f;* ~*-harpon m* Harpuniergeschütz *n;* ~ *d'infanterie* Infanteriegeschütz *n;* ~ *de mitrailleuse* Maschinengewehr-, MG-Lauf *m;* ~ *monté sur rails* Eisenbahngeschütz *n;* ~ *paragrêle* Hagelkanone *f;* ~ *à tir rapide* Schnellfeuerkanone *f;* ~ *à tir tendu* Flachbahngeschütz *n;* ~**ial, e** *rel* kanonisch, vorschriftsmäßig; domherrlich; ~**icat** [-a] *m* Amt *n,* Würde *f* e-s Domherrn; ~**icité** *f rel* kanonische(s) Ansehen *n;* Übereinstimmung *f* mit dem kanonischen Recht; ~**ique** *rel* kanonisch; vorschriftsmäßig; anerkannt; passend; ~**isation** *f* Heiligsprechung *f;* ~**iser** heilig=sprechen; *fig* in den Himmel heben; ~**iste** *m* Lehrer, Kenner *m* des Kirchenrechts; ~**nade** [-nɔ-] *f* Kanonade *f,* Geschützfeuer *n,* Kanonendonner *m;* ~**ner** mit Geschützfeuer belegen; *fig fam* bombardieren; ~**nier** *m* Kanonier *m;* ~**nière** *f* Kanonenboot *n; hist* Schießscharte; *(Spielzeug)* Knallbüchse *f.*

canot [kano] *m* Boot *n,* Kahn *m;* ~ *d'assaut à moteur* Sturmboot *n;* ~ *automobile* Motorboot *n;* ~ *de bord* Beiboot *n;* ~ *en caoutchouc* Gummiboot *n;* ~ *pliant* Faltboot *n;* ~ *pneumatique* Schlauchboot *n;* ~ *à rames* Ruderboot *n;* ~ *à un rameur* Einer *m;* ~ *de sauvetage* Rettungsboot *n;* ~ *à voiles* Segelboot *n;* ~**age** [-nɔ-] *m* Bootfahren, Rudern *n;* ~**er** rudern; ~**ier** *m* Bootfahrer, Ruderer *m;* Kreissäge *f (Strohhut).*

cantal [kɑ̃tal] *m Art* Hartkäse *m.*

cantaloup [kɑ̃talu] *m* Warzenmelone *f.*

cant|ate [kɑ̃tat] *f mus* Kantate *f;* ~**atrice** *f* (Berufs-)Sängerin *f.*

cantharide [kɑ̃tarid] *f, mouche f* ~ *(zoo)* spanische Fliege *f,* Blasenkäfer *m.*

cantilène [kɑ̃tilɛn] *f* Kantilene *f,* einförmige(s), sentimentale(s) Lied *n.*

cantilever [kɑ̃tiləvœr] *a* freitragend; *s m* Ausleger *m;* vorkragende Aufhängung *f.*

canti|ne [kɑ̃tin] *f* Kantine; Messe, Marketenderei; (Wein-)Kiste *f;* ~ *d'entreprise* Werk(s)kantine *f;* ~ *médicale* Sanitätskasten *m;* ~ *d'officier* Offizierskoffer *m;* ~**nier, ère** *m f* Kantinenwirt(in *f*), Marketender(in *f*) *m.*

cantique [kɑ̃tik] *m rel* Lobgesang, Choral *m; fam* Loblied *n;* Litanei *f; C~ des ~s* Hohelied *n.*

canton [kɑ̃tɔ̃] *m* Bezirk, Distrikt; *(loc, Straße)* (Strecken-)Abschnitt; *vx* Landstrich; *(Schweiz)* Kanton *m;* ~**ade** [-tɔ-] *f theat* (Raum *m* hinter den) Kulissen *f pl; parler à la* ~ in die Kulissen sprechen; *fig* in die Luft reden; ~**al, e** kantonal; ~**nement** *m mil* Einquartierung *f;* Quartier *n;* Ortsunterkunft; Belegung; *loc* Raumfolgesicherung, Zugfolgestelle *f*, Streckenblock; *(Wald)* Distrikt *m; (für krankes Vieh)* abgetrennte Weide *f; faire changer de* ~ um=quartieren; *billet m de* ~ Quartierzettel *m; commandant m du* ~ Ortskommandant *m;* ~**ner** *tr mil* ein=quartieren, unter=bringen; belegen; *(Vieh)* in e-m Sperrgebiet isolieren; *itr* Quartier beziehen; *se* ~ sich ab=sondern, sich zurück=ziehen (*dans, en* in *acc*); *fig* sich ein=bürgern, sich ein=nisten; sich verschanzen; ~**nier** *m* Straßenarbeiter, -wärter; *loc* Streckenwärter *m*.

canulant, e [kanylɑ̃, -ɑ̃t] *fam* langweilig, ermüdend.

canular(d) [kanylar] *m* (Studenten-) Streich, Ulk *m*.

canul|e [kanyl] *f med* Kanüle *f*, Röhrchen *n*, Hohlnadel, Spritze; *fam* Nervensäge *f; (Faß)* Spund *m;* ~**er** *fam* löchern, lästig fallen (*qn* jdm).

canut, use [kany, -yz] *m f* Lyoner Seidenarbeiter(in *f*) *m*.

canyon [kanjɔ̃] *m* Kastental *n*, Cañon *m*.

caolin [kaɔlɛ̃] *m s. kaolin*.

caoutchou|c [kautʃu] *m* Kautschuk; Gummibaum *m; (~ vulcanisé)* Gummi *n* od *m;* Gummi-, Überschuh; Gummimantel; (Auto-)Reifen *m; (Scheibenwischer)* Wischerblatt *n; articles m pl en* ~ Gummiwaren *f pl; bandage m de* ~ Gummireifen *m; courroie f en* ~ Gummiriemen *m; gant m en* ~ Gummihandschuh *m; homme* ~ Schlangenmensch *m; joint m en* ~ Gummibelag *m; tuyau m en* ~ Gummischlauch *m;* ~ *crêpé* Krepp(gummi) *m;* ~ *durci* Hartgummi *n* od *m;* Ebonit *n;* ~ *éponge* Schwammgummi *n* od *m;* ~ *mousse* Schaumgummi *n* od *m;* ~**tage** *m* Gummierung *f;* Gummibelag *m;* ~**ter** mit Gummi überziehen; aus G. her=stellen; gummieren; *ruban m* ~*é* Gummiband *n; toile f* ~*ée* Gummigewebe *n;* ~**teux, se** gummiartig; ~**tier, ère** Kautschuk-; Gummi-.

cap [kap] *m geog* Kap, Vorgebirge *n; mar aero* Kurs *m; de pied en* ~ von Kopf bis Fuß; vom Scheitel bis zur Sohle; *changer de* ~ den Kurs, die Richtung ändern; *conserver, tenir le* ~ Kurs halten; *dépasser, doubler, franchir un* ~ *(mar)* um ein Vorgebirge herum=segeln; *fig* e-e Schwierigkeit überwinden; über e-e S hinaus=gehen *od* hinaus sein; *déterminer le* ~ Kurs ab=setzen; *mettre le* ~ *sur (mar)* Kurs nehmen auf *acc; aero* an=steuern (*sur qc* e-e S); *fig* fahren nach; *ne plus savoir où mettre le* ~ nicht mehr wissen, wo e-m der Kopf steht; *angle m de* ~ Kartenkurs, rechtweisende(r) Kurs; *détermination f du* ~ Kursabsetzung *f; variation f de* (od *du*) ~ Kursabweichung *f;* ~ *d'attaque* Angriffskurs *m;* ~ *au compas* Kompaß-, Steuerkurs *m;* ~ *sur l'ennemi* Feindkurs, -flug *m;* ~ *géographique, magnétique* recht-, mißweisende(r) Kurs; ~ *au homing (aero)* Zielkurs *m;* ~ *à suivre* einzuschlagende(r) Kurs.

capa|ble [kapabl] fähig, imstande (*de* zu); tüchtig, geschickt, gescheit; tauglich (*de* für); *jur* berechtigt, befugt; handlungsfähig; *math* zugehörig (*de* zu); ~ *de tout* zu allem fähig; *être* ~ *de* vermögen, können; *faire le* ~ sich als Kenner, Fachmann aus=geben; *air m* ~ gewichtige Miene *f;* ~ *d'absorber (com)* aufnahmefähig; ~ *de discerner (jur)* zurechnungsfähig; ~ *de gagner sa vie* erwerbsfähig; ~ *de produire (com)* leistungsfähig; ~**citaire** *m pol* Bevorrechtigte(r); Student *m*, der das erste juristische Staatsexamen nach zweijährigem Studium bestanden hat; ~**cité** *f* Fassungsvermögen *n;* Raum-, Kubikinhalt *m; fig* Fähigkeit, Eignung, Tüchtigkeit; Tauglichkeit, Qualifikation; geistige Weite; Kapazität *f*, fähige(r) Kopf *m; jur* Rechtsfähigkeit *f; chem* Gehalt, Inhalt *m; el* Kapazität; *tech* Leistungsfähigkeit *f*, Arbeitsertrag *m; min* Fördermenge; *mar* Tonnage *f; avoir* ~ *pour faire qc* befähigt, *jur* befugt sein, etw zu tun; *avoir* ~ *pour contracter* geschäftsfähig sein; *avoir beaucoup de* ~ ein sehr fähiger Kopf sein; *manquer de* ~ *pour* keine Begabung haben für, unfähig sein zu; *brevet, certificat m de* ~ Befähigungsnachweis *m; exploitation f de la* ~ Kapazitätsausnutzung *f; mesure f de* ~ Hohlmaß *n;* ~ *admissible* Belastbarkeit *f;* ~ *d'absorption (tech)* Aufnahmefähigkeit *f;* ~ *ascensionnelle, de montée (aero)* Steigfähigkeit *f;* ~ *calorifique* Wärmeinhalt *m;* spezifische Wärme *f;* ~ *de charge(-ment)* Trag-, Ladefähigkeit *f;* ~ *de contracter, de disposer* Geschäftsfähigkeit *f;* ~ *contributive, d'imposition* Steuerkraft *f;* ~ *du cylindre (mot)* Zylinderinhalt *m;* ~ *de discernement (jur)* Urteilsfähigkeit *f;* ~ *d'ester en justice* Prozeßfähigkeit *f;* ~ *d'exercice des droits civils (jur)* Handlungsfähigkeit *f;* ~ *fiscale* steuerliche Leistungsfähigkeit *f;* ~ *industrielle* Industriekapazität *f;* ~ *(juridique)* Rechtsfähigkeit *f;* ~ *matrimoniale* Ehefähigkeit *f;* ~ *maximum* Höchstleistung *f;* ~ *de paiement* Zahlungsfähigkeit *f;* ~ *de prestation* Leistungsfähigkeit *f;* ~ *de production* Produktionskapazität; (wirtschaftliche) Leistungsfähigkeit *f;* ~ *propre (radio)* Eigenkapazität *f;* ~ *de tournage (tech)* Drehbereich *m;* ~ *de transport* Transportleistung; *aero* Tragfähigkeit *f;* ~ *de travail* Arbeitsfähigkeit *f,* -leistung *f;* Ausstoß *m,* Ausbringen *n;* ~ *utile* Nutzinhalt *m;* ~ *visuelle* Sehstärke *f,* -vermögen *n.*

caparaçon [kaparasɔ̃] *m hist* Pferdeharnisch *m;* Pferdedecke *f;* **~ner** [-sɔ-] *(e-m Pferde)* die Decke auf≈legen; *se* ~ *(fig)* sich (lächerlich) heraus≈putzen.

cape [kap] *f* Cape *n,* Umhang *m;* Melone *f (Hut); (Zigarre)* Deckblatt; *mar* Beiliegen *n; être, mettre à la* ~ *(mar)* bei≈liegen, -legen; *rire sous* ~ sich ins Fäustchen lachen.

capelan [kaplɑ̃] *m zoo* Zwergdorsch; *(Südfrankreich) fam* Priester *m.*

capeline [kaplin] *f* breitrandige(r) (Damen-)Hut *m;* Haube *f; med* Haubenverband *m; hist* Sturmhaube *f.*

Capétiens [kapesjɛ̃] *m pl hist* Kapetinger *m pl.*

Capharnaüm [kafarnaɔm] *m geog* Kapernaum *n; (fam) c~* Rumpelkammer *f;* Durcheinander *n.*

capill|aire [kapilɛr] *a* haarfein; Haar-; *phys* Kapillar-; *s m bot* Frauenhaar *n; artiste m* ~ Haarkünstler *m; lotion f* ~ Haarwasser *n; produit m* ~ Haar(wuchs)mittel *n; racine f* ~ *(anat)* Haarwurzel *f; tube m* ~ Haarröhrchen *n; vaisseau m* ~ Kapillare *f,* Haargefäß *n;* **~arité** *f phys* Kapillarität, Haarröhrchenwirkung *f.*

capilotade [kapilɔtad] *f fam* Tohuwabohu, Durcheinander *n; mettre en* ~ *(fam)* kurz u. klein, zu Brei schlagen; herunter≈machen.

capitaine [kapitɛn] *m* Hauptmann, Rittmeister; Heerführer, Feldherr; *mar* Kapitän (zur See); (Industrie-) Kapitän; *sport* Mannschaftsführer *m;* ~ *de l'armée de l'air* Hauptmann *m* der Luftwaffe; ~ *de brigands* Räuberhauptmann *m;* ~ *de corvette* Korvettenkapitän *m;* ~ *de frégate* Fregattenkapitän *m;* ~ *de la marine marchande* Kapitän *m* der Handelsmarine; ~ *du port* Hafenmeister *m;* ~ *trésorier* Zahlmeister *m;* ~ *de vaisseau* Kapitän *m* zur See.

capital, e [kapital] *a* wesentlich, hauptsächlich, entscheidend; Haupt-; *jur* todeswürdig; Todes-; Kapital-; *s m* Hauptsache *f;* Kapital *n; pl* (Geld-) Mittel, Gelder *n pl;* Vermögen *n;* Fonds *m; f* Hauptstadt *f;* Großbuchstabe *m; immobiliser, investir un* ~ ein Kapital fest≈legen, an≈legen; *joindre au* ~ zum K. schlagen; *placer un* ~ ein K. an≈legen (*dans* in *dat*); *réunir les capitaux* die Kapitalien, das Geld auf≈bringen; *absorption f de* ~ Kapitalabschöpfung *f; accumulation f des capitaux* Kapitalanhäufung *f; action f de* ~ Kapitalaktie *f; apport m de* ~ Kapitalaufbringung *f; bénéfice m de* ~ Kapitalgewinn *m; besoins m pl en* ~ Kapitalbedarf *m; circulation f de* ~ Kapitalumlauf *m; crime m* ~ Kapitalverbrechen *n; émigration, évasion f de* ~ Kapitalabwanderung *f; expansion f du* ~ Kapitalausweitung *f; fuite f des capitaux* Kapitalflucht *f; impôt m sur le* ~ Kapital-, Vermögenssteuer *f; impôt m sur le produit du* ~ Kapitalertragssteuer *f; lettre f ~e* Großbuchstabe *m; en lettres f pl ~es* in Blockschrift *f; manque m, pénurie f de capitaux* Kapitalmangel *m,* -knappheit *f; marché m des capitaux* Kapitalmarkt *m; péché m* ~ Todsünde *f; peine f ~e* Todesstrafe *f; placement m de* ~ Kapitalanlage *f; sentence f ~e* Todesurteil *n; ~-actions m* Aktienkapital *n; ~-apport m* Kapitaleinlage *f;* ~ *d'apport* Einlage-, Stammkapital *n;* ~ *assuré* Versicherungssumme *f;* ~ *commercial, social* Geschäfts-, Gesellschaftskapital *n; ~-décès m* Sterbegeld *n;* ~ *de départ* Anfangskapital *n;* ~ *disponible, liquide* flüssige(s) K.; ~ *engagé, investi* Anlagekapital *n; ~-espèces,* ~ *numéraire m* Barkapital *n;* ~ *d'exploitation, de roulement* Betriebskapital *n;* ~ *foncier* Grundvermögen *n;* ~ *de fondation* Gründungskapital *n;* ~ *initial* Anfangs-, Stammkapital *n;* ~ *d'investissement* Anlagekapital *n;* ~ *mobilier* Kapitalvermögen *n;* ~ *nominal* Nennkapital *n; ~-obligations m* Anleihekapital *n;* ~ *souscrit* gezeichnete(s) Kapital *n;* **~isation** *f* Kapitalisierung, Kapitalbildung *f;* **~iser** *tr* kapitalisieren, in Kapital verwandeln; *itr* sparen; **~isme** *m* Großkapital *n;* Kapitalismus *m;* ~ *d'État* Staatskapitalismus *m;* **~iste** *s m* Kapitalgeber; Kapitalist *m; a* kapitalistisch; *gros* ~ Großkapitalist *m.*

capit|an [kapitɑ̃] *m* Großsprecher, Maulheld, Bramarbas *m;* **~ation** *f hist* Kopfsteuer *f.*

capiteux, se [kapitø, øz] zu Kopf steigend, berauschend; *fig* hinreißend.

capiton [kapitɔ̃] *m* (grobe) Flockseide *f;* Polster(karree) *n;* **~nage** *m* Polsterung *f;* Polstern *n;* **~ner** (aus=)polstern; *se ~ner (fam)* sich ein=mummeln, sich warm an=ziehen.

capitulaire [kapitylɛr] *a rel* Stifts-, Kapitel-; *lettre f ~ (typ)* Initiale *f.*

capitul|ard [kapitɥlar] *m* Feigling, Ausreißer; Miesmacher *m;* **~ation** *f mil* Kapitulation, Übergabe *f; fig* Zugeständnis *n;* Abfindung *f;* Staatsvertrag *m;* **~er** *mil* kapitulieren, sich ergeben, wegen der Übergabe verhandeln; e-n Vergleich, Kompromiß schließen; *fig* sich ab=finden.

capon, ne [kapɔ̃, -ɔn] **1.** *s m f fam* Feigling *m,* Memme *f; a* kriecherisch; **2.** *m mar vx* Ankerspill *n;* **~ner** kriechen *fig; fam* feige sein; *mar* den Anker katten; **~nière** *f vx* Grabenwehr *f; en ~ (mil)* flankierend.

caporal [kapɔral] *m mil* Gefreite(r); *pop* Tabak *m* zweiter Güte; *~-chef m* Obergefreite(r) *m;* **~iser** militarisieren; tyrannisieren; **~isme** *m* Kasernenhofgeist; Militarismus *m.*

capot [kapo] **1.** *s m theat* Haube *f* des Souffleurkastens; *mar* Schutzüberzug *m; mot* Motorhaube; *aero* Nase; *tech* Haube, Kappe *f;* **2.** *a inv (Spiel)* schwarz, ohne Stich; *fam* verdutzt, verblüfft, platt; *s m* entscheidende(r) Schlag *m; faire ~* völlig schlagen, besiegen; *mar* kentern; *faire un ~* alle Stiche machen; **~age** [-pɔ-] *m aero* Kopfstand, Überschlag *m; mot* Überschlagen *n;* Verkleidung, Haube *f; ~ du moteur* Motorabdeckung; Triebwerkverkleidung *f.*

capot|e [kapɔt] *f* Kapuzenmantel; *mil* Mantel; Kapotthut *m;* Kinderhäubchen *n;* (Schornstein-)Haube *f; mot* Verdeck *n; relever la ~* das Verdeck auf=klappen; *~ anglaise (fam)* Kondom *m;* **~er** *tr* mit e-m Verdeck versehen; verkleiden; *itr mar* kentern; *mot aero* sich überschlagen.

câpr|e [kapr] *f* Kaper *f (Gewürz);* **~ier** [-prije] *m* Kapernstrauch *m;* **~ière** *f* Kapernpflanzung, -büchse *f.*

capric|ant, e [kaprikɑ̃, -ɑ̃t] hüpfend; *(Puls)* unregelmäßig; **~e** [-pris] *m* Laune(nhaftigkeit) *f;* Eigensinn *m;* Liebelei *f;* (plötzlicher) Einfall *m; fig* Veränderlichkeit, Unbeständigkeit *f; mus (Kunst)* Capriccio *n; avoir un ~ pour qn (fam)* an jdm e-n Narren gefressen haben; **~ieux, se** *a* launisch, launenhaft; eigenwillig; wandelbar, veränderlich; *s m f* launische(r), eigenwillige(r) Mensch *m.*

capricorne [kaprikɔrn] *m zoo* Holzbock *m; C~ (astr)* Steinbock *m.*

capr|in, e [kaprɛ̃, -in] *a* Ziegen-; **~ipède** bocksfüßig.

capsul|aire [kapsylɛr] kapselförmig; Kapsel-; **~ateur** *m* Flaschenverkapselmaschine *f;* **~e** *f* Kapsel; Dose, Büchse *f,* Gehäuse; *mil* Zündhütchen *n; chem* (Reib-, Abdampf-)Schale *f; ~ de bouteille de bière* Bierflaschenkapsel *f; ~ du cœur* Herzbeutel *m; ~ fulminante* Sprengkapsel *f;* Zündhütchen *n; ~ microphonique* Mikrophonkapsel *f; ~ séminale (bot)* Samenkapsel *f; ~ spatiale* Raumkapsel *f; ~ surrénale* Nebenniere *f;* **~er** verkapseln.

capt|age [kaptaʒ] *m* Auffangen; *(Quelle)* Fassen *n; tech* Absaugung; Gewinnung *f;* **~ateur, trice** [kaptatœr, -tris] *m f* (Erb-)Schleicher(in *f*) *m;* **~ation** *f* Er(b)schleichung *f; (Wasser)* Fassen *n; radio* Empfangsfähigkeit *f;* **~er** erschleichen; *(Vertrauen)* gewinnen; *(Quelle)* fassen; *(Quellwasser, el. Strom)* leiten; *el* an=zapfen; *tech (Rauch, Staub)* auf=saugen; *radio* auf=fangen; *tele* ab=hören; *(Licht)* ein=fangen, *fig* zs.=fassen; **~eur** *m: ~ solaire* Sonnenkollektor *m.*

captieux, se [kapsjø, -øz] arglistig, verfänglich.

capt|if, ive [kaptif, -iv] *a* gefangen; *(Land)* erobert; *fig* gefesselt, gebannt; *s m f* Gefangene(r *m*) *f; devenir ~ de qn* in jds Hände fallen; *ballon m ~* Fesselballon *m;* **~ivant, e** *fig* fesselnd, spannend; bezaubernd; **~iver** *fig* für sich ein=nehmen; fesseln, erobern, gewinnen; *se ~* sich begeistern (*à* für); **~ivité** *f* Gefangenschaft; (äußerste) Gebundenheit *f,* Zwang *m; tenir en ~* gefangen=halten; *retour m de ~* Rückkehr *f* aus der Gefangenschaft.

capt|ure [kaptyr] *f* Fang *m,* Beute *f; mar* Kapern, Aufbringen *n;* Prise; *(Zoll)* Beschlagnahme; *(Polizei)* Festnahme; *mil* Gefangennahme *f; phys* Einfangen *n;* **~urer** fangen, fassen; weg=nehmen *n; mar* kapern, auf=bringen; *mil* gefangen=nehmen; *(Material)* erbeuten.

capuch|e [kapyʃ] *f* (Frauen-)Haube, Kapuze *f;* **~on** *m* Kapuze; Kappe; *tech* (Schutz-)Haube, Kappe *f,* Dekkel *m; rabattre le ~* die Kapuze auf=setzen, hoch=schlagen; *~ de blindage de la bougie* Entstörkappe *f* der Zündkerze; *~ de stylo(graphe)* Füllhalterverschlußkappe *f; ~ à vis* Schraubkappe *f.*

capucin [kapysɛ̃] *m* Kapuziner(mönch); *fig* Frömmler; *fam* Hase *m; barbe f de ~ (fam)* lange(r) Bart *m;* **~ade** [-si-] *f* Kapuzinerpredigt *f;* **~e** *f rel* Kapuzinerin; *bot* Kapuzinerkresse *f.*

caqu|e [kak] *f* (Herings-)Tonne *f;* **~er** in Tonnen packen.

caquet [kakɛ] *m (Huhn)* Gackern; *fig fam* Geklatsch, Geschwätz *n;* Klatscherei *f; rabattre le ~ de qn* jdm den Mund (*pop* das Maul) stopfen; **~age** [-ktaʒ] *m* Gerede, Geschwätz *n;* **~er** gackern; *fig fam* klatschen.

car [kar] **1.** *conj* denn; *les ~ (m inv)* der Grund, die Ursache; **2.** *s m* (Reise-)Omnibus *m; ~-ferry (pl car-ferries)* Autofähre *f.*

carab|e [karab] *m zoo* Laufkäfer *m; ~ doré* Gold(lauf)käfer *m.*

carabin [karabɛ̃] *m fam* Medizinstudent *m.*

carabine [karabin] *f* Karabiner, Stutzen *m; ~ à air comprimé* Luftgewehr *n; ~ de petit calibre, miniature* Kleinkalibergewehr *n.*

carabiné, e [karabine] *(Lauf)* gezogen; *fig fam* heftig, scharf, gepfeffert; *mar (Wind)* böig.

carabinier [karabinje] *m (Italien)* Polizist; *(Spanien)* Zollbeamte(r) *m.*

carac|o [karako] *m* (Schoß-)Jäckchen *n.*

caracoler [karakɔle] *(Reiter)* e-e Wendung aus≈führen; sich (herum≈) tummeln; schwadronieren.

caract|ère [karaktɛr] *m* Buchstabe *m;* (Schrift-)Zeichen *n; pl* Schrift; *typ* Letter, Type *f;* Charakter *m,* Gemütsart; Eigenschaft, Fähigkeit; Charakterstärke, Festigkeit *f,* Mut *m;* Wesen *n,* hervorstechende(r) Zug *m;* Art, Natur *f,* Merkmal *n;* Titel *m,* Würde *f,* Charakter *m; écrire en gros, en petits ~s* mit großen, kleinen Buchstaben schreiben; *danse f de ~* Ausdruckstanz *m; fondeur m de ~s* Schriftgießer *m; œil m d'un ~* Schriftauge *n; trait m de ~* Charakterzug *m; ~s d'affiche* Plakat-, Akzidenzschrift *f; ~s aldins, cursifs, italiques* Kursiv-, Schrägschrift *f; ~s bâtards* Bastardschrift *f; ~s bâtons* Grotesk-, Blockschrift *f; ~s calligraphiques* Schreibschrift *f; ~s cunéiformes* Keilschrift *f; ~s demi-gras, gras* halbfette, fette Schrift *f; ~ distinctif* Unterscheidungsmerkmal *n; ~s espacés* Sperrdruck *m; ~ gâté* beschädigte(r) Buchstabe *m; ~s gothiques* Fraktur *f; ~ d'imprimerie* Letter, Drucktype *f; pl* Druckschrift *f; ~s de labeur* Brotschrift *f; ~s maigres* magere Schrift *f; ~ obligatoire* (Rechts-)Verbindlichkeit *f; ~ problématique* Problematik *f; ~s romains* Antiqua *f;* **~ériel, le** charakterlich (schwierig); **~ériser** charakterisieren, kenn-, aus≈zeichnen; (genau) bestimmen; **~éristique** *a* charakteristisch, typisch, kenn-, bezeichnend; *s f* (Kenn-)Zeichen, Merkmal *n;* Besonderheit, besondere Eigenschaft; Charakteristik *f; math* Zeichen, Symbol *n; (Logarithmus)* Kennziffer; Maßzahl *f; (courbe f ~)* Kennlinie *f; pl tech* Daten *n pl;* Eigenschaften *f pl.*

caraf|e [karaf] *f* Karaffe; (Fisch-)Reuse *f; pop* Dez, Kopf; *pop* Dummkopf *m; laisser en ~* im Stich lassen; *rester en ~ (fig)* liegen≈bleiben; vergessen werden; **~on** *m* kleine Karaffe *f,* Flakon; *pop* Kopf *m.*

caramb|olage [karɑ̃bɔlaʒ] *m fig fam* Zs.stoß *m; (Billard)* Karambolage *f; mot* Auffahrunfall *m;* **~oler** (Billard) karambolieren; *fig fam* zs.≈stoßen, aufea.≈prallen.

caramb|ouill(ag)e [karɑ̃buj(aʒ)] *f (m)* Gaunerei *f,* (Kredit-) Schwindel *m;* **~ouilleur** *m* Gauner, (Kredit-) Schwindler *m.*

caram|el [karamɛl] *m* Karamel(zukker) *m;* Karamelle *f,* Karamelbonbon *n od m;* **~élé** *a* Karamel-; **~éliser** *(Zucker)* bräunen; mit Karamel süßen *od* färben.

carap|ace [karapas] *f zoo* Rückenschild; Panzer *m;* Schutzskelett; Gehäuse *n; tech* Panzerung *f.*

carapater, (se) [karapate] *(fam)* sich aus dem Staube machen.

carat [kara] *m* Karat *n;* (sehr kleiner) Diamant *m; à 18 ~s* 18karätig.

caravan|e [karavan] *f* Karawane; *fig* (Reise-)Gesellschaft, Gruppe *f; mot* Wohnwagen *m;* **~ier** *m* Kameltreiber *m;* **~ing** [-iŋ] *m* Reisen *n* mit Wohnwagen; **~sérail** [-aj] *m* Karawanserei *f.*

caravelle [karavɛl] *f mar hist, aero* Karavelle *f.*

carbo|chimique [karboʃimik] *a: industrie f ~* kohlenchemische Industrie *f;* **~glace** *f* Trockeneis *n.*

carbo|nate [karbɔnat] *m* Karbonat, kohlensaure(s) Salz *n; ~ de potassium* Kaliumkarbonat *n; ~ neutre de sodium, de soude* Soda *f;* kohlensaure(s) Natron *n;* **~nater** *chem* karbonisieren; **~ne** *m* Kohlenstoff *m;* Kohle-, Durchschlagpapier *n;* Durchschlag *m; oxyde m de ~* Kohlenoxyd *n; bioxyde m de ~* Kohlendioxyd *n; sulfure m de ~* Schwefelkohlenstoff *m;* **~né, e** kohlenstoffhaltig; **~neux, se** kohlenstoffhaltig, -artig; **~nifère** *a* kohlehaltig; *s m geol* Karbon *n,*

Steinkohlenformation *f;* **~nique** *a* kohlensauer; *acide m* ~ Kohlensäure *f; neige f* ~ Kohlensäureschnee *m;* **~nisation** *f* Verkohlung; Verkokung *f; usine f de* ~ Schwelanlage *f;* ~ *à basse température* Schwelung *f;* **~niser** *tr* verkohlen; (Speisen) verbrennen lassen; **~n(n)ade** *f* Rostbraten *m.*

carbur|ant [karbyrɑ̃] *a* kohlenwasserstoffhaltig; *s m* Brenn-, Kraft-, Treibstoff *m; conduite f de* ~ Brennstoffleitung *f; consommation f de* ~ Brennstoffverbrauch *m; niveau m du* ~ Brennstoffstand *m; ravitaillement m en* ~ Brennstoffversorgung *f;* ~ *antidétonant* klopffeste(r) Kraftstoff *m;* ~ *auto, pour avions* Kraftfahrzeug-, Flugbenzin *n;* **~ateur** *m mot* Vergaser *m; incendie m de* ~ Vergaserbrand *m;* ~ *aspiré, à cuve, inversé* Saug-, Schwimmer-, Fallstromvergaser *m;* ~ *à injection* Einspritzvergaser *m;* **~ation** *f* Karburierung, (Auf-)Kohlung *f;* Verbrennungsprozeß *m; mot* Vergasung *f; fig fam* Arbeitsrhythmus *m,* -tempo *n; bonne* ~ *(sport)* gute Form *f;* **~e** *m* Karbid; *pop* Benzin; ~ *de calcium* Kalziumkarbid *n;* ~ *dur, fritté* Hartmetall *n;* ~ *d'hydrogène* Kohlenwasserstoff *m;* ~ *de silicium* Siliziumkarbid *n;* **~é, e** kohlenstoffhaltig; **~er** *tr* karburieren, auf=kohlen; *mot* vergasen, verbrennen; *itr pop* funktionieren; *pop* bezahlen.

carcan [karkɑ̃] *m hist* Halseisen *n; fam* Schindmähre *f;* lange(s) u. dürre(s) böse(s) Weib *n;* (Hals-)Kette *f; fig* Zwang *m.*

carcasse [karkas] *f* Gerippe *n; (Geflügel)* Rumpf; *fam* Korpus *m;* Gestell, Gerüst, Gehäuse *n;* (Schiffs-)Rumpf; *fig* Plan, Entwurf *m;* ~ *d'auto* Autowrack *n;* ~ *métallique* Stahlskelett *n.*

carcéral, e [karseral] Gefängnis-, Strafvollzugs-.

carci|nomateux, se [karsinɔmatø] *med* krebsartig; **~nome** [-ɔm] *m* Krebs(geschwür *n*) *m,* Karzinom *n.*

card|an [kardɑ̃] *m tech* Kardangelenk *n; arbre m à* ~ Kardan-, Gelenkwelle *f;* **~e** *f* (eßbare) Rippe *f* der spanischen Artischocke; Kardendistelkopf *m;* Wollkratze *f,* Krempel *m,* Kardätsche; Feilenbürste *f;* **~er** *(Wolle)* krempeln, kardätschen, streichen; **~ère** *f* Kardendistel *f;* **~euse** *f* Streichmaschine *f.*

card|ia [kardja] *m anat* Kardia *f,* Magenmund *m;* **~ialgie** *f* (nervöse) Herz-, Magenschmerzen *m pl;* **~iaque** *a* Herz-; herzstärkend; herzleidend; *s m f* Herzkranke(r *m*) *f; m* (herz)stärkende(s) Mittel *n.*

cardinal, e [kardinal] *a* hauptsächlich; Haupt-, Kardinal-; *s m rel orn* Kardinal *m; autel m* ~ Hauptaltar *m; nombre m* ~ *(gram)* Kardinal-, Grundzahl *f; point m* ~ Himmelsrichtung *f; vertu f* ~*e* Kardinaltugend *f;* **~at** [-a] *m* Kardinalswürde *f.*

cardio|gramme [kardjɔgram] *m med* Kardiogramm *n;* **~graphe** *m* Kardiograph *m;* **~logiste, ~logue** *m* Herzspezialist *m;* **~pathie** *f* Herzleiden *n;* **~pulmonaire** *a* pneumokardial; Herz- und Lungen-; **~tomie** *f* Herzoperation *f;* **~tonique** *m* Herzmittel *n;* **~vasculaire** *a* Herzader-, (Herz-)Gefäß-.

cardite [kardit] *f* Herzbeutelentzündung *f.*

cardon [kardɔ̃] *m bot* Kard(on)e, spanische Artischocke *f.*

carême [karɛm] *m* Fasten(zeit *f*) *n* u. *pl* Fastenpredigten *f pl; arriver comme mars en* ~ wie gerufen kommen; *faire* ~ fasten, Fasten halten; *il a une face, un visage de* ~ der sieht aus wie das Leiden Christi; ~*-prenant m* Fastnachtszeit *f,* Karneval, Fasching *m;* Fastnacht(sdienstag *m*) *f; vx* Verkleidete(r) *m; fig fam* Pfingstochse *m.*

car|énage [karenaʒ] *m mar* Kielholen *n;* Werft; *tech* Verkleidung, Abdekkung; *radio* Radarkuppel *f;* ~ *de l'atterrisseur, en bois, de roue* Fahrgestell-, Holz-, Radverkleidung *f;* ~ *du moteur* Motorhaube; *aero* Triebwerkverkleidung *f;* **~ène** *f* (Schiffs-)Kiel *m;* **~éné, e** kielförmig; *tech* verkleidet; stromlinienförmig; **~éner** *itr mar* kielholen; *tr (den Kiel)* reinigen, aus=bessern; *mot aero* e-e Stromlinienform geben (*qc* e-r S *dat*); verkleiden, ab=decken.

caren|ce [karɑ̃s] *f* Fehlen *n,* Mangel *m; jur* Fehlen *n* von Deckung; Nichtvorhandensein *n* pfändbarer Gegenstände; Unzulänglichkeit, Dürftigkeit *f;* Versagen *n; (Versicherung)* Karenz-, Wartezeit *f; maladie f par* ~ Mangelkrankheit *f;* ~ *alimentaire* mangelhafte, unvollständige Ernährung *f;* **~tiel, le** [-sjɛl-] : *trouble m* ~ *(med)* Mangelerscheinung *f.*

caress|ant, e [karɛsɑ̃, -ɑ̃t] einschmeichelnd, liebkosend; zärtlich; anschmiegsam; **~e** *f* Streicheln *n;* Liebkosung, Schmeichelei; *fig* Gunstbezeigung *f; faire des* ~*s à qn* jdn streicheln; jdm schmeicheln; **~er** streicheln, liebkosen; schmeicheln (*qn* jdm); liebäugeln (*qc* mit etw); *(Hoffnung)* hegen; *(e-m Traum)* nach=hängen; *(Werk)* sorgfältig aus=arbeiten; *se* ~ ea. liebkosen; ~ *qc du regard* zärtlich, begehrlich, zufrieden auf e-e S blicken.

caret [karɛ] *m* **1.** Karettschildkröte; **2.** *tech* Seilwinde *f; fil m de* ~ Seilgarn *n.*

carg|aison [kargɛzõ] *f* (Schiffs-)Ladung, Fracht *f; fig* Vorrat *m;* **~o** [-go] *m* Frachtdampfer, Frachter; *aero* Transporter *m;* ~ *mixte* Frachter *m* mit Passagierkabinen; **~ue** [karg] *f mar* Geitau *n;* **~uer** [-ge] auf=geien, raffen.

cari [kari] *m s. curry.*

cariatide [karjatid] *f arch* Karyatide *f.*

caricatur|al, e [karikatyral] karikaturenhaft; **~e** *f* Karikatur *f,* Zerrbild *n; fig fam* Schießbudenfigur *f;* **~er** *tr* karikieren; *itr* Karikaturen zeichnen; **~iste** *m* Karikaturist *m.*

cari|e [kari] *f* Karies *f,* (Knochen-)Fraß *m,* (Zahn-, Holz-)Fäule *f;* (Getreide-)Brand; *(Mauerwerk)* Salpeterfraß *m;* ~ *dentaire* Zahnkaries *f;* **~er** [-rje] an=fressen, aus=höhlen; mit Karies an=stecken; *se* ~ faul, *(Zahn)* hohl werden.

carillon [karijõ] *m* Glockenspiel; Geläute, Läuten *n; fam* Klang; Lärm *m;* **~né, e** [-jɔ-]: *fête f* **~***e (rel)* hohe(s) Fest *n;* **~nement** *m* Glockenläuten *n;* **~ner** *tr (Fest)* ein=läuten; *fig* aus=posaunen; *itr* ein Glockenspiel ertönen lassen; laut klingeln; lärmen; **~neur** *m* Glöckner *m.*

carlin [karlɛ̃] *m zoo* Mops *m.*

carline [karlin] *f bot* Eberwurz *f.*

carlingue [karlɛ̃g] *f mar* Kielschwein *n; aero* Führerkabine *f,* -sitz *m;* ~ *de queue* Heckkanzel *f.*

carm|e [karm] *m* Karmeliter(mönch) *m;* ~ *déchaussé, déchaux* Barfüßer *m;* **~élite** *f* Karmeliterin *f.*

carmin [karmɛ̃] *s m* Karmin *n; a* karminrot; **~é, e** karminhaltig, -rot; **~er** karminrot färben *od* (be)malen.

carn|age [karnaʒ] *m* Gemetzel, Blutbad *n; fig* Zerstörung, Vernichtung *f;* **~assier, ère** *a* fleischfressend, -liebend; *s m* Raubtier *n,* Fleischfresser *m; f* Reißzahn *m;* Jagdtasche *f;* **~ation** *f* Teint *m;* Fleischfarbe *f.*

carna|val [karnaval] *m* Karneval, Fasching *m; fig* Schießbudenfigur *f;* **~valesque** *a* Karnevals-, Faschings-.

carn|e [karn] *f pop* schlechte(s) Fleisch *n;* Schindmähre *f;* **~é, e** *bot* fleischfarben; *régime m* ~ Fleischdiät *f.*

carnet [karnɛ] *m* Notizbuch; *mot* Carnet *n;* ~ *de banque* Bank-, Einlagenbuch *n;* ~ *de bord* Bord-, Fahrtenbuch *n;* ~ *de camping* Campingausweis *m;* ~ *de chèques* Scheckbuch *n;* ~ *de commandes* Auftragsbuch *n;* ~ *de compte* Bankbuch *n;* ~ *de comptes rendus* Meldeblock *m;* ~ *d'échantillons* Musterbuch *n;* ~ *d'échéances* Terminkalender *m;* ~ *de caisse d'épargne* Spar(kassen)buch *n;* ~ *de messages (mil)* Meldeblock *m;* ~ *de notes* Zeugnisheft *n;* ~ *de route* Fahrtenbuch *n;* ~ *à souches* Quittungsheft *n;* Abreißblock *m;* ~ *de tickets* Fahrscheinheft *n;* ~ *de timbres* Briefmarkenheft *n;* ~ *de tir* Schießbuch *n.*

carn|ier [karnje] *m* (kleine) Jagdtasche *f;* **~ivore** *a* fleischfressend *a. bot;* von Fleisch lebend; *s m pl* Fleischfresser *m pl.*

carolingien, ne [karɔlɛ̃ʒjɛ̃, -ɛn] *a hist* karolingisch; *C~s s m pl* Karolinger *m pl.*

caroncule [karõkyl] *f anat* Karunkel, Fleischwarze *f;* Wärzchen *n,* Papille; *bot* Anschwellung *f.*

carotide [karɔtid] *f* Halsschlagader *f.*

carottage [karɔtaʒ] *m fam* Schwindel *m,* Gaunerei; *min* Bohrkerngewinnung *f.*

carotte [karɔt] *s f* Mohrrübe, Möhre, Karotte *f; min* Bohrkern *m;* Schild *n* der Tabakläden; *a (Haare)* feuerrot; *jouer la* ~ *(Karten)* übertrieben vorsichtig, mit kleinen Einsätzen spielen; nichts riskieren; *tirer une* ~ *à qn (fam vx)* jdm etw ab=schwindeln; ~ *(de tabac)* Rolle *f* (Kau-)Tabak.

carott|er [karɔte] *tr fam* beschwindeln, be-, ergaunern; *itr min* Bohrlochproben nehmen; ~ *le service (arg mil)* sich vom Dienst drücken; **~eur, se; ~ier, ère** *s m f fam* Schwindler, Gauner; *min* Bohrlochprobennehmer *m.*

caroub|e [karub] *f bot* Johannisbrot *n;* **~ier** *m* Johannisbrotbaum *m.*

carp|e [karp] **1.** *m anat* Handwurzel *f;* **2.** *f* Karpfen *m; bâiller comme une* ~ *(fam)* entsetzlich gähnen; *muet comme une* ~ stumm wie ein Fisch; ~ *à miroir* Spiegelkarpfen *m;* **~eau** *m,* **~ette** *f* junge(r) Karpfen; **~ette** *f* kleine(r), grobe(r) Teppich *m;* Brücke *f;* **~ien, ne** *a* Handwurzel-; **~ier** *m* Karpfenteich *m;* **~illon** [-jõ] *m* ganz kleine(r) Karpfen *m.*

carquois [karkwɑ] *m* Köcher *m; avoir vidé son* ~ *(fig)* sein Gift verspritzt haben.

carrare [karar] *m* karrarische(r), weiße(r) Marmor *m.*

carre [kar] *f* Schnittfläche; Ecke, Kante; *(Brett)* Dicke *f;* Oberteil *n od m* *(e-s Hutes);* Vorderkante *f (breiter Schuhe);* Schulterteil *m (e-r Jacke);* Eckbeschlag *(e-s Buchdeckels); (Schlittschuhlaufen)* Schlangenbogen *m.*

carré, e [ka(ɑ)re] *a* quadratisch; *fam* viereckig; Quadrat-; *fig* offen, gerade; klar, deutlich; *(~ des épaules)* breitschulterig, kräftig; *s m* Quadrat, *fam* Viereck; *(Küche)* Karree, (Rippen-)Stück *n;* (Speck-)Brocken; *tech* Vierkant *m; loc* (quadratische) Signalscheibe *f; mil* Karree *n; mar* Offiziersmesse *f;* Papierformat 56×45 cm; (Garten-)Beet *n; arch* Treppenabsatz, -flur *m; (Poker)* vier gleichwertige Karten *f pl; f arg* Zimmer *n; en, au ~* im Quadrat; Quadrat-; *effacer le ~ (loc)* das Signal auf Fahrt stellen; *élever au ~* quadrieren, ins Quadrat erheben; *extraire, tirer une racine ~e* e-e (Quadrat-)Wurzel ziehen; *bois m ~* Kantholz *n; fer m ~* Vierkanteisen *n; mètre m ~* Quadratmeter *m* od *s; mot m ~* magische(s) Quadrat *n (Rätsel); partie f ~e (fig fam)* Gesellschaft *f* von zwei Paaren; *racine f ~e* Quadratwurzel *f; section f ~e* quadratische(r) Querschnitt *m; tête f ~e* Querkopf; entschlußfreudige(r) Mensch *m;* Mensch *m* mit gesundem Urteil, von entschlossenem Charakter; *~ d'eau* (viereckiges) Wasserbecken *n; ~ long* Rechteck *n; ~ du plan directeur* Planquadrat *n.*

carreau [karo] *m* (Stein-) Platte, Fliese, Kachel *f,* Quader(stein); Platten-, Fliesenfußboden *m;* Fensterscheibe *f;* Karo *(Muster u. Kartenfarbe);* (viereckiges) Kissen; *arg* Einbruchswerkzeug; *fam* Monokel *n; med* Unterleibsschwindsucht; *tech* Vierkantfeile *f;* Storchschnabel; Verblendstein *m;* Schneiderbügeleisen *n; min* Grubenhalde *f; à ~x* kariert, gewürfelt; *sur le ~ (min)* ab Grube; *coucher sur le ~* auf dem Erdboden schlafen; *se garder, se tenir à ~ (fam)* auf der Hut sein; *jeter sur le ~* zu Boden, auf die Straße werfen; *laisser sur le ~* tot *od* verwundet liegen lassen; *regarder aux ~x* durchs Fenster schauen; *tomber, rester sur le ~* (tot *od* verwundet) auf der Strecke bleiben; *~ cannelé, coloré, dépoli* Riffel, Bunt-, Mattglasscheibe *f; ~ de ciment, de grès, de mur, de sol* Zement-, Steinzeug-, Wand-, Bodenplatte *f; ~ de plâtre* Gipsdiele *f; ~ en terre cuite* Terrakottaplatte *f.*

carre|four [karfur] *m* (Straßen-)Kreuzung, Ecke *f;* Kreuzweg; *fig* Scheideweg; Ort *m* der Begegnung; *de ~* pöbelhaft, ordinär; **~lage** [karlaʒ] *m* Stein-, Platten-, Fliesenbelag; Fliesenfußboden *m;* **~ler** mit Steinplatten, Fliesen aus≈legen, plätteln; *(Papier)* karieren; **~let** [-ɛ] *m* Polsterer-, Packnadel; *tech* Vierkantfeile *f;* vierkantige(s) Lineal; Vogelnetz, viereckige(s) Fischnetz *n;* Seihrahmen *m; zoo* Scholle *f;* **~leur** *m* Platten-, Fliesenleger; herumziehende(r) Schuhflicker *m;* **~lier** Fliesenarbeiter *m;* **~lure** *f* (Be-)Sohlen *n;* neue Sohle *f.*

carr|ément [karemɑ̃] *adv* gerade, rechtwinklig; senkrecht; *fig* fest, offen, geradeheraus, *fam* glattweg, rundweg; **~er** viereckig machen; *math* quadrieren, ins Quadrat erheben; deutlich bezeichnen; *pop* verstecken; *se ~ (fam)* es sich bequem machen; sich in die Brust werfen.

carri|er [karje] *m* Steinbrucharbeiter, -besitzer *m;* **~ère** *f* **1.** Steinbruch *m;* **2.** Laufbahn *f,* -beruf *m,* Karriere; *la ~* die diplomatische Laufbahn; *tech* Fahrt(strecke), Bahn *f; donner (libre) ~* freien Lauf, die Zügel schießen lassen (*à qc dat); se donner ~* sich keinen Zwang an≈tun *od* auf≈erlegen; *embrasser, suivre une ~* e-e Laufbahn ein≈schlagen; e-n Beruf wählen *od* aus≈üben; *fonctionnaire, militaire m de ~* Berufsbeamte(r), -soldat *m; ~ d'ardoise, de marbre* Schiefer-, Marmorbruch *m; ~ de sable* Sand-, Kiesgrube *f;* **~ériste** *a* karrierebewußt; *s m f* Karrieremacher *m,* Karrierefrau *f.*

carriole [karjɔl] *f* Karren *m; fam* (alte) Kiste *f.*

carross|able [karɔsabl] befahrbar; Fahr-; *chemin m ~* Fahrweg *m;* **~age** *m* Radsturz *m;* **~e** *m* Karosse, (Staats-)Kutsche *f; être la cinquième roue du ~* das fünfte Rad am Wagen sein; *rouler ~* reich, wohlhabend sein; *cheval m de ~ (fam)* Flegel, grobe(r) Klotz, Tolpatsch *m;* **~er** karossieren, mit e-r Karosserie versehen; **~erie** *f* Wagenbau *m;* Wagnerei, Stellmacherei; *mot loc* Karosserie *f,* Aufbau *m;* **~ier, ère** *a: cheval m ~* Zugpferd *n; ouvrier m ~* Karosseriearbeiter *m; s m* Karosseriefabrikant *m.*

carrousel [karuzɛl] *m hist* Ringelspiel; Karussell *n; (Flughafen)* Gepäckausgabe *f.*

carroyage [karwajaʒ] *m* Kartengitternetz *n.*

carrure [karyr] *f* (Schulter-)Breite; *(Kleidung)* Weite *f; fig (Mensch)* Format *n; (Ausdruck)* Klarheit, Deutlichkeit *f.*

carry [kari] *m vx s. curry.*
cartable [kartabl] *m* Schulmappe *f; (~ à bretelles)* Schulranzen *m;* Schreib-, Zeichenmappe; Schreibunterlage *f.*
carte [kart] *f* Karton *m;* Pappe; (Land-, Spiel-, Speise-, Post-, Visiten-) Karte *f;* Ausweis(-karte *f*); *tech* Plan *m; à la ~* nach der Karte; nach Wahl; *d'après la ~ (mil)* nach der K.; *avoir ~ blanche* freie Hand, Vollmacht haben; *battre les ~s* die K. mischen; *brouiller les ~s (fig)* Verwirrung stiften; *connaître le dessous des ~s (fig)* die (geheimen) Hintergründe kennen; *construire des châteaux de ~s* Luftschlösser bauen; *consulter la ~* die (Speise-)Karte studieren; *déposer sa ~* seine K. ab=geben; *distribuer, donner les ~s* die K. geben; *entoiler une ~* e-e K. auf=ziehen; *faire (perdre) la ~* die meisten (wenigsten) Stiche haben; *faire ~s égales* gleich viele Stiche haben; *filer la ~, tricher aux ~s* falsch spielen; *jouer sa dernière ~ (fig)* s-e letzte Karte aus=spielen; *jouer ~s sur table (fig)* mit offenen Karten spielen; *perdre la ~* sich verirren, durcheinander=geraten; *prendre des ~ (Spiel)* Karten auf=nehmen; *prendre les ~s (fig)* die Sache in die Hand nehmen; *tirer, faire les ~s* Karten legen; *on ne sait jamais avec lui de quelle ~ il retourne* man weiß bei ihm nie, woran man ist; *à qui la ~?* wer spielt aus? *château m de ~s* Kartenhaus *n; fam* Bruchbude *f; jeu m de ~s* Kartenspiel *n; lecture f de la ~* Kartenlesen *n; partie f de ~s* Kartenspiel *n; tireuse f de ~s* Kartenlegerin *f; tour m de ~s* Kartenkunststück *n; ~ d'abonnement (loc)* Zeitkarte *f; ~ d'admission, d'entrée* Eintrittskarte *f; ~ d'alimentation* Lebensmittelkarte *f; ~ astronomique* Sternkarte *f; ~ de chemin de fer* (Eisenbahn-)Fahrkarte *f; ~ de circulation (loc)* Netz-, Bezirkskarte *f; ~ climatologique, démographique* Klima-, Bevölkerungskarte *f; ~ de crédit* Kreditkarte *f; (Schiff) ~ de débarquement, d'embarquement* Lande-, Einschiffungskarte *f; (Flugzeug)* Bordkarte *f; ~ d'échantillons* Musterkarte *f; ~ au, à l'échelle de 1 : 100.000* K. im Maßstab ...; *~ économique* Wirtschaftskarte *f; ~ d'électeur* Wahlausweis *m; ~ d'ensemble, générale* Übersichtskarte *f; ~ d'état-major* Generalstabskarte *f; ~ de félicitation(s)* Glückwunschkarte *f; ~ ferroviaire, des chemins de fer* Eisenbahnkarte *f;* K. des Eisenbahnnetzes; *~ forcée (fig)* Zwangslage *f; ~ géographique* Landkarte *f; ~ grise* Kraftfahrzeugschein *m; ~ d'hébergement* Jugendherbergsausweis *m; ~ d'identité* Personalausweis *m;* Kennkarte *f; ~ Inter-Rail* Interrailkarte *f; ~ d'invalidité* Behindertenausweis *m; ~ d'invitation* Einladungskarte *f; ~ Jeune* Junior-Paß *m; ~ (à jouer)* Spielkarte *f; ~ du jour* Tageskarte *f,* Tagesmenü *n; ~-lettre f* Kartenbrief *m; ~ maîtresse (fig)* Trumpfkarte *f; ~ marine* Seekarte *f; ~ météorologique* Wetterkarte *f; ~ murale* Wandkarte *f; ~ pour la navigation* Ortungskarte *f; ~ perforée (a. inform)* Lochkarte *f; ~ permanente* Dauerkarte *f; ~ pneumatique, ~-télégramme f* Rohrpostkarte *f; ~ de pollution* Abgastestbescheinigung *f; ~ postale (illustrée)* (Ansichts-)Postkarte *f; ~ en relief* Reliefkarte *f; ~-réponse f* Antwortkarte *f; ~ (de restaurant)* Speisekarte *f; ~ routière* Straßenkarte *f; ~ de situation (mil)* Lagekarte *f; ~ synoptique* Übersichtskarte *f; ~ touristique* Wanderkarte *f; ~ de travail* Arbeitspaß *m; ~ universelle* Weltkarte *f; ~ Vermeil, vermeille* Seniorenpaß *m; ~ des vents* Windkarte *f; ~ des vins* Weinkarte *f; ~ (de visite)* Visiten-, Besuchskarte *f.*
cartel [kartɛl] *m* Herausforderung; *(Kamin, Uhr, Gemälde)* Pfeiler-, Rahmenverzierung; Wanduhr *f; com* Kartell *n; pol* Block *m; décret m sur les ~s* Kartellverordnung *f; ~ de calcul, de prix, de production, de répartition des territoires de ventes* Kalkulations-, Preis-, Produktions-, Gebietskartell *n;* **~isation** *f* Kartellbildung *f;* **~iste** *s m* Kartellanhänger *m; a* Kartell-.
carter [kartɛr] *m tech* Gehäuse *n,* Kasten *m; ~ du changement de vitesse* Getriebegehäuse *n; ~ du différentiel* Differential-, Ausgleichsgehäuse *n; ~ d'embrayage, d'engrenage* Kupplungsgehäuse *n;* Getriebekasten *m; ~ d'huile* Ölwanne *f; ~ du moteur, du vilebrequin* Motor-, Kurbelgehäuse *n.*
cartilag|e [kartilaʒ] *m anat* Knorpel *m;* **~ineux, se** knorp(e)lig.
carto|graphe [kartɔgraf] *m* Kartograph *m;* **~graphie** *f* Kartographie *f;* **~graphique** kartographisch; **~mancie** *f* Kartenlegen *n;* **~mancien, ne** *m f* Kartenleger(in *f*) *m.*
carton [kartɔ̃] *m* Karton *m;* Pappe *f;* Papp-, Papiermaché *n;* Pappdeckel *m;* (Papp-)Schachtel *f; (Kunst)* Karton *m;* Nebenkarte; (Schieß-)Scheibe *f; (Papier)* Viertelbogen *m; typ* Aus-

wechselblatt *n;* Preßdeckelbogen *m; en ~* in Schutzkarton; *battre le ~* Karten spielen; *rester dans les ~s* bei den Akten liegen; *personnage m de ~* Strohmann *m; ~ d'amiante* Asbestpappe *f; ~ bitumé* (Bitumen-) Dachpappe *f; ~ à chapeaux, à chaussures* Hut-, Schuhschachtel *f; ~ comprimé* Hartpappe *f; ~ (à dessin)* (große) Zeichenmappe *f; ~ à dossiers* Aktendeckel *m; ~ fort* Buchdeckelpappe *f; ~ goudronné* Teerpappe *f; ~ isolant* Isolierpappe *f; (Fußball) ~ jaune* gelbe Karte *f; ~ ondulé* Wellpappe *f; ~ paille* Stroh-, Holzpappe *f; ~-pâte m* Papp-, Papiermaché *n; ~-pierre m* Dachpappe *f; (Fußball) ~ rouge* rote Karte *f;* **~nage** [-tɔ-] *m* Kartonagen(industrie *f*) *f pl;* Pappeinband *m;* Kartonverpackung *f;* **~ner** *tr (Buch)* kartonieren; mit Pappe überziehen; *itr fam* Karten dreschen; **~nerie** *f* Kartonagenfabrik *f;* **~nier, ère** *m f* Kartonagenfabrikant(in *f*), -händler(in *f*); *m* Aktenschrank *m.*

cartouch|e [kartuʃ] **1.** *f mil tech* Patrone; *mil* Kartusche *f; tech* Einsatz *m;* Lampenkappe; (Patronen-)Sicherung; Rohrpostbüchse; *(Drehbleistift)* Mine *f;* **2.** *m (Kunst)* Kartusche *f; typ* Ziertitel *m; alimentation f en ~s* Patronenzuführung *f; bande f à ~s* Patronenstreifen *m; caisse f à ~s* Patronenkasten *m; maillon m à ~s* MG-Patronengurt *m; tambour m à ~s* Patronentrommel *f; ~ à balle, à plomb, de tir réel* scharfe Patrone *f; ~ à blanc* Platzpatrone *f; ~ éclairante* Leuchtpatrone *f; ~ du masque à gaz* Filtereinsatz *m* für die Gasmaske; *~ de rechange* Ersatzmine *f;* **~erie** *f* Munitionsfabrik *f;* -depot *n;* **~ière** *f* Patronentasche *f.*

car|vi [karvi] *m bot* Gartenkümmel *m;* **~yatide** *s. ~iatide.*

cas [kɑ] *m* Fall *m,* Ereignis *n;* Sache; Lage *f,* Umstände *m pl; gram* Kasus *m; au ~ où (cond) au, en ~ que (subj) vx* im Falle, daß; falls; *en aucun ~* auf keinen Fall; *en ~ de besoin* notfalls; *en ce ~* in diesem Fall; *en tout ~, dans tous les ~* auf jeden Fall; *le ~ échéant* gegebenenfalls; *faire (grand) ~ de* (großen) Wert legen auf *acc; ne faire nul ~ de* sich nichts machen aus; *faire peu de ~ de* sich wenig machen aus; *~ de conscience* Gewissensfrage *f; ~ de dommage* Schadensfall *m; ~ douteux, de doute* Zweifelsfall *m; ~ d'espèce, isolé* Einzelfall *m; ~ exceptionnel* Ausnahmefall *m; ~ extrême, limite* Extrem-, Grenzfall *m; ~ fortuit* Zufall *m; ~ d'hérédité, de succession* Erbfall *m; ~ litigieux* Streit-, Rechtsfall *m; ~ de nécessité* Notstand *m; ~ type* Musterfall *m.*

casanier, ère [kazanje, -ɛr] *a* häuslich; *s m f* häusliche(r) Mensch; Stubenhocker *m.*

casaqu|e [kazak] *f* Jacke mit weiten Ärmeln; Jockei-, Livreejacke *f;* Kasack *m,* Kittelbluse *f; tourner ~ (fig)* die Farbe, Partei wechseln; **~in** *m Art* Damenjacke *f; donner, sauter, tomber sur le ~ à qn (fam)* jdn verdreschen, -prügeln.

casbah [kazba] *f* Kasba, Burg, Zitadelle *f (in arab. Ländern); arg* Haus *n.*

casca|de [kaskad] *f* Wasserfall *m;* Kaskade *f;* Schwall *m, fig* Salve *f, (Beifall)* Sturm *m; par ~s* stoßweise; sich überstürzend, sich überschlagend; *faire la ~* herunter=purzeln; *couplage m en ~* Kaskadenschaltung *f; récepteur m en ~* Geradeausempfänger *m;* **~der** (Wasser) von Fels zu Fels herab=stürzen; *fig* schwanken; stürzen; *fam* tolle Späße machen; flott leben; **~deur, se** *a* leichtlebig, flott; ausschweifend; *s m f* Lebemann *m,* lebenslustige Frau *f; (Film)* Kaskadeur *m;* **~telle** *f* kleine(r) Wasserfall *m.*

case [kɑ(a)z] *f* Hütte *f;* Fach; (Schach-, Damebrett) Feld *n; fig* Ab-, Unterteilung; Rubrik *f.*

casé|eux, se [kazeø, -øz] käsig; **~ification** *f* Kaseinbildung *f;* **~ifier** *(Milch)* käsen lassen; **~ine** *f* Kasein *n.*

casemate [kazmat] *f mil* Kasematte *f;* Unterstand, Bunker *m.*

caser [kaze] *(Papier, Wäsche)* (ein=) ordnen, *(Briefe)* ab=legen; unter= bringen *a. fig,* verstauen; *(Mädchen)* verheiraten, unter die Haube bringen; *se ~* ein Unterkommen, ein Zimmer, e-e Stelle finden; *~ qn dans un emploi* jdm e-e Stelle verschaffen; *être ~é* versorgt sein; *elle a trouvé à se ~* sie hat sich an den Mann gebracht.

caser|ne [kazɛrn] *f* Kaserne; *fam* Mietskaserne *f; cour f de ~* Kasernenhof *m;* **~nement** *m* Kasernierung *f;* Kasernenbereich *m* (od *n*); Truppenunterkunft *f;* **~ner** *tr* kasernieren; *itr* in e-r Kaserne untergebracht sein; **~nier, ère** *a* Kasernen-; *s m mil* Materialverwalter *m.*

casier [kazje] *m* Regal *n;* Fächer-, Aktenschrank *m; (Büro)* Ablegefach *n;* Kartei; (Hummer-)Reuse *f; ~ à bouteilles* Flaschenschrank *m; ~ à couverts* Besteckkasten *m; ~ judiciaire*

(jur) Strafregister *n; ~ à musique* Notenständer *m.*
casimir [kazimir] *m* Kaschmir *m (Gewebe).*
casino [kazino] *m* Spielbank *f;* Kurhaus *n.*
casoar [kazɔar] *m (~ à casque) orn* (Helm-)Kasuar; *mil* Federbusch *m.*
caspien, ne [kaspjɛ̃, -ɛn] *a geog* kaspisch; *la mer C~ne* das Kaspische Meer *n.*
casqu|e [kask] *m* Helm *m; aero* Haube *f; orn* Höcker; *radio* Kopfhörer *m; ~ bleu m* Blauhelm *m; ~ à bourrelets de cuir, de motocycliste* Leder-, Sturzhelm *m; ~ de chantier* Schutzhelm *m; ~ colonial* Tropenhelm *m; ~ à mèche (hum)* Nacht-, Zipfelmütze *f; ~ de pompier* Feuerwehrhelm *m; ~ de scaphandrier* Taucherhelm *m; ~ téléphonique, d'écoute* Kopfhörer *m; ~ de tranchée, d'acier* Stahlhelm *m;* **~é, e** behelmt; *orn* mit Höcker versehen; **~er** *itr arg* blechen; **~ette** *f* (Schirm-)Mütze *f; ~ d'aviateur, de marin, d'officier* Flieger-, Matrosen-, Offiziersmütze *f; ~ d'écolier, de lycéen* Schülermütze *f; ~ à pont, à visière* Ballon-, Schirmmütze *f.*
cass|able [kasabl] zerbrechlich; **~ant, e** brüchig, spröde; *fig* schneidend, schroff; herrisch; **~ation** *f jur* Aufhebung *(e-s Urteils);* Ungültigkeitserklärung; *mil* Degradierung *f; se pourvoir, plaider, recourir en ~* Nichtigkeitsklage erheben; Revision ein=legen; *recours, pourvoi m en ~* Nichtigkeitsklage *f.*
cass|e [kas] *f* **1.** Zerbrechen *n;* Bruch(stelle *f*) *m;* zerbrochene(s) Geschirr *n,* Scherben *f pl; allg* Verlust, Schaden *m; fam* Unannehmlichkeiten *f pl;* Schererei *f,* Radau *m,* Rauferei *f; arg* Einbruch *m; aero arg* Kleinholz *n;* **2.** *tech* Gießgrube *f; typ* Setzkasten *m;* **3.** *bot* Kassia *f; payer la ~* für den Schaden, für die Folgen auf= kommen; *je ne réponds pas de la ~ (fig)* ich wasche meine Hände in Unschuld; ich lehne jede Verantwortung ab; *~-cou s m inv* gefährliche(r) Weg *m,* gefährliche Durchfahrt, Strecke, Treppe *f; fam* tollkühne(r) Mensch, Draufgänger *m; interj (Spiel)* es brennt! *crier ~-cou à qn* jdn warnen; *~-croûte m inv* Imbiß *m; pop* Stulle *f; ~-gueule a inv pop* gefährlich; *s m fam* gefährliche(s) Unternehmen *n;* starke(r) Schnaps; *pop* Krieg *m; ~-noisettes, ~-noix m inv* Nußknakker *m; ~-pattes m inv* Rachenputzer, starke(r) Schnaps *m; ~-pieds m inv fam* aufdringliche(r) Mensch *m;* Nervensäge *f; ~-pierre(s) m inv tech* Steinbrecher *m; bot* Steinbrech *m; ~-pipes m inv* Schießbude *f; fam* Krieg *m; ~-poitrine m inv* starke(r) Schnaps *m; ~-tête m inv* Totschläger *m,* Keule *f; fig* ohrenbetäubende(r) Lärm; starke(r) Wein *m; fig* harte Nuß *f;* Problem, Rätsel *n;* **~é, e** *fig* gebrochen; *(Stimme)* schwach; *(Mensch)* gebrechlich, verbraucht.
casseau [kaso] *m typ* Vorratskasten, kleine(r) Setzkasten *m;* Hälfte *f* e-s Setzkastens mit großen Fächern.
cass|ement [kasmɑ̃] *m: ~ de tête* geistige Ermüdung, Abgespanntheit *f;* Kopfzerbrechen *n;* **~er** *tr* (zer-, durch=, auf=)brechen; zerschlagen, zerreißen; zermürben, auf=reiben; *jur* auf=heben, für ungültig erklären; *(Testament)* um=stoßen; *mil* degradieren; entlassen, ab=setzen; (des Amtes) entheben; *fam* (Geldschein *od* -stück) an=brechen; *(Verlöbnis)* lösen; *(Arbeit)* schlampig erledigen; *(Holz)* hacken; *(Nuß)* (auf=)knacken; *(Ei)* auf=schlagen; *itr* zerbrechen; zersplittern; *(Zweig)* knacken; *(Faden)* (zer)reißen; *se ~* brechen; *(Person)* schwach, alt, gebrechlich werden; *à tout ~* maßlos, unerhört, toll, unvorsichtig; *(Preis)* höchstens; *~ du bois (aero fam)* Kleinholz, Bruch machen; *~ bras et jambes (fam)* völlig erledigen (*à qn* jdn); *se ~ le cou, la figure, la gueule, la tête (pop)* herunter=fallen, -stürzen; sich verprügeln; *~ le cou à une bouteille* e-r Flasche den Hals brechen; *~ une* od *la croûte (fam)* e-n Imbiß nehmen; *se ~ les dents sur qc* sich an e-r S die Zähne aus=beißen; *~ au fer* um=bügeln; *~ la figure, la gueule à qn (fam)* jdn halb tot=schlagen; *~ de son grade* degradieren; *se ~ le nez (fig)* scheitern; *à la porte de qn* niemand zu Hause finden; abgewiesen werden; *~ les oreilles à qn* jdm in den Ohren liegen; jdn betäuben; *~ les pieds à qn* jdn belästigen, langweilen; jdm auf den Wekker fallen; *~ sa pipe (fam)* ins Gras beißen; *~ du sucre sur le dos de qn* jdn verleumden; *~ la tête (fam)* betäuben, verwirren (*à qn* jdn); *se ~ la tête (fig)* sich den Kopf zerbrechen, *contre les murs* jede Hoffnung auf= geben; völlig verzweifeln; *~ les vitres* die Scheiben ein=werfen; *fig* rücksichtslos handeln, seine Meinung unverblümt sagen; *se ~ les yeux (fam)* sich die Augen verderben; *ne pas se ~ (fam)* sich nicht viel Mühe geben; sich kein Bein aus=reißen; *il faut ~ le noyau pour avoir l'amande; on ne*

fait pas d'omelette sans ~ des œufs ohne Fleiß kein Preis; *qui ~e les verres les paye* wer Schaden anrichtet, muß dafür auf≈kommen; *ça ne ~e rien (pop)* das ist nichts Besonderes; *tout passe, tout lasse, tout ~e (prov)* alles hat einmal ein Ende.

casse|role [kasrɔl] *f* Tiegel *m*, Schmorpfanne, Kasserolle *f; theat* Scheinwerfer *m; tech* Haube; *aero arg* Kanzel *f; fam* schlechte(s) Klavier *n;* Stahlhelm; **~rolée** *f* Tiegelvoll *m.*

cassette [kasɛt] *f* Kassette; Schatulle *f; ~ vidéo* Videokassette *f.*

casseur [kasœr] *m* Draufgänger; gewalttätige(r) Demonstrant *m; fig* Vandale *m; pop* Einbrecher *m;* Schrottwagenhändler *m; ~ d'assiettes (fam)* Krakeeler *m; ~ de pierres* Steinklopfer *m.*

cassier [kasje] *m* **1.** Kassia *f*, Kassienbaum; **2.** *typ* Setzkastenschrank *m.*

cassis *m* **1.** [kasis] schwarze(r) Johannisbeerstrauch *m;* schwarze Johannisbeere *f;* Johannisbeerlikör; *arg* Kopf *m;* **2.** [-si] *(Straße)* Querrinne *f.*

cassolette [kasɔlɛt] *f* Räucherpfanne *f;* Wohlgeruch *m.*

casson [kasɔ̃] *m* Glasscherben; Zukkerklumpen *m;* Kakaobrocken *m pl;* **~ade** *f* Rohzucker *m.*

cassoulet [kasulɛ] *m* Ragout *n* aus Geflügel, Schweine- od Hammelfleisch u. weißen Bohnen.

cassure [kasyr] *f* Bruch(-stelle *f*) *m a. fig; fig* Wende(punkt *m*); Kluft, Spalte; Falte *f*, Kniff; *(Metall)* Riß *m.*

castagnette [kastaɲɛt] *f* Kastagnette *f.*

caste *f* Kaste; Klasse *f; esprit m de ~* Kastengeist *m.*

castel [kastɛl] *m dial* Schloß *n.*

cast|illan, e [kastijɑ̃, -an] *a* kastilisch; *s m* Kastilisch, (Schrift-)Spanisch *n; C~, e s m f* Kastilier(in *f*) *m;* **C~ille, la** Kastilien *n.*

castine [kastin] *f* Kalkstein; *tech* Kalkzuschlag *m.*

castor [kastɔr] *m zoo* Biber(pelz); Velourshut; Bauherr *m*, der sein Haus mit eigenen Händen baut od dabei mithilft; *fam* Hut; *fam* Schiffsjunge *m; huile f de ~* Kastor-, Rizinusöl *n; ~ de mer (zoo)* See-, Meerotter *m.*

castr|at [kastra] *m* Kastrat, Verschnittene(r) *m;* **~ation** *f* Kastration *f;* **~er** *s. châtrer.*

casu|alité [kazɥalite] *f* Zufälligkeit *f;* **~el, le** *a* zufällig; gelegentlich, Gelegenheits-; auf Widerruf; *gram* Kasus-; *s m* gelegentliche Nebeneinkünfte *pl*, zufällige(r) Nebenverdienst *m; rel* Kasualien *pl;* **~iste** *m rel* Kasuist *m;* **~istique** *f* Kasuistik; *fig fam* Haarspalterei *f.*

cata|clysme [kataklism] *m* Sintflut; (Erd-)Umwälzung *f; fig* Umsturz *m*, Katastrophe *f;* **~combe** [-kɔ̃b] *f* Katakombe *f;* **~falque** *m* Katafalk *m*, Trauergerüst *n.*

catal|an, e [katalɑ̃, -an] *a* katalanisch; **C~ogne, la** Katalonien *n.*

cata|lepsie [katalɛpsi] *f med* Starrsucht *f;* **~leptique** starrsüchtig; **~logage** *m* Katalogisierung; Titelaufnahme *f;* **~logue** *m* Katalog *m*, Liste *f*, Verzeichnis *n; prix m de ~* Listenpreis *m; ~ alphabétique par matières* Schlagwortkatalog *m; ~ analytique* Stichwortkatalog *m; ~ par auteurs m* Verfasserkatalog *m; ~ sur fiches* Zettelkatalog *m; ~ de livres de fonds* Verlagskatalog *m; ~ de livres d'occasion* Antiquariatskatalog *m; ~ par matières m* Sachkatalog *m; ~ par numéro d'entrée* Zugangsliste *f;* **~loguer** katalogisieren; listen-, karteimäßig erfassen; verzetteln; **~lyse** [-liz] *f chem* Katalyse *f;* **~lyser** katalysieren; *fig fam* zs.fassen, konzentrieren; **~lyseur** *m chem* Katalysator *m.*

catamaran [katamarɑ̃] *m* Katamaran *m.*

cata|phote [katafɔt] *m (Fahrrad)* Rückstrahler *m*, Katzenauge *n;* **~plasme** *m* Breiumschlag *m;* Pflaster *n; fig fam* dicke(s) Paket *n;* Pampe *f;* **~pultage** *m* Katapultstart *m;* **~pulte** *f* Katapult *m* od *s; ~ (pour avions)* Flugzeugschleuder *f;* **~pulter** katapultieren, (ab≈)schleudern; **~racte** *f* Katarakt, (großer) Wasserfall *m;* Gefälle *n; med* (grauer) Star *m; opérer qn de la ~* jdm den (grauen) Star stechen.

catarrh|al, e [kataral] *med* katarrhalisch; **~e** *m* Katarrh *m;* Schleimhautentzündung *f;* **~eux, se** an Katarrh leidend.

catastroph|e [katastrɔf] *f* Katastrophe *f*, schwere(s) Unglück *n; atterrissage en ~* Notlandung *f; ~ ferroviaire* Eisenbahnunglück *n; ~ naturelle* Naturkatastrophe *f; ~ nucléaire* nukleare(r) *od* atomare(r) Katastrophenfall *m;* **~é, e** *fam* ganz niedergeschlagen, fertig; **~ique** katastrophal; *fam* schrecklich, furchtbar.

catch [katʃ] *m* Freistilringen *n;* **~eur** *m* Freistilringer *m.*

catéch|iser [kateʃize] den Katechismus lehren; *fam* instruieren; ab≈kanzeln; **~isme** *m* Katechismus(unterricht) *m; allg* Belehrung *f;* Lieblingsbuch *n;* **~iste** *m* Katechet *m;* **~umène** [-kymɛn] *m* Katechumene, (Tauf-)Anwärter *m.*

catégor|ie [kategɔri] *f* Kategorie, Klasse, Gruppe, Gattung, Art *f; se classer dans une ~* in e-e Kategorie fallen; *~ d'impôts* Steuerklasse *f; ~ de traitement* Gehaltsgruppe *f;* **~ique** kategorisch; *fig* bestimmt, entschieden.

caténaire [katenɛr] *a* kettenförmig; *s f el* Leitungsdraht *m,* Fahr-, Oberleitung *f; réaction f ~ (chem)* Kettenreaktion *f.*

cathédrale [katedral] *f* Kathedrale, Bischofskirche *f;* Münster *n;* Dom *m.*

catherinette [katrinɛt] *f* Mädchen *n,* das mit 25 noch nicht verheiratet ist.

cathéter [katetɛr] *m med* Katheter *m,* Leitungssonde *f.*

cath|ode [katɔd] *f el* Kathode *f;* **~odique** *a: oscillographe m ~* Braunsche Röhre *f; rayons m pl ~s* Kathodenstrahlen *m pl.*

catho|licisme [katɔlisizm] *m* Katholizismus *m,* katholische Religion *f;* **~licité** *f* katholische(r) Charakter *m;* katholische Christenheit *od* Welt *f;* **~lique** *a* allgemein, katholisch; *allg* orthodox, rechtgläubig; vorschriftsmäßig; *s m f* Katholik(in *f*) *m; pas très ~ (fam)* nicht ganz astrein; verdächtig.

cati [kati] *m (Stoff)* Preßglanz *m.*

catimini [katimini]: *en ~* heimlich.

catin [katɛ̃] *f pop* Nutte *f.*

catir [katir] *(Tuch)* pressen.

Caucas|e, le [kɔkɑ(a)z] *m* der Kaukasus *m;* **~ien, ne** *s m f* Kaukasier(in *f*) *m; c~, ne a* kaukasisch.

cauchemar [koʃmar] *m* Alp(drücken *n,* -traum) *m; fig* Schreckgespenst *n.*

caudal, e [kodal] *a* Schwanz-; *s f (nageoire f ~e)* Schwanzflosse *f; plume f ~e* Schwanzfeder *f.*

caus|al, e [kozal] kausal, ursächlich; Kausal-; **~alité** *f* Kausalität *f,* ursächliche(r) Zs.hang *m; principe m de ~* Kausalitätsgesetz *n.*

causant, e [kozɑ̃, -t] *fam* gesprächig; schwatzhaft.

caus|e [koz] *f* Ursache *f,* Grund, Anlaß *m,* Veranlassung; Sache, Angelegenheit; Rechtssache *f,* Prozeß, (Rechts-)Fall; Rechtsgrund(lage *f*) *m; à ~ de* wegen, um ... willen; *à ~ de moi* meinetwegen; *en ~* fraglich; *en connaissance de ~* mit vollem Bedacht, mit Sachkenntnis; *en tout état de ~* unter allen Umständen, auf jeden Fall; *et pour ~* aus gutem Grund; *pour ~ de santé* aus Gesundheitsgründen; *(à) petite ~, grands effets* kleine Ursachen, große Wirkungen; *avoir gain de ~, ~ gagnée* gewonnenes Spiel haben; *donner gain de ~, ~ gagnée* recht geben; *être (la) ~ de qc* etw verursacht, bewirkt haben; *être en ~ (jur)* Partei sein; *allg* zur Debatte stehen; *n'être pas en ~* nicht betroffen sein; *faire ~ commune* gemeinsame Sache machen (*avec* mit); *mettre en ~* (in den Prozeß) ein=beziehen; *fig* in Frage stellen; *mettre hors de ~* (vom Prozeß) aus=schließen; *plaider une ~* e-n Prozeß (als Anwalt) führen; *plaider la ~ de qn* jdn in Schutz nehmen; sich für jdn ein=setzen; *prendre fait et ~ pour qn* für jdn Partei ergreifen; *remettre en ~* in Frage stellen; *ayant m ~* Rechtsnachfolger *m; ~ célèbre* Sensationsprozeß *m; ~ de divorce* Scheidungsgrund *m; ~ embrouillée* schwierige(r) Fall *m; ~ d'erreurs* Fehlerquelle *f; ~ finale* Endzweck *m; ~ de nullité (jur)* Anfechtungsgrund *m; ~s obscures, latentes* Hintergründe *m pl; ~ perturbatrice* Störungsfaktor *m; ~ de pourvoi* Beschwerdegrund *m; ~ de récusation (jur)* Ablehnungsgrund *m;* **~er 1.** verursachen, bewirken; **2.** sich unterhalten, plaudern (*avec qn* mit jdm, *de qc (fam)* über e-e S); klatschen, sprechen (*de qc* über e-e S); es aus=plaudern; *(fam) ~ de la pluie et du beau temps* über gleichgültige Dinge sprechen; *(c'est) assez ~é* (es ist) genug geredet (worden).

caus|erie [kozri] *f* Unterhaltung; Plauderei *f;* Vortrag *m;* **~ette** *f fam* Geplauder, Plauderstündchen *n; faire la ~* plaudern; **~eur, se** *a* redselig; *s m f* Plaud(e)rer *m,* Plaud(r)erin *f;* Schwätzer *m,* Klatschbase *f; f* kleine(s) Sofa *n.*

causse [kos] *m* dürre Kalkhochfläche *f (in Mittel- u. Südfrankr.).*

caust|icité [kostisite] *f* ätzende Wirkung; *fig* Spottsucht; Bissigkeit, Schärfe *f;* **~ique** *a* ätzend; *fig* bissig, beißend; *s m f* sarkastische(r) Mensch *m; m* Ätz-, Beizmittel *n; f phys* Brennfläche, -linie *f.*

caut|èle [kotɛl] *f* Verschlagenheit *f;* **~eleux, se** [-tlø] verschlagen, abgefeimt; mißtrauisch; schlau.

caut|ère [kotɛr] *m med* Kauterium, Brenneisen *n;* Fontanelle *f; c'est un ~ sur une jambe de bois* das hat keinen Zweck; **~érisation** *f med* Ausbrennen, Ätzen *n;* **~ériser** (aus=)brennen; *fig* verhärten.

caution [kosjɔ̃] *f* Kaution, Sicherheit, Bürgschaft *f;* Pfand *n;* Bürge *m; sous ~* gegen Bürgschaft; *sujet à ~* verdächtig; *être* ~ *de qc* für etw bürgen; *se porter* ~ *pour qn, se rendre* ~ *de qn* (sich *(acc)* für jdn ver)bürgen; *verser une* ~ e-e K. stellen; ~ *réelle* Sicherheitshypothek *f;* ~ *solidaire* Mitbürgschaft *f;* ~ *solvable* Barkaution *f;* ~**nement** [-sjɔn-] *m* Bürgschaft(sleistung), Verbürgung; Kaution(ssumme) *f; fournir un* ~ e-e Kaution stellen; ~ *conjoint* Mitbürgschaft *f;* ~**ner** (sich *(acc)* ver)bürgen (*qn* für jdn).

caval|cade [kavalkad] *f* Kavalkade *f, fam* (Reiter-)Aufzug; Spazierritt *m;* (lärmende) Schar *f;* ~**cader** e-n Spazierritt machen; *fam* in Haufen herum≈laufen; ~**e** *f poet* Stute *f;* ~**er** *tr pop* langweilen, an≈öden; *itr* od *se* ~ ab≈hauen, sich davon≈machen; ~**erie** *f* Kavallerie, Reiterei, berittene (u. motorisierte) Truppe *f;* Pferdebestand *m;* ~ *légère* leichte Kavallerie *f;* Aufklärungs(panzer)truppen *f pl;* ~**ier, ère** *a* frei, ungezwungen; überheblich; unverschämt; rücksichtslos; *s m f* Reiter(in *f*); *m* Kavallerist; Kavalier, Gentleman; Herr, Begleiter *(e-r Dame); (Schach)* Springer *m;* Papierformat *n* 62×46 cm; *tech* Abstellnadel *f; tech* Reiter *m;* Hängerklemme, Drahtklammer, Krampe *f; (Straßenbau)* Seitenablagerung *f; f* Tänzerin *f; faire* ~ *seul (beim Pferderennen)* mit Vorsprung an der Spitze liegen; *fig* auf eigene Faust handeln; *allée, piste f* ~*ère* Reitweg *m; saut m du* ~ Rösselsprung *m.*

cavatine [kavatin] *f mus* Kavatine *f.*

cav|e [kav] *a* hohl, eingefallen; *s f* Keller; Wein(vorrat) *m;* Kellerlokal; Spielgeld *n; tech* Schlackenrinne *f; aller de la* ~ *au grenier* vom Hundertsten ins Tausendste kommen; von e-m Extrem ins andere fallen; *avoir du vin en* ~ Wein im Keller haben; *mettre en* ~ ein≈kellern; *on ne peut pas être en même temps à la* ~ *et au grenier* man kann nicht gleichzeitig auf zwei Hochzeiten tanzen; *année f* ~ Mondjahr *n; rat m de* ~ Wachsstock; *pop* Steuerbeamte(r) *m; veine f* ~ Hohlvene *f;* ~*-abri f* Luftschutzkeller *m;* ~ *à bois* Holzlege *f;* ~ *à charbon, à provision, à vin* Kohlen-, Vorrats-, Weinkeller *m;* ~ *à liqueurs* Hausbar *f;* ~**eau** *m* kleine(r) Keller; Kellerverschlag *m,* Gruft *f;* Kellerbar *f;* Kabarett *n.*

caveçon [kavsɔ̃] *m* Kappzaum *m; coup m de* ~ *(fig)* Demütigung *f.*

caver [kave] **1.** aus≈, unter≈höhlen *a. fig; (Fechter)* kavieren; **2.** *(Geld beim Spiel)* ein≈setzen; aufs Spiel setzen; *fig* rechnen (*à* mit); ~ *au plus fort (fig)* alles auf die Spitze treiben; ~ *au pire* das Schlimmste befürchten.

caver|ne [kavɛrn] *f* Höhle; *fig* Räuberhöhle; *med* Kaverne *f; pl (Seele)* geheimnisvolle Tiefen *f pl; homme m des* ~*s* Höhlenmensch *m;* ~**neux, se** höhlenreich, voller Höhlen; ausgehöhlt; *(Stimme)* dumpf, hohl; *med* kavernös; *corps m* ~ *(anat)* Schwellkörper *m; voix f* ~*se* Grabesstimme *f.*

caviar [kavjar] *m* Kaviar; *typ* Überdruck *m;* ~**der** *(von der Zensur)* (durch≈)streichen, unleserlich machen; überdrucken.

caviste [kavist] *m* Kellermeister *m.*

cavité [kavite] *f* Höhlung *f,* Hohlraum *m,* Mulde; *anat* Kammer; *(Augen)* Höhle *f;* ~ *abdominale* Bauchhöhle *f;* ~ *buccale, orale* Mundhöhle *f;* ~ *glénoïde* Gelenkpfanne *f.*

cawcher, ère [kaʃɛr] koscher; *allg* statthaft, *fam* astrein.

cayeu [kajø] *m s. caïeu.*

ce(t), cette, *pl* **ces** [sə (sɛt); sɛt; sɛ(e)] *prn a* diese(r, s); jene(r, s); *(verächtl., iron., bewund.)* so ein(e)! *(erstaunt)* was für ein(e) ...! ~ *matin* heute morgen; ~ *...-ci* dieser (hier); ~ *...-là* der, jener (da, dort); *prn s m* es, das; ~ *qui,* ~ *que* (das,) was; *fam* wie; *c'est-à-dire* das heißt; nämlich; *qu'est-*~ *à dire?* was soll das heißen? ~ *disant* mit diesen Worten; *hier à cette heure-ci* gestern um die gleiche Zeit; *ne serait-ce qu'une fois* u. sei es auch nur einmal; *c'en est fait de nous* wir sind am Ende; mit uns ist es aus; ~ *n'est pas que* nicht (etwa), daß; *pour* ~ *faire* zu d(ies)em Zweck; ~ *(me) semble* wie es scheint, es scheint so, dem Anschein nach; *si* ~ *n'est que* es sei denn; außer wenn; *c'est à lui de* er ist an der Reihe zu; *c'est pourquoi* deshalb, darum; *c'est que* so *od* dann ist es, weil; nämlich; *(Hervorhebung) c'est ... qui, que: c'est lui qui me l'a raconté* er hat es mir erzählt; *c'est moi* ich bin es; *sur* ~ daraufhin; *le temps, c'est de l'argent (prov)* Zeit ist Geld.

céans [seɑ̃] *vx* hier (drinnen); *maître m de* ~ Hausherr *m.*

ceci [səsi] dies(es) (hier); das.

cécité [sesite] *f* Blindheit *f a. fig;* ~ *des neiges* Schneeblindheit *f;* ~ *psychique* Seelenblindheit *f;* ~ *verbale* Wortblindheit *f.*

cécographie [sekografi] *f* Blindenschrift *f.*

céd|ant, e [sedɑ̃, -ɑ̃t] *s m f* Zedent, Indossant, Girant, *(Wechsel)* Vorgläubiger; Vor(der)mann *m; a* abtretend; **~er 1.** ~ *itr* nach=geben; ~ *à qn* jdm nach=geben; ~ *sur un point* in e-m Punkt nach=geben; weichen (*à qn* vor jdm); nach=lassen, *(Eis)* brechen; *ses nerfs ont ~é* s-e Nerven haben versagt; *(seinen Pflichten)* erliegen; *ne le ~ en rien à qn* jdm in nichts nach=stehen; *l'intérêt particulier doit ~ à l'intérêt général* Gemeinnutz geht vor Eigennutz; gehorchen *(seinen Impulsen* od *Gefühlen)*; **2.** *tr (Stellung, Position)* auf=geben; ab=treten, überlassen *(qc à qn* e-e S jdm); ~ *sa place à qn* jdm s-n Platz ab=treten; *(com)* übertragen, zedieren; *(Haus)* verkaufen, vermachen; ~ *du terrain* zurück=weichen; ~ *le terrain mil* sich zurück=ziehen *(à qn* vor jdm*)*; *fig* zurück=treten, weichen; ~ *le pas à qn* jdm den Vortritt lassen; ~ *le haut du pavé à qn (fig)* jdm den Vorrang *od* Vortritt lassen; ~ *le passage à qn* jdn vorbei=lassen.

cédille [sedij] *f* Cedille *f.*

cédrat [sedra] *m* Frucht *f* des Zedratbaumes; *(a.* **~ier***)* Zedrat-, Zitronatbaum *m.*

cèdre [sɛdr] *m* Zeder(nholz *n*) *f.*

cédul|aire [sedylɛr] : *impôt m* ~ Steuer *f* auf Schuldverschreibungen; **~e** *f* Schuldschein *m,* -verschreibung *f; Art* steuerpflichtige(s) Einkommen *n;* ~ *hypothécaire* Hypotheken-, Pfandbrief *m.*

cégésimal, e [seʒezimal] *a* Zentimeter-Gramm-Sekunden-.

cégétiste [seʒetist] *a* C.G.T.-; gewerkschaftlich; *s m* C.G.T.- Gewerkschaftler *m.*

ceindre [sɛ̃dr] *irr (um Kopf od Hüfte)* um=tun; um=gürten, um=schnallen; *allg* um=geben, ein=fassen (*de* mit).

ceintur|e [sɛ̃tyr] *f* Gürtel, (Leib-)Gurt, Bund *m,* Binde; Taille; Gürtellinie; Bund-, Unterweite; *allg* Einfassung *f;* (Metall-)Reif *m; ne pas arriver à la ~ de qn (fig)* jdm nicht das Wasser reichen können; *boucler sa ~* sich an=schnallen; *se mettre, se serrer la ~ (fam)* sich den Gürtel enger schnallen, auf e-e S verzichten; *être toujours pendu à la ~ de qn (fam)* jdm nicht von der Seite gehen; *attachez vos ~s! (aero)* bitte schnallen Sie sich an! ~ *d'attache (Fallschirm)* Anschnallgurt *m;* ~ *à enrouleur* Automatikgurt *m;* ~ *hygiénique* Gürtel *m* für die Monatsbinde *f;* ~ *de natation* Schwimmgürtel *m;* ~ *porte-jarretelles* Strumpfhaltergürtel *m;* ~*-piège f* Leimring *m (um Bäume);* ~ *(de projectile)* Führungsring *m;* ~ *de sauvetage* Rettungsring *m;* ~ *de sécurité* Sicherheitsgurt *m;* ~ *de soutien, orthopédique* Leibbinde *f;* ~ *de sûreté (aero)* Anschnallgurt *m; (mot)* Sicherheitsgurt *m* ~ *verte* Grüngürtel *m (e-r Stadt);* **~er** (um)gürten; e-n Gürtel um=schnallen (*qn* jdm); *(Taille)* umfassen; **~on** *m* Leibriemen *m; mil* Koppel *n.*

cela [s(ə)la] das (da, dort); es; *fam péj* so e-r, so e-e, so was, so welche; *après ~ (fam)* nachher, danach; *avec (tout) ~* trotz (alle)dem; *avoir ~ de bon que* das für sich haben, daß; *comme ~* so; so so, ziemlich; *comment ~?* wieso (denn)? ist es möglich? *comment ~ va-t-il?* wie geht's? *c'est (bien) ~* so ist es; *n'est-ce que ~?* weiter nichts? das ist alles? *il ne manquait plus que ~!* das fehlte (gerade) noch! *pas, point de ~!* nichts davon! das wäre noch schöner! *pour ~* was das betrifft; *à ~ près* bis auf das; *qu'à ~ ne tienne* daran soll es nicht liegen.

céladon [seladɔ̃] *s m fam* schmachtende(r) Liebhaber; Schirm *m* e-r Hängelampe; Craquelé *n; a inv* seegrün.

célébr|ant [selebrɑ̃] *m rel* Zelebrant *m;* **~ation** *f* Feier(n *n*); Abhaltung *f;* ~ *de l'anniversaire* Geburtstagsfeier *f;* ~ *du mariage* Eheschließung, Hochzeitsfeier *f;* **~er** *tr* feiern, festlich begehen; *rel* zelebrieren; ab=halten, vollziehen; preisen, rühmen, heraus=streichen; *itr* die Messe lesen; **~ité** *f* Berühmtheit *f a. Person.*

célèbre [selɛbr] berühmt.

celer [səle] verheimlichen, geheim=halten; verbergen, verhehlen (*qc à qn* e-e S vor jdm).

céleri [sɛlri] *m* (Kraut-)Sellerie *m* (od *f*); ~*-rave m* (Knollen-)Sellerie *m* (od *f*).

célérité [selerite] *f* Geschwindigkeit, Schnelligkeit *f;* Eifer *m; avec toute la ~ possible (com)* umgehend, ehestmöglich.

céleste [selɛst] himmlisch; Himmel(s)-; *bleu ~* himmelbau; *corps m ~* Himmelskörper *m; harmonie f ~* Sphärenmusik *f; voûte f ~* Himmelsgewölbe *n.*

célibat [seliba] *m* Ehelosigkeit *f; rel* Zölibat *n;* **~aire** *a* ledig, unverheiratet; Junggesellen-; *s m f* Junggeselle *m,* -gesellin; Unverheiratete(r *m*) *f.*

celle [sɛl] *prn s. celui.*

cell|érier [se(ɛ)lerje] *m (Kloster)* Kellermeister *m;* **~ier** *(nicht gewölbter)* (Wein-)Keller *m;* (Vorrats-)Kammer *f;* Gärkeller *m.*

cellophane [selɔfan] *f* Cellophan *n.*

cell|ulaire [selylɛr] *anat bot* Zell-, Zellular-; *béton m* ~ Porenbeton *m; tissu m* ~ Zellgewebe *n; voiture f* ~ Zellenwagen *m, arg* grüne Minna *f;* **~ule** *f* Zelle *f a. pol; mil* verschärfte(r) Arrest *m; aero* Flug-, Tragwerk *n;* ~ *germinale* Keimzelle *f;* ~ *photo-électrique* Photozelle, photoelektrische Zelle *f;* **~ulé, e; ~uleux, se** mehrzellig; Zell-; **~ulite** *f* Zellgewebsentzündung *f;* **~uloïd** *m* Zelluloid *n;* **~ulose** *f* Zellulose *f,* Zellstoff *m,* Holzfaser *f.*

Celt|e [sɛlt] *s m f* Kelte *m,* Keltin *f;* **c~ique** *a* keltisch; *s m* (das) Keltisch(e).

celui, celle, *pl ceux, celles* [səlɥi, sɛl, sø, sɛl] der, die, das(jenige); *~-ci* diese(r, s) (hier); *~-là* jene(r, s) (dort, da).

cément [semɑ̃] *m tech* Einsatz-, Zementierpulver *n; (Zahn)* Wurzelrinde *f;* **~ation** *f tech* Zementierung, Einsatzhärtung *f;* **~er** *(Metall)* im Einsatz härten, zementieren.

cénacle [senakl] *m fig* Kreis *m* (Gleichgesinnter).

cendr|e [sɑ̃dr] *f* Asche *f; pl tech* Gekrätz *n; les ~s* die sterblichen Überreste; *couver sous la ~ (fig)* unter der Oberfläche weiter=schwelen; *réduire en ~s* ein=äschern; *mercredi m des C~s* Aschermittwoch *m; ~s folles* Flugasche *f;* **~é, e** aschfarben, fahl; *blond* ~ aschblond; **~ée** *f (Jagd)* Vogeldunst *m; sport* Aschenbahn *f;* **~er** aschgrau färben; mit Asche vermengen; **~eux, se** voll Asche; aschig, Asch-; **~ier** [-drije] *m* Aschenbecher; -kasten *m;* **~illon** [-drijɔ̃] *f* Aschenbrödel, -puttel *n fig.*

Cène [sɛn] *f rel* Abendmahl(sfeier *f*) *n.*

céno|bite [senɔbit] *m* Klostermönch *m; vivre en ~ (fig)* asketisch, zurückgezogen leben; **~taphe** *m* Zenotaph, (leeres) Prachtgrab *n.*

cens [sɑ̃s] *m hist* Zensus, Zins *m;* ~ *électoral (pol)* Wahlzensus *m;* **~é, e** betrachtet, angesehen (als); gehalten (für); *nul n'est ~ ignorer la loi* Unkenntnis des Gesetzes schützt nicht vor Strafe; **~ément** *adv fam* angeblich, anscheinend; **~eur** *m* Zensor; *(Schule)* Aufseher; *com* Kommissar; *fig* strenge(r) Richter, Kritiker, Sittenrichter *m;* **~itaire** *m hist* Zinspflichtige(r); *pol (nach dem Wahlzensus)* Wahlberechtigte(r) *m;* **~urable** tadelnswert; **~ure** *f* Tadel *m,* Rüge; scharfe Kritik; Zensur(-behörde, -stelle) *f;* ~ *cinématographique* Filmzensur, -kontrolle *f;* ~ *préventive* Vorzensur *f;* **~urer** zensieren; kontrollieren; tadeln, rügen, kritisieren; *rel* verurteilen, verdammen; e-e Disziplinarstrafe verhängen (*qn* über *acc*).

cent [sɑ̃] hundert; *s m* Hundert *n; pour ~* Prozent *n; ~ pour ~ (fig)* vollständig, rein; *être aux ~ coups* nicht wissen, wo e-m der Kopf steht; vor Unruhe, vor Aufregung außer sich sein; *gagner des mille et des ~s (fam)* e-n Haufen Geld verdienen; *en un mot comme en ~* mit e-m Wort, kurz (u. gut); *je vous le donne en ~* das raten Sie nicht; *il y a ~ à parier contre un* ich wette hundert gegen eins; **~aine** *f* Hundert *n; math* Hunderter *m;* Alter *n* von hundert Jahren; *à la ~, par ~s* zu Hunderten; in großer Menge; *une ~ de* etwa hundert.

cent|aure [sɑ̃tor] *m* Zentaur *m;* **~aurée** *f* Kornblume *f.*

cent|enaire [sɑ̃tnɛr] *a* hundertjährig; *allg* uralt; *s m* Hundertjährige(r); 100. Jahrestag *m,* hundertjährige(s) Jubiläum *n,* Hundertjahrfeier *f;* **~ennal, e** [-tɛn-] alle hundert Jahre stattfindend *od* wiederkehrend; **~ésimal, e** hundertteilig, -gradig; *degré m ~* Celsiusgrad *m;* **~iare** *m* Quadratmeter *m* od *n;* **~ième** *a* hundertste(r, s); *s f* hundertste Vorstellung *f; m* Hundertstel *n.*

centi|grade [sɑ̃tigrad] *m (Thermometer)* Zentigrad *m;* **~gramme** *m* Zentigramm *n;* **~litre** *m* Zentiliter *m* od *n;* **~me** *m* Centime *m* (1/100 Franc); *n'avoir pas un ~* keinen Pfennig Geld haben; *~ additionnel* Steuerzuschlag *m;* **~mètre** *m* Zentimeter(maß *n*) *m* od *n.*

centr|age [sɑ̃traʒ] *m tech* Zentrierung, Trimmung *f; ~ latéral, longitudinal (aero)* Seiten-, Längslastigkeit *f;* **~al, e** *a* im Mittelpunkt gelegen; zentral; Mittel-, Zentral-; *s m* (Telephon-) Zentrale, Fernsprechvermittlung *f,* -amt *n; s f* Zentrale *f,* Werk *n; tele* Vermittlungsschrank *m; appareil m ~ (loc)* Stellwerk *n; l'Europe f ~e* Mitteleuropa *n; gare f ~e* Hauptbahnhof *m; ~e f atomique, nucléaire* Atomkraftwerk *n; ~e f (électrique)* Elektrizitäts-, Kraftwerk *n; grande ~e f électrique* Großkraftwerk *n; ~e f hydraulique, hydro-électrique* Wasserkraftwerk *n; ~ m interurbain* Überlandzentrale *f; ~ m manuel* Handvermittlung *f; ~e marémotrice* Gezeitenkraftwerk *n; ~e solaire* Sonnenkraftwerk; *~ m télégraphique* Telegrafenamt *n; ~ m de téléscription* Fernschreibvermittlung *f; ~ m urbain* Ortsamt *n;* **~alisation** *f* Zentralisierung; Zs.fassung, -ziehung *f;* ~**aliser** zentralisieren; zs.=fassen, -ziehen.

centr|e [sɑ̃tr] *m* Mittelpunkt *m,* Mitte *f,* Zentrum *n; pol* Mittelpartei(en *pl*) *f;* Institut *n;* Stelle; Anstalt *f; en plein ~ de* mitten in; *avant-~ (sport)* Mittelstürmer *m; grands ~s* große Städte *f pl; groupe m d'armée du ~* Heeresgruppe *f* Mitte; *rang m du ~ (mil)* Mittelglied *n; ~ d'accueil* Auffanglager *n; ~ aérospatial* Raumfahrtzentrum *n; ~ d'affaires* Geschäftszentrum *n; ~ agricole* Hauptort *m* e-s ländlichen Gebiets; *~ anticancéreux* Institut *n* für Krebsforschung; *~ d'apprentissage* Ausbildungsstelle, Lehrwerkstätte *f; ~ d'approvisionnement* Verpflegungsamt *n; ~ de chèques postaux* Postscheckamt *n; ~ civique* Verwaltungszentrum (e-r Stadt); *~ commercial* Einkaufszentrum *n; ~ de distribution* Ausgabestelle *f; tele* Hauptamt *n; ~ émetteur* Funksendezentrale *f; ~ d'enseignement ménager* Haushaltungsschule *f; ~ d'études* Forschungsinstitut *n; ~-européen, ne* mitteleuropäisch; *~ d'exploitation* Auswertestelle *f; ~ de gravité* Schwerpunkt *m; ~ hélio-marin* Heilstätte *f* in sonniger Lage am (Mittel-)Meer; *~ hospitalier (mil)* Standortlazarett *n; ~ hospitalier universitaire (CHU)* Universitätsklinik *f; ~ de l'image (tele)* Bildmitte *f; ~ d'industrie de guerre* Rüstungszentrum *n; ~ industriel, commercial* Industrie-, Handelszentrum *n; ~ d'information* Auskunftsstelle *f; ~ de livraison (mil)* Ausgabestelle *f; ~ de loisirs* Freizeitzentrum *n; ~ mobilisateur* Mobilmachungsamt *n; ~ photo* Bildstelle *f; ~ de post-cure* Genesungsheim *n; ~ de poussée* Druck-, Auftriebsmittelpunkt *m; ~ de basse pression, de haute pression* Mittelpunkt *m* e-s Tief-, Hochdruckgebiets; *~ radio* Funkzentrale *f; ~ de ramassage* Sammelstelle *f; ~ de rassemblement d'isolés* Versprengtensammelstelle *f; ~ de ravitaillement avancé* vorgeschobene(s) Versorgungslager *n; ~ de ravitaillement en essence* Großtanklager *n; ~ de recherches* Forschungsstätte *f; ~ de rééducation* Therapiezentrum *n; ~ de rotation* Drehpunkt *m; ~ de roue* Radstern *m; ~ de secteur (tele)* Verbund-, Selbstanschlußamt *n; ~ sismologique* seismologische(s) Institut *n; ~ téléphonique* Vermittlungsstelle *f; ~ de téléscription* Fernschreibvermittlung *f; ~ de transbordement* Umschlagstelle *f; ~ de transit* Durchgangsfernamt *n; ~ de transmissions* Nachrichtenstelle *f; ~ urbain (tele)* Stadtzentrale *f; ~ de vacances* Ferienheim *n; ~ ville* Stadtmitte *f; ~ visio-émetteur* Fernsehsendezentrale *f;* ~**é, e** zentriert; *être ~ sur* sich drehen um; *~ en arrière, en avant (aero)* schwanz-, buglastig; *~ sur soi-même* egozentrisch; ~**er** *tech* zentrieren, ein=mitten, an=körnen; *(Fußball)* in die Mitte geben; *fig* lenken.

centri|fuge [sɑ̃trifyʒ] *a phys* zentrifugal; Flieh-; *pompe f ~* Kreiselpumpe *f;* ~**fuger** (mit e-r Zentrifuge) schleudern; ~**fugeur, se** *s m f* Zentrifuge *f;* ~**pète** *a phys* zentripetal.

centriste [sɑ̃trist] *m pol* Zentrumsanhänger *m.*

centu|ple [sɑ̃typl] hundertfach; ~**pler** verhundertfachen.

cep [sɛp] *m* Reb-, Weinstock *m;* **cépage** [sepaʒ] *m* Rebenart *f;* **cèpe, ceps** [sɛp] *m* Steinpilz *m;* **cépée** [sepe] *f* Schößlinge *m pl.*

cependant [s(ə)pɑ̃dɑ̃] *adv* indessen; mittlerweile, unterdessen; *conj* dennoch, doch.

céphal|algie [sefalalʒi] *f med* Kopfschmerz *m;* ~**ique** *a med* Kopf-; *indice m ~* Schädelindex *m; remède m ~* Mittel *n* gegen Kopfweh.

céphalo|podes [sefalɔpɔd] *m pl zoo* Kopffüßler *m pl;* ~**thorax** [-lɔtɔraks] *m zoo* Kopfbruststück *n.*

céram|e [seram] *s m* (antike) Terrakottavase *f; a: grès m ~* Steinzeug *n;* ~**ique** *a* keramisch; *s f* Keramik *f; ~ cordée, rubannée* Schnur-, Bandkeramik *f;* ~**iste** *s m f* Keramiker(in *f*), Kunsttöpfer *m.*

cérat [sera] *m* Wachssalbe *f.*

cerbère [sɛrbɛr] *m* Zerberus, Höllenhund; strenge(r) Wächter, Portier *m.*

cerc|e [sɛrs] *f tech arch* Schalreifen *m; (Straßenbau)* Schablone *f;* ~**eau** *m* Faßband *n;* Reif(en); Bügel *m;* Reifengestell *n; (Raubvogel)* Schwungfeder *f; jambes f pl en ~x* O-Beine *n pl.*

cercl|age [sɛrklaʒ] *m* Bereifen, Faßbinden *n;* ~**e** *m* Kreis *(Fläche* od *Linie);* Reif; Ring; *fig* Kreis, Zirkel *m,* Gesellschaft *f,* Klub *m,* Kränzchen *n;* Bereich, Umfang; *tech* Laufkranz *m; en ~s (Wein)* im Faß; *décrire un ~* e-n Kreis beschreiben; *faire, former (un) ~ autour de* sich scharen um; *aire f, arc, secteur, segment m de ~* Kreisinhalt, -bogen, -ausschnitt, -abschnitt *m; ~ circonscrit (math)* Umkreis *m; ~ divisé* Teilkreis *m; ~ (d'études)* Arbeitsgemeinschaft *f,* Studienzirkel *m; ~ de l'existence* Kreislauf *m* des Daseins; *~ horaire* *(astr)* Stundenkreis *m; ~ inscrit (math)* Inkreis eingeschriebener Kreis *m; ~ de lecture* Lesezirkel *m; ~ de lunettes* Brillenrand *m; ~ militaire* Kasino *n; ~ de piston* Kolbenring *m; ~ polaire* Polarkreis *m; ~ de tonneau* Faßband *n; ~ des tropiques (geog)* Wendekreis *m; ~ vicieux* Teufelskreis *m; ~ de visée, de repérage (mil)* Richtkreis *m;* **~é, e** *(Brille)* mit Rand; **~er** *(Faß)* bereifen, binden; *(Brille)* fassen; **~eur** *m: ~ de tonneaux* Faßbinder *m.*

cercopithèque [sɛrkɔpitɛk] *m* Meerkatze *f (Affe).*

cercueil [sɛrkœj] *m* Sarg *m; fig* Grab, Ende *n; du berceau au ~* von der Wiege bis zur Bahre.

céréale [sereal] *s f* Getreide *n;* Getreideart *f meist pl; a: plante f ~* Getreidepflanze *f; produit m de ~s* Getreideerzeugnis *n; ~s panifiables* Brotgetreide *n; ~s secondaires* Futtergetreide *n.*

céréb|elleux, se [serebɛlø, -øz] *anat* Kleinhirn-; **~ral, e** *a anat* Gehirn-; Geistes-; geistig; *s m* Geistesarbeiter *m;* **~rospinal, e** [-brɔ-] *a* Gehirn- u. Rückenmarks-; *méningite f ~e* Genickstarre *f.*

cérémon|ial, e [seremɔnjal] *a* Zeremonien-; *s m* Zeremoniell; Zeremonienbuch; *pol* Protokoll *n;* **~ie** *f* Zeremonie, feierliche Handlung; Förmlichkeit *f; sans ~s* ohne Umstände; *habit m de ~* große(r) Gesellschaftsanzug *m; visite f de ~* Höflichkeitsbesuch *m;* **~ieux, se** zeremoniös, förmlich.

cerf [sɛr] *m* Hirsch *m; bois m de ~* Hirschgeweih *n;* **~-volant** [sɛrvɔlɑ̃] *m* Hirschkäfer; (Papier-)Drachen *m; lancer un ~* e-n Drachen steigen lassen; *~ cellulaire* Kastendrachen *m.*

cerfeuil [sɛrfœj] *m bot* Kerbel *m.*

ceris|aie [s(ə)rizɛ] *f* Kirschplantage *f;* **~e** *s f* Kirsche *f a: (rouge) ~ (inv)* kirschrot; *~ sauvage* Holz-, Vogel-; Waldkirsche *f; avoir la ~ (arg)* Pech haben; *devenir rouge comme une ~* knallrot werden; *bouche f en ~* Kirschenmund *m;* **~ette** *f* getrocknete Kirsche; Kirschlimonade; *Art* Pflaume *f;* **~ier** *m* Kirschbaum(holz *n*) *m; ~ sauvage* Holz-, Vogel-, Waldkirschbaum *m.*

cérium [serjɔm] *m chem* Zer(ium) *n.*

cern|e [sɛrn] *m* Ring *(um die Augen, um e-e Wunde, e-n entfernten Fleck); (Mond)* Hof; *bot* Jahresring *m;* **~é, e** *a: avoir les yeux m pl ~s* Ringe, blaue Schatten *m pl* um die Augen haben; **~er** umringen, -stellen; umzingeln, ein≈kreisen, -schließen; blockieren; (kreisförmig) umgeben; e-n Ring machen (*qc* um etw); *mil* ein≈kesseln; *(Nuß)* entkernen.

certain, e [sɛrtɛ̃, -ɛn] *a* gewiß, sicher, zuverlässig; bestimmt, festgesetzt; *(Konturen)* scharf, fest; *un ~ ...* ein gewisser ... *a. péj; un ~ temps* eine Zeitlang; *~s, ~es* gewisse; *d'un ~ âge* älter; *c'est chose ~e* das ist sicher; *il est ~ que* es steht fest, daß; **~ement** *adv* sicherlich.

certes [sɛrt] *adv* sicher, gewiß.

certificat [sɛrtifika] *m* Zeugnis *n,* Bescheinigung *f,* Attest *n;* Beglaubigungsschein; Ausweis *m; fig* Garantie *f (de* für); *délivrer, produire un ~* ein Zeugnis, e-e Bescheinigung aus≈stellen, vor≈legen; *~ d'action* Aktienschein *m; ~ d'aptitude* Befähigungsnachweis *m (für Personen); ~ d'assiduité* Fleißzeugnis *n; ~ de baptême* Taufschein *m; ~ de capacité* Befähigungsnachweis *m; ~ de bonne conduite, de bonne vie et mœurs* Führungs-, Sitten-, Leumundszeugnis *n; ~ de confirmation* Bestätigungsurkunde *f; ~ de décès* Totenschein *m; ~ de démobilisation (mil)* Entlassungsschein *m; ~ de dépôt* Hinterlegungsschein *m; ~ de devises* Devisenbescheinigung *f; ~ d'emploi* Beschäftigungsnachweis *m; ~ d'études (Schule)* Abgangszeugnis *n; ~ d'exportation* Ausfuhrbescheinigung *f; ~ d'immatriculation* Anmelde-, Aufnahmebescheinigung *m; ~ d'indigence* Bedürftigkeitsnachweis *m; ~ de livraison* Lieferschein *m; ~ de maladie* Krankheitsbescheinigung *f; ~ de mariage* Trauschein *m; ~ médical* ärztliche(s) Attest *n; ~ de navigabilité (aero)* Flugtüchtigkeitsschein *m; ~ de nomination* Ernennungsurkunde *f; ~ de non-opposition* Unbedenklichkeitsbescheinigung *f; ~ de non-décès* Lebensbescheinigung *f; ~ d'origine (com)* Ursprungs-, Herkunftsbescheinigung *f; ~ prénuptial* Ehetauglichkeitszeugnis *n; ~ de prêt* Leihschein *m; ~ de rachat* Einlösungsschein *m; ~ de remise* Übergabebescheinigung *f; ~ de résidence* Wohnsitzbescheinigung *f; ~ de travail* Arbeitsbescheinigung *f; ~ de vaccination* Impfschein *m;* **~eur** *m* Aussteller *(e-r Bescheinigung etc);* Gewährsmann *m; ~ de caution* Rück-, Gegenbürge *m;* **~if, ive** bestätigend; **~ion** *f* Beglaubigung *f (der Unterschrift); pour la ~ matérielle de la signature* für die Richtigkeit der Unterschrift.

certi|fier [sɛrtifje] bestätigen; bescheinigen; beglaubigen; *copie f ~ée conforme* beglaubigte Abschrift; **~tude** *f* Gewißheit, Zuverlässigkeit; Sicherheit; Beständigkeit *f.*

céruléen, ne [seryleɛ̃, -ɛn] bläulich.

céru|men [serymɛn] *m* Ohrenschmalz *n;* **~mineux, se** *a* Ohrenschmalz-.

céru|se [seryz] *f chem* Bleiweiß *n;* **~site** *f min* Weißbleierz *n.*

cervaison [sɛrvɛzɔ̃] *f* (Zeit der) Hirschfeiste *f.*

cerv|eau [sɛrvo] *m* Gehirn *(als Organ);* Großhirn *n; fig* Kopf; Geist, Verstand; Mittelpunkt *m;* führende(r) Kopf *m; avoir le ~ troublé, dérangé, fêlé, timbré, brouillé (fam)* nicht ganz richtig im Oberstübchen sein; *se creuser le ~ (fig)* sich den Kopf zerbrechen; *le vin monte au ~* der Wein steigt zu Kopf; *rhume m de ~* Schnupfen *m; ~ brûlé (fam)* überspannte(r) Mensch *m; ~ creux* Spintisierer *m; ~ électronique* Elektronengehirn *n; ~ vide* Dummkopf *m;* **~elas** [-vəla] *m* Zervelat-, Schlackwurst *f;* **~elet** [-vəlɛ] *m* Kleinhirn *n;* **~elle** *f* Gehirn *n (als Substanz),* Hirnmasse *f; (Speise)* Hirn *n; fig* Kopf, Verstand *m; se brûler la ~ (fam)* sich e-e Kugel durch den Kopf jagen; *se creuser la ~ (fig)* sich den Kopf zerbrechen; *se mettre qc dans la ~* sich etw in den Kopf setzen; *rompre la ~ à qn (fig fam)* jdn verrückt machen; *cela me trotte dans la ~ (fam)* das geht mir im Kopf herum; **~ical, e** Hals-, Nacken-, Genick-; *artère f ~e* Halsschlagader *f; vertèbre f ~e* Halswirbel *m.*

cervidés [sɛrvide] *m pl* Hirsche *m pl (als Familie).*

Cervin [sɛrvɛ̃]: *le mont ~* das Matterhorn.

César [sezar] *m* Cäsar *m; c~* Cäsar, Kaiser, Herrscher *m;* **c~ien, ne** *a* cäsarisch, kaiserlich; *s f (med)* Kaiserschnitt *m.*

cess|ation [sɛsasjɔ̃] *f* Aufhören *n,* Beendigung, Aufhebung, Einstellung *f; jur* Erlöschen *n; ~ d'affaires, de commerce* Geschäftsaufgabe *f; ~ de l'exploitation* Betriebseinstellung, Außerbetriebsetzung *f; ~ des hostilités (mil)* Einstellung *f* der Feindseligkeiten; *~ de paiements* Zahlungseinstellung *f; ~ du trafic (tele)* Einstellung *f* des Betriebs; *~ du travail* Arbeitseinstellung, -niederlegung *f;* **~e** [sɛs] *f* Ruhe, Rast *f; sans ~* unaufhörlich; rastlos; *nire pos ni ~* weder Rast noch Ruhe; **~er 1.** *itr* auf=hören, ein Ende nehmen; *la pluie a ~é* es hat aufgehört zu regnen; *le combat a ~é* der Kampf hat ein Ende genommen; *(Seuche)* erlöschen; *(Fieber)* sinken; *faire ~ qc* e-r S ein Ende machen; **2.** *tr (Reden, Lärm, Bitten)* ein=stellen; *(Amt, Stellung)* auf=geben; *(Arbeit)* beendigen; *(Zahlungen)* aus=setzen; *(den Kampf)* ab=brechen; *(Produktion)* ein=stellen; **3.** *~ de (inf)* auf=hören zu *(inf d'être en vigueur* außer Kraft treten; *~ d'avoir force légale (jur com)* ab=laufen; *ne pas ~ de faire qc* unaufhörlich etwas tun; *il ne ~e de se plaindre* er klagt ohne Unterlaß; *il a ~é de vivre* er hat aufgehört zu sein; *faire ~ qc* mit e-er S ein Ende machen; *faire ~ une interdiction* ein Verbot auf=heben; *~ez-le-feu m* Feuereinstellung, Waffenruhe *f;* **~ibilité** *f jur* Übertragbarkeit, Abtretbarkeit *f;* **~ible** abtretbar, übertragbar; **~ion** *f* Zession, Überlassung, Abtretung, Übertragung *f;* **~naire** *m jur* Zessionar, Übernehmer, Girat *m.*

c'est-à-dire *s. ce.*

césure [sezyr] *f poet mus* Zäsur *f,* Einschnitt *m.*

cétacés [setase] *m pl* Wale *m pl (als Ordnung).*

cétérac [seterak] *m* Milzfarn *m.*

cétoine [setwan] *f* Blatthornkäfer *m; ~ dorée* Rosenkäfer *m.*

Ceylan, le [sɛlɑ̃] Ceylon *n;* **~ais, e** *a* ceylonesisch; *s m f C~* Ceylonese, sin.

chabanais [ʃabanɛ] *m pop* Radau, Klamauk *m;* Durcheinander *n.*

chabl|er [ʃable] an e-m Tau (nach=)ziehen; *pop* mißhandeln; **~is** [-i] *m* **1.** weiße(r) Burgunder; **2.** Windbruch *m;* tote(s) Holz *n.*

chacal [ʃakal] *m zoo* Schakal; *arg mil* Zuave; *fig* Geizhals, schlaue(r) Fuchs *m.*

chacun, e [ʃakœ̃, -yn] *prn s* jede(r, s); *à ~ son dû* jedem das Seine; *vous avez fait ~ votre devoir* jeder von euch hat seine Pflicht getan; *~ pour soi et Dieu pour tous* jeder für sich, Gott für (uns) alle; *~ (à) son tour* e-r nach dem andern.

chafouin, e [ʃafwɛ̃, -fwin] *a* klein, schmächtig u. verschmitzt aussehend; *s m f* kleine, verschmitzte Person *f.*

chagrin, e [ʃagrɛ̃, -in] **1.** *a* grämlich; betrübt, traurig (*de* über *acc*); *s m* Kummer *m,* Leid *n,* Gram *m;* Verdrießllichkeit *f; à mon grand ~* zu meinem großen Leidwesen; *avoir, ressentir du ~* Kummer haben; *avoir le cœur gonflé, gros, plein de ~* sehr niedergeschlagen sein; *causer, donner du ~* Kummer bereiten; *mourir de ~* an gebrochenem Herzen sterben; ~ *d'amour* Liebeskummer *m;* **2.** *s m* Chagrin(leder) *n;* **~ant, e** betrüblich, ärgerlich; **~é, e** genarbt; **~er 1.** betrüben, bekümmern; verdrießen, ärgern; *se* ~ sich grämen; sich ärgern; verdrießlich werden (*pour* wegen *gen*); **2.** *(Leder)* chagrinieren, narben.

chah, schah, shah [ʃa] *m* Schah *m.*

chahut [ʃay] *m fam* Radau; Unfug; Krawall *m; faire du* ~ Krach machen, krakeelen; randalieren; **~er** *fam itr* randalieren; johlen; Unfug treiben; *tr* aus≈pfeifen; in Unordnung bringen; **~eur, se** *m f* Radaubruder *m.*

chai [ʃɛ] *m* Wein-, Spirituosenlager *n.*

chaîn|age [ʃɛnaʒ] *m* Vermessung *(mit der Meßkette); arch* Verklammerung *f;* ~ *de béton armé* Stahlbetongurt *m;* **~e** *f* Kette; Reihe *f; tech* Fließband *n; (Weberei)* Kette *f;* Zettel *m; arch* (Eisen-)Klammer; *tele* Programm *n;* Stereoanlage *f; fig* Fessel *f,* Bande *n pl;* (ursächliche) Verkettung, Verbindung *f; faire la* ~ e-e Kette bilden; *mettre à la* ~ an die Kette legen; *réaction f en* ~ Kettenreaktion *f; sur la deuxième* ~ im zweiten Programm; *travail m à la* ~ Band-, Fließarbeit *f;* ~ *d'ancre* Ankerkette *f;* ~ *antidérapante (mot)* Gleitschutzkette *f;* ~ *d'arpenteur* Meßkette *f;* ~ *de bicyclette* Fahrradkette *f;* ~ *des causes* Kausalzusammenhang *m;* ~ *sans fin (tech)* endlose Kette; ~ *de montagnes* Bergkette *f,* Gebirgszug *m;* ~ *de montre* Uhrkette *f;* ~ *à neige (mot)* Schneekette; ~ *de radiodiffusion* Sender(gruppe *f*) *m;* ~ *roulante (tech)* laufende(s) Band, Fließband *n;* ~ *de tirailleurs* Schützenkette *f;* **~é, e** kettenförmig; **~ée** *f* Kettenlänge *f* (= *10 m*); **~er** mit der Kette messen; *arch* verklammern; ab≈steifen; **~ette** *f* Kettchen; *arch* Kettengewölbe *n; point m de* ~ Kettenstich *m;* **~on** *m* Kettenglied *n a fig;* Hügel-, Bergkette *f,* Gebirgszug *m.*

chair [ʃɛr] *f* (lebendes, rohes *od* Frucht-)Fleisch *n;* Haut *f; de* ~ *et d'os* von Fleisch u. Blut; *en* ~ *et en os* leibhaftig; *en pleine* ~ tief; *fig* mitten ins Herz; *entre* ~ *et cuir* unter der Haut; *ni* ~ *ni poisson* weder Fisch noch Fleisch; *bien en* ~ wohlbeleibt, gut beieinander; *couleur f (de)* ~ Fleischfarbe *f;* ~ *à canon* Kanonenfutter *n;* ~ *de mouton* Hammelfleisch *n;* ~ *de poule* Gänsehaut *f.*

chaire [ʃɛr] *f* Kanzel *f;* Lehrstuhl *m;* Katheder *n* od *m; monter en* ~ die Kanzel besteigen; ~ *de saint Pierre* Stuhl *m* Petri.

chais|e [ʃɛz] *f* Stuhl; *tech* Bock *m,* Gestell *n;* Wandarm *m; arch* Lager *n; être assis entre deux* ~*s (fig)* zwischen zwei Stühlen sitzen; ~ *à bascule* Schaukelstuhl *m;* ~ *cannée* Rohrstuhl *m;* ~ *de dactylo* Schreibmaschinenstuhl *m;* ~ *de jardin, de cuisine* Garten-, Küchenstuhl *m;* ~ *longue* Liegestuhl *m;* ~ *de malades* Krankenstuhl *m;* ~ *percée* Nachtstuhl *m;* ~ *pliante* Klappstuhl *m;* ~ *à porteurs* Sänfte *f;* ~ *de poste* Postkutsche *f;* ~ *roulante, à roulettes* Rollstuhl *m;* ~ *à vis* Drehstuhl *m;* **~ier, ère** *m f* Stuhlmacher; Stuhlvermieter(in *f*) *m.*

chaland [ʃalɑ̃] *m* (flacher) Lastkahn *m.*

chalcograph|e [kalkɔgraf] *m* Kupferstecher *m;* **~ie** *f* (Kunst *f* des) Kupferstich(s) *m;* Kupferstichkabinett *n.*

châle [ʃɑl] *m* Umschlag(e)tuch *n,* Schal *m.*

chalet [ʃɑlɛ] *m* Schweizerhaus *n;* Sennhütte *f;* ~ *de nécessité* Bedürfnisanstalt *f;* ~ *de week-end* Wochenendhaus *n.*

chaleur [ʃalœr] *f* Wärme, Hitze *a. fig; (Tier)* Brunst *od* Brunft *f; fig* Eifer *m,* Feuer *n,* Glut *f; dans la* ~ *de* in der Hitze, im Eifer *gen; il fait une grande* ~ es ist sehr heiß; *coup m de* ~ Hitzschlag *m; résistance f à la* ~ Hitzebeständigkeit *f; vague f de* ~ Hitzewelle *f;* ~ *animale* tierische Wärme *f;* ~ *blanche, rouge* Weiß-, Rotglut *f;* ~ *de combustion, de frottement, de fusion* Verbrennungs-, Reibungs-, Schmelzwärme *f;* **~eux, se** *fig* warm(herzig), herzlich, feurig; hinreißend.

châlit [ʃɑli] *m* Bettstelle *f.*

challeng|e [ʃalɑ̃ʒ] *m sport* (Kampf *m* um e-n) Wanderpreis *m;* **~er** *v* heraus≈fordern; **~eur** [ʃalɛnʒœr] *s m* Herausforderer *m.*

chaloir [ʃalwar] *nur in: il ne m'en chaut, peu m'en chaut* das interessiert mich nicht, wenig.

chaloup|e [ʃalup] *f* Schaluppe *f;* ~ *canonnière* Kanonenboot *n;* ~*-pilote f* Lotsenboot *n;* ~ *de sauvetage* Rettungsboot *n;* **~er** schwanken, schaukeln.

chalumeau [ʃalymo] *m* (Stroh-)Halm *m,* (Schilf-)Rohr *n;* Leimrute; *mus* Schalmei, Pfeife *f; tech* Lötrohr; Gebläse *n;* ~ *de découpage* Schneidbrenner *m;* ~ *oxhydrique* Knallgasgebläse *n;* ~ *à souder* Schweißbrenner *m.*

chalut [ʃaly] *m (Fischerei)* Schleppnetz *n;* **~ier** *m* Schleppnetzfischer; (Schleppnetz-)Fischdampfer *m.*

chamade [ʃamad] *f: battre la ~ (fig)* heftig klopfen *(Herz);* nach=geben; zu Kreuze kriechen; kapitulieren.

cham|ailler, se [ʃamaje] sich (laut) zanken; **~aille(rie)** *f* Gezänk *n,* Zank *m;* **~ailleur, se** *a* streitsüchtig, zänkisch; *s m f* streitsüchtige(r) Mensch *m.*

chamarr|er [ʃamare] (übertrieben) heraus=putzen; aus=staffieren; *fig* verbrämen; überladen; **~ure** *f* (geschmackloser) Putz *m; fig* Verbrämung *f.*

chambard [ʃɑ̃bar] *m fam* Spektakel, Klamauk; Umsturz *m;* **~ement** *m fam* Umwälzung *f;* **~er** *fam* um=stürzen, auf den Kopf stellen.

chambellan [ʃɑ̃bɛlɑ̃] *m* Kammerherr *m.*

chambertin [ʃɑ̃bertɛ̃] *m Art* roter Burgunder *m.*

chambouler [ʃɑ̃bule] *arg* auf den Kopf stellen.

chambranle [ʃɑ̃brɑ̃l] *m* Tür-, Fensterverkleidung *f.*

chambr|e [ʃɑ̃br] *f* Kammer *f a. pol jur com tech;* (Schlaf-)Zimmer *n;* Raum *m; mil* Stube; *mar* Kajüte *f; les C~s* Senat *m* u. Abgeordnetenhaus *n; consigner à la ~* mit Stubenarrest bestrafen; *faire la ~* das Zimmer machen *od* auf=räumen; *faire ~ à part* getrennte Schlafzimmer haben; *garder la ~* das Zimmer hüten; *travailler en ~* Heimarbeit verrichten; *il y a bien des ~s à louer dans sa tête (fig)* es ist bei ihm im Oberstübchen nicht ganz richtig; *ouvrier m en ~* Heimarbeiter *m; théorie f élaborée en ~* Theorie *f* vom grünen Tisch aus; *~ d'agriculture* Landwirtschaftskammer *f; ~ à air (mot)* Schlauch *m; ~ d'altitude (aero)* Druckkabine *f; ~ d'amis* Gästezimmer *n; ~s attenantes, communicantes* inea.gehende Z. *pl; C~ basse, des communes* (britisches) Unterhaus *n; ~ de bonne* Mädchenzimmer *n; ~ à câbles* Kabelschacht *m; ~ du carburateur (mot)* Schwimmergehäuse *n; ~ de la chaudière* Kesselhaus *n; ~ de combustion (tech)* Verbrennungsraum *m; ~ de commerce* Handelskammer *f; ~ de compensations* Verrechnungsstelle *f; ~ correctionnelle* Strafkammer *f; ~ à coucher* Schlafzimmer *n; C~ des députés* Abgeordnetenhaus *n; ~ d'écluse* Schleusenkammer *f; ~ d'enfants* Kinderzimmer *n; ~ d'épuration* Spruchkammer *f; ~ d'explosion (tech)* Explosionsraum *m; ~ forte* Stahlkammer *f,* Tresor *m; ~ frigorifique* Kühlraum *m; ~ (du fusil) (mil)* Patronenlager *n; ~ garnie, meublée* möblierte(s) Zimmer *n; ~ à gaz (mil)* Gasraum *m;* Gaskammer *f; C~ haute, des pairs* (britisches) Oberhaus *n; ~ indépendante* Z. mit eigenem Eingang; *~ à un lit* Einbettzimmer *n; ~ des machines* Maschinenraum *m; ~ de métiers* Handwerkskammer *f; ~ noire, obscure (phot)* Dunkelkammer *f; ~ de l'œil (anat)* Glaskörperraum *m; ~ de poupées* Puppenstube *f; ~ pour produits congelés* Gefrierlagerraum *m; ~ donnant sur la rue* Vorderzimmer *n;* **~ée** *f mil* Stube(ngemeinschaft) *f; (belle) ~ (theat)* (volles) Haus; **~er** (im Zimmer) ein=sperren; *fig* umgarnen; *(Wein)* temperieren, Zimmertemperatur an=nehmen lassen; *pop* ein=wickeln, ein=seifen; durch den Kakao ziehen; **~ette** *f* Stübchen, Kämmerlein *n.*

chambrière [ʃɑ̃brijɛr] *f* Zirkuspeitsche; Gabelstütze *f (für Karren).*

cham|eau [ʃamo] *m* Kamel *n; fam fig* Schuft *m,* Luder *n; poil m de ~* Kamelhaar *n;* **~elier** [-mə-] *m* Kameltreiber *m;* **~elle** *f* Kamelstute *f.*

chamois [ʃamwa] *s m* Gemse *f;* Gems-, Wild-, Fensterleder *n;* Gemsfarbe *f; a* gemsfarben; *(peau f de) ~* Waschleder *n.*

champ [ʃɑ̃] *m* Acker *m;* Feld *a. phys tech fig; opt* Gesichtsfeld *n;* Sehweite; *phot film* Bildfläche *f;* (freier) Platz *m; fig* Gebiet *n,* Spielraum, Bereich *m;* Blickfeld *n; tech* Schmalseite *f; pl vx* (flaches) Land *n; à tout bout de ~* bei jeder Gelegenheit; immer wieder; *à travers ~s* querfeldein; *de ~* hochkant; *en plein ~* auf freiem Felde; *sur-le-~* auf der Stelle, sofort; *avoir la tête aux ~s* nicht bei der Sache sein; *avoir un œil au ~ et l'autre à la ville* seine Augen überall haben; *courir les ~s* durch die Felder streifen; *fig* verloren=gehen, irren; *cultiver un ~* ein Feld bestellen; *donner libre ~ à son imagination* seiner Phantasie freien Lauf lassen; *laisser le ~ libre* sich zurück=ziehen; *à qn* jdm freie Hand lassen; *prendre du ~* aus=holen; *sport* e-n Anlauf nehmen; *intensité f de ~* Feldstärke *f; vie f des ~s* Landleben *n; ~ d'activité* Wirkungs-, Arbeitsfeld *n,* Aufgabenkreis, Geschäftsbereich *m; ~ d'application* Anwendungsbereich *m; ~ d'atterrissage* Landeplatz *m; ~ d'aviation* Flugfeld *n; ~ auxiliaire* Hilfsflugplatz *m; ~ de bataille* Schlachtfeld *n; ~ brouilleur (radio)* Störfeld *n; ~ de* *course(s)* Rennbahn *f;* ~ *d'entonnoirs* Trichterfeld *n;* ~ *d'épandage* Rieselfeld *n;* ~ *d'expérience* Versuchsfeld *n;* ~ *de foire* Messegelände *n;* Festplatz *m;* ~ *de force* Kraftfeld *n;* ~ *d'investigation* Forschungsgebiet *n;* ~ *d'irrigation* Rieselfeld *n;* ~ *magnétique* Magnetfeld *n;* ~ *de manœuvre(s)* Exerzierplatz *m;* ~ *de mines (mil)* Minenfeld *n;* ~ *pétrolifère* Ölfeld *n;* ~ *de ski* Schigelände *n;* ~ *de tir* Schießplatz, -stand *m;* Schußfeld *n;* Bestreichungswinkel *m;* ~ *horizontal* Höhenrichtfeld *n;* ~*utile (radio)* Nutzfeld *n;* ~ *d'utilisation* Verwendungsbereich *m;* ~ *de visibilité* Sichtbereich *m;* ~ *visuel, de vision* Gesichts-, Sehfeld *n.*

champ|agne [ʃɑ̃paɲ] *m* Champagner *m; fine* ~ *f* Weinbrand *m (aus der Charente);* ~ *frappé* eisgekühlte(r) Ch. *m;* ~**agniser** *(Wein)* zu Sekt verarbeiten; ~**enois, e** [-pə-] aus der Champagne.

champêtre [ʃɑ̃pɛtr] ländlich; Land-; *bal m* ~ Tanz *m* im Freien; *garde m* ~ Feldhüter, -schütz *m.*

champignon [ʃɑ̃piɲɔ̃] *m* Pilz; (Hut-)Ständer; *tech* (Schienen-)Kopf; *mot fam* Gaspedal *n; med* Pilz *m,* wilde(s) Fleisch *n; (Kamin)* Abdeckplatte *f; appuyer sur le* ~ *(fam)* Gas geben; *pousser comme un* ~ tüchtig wachsen; *ville f* ~ rasch wachsende Stadt *f;* ~ *atomique* Atompilz *m;* ~ *du bois* Holzschwamm *m;* ~ *de culture* Champignon *m;* ~ *vénéneux* Giftpilz *m;* ~**ner** wie Pilze aus der Erde schießen; ~**nière** *f* (unterirdisches) Pilzbeet; Mistbeet *n* für Pilze; ~**niste** *m* Pilzzüchter *m.*

champion, ne [ʃɑ̃pjɔ̃] *m f sport* Meister(in *f*); *fig* (Vor-)Kämpfer, Verteidiger *m;* ~ *d'Europe, du monde* Europa-, Weltmeister *m;* ~ *olympique* Olympiasieger *m;* ~**nat** [-a] *m* Meisterschaft(skampf *m) f; gagner le* ~*nat de tennis* die Tennismeisterschaft erringen.

champlever [ʃɑ̃lve] (mit der Reißnadel) an=reißen; *émail m* ~*é* Grubenschmelz *m.*

chan|çard [ʃɑ̃sar] *m fam* Glückspilz *m;* ~**ce** [ʃɑ̃s] *f* Zufall *m;* Glück *n; pl* Aussichten *f pl; avoir de la* ~ Glück haben; *(n'avoir) pas de* ~ kein Glück (haben); *avoir peu de* ~*s* wenig Aussicht haben (*de* zu); *courir sa* ~ es darauf ankommen lassen; *bonne* ~*!* viel Glück! *il y a neuf* ~*s sur dix* es ist ziemlich sicher; *il y a une* ~ *sur deux* es ist fünfzigprozentig sicher, es steht 50 : 50, fünfzig zu fünfzig; *la* ~ *a tourné* das Blatt hat sich gewendet; ~ *vaut mieux que bien jouer (prov)* mit Glück kommt man weiter als mit Geschick; ~ *d'erreur* Fehlerquelle *f;* ~*s de réussite* Erfolgsaussichten *f pl.*

chan|celant, e [ʃɑ̃slɑ̃, -t] (sch)wankend *a. fig.* zitt(e)rig; *fig* unbeständig; ~**celer** (sch)wanken *a. fig.*

chance|lier [ʃɑ̃səlje] *m* Kanzler; *(Konsulat)* Siegelbewahrer *m;* ~**lière** *f* Frau *f* e-s Kanzlers; Fußsack *m.*

chancellement [ʃɑ̃sɛlmɑ̃] *m* Wanken *n; fig* Unbeständigkeit *f.*

chancellerie [ʃɑ̃sɛlri] *f* (Staats-)Kanzlei *f.*

chanceux, se [ʃɑ̃sø, -z] gewagt, unsicher, zufallsbedingt; vom Glück begünstigt; *n'être pas* ~ ein Pechvogel sein.

chancr|e [ʃɑ̃kr] *m med* Schanker *m; allg* Geschwür *n; (Baum)* Brand *m; fig* Krebsgeschwür *n;* ~ *induré, mou (med)* harte(r), weiche(r) Schanker *m; il mange comme un* ~ *(fam)* er frißt wie ein Scheunendrescher; ~**eux, se** krebsartig; brandig.

chandail [ʃɑ̃daj] *m* Sweater, Pullover *m;* Sporttrikot *n.*

chandeleur [ʃɑ̃dlœr] *f rel* Lichtmeß *f.*

chandelier [ʃɑ̃dəlje] *m* Leuchter *m; mar* Dolle; *tech* Stütze *f; sur le* ~ *(fig)* an hoher Stelle; *mettre la lumière sur le* ~ sein Licht leuchten lassen; ~ *à bras* Armleuchter *m.*

chandelle [ʃɑ̃dɛl] *f* (Talg-) Kerze; Stütz-, Tragsäule *f;* Stiel; *typ* Preßbalken; *pop* Rotz *(an der Nase); pop* Polizist, Soldat *m; se brûler à la* ~ *(fig)* sich die Finger verbrennen; *brûler la* ~ *par les deux bouts (fig)* sein Geld zum Fenster hinaus=werfen; seine Kräfte vergeuden; Hab und Gut verschwenden; sich verausgaben; *devoir une fière* ~ *à qn (fam)* jdm zu großem Dank verpflichtet sein; *monter en* ~ das Flugzeug hoch=reißen; *(Ball)* steil in die Höhe fliegen; *travailler à la* ~ bei Kerzenlicht arbeiten; *la* ~ *brûle* die Zeit drängt; *une* ~ *lui pend au nez* seine Nase läuft; *j'ai vu des* (od *mille, trente-six*) ~*s* mir ist Hören u. Sehen vergangen; *le jeu ne vaut pas la* ~ das ist nicht der Mühe wert; *à chaque saint sa* ~ Ehre, wem Ehre gebührt; ~ *de glace* Eiszapfen *m;* ~**rie** *f* Kerzenfabrik *f,* -handel *m.*

chanfrein [ʃɑ̃frɛ̃] *m* Vorderseite *f* e-s Tierkopfes; *arch* Schrägkante; ~ *creux (arch)* Hohlkehle *f;* ~**er** [-e(ɛ)ne] *arch tech* ab=schrägen, -fasen, -kanten.

chang|e [ʃɑ̃ʒ] *m* Tausch; (Geld-)Wechsel *m;* Wechselbank *f;* Kurs *m;* Währung; Umrechnung; Wechselprovision *f;* Zuschlag *m; (Jagd)* falsche Fährte *f; donner le ~ à qn (fig)* jdm Sand in die Augen streuen; *endosser un effet de ~* e-n Wechsel indossieren; *négocier des lettres de ~* Wechsel begeben; *payer comme au ~* Zug um Zug zahlen; *prendre le ~* sich irreführen lassen; *rembourser une lettre de ~* e-n Wechsel ein=lösen; *rendre le ~ à qn (fig)* jdm nichts schuldig bleiben; *le ~ est haut* der Kurs ist hoch; *agent m de ~* Börsenmakler *m; autorisation f de ~* Devisengenehmigung *f; bénéfice m sur (le) ~* Kursgewinn *m; bureau m de ~* Wechselstube *f; contrôle m des ~s* Devisenüberwachung *f; cours m de ~* Wechsel-, Devisenkurs *m; infraction f à la législation des ~s* Devisenvergehen *n; législation f de ~* Devisengesetzgebung *f; lettre f de ~* Wechsel *m; marché m des ~s* Devisenmarkt *m; négociation f d'une lettre de ~* Begebung *f* e-s Wechsels; *office m des ~s* Devisenbewirtschaftungsstelle *f; opérations f pl de ~* Devisengeschäfte *n pl; perte f au ~* Kursverlust *m; prix m de ~* Agio *n; taux m du ~* (Wechsel-)Kurs *m; ~ du jour* Tageskurs *m; ~ à vue* Sichtwechsel *m;* **~eable** veränderlich; **~eant, e** veränderlich; wechselhaft; unbeständig; flatterhaft; *(Farbe)* schillernd; **~ement** *m* (Ver-)Änderung *f;* Wechsel; Wandel *m;* Umgestaltung *f;* Austausch *m,* Auswechs(e)lung *f; sans ~* unverändert; *sans ~ de train* ohne umzusteigen; *apporter, subir des ~s* Veränderungen herbei=führen, erfahren; *~ d'adresse* Wohnungs-, Anschriftsänderung *f; ~ d'air* Luftveränderung *f; ~ de couleur* Verfärbung *f; ~ de direction* Fahrtrichtungsänderung *f, mil* Schwenkung *f; ~ de distribution des rôles (theat)* Neu-, Umbesetzung *f; ~ de domicile* Wohnsitzwechsel *m; ~ d'état* Zustandsänderung, Umwandlung; *jur* Änderung *f* des Status; *~ de front (mil)* Wendung *f; ~ de lune* Mondwechsel *m; ~ de marée* Flutwechsel *m; ~ en mieux, en mal* Wendung *f* zum Besseren, Schlechteren; *~ de place* Stellenwechsel *m,* Versetzung *f; ~ de position (mil)* Stellungswechsel *m; ~ des prix* Preis(ver)änderung *f; ~ de programme* Programmänderung *f; ~ de propriétaire* Besitzwechsel *m; ~ de rédaction* Textänderung *f; ~ de sens* Bedeutungswandel *m; ~ de structure* Strukturwandel *m; ~ de temps* Wetterumschlag *m; ~ de train* Umsteigen *n; ~ de vitesse* Gangschaltung *f;* Wechselgetriebe *n;* Geschwindigkeitsänderung *f; ~ de vitesse au volant* Lenkradschaltung *f; ~ de voiture* Wagenwechsel *m; ~ à vue (theat)* Szenenwechsel *m* auf offener Bühne.

chang|er [ʃɑ̃ʒe] **1.** *itr* sich (ver)ändern; wechseln; *le temps va ~* das Wetter ändert sich; *~ subitement (Wetter)* um=schlagen; *il a beaucoup ~é* er hat sich sehr verändert; *il a ~é en bien* er hat sich gebessert, *à son avantage* er hat sich zu s-m Vorteil verändert; *le directeur a ~é* der Direktor hat gewechselt; **2.** *tr (Ware)* um=tauschen; ersetzen; verwandeln (*en* in *acc*); (ab=, ver)ändern; um=gestalten; *(Stimme)* verstellen; *(Geld)* tauschen, ein=wechseln, um=rechnen; *(Buch)* ein=tauschen (*pour, contre* für, um); *(tech) (Reifen)* aus=wechseln; *(Wäsche, Platz)* wechseln; *(Kind)* trocken=legen; *je ne ~ais pas ma place contre la sienne* ich möchte mit ihm nicht tauschen; *cela ne ~e rien à mes intentions* das ändert nichts an meinem Vorhaben; **3.** *(expressions) ~ d'adresse, de résidence* die Adresse, die Wohnung *od* den Wohnort wechseln; *il a ~é d'adresse* er ist umgezogen; *~ d'avis* anderen Sinnes werden, s-e Meinung ändern; *~ la barre (mar)* das Ruder um=legen; *~ de batterie (fig)* zu anderen Mitteln greifen; *~ de cap (a. fig)* den Kurs ändern; *~ de carrière* um=satteln; *~ de cheval au milieu du gué* die Pferde mitten im Strom wechseln; *~ son cheval borgne contre un cheval aveugle* vom Regen in die Traufe kommen; *~ de conversation, de disque (pop)* dem Gespräch e-e andere Wendung geben; *~ de couleur* sich verfärben; *~ d'habits, de vêtements* sich um=kleiden; *~ de direction* e-e andere Richtung ein=schlagen, *(mil)* um=schwenken; *~ la distribution des rôles (theat)* um=besetzen; *~ les idées à qn* jdn auf andere Gedanken bringen; *~ de route (mar), de sens* die Richtung ändern; *~ de train* um=steigen; *~ de visage* erblassen, die Haltung verlieren; *~ de vitesse* um=schalten; *cela vous ~e* das macht für Sie e-n Unterschied aus; **4.** *se ~* sich verändern, sich verwandeln (*en* in *acc*); sich um=ziehen; *se ~ les idées* auf andere Gedanken kommen; **~eur** *m* (Geld-) Wechsler *m; ~ de disques* Plattenwechsler *m.*

chanoine [ʃanwan] *m* Domherr *m;* **~sse** *f* Stiftsdame *f.*

chanson [ʃɑ̃sɔ̃] *f* Lied *n; (Vögel)* Gesang *m; (Grille)* Zirpen; *(Wind)* Rauschen *n; pl* Flausen *f pl*, Geschwätz *n; la même* ~ dieselbe Leier; *~s que tout cela!* alles Unsinn! *voilà une autre* ~ da kommt schon wieder was anderes dazwischen; *l'air ne fait pas la ~ (prov)* der Schein trügt; *le ton fait la* ~ der Ton macht die Musik; ~ *d'amour, à boire, d'enfants, de marche, populaire* Liebes-, Trink-, Kinder-, Marsch-, Volkslied *n; ~ de geste (hist)* Heldenlied *n; ~ à succès* Schlager, Hit *m;* **~ner** [-sɔn-] ein Spottlied machen (*qn* auf jdn); **~nette** *f* Liedchen, Couplet *n;* **~nier, ère** *m f* Liederdichter; Kabarettsänger *m; m* Liederbuch *n.*

chant [ʃɑ̃] *m* **1.** *tech* Schmalseite *f;* **2.** Gesang *m (a. der Vögel);* Lied; Singen *n;* Melodie *f; (Grille)* Zirpen; *(Nachtigall)* Schlagen; *(Hahn)* Krähen; *(Vögel)* Zwitschern *n; au ~ du coq* beim ersten Hahnenschrei; *entonner, interpréter, écouter un* ~ e-n Gesang an=stimmen, vor=tragen; e-m G. zu=hören, lauschen; *leçon f de* ~ Gesangunterricht *m; professeur m de* ~ Gesanglehrer *m; ~ du cygne* Schwanengesang *m; ~ national* Nationalhymne *f; ~ à une seule voix, à plusieurs voix* einstimmige(r), mehrstimmige(r) Gesang *m.*

chantage [ʃɑ̃taʒ] *m* Erpressung *f; pratiquer un ~, faire du* ~ erpressen.

chant|ant, e [ʃɑ̃tɑ̃, -t] singend; sangbar; melodisch; leiernd; schleppend; *café m* ~ Konzert-Café, Kabarett *n; société f ~e* Gesangverein *m* **~er** *itr* singen; *(Vögel)* zwitschern; *(Lerche)* trillern; *(Nachtigall)* schlagen; *(Hahn)* krähen; *(Grille)* zirpen; *(Quelle)* murmeln, rauschen; *(Wasser vor dem Kochen)* singen, summen; *(Tür)* knarren, quietschen; *(Saite)* erklingen; vor Schmerz schreien; *fig* auf=klingen; *tr* (be)singen; singend sprechen; bejubeln; preisen; rühmen; *fam* erzählen, sagen; *arg* verpfeifen, verraten; *faire* ~ erpressen *tr; ~ en duo, en quatuor* ein Duett, Quartett singen; ~ *juste, faux* richtig, falsch singen; ~ *à livre ouvert, à première vue* vom Blatt singen; ~ *pouilles à qn* jdn be-, aus=schimpfen; ~ *à pleins poumons, à pleine voix* aus voller Kehle, aus vollem Halse singen; ~ *victoire (fam)* hurra schreien; *que me ~ez-vous là? (fam)* was erzählen Sie mir da? *si cela vous ~e* wenn Sie Lust dazu haben; *c'est comme si on ~ait (fam)* es ist alles in den Wind gesprochen; *je le ferai ~ sur un autre ton* ich werde andere Saiten bei ihm auf=ziehen; *il faut qu'il ~e sur un autre ton* er muß sich ändern; *il ~e toujours la même chanson* es ist immer dieselbe Leier bei ihm.

chanterelle [ʃɑ̃trɛl] *f* **1.** *bot* Pfifferling, Eierschwamm *m;* **2.** *mus* Quinte(nsaite) *f;* Lockvogel *m; appuyer sur la ~ (fam)* nicht locker=lassen; *baisser la ~ (fig)* klein bei=geben; *hausser la ~ (fig)* den Mund voll nehmen.

chanteur, se [ʃɑ̃tœr, -øz] *m f* Sänger(in *f*) *m;* Brettlsängerin *f; maître m* ~ Meistersinger; *fam* Erpresser *m; oiseau m* ~ Singvogel *m; ~ de charme* Schnulzensänger *m; ~ de concert, d'opéra* Konzert-, Opernsänger *m; ~ des rues* Straßensänger *m.*

chantier [ʃɑ̃tje] *m tech* Gestell; (Holz-, Kohlen-)Lager *n;* Bauhof, Zimmerplatz *m;* Baustelle; Werkstatt *f;* Arbeitsplatz; *min* Betriebspunkt *m; sur le* ~ in Arbeit; *mettre sur le ~ (Wein)* lagern; *(Schiff)* auf Stapel legen; *fig (a. en ~) (e-e Arbeit)* in Angriff nehmen; *être en ~ (fig)* in Bearbeitung sein; ~ *(en activité)!* Baustelle (in Betrieb)! *quel ~!* was für ein Durcheinander! *chef m de* ~ Bauführer; *min* Ortsälteste(r) *m; mise f en* ~ Baubeginn *m* (*de* für); ~ *d'abattage (min)* Abbaubetrieb; Betriebspunkt *m; ~-école m* Lehrwerkstätte *f; ~ naval* (Schiffs-)Werft *f; ~ de travail (min)* Arbeitsort *m.*

chantonner [ʃɑ̃tɔne] leise vor sich hin singen, summen.

chantourner [ʃɑ̃turne] *tech* aus=schweifen; aus=sägen; *scie f à* ~ Laub-, Wippsäge *f.*

chantre [ʃɑ̃tr] *m* Kantor; *fig* Dichter, Sänger *m.*

chanvr|e [ʃɑ̃vr] *m* Hanf *m; corde f de* ~ Hanfseil *n; ~ écru* Basthanf *m;* **~ier, ère** *a* Hanf-; *s m* Hanfbereiter *m.*

chao|s [kao] *m* Chaos; *geog* Felsenmeer *n; fig* große Unordnung *f,* Durcheinander *n;* **~tique** [-ɔ-] chaotisch; verworren.

chapard|er [ʃaparde] *fam* stibitzen, mausen; **~eur** *m fam* Dieb *m.*

chape [ʃap] *f rel* Chorrock; *tech arch* Deckel *m,* Kappe, Haube; Umkleidung *f,* (Rollen-)Gehäuse *n;* Abdekkung *f,* Überzug, Glattstrich; Rollenhalter *m; mot* Gabelgelenk; *(Reifen)* Profil *n;* Flicken *m; arch* Mörtelbett, Plattstück *n; (Brücke)* Holm *m;* Oberschwelle; (Schüssel-)Stürze *f; disputer de la ~ de l'évêque* sich um des Kaisers Bart streiten; ~ *d'asphalte* Asphaltüberzug *m; ~ d'at-*

tache Befestigungsbügel *m; ~ d'étanchéité* Dichtung, Isolierschicht *f.*

chapeau [ʃapo] *m* Hut *m (a. der Pilze); tech* Haube, Kappe *f,* Deckel, Aufsatz *m,* Sims *m* od *n;* Verschluß *m; (Vermessung)* fehlerzeigende(s) Dreieck *n; (Küche)* Kruste; *(Garten)* Strohmatte *f (zum Abdecken); med* Kopfausschlag *m; (Vögel)* Haube *f; mus* Haltebogen; *typ* Kopf *m;* Einleitung; *mar com* Extraprämie *f; fig* Mann *m; donner un coup de ~ à qn* vor jdm den Hut (ab≈)ziehen, ab≈nehmen; *enfoncer son ~* s-n Hut (tief) in die Stirn drücken; *mettre, garder, enlever* od *ôter son ~* s-n Hut auf≈setzen, auf≈behalten, ab≈nehmen; *mettre son ~ de travers* s-n Hut schief auf≈setzen; *(fig)* e-e drohende Haltung ein≈nehmen; *travailler du ~ (fam)* verrückt sein; *~ bas!* Hut ab! *brosse f à ~* Hutbürste *f; carton m à ~x* Hutschachtel *f; ~ chinois* Schellenbaum *m; ~ de feutre, de paille* Filz-, Strohhut *m; ~ haut de forme* Zylinder(hut) *m; ~ d'homme, de femme* Herren-, Damenhut *m; ~ melon* steife(r) Hut *m; ~ de roue* Radkappe *f; ~ de titre* Aktienmantel *m;* **~ter** *fam* e-n Hut auf≈setzen (*qn* jdm), *fig (Verwaltung) ~ qn* jds Vorgesetzter sein; *~ qc* e-r S übergeordnet sein; *bien ~é* mit e-m schönen Hut.

chapel|ain [ʃaplɛ̃] *m* Kaplan *m;* **~et** [-plɛ] *m* Rosenkranz; Kranz *m,* Kette; *fig* Reihe *f; arch* Eierstab *m; tech* Becherwerk *n; défiler son ~* sein Verslein her≈beten; sein Herz aus≈schütten; *dire son ~* den Rosenkranz beten; **~ier, ère** [-pə-] *a* Hut-; *s m f* Hutmacher(in *f*) *m; f* Hutkoffer *m;* **~le** *f* Kapelle *f a. tech;* Kirchengerät *n,* -chor *m,* -musiker *m pl;* (Ofen-) Kappe; *(~ de soupape)* Ventilkammer; *fig* Clique, Gruppe *f; ~ ardente* Aufbahrungs- *od* Leichenhalle *f; ~ funéraire* Grabkapelle *f.*

chapellerie [ʃapɛlri] *f* Hutfabrik *f,* -geschäft *n;* Hüte *m pl.*

chapelure [ʃaplyr] *f* Paniermehl *n.*

chaperon [ʃaprɔ̃] *m* Kappe; *(Falke)* Haube; *arch* Mauerabdeckung; *tech* Krone; Anstandsdame *f; le petit C~ rouge* Rotkäppchen *n;* **~ner** [-prɔ-] mit e-r Kappe bedecken; (als Anstandsdame) begleiten.

chapit|eau [ʃapito] *m arch* Kapitell *n;* Knauf; *(Möbel)* Aufsatz; *(Destillierkolben)* Helm *m;* Zirkus(zelt *n*) *m;* **~ral, e** (Dom-)Kapitel-; **~re** *m (Buch, rel)* Kapitel *n; fig* Gegenstand, Punkt *m; avoir voix au ~* ein Wörtchen mitzureden haben; *(salle f du) ~* Kapitelsaal *m;* **~rer** *fam* ab≈kanzeln, die Leviten lesen (*qn* jdm).

chapon [ʃapɔ̃] *m* Kapaun *m;* Brot *n* in Fleischbrühe; Weinschößling *m;* **~ner** [-pɔ-] *(Hahn)* verschneiden.

chaque [ʃak] *a* jede(r, s); *(fam) cent francs ~* 100 Franken das Stück.

char [ʃar] *m* Wagen *m; à l'abri des ~s* panzersicher; *tirer le ~ de l'ornière (fig)* den Karren aus dem Dreck ziehen; *défense f anti~s, contre les ~s* Panzerabwehr *f; faux ~ de combat* Panzerattrappe *f; protection f contre les ~s* Panzerdeckung *f; tourelle f de ~* Panzerkuppel *f; ~ d'accompagnement* Begleitkampfwagen *m; ~ amphibie* Schwimmpanzer *m; ~ d'assaut, de rupture* Panzer *m; ~ blindé* Panzer(wagen) *m; ~ à bœufs* Ochsenkarren *m; ~ de combat* Kampfwagen *m; ~ de commandement* Panzerbefehlswagen *m; ~ à foin* Heuwagen *m; ~ funèbre, de deuil* Leichenwagen *m; ~ de reconnaissance* Panzerspähwagen *m.*

charabia [ʃarabja] *m* Kauderwelsch *n.*

charade [ʃarad] *f* Scharade *f; fig* Rätsel *n.*

charançon [ʃarɑ̃sɔ̃] *m* Rüsselkäfer; Kornwurm *m;* **~né, e** [-sɔne] vom Kornwurm angefressen.

charbon [ʃarbɔ̃] *m* Kohle *f;* (Getreide-)Brand; *med* Milzbrand *m;* Pestbeule *f;* Karbunkel *m; accumuler des ~s ardents sur la tête de qn* auf jds Haupt glühende Kohlen sammeln; *être sur des ~s ardents* auf glühenden Kohlen sitzen; *faire du ~ (mar)* bunkern; *balais m pl de ~ (mot)* Schleifkohlen *f pl; bassin m de ~* Kohlenbecken, -revier *n; entrepôt m de ~* Kohlenlager *n; mine f de ~* Zeche *f; pastilles f pl de ~* Tierkohletabletten *f pl; seau m à ~* Kohleneimer *m; soute f à ~* Kohlenbunker *m; wagon m à ~* Kohlenwagen *m; ~ aggloméré* Preßkohle *f; ~ animal* Tierkohle *f; ~ anthraciteux, ~ maigre* Magerkohle *f; ~ de bois* Holzkohle *f; ~ brillant* Glanzkohle *f; ~ brut* Förderkohle *f; ~ en briquettes* Preßkohle *f; ~ à dessiner* Zeichenkohle *f; ~(s) (pour foyers) domestique(s)* Hausbrandkohle *f; ~ flambant* Flammkohle *f; ~ gras* Fettkohle *f; ~ gratuit* Deputatkohle *f; ~ menu* Grießkohle *f,* Kohlengrus *m; ~ pulvérisé* Kohlenstaub *m; ~ de terre* Steinkohle *f; ~ à vapeur* Kesselkohle *f;* **~nage** [-bɔn-] *m* Kohlenbergwerk *n,* Zeche *f; mar* Bunkern *n; pl* Kohlenbergbau *m;* **~né, e** *bot* brandig;

kohlschwarz; *(Speisen)* angebrannt, verbrannt; ~**née** *f* Kohlezeichnung *f;* Rostbraten *m;* ~**ner** *tr* verkohlen; mit Kohle zeichnen; schlecht zeichnen, schmieren; schwärzen; *itr* verkohlen; *mar* bunkern; *se* ~ verkohlen; blaken; sich (mit Kohle) schwärzen; ~**nerie** *f* Kohlenlager *n,* -handlung *f;* ~**neux, se** kohlehaltig; *med* Milzbrand verbreitend; ~**nier, ère** *a* Kohlen-, Köhler-; *s m* Köhler; Kohlenhändler; Kohlendampfer; Kohlenkeller; Kohleneimer *m; f* (Kohlen-)Meiler *m; orn (mésange f ~ère)* Kohlmeise *f;* ~ *est maître chez lui* jeder ist Herr in seinem Haus; *foi f du* ~ Köhlerglaube *m.*

charcut|er [ʃarkyte] *(Fleisch)* hacken; (ungeschickt) zerstückeln; *fam* ungeschickt, rücksichtslos operieren; *se* ~ *(le doigt) fam* sich (in den Finger) schneiden; ~**erie** *f* (Schweine-) Fleisch- u. Wurstwaren *f pl (a. Geschäft);* ~**ier** [-tje] *m* Fleischer, Schlachter, Metzger; *fam* schlechte(r) Chirurg *m.*

chardon [ʃardɔ̃] *m* Distel; Karde, Weberdistel; Eisenspitze *f (auf e-r Mauer); aimable, hérissé comme un* ~ kratzbürstig; *bête à manger du* ~ dumm wie Bohnenstroh; ~**ner** [-dɔ-] *tech* krempeln, auf≈rauhen; ~**neret** [-dɔnrɛ] *m* Distelfink, Stieglitz; Distelfalter *m.*

charg|e [ʃarʒ] *f* Last, Bürde; Fuhre; Fracht; Belastung *a. com;* Beanspruchung; *mil el* Ladung *f,* Laden *n;* Auftrag *m;* Amt *n,* Dienst *m,* Stellung; Abgabe, Gebühr, Steuer *f;* Kosten *pl; (Wohnung) pl* Nebenkosten *pl;* Auflage; Verantwortung, Verpflichtung (*de* für); *jur* Anklage(punkt *m*) *f; mil* heftige(r) Angriff, Sturmangriff *m;* Jagd, Verfolgung; Karikatur, Übertreibung; *fig* Ente *f; chem* Füllstoff; *tech* Satz *m,* Gicht, Schicht, Füllung, Beschickung; *fam* Tracht *f* (Prügel); *à la* ~ *de, que* zu Lasten von; unter der Bedingung, daß; *à* ~ *de revanche* auf Gegenseitigkeit; *en* ~ *(el)* unter Belastung; *en avoir sa* ~ *(fam)* sein(en) Teil (weg≈)haben; *avoir* ~ *de* den Auftrag haben zu; verantwortlich sein für; *battre, sonner la* ~ zum Angriff trommeln, blasen; *être à la* ~ *(com)* zu Lasten gehen (*de qn* e-r Person); *être, se mettre, tomber à la* ~ *de qn* jdm zur Last fallen; *être à* ~ *à qn* jdm lästig sein, zur Last fallen; *mettre en* ~ (auf≈)speichern; *occuper une* ~ ein Amt bekleiden; *prendre en* ~ die Verantwortung übernehmen (*qc* für etw); *(etw)* in die Hand nehmen; übernehmen; empfangen; *revenir à la* ~ den Angriff erneuern; *fig* es noch einmal versuchen; *bête f de* ~ Lasttier *n; cahier m des* ~*s* Lastenverzeichnis, -heft, Bedingungsheft *n; courant m de* ~ Ladestrom *m; devoirs m pl d'une* ~ Amtspflichten *f pl; essai m de* ~ Belastungsprobe *f; femme f de* ~ Haushälterin *f; groupe m de* ~ Ladeaggregat *n; pas m de* ~ Sturmschritt *m; peréquation, compensation f des* ~*s* Lastenausgleich *m; perte f de* ~ Spannungsverlust *m; prise f en* ~ Übernahme *f; réduction f des* ~*s* Lastensenkung *f; soupape f de* ~ Druckventil *n; témoin m à* ~ Belastungszeuge *m; tension f de* ~ Ladespannung *f;* ~ *d'âmes* Seelsorge *f;* ~ *de bombes* Bombenlast, -ladung *f;* ~ *complète* Wagenladung *f;* ~ *creuse (à aimant) (mil)* (Haft-)Hohlladung *f;* ~ *disponible* Nutzlast *f;* ~ *d'épreuve, d'essai* Prüflast *f;* ~ *par essieu* Achsdruck *m;* ~*s d'exploitation* Betriebskosten *pl;* ~ *explosive* Sprengladung *f;* ~ *fiscale* Steueranteile *m pl,* Steuerabgaben *f pl;* ~ *imposée* Auflage *f;* ~ *limite* Grenzlast *f;* ~ *maxima admissible* höchstzulässige Belastung *f;* ~*s patronales* Arbeitgeberanteile *m pl;* ~ *de la preuve* Beweislast *f;* ~ *propulsive* Treibladung *f (e-r Rakete);* ~ *publique* öffentliche Abgabe *f;* öffentliche(s) Amt *n;* ~ *de rupture* Bruchlast *f;* ~ *de service* Betriebsbeanspruchung *f;* ~*s sociales* Sozialabgaben *f pl;* ~ *totale* Gesamtlast *f;* ~ *utile* Nutzlast *f;* ~**é, e** *a* belastet, beladen, überhäuft (*de* mit); *fig (Stil)* überladen; *(Wetter)* bedeckt; *(Zunge)* belegt; *(Augen)* geschwollen; *(Flüssigkeit)* trübe; *(Wein)* schwer; *(Farben)* satt; *(Preis)* überladen; *lettre f* ~*e* (eingeschriebene[r]) Wertbrief *m; s m:* ~ *d'affaires (pol)* Geschäftsträger *m;* ~ *de cours* Lehrbeauftragte(r) *m;* ~**ement** *m* (Be-, Ver-) Laden *n;* Ladung; *tech* (Be-) Gichtung *f;* (Aufgabe *f* e-s) Wertbrief(es) *m; bras m de* ~ Ladearm *m; bulletin m de* ~ Ladeschein *m; capacité f de* ~ Ladefähigkeit *f,* -raum *m; frais m pl de* ~ Verladungskosten *pl,* -gebühr *f; installation f de* ~ Verladeanlage *f; station f de* ~ Verladestelle *f;* ~ *complémentaire* Beiladung *f.*

charg|er [ʃarʒe] **1.** *itr mil* zum Angriff über≈gehen, an≈greifen; *(Schiff)* Ladung auf≈nehmen; **2.** *tr* (be-, auf≈, über≈)laden; *(Gewehr)* laden; *(Wagen)* beladen; *(Batterie)* auf≈laden; *la voiture est trop* ~*ée* der Wagen ist überladen; *(Kamera) (den Film)* ein≈

spannen *od* ein≈legen; *(Schiff)* befrachten; *(Tisch, Magen, Gedächtnis)* überladen; *(Brief)* als Wertbrief auf≈geben; *(Ofen)* an≈legen, beschicken; ~ *du foin sur une voiture* Heu auf≈laden; ~ *l'ennemi à cheval (mil)* auf den Feind los≈stürmen, -reiten; ~ *une plume d'encre* e-e Feder in die Tinte tauchen; ~ *qn d'injures* jdn beschimpfen, mit Schimpfworten überschütten; ~ *qn de reproches* jdn mit Vorwürfen überhäufen; *il a la langue ~ée* er hat e-e belegte Zunge; **3.** *(fig jur)* ~ *qn* jdn belasten, gegen jdn aus≈sagen; **4.** *(donner une mission)* beauftragen; ~ *qn d'une tâche* jdn mit e-r Arbeit beauftragen; *je suis ~é de* ich bin beauftragt, zu; *on l'a ~é d'une trop grande responsabilité* man hat ihm e-e zu große Verantwortung aufgebürdet; **5.** *(exagérer) (Preis)* zu hoch an≈setzen; *(Porträt)* karikieren; *(Färbe, Schwärze)* zu dick auf≈tragen; **6.** *(attaquer)* ~ *l'ennemi* den Feind an≈greifen; stürmen; *(Sport)* ~ *un adversaire* e-n Gegner (an≈)rempeln, vom Ball ab≈drängen; **7.** *se ~ de qn* für jdn sorgen, sich um jdn kümmern; *je me ~e de le convaincre* ich nehme es auf mich, ihn zu überzeugen; *se ~ d'une faute* e-e Schuld auf sich *(acc)* laden *od* nehmen; *se ~ de qc* e-e S übernehmen; *se ~ l'estomac* sich den Magen überladen; *je me ~e du reste* das Weitere besorge ich; **~eur** *m* (Auf-)Lader; Spediteur *m; tech* Beschickungs-, Ladevorrichtung *f;* Füller; *mil* Ladestreifen *m;* Patronenlager; Magazin *n;* Ladeschütze *m; el* Sammlerladegerät *n;* ~ *circulaire* Gurttrommel *f;* **~euse** *f* Lade-, Beschickungsvorrichtung *f.*

chariot [ʃarjo] *m* Last-, Rollwagen *m;* Fuhrwerk *n;* Karren; *min* Förderwagen; *astr* Wagen, Bär *m; tech* Fahrgestell, Laufwerk *n;* Laufkatze *f; (Schreibmaschine)* Wagen, Schlitten; *phot* Laufboden *m;* Einkaufswagen *m; (Bahnhof)* Kofferkuli *m; à* ~ ausfahrbar; *sur* ~ fahrbar; *tour m à* ~ Zugspindeldrehbank *f;* ~ *à bagages* Gepäckkarren *m;* ~ *à bords* Kastenwagen *m;* ~ *électrique* Elektrokarren *m;* ~ *(élévateur) à fourche* Gabelstapler *m;* ~ *à foin* Heuwagen *m;* ~ *à liqueurs* fahrbare Hausbar *f;* ~ *longitudinal* Längssupport *m;* ~ *de prise (de courant)* Stromabnehmer *m;* ~ *à ridelles* Leiterwagen *m;* ~ *roulant* Laufkatze *f;* ~ *transbordeur (loc)* Schiebebühne *f.*

charitable [ʃaritabl] barmherzig, mildtätig; *fig* wohlwollend; **~ment** *adv* aus Barmherzigkeit.

charité [ʃarite] *f* Nächstenliebe; Barmherzigkeit, Mildtätigkeit; Güte, Gefälligkeit; Nachsicht *f; demander la* ~ *à qn* jdn um ein Almosen bitten; *faire la* ~ Almosen geben; ~ *bien ordonnée commence par soi-même* jeder ist sich selbst der Nächste.

charivari [ʃarivari] *m* Katzenmusik *f;* Spektakel, Lärm *m.*

charlatan [ʃarlatɑ̃] *m* Marktschreier; Quacksalber, Kurpfuscher; Aufschneider; Schwindler *m;* **~erie** [-ta-] *f* Quacksalberei; Großsprecherei *f;* **~esque** marktschreierisch, großsprecherisch; **~isme** *m* Kurpfuscherei; Marktschreierei *f.*

Charlemagne [ʃarləmaɲ] *m* Karl der Große; *faire c~ (nach gewonnenem Spiel)* keine Revanche geben.

Charles [ʃarl] *m* Karl *m.*

charlotte [ʃarlɔt] *f* Damenhut *m* (mit Volants); Apfelmus *n* mit geröstetem Brot; ~ *russe* Schlagsahne *f* mit Biskuit.

charm|ant, e [ʃarmɑ̃, -ɑ̃t] bezaubernd, entzückend, reizend *a. ironisch; prince m* ~ Märchenprinz *m,* **~e** *m* **1.** Zaubermittel *n,* -formel *f,* -spruch; *fig* Zauber, Reiz, Scharm *m,* Anmut *f;* **2.** Hage-, Weißbuche *f; être sous le* ~ *de qn* in jds Bann stehen; *se porter comme un* ~ *(fam)* e-e Bärennatur haben; in ausgezeichneter Verfassung sein; *rompre le* ~ den Bann brechen; *air m, chanson f de* ~ schmalzige(s) Lied *n; état m de* ~ *(med)* Trancezustand *m;* ~ *de la nouveauté* Reiz *m* der Neuheit; **~er** bezaubern *a. fig; fig* ein≈, gefangen≈nehmen; entzücken; erheitern, sehr erfreuen; angenehm gestalten; verführen; *(Schlange)* beschwören; **~eur, se** *m f* Zauberer *m,* Zauberin *f;* bezaubernde(r) Mensch; Verführer *m; f* Charmeuse *f (Kunstseide);* ~ *de serpents* Schlangenbeschwörer *m;* **~ille** [-ij] *f* Hagebuchenallee *f; allg* Laubengang *m.*

charnel, le [ʃarnɛl] fleischlich; sinnlich; irdisch; *être m* ~ Wesen *n* aus Fleisch u. Blut.

charnier [ʃarnje] *m* Beinhaus *n;* Leichenhaufen *m.*

charnière [ʃarnjɛr] *f* Scharnier; (Winkel-)Gelenk *n a. anat; mil* Nahtstelle *f;* Drehpunkt *m; geol* Umbiegung *f;* (Briefmarken-)Falz; *fig* Angel-, Wendepunkt *m; faire la* ~ die Verbindung herstellen (*entre* zwischen *dat*).

charnu, e [ʃarny] fleischig *a. bot; parties f pl ~es* Weichteile *m pl.*

charogne [ʃarɔɲ] *f* Aas *n a. fig vulg.*

charpent|e [ʃarpɑ̃t] *f* Zimmerwerk *n,* -arbeit *f;* Gebälk, Fachwerk, Gerüst, Gerippe *n a. fig; poet* Aufbau *m; tech* Gestell, Skelett *n,* Rahmen *m; bot* (Blatt-)Rippen *f pl; bois m de* ~ Bauholz *n; construction f de* ~ *métallique* Stahlskelettbau *m; construction f en* ~ Fachwerkbau *m;* ~ *métallique* Eisenkonstruktion *f;* ~ *osseuse* Knochengerüst *n;* ~ *de support* Traggerüst *n;* **~é, e** gezimmert; *anat* gebaut; *poet* aufgebaut; **~er** *(Holz)* behauen, zimmern; *fig* zurecht=, zs.= zimmern; *poet* auf=bauen; **~erie** *f* Zimmerhandwerk *n,* -arbeit *f,* -platz *m;* **~ier** *m* Zimmermann *m.*

charpie [ʃarpi] *f* Scharpie *f; mettre qc en* ~ *(fig)* etw zerfetzen; *viande f en* ~ (zu Fasern) zerkochte(s) Fleisch *n.*

charret|ée [ʃarte] *f* Karrenladung *f,* Karren, Fuhre *f;* **~ier, ère** *a: chemin m* ~ Fahrweg *m; porte f ~ière* Torweg *m; voie f ~ère* Spurweite *f; s m* Fuhrmann, Kutscher; *min* Schlepper *m; jurer comme un* ~ wie ein Landsknecht fluchen; **~te** [-rɛt] *f* (zweirädriger) Wagen, Karren *m; c'est la cinquième roue de la* ~ er, sie ist das fünfte Rad am Wagen; ~ *à bras* Handkarren *m.*

charr|iage [ʃarjaʒ] *m* Fahren *n;* Anfuhr; Verfrachtung *f;* Fuhrlohn *m; vulg* Ausplünderung; *geol* Überschiebung *f;* **~ier** *tr* (mit Karren) (an=, ab=) fahren; *(Fluß)* mit sich führen; *fig* verbreiten; *pop* auf den Arm nehmen; *itr (Eis)* treiben; übertreiben; scherzen; **~oi** *m* (Wagen-)Fracht *f,* Transport; Fuhrlohn *m;* **~on** *m* Stellmacher, Wagner *m;* **~onnage** *m* Wagnerarbeit *f;* **~onnerie** *f* Stellmacherei *f;* **~oyer** (auf Wagen) transportieren; verfrachten; **~oyeur** *m* Fuhrmann *m;* **~ue** *f* Pflug; *poet* Ackerbau *m;* Hufe *f; tirer la* ~ *(fig fam)* schuften; *mettre la* ~ *avant les bœufs* das Pferd beim Schwanz auf=zäumen.

charte [ʃart] *f* Urkunde, Charta *f;* Staatsgrundgesetz *n; École f des ~s* (franz.) Archivschule *f.*

charter [ʃartɛr] *m* Charterflugzeug *n.*

chartiste [ʃartist] *m* Schüler *m* der École des chartes.

chartreux, se [ʃartrø, -z] *s m* Kartäusermönch *m; f* Kartäuserkloster; einzelne(s) Landhaus *n; fig* Klause *f;* Chartreuse *f (Likör, Warenzeichen).*

chas [ʃɑ] *m* Nadelöhr; *tech* Bleilot *n; (Textil)* Schlichte *f.*

chass|e [ʃas] *f* Jagd *f,* -revier *n,* -beute, -gesellschaft; *mil* Jagdfliegerei *f,* -geschwader *n,* -waffe; Verfolgung *f; fig* Jagen, Haschen *n* (*à* nach); *(Textil)* Schuß; *tech* Setzhammer; Schlegel *(des Küfers);* Spielraum; *mot* Vorlauf; *typ* Überschuß *m* an Zeilen; *pl arg* Augen *n pl; en* ~ brünstig; *(Hündin)* läufig; *donner, faire la* ~ *à* Jagd machen auf *acc; fig* verfolgen; nach=jagen *dat; partir en* ~ auf die Jagd gehen; *prendre en* ~ *(mar)* verfolgen; *recevoir la* ~ *(mar)* verfolgt werden; *avion m de* ~ Jagdflugzeug *n; bottes f pl de* ~ Jagdstiefel *m pl; couteau m de* ~ Hirschfänger *m; chien m de* ~ Jagdhund *m; fusil m de* ~ Jagdgewehr *n; munition f de* ~ Jagdmunition *f; permis m de* ~ Jagdschein *m; tableau m de* ~ Jagdbeute *f;* ~ *à la grosse bête, grande* ~ Hochjagd *f;* ~*-clou m inv* Nageltreiber *m;* ~ *à courre* Hetzjagd *f;* ~ *d'eau* Spülrohr *n,* Wasserspülung *f;* ~*-goupilles m inv tech* Splinttreiber, Durchschlag *m;* ~ *au loup, au lièvre* Wolfs-, Hasenjagd *f;* ~*-mouches m inv* Fliegenwedel *m,* -netz *n;* ~*-neige m inv* Schneepflug *m;* ~*-pierres m inv loc* Schienenräumer *m;* ~*-roue m inv* Prellstein *m;* ~ *à tir* Pirsch *f;* **~é** *m* Seitenschritt *m;* ~*-croisé m* Stellentausch *m; fig* Hin u. Her *n.*

chasselas [ʃasla] *m* Gutedel *m (weiße Traubensorte).*

chass|er [ʃase] *tr* (hinaus=, ver-, weg=) jagen (*à* auf, mit); (ab=, ver-, aus=, vor sich her) treiben; *mar* verfolgen; *(Nagel)* ein=schlagen; *(Arbeiter)* entlassen; *fig* ab=lösen; *itr mot* schleudern, rutschen; *(Wolke)* treiben, (her-)auf=ziehen (*de* aus); *mar* treiben; *tech* (leicht) gehen, Spiel haben; *typ (durch weites Setzen)* Zeilen aus=bringen; *se* ~ gejagt werden; sich gegenseitig vertreiben; ~ *l'air* lüften; ~ *sur les terres d'autrui (fig)* e-m andern ins Gehege kommen; *un clou ~e l'autre (fig)* der eine geht, der andere kommt; *la faim ~e le loup du bois* Not lehrt beten; **~eresse** *f poet* Jägerin *f;* **~eur, se** *m f* Jäger(in *f*) *a. aero mil fig;* (Hotel-)Boy; *mar* Walfänger *m;* Verbindungsschiff *n;* ~ *d'accompagnement, d'escorte (aero)* Begleitjäger *m;* ~ *alpin* Alpenjäger *m;* ~ *d'autographes* Autogrammjäger *m;* ~ *bombardier* Jagdbomber *m;* ~ *de chars* Panzerjäger *m;* ~ *d'interception, intercepteur* Abfangjäger *m;* ~ *de nuit* Nachtjäger *m;* ~ *d'occasion* Sonntagsjäger *m;* ~ *de places* Stellenjäger *m;* ~ *à réaction* Düsenjäger *m;* ~ *de sous-marins* U-Boot-Jäger *m.*

chass|ie [ʃasi] *f med* Augenbutter *f;* **~ieux, se** triefäugig.
châss|e [ʃɑs] *f* Reliquienschrein *m,* Reliquiar *n; (Brille)* Fassung; *(Waage)* Schere *f; (Messer)* Heft; *arg* Auge *n;* **~is** [ʃɑ(a)si] *m* (Ein-)Fassung *f;* (Fenster-, Tür-)Rahmen; (Fenster-) Flügel *m;* Mistbeetfenster *n; radio* Kasten *m,* Chassis; Glasdach *n (über e-m Hof); phot* Kassette *f; tech* Gestell, Gerüst; *mot* Fahrgestell *n; typ* Formrahmen; *mil* (Lafetten-)Rahmen *m; theat* Kulisse *f; (Malerei)* Gitter(netz) *n; min* Wetterrösche *f; ~ d'atterrissage (aero)* Fahrgestell *n; ~ à coulisse* Schiebefenster *n; ~ dormant* Fenstereinfassung *f,* -futter *n; ~-presse m inv, ~ positif* Kopierrahmen *m; ~ de tablette* Tischzarge *f.*
chaste [ʃast] keusch; züchtig, sittsam; *poet fig* rein; **~té** *f* Keuschheit, Sittsamkeit *f.*
chasuble [ʃazybl] *f* Meßgewand *n,* Kasel *f.*
chat [ʃa] *m* Katze *f;* Kater *m; acheter ~ en poche* die Katze im Sack kaufen; *appeler un ~ un ~* das Kind beim Namen nennen; *avoir un ~ dans la gorge (fam)* e-n Frosch im Halse haben, heiser sein; *avoir d'autres ~s à fouetter* wichtigere Dinge im Kopf, andere Sorgen haben; *réveiller le ~ qui dort* alte Geschichten auf=rühren; *le ~ miaule, ronronne, fait le gros dos* die K. miaut, schnurrt, macht e-n Buckel; *il n'y avait que le ~* es hat niemand etw gesehen; *à bon ~, bon rat* wie du mir, so ich dir; *c'est le ~* das hat die Katze getan; *il n'y a pas de quoi fouetter un ~* das ist nicht der Rede wert; *pas un ~* keine lebende Seele; *~ échaudé craint l'eau froide (prov)* gebranntes Kind scheut das Feuer; *~ botté* Gestiefelte(r) Kater *m; ~-cervier m* Luchs *m; ~ domestique* Hauskatze *f; ~-huant m orn* Waldkauz *m; ~ sauvage* Wildkatze *f; ~-tigre m* Ozelot *m,* Tigerkatze *f.*
châtai|gne [ʃɑ(a)tɛɲ] *s f* (Eß-)Kastanie *f; arg* Faustschlag *m,* Backpfeife *f; a* kastanienbraun; *~ du Brésil* Paranuß *f;* **~gneraie** [-ɲə-] *f* (Eß-)Kastanienpflanzung *f,* -wäldchen *n;* **~gnier** *m* (Eß-)Kastanienbaum *m.*
châtain [ʃatɛ̃] *a m* dunkelblond.
château [ʃɑto] *m* Burg *f;* Schloß; Herrenhaus, stattliche(s) Landhaus *n; faire, bâtir des ~x en Espagne* Luftschlösser bauen; *c'est la vie de ~ (fam)* das ist ein herrliches Leben; *~ d'arrière, de poupe (mar)* Achterdeck *n; ~ d'avant, de proue* Vordeck *n,* Back *f; ~ de cartes* Kartenhaus *n a. fig; ~ d'eau* Wasserturm *m; ~ fort* Burg *f; ~ en ruines* Burgruine *f.*
châteaubriant, ~briand [ʃatobrijɑ̃] *m* auf dem Rost gebratene(s) Rinderfilet *n.*
châtel|ain, e [ʃɑ(a)tlɛ̃, -ɛn] *m f* Schloßherr(in *f*) *m; f* Gürtelkette *f;* **~et** [-ɛ] *m* kleine Burg *f,* Schlößchen *n;* **~lenie** [-ɛlni] *f hist* Burgvogtei *f.*
châti|er [ʃɑ(a)tje] strafen, züchtigen; *fig* geißeln; *(Stil)* feilen, glätten; *rel* kasteien; *(prov) qui aime bien, ~e bien* wer sein Kind lieb hat, züchtigt es; **~ment** [-ti-] *m* Züchtigung; Strafe; Sühne *f.*
chatière [ʃatjɛr] *f* Katzenloch *n (in der Tür); arch* Ziegel *m* mit Entlüftungshaube; Dachfenster; Guckloch *n;* Katzenfalle; Geheimtür *f;* (Wasser-)Abfluß *m.*
chatoiement [ʃatwamɑ̃] *m* Schillern *n.*
chaton [ʃatɔ̃] *m* **1.** *zoo bot* Kätzchen *n; fam* Staubflocke *f;* **2.** Fassung *f (e-s Edelsteins);* gefaßte(r) Edelstein *m; portée f de ~s* Wurf *m* Kätzchen; **~ner** *itr (Katze)* jungen, *tr (Edelstein)* fassen.
chatou|illement [ʃatujmɑ̃] *m* Kitzeln *n;* Kitzel *m;* Kratzen *n;* **~iller** kitzeln; schmeicheln (*qn* jdm) *(im Hals)* kratzen **~ouilleux, se** kitz(e)lig; empfindlich; schmeichelhaft; heikel.
chato|yant, e [ʃatwajɑ̃, -t] schillernd; *(Stil)* farbig, bilderreich; **~yer** schillern, schimmern; *fig* verlockend wirken (*devant* auf *acc*).
châtr|é [ʃɑ(a)tre] *m* Kastrat, Verschnittene(r) *m;* **~er** kastrieren, entmannen, verschneiden; *fig* verstümmeln; *(Buch)* zs.=streichen; *(Bienenstöcke)* zeideln, aus=nehmen; *(Schößlinge)* aus=schneiden.
chatt|e [ʃat] *f* (weibliche) Katze *f;* **~emite** *f fam fig* falsche Katze *f;* **~erie** *f* Süßigkeiten *f pl;* Liebkosung; Katzenfreundlichkeit *f; faire des ~s à qn fam* katzenfreundlich zu jdm sein.
chatterton [ʃatɛrtɔn] *m el* Isolierband *n.*
chaud, e [ʃo, ʃod] *a* warm, heiß; *fig* hitzig, lebhaft, heftig, brennend; eifrig; dringend; *(Stil)* lebendig; *(Nachricht)* brühwarm, frisch; *(Tiere)* brünstig, läufig; *s m* Wärme, Hitze *f; interj ~! ~!* heiß! heiß! *attraper un ~ et froid* sich e-e Erkältung zu=ziehen; *avoir la tête ~e* leicht auf=brausen, ein Hitzkopf sein; *mettre, tenir au ~* warm stellen, halten; *pleurer à ~es*

larmes bitterlich weinen; *tomber de fièvre en ~ mal* vom Regen in die Traufe kommen; *cela coûte ~ (fam)* das ist teuer; *cela ne fait ni ~ ni froid* das ist gleichgültig; *il fait ~* es ist warm; *il faut battre le fer pendant qu'il est ~ (prov)* man muß das Eisen schmieden, solange es heiß ist; *air m ~* Warmluft *f; animaux m pl à sang ~* Warmblüter *m pl; ~-froid m* Wild, Geflügel *n* in Gelee *od* Mayonnaise; **~e** *f* schnelle(s), rasch wärmende(s) Feuer *n; tech* Hitze *f; ~ blanche, rouge* Weiß-, Rotglut *f; ~-pisse f fam* Tripper *m; ~ soudante* Schweißhitze *f;* **~ière** *f* (großer) Kessel; Kesselvoll *m; ~ tubulaire* Röhren-, Lokomotivkessel *m; ~ à vapeur* Dampfkessel *m;* **~ron** *m* (Wasser-, Tee-, Koch-)Kessel; *fig fam* Klimperkasten *m;* **~nerie** *f* Kupferschmiede *f;* Kupferwaren *f pl;* Kupferbranche *f;* **~nier** *m* Kupferschmied, -warenhändler *m.*

chauff|age [ʃofaʒ] *m* Heizung, Feuerung; Erwärmung *f; (Lager)* Heißlaufen *n; appareil m de ~* Heizgerät *n; bois m de ~* Brennholz *n; installation f de ~* Heizanlage *f; tube m de ~* Heizrohr *n; ~ à air chaud, à eau chaude* Warmluft-, Warmwasserheizung *f; ~ au bois, au charbon* Holz-, Kohlefeuerung *f; ~ central* Zentralheizung *f; ~ par l'électricité* elektrische H.; *~ au gaz, au mazout, par rayonnement* Gas-, Öl-, Strahlungsheizung *f; ~ urbain,* Fernwärme, Fernwärmeversorgung *f; ~ à vapeur* Dampfheizung *f;* **~ard** *m* Todesfahrer *m;* jem, der Fahrerflucht begeht; **~e** *f* Heizen *n,* Heizung *f;* Feuerraum *m; chambre f de ~* Heiz-, Kesselraum *m; période de ~* Heizperiode *f; plaque f de ~* Heizplatte *f; surface f de ~* Heizfläche *f; ~-assiette(s) m* Tellerwärmer *m; ~-bain m* Badeofen *m; ~-biberon m* Flaschenwärmer *m; ~-eau m inv* Warmwasserbereiter, Boiler *m; ~-lit m inv* Bettwärmer *m,* Heizkissen *n; ~-pieds m inv* Fußwärmer *m; ~-plats m inv* Warmhalteplatte *f;* **~er** *tr* (er)wärmen, (er)hitzen, warm, heiß machen, (an=)heizen; *fam* hart zu=setzen (*qn* jdm); in Schwung bringen; auf=bringen; auf=stacheln; (zum Examen) pressen; mit Nachdruck betreiben; *vulg* klauen, stehlen; *itr* warm, heiß werden; heizen; *loc mar* unter Dampf stehen; *tech mot* (sich) heiß=laufen; *fig fam* sich erhitzen, ereifern; ernsthaft werden; *il montre de quel bois il se ~e* er zeigt, was an ihm ist; *nous ne nous ~ons pas du même bois* unsere Ansichten und Gewohnheiten gehen weit ausea.; **~erette** *f* Fuß-, Schüsselwärmer *m; (Friesland)* Stövchen *n; ~ électrique* Heizplatte *f;* **~erie** *f* Heizraum *m, tech* Kesselhaus *n;* Glühofen *m;* (Schmiede-)Esse *f;* **~eur** *m* (Lokomotiv-)Heizer; *mot* Chauffeur, Fahrer *m; ~ de taxi* Taxifahrer *m.*

chaufour [ʃofur] *m* Kalkofen *m;* **~nier** *m* Kalkbrenner *m.*

chaul|age [ʃolaʒ] Kalkdüngung *f;* Kalken, Kalkspritzen *n;* **~er** mit Kalk düngen; kalken, weißen; mit Kalkmilch bespritzen; **~ier** *m* Kalkbrennereibesitzer *m.*

chaum|age [ʃomaʒ] *m* Abstoppeln *n;* **~e** *m* Halm *m;* Stoppel(feld *n*) *f;* Dachstroh; Strohdach *n;* **~er** ab=stoppeln; **~ière** *f* kleine(s), strohgedeckte(s) (ärmliches) Haus *n;* Strohhütte *f;* **~ine** *f* (kleine) Strohhütte *f.*

chauss|ant, e [ʃosɑ̃, -ɑ̃t] *a (Fußbekleidung)* leicht anzuziehen(d); gut sitzend; **~e** *f, meist pl hist* (enganliegende) Kniehose *f;* trichterförmige(s) Rohr *n;* Seihbeutel *m;* (Schulter-) Schleife *f (am Ornat); faire dans ses ~s (vulg fig)* in die Hosen machen; *porter les ~s (hum fig)* die Hosen an=haben; *~-pied m* Schuhanzieher, -löffel *m; ~-trappe f* Fallgrube; *fig* Falle *f.*

chaussée [ʃose] *f* (Fahr-) Damm *m,* Fahrbahn, Straßendecke *f;* Deich *m; geog* (langes) Riff *n; ~ bombée, pavée, défoncée* gewölbte, gepflasterte Straße, Straße *f* mit Schlaglöchern.

chauss|er [ʃose] *(Schuhe, Strümpfe)* an=ziehen (*qn* jdm); Schuhe machen (*qn* für jdn); *(Pflanzen)* häufeln; *(Brille)* auf die Nase setzen; *se ~* die Schuhe, Strümpfe an=ziehen; *se ~ d'une opinion* sich auf e-e Ansicht versteifen; *~ du 38* Schuhgröße 38 tragen; *s'enfuir un pied ~é et l'autre nu* Hals über Kopf weg=laufen; *être bien, mal ~é* gute, schlechte Schuhe tragen; *ce soulier ~e bien* dieser Schuh sitzt gut; *il n'est pas facile à ~ (fig)* er ist nicht leicht zufriedenzustellen; **~ette** *f* Socke *f; repriser, tricoter des ~s* Socken stopfen, strikken; *~s à clous (pop)* Nagelschuhe *m pl; ~ montante* Kniestrumpf *m; ~ russe* Fußlappen *m;* **~eur** *m* Schuhfabrikant, -warenhändler *m;* **~on** *m* (leichter) Hausschuh; Filzschuh; Füßling *m;* Babysocke *f;* Über-, Sport-, Tanzschuh; *(Gebäck)* Strudel *m; sport* Beinstoßen *n; ~ aux pommes, aux prunes* Apfel-, Pflaumenstrudel *m,* -tasche *f;* **~ure** *f* Fußbekleidung *f;*

Schuhwerk *n;* Schuh(-industrie *f,* -handel) *m; avoir un pied dans deux ~s* zwei Eisen im Feuer haben; *cirer, décrotter, faire reluire les ~s* die Schuhe wichsen, ab=bürsten, glänzend putzen; *mettre, ôter ses ~s* seine Schuhe an=, aus=ziehen; *trouver (une) ~ à son pied (fig)* das Passende, die (den) Richtige(n) finden; *brosse f à ~s* Schuhbürste *f; cuir m à ~s* Schuhleder *n; ~s d'aviateur* Fliegerstiefel *m pl; ~s de cuir, de caoutchouc, à crampons, de sport* Leder-, Gummi-, Berg-, Sportschuhe *m pl; ~s de football, de ski* Fußball-, Schistiefel *m pl; ~s de gymnastique* Turnschuhe *m pl; ~s à semelle de cuir, de crêpe* Schuhe *m pl* mit Leder-, Kreppsohlen.

chauve [ʃov] *a* kahl(köpfig); *s m* Kahlkopf *m; ~-souris f* Fledermaus *f.*

chauvin, e [ʃovɛ̃, -in] *a* chauvinistisch; *s m f* Chauvinist(in *f*); Hurrapatriot *m;* **~isme** *m* Chauvinismus *m;* **~iste** chauvinistisch.

chaux [ʃo] *f* Kalk *m;* Kalziumoxyd *n; bâtir à ~ et à sable* solide, stabil bauen; *être bâti à ~ et à sable (fig)* kerngesund sein; *carbonate m de ~* kohlensaure(r) K.; *enduit m de ~* (Kalk-) Tünche *f; four m à ~* Kalkofen *m; lait m de ~* Kalkmilch *f; peinture f à la ~* Kalkanstrich *m; pierre f à ~* Kalkstein *m; ~ azotée* Kalkstickstoff *m; ~ caustique* Ätzkalk *m; ~ éteinte, vive* gelöschte(r), ungelöschte(r) K.

chavir|ement [ʃavirmɑ̃] *m mar* Kentern, *fig* Scheitern *n;* **~er** *itr mar* kentern, um=schlagen; *allg* (um=)kippen; schwanken; *fig* scheitern, versagen, zs.=brechen; *tr* um=werfen, um=kippen.

chéchia [ʃeʃja] *m* rote Mütze *f (franz. Kolonialsoldaten).*

check-list [(t)ʃɛklist] *f (pl check-lists) aero* Checkliste *f.*

chef [ʃɛf] *m* Führer, Chef *m,* (Ober-) Haupt *n;* Vorgesetzte(r), Vorsteher; *mil* Führer, Kommandeur, Befehlshaber, Kommandant, Chef; Häuptling; *(Stoff)* Anfang; *fig* Hauptpunkt, (wesentlicher) Gegenstand *m (e-r Besprechung, Anklage); au premier ~* in erster Linie; *de ce ~* aus diesem Grunde; *de son propre ~* von sich aus, eigenmächtig; *du ~ de son père* von seinem Vater her; *commandant m en ~* Oberbefehlshaber *m; médecin m ~* Oberarzt *m; qualités f pl de ~* Führereigenschaften *f pl; ~ d'atelier* Werkmeister; Werkstattleiter *m; ~ de bataillon* Bataillonskommandeur *m; ~ de bloc, d'îlot* Block-, Luftschutzwart *m; ~ de brigands* Räuberhauptmann, Bandenführer *m; ~ de bureau* Bürovorsteher *m; ~ du deuxième (quatrième) bureau* dritte(r) Generalstabsoffizier (Ic); (Quartiermeister, Ib) *m; ~ de cabinet* Kabinettschef; *~ de chambrée* Stubenälteste(r) *m; ~ de chantier* Bauleiter, *min* Ortsälteste(r) *m; ~ de chargement* Lademeister *m; ~ comptable* Oberbuchhalter *m; ~ (de cuisine)* Küchenchef *m; ~ d'entreprise* Betriebsführer; Unternehmer *m; ~ d'équipe* Vorarbeiter, Vormann, Polier; *loc* Bautruppführer; *min* Ortsälteste(r) *m; ~ d'escadre (aero)* Geschwaderkommandeur *m; ~ d'escadrille* Staffelkapitän *m; ~ d'État* Staatschef *m,* -oberhaupt *n; ~ d'état-major* Stabschef; *(Division)* Erste(r) Generalstabsoffizier *m; ~ de l'état-major général de l'armée de terre* Chef *m* des Generalstabs des Heeres; *~ d'exploitation* Betriebsleiter *m; ~ de famille* Familienoberhaupt *n;* Haushaltungsvorstand *m; ~ de file (mil)* Gruppen-, Anführer *m; ~ de gare* Bahnhofsvorsteher *m; ~ de gouvernement* Regierungschef *m; ~ de groupe (mil)* Gruppenführer *m; ~-lamineur m* Walzmeister *m; ~-lieu m* Hauptort *m; ~ de magasin* Lagerverwalter *m; ~-mécanicien m* Werkmeister *m; ~ du mouvement* Fahrdienstleiter *m; ~ de musique mil* Musikmeister *m; ~ nègre* Negerhäuptling *n; ~-d'œuvre* [ʃɛdœvr] *m* Meisterstück, -werk *n; ~ d'orchestre* Dirigent; Kapellmeister *m; ~ de parti* Parteiführer, -chef *m; ~ du personnel* Personalchef *m; ~ de pièce* Geschütz-, Gewehr-, Werferführer *m; ~-pilote m* Fluglehrer; Chefpilot *m; ~-porion m min* Obersteiger *m; ~ de poste (mil)* Wachhabende(r) *m; ~ de production* Produktionsleiter *m; ~ de publicité* Werbeleiter *m; ~ de réception* Empfangschef *m; ~ de rubrique* Ressortchef *m (e-r Zeitung); ~ de section* Abteilungsleiter; *mil* Zugführer; Bahnmeister *m; ~ de sécurité (loc)* Fahrdienstleiter *m; ~ de service* Abteilungsleiter; Sachbearbeiter; *loc* Amtsvorsteher; *(Zeitung)* Chef *m* vom Dienst; *~ de station (radio)* Sendeleiter *m; loc* Fahrdienstleiter; Vorsteher *m* e-s kleinen Bahnhofs; *~ de train (loc)* Zugführer *m; ~ de tribu* Häuptling *m; ~ de vente* Verkaufs-, Vertriebsleiter *m;* **~fesse** *f* Chefin *f;* **~taine** *m f* Führer(in *f*) *m* e-r Pfadfindergruppe.

cheik [ʃɛk] *m* Scheich *m.*

chéiroptères [kei-] *s. chiroptères.*
chelem [ʃlɛm] *m (Bridge)* Schlemm *m.*
chél|idoine [kelidwan] *f bot* Schellkraut *n;* **~oniens** *m pl* Schildkröten *f pl (Ordnung).*
chemin [ʃ(ə)mɛ̃] *m* Weg *a. fig* (*de* nach, zu), Pfad *m,* Bahn *f;* Mittel *n,* Art u. Weise; Wegstrecke; *mar* zurückgelegte Strecke *f;* Läufer *m (Teppich);* Faßleiter *f; min* Förderschacht *m; en ~, ~ faisant* unterwegs; *par voie et par ~* mit allen Mitteln; *vieux comme les ~s* stein-, uralt; *aller son (droit) ~* sich nicht beirren lassen; *aller son (petit bonhomme de) ~* gemächlich seinen Weg gehen; *ne pas y aller par quatre ~s* offen und ehrlich sein; *s'arrêter à mi-~ (fig)* auf halbem Wege stehen=bleiben; *s'écarter du droit ~ (fig)* auf Abwege geraten; *emprunter un ~* e-n W. benutzen; *être en ~ de* im Begriff sein zu; *être en bon ~ (fig)* auf dem besten Wege sein; *être sur le ~ de qn (fig)* jdm im Wege stehen; *être, aller toujours par voie et par ~* immer auf (der) Achse sein; *faire,abattre du ~* e-e tüchtige Strecke zurück=legen; *faire la moitié du ~ (fig)* auf halbem Weg entgegen=kommen; *faire son ~ (fig)* seinen Weg gehen, Erfolg haben; *se frayer, s'ouvrir un ~* sich e-n Weg bahnen; *se mettre en ~* sich auf den Weg machen; *ouvrir un, le ~ (fig)* voran=gehen; ein, das Beispiel geben; *passer son ~* weiter=gehen; *rebrousser ~* um=kehren; *rester en ~* auf der Strecke bleiben; *tromper le ~* sich den Weg verkürzen, angenehmer machen; *se tromper de ~* sich verirren, sich verlaufen; *trouver des pierres en (son) ~* auf Schwierigkeiten *(acc)* stoßen; *qui trop se hâte reste en ~ (prov)* blinder Eifer schadet nur; *tous les ~s mènent à Rome (prov)* alle, viele Wege führen nach Rom; *bout m de ~* Stück *n* Weges; *coude, tournant m du ~* Biegung *f* des Weges; *croisée f des ~s* Kreuzweg *m; heure f de ~* Wegstunde *f; ~ d'approche* Anmarschweg *m; ~ battu* ausgetretene(r) W. *a. fig; ~ de câble* Kabelführung *f; ~ de carrière* Schacht, Stollen *m (e-s Steinbruches); ~ côtier* Strandweg *m; ~ de (la) croix* Kreuz-, Leidensweg *m (Christi),* 14 Leidensstationen *f pl (Bildfolge); ~ creux* Hohlweg *m; ~ défoncé* grundlose(r) Weg *m; le ~ des écoliers (fig)* der längste Weg *m; f; ~ ferré* beschotterte(r) Weg, Kiesweg *m; ~ en fil de coco* Kokosläufer *m; ~ forestier* Holz-, Waldweg *m; ~ de freinage* Bremsweg *m; ~ de halage* Treidelpfad *m; ~ du paradis* steile(r) Weg *a. fig; ~ de ronde* Wehrgang *m; ~ de rondins* Knüppeldamm *m; ~ de roulement (aero)* Rollbahn *f; ~ rural* Feldweg *m; ~ sinueux, serpentant, tortueux* gewundene(r) W.; *~ de traverse* Querweg *m; ~ vicinal* Gemeindeweg *m;* **~ de fer** *m* Eisenbahn *f; par ~* mit der Bahn; *prendre le ~* mit der Bahn fahren; *le ~ dessert cette localité* dieser Ort hat Eisenbahnverbindung *f; petit ~* Kleinbahn *f; ~ aérien, suspendu, à suspension* Schwebebahn *f; ~ à crémaillère* Zahnradbahn *f; ~ d'exploitation (min)* Förderbahn *f; ~ funiculaire* (Draht-)Seilbahn *f; ~ métropolitain* Stadtbahn *f; ~ de montagne* Bergbahn *f; ~ portatif* Feldbahn *f; ~ souterrain* Untergrundbahn, U-Bahn *f; ~ surélevé* Hochbahn *f; ~ à voie étroite* Schmalspurbahn *f;* **~eau** [-min-] *m* Landstreicher, *fam* Tippelbruder *m.*
cheminée [ʃ(ə)mine] *f* Kamin(einfassung *f*) *(a. im Hochgebirge),* Schornstein; *geol* Schlot, Eruptionskanal; (Lampen-)Zylinder *m; aero* Luftloch *n; (Fallschirm)* Scheitelöffnung *f; sous (le manteau de) la ~ (fig)* im Vertrauen; im geheimen; *~ d'aération, d'appel (min)* Luftschacht *m; ~ de forge* Schmiedeesse *f; ~ d'usine* (Fabrik-) Schornstein, Schlot *m,* Esse *f.*
chemin|ement [ʃ(ə)minmɑ̃] *m* Marsch, Gang; *fig* Fortgang; *mil* Annäherungsgang; *(topographisch)* Lattenüberschlag *m; el* Kriechen *n;* **~er** (langsam) gehen; dahin=gehen, -schreiten; e-n Weg zurück=legen; *fig* vorwärts=kommen; **~ot** [-o] *m fam* Eisenbahner *m.*
chemis|e [ʃ(ə)miz] *f* Hemd *n;* Aktendeckel *m;* Sammelmappe; Buchhülle *f,* -umschlag; *tech* Mantel, Überzug *m,* Verkleidung *f; en bras de ~* in Hemdsärmeln; *changer de qn, de qc comme de ~* jdn, e-e Sache wie das Hemd wechseln; *donner jusqu'à la dernière ~* das Letzte her=geben; *mettre, passer, enfiler sa ~* sein Hemd an=ziehen; *ôter, enlever, retirer sa ~* sein Hemd aus=ziehen; *nègre m en ~ (Art)* Schokoladenspeise *f; ~ de cellular, de filet* Netzhemd *n; ~-culotte f* Hemdhose *f; ~ de cylindre (tech)* Zylinderlaufbüchse *f; ~ d'eau (tech)* Wassermantel *m; ~ d'homme, de nuit, de sport* Ober-, Nacht-, Sporthemd *n; ~ Lacoste* Polohemd *n;* Tennishemd *n;* **~er** *allg tech* verkleiden, überziehen; **~erie** *f*

Wäschegeschäft *n*, -fabrik(ation) *f*; **~ette** *f* Polo-, Buschhemd *n*; Hemdbluse *f*; **~ier, ère** *m f* Wäschefabrikant(in *f*), -händler(in *f*) *m*; *m* Hemdbluse *f*.

chên|aie [ʃɛnɛ] *f* Eichenwald *m*; **~e** *m* Eiche *f*, *(bois m de ~)* Eichenholz *n*; *~-liège m* Korkeiche *f*; *~ pédonculé, rouvre, vert* Stiel-, Rot-, immergrüne Eiche *f*; **~eau** *m* junge Eiche *f*.

chenal [ʃ(ə)nal] *m mar* Fahrrinne *f*; Mühlbach; Kanal; *(Metall)* Abfluß *m*.

chenapan [ʃ(ə)napɑ̃] *m* Strauchdieb, Strolch *m*.

chéneau [ʃeno] *m* Dachrinne *f*.

chenet [ʃ(ə)nɛ] *m* Feuerbock *m*.

chènev|ière [ʃɛnvjɛr] *f* Hanffeld *n*; **~is** [-vi] *m* Hanfsamen *m*.

chenil [ʃ(ə)ni(l)] *m* Hundehütte *f*, -zwinger *m*; *fam* Hundeloch, Elendsquartier *n*.

chenille [ʃ(ə)nij] *f* Raupe; Seidenbordüre; *mot* Raupenkette *f*; *fig* häßliche(r), schlechte(r) *od* unangenehme(r) Mensch *m*, Person *f*; **~lère** [-j-] *f* Raupennest *n*; **~lette** *f mil* Raupenfahrzeug *n*.

chènopode [kenɔpɔd] *m bot* Gänsefuß *m*.

chenu, e [ʃ(ə)ny] weißhaarig, altersgrau; *poet* schneebedeckt; *(Baum)* kahl; *pop fig* ausgezeichnet; *du ~* etwas Feines.

cheptel [ʃɛptɛl] *m* Viehpacht(vertrag *m*) *f*; Pachtviehbestand *(a. ~ vif)*; *(Statistik)* Viehbestand *m*; *~ bovin, chevalin* Rinder-, Pferdebestand *m*; *~ mort* tote(s) Inventar *n (e-s Pachthofes)*.

chèque [ʃɛk] *m* Scheck *m* (*de* über); Bankanweisung *f*; *émettre, libeller, tirer un ~* e-n Sch. aus≈stellen (*sur* auf *acc*); *toucher un ~* e-n Sch. ein≈lösen; *carnet m de ~s* Scheckbuch *n*; *formule f de ~* Scheckformular *n*; *~ bancaire* Bankscheck *m*; *~ barré* gekreuzte(r) Scheck *m*; *~ en blanc* Blankoscheck *m*; *~-cadeau m* Geschenkgutschein *m*; *~ libellé en monnaie étrangère* Fremdwährungsscheck *m*; *~ non négociable* Rektascheck *m*; *~ à ordre* auf den Namen lautende(r) Scheck *m*; *~ payable au comptant* Barscheck *m*; *~ à porter en compte* Verrechnungsscheck *m*; *~ au porteur* Inhaber-, Überbringerscheck *m*; *~ postal* Postscheck *m*; *~ sans provision* ungedeckte(r) Scheck *m*; *~-repas m* Essensbon *m*, Essensgutschein *m*; *~ de virement* Überweisung *f*; *~ de voyage* Reisescheck *m*.

chéquier [ʃekje] *m* Scheckbuch *n*.

cher, ère [ʃɛr] *a* lieb, wert; teuer, kostspielig; *(Zeit)* kostbar; *adv coûter, vendre, acheter, payer ~* teuer sein, verkaufen, kaufen, bezahlen; *ne pas donner ~ de qc* e-r S keinen großen Wert bei≈messen; *il me le payera ~* das soll er mir büßen; *il fait ~ vivre ici* das Leben ist hier teuer.

cherch|é, e [ʃɛrʃe] *a* gekünstelt; **~er** (auf≈)suchen (*à* zu); streben (*qc* nach etw), sich bemühen (*qc* um etw); *aller, venir ~* (ab≈)holen; *faire, envoyer ~* holen lassen, schicken nach; *~ aventure* auf Abenteuer aus≈gehen; *~ fortune* sein Glück suchen; *~ un problème, des mots croisés* e-e Aufgabe, ein Kreuzworträtsel lösen; *~ querelle* Streit suchen (*à qn* mit jdm); *~ une aiguille dans une botte de foin (fig)* etw Unmögliches verlangen; *~ la petite bête* ein Kleinigkeitskrämer sein; *~ des poux à la tête de qn* jdm am Zeuge flicken wollen; *qu'allez-vous ~ là? (pop)* wie kommen Sie (denn) darauf? *ça va ~ dans les mille francs* das kostet an die 1000 Francs; **~eur, se** *s m f* Sucher(in *f*); Forscher(in *f*); *m opt* Sucher; *el* Prüfdraht; *tele* (Hilfs-)Wähler *m*; *a* suchend, forschend.

chère [ʃɛr] *f*: *faire bonne, maigre ~* gut u. viel, schlecht u. wenig essen.

chér|i, e [ʃeri] *m f* Liebling *m*; **~ir** zärtlich, innig lieben; hängen (*qn* an jdm); großen Wert legen (*qc* auf e-e S), schätzen; **~issable** liebenswert.

chérot [ʃero] *pop* teuer.

cherté [ʃɛrte] *f* hohe(r) Preis *m*; Teuerung *f*; *~ de la vie* hohe Lebenskosten *pl*.

chérubin [ʃerybɛ̃] *m* Cherub *m*; *(Kunst)* Engelsköpfchen *n*; *(Kind)* Pausback *m*.

chétif, ive [ʃetif, -iv] schwächlich; *allg* ärmlich, armselig; *fig* kümmerlich, schwach, dürftig.

cheval [ʃ(ə)val] *m* Pferd *n*; *pl a.* Reiter *m pl*; *tech* Pferdestärke *f* (PS); *à ~* zu Pferde, rittlings; *allg* querüber, übergreifend (*sur* auf *acc*); *fig* geharnischt, derb; *aller à ~, faire du ~* reiten; *changer son ~ borgne contre un aveugle (fig)* vom Regen in die Traufe kommen; *être à ~ sur* rittlings sitzen, *fig* herum≈reiten auf *dat*; gleichzeitig betreiben; *être à ~ sur les règles, les principes* ein Prinzipienreiter sein; *monter à ~* aufs Pferd steigen; *monter sur ses grands chevaux* sich ereifern, auf≈fahren, -brausen; *il n'est si bon ~ qui ne bronche (prov)* Irren ist menschlich; *à ~ donné on ne regarde pas à la bouche* od *bride* od *dent* einem geschenkten Gaul schaut man nicht ins Maul; *costume, pantalon m de ~* Reitkostüm *n,* -hose *f; course f de chevaux* Pferderennen *n; crottin m de ~* Pferdeapfel *m; fièvre f de ~* hohe(s) Fieber *n; marchand m de chevaux* Pferdehändler *m; remède m de ~* Roßkur *f; viande f de ~* Pferdefleisch *n; ~ alezan* Fuchs *m; ~ d'arçons m* Pferd *n (Turngerät); ~ à bascule* Schaukelpferd *n; ~ de bât* Packpferd *n; fig* Packesel *m; ~ de bataille* Streitroß; *fig* Steckenpferd; Schlagwort; Hauptargument *n; ~ à la besogne, à l'ouvrage, pour le travail (fig)* (Arbeits-)Pferd *n; ~ blanc* Schimmel *m; ~ de bois* Bock *m (Turngerät), pl* Karussell *n, (Spiel)* Steckenpferd *n; ~ de carrosse* Droschkengaul; *fig* Grobian *m; ~ de chasse* Jagdpferd *n; ~ de course* Rennpferd *n; ~ échappé (fig)* Draufgänger *m; ~ à l'écurie (fig)* laufende Ausgabe *f; ~ entier* Hengst *m; ~ de frise (mil)* spanische(r) Reiter *m; ~ de labour* Ackergaul *m; ~ marin* Seepferdchen *n (Fisch); ~ noir* Rappe *m; ~ (de) pur sang* Vollblut(pferd) *n; ~ de retour (arg)* rückfällige(r) Verbrecher *m; ~ de selle* Reitpferd *n; ~ de trait* Zugpferd *n; ~-vapeur m* Pferdestärke *f* (PS); **~ement** *m arch* Absteifung, Abstützung *f; tech* Gerüst *n;* Ladebaum *m; ~ de mine* Fördergerüst *n; ~ de sondage* Bohrturm *m;* **~eresque** ritterlich; **~erie** *f* Rittertum *n,* Ritterschaft *f;* Adel *m; roman m de ~* Ritterroman *m;* **~et** [-lɛ] *m* Bock, Schragen *m,* Gestell, Gerüst *n;* Folterbank; Staffelei; Flachsbreche *f;* Sägebock; *(Geige)* Steg *m;* Messerbänkchen *n;* Montagebock *m;* **~ier** *m* Ritter; *orn* Strandläufer *m; armer ~* zum Ritter schlagen; *~ errant* fahrende(r) Ritter *m; ~ d'industrie* Industrieritter, Hochstapler, Schwindler *m;* **~ière** *f* Siegelring *m;* **~in, e** *a* Pferde-; *boucherie f ~e* Roßschlachterei, Pferdemetzgerei *f; race f ~e* Pferderasse *f.*

chevauch|ée [ʃəvoʃe] *f* (Spazier-)Ritt *m;* Reitergesellschaft *f; hist* Umritt *m;* **~ement** *m* Übereinandergreifen *n,* Überlappung *f; (Drähte)* Kreuzen *n; geol* Überschiebung; *(Aufgabenbereich)* Überschneidung *f; typ* Krummstehen *n;* **~er** reiten; rittlings sitzen (*sur qc* auf e-r S); übereinander=greifen, sich überlappen; *fig* sich überschneiden; *typ (Zeilen)* krumm stehen, ab=fallen.

chevêche [ʃəvɛʃ] *f orn* Kauz *m.*

chevelu, e [ʃəvly] *a* behaart, (lang-)haarig; *bot* Haar-; *s m* (Wurzel-)Bart *m; cuir m ~* Kopfhaut *f;* **~re** *f* (Kopf-)Haar *n;* Haarwuchs; Schweif *m (e-s Kometen);* Wurzelbart *m.*

chevet [ʃ(ə)vɛ] *m* Kopfende *(e-s Bettes);* (längliches) Kopfkissen *n; arch* Apsis *f; au ~ de qn* an jds Bett; *lampe f de ~* Nachttischlampe *f; livre m de ~* Lieblingsbuch *n.*

cheveu [ʃ(ə)vø] *m* (Kopf-)Haar *n (des Menschen);* Sprung *m (im Porzellan); à un ~* um Haaresbreite; *en ~x (Frau)* ohne Hut; *s'arracher les ~x* sich die Haare raufen; *avoir mal aux ~x* Katzenjammer haben; *couper, fendre les ~x en quatre* Haarspalterei treiben; *défaire, couper, teindre les ~x* die H. lösen, schneiden, färben; *ne pas se faire de ~x (blancs)* sich keine grauen Haare wachsen lassen; *porter les ~x courts, longs* die H. kurz, lang tragen; *se prendre aux ~x* sich in die (den) Haare(n) geraten (liegen); *saisir l'occasion aux ~x* die Gelegenheit beim Schopf ergreifen; *ne tenir qu'à un ~* an e-m seidenen Faden hängen; *ne pas toucher un ~ à qn* jdm kein Haar krümmen; *tiré par les ~x (fig)* an den Haaren herbeigezogen, weit hergeholt; *il y a un ~ (pop)* die Sache hat e-n Haken; *cela fait dresser les ~x* da stehen e-m die Haare zu Berge; *cela vient comme un ~ sur la soupe (fam)* das paßt wie die Faust aufs Auge; *brosse f à ~x* Haarbürste *f; chute f des ~x* Haarausfall *m; couleur f des ~x* Haarfarbe *f; épingle f à ~x* Haarnadel *f; fin comme un ~* haarfein; *mèche, touffe f de ~x* Haarsträhne *f,* -büschel *n; ~ d'ange* Engelshaar *n;* Fadennudel *f;* eingemachte Zitronenschalen *f pl; ~ d'or* Goldrand *m (an Porzellan).*

chevill|e [ʃ(ə)vij] *f* Zapfen, Pflock, Dübel, Bolzen; Stöpsel; Wirbel *(an Saiteninstrumenten); anat* Knöchel *m;* Augsprosse *f (am Geweih); poet* Flickwort, Füllsel *n; ne pas arriver à la ~ de qn* jdm nicht das Wasser reichen können; *vente f à la ~* Fleischverkauf *m* im großen; *~ de bois* Holzdübel, -nagel *m; ~ de charnière* Scharnierstift *m; ~ ouvrière (fig)* Haupttriebfeder *f; ~ de téléphone* Telefonstecker *m;* **~er** verzapfen, dübeln; *poet* (mit Flickwörtern) überladen; *avoir l'âme ~ée au corps* ein zähes Leben haben.

cheviotte [ʃəvjɔt] *f* Cheviot(wolle *f*) *m.*

chèvre [ʃɛvr] *f* Ziege, Geiß *f;* Hebebock *m,* (Zug-)Winde *f;* Sägebock *m; ménager la ~ et le chou* es mit keinem (keiner von zwei Parteien) verderben (wollen); *où la ~ est liée il faut qu'elle broute* man muß sich nach der Decke strecken; *cuir m de ~ tanné* gegerbte(s) Ziegenleder *n; lait, fromage m de ~* Ziegenmilch *f,* -käse *m;* **~feuille** [-vrə-] *m bot* Geißblatt *n.*

chevr|eau [ʃəvro] *m* Zicklein, Geißlein; Ziegenleder *n;* **~ette** *f* kleine Ziege; Ricke *f;* kleine(r) Feuerbock *(Gerät);* Dreifuß *m; fam* Krabbe *f (Krebs); bot* Pfifferling *m;* **~et(t)er** [-vrə-] *(Ziege)* lammen; **~euil** [-œj] *m* Reh *n (als Art),* Rehbock *m;* **~ier, ère** *m f* Ziegenhirt(in *f*) *m.*

chevron [ʃəvrɔ̃] *m* (Dach-)Sparren; *mil* Winkel *m (Abzeichen); arch* Zickzackleiste; *allg* Zickzacklinie *f,* -muster *n;* **~nage** *m* Sparrenwerk, -legen *n;* **~né, e** *a fig* dienst-, berufserfahren; *arg* vorbestraft; *être ~ (fam)* etw los haben; **~ner** mit Sparren versehen.

chevr|otant, e [ʃəvrɔtɑ̃, -t] *a (Stimme)* meckernd, zitternd; **~otement** *m* Meckern *n;* **~oter** meckern; *(Ziege)* lammen; **~otin** *m* Rehkitz *(unter 6 Monaten);* Ziegenleder *n,* -käse *m;* **~otine** *f* Rehposten *m (Munition).*

chez [ʃe] *prp (nur in Verbindung mit Personen)* bei, in, zu; *il était ~ lui* er war daheim, zu Hause; *je vais ~ le coiffeur* ich gehe zum Frisör; *de ~* von ... her: *je viens de ~ moi* ich komme von zu Hause; *(räumlich): ~ les Anglais* bei den Engländern; *il est de ~ nous* er ist aus unserer Gegend; *(zeitlich): ~ les Romains* bei den Römern; *(betreffend): l'instinct ~ les animaux* der Instinkt bei den Tieren; *il passe ~ eux pour...* er gilt in ihrem Kreis, bei ihnen als *od* für ... ; *fig: ~ lui c'est une habitude* das ist e-e Gewohnheit bei ihm; *~ Molière* bei M., in M.s Werken; *transporter ~ (fig)* übertragen auf *acc; ~-soi, ~-moi etc s m* Zuhause, Heim *n.*

chiader [ʃjade] *arg* arbeiten; büffeln.

chialer [ʃjale] *arg* heulen, flennen, weinen.

chiasse [ʃjas] *f* (Fliegen-)Dreck *(~ de mouche); pop* Dünnschiß, Durchfall; *fig* Schiß *m,* Angst *f; tech* Metallschaum *m.*

chic [ʃik] *s m* Schick, *fam* Schmiß; Geschmack *m;* Gewandtheit; (Lebens-)Art *f; a inv* schick, *fam* piekfein; famos; *fig* fein, großzügig, *fam* nobel; *de ~* ohne Vorbild *(Malerei);* ohne Entwurf *(Schreiben); interj fam: ~ alors!* fabelhaft! *pousser un ~ (arg Schule)* ein Hoch aus=bringen.

chican|e [ʃikan] *f* Schikane *f,* Spitzfindigkeiten *f pl,* Kniffe *m pl;* Rechtsverdrehung *f;* Streit *m,* Händel *m pl;* Zickzackweg *m; tech* Hindernis *n;* Drosselklappe, Stauscheibe, Prallplatte *f; chercher ~* Händel suchen (*à qn* mit jdm); **~er** Kniffe, Spitzfindigkeiten an=wenden; sich (ohne Grund) herum=streiten (*qn sur qc* mit jdm wegen e-r S); streitig machen (*qc à qn* jdm etw); schikanieren, mit Kleinigkeiten plagen; in e-n Streit, e-n Prozeß verwickeln; ärgern; *(Gas)* drosseln; *se ~* sich (herum=)streiten; **~erie** *f* Schikanieren *n;* Schikane *f;* **~eur, se; ~ier, ère** *m f* Schikanierer(in *f*) *m;* Krittler, Nörgler *m; a* streitsüchtig, boshaft.

chich|e [ʃiʃ] **1.** knauserig; *(Sachen)* armselig, dürftig; **2.** *a* u. *s m: (pois m ~)* Kichererbse *f;* **3.** *interj fam* ich nehme dich beim Wort! wollen wir wetten? **~erie** *f* Knauserei *f.*

chichi [ʃiʃi] *m* falsche Locken *f pl;* Umstände *m pl;* Umstandskrämer *m; faire du ~ (fam)* Sums, Trara *od* Schmus machen; **~teux, se** *fam* umständlich; pinselig; geziert.

chicon [ʃikɔ̃] *m fam* Römische(r) Salat *m.*

chicorée [ʃikɔre] *f bot* Zichorie, Wegwarte; Endivie *f.*

chicot [ʃiko] *m* (Baum-, Zahn-)Stumpf *m; fam* Stück *n (Holz),* Rest; *arg* Zahnarzt *m.*

chiée [ʃje] *f arg* (große) Menge, Masse *f,* Haufen *m.*

chien [ʃjɛ̃] *m* Hund *(a. min, Weberei); (Gewehr)* Abzug, Hahn *m; tech* Sperrklinke *f; fig* Speichellecker *m;* Aschenputtel *n fig;* Geizkragen *m; entre ~ et loup* in der (Abend-)Dämmerung; *arriver, venir comme un ~ dans un jeu de quilles* ungelegen kommen; *avoir du ~ (fig fam)* Charme, *(Frau)* Sex-Appeal, *(Künstler)* Talent haben; *être couché en ~ de fusil* mit angezogenen Beinen liegen; *faire le ~ couchant* ein Speichellekker sein; *écorcher son ~ pour en avoir la peau* Wesentliches auf=geben, um Belangloses zu erreichen; *jeter aux ~s (fig)* zum Fenster hinaus=werfen; *rompre les ~s* das Gespräch kurz ab=brechen; *ne pas valoir les quatre fers d'un ~* keinen Pfifferling wert sein; *il n'attache pas ses ~s avec des saucisses* er dreht den Pfennig zehnmal um, ehe er ihn ausgibt; *leurs ~s ne chassent pas ensemble* sie vertragen sich nicht; *j'ai un mal de ~, je suis malade comme un ~* mir ist hundeelend; *tous les ~s qui aboient ne mordent pas* Hunde, die (laut) bellen, beißen nicht; *bon ~ chasse de race* der Apfel fällt nicht weit vom Stamm; *~ hargneux a toujours l'oreille déchirée* böser Hund, zerrissenes Fell; *autant vaut être mordu d'un ~ que d'une ~ne* das ist gehupft wie gesprungen; *nom d'un ~!* verdammt! *mon petit ~!* mein Häschen! *coiffure f à la ~* Ponyfrisur *f; exposition f de ~s* Hundeausstellung *f; gâteau pour ~s* Hundekuchen *m; gueule f* od *museau m, pattes f pl du ~* Hundeschnauze *f*, -pfoten *f pl; temps m de ~* Hundewetter *n; travail m de ~* mühsame, undankbare Arbeit *f; vie f de ~* Hundeleben *n; ~ d'arrêt* od *couchant, d'attache, d'aveugle, de berger, de chasse,* (-)*estafette, de garde, ~-loup m, de manchon, policier, sanitaire* Vorsteh-, Ketten-, Blinden-, Schäfer-, Jagd-, Melde-, Wach-, Wolfs-, Schoß-, Polizei-, Sanitätshund *m; ~ de caserne, de quartier (arg mil)* Unteroffizier *m; ~ écrasé, crevé (Zeitung)* unbedeutende Nachricht *f*, Füller *m; ~ méchant* bissige(r) H.; *~ de pique* Schwarze(r) Peter *m;* **~dent** *m bot* Quecke *f; fig fam* Haken *m*, Schwierigkeit *f; voilà le ~ (fig fam)* da hapert es; **~lit, chie-en-lit** [ʃjɑ̃li] *f* Chaos *n*.

chienne [ʃjɛn] *f* Hündin *f; garder à qn un chien de sa ~* sich an jdm rächen wollen; **~ie** *f* hündische(s) Wesen *n;* Knauserei; *fam* Schweinerei *f*.

chier [ʃie] *vulg* scheißen, kacken; *(vulg) faire ~* auf den Wecker fallen; *(vulg) ça me fait ~* das kotzt mich an; *(vulg) se faire ~* sich langweilen; **~ie** *f* [ʃiri] *arg* Schweinerei *f*.

chiff|e [ʃif] *f vx* Lumpen; Fetzen, schlechte(r) Stoff; *fam* halt-, charakterlose(r) Mensch *m;* **~on** *m* Lumpen, Hader, Flicken, Lappen; Fetzen *(Papier);* (modischer) Putz; Chiffon *m (Stoff); fam* Stückchen *n; parler ~s* von der Mode reden; *~ à nettoyer, à poussière* Putz-, Staublappen *m;* **~onnage** [-fɔ-] *m* Zerknittern *n; fam* etw Ärgerliches; **~onné, e** zerknittert; zerknüllt; *(Gesicht)* unregelmäßig, aber ansprechend; ermüdet, schlaff; **~onner** *tr (Kleider)* zerdrükken, zerknittern; *(Papier)* zerknüllen; *(Hut)* garnieren; *fig* an≈rempeln (*qn* jdn); *fig* ärgern, bedrücken, verstimmen; *itr* Lumpen sammeln; sich mit Nähen beschäftigen; *se ~* knittern; *cela me ~e* das bekümmert mich; *son visage se ~e* sein Gesicht zieht sich in Falten; **~onnier, ère** *m f* Lumpensammler(in *f*) *m;* Neuigkeitskrämer(in *f*) *m; m* Aufsatzkommode *f; f* Nähtischchen *n*.

chiffr|age, ~ement [ʃifraʒ, -əmɑ̃] *m* Chiffrieren, Verschlüsseln; Taxieren, (Ab-)Schätzen *n;* **~e** *m* Ziffer, (Gesamt-)Zahl *f; com* Betrag, Preis *m*, Summe *f;* Monogramm *n;* Chiffre, Geheimschrift, Zahlenkombination; *mil* Chiffrierabteilung *f; com* Warenzeichen *n;* Bezifferung *f* (der Baßnoten); *en ~s* in Ziffern; zahlenmäßig; *en ~s ronds* abgerundet, in runden Zahlen; *écrire en ~* chiffrieren, verschlüsseln; in Ziffern schreiben; *faire du ~ d'affaire (com)* Umsatz machen; *c'est un zéro en ~ (fig)* er ist e-e völlige Null; *section f du ~* Chiffrierabteilung *f; ~ d'affaires* Umsatz *m; ~ de l'année* Jahreszahl *f; ~ comparatif* Vergleichszahl *f; ~ des effectifs* Iststärke *f; ~ des exportations, des importations* Aus-, Einfuhrziffer *f; ~-indice m* Kennziffer, Richt-, Indexzahl *f; ~-indice m des prix* Preisindex *m; ~-limite m* Stichzahl *f; pl* Rahmensätze *m pl; ~ lumineux* Leuchtziffer *f; ~ en manchette* Marginalzahl *f*, Zeilenzähler *m; ~ de production* Produktionsziffer *f; ~-record m* Rekordziffer *f; ~ de tirage* Auflage(nhöhe) *f; ~s de vente* Verkaufsziffern *f pl;* **~er** *tr* numerieren; chiffrieren, verschlüsseln; *com* taxieren, (ab≈) schätzen; mit e-m Warenzeichen *od* Monogramm versehen; *mus* beziffern; *itr* u. *se ~* sich belaufen (*à, par* auf *acc*); *se ~ par milliers* in die Tausende gehen; *texte m ~é* Schlüsseltext *m;* **~eur** *m* Chiffrierer; gute(r) Rechner *m;* **~ier** *m* Zahlenregister *n*.

chignole [ʃiɲɔl] *f tech* Bohrkurbel *f; arg mot* Klapperkasten *m*.

chignon [ʃiɲɔ̃] *m* (Haar-)Knoten *m; se crêper le ~* sich in den Haaren liegen.

Chili, le [ʃili] Chile *n;* **c~en, ne** [-ljɛ̃, -ɛn] *a* chilenisch; *C~, ne s m f* Chilene *m*, Chilenin *f*.

chim|ère [ʃimɛr] *f* Hirngespinst *n*, Grille *f;* Trugbild *n;* Traum *m; se repaître de ~s* im Wolkenkuckucksheim leben; *le pays des ~s* Wolkenkuckucksheim *n;* **~érique** *(Mensch)* versponnen; grillenhaft; *(Plan)* unausführbar; *(Hoffnung)* trügerisch.

chimi|e [ʃimi] *f* Chemie *f; ~ alimentaire* Nahrungsmittelchemie *f; ~ biologique* Biochemie *f; ~ organique, inorganique* od *minérale* organische, anorganische Ch.; **~othérapie** *f* Chemotherapie *f;* **~que** chemisch; *produits m pl ~s* Chemikalien *pl;* **~ste** *m f* Chemiker(in *f*) *m*.

chimpanzé [ʃɛ̃pɑ̃ze] *m* Schimpanse *m*.

chin|age [ʃinaʒ] *m* **1.** Flammen *n;* **2.** *arg* Lumpensammeln, Hausieren *n; pop* Krittelei, Stichelei *f;* **~er 1.** flammen, bunt weben; **2.** *arg* schuften, arbeiten; hausieren; *pop* bekritteln; **~eur** *m arg* Lumpensammler, Hausierer; *fam* Kritt(e)ler *m;* **~ure** *f* Flammung *f (e-s Stoffes).*

chinchilla [ʃɛ̃ʃila] *m zoo* Chinchilla *f* od *s.*

Chin|e, la [ʃin] China *n; c~ m* Chinapapier *n; encre f de ~* Tusche *f;* **c~ois, e** chinesisch; *fig* unnötig kompliziert; kleinlich, pedantisch; *C~, e s m f* Chinese *m,* Chinesin *f;* zopfige(r), seltsame(r) Mensch; Haarspalter, Kleinigkeitskrämer *m; c~ s m* Chinesisch(e) *n;* grüne Orange *f* (Kumquat *f*) in Schnaps *od* eingemacht; **c~oiserie** *f* Nippsachen *f pl; fig* Kleinlichkeit, Zopfigkeit; Schererei *f; faire une ~ à qn* jdm e-n üblen Streich spielen; *~s administratives* Verwaltungsschikanen *f pl,* Bürokratismus *m.*

chiot [ʃjo] *m* Welpe, Welf, junge(r) (Jagd-)Hund *m.*

chiottes [ʃjɔt] *f pl pop* Scheißhaus *n,* Lokus *m.*

chiourme [ʃjurm] *f* Zuchthausinsassen *m pl.*

chip|er [ʃipe] **1.** gerben; **2.** *fam* stibitzen, mausen; **~eur, se** Langfinger, Stehler(in *f*) *m;* Dieb(in *f*) *m;* **~ie** *f* zänkische(s) Weib *n,* (Haus-)Drachen *m.*

chipolata [ʃipɔlata] *f* Zwiebelragout; *Art* Würstchen *n.*

chip|otage [ʃipɔtaʒ] *m* Trödelei *f;* Feilschen *n;* **~oter** trödeln; an allem etwas auszusetzen haben; schikanieren; *se ~ (fam)* sich wegen Kleinigkeiten herum≈streiten; **~oteur, se** *m f* Trödler(in *f*); Kleinigkeitskrämer(in *f*) *m.*

chique [ʃik] *f* **1.** Priem, Kautabak; **2.** *zoo* Sandfloh *m; avaler sa ~ (pop)* ab≈kratzen, sterben; *couper la ~ à qn (pop)* jdm ins Wort fallen; jdm den Mund stopfen; *ça ne vaut pas la ~ (pop)* das ist keinen Pfifferling wert; *ça me coupe la ~ (pop)* da bleibt mir die Spucke weg.

chiqué [ʃike] *s m pop* Verstellung *f; faire du ~* heucheln; so tun, als ob; an≈geben, dick auf≈tragen; *c'est du ~* das ist bloß Angabe.

chiquenaude [ʃiknod] *f* Nasenstüber; Schneller, Schnipser *m.*

chiqu|er [ʃike] *tr (Tabak)* kauen; *pop* fressen; *itr* priemen; *fig pop* schaurig an≈geben, bluffen; *rien à ~ (pop)* nichts zu wollen; **~eur** *m* jem, der Tabak kaut; *pop* Schwindler, Angeber; Fresser *m.*

chiro|graphaire [kirɔgrafɛr] *com jur* handschriftlich; **~graphe** *m* (Urkunde mit) eigenhändige(r) Unterschrift *f;* **~logie** *f* Fingersprache *f;* **~mancie** [-mɑ̃si] *f* Handliniendeutung *f;* **~mancien, ne** *m f* Handliniendeuter(in *f*) *m;* **~ptères, chéiroptères** [ki-, keirɔptɛr] *m pl* Flattertiere *n pl,* Fledermäuse *f pl.*

chirurg|ical, e; ~ique [ʃiryrʒik(al)] chirurgisch; **~ie** *f* Chirurgie *f; ~ dentaire* Zahnheilkunde *f;* **~ien** *m* Chirurg *m.*

chitin|e [kitin] *f* Chitin *n;* **~eux, se** *a* Chitin-.

chiure [ʃjyr] *f* Fliegendreck *m.*

chlor|al [klɔral] Chloral *n;* **~ate** *m* Chlorat *n;* **~e** *m* Chlor *n; ~ en poudre* Chlor-, Bleichkalk *m;* **~eux, se** chlorig; **~hydrate** *m* Chlorhydrat *n;* **~hydrique:** *acide m ~* Salzsäure *f,* Chlorwasserstoff *m;* **~ique:** *acide m ~* Chlorsäure *f;* **~ite** *m min* Chlorit *m;* **~oforme** [-rɔ-] *m* Chloroform *n;* **~oformer** chloroformieren; *fig* ein≈schläfern; **~ophylle** [-rɔfil] *f bot* Chlorophyll; **~ose** *f* Bleichsucht *f;* **~otique** bleichsüchtig; **~ure** *m* Chlorid *n; ~ de chaux* Chlorkalk *m; ~ de sodium* Natriumchlorid, Kochsalz *n.*

choc [ʃɔk] *m* Stoß *m,* Aufprallen *n,* Zs.stoß *m a. mil; fig* Aufea.prallen *n;* Erschütterung *f a. med;* (Schicksals-) Schlag; *med* Schock *m; (Gläser)* Anstoßen *n; effet m de ~* Schockwirkung *f; groupe m de ~ (mil)* Stoßtrupp *m; puissance f de ~* Schlagkraft *f; ~ nerveux* Nervenschock *m; ~ en retour* Rückstoß *m, fig*-wirkung *f.*

chocolat [ʃɔkɔla] *m* Schokolade *f; pl* Pralinen *f pl,* Konfekt *n; a* schokoladenfarben; *fam* angeschmiert; enttäuscht; *bâton m, tablette f de ~* Riegel *m,* Tafel *f* Sch.; *gâteau m, glace f au ~* Schokoladenkuchen *m,* -eis *n; ~ à croquer* bittere Schokolade *f; ~ au lait, aux noisettes* Milch-, Nußschokolade *f;* **~erie** *f* Schokoladenfabrik *f;* **~ier, ère** *a* Schokoladenindustrie-; *s m f* Schokoladenfabrikant(in *f*), -händler(in *f*) *m; f* Schokoladenkanne *f.*

chocottes [ʃɔkɔt] *f pl arg* Zähne *m pl; avoir les ~* Schiß, Angst haben.

chœur [kœr] *m mus arch rel* Chor *m; en ~* im Chor, einstimmig; gemeinsam; *enfant m de ~* Chorknabe *m; stalles f pl de ~* Chorgestühl *n; ~ d'enfants* Kinderchor *m; ~ parlé*

Sprechchor *m; ~ à trois voix* dreistimmige(r) Chor *m*.

choir [ʃwar] *irr* fallen; *laisser ~ qn, qc (pop)* jdn, etw im Stich lassen, fallen=lassen.

choi|si, e [ʃwazi] *a* auserwählt, (aus) gewählt, ausgesucht; **~sir** (aus=)wählen; sich entscheiden (*qc* für etw); e-e Wahl treffen; *~ une carrière* e-e Laufbahn ein=schlagen; **~x** [ʃwa] *m* Wahl; Auswahl *f; au ~* zur Auswahl; *de ~* ausgewählt, ausgesucht, erstklassig; *de tout premier ~* allererster Wahl; *sans ~* unterschiedslos; *n'avoir pas le ~* keine Wahl haben; *faire un bon, mauvais ~* e-e gute, schlechte Wahl treffen; *faire ~ de qn* jdn aus=(er)wählen; *porter son ~ sur qn, qc* sich jdn, etw aus=suchen, -wählen; *grand ~ de marchandises* große Auswahl *f* an Waren *(dat); ~ de la profession* Berufswahl *f*.

chol|écystite [kɔlesistit] *f* Gallenblasenentzündung *f;* **~édoque** [-dɔk] *a: canal m ~* Gallengang *m;* **~éra** *m* Cholera *f; fig pop* Ekel *n*, boshafte(r) Kerl *m od* Person *f;* fatale Sache *f;* **~érine** *f* Brechdurchfall *m;* **~érique** *m f* Cholerakranke(r *m*) *f;* **~estérine** *f* Gallenfett, Cholesterin *n;* **~estérol** *m* Cholesterin *n*.

chôm|age [ʃomaʒ] *m* Feiern *n;* Arbeitsruhe; Arbeits-, Erwerbslosigkeit; Nichtbeschäftigung *f; tech* Stillstehen, -liegen *n;* Schiffssperre *f (auf e-m Kanal); (Acker)* Brachliegen; *loc (Wagen)* Abstellen *n; en ~* arbeitslos; *être au ~ (fam)* stempeln (gehen), Arbeitslosenunterstützung beziehen; *se mettre en ~* die Arbeit nieder=legen; *allocation, indemnité f, secours m de ~* Arbeitslosenunterstützung *f; assurance f ~* Arbeitslosenversicherung *f; jour m de ~* Feierschicht *f; recrudescence, régression f du ~* Zu-, Abnahme *f* der Arbeitslosigkeit *f; ~ partiel* Kurzarbeit *f; ~ technique* Kurzarbeit *f;* **~er** *itr* feiern; ruhen, nicht arbeiten; arbeitslos sein, *fam* stempeln (gehen); *tech* still=stehen, -liegen; *(Acker)* brach=liegen; *(Geld)* nicht arbeiten, totes Kapital sein; ermangeln (*de qc* e-r S *gen*); *tr (e-n Heiligen, ein Fest)* feiern; *ne pas ~ (fam)* sich ab=rackern, schuften; *on ~e* die Arbeit ruht; *il ne faut point ~ les fêtes avant qu'elles soient venues* man soll den Tag nicht vor dem Abend loben; *un saint qu'on ne ~e plus* ein gefallener Stern, e-e gesunkene Größe; **~eur, se** *s m f* Arbeitslose(r *m*) *f; a* arbeits-, erwerbslos; *~ partiel* Kurzarbeiter *m*.

chop|e [ʃɔp] *f* Schoppen *m*, Seidel, Henkelglas *n;* **~er** *pop* stibitzen, stehlen; erwischen, ergattern; fest=nehmen; **~in** *m pop* Gewinn, Nutzen, Rebbach; Fang *m*, Diebesgut *n;* Eroberung *f (in der Liebe)*.

chopi|ne [ʃɔpin) *f* Schoppen *m*, halbe(r *od* s) Liter *m* od *n; payer ~* e-e Runde zahlen; **~ner** *pop* saufen, zechen.

choqu|ant, e [ʃɔkɑ̃, -ɑ̃t] *a* auffällig; anstößig; beleidigend; grob; grell; **~er** (an=)stoßen, auf=prallen (*qc* auf e-e S); *fig* mißfallen (*qn* jdm); Anstoß erregen (*qn* bei jdm); verletzen, beleidigen; *mar (Tau)* schricken, ruckweise nach=lassen; *se ~* sich stoßen; aufea.=prallen; *fig* Anstoß nehmen (*de* an *dat*); *(fam) ~ les verres* an=stoßen.

chor|al, e [kɔral] *a* Chor-; *s m* Choral *m*, Kirchenlied *n; f* (Kirchen-, Schul-) Chor *m; société f ~e* Gesangverein *m;* **~égraphe** *m* Choreograph *m;* **~égraphie** *f* Choreographie; Tanzkunst *f;* **~égraphier** tänzerisch gestalten; **~iste** *m f* Chorsänger(in *f*) *m*.

choro|ïde [kɔrɔid] *f (Auge)* Aderhaut *f;* **~ïdite** *f* Aderhautentzündung *f*.

chorus [kɔrys] *m: faire ~* im Chor wiederholen; *fig* bei=stimmen, bei=pflichten (*avec qn* jdm).

chose [ʃoz] *f* Ding *n*, Sache, Angelegenheit; Sachlage *f;* Umstand *m;* Tatsache *f;* Ereignis; Eigentum *n*, Habe *f*, Besitz *m;* (Rechts-)Sache *f; fam* Dings(da) *n; autre ~* etw anderes; *de ~s et d'autres* von diesem u. jenem; *avant toute ~* vor allem; *bien des ~s* viele Grüße *(Briefende); chaque ~ en son temps!* alles zu seiner Zeit! *~ étrange!* sonderbar! eigenartig! *par la force des ~s* zwangsläufig; *maintes ~s* manches; *la même ~* dasselbe; *pas grand-~, peu de ~* nicht viel, nichts Besonderes; *un peu ~ (a)* etwas seltsam, merkwürdig; *quelque ~* etwas; *quelque ~ comme* ungefähr, etwa (wie); *quelque ~ que* was ... auch (immer); *acquérir l'autorité de la ~ jugée* Rechtskraft erlangen; *aller au fond des ~s* den Dingen auf den Grund gehen; *appeler les ~s par leur nom* die Dinge beim Namen nennen; *dire le mot et la ~* es freiheraus sagen; *être quelque ~ à qn* jdm etw sein, bedeuten; *être pour quelque ~ dans* seine Hand im Spiel haben bei; *faire bien les ~s* fürstlich bewirten; nicht knausern; *faire quelque ~* etw treiben; es schaffen; *parler de ~s et d'autres* von diesem u. jenem sprechen; *prendre quelque ~ (fam)* etw (Schläge) ab=kriegen; *se sentir tout ~ (a. fam)* völlig sprachlos sein; ein komisches Gefühl haben, sich nicht wohl fühlen; *il y a quelque ~ comme une semaine* es ist so ungefähr e-e Woche her; *c'est ~ faite* die Sache ist erledigt; *il y a quelque ~ entre eux* sie sind mitea. böse; sie haben etw. mitea.; *les ~s n'iront pas loin* das dauert nicht lange; *voilà où en sont les ~s* so liegen die Dinge; *état m des ~s* Sachverhalt *m; M. C~* Herr Dings(kirchen), Soundso; *un pas grand-~ (fam fig)* ein kleines Licht *(Person); ~s communes* Gemeingut *n; ~ infaisable* Ding *n* der Unmöglichkeit; *~ jugée* abgeurteilte Sache *f; ~ sans maître* herrenlose Sache *f; les ~s les plus nécessaires* das Notwendigste; *~ de prix* Kostbarkeit *f; ~ publique* Gemeinwohl, -wesen *n,* Staat *m; la ~ en soi* das Ding an sich.

chott [ʃɔt] *m* Schott, Salzsumpf *m (in Nordafrika).*

chou [ʃu] *m* Kohl *m;* Kraut; (Creme-) Törtchen *n,* Mohrenkopf *m; (Tuch)* Schleife, Rosette *f; fig* Schätzchen *n,* Liebling *m; aller planter des* (od *ses*) *~x* sich aufs Land zurück=ziehen; *s'entendre à qc comme à ramer des ~x* keine Ahnung von etw haben; *entrer dans le ~* die Zähne zeigen; zs.=stoßen; *être bête comme un ~* strohdumm sein; *être dans les ~x* ausgespielt haben; *faire ~ blanc (fig)* etw vergeblich tun, Pech haben;*faire ses ~x gras de* (seinen) Vorteil ziehen aus; *ce n'est pas le tout que des ~x, il faut du lard avec* die Hauptsache fehlt noch; *bête comme ~ (fam)* kinderleicht; *feuille f de ~ (fig fam)* Käseblatt *n; tête f de ~* Kohlkopf; *fig* Dummkopf *m; trognon m de ~* Kohlstrunk *m; ~ blanc, cabus* od *pommé* Weiß-, Kopfkohl *m; ~ de Bruxelles* Rosenkohl *m; ~ cavalier, branchu* Blatt-, Kuhkohl *m; ~ à la crème* Windbeutel *m* mit Schlagsahne; *~-fleur m* Blumenkohl *m; ~ frisé* Grünkohl *m; ~ de Milan* Wirsingkohl *m; ~-navet m* Kohl-, Steckrübe *f; ~-pille m* Vorstehhund *m; ~-rave m* Kohlrabi *m; ~ rouge* Rotkohl *m; ~ vert* Winter-, Gartenkohl *m.*

choucas [ʃuka] *m orn* Dohle *f.*

chouchou, te [ʃuʃu, -t] *m f fam* Liebling *m;* **~ter** *fam* verhätscheln, verzärteln.

choucroute [ʃukrut] *f* Sauerkraut *n.*

chouette [ʃwɛt] *s f* Eule *f; a fam* nett, pfundig; fesch, toll; *~!* prima!

choupette [ʃupɛt] *f fam* (Haar-) Schleife *f.*

choyer [ʃwaje] (ver)hätscheln, auf Händen tragen; *(Gegenstand)* pfleglich behandeln, behutsam um=gehen (*qc* mit etw); *fig* hegen u. pflegen.

chrême [krɛm] *m rel* Chrisam *n* od *m,* Salböl *n.*

chrémeau [kremo] *m* Taufhäubchen *n.*

chrestomathie [krɛstɔmati] *f* Chrestomathie *f,* Lesebuch *n.*

chrétien, ne [kretjɛ̃, -ɛn] *a* christlich; *fam* anständig, annehmbar; *s m f* Christ(in *f*) *m;* **~té** *f* Christenheit *f.*

chrisme [krism] *m* Christusmonogramm *n.*

Christ, (le) [krist] Christus *m; c~* Christusbild *n,* -figur *f; c~ en croix* Kruzifix *n;* **c~ianiser** christianisieren, (zum Christentum) bekehren; **c~ianisme** *m* Christentum *n.*

chrom|age [kromaʒ] *m* Verchromung *f;* **~ate** *m chem* Chromat *n;* **~atine** *f biol* Chromatin *n;* **~atique** *a* Farb(en)-; *mus* chromatisch;**~atisme** *m* Färbung *f;* **~e** *m* Chrom *n;* **~é, e** chromhaltig, verchromt; *acier m ~* Chromstahl *m;* **~er** verchromen; **~ique** *a* Chrom-; *acide m ~* Chromsäure *f; sel m ~* Chromsalz *n;* **~ite** *f min* Chromit, Chromeisenstein *m;* **~ogène** färbend, Farb-; **~o(lithographie** *f*) *m* Farben(stein)druck *m;* **~osome** *m biol* Chromosom *n;* **~otyp(ograph)ie** *f* Chroma(to)typie *f,* Farbendruck *m.*

chroni|cité [krɔnisite] *f med* chronische(r) Charakter *m;* **~que** *a med* chronisch; *s f* Chronik *f; (Zeitung)* Bericht *m,* Rundschau *f; ~ cinématographique* Filmrundschau *f; ~ scandaleuse* Skandalchronik *f;* Klatsch *m;* **~queur** *m* Chronist; Bericht(erstatt)er *m.*

chrono [krɔno] *f fam* (Stopp-)Uhr *f;* **~graphe** *m* Zeitschreiber *m;* Stoppuhr *f;* **~logie** *f* Chronologie; Zeitfolge *f;* **~logique** chronologisch; **~métrage** *m* Zeitnehmen *n,* -studie *f;* **~mètre** *m* Chronometer *n* od *m,* Präzisionsuhr *f; mus* Metronom *n,* Taktmesser *m; (~ à déclic)* Stoppuhr *f;* **~métrer** *tr sport* die Zeit ab=nehmen (*qc* von etw), stoppen; **~métreur** *m* Zeitnehmer *m;* **~métrie** *f* Zeitmessung, -meßkunde *f.*

chrys|alide [krizalid] *f* (Insekten-)Puppe *f;* **~anthème** [-zɑ̃tɛm] *m bot* Chrysantheme *f;* **~obéryl** [-zɔberil] *m* Chrysoberyll *m (Edelstein);* **~olithe** [-zɔlit] *f* Chrysolith *m (Edelstein);* **~oprase** [-zɔpraz] *f* Chrysopras *m (Halbedelstein).*

chthonien, ne [ktɔnjɛ̃, -ɛn] chthonisch, (unter)irdisch.

chucheter [ʃyʃte] *(Spatz)* zwitschern, schilpen.

chuchot|ement [ʃyʃɔtmɑ̃] *m* Flüstern, Getuschel *n;* **~er** flüstern, tuscheln, munkeln; *poet* raunen; *(Vögel)* leise zwitschern; *(Laub)* sanft rauschen; *~ qc à l'oreille de qn* jdm etw ins Ohr flüstern; **~erie** *f* Geflüster *n;* Geheimnistuerei, -krämerei *f;* **~eur** *m* Geheimniskrämer *m.*

chuint|ant, e [ʃɥɛ̃tɑ̃, -ɑ̃t]: *a* u. *s f (consonne f) ~e* sch-artige(r) Laut *m;* **~ement** *m* Zischen, Pfeifen *n;* (fehlerhaftes) Aussprechen *n* des S als Sch; **~er** *(Eule)* schreien; *(Dampf)* zischen; S wie Sch aus=sprechen.

chut [ʃ(y)t] *interj* pst! still!

chut|e [ʃyt] *f* Fall *a. phys fig;* Sturz *a. fig;* Einsturz; Umsturz; Untergang *m; theat* Durchfall(en *n*) *m; poet* Schlußgedanke, Pointe *f;* Gefälle *n;* Abfall *m a. phys el;* Neigung *f,* Abfall, Abhang; Heiß *(e-s Segels);* Abfall *(beim Schneiden); aero* Absturz *m;* Ende *n;* Schlußkadenz *f;* Tonfall *m; faire une ~* stürzen; *aero* ab=stürzen; *point m de ~* Aufschlag *m* (e-s Geschosses); *vitesse f de ~ (phys)* Fallgeschwindigkeit *f; ~ de cheval, de bicyclette* Sturz *m* vom Pferd, vom Fahrrad; *~ des cheveux* Haarausfall *m; ~ des cours* Kurssturz *m; ~ des dents* Zahnausfall *m; ~ d'eau* Wasserfall *m; ~ des feuilles* Laubfall *m; ~ de grêle* Hagelschlag *m; ~ du premier homme* Sündenfall *m; ~ du jour* Einbruch *m* der Nacht; *~ de neige* Schneefall *m; ~s de pluie* Regenfälle *m pl; ~ de pierres* Steinschlag *m; ~ de potentiel* Spannungsgefälle *n; ~ de pression* Druckabfall *m; ~ des prix* Preissturz *m; ~ de production* Produktionsrückgang, -abfall *m; ~ des reins (anat fam)* Kreuz *n; ~ du rideau (theat)* Fallen *n* des Vorhangs; *~ de température* Temperatursturz *m; ~ de tension* Spannungsabfall *m;* **~er** *itr (Kandidat, Theaterstück)* durch=fallen; *(Preise), fam (Mensch)* fallen; *(Bridge)* zuwenig Stiche machen.

chy|le [ʃil] *m* Chylus, Milch-, Speisesaft *m;* **~me** [ʃim] *m (Physiologie)* Chymus, Speisebrei *m.*

Chypr|e [ʃipr] *f* Zypern *n;* **c~iote** *a* zypriotisch, zyprisch; *s m f* Zypriot(in *f*) *m.*

ci [si] **1.** *adv* hier; hierher; *(Rechnung)* für, macht zusammen; *(Verstärkung) ces jours-~* diese(r) Tage; **2.** *prn: faire ~ et ça (fam)* dies u. jenes tun; *comme ~ comme ça (fam)* so lala; *~-annexé* als Anlage; *~-après* weiter unten; *~-contre* gegenüber; neben-, gegenüberstehend; umseitig; *~-dessous* hier, weiter unten; untenstehend; *~-dessus* hier, weiter oben; obenstehend; *~-devant* vorher, ehemals; ehemalig; *~-gît* hier ruht; *~-inclus, e; ~-joint, e* beiliegend; anbei.

cibiche [sibiʃ] *f arg* Zigarette *f.*

cible [sibl] *f* (Schieß-)Scheibe; *fig* Zielscheibe *f; prendre pour ~ (fig)* als Zielscheibe nehmen; *tirer à la ~* nach der Scheibe schießen; *tir m à la ~* Scheibenschießen *n; ~ buste, silhouette, vue de face, à zones* Rumpf-, Figur-, Kopf-, Ringscheibe *f.*

cibiste [sibist] *m* CB-Funker *m,* Citizen-Band *n,* Jedermannfunk *m.*

ciboire [sibwar] *m rel* Ziborium *n.*

ciboule [sibul] *f* Schalotte *f;* **~tte** *f* Schnittlauch *m.*

ciboulot [sibulo] *m arg* Birne *f,* Kopf *m.*

cicatri|ce [sikatris] *f* Narbe; Schmarre *f;* **~ciel, le** *a* Narben-; **~cule** *f* kleine Narbe *f;* **~sant, e** [-zɑ̃] *a* u. *s m* narbenbildend(es Mittel *n*); **~sation** *f* Narbenbildung, Vernarbung, Heilung *f a. fig;* **~ser** *tr (Wunden)* heilen; *fig* vergessen lassen; *itr* u. *se ~* (ver-, zu=) heilen, vernarben *a. fig.*

cicér|o [sisero] *m typ* Cicero *f;* **C~on** *m hist* Cicero *m;* **~one** [-rɔn] *m* Fremdenführer *m.*

cidr|e [sidr] *m* Apfelwein, Most *m;* **~erie** *f* Mosterei *f;* **~ier, ère** *a* Most-; *s m* Moster, Hersteller *m* von Apfelwein.

ciel [sjɛl] *m* Himmel(sraum *m;* -gewölbe *n*) *m a. rel fig;* Himmelsstrich *m,* Klima *n,* Atmosphäre, Luft *f; tech min* (Kessel-)Decke *f;* Gewölbe, Hangende(s) *n;* Bett-, Thronhimmel *m; à ~ ouvert (min)* über Tage, im Tagebau; *allg* im Freien; *fig* mit offenen Karten; *dans le ~* am Himmel; *élever jusqu'au ~ (fig)* in den Himmel heben; *gagner le ~* in den Himmel kommen; *mettre dans le ~ (aero)* aufsteigen lassen; *tomber du ~* wie gerufen kommen; *avoir l'air de tomber du ~* sprachlos sein, aus allen Wolken fallen; *feu m du ~* Strafe *f* des Himmels; *royaume m des cieux* Himmelreich *n; voûte f du ~* Himmelsgewölbe *n.*

cierge [sjɛrʒ] *m rel* (große Wachs-)Kerze *f; bot* Cereus, Säulenkaktus; *droit comme un ~* kerzengerade; *devoir un ~ à qn* jdm zu großem Dank verpflichtet sein.

cigale [sigal] *f zoo* Zikade *f; crépitement, grincement m des ~s* Zirpen *n* der Zikaden.

cigar|e [sigar] *m* Zigarre *f; bague f de* ~ Bauchbinde *f; boîte f de ~s* Zigarrenkiste *f;* **~ette** *f* Zigarette; Schulterpaspel *f; fumer, griller une* ~ e-e Z. rauchen; *rouler une* ~ e-e Z. drehen; *bout m de* ~ Zigarettenstummel *m; (feuille f de) papier m à* ~ (Blatt *n*) Zigarettenpapier *n; paquet m de ~s* Päckchen *n* Zigaretten; *~-filtre f* Filterzigarette *f;* ~ *de soie à coudre* Nähseidenröllchen *n.*

cigogn|e [sigɔɲ] *f* Storch; *tech* Krummhebel *m;* **~eau** *m* junge(r) Storch *m.*

ciguë [sigy] *f bot* Schierling *m;* Schierlingsgift *n; coupe f de* ~ Schierlingsbecher *m.*

cil [sil] *m* Wimper *f; pl bot* Wimpern, Flimmer(härchen) *pl; battre des ~s* mit den Wimpern zucken; **~iaire** *a* Wimper-.

cilice [silis] *m* Büßerhemd *n.*

cil|ié [silje] *zoo bot* mit feinen *od* Flimmerhärchen versehen; **~lement** [sijmɑ̃] *m* Blinzeln *n;* **~ler** [sije] blinzeln (*qc* mit etw); *personne n'ose* ~ *devant lui* niemand wagt in seiner Gegenwart zu mucksen.

cimaise [simɛz] *f arch* Hohlkehle; Abschluß-, Gesimsleiste *f;* Karnies *n.*

cime [sim] *f* Gipfel *a. fig;* Wipfel *m.*

ciment [simɑ̃] *m* Zement; *fig* Kitt *m;* Bindemittel *n; enduit, mortier m de* ~ Zementputz, -mörtel *m;* ~ *armé* Eisen-, Stahlbeton *m;* ~ *de bois, de laitier* Holz-, Schlackenzement *m;* **~ation** *f* Zementierung; Verkittung *f;* **~er** zementieren; (ver)kitten; *fig* festigen; **~erie** *f* Zementfabrik *f;* **~ier** *m* Zementarbeiter; Zementeur *m.*

cimetière [simtjɛr] *m* Friedhof *m;* ~ *militaire* Soldatenfriedhof; ~ *nucléaire* Atommülldeponie *f,* Atommüllendlager *n;* ~ *de voitures* Autofriedhof *m; pl a.* Kriegsgräber *n pl.*

cimicaire [simikɛr] *f bot* Christophskraut *n.*

cimier [simje] *m* Helmstutz; *(Hirsch, Reh)* Ziemer *m,* Lendenstück *n.*

cin|abre [sinabr] *m* Zinnober(rot *n*) *m;* **~chonine** [sɛ̃kɔ-] *f pharm* Cinchonin *n.*

ciné [sine] *m pop* Kino *n; ~-club m* Filmklub *m;* **~aste** *m* Filmfachmann *m; pl* Filmschaffende *m pl;* **~graphique** Film-; *producteur m* ~ Filmproduzent *m;* **~ma** *m* Kino, Lichtspiel-, Filmtheater *n;* (Film-)Vorführ(ungs)raum *m;* Film *m,* Filmkunst *f; être dans le* ~ im Filmgeschäft tätig sein; *faire du* ~ in e-m Film mit⸗spielen; die Regie führen; filmen; *fig* Theater spielen; *réaliser un film de* ~ e-n Film drehen; *critique f de* ~ Filmkritik *f; industrie f du* ~ Filmindustrie *f; prise f de son, de vue de* ~ Ton-, Filmaufnahme *f; projection, séance f de* ~ Filmvorführung *f; salle f de* ~ Zuschauerraum *m; scénario m (d'un film de* ~*)* Drehbuch *n;* ~ *ambulant* Wanderkino *n;* ~ *en couleur, en relief* Farb-, dreidimensionale(r) Film *m;* ~ *sonore, parlant* Tonfilm *m;* **~mascope** *m* Breit(lein)wand *f; film m en ~mascope* Breitwandfilm *m;* **~mathèque** *f* Filmarchiv *n;* **~matique** *a tech* zwangsläufig, getriebemäßig; *s f* Zwanglaufmechanik, Bewegungslehre *f;* **~matographe** *m* Film-, Lichtspieltheater *n; vx* Film(kunst *f*) *m;* **~matographie** *f* Filmtechnik *f;* **~matographier** *itr vx* e-n Film drehen; *tr* (ver)filmen; **~matographique** kinematographisch; Film-; *adaptation f* ~ Verfilmung *f; séance f* ~ Filmvorführung *f; théâtre m* ~ Lichtspieltheater *n;* **~phile** *a* kinobegeistert; *s m f* Kinofreund, Kinofan *m;* **~radiographier** mit Röntgenaufnahmen filmen.

cinéraire [sinerɛr] *a* Aschen-; *s f* Aschenkraut *n.*

ciné|rama [sinerama] *m* Breitwandfilm *m;* **~tique** *a phys* kinetisch; *s f* Kinetik *f.*

cing(h)alais, e [sɛ̃galɛ, -ɛz] *a* singhalesisch; *C~ e s m f* Singhalese *m,* Singhalesin *f; (Sprache) c~* (das) Singhalesisch(e).

cingl|age [sɛ̃glaʒ] *m* Etmal *n,* Schiffstagereise *f; tech* Zängen *n; min* Wetterstrecke *f;* **~ant, e** *fig* hart, streng; *(Worte)* verletzend, schneidend; **~é, e** *pop* verrückt; **~er** *tr* peitschen; *fig* geißeln, verletzen; *(Holz)* ab⸗schnüren; *tech* zängen, hämmern, walzen; *itr mar* e-n Kurs steuern.

cinnam(om)e [sinam(ɔm)] *m* Zimt *m.*

cin|q [sɛ̃(k)] fünf; der Fünfte; *s m* Fünf(er *m*) *f; en* ~ *sec (pop)* im Nu, im Handumdrehen; **~quantaine** [sɛ̃kɑ̃-] *f* (etwa) fünfzig; 50. Lebensjahr *n; d'une* ~ *d'années* in den Fünfzigern; **~quante** fünfzig; **~quantenaire** *s m* Fünfzigjahrfeier *f; m f* Fünfzigjährige(r *m*) *f; a* fünfzigjährig; **~quantième** *a* fünfzigste(r, s); *s m* Fünfzigstel *n;* **~quième** [-kjɛm] *a* fünfte(r, s); *s m* Fünftel *n;* fünfte(r) Stock *m; f* 5. Klasse *f; s m f* Fünfte(r *m*) *f;* **~quièmement** *adv* fünftens.

cintr|e [sɛ̃tr] *m arch* Bogen *m,* Wölbung *f;* Lehr-, Bogengerüst *n; theat* Schnürboden; Kleiderbügel *m; arc m* *en plein* ~ Rundbogen *m; voûte f en plein* ~ Tonnengewölbe *n;* ~ *pliant* Reisebügel *m;* ~**é, e** geschweift, gerundet, gewölbt; *(Rücken)* gebeugt; *pop* verrückt, komisch; ~**er** biegen *a. tech; arch* (über)wölben, schweifen; taillieren; ~**euse** *f; à tôle* Blechbiegemaschine *f.*

cippe [sip] *m* Halb-, Gedenksäule *f.*

cirage [siraʒ] *m* Bohnern; Schuhputzen *n;* Schuhkrem, -wichse *f;* Bohnerwachs *n; noir comme du* ~ pechschwarz; *être dans le* ~ *(arg aero)* in e-r Waschküche fliegen; *fig* nicht mehr aus noch ein wissen.

circaète [sirkaɛt] *m* Schlangenadler *m.*

circée [sirse] *f* Hexenkraut *n.*

circon|cire [sirkɔ̃sir] *irr (rituell)* beschneiden; ~**cision** *f* Beschneidung *f;* ~**férence** *f math* (Kreis-)Umfang *m,* Kreislinie; *allg* Peripherie *f;* ~**flexe** [-flɛks] *a* u. *s m (accent m* ~*)* Zirkumflex *m;* ~**locution** *f* Umschreibung *f (mit Worten);* ~**scription** [-skrip-] *f* Um-, Abgrenzung *f;* Distrikt, Kreis *m; math* Umschreiben *n; tele* Anschlußbereich *m;* ~ *électorale, militaire* Wahl-, Wehrkreis *m;* ~**scrire** *irr* be-, ab=grenzen; *math* um-, beschreiben; *se* ~ *(fig)* sich beschränken; ~**spect, e** [-spɛ(kt), - ɛkt] umvorsichtig; zurückhaltend; ~**spection** [-spɛk-] *f* Um-, Vorsicht *f,* Bedacht *m;* Zurückhaltung *f;* ~**stance** *f* Umstand *m;* Lage, Gegebenheit *f;* Verhältnisse *n pl;* Gelegenheit *f; de* ~ Gelegenheits-; *en la* ~ in vorliegendem Falle; *en toute* ~ auf jeden Fall; bei jeder Gelegenheit; *par suite de* ~*s imprévues* infolge unvorhergesehener Umstände; *profiter des* ~*s (com)* die Konjunktur aus=nutzen; ~*s aggravantes, atténuantes (jur)* erschwerende, mildernde Umstände *m pl;* ~*s et dépendances (jur)* alles, was dazugehört, damit zs.hängt; ~**stancié, e** ausführlich, eingehend; ~**stanciel, le** von den Umständen abhängig; *gram* adverbial, Umstands-; ~**vallation** *f* Umwallung *f;* ~**venir** *irr fig* umgarnen, hintergehen; ~**voisin, e** *lit* umliegend, benachbart; ~**volution** *f* (Gehirn-, Darm-)Windung *f.*

circuit [sirkɥi] *m* Umkreis, Umfang *m;* Kreisbewegung *f,* -lauf *m;* Rundfahrt *f,* -flug *m,* -reise *f;* Umweg *m a. fig; fig* Umschweife *pl; sport* Rennstrecke *f,* Ring *m; el (*~ *électrique)* Stromkreis *m,* Leitung; Schaltung *f,* Schaltbild *n; en* ~ eingeschaltet; *hors* ~ ausgeschaltet; *couper, fermer le* ~ den Strom ab=, ein=schalten; den Stromkreis unterbrechen, schließen; *mettre en* ~*, hors* ~ ein=, aus=schalten; *réalimenter le* ~ den Stromkreis wieder ein=schalten; *se retirer du* ~*, entrer sur le* ~ *(tele)* aus der Leitung gehen, sich in die Leitung ein=schalten; *coupe-*~ *m el* Sicherung *f; couplage m de* ~*s* Schaltungen *f pl; court-*~ *m* Kurzschluß *m; schéma m de* ~ Schaltbild *n;* ~ *d'accord* Abstimm-, Schwingkreis *m;* ~ *aérien* Rundflug *m; el* Freileitung *f;* ~ *d'alimentation* Ladeleitung *f;* ~ *d'allumage* Zündstrom *m;* ~ *anti-résonnant, bouchon* Sperrkreis *m;* ~ *bifilaire* Doppelleitung *f;* ~ *blindé* entstörte Leitung *f;* ~ *de chauffage* Heiz(faden)stromkreis *m;* ~ *de compensation* Absorptionskreis *m;* ~ *de contrôle* Prüfstromkreis *m;* ~ *d'éclairage* Lichtleitung *f;* ~ *équivalent* Ersatzschaltung *f;* ~ *d'excitation* Erregerstromkreis *m;* ~ *fantôme* Viererleitung *f;* ~*-filtre m* Siebkreis *m;* ~ *de lubrifiant* Schmierölkreislauf *m;* ~ *monétaire (com)* Notenumlauf *m;* ~ *oscillant anodique* Anodenschwingkreis *m;* ~ *ouvert* Leerlaufschaltung *f;* ~ *(de) plaque* Anodenkreis *m;* ~ *primaire, inducteur, d'excitation* Primär-, Erregerkreis *m;* ~ *réel* Stammleitung *f;* ~ *résonnant* Resonanzkreis *m;* ~ *secondaire, induit, excité* Sekundärkreis *m.*

circul|aire [sirkylɛr] *a* kreisförmig; Kreis-; *s f (lettre* ~*)* Rundschreiben *n,* -erlaß; Umlauf; *mil* (MG-)Drehkranz *m; jeter un regard* ~ seinen Blick schweifen lassen (*sur* über *acc*); *argument m* ~ *(Logik)* Zirkelschluß *m; chemin m de fer* ~ Ringbahn *f; défense f* ~ Rundumverteidigung *f; folie f* ~ zirkuläre(s) Irresein *n; fonction f* ~ *(math)* Winkelfunktion *f; mouvement m* ~ Kreisbewegung *f; scie f* ~ Kreissäge *f;* ~**airement** *adv* im Kreis; durch Rundschreiben; ~**ant, e** *(Geld)* im Umlauf befindlich; ~**ation** *f* Kreislauf; *(Geld)* Umlauf; Verkehr *m; (Ideen)* Verbreitung *f; détourner la* ~ den Verkehr um=leiten; *livrer à la* ~ *(Straße)* dem Verkehr übergeben; *mettre en* ~ in Umlauf setzen; *retirer de la* ~ aus dem Umlauf ziehen; ~ *interdite!* kein Durchgang! keine Durchfahrt! *accident m de (la)* ~ Verkehrsunfall *m; contrôle m de la* ~ Verkehrskontrolle *f; délai m de* ~ *(com)* Laufzeit *f; droit m de* ~ Verkehrsgebühr *f; graissage m par* ~ Umlaufschmierung *f; mise f en* ~ Inumlauf-, Inkurssetzung *f; règles pl f de la* ~ Verkehrsregelung *f; règlement m de la* ~ Verkehrsordnung *f; sécurité f de la* ~ Verkehrssicherheit *f; sens m de* ~ Fahrtrichtung *f; surplus m de la* ~ *monétaire* Geldüberhang *m; surveillance f et police f de la* ~ Verkehrsüberwachung *f; voie, route f à grande* ~ Fernverkehrsstraße *f;* ~ *aérienne* Luftverkehr *m;* ~ *d'air* Luftkreislauf *m; min* Wetterbewegung *f;* ~ *alternante* Pendelverkehr *m;* ~ *automobile* Autoverkehr *m;* ~ *des capitaux* Kapitalverkehr *m;* ~ *cyclonique* Wirbelsturm *m;* ~ *à droite* Rechtsverkehr *m;* ~ *d'eau (mot)* Wasserumlauf *m;* ~ *ferroviaire* Eisenbahnverkehr *m;* ~ *fiduciaire* Noten-, Papiergeldumlauf *m;* ~ *frontalière* (kleiner) Grenzverkehr *m;* ~ *d'huile* Ölumlauf *m;* ~ *de la monnaie* Geldumlauf *m;* ~ *du sang, sanguine* Blutkreislauf *m;* ~ *à sens unique* Einbahnstraße *f;* ~ *des trains* Zugverkehr *m;* ~ *de transit* Durchgangsverkehr *m;* ~ *des valeurs mobilières* Wertpapierverkehr *m;* ~ *à voie unique (loc)* Einbahnverkehr *m;* ~ *des voyageurs, des personnes* Reise-, Personenverkehr *m;* **~atoire** *med* Kreislauf-; *appareil m* ~ Kreislauforgane *n pl; perturbations f pl* ~*s* Kreislaufstörungen *f pl;* **~er** *(Blut)* zirkulieren, kreisen; *(Saft)* steigen; *(Luft)* strömen; *(Menschen, Fahrzeuge)* verkehren, sich hin u. her bewegen, fahren; *(Geld)* um≈laufen, im Umlauf sein; *el (Strom)* fließen; *(Gerücht)* sich verbreiten, um≈gehen; *faire* ~ in Umlauf bringen *od* setzen; *(Nachrichten)* verbreiten; *(Speisen)* herum≈, weiter≈reichen; ~ *de main en main* von Hand zu Hand gehen; ~ *à moto* mit dem Motorrad fahren; ~*ez!* weitergehen!

circumnavig|ation [sirkɔmnavigasjɔ̃] *f* Umschiffung, Umseg(e)lung; **~uer** umschiffen, umsegeln.

cir|e [sir] *f* (Bienen-, Baum-)Wachs *n;* Wachskerze; Augenbutter *f;* Ohrenschmalz; *(~ de parquet)* Bohnerwachs *n; jaune comme* ~ quitte(n) gelb; *être égaux comme de* ~ wie ein Ei dem ander(e)n gleichen; *on le manie comme de la* ~ man kann alles mit ihm machen; *bâton m de* ~ Siegellackstange *f;* ~ *à cacheter, d'Espagne* Siegellack *m;* ~ *à modeler* Modellierwachs *n;* **~é, e** *a: toile f* ~*e* Wachstuch; *mar* Öltuch *n; s m* Ölzeug *n;* Regenhaut *f;* **~er** wachsen, bohnern; polieren; *(Schuhe)* wichsen, putzen; *(Stoff)* glänzend machen; wasserdicht machen; ~ *les bottes à qn* jdm Honig ums Maul schmieren; **~eur** *m* Stiefelputzer *m;* **~euse** *f* Bohnerbesen *m;* ~ *mécanique* Bohnermaschine *f;* **~ier, ère** *a* wachserzeugend; *s m* Wachszieher; Kerzenhändler *m.*

cirque [sirk] *m* Zirkus *m;* Arena *f;* (Tal-)Kessel; *fig fam* Radau, Krach *m;* ~ *ambulant* Wanderzirkus *m.*

cirr(h)e [sir] *m bot* Wickelranke; *zoo* Franse *f.*

cirrhose [siroz] *f med* (Leber-)Zirrhose, -Schrumpfung *f.*

cirripèdes [siripɛd] *m pl zoo* Rankenfüßer *m pl.*

cirro-stratus [sirostratys] *m* fed(e)rige Schicht-, Schleierwolke *f.*

cis- [sis, -z *vor Vokal*] *pref geog* zis-, Zis-; diesseits *gen.*

cirrus [sirys] *m* Zirrus *m,* Federwolke *f.*

cis|aille [sizaj] *f* (Metall-)Abschnitzel *n pl; pl* Hecken-, Blechschere *f;* ~*s à bras, d'établi* Stockschere *f;* ~*s de cartonnier, de relieur* Pappschere *f; d'horticulteur, de jardinier* Garten-, Baumschere *f;* ~*s à tôles* Blechschere *f;* ~*s à volaille* Geflügelschere *f;* **~aillement** *m* Abscheren *n; loc* Gleiskreuzung *f;* **~ailler** *tech* ab≈scheren; (ab≈, be)schneiden; **~eau** *m* Meißel *m; (paire f de)* ~*x* Schere *f;* ~*x de brodeuse, de couturière* od *tailleur, de jardinier, à ongles, à papier* Stick-, Schneider-, Blumen-, Nagel-, Papierschere *f;* **~eler** ziselieren; *(Samt)* schneiden; *fig* (aus≈)feilen; **~elet** [-ɛ] *m* (Grab-)Stichel *m;* **~eleur** *m* Ziseleur *m;* **~elure** *f* Ziselieren *n;* gestochene *od* getriebene Arbeit *f;* **~oires** *f pl tech* Tafelschere *f.*

cistercien, ne [sistɛrsjɛ̃, -ɛn] *a rel* zisterziensisch; *s m* Zisterzienser(mönch) *m.*

citad|elle [sitadɛl] *f* Zitadelle; *fig* Festung; Hochburg *f;* **~in, e** *s m f* Städter(in *f*) *m; a* städtisch.

citation [sitasjɔ̃] *f* Zitat *n; jur* Vorladung; *mil* ehrenvolle Erwähnung *f; prendre, relever une* ~ *dans un livre* e-e Stelle aus e-m Buch an≈führen; ~ *en justice* Vorladung *f* vor Gericht; ~ *en témoignage* Ladung *f* als Zeuge.

cité [site] *f* Stadt; Innenstadt, *(Paris)* Cité; Altstadt *f;* Stadtgebiet *n;* Siedlung *f;* Gemeinwesen *n;* Staat *m; avoir droit de* ~ das Bürgerrecht besitzen; *fig* dabei sein, dazu≈gehören; ~ *des abeilles, des fourmis* Bienen-, Ameisenstaat *m;* ~ *hospitalière* Krankenhausanlage *f;* ~*-jardin f*

Gartenstadt *f;* ~ *lacustre* Pfahlbausiedlung *f;* ~*-modèle f* Musterstadt *f;* ~ *satellite* Trabantenstadt *f;* ~ *ouvrière* Arbeitersiedlung *f;* ~ *universitaire* Studentenwohnsiedlung *f.*

citer [site] zitieren, an=führen; an=geben; nennen; *jur* vor=laden; *mil* ehrenvoll erwähnen; aus=zeichnen.

citérieur, e [siterjœr] diesseitig.

citerne [sitɛrn] *f* Zisterne *f;* Behälter *m* für Regenwasser; Tank *m; bateau-~ m* Tanker *m; camion-~ m* Tankwagen; *wagon-~ m* Kesselwagen *gen m.*

cithar|e [sitar] *f* Zither *f;* **~iste** *m f* Zitherspieler(in *f*) *m.*

citoyen, ne [sitwajɛ, -ɛn] *m f* (Staats-)Bürger(in *f*) *m; drôle m de ~ (fam)* komische(r) Kauz *m;* ~ *d'honneur* Ehrenbürger *m;* ~ *du monde, de l'univers* Weltbürger *m.*

citr|ate [sitrat] *m chem* Zitrat *n;* **~in, e** *a* zitronengelb; *s f* Zitronenöl *n;* **~ique** *a: acide m* ~ Zitronensäure *f;* **~on** *s m* Zitrone; *vulg* Birne *f,* Kopf *m; a inv* zitronengelb; *presser un* ~ e-e Zitrone aus=pressen; *presser qn comme un* ~ *fig* jdn aus=quetschen, aus=nehmen; *écorce f de* ~ Zitronenschale *f; glace f au* ~ Zitroneneis *n; jus m de* ~ Zitronensaft *m; rouelle, tranche f de* ~ Zitronenscheibe *f;* ~ *pressé* Zitrone *f* naturell, Zitronenwasser *n;* **~onnade** *f* Zitronenwasser *n,* -limonade *f;* **~onné, e** *(Tee etc)* mit Zitrone; **~onnelle** *f* Zitronenlikör *m;* **~onnier** *m bot* Zitrus; Zitronenbaum *m,* -holz *n;* **~ouille** [-uj] *f* Kürbis *a. fig vulg;* Tölpel *m.*

civ|e, ~ette [siv, -vɛt] *f* Schnittlauch *m.*

civet [sivɛ] *m Art* Ragout *n;* ~ *de lièvre* Hasenpfeffer *m.*

civette [sivɛt] *f* Zibetkatze *f.*

civière [sivjɛr] *f* Tragbahre *f; charger qn sur une* ~ jdn auf e-e T. legen.

civil, e [sivil] *a* bürgerlich, Bürger-; zivil, Zivil-; weltlich, Welt-; höflich; gesittet; *s m* Zivilist *m; au* ~ zivilrechtlich; *dans le* ~ im bürgerlichen Leben; *poursuivre qn au* ~ jdn zivilrechtlich belangen; *année f ~e* Kalenderjahr *n; cause f ~e* Zivilprozeß *m; code m* ~ (franz.) Bürgerliche(s) Gesetzbuch *n; droit m* ~ bürgerliche(s) Recht *n; pl* bürgerliche(n) Rechte *n pl; état m* ~ Personenstand *m;* Standesamt *n; guerre f ~e* Bürgerkrieg *m; mariage m* ~ standesamtliche Trauung *f; officier m de l'état* ~ Standesbeamte(r) *m; partie f ~e* Privatkläger *m; procès m* ~ Zivilprozeß *m; registre m de l'état* ~ Personenstandsregister *n; service* ~ Zivildienst *m;* **~ement** *adv* zivilrechtlich; *(Trauung)* standesamtlich; höflich; ~ *responsable* haftpflichtig; **~isateur, trice** *a* kulturfördernd; *s m* Kulturbringer *m;* **~isation** *f* Zivilisierung; Zivilisation, Kultur, Gesittung *f; aire f de* ~ Kulturraum *m;* **~iser** gesittet(er) machen; bilden, zivilisieren; *(e-e Strafsache)* zu e-r Zivilsache machen; *se* ~ gesittet(er) werden; *fig (Sache)* sich ein=renken, sich erledigen; **~ité** *f* Höflichkeit *f; pl* Grüße *m pl,* Empfehlung *f.*

civi|que [sivik] (staats)bürgerlich; *courage m* ~ Zivilcourage *f; dégradation f* ~ Aberkennung *f* der bürgerlichen (Ehren-)Rechte; *instruction f* ~ staatsbürgerliche(r) Unterricht *m;* **~sme** *m* Staatsgesinnung *f,* Bürgersinn *m.*

clabaud [klabo] *m* kläffende(r) Jagdhund; *fam (Mensch)* Kläffer, Schreier *m;* **~age** *m* Kläffen, Gekläff *a. fam fig;* Geschrei, Gezeter *n;* **~er** *(Jagdhund)* kläffen; *fig* schreien, zetern, hetzen; schlecht sprechen (*sur qn* von jdm); **~erie** *f* Zetergeschrei *n;* **~eur** *m (Hund)* Kläffer; *fig* Schreier, Hetzer *m.*

clac [klak] *interj* klapp.

clafoutis [klafuti] *m* Obst-, *bes.* Kirschkuchen *m.*

claie [klɛ] *f* Gitter *n,* Rost *m, tech* Horde; Hürde *f;* Wurfsieb; Flechtwerk, Weidengeflecht; *arch* Senkstück *n; traîner sur la* ~ *(vx fig)* durch den Dreck ziehen; ~ *à sécher (le malt)* (Malz-)Darre *f.*

clair, e [klɛr] *a* hell, glänzend; klar, sauber; deutlich; *(nach Farbadj.)* hell-; *(Flüssigkeit)* durchsichtig; *(Stoff, Rasen)* locker, dünn; *(Haar)* schütter; *(Wald)* licht; *(Ei)* unbefruchtet; *fig* klar, einleuchtend, eindeutig, sicher; *fig* heiter, ruhig, friedlich; *s m* Helle *f,* Schein *m;* helle *od* lichte, dünne Stelle; Lichtung *f; pl (Malerei)* Lichter *n pl; s f* (Austern-)Teich *m; C~* Klara *f; en* ~ in Klarschrift; *le plus* ~ der größte, wichtigste Teil; ~ *comme de l'eau de source, comme le jour (fig)* sonnenklar; *faire de l'eau ~e (fig)* keinen Erfolg haben; *mettre sabre au* ~ blank=ziehen; *parler* ~ hoch, mit hoher Stimme, *fig* deutlich sprechen; *semer* ~ dünn säen; *tirer au* ~ *(Flüssigkeit)* ab=klären, durch=seihen, *(Wein)* ab=ziehen; *fig* klar=stellen; *voir* ~ deutlich, klar sehen, *fig* klar=sehen; *il fait* ~ es ist hell(er Tag); *il fait* ~ *de lune* der Mond scheint; *j'y vois* ~ ich bin im

Bilde; *texte m en* ~ Klartext *m;* ~ *de (la) lune* Mond(en)schein *m;* ~ *et net* offen, ohne Umschweife; *com* netto; *~-obscur m* Helldunkel *n;* **~et, te** *a (Flüssigkeit)* etw dünn; *(Stimme)* scharf, durchdringend; *s m* Bleicher *m (heller Rotwein); s f* leichte(r) Weißwein *m (Südfrankreich);* **~e-voie** *f* Gitter *n,* (Gitter-)Zaun *m;* vergitterte Öffnung; *arch* Gitterluke *f,* Oberlicht *n; à* ~ durchbrochen; mit Zwischenräumen; *porte f à* ~ Gittertür *f;* **~ière** *f* Lichtung; *(Gewebe)* dünne Stelle *f.*

clairon [klɛrɔ̃] *m mus* Horn *n;* Hornist *m;* **~nant, e** *a (Stimme)* schmetternd; **~ner** schmettern; *fig* aus=posaunen.

clairsemé, e [klɛrsəme] dünngesät, licht, spärlich *a. fig.*

clair|voyance [klɛrvwajɑ̃s] *f* Scharfblick *m;* zweite(s) Gesicht; **~voyant, e** *a* (klar)sehend; weit-, scharfblikkend *a. fig; s m* Sehende(r *m*) *f.*

clam|er [klame] (hinaus=)schreien; **~eur** *f* Geschrei *n;* Lärm *m; (Sturm)* Heulen *n.*

clamp|in, e [klɑ̃pɛ̃, -in] *a fam* faul; *s m* Faulenzer; Nachzügler *m;* **~iner** *fam* faulenzen, herum=lungern.

clam|pser, clam(e)ser [klɑ̃pse, klamse] *pop* ab=kratzen.

clan [klɑ̃] *m* Sippe *f;* Stamm *m; fig* Clique *f,* Klüngel *m.*

clandestin, e [klɑ̃dɛstɛ̃, -in] heimlich, geheim; unerlaubt; Schwarz-; *passager m* ~ blinde(r) Passagier *m;* **~ité** *f* Heimlichkeit *f; dans la* ~ *(pol)* im Untergrund.

clapet [klapɛ] *m* Klappe *f,* Klappenventil *n;* ~ *d'aération* Lüftungsklappe *f;* ~ *d'aspiration, de bille* Saug-, Kugelventil *n.*

clap|ier [klapje] *m* Kaninchenbau, -stall; *med* Eiterherd *m;* **~ir** *(Kaninchen)* pfeifen; *se* ~sich verkriechen.

clapot|age, ~ement, ~is [kapɔtaʒ, -mɑ̃, -i] *m* Plätschern, Klatschen *n;* **~er** plätschern; **~eux, se** plätschernd.

clapp|ement [klapmɑ̃] *m* Schnalzen *n,* Schnalzer *m;* **~er:** *faire* ~ *sa langue* mit der Zunge schnalzen.

claqu|age [klakaʒ] *m sport* Überanstrengung *f; el* Durchschlag *m;* *~musculaire* Muskelzerrung *f;* **~ant, e** *fam* zu anstrengend; **~e** *f* Klaps *m;* Ohrfeige *f; (Schuh)* Oberleder *n; Art* Damenüberschuh *m; theat* Claque *f; m* Klappzylinder *m; en avoir sa* ~ *(fam)* die Nase voll haben; *donner des ~s sur les fesses d'un enfant* e-m Kind den Hintern versohlen; *tête f à* ~ Backpfeifengesicht *n;* **~edent, ~efaim** *m* Hungerleider *m;* **~ement** *m (Peitsche)* Knall(en *n*) *m; (Zähne)* Klappern; *(Zunge)* Schnalzen; *(Hände)* Klatschen; *(Tür)* Schlagen *n; med sport* Zerrung *f; tele* Knacken *n;* **~emurer** ein=sperren, -kerkern; *fig* beschränken; *se* ~ sich ein=schließen; **~er** *itr (Peitsche)* knallen; *(Zähne)* klappern; *theat* klatschen; *(Tür, Fensterladen)* schlagen; *vulg* ab=kratzen, sterben; in die Brüche gehen; *tr* ohrfeigen; *theat* applaudieren (*qn* jdm), *sport (Muskel)* verzerren; *(am Halbstiefel)* das Oberleder befestigen; *fam (körperl.)* fertig=machen; *pop* verjubeln, verjuxen; *se* ~ sich überanstrengen; *faire* ~ *son fouet (fig fam)* dick(e)tun, an=geben; *faire* ~ *sa langue* mit der Zunge schnalzen; *faire* ~ *la porte* die Tür zu=schlagen; ~ *du bec (vulg)* Kohldampf schieben; ~ *des dents* mit den Zähnen klappern; ~ *des mains* in die Hände klatschen.

claqu|et [klakɛ] *m* Mühlklapper *f; bot* Fingerhut *m; comme le* ~ *d'un moulin* wie ein Mühlwerk; **~eter** *(Storch)* klappern; *(Huhn)* gackern; **~ette** *f* (Kinder-)Klapper *f;* Klatschmaul *n.*

claqueur [klakœr] *m theat* Claqueur; *fig* Lobhudler *m.*

clarifi|ant [klarifjɑ̃, -ɑ̃t] *m* Klärmittel *n;* **~cation** [-fi-] *f* (Ab-)Klärung *f a. fig; installation f de* ~ Kläranlage *f;* **~er** [-fje] *(Flüssigkeit)* (ab=)klären; *fig* auf=hellen, läutern; erläutern, verständlich machen, klären.

clarine [klarin] *f* Kuhglocke, -schelle *f.*

clarin|ette [klarinɛt] *f mus* Klarinette *f;* **~ettiste** *m* Klarinettist *m.*

clarisse [klaris] *f rel* Klarissin; *C~* Klarissa *f.*

clarté [klarte] *f* Helle *f,* Licht *n;* Helligkeit *f;* Glanz *m;* Reinheit; *fig* Klarheit, Deutlichkeit, Verständlichkeit *f;* ~ *de l'image (phot)* Bildschärfe *f.*

class|e [klas] *f* Klasse *f,* Stand *m,* (Volks-)Schicht; Kategorie *f;* (Rekruten-)Jahrgang *m;* (Schul-)Klasse, (Unterrichts-)Stunde, Schule *f;* Klassenzimmer *n; allg* Klasse *a. zoo; de grande* ~ von großem Format; *de première* ~ ersten Ranges; erster Klasse, erstklassig; *com* erster Güte; *mil* Ober-; *aller, être en* ~ zur Schule gehen; *avoir de la* ~ *(fam)* sehr vornehm, distinguiert sein; Format haben; *être de la* ~ seine (Militär-) Dienstzeit (bald) hinter sich haben; *être bon pour la* ~ *(fam)* militärdiensttauglich sein; *faire la* ~ Unterricht erteilen; *faire ses ~s* die Schule besuchen; seiner Militärdienstpflicht genügen; *redoubler, sauter une* ~ e-e Klasse wiederholen, überspringen; *répartir par ~s* ein=stufen; *camarade m de* ~ Klassenkamerad *m; haine f de(s) ~s* Klassenhaß *m; livre m de* ~ Schulbuch *n; lutte f des ~s* Klassenkampf *m; petites, hautes ~s* Unter-, Oberklassen *f pl; rentrée f des ~s* Schulbeginn *m (nach den Ferien); salle f de* ~ Klassenzimmer *n;* ~ *d'âge* Altersklasse *f;* ~ *cabine, de luxe, touriste* Kabinen-, Luxus-, Touristenklasse *f;* ~ *de dessin, de musique* Zeichen-, Musiksaal *m;* ~ *dirigeante, gouvernante* herrschende Klasse *f;* ~ *d'histoire* Geschichtsstunde *f;* ~ *d'imposition* Steuerklasse *f;* ~ *laborieuse* Arbeiterklasse *f;* ~ *moyenne* Mittelstand *m;* ~ *de neige* Skikurs, Schikurs *m;* ~ *ouvrière* Arbeiterklasse *f;* ~ *des salaires* Lohnklasse *f;* **~é, e** geschätzt; *fam* erledigt, geliefert; klassifiziert, eingeordnet; **~ement** *m* Ablegen, Einordnen, Sortieren *n;* Einteilung, Anordnung, Klassifizierung; Aufstellung; Reihenfolge; Wertung; *sport* Rangliste *f;* **~er** ab=legen, an=, ein=ordnen, ein=reihen, klassifizieren; ein=teilen, sortieren; auf=stellen; *(Sache)* ab=schließen, als erledigt an=sehen; ~ *parmi* rechnen, zählen zu; ~ *qn* ein endgültiges Urteil über jdn fällen; ~ *comme monument historique* unter Denkmalschutz stellen; ~ *par ordre alphabétique, chronologique, de grandeur* alphabetisch, chronologisch, der Größe nach ordnen; **~eur** *m* Briefordner, Schnellhefter; Aktenschrank; Ablagekasten *m;* ~ *à rideau* Rollschrank *m.*

classicisme [klasisizm] *m* Klassizismus *m,* Klassik *f.*

class|ification [klasifikasjõ] *f* Klassifikation, Einteilung; Unterteilung; Einstufung, Aufschlüsselung *f;* **~ifier** klassifizieren, ein=teilen.

classique [klasik] *a* klassisch; klassizistisch; mustergültig; herkömmlich; Schul-; *s m* Klassiker; Klassizist *m; armes f pl ~s* konventionelle Waffen; *livres m pl ~s* Schulbücher *n pl.*

clastique [klastik] *a geol* Trümmer-; *(Modell)* zerlegbar.

claudic|ant, e [klodikɑ̃, -ɑ̃t] hinkend; **~ation** *f* Hinken *n.*

clause [kloz] *f* Klausel *f,* Vorbehalt *m;* Bestimmung, Bedingung *f; sauf* ~ *contraire* unter Vorbehalt gegenteiliger Abrede; ~ *accessoire* Nebenabrede *f;* ~ *d'arbitrage* Schiedsgerichtsklausel *f;* ~ *attributive de juridiction* Gerichtsstand(s)klausel *f;* ~ *commissoire de déchéance* Verfall(s)klausel *f;* ~ *éliminatoire* Sperrklausel *f;* ~ *de la nation la plus favorisée (com)* Meistbegünstigungsklausel *f;* ~ *pénale* Konventional-, Vertragsstrafe *f;* ~ *de réserve de propriété* Eigentumsvorbehalt(sklausel *f*) *m;* ~ *de style (jur)* übliche Klausel, Formel *f;* ~ *tacite* stillschweigende Vereinbarung *f.*

claustr|al, e [klostral] klösterlich; Kloster-; **~ation** *f* Einsperrung *f* (in ein Kloster); *fig* zurückgezogene(s) Leben *n;* **~er** in ein Kloster sperren; ein=schließen; *se* ~ sich ganz zurück=ziehen.

claveau [klavo] *m* **1.** *arch* Wölbstein *m;* **2.** Schafpocken(serum *n*) pl.

clav|ecin [klavsɛ̃] *m mus* Cembalo *n;* **~eciniste** *m f* Cembalospieler(in *f*) *m.*

clav|elée [klavle] *f* Schafpocken *pl;* **~eter** ver-, fest=keilen; **~ette** *f tech* Keil *m,* Schließe *f,* Splint *m;* ~ *d'assemblage* Verbindungsbolzen *m;* ~ *d'arrêt* Vorsteckkeil *m,* ~ *de réglage* Stellkeil *m.*

clavicule [klavikyl] *f anat* Schlüsselbein *n.*

clavier [klavje] *m* Schlüsselring *m,* -kette; *mus* Klaviatur *a. fig,* Tastatur *f (a. Schreibmaschine); tele* Tastensatz *m,* -feld; *typ* Tastbrett *n;* (Stimm-)Umfang *m;* ~ *sélecteur (radio)* Drucktastatur *f.*

clay|ère [klɛjɛr] *f* Austernpark *m;* **~on** *m* (Stroh-, Weiden-, Draht-)Geflecht *n;* Hürde *f;* **~onnage** *m* Flechtwerk *n;* **~onner** mit Flechtwerk befestigen.

clé, clef [kle] *f* Schlüssel *a. mus fig;* Schraubenschlüssel; Dübel *m; tech* Kücken *n,* Splint *m; el* Taste *f,* (Hebel-, Kipp-)Schalter; (Dosen-)Öffner; *(Geige)* Wirbel *m; (Klarinette)* Klappe *f; fig* Zugang *m,* Erklärung, Lösung *f; à la* ~ *(fig)* in Aussicht; noch dazu, zusätzlich; *sous* ~ unter Verschluß; eingesperrt; *donner un tour de* ~ ab=schließen (à *acc*); *fermer à* ~ zu=schließen; *laisser la* ~ *sur la porte* den Schlüssel stecken=lassen; *occuper une position* ~ e-e Schlüsselstellung ein=nehmen; *prendre la* ~ *des champs* das Weite suchen, aus=rükken; *fausse* ~ Nachschlüssel *m; industrie f* ~ Schlüsselindustrie *f; panneton m de* ~ (Schlüssel-)Bart *m; pouvoir m des ~s (rel)* Schlüsselgewalt *f; roman m à* ~ Schlüsselroman *m; tableau m à ~s* Schlüsselbrett *n; trousseau de ~s* Schlüsselbund *m* od *n;* ~ *anglaise (tech)* Engländer, Universalschlüssel *m;* ~ *d'appel (tele)* Ruftaste *f,* -schalter *m;* ~ *d'arrêt (tech)* Kupp(e)lungshebel *m;* ~ *à canon* Steckschlüssel *m;* ~ *de contact* Zündschlüssel *m;* ~ *d'écoute (tele)* Abfrage-, Mithörschalter *m;* ~ *à écrous, à vis* Schraubenschlüssel *m;* ~*s en main* schlüsselfertig; ~ *à quatre pans* Vierkantschlüssel *m;* ~ *de sol* Violinschlüssel *m;* ~*s de voiture* Autoschlüssel *m pl;* ~ *de voûte (arch)* Schlußstein *m a. fig.*

clématite [klematit] *f bot* Klematis *f.*

clém|ence [klemɑ̃s] *f* Milde; Großmut, Gnade *f;* ~**ent, e** gnädig, großmütig; *(Klima)* mild.

clémentine [klemɑ̃tin] *f (bot)* Klementine *f.*

clenche, ~**tte** [klɑ̃ʃ, klɑ̃ʃɛt] *f* (Tür-) Klinke *f,* Drücker *m.*

cleptoman|e [klɛptɔman] *m f* Kleptomane *m,* -manin *f;* ~**ie** *f* Kleptomanie *f.*

cler|c [klɛr] *m* Kleriker, Geistliche(r); Gelehrte(r); Schreiber, Kanzlist *m; faire un pas de* ~ *(fig)* e-n Bock schießen; *maître m* ~ Bürovorsteher *m* e-s Rechtsanwalts; ~**gé** *m* Klerus *m,* Geistlichkeit *f.*

clérical, e [klerikal] *a* geistlich; *pol* klerikal; *s m pol* Klerikale(r) *m;* ~**isme** *m pol* Klerikalismus *m.*

clic-clac [klikklak] *interj* (klipp,) klapp! *s m* Klappen, Knallen *n;* ~ *d'un fouet* Peitschenknall *m.*

clich|age [kliʃaʒ] *m* Stereotypie *f,* Klischieren *n;* ~**é, e** *a* abgedroschen; *s m typ* Klischee *n,* Stereotype *f,* Druck-, Bildstock *m; phot* Negativ *n; fig* abgedroschene Redensart *f,* Gemeinplatz *m;* ~ *en cuivre* Kupferplatte *f;* ~ *d'impression* Buchdruckklischee *n;* ~ *de stéréotype* Stereotypplatte *f;* ~ *au trait* Zinkätzung *f;* ~**er** *typ* klischieren, ab=klatschen; ~**erie** *f* Stereotypie *f;* Plattenguß *m;* Klischieranstalt *f;* ~**eur** *m* Stereotypeur, Plattengießer *m.*

client, e [klijɑ̃, -ɑ̃t] *m f hist jur* Klient(in *f*); *med* Patient(in*f*), *com* Kunde *m,* Kundin *f;* Abnehmer(in *f*); *pop* Kerl *m; faire un nouveau* ~ e-n neuen Kunden gewinnen; ~ *fidèle* od *régulier, de passage* Dauer-, Gelegenheitskunde *m;* ~**èle** *f hist jur* Klientel *f; med* Patienten *m pl,* Praxis; *com* Kundschaft *f,* Kundenkreis *m;* Abnehmer(gruppe *f*) *m pl; fig* Anhänger, Freunde(skreis *m*) *m pl; avoir une grosse* ~ e-n großen Kundenkreis haben; ~ *d'habitués* Stammkundschaft *f;* ~ *de passage* Laufkundschaft *f.*

clign|ement [kliɲmɑ̃] *m* Blinzeln; *fig* Aufblitzen *n;* ~ *d'yeux* Augenzwinkern *n;* ~**er** *(les* od *des yeux)* blinzeln; (mit den Augen) zwinkern; *sans* ~ *(des yeux)* ohne mit der Wimper zu zucken; ~ *de l'œil à qn* jdm zu=zwinkern; ~**otant, e** [-ɲɔ-] *a* blinzelnd; *(Licht)* aufblitzend; blinkend; *s m mot* Blinklicht *n;* ~**otement** *m* Blinzeln; *(Licht)* Blinken, Aufblitzen *n;* ~**oter** *(les* od *des yeux)* (fortwährend) blinzeln; *(Licht)* blinken.

climat [klima] *m* Klima *n a. fig;* Himmels-, Landstrich *m,* Gegend; *fig* Atmosphäre *f,* Milieu *n;* ~**érique** kritisch; klimatisch; *an m, année f* ~*(Psychologie)* Stufenjahr *n;* ~**ique** klimatisch; *station f* ~ Luftkurort *m;* ~**isation** *f* Klima-, Bewetterungsanlage *f;* ~**isé, e** mit e-r Klimaanlage ausgestattet; ~**iseur** *m* Klimaanlage *f;* ~**ologie** *f* Klimakunde *f.*

clin [klɛ̃] *m:* ~ *d'œil* Wink *m* mit dem Auge; *en un* ~ *d'œil* im Augenblick, im Nu.

clinfoc [klɛ̃fok] *m mar* Außenklüver *m.*

clin|icien [klinisjɛ̃] *s m* u. *a: médecin m* ~ Kliniker *m;* ~**ique** *a med* klinisch; *s f* Klinik *f.*

clinomètre [klinɔmɛtr] *m* Neigungsmesser *m.*

clinquant [klɛ̃kɑ̃] *m* Flitter(gold *n*) *m;* Talmi; *fig* Flitterwerk *n,* -kram *m.*

clip [klip] *m* Klipp *m.*

clipper [klipœr] *m aero* Klipper; *mar* Schnellsegler *m.*

clique [klik] *f* Clique, Sippschaft *f,* Gelichter *n; arg mil* Musikzug *m; prendre ses* ~*s et ses claques (fam)* ab=hauen, türmen.

cliqu|et [klikɛ] *m tech* (Sperr-)Klinke; (Bohr-)Knarre; Schaltklinke *f;* ~**eter** klappern; ~**etis** [-ti] *m* Geklirr, Klirren, Gerassel, Rasseln; *mot* Klopfen *n;* ~ *de mots* Wortgeklingel *n.*

cliss|e [klis] *f* Käsehürde *f;* Korb-, Strohgeflecht *n (um Flaschen);* ~**é, e:** *bouteille f* ~*e* Korbflasche *f.*

clitoris [klitɔris] *m anat* Kitzler *m.*

cliv|age [klivaʒ] *m min* Spalten *n;* Spalt *m;* Schlechte *f;* ~**er** *min* spalten.

cloaque [klɔak] *m* Kloake *f a. zoo;* Abzugskanal *m;* Senkgrube *f;* Pfuhl; *fig* Schweinestall *m.*

cloch|ard [klɔʃar] *m* Penn(brud)er, Landstreicher *m.*

cloch|e [klɔʃ] *f* Glocke *a. tech;* (Haut-, Wasser-)Blase; Glasglocke *f,* -sturz; *(Balken)* Stumpen; *el (~ isolante)* Glockenisolator *m,* Läutewerk *n; (Hut)* Stumpen; Glockenhut *m; arg*

Flasche *f*, unfähige(r) Mensch *m; arg* Kopf *m; avoir la ~ fêlée* nicht richtig im Oberstübchen sein; *déménager à la ~ de bois (fam)* heimlich aus=ziehen; *donner le même son de ~ (fig)* denselben Ton an=schlagen; *fondre la ~* alle Brücken hinter sich ab=brechen; *sonner la grosse ~* alle Hebel in Bewegung setzen; *sonner les ~s à qn* jdm gehörig die Meinung sagen; *se taper la ~ (arg)* sich toll u. voll fressen; *qui n'entend qu'une ~ n'entend qu'un son* e-s Mannes Rede ist keines Mannes Rede; *on ne peut sonner les ~s et aller à la procession* niemand kann zwei Herren dienen; *coup m de ~* Glockenschlag *m; fondeur m de ~s* Glockengießer *m; métal m de ~* Glockenspeise *f; ~ d'alarme* Signalglocke *f; ~ à fromage* Käseglocke *f; ~-pied: sauter à ~-pied* auf e-m Bein hüpfen; *~ à plongeur* Taucherglocke *f;* **~er 1.** *s m* Glocken-, Kirchturm *m; fig* Heimat *f; esprit m de ~* Lokalpatriotismus *m;* **2.** *v (Gartenbau)* mit e-r Glasglocke bedecken; **3.** *v* hinken *a. fig;* hapern; *~ du pied droit* auf dem rechten Fuß hinken; *il y a qc qui ~e* da stimmt etw nicht; **~eton** *m* kleine(r) Glockenturm *m;* Türmchen *n*, Dachreiter *m*, Fiale *f;* **~ette** *f* Glöckchen *n;* Klingel, Schelle; *bot* Glockenblume; *allg* glockenförmige Blüte *f*.

cloison [klwazõ] *f arch* Zwischenwand *f*, Verschlag *m; anat bot fig* Scheidewand *f; mar* Schott *n; min* Schachtscheider *m; ~ à charpente, à coulisses, pliante* Riegel-, Schiebetür, Faltwand *f; ~ des fosses nasales* Nasenscheidewand *f; ~ pare-feu* Brandschott *n*, -mauer *f; ~ en planches* Bretterverschlag *m;* **~nage,** [-zɔ-] **~nement** *m arch* Fachwerk *n;* Zwischenwände *f pl;* Einziehen *n* von Wänden; Abschotten *n; fig* Abtrennung *f;* **~né, e** *a* Zellen-; *(Gesellschaft)* reglementiert; *s m* Zellenschmelzarbeit *f; émail m ~* Zellenschmelz *m;* **~ner** (durch Zwischenwände) teilen, in Fächer ein=teilen; *mar aero* ab=schotten.

cloîtr|e [klwatr] *m arch* Kreuzgang *m;* Kloster(leben) *n;* **~er** in ein Kloster stecken *od* sperren; *allg* ein=sperren; *se ~* in ein Kloster gehen; *fig* zurückgezogen leben.

clo|nage [klɔnaʒ] *m* Klonen *n;* **~ne** *m* Klon *n*.

clope [klɔp] *m pop* Zigarettenstummel *m; f fam* Kippe *f*.

clop|in-clopant [klɔpɛ̃klɔpɑ̃] *adv fam* humpelnd, hinkend; **~iner** [-pine] *fam* humpeln, hinken.

cloporte [klɔpɔrt] *m zoo* Kellerassel *f; pop* Portier *m*.

cloqu|e [klɔk] *f fam* (Brand-)Blase; *bot* Blattrollkrankheit *f;* **~er** *(Ölfarbe)* Blasen bilden.

clore [klɔr] *irr tr* (ab=, zu=)schließen; ab=, versperren; ein=fried(ig)en, *(mit e-m Zaun, e-r Mauer)* umgeben; *(Rede)* ab=schließen, beenden; *itr* schließen, zu=gehen; *~ la bouche à qn* jdn zum Schweigen bringen, widerlegen; *~ la marche (mil)* den Schluß bilden.

clos, e [klo, -oz] *a* verschlossen; geschlossen, beendet; *(Angelegenheit)* erledigt; *(mit e-r Hecke)* umgeben; *s m* (Obst-)Garten; Weinberg *m;* Gut *n; à huis ~* hinter verschlossenen Türen; unter Ausschluß der Öffentlichkeit; *à la nuit ~e (fig)* nach Einbruch der Dunkelheit; *agir les yeux ~ (fig)* in blindem Vertrauen handeln; *avoir la bouche ~e* den Mund halten; *trouver porte ~e* vor verschlossener Tür stehen; niemanden zu Hause an=treffen; *lettre f ~e* Buch *n* mit sieben Siegeln; *maison f ~e* Bordell *n; Pâques f pl ~es* erster Sonntag *m* nach Ostern, Quasimodogeniti *pl;* **~eau** *m*, **~erie** *f* (Bauern-)Gärtchen *n;* kleine Landwirtschaft *f*.

clôtur|e [klotyr] *f* Einfriedigung; (Umfassungs-)Mauer *f;* Zaun *m;* Hecke; *fig* Schließung *f;* Ende *n*, (Ab-)Schluß *m; (séance f de ~)* Schlußsitzung; *rel* Klausur *f; en ~* bei Börsenschluß *m; demander la ~ des débats* Schluß der Debatte beantragen; *~!* Schluß der Debatte! *bilan m de ~* Abschlußbilanz *f; heure f de ~* Polizeistunde *f; ~ annuelle des livres (com)* Jahresabschluß *m; ~ du bilan, des comptes, de l'exercice* Bilanz-, Rechnungs-, Jahresabschluß *m; ~ du chœur* Chorschranke *f; ~ à claire-voie, en fil de fer* Gitter-, Drahtzaun *m; ~ des magasins* Ladenschluß *m;* **~er** ein=friedigen, ein=fassen; *fig* (ab=)schließen *a. com.*

clou [klu] *m* Nagel, Stift; *mar* Spieker; *fam* Furunkel; stechende(r) Schmerz *m; fig* Hauptattraktion *f*, Höhepunkt *m; vulg* Leihhaus; Arrestlokal, Gefängnis *n; tech fam* Klapperkasten *m; compter les ~s de la porte* lange warten müssen; *enfoncer, fixer un ~* e-n Nagel ein=schlagen (*avec* mit); *river son ~ à qn (fig)* jdm eins drauf=geben, das Maul stopfen; *il n'y manque pas un ~* es ist fix u. fertig; *cela ne vaut pas un ~* das ist keinen Pfifferling wert; *il est maigre comme un*

~, *comme un cent de ~s* er ist spindeldürr; *un ~ chasse l'autre (prov)* ein Keil treibt den ander(e)n; *traversez dans les ~s! prenez les ~s! (fam)* (Fußgänger-)Überweg, Zebrastreifen benutzen! *des ~s! (pop)* das fehlte noch! denkste! *~ cavalier* Krampe(n *m*) *f*; *~ de fer à cheval* Hufnagel *m*; *~ de cordonnier, à chaussure* Schuhzwecke *f*; *~ à crochet* Hakennagel *m*; *~ d'épingle* Drahtstift *m*; *~ de fantaisie* Ziernagel *m*; *~ (de girofle)* (Gewürz-)Nelke *f*; *~ de tapissier* Polsternagel *m*; **~age** [kluaʒ] **~ement** *m* (An-)Nageln *n*; *mar* Spiekerung *f*; **~er** (an=, zu=)nageln; *mar* spiekern; *fig* fest=nageln; *~ le bec à qn (fig)* jdm das Maul stopfen; *~ au lit* ans Bett fesseln; **~ter** mit Nägeln beschlagen; *ciel m ~é d'étoiles* gestirnte(r) Himmel *m*; *passage m ~é* Fußgängerüberweg *m*; **~terie** *f* Nagelschmiede, -fabrik; Nagelfabrikation *f*, -handel *m*; **~tier** *m* Nagelschmied, -händler *m*.

Clovis [klɔvis] *m* Chlodwig *m*.

clovisse [klɔvis] *f (Art eßbare)* Muschel *f*.

clown [klun] *m* Clown, dumme(r) August *m*; **~erie** *f* Posse *f*, Spaß *m*, Faxen *f pl*; **~esque** possenhaft, närrisch.

cloyère [klwajɛr] *f* Austern-, Fischkorb; Korbvoll *m* (25 Dutzend) Austern.

club [klœb] *m* Klub; Verein; Klubsessel *m*; **~iste** [kly-] *m* Klubmitglied *n*.

cluse [klyz] *f geog* Klus *f*; Schlucht *f*; Paß *m*.

co|accusé, e [kɔakyze] *m f* Mitangeklagte(r *m*) *f*; **~acquéreur** *m* Miterwerber *m*; **~actif, ive** zwingend; Zwangs-; **~action** *f* Zwang *m*, **~adjuteur** *m rel* Koadjutor, Weihbischof; *allg* Amtsgehilfe *m*.

coagul|abilité [kɔagylabilite] *f* Gerinnbarkeit *f*; **~able** gerinnbar; **~ation** *f* Gerinnung, Koagulation *f*; **~er** *tr* gerinnen lassen; *se ~* gerinnen; **~um** [-ɔm] *m* Gerinnsel, Geronnene(s) *n*.

coalescen|ce [kɔalɛsɑ̃s] *f med* Verwachsung *f*; **~t, e** verwachsen.

coali|sé, e [kɔalize] *a* verbündet; *s m* Verbündete(r) *m*; **~ser** vereinigen; *se ~* sich verbünden; **~tion** *f* Bündnis *n*, Koalition *f*; *~ gouvernementale* Regierungskoalition *f*.

coaltar [koltar] *m* Steinkohlenteer *m*; **~(is)er** teeren.

coass|ement [kɔasmɑ̃] *m* Quaken *n*; **~er** *(Frosch)* quaken.

co|associé, e [kɔasɔsje] *m f* (Mit-)Teilhaber(in *f*) *m*; **~auteur** *m* Mitautor *m*.

cobalt [kɔbalt] *m min* Kobalt *n*.

cobaye [kɔbaj] *m* Meerschweinchen; *fig* Versuchskaninchen *n*.

cobra [kɔbra] *m* Kobra, Brillen-, Hutschlange *f*.

coca [kɔka] *m* od *f bot* Koka *f*; **~ïne** [-kain] *f* Kokain *n*; **~ïnomane** [-inɔ-] *m f* Kokainist(in *f*) *m*.

cocagne [kɔkaɲ] *f*; *mât m de ~* Klettermast *m (mit aufgehängten Preisen)*; *pays m de ~* Schlaraffenland *n*; *vie f de ~ (fig)* Schlaraffenleben *n*.

cocard|e [kɔkard] *f* Kokarde; Hutverzierung; *loc* Signalscheibe *f*; *vulg* Dez, Kopf *m*; *changer de ~ (fig)* die Farbe wechseln; *prendre la ~* Soldat werden; **~er** mit e-r Kokarde versehen; *se ~ (vulg)* sich besaufen; **~ier, ère** in Uniformen vernarrt; *être ~* ein begeisterter Soldat sein; *patriotisme m ~* Hurrapatriotismus *m*.

cocasse [kɔkas] *fam* drollig, spaßig, spaßhaft; **~rie** *f* Drolligkeit, Spaßhaftigkeit *f*.

coccinelle [kɔksinɛl] *f* Marienkäfer *m*.

coccyx [kɔksis] *m anat* Steißbein *n*.

coch|e [kɔʃ] **1.** *m* (ältere, große) Postkutsche *f*; **2.** *f* Sau *f a. pop fig*; **3.** *f* Kerbe *f*; *tech* Einschnitt *m*; *manquer le ~ (fig)* die Gelegenheit verpassen; *retourner en ~* rückfällig werden; *mouche f du ~ (fig)* G(e)schaftlhuber, Wichtigtuer *m*; **~elet** [-lɛ] *m* Hähnchen *n*; **~enille** [-ij] *f* Koschenille, (Kaktus-)Schildlaus; Koschenille(farbe) *f*; **~eniller** mit Koschenille färben; **~er 1.** *m* Kutscher *m*; *C~ (astr)* Fuhrmann *m*; **2.** *v* (ein=)kerben; an=merken, an=kreuzen; **3.** (*meist* **côcher** [koʃe]) *v (Hahn)* treten; **~ère** *a*; *porte f ~* Hof-, Haustor *n*; Einfahrt *f*; **~et** [-ʃɛ] *m* junge(r) Hahn *m*; **~evis** [-vi] *m orn* Haubenlerche *f*.

Cochinchine, la [kɔʃɛ̃ʃin] Kotschinchina *n*.

coch|léaire [kɔkleɛr] schnecken- *od* löffelförmig; **~léaria** [kɔk-] *m bot* Löffelkraut *n*.

cochon [kɔʃɔ̃] *m* Schwein; Schweinefleisch; *vulg fig* (Dreck-)Schwein *n*, Sau *f*, Schweinigel *m*; *avoir des yeux de ~ (fig fam)* Schweinsäuglein haben; *jouer un tour de ~ à qn* jdm e-n üblen Streich spielen; *mener une vie de ~* ein Luderleben führen; *nous n'avons pas gardé les ~s ensemble (fig fam)* wir haben noch keine Schweine zs. gehütet; *amis, camarades m pl comme ~s (vulg)* dicke Freunde *m pl*; *fromage m de ~ (Art)*

Sülze *f,* Schwartenmagen *m; graisse f, soies f pl du ~* Schweinefett *n,* -borsten *f pl; ~ d'Inde* Meerschweinchen *n; ~ de lait* (Span-)Ferkel *n; ~ de mer (zoo)* Tümmler *m;* **~, ne** [-ʃɔn] *a* Schweine-; *vulg fig* säuisch, schmutzig, unanständig; *s f vulg fig* Schlampe *f,* Lumpenmensch *n;* **~naille** [-aj] *f (fam)* Schweinefleisch *n;* Wurstwaren *f pl;* **~née** *f* Wurf *m* Ferkel; **~ner** *itr (Sau)* ferkeln; *tr vulg (Arbeit)* hin=pfuschen; **~nerie** *f vulg fig* Schweinerei *f;* Dreck, Schund *m;* Pfuscherei *f;* **~net** [-nɛ] *m* Schweinchen *n;* Zielkugel *f (im Kugelspiel);* Doppelwürfel *m.*

cockpit [kɔkpit] *m aero* Führerraum *m.*

cocktail [kɔktɛl] *m* Cocktail(party *f*); Mixbecher *m, ~ Molotov* Molotowcocktail *m.*

coco [kɔko] *m (noix f de ~)* Kokosnuß *f; (Kindersprache)* Ei *n; fam* komische(r) Kauz, Kerl *m; (joli ~)* saubere(r) Kunde *m;* (nettes) Früchtchen; Goldkind *n,* Liebling *m; pop* Birne *f,* Kopf; *pop* Bauch, Magen *m; f arg* Kokain *n; avoir le ~ fêlé (vulg fig)* e-n Knacks haben, verrückt sein; *dévisser le ~ (pop)* ab=murksen, erwürgen (*à qn* jdn); *~ déplumé (pop)* Platte, Glatze *f.*

cocon [kɔkɔ̃] *m zoo* Kokon *m,* Gespinst *n* der Seidenraupe; *s'enfermer dans son ~ (fig)* sich ein=spinnen; **~ner** e-n Kokon bilden.

cocorico [kɔkɔriko] *m* Kikeriki *n.*

cocotier [kɔkɔtje] *m* Kokospalme *f.*

coco|tte [kɔkɔt] *f (Kindersprache)* Huhn; *fam* Puttchen *n,* Liebling *m;* Kokotte *f,* liederliche(s) Frauenzimmer; *fam* Pferdchen *n; fam* Tripper *m;* leichte Entzündung der Augenlider; *fam* Maul- u. Klauenseuche; *mus* Fioritur, (Gesangs-)Verzierung *f;* (gußeiserner) Schmortopf *m;* *~minute* Schnellkochtopf *m;* **~t(t)er** *pop* stinken.

coction [kɔksjɔ̃] *f* (Ab-)Kochen *n;* Verdauung *f.*

cocu [kɔky] *m pop* Hahnrei, betrogene(r) Ehemann *m;* **~fier** Hörner auf=setzen (*qn* jdm).

cod|age [kɔdaʒ] *m* Codierung, Kodierung *f;* **~e** Gesetzbuch *n;* Kode, Telegraphen-, Chiffrierschlüssel *m;* Kennziffer *f; fig* Gesetze *n pl,* Kodex *m (der Höflichkeit, des guten Tones); el* Takt *m (e-s zerhackten Stromes);* Filmstreifenmarkierung *f; être en ~ (mot)* abgeblendet haben; *se mettre en ~* ab=blenden; *c'est dans le ~ (fam)* das ist gesetzlich; *(phares) ~* Abblendlicht *n; ~-barre m* Strichcode *m; ~ civil* Bürgerliche(s) Gesetzbuch *n; ~ de commerce* Handelsgesetzbuch *n; ~ d'instruction criminelle* Strafprozeßordnung *f; ~ de justice militaire* Militärstrafgesetzbuch *n; ~ pénal* Strafgesetzbuch *n; ~ postal* Postleitzahl *f; ~ de procédure civile* Zivilprozeßordnung *f; ~ de la route* Straßenverkehrsordnung *f; ~ de signaux* Signalbuch *n.*

co|débiteur, trice [kɔdebitœr, -tris] *m f* Mitschuldner(in *f*) *m;* **~demandeur, eresse** *m f* Mitkläger(in *f*) *m.*

coder [kɔde] codieren, kodieren.

co|détenteur, trice *m f* Mitinhaber(in*f*) *m;* **~détenu** *m* Mitgefangene(r), Mitinsasse, Mithäftling *m.*

codex [kɔdɛks] *m* (franz.) Arzneibuch *n;* **~icille** [-il] *m* Kodizill *n,* Testamentsnachtrag *m;* **~ification** *f jur* Kodifizierung *f;* **~ifier** kodifizieren.

co|directeur, trice [kɔdirɛktœr, -tris] *m f* Mitdirektor(in *f*) *m;* **~donataire** *m f* Mitbeschenkte(r *m*) *f.*

coéducation [kɔedykasjɔ̃] *f* Koedukation *f,* gemeinsame Erziehung *f* beider Geschlechter.

coefficient [kɔe(ɛ)fisjɑ̃] *m math* Koeffizient; *allg* Bei-, Richtwert; Faktor; Satz *m; ~ de conductibilité thermique* Wärmeleitzahl *f; ~ du coût de la vie* Lebenshaltungskoeffizient *m; ~ de dilatation* (Aus-)Dehnungskoeffizient *m; ~ d'efficacité* Wirkungsgrad *m; ~ de qualité* Wertungszahl *f; ~ de rendement* Leistungsfaktor *m; ~ de sécurité* Sicherheitsfaktor, -grad *m; ~ d'utilisation (tele)* Belastungsfaktor *m.*

cœlentérés [selɑ̃tere] *m pl zoo* Hohltiere *n pl.*

cœnure, cénure [senyr] *f zoo* Quese *f,* Blasenwurm *m.*

co|équation [kɔekwasjɔ̃] *f* Verteilung *f* der Steuern; **~équipier** [-kip-] *m sport* Mitspieler, Mannschaftskamerad *m; fam* Kollege *m.*

coerc|ibilité [kɔɛrsibilite] *f phys* Komprimierbarkeit *f;* **~ible** komprimierbar; **~itif, ive** *jur* zwingend; Zwangs-; **~ition** *f* Zwang *m.*

cœur [kœr] *m* Herz *a. fig;* Gefühl *n;* Zuneigung, Liebe *f;* Sinn *m;* Gewissen *n;* Herzhaftigkeit *f,* Mut; Kern(stück *n*) *m,* Innere(s); *(Kartenspiel)* Herz(en *pl*); *fam* Herz(chen) *n; zoo* Herzmuschel *f; tech* Herzstück *n; à ~ joie* nach Herzenslust; *à ~ ouvert* offen(herzig), freimütig; *(Herzeingriff)* am offenen Herzen; *au ~ de* mitten in; in der Mitte, im Herzen *gen; avec ~* eifrig; *avec* od *d'abondance de ~*

frisch von der Leber weg; *de bon ~* gern; *de gaieté de ~* herzlich gern; *de tout ~* von ganzem Herzen; *par ~* auswendig; *sans ~* herzlos; mutlos; *aller au ~* zu Herzen gehen, herzergreifend sein; *arracher, déchirer, fendre, briser le ~ à qn, blesser qn au ~* jdm das Herz brechen; *avoir à ~ de* es sich angelegen sein lassen zu; *avoir le ~ sur le bord des lèvres* e-n Brechreiz haben; *avoir le ~ sur les lèvres (fig)* das Herz auf der Zunge haben; *avoir le ~ sur la main* hilfreich, großzügig sein; das Herz auf der Zunge haben; *décharger, ouvrir son ~* sein Herz aus=schütten; *dîner par ~* sich kein Mittagessen leisten können; *faire contre (mauvaise) fortune bon ~* sich nicht unter=kriegen lassen; *faire mal au ~* Übelkeit verursachen; *peser sur le ~ (fam)* ärgern; das Herz schwer=machen; *prendre à ~* ins Herz schließen; *prendre son ~ à deux mains* sich ein Herz fassen; *se prendre de ~ pour qc* Feuer und Flamme für etw sein; *presser, serrer qn sur son ~* jdn an sein Herz drücken; *(re)mettre du ~ au ventre de qn* jdm wieder Mut machen; *reprendre ~* wieder Mut fassen; *se ronger le ~* sich in Kummer *od* Leidenschaft verzehren; *savoir par ~* auswendig wissen; *fam* in- u. auswendig kennen; *serrer le ~* das Herz bedrücken; *soulever le ~* Ekel erregen; *tenir à ~* am Herzen liegen; *il a le ~ bon (von e-m Kranken)* das Essen schmeckt ihm; *mon ~ me le dit* ich ahne es; *si le ~ vous en dit* wenn Sie (gern) wollen; *j'ai le ~ gros* das Herz ist mir schwer; *j'ai mal au ~* mir ist übel; *je veux en avoir le ~ net* ich will wissen, woran ich bin; *mon ~ saigne* das Herz blutet mir; *les sages ont la bouche dans le ~, et les fous le ~ dans la bouche* Reden ist Silber, Schweigen ist Gold; *loin des yeux, loin du ~* aus den Augen, aus dem Sinn; *battement m de ~* Herzklopfen *n; homme m de ~* herzhafte(r), beherzte(r) Mensch *m; mal m au ~* Übelkeit *f; maladie f de ~* Herzkrankheit *f*, -leiden *n; Sacré-C~* Herz *n* Jesu; *~ d'or* Prachtkerl *m*, treue Seele *f; ~ de poule* Hasenfuß *m*, Memme *f; ~-poumon m* Herz-Lungen-Maschine *f; ~ d'un réacteur nucléaire* Reaktorkern *m*.

coexist|ant, e [kɔe(ɛ)gzistɑ̃, -ɑ̃t] koexistent; **~ence** *f* Koexistenz *f; ~ pacifique* friedliche Koexistenz *f;* **~er** koexistieren, gleichzeitig, zugleich vorhanden sein.

coff|in [kɔfɛ̃] *m agr* Wetzsteinbüchse *f;* **~iot** [-o] *m arg* Geldschrank *m*.

coffr|age [kɔfraʒ] *m arch* Verschalung *f;* **~e** *m* (großer) Reisekoffer *m;* Truhe *f;* Kasten; Behälter; *mot* Kofferraum; *zoo* Kofferfisch; *pop* Brutkasten *m; avoir du ~ (pop)* kräftig gebaut sein; *~ en acier (tech)* Stahlgehäuse *n; ~ d'amarrage (mar)* Vertäuboje *f; ~-armoire m* Schrankkoffer *m; ~ à échantillons* Musterkoffer *m; ~(-fort) m* Panzer-, Geldschrank, Safe *m; ~ à linge* Wäschetruhe *f; ~ à outils* Werkzeugkasten *m;* **~er** *tech* verschalen; *fam* ein=sperren; **~et** *m* [-frɛ] (Schmuck-)Kästchen *n;* Tasche *f (des Briefträgers); ~ à cigares, à cigarettes* Zigarren-, Zigarettenbehälter *m; ~ de distribution (el)* Verteilerkasten *m*.

co|fidéjusseur [kɔfideʒysœr] *m jur* Mitbürge *m;* **~fondateur** *m* Mitgründer *m;* **~gérer** mitverwalten; **~gestion** *f* Mitbestimmung *f; droit m de ~* Mitbestimmungsrecht *n*.

cogitation [kɔʒitasjɔ̃] *f* (Nach-)Denken *n*.

cognac [kɔɲak] *m* Kognak *m*.

cogn|asse [kɔɲas] *f* wilde Quitte *f;* **~assier** *m* (wilder) Quittenbaum *m*.

cognat [kɔgna] *m jur* Blutsverwandte(r); Kognat, Verwandte(r) *m* mütterlicherseits.

cogne [kɔɲ] *m arg* Schupo, Polizist *m*.

cognée *f* Axt *f; jeter le manche après la ~* die Flinte ins Korn werfen.

cogn|ement [kɔɲmɑ̃] *m* Hämmern; *mot* Klopfen *n;* **~er** *tr (Nagel)* ein=schlagen; *fig* ein=hämmern, ein=bleuen; (an=)stoßen; *pop* verdreschen, (ver)prügeln; *itr* (an=)klopfen (*à* an *acc*); *mot* klopfen; *arg* stinken; *fig* stoßen (*à une difficulté* auf e-e Schwierigkeit); *se ~ contre qc* an e-e S stoßen; *se ~ la tête contre le mur (fig fam)* mit dem Kopf durch die Wand wollen; *~ du poing sur la table* mit der Faust auf den Tisch schlagen.

cognition [kɔɲisjɔ̃] *f* Erkenntnisvermögen *n;* Erkenntnis *f*.

cohabit|ant, e [kɔabitɑ̃, -ɑ̃t] *m f* Mitbewohner(in *f*) *m;* **~ation** *f jur* Gemeinschaft von Tisch und Bett; eheliche Gemeinschaft *f;* Beischlaf *m; allg* Zs.leben *n;* **~er** zs.=wohnen; *jur* bei=wohnen; (ehelichen) Beischlaf haben (*avec* mit).

cohér|ence [kɔerɑ̃s] *f* Zs.hang *m*, Konsistenz; *phys* Kohäsion; *el* Frittung *f;* **~ent, e** *a* zs.hängend.

cohéreur [kɔerœr] *m el* Fritter *m; ~-protecteur m* Frittersicherung *f*.

co|hériter [kɔerite] mit≈erben, Miterbe sein; **~héritier, ère** *m f* Miterbe *m*, -erbin *f*.

cohés|if, ive [kɔezif, -iv] *a* verbindend; **~ion** *f phys* Kohäsion; *el* Frittung *f; fig* Zs.halt, -hang *m*.

coh|orte [kɔɔrt] *f poet* Heerschar *f; fam* Haufen *m* (Leute); **~ue** [kɔy] *f* (Volks-)Menge *f;* Gedränge, Gewühl *n*.

coi, te [kwa, -at] still, ruhig; *se tenir ~* sich ruhig verhalten.

coiff|e [kwaf] *f* (Trachten-)Haube; *anat* (innere) Embryonalhülle *f;* Amnion *n*, Schaf-, (Frucht-)Wasserhaut *f;* Helm *m*, Glückshaube *f (Neugeborener); bot* Samenmantel *m;* Kalyptra, Wurzelhaube; *tech* Haube, Kappe *f*, Deckblech *n;* (Flaschen-)Kapsel; *mar* Kappe *f*, Bezug *m; ~ (de chapeau)* Hutfutter *n; ~ protectrice, de protection (tech)* Abdeckung, Schutzkappe *f;* **~é, e** *a* bedeckt; frisiert; *~ de qc* auf e-e S versessen, von etw eingenommen, in e-e S vernarrt; *être né ~* ein Glückspilz sein; *chèvre f ~e* alte (häßliche) Zicke *f; chien m ~* häßliche(r) Kerl *m;* **~er** *(Kopfbedeckung)* auf≈setzen (*qn de qc* jdm etw), tragen; kleiden, stehen; frisieren; *allg* (be)decken; *fam* verführen, herein≈legen; *(den Ehemann)* betrügen; *(Wein)* zu Kopf steigen, e-n schweren Kopf machen (*qn* jdm); *fig* umfassen; *mar* beholmen; *mil (Ziel)* erreichen; *se ~ de (fam)* sich etw in den Kopf setzen; sich vernarren in *(acc);* sich besaufen; *~ sainte Catherine* mit 25 Jahren keinen Mann haben, sitzen≈bleiben; *~ sur le poteau (sport fig)* um e-e Nasenlänge schlagen; **~eur, se** *m f* Friseur *m*, Friseuse *f; f (Möbelstück)* Toilettentisch *m; ~ pour dames, pour hommes* Damen-, Herrenfriseur *m;* **~ure** *f* Kopfbedeckung *f*, -putz *m;* Frisur, Haartracht *f; salon m de ~* Frisiersalon *m*.

coin [kwɛ̃] *m* Keil *m;* Ecke *f;* Winkel, abgelegene(r) Ort *m; arg* (Stadt-) Viertel *n;* Zipfel; *(Kleidung)* Zwickel, Keil *m;* falsche Seitenlocke *f;* Eckschrank; Eckplatz; *mil* Richtkeil; *sport* Eckstoß; Prägestempel; *fig* Stempel *m*, Gepräge *n; au ~ du feu (fig)* am häuslichen Herd; *en forme de ~* keilförmig; *en boucher un ~ à qn (fam)* jdn verblüffen; *connaître dans les ~s (fam)* in- u. auswendig kennen; *être marqué au ~ de la vérité* den Stempel der Wahrheit tragen; *ne pas quitter le ~ de son feu* immer zu Hause sitzen, ein Stubenhocker sein; *regarder du ~ de l'œil* von der Seite an≈sehen; *tourner le ~* um die Ecke biegen; *ne voir qu'un ~ du tableau* nur eine Seite der Sache sehen; *le petit ~ (fam)* das Örtchen, die Toilette; *~ d'ajustage (tech)* Stellkeil *m; ~s de la bouche, de l'œil* Mund-, Augenwinkel *m pl; ~ du bricoleur, du philatéliste* Bastel-, Briefmarkenecke *f; ~-cuisine m* Kochekke, Kochnische *f; ~-de-feu m* Eckstuhl *m;* Hausjacke *f; ~ monétaire* Münz-, Prägestempel *m;* **~çage** *m* Verkeilen *n;* **~cement** *m* Verkeilung; Hemmung; Verklemmung *f;* **~cer** (ver-, fest≈)keilen; *fam* ein≈klemmen; *fig* in die Enge treiben; fest≈halten; *(Dieb)* stellen; *se ~* sich verklemmen.

coïncid|ence [kɔɛ̃sidɑ̃s] *f math* Kongruenz *f; fig* Zs.treffen *n*, Gleichzeitigkeit *f;* Zufall *m;* **~ent, e** *math* kongruent, deckungsgleich; *fig* zs.treffend, gleichzeitig; **~er** *math* sich decken, kongruent sein; *fig* zs.≈fallen, gleichzeitig sein (*avec* mit); überein≈stimmen (*avec* mit).

coing [kwɛ̃] *m bot* Quitte *f; jaune comme un ~ (fam)* quitte(n)gelb.

coïntéressé, e [kɔɛ̃tere(ɛ)se] *a* mitinteressiert, mitbeteiligt; *s m f* Mitinteressent, Mitbeteiligte(r) *m*.

coït [kɔit] *m* Koitus, Beischlaf *m*.

cok|e [kɔk] *m* Koks *m;* **~éfaction** *f* Verkokung *f;* **~éfiable** verkokbar; **~éfier** verkoken; **~erie** *f* Kokerei *f*.

col [kɔl] *m* Kragen; *vx poet* Hals; (Flaschen-)Hals; *geog* Paß *m; se pousser du ~ (fam)* von sich überzogen sein; sich aufplustern, dick(e)≈tun; *faux ~* abknöpfbare(r) Kragen *m; fam (Bier)* Stehkragen *m; ~ barométrique* Hochdrucksattel *m; ~-bleu (fam)* Teerjacke *f*, Matrose *m; ~ cassé* Kragen *m* mit umgebogenen Ecken; *~ de chemise* Hemdkragen *m; ~-de-cygne (fig)* Schwanenhals *m; ~ Danton* Schillerkragen *m; ~ demi-souple* halbsteife(r) Kragen *m; ~ droit* Stehkragen *m; ~ dur* steife(r) Kragen *m; ~ du fémur (anat)* Schenkelhals m; *~ de fourrur e* Pelzkragen *m; ~ rabattu* Umlegkragen; *~ roulé* Rollkragen *m; ~ souple* weiche(r) Kragen *m; ~ de l'utérus (anat)* Gebärmutterhals *m; ~ de la vessie* (Harn-)Blasenhals *m*.

cola [kɔla] *s. kola*.

colat|eur [kɔlatœr] *m* Abzugsgraben *m;* **~ure** *f* Durchseihen; Durchgeseihte(s); abzuziehende(s) Wasser *n*.

colchique [kɔlʃik] *m bot* Herbstzeitlose *f*.

colcotar [kɔlkɔtar] *m chem* Eisenmennige *f.*
coléoptère [kɔleɔptɛr] *m zoo* Käfer *m.*
col|ère [kɔlɛr] *s f* Zorn *m,* Wut *f,* Ärger *m; fig* Wüten, Toben *n; a* jähzornig; *avoir des ~s* Wutanfälle haben; *entrer, se mettre en ~* zornig, wütend werden; in Wut geraten; *être en ~* zornig sein; *passer sa ~ sur qn* seine Wut an jdm aus≈lassen; *piquer, prendre une ~ (fam)* wütend, rasend werden; *la ~ lui monte au visage* die Zornesröte steigt ihm ins Gesicht; *accès m de ~* Zorn-, Wutausbruch *m;* **~éreux, se; ~érique** jähzornig.
coli|bacille [kɔlibasil] *m* Kolibazillus *m;* **~bacillose** *f med* Koliinfektion *f.*
colibri [kɔlibri] *m orn* Kolibri *m.*
colifichet [kɔlifiʃɛ] *m* Schnörkel; Besatzartikel; *pl* Tand, Flitterkram; *fam* Firlefanz *m,* Kinkerlitzchen *pl.*
colimaçon [kɔlimasɔ̃] *m* Schnecke *f (mit Haus); en ~* schneckenförmig; *escalier m en ~* Wendeltreppe *f.*
colin [kɔlɛ̃] *m orn* Baumwachtel *s; zoo* Kohlfisch *m; ~-maillard m: jouer à* (od *au*) *~* Blindekuh spielen.
colique [kɔlik] *f* Kolik *f,* Leibschmerzen *m pl,* Bauchgrimmen *n;* Durchfall *m; avoir la ~ (pop)* Angst, *vulg* Schiß haben; *donner la ~ à qn (fam)* jdm auf die Nerven fallen; *~ hépatique, néphrétique* Gallen-, Nieren(stein) kolik *f; ~s utérines* Nachwehen *pl.*
colis [kɔli] *m* Gepäck-, Frachtstück, Stückgut *n; ~ (postal)* (Post-)Paket *n; ~ de détail, encombrant* Stück-, Sperrgut *n; ~ express* Eilgut *n; ~ de valeur déclarée* Wertpaket *n; ~ piégé* Paketbombe *f.*
colistier [kɔlistje] *m pol* Parteifreund (auf derselben Wahlliste) *m.*
colite [kɔlit] *f* Dickdarmkatarrh *m.*
collabor|ateur, trice [kɔlabɔratœr, -tris] *m f* Mitarbeiter(in *f*) *m; pol* Kollaborateur *m;* **~ation** *f* Mitarbeit *f;* Mitarbeiterstab *m;* Zs.arbeit *f* mit dem Feind; *en ~ avec* unter Mitarbeit *gen,* in Zs.arbeit mit; **~ationniste** *m (Norwegen)* Quisling, Kollaborateur *m;* **~er** mit≈arbeiten (*à* an *dat*), zs.≈arbeiten (*avec* mit), bei≈tragen (*à* zu).
coll|age [kɔlaʒ] *m (Papier)* Leimen; An-, Aufkleben; *(Stoff)* Schlichten; *(Tapeten)* Kleben, Kleistern; *(Wein)* Klären *n; fam* wilde Ehe, Onkelehe *f;* **~ant, e** *a* klebrig; Kleb(e)-; *(Kleidung)* hauteng, enganliegend; *fam* auf-, zudringlich, lästig; *s m* Strumpfhose *f.*
collat|éral, e [kɔlateral] *a* Seiten-, Neben-; *s m f* Seitenverwandte(r) *m; ligne f ~e (jur)* Seitenlinie *f; nef f ~e (arch)* Seitenschiff *n; rue f ~e* Neben-, Seitenstraße *f.*
collation [kɔlasjɔ̃] *f jur* Übertragung; *(Titel)* Verleihung *f;* Kollationieren *n,* Vergleichung *(von Texten);* leichte Nachmittags- *od* Abendmahlzeit *f,* Imbiß *m;* **~nement** *m* Kollationieren *n,* Vergleichung *f (von Texten);* **~ner** *tr* kollationieren, *(Texte)* vergleichen; (nach≈)prüfen; *itr* e-n Imbiß ein≈nehmen, vespern.
colle [kɔl] *f* Klebstoff, Kleister, Leim *m; arg (Schule)* Fangfrage, schwere Frage *f;* Abfragen; Nachsitzen *n,* Arrest *m; fam* Flause *f; enduire de ~* mit Leim bestreichen; *poser une ~ (arg) (Schule)* e-e Fangfrage stellen; *être sale comme un pot de ~* vor Schmutz starren; *pot m de ~* Kleistertopf *m; ~ de bureau* Bürokleister *m; ~ d'amidon, de pâte* Mehl-, Stärkekleister *m; ~ antichénillique* Raupenleim *m; ~ forte* (Tischler-)Leim *m; ~ à froid* Kaltleim *m; ~ pour mouches* Fliegenleim *m; ~ de porcelaine* Porzellankitt *m.*
collect|e [kɔlɛkt] *f* Kollekte *a. rel,* Geld-, Spendensammlung *f; faire une ~* e-eSammlung veranstalten *od* durch≈führen; *~ des ordures* Müllabfuhr *f; ~ des pommes de terre* Kartoffelernte *f;* **~eur** *m arch tech* Sammel-, Hauptkanal; *el* Kollektor, Sammler, Kommutator *m; ~ sur cadre, d'ondes* Rahmen-, (Empfangs-) Antenne *f; ~ de terre* Erd(leit)ung *f;* **~if, ive** *a* Kollektiv-, Sammel-, Massen-; zs.fassend; gemeinsam; zs.gesetzt; allgemein; *s m* Sammelbegriff; *pol jur* Kollektiv *n; faire une démarche ~ive* e-n gemeinsamen Schritt unternehmen; *âme f ~ive* Kollektivseele *f; billet m ~* Gesellschaftsfahrkarte *f; contrat m ~ de travail* Gesamtarbeitsvertrag *m; voyage m ~* Gesellschaftsreise *f;* **~ion** [-sjɔ̃] *f;* Zs.stellung, Sammlung, *(Buch)* Reihe *f;* Archiv *n; com* (Muster-)Kollektion *f; faire ~ de* sammeln, e-e Sammlung an≈legen von; *~ de disques, de timbres* Schallplatten-, Briefmarkensammlung *f; ~ de mode* Modekollektion *f; ~ purulente* Eiteransammlung *f;* **~ionner** [-sjɔ-] sammeln; **~ionneur, se** *m f* Sammler(in *f*) *m;* **~iviser** kollektivieren, in Gemeinbesitz über≈führen; **~ivisation** *f* Kollektivierung, Überführung *f* in Gemeinbesitz; **~ivisme** *m pol* Kollektivismus *m;* **~iviste** *a* kollektivistisch; *s m f* Kollektivist(in *f*) *m;* **~ivité** *f* Gruppe,

Gemeinschaft *f;* gemeinschaftliche(r) Besitz *m; ~ de droit public* Körperschaft *f* des öffentlichen Rechts.

coll|ège [kɔlɛʒ] *m* Kollegium *n;* (städtische) höhere Schule *f; sacré ~* Kardinalskollegium *n; ~ électoral* Wählerschaft *f;* Wahlmännerkollegium *n;* **~égial, e** Gymnasial-; Stifts-; *église f ~e* Stiftskirche *f;* **~égien, ne** *a* schülerhaft; Schüler-; *s m f* Gymnasiast(in *f*) *m;* **~ègue** [-ɛg] *m f* Kollege *m,* Kollegin *f; pop* Kamerad *m.*

coller [kɔle] **1.** *itr (adhérer)* kleben, haften; *sa chemise lui ~e au corps* sein Hemd klebt ihm am Körper; *la boue ~e aux chaussures* Schmutz klebt an den Schuhen; *(Kleidung)* eng an=liegen, gut sitzen; *fig ~ au texte* wortgetreu übersetzen; *~ à une difficulté* sich verbissen an e-e Sache machen; *qu'est-ce qui ne ~e pas?* was ist denn (da) nicht in Ordnung? *ça ~e* das klappt! **2.** *tr* (an=, auf=, zs.=)kleben, leimen, kleistern; *~ un timbre sur une enveloppe* e-e Briefmarke auf einen Umschlag kleben; *(appu* drücken, pressen (*contre* an, gegen *acc; sur* auf *acc*); *~ son front à la vitre* s-e Stirn an die Fensterscheibe drücken; *(Blick)* heften (*sur qn, qc* auf jdn, e-e S); *fig fam* auf=erlegen, verkaufen, *fam* an=drehen *(qc à qn* jdm e-e S); *(Ohrfeige)* geben; *(Schlag)* versetzen; *~ un pain à qn (vulg)* jdm e-e kleben; *fig fam* zum Schweigen bringen (*qn* jdn), den Mund stopfen (*qn* jdm); (ins Gefängnis) stecken; *arg (Schule)* e-e Fangfrage stellen *dat;* nach=sitzen, durch= fallen lassen; *(Papier)* leimen; *photo (Bild)* auf=ziehen; *typ (Deckel)* überziehen; *(Wein)* klären; *~ qc dans* e-e S ein=kleben in *acc; ~ qc dessus* e-e S darüber=kleben; **3.** *se ~* sich an= drücken, sich an=pressen (*à, contre* an *acc*); sich eng an=schließen, sich an=schmiegen; *(Blick)* sich heften; *fam* in wilder Ehe zs.=leben.

collerette [kɔlrɛt] *f* (runder) Halskragen *m,* Halskrause; *(Blume, Kerze)* Manschette; *bot (Dolde)* Hülle *f; (Pilze)* Ring *m; tech* Bund, Rand, Flansch *m;* Verschlußkappe *f.*

coll|et [kɔlɛ] *m* (Kleider-, Rock-) Kragen *m; Art* Cape *n,* kurze(r) Umhang; *(Hammel, Kalb)* Nacken, Kamm; Zahnhals; *bot* Wurzelhals *m; (Jagd)* Schlinge *f; tech* Hals *m,* (Hals-)Lager *n,* Flansch; Rand *m,* Pfanne *f,* Bund(ring) *m; mettre la main sur le* od *au ~ de qn, prendre, saisir qn au ~* jdn am Kragen, am Schlafittchen packen; *fig* fest=, zurück=halten; *~ monté (fig)* steif, geziert; zugeknöpft; *~ de tuyau* Muffe, Schelle *f;* **~eter** [kɔlte] *tr* am Kragen packen; *itr (Jagd)* Schlingen legen; *se ~* sich (ständig) in den Haaren liegen; *fig* sich herum=schlagen (*avec* mit); **~eteur** *m* Schlingenleger *m.*

coll|eur [kɔlœr] *m* (Papier-, Karten-) Leimer, Kleber, Aufzieher; (Tuch-) Schlichter; Tapezierer; Plakatkleber; *fam* Angeber, Renommierer; *arg* Prüfer *m;* **~euse** *f* Klebe-, Leimauftragmaschine *f.*

colley [kolɛ] *m* Collie, schottische(r) Schäferhund *m.*

collier [kɔlje] *m* Halsband *n,* -kette; Ordenskette *f; (Zugtiere)* Kum(me)t, Joch *n a. fig,* Fron(arbeit) *f; (Rind)* Halsstück *n; orn zoo* (Hals-)Ring; *arch* Perlstab; *tech* Reif, Kragen, Ring, Bund *m,* Schelle *f; donner un coup de ~, tirer à plein ~ (Zugtier)* ins Geschirr gehen, sich ins Geschirr legen; *fig* sich ins Zeug legen; *cheval m de ~* Zugpferd *n; franc de ~* aufrichtig, zuverlässig; *~ de barbe* Fräse *f; ~ de chien* Hundehalsband *n; ~ de fixation* Rohrschelle *f; ~ de misère* Plackerei, saure Arbeit *f; ~ de perles* Perlenschnur *f; ~ de serrage* Klemmring *m.*

colliger [kɔliʒe] sammeln; *(zu e-m Buch)* zs=stellen.

colli|mateur [kɔlimatœr] *m astr mil* Visiervorrichtung *f,* Kollimator *m;* **~mation** *f* Visieren *n.*

colline [kɔlin] *f* Hügel *m.*

collision [kɔlizjɔ̃] *f* Zs.stoß *m,* Kollision *f,* Aufea.prallen *n a. fig, entrer en ~* zs=stoßen (*avec une moto* mit e-m Motorrad); **~ner** rammen, zs= stoßen (*qc* mit etw).

collocation [kɔlɔkasjɔ̃] *f* Reihenfolge (der Gläubiger); Anteilsumme *f.*

collo|dion [kɔlɔdjɔ̃] *m chem pharm* Kollodium *n;* **~ïdal, e** [-lɔi-] *chem* kolloidal; **~ïde** *m* Kolloid *n.*

collo|que [kɔlɔk] *m* Gespräch *n,* Unterredung *f a. ironisch;* Kolloquium, Symposium *n;* **~quer 1.** *péj* unterbringen (*qn* jdn); an=drehen (*qc à qn* jdm etw); *fam (Schlag)* versetzen; *~ les créanciers jur* die Reihenfolge der Gläubiger fest=setzen; **2.** sich unterhalten, diskutieren.

collotypie [kɔlɔtipi] *f* Lichtdruck *m.*

coll|usion [kɔlyzjɔ̃] *f* heimliche(s) Einverständnis *n,* Durchstecherei *f;* **~usoire** heimlich verabredet, abgekartet.

collutoire [kɔlytwar] *m pharm* Mundwasser *n.*

collyre [kɔlir] *m pharm: ~ liquide,*

mou, sec Augentropfen *m pl,* -salbe *f,* -pulver *n.*

colmat|age [kɔlmataʒ] *m* Aufschüttung, Aufschlämmung *(des Bodens);* Verschlammung *(von Gräben, Rohren); mil* Begradigung, Schließung *f* (e-r Frontlücke); **~er** *(Boden)* auf≈schütten, auf≈schlämmen; *mil (Bresche)* schließen; verstopfen, ab≈dichten; *se ~ (Gräben, Rohre)* verschlammen.

Cologne [kɔlɔɲ] *f* Köln *n; eau f de ~* Kölnisch Wasser *n.*

colomb|age [kɔlɔ̃baʒ] *m arch* ausgeriegelte(s) Fachwerk *n;* **~e** *f* **1.** *poet* Taube; *fig* Unschuld *f,* unschuldige(s) Mädchen; *hum* lockere(s) Frauenzimmer *n;* **2.** *arch* Dachstuhlsäule; *tech* Fügebank *f;* **~elle** *f* **1.** Täubchen *n;* **2.** *typ* Spaltenlinie *f.*

Colombie, la [kɔlɔ̃bi] Kolumbien *n.*

colomb|ier [kɔlɔ̃bje] *m* Taubenhaus *n,* -schlag *m; fig* (elterliches) Nest *n; theat hum* Hahnenbalken, Olymp *m;* Papier *n* von großem Format (90 × 63 cm); *typ* zu weiter Zwischenraum; *mar* (Ablauf-)Schlittenständer *m;* **~in, e** *a* taubenartig, Tauben-; *s m min* reine(s) Bleierz *n; f* Geflügeldünger *m; theat* Kolumbine *f;* **~ophile** [-bɔfil] *a* Brieftauben-; *s m* Brieftaubenzüchter *m;* **~ophilie** *f* Brieftaubenzucht *f.*

colon [kɔlɔ̃] *m* (An-)Siedler, Pflanzer; Bauer, Landwirt, Pächter; *arg mil* Oberst; *vulg* Kumpel, Kamerad *m; mon ~!* mein Lieber! **~age** [-lɔ-] *m; ~ partiaire* Teil-, Halbpacht *f.*

colonel [kɔlɔnɛl] *m* Oberst *m; grade m de ~* Oberstenrang *m;* **~elle** *f* Frau *f* e-s Obersten; *(compagnie f ~)* Stabskompanie *f.*

colon|ial, e [kɔlɔnjal] *a* Kolonial-; die Kolonien betreffend; zu e-r Kolonie gehörig; *s m* Kolonialsoldat; Siedler *m; s f fam* Kolonialinfanterie *f; denrées f pl ~es* Kolonialwaren *f pl;* **~ialisme** *m* Kolonialismus *m;* **~ie** *f* Kolonie; Niederlassung, Ansiedlung *f; ~ agricole* Landsiedlung *f,* -erziehungsheim *n; ~ pénitentiaire* Strafkolonie *f;* Besserungsanstalt *n; ~ sanitaire* Kindererholungsheim *n; ~ de vacances* Ferienkolonie *f;* **~isable** kolonisierbar; **~isateur, trice** *a* kolonisierend; Kolonial-; *s m* Kolonisator, Gründer *m* e-r Kolonie; **~isation** *f* Kolonisation, Kolonisierung; Gründung *f* e-r Kolonie; **~iser** kolonisieren, e-e Kolonie gründen in *dat; fig* mit Beschlag belegen.

côlon [kolɔ̃] *m anat* Grimmdarm *m.*

colonn|ade [kɔlɔnad] *f* Säulenreihe *f,* -gang *m;* **~e** *f arch* Säule *f a. fig;* (Bett-)Pfosten *m;* (senkrechte) Reihe, Kolumne *(von Wörtern od Zahlen); typ* Spalte, Kolumne; *mil* (marschierende) Kolonne, Marschordnung *f; sur deux ~s* zweispaltig; *en quatrième ~* in der 4. Spalte; *défiler en ~ par huit* in Achterreihen vorbei≈marschieren; *se former en ~* sich in Marschordnung auf≈stellen; *marcher en tête de ~* an der Spitze der K. marschieren; *en ~ couvrez!* richt't euch! *largeur f de ~* Spaltenbreite *f; longueur, profondeur f de ~* Marschlänge, -tiefe *f; ~ d'affichage, d'affiches, Morris* Anschlag-, Litfaßsäule *f; ~ des petites annonces* Inseratenteil *m; ~ barométrique, de mercure* Quecksilbersäule *f; ~ de commande (mot)* Steuersäule *f; ~ d'eau, de fumée, de feu* Wasser-, Rauch-, Feuersäule *f; ~ éruptive (geol)* Pfeife *f; ~ en faisceau* Bündelsäule *f; ~ de groupe* Schützenreihe *f; ~ de marche* Marschkolonne *f; ~ mobile, volante* Streifenkommando *n; ~ montante (Wasser)* Steigrohr *n; el* Steigleitung *f; ~ monumentale, triomphale* Triumph-, Siegessäule *f; ~ de ravitaillement* Nachschubkolonne *f; ~ réclame* Reklamespalte *f; ~ de route (mil)* Marschkolonne *f; ~ vertébrale (anat)* Wirbelsäule *f;* **~ette** *f* kleine Säule *f.*

colophane [kɔlɔfan] *f* Kolophonium, Geigenharz *n.*

coloquinte [kɔlɔkɛ̃t] *f bot* Koloquinte *f; pop* Kopf *m,* Birne *f.*

color|ant, e [kɔlɔrɑ̃, -ɑ̃t] *a* färbend; *s m* u. *a: matière f ~e* Farbstoff *m; ~ dérivé de goudrons* Teerfarbstoff *m;* **~ation** *f* Färben *n,* Färbung *f;* **~é, e** *a* gefärbt; farbkräftig, farbenfroh; dunkel-, hochrot; *(Stil)* farbig; *avoir le teint ~* e-e gesunde Gesichtsfarbe haben; **~er** färben; *vx fig* verschönern; schön≈färben, beschönigen; *se ~* sich färben; **~iage** *m* Kolorierung *f;* **~ier** kolorieren; **~is** [-ri] *m* Kolorit *n,* Farbgebung; Gesichtsfarbe; *fig (Stil)* Farbigkeit *f;* **~isation** *f* Auftragen *n* der Farben; **~iste** *m* Kolorist, Kolorierer; *fig* glänzende(r) Stilist *m.*

coloss|al, e [kɔlɔsal] kolossal, riesenhaft, gewaltig; **~e** *m* Koloß *m,* Riesenfigur *f,* -standbild *n; fig* Riese, Hüne *m.*

colostrum [kɔlɔstrɔm] *m med* Kolostrum *n,* Vormilch *f.*

colport|age [kɔlpɔrtaʒ] *m* Hausieren *n;* Hausierhandel *m;* Verbreitung *f (von Nachrichten);* **~er** hausieren (*qc* mit etw); *(Nachricht)* verbreiten;

~eur, se *m f* Hausierer(in *f*); Neuigkeitskrämer(in *f*) *m.*

coltin|er [kɔltine] *(Lasten)* tragen; *se ~ (fam)* sich auf≈laden, -halsen; *pop* sich prügeln; **~eur** *m* Lastträger *m.*

columb|arium, ~aire [kɔlɔ̃barjɔm, -ɛr] *m* Urnenhalle *f.*

colza [kɔlza] *m bot* Raps *m; huile f de ~* Rüböl *n.*

coma [kɔma] *m med* Koma *n,* Ohnmacht, Bewußtlosigkeit *f;* **~teux, se** komatös.

combat [kɔ̃ba] *m* Kampf *m,* Gefecht *n;* Zs.stoß *m,* Schlägerei *f; fig* (innerer) Kampf, (Wett-)Streit (*de* um); *poet* Gegensatz; *pl* Krieg *m; au fort du ~* in der Hitze des Gefechts; *disposé pour le ~ (mar)* klar zum Gefecht; *prêt au ~* kampfbereit; *accepter le ~* sich zum K. stellen; *avoir l'expérience du ~* kampferfahren sein; *commencer, ouvrir le ~* den K. eröffnen; *mettre hors de ~* kampfunfähig machen; *accalmie f du ~* Gefechtspause *f; avion m de ~* Kampfflugzeug *n; char m de ~* Kampf-, Panzerwagen *m; conduite f du ~* Gefechtsführung *f; coq m de ~* Kampfhahn *m; déroulement m des ~s* Gefechtsverlauf *m,* -entwicklung *f; engin, moyen m de ~* Kampfmittel *n; exercice m de ~* Gefechtsexerzieren *n; paquetage m de ~* Gefechtsausrüstung *f; recherche f de renseignements pour le ~* Gefechtsaufklärung *f; situation f du ~* Gefechtslage *f; terrain m du ~* Gefechtsfeld *n; zone f de ~* Kampfgebiet *n; ~ aérien* Luftkampf *m; ~ de boxe* Boxkampf *m; ~ de coqs* Hahnenkampf *m; ~ défensif* Abwehrkampf *m; ~ par le feu* Feuerkampf *m; ~ naval* Seeschlacht *f; ~ rapproché* Nahkampf *m; ~ de rencontre* Begegnungsgefecht *n; ~ de rues* Straßen-, Häuserkampf *m; ~ singulier* Zweikampf *m; ~ de taureaux* Stierkampf *m; ~ terrestre* Erdkampf *m;* **~if, ive** streit-, kampflustig; *esprit m ~* Kampfgeist *m; valeur f ~ive* Gefechtswert *m,* Kampfkraft *f;* **~ivité** *f* Streit-, Kampflust; *mil* Kampfkraft *f;* **~tant, e** *a* kämpfend; Kampf-; *s m* Kämpfer, Kämpfende(r); Kriegsteilnehmer; Streitende(r); *fig* Streiter; *orn* Kampfhahn *m; effectif m ~* Gefechtsstärke *f; troupes f pl ~es* kämpfende Truppe *f;* **~tre** *irr tr* (be)kämpfen; fechten, streiten (*qn* mit jdm); *fig* zu widerlegen, bemeistern, beherrschen suchen; *itr* (an≈)kämpfen (*contre* gegen); *~ de qc avec qn* mit jdm in etw wetteifern; *se ~* mitea. kämpfen, streiten, in Streit liegen; *~ en soi-même (fig)* (sich) unschlüssig sein; *en état de ~* kampffähig.

combe [kɔ̃b] *f geog* enge(s) Längstal *n,* Schlucht *f; mil* Geländeeinschnitt *m.*

combien [kɔ̃bjɛ̃] *(de)* wieviel(?), wie viele(?); wie (sehr), in welchem Maße(?); *à ~?* wie hoch? *~ y a-t-il de ... à?* wie weit ist es von ... bis? *~ cela? ça fait ~? (pop)* was kostet das? *le ~ êtes-vous?* der wievielte sind Sie? *~ de fois?* wie oft? *le ~ sommes-nous? (fam)* den wievielten haben wir? *~ de temps?* wie lange? *tous les ~ passe l'autobus? (pop)* wie oft fährt der Autobus?

combin|able [kɔ̃binabl] kombinierbar; *chem* verbindbar; **~aison** *f* Anordnung; Zs-stellung, Verbindung *a. chem;* Verkettung (von Umständen); Berechnung, Maßnahme; *math* Kombination; *(Kleidung)* Overall *m;* Unterkleid *n,* -rock *m;* Hemdhose; *el* Mehrfachschaltung *f; fig* Mittel u. Wege, Umtriebe *pl; pop* Schwierigkeit *f; entrer en ~ (chem)* e-e Verbindung ein≈gehen; *cadenas m à ~* Buchstaben(vorhänge)schloß *n; esprit m de ~* Kombinationsgabe *f; ~ chimique* chemische Verbindung *f; ~ de mécanicien* Monteuranzug *m; ~ ministérielle* Einigung *f* über die Regierungsbildung; *~ de pilote* Fliegerkombination *f; ~ spatiale* Raumanzug *m;* **~ard, e** *a pop* schlau, verschlagen; *s m* Pfiffikus *m;* **~at** [-a] *m com* Kombinat *n;* **~ateur, trice** *a* geschickt kombinierend; *s m* geschickte(r) Kombinierer; *el* Schaltkasten; *tele* Folge-, Steuerschalter, Stufenwähler *(a. ~ de prises); mot* Fahrschalter, Kontroller *m;* **~e** *f pop* Kniff, Trick, Dreh *m,* Masche *f;* Unterkleid *n,* Hemdhose *f; connaître la ~* den Rummel kennen; **~é** *s m chem* Verbindung *f (Produkt); tele* (Sprech-)Hörer, Handapparat; Rundfunkempfänger mit Plattenspieler; *sport* kombinierte(r) Wettkampf *m; pp a chem* gebunden; *mil* zs.wirkend; **~er** kombinieren, an≈ordnen; zs.≈stellen, vereinigen; organisieren; *fig* berechnen, aus≈denken; *chem* verbinden, zs.≈setzen; *se ~* sich verbinden *a. chem.*

combl|e [kɔ̃bl] *s m* Dach(stuhl *m*) *n; fig* Gipfel, Höhepunkt *m; fig* gehäufte(s) Maß, Übermaß; *pl* Dachgeschoß *n; a* (über)voll, überfüllt; *(Raum)* voll besetzt; *de fond en ~* von unten bis oben *a. fig; pour ~* zu allem Überfluß; um das Maß vollzumachen; *être* *au ~ de la joie* sich wie ein Schneekönig freuen; *loger sous les ~s* unter dem Dach wohnen; *c'est le ~ (fam)* das ist die Höhe!; *la mesure est à son ~* das Maß ist voll; *~ brisé, à la Mansart* Mansardendach *n; ~ en croupe* Walmdach *n; ~ droit* Satteldach *n; ~ en pavillon, pyramidal* Zeltdach *n; ~ simple, en appentis* Pultdach n; **~ement** *m* Auffüllung, Aufschüttung; *geog* Anschwemmung *f;* **~er** *(Maß)* übervoll machen; *(Graben)* auf=füllen, zu=schütten; *fig* die Krone auf=setzen (*qc* e-r S *dat*); *(Lücke)* schließen; *(Defizit)* aus=gleichen, decken; *(Wünsche)* erfüllen; *~ qn de qc* jdn mit etw *(Ehren, Gunst)* überhäufen; *(Bedürfnis)* befriedigen; *~ la mesure* das Maß voll=machen; *~ une vacance* e-e Stelle besetzen; *vous me ~z* Sie sind zu gütig; *je suis comblé* ich bin überglücklich.

combrière [kɔ̃brijɛr] *f* Thunfischnetz *n.*

comburant, e [kɔ̃byrɑ̃] *a* die Verbrennung bewirkend; *s m* Sauerstoffträger; Zündstoff *m.*

combust|ibilité [kɔ̃bystibilite] *f* Brennbarkeit *f;* **~ible** *a* (ver)brennbar; leicht entzündlich *a. fig,* feuergefährlich; *s m* Brenn-, Kraft-, Treibstoff *m; pl* Heizmaterial *n; alimentation f en ~ (mot)* Brennstoffzuführung *f; consommation f de* od *en ~* Kraftstoffverbrauch *m; ~ antidétonant* klopffeste(r) Brennstoff *m; ~s domestiques* Hausbrand *m; ~ lourd* Schweröl *n; ~ pour moteurs Diesel* Dieselkraftstoff *m; ~ nucléaire* Kernbrennstoff *m; ~ au plomb tétraéthyle* Bleibrennstoff *m;* **~ion** [-stjɔ̃] *f* Verbrennung *f a. chem,* Verbrennen; *(Ladung)* Abbrennen *n; fig* Brand *m,* Gärung *f,* Aufruhr *m; j'ai la tête en ~* mir raucht der Kopf; *chambre f de ~* Verbrennungskammer *f,* -raum *m; moteur m à ~ interne* Verbrennungsmotor *m; poêle m à ~ lente* Dauerbrandofen *m; point m de ~* Brennpunkt *m; produit m de ~* Verbrennungsprodukt *n; temps m de ~ (Rakete)* Brennzeit *f; ~ incomplète* Schwelen *n; ~ lente* Glimmen *n; ~ spontanée* Selbstentzündung *f.*

coméd|ie [kɔmedi] *f* Komödie *f,* Lustspiel; Schauspielhaus, Theater *n; fig* Spiel *n,* Betrug, Schein *m, fam* Mache *f;* Scherz, Ulk *m; donner la ~* Theaterstücke auf=führen, *fig* sich lächerlich machen, lächerlich sein; *se donner la ~* sich den Spaß leisten, sich das Vergnügen gönnen; *jouer la ~* Theater, *fig* Komödie spielen; *secret m de la ~* offene(s) Geheimnis *n; ~ de caractère* Charakterkomödie *f; ~-féerie f* Zauberposse *f; ~ d'intrigue* Intrigenstück *n; ~ larmoyante, attendrissante* Rührstück *n; ~ lyrique* komische Oper *f; ~ de mœurs* Sittenkomödie *f,* Konversationsstück *n; ~ pastorale* Schäferspiel *n; ~ à tiroir, épisodique* Posse *f;* Schwank *m; ~-vaudeville f* Singspiel, Volksstück *n;* **~ien, ne** *s m f* Schauspieler(in *f*); *fig* Komödiant(in *f*); Heuchler(in *f*) *m; a* falsch, heuchlerisch.

comédon [kɔmedɔ̃] *m med* Mitesser *m.*

comestible [kɔmɛstibl] *a* eßbar; *s m pl* Lebensmittel *n pl,* Delikatessen *f pl; boutique f de ~s* Lebensmittelgeschäft; Feinkosthaus *n.*

com|étaire [kɔmetɛr] *a* Kometen-; **~ète** *f* Komet *m;* (Toten-)Bahre *f; (Buchbinder)* Kapitalband *n; tirer des plans sur la ~ (fig fam)* sich den Kopf zerbrechen.

comice [kɔmis] *m* (Volks-)Versammlung *f; ~ agricole* landwirtschaftliche Versammlung *f.*

comique [kɔmik] *a* komisch, komödienhaft; Lustspiel-; *allg* scherzhaft, lustig; sonderbar, eigenartig; *s m* Komik *f,* (das) Komische, Eigenartige, Lächerliche; Lustspieldichter; *theat* Komiker *m;* komische(s) Fach *n; allg* Spaßmacher, Hanswurst, *fam* Witzbold *m; auteur m ~* Lustspieldichter *m; bas, haut ~* derbe, feine Komik *f; ~ de situation* Situationskomik *f.*

comité [kɔmite] *m* Komitee *n,* Ausschuß *m,* Kommission *f; en petit ~ (fam)* in kleinem, engstem Kreis; *se former en ~ secret* e-e Geheimsitzung ab=halten; *~ d'action* Arbeits-, Aktionsausschuß *m; ~ de conciliation* Schlichtungsausschuß *m; ~ consultatif* Beirat *m; ~ de défense* Bürgerinitiative *f; ~ de direction* Vorstand *m; ~ électoral* Wahlausschuß *m; ~ d'entreprise* Betriebsrat *m; ~ d'établissement* Betriebsrat *m; ~ des fêtes* Festausschuß *m; ~ gérant* geschäftsführende(r) A.; *~ de lecture (theat)* Prüfungsausschuß *m; ~ de normalisation* Normenausschuß *m; ~ de réclamation* Beschwerdeausschuß *m; ~ de rédaction* Redaktionsausschuß *m.*

command [kɔmɑ̃] *m* Auftraggeber *m (e-s Käufers od Ersteigeres); ~-car m* Befehlswagen *m.*

command|ant [kɔmɑ̃dɑ̃] *s m mil* Kommandant, Kommandeur, Befehlshaber; Major *m; a* kommandierend; *~ de corps d'armée* kommandierende(r) General *m; ~ d'armes* Ortskommandant *m; ~ de bataillon, de régiment, de division* Bataillons-, Regiments-, Divisionskommandeur *m; ~ en chef* Oberbefehlshaber, Führer *m* (e-r Heeresgruppe); *~ d'une circonscription militaire* Wehrkreiskommandeur *m; ~ de compagnie* Kompaniechef *m; ~ d'escadre (mar aero)* Geschwaderführer *m; ~ du génie* Pionierkommandeur *m; ~ de sous-marin(s)* U-Boot-, Unterseeboot- Kommandant *m; ~ de territoire* Bezirkskommandant *m; ~ des transmissions* Nachrichtenkommandeur *m; ~ de la zone arrière d'armée* Kommandant *m* des rückwärtigen Armeegebiets; **~ante** *f* Frau e-s Kommandanten, *fam* Kommandeuse; Majorin *f.*

command|e [kɔmɑ̃d] *f com* Bestellung *f,* Auftrag(serteilung *f*); *tech* Antrieb *m; mot aero* (elektr.) Steuerung *f,* Steuerwerk *n;* Betätigung, Bedienung *f; de ~ (com)* bestellt; obligatorisch, *fig* unerläßlich; vorgetäuscht; *(Lächeln)* gezwungen; Schein-; *sur ~* auf Bestellung; *faire, passer une ~ à qn* e-n Auftrag an jdn vergeben; *tenir les ~s* die Zügel in der Hand haben; *arbre m de ~* Antriebswelle *f; bouton m de ~* Bedienungsknopf *m; bulletin, numéro m de ~* Bestellzettel *m,* -nummer *f; carnet m de ~s* Bestellbuch *n; confirmation f de ~* Auftragsbestätigung *f; larmes f pl de ~* Krokodilstränen *f pl; levier m de ~* Betätigungshebel *m; livre m des ~s* Kommissionsbuch *n; poste m de ~* Führerstand *m; ~ d'allumage (tech)* Zündregelung *f; ~ à bras, à main* Handbetrieb *m; ~ de direction (aero)* Seitensteuerung *f; ~ à distance* Fernlenkung, -steuerung *f; ~ de la distribution (mot)* Nockenwellenantrieb *m; ~ d'élève, double ~* Schulsteuerung *f; ~ à double face* doppelseitige(r) Antrieb *m; ~ de frein* Bremsbetätigung *f; ~ individuelle* Einzelantrieb *m; ~ de magnéto* Magnetantrieb *m; ~ mécanique* Kraftbetrieb, Maschinenantrieb *m; ~ de mise en action* Schaltgetriebe *n; ~ à pied* Fußsteuerung *f; ~ de profondeur (aero)* Höhen- *od* Tiefensteuerung *f; ~ de puissance (radio)* Stärkeregler *m; ~ à réglage sans graduation* stufenlose(s) Getriebe *n; ~ des signaux et aiguilles* (elektr.) Signal- u. Weichenstellung *f; ~ des vitesses* Schaltung *f;* **~é, e** *tech* gesteuert, betätigt, angetrieben; **~ement** *m* Gebot *n,* Vorschrift *f; mil* Befehl(sgewalt *f*) *m* (*de, sur* über); Kommando *n;* Beherrschung *f (von e-r Höhe aus); jur* Zahlungsbefehl *m; avoir qc à son ~ (fig)* etw (gleich) zur Hand haben, über e-e S (reichlich) verfügen; *prendre le ~* das Kommando, *sport* die Führung übernehmen; *quitter le ~* das Kommando nieder=legen; *je prends le ~ de la compagnie!* die Kompanie hört auf mein Kommando! *haut ~* Oberkommando *n; bâton m de ~* Kommandostab *m; tourelle f de ~* Kommandoturm *m; les dix ~s* die Zehn Gebote *n pl; ~ d'exécution (mil)* Ausführungskommando *n; ~ au geste (mil)* Armzeichen *n; ~ (de payer)* Zahlungsbefehl *m; ~ préparatoire (mil)* Ankündigungskommando *n;* **~er 1.** *itr* befehlen, gebieten; herrschen (*à qn* über jdn); *c'est moi qui ~e ici!* hier habe ich zu befehlen!; *fig (Triebe)* beherrschen (*à qc* e-e S); **2.** *tr* befehlen, gebieten, an=ordnen, vor=schreiben; verlangen; erzwingen; *mil* befehligen (an=)führen, leiten; kommandieren; (be)herrschen (*qc* (e-e S) über e-e S) *a. fig; ~ une compagnie* e-e Kompanie befehligen; *~ un pays* über ein Land herrschen *od* gebieten; *~ à qn qu'il se taise* od *de se taire* jdm Schweigen gebieten; *les circonstances ~ent ...* die Umstände verlangen ...; *tech* betätigen, in Gang setzen; *com (passer commande)* bestellen, in Auftrag geben; *mil* (durch die Lage) beherrschen, überragen; **3.** *se ~ (fig)* sich beherrschen; *pièces f qui se ~ent* inea.gehende Zimmer *n pl.*

command|iteur [kɔmɑ̃ditœr] *m hist* Komtur; Kommandeur *m (Ordensklasse);* **~itaire** *m com* stille(r) Teilhaber, Gesellschafter *m;* **~ite** *f* Kommanditgesellschaft *f;* Kommanditbetrag *m;* Einlage, Anteilsumme *f* e-s stillen Teilhabers; *société f en ~ (par actions)* Kommanditgesellschaft *f* (auf Aktien); **~ité** *m* tätige(r), unbeschränkt haftende(r) Teilhaber *m* e-r Kommanditgesellschaft; **~iter** Geld stecken (*une entreprise* in ein Unternehmen).

commando [kɔmɑ̃do] *m mil* Kommando *n; ~-suicide m* Himmelfahrtskommando *n.*

comme [kɔm] **1.** *adv* wie, als; so wie, gleichsam; *(Beispiel anführend)* an; *hardi ~ un lion* kühn wie ein Löwe; *un homme ~ vous* ein Mensch wie Sie; *il pense ~ moi* er denkt wie ich; *il était ~ mort* er war wie tot; *tout ~* ganz wie; gleich, einerlei; *~ à* od *pendant la guerre* wie im Kriege; *~ il est* *grand!* wie groß er ist! ~ *cela, ça* so, auf diese Weise; ~ *ça! interj (Begeisterung)* spitze! ~ *ci* ~ *ça (fam)* so lala; ~ *fruits, la marchande a des bananes, des oranges*... an Früchten hat die Händlerin Bananen, Orangen...; ~ *s'il en pleuvait (fam)* haufen-, massenweise; ~ *qui dirait* so etwa(s wie); gleichsam; ~ *de raison* ordnungsgemäß; ~ *si* als ob; ~ *si de rien n'était* als wenn *od* ob nichts (geschehen) wäre; ~ *tout* durchaus, überaus; ~ *on fait son lit on se couche* wie man sich bettet, so schläft man; **2.** *conj (zeitlich)* (gerade) als, während; *(begründend)* da (ja), weil, in Anbetracht dessen, daß; ~ *j'entre dans la pièce* als ich (gerade) ins Zimmer trete; ~ *j'avais faim* da ich Hunger hatte; ~ *il faut* wie es sich gehört; *fam (Person)* fein.

commémor|aison [kɔmemɔrɛzɔ̃] *f rel* Miterwähnung *f (e-s Heiligen);* **~atif, ive** *a* Gedächtnis-, Gedenk-; *plaque f ~ative* Gedenktafel *f;* **~ation** *f* Gedächtnisfeier *f; en ~ de* zum Andenken an *acc;* **~er** ins Gedächtnis zurück=rufen; *(Tag)* feierlich begehen.

commen|çant, e [kɔmɑ̃sɑ̃] *m f* Anfänger(in *f*) *m;* **~cement** *m* Anfang, Beginn; Ursprung *m; pl* Anfangsgründe *m pl,* -unterricht *m; au ~* am Anfang, anfangs, anfänglich; *du ~ à la fin* von Anfang bis zu Ende; *dès le ~* von Anfang an; *les ~s sont toujours difficiles* aller Anfang ist schwer; *il y a ~ à tout (prov)* es ist noch kein Meister vom Himmel gefallen; **~cer** *tr* an=fangen, beginnen, ein=leiten; am Anfang stehen (*qc* e-r S *gen);* die Anfangsgründe bei=bringen, den ersten Unterricht erteilen (*qn* jdm); *(Reise)* an=treten; *(Brot)* an=schneiden; *itr* an=fangen, beginnen, ein=setzen (*par qc* mit etw); *(Arbeit)* an=laufen; ~ *à, de faire qc* an=fangen, sich an=schicken, etw zu tun; ~ *par faire qc* damit an=fangen, etw zu tun, am Anfang etw tun; *il ~ce à pleuvoir* es fängt an zu regnen.

commens|al, e [kɔmɑ̃sal] *m f* Tischgenosse *m,* -genossin *f,* Gast *m;* **~urabilité** *f math* Kommensurabilität; *allg* Vergleichbarkeit *f;* **~urable** *math* kommensurabel; *allg* vergleichbar.

comment [kɔmɑ̃] *adv* wie? wie! *(Frage)* ~? wie bitte? ~ *cela?* wieso? ~ *donc!* na also! ~ *faire?* was tun? *n'importe* ~ gleich, einerlei wie; *mais ~ donc!* selbstverständlich! *voici* ~ so, folgendermaßen; *s m* Wie *n* Art u. Weise *f.*

comment|aire [kɔmɑ̃tɛr] *m* Kommentar *m,* Auslegung, Erklärung *f;* boshafte Bemerkungen; Denkwürdigkeiten *f pl;* Begleitworte *n pl (zu e-m Kulturfilm); point de ~!* keine Widerrede! *cela se passe de ~s* das versteht sich von selbst; Kommentar überflüssig!; **~ateur** *m* Kommentator, Ausleger, Erklärer; Kritikaster *m; ~ à la radio* Rundfunkkommentator *m;* **~er** kommentieren, aus=legen, erklären; Stellung nehmen (*qc* zu etw); boshafte Bemerkungen machen (*sur* über *acc*); besprechen.

commérage [kɔmeraʒ] *m* Geschwätz *n,* Klatsch(erei *f*), *fam* Tratsch *m.*

commer|çant, e [kɔmɛrsɑ̃] *a* handeltreibend; Handels-; *s m* Handeltreibende(r), (Groß-)Händler, Kaufmann *m; pl* Kauf-, Geschäftsleute *pl; rue f ~e* Geschäftsstraße *f; ~ ambulant* Straßenhändler *m;* **~ce** *m* Handel(sgeschäft *n*); Handelsstand, Kaufmannsberuf *m;* Geschäft *n,* Laden; *fig* Umgang, Verkehr *m,* Gesellschaft *f;* Umgangsformen *f pl;* (Geschlechts-) Verkehr *m; allg* Beschäftigung *f; de ~ agréable (Mensch)* umgänglich; *de ~ sûr (Mensch)* zuverlässig; *suivant les usages du ~* handelsüblich; *avoir la bosse du ~ (fam)* ein geborener Geschäftsmann sein; *avoir un ~ d'amitié avec qn* mit jdm auf freundschaftlichem Fuße stehen; *être dans le ~* im Handel tätig sein; *(Waren)* im Handel (befindlich) sein *faire le ~* Handel treiben (*de* mit); *faire ~ de qc* mit etw handeln; *se mettre dans le ~* Kaufmann werden; *ouvrir un ~* ein Geschäft eröffnen; *balance f du ~ extérieur* Außenhandelsbilanz *f; chambre f de ~* Handelskammer *f; code m de ~* Handelsgesetzbuch *n; école f de ~* Handelsschule *f; effets m pl de ~* Wertpapiere *n pl; employé m de ~* kaufmännische(r) Angestellte(r) *m; fonds m de ~* Geschäft *n; livres m pl de ~* Geschäftsbücher *n pl; maison f de ~* Handelshaus *n; papiers m pl de ~* Wert-, Geschäftspapiere *n pl; port m de ~* Handelshafen *m; registre m du ~* Handelsregister *n; société f de ~* Handelsgesellschaft *f; traité m de ~* Handelsvertrag *m; tribunal m de ~* Handelsgericht *n; ~ adultère (jur)* Ehebruch *m; ~ ambulant* ambulante(s) Gewerbe *n; ~ de change* Wechselhandel *m; ~ du (des) change(s)* od *des devises* Devisenhandel *m; ~ de commission* Kommissionshandel *m; ~ de contrebande, in-*

terlope Schmuggel, Schleichhandel *m; ~ en devises* Devisenverkehr *m; ~ de détail, petit ~* Kleinhandel *m; ~ d'échange* Tauschhandel *m; ~ d'expédition* Versandgeschäft *n; ~ d'exportation* Ausfuhrhandel *m; ~ extérieur* Außenhandel *m; ~ de , en gros; haut ~* Großhandel *m; ~ des idées* Gedankenaustausch *m; ~ illicite* Schwarzhandel *m; ~ d'importation* Einfuhrhandel *m; ~ intérieur* Binnenhandel *m; ~ intermédiaire* Zwischenhandel *m; ~ par substitution d'intermédiaires* Kettenhandel *m; ~ de lettres* Briefwechsel *m; ~ maritime, d'outremer* See-, Überseehandel *m; ~ mondial* Welthandel *m; ~ de transit* Transithandel *m; ~ de troc* Tauschhandel *m; ~ de vins* Weinhandel *m;* **~cer** Handel treiben, handeln; *fig* Umgang, gesellschaftlichen Verkehr haben *od* pflegen; **~cial, e** kaufmännisch, Handels-, *appellation ~e* Handelsmarke *f,* Warenzeichen *n;* **~cialisation** *f* Kommerzialisierung *f;* **~cialiser** kommerzialisieren, in den Handel bringen.

commère [kɔmɛr] *f vx* Gevatterin; Klatschbase *f.*

commett|ant [kɔmɛtɑ̃] *m allg* Auftraggeber; *com* Besteller, Kommittent; *jur* Mandant *m;* **~re** *irr (Verbrechen, Irrtum)* begehen, sich zuschulden kommen lassen; *(Dummheit)* machen; *hum (Kunstwerk)* fabrizieren; *(Seil)* drehen; *vx (Ruf, Zukunft)* aufs Spiel setzen; kompromittieren, bloß=stellen, in Verlegenheit bringen; *vx* auf=, übertragen, an=vertrauen (*qc à qn* jdm etw); *jur* ein=setzen, ernennen (*qn à qc* jdn zu etw); beauftragen, betrauen (*qn à qc* jdn mit etw); *se ~ (vx)* sich ein=lassen, kompromittieren, bloß=stellen (*avec qn* mit jdm); sich an=vertrauen (*à qn* jdm); sich aus=setzen (*à qc* e-r S *dat*); *~ une erreur de calcul* sich verrechnen.

comminatoire [kɔminatwar] *jur* an-, bedrohend; drohend; Droh-, Androhungs-; *lettre f ~* Drohbrief *m; peine f ~* Strafandrohung *f.*

commis [kɔmi] *m* (Verwaltungs-, Bank-, kaufmännischer) Angestellte(r *m*) *f;* Verkäufer *m; ~ voyageur* Handels-, Geschäftsreidende(r) *m;* **~ération** *f* Mitleid, Erbarmen *n.*

commiss|aire [kɔmisɛr] *m* Kommissar, Beauftragte(r), Bevollmächtigte(r); Heeres-, Marineverwaltungsbeamte(r), Zahlmeister; (Fest-)Ordner *m;* Mitglied *n* e-r Kommission; *~-censeur m* Rechnungsprüfer *m; ~ des* od *aux comptes* Rechnungs-, Wirtschaftsprüfer *m; ~ du peuple* Volkskommissar *m; ~ (de police)* Polizeikommissar *m; ~-priseur m* (staatl.) Auktionator, Versteigerer; Taxator *m; ~ aux prix* Preiskommissar *m;* **~ariat** [-rja] *m* Kommissariat, Amt *n,* Dienst(zeit *f*) *m* e-s Kommissars; Marineverwaltung(sbüro *n*) *f; ~ (de police)* Polizeirevier *n;* **~ion** *f pol com* Kommission *f;* Ausschuß; Auftrag *m,* Bestellung; Besorgung *f; com* Vermittlungsgeschäft *n;* Vollmacht; Bevollmächtigung; *com* Provision *f; jur* Sondergericht *n; rel jur* Begehung, Verübung *f; avoir ~ de faire qc* beauftragt sein, etw zu tun; *être membre d'une ~* in e-m Ausschuß sitzen; *faire une ~ pour qn* etw für jdn besorgen; *faire la ~* ein Kommissionsgeschäft haben; *(fig)* etw aus=richten; *(aller) faire les (ses) ~s* ein=kaufen (gehen); *prélever, prendre la ~* e-e Provision erheben; *bordereau m de ~* Kommissionsberechnung *f; droits m pl de ~* Vermittlungsgebühren *f pl; maison f de ~* Kommissionsgeschäft *n; marchandise f de ~* Kommissionsware *f; ~ d'acquisition, de production (com)* Abschlußprovision *f; ~ administrative* Verwaltungskommission *f (von Wohlfahrtseinrichtungen); ~ d'arbitrage, de conciliation* Schiedsgericht *n,* Schlichtungsausschuß *m; ~ de compte* Umsatzprovision *f; ~ de contrôle* Kontroll-, Überwachungskommission *f; ~ corporative* Gewerbeausschuß *m; ~ de courtier de change* Wechselcourtage *f; ~ économique* Wirtschaftskommission *f; ~ d'encaissement* Einzugsprovision *f; ~ d'enquête* Untersuchungskommission *f; ~ d'examen* Prüfungskommission *f,* -ausschuß *m; ~ financière* Finanzkommission *f; ~ fiscale* Steuerausschuß *m; ~ médicale* Ärztekommission *f; ~ permanente* ständige K.; *~ principale* Hauptausschuß *m; ~ pour recouvrement* Inkassoprovision *f; ~ rogatoire* Rechtshilfeersuchen *n; ~ de vérification* Prüfungsausschuß *m;* **~ionnaire** [-sjɔ-] *m com* Kommissionär, Beauftragte(r); Dienstmann, Gepäckträger, Bote *m; ~ chargeur* Spediteur *(für Schiffstransporte);* Schiffsmakler *m; ~ expéditeur* Spediteur *(für Landtransporte); ~ messager* bahnamtliche(r) Fuhrunternehmer *m; ~ de roulage, de transport, de voiture* Spediteur, Fuhrunternehmer *m;* **~ionner** beauftragen, bevollmächtigen; **~oire:** *clause f ~ (jur)* Verfall(s)klausel *f.*

commissure [kɔmisyr] *f anat bot*

arch Fuge *f*, Winkel *m; anat* Verbindungsstelle *f* der Nervenfasern; ~ *des lèvres* Mundwinkel *m*.

commod|e [kɔmɔd] *a* bequem; mühelos; wohnlich; *(Mensch)* umgänglich, gefällig; (zu) nachsichtig; *s f* Kommode *f*; **~ité** *f* Bequemlichkeit; Wohnlichkeit; *fig* Umgänglichkeit *f; pl* Annehmlichkeiten *f pl*, Komfort; *vx* Abort *m*.

commodore [kɔmɔdɔr] *m mar* Kommodore *m*.

commotion [kɔmo(ɔ)sjɔ̃] *f allg fig med* Erschütterung *f*; ~ *cérébrale* Gehirnerschütterung *f*; ~ *électrique* elektrische(r) Schlag *m*.

commu|abilité [kɔmɥabilite] *f jur (Strafe)* Umwandelbarkeit, Abänderungsfähigkeit *f*; **~able** *jur (Strafe)* umwandelbar; **~er** *jur (Strafe in e-e mildere)* um=wandeln, ab=ändern.

commun, e [kɔmœ̃, -yn] *a* gemeinsam, -schaftlich; Gemein-; allgemein; häufig; gewöhnlich, alltäglich, üblich; gemein, ordinär, platt; *zoo bot* gemein; *gram* in beiden Geschlechtern gleich; *s m* Gemeinschaft; Allgemeinheit, große Mehrheit, -zahl *f*; (gemeines) Volk; (Haus-)Personal, Gesindc *n; pl* Wirtschaftsräume *m pl;* Nebengebäude *n pl; d'un ~ accord* einmütig; *d'une ~e voix* einstimmig; *en* ~ gemeinsam, miteinander, zusammen; *avoir qc de ~ avec qn* etw mit jdm gemein haben; *faire bourse ~e* gemeinsame Kasse führen, machen; *faire cause ~e* gemeinsame Sache machen (*avec* mit); *vivre sur le* ~ auf Kosten der Gesamtheit leben; *époux m pl ~s (en biens)* in Gütergemeinschaft lebende Ehegatten *m pl; fosse f ~e* Massengrab *n; homme m du* ~ Mann aus dem Volke; Durchschnittsmensch *m; intérêt m* ~ Gemeinwohl *n*, -nutz *m; lieu m* ~ Gemeinplatz *m; maison f ~e* Gemeindehaus *n (Schule u. Rathaus); nom m* ~ Gattungsname *m*, Appellativ(um) *n; sens m* ~ gesunde(r) Menschenverstand *m; vie f ~e* Zs.leben *n;* gemeinsame(r) Haushalt *m; voix f ~e* Stimme des Volkes, öffentliche Meinung *f*; **~al, e** [kɔmynal] *a* kommunal, Gemeinde-; *s m pl* Gemeindeland *n; s f pl* Kommunalwahlen *pl;* **~aliser** der Gemeindeverwaltung unterstellen; **~aliste** *m* Anhänger *m* der Selbstverwaltung der Gemeinden; **~autaire** [-no-] *a* Gemeinschafts-; die (Güter-)Gemeinschaft betreffend; **~auté** *f* Gemeinschaft, -samkeit; Allgemeinheit *f;* Gemeinwesen *n;* Staat; *rel* Orden *m*, Bruderschaft *f;* Kloster *n; (Ehe)* gemeinsame(r) Besitz *m;* Wohngemeinschaft *f; posséder qc en* ~ etw gemeinsam besitzen; *régime m de (la)* ~ (eheliche) Gütergemeinschaft *f; régime m exclusif de* ~ Gütertrennung *f*; ~ *d'acquêts (Ehe)* Zugewinngemeinschaft *f*; ~ *des biens (jur)* Gütergemeinschaft *f*; ~ *conjugale* eheliche Gemeinschaft *f*; ~ *conventionnelle, légale* vertragliche, gesetzliche Gütergemeinschaft *f*; ~ *de défense (pol)* Verteidigungsgemeinschaft *f; C~ Economique Européenne, CEE* Europäische Wirtschaftsgemeinschaft *f; C~ Européenne, CE* Europäische Gemeinschaft *f; C~ européenne de l'énergie atomique, Euratom* Europäische Gemeinschaft *f* für Atomenergie; *C~ Européenne du Charbon et de l'Acier* Montanunion *f*; ~ *d'habitation* Hausgemeinschaft *f*; ~ *d'héritiers* Erbengemeinschaft *f*; ~ *d'intérêts* Interessengemeinschaft *f; la ~ internationale* die Weltöffentlichkeit; ~ *religieuse* Religionsgemeinschaft *f*; ~ *scolaire* Schulgemeinde *f*; **~e** *f* Gemeinde *f*; (britisches) Unterhaus *n*; ~ *d'origine* Heimatgemeinde *f*; **~ément** *adv* allgemein, gemeinhin, (für) gewöhnlich.

communiant, e [kɔmynjɑ̃] *m f rel* Kommunikant(in *f*) *m; premier, ère ~(e)* Erstkommunikant(in *f*) *m*.

commun|icable [kɔmynikabl] mitteilbar; *(Wasserwege)* verbindbar; *med jur* übertragbar; *jur* der Staatsanwaltschaft vorzulegen(d); **~icant, e** *phys* kommunizierend; **~icateur** *m* Fernmelder *m*; **~icatif, ive** mitteilsam; *(Lachen, Gähnen)* ansteckend; **~ication** *f* Mitteilung, Bekanntgabe; Übertragung *(e-r Bewegung); med* Ansteckung *f*; *(Gedanken)* Austausch *m;* Verbindung *f*, Beziehungen *f pl*, Verkehr *m; tele* Verbindung *f*, Anschluß *m;* Telefongespräch *n;* Verbindungsweg *m*, -stück *n;* Übermittlung *f*; *mil* Nachschubweg *m*, rückwärtige Verbindung *f*; *jur* Einsichtnahme; Kenntnis; rhetorische Frage *f; min* Durchschlag, Durchbruch *m; par ~ successive* durch Umlauf; *avoir ~ de qc* von etw Kenntnis haben; *demander une* ~ ein Gespräch an=melden; *donner qc en* ~ von etw Mitteilung machen; *donner une mauvaise ~ (tele)* falsch verbinden (*à qn* jdn); *entrer en ~ avec qn* mit jdm in Verbindung treten; *établir la* ~ verbinden, e-e Verbindung her=stellen; *être en ~ avec qn* mit jdm in Verbindung stehen; *se mettre en ~ avec qn* sich mit jdm in Verbindung setzen; *pren-*

dre ~ de qc od *qc en ~* Einsicht in etw nehmen; *recevoir qc en ~* etw zur Einsicht erhalten; *rompre la ~* die Verbindung trennen; *aiguille f en ~* Anschlußweiche *f; demande f de ~* Gesprächsanmeldung *f; erreur f de ~* falsche Verbindung *f; lignes f pl de ~* Verbindungslinien *f pl; nœud m de ~* Gleisknoten *m; porte f de ~* Verbindungstür *f; voie f de ~* Verkehrsweg *m; zone f des ~s* rückwärtige(s) Heeresgebiet *n; ~ avec avis d'appel* XP-Gespräch *n; ~ gratuite, ordinaire, taxée, urgente* gebührenfreie(s), gewöhnliche(s), gebührenpflichtige(s), dringende(s) Gespräch *n; ~ internationale, interurbaine, locale* od *urbaine, surburbaine* Auslands-, Fern-, Orts-, Vorortsgespräch *n; ~ payable à l'arrivée* R-Gespräch *n; ~ (avec) préavis* Gespräch *n* mit Voranmeldung; *~ radio(phonique), par T.S.F.* Funkverbindung *f,* -verkehr *m; ~ téléphonique* Fernsprechverbindung *f,* -verkehr *m; ~ transversale* Querverbindung *f.*

commun|ier [kɔmynje] *itr* kommunizieren, zum Abendmahl gehen; *fig in* Verbindung stehen; *tr* das Abendmahl reichen (*qn* jdm); **~ion** *f* (Glaubens-, Kirchen-)Gemeinschaft; *fig* Gemeinsamkeit *f* der Anschauungen u. Empfindungen, Seelenbündnis *n; rel* Kommunion *f; faire sa première ~* zur ersten hl. Kommunion gehen.

commun|iqué [kɔmynike] *m* Kommuniqué *n,* Verlautbarung, (amtliche) Mitteilung *f;* (Wehrmachts-)Bericht *m; (im Rundfunk)* Durchsage *f; ~ final* Schlußkommuniqué *n;* **~iquer** *tr* mit=teilen, eröffnen; *phys med allg* übertragen; *~ qc à qn* jdn von etw in Kenntnis setzen; *itr* in Verbindung stehen, (mitea.) verbunden sein; *(Zimmer)* inea.=gehen; *~ avec qn* mit jdm Nachrichten aus=tauschen; *se ~ (med)* übertragbar, ansteckend sein; *(Nachrichten)* aus=tauschen; sich an=vertrauen (*à qn* jdm); *faire ~* mitea. verbinden.

communi|sant, e [kɔmynizɑ̃] prokommunistisch; **~isation** *f* Einführung *f* des Kommunismus (*de* bei, in *dat*); **~iser** kommunistisch machen; **~isme** *m* Kommunismus *m;* **~iste** *s m f* Kommunist(in *f*) *m; a* kommunistisch.

commut|able [kɔmytabl] umwandelbar; umschaltbar; **~ateur** *m el* Kommutator, Stromwender; (Um-, Ein-, Aus-, Licht-)Schalter *m; tourner le ~* das Licht an= *od* aus=knipsen; *~ automatique de télétype* automatische Fernschreibvermittlung *f; ~ à clapets (tele)* Klappenschrank *m; ~ à combinaison* Serienschalter *m; ~ de démarrage* Anlaßschalter *m; ~ à une (deux, trois, plusieurs) directions* Ein-(Zwei-, Drei-, Mehr-)wegumschalter *m; ~ à fiche (tele)* Stöpselwähler *m; ~-inverseur m* Drehumschalter *m; ~ à main, à pied* Hand-, Fußschalter *m; ~ multiple* Vielfachumschalter *m; ~ de longueur* (od *de changement) d'onde(s)* Wellenumschalter *m; ~ à plots* Stufenschalter *m; ~ principal* Netzumschalter; *tele* Gruppenwähler *m;* **~atif, ive** *a* Tausch-; *(Vertrag)* zu gleichen Leistungen verpflichtend; *justice f ~ative* ausgleichende Gerechtigkeit *f;* **~ation** *f* Vertauschung; (Um-, Ver-)Wandlung, Veränderung; *gram* Umwandlung; *el* Umschaltung; Vermittlung *f; dispositif m de ~* Schaltwerk *n; ~ de peine (jur)* Strafmilderung *f;* **~atrice** *f el* Einanker-, Drehumformer *m;* **~er** *el* um=schalten.

compac|ité [kɔ̃pasite] *f* Kompaktheit, Dichtigkeit, Festigkeit *f;* **~t, e** [kɔ̃pakt] kompakt, dicht, fest; dichtgedrängt; *(Boden)* schwer; *typ* enggedruckt *f.*

compagn|e [kɔ̃paɲ] *f* Gefährtin; Begleiterin, Genossin; Gattin, Lebensgefährtin *f; zoo* Weibchen *n; fig* Begleiterscheinung *f;* **~ie** *f* Gesellschaft, Begleitung *f; Begleiter m;* (organisierte) Gesellschaft *f,* Verein *m;* Handelsgesellschaft; *mil* Kompanie *f; (Wild)* Rudel *n; (Rebhühner)* Kette *f; avec la seule ~ de* nur in Begleitung *gen; de ~* zusammen; *de, en ~* in Gesellschaft, Begleitung; *et ~* usw.; *sans ~* ohne Begleitung, allein; *être de bonne (mauvaise) ~* gute (keine) Manieren, (keinen) Anstand haben; *être d'une ~ agréable* ein angenehmer Gesellschafter sein; *fausser ~ à qn* jdn im Stich lassen; *tenir ~* Gesellschaft leisten; *bonsoir la ~! (pop)* guten Abend zusammen! *je suis bête de ~ (hum)* ich bin nicht gern allein; *bête f de ~* Frischling *m; dame, demoiselle f de ~* Gesellschafterin *f; ~ d'accompagnement* Begleitkompanie *f; ~ affiliée, associée (com)* Zweig-, Tochtergesellschaft *f; ~ antichars* Panzerjägerkompanie *f; ~ d'assurance* Versicherungsgesellschaft *f; ~ d'assurance contre l'incendie, sur la vie* Feuer-, Lebensversicherungsgesellschaft *f; ~ de chemins de fer* Eisenbahngesellschaft *f; ~ de discipline (mil)* Strafkompanie *f; ~ d'électricité* Elektrizitätsgesellschaft *f; ~ franche*

Freikorps *n; ~ de fusiliers-voltigeurs* Schützen-, Grenadierkompanie *f; ~ d'infanterie (portée)* Infanterie-(Panzergrenadier-)Kompanie *f; C~ de Jésus* Jesuitenorden *m; ~ maritime, de navigation* Schiffahrtsgesellschaft *f; ~ de mitrailleuses* Maschinengewehrkompanie *f; ~ (de navigation) aérienne, de transport aérien* Luftverkehrsgesellschaft *f; ~ du quartier général* Stabskompanie *f;* **~on** *m* Begleiter, Gefährte, Genosse; Kollege, Kamerad, *fam* Kumpan, Kumpel *m; pl* meines-, deines-*(etc)*gleichen; (Handwerks-)Geselle; *com* Teilhaber, Mitinhaber; *fig* Begleiter *m;* Begleiterscheinung *f; être compère et ~* unzertrennlich sein; *traiter qn de pair à ~* jdn als seinesgleichen behandeln; *petit ~ (fig)* kleine(s) Licht *n,* unbedeutende(r) Mensch *m; ~ d'armes* Waffenbruder, Kriegskamerad *m; ~ d'enfance* Jugendgefährte *m; ~ d'études, de travail* Studien-, Arbeitskamerad *m; ~ de voyage* Reisegefährte *m;* **~onnage** [-ɲɔ-] *m* Gesellenzeit *f,* -verein *m.*

compar|abilité [kɔ̃parabilite] *f* Vergleichbarkeit *f,* **~able** vergleichbar (*à, avec* mit); **~aison** *f* Vergleich(ung *f*) *m;* Gegenüberstellung; *gram* Steigerung *f; en ~ de, par ~ à* im Vergleich zu, verglichen mit; *hors de ~, sans ~* unvergleichlich; *entrer en ~ avec* sich vergleichen lassen mit; *établir une ~* e-n Vergleich ziehen; *faire la ~* (sich) vergleichen (lassen); *mettre qc en ~ avec* von etw e-n Vergleich ziehen zu; *ne pas soutenir la ~* den Vergleich nicht aus=halten; *point, terme m de ~* Vergleichspunkt, -maßstab *m;* **~aître** [-rɛtr] *irr* erscheinen (*en justice* vor Gericht); *~ par avoué* sich durch e-n Anwalt vertreten lassen; **~ant, e** *a* (vor Gericht) erscheinend, erschienen; *s m f* Erscheinende(r *m*), Erschienene(r *m*) *f;* **~ateur** *m tech* Komparator *m.*

compar|atif, ive [kɔ̃paratif, -iv] *a* vergleichend; *s m gram* Komparativ *m;* **~ativement** *adv* vergleichsweise; *~ à* im Vergleich mit, zu; **~é, e** *(Wissenschaft)* vergleichend; **~er** vergleichen (*à, avec mit),* gegenüber=stellen; gleich=setzen (*à* mit).

comparse [kɔ̃pars] *m f theat* Komparse *m,* Statist(in *f*) *m a. fig; allg* Nebenperson *f.*

compartiment [kɔ̃partimɑ̃] *m (Raum, Fläche)* Abteilung *f,* Fach, Feld; *loc* Abteil; *min* Trum *m* od *n; ~ à charge utile (Rakete)* Nutzlastraum *m; ~ à bagages* Gepäckraum *m; ~ à coffre-fort* Tresor-, Schließfach *n; ~ pour l'équipage (aero)* Besatzungsraum *n; ~ étanche* Schott *n; ~ d'extraction* Fördertrum *m* od *n; ~ (non-)fumeurs* (Nicht-)Raucherabteil *n; ~ moteur (Rakete)* Triebwerksraum *m; ~ à secrets* Geheimfach *n; ~ de service* Dienstabteil *n; ~ de terrain (mil)* Geländeabschnitt *m;* **~age** *m* Einteilung in Fächer *od* Felder; Ab-, Einkapselung *f;* **~er** in Fächer, Felder ein=teilen, ein=kapseln.

comparution [kɔ̃parysijɔ̃] *f* Erscheinen *n* (vor Gericht); *mandat m de ~ (jur)* Vorladung *f.*

compas [kɔ̃pa] *m* Zirkel; *mar aero* Kompaß *m; fig* (Aus-)Maß *n,* Regel *f; fam* Beine *n pl; en ~* in Spreizstellung; *allonger le ~* tüchtig aus=greifen; *avoir le ~ dans l'œil* ein gutes Augenmaß haben; *décrire, tracer un cercle au ~* mit dem Z. e-n Kreis beschreiben; *faire tout par règle et par ~ (fig fam)* sehr genau sein; *boîte f à ~* Zirkelkasten *m; ~ à balustre, d'épaisseur, d'intérieur, à pointes sèches* Nullen-, Tast-, Hohl-, Stechzirkel *m; ~ gyroscopique, de marine, de relèvement* Kreisel-, Marine-, Peilkompaß *m;* **~sé, e** abgemessen, abgepaßt; *fig* steif, gezwungen; **~sement** *m* Messen, Abstecken *n; fig* Abgemessenheit, Steifheit *f;* **~ser** mit dem Zirkel ab=greifen, ab=stekken; *(Geschütz)* justieren; *fig* ab=zirkeln, ab=messen.

compassion [kɔ̃pasjɔ̃] *f* Mitleid, Mitgefühl *n; avoir de la ~ pour qn* mit jdm Mitleid haben; *inspirer de la* od *exciter la ~* Mitleid erregen *od* erwecken.

compat|ibilité [kɔ̃patibilite] *f* Vereinbarkeit; Verträglichkeit *f;* Zs.passen, Harmonieren *n;* **~ible** vereinbar; verträglich; zs.passend, harmonierend.

compat|ir [kɔ̃patir] mit=fühlen, Anteil nehmen (*à* an *dat*), Mitleid empfinden (*à* mit), Verständnis haben (*à* für); **~issant, e** mitleidig, mitfühlend.

compatriote [kɔ̃patrijɔt] *m f* Landsmann *m,* -männin *f, pl* -leute *pl.*

compend|ieusement [kɔ̃pɑ̃djøzmɑ̃] *adv* zs.gefaßt, in Kürze; *(fälschlich)* ausführlich; **~ium** [-pɛ̃djɔm] *m* Kompendium *n,* Grund-, Abriß *m.*

compénétr|ation [kɔ̃penetrasjɔ̃] *f* gegenseitige Durchdringung *f;* **~er, se** sich gegenseitig durchdringen.

compens|able [kɔ̃pɑ̃sabl] kompensierbar; **~ateur, trice** *a* ausgleichend; *s m phys tech* Kompensator *m,* Ausgleichdüse *f; ~ d'affaiblisse-*

ment (tele) Entzerrer *m;* ~ *de choc (tech)* Stoßausgleicher *m;* **~ation** *f* Ausgleich(ung *f*); Ersatz *m;* Entschädigung; *com* Vergütung, Verrechnung *f,* Skonto *n; phys tech* Kompensation *f; (Psychologie)* Ersatzbefriedigung *f; en* ~ *de* als Ersatz (für); *caisse f de* ~ Ausgleichskasse *f; chambre f de* ~ Verrechnungsstelle *f; chambre f de* ~ *des devises* Devisenabrechnungsstelle *f; chèque m de* ~ Verrechnungsscheck *m; cours m de* ~ Verrechnungskurs *m; fonds m de* ~ Ausgleichsfonds *m;* ~ *des charges* Lastenausgleich *m;* ~ *des dépens (jur)* Verteilung *f* der Kosten; ~ *de la distorsion (tech)* Entzerrung *f;* ~ *financière* Finanzausgleich *m;* ~ *fiscale* Steuerausgleich *m;* ~ *des frais* Unkostenvergütung *f;* **~atoire** kompensatorisch; **~er** aus=gleichen; *phys tech* kompensieren; vergüten, ersetzen, auf=wiegen; *com* auf=, verrechnen, skontrieren; *se* ~ *(Fehler)* sich (gegenseitig) auf=heben.

comp|érage [kɔ̃peraʒ] *m* Gevatterschaft *f;* (geheimes) Einverständnis *n;* **~ère** *m* Gevatter, Nachbar; *fam* Kumpan *m,* Bruderherz *n;* Kerl, Bursche; Helfershelfer; *theat* Conférencier *m; être* ~ *et compagnon (fam)* ein Herz und eine Seele, unzertrennlich sein; *bon, joyeux* ~ lustige(r) Bruder *m; fin, rusé* ~ schlaue(r), alte(r) Fuchs; *fam* Pfiffikus, Schlaumeier *m;* ~*-loriot m med* Gerstenkorn *n.*

compét|ence [kɔ̃petɑ̃s] *f jur* Kompetenz, Zuständigkeit; Amtsbefugnis *f,* Geschäftsbereich *m;* zuständige(s) Gericht; *fig* Fach *n;* Fach-, Sachkenntnis; (Urteils-)Fähigkeit *f; pl fam* Sachkundige(n) *m pl; décliner la* ~ *d'un tribunal* die Zuständigkeit e-s Gerichtes bestreiten; *être, relever de la* ~ *de qn* in jds Zuständigkeit liegen; *cela sort de sa* ~ dafür ist er nicht zuständig; davon versteht er nichts; ~ *judiciaire* Gerichtsstand *m;* **~ent, e** *jur* zuständig, befugt; zustehend, gebührend; erforderlich; *fig* kompetent, sachverständig, fachkundig; **~er** *jur* zu=stehen, zu=kommen (*à qn* jdm); in den Zuständigkeitsbereich fallen (*à qn* e-r Person).

compét|iteur, trice [kɔ̃petitœr, -tris] *m f* Mitbewerber(in *f*) *m;* **~itif, ive** *a* wettbewerbs-, konkurrenzfähig; **~ition** *f* Mitbewerbung, Konkurrenz *f; sport* Wettkampf *m;* ~ *électorale* Wahlkampf *m;* **~itivité** *f* Wettbewerbs-, Konkurrenzfähigkeit *f.*

compil|ateur [kɔ̃pilatœr] *m* Kompilator *m; inform* Compiler *m;* **~ation** *f* Zs.stellung; Kompilation *f;* unselbständige(s) Werk *n;* **~er** zs.=stellen; *(Buch)* zs.=stoppeln, kompilieren.

complainte [kɔ̃plɛ̃t] *f* (volkstüml.) Klagelied *n; jur* Besitzstörungsklage *f.*

complai|re [kɔ̃plɛr] *irr* gefällig sein (*à qn* jdm); *se* ~ Gefallen finden (*à* zu; *en* in *dat, dans* an *dat*); **~sance** *f* Gefälligkeit, Bereitwilligkeit *f;* Entgegenkommen *n;* Schmeichelei *f;* (Wohl-)Gefallen *n;* Selbstgefälligkeit *f; par* ~ aus Gefälligkeit; *avoir la* ~ *de* die Güte haben zu; *billet, effet m de* ~ *(com)* Gefälligkeitswechsel *m;* **~sant, e** gefällig, entgegenkommend; nachsichtig.

complément [kɔ̃plemɑ̃] *m* Ergänzung *f; math astr mus* Komplement; *gram* Objekt *n,* Satzergänzung *f; com* Zuschlag *m;* ~ *circonstanciel* adverbiale Bestimmung *f;* ~ *direct* Akkusativobjekt *n;* ~ *indirect* präpositionale(s) Objekt *n;* **~aire** *a* (sich) ergänzend, Ergänzungs-; *math phys* Komplementär-; *angle m* ~ *(math)* Ergänzungswinkel *m; proposition f* ~ *(gram)* Objektsatz *m.*

compl|et, ète [kɔ̃plɛ, -ɛt] *a* vollständig, -zählig; *(Wagen)* voll, besetzt; *fam* voll, total besoffen; *fig* vollkommen, vollendet; umfassend; *(Freude)* ungetrübt; *(Reform)* durchgreifend; *(Liste)* voll; *s m* Anzug *m; au (grand)* ~ vollständig, -zählig; *(Wagen)* besetzt; *c'est* ~*!* das fehlte gerade noch! *œuvres f pl* ~*ètes* sämtliche Werke *n pl; pain m* ~ Vollkornbrot *n;* ~*-veston m* Sakko(anzug) *m;* **~ètement** *adv* völlig, ganz, vollständig; *s m* Ergänzung *f;* **~éter** ergänzen, vervollständigen, komplettieren; **~étif, ive** ergänzend; Ergänzungs-.

complex|e [kɔ̃plɛks] *a* zs.gesetzt, verwickelt, kompliziert; *(Charakter)* gegensätzlich; *math* komplex; ungleichnamig; *s m (Psychoanalyse)* Komplex *m; min* Zwischenprodukt *n; arch* Gebäudekomplex *m; phrase f* ~ *(gram)* erweiterte(r) Satz *m;* ~ *d'infériorité* Minderwertigkeitskomplex *m;* **~ion** [-ksjɔ̃] *f* Körperbeschaffenheit; Charakteranlage *f;* Naturell *n;* **~ité** [-ksi-] *f* Zs.gesetztheit; Kompliziertheit; Gegensätzlichkeit *f.*

complic|atif, ive [kɔ̃plikatif, iv] komplizierend; **~ation** *f* Komplikation *a. med,* Verwicklung, Verwirrung; Schwierigkeit; Kompliziertheit *f,* verwickelte(r) Aufbau *m.*

complic|e [kɔ̃plis] *a* mitschuldig; *s m f* Mitschuldige(r *m*) *f; jur* Mittäter(in *f*), Komplize; Teilnehmer(in *f*); Helfershelfer(in *f*) *m; être* ~ *de* mitschuldig sein an *dat;* teil=nehmen an *dat;* **~ité** *f* Mitschuld *f;* (geheimes) Einverständnis *n; agir en* ~ *avec qn* jdm Beihilfe leisten; *agir de* ~ *avec qn* mit jds Einverständnis handeln; ~ *par assistance (jur)* Beihilfe *f.*

compliment [kɔ̃plimɑ̃] *m* Kompliment *n,* Artigkeit, Schmeichelei; Empfehlung *f,* Gruß; Glückwunsch(adresse *f*) *m;* Begrüßungsansprache *f; sans* ~ freiheraus, offen; *faire des ~s à qn* jdm Komplimente machen, Artigkeiten sagen; *faire* ~ *à qn de qc* jdn zu e-r Sache beglückwünschen, jdm zu e-r Sache gratulieren; *mes ~s!* herzlichen Glückwunsch! *mes ~s à ...* grüßen Sie ... von mir! meine Empfehlung an *acc; point de ~s!* keine Umstände! ~ *de condoléance* Beileidsbezeigung *f;* **~er** ein Kompliment, *allg* Komplimente machen; beglückwünschen (*pour qc* zu etw); **~eur, se** *s m f* Komplimentemacher(in *f*) *m,* Schmeichler(in *f*) *m; a* der (die) viele Komplimente macht; schmeichelhaft.

compliqu|é, e [kɔ̃plike] kompliziert, verwickelt; *(Mensch)* schwierig; **~er** komplizieren; kompliziert, verwikkelt, schwierig machen; verwirren; *une chose se ~e de qc* es kommt (noch) etw zu e-r S hinzu.

complot [kɔ̃plo] *m* Komplott *n,* Anschlag *m,* Verschwörung *f;* Ränke *m pl; allg* geheime(s) Einverständnis *n; être du* od *dans le ~, être de ~* (*avec qn* mit jdm) im Einverständnis sein; *former, tramer un* ~ ein Komplott schmieden, e-e Verschwörung an=zetteln; *mettre qn dans le* ~ jdn ins Komplott, *allg* ins Vertrauen ziehen; **~er** [-plɔ-] *tr* sich verschwören (*contre la vie de qn* gegen jds Leben); *fam* planen, heimlich verabreden; *itr* ein Komplott, Ränke schmieden.

componction [kɔ̃pɔ̃ksjɔ̃] *f* Zerknirschung; Zerknirschtheit, Reumütigkeit; Demut *f;* (tiefer) Ernst *m.*

comporte [kɔ̃pɔrt] *f* Zuber *m (bes. für Weintrauben).*

comportement [kɔ̃pɔrtəmɑ̃] *m (Psychologie, Naturwiss.)* Verhalten *n.*

comporter [kɔ̃pɔrte] zu=lassen, gestatten, erlauben, vertragen, dulden; umfassen, bestehen (*qc* aus etw); mit sich bringen, nach sich ziehen, zur Folge haben; erfordern; *se* ~ sich betragen, sich benehmen, sich auf=führen, sich verhalten *a. chem* (*avec* gegen); *(Auto)* funktionieren, fahren; *ainsi* od *tel qu'il se ~e (jur)* so wie es sich verhält, im gegenwärtigen Zustand.

compos|acées [kɔ̃pozase] *f pl bot* Korbblütler *m pl;* **~ant, e** *a* ausmachen, bildend; *s m* Bestandteil *m; f phys* Komponente *f a. fig;* **~é, e** *a* zs.gesetzt *bes. gram,* zs.gestellt, aufgebaut; *el* verkettet; *typ* abgesetzt; gemischt; *(Wesen)* studiert, gekünstelt, steif; *s m* Zs.setzung, Mischung; *chem* Verbindung *f; f bot* Korbblütler *m; être* ~ *de* zs.gesetzt sein aus; ~ *azoté, oxygéné* Stickstoff-, Sauerstoffverbindung *f;* ~ *de base* Grundbestandteil *m;* ~ *organique* organische(s) Präparat *n; ~s explosifs* Explosivstoffe *m pl;* **~er 1.** *itr typ* setzen *(a. tr); itr (absolument)* sich ab=finden, sich vergleichen, e-n Vergleich ab=schließen (*avec qn* mit jdm); Rechnung tragen (*avec qc* e-r S *dat*); *(Schule)* e-e Prüfungsarbeit machen. **2.** *tr typ (Buch)* setzen; *machine à* ~ *(typ)* Setzmaschine *f;* zs.=setzen, -stellen, bilden (*de* aus); *(créer)* verfassen, schreiben, dichten; komponieren, vertonen, in Musik setzen; an=ordnen; *(Sache)* aus=machen, bilden; verschaffen, bringen; *fig* ein=richten, ein=stellen, kombinieren; *(Worte, Haltung)* ein=studieren, den Umständen an=passen; *tele (Nummer)* wählen; **3.** *se* ~ sich (nach u. nach) beschaffen, sich ein=richten; *se* ~ *un visage* e-e studierte Miene an=nehmen, sich beherrschen; *(Sache) se* ~ *de* zs.gesetzt sein aus, bestehen aus; **~ite** *a* zs.gesetzt; *fig* vielseitig; *arch* Komposit(en)-; **~iteur, trice** *m f* Komponist(in *f*); *allg* Dichter(in *f*), Verfasser(in) *f*); *typ* Setzer(in *f*) *m; m* u. *f* Setzmaschine *f; amiable* ~ *(jur)* Vermittler, Schlichter *m; ~-corrigeur m (typ)* (Haus-)Korrektor *m;* ~ *d'imprimerie* Schriftsetzer *m;* ~ *à la machine, à la main* Maschinen-, Handsetzer *m; ~(-perforateur) m tele* Schriftlocher *m;* ~ *des travaux de la ville* Akzidenzsetzer *m;* **~ition** *f* Zs.setzung, -stellung; Abfassung, Verfertigung, Ausarbeitung; Komposition *f,* Musikstück *n;* Vertonung; Tonkunst, Komposition(slehre); *(bildende Kunst)* Gliederung, Anordnung *f;* (Schul-)Aufsatz *m;* Klassen-, Prüfungsarbeit *f; jur* Vergleich *m,* Übereinkommen *n;* Abfindung; *mil* Kapitulation; *(Truppen)* Gliederung *f; typ* (Schrift-)Satz *m;* Setzen *n; chem* Mischung, Mixtur; Legierung, Komposition; *tech* Masse, Paste *f; (Mensch)* Charakter *m,* Anlage *f; en* ~ *(typ)* abgesetzt; *entrer en* ~ *(litt)* sich auf e-n Vergleich ein=lassen; *atelier m de* ~ Setzerei *f; frais m pl de* ~ Satzkosten *pl;* ~ *conservée (typ)* Stehsatz *m;* ~ *courante (typ)* glatte(r) Satz *m;* ~ *pour coussinets (tech)* Lagermetall *n;* ~ *à dégraisser* Entfettungsmasse *f;* ~ *en forme de carré (typ)* Blocksatz *m;* ~ *en forme de table (typ)* Tabellensatz *m;* ~ *en drapeau (typ)* Flattersatz *m;* ~ *fulminante, incendiaire, lumineuse, propulsive* Zünd-, Brand-, Leucht-, Treibsatz *m;* ~ *à la main, manuelle (typ)* Handsatz *m;* ~ *mécanique (typ)* Maschinensatz *m;* ~ *à polir, de remplissage* Polier-, Füllmasse *f;* ~ *d'une rame (loc)* Zugzs.setzung *f;* ~ *en traverse (typ)* Quersatz *m;* ~ *vierge* ungedruckte(r) Satz *m.*

compost [kɔ̃pɔst] *m* Kompost(erde *f* -dünger) *m;* **~age** *m* Kompostierung *f; (Fahrkarte)* Entwertung *f;* **~er 1.** mit Kompost düngen *od* versetzen; **2.** *(Fahrkarte)* entwerten; **~eur** *m typ* Winkelhaken; Datum(s)stempel *m;* Stempel-, Lochmaschine *f;* Fahrscheinentwerter *m.*

compot|e [kɔ̃pɔt] *f* Kompott *n;* **~ier** *m* Obstschale; Kompottschüssel *f.*

compound [kɔ̃pund] *a tech* Kompound-, Verbund-; *s m* Vergußmasse *f; machine f* ~ Kompound-, Verbundmaschine *f; moteur m* ~ Doppelschluß-, Verbundmotor *m;* **~age** *m* Kompoundierung *f;* **~er** kompoundieren.

compréhens|ibilité [kɔ̃preɑ̃sibilite] *f* Verständlichkeit, Faßlichkeit *f;* **~ible** verständlich, begreiflich, faßlich; **~if, ive** verstehend, einsichtig; verständnisvoll; umfassend; **~ion** *f* Auffassungsgabe *f,* -vermögen, Begriffsvermögen *n,* -fähigkeit *f;* Verständnis *n;* umfassende, abschließende (Er-) Kenntnis *f;* Begriffsinhalt, -umfang *m.*

comprendre [kɔ̃prɑ̃dr] *irr* umfassen, enthalten; ein=beziehen (*en, dans* in *acc*), mit=rechnen, -zählen (*en, dans* zu); verstehen, begreifen, (er)fassen; *fam* kapieren; entnehmen; *ne rien* ~ *à* nicht klug werden aus; *avoir compris* verstanden, *fam* spitzgekriegt, *vulg* gefressen haben; *faire* ~ *qc à qn* jdm etw verständlich, begreiflich machen; *se faire* ~ sich verständlich machen; *cela, ça se comprend* das versteht sich; *je commence à* ~ es geht mir auf, mir geht ein Licht auf; *si je comprends! (fam)* und ob!

comprenette [kɔ̃prənɛt] *f fam: avoir la* ~ *facile* helle, gewitzt sein; *avoir la* ~ *lente* e-e lange Leitung haben.

compresse [kɔ̃prɛs] *f med* Kompresse *f,* Umschlag *m.*

compress|eur [kɔ̃prɛsœr] *s m phys tech* Kompressor, Verdichter *m; med* Klammer *f; a tech* Druck-; *fig* Zwangs-; *rouleau m* ~ Straßenwalze *f;* ~ *à deux cylindres* Zwillingsverdichter, Turbokompressor *m;* ~ *à suralimentation (mot)* Vorverdichter, Auflader *m;* **~ibilité** *f* Kompressibilität, Verdichtbarkeit *f;* **~ible** *phys* zs.drückbar; *fig (Ausgabe)* reduzierbar, einsparbar; **~if, ive** *tech med* zs.drückend, Preß-; *fig* Unterdrückungs-, Zwangs-; **~ion** *f* Zs.drükken, -pressen *n;* Druck *m a. med;* Zs.gedrücktsein *n;* Verdichtung *f; fig* Druck *m;* Einschränkung, Einsparung *f; de, à* ~ *(tech)* Druck-, Kompressions-, Verdichtungs-; *à haute* ~ hochkomprimiert; ~ *du personnel* Personalabbau *m;* ~ *des prix* Preisdrückerei *f.*

comprim|able [kɔ̃primabl] zs.drückbar; **~ant, e** zs.drückend; **~é, e** *a: air m* ~ Preßluft *f; verre m* ~ Preßglas *n; s m pharm* Tablette, Pastille *f;* **~er** komprimieren, verdichten; zs.=drücken, (-)pressen; *(Brust)* ein=schnüren; *fig (Tränen, Aufstand)* unterdrücken; im Zaum, in Schranken halten.

compris, e [kɔ̃pri, -iz] *pp comprendre;* verstanden, erfaßt; enthalten, einbegriffen; ~*!* verstanden! *tout* ~ alles eingeschlossen, alles inklusive; *y* ~ einbegriffen, inklusive, mit; *non* ~ nicht einbegriffen, nicht mitgerechnet, exklusive, ohne; *prix m tout* ~ Inklusiv-, Pauschalpreis *m.*

comprom|ettant, e [kɔ̃prɔmɛtɑ̃, -ɑ̃t] *a* kompromittierend; **~ettre** *irr tr* kompromittieren, bloß=stellen; gefährden, in Gefahr bringen, aufs Spiel setzen; in Verlegenheit bringen, Unannehmlichkeiten machen (*qn* jdm); belasten; *(Frau)* ins Gerede bringen; *itr* e-n Kompromiß, *jur* Schiedsvertrag schließen; e-e schiedsgerichtliche Entscheidung herbei=führen (*de, sur qc* wegen e-r S *gen*); *se* ~ s-n Ruf aufs Spiel setzen; *se* ~ *avec qn* sich mit jdm gemein machen; ~ *sa dignité* sich etw vergeben; **~is** [-mi] *m* Kompromiß *m* od *n,* Vergleich; *jur* Schiedsvertrag *m;* Berufung *f* auf e-n schiedsrichterlichen Spruch; *faire, passer un* ~ e-n Kompromiß schließen; *mettre en* ~ *(jur)* e-m schiedsrichterlichen Spruch unterwerfen; ~ *fiscal* Finanzausgleich *m;* **~ission** *f* Bloßstellung *f;* **~issoire** *jur* schiedsrichterlich; *clause f* ~ Schiedsgerichtsklausel *f*.

compt|abilisation [kõtabilizasjõ] *f* (Ver-)Buchung *f;* ~**abiliser** (ver)buchen; (in den Büchern) führen; ~**abilité** *f* Rechnungspflicht *f;* Rechnungswesen *n;* Rechnungslegung, Buchführung; Buchhaltung *f; consulter la* ~ Einsicht in die Bücher nehmen; *gérer, tenir une* ~ Bücher führen; *chef m de* ~ Hauptbuchhalter *m; livres m pl de* ~ Geschäftsbücher *n pl; méthode f de* ~ Buchungsmethode *f; service m de la* ~ Buchhaltungsabteilung *f;* ~ *américaine* amerikanische Buchführung *f;* ~ *à feuillets mobiles* Loseblatt-Buchführung *f;* ~ *matière* Bestands-, Lagerbuchführung *f;* ~ *en partie simple, double* einfache, doppelte Buchführung *f;* ~ *publique* Finanzverwaltung, -gesetzgebung *f;* ~**able** *a* rechnungspflichtig, -führend; *(finanziell)* verantwortlich (*de qc à, envers qn* jdm für etw); anrechnungsfähig; *s m* Rechnungs-, Kassenführer; Buchhalter *m; contrôleur m* ~ Buchprüfer *m; expert-~ m* Buchsachverständige(r) *m; gain m* ~ Buchgewinn *m; officier m* ~ *(mil)* Zahlmeister *m; pièce f* ~ Beleg *m;* ~*-matière m* Lagerbuchhalter *m;* ~**age** *m* Zählen, Rechnen *n;* Berechnung *f* (e-s Holzeinschlages); ~**ant, e** *a* bar; *s m* Bargeld *n;* Barschaft *f; au* ~ gegen bar, gegen Kasse; *acheter (au)* ~ gegen bar kaufen; *avoir de l'esprit argent* ~ schlagfertig sein, *fam* nicht auf den Mund gefallen sein; *payer* ~ bar (be)zahlen; *fig* vergelten, mit gleicher Münze heim=zahlen; *prendre pour (de l')argent* ~ *(fig)* für bare Münze nehmen; *achat m au* ~ Bar(ein)kauf *m; argent m* ~ Bargeld *n; dépenses f pl en* ~ Barauslagen *m; marché m, opération, transaction f au* ~ Kassageschäft *n; paiement m au* ~ Barzahlung *f; recettes f pl en* ~ Bareingang *m; vente f au* ~ Barverkauf *m;* ~ *compté* sofortige Kasse *f;* ~ *sans escompte* bar ohne Abzug.

compte [kõt] *m* Zählen *n;* (Be-)Rechnung *f;* Betrag *m,* Konto *n;* Abrechnung; Rechenschaft *f; à* ~ *de qn* jdm a conto; *à ce* ~*(-là)* wenn Sie (es) so nehmen *od* wollen; *à, selon, suivant votre* ~ *(vx)* nach Ihnen, nach Ihrer Meinung *od* Ansicht; *à bon* ~ billig; reichlich, mühelos; a conto; *au bout du, en fin de* ~ am Ende, letzten Endes, schließlich; *de bon* ~ mindestens; *de* ~ *à demi* halbpart; *tout* ~ *fait* alles in allem, genaugenommen; *en règlement de votre* ~ zum Ausgleich Ihrer Rechnung; *pour le* ~ *de qn* für jds Rechnung; *fig* was jdn betrifft; *pour son* ~ für sich (selbst); *sur mon* ~ über mich, von mir; *par voie d'imputation au* ~ im Verrechnungsverfahren; *aligner un* ~ ein Konto ab=schließen; *aller au tapis pour le* ~ *(sport)* zum Auszählen auf die Bretter gehen; *arrêter un* ~ e-e Rechnung begleichen; *avoir un* ~ *en banque* ein Bankkonto haben; *(en) avoir (pour) son* ~ genug, sein Teil, *fam* sein Fett weg=haben; *avoir un* ~ *à régler avec qn* mit jdm ein Hühnchen zu rupfen haben; *n'avoir de* ~*s à rendre à personne* niemandem Rechenschaft schuldig sein; *balancer, équilibrer, solder un* ~ ein Konto aus=, ab=gleichen; *demander des* ~*s* Rechenschaft verlangen; *donner, régler son* ~ *à qn* jdn ab=lohnen; *donner son* ~*, en donner pour son* ~ *à qn* jdm übel mit=spielen; *dresser, établir un* ~ e-e Rechnung aus=fertigen; *entrer en ligne de* ~ in Frage kommen; *être loin de* od *du* ~ sich verrechnet haben; sich (durchaus) nicht einig sein; *examiner un* ~ e-e Rechnung ab=nehmen; *faire bon* ~ billig verkaufen (*de qc* etw); *faire le* ~ *de qc* etw zs.=rechnen, -zählen; *faire* ~ *rond* glatte Rechnung machen; *laisser pour* ~ *(com)* die Annahme *(e-r Ware)* verweigern; *mettre qc sur le* ~ *de qn* jdm etw zur Last legen, *fam* in die Schuhe schieben; *mettre un* ~ *à découvert* ein Konto überziehen; *ouvrir un* ~ ein Konto eröffnen (*auprès de* bei); *passer en* ~ *(com)* in Rechnung stellen; *fig* an=rechnen; *passer, mettre en* od *sur* ~ auf e-m Konto verbuchen; *prendre sur son* ~ auf seine Rechnung, *fig* seine Kappe nehmen; *régler un* ~ e-e Rechnung ab=schließen *od* begleichen; *régler ses* ~*s* ab=rechnen *a. fig; rendre* ~ dar=legen; berichten (*de qc* über etw *acc,* von); Rechenschaft ab=legen (*de qc à qn* jdm über e-e S); *se rendre* ~ sich Rechenschaft ab=legen (*de qc* über e-e S); sich klar=machen; *rendre ses* ~*s* Rechenschaft ab=legen (*de* über *acc*) *a. fig; revenir sur le* ~ *de qn* s-e Meinung über jdn ändern; *tenir* ~ entschädigen (*de qc à qn* jdn für etw); *fig* in Erwägung ziehen, erwägen, berücksichtigen, bedenken; zugute halten, an=rechnen; (viel) Aufhebens machen (*de qc* von etw); *tirer d'un* ~ von e-m Konto ab=heben; *s'en tirer à bon* ~ glimpflich davon=kommen; *travailler à* od *pour son* ~ auf eigene Rechnung arbeiten; *trouver* *son ~ à qc* bei etw auf s-e Kosten kommen; *cela n'est pas de ~ (lit)* das hat nichts zu bedeuten; *le ~ n'y est pas* die Rechnung stimmt nicht; *le ~ est exact* die Rechnung stimmt; *les bons ~s font les bons amis (prov)* strenge Rechnung, gute Freundschaft; *ayant m ~, titulaire m d'un ~* Kontoinhaber *m; balance f des ~s* Zahlungsbilanz *f; bon ~ (com)* Billigkeit *f; bordereau, relevé m de ~* Kontoauszug *m; carnet m de ~* Kontogegenbuch *n; contrôleur m des ~s* Rechnungsprüfer *m; monnaie f de ~* Buchgeld *n; numéro m de ~* Kontonummer *f; paiement m à ~* Abschlagszahlung *f; reddition f des ~s (jur)* Rechnungslegung *f; règlement m de ~s (a. fig)* Abrechnung *f; ~ d'affaires* Geschäftskonto *n; ~ d'ajustement* Wertberichtigungsposten *m,* Spitzenverrechnung *f; ~ d'amortissement* Abschreibungskonto *n; ~ d'apothicaire, de cuisinière* (übertrieben) hohe Rechnung *f; ~ bancaire, ~ en banque* Bankkonto *n; ~ des bénéfices disponibles* Gewinnkonto *n; ~ bloqué* Sperr-, Registerkonto *n; ~ de chèques postaux, de chèque postal* Postscheckkonto *n; ~ de clearing* Verrechnungskonto *n; ~ collectif* Sammelkonto *n;* gemeinschaftliche Rechnung *f; ~ (con)joint, de participation* Gemeinschafts-, Metakonto *n;* gemeinschaftliche Rechnung *f; ~ de consignation* Treuhänderkonto *n; ~ contre-partie* Gegenrechnung *f; ~ courant* Kontokorrent *n;* laufende, offene Rechnung *f; ~ des créances à payer* Kreditorenkonto *n; ~ des créances à recevoir* Debitorenkonto *n; ~ définitif, final* Schlußrechnung *f; ~ à demi* Metakonto *n;* halbe Rechnung *f; ~ de dépôts* Depositenrechnung *f,* -konto *n; ~ à échéance fixe* gebundene(s) Konto *n; ~ d'effets impayés* Retourenkonto *n,* Retourrechnung *f; ~ d'effets à recevoir* Wechselkonto *n; ~ d'épargne* Sparkonto, -guthaben *n; ~ d'espèces* Kassa-, Valuta-, Barverrechnungskonto *n; ~ d'exécution* Vollzugsmeldung *f; ~s de l'exercice* Jahres-, Geschäftsabschluß *m; ~s faits* Umrechnungstabelle *f; ~ de frais et debours* Unkosten- u. Auslagenrechnung *f; ~-gouttes, ~-pas, ~-tours m inv* Tropfen-, Schritt-, Drehzahlmesser *m; ~ d'installation, d'investissement* Anlagekonto *n; ~ journalier* Tagesmeldung *f; ~ mensuel* Monatsbericht *m; ~ numéroté* Nummernkonto *n; ~ d'ordre* Verrechnungs-, Verwahr-, Interimskonto *n; ~ ouvert* laufende, offene Rechnung *f;* Kontokorrent *n; ~ des (profits et) pertes* (Gewinn-u.-)Verlust-Rechnung *f; ~ à rebours* Countdown *n* od *m; ~ de régularisation* Wertberichtigungskonto *n; ~ à rendre (allg)* Rechenschaft *f; ~-rendu m* (Rechenschafts-)Bericht *m;* Gesamtaufstellung *f; ~ d'activité* Tätigkeitsbericht *m; ~ de lecture (Schule)* Nacherzählung *f; ~ rond* glatte Rechnung, runde Summe *f; ~ secret* Geheimkonto *n; ~ de la situation (mil)* Lagebericht *m;* Gefechtsmeldung *f; ~ spécial, à part* Sonder-, Separatkonto *n; ~ de virement* Girokonto *n; ~ à vue* Scheckkonto *n.*

compt|er [kõte] **1.** *itr (calculer)* zählen, rechnen; *~ jusqu'à cent* bis hundert zählen; *~ sou à sou (fig)* mit jedem Pfennig rechnen; *à ~ de* von ... an; *~ sans l'hôte* die Rechnung ohne den Wirt machen; *sans ~* mit vollen Händen; *(avoir de l'importance)* etw sein, bedeuten, vor=stellen; zählen, in Anschlag kommen; *~ pour du beurre (fam)* nicht mit=reden dürfen; *cela ne ~e pas* das hat nichts zu bedeuten; zählen (*parmi, pour, au nombre* od *au rang de* zu); *(escompter)* (fest) rechnen (*sur* mit), sich verlassen (*sur* auf *acc*); *on ne peut pas ~ sur lui* man kann sich auf ihn nicht verlassen; **2.** *tr* zählen (*par* nach); berechnen, in Rechnung stellen, auf die Rechnung setzen; mit=rechnen; zugute halten, an=rechnen; *(Diktat) ~ qc comme faute* e-e S als Fehler an=rechnen (*à qn* jdm); achten (*pour* für); zählen (*parmi, pour, au nombre* od *au rang de* zu); aus=zahlen (*une somme à qn* jdm e-n Betrag); *fig* bringen; vor=zählen, -rechnen, zu=messen; *(comporter) (Jahre)* zählen, alt sein; *(Einwohner)* haben; *mit Inf.* (zu tun) gedenken, vor=haben, hoffen; *à pas ~és* gemessenen Schrittes; *tout bien ~é et rabattu* nach genauer Prüfung; *~ plusieurs années de service* mehrere Dienstjahre hinter sich haben; *~ par bref (com)* e-n Überschlag machen, überschlägig rechnen; *~ les morceaux, tous les pas de qn* jdm die Bissen, Schritte nach=zählen; *~ ses pas* gemessen schreiten; *fig* umsichtig ans Werk gehen; **~eur** *m* Zähler, Messer *m,* Meßuhr *f; mécanisme m ~* Zählwerk *n; ~ de contrôle (tele)* Platzzähler *m; ~ de courses (tech)* Hubzähler *m; ~ à eau* Wasseruhr *f,* -messer *m; ~ d'électricité* Stromzähler *m; ~ à gaz* Gasuhr *f; ~*

(de) Geiger (phys) Geigerzähler *m; ~ kilométrique* Kilometerzähler *m; ~ de monnaie* Geldzähler *m; ~ de taxi(mètre)* Taxameteruhr *f; ~ totalisateur (tele)* (Gesamt-)Leistungszähler *m; ~ de vitesse* Geschwindigkeitsmesser, Tachometer *m;* **~ine** *f* Abzählvers *m;* **~oir** *m* Laden-, Zahltisch *m;* Büfett *n, fam* Theke; Kasse(nraum *m*) *f,* Kontor, Büro *n; com* Materialausgabe(raum *m*) *f;* Geschäftsraum *m, (Kaufhaus)* Abteilung *f;* Bankgeschäft *n;* Nebenstelle *(e-r Bank);* (Handels-)Niederlassung *f* in Übersee; *~ d'achat* Aufkaufstelle *f; ~ d'escompte* Diskonto-, Wechselbank *f.*

compuls|er [kɔ̃pylse] nach⸗schlagen, -sehen (*qc* in e-r S); *(Buch, Papiere)* durch⸗sehen; (häufig) benutzen; *jur* Einsicht nehmen (*qc* in e-e S); **~eur** *m* Benutzer *m* e-s Nachschlagewerkes.

compuls|if, ive [kɔ̃pylsif, -iv] zwingend; **~ion** *f jur* Zwang *m;* Gewaltanwendung *f;* **~oire** *m jur* (Anordnung *f* zur) Aktenvorlegung; Einsichtnahme *f.*

comput [kɔ̃pyt] *m* Kalender-, Fest(be)rechnung *f;* **~ation** *f* Zeitrechnung *(Tätigkeit); jur* Zeitberechnung *f;* **~er** *jur (Zeiten u. Fristen)* berechnen.

comt|al, e [kɔ̃tal] gräflich; **~at** [-ta] *m* Grafschaft *f;* **~e** [kɔ̃t] *m* Graf *m;* **~é** *m* Grafschaft *f;* **~esse** *f* Gräfin *f;* **~ois, e** *a* aus der Franche-Comté; *C~, e s m f* Be-, Einwohner(in *f*) *m* der Franche-Comté.

con, ne [kɔ̃, kɔn] *a fam* dumm, doof; *s m vulg* Arschloch *n; espèce de ~!* blöder Hund!; *quel ~!* so ein Arschloch!

concass|age [kɔ̃kasaʒ] *m tech* (Grob-)Zerkleinerung *f,* Brechen *n;* **~er** zerstoßen, -kleinern, -stampfen, brechen; **~és** [-se] *m pl* Brechgut *n;* Splitt; Schotter *m;* **~eur** *m tech* Zerkleinerer, (Stein-)Brecher *m; ~ d'avoine* Haferquetsche *f; ~ de coke, à mâchoires, de pierres* Koks-, Backen-, Steinbrecher *m.*

concav|e [kɔ̃kav] *opt* konkav, hohl(gewölbt); *bot* vertieft; *miroir m ~* Hohlspiegel *m;* **~ité** *f opt* Hohlschliff *m; allg* Vertiefung, Höhlung; *(Gewölbe)* Bogenrundung *f.*

concéder [kɔ̃sede] *(Rechte)* verleihen, bewilligen; zu⸗gestehen, ein⸗räumen *a. fig; (Geschäft)* konzessionieren.

concélé|bration [kɔ̃selebrasjɔ̃] *f* Konzelebration *f;* **~brer** konzelebrieren.

concentr|able [kɔ̃sɑ̃trabl] konzentrierbar, zs.ziehbar; **~ateur** *m tele* Anrufschrank *m;* **~ation** *f* Konzentration, Sammlung *(von Strahlen);* Ansammlung *f; mil* Aufmarsch *m,* Massierung, Zs.ziehung; Eindickung *(von Flüssigkeiten); min* Anreicherung *f; tele* Zs.legen *n; fig* Konzentration, Sammlung; Zs.fassung, Gliederung *(von Industrien);* Gruppierung *(verschiedener Handelszweige); (Menschen)* Zs.ballung *f; camp m de ~* Konzentrationslager, KZ *n; faculté f de ~* Konzentrationsfähigkeit *f; mouvement m de ~ (mil)* Aufmarschbewegung *f; plan m de ~ (mil)* Aufmarschplan *m; tir m de ~* zs.gefaßte(s) Feuer *n; ~ des efforts* Schwerpunktbildung *f;* **~ationnaire** totalitär; zentralisierend; Konzentrations-; **~é, e** *a chem* konzentriert; *(Puls)* schwach; *fig* verschlossen; besonnen; *(Wut)* verhalten; *(Haß)* glühend; *s m chem geol* Konzentrat *n; très ~* hochprozentig, -wertig; *fourrage m ~* Kraftfutter *n; lait m ~* Kondensmilch *f; tir m ~* konzentrierte(s) Feuer *n; ~ de tomates* Tomatenmark *n;* **~er** *opt* sammeln; zs.⸗ziehen *a. mil pol;* zs.⸗fassen; *fig* richten, häufen (*sur* auf *acc*); *(Gedanken)* zs.⸗nehmen; *(Ärger)* hinunter⸗schlucken; *chem* konzentrieren, verdichten; ein⸗dicken, an⸗reichern; *(Menschen)* zs.⸗ballen; *se ~* sich (an⸗)sammeln, sich konzentrieren; sich ver-, ab⸗schließen; *mil* auf⸗marschieren, sich versammeln; **~ique** *math* konzentrisch.

concept [kɔ̃sɛpt] *m* Begriff *m,* Idee *f.*

conceptacle [kɔ̃sɛptakl] *m bot* Samenkapsel *f.*

concept|ion [kɔ̃sɛpsjɔ̃] *f* Empfängnis; Vorstellung *f,* Gedanke, Einfall *m,* Erfindung; Planung, Gestaltung; Bauart *f; Immaculée C~* (Fest *n* der) Unbefleckte(n) Empfängnis *f* (Mariä); *~ fondamentale* Grundbegriff *m; ~ du monde* Weltanschauung *f;* **~ionnel, le** Auffassungs-; Empfängnis-.

conceptuel, le [kɔ̃sɛptɥɛl] begrifflich; *analyse f ~le* Begriffsanalyse *f.*

concern|ant [kɔ̃sɛrnɑ̃] betreffend, betreffs, bezüglich; **~er** betreffen, an⸗gehen; *en, pour ce qui ~e* bezüglich, hinsichtlich *gen; en ce qui me ~e* was mich betrifft.

concert [kɔ̃sɛr] *m* Einklang *m,* Übereinstimmung *f,* Einvernehmen, Einverständnis *n;* Zs.klang *m,* -spiel; Konzert *n a. fig; de ~* im Einverständnis; (wie) verabredet; zusammen; *salle f de* ~ Konzertsaal *m;* ~ *à la demande (radio)* Wunschkonzert *n;* ~ *spirituel* Kirchenkonzert *n;* **~ant, e** *a mus* konzertant; *s m f* Konzertsänger(in *f*) *m;* Ausführende(r *m*) *f;* **~er** (sich) verabreden, *fam* ab≈karten; vor≈bereiten; *(Verhalten)* ein≈studieren, *(Miene)* auf≈setzen; *se* ~ beraten (*sur* über *acc*); sich besprechen (*avec qn* mit jdm); **~iste** *m f mus* Ausführende(r *m*) *f;* **~o** *m* Konzert(stück) *n;* ~ *pour violon* Violinkonzert *n.*

concess|ible [kõse(ɛ)sibl] *(Recht)* verleihbar; **~ion** *f jur* Verleihung, Bewilligung, Einräumen *f; allg* Zugeständnis *n;* Abtretung, Überlassung; Konzession; Vergebung *f (von öffentlichen Arbeiten);* Gerechtsame, Mutung *f;* Begräbnisplatz *m; accorder une* ~ e-e Konzession erteilen; *faire des* ~*s à qn* jdm Zugeständnisse machen; ~ *à perpétuité* Erbbegräbnis *n;* **~ionnaire** *s m* Konzessionär, Lizenzinhaber *m; a* konzessioniert; *seul* ~ Alleinvertreter *m.*

concev|able [kõs(ə)vabl] begreiflich; **~oir** *irr tr* begreifen, auf≈, erfassen; verstehen; sich vor≈stellen, aus≈denken, ersinnen; *(Plan, Vertrauen)* fassen, *(Hoffnung, Verdacht)* schöpfen; ergriffen werden von *(Liebe, Haß); tech* entwerfen; aus≈drücken, ab≈fassen; empfangen; *itr* schwanger werden; ~ *de l'amitié pour qn* jdn lieb≈gewinnen; *conçu en ces termes* mit folgendem Wortlaut.

concierge [kõsjɛrʒ] *m f* Portier(frau *f*), Pförtner(in *f*), Hausmeister(in *f*) *m;* **~rie** [-ʒəri] *f* Portier-, Pförtnerstelle; Portierloge, -wohnung *f.*

concil|e [kõsil] *m rel* Konzil(sbeschlüsse *m pl*) *n;* **~iable** verträglich, versöhnlich; vereinbar; **~iabule** [-ljabyl] *m* geheime Zs.kunft *f;* **~iaire** Konzils-; **~iant, e** versöhnlich, verträglich; **~iateur, trice** *a* versöhnlich; *s m* Vermittler, Schlichter *m;* **~iation** *f* Ver-, Aussöhnung; Vermittlung, *jur* Schlichtung *f,* Vergleich *m;* Versöhnlichkeit, Verträglichkeit; Vereinbarkeit *f; allg* Ausgleich *m; audience f de* ~ *(jur)* Sühneverhandlung *f; comité m de* ~ Schlichtungsausschuß *m; procédure f de* ~ Sühneverfahren *n; tentative f de* ~ Sühneversuch *m;* **~iatoire** vermittelnd; Aussöhnungs-; **~ier** aus≈, versöhnen; *(Gegensätze)* aus≈gleichen; *(Parteien, Texte)* vergleichen; *fig* in Einklang, Übereinstimmung bringen; *se* ~ sich verschaffen, erwerben; gewinnen (*qc, qn* etw, jdn für sich).

conci|s, e [kõsi, -iz] kurz(gefaßt), bündig, knapp, gedrängt; **~sion** [-zjõ] *f* Knappheit (des Stils), Gedrängtheit, Bündigkeit, Kürze *f.*

concitoyen, ne [kõsitwajɛ̃, -ɛn] *m f* Mitbürger(in *f*) *m.*

conclu|ant, e [kõklyɑ̃, -ɑ̃t] beweiskräftig, treffend, triftig, schlagend, bündig; *(Schluß)* zwingend; **~re** *irr tr (Vertrag)* (ab≈)schließen; *(Geschäft)* tätigen; *allg* vollenden, (be)enden, zum Schluß bringen *od* kommen (*qc* mit etw); den Schluß ziehen, folgern, schließen (*qc de qc* etw aus etw, *de qc à qc* von e-r S auf e-e S); *itr* sich entscheiden, sich aus≈sprechen (*à* für); *fig* führen (*à* zu); *jur* beantragen (*à qc* etw), erkennen (*à* auf *acc*); ~ *un mariage* e-e Ehe ein≈gehen *od* schließen; *marché* ~! abgemacht! **~sif, ive** folgernd; **~sion** *f* Abschluß *m (e-s Vertrages);* (Ehe-)Schließung *f;* (Ab-)Schluß *m;* (End-)Ergebnis *n;* Entscheid(ung *f*) *m;* Schlußfolgerung *f; pl jur* (Schluß-)Antrag *m,* (Rechts-)Begehren *n;* ~*s d'appel (jur)* Berufungsantrag *m;* ~*s subsidiaires* Eventual-, Hilfsantrag *m.*

concombre [kõkõbr] *m* Gurke *f; salade f de* ~*s* Gurkensalat *m.*

concomit|ance [kõkɔmitɑ̃s] *f* gleichzeitige(s) Bestehen, Zs.wirken *n;* **~ant, e** *(de)* begleitend, Begleit-; gleichzeitig; *faits m pl* ~*s* Begleitumstände *m pl; faute f* ~*e* Mitverschulden *n.*

concord|ance [kõkɔrdɑ̃s] *f* Übereinstimmung *a. gram;* vergleichende Übersicht, *rel* Konkordanz *f;* ~ *des temps (gram)* Zeitenfolge *f;* **~ant, e** übereinstimmend; **~at** [-da] *m rel* Konkordat *n; jur* Vergleich, (Nachlaß-)Vertrag; Zwangsvergleich *m;* **~ataire** *a* Konkordat(s)-; Vergleich-; **~e** *f* Eintracht *f;* **~er** überein≈stimmen; *jur* e-n Vergleich schließen; *faire* ~ in Übereinstimmung bringen.

concour|ir [kõkurir] *irr* zs.≈, mit≈wirken, bei≈tragen (*à* zu); sich (gemeinsam) bewerben (*pour* um), konkurrieren; an e-m Wettbewerb teil≈nehmen; (gleichen) Anspruch haben (*pour* auf *acc*); *math* in e-m Punkt zs.≈laufen, konvergieren; **~s** [-kur] *m* Zs.treffen *n (von Umständen);* Auflauf, Andrang *m;* Mitwirkung, -arbeit, Beihilfe *f;* Wettbewerb, -streit; *sport* Wettkampf *m;* (Leistungs-)Schau, Ausstellung *f;* Preisausschreiben *n; Art* Prüfung; (finanzielle) Beteiligung; *jur* Konkurrenz *f; avec le* ~ *de* unter Mitwirkung *gen; hors* ~ außer Wettbewerb; *être admis, reçu, refusé à un*

~ zu e-r Prüfung zugelassen werden; e-e Pr. bestehen; in e-r Pr. durch=fallen; *mettre au ~ (Stelle)* aus=schreiben; *se présenter à un ~* sich zu e-r Prüfung melden; *prêter son ~* mit=wirken (*à* bei); *point m de ~* Schnittpunkt *m; ~ agricole* landwirtschaftliche Ausstellung *f; ~ de beauté* Schönheitswettbewerb *m; ~ d'étalages, de vitrine* Schaufensterwettbewerb *m; ~ hippique* Pferdeschau *f;* Reit- und Fahrturnier *n.*

concr|et, ète [kõkrɛ, -ɛt] konkret, anschaulich; sachlich; *phys chem* fest; *math* benannt; **~éter** fest werden lassen; *se ~* gerinnen; **~étion** *f* Verhärtung *f;* Dickwerden; *bot anat* Knötchen; *med* Konkrement *n,* Stein *m; geol* Sinterung, Konkretion *f; ~ biliaire* Gallenstein *m;* **~étionner, se** sich verhärten; **~étiser** Wirklichkeit werden lassen; Gestalt gewinnen lassen; formulieren; *se ~* (feste) Gestalt an=nehmen.

concubin, e [kõkybɛ̃, -in] *a* in wilder Ehe lebend; *s f* Konkubine *f;* **~age** *m* wilde Ehe *f;* **~aire** *a* die wilde Ehe betreffend; *s m* in wilder Ehe lebende(r) Mann; *pl* in wilder Ehe lebende(s) Paar *n.*

concupisc|ence [kõkypisɑ̃s] *f* Sinneslust, Sinnlichkeit, Begehrlichkeit *f;* **~ent, e** begehrlich.

concurr|emment [kõkyramɑ̃] *adv* in Wettbewerb (*avec* mit); gemeinschaftlich, gleichzeitig; *jur* mit gleichen Ansprüchen; **~ence** *f com allg* Konkurrenz *f,* Wettbewerb *m; jur* Gleichberechtigung *f; jusqu'à ~ de* bis zur Höhe, bis zum Betrag von; *entrer en ~ avec qn* mit jdm in Konkurrenz treten; *soutenir la ~, tenir tête à la ~* der Konkurrenz die Spitze bieten; *prix m défiant toute ~* konkurrenzlose(r) Preis *m; ~ déloyale* unlautere(r) Wettbewerb *m; ~ vitale* Kampf ums Dasein, Lebenskampf *m;* **~encer** konkurrieren, Konkurrenz machen, in Wettbewerb treten *od* stehen (*qn* mit jdm); **~ent, e** *a* übereinstimmend, zs.wirkend; in Wettbewerb stehend, konkurrierend; *s m* Mitbewerber, Konkurrent *m; maison f ~e* Konkurrenzfirma *f;* **~entiel, le** auf freiem Wettbewerb aufgebaut; Konkurrenz-; wettbewerbsfähig.

concussion [kõkysjõ] *f* Veruntreuung (öffentlicher Gelder); Unterschlagung (überforderter Gebühren, Steuern); Erpressung *f;* **~naire** [-sjɔ-] *a* der Unterschlagung, Erpressung schuldig; *s m f* der Unterschlagung Schuldige(r *m*) *f;* Erpresser, (Leute-)Schinder *m.*

condamn|able [kõdanabl] verdammungswürdig, verwerflich; strafbar; **~ation** *f jur* Ver-, Aburteilung *f* (*pour* wegen), Strafurteil *n;* Strafe; *allg* Mißbilligung, Verwerfung, Verurteilung, Verdammung *f; passer ~ (jur)* den Abstand erklären; *fig* sein Unrecht ein=gestehen; *~ aux dépens* Verurteilung *f* zur Zahlung der Kosten; *~ centrale des portes (mot)* Zentralverriegelung *f; ~ à mort* Todesurteil *n;* **~é, e** *s m f* Verurteilte(r *m*) *f;* **~er** *jur* ver-, ab=urteilen (*à* zu); *allg* verwerfen, ab=lehnen, mißbilligen, verdammen; zwingen; *(Buch)* verbieten; *med* auf= geben; *(Fenster, Tür)* zu=stellen, ver-, zu=nageln, zu=mauern; (für den Verkehr *od* Gebrauch) sperren; *(Aussage)* die Verurteilung zur Folge haben (*qn* für jdn); *se ~* sich für schuldig erklären; *~ sa porte* nicht zu sprechen sein (*à qn* für jdn); *~ à être pendu* zum Tode durch den Strang verurteilen; *~ à la peine capitale, à mort* zum Tode verurteilen.

condens|abilité [kõdɑ̃sabilite] *f phys* Verdichtbarkeit *f;* **~able** *phys* verdichtbar, kondensierbar; **~ateur** *m phys tech* Verdichter, Kondensator *m; ~ d'accord, de résonance* Abstimmkondensator *m; ~ d'arrêt, de blocage* Block-, Sperrkondensator *m; ~ réglable, rotatif, variable* Drehkondensator *m;* **~ation** *f phys* Verdichtung *a. fig,* Kondensation *f;* Niederschlagen *n; fig* Zs.ziehung, Zs.ballung, Konzentration *f; eau f de ~* Kondenswasser *n; point m de ~* Taupunkt *m; traînées f pl de ~* Kondensstreifen *m pl;* **~é** *m phys* Kondensat *n; (Buch)* Zs.-, Kurzfassung *f;* **~er** *phys* verdichten, kondensieren; nieder=schlagen; *mil (Kolonne)* auf=rükken lassen; *fig* zs.=drängen, -fassen; *lait m ~é* kondensierte Milch, Kondensmilch *f;* **~eur** *m phys tech* Kondens(at)or; Kühler *m,* Kühlgefäß *n,* -apparat *m.*

condescend|ance [kõdɛsɑ̃dɑ̃s] *f* Willfährigkeit *f,* Entgegenkommen *n,* Herablassung *f;* **~ant, e** herablassend; **~re** nach=geben; gefällig sein; sich herab=lassen (*à* zu *Inf*).

condiment [kõdimɑ̃] *m* Gewürz *n;* Würzstoff *m;* Würze *f a. fig.*

condisciple [kõdisipl] *m* Mitschüler, Schul-, Studienkamerad *m.*

condition [kõdisjõ] *f* Lage, Situation *f;* Zustand *m,* Beschaffenheit, Verfassung *f;* Rang, Stand *m,* (rechtliche *od* gesellschaftliche) Stellung; Grundlage, Voraussetzung, Bedingung; Klausel *f;* Vorbehalt *m; (Textil)* Konditionieranstalt *f; pl* Umstände *m pl,* Verhältnisse *n pl; à (la)* ~ *de* od *que* unter der Bedingung, daß; *à cette* ~ unter dieser Bedingung; *à, sous* ~ unter Vorbehalt; *dans ces* ~*s* unter diesen Umständen; *en* ~ *(sport)* in Form; *en bonne, grande* ~ *physique* fit; *en bonne, mauvaise* ~ *(com)* in gutem, schlechtem Zustand; *sans* ~ ohne Vorbehalt, bedingungslos; *envoyer à* ~ zur Ansicht senden; *faire une* ~ e-e Bedingung stellen; *mettre des* ~*s à* Bedingungen knüpfen an *acc; se mettre, être en* ~ *(Hausangestellte)* in Stellung gehen, sein; *achat m à* ~ Kauf *m* mit Rückgaberecht; *remise f en* ~ *(mil)* Auffrischung *f;* ~*s d'assurance* Versicherungsbedingungen *f pl;* ~*s atmosphériques* Wetterlage *f;* ~*s de circulation* Verkehrsverhältnisse *n pl;* ~ *commerciale* Geschäftsbedingung *f;* ~*s d'engagement* Anstellungsbedingungen *f pl;* ~*s d'exploitation, de fonctionnement* Betriebsbedingungen *f pl;* ~ *juridique* Rechtsstellung *f;* ~*s de livraison* Lieferungsbedingungen *f pl;* ~*s de paiement* Zahlungsbedingungen *f pl;* ~ *physique* Fitneß *f;* ~ *préalable* Vorbedingung *f;* ~ *sine qua non* unerläßliche Bedingung *f;* ~*s de tarif* Tarifbestimmungen *f pl;* ~*s de travail* Arbeitsverhältnisse *n pl;* ~**né, e** [-sjɔ-] Bedingungen *dat* unterworfen, bedingt; beschaffen; *bien* ~ in gutem Zustand, kräftig, tüchtig; ~**nel, le** *a* bedingt; *gram* bedingend, Bedingungs-; *s m* Konditional(is) *m;* ~**nement** *m (Textil, Getreide)* Konditionieren *n; com* Verpackung, Aufmachung, Beschaffenheit; *med* Reflexbildung; *geol* Lagerung *f;* ~ *de l'air* Klimatisierung *f;* ~**ner** bedingen, *jur* verklausulieren; *(Seide, Getreide)* konditionieren; *com* verpacken; *tech* klimatisieren.

condoléance [kɔ̃dɔleɑ̃s] *f meist pl* Beileid *n; faire, offrir, présenter ses* ~*s* sein Beileid bezeigen *od* aus=sprechen.

condom [kɔ̃dɔm] *m* Kondom, Präservativ *n.*

condominium [kɔ̃dɔminjɔm] *m* Kondominium, Kondominat *n.*

condor [kɔ̃dɔr] *m orn* Kondor *m.*

conduct|ance [kɔ̃dyktɑ̃s] *f el* Konduktanz *f,* Leitwert *m;* ~**eur, trice** *s m f* Führer, Leiter(in *f*); Aufseher, Maschinenmeister; *(Straßenbahn)* Wagenführer; *allg* Fahrer; *m phys* Leiter *m; el* Leitung(sdraht *m*), Ader *f; typ* Bedienungsmann *m; a* leitend; *à plusieurs* ~*s* mehradrig; *mettre le* ~ *à la terre* die Leitung erden; *rail m* ~ Stromschiene *f;* ~ *aérien* Oberleitung *f,* Luftleiter *m;* ~ *d'alimentation* Stromzuführung, Speiseleitung *f;* ~ *d'amenée* Zuleitung *f;* ~ *câblé* mehradrige Leitung, Litze *f;* ~ *calorifique, de la chaleur (phys)* Wärmeleiter *m;* ~ *de camion* Lastwagenfahrer *m;* ~ *chef* Zugführer *m;* ~ *de convoi, de train* Schaffner *m;* ~ *du dragueur* Baggerführer *m;* ~ *inactif* stromlose(r) Leiter *m;* ~ *de machine* Lok(omotiv)führer *m;* ~ *neutre* Nulleiter *m;* ~ *nu* blanke(r) Leiter *m;* ~ *de travaux* Bauführer *m;* ~**ibilité** *f phys* Leitfähigkeit *f;* ~**ible** *phys* leitfähig; ~**ion** [-ks-] *f phys* Leitung, (Zu-)Führung *f;* ~**ivité** [-kti-] *f phys* spezifische(r) Leitwert *m,* Leitfähigkeit *f.*

condui|re [kɔ̃dɥir] *irr* führen, leiten, vor=stehen *dat; (Vieh)* (vor sich her) treiben; lenken *a. mot,* fahren; *mot* steuern; beaufsichtigen; (ein=)führen (*dans* in *acc*); geleiten, begleiten; veranlassen; *(Ware)* transportieren, bringen, schaffen; *(Linie, Mauer)* ziehen; *(Orchester)* dirigieren; *phys* leiten; *tech* bedienen; *se* ~ sich benehmen, sich betragen; ~ *qn au désespoir* jdn zur Verzweiflung bringen, treiben; ~ *qc à sa fin* etw beenden; ~ *par la main* an der Hand führen; ~ *qc à sa perfection* etw vollenden; ~ *de l'œil, des yeux, du regard* mit den Augen verfolgen; beständig überwachen; *permis m de* ~ Führerschein *m;* ~**t** *m* (bedeckte) Rinne, Röhre *f; anat* Kanal, Gang *m; el* Leitungsrohr *n;* ~ *d'admission* Einlaßkanal *m;* ~ *d'air* Luftkanal *m;* ~ *auditif, auriculaire* Gehörgang *m;* ~ *d'eau* Wasserleitung *f;* ~ *de fumée* Rauchabzug *m;* ~ *à gaz* Gasleitung *f;* ~ *lacrymal* Tränenkanal *m;* ~ *respiratoire* Luftröhre *f;* ~ *et robinet à incendie* Feuerhydrant *m;* ~ *urinaire* Harnröhre *f;* ~**te** *f* Führung, Leitung, Aufsicht *f;* Geleit *n,* Begleitung *f;* Betragen, Benehmen; *(Psychologie)* Verhalten(sweise *f*) *n,* Anlage, Anordnung, Aus-, Durchführung *f;* (Leitungs-)Rohr, Rohr-, Wasserleitung; *tech* Zuführung; *(Maschine)* Bedienung, Wartung *f; mot* Lenken, Fahren, Steuern *n; mot* Steuerung *f; acheter une* ~ *(fam)* sich bessern; *faire la* ~ *à qn (fam)* jdn begleiten; *manquer de* ~ sich schlecht betragen *od* benehmen; *certificat m de bonne* ~ Führungszeugnis *n; ligne* *f de* ~ *(fig)* Richtschnur, Verhaltensweise *f; poseur m de* ~*s* Rohrleger *m;* ~ *d'air* Luftleitung *f;* ~ *d'amenée (tech)* Zuleitung *f;* ~ *d'aspiration* Saugleitung *f;* ~ *de câbles* Kabelkanal *m;* ~ *de carburant, d'essence* Kraftstoff-, Benzinleitung *f;* ~ *d'eau* Wasserleitung *f;* ~ *d'écoulement, d'évacuation* Ablauf *m,* Abflußleitung *f;* ~ *du feu, du tir (mil)* Feuerleitung *f;* ~ *de gaz* Gasleitung *f;* ~ *des troupes* Truppenführung *f;* ~ *de la guerre* Kriegführung *f;* ~ *intérieure (mot)* Innensteuerung; Limousine *f;* ~ *de refoulement (Pumpe)* Steigleitung *f;* ~ *souterraine* Erdleitung *f.*

condyl|e [kɔ̃dil] *m anat* Gelenkkopf *m;* ~**ome** *m med* Feigwarze *f.*

cône [kon] *m math allg* Kegel; *bot anat pharm* Zapfen *m; zoo* Kegelschnecke *f; tech* Konus, Kegel, Trichter *m; en (forme de)* ~ kegelförmig; ~ *pour chapeaux* Hutstumpen *m;* ~ *de débris, de déjection* Schuttkegel *m,* -halde *f;* ~ *d'ombre* Kegelschatten *m;* ~ *lumineux, de lumière* Lichtkegel *m;* ~ *de sapin, de pin* Tannen-, Kiefernzapfen *m;* ~ *tronqué, tronc m de* ~ Kegelstumpf *m.*

confection [kɔ̃fɛksjɔ̃] *f* Ver-, Anfertigung, Herstellung, Ausführung *f;* Bau *m; (Inventar)* Aufnahme; *(Testament)* Errichtung; Vollendung; *(Liste)* Aufstellung; Konfektion, Fertigkleidung *f;* fertige(s) Kleidungsstück *n;* Bekleidungsindustrie; *pharm* Latwerge *f; maison f de* ~ Konfektionsgeschäft *n;* ~**nement** [-sjɔ] *m* Anfertigung, Herstellung, Fabrikation *f;* ~**ner** her⸗stellen; ver-, an⸗fertigen, fabrizieren; *(Liste)* auf⸗stellen, *(Gesetz)* aus⸗arbeiten; *pp* Konfektions-; ~**neur, se** *m f* Konfektionsschneider(in *f*) *m.*

confédér|ation [kɔ̃federasjɔ̃] *f* Bündnis *n;* (Staaten-)Bund; Bundesstaat *m; C*~ *Générale du Travail (C.G.T.)* Allgemeine(r) Gewerkschaftsbund *m; C*~ *helvétique* Schweizerische Eidgenossenschaft *f;* ~**é** *m* Bundesgenosse, Verbündete(r); *hist* Konföderierte(r) *m;* ~**er** verbünden.

confér|ence [kɔ̃ferɑ̃s] *f* Konferenz, Zs.kunft; Besprechung, Beratung; Verhandlung *f;* Gespräch *n;* (öffentlicher) Vortrag *m;* Vorlesung *f;* Kolloquium *n;* (geistliche) Ansprache *f; faire, donner une* ~ e-n Vortrag, e-e Vorlesung halten; *tenir* ~ e-e Besprechung ab⸗halten; *la* ~ *piétine, est arrivé au point mort* die K. ist auf dem toten Punkt angelangt; *maître m de* ~*s* Dozent; *salle f de* ~*s* Konferenzraum, Hörsaal *m;* ~ *de* od *du désarmement* Abrüstungskonferenz *f;* ~ *de la paix* Friedenskonferenz *f;* ~ *avec* od *accompagnée de projections lumineuses* Lichtbildervortrag *m;* ~ *de presse* Pressekonferenz *f;* ~ *à* od *des quatre (pol)* Viererkonferenz *f;* ~ *au sommet* Gipfelkonferenz *f;* ~ *de ventes* Verkaufsbesprechungen; ~**encier, ère** *m f* Vortragende(r *m*) *f;* ~**er** *tr (Recht)* verleihen, übertragen, erteilen, gewähren *a. fig; (Geschwindigkeit)* verleihen; *(Texte)* vergleichen, nach⸗schlagen; *typ* revidieren; *itr* konferieren, sich besprechen, beraten, verhandeln (*de qc avec qn* mit jdm über e-e S).

conferve [kɔ̃fɛrv] *f bot* Wasserfaden *m.*

confess|e [kɔ̃fɛs] *f: aller à* ~ zur Beichte gehen; *revenir de* ~ von der Beichte kommen; ~**er** *(Sünde)* beichten; *(Glauben)* bekennen; (ein⸗)gestehen, zu⸗geben; *jur (Schuld)* an⸗erkennen; die Beichte ab⸗nehmen (*qn* jdm); ~ *qn* jds Beichte hören; zum Geständnis bringen; *allg* aus⸗fragen, -forschen, aus⸗horchen; *se* ~ beichten (*de qc* e-e S); *c'est le diable à* ~ *(fam)* aus ihm ist kein Wort herauszukriegen; ~**eur** *m rel* Bekenner; Beichtvater *a. fig; fam* Vertraute(r) *m;* ~**ion** *f* Bekenntnis, (Ein-)Geständnis *n a. jur;* Beichte *f; entendre, ouïr qn en* ~ jds Beichte hören; *faire sa* ~ die Beichte ab⸗legen, beichten; *on lui donnerait le bon Dieu sans* ~ er, sie hat's faustdick hinter den Ohren; er, sie sieht aus, als ob er, sie kein Wässerchen trüben könnte; *billet m de* ~ Beichtzettel *m; sceau, secret m de la* ~ Beichtgeheimnis *n;* ~ *auriculaire, privée* Ohrenbeichte *f;* ~ *(de foi)* Glaubensbekenntnis *n;* ~**ionnal** [-sjɔ-] *m* Beichtstuhl *m;* ~**ionnel, le** konfessionell, Konfessions-.

confetti [kɔ̃fɛ(e)ti] *m pl* Konfetti *pl.*

confian|ce [kɔ̃fjɑ̃s] *f* Ver-, Zutrauen *n* (*en* zu); Zuversicht *f;* Selbstvertrauen *n,* -sicherheit; Offenheit *f,* Freimut *m,* Unbefangenheit *f; (~ excessive)* Leichtgläubigkeit *f;* Dünkel *m; de* ~ in gutem Glauben, arglos; *en* ~ zuversichtlich *adv; avoir* ~ Vertrauen haben (*dans, en* zu); *avoir la* ~ *de qn* jds Vertrauen genießen; *donner sa* ~, *faire* ~ *à qn* jdm sein Vertrauen schenken; *inspirer (la)* ~ Vertrauen erwecken; *jouir de l'entière* ~ volles Vertrauen genießen; *mettre, placer sa* ~ *en* sein Vertrauen setzen auf *acc; perdre* ~ das Vertrauen verlieren; *prendre* ~ *en qn* Zutrauen zu jdm fassen; *abus m de ~* Vertrauensmißbrauch *m; digne de ~* vertrauenswürdig; *femme f de ~* (weibl.) Vertrauensperson *f; homme m de ~* Vertrauensmann *m; maison f de ~* solide(s), reelle(s) Geschäft *n; place f, poste m de ~* Vertrauensstellung *f; question f de ~ (pol)* Vertrauensfrage *f; vote m de ~* Vertrauensvotum *n;* **~t, e** vertrauend (*dans, en* auf *acc*), vertrauensvoll, -selig; zuversichtlich, selbstsicher; dünkelhaft, eingebildet.

confi|demment [kõfidamɑ̃] im Vertrauen, vertraulich; **~dence** *f* vertrauliche Mitteilung; geheime Kenntnis *f; en ~* unter dem Siegel der Verschwiegenheit; *être dans la ~* das Geheimnis kennen; *être dans la ~ de qn* von jdm ins Vertrauen gezogen worden sein; *faire ~ de qc à qn* jdm etw vertraulich mit=teilen; *mettre qn dans la ~* jdn ins Vertrauen ziehen; *besoin m de ~* Mitteilungsbedürfnis *n; fausse ~* Lüge, falsche Mitteilung *f;* **~dent, e** *m f* Vertraute(r *m*) *f a. theat;* **~dentiel, le** vertraulich.

confier [kõfje] an=vertrauen *a. fig;* übergeben, -tragen, -lassen; *se ~ à qn* sich jdm an=vertrauen *od* eröffnen; *se ~ en* sich verlassen auf, sich stützen auf *acc.*

configur|ation [kõfigyrasjõ] *f* Gestalt(ung), (äußere) Bildung; *astr* Konstellation *f;* **~er** bilden, gestalten.

confin|ement [kõfinmɑ̃] *m* Einsperren *n;* Verbannung; *jur* Einzelhaft *f;* **~er** *itr* grenzen (*à, avec* an *acc*) *a. fig; tr* begrenzen; ein=sperren, verbannen *a. fig; se ~* sich zurück=ziehen; sich vergraben (*dans* in *acc*); *air m ~é* verbrauchte Luft *f;* **~s** [-fɛ̃] *m pl* (gemeinsame) Grenze *f* (*de* zwischen); Grenzen *f pl a. fig;* äußerste(s) Ende *n; fig* Grenzscheide *f.*

confire [kõfir] *irr* ein=machen, *(in Zucker, Essig)* ein=legen; *(Leder)* beizen.

confirm|atif, ive [kõfirmatif, -iv] bestätigend, bekräftigend; **~ation** *f* Bestätigung, Bekräftigung; Firmung; Konfirmation, Einsegnung *f; en ~ de* zur Bestätigung *gen; ~ de commande (com)* Auftragsbestätigung *f;* **~atoire** bestätigend; **~é, e** *a* ausgesprochen, eingefleischt; *com* mit Erfahrung (*dans* in *dat*); **~er** bestärken, befestigen; bekräftigen, bestätigen; firmen; konfirmieren, ein=segnen; *fam* ohrfeigen.

confisc|able [kõfiskabl] konfiszier-, einziehbar; **~ation** *f* Konfiskation, Beschlagnahme, Einziehung *f.*

confis|erie [kõfizri] *f* Bonbonfabrik *f;* Süßwaren(industrie, -handlung *f*) *f pl;* Konditorei *f;* **~eur** *m* Süßwarenfabrikant, -händler; Konditor *m.*

confisquer [kõfiske] konfiszieren, ein=ziehen; *fam* weg=nehmen; mit Beschlag belegen (*qn* jdn).

confit, e [kõfi, -it] *a (Küche)* eingemacht, eingelegt; *fig* eingefleischt; *fam* versunken (*en* in *acc*), durchdrungen (*dans* von); *s m* in Fett eingelegte(s) Fleisch *n;* Kleiebrei *m (Futter); tech* Beize *f; ~ en douceur, en dévotion* zuckersüß, sehr fromm.

confiteor [kõfiteɔr] *m* Konfiteor, Beichtgebet *n; dire son ~ (fam)* s-n Fehler ein=gestehen, sein Bedauern aus=drücken.

confitu|re [kõfityr] *f* Marmelade, Konfitüre *f;* **~rerie** [-tyr(ə)ri] *f* Marmeladenfabrik(ation) *f,* -handel *m;* **~rier** *m* Marmeladenfabrikant, -händler *m;* Marmeladendose *f.*

conflagration [kõflagrasjõ] *f* (großer) Brand; *fig allg* Aufruhr *m.*

conflit [kõfli] *m* Konflikt *m,* Ausea.-setzung, *f* Streit(igkeit *f*) *m,* Zusammenstoß *m; entrer en ~ avec qn* mit jdm in Streit geraten; *~ d'attribution, de compétence, de juridiction* Kompetenzstreit *m; ~ de générations* Generationskonflikt *m; ~ social, du travail* Arbeitskampf *m; ~ d'intérêts* Interessenkonflikt *m.*

conflu|ence [kõflyɑ̃s] *f* Zs.fließen *n a. med;* **~ent, e** *a* zs.fließend; *s m geog* Zs.fluß *m; anat (Adern)* Vereinigung *f;* **~er** *(Flüsse)* zs.=fließen (*avec* mit); *allg* zs.=strömen; *fig* zu=streben (*à* auf *acc*).

confondre [kõfõdr] verschmelzen, vermischen, vereinigen; verwischen; verwirren, durchea.=bringen *a. fig,* verwechseln; *fig* verwirrt machen, aus dem Konzept bringen, ratlos machen, verblüffen, bestürzen; beschämen, demütigen; zuschanden machen, vereiteln, zerschlagen, vernichten; *jur* der Schuld *od* Lüge überführen, *(Strafen)* zs.=ziehen; *se ~* verschmelzen, verschwimmen; in Verwirrung geraten; *se ~ en* sich überbieten an *dat, fam* sich überschlagen vor *dat.*

conform|ateur [kõfɔrmatœr] *m tech* Hutform *f* (zum Maßnehmen); *(Schuh)* Streckleisten *m;* **~ation** *f* Gestalt(ung) *f,* Bau *m,* Bildung *f; vice m de ~* Mißbildung *f;* **~e** übereinstimmend, gleichlautend; angemessen; in Ordnung; *(Karte)* winkeltreu; *~ à* in Übereinstimmung mit, gemäß, entsprechend, angemessen *dat; pour copie ~ (jur)* Abschrift beglaubigt; *être ~* überein=stimmen (*à qc* mit etw); ~ *à la condition (jur)* standesgemäß; ~ *aux faits* sachlich, -gemäß; ~ *à l'horaire* fahrplanmäßig; ~ *aux usages locaux, commerciaux* orts-, handelsüblich; **~ément** *adv* gemäß, entsprechend (*à qc* e-r S *dat*); **~er** gestalten, bilden; an=passen, an=gleichen (*à* an *acc*); *se* ~ *à* sich richten nach; Folge leisten *dat;* ~ *sa vie à ses maximes* nach seinen Grundsätzen leben; **~isme** *m* Opportunismus *m,* Anpassung *f;* **~iste** *m* Jasager *m;* **~ité** *f* Übereinstimmung, Gleichförmigkeit; Fügung, Schickung *f* (*à* in *acc*); *en* ~ *de, avec* gemäß, entsprechend *(dat).*

confort [kɔ̃fɔr] *m* Komfort *m,* Bequemlichkeit, Behaglichkeit *f; grand* ~ *(com)* mit allem Komfort; **~able** *a* komfortabel, behaglich, wohnlich (eingerichtet); bequem, gemütlich; *s m* Behaglichkeit *f;* **~er** bestärken; ~ *qn dans son opinion* jdn in s-r Meinung bestärken.

confratern|el, le [kɔ̃fratɛrnɛl] kollegial; **~ité** *f* kollegiale(s) Verhältnis *n;* ~ *d'armes* Waffenbrüderschaft *f.*

confr|ère [kɔ̃frɛr] *m* (Berufs-)Kollege, Fachgenosse *m; en* ~ kollegial *adv;* **~érie** *f rel* Bruderschaft; Verbrüderung *f; belle* ~ saubere Gesellschaft *f.*

confront|ation [kɔ̃frɔ̃tasjɔ̃] *f jur* Gegenüberstellung *f;* Vergleich *m;* **~er** *jur* gegenüber=stellen, konfrontieren (*avec* mit); *(Handschriften)* vergleichen.

confus, e [kɔ̃fy, -yz] (ver)wirr(t), verworren, ungeordnet; *(Bild)* undeutlich, unscharf; *fig* unklar, dunkel; *(Person)* verwirrt, verlegen, betreten, betroffen, beschämt (*de* über *acc*); **~ément** *adv* undeutlich; verworren; **~ion** *f* Verwirrung, Verworrenheit *f;* Durcheinander *n,* Unordnung; Verwechslung *f,* Irrtum *m; (Personen)* Verwirrung, Verlegenheit, Betroffenheit, Beschämung; *jur* Vereinigung *f; à ma* ~ zu meiner Schande.

congé [kɔ̃ʒe] *m* **1.** Urlaub(szeit *f,* -sschein) *m;* schulfreie Zeit; Entlassung, Abdankung *f;* Abschied *m;* Kündigung(sschein *m*) *f; com* Passier-, Zollschein *m;* **2.** *arch* Hohlkehle *f; tech* Kehlhobel *m; aller en* ~ auf, in Urlaub gehen; *avoir* ~, *être en* ~ Urlaub *od* schulfrei haben; *demander un* ~, *son* ~ um Urlaub bitten; kündigen; *donner* ~ *à qn* jdn beurlauben; jdm frei=geben; jdn entlassen; jdm kündigen; *prendre* ~ Abschied nehmen, sich verabschieden; sich zurück=ziehen (*de qn* von jdm); *recevoir son* ~ entlassen werden; *après-midi m de* ~ freie(r) Nachmittag *m; audience f de* ~ Abschiedsaudienz *f; demande f de* ~ Urlaubsgesuch *n;* ~ *annuel* Jahresurlaub *m;* ~ *de convalescence, de détente* Genesungs-, Erholungsurlaub *m;* ~*-formation m* Bildungsurlaub *m;* ~ *de maternité* Schwangerschaftsurlaub *m;* ~ *payé* bezahlte(r) Urlaub *m;* ~ *de reconversion* Umschulungsurlaub *m;* **~able** (gegen Rückkauf) kündbar; **~diable** kündbar; **~diement** [-di-] *m* Entlassung, Verabschiedung *f;* **~dier** [-dje] beurlauben; entlassen; verabschieden; ab=weisen.

cong|elabilité [kɔ̃ʒ(ə)labilite] *f* Gefrierbarkeit *f;* **~elable** gefrierbar; **~élateur, trice** [-ʒe-] *a* Tiefkühl-; *s m* Tiefkühl-, Gefriertruhe *f;* **~élation** *f* Gefrieren; Dick-, Steifwerden; Erfrieren; *(Kapital)* Einfrieren *n; point m de* ~ Gefrierpunkt; *(Öl)* Stockpunkt *m;* **~eler** [-ʒle] zum Gefrieren bringen; ein=dicken, gerinnen lassen; *(Glieder)* erfrieren lassen; *(Kapital)* ein=frieren lassen; *se* ~ gefrieren (*à* bei).

congén|ère [kɔ̃ʒenɛr] *a* gleichartig; *fig* verwandt; *s m f* Artgenosse *m,* -genossin *f; muscle m* ~ *(anat)* Synergist *m;* **~ial, e** geistesverwandt; **~ialité** *f* Geistesverwandtschaft *f.*

congénital, e [kɔ̃ʒenital] *med* angeboren.

congère [kɔ̃ʒɛr] *f* Schneeverwehung *f.*

congest|if, ive [kɔ̃ʒɛstif, -iv] angehäuft, zs.gedrängt; Kongestions-; **~ion** [-stjɔ̃] *f med* Blutandrang *m;* Hyperämie *f;* ~ *cérébrale* Gehirnschlag *m;* ~ *pulmonaire* (leichte) Lungenentzündung *f;* **~ionner** [-tjɔ-] Blutandrang verursachen (*qc* in etw); *(Straße)* verstopfen.

conglob|ation [kɔ̃glɔbasjɔ̃] *f* Zs.ballung; Häufung *f* von Beweisen; **~er** [-sjɔ-] zs.=ballen, an=häufen.

conglomér|at [kɔ̃glɔmera] *m geol* Menggestein, Konglomerat *n;* **~er** zs.=ballen, an=häufen.

conglutin|ant, e; ~atif, ive [kɔ̃glytinɑ̃, ɑ̃t; -atif, -iv] zäh u. klebrig werdend; **~ation** *f* Zäh-, Klebrigwerden *n (von Flüssigkeiten); med* Verklebung *f;* **~er** *(Flüssigkeit)* zäh u. klebrig machen; verdicken; *(Wundränder)* verkleben.

Congo, le [kɔ̃go] der Kongo(staat) *m;* **c~lais, e** [-lɛ, -ɛz] *a* kongolesisch; *C~, e s m f* Kongolese *m,* Kongolesin *f; c~ m* Kokosmakrone *f.*

congratul|ateur, trice [kɔ̃gratylatœr, -tris] *m f fam hum* Gratulant(in *f*) *m;* **~ation** *f fam* Gratulation *f,* Glückwunsch *m;* **~atoire** *a* Glückwunsch-; **~er** *hum:* ~ *qn* jdm gratulieren; ~ *qn sur qc* jdm zu etw Glück wünschen, jdm zu etw gratulieren.

congre [kɔ̃gr] *m* Meeraal *m.*

congréer [kɔ̃gree] *mar (Tau)* trensen.

congrég|aniste [kɔ̃greganist] *s m f rel* Ordensbruder *m,* -schwester *f; a* Kongregations-, Ordens-; **~ation** *f rel* Versammlung; (Kardinals-)Kongregation, Ordensgesellschaft, Bruderschaft *f.*

congr|ès [kɔ̃grɛ] *m* Kongreß *m a. pol,* Zs.kunft, Tagung *f; assembler, ouvrir un* ~ e-n K. ein=berufen, eröffnen; ~ *de parti* Parteitag *m;* **~essiste** *m f* Kongreß-, Tagungsteilnehmer(in *f*) *m; pol* Parteitagteilnehmer(in *f*) *m.*

congru, e [kɔ̃gry] genau, passend; geeignet, gehörig; *portion ~e* knapp zugemessene(r) Teil *m;* dürftige(s) Einkommen *n;* **~ence** [-gryɑ̃s] *f math* Kongruenz *f;* **~ent, e** *vx* passend, übereinstimmend; *math* kongruent; **~ité** *f* Übereinstimmung *f.*

coni|cité [kɔnisite] *f* Kegelform, -gestalt; Verjüngung *f;* **~fère** *a bot* zapfentragend; *s m pl* Koniferen *f pl,* Nadelhölzer *n pl;* **~que** konisch, kegelförmig; verjüngt; Kegel-; *section f* ~ *(math)* Kegelschnitt *m.*

conjectur|al, e [kɔ̃ʒɛktyral] auf Vermutungen beruhend, mutmaßlich; **~e** *f* Mutmaßung, Vermutung *f; faire, former des ~s* Vermutungen an=stellen (*sur* über *acc*); **~er** vermuten, mutmaßen; Vermutungen an=stellen (*sur* über *acc*).

conjoin|dre [kɔ̃ʒwɛ̃dr] *vx* (ehelich) verbinden; **~t, e** [-ʒwɛ̃, -ɛ̃t] *a* gemeinsam, verbunden *a. math gram; s m f* Ehegatte *m,* -gattin *f; m pl* Eheleute *pl; lettres f pl ~tes (typ)* Ligatur *f;* **~tement** *adv* gemeinsam.

conjonct|eur [kɔ̃ʒɔ̃ktœr] *m el* Schalter *m; ~-disjoncteur m* Selbstschalter *m;* **~if, ive** *a* (ver)bindend, Binde-; *s f anat* Bindehaut *f; tissu m* ~ *(anat)* Bindegewebe *n;* **~ion** [-sjɔ̃] *f* Verbindung, Vereinigung; *gram* Konjunktion *f,* Bindewort *n; (Schrift)* Ligatur; *astr* Konjunktion *f;* **~ivite** *f* Bindehautentzündung *f;* **~ure** *f* Gelegenheit, Lage *f* (der Dinge); Umstände *m pl;* Aussichten *f pl; com* Konjunktur, Geschäftslage *f; haute* ~ Hochkonjunktur *f; sensible à la* ~ konjunkturempfindlich; *analyse, étude f de la* ~ Konjunkturforschung *f;* ~ *économique* Wirtschaftslage *f; fluctuations f pl, redressement, retournement m de la* ~ Konjunkturschwankungen *f pl,* -belebung *f,* -umschwung *m.*

conjug|able [kɔ̃ʒygabl] *gram* konjugierbar (*à tous les temps* in allen Zeiten); **~aison** *f gram* Konjugation, Abwandlung; *zoo* Konjugation, Verschmelzung *(zweier Einzeller); allg* Vereinigung *f;* **~al, e** ehelich, Ehe-; *chambre f ~e* eheliches Schlafzimmer *n; lit m* ~ Ehebett *n;* **~ué, e** *anat bot* gepaart; *math* konjugiert, zugeordnet; *tech* verbunden, gekoppelt; *allg* zs.gefaßt, vereinigt, gemeinsam; **~uer** (mitea.) verbinden, vereinigen; *gram* konjugieren, ab=wandeln.

conjungo [kɔ̃ʒɔ̃go] *m fam* Ehe(stand *m*) *f.*

conjur|ateur [kɔ̃ʒyratœr] *m* Verschwörer; (Geister-)Beschwörer *m;* **~ation** *f* Verschwörung; (Geister-)Beschwörung; inständige Bitte *f; monter une* ~ e-e V. an=zetteln; **~é** *m* Verschworene(r) *m;* **~er** *(Geister)* beschwören; *(Gefahr)* ab=wenden; inständig bitten, beschwören; *se* ~ sich verschwören (*qc* zu etw, *contre* gegen).

connaiss|able [kɔnɛsabl] erkennbar, kenntlich, zu erkennen(d); **~ance** *f* Erkenntnis(vermögen *n*); Kenntnis, Kunde *f;* Bewußtsein *n;* Bekanntschaft; Bekannte(r *m*) *f; fam* Freund(in *f*) *m,* Verhältnis *n; jur* Zuständigkeit *f; (Jagd)* Kennzeichen *n,* Spur *f; pl* Kenntnisse *f pl,* Wissen *n; à ma* ~ meines Wissens, soviel ich weiß; *en* ~ *de cause* in Kenntnis der Sachlage; mit Sachkenntnis; *en pays de* ~ unter Bekannten; *sans* ~ ohne Bewußtsein; bewußt-, besinnungslos; *avoir* ~ *de qc* über e-e S informiert sein; von etw Kenntnis haben *od* erlangen; *avoir toute sa* ~ bei vollem Bewußtsein sein; *donner* ~ *de qc à qn, porter qc à la* ~ *de qn* jdm etw mit=teilen, jdn von etw unterrichten; *faire* ~ sich mitea. bekannt machen; *faire, lier* ~ *avec qn, faire la* ~ *de qn* jds Bekanntschaft machen, jdn kennen=lernen; *faire faire la* ~ *de qn à qn* jdn mit jdm bekannt machen; *perdre* ~ das Bewußtsein, die Besinnung verlieren, ohnmächtig werden; *porter à la* ~ *du public* öffentlich bekannt=machen; *prendre* ~ *de qc* etw zur Kenntnis nehmen; etw prüfen; *reprendre* ~ das Bewußtsein wieder=erlangen, wieder zu sich kommen; *venir à la* ~ *de qn* jdm zu Ohren kommen; *âge m de* ~ *(jur)* zurechnungsfähige(s) Alter *n; figure f, visage m de* ~ bekannte(s) Gesicht *n; une personne de ma* ~, *une de mes ~s* ein Bekannter, e-e Bekannte von mir; ~ *des affaires* Geschäftskenntnis *f;* ~

des choses Sachkenntnis *f; ~ des hommes* Menschenkenntnis *f; ~s professionnelles* Fachkenntnisse *f; ~ supranormale* übersinnliche Wahrnehmung *f;* **~ement** [-ɛs-] *m* Seefrachtbrief *m,* Konnossement *n;* **~eur, se** *s m f* Kenner(in *f*) *m; a* Kenner-; *être ~ en vins* Weinkenner sein.

connaître [kɔnɛtr] *irr* kennen, wissen; können, verstehen; sich bewußt sein *gen;* bekannt sein (*qc* mit e-r S); *~ de qc (jur)* über e-e S erkennen, in e-r S entscheiden, *allg* urteilen; *(lit)* erkennen, ein=sehen; *se ~ à, en* sich verstehen auf *acc,* sich aus=kennen in *dat; faire ~* mit=teilen, bekannt=geben, -machen; *se faire ~* sich bekannt, sich e-n Namen machen; sich zu erkennen geben; *la ~ (pop)* Bescheid wissen, auf der Höhe sein; *ne plus ~ qn* jdn ignorieren, jdn schneiden; *ne rien y ~* nichts davon verstehen; *~ sur le bout des doigts, comme le fond de sa poche* in- u. auswendig, wie s-e Westentasche kennen; *~ son métier* sein Geschäft, Handwerk verstehen; *~ son monde (fam)* seine Pappenheimer kennen; *~ de nom* dem Namen nach kennen; *~ de vue* vom Sehen kennen; *j'ai appris à le connaître* ich habe ihn kennengelernt, kenne seine Schliche; *je ne connais que cela* da weiß ich Bescheid; es kommt nichts anderes in Frage; *je ne le connais ni d'Ève ni d'Adam* er ist mir völlig unbekannt; *il a connu la faim* er hat schon Hunger gelitten *od* am eigenen Leibe erfahren; *je ne lui connaissais pas ce défaut* ich wußte nicht, daß er diesen Fehler hat(te).

connect|er [kɔnɛkte] *allg tele* verbinden; *el* (ein=)schalten, an=schließen, koppeln; **~eur** *m* Stecker; *tele* Leitungswähler *m; ~ combiné* Orts- u. Fernleitungswähler *m; ~ interurbain* Fernleitungswähler *m;* **~if, ive** *anat* verbindend.

connerie [kɔnri] *f fam* Dummheit *f.*

connex|e [kɔnɛks] verbunden, zs.hängend; **~ion** *f* Verbindung, Verknüpfung *f;* Zs.hang *m; el* Schaltung, Koppelung *f,* Anschluß(stecker) *m; tele* Verbindung *f; donner la ~, mettre en ~ avec (el)* an=schließen an *acc; schéma m de ~s* Schaltbild *n,* -plan *m; tableau m de ~* Schaltbrett *n; ~ à grande distance* Fernverbindung *f; ~ en étoile, fantôme, flip-flop, multiple, en parallèle* Stern-, Vierer-, Kipp-, Vielfach-, Parallelschaltung *f; ~ privée (tele)* Privatanschluß *m; ~ de réseau* Netzanschluß *m;* **~ité** *f* Zs.hang *m,* Verbindung, Verwandtschaft *f a. jur.*

conniv|ence [kɔnivɑ̃s] *f* (strafbare) Nachsicht *f;* (strafbares) Einverständnis *n; être de ~ avec qn* mit jdm unter einer Decke stecken; **~ent, e** *anat bot* gegenea. geneigt.

connu, e [kɔny] *a* bekannt *a. math; s m* Bekannte(s) *n; être ~ comme le loup blanc* bekannt sein wie ein bunter Hund; *être ~ en tant que* bekannt sein als; *~! (fam)* so'n Bart! *ni vu ni ~! (fam)* spurlos verschwunden; rätselhaft; Schwamm drüber!

conoïd|al, e; ~e [kɔnɔidal] *a* kegelförmig, konisch; **~e** *s m math* Konoïd *n; zoo* Kegelschnecke *f.*

conque [kɔ̃k] *f zoo* (See-)Muschel; muschelförmige Schale *f; ~ de l'oreille (anat)* Ohrmuschel *f.*

conquér|ant, e [kɔ̃kerɑ̃, -ɑ̃t] *a* eroberungslustig; *fam* draufgängerisch; *(Miene)* stolz; *s m* Eroberer; *fam* Draufgänger, Herzensbrecher *m;* **~ir** *irr* erobern *a. fig,* (für sich) ein=nehmen, unterwerfen; erkämpfen, erringen, gewinnen, erwerben.

conquêt [kɔ̃kɛ] *s m* u. *a* (in der Ehe) erworben(es Gut *n*); *jur* Errungenschaft *f;* **~e** [-kɛt] *f* Eroberung *f a. fig fam,* Sieg *m; faire la ~* erobern (*de qc* etw); für sich gewinnen (*de qn* jdn); *vivre comme en pays de ~* sich als Sieger auf=führen; *air m de ~* Siegermiene *f.*

consacr|ant, e [kɔ̃sakrɑ̃, -ɑ̃t] *a* u. *s m rel* (ein)weihend; (Ein-)Weihende(r) *m; (évêque m ~)* Weihbischof *m;* **~ée,** *(Hostie)* geweiht; *(Begriff)* feststehend; *(Schriftsteller)* berühmt; **~er** (ein=)weihen, konsekrieren; *fig* heiligen, rechtfertigen; widmen; verwenden (*à* für, zu); verankern (*par* in *dat*); sanktionieren.

consanguin, e [kɔ̃sɑ̃gɛ̃, -in] *a* u. *s m f: frère m ~* Halbbruder *m; sœur f ~e* Halbschwester *f; m pl* Halbgeschwister *pl* väterlicherseits; **~ité** *f* Blutsverwandtschaft *f.*

conscien|ce [kɔ̃sjɑ̃s] *f* Bewußtsein; *(~ morale)* Gewissen *n;* Gewissenhaftigkeit; *typ* Akzidenzarbeit *f;* Akzidenzsetzer *m pl; tech* Brustplatte *f (d. Brustleier); dans ma ~, en mon âme et ~* meiner Überzeugung nach; nach bestem Wissen und Gewissen; *en (bonne, sûreté de) ~* ganz ehrlich, offen; *par acquit de ~* um sein Gewissen zu beruhigen; *sans ~* gewissenlos; *sur mon honneur et ma ~* auf Ehre u. Gewissen; *la main sur la ~!* ganz ehrlich! *adv;* Hand auf Herz! *s'adresser à la ~ de qn* jdm ins Gewissen reden; *avoir ~ de qc* sich e-r S bewußt sein; *avoir de la ~* gewissenhaft sein; *avoir la ~ nette* ein reines Gewissen haben; *avoir bonne ~* ein gutes Gewissen haben; *avoir la ~ en paix, en repos* ein ruhiges Gewissen haben; *décharger, libérer, soulager sa ~* sein Gewissen entlasten; *faire son examen de ~* sein Gewissen prüfen *od* erforschen; *(se) faire (une) ~ de* sich ein Gewissen machen aus; *se faire un cas de ~ de* sich Gewissensbisse machen um; *mettre de la ~ à* gewissenhaft arbeiten an *dat; laisser qc sur la ~ de qn* jdn für etw verantwortlich machen; *mettre beaucoup de ~ dans son travail* s-e Arbeit sehr sorgfältig aus=führen; *perdre ~* das Bewußtsein verlieren; *prendre ~ de* sich bewußt werden *gen; s'en remettre à la ~ de qn* jdm etw ans Herz legen; *cas m de ~* Gewissensfrage *f; homme m de ~* gewissenhafte(r) Mensch *m; liberté f de ~* Gewissensfreiheit *f; ~ du, de son devoir* Pflichtbewußtsein *n; ~ individuelle, collective, de classe* Individual-, Kollektiv-, Klassenbewußtsein *n; ~ de soi, du moi* Selbstbewußtsein *n;* **~cieux, se** gewissenhaft; **~t, e** [-sjɑ̃, -ɑ̃t] bewußt.

conscri|ption [kɔ̃skripsjɔ̃] *f mil* Wehrpflicht, Aushebung *f;* **~t** [-i] *m* Rekrut; *fam* junge(r) Spund *m.*

consécrat|eur [kɔ̃sekratœr] *m s. consacrant;* **~ion** [-sjɔ̃] *f rel* Konsekration, Weihe, Einweihung; *fig* Bestätigung, Sanktionierung; Verankerung *f* (*par* in *dat*).

consécut|if, ive [kɔ̃sekytif, -iv] aufea.-, nachfolgend; folgend (*à* aus); *proposition f ~ive* Konsekutiv-, Folgesatz *m;* **~ion** [-sjɔ̃] *f* (Reihen-)Folge; Verkettung *f;* **~ivement** *adv* nach-, hinterea.

conseil [kɔ̃sɛj] *m* Rat(schlag) *m;* Berat(schlag)ung, Überlegung *f;* Ratgeber, Berater; Rat *m,* beratende Versammlung; Ratssitzung *f;* Beratungszimmer *n; sur mon ~* auf meinen Rat; *demander ~ à qn* jdn um Rat fragen; *prendre ~ de qn* jdn zu Rate ziehen; auf jdn hören; *ne prendre ~ que de sa tête* auf keinen Rat hören; *prendre ~ de son bonnet de nuit* etw überschlafen; *tenir ~* e-e Sitzung ab=halten; *tenir ~ avec qn* sich mit jdm beraten; *c'est un homme de bon ~* er weiß immer Rat; *la nuit porte ~* guter Rat kommt über Nacht; *chambre f du ~* Beratungszimmer *n; président m du C~* Ministerpräsident *m; ~ administratif, d'administration* Verwaltungsrat *m,* Kuratorium *n,* Vorstand *m; ~ de cabinet* Ministerrat *m; ~ de classe* Lehrer-, Zensurenkonferenz *f; ~ de crise* Krisenstab *m; ~ de direction* Vorstand *m; ~ de discipline* Disziplinargericht *n; ~ économique* Wirtschaftsrat *m; C~ d'État* Staatsrat *m; C~ de l'Europe* Europarat *m; ~ de fabrique (kath.)* Kirchenvorstand *m; ~ de famille* Familienrat *m; C~ fédéral* Bundesrat *m; ~ de guerre* Kriegsgericht *n; ~ judiciaire* Kurator *m (e-s Entmündigten); ~ juridique* Rechtsbeistand *m; ~ des ministres* Ministerrat *m (Vorsitzender: der Präsident der Republik); ~ municipal* Stadt-, Gemeinderat *m; C~ de l'ordre des avocats* Anwaltskammer *f; C~ de l'ordre des médecins* Ärztekammer *f; ~ des parents* Elternbeirat *m; ~ presbytérial (evang.)* Kirchenvorstand *m; ~ des prud'hommes* Arbeitsgericht *n; C~ de la République* Rat *m* der Republik *(nach 1946 die zweite Kammer); ~ de révision (mil)* Musterungskommission *f; C~ de sécurité* Sicherheitsrat *m; ~ de surveillance (com)* Aufsichtsrat *m;* **~ler** *v* beraten; (an=)raten (*qc à qn* jdm etw); e-n Rat geben, Ratschlag erteilen (*qn* jdm); **~ler, ère** *m f* Berater(-in *f*), Ratgeber(in *f*); Rat *m,* Rätin *f; ~ d'ambassade* Botschaftsrat *m; ~ économique* Wirtschaftsberater *m; ~ d'État* Staatsrat *m (Person); ~ fiscal* Steuerberater *m; ~ juridique* Rechtsberater *m; ~ de légation* Legationsrat *m; ~ municipal* Stadtrat(smitglied) Stadtverordnete(r) *m; ~ d'orientation professionnelle* Berufsberater *m; ~ rapporteur* Referent *m; ~ technique* Sachberater *m;* **~leur, se** *m f* Ratgeber(-in *f*) *m.*

consens|uel, le [kɔ̃sɑ̃sɥɛl] *jur med* konsensuell; **~us** [kɔ̃sɛ̃sys] *m* Übereinkunft, -stimmung *f; (Physiologie)* Zs.wirken *n* mehrerer Organe.

consent|ant, e [kɔ̃sɑ̃tɑ̃, -ɑ̃t] einwilligend, zustimmend; *être ~* ein=willigen, zu=stimmen; **~ement** *m* Einwilligung, Zustimmung, Zusage; Übereinstimmung *f; du ~ de* mit Einwilligung *gen;* nach der übereinstimmenden Ansicht, Meinung *gen; par ~ mutuel* in gegenseitigem Einverständnis; **~ir** *irr itr* ein=willigen (*à* in *acc*), s-e Einwilligung geben (*à* zu), zu=stimmen, zu=sagen, bei=pflichten; *mar* sich biegen, nach=geben; *tr* gut=heißen, billigen; *~ à tout* zu allem ja und amen sagen; *qui ne dit mot ~* wer schweigt, gibt zu.

conséquen|ce [kõsekɑ̃s] *f* Folge(rung, -erscheinung) *f*, Schluß *m*, Konsequenz *f*; folgerichtige(s) Denken *n*, Folgerichtigkeit; Bedeutung, Wichtigkeit *f*; *de* ~ von Wichtigkeit; *en* ~ folglich, demnach, (dem)entsprechend, infolgedessen; *en* ~ *de* entsprechend, zufolge, gemäß *dat*, infolge *gen*; *sans* ~ unwichtig; *avoir pour* ~ zur Folge haben; *être de* ~, *tirer à* ~ Folgen haben; wichtig, von Bedeutung sein; *produire des* ~*s* Folgen nach sich ziehen; *homme m sans* ~ unbedeutende(r) Mensch *m*; *personne f de* ~ hochgestellte Persönlichkeit *f*; **~t, e** [-kɑ̃, -ɑ̃t] *a* folgerichtig, konsequent; *fam* wichtig; ~ *à* entsprechend *dat*; *s m* Folgesatz *m*; *math* hintere(s) Glied *n*; *par* ~ folglich, infolgedessen.

conserv|ateur, trice [kõsɛrvatœr, -tris] *s m f* Erhalter, Bewahrer; Konservator, Heimatpfleger; Aufseher, Aufsichtsbeamte(r), Inspektor; *pol* Konservative(r) *m*; *a* erhaltend, bewahrend, konservativ; ~ *de bibliothèque* Bibliothekar *m*; ~ *des eaux et forêts* Oberforstmeister *m*; ~ *des hypothèques* Grundbuchbeamte(r) *m*; ~ *de musée* Konservator, Kustos *m*; **~ation** *f* Erhaltung, (Auf-)Bewahrung Konservierung *f*; Amt *n*, Dienststelle *f*, -räume *m pl* e-s Konservators, e-s Grundbuchbeamten; *agent m de* ~ Konservierungsmittel *n*; *instinct m de (la)* ~ Selbsterhaltungstrieb *m*; ~ *des forces vives (phys)* Beharrungsvermögen *n*; ~ *des eaux et forêts* Forstverwaltung *f*; ~ *des hypothèques* Hypotheken-, Grundbuchamt *n*; ~ *du secret* Geheimhaltung *f*; **~atisme** *m pol* Konservativismus *m*; **~atoire** *a jur* der Erhaltung dienend; *s m mus* Konservatorium *(~ de musique)*; *acte m ~ (jur)* Sicherungsmaßnahme *f*; ~ *des arts et métiers* Gewerbemuseum *n*; **~e** *f* Konserve *f*; Eingemachte(s); *theat arg* Repertoirestück; *mar* Begleitschiff *n*; *de* ~ zusammen; in Gesellschaft; *mettre en* ~ ein=dosen; *boîte f de* ~ Konservenbüchse, -dose *f*; *industrie f des* ~*s* Konservenindustrie *f*; *lait m, légumes m pl, viande f en* ~ Büchsenmilch *f*, -gemüse, -fleisch *n*; ~ *de fruits, de légumes, de poisson, de viande* Obst-, Gemüse-, Fisch-, Fleischkonserve *f*; **~er** erhalten, (auf=)bewahren, konservieren; *(Geheimnis)* hüten; (bei=, zurück=) behalten; *(Stellung)* behaupten; *(Kleider)* pflegen; *se* ~ sich (gut, in s-r Stelle) halten; ~ *son sang-froid* kaltes Blut bewahren, sich nicht aus der Fassung bringen lassen; ~ *sa tête* e-n klaren Kopf behalten; **~erie** [-vǝ-] *f* Konservenindustrie, -fabrik *f*; **~eur** *m* Konservenfabrikant *m*.

considér|able [kõsiderabl] beachtenswert, beachtlich, beträchtlich, ansehnlich, gewaltig; angesehen, bedeutend, namhaft; **~ant** *m jur* Beweggrund *m*, Motiv *n*; Rechtsgrund *m*; ~ *que* in Anbetracht, Erwägung dessen, daß; **~ation** *f* Betrachtung, Erwägung, Überlegung *f*; *vx* Bedacht *m*, Umsicht *f*; (Beweg-)Grund *m*; (ausschlaggebende) Bedeutung; Berücksichtigung, Beachtung, Rücksicht; (Hoch-)Achtung, Hochschätzung *f*, Ansehen *n*; *pl* Betrachtungen *f pl*, Gedanken *m pl*; *de* ~ angesehen, geachtet; *de peu de* ~ unerheblich, unbedeutend; *en* ~ *de* in Anbetracht *gen*, mit Rücksicht auf *acc*; *par* ~ *pour* aus Rücksicht auf *acc*; *agir sans* ~ unüberlegt handeln; *avoir, mettre, prendre, faire entrer en* ~ in Erwägung ziehen, Rücksicht nehmen auf *acc*; *ne pas entrer en* ~ nicht in Betracht kommen; *prendre en* ~ *(parl)* zur Beratung an=nehmen; *ne pas être pris en* ~ außer Betracht bleiben; *agréez l'assurance de ma* ~ *distinguée* mit vorzüglicher Hochachtung; *prise f en* ~ Inbetrachtnahme *f*; **~ément** *adv vx* (wohl)überlegt, mit Bedacht; **~er** (aufmerksam) betrachten; erwägen, überlegen, bedenken; sich befassen (*qc* mit etw); (be)achten, betrachten, an=sehen (*comme* als *acc*); berücksichtigen; (hoch=)achten, schätzen; *tout bien* ~*é* alles wohl erwogen.

consign|ataire [kõsiɲatɛr] *m* Ver-, Bewahrer; *com* Konsignatar, (Waren-)Empfänger *m*; **~ateur, trice** *m f com* Konsignant, (Waren-)Absender *m*; **~ation** *f jur com* Hinterlegung, Stellung (e-r Kaution), Konsignation *f*; Depositum *n*, hinterlegte Sache *f*; *caisse f de* ~ *(jur)* Hinterlegungsstelle *f*; *caisse f des dépots et* ~*s* Depositenkasse *f*; *commerce m de* ~ Konsignations-, Kommissionsgeschäft *n*; *marchandise f en* ~ Konsignationsware *f*; ~ *(en justice)* gerichtliche Hinterlegung *f*.

consigne [kõsiɲ] *f mil* Instruktion, (An-)Weisung *a. allg*; Verhaltungsmaßregel; Dienst-, Wachvorschrift; Anschlagtafel *f*, -kasten; Stubenarrest *m*, Ausgehverbot *n*; *(Schule)* Nachsitzen *n*; *loc* Gepäckaufbewahrung *f*; Pfand *n*; *forcer la* ~ sich über die Dienstvorschriften hinweg=setzen, die D. nicht beachten; den Eingang erzwingen; *manger la ~ (fam)* e-e Weisung, Empfehlung nicht beachten; *mettre à la ~, retirer de la ~* in die Gepäckaufbewahrung geben, von der G. holen; *rembourser la ~* das Pfand zurück=erstatten; *bulletin m de ~* Gepäckaufbewahrungsschein *m; ~ automatique (loc)* Schließfach *n; ~s d'exploitation* Betriebsordnung *f; ~s de mauvaise visibilité (aero)* Schlechtwettervorschriften *f pl;* **~é, e** Pfand-.

consigner [kõsiɲe] *jur com* hinterlegen, konsignieren, in Kommission geben; provisorisch in Rechnung stellen; zur Aufbewahrung (über)geben; an=weisen; (schriftlich) nieder=legen, verzeichnen, auf=führen; *mil* mit Stuben-, Hausarrest, Ausgehverbot bestrafen; *(Schule)* nach=sitzen lassen; den Zutritt verbieten (*qn* jdm); *~ sa porte à qn* jdn nicht empfangen wollen; *~ au procès-verbal* zu Protokoll geben; *~ sur un registre* in ein Register ein=tragen.

consist|ance [kõsistɑ̃s] *f* Konsistenz, Dickflüssigkeit; Festigkeit *f (e-s Körpers);* Verharren *n,* Beharrung(svermögen *n*); Dauer(haftigkeit), Beständigkeit; Charakterfestigkeit *f;* Ansehen *n,* Achtung *f; (Lager)* Bestand; *(Fläche)* Inhalt; *fig* Zs.hang *m; sans ~ (Mensch)* haltlos; *(Gerücht)* unbestätigt; *prendre de la ~* Ansehen gewinnen; **~ant, e** dickflüssig; fest; dauerhaft; beständig; charakterfest; **~er** bestehen (*en, dans* in *dat,* aus); beruhen (*à* auf *dat); le tout ~e à* es kommt darauf an, zu; **~oire** *m rel* Konsistorium *n;* **~orial, e** [-tɔ-] *a* Konsistorial-; *s m* Mitglied *n* e-s Konsistoriums.

consœur [kõsœr] *f* Kollegin *f.*

consol|able [kõsɔlabl] *a* zu trösten(d); **~ant, e** tröstlich, trostreich; **~ateur, trice** *s m f* Tröster, Trostspender(in *f*) *m; a* trostreich, tröstlich; **~ation** *f* Trost(grund) *m,* Tröstung *f; fam* Tröster, Schnaps *m; fiche f de ~* schwache(r) Trost *m;* kleine Entschädigung *f; prix m de ~* Trostpreis *m.*

console [kõsɔl] *f* Konsole *f,* Wandbrett *n,* -arm; Konsoltisch; *arch* Kragstein *m; tech* Stütze *f,* Träger; (Fels-)Vorsprung *m; ~ d'informatique* Bildschirmgerät *n; ~ de visualisation* Datensichtgerät *n.*

consoler [kõsɔle] trösten; lindern; *se ~ de qc* über e-e S hinweg=kommen.

consol|idant, e [kõsɔlidɑ̃, -t] *a* u. *s m* die Wundheilung fördernd(es Mittel *n*); **~idation** *f* Festwerden, Erstarren *n; (Finanzen)* Stärkung, Festigung, Sicherung, Fundierung, Konsolidierung *a. fig;* Zs.legung *(von Aktien); jur* Vereinigung *(getrennter Rechte); med* Verheilung, Vernarbung *f; tech* Befestigen, Stützen *n;* Verstärkung *f; ~s douanières, tarifaires* Zoll-, Tarifbindungen *f pl; ~ des finances* Finanzgesundung *f;* **~idé, e** *a (Staatspapiere)* unkündbar; *non ~* unfundiert; *s m pl* Konsols, Staatspapiere *n pl;* **~ider** *tech fig* (be-)festigen, sichern; verstärken; *(Finanzen)* fundieren, konsolidieren; *(Aktien)* zu=legen; *jur (getrennte Rechte in e-r Person)* vereinigen; *med* der Heilung *(von Wunden, Knochenbrüchen)* nach=helfen (*qc* dat); *se ~* (zu=)heilen; *~ une dette flottante* e-e schwebende (Staats-)Schuld in e-e unkündbare um=wandeln.

consomm|able [kõsɔmabl] genießbar; **~ateur, trice** *s m f com* Verbraucher(-in *f*), Konsument; Gast *(in e-m Lokal); rel* Vollender *m; a* Verbraucher-; *catégorie f de ~s* Verbraucherschicht *f; ~moyen, ordinaire* Normalverbraucher *m;* **~ation** *f* Verbrauch *a. tech mot;* Konsum; Absatz *m;* Abnutzung *f,* Verschleiß; Verzehr *m (in e-m Lokal);* Ausübung *f (e-s Rechtes),* Begehen *n (e-s Verbrechens);* Vollendung, Erfüllung; *(Ehe)* Vollziehung *f; biens m pl de ~* Verbrauchsgüter *pl; diminution f de la ~* Verbrauchsrückgang *m; droit de ~* Getränkesteuer *f; impôt m sur la ~, taxe f de ~* Verbrauchssteuer *f; industrie f des biens de ~* Verbrauchsgüterindustrie *f; régime, règlement m de la ~* Verbrauchsregelung *f; société f coopérative de ~* Konsumverein *m; ~ additionnelle* Mehrverbrauch *m; ~ de* od *en combustible* Brennstoff-, Kraftstoffverbrauch *m; ~ de courant* Stromverbrauch, -bedarf *m; ~ d'essence, d'huile* Benzin-, Ölverbrauch *m (conforme à la norme* Norm-); *~ en grand, en masse(s)* Massenverbrauch *m; ~ intérieure* Inlandverbrauch *m; ~ des matériaux* Werkstoffbedarf *m; ~ du monde, des siècles, des temps* Ende *n* der Welt, der Zeiten; *~ privée, propre* Eigenbedarf, Selbstverbrauch *m;* **~é, e** *a* vollendet, vollkommen, perfekt; Erz-; *s m* Kraftbrühe *f;* **~er** ver-, auf=brauchen, ver-, auf=zehren; verschleißen, ab=nutzen; *(von Sachen)* verbrauchen, erfordern, *fam* verschlingen, schlucken; *tech* verarbeiten; *(im Gasthaus)* trinken; *(Recht)* aus=üben; *(Ehe)* vollziehen; *fig* vertun, vergeuden; vervollkommnen,

vollenden, vollbringen; *(Verbrechen)* begehen.
consompt|ible [kõsõptibl] *a* Verbrauchs-; **~ion** [-sjõ] *f* Verzehren, Aufbrauchen *n; med* Auszehrung, Schwindsucht *f; ~ des capitaux* Kapitalschwund *m.*
conson|ance [kõsɔnɑ̃s] *f mus* Gleichklang, *allg* Wohlklang, -laut *m,* Harmonie *f;* **~ant, e** *mus* gleichklingend; **~ne** *f* Konsonant, Mitlaut *m.*
consort [kõsɔr] *m: prince m ~* Prinzgemahl *m; pl jur* Mitbeteiligte, -täter *m pl; et ~s (péj)* und Konsorten, und Genossen.
consortium [kõsɔrsjɔm] *m com* Konsortium *n,* Konzern *m; ~ bancaire, de banques* Bankenkonsortium *n.*
consoude [kõsud] *f bot pharm* (Bein-)Schwarzwurz *f.*
conspir|ant, e [kõspirɑ̃,-ɑ̃t] *phys (Kraft)* im gleichen Sinne wirkend; **~ateur, trice** *m f* Verschwörer, *m,* Verschworene(r *m*) *f;* **~ation** *f* Verschwörung, Intrige *f; former, machiner, tramer une ~* e-e V. an=zetteln; **~er** *itr* sich verschwören, verschworen haben, konspirieren (*contre* gegen); *fig* mit bei=tragen (*à* zu); *tr* sich verschwören (*qc* zu etw).
conspuer [kõspɥe] öffentlich verhöhnen; *(Redner)* aus=pfeifen.
const|amment [kõstamɑ̃] *adv* beständig, immer wieder; *fam* andauernd; **~ance** *f* Standhaftigkeit; Beharrlichkeit, Ausdauer; Beständigkeit, Stetigkeit, Festigkeit *f; C~ f* Konstanz *n; le lac m de C~* der Bodensee *m;* **~ant, e** standhaft; beharrlich, ausdauernd; beständig, stet(ig), dauerhaft; sicher, gewiß; *math* konstant; *il est ~ que* es steht fest, daß; *(quantité) ~e f (math)* Konstante, feste Größe *f;* **~at** [-a] *m jur* amtliche(s) Protokoll *n;* **~atation** *f* Feststellung; Bestätigung; *jur* Beurkundung *f; action f en ~ de droit* Feststellungsklage *f; procès-verbal m de ~s* Tatbestand(s)aufnahme *f;* **~ater** fest=stellen, konstatieren; bestätigen; *jur* beurkunden; *~ par procès-verbal* zu Protokoll nehmen.
constell|ation [kõstɛlasjõ] *f* Sternbild *n;* Konstellation *f,* Stand *m* der Gestirne; *fig* Zs.stellung, -setzung *f; sous une heureuse ~* unter e-m guten Stern; **~é, e** gestirnt, sternförmig; **~er** mit Sternen besetzen, *poet* be-, übersäen.
constern|ation [kõstɛrnasjõ] *f* Bestürzung, Betroffenheit *f;* **~er** bestürzen, in Bestürzung versetzen.
constip|ation [kõstipasjõ] *f med* Verstopfung *f;* **~é, e** an Verstopfung leidend, hartleibig; *avoir l'air ~ (fam)* verlegen, unbeholfen sein; **~er** *med* verstopfen.
constitu|ant, e [kõstitɥɑ̃, -ɑ̃t] *a* (e-n Bestandteil) bildend, ausmachend; *pol* konstituierend, verfassunggebend; *s m pol* Mitglied *n* e-r verfassunggebenden Versammlung; *s f* u. *assemblée f ~e* verfassunggebende Versammlung *f; partie f ~e* Bestandteil *m; pouvoir m ~* verfassunggebende Gewalt *f;* **~é, e** bestehend; durch Gesetz bestellt; *bien ~ (Mensch)* in guter Verfassung, kräftig; **~er** aus=machen, bilden, dar=stellen; (be)gründen, ins Leben rufen, schaffen, er-, ein=richten; *vx* ein=setzen, bestellen (*qc* zu etw); aus=setzen, an=weisen; *se ~* auf=treten, sich hin=stellen als, sich konstituieren (*en* als *nom*), sich auf=werfen zu *a. jur; se ~ prisonnier* sich zur Haft stellen; sich gefangen geben; **~tif, ive** [-ty-] grundlegend, wesentlich; *jur* (rechts)begründend; *éléments m pl ~s* Grundbestandteile *m pl; jur* Tatbestand *m; loi f ~tive* (Staats-) Grundgesetz *n; titre m ~* Rechtstitel *m;* **~tion** *f* Bildung, Zssetzung, Einrichtung; Beschaffenheit *f,* Zustand; *chem* Aufbau *m;* Konstitution, Leibesbeschaffenheit; *jur* Errichtung, Aussetzung; Bestellung; *pol* Verfassung *f,* (Staats-)Grundgesetz *n; (Organisation)* Gliederung *f; ~ du capital, des capitaux* Kapitalbildung *f; ~ des circuits (el)* Schaltungsaufbau *m; ~ de garantie* Sicherheitsleistung *f; ~ municipale* Städteordnung *f;* **~tionnaliser** e-e Verfassung geben (*qc* dat); **~tionnalité** *f* Verfassungsmäßigkeit *f;* **~tionnel, le** *med pol* konstitutionell; *pol* verfassungsmäßig.
constrict|eur [kõstriktœr] *m (muscle m ~)* Schließmuskel *m;* **~if, ive** verenge(r)nd, zs.schnürend; *fig* Zwangs-; Enge-; **~ion** [-sjõ] *f* Vereng(er)ung; Zs-schnürung *f.*
constringent, e [kõstrɛ̃ʒɑ̃, -ɑ̃t] *s. constrictif.*
construct|eur [kõstryktœr] *s m* Erbauer, Baumeister, Konstrukteur *m; a: ~ mécanicien* Maschinenbauer *m; ~ d'avions* Flugzeugkonstrukteur *m; ~ de navires, de vaisseaux* Schiffsbau(meist)er *m;* **~if, ive** konstruktiv; baulich; *propriété f ~ive* Baugrundstück *n;* **~ion** [-ks-] *f* Erbauung *f,* Bauen *n;* Bauart, -weise, konstruktive Ausführung, Herstellung *f;* (fertiger) Bau *m;* Bauwerk *n,* Anlage *f; fig* Auf-

bau *m; math gram* Konstruktion *f; en* ~ im Bau (befindlich); *élever une* ~ e-n Bau errichten; *activité f de* ~ Bautätigkeit *f; bois m de* ~ Bauholz *n; coopérative f de* ~ Baugenossenschaft *f; défaut, vice m de* ~ Konstruktionsfehler *m; dessin, plan m de* ~ Bau-, Konstruktionszeichnung *f,* -plan *m; élément m de* ~ Bauglied *n,* -teil *n; entrepreneur m de* ~ Bauunternehmer *m; entreprise f de* ~ Baugeschäft *n; fouille f de* ~ Baugrube *f; frais m pl de* ~ Baukosten *pl; matériaux m pl de* ~ Werk-, Baustoffe *m pl,* Baumaterial *n; projet m de* ~ Bauvorhaben *n; société f de* ~ Baugesellschaft *f; subvention f à la* ~ Baukostenzuschuß *m;* ~ *aéronautique* Flugzeugbau *m;* ~ *ancienne, nouvelle* Alt-, Neubau *m;* ~ *en béton armé* Stahlbetonbau *m;* ~ *en bois* Holzkonstruktion, Holzbauweise *f;* ~ *brute* Rohbau *m;* ~ *de charpente métallique* Stahlskelettbau *m;* ~ *en cloisonnage, en treillis* Fachwerkbau *m;* ~ *(mono)coque* Schalenbauweise *f;* ~ *en éléments préfabriqués* Montage-, Fertigbau *m;* ~ *en fer* Eisenkonstruktion *f;* ~ *de logements* Wohnungsbau *m;* ~ *lacustre (hist)* Pfahlbau *m;* ~ *de(s) machines-outils* Werkzeugmaschinenbau *m;* ~ *métallique* (Ganz)Metallbauweise *f;* ~ *mixte* Gemischtbauweise *f;* ~ *navale* Schiffsbau *m;* ~ *en pierre* Steinbau *m;* ~ *provisoire* Behelfsbau *m;* ~ *des routes* Straßenbau *m;* ~ *en saillie* Aus-, Vorbau *m;* ~ *en série* Serien-, Montagebau *m,* Serienanfertigung *f;* ~ *au-dessous du sol, au-dessus du sol* Tief-, Hochbau *m;* ~ *en tôle* Blechkonstruktion *f.*

construire [kɔ̃strɥir] *irr* (er)bauen, errichten; konstruieren, her=stellen; entwerfen; *permis* m *de* ~ Baugenehmigung *f; min (Stollen)* treiben; *(Weg)* an=legen; *(Satz)* bilden; *(sein Leben)* ein=richten; *(System)* auf=bauen; *(Werk)* zs.=stellen, gestalten.

consubstant|ialité [kɔ̃sypstɑ̃sjalite] *f rel* Wesensgleichheit, Einheit *f;* ~**iel, le** wesensgleich.

consul [kɔ̃syl] *m hist jur* Konsul *m;* ~ *général* Generalkonsul *m;* ~**aire** konsularisch, Konsular-; ~**at** [-la] *m hist jur* Konsulat *n.*

consult|ant, e [kɔ̃syltɑ̃, -ɑ̃t] *a: avocat m* ~ Rechtskonsulent *m; médecin m* ~ beratende(r) Arzt *m; s m f* Ratgeber(in *f*) *m;* ~**atif, ive** *pol* beratend; *avoir voix* ~*ive* beratende Stimme haben; *comité m* ~ beratende(r) Ausschuß *m;* ~**ation** *f* Um-Rat-Fragen, *jur* Befragen *n;* Beratung *f; med jur* Gutachten; *(Werk)* Nachschlagen *n; med* Sprechstunde; *pol* Befragung, Untersuchung *f; cabinet m de* ~ Sprechzimmer *n;* ~ *de droit, juridique* Rechtsgutachten *n;* ~ *d'expert* Sachverständigengutachten *n;* ~ *des nourrissons* Mütterberatung(sstelle) *f;* ~ *populaire* Volksbefragung *f;* ~**er** *tr* um Rat fragen, befragen, sich beraten lassen (*qn* von jdm), zu Rate ziehen, konsultieren; nach=sehen, -schlagen (*qc* in etw); *itr* beratschlagen, sich beraten (*avec* mit); *med* Sprechstunde haben; *se* ~ sich *(dat)* e-e S überlegen; ~ *les livres* Einsicht in die Bücher nehmen; ~ *son oreiller (fam)* es be-, überschlafen.

consum|ant, e [kɔ̃symɑ̃, -ɑ̃t] *(Feuer, Leidenschaft)* verzehrend; ~**er** *(Feuer)* verzehren; *(Rost)* fressen; verschlingen *fig,* auf=, verbrauchen; *fig* auf=reiben, *fam* kaputt=machen; *(Kräfte)* auf=zehren; *se* ~ sich verzehren, sich auf=reiben (*en* bei).

contact [kɔ̃takt] *m* Berührung *f,* Kontakt *m a. el;* Fühlung(nahme), Beziehung *f; med* Bazillenträger; Dauerausscheider *m; (Auto)* Zündschloß *m;* ~*!* ein! *arriver, venir au* ~ Fühlung bekommen; *chercher le* ~ vor=fühlen; *couper le* ~ *(mot)* die Zündung ab=stellen; *entrer en* ~ *avec* in Verbindung treten mit; *établir le* ~ *(el)* den Kontakt her=stellen, ein=schalten; *établir le* ~ *avec le sol* erden; *être au* ~ *de* Fühlung haben mit; *être en* ~ *par radio* in Funkverbindung stehen; *mettre en* ~ *(allg)* in Berührung bringen; *el* ein=schalten; *prendre* ~ *avec* (die) Verbindung auf=nehmen mit; *prendre* ~ *par radio* in Funkverbindung treten; *rester au* ~ *de l'ennemi* mit dem Feind in Fühlung bleiben; *rompre le* ~ die Verbindung ab=brechen, *mil* sich los=lösen; *clé f de* ~ Zündschlüssel *m; épreuve f par* ~ Kontaktabzug *m; fiche f de* ~ Kontaktstift; Stecker *m; mauvais* ~ Wackelkontakt *m; point m de* ~ *(fig)* Berührungspunkt *m; prise f de* ~ Fühlungnahme *f;* ~ *d'allumage* Zündschalter *m;* ~ *à fiches* Steckkontakt *m;* ~ *frotteur, à frottement* Streich-, Schleifkontakt *m;* ~ *intermittent* Wackelkontakt *m;* ~ *entre lignes* Leitungsberührung *f;* ~**er** Fühlung nehmen, sich in Verbindung setzen (*qn* mit jdm); ~**eur** *m el* Schütz *n,* Einschalter *m;* ~ *de stop* Bremslichtschalter *m.*

contag|e [kɔ̃taʒ] *m med* Ansteckungsstoff *m;* ~**ieux, se** ansteckend, übertragbar; **~ion** *f med* Infektion *a. fig;* Ansteckung, Übertragung; ansteckende Krankheit, Seuche *f;* **~iosité** *f* Übertragbarkeit *f.*

container [kõtɛnɛr] *m* Container *m.*

contamin|ation [kõtaminasjõ] *f* Verseuchung; Ansteckung; *fig* Verunreinigung *f;* ~ *radioactive* radioaktive Verseuchung *f;* **~er** verseuchen, an≈stecken; *fig* besudeln.

conte [kõt] *m* (erfundene) Geschichte, Erzählung *f,* Märchen *n; débiter des ~s sur qn* über jdn (schlimme) Geschichten erzählen; *voilà un beau ~, de beaux ~s!* wer das glaubt! *faiseur m de ~s* Aufschneider, Angeber *m; livre m de ~s* Märchenbuch *n; ~ en l'air, fait à plaisir* Lügengeschichte *f; ~ bleu* tolle Geschichte *f,* alberne(s) Zeug *n; ~ de bord* Seemannsgarn *n; ~ à dormir debout* unglaubliche, unwahrscheinliche Geschichte *f; ~ de fées* Märchen; *fig* dumme(s) Zeug *n; ~ populaire* Volksmärchen *n.*

contempl|ateur [kõtɑ̃platœr] *m* Betrachter, Beschauer *m a. fig;* **~atif, ive** beschaulich; **~ation** *f* Betrachtung, Anschauung; Beschaulichkeit; (mystische) Versenkung *f;* **~er** *tr* betrachten, be-, an≈schauen; nach≈denken über *acc; itr* (nach≈)sinnen.

contemporain, e [kõtɑ̃pɔrɛ̃, -ɛn] *a* zeitgenössisch; *s m f* Zeit-, Altersgenosse *m; être ~ de* zur gleichen Zeit wie, zur Zeit *gen* gelebt haben.

contempteur, trice [kõtɑ̃ptœr, -tris] *s m f* Verächter *m; a* verächtlich.

conten|ance [kõtnɑ̃s] *f* Fassungsvermögen *n,* -kraft *f; mar* Tiefgang *m;* Ausdehnung, Bodenfläche; *fig* Fassung, Haltung *f;* Benehmen, Auftreten *n; faire bonne ~* die Haltung bewahren; *faire perdre ~ à qn* jdn aus der Fassung bringen; *perdre ~* die Fassung verlieren; **~ant, e** *a* fassend, enthaltend; *s m* Behälter *m;* **~eur** *m* Container *m;* **~ir** *irr* enthalten, (um)fassen, groß sein; in sich schließen, ein≈schließen; in Schranken halten, zurück≈halten; ein≈dämmen; *fig* zügeln, im Zaum halten; *se ~* sich beherrschen; **~u, e** *a* enthalten; *fig* beherrscht; zurückhaltend; *s m* Inhalt *m a. fig;* Ladung *f; fig* Gehalt *m; ~ de la caisse* Kassenbestand *m.*

content, e [kõtɑ̃, -ɑ̃t] *a* zufrieden, einverstanden (*de* mit); froh, heiter; erfreut (*de* über *acc*); *~ de peu* genügsam; *s m; avoir son ~ de (ironisch)* genug *(Schläge)* bekommen haben; *dormir, pleurer son ~* sich aus≈schlafen, -weinen; *manger son ~* sich satt essen; *non ~ de (inf)* nicht zufrieden damit, daß; **~ement** *m* Zufriedenheit; Genügsamkeit; Freude; Befriedigung, Genugtuung *f;* **~er** zufrieden≈stellen, befriedigen, es recht machen *dat; se ~* fürlieb≈nehmen, zufrieden sein, sich begnügen, sich ab≈finden (*de* mit); sich bescheiden.

content|ieusement [kõtɑ̃sjøzmɑ̃] *adv* auf dem Prozeßwege; **~ieux, se** [-sjø, -øz] *a* strittig, umstritten; Streit-; streitlustig, -süchtig; *s m* Streit-, Prozeßsachen *f pl;* Rechtsabteilung *f; juridiction f ~ieuse* streitige Gerichtsbarkeit *f; ~ administratif* Verwaltungsgerichtsbarkeit *f;* **~ion** [-sjõ] *f* (geistige) Anstrengung, Anspannung *f; med* Zurückhalten, Fixieren *n.*

conter [kõte] *tr* erzählen, berichten; her≈sagen; *itr* auf≈schneiden; *en ~ (de belles) à qn* jdm etw weis≈machen; *~ des fagots, des sornettes* flunkern, auf≈schneiden; *(en) avoir long à ~* viel (davon) zu erzählen haben; *s'en laisser ~ par qn* sich von jdm e-n Bären auf≈binden lassen; jdm auf den Leim gehen.

contest|able [kõtɛstabl] anfechtbar, bestreitbar; **~ataire** *a* Protest-; *s m f* Protestler(in *f*) *m;* **~ation** *f* Bestreiten *n,* Anfechtung *f;* Streit(igkeit *f,* -fall) *m;* Protestbewegung *f; sans ~* ohne Widerrede; *élever une ~* e-n Einwand erheben (*sur* gegen); *être en ~* streiten, in Streit liegen (*sur* über *acc*); streiten, in Streit liegen (*sur* über *acc*); strittig, umstritten sein; *mettre en ~* bestreiten, in Zweifel ziehen; *action f en ~* Anfechtungsklage *f; point m en ~* Streitpunkt *m; ~ judiciaire* Rechtsstreit *m;* **~e:** *sans ~* unbestritten *adv;* **~é, e** umstritten; **~er** *tr* bestreiten, streitig machen, an≈fechten; in Abrede stellen, leugnen; ab≈, zurück≈weisen; *itr* streiten.

conteur, se [kõtœr, -øz] *s m f* Erzähler(in *f*); Märchenerzähler(in *f*), -dichter(in *f*) *m; a* schwatzhaft, geschwätzig; *~ de chansons, de fables, de fagots, d'histoires, de sornettes* Schwätzer, Aufschneider, Angeber *m; ~ de fleurettes* Süßholzraspler, *fam* Poussierstengel *m.*

contexte [kõtɛkst(e)] *m* Zusammenhang; *jur* (zs.hängender) Inhalt *m;* Gesamtumstände *m pl.*

contexture [kõtekstyr] *f anat bot* Verbindung, Anordnung *f,* Gewebe *n a. tech; fig* Aufbau *m,* Gefüge *n; ~ des os* Knochenbau *m.*

contigu, ë [kõtigy] angrenzend (*à* an *acc*); Neben-; *idées f pl ~ës* verwandte Ideen *f pl;* **~ïté** [-gɥite] *f* Angrenzen, Anstoßen *n.*

contin|ence [kɔ̃tinɑ̃s] *f* Enthaltsamkeit, *fig* Mäßigkeit, Nüchternheit *f; vivre dans la ~* enthaltsam leben; **~ent, e** *a* enthaltsam; *med* anhaltend, gleichbleibend; *fig* sparsam, nüchtern; *s m* Erdteil, Kontinent *m,* Festland *n.*

continental, e festländisch, kontinental; Kontinental-.

conting|ence [kɔ̃tɛ̃ʒɑ̃s] *f* Zufälligkeit *f; pl* Nebensachen *f pl;* **~ent, e** *a* zufällig, ungewiß; *(Teil)* zustehend, zukommend, entfallend; *s m* Anteil *m;* Quote *f,* Kontingent *n; pl* Soll *n;* **~entement** *m* Kontingentierung, Zuteilung *f;* **~enter** kontingentieren, bewirtschaften, zu=teilen.

continu, e [kɔ̃tiny] zs.hängend, fortlaufend, kontinuierlich; anhaltend, ununterbrochen; *math* stetig; *courant m ~ (el)* Gleichstrom *m; feu m ~* Dauerbrand *m; marche f ~e* Dauerbetrieb *m; travail m ~* Fließarbeit *f;* **~ateur, trice** [-nɥa-] *m f* Fortsetzer(in *f*) *m;* **~ation** *f* Fortsetzung, Weiterführung; Verlängerung; Fortdauer *f;* Fortgang *m; ~ de la course, de l'emploi* Weiterfahrt, -beschäftigung *f;* **~el, le** [-nɥɛl] fortdauernd, -laufend, -während; anhaltend, beständig; **~er** [-nɥe] *tr* fort=setzen, fort=, weiter=führen; verlängern, aus=dehnen; erhalten, bewahren; *itr* fort=fahren, weiter=gehen; sich fort=setzen, sich erstrecken; an=dauern, -halten; s-n Fortgang nehmen; *~ à* od *de faire qc* etw weiterhin tun; *il ~e à* od *de pleuvoir, neiger* es regnet, schneit immerzu, hört nicht auf zu regnen, schneien; **~ité** [-nɥite] *f* Kontinuität *f,* Zs.hang *m;* Stetigkeit; Fortdauer *f,* -bestand *m;* Anhalten *n,* Fortsetzung *f; film* Rohdrehbuch *n; solution f de ~* Unterbrechung (des Zs.hangs), Lükke *f.*

contondant, e [kɔ̃tɔ̃dɑ̃, -ɑ̃t] stumpf; *instrument m ~* Schlaginstrument *n.*

contorsion [kɔ̃tɔrsjɔ̃] *f* Verrenkung, Verzerrung; *fig* Verrenkung; *vx* Verdrehung, Entstellung *f;* **~ner** [-sjɔ-] verrenken, -drehen, -zerren; **~niste** *m* Schlangenmensch *m.*

contour [kɔ̃tur] *m* Umriß *m;* Kontur *f;* Rand *m;* Windung *f; min* Umbruch *m;* **~né, e** schief, krumm; *fig* geschraubt, gewunden; **~nement** *m* Verdrehung, Torsion *f; ligne (loc), route f de ~* Umgehungsbahn, -straße *f;* **~ner** im Umriß entwerfen, umreißen; verdrehen, -zerren; verbiegen; entstellen; *tech* aus=schweifen; *el* überspringen; um ... herum gehen, fahren, fliegen; sich winden um, umgeben, ein=fassen, säumen; *(Säge)* (ver)schränken; *min* umfahren.

contracept|if, ive [kɔ̃trasɛptif, -iv] *a* empfängnisverhütend; empfängnisverhütende(s) Mittel *n;* **~ion** [-sjɔ̃] *f* Empfängnisverhütung, Geburtenbeschränkung *f.*

contract|ant, e [kɔ̃traktɑ̃, -ɑ̃t] *a* vertragschließend; *s m* (Vertrags-)Kontrahent *m;* **~e; ~é, e** *gram* zs.gezogen; **~er** zs.=ziehen, verkürzen; *(Gewohnheit, Geschmack)* an=nehmen; *(Kredit)* auf=nehmen; *jur* (ab=) schließen, ein=gehen; *se ~* sich zs.=ziehen; zs.=schrumpfen, schwinden; *~ une amitié* Freundschaft schließen; *~ une assurance* e-e Versicherung ab=schließen; *~ des dettes* Schulden machen; *~ un emprunt, un prêt* e-e Anleihe, ein Darlehen auf=nehmen; *~ une maladie* sich e-e Krankheit zu=ziehen; *~ mariage* e-e Ehe schließen *od* ein=gehen; *~ une obligation* e-e Verpflichtung auf sich *(acc)* nehmen, e-e Verbindlichkeit ein=gehen; **~if, ive** zs.ziehend; **~ile** *anat* kontraktil, zs.ziehbar *f;* **~ilité** *f anat* Kontraktilität, Zs.ziehbarkeit *f;* **~ion** [-sjɔ̃] *f* Zs.ziehung; *tech* Schrumpfung; *(Züge)* Verzerrung; *(Geburt)* Wehe *f; gram* Kontraktion; *phys* Verdichtung, Vereng(er)ung *f.*

contractuel, le [kɔ̃traktyɛl] vertraglich, vertragsmäßig, -gemäß; *s f* Politesse *f.*

contrac|ture [kɔ̃traktyr] *f* (Muskel-) Krampf *m; arch* Verjüngung *f;* **~turer** e-n (Muskel-)Krampf verursachen *od* bewirken (*qc* in e-r S); *arch* verjüngen; *se ~r (med)* sich verkrampfen.

contradict|eur [kɔ̃tradiktœr] *m* Widersprech(end)er; Widerspruchsgeist *(Person);* Oppositionsredner *m;* **~ion** [-sjɔ̃] *f* Widerrede *f,* Widerspruch; Gegensatz *m;* Unvereinbarkeit *f; jur* Einspruch *m;* Gegenerklärung *f; être en ~ avec qc* mit etw im Widerspruch stehen; *esprit m de ~* Widerspruchsgeist *m;* **~oire** *a* (sich) widersprechend; widerspruchsvoll, kontradiktorisch; *jur* nach Anhörung *od* in Gegenwart der Parteien erfolgt; *s m* widersprechende(r) Begriff; *f* widersprechende(r) Satz *m; réunion f publique et ~* öffentliche Versammlung *f* mit (anschließender) Diskussion.

contraignable [kɔ̃trɛɲabl] dem Gerichtszwang unterworfen; *~ par corps* persönlich haftbar.

contrain|dre [kɔ̃trɛ̃dr] *irr* zwingen, nötigen; in Schranken halten, zügeln; *se ~* sich Zwang auf=erlegen, sich bezwingen (*à* zu); sich beherrschen; *~ par voie de justice* durch gerichtlichen Zwang an=halten; *la nécessité ~t la loi* Not kennt kein Gebot; **~t, e** [-trɛ̃, -ɛ̃t] *fig* gezwungen; gekünstelt, steif, unnatürlich; **~te** *f* Zwang *m;* Nötigung *f,* Druck *m;* Be-, Einschränkung, Einengung; Eingeschränktheit, Enge; Zwangsläufigkeit; *jur* Gewalt(anwendung) *f,* Zwangsmittel *n; tech* Spannung, Beanspruchung *f; user de ~* Zwang an=wenden; *état m de ~* Zwangslage *f; mesure f, moyen m de ~* Zwangsmaßnahme *f,* -mittel *n; recouvrement m, vente f par ~* Zwangsbeitreibung *f,* -verkauf *m; ~ par corps* Schuldhaft *f; ~ personnelle* Schutzhaft *f; ~ réelle* dingliche(r) Arrest *m.*

contraire [kɔ̃trɛr] *a* gegensätzlich; entgegengesetzt; widrig, feindlich gesinnt, nachteilig, schädlich; zuwider (*à* dat); gegen (*à* acc); im Widerspruch (*à* zu); *s m* Gegenteil *n,* Gegensatz *m; au ~* im Gegenteil; im Gegensatz (*de* zu); *dans le* od *en cas ~* andernfalls; *en sens ~* im entgegengesetzten Sinn; in entgegengesetzter Richtung; *sauf avis ~ (com)* vorbehaltlich gegenteiliger Mitteilung; *aller au ~ de qc* sich e-r S widersetzen, gegen e-e S sein; *faire tout le ~* genau das Gegenteil tun; *je ne dis pas le ~* ich streite es nicht ab, leugne es nicht; *preuve f du ~* Gegenbeweis *m; ~ au but* zweckwidrig; *~ au droit* rechtswidrig; *~ aux lois* gesetzwidrig; *aux (bonnes) mœurs* sittenwidrig; *~ aux règlements* vorschriftswidrig; *~ à la raison* vernunftwidrig.

contralto [kɔ̃tralto] *m mus* tiefe Altstimme *f.*

contrar|iant, e [kɔ̃trarjɑ̃, -ɑ̃t] streit-, zanksüchtig; *(Sache)* widerwärtig, unangenehm, ärgerlich; **~ié, e** verstimmt, ärgerlich (*de* über *acc*); **~ier** widersprechen, entgegen=wirken (*qn* jdm); stören, (be)hindern; *(Plan)* durchkreuzen; (ver)ärgern, verdrießen; *(Farben)* kontrastieren lassen; **~iété** *f* Unannehmlichkeit *f,* Ärger *m.*

contrast|e [kɔ̃trast] *m* Kontrast, Gegensatz *m; être en ~* im Gegensatz stehen; *effet m de ~* Kontrastwirkung *f;* **~é, e** *a* kontrastierend; kontrastreich; **~er** *itr* kontrastieren, e-n Kontrast bilden; ab=stechen (*avec* gegen); *tr* (ea.) scharf gegenüber=stellen.

contrat [kɔ̃tra] *m* Vertrag *m;* (mündliche) Abmachung, Vereinbarung *f; dresser, rédiger un ~* e-n Vertrag auf=setzen, ab=fassen; *s'engager par ~* sich vertraglich verpflichten; *passer un ~* e-n Vertrag schließen; *rupture f de ~* Kontrakt-, Vertragsbruch *m; ~ d'apprentissage* Lehrvertrag *m; ~ d'assurance* Versicherungsvertrag *m; ~ de base* Rahmenvertrag *m; ~ de bienfaisance* Schenkungsvertrag *m; ~ collectif* Kollektiv-, Tarifvertrag *m; ~ d'entrepôt* Lagergeschäft *n; ~ d'épargne logement* Bausparvertrag *m; ~ de fermage* Pachtvertrag *m; ~ fiduciaire* Treuhandgeschäft *n; ~ d'hérédité* Erbvertrag *m; ~ judiciaire* Prozeßvergleich *m; ~ de location, louage* Mietvertrag *m; ~ de mariage* Ehevertrag *m; ~ de service* Dienstvertrag *m; ~ social (pol)* Gesellschaftsvertrag *m; ~ de société* Gesellschafts-, Gründungsvertrag *m; ~ de transport* Beförderungsvertrag *m; ~ de travail* Arbeitsvertrag *m; ~-type m* Mustervertrag *m; ~ de vente* Kaufvertrag *m.*

contravention [kɔ̃travɑ̃sjɔ̃] *f* Übertretung, Zuwiderhandlung *f;* Strafmandat *n, fam* Meldung *f; se mettre en ~* sich e-r Übertretung schuldig machen.

contre [kɔ̃tr] **1.** *prp (räumlich)* gegen, an, neben; *(feindlich)* gegen, wider; *(Richtung)* entgegen *dat;* im Widerspruch zu, trotz; *(im Austausch)* gegen; *in Zssgn meist:* Gegen-; gegen-; *élever autel ~ autel (pol)* in Opposition gehen; *se battre ~ qn* sich mit jdm schlagen; *presser qn ~ sa poitrine* jdn an die Brust drücken; *envers et ~ tous* aller Welt zum Trotz; **2.** *adv* dagegen; *courir à ~ (mar)* auf-ea.=stoßen; *là-~* dagegen; *par ~* ander(er)seits, dagegen; *tout ~* dicht daneben; **3.** *s: le pour et le ~* das Für u. (das) Wider; *(Fechten)* Gegenstoß; *(Billard)* Anschlag *m; (Karten)* Kontra *n; il y a du pour et du ~* darüber läßt sich streiten; **~-accusation** *f jur* Gegenklage *f;* **~-allée** *f* Seiten-, Nebenallee *f,* -gang *m;* **~-amiral** *m* Konteradmiral *m;* **~-assurance** *f* Rückversicherung *f;* **~-attaque** *f* Gegenangriff *m; ~ immédiate (mil)* Gegenstoß *m;* **~balancer** ein Gegengewicht bilden (*qc* zu etw), die Waage halten (*qc* dat); *fig* auf=wiegen, aus=gleichen; **~bande** *f* Schleichhandel, Schmuggel(ware *f*) *m; de ~* verboten, unrechtmäßig; *faire la ~* schmuggeln; Schleichhandel treiben; *marchandise f de ~* Schmuggelware *f; ~ de devises* Devisenschmuggel *m;* ~**bandier, ère** *m f* Schmuggler(in *f*) *m,* Schleichhändler *m;* ~**bas:** *en* ~ *(adv)* unterhalb, (in) tiefer(er Lage); hinunter; ~**basse** *f* (Kontra-)Baß *m,* Baßgeige *f;* (Kontra-)Bassist *m;* ~**bassiste** *m* (Kontra-)Bassist *m;* ~**basson** *m mus* Doppelfagott *n;* ~**batterie** *f* Artilleriebekämpfung *f;* ~**battre** *irr* zurück=schlagen (*qc* gegen etw), bekämpfen *a. fig;* ~**-biais:** *à* ~ quer; *fig* verkehrt, falsch; ~**-billet** *m com* Revers *m;* ~**-bord:** *à* ~ *(mar)* Bord an Bord; ~**-boutant** *m* Strebe *f;* ~**-bouter** ab=stützen, ab=streifen; ~**-bouterolle** [-butrɔl] *f tech* Nietkloben; Vor-, Gegenhalter *m;* ~**-bride** *f tech* Gegenflansch *m;* ~**-calquer** e-e Mutterpause an=fertigen (*qc* von etw); ~**carrer** entgegen=wirken, -arbeiten (*qn* jdm); ~**-châssis** *m* Vor-, Außenfenster *n;* ~**-clavette** *f tech* Gegen-, Haken-, Stellkeil *m;* ~**cœur** *m* Rückwand (e-s Kamins); Kaminplatte; Brandmauer *f; à* ~ mit Widerwillen, widerwillig; ~**coup** *m* Rückstoß, -schlag *m;* -wirkung; *fig* Nachwirkung, Folge *f; par* ~ indirekt; ~**-courant** *m* Gegenströmung *f; el* Gegenstrom *m; à* ~ stromaufwärts; ~**danse** *f* Konter-, Gegentanz *m; pop* Strafmandat *n;* Geldstrafe *f;* ~**-dater** das Datum ändern (*qc* gen); ~**dire** *irr tr* widersprechen (*qn* jdm); bestreiten; Lügen strafen; durchkreuzen; *itr* Einwendungen, *fam* Widerworte machen, gern widersprechen; ~**-distorsion** *f tele* Entzerrung *f;* ~**dit** *m vx* Widerrede, Erwiderung, Replik; *jur* Gegenbehauptung *f; sans* ~ ohne Widerrede, unbestritten.

contrée [kɔ̃tre] *f* Gegend, Landschaft *f.*

contre|-écrou [kɔ̃trekru] *m tech* Gegenmutter *f;* ~**-enquête** *f jur* Zeugeneinvernahme *f* zum Gegenbeweis; ~**-épreuve** *f typ* Gegenabzug, -abdruck *m; fig* Nachahmung *f,* Abklatsch *m; pol allg* Gegenprobe *f;* ~**-espionnage** *m* (Spionage-)Abwehr *f; services m pl de* ~ (Staats-)Sicherheitsdienst, (Amt *n* für) Verfassungsschutz *m;* ~**-essai** *m* Gegenprobe *f;* ~**façon** *f* (betrügerische) Nachahmung, Fälschung *f; typ* Nachdruck *m;* ~**facteur** *m* Nachahmer, -drucker *m;* ~**faction** *f* Fälschung *f;* ~**faire** *irr* nach=machen, -ahmen, -drucken; ver-, entstellen, verunstalten; fälschen; nach=äffen; heucheln, spielen; ~ *une maladie, la mort* sich krank stellen, totstellen; ~**fait, e** *a* mißgestaltet; *livre m* ~ Nachdruck *m;* ~**-fenêtre** *f* Doppelfenster *n;* ~**-feu** *m* Kaminplatte *f;* Gegenfeuer *n;* ~**-fiche** *f arch* Strebe *f;* ~**-fil** *m* Gegenrichtung *f; à* ~ gegen den Strich; ~**fort** *m arch* Strebepfeiler *m,* Widerlager *n;* Ausläufer *m (e-s Gebirges),* Vorberge *m pl;* Rahmenleder *n,* Hinterkappe *f (im Schuh);* ~**-haut** [-trəo] : *en* ~ *(adv)* oberhalb, (in) höher(er Lage); nach oben; ~**-jour** *m* Gegenlicht *n a. phot; à* ~ gegen das Licht; *(Bild)* in falschem Licht; *être à* ~ das Licht im Rücken haben; ~**-lettre** *f* Gegenversicherung *f;* Revers *m;* ~**maître, esse** *m f* Werkmeister, Vorarbeiter(in *f*); (Maurer-)Polier *m;* ~**mandement** *m com* Abbestellung *f;* ~**mander** *com* ab=bestellen; ~**-manifestation** *f* Gegendemonstration *f;* ~**marque** *f com* Gegenmarke, Buchungsnummer; Kontrollkarte *f;* ~**marquer** *com* mit e-m Gegenzeichen versehen; ~**-mesure** *f* Gegenmaßnahme *f; pl radio* Funkmeßabwehr *f; à* ~ zur Unzeit; ~**-mine** *f mil* Gegenmine *f; fig* geheime(r) Gegenanschlag *m;* ~**-mot** *m mil vx* Gegen-, zweite(s) Kennwort *n;* ~**-moule** *m tech* Gegenform *f;* ~**-mur** *m* Stützmauer *f;* ~**-offensive** *f* Gegenangriff *m,* -offensive *f;* ~**-ordre** *s. contrordre;* ~**partie** *f com* Gegenbuch, -register *n;* Ersatz-, Gegenleistung *f;* Gegenwert *m;* entgegengesetzte Meinung; Gegenpartei; Gegenschrift *f;* Gegenstück *n; mus* Gegenstimme; *(Spiel)* Revanchepartie *f; faire, soutenir la* ~ die entgegengesetzte Meinung vertreten; ~**-passation** *f;* ~**-passement** *m com* Stornierung, Rückbuchung; *(Wechsel)* Rückgabe; Abänderung, Berichtigung *f;* ~**-passer** *com* stornieren; zurück=geben; um=buchen; *(Schriftstück)* abändern, berichtigen; ~**-pente** *f* Gegenhang *m;* Steigung *f;* ~**-peser** *fig* auf=wiegen; ~**-petterie,** ~**pèterie** [-pɛtri] *f* Schüttelreim *m;* ~**-pied** *m (Jagd)* Gegenspur *f; fig* Gegenteil *n; à* ~ verkehrt; *prendre le* ~ *(Jagd)* die Gegenspur auf=nehmen; *fig* das Gegenteil sagen *od* tun; widersprechen; ~**-placage** *m* Sperrholzherstellung *f;* ~**-plaqué** *m* Furnier-, Blatt-, Sperrholz *n;* ~**-plaquer** (gegen)furnieren, Sperrholz her=stellen; ~**poids** *m* Gegen-, Ausgleichsgewicht *n; fig* Ausgleich; *(Reiter)* feste(r) Sitz *m;* ~**-poil** *m (Haar)* Gegenstrich *m; fig* Gegenteil *n; à* ~ gegen den Strich; *prendre à* ~ *(fig fam) (Sache)* verkehrt an=fangen, *(Person)* falsch an=fassen; ~**point** *m mus*

Kontrapunkt *m;* **~-pointe** *f* Rückenschärfe *f;* (Säbel-)Fechten *n* auf Hieb u. Stich; Reitstock(spitze *f*) *m (e-r Drehbank);* **~-pointer** *tech* steppen; *(Geschütz)* gegen ein beschießendes Geschütz richten; **~poison** *m* Gegengift *n;* **~-porte** *f* Doppeltür *f;* **~-poulie** *f tech* Gegenscheibe *f;* **~-préparation** *f (Artillerie)* Vernichtungsfeuer *n;* **~-pression** *f* Gegendruck *m;* **~proposition** *f* Gegenvorschlag *m,* -behauptung *f;* **~-quille** [-ij] *f mar* Kielschwein *n.*

contrer [kõtre] *itr (Kartenspiel)* Kontra sagen; *fam* Kontra geben; *tr* entgegen=treten (*qn* jdm); *(Boxen)* kontern.

contre|-rail [kõtrəraj] *m loc* Leit-, Zwangsschiene *f;* **C~-Réforme** *f hist rel* Gegenreformation *f;* **~-révolution** *f* Gegenrevolution *f;* **~-révolutionnaire** gegenrevolutionär; **~seing** [-sɛ̃] *m* Gegenzeichnung *f;* **~sens** [-sɑ̃s] *m* Gegensinn *m,* -richtung; entgegengesetzte Bedeutung; Sinnwidrigkeit *f;* Wider-, Unsinn *m; à ~* in entgegengesetztem Sinne; sinnwidrig, verkehrt; **~signataire** *m* Gegenzeichner *m;* **~signer** gegen=zeichnen; **~-sujet** *m mus* zweite(s) od dritte(s) Thema *n;* **~-taille** *f* Gegenschraffur *f;* **~-tailler** gegenschraffieren; **~temps** *m* (störendes) Ereignis, Hindernis *n;* Zwischenfall *m; mus* Kontratempo *n;* Taktfehler; *(Fechten)* a-tempo-Hieb, -Stoß; *(Reiten)* plötzliche(r) Seitensprung *m; gram* falsche Betonung *f; à ~* ungelegen; zur Unzeit; im ungünstigen Augenblick; **~-timbre** *m (Briefmarke)* Überdruck *m;* **~-timbrer** überdrucken; **~-tirer** *tr itr* (e-n) Gegenabdruck machen (*qc* von etw); **~-torpilleur** [-jœr] *m mar* (Torpedoboot-)Zerstörer *m;* **~type** *m typ* Negativabzug *m;* **~-valeur** *f* Gegenwert *m,* Gegen-, Ersatzleistung *f;* **~-vapeur** *f tech* Gegendampf *m;* **~venant, e** *m f* Zuwiderhandelnde(r *m*) *f;* **~venir** *irr* übertreten (*à* acc); zuwiderhandeln; **~vent** *m* (äußerer) Fensterladen; *(Hochofen)* Gichtzakken *m; arch* Windstütze *f;* **~ventement** [-vɑ̃tmɑ̃] *m arch tech* Querverbindung, -versteifung *f;* Kreuzverband; *aero* Windverband *m,* Querverspannung *f;* **~vérité** *f* Unwahrheit *f;* Fehlurteil *n;* **~-visite** *f: ~ médicale* vertrauensärztliche Untersuchung *f;* **~-voie** *f loc* Nebengleis *n; descendre à ~* auf der falschen Seite aus=steigen; *circulation f à ~* Gegenverkehr *m.*

contribu|able [kõtribɥabl] *a* steuerpflichtig; *s m* Steuerpflichtige(r), -zahler *m;* **~er** s-n Beitrag zahlen; bei=steuern, -tragen, mit=helfen (*à* zu, an); **~tif, ive** [-by-] zur Steuer gehörig, Steuer-; **~tion** *f* Beitrag *m;* Steuer, Umlage, Abgabe, Kontribution *f; apporter sa ~* s-n Beitrag leisten (*à* zu); *lever, percevoir une ~* e-e Steuer erheben; *mettre à ~* (zu Zahlungen) heran=ziehen; *fig (jds)* Dienste in Anspruch nehmen; *(Sache)* aus=nutzen; *administration f des ~s* Steuerverwaltung *f; feuille f de ~* Steuerzettel *m; ~ alimentaire* Unterhaltsbeitrag *m; ~ foncière* Grundsteuer *f; ~ personnelle* Kopfsteuer *f.*

contrister [kõtriste] *lit* betrüben, traurig machen.

contrit, e [kõtri, -it] zerknirscht; reumütig; bekümmert; **~ion** [-sjõ] *f* Zerknirschung, Reue; *rel* Bußfertigkeit *f.*

contrôl|able [kõtrolabl] kontrollier-, nachweisbar; **~e** *m* Kontrolle, (Nach-, Über-)Prüfung, Überwachung, Beaufsichtigung, Aufsicht; Kontrollbüro *n;* (Kontroll-)Stempel *m; être soumis au ~* der Kontrolle unterliegen; *appareil m de ~ (tech)* Kontrollapparat *m,* Prüfgerät *n; commission f de ~* Kontrollkommission *f; droit m de ~* Aufsichtsbefugnis *f; échantillon m de ~* Gegenmuster *n; installation f de ~* Kontrollanlage *f; organe m de ~* Kontrollorgan *n; système m de ~* Kontrollsystem *n; talon m de ~* Kontrollabschnitt *m; ~ des armements* Rüstungskontrolle *f; ~ (des billets)* Fahrkartenkontrolle *f; ~ des biens, de fortune* Vermögensaufsicht *f; ~ des changes* Währungs-, Devisenkontrolle, Devisenbewirtschaftung *f; ~ de la circulation* Verkehrsüberwachung *f; ~ douanier, de douane* Zollkontrolle *f; ~ économique* Wirtschaftskontrolle *f; ~ de l'État* Staatsaufsicht, Zwangswirtschaft *f; ~ d'exploitation, de fabrication* Betriebs-, Fabrikationsüberwachung *f; ~ financier* Finanzkontrolle *f; ~ des logements* Wohnraumbewirtschaftung *f; ~ des naissances* Geburtenkontrolle *f; ~ nominatif (mil)* Stammrolle *f; ~ des passeports* Paßkontrolle *f; ~ de présence* Anwesenheitskontrolle *f; ~ des prix* Preisüberwachung *f; ~-radar m* Radarkontrolle *f; ~ du volume* Lautstärkeregler *m;* **~é, e** abhängig; *tech* geprüft; **~er** kontrollieren, (nach=, über)prüfen; beaufsichtigen, überwachen, revidieren; *(Zähler)* ab=lesen; *(Edelmetall)* stempeln; *(Leistung)* ab=nehmen; *se* ~ sich beherrschen; **~eur, se** *m f* Kontrolleur, Aufseher; *loc* Schaffner; Überprüfer; Überwacher; *el* Fahr-, Steuerschalter *m; tech* Kontrollgerät *n;* ~ *de comptes* Revisor *m;* ~ *de compteurs* (Zähler-)Ableser, *fam* Gasmann *m;* ~ *des douanes* Zollbeamte(r) *m;* ~ *économique* Wirtschaftsprüfer *m;* ~ *de rondes* (Wächter-)Kontrolluhr *f;* ~ *de pression* Luftdruck-, Reifenprüfer *m;* ~ *des lignes* Leitungsprüfer *m;* ~ *de tonalité* Klangregler *m.*

contrordre [kõtrɔrdr] *m* Gegenbefehl *m;* Abbestellung *f.*

contro|versable [kõtrɔvɛrsabl] bestreitbar; **~verse** *f* Streit(frage *f*) *m,* Kontroverse *f;* **~verser** bestreiten; streiten (*qc* über e-e S).

contumace [kõtymas] *s f jur* Säumnis *f,* Nichterscheinen *n; a* säumig; *par* ~ in Abwesenheit.

contus, e [kõty, -yz] *med* gequetscht, Quetsch-; **~ion** *f* Quetschung, Prellung *f;* **~ionner** quetschen.

conurbation [kɔnyrbasjõ] *f* Ballungsraum *m.*

convainc|ant, e [kõvɛ̃kɑ̃, -ɑ̃t] *a* überzeugend; *(Beweis)* schlagend; **~re** *irr* überzeugen (*qn de qc* jdn von etw); *(e-s Verbrechens)* überführen (*de qc* gen).

conval|escence [kõvalɛsɑ̃s] *f* Genesung; Rekonvaleszenz *f; (congé m de* ~*)* Genesungsurlaub *m; en* ~ auf dem Wege der Genesung; **~escent, e** *a* genesend; *s m f* Genesende(r *m*) *f,* Rekonvaleszent(in *f*) *m.*

conven|able [kõvnabl] angemessen, passend, angebracht; anständig, schicklich; *(Person)* von gutem Benehmen; *il est* ~ es schickt sich; **~ance** *f* Übereinstimmung, Harmonie; Angemessenheit *f,* Anstand *m,* Schicklichkeit; Bequemlichkeit, Annehmlichkeit *f;* Geschmack *m; à ma* ~ nach meinem Ermessen, wie es mir paßt; *à votre* ~ (ganz) nach Ihrem Belieben; *par* ~ anstandshalber; *avoir à sa* ~ zur Hand, zu beliebiger Verfügung haben; *être à la* ~ *de qn* jds Anforderungen entsprechen; *mariage m de* ~ Vernunftehe *f;* **~ant, e** passend, angebracht; schicklich; **~ir** *irr (mit avoir)* zs.=passen, passen (*à* zu), harmonieren (*à* mit); entsprechen, angemessen sein; gefallen, an=stehen; *(Arznei)* zuträglich sein; *(meist mit être)* überein=stimmen (*sur* in über *acc*); ~ *de* überein=kommen über *acc,* verabreden, ab=machen, vereinbaren, sich verständigen über *acc;* (zu)gestehen, zu=geben, an=erkennen (*de qc* etw); *se* ~ zuea.=passen; *j'en conviens* ich gebe es zu; *il est expressément* ~*u* es gilt als ausdrücklich vereinbart; *il convient* es empfiehlt, gehört sich; es ist angebracht; *c'est* ~*u* abgemacht!

conven|t [kõvɑ̃] *m* (Freimaurer-)Konvent *m;* **~ticule** [-tikyl] *m* Konventikel *n;* heimliche Zs.kunft *f;* **~tion** [-sjõ] *f* Übereinkommen *n,* Abmachung, Vereinbarung *f;* Abkommen *n,* Absprache; Bestimmung, Klausel; *allg* Übereinkunft *f;* Prinzip *n; C~ (nationale)* (franz.) Nationalkonvent *m* (1792 bis 1795); *de* ~ vertragsgemäß, verabredet; konventionell, hergebracht, üblich; ~ *collective de travail* Tarifvertrag *m;* ~ *commerciale* Handelsabkommen *n; C~ de Genève (pol)* Genfer Konvention *f;* ~ *internationale* internationale(s) Abkommen *n;* ~ *de prix* Preisvereinbarung *f;* ~*-type f* Rahmenabkommen *n;* **~né, e:** *médecin* ~ Kassenarzt *m;* **~tionnel, le** *a* auf (e-r) Vereinbarung beruhend, vertragsmäßig; herkömmlich, üblich; konventionell; *s m hist* Konventsmitglied *n;* **~tualité** [-tɥa-] *f* Klosterleben *n;* **~tuel, le** [-tɥɛl] *a* klösterlich, Kloster-; *s m* Konventuale; im Kloster lebende(r) Bruder *m.*

converg|ence [kõvɛrʒɑ̃s] *f math phys* Konvergenz; *fig (Standpunkte)* Übereinstimmung, *(Kräfte)* Zs.fassung *f;* **~ent, e** konvergent; *fig* sich annähernd, auf ein Ziel zustrebend; **~er** konvergieren, (in e-m Punkt) zs.=laufen; *fig* sich konzentrieren (*sur* auf *acc*), gemeinsam streben (*vers* nach).

convers, e [kõvɛr, -ɛrs] *a rel: frère m* ~ Laienbruder *m; sœur f* ~*e* Laienschwester *f;* **~ation** [-sa-] *f* Umgang, Verkehr *m;* Unterhaltung *f,* Gespräch *n,* Konversation *f; changer de* ~ das Thema wechseln, von etw anderem sprechen; *entrer en* ~ *avec qn* sich mit jdm in ein Gespräch ein=lassen; *lier* ~ *avec qn* mit jdm ein Gespräch an=knüpfen; *la* ~ *tourne, roule sur* das Gespräch dreht sich um; *durée f de* ~ Gesprächsdauer *f;* ~ *éclair* Blitzgespräch *n;* ~ *téléphonique* Telefongespräch *n;* **~er** sich unterhalten (*avec qn* mit jdm); *mil* schwenken, e-e Schwenkung machen; **~ible** *s. convertible;* **~ion** *f* Umdrehung; Ver-, Umwandlung, Veränderung; *(Regierung)* Umbildung; Bekehrung, Sinnesänderung; *math gram* Umkehrung; *mil* Schwenkung; *com* Konversion, Konvertierung, Umwandlung, -stellung, -rechnung;

(Münzen) Umschmelzung, Umprägung *f;* ~ *de dettes* Schuldumwandlung, Umschuldung *f;* ~ *monétaire* Währungsumrechnung, -umstellung *f.*
convert|i, e [kɔ̃vɛrti] *s m f* Konvertit(in *f*) *m; prêcher un* ~ *(fig)* offene Türen einrennen; *nouveau* ~ Neubekehrte(r) *m;* ~**ibilité** *f com* Konvertierbarkeit, Umtauschbarkeit *f;* ~**ible** konvertierbar, umtauschbar; einlösbar, umwandelbar *a. tech; (Satz)* umkehrbar; ~**ir** um-, verwandeln, machen (*qc* zu etw); bekehren, bessern; *com* (ein=)wechseln, um=rechnen, -setzen; um=stellen; *el* um=formen; ~ *en argent* zu Geld machen, *fam* versilbern, *pop* verscheuern; ~**issable** *chem tech com* umwandelbar; *fig* zu bekehren(d), besserungsfähig; ~**issage** *m tech* Konvertern *n;* ~**issement** *m chem tech* Ver-, Umwandlung; *com* Konvertierung; *(Münzen)* Umprägung *f;* ~**isseur** *m* Proselytenmacher; *com* Wechselagent; *tech* Konverter; *el* Umformer, Gleichrichter *m;* ~ *Bessemer* Bessemerkonverter *m,* -birne *f;* ~ *de courant* Stromumformer *m.*
convex|e [kɔ̃vɛks] konvex; gewölbt; bauchig; ~**ité** *f* Wölbung *f.*
conviction [kɔ̃viksjɔ̃] *f* Überzeugung *f; pl* Ansichten, Auffassungen *f pl; pièce f à* ~ *(jur)* Beweisstück *n.*
convi|é, e [kɔ̃vje] *s m f* (geladener) Gast *m;* ~**er** ein=laden (*à* zu); auf=fordern, veranlassen; *fig* (ver)locken, reizen; ~**ve** [-viv] *m f* Gast *m.*
convocation [kɔ̃vɔkasjɔ̃] *f* Einberufung(sschreiben *n*); Ladung *f;* ~ *horizontale, verticale* E. nach Jahrgängen, nach Einheiten.
convoi [kɔ̃vwa] *m* (Wagen-)Kolonne *f;* (Kinder-, Kranken-)Transport; Leichenzug; *loc* Zug; *mot* Fernlaster *m; mil* Geleit *n,* Bedeckung *f;* (Truppen-, Gefangenen-, Munitions-, Lebensmittel-)Transport; *mar* Konvoi, Geleitzug *m;* ~ *automobile* Autokolonne *f.*

convoi|table [kɔ̃vwatabl] begehrenswert; ~**ter** (heftig) begehren, lüstern sein (*qc* nach etw); ~**tise** *f* Begehrlichkeit, Lüsternheit *f;* Begehren *n* (*de* nach); *jeter un œil de* ~ *sur qc* ein Auge auf e-e S werfen.
convol|uté, e [kɔ̃vɔlyte] *bot* eingerollt; ~**vulus** [-ys] *m bot* Winde *f.*
convoquer [kɔ̃vɔke] zs.=, ein=berufen; kommen lassen, vor=laden.
convoy|er [kɔ̃vwaje] *mil mar* begleiten, geleiten, eskortieren; ~**eur** *m* Geleitschiff *n; mil loc* Begleiter; *tech* Förderer; *mot* Beifahrer *m;* ~ *à courroie* Förderband *n;* ~ *à secousses* Schüttelrinne, -rutsche *f.*
convuls|er [kɔ̃vylse] krampfhaft verzerren; ~**if, ive** krampfhaft, konvulsivisch, zuckend; ~**ion** *f* Krampf *m,* Zucken *n,* Zuckung *a. fig; fig* Umwälzung, Krise *f.*
coolie [kuli] *m* Kuli *m.*
coop [kɔp] *f fam* Konsum(verein) *m.*
coop|érant, e [kɔɔperɑ̃, -t] *m f* Entwicklungshelfer(in *f*) *m;* ~**ération** *f* Entwicklungshilfe *f;* ~**érateur, trice** [kɔ(ɔ)p-] *m f* Mitarbeiter(in *f*) *m;* ~**ératif, ive** *a* mitwirkend; genossenschaftlich; *société* ~*érative* u. ~**érative** *s f* Genossenschaft *f;* ~ *d'achats* Einkaufsgenossenschaft *f;* ~ *de consommateurs, de consommation* Verbrauchergenossenschaft *f,* Konsumverein *m;* ~ *d'entreprise* Werk(s)kantine *f;* ~ *laitière, de vente, vinicole* Molkerei-, Absatz-, Winzergenossenschaft *f;* ~**ération** *f* Mitwirkung, Zs.arbeit *f;* genossenschaftliche(r) Zs.schluß *m;* ~**érer** mit=arbeiten, mitwirken (*à* an *dat,* bei); bei=tragen (*à* zu); zs.=arbeiten.
coop|tation [kɔɔptasjɔ̃] *f* Zu-, Ergänzungswahl *f;* ~**ter** zuwählen.
coord|ination [kɔɔrdinasjɔ̃] *f* Zuordnung, Koordination; *gram* Beiordnung *f;* ~**onnant, e** [-dɔ-] *gram* koordinierend, beiordnend; ~**onnées** *f pl math* Koordinaten *f pl;* Name *m* und Anschrift *f;* ~ *du plan directeur* Planquadratzahl *f;* ~**onner** koordinieren; einheitlich gestalten; zu=ordnen; *gram* bei=ordnen.

copahu [kɔpay] *m* Kopaivabalsam *m.*
copain, copine [kɔpɛ̃, -in] *m f pop* Kumpan, Kumpel, Kamerad(in *f*) *m.*
copal [kɔpal] *m* Kopal *m.*
copartageant, e [kɔpartaʒɑ̃, -t] *jur m f* Teilhaber(in *f*) *m; héritier m* ~ Miterbe *m.*
copeau [kɔpo] *m* (Hobel-)Span *m.*
cop|ie [kɔpi] *f* Abschrift *f;* Abdruck *m;* Kopie; Nachbildung, -ahmung; *(Schule)* Reinschrift; Klassenarbeit *f; typ* Satzvorlage *f,* Manuskript; *(Zeitung)* Exemplar *n; pour* ~ *conforme* für die Richtigkeit der Abschrift; ~ *de certificat* Zeugnisabschrift *f;* ~ *de film* Filmkopie *f;* ~ *héliographique* Lichtpause *f;* ~ *au papier carbone* Durchschlag *m;* ~ *pirate* Raubdruck *m;* Raubpressung *f;* ~ *standard, définitive (film)* Musterkopie *f;* ~ *de travail* Rohfassung *f* (e-s Films); ~**ier** [-pje] ab=schreiben (*sur qn, qc* von jdm, etw); ins reine schreiben; kopieren; nach=bilden, -ahmen; ~**ieur** *m*

Abschreiber *m;* Kopierer *m,* Kopiergerät *n.*

copieux, se [kɔpjø, -øz] reichlich.

copilote [kɔpilɔt] *m* Copilot *m.*

copine [kɔpin] *f s. copain.*

copiste [kɔpist] *m* Abschreiber; Nachahmer *m.*

copra(h) [kɔpra] *m* Kopra *f.*

co|production [kɔprɔdyksjõ] *f film* Gemeinschaftsproduktion *f;* **~propriétaire** *m* Miteigentümer *m;* **~propriété** *f* Mitbesitz *m.*

copul|atif, ive [kɔpylatif, -iv] *gram anat* verbindend; **~ation** *f* Begattung; Befruchtung *f;* **~e** *f gram* Kopula *f,* Satzband *n.*

coq [kɔk] *m* **1.** Hahn, *fam* Gockel *m;* Haushuhn *n;* Wetterhahn *m;* Eierbügeleisen *n;* **2.** (Schiffs-)Koch *m; avoir des jambes de ~ (fig)* Spatzenbeine haben; *vivre comme un ~ en pâte* wie e-e Made im Speck, wie Gott in Frankreich leben; *combat m de ~s* Hahnenkampf *m; fier comme un ~* stolz wie ein Spanier; *rouge comme un ~* hochrot; *~-à-l'âne m inv* zs.hanglose(s) Gerede *n; faire des ~* vom Hundertsten ins Tausendste kommen; *~ de bruyère* Auerhahn *m; ~ de combat* Kampfhahn *m; ~ héron* Wiedehopf *m; ~ d'Inde* Truthahn, Puter *m; ~ de marais* Haselhuhn *n; ~ de village (fig)* Hahn *m* im Korb; **~uard** [-kar] *m vx* alte(r) Hahn *m; pop* blaue(s) Auge *n.*

coque [kɔk] *f* (Eier-, Nuß-, Mandel-)Schale *f; zoo* Kokon *m, fam* Muschel; (Haar-, Band-)Schleife *f; mar aero* Rumpf *m;* Schiffswandung *f; œuf m à la ~* weichgekochte(s) Ei *n; ~ d'automobile* Karosserie *f; ~ de noix* Nußschale *f; fam* kleine(s) Boot, *n,* Seelenverkäufer *m.*

coquebin [kɔkbɛ̃] *m fam vx* Grünschnabel, alberne(r) Mensch *m.*

coquelicot [kɔkliko] *m* (Klatsch-)Mohn *m; arg* blaue(s) Auge *n; rouge comme un ~* knallrot.

coquelourde [kɔklurd] *f bot* Gartenanemone *f.*

coqueluche [kɔklyʃ] *f* Keuchhusten; *fig fam* Schwarm; Liebling *m.*

coquemar [kɔkmar] *m* (kleiner) Kessel *m.*

coquerico [kɔkriko] *m* Kikeriki *n.*

coquerie [kɔkri] *f* Hafen-, Bordküche *f.*

coquet, te [kɔkɛ, -ɛt] *a* kokett, gefallsüchtig, eitel; putzsüchtig; *(Sachen)* schmuck, hübsch, niedlich, reizend; nett; *être ~ de qc* auf etw stolz sein; *une ~te somme* ein hübsches Sümmchen; **~er** [kɔkte] kokettieren, flirten; *(Hahn)* treten; *mar* wricken.

coquet|ier [kɔktje] *m* Eier- u. Geflügelgroßhändler; Eierbecher; Muschelfischer *m;* **~ière** *f* Drahtgestell *n* zum Eierkochen.

coquetterie [kɔkɛtri] *f* Koketterie, Gefall-, Putzsucht; Eitelkeit; Eleganz *f,* Schick; gute(r) Geschmack *m; avoir la ~ de qc* mit etw kokettieren; *mis avec ~* hochelegant gekleidet.

coquill|age [kɔkijaʒ] *m* Muschel *f (Tier u. Schale),* Muschelfleisch *n; pl arch* Muschelwerk *n;* **~ard** *m arg* Auge *n; je m'en tamponne le ~ (vulg)* ich mache mir e-n Dreck daraus; **~art** *m vx geol* muschelhaltige(r) Kalk *m;* **~e** *f* Muschel *f;* (Schnecken-)Haus *n;* (Eier-, Nuß-, Mandel-)Schale *f;* Geflügel- *od* Fischragout *n; fig fam* Wohnung *f,* Bau *m; (Säbel)* Stichblatt *n; typ* Sprach-, Druckfehler, Zwiebelfisch *m; tech* (eiserne Guß-)Schale, Kokille; *(Galvano)* Kupferhaut *f; être à peine sorti de sa ~ (fam)* noch nicht trocken hinter den Ohren sein; *rentrer dans sa ~* die Hörner ein≈ziehen, sich zurück≈ziehen; *coulée, fonte f, moulage m en ~* Schalen-, Hart-, Kokillenguß *m; ~ de beurre* Stückchen *n* Butter in Schalenform; *~ de noix* Nußschale *f; fam* kleine(s) Boot *n,* Seelenverkäufer *m; ~ à rôtir (Art)* Bratrost *m;* **~er** *itr* Blasen ziehen *od* bilden; sich bauschen; **~eux, se** muschelübersät; **~ier, ère** [-kije, -ɛr] *a geol* muschelhaltig; *s m* Muschelsammlung *f;* Schaukasten *m* für Muscheln; *calcaire m ~* Muschelkalk.

coquin, e [kɔkɛ̃, -in] *s m f* Schurke, Spitzbube; *hum* Schelm *m; f* lockere(s) Frauenzimmer *n; a* spitzbübisch, schelmisch; **~erie** *f vx* od *lit* Schuftigkeit *f;* Schurken-, Bubenstreich *m.*

cor [kɔr] *m (Blasinstrument)* Horn *n;* Hornist *m; med* Hühnerauge *n; à ~ et à cri* laut, lärmend, mit Getöse; *donner du ~* ins Horn stoßen; *sonner du ~* (auf dem) Horn blasen; *(cerf m) dix ~s m* Zehnender *m; ~ (de chasse)* Jagd-, Waldhorn *n; ~ à pistons* Klapphorn *n; ~ de postillon* Posthorn *n.*

cor|ail [kɔraj] *m* Koralle *f;* Korallenrot *n;* **~ailleur** [-ajœr] *m* Korallenfischer *m;* **~allien, ne** [-aljɛ̃, -ɛn] Korallen-; *récif m ~* Korallenriff *n.*

Coran, le [kɔrɑ̃] der Koran.

corbeau [kɔrbo] *m* Rabe; *arch* Kragstein; *pop* Schwarzrock, Pfaffe *m.*

corb|eille [kɔrbɛj] *f* (henkelloser) Korb; *(Börse)* Maklerraum; Balkon *m (über dem Orchester); (rundes od ovales)* Blumenbeet *n; ~ de mariage* Brautgeschenke *n pl; ~ d'osier, à ouvrage, à pain, à papier, de transport (min)* Weiden-, Näh-, Brot-, Papier-, Förderkorb *m;* **~eillée** [-je] *f* Korbvoll *m.*

corbillard [kɔrbijar] *m* Leichenwagen *m.*

corbillat [kɔrbija] *m* junge(r) Rabe *m.*

corbillon [kɔrbijɔ̃] *m vx* Körbchen; Reimspiel *n.*

cord|age [kɔrdaʒ] *m* Seil, Tau(werk) *n;* **~e** *f* Seil *n,* Strick *m,* Leine, Schnur *f; el* Kabel *n; mus* Saite; *math* Sehne *f;* Strang *m; fig* Erhängen *n; (Holz)* Klafter; *(Rennbahn)* Innenseite *f; en ~* gedreht; *sous ~ (com)* ballenweise; *avoir plus d'une ~, plusieurs ~ à son arc* mehrere, zwei Eisen im Feuer haben, vielseitig begabt sein; mehr als einen Weg wissen; über (viele) Mittel und Wege verfügen; *se mettre la ~ au cou* sich (mutwillig) ins Verderben stürzen; *hum* heiraten; *montrer la ~ (Kleidung)* fadenscheinig, *(Person)* abgerissen, ruiniert sein; *passer la ~ autour du cou de qn* jdm den Strick um den Hals legen; *tirer sur la même ~* am gleichen Strang ziehen; *toucher la ~ sensible* den wunden Punkt berühren; *il ne vaut pas la ~ pour le pendre* er ist keinen Schuß Pulver wert; *si la ~ ne rompt pas* wenn alles gutgeht; *ce n'est pas dans mes ~s (fig fam)* das ist nicht mein Gebiet *n; danseur m de ~* Seiltänzer *m; instrument m à ~s* Saiteninstrument *n; orchestre m à ~s* Streichorchester *n; usé jusqu'à la ~* fadenscheinig; *fig* abgedroschen; *~ d'acier, en boyau* Stahl-, Darmsaite *f; ~ d'alarme, de sûreté* Notleine *f; ~ de chanvre* Hanfseil *n; ~ de déchirure* Reißleine *f; ~ en fils de fer* Drahtseil *n; ~ à linge* Wäscheleine *f; ~ métallique* (dünnes) Drahtseil *n; ~ à sauter* Sprungseil *n; ~ vocale (anat)* Stimmband *n;* **~é, e 1.** *(Glas)* streifig; **2.** herzförmig; **~eau** *m* Meßschnur; Leine *f; tiré au ~* schnurgerade; *~ de mise à feu* Zündschnur *f; ~ à tracer* Absteckleine *f; ~ de tente* Zeltleine *f;* **~ée** *f (Bergsport)* Seilschaft; *allg* Gemeinschaft *f; min* Förderzug *m;* **~eler** [-də-] (zu e-r Schnur) drehen; verschnüren; **~elette** *f* kleine Schnur *f;* **~elier** *m rel* Franziskaner *m;* **~elière** *f* Knotenschnur; *mil* Raupe; *arch* Schnurleiste *f;* **~elle** *f mar* Schleppseil *n;* **~er** (zu e-m Seil, e-r Schnur) drehen; verschnüren; *(Tennisschläger)* Saiten auf=ziehen (*qc* auf etw); *(Holz)* ab=messen, klaftern; **~erie** [-də-] *f* Seilerbahn; Seilerei *f; pl* Seilerwaren *f pl.*

cordial, e [kɔrdjal] *a* herzstärkend; herzlich; heimelig, gemütlich; *s m* herzstärkende(s) Mittel *n;* **~ité** *f* Herzlichkeit *f.*

cordier [kɔrdje] *m* Seil(warenhändl)er; *(Geige)* Saitenhalter *m.*

cordiforme [kɔrdifɔrm] herzförmig.

cordillère [kɔrdijɛr] *f: C~ des Andes* Kordilleren, Anden *pl.*

cordite [kɔrdit] *f* Stimmbandentzündung *f.*

cordon [kɔrdɔ̃] *m* Docke; Kordel, Schnur; Litze *f;* Band *n;* Schnürsenkel; *(Haustür)* Klingelzug *m;* Hut-, Gardinenschnur *f;* (breites) Ordensband *n;* Mauerkranz; Münzrand *m;* (Truppen-, Posten-)Kette; *(Gegenstände)* Reihe *f; délier, dénouer (tenir serrés) les ~s de la bourse* (kein) Geld heraus=rücken; *tirer le ~* die Tür öffnen; *~ d'alerte* Notleine *f; ~-bleu m fam* gute(r) Koch; gute Köchin *f; ~ conducteur (el)* Kabel(litze *f*) *n; ~ élastique* Leibbinde *f; ~ de gazon* Rasenstreifen *m; ~ littoral* Küstendamm, -wall *m;* Nehrung *f; ~ ombilical* Nabelschnur *f; ~ de raccordement (tele)* Verbindungsschnur *f; ~ de rideau* Vorhangschnur *f; ~ sanitaire* Sperrgürtel *m; ~ secteur* Netzanschlußschnur *f; ~ spermatique (anat)* Samenstrang *m;* **~ner** (zu e-r Schnur) drehen; *(Münze)* rändern; **~nerie** *f* Schuhwarenfabrikation *f,* -handel *m;* Schuhmacherei *f,* -geschäft *n;* **~net** [-nɛ] *m* dünne Schnur; Häkel-, Knopflochseide *f;* Münzrand *m;* **~nier** *m* Schuhmacher, Schuster *m.*

Cordoue [kɔrdu] *f* Córdoba *n.*

Corée, la [kɔre] Korea *n;* **~n, ne** [-reɛ̃, -ɛn] Koreaner(in *f*) *m.*

coreligionnaire [kɔrəliʒjɔnɛr] *m* Glaubens-, *allg* Gesinnungsgenosse *m.*

coriace [kɔrjas] lederartig, zäh *a. fig.*

coriandre [kɔrjɑ̃dr] *f bot* Koriander *m.*

coricide [kɔrisid] *m* Hühneraugenmittel *n.*

corindon [kɔrɛ̃dɔ̃] *m min* Korund *m.*

Corin|the [kɔrɛ̃t] *f* Korinth *n;* **~thien, ne** *a* korinthisch; *s m* korinthische Säulenordnung *f.*

corm|e [kɔrm] *f* Vogelbeere *f,* Spierling *m;* **~ier** *m* (Spierlings-)Vogelbeere, Hauseberesche *f.*

cormoran [kɔrmɔrɑ̃] *m orn* Seerabe, Kormoran *m.*

cornac [kɔrnak] *m* Elefantenführer;

fig Bevormunder, Lobredner; Reiseführer *m.*

cornage [kɔrnaʒ] *m med (Pferd, Esel)* Keuchen, Pfeifen *n.*

cornaline [kɔrnalin] *f min* Karneol *m.*

corn|ard [kɔrnar] *a med* keuchend, pfeifend; *s m* betrogene(r) Ehemann *m;* **~e** *f* Horn *n (Körperteil, Substanz, Gerät); (Huf)* Hornwand; *allg* (*arch* vorspringende) Ecke *f; (Papier)* Eselsohr *n; mot* Hupe; *mar* Gaffel *f; (~ à chaussures)* Schuhlöffel *m; (Schnecke)* Stielauge *n; baisser les ~s* klein bei=geben; *faire, montrer les ~s (à qn)* (jdn aus=)ätschen; *montrer les ~s* die Zähne zeigen; *planter des* ~s Hörner auf=setzen; *prendre le taureau par les ~s* den Stier an den Hörnern packen; *sonner de la ~* hupen, Signal geben; *bêtes f pl à ~s* Hornvieh *n; ~ d'appel* Signalhorn *n; ~ de bélier (arch)* Schnecke *f; ~ de brume* Nebelhorn *n;* **~é, e** *a* horn(art)ig; Horn-; *s f (Auge)* Hornhaut *f; greffe f de la ~e* Hornhautübertragung *f.*

corneau [kɔrno] *m s. corniaud.*

cornéen, ne [kɔrneɛ̃, -ɛn] *a* Hornhaut-: *s f min* Hornblendeschiefer *m.*

corneille [kɔrnɛj] *f* Krähe *f; ~ mantelée* Nebelkrähe *f.*

cornement [kɔrnəmɑ̃] *m* Ohrensausen; *(Dampfmaschine)* Pfeifen *n.*

corne|muse [kɔrnəmyz] *f* Dudelsack *m;* **~museur** *m* Dudelsackpfeifer *m.*

corn|er [kɔrne] **1.** *v itr (Horn)* blasen; tuten; hupen; ein Sprachrohr benutzen; *(Ohren)* sausen, klingen; *med* keuchen, pfeifen; *tr (Papier)* um=knicken; *(Buchseite)* ein Eselsohr machen (*qc* in etw *acc*); *fig* aus=posaunen; ~ *aux oreilles de qn* jdm ins Ohr brüllen; jdm in den Ohren liegen; **2.** [~ɛr] *s m (Fußball)* Eckball; *com* Ring *m;* **~et** [-nɛ] *m* kleine(s) (Blas-) Horn *n; (Papier, Waffel)* Tüte *f;* Würfelbecher *m;* Spitzglas *n;* kleine Blumenvase; (Nasen-)Muschel *f; arg* Magen, Mund; Hornist *m; (Bäckerei)* Hörnchen *n; ~ acoustique* Hörrohr *n; ~ avertisseur* Hupe *f; ~ à pistons* Klapphorn *n;* **~ette** *f* (Schwestern-) Haube; *fam* (betrogene) Ehefrau; *hist* Fahne, Standarte *f,* Fähnlein *n,* Schwadron *f; m* Kornett, Fähnrich *m;* **~ettiste** *m* Hornist *m;* **~eur** *a* keuchend, pfeifend.

corniaud [kɔrnjo] *m* Kreuzung *f* zwischen Fleischer- u. Jagdhund; *pop* Esel, Depp *m.*

corniche [kɔrniʃ] *f arch* Gesims; Karnies *n,* Kranzleiste *f;* (Fels-)Überhang *m;* in e-e Felswand gebaute Straße *f.*

cornichon [kɔrniʃɔ̃] *m* Pfeffergurke *f; fig pop* Einfaltspinsel *m; ~ au vinaigre* Essiggurke, saure Gurke *f.*

corn|ier, ère [kɔrnje, -ɛr] *a* Eck-; *s f tech* Winkeleisen *n; arch* Eckpfeiler *m; mar* Heckstütze *f; pilastre m ~* Eckpfeiler *m;* **~iste** *m* Hornist *m.*

Cornouailles [kɔrnwaj] *m pl* Cornwall *n.*

corn|ouille [kɔrnuj] *f* Kornelkirsche *f (Frucht);* **~ouiller** *m bot* Hartriegel *m; ~ (mâle)* Korneliuskirschbaum *m.*

cornu, e [kɔrny] *a* gehörnt, Horn-; *arch* mit vorspringenden Ecken; *fam (Ehemann)* betrogen; *fig* verschroben; *s f chem tech* Retorte *f,* Glaskolben *m; blé m ~ (bot)* Mutterkorn *n.*

corollaire [kɔrɔlɛr] *s m* Folge(satz *m*) *f; a* Folge-.

corolle [kɔrɔl] *f* Blütenkrone *f.*

coron [kɔrɔ̃] *m* Bergarbeitersiedlung *f,* -haus *n.*

coron|aire [kɔronɛr] *a: artère, veine f ~* Kranzarterie, -vene *f;* **~al, e** *anat* Kranz-; *os m ~* Stirnbein *n.*

coronille [kɔrɔnij] *f* Beilkraut *n.*

corporal [kɔrpɔral] *m rel* Meßtuch *n.*

corpor|atif, ive [kɔrpɔratif, -iv] körperschaftlich, korporativ, ständisch; *esprit m ~* Kasten-, Korpsgeist *m;* **~ation** *f* Zunft, Gilde, Innung; Körperschaft *f; ~ des mineurs* Knappschaft *f; ~ professionnelle* Berufsgenossenschaft *f,* Fachverband *m;* **~el, le** körperlich, leiblich; *punition f ~elle* Prügelstrafe *f.*

corpus [kɔrpys] *m* Korpus *n.*

corps [kɔr] *m* Körper, Leib, Rumpf *a. mar;* Leichnam *m,* Leiche; Person *f; fam* Mensch *m; (Kleidungsstück)* Rumpfteil *n;* Substanz; Konsistenz; Hauptsache *f,* -(bestand)teil, -inhalt *m; (Stoff)* Fülle; Gesamtheit *f;* Korps *n,* Körperschaft; Zs.stellung, Sammlung *f (Buch); (Urkunde)* Text; *arch* Rohbau; *typ* Schriftkegel; Grad; *tech* Körper; Schaft; Mantel *m,* Hülse *f,* Gehäuse; Hauptgestell *n; (Ventil)* Einsatz; *(Pumpe)* Stiefel; *(Baum)* Stamm; *(Anzeige)* Kernteil *m; ~ à ~ (adv)* Mann gegen Mann; *s m* Handgemenge *n; ~ et biens (mar)* mit Mann u. Maus; *à deux, trois ~* zwei-, dreiteilig; *à son ~ défendant* wider Willen, ungern; *à ~ perdu* blindlings; *(de) ~ et (d')âme* mit Leib und Seele; *en ~* geschlossen, als Ganzes, insgesamt; *avoir sur le ~ (fig)* am Halse haben; *n'être qu'un en deux ~* ein Herz u. eine Seele sein; *être le bourreau de son ~* sich nicht schonen; *faire ~ (avec)* e-e Einheit bilden (mit);

former ~ ein Ganzes bilden; *prendre* ~ *(fig)* Gestalt an=nehmen; *prendre du* ~ dicker werden; *combat m* ~ *à* ~ Nahkampf *m; drôle m de* ~ komische(r) Kauz *m; esprit m de* ~ Korpsgeist *m; les grands* ~ *de l'État, les* ~ *constitués* die obersten Behörden *f pl,* die Staatsorgane *n pl; partie f du* ~ Körperteil *m; séparation f de* ~ *et de biens (jur)* Trennung *f* von Tisch u. Bett; ~ *aéroporté* Luftlandekorps *n;* ~ *d'armée* Armeekorps *n;* ~ *de ballet* Ballett(truppe *f*) *n;* ~ *blindé* Panzerkorps *n;* ~ *caverneux (anat)* Schwellkörper *m;* ~ *céleste* Himmelskörper *m;* ~ *du délit (jur)* Corpus *n* delicti; ~ *diplomatique* diplomatische(s) Korps *n;* ~ *du distributeur (mot)* Verteilergehäuse *n;* ~ *de doctrine* Lehrgebäude *n;* ~ *de droit* Corpus *n* juris; ~ électoral Wählerschaft *f;* ~ *d'élite (mil)* Elitetruppe *f;* ~ *enseignant* Lehrkörper *m,* Lehrerkollegium *n;* ~ *franc* Freikorps *n,* -schar *f;* ~ *étranger* Fremdkörper *m;* ~ *héréditaire (jur)* Erbmasse *f;* ~ *législatif* gesetzgebende Versammlung *f;* ~ *de logis* Hauptgebäude *n;* ~ *médical* Ärzteschaft *f;* ~ *de métier* Zunft, Innung *f;* ~ *de l'outil* Werkzeugschaft *m;* ~ *politique* (Gesamtheit *f* der) Staatsbürger *m pl;* ~ *des sapeurs-pompiers* Feuerwehr *f;* ~ *simple* Grundstoff *m,* Element *n;* ~ *strié* graue Gehirnsubstanz *f;* ~ *vitré (anat tech)* Glaskörper *m.*

corpu|lence [kɔrpylɑ̃s] *f* Korpulenz, (Wohl-)Beleibtheit, Fettleibigkeit *f;* **~lent, e** korpulent, dick, stark; **~sculaire** [-sky-] *a* Korpuskular-; **~scule** *m* Korpuskel, Teilchen *n.*

correct, e [kɔrɛkt] korrekt, fehler-, einwandfrei, richtig; vorschriftsmäßig, tadellos; *sport* fair; *(Preis)* annehmbar, normal; *(Schularbeit)* durchschnittlich, ausreichend; **~eur** *m typ tech* Korrektor; *tele* Entzerrer; *(Schule)* Prüfende(r) *m;* ~ *de volume* Schwundregler *m;* **~if, ive** *a* Besserungs-, Berichtigungs-; *s m* Korrektiv *n;* Milderung; Änderung *f;* **~ion** [-ksjɔ̃] *f* Verbesserung, Berichtigung *f;* Ausgleich *m;* Abstellung; Milderung *f;* Verweis, Tadel *m,* Strafe, Züchtigung; Korrektheit, Richtigkeit; *typ tech* Korrektur; *(Prüfungsarbeit)* Durchsicht *f; mil* Vorhalt (-winkel) *m; tech* Fehlweisung *f; sauf* ~ unter Vorbehalt; *maison f de* ~ Besserungsanstalt *f;* ~*s de composition* Korrekturangaben *f pl;* ~ *du cours des torrents* Wildbachverbauung *f;* **~ionnel, le** *a: délit m* ~ Polizeivergehen *n; peine f* ~*le* Polizei-, Ordnungsstrafe *f; police f* ~*le* Ordnungspolizei *f; tribunal m* ~ Strafkammer *f.*

corrélat|if, ive [kɔrelatif, -iv] *a* korrelat(iv); *s m* Korrelat *n,* Wechselbegriff *m;* **~ion** *f* Wechselbeziehung (*de* zwischen), -wirkung *f.*

correspond|ance [kɔrɛspɔ̃dɑ̃s] *f* Beziehung; Entsprechung, Übereinstimmung; (schriftliche, Verkehrs-)Verbindung; (Presse-)Korrespondenz *f;* Briefwechsel, Schriftverkehr; Anschluß(zug); Umsteiger *m (Fahrschein); être en* ~ Anschluß haben (*avec* an *acc*); *faire la* ~ den Schriftwechsel führen; *bulletin, (carnet m) de* ~ Zeugnis(heft) *n; cours m par* ~ Fernunterricht *m; manuel m de* ~ Briefsteller *m; service m de* ~ Zubringerdienst *m;* **~ancier** *m* Handelskorrespondent *m;* **~ant, e** *a* entsprechend; *math* gleichnamig; *s m* Korrespondent; Briefpartner; Geschäftsfreund; Pressevertreter, Berichterstatter *m;* korrespondierende(s) Mitglied *n (e-r Akademie);* Freund *m* der Familie (, der sich um ein in e-m Internat untergebrachtes Kind kümmert); *tele* Gegenfunkstelle *f; n'avoir pas de* ~ keine Entsprechung haben; *angle m* ~ *(math)* Gegenwinkel *m;* ~ *économique* Wirtschaftskorrespondent *m;* ~ *de journal, de presse* Zeitungsberichterstatter, Pressekorrespondent *m;* ~ *particulier* eigene(r) Korrespondent *m.*

correspondre [kɔrɛspɔ̃dr] (sich) entsprechen, überein=stimmen (*à* mit); passen (*à* zu); *(Zimmer)* mitea. verbunden sein; korrespondieren, in (Geschäfts-)Verbindung, Briefwechsel stehen (*avec* mit); Anschluß haben (*avec* an *acc*).

corridor [kɔridɔr] *m* Gang, Flur, Korridor *m.*

corrig|é [kɔriʒe] *m (Schule)* Musterlösung; verbesserte Arbeit *f;* **~er** (ver-)bessern, berichtigen, richtig=stellen; mildern; züchtigen, (be)strafen; *typ* korrigieren; *se* ~ sich bessern; *de qc* sich *dat* etw ab=gewöhnen; **~ible** zu verbessern(d), besserungsfähig.

corrobor|ant, e [kɔrɔbɔrɑ̃, -ɑ̃t] *a* stärkend; *s m pharm* Stärkungsmittel *n;* **~atif, ive** (ver)stärkend; **~ation** *f* (Ver-)Stärkung; Bekräftigung, Erhärtung *f;* **~er** (ver)stärken, bekräftigen, bestätigen, erhärten.

corro|dant, e [kɔrɔdɑ̃, -ɑ̃t] *a* ätzend; *s m* Ätzmittel *n;* **~der** ätzen, beizen;

zerfressen; *geol* aus≈waschen; *fig* nagen (*qc* an e-r S); zersetzen.

corroi [kɔrwɑ] *m* Gerben *n*, Gerbung *f*; **~erie** [-rwari] *f* Gerberei *f*.

corromp|re [kɔrɔ̃pr] verderben; verfälschen, entstellen; verführen, bestechen; beeinträchtigen, stören; *se* ~ verderben; faulen, verwesen, sich zersetzen; **~u, e** *a* verdorben; *fam* schlecht; entartet.

corros|if, ive [kɔrozif, -iv] *a* ätzend, fressend; *fig* bösartig, giftig; *s m* Ätzmittel *n*, Beize *f*; **~ion** [-zjɔ̃] *f* Ätzen; Anfressen *n*; *geol tech* Korrosion *f*; *résistant à la* ~ korrosionsfest.

corroy|age [kɔrwajaʒ] *m* Gerben, Zurichten; *(Metall)* Raffinieren *n*; **~er** *(Leder)* gerben, zu≈richten; *(Stahl)* raffinieren; *(Eisen)* schweißen; *(Zinn)* gattern; *(Ton)* kneten; *(Balken)* fügen, säumen; *(Brett)* schruppen; **~eur** *m* Gerber, Zurichter *m*.

corrupt|eur, trice [kɔryptœr, -tris] *s m f* Verderber(in *f*), Verführer(in *f*); Bestecher; Verfälscher(in *f*) *m*; *a* verderblich, schädlich; **~ibilité** *f* Bestechlichkeit; Verderblichkeit *f*; **~ible** verderblich; bestechlich; **~ion** [-psjɔ̃] *f* Verderben *n*; Verwesung; Fäulnis, Zersetzung; Verderbtheit, Entstellung; Verführung; Bestechung; Verderbnis *f*; Verfall *m*; ~ *électorale* Wahlbestechung *f*; ~ *de fonctionnaires* Beamtenbestechung *f*.

corsage [kɔrsaʒ] *m (Kleid)* Oberteil; Leibchen, Mieder *n*; Bluse *f*.

corsaire [kɔrsɛr] *s m* Kaper(schiff *n*); Seeräuber *m*; dreiviertellange Hose *f*; *fig fam* Knicker, Knauser *m*; *a* Kaper-, Piraten-.

Corse, la [kɔrs] Korsika *n*; *s m f* Korse *m*, Korsin *f*; *c~ a* korsisch.

corsé, e [kɔrse] kräftig, stark; reichlich; *(Wein)* mit Alkohol versetzt; *fig fam* saftig, gepfeffert; *affaire f ~e (fam)* schwierige Sache *f*.

corselet [kɔrsəlɛ] *m (Insekten)* Brustschild *m*; Korselett, Mieder *n*.

corser [kɔrse] stark machen; Gehalt geben *dat*; würzen, pikant, spannender machen; *cela se ~e* es wird spannender, schwieriger.

cors|et [kɔrsɛ] *m* Korsett *n*; **~eter** [-səte] mit e-m Korsett versehen; *fig* in e-n engen Rahmen spannen; **~etier, ère** [-sə-] *m f* Korsettmacher(in *f*) *m*.

cortège [kɔrtɛʒ] *m* Gefolge, Geleit *n*; Schwarm *m*; *fig* Begleiterscheinung *f*; ~ *funèbre* Leichenzug *m*; ~ *nuptial* Hochzeitszug *m*.

cortical, e [kɔrtikal] *bot anat* Rinden-.

coruscation [kɔryskasjɔ̃] *f* Aufleuchten *n*.

corv|éable [kɔrveabl] *a hist* fronbar; *s m* Fröner *m*; **~ée** *f* Fron(arbeit) *f*; *mil* Arbeitskommando *n*, Stuben-, Strafdienst *m*; *fig* undankbare Arbeit, Last *f*.

corvette [kɔrvɛt] *f mar hist* Korvette *f*; Begleitschiff *n*.

corvidés [kɔrvide] *m pl* Raben *m pl (als Familie)*.

corymb|e [kɔrɛ̃b] *m* Doldentraube *f (Blütenstand)*; **~é, e; ~eux, se** doldentraubenförmig.

coryphée [kɔrife] *m theat* Chor-, Ballettleiter *m*; *fig* Koryphäe *f*; Parteiführer, Chef *m*.

coryza [kɔriza] *m* Schnupfen *m*.

cosaque [kɔzak] *m* Kosak; ~ *fig fam* Grobian *m*.

co|sécante [kɔsekɑ̃t] *f math* Kosekante *f*; **~signataire** *m* Mitunterzeichner *m*; **~sinus** [-sinys] *m math* Kosinus *m*.

cosmétique [kɔsmetik] *a* kosmetisch; *s m* Schönheitsmittel *n*; Schminke; Haarpomade *f*; *f* Kosmetik *f*.

cosmique [kɔsmik] kosmisch; Welt(all)-; *musique f* ~ Sphärenmusik *f*.

cosmo|gonie [kɔsmɔgɔni] *f* Kosmogonie *f*, Schöpfungsmythus *m*; **~gonique** kosmogonisch; **~graphe** *m* Kosmograph *m*; **~graphie** *f* Kosmographie, Weltbeschreibung *f*; **~graphique** kosmographisch; **~logie** *f* Kosmologie, Lehre *f* von der Welt(entstehung); **~logique** kosmologisch; **~naute** *m f* Kosmonaut(in *f*) *m*; **~polite** [-pɔ-] *s m* Kosmopolit, Weltbürger *m*; *a* kosmopolitisch; **~politisme** *m* Weltbürgertum *n*.

cossard [kɔsar] *m pop* Faulpelz *m*.

cosse [kɔs] *f bot* Hülse, Schote; *tech* Kausche, Klemme; *pop* große Faulheit *f*; ~ *de câble (el)* Kabelschuh *m*.

cosser [kɔse] *(Widder)* sich mit den Köpfen stoßen; *fig* kämpfen.

cosson [kɔsɔ̃] *m* Rüsselkäfer, Kornwurm *m*.

cossu, e [kɔsy] *fig* reich, begütert; stattlich.

costal, e [kɔstal] *a* Rippen-.

costaud, e [kɔsto, -d] *a pop* stämmig, untersetzt; *s m* stämmige(r) Kerl *m*.

costum|e [kɔstym] *m* Kleidung *f*; Anzug *m*; (Volks-, Berufs-, Amts-)Tracht *f*; *(theat,* Masken-)Kostüm; *fig* Gewand *n (der Zeit etc.)*; *se faire faire un ~ sur mesure* sich e-n Maßanzug machen lassen; ~ *de bain* Badeanzug *m*; ~ *de cavalier* Reitanzug *m*; ~ *de confection* Konfektionsanzug *m*; ~

de garçonnet, pour le ski, de sport Knaben-, Schi-, Sportanzug *m; ~ de paysanne* Dirndl(-kleid) *n; ~ régional* (Volks-)Tracht *f; ~ de ville* Straßenanzug *m;* **~er** (ver)kleiden; kostümieren; *bal m ~é* Kostümball *m;* **~ier, ère** *m f* Kostümfabrikant, -händler, -verleiher; *theat* Gewandmeister *m;* Kostümbildnerin *f.*

cosy [kozi] *m* Kaffeewärmer *m; ~-corner* [-œr] *m* (Eck-)Couch *f* mit Regal.

cotangente [kɔtɑ̃ʒɑ̃t] *f math* Kotangente *f.*

cot|ation [kɔtasjɔ̃] *f com* (Kurs-)Notierung *f;* **~e** *f* Kennziffer, Katalognummer, Signatur *f,* Aktenzeichen *n,* -deckel; *geog* Kartenpunkt *m;* Höhe(nziffer) *f;* (Steuer-)Anteil *m;* Quote; *com* (Börsen-, Kurs-)Notierung *f,* Kurszettel, Marktbericht *m; tech* Maßzahl, Zeigerablesung, Abmessung *f,* Stand *m; (Schule)* Note, Zensur *f; admettre à la ~* zur Notierung zulassen; *avoir la ~, une grosse ~ fam* gut angeschrieben, sehr geschätzt sein, beliebt sein; *indication f des ~s, ~ d'altitude* Höhenangabe *f; ~ d'amour* günstige Gesamtbeurteilung *f; ~ d'appréciation* Note *f; ~ barométrique, du thermomètre* Barometer-, Thermometerstand *m; ~ des changes* Valutanotierung *f; ~ de clôture* Schlußnotierung *f; ~ foncière* Grundsteuer *f; ~ personnelle* Kopfsteuer *f; ~ mal taillée (com)* ungefähre(r) Rechnungsabschluß *m; fig* Kompromiß *m* od *n; ~ variable* fortlaufende Notierung *f; ~ par rapport au zéro normal (geog)* Normalnullhöhe *f.*

côte [kot] *f* **1.** Rippe *f a. fig bot tech;* **2.** (Ab-)Hang *m,* Steigung *(e-r Straße);* **3.** Küste *f,* Gestade *n; ~ à ~* Seite an Seite; *avoir les ~s en long (fig fam)* ein komischer Kauz *od* Faulpelz sein; *être à la ~ (fig)* auf dem trock(e)nen sitzen; *mesurer, rompre, tricoter les ~s à qn (fam)* jdn verprügeln; *se tenir les ~s de rire* sich vor Lachen den Bauch halten; *batterie f de ~* Küstenbatterie *f; fausse ~* falsche Rippe *f; fracture f des ~s* Rippenbruch *m; ~ de bœuf* Rumpsteak *n; ~ escarpée* Steilküste *f; ~ plate, basse* Flachküste *f; ~ de porc, de veau* Schweine-, Kalbskotelett *n.*

côté [kote] *m* Seite *a. fig;* Richtung; *math (Figur)* Seite *f; (Winkel)* Schenkel *m; (Genealogie)* Linie *f; à ~ (adv)* zur Seite; nebenan; nebenher; verkehrt; schlecht; *s m* Nebenarbeit, -einnahme *f;* sekundäre(r) Gesichtspunkt *m; à ~ de* nahe bei, neben *a. fig;* außerhalb *gen;* im Vergleich zu; auf gleicher Stufe mit; *de ~* schräg; quer; beiseite; *de ~ et d'autre* (von) da u. dort; *de ce ~* in dieser Hinsicht; *de chaque ~* auf beiden Seiten; *de l'autre ~* auf die, der andere(n) Seite; *de mon ~* meinerseits; auf meine(r) Seite; *de tous ~s* von, auf allen Seiten, überall(her, -hin); *d'un ~, d'un autre ~* einer-, and(e)rerseits; *du ~ de* (nahe) bei; in Richtung auf; auf die (der) Seite *gen; fam* hinsichtlich; *d'un ~ (typ)* einseitig; *donner à ~ (fig)* sein Ziel verfehlen; *être du ~ du manche* es mit dem Stärkeren halten; *laisser de ~* liegen=lassen, lassen, auf=geben; vernachlässigen; *mettre de ~* auf die Seite legen, sparen; *fig* zurück=treten lassen; *mettre sur le ~* schräg stellen; *fam (Person)* um=legen; *(Flasche)* leeren; *passer à ~ de* ab=weichen von; vorbei=gehen an *dat; (e-r Frage)* aus=weichen; *prendre qc par le bon ~* etw von der guten Seite nehmen; *se ranger du ~ de qn* sich auf jds Seite stellen; *regarder de ~* von der Seite, schief an=sehen; *point m de ~ (med)* (Seiten-)Stiche *m pl; regard m de ~* Seitenblick *m; ~ abrité du vent* Lee *f,* Windschatten(seite *f*) *m; ~ (de l')envers, (de l')endroit (Stoff)* linke, rechte Seite *f; ~ frontal, opposé, plat, postérieur* Stirn-, Gegen-, Breit-, Rückseite *f.*

coteau [kɔto] *m* Anhöhe *f,* Hügel; Hang *m; (Wein)* Lage *f.*

côtel|é, e [ko(ɔ)tle] gerippt; *velours m ~* Rippsamt *m;* **~ette** *f* Kotelett *n; pl* Koteletten *pl (Backenbart).*

cot|er [kɔte] bezeichnen, numerieren; ein=stufen, bewerten, *fig* (hoch=) schätzen; *com* aus=zeichnen; (an der Börse) notieren; besteuern; *tech* die Maße ein=zeichnen (*qc* in e-e S); die Höhe, den Pegel an=geben (*qc* e-r S); *(Schule)* zensieren, bewerten; *être ~é à la bourse* an der Börse notiert werden; *être bien ~é par qn* bei jdm gut angeschrieben sein; **~erie** *f* Clique *f,* Klüngel *m,* Sippschaft *f.*

cothurne [kɔtyrn] *m theat hist* Kothurn *m.*

côtier, ère [ko(ɔ)tje, -ɛr] *a* Küsten-; *s m* Küstenfahrzeug; Vorspannpferd *n; navigation f côtière* Küstenschiffahrt *f.*

cotignac [kɔtiɲak] *m* Quitten-, Orangenmarmelade *f.*

cotillon [kɔtijɔ̃] *m fig fam* Weibervolk *n;* Kotillon *m (Tanz); aimer le ~ (fam)* den Weibern nach=rennen.

cotis|ant [kɔtizɑ̃, -ɑ̃t] *m* Förderer *m,* fördernde(s) Mitglied *n;* Beitragszahler *m;* ~**ation** *f* Beitrag; Anteil *m;* Umlage; Sammlung *f;* ~ *patronale, ouvrière* Arbeitgeber-, Arbeitnehmeranteil *m;* ~**er, se** bei=tragen; zs.=legen; s-n Beitrag bezahlen.

cotissure [kɔtisyr] *f dial (Obst)* Druckstelle *f.*

coton [kɔtɔ̃] *m* Baumwolle *f; allg* Flaum; Milchbart; *vulg fig* Zunder *m,* Schläge *m pl; pop* Mühe, Schwierigkeit *f; pl* Baumwollstoffe *m pl; en* ~ baumwollen; *fig* schlaff; *avoir du* ~ *dans les oreilles* Watte in den Ohren haben, nicht hören wollen; *élever dans du* ~, *dans une boîte à* ~ verhätscheln, verzärteln; *c'est* ~ *(fam)* es hapert; *il file un mauvais* ~ *(fam)* es steht schlecht um ihn; ~ *à broder, à repriser* Stick-, Stopfgarn *n;* ~ *brut* Rohbaumwolle *f;* ~ *à coudre* Baumwollgarn *n;* ~ *filé* Twist *m;* ~ *glacé* Everglaze *n (Stoff);* ~ *hydrophile* (Verband-)Watte *f;* ~*-poudre m* Schießbaumwolle *f;* ~ *de verre* Glaswolle *f;* ~**nade** [-tɔ-] *f* Baumwollzeug *n,* -stoff, Kattun *m;* ~**ner** wattieren; *se* ~ (sich) mit Flaum überziehen; *(Stoff)* fusselig werden; *(Obst)* weich werden; *cheveux m pl* ~*nés* Wollhaare *n pl (der Neger);* ~**nerie** *f* Baumwollpflanzung, -spinnerei *f;* ~**neux, se** wollig, flaumig; flockig; schwammig; *(Geräusch)* dumpf; *(Obst)* weich, teigig; *(Bild)* mit weichen Konturen; *fig* schlaff; ausdruckslos; *(Stil)* kraftlos; ~**nier, ère** *a* Baumwoll-; *s m f* Baumwollarbeiter(in *f*) *m; m* Baumwollstaude *f; industrie f* ~*nière* Baumwollindustrie *f.*

côtoyer [ko(ɔ)twaje] : ~ *qc* an e-r S entlang=gehen *od* fahren, sich an e-r S entlang=ziehen; *(Schiff)* die Küste entlang=fahren; *fig* Streifen.

cotr|e [kɔtr] *m mar* Kutter *m;* ~**et** [-trɛ] *m* (Well-)Holzbündel *n;* Knüppel *m; huile f de* ~ *(fam)* Stockschläge *m pl.*

cott|age [kɔtaʒ] *m* kleine(s) Landhaus *n;* ~**e** *f* (Unter-)Rock *m (bes. der Bäuerinnen);* Arbeitshose *f,* -anzug *m;* ~ *américaine,* ~*-tablier f* Latzhose *f;* ~ *de mailles* Panzerhemd *n.*

cotyl|e [kɔtil] *f* (Gelenk-)Pfanne *f;* ~**édon** *m bot* Keimblatt *n,* Samenlappen *m;* ~**édoné, e** [-dɔne] samenlappig.

cou [ku] *m* Hals *m; attacher par le* ~ am Hals fest=binden; *se casser, se rompre le* ~ sich den Hals, das Genick brechen; *prendre ses jambes à son* ~ *(fam)* die Beine unter den Arm nehmen, Hals über Kopf davon=rennen; *sauter, se jeter au* ~ *de qn* jdm um den Hals fallen; *tendre le* ~ *(a. fig)* den Kopf hin=halten; *tordre le* ~ den Hals verdrehen *od* um=drehen (*à qn* jdm); ~ *de cigogne, de grue (fig)* Giraffenhals *m;* ~ *de cygne* Schwanenhals *m;* ~*-de-pied m anat* Spann *m.*

couac [kwak] *m* falsche(r) Ton *m.*

couard, e [kuar, -rd] *s* feige, ängstlich; *s m f* Feigling *m,* Memme *f; m (Pferd)* Schwanzrübe *f;* ~**ise** *f* Feigheit *f.*

couch|age [kuʃaʒ] *m* Übernachtung *f;* Nachtlager *n;* Bettwäsche *f; (Papier)* Gautschen *n; paille f de* ~ Lagerstroh *n; sac m de* ~ Schlafsack *m;* ~**ant** *a: chien m* ~ Vorstehhund *m; soleil m* ~ untergehende Sonne *f; s m* Westen; Abend *m; fig* Ende *n,* Niedergang *m;* ~**e** *f* Lager, Bett *n; (meist pl)* Niederkunft *f,* Wochenbett *n;* Windel *f;* Mistbeet *n;* Lage(r *n*), Schicht *f a. geol; min* Flöz *n;* Belag, Überzug, Anstrich *m a. fig,* Unterlage *f; tech* Form-, Modellbrett *n;* Lagerschale *f; en tenir, avoir une* ~ *(pop)* bekloppt, doof sein; *nouvelles* ~*s (pol)* neue Führungsschicht *f;* ~ *d'air* Luftschicht *f;* ~*s annuelles (Baum)* Jahresringe *m pl;* ~ *de brume* Nebeldecke *f;* ~ *de camouflage* Tarnanstrich *m;* ~*-culotte f* Windelhöschen *n;* ~ *de fond* Grundierung *f;* ~ *funèbre* Totenbett *n;* ~ *de glaise* Lehmschicht *f;* ~ *de houille* Steinkohlenflöz *n;* ~ *isolante* Isolierschicht *f;* ~ *continue de nuages* geschlossene Wolkendecke *f;* ~ *nuptiale* Braut-, Ehebett *n, fig* Ehe *f;* ~ *protectrice* Schutzschicht *f;* ~ *sensible* lichtempfindliche Schicht *f;* ~ *de sable* Sandbank *f;* ~ *sociale* Gesellschaftsschicht *f;* ~ *de terre* Erdschicht *f;* ~**er** *v tr* zu Bett bringen, betten; lang hin=legen; schräg legen, neigen; glatt=streichen; *(Falte)* ein=legen; *(Schicht)* auf=tragen; nieder=, ein=schreiben, buchen; *vx (Spiel)* ein=setzen; *(Papier)* gautschen; *itr* schlafen, übernachten, nächtigen; *s m* Schlafen-, Zubettgehen; Nachtlager; Schlafen *n; astr* Untergang *m; se* ~ zu Bett gehen, sich hin=, nieder=legen; sich nieder=beugen; *(Sonne)* unter=gehen; *aller se* ~ schlafen gehen; *être* ~*é* liegen; ~ *sur le carreau (fam)* um=legen, töten; ~ *sur la dure* auf der bloßen Erde schlafen; ~ *son écriture* schräg schreiben; ~ *dans le foin, sous la tente* im Heu, im Zelt schlafen; ~ *qn en joue* auf jdn zielen; ~ *qn sur une liste* jdn in e-e Liste ein=tragen; *se* ~ *comme les poules* mit den

Hühnern zu Bett gehen; *allez vous ~!* lassen Sie mich in Ruhe! *comme on fait son lit on se ~e* wie man sich bettet, so liegt man; *~ de soleil, de lune* Sonnen-, Monduntergang *m;* **~e-tard** *m* Nachtmensch *m;* **~ette** *f loc* Liegeplatz *m,* Bett *n;* Pritsche *f;* Klappbett *n; mar* Koje *f; voiture f ~s (loc)* Liegewagen *m;* **~eur, se** *m f* Schlafkamerad(in *f*) *m; il est mauvais ~* mit ihm ist nicht gut Kirschen essen.

couchis [kuʃi] *m* Sandschicht *f (Pflasterunterlage); arch* Schalbrett; *(Fußboden)* Untergebälk *n.*

couci-couci, couci-couça [kusikusi, -a] *fam* so lala, nicht besonders.

coucou [kuku] *m* Kuckuck *m;* Kuckucksuhr; *fam* Rangierlokomotive; *bot* Primel; gelbe Narzisse; *arg* Taschenuhr *f; arg mil* Flugzeug *n;* **~(l)er** (Kuckuck) rufen.

coud|e [kud] *m* Ellbogen; *fig* Knick *m,* Krümmung, Biegung *f,* Winkel *m; (Rohr)* Knie(stück) *n, tech* Krümmer *m,* Winkelstück *n,* Kröpfung *f; ~ à ~* Seite an Seite, nebeneinander; *jouer des ~s* sich durch=drängen; *fig* die Ellbogen gebrauchen; *lever, hausser le ~ (pop)* e-n heben, viel trinken; *pousser qn du ~* jdn mit dem Ellbogen an=stoßen; *se serrer les ~s (fig)* sich gegenseitig helfen; *il ne se mouche pas du ~* er ist nicht auf den Kopf gefallen, es fehlt ihm nicht an Selbstbewußtsein; er hat Geld genug; *sentiment m du ~ à ~* Gemeinschafts-, Korpsgeist *m;* **~ée** *f* Elle *f; avoir les ~s franches* die Arme frei, *fig* Bewegungsfreiheit, Freiheit des Handelns haben; **~er** (knieförmig) (um=)biegen, krümmen; *tech* kröpfen; *arbre, essieu m ~é* Kurbelwelle *f;* **~euse** *f* Rohrbiegemaschine *f;* **~oiement** *m* Anstoßen *n* mit dem Ellbogen; *fig* Umgang *m;* **~oyer** mit dem Ellbogen an=stoßen; Seite an Seite gehen (*qn* mit jdm); *fig* in Berührung kommen (*qn* mit jdm); streifen.

coudraie [kudrɛ] *f* Haselgebüsch *n.*

coudre [kudr] *irr* (an=, zs.=)nähen; *(Buch)* heften; *tech allg* verbinden; *fig* zs.=stoppeln; *~ à l'entour* säumen; randnähen; *~ à la main, à la machine* mit der Hand, mit der Maschine nähen; *ne savoir quelle pièce y ~* nicht wissen, was man anfangen soll; *dé m à ~* Fingerhut *m; machine f à ~* Nähmaschine *f.*

coudr|ette [kudrɛt] *f* (kleines) Haselgebüsch *n;* **~ier** *m* Hasel(nuß)strauch *m.*

couenn|e [kwan] *f* Schwarte; *arg* Haut *f; pop* Dummkopf *m;* Schlampe *f;* **~eux, se** schwartig; *angine f ~euse (med)* häutige Bräune *f.*

couette [kwɛt] *f tech* Drehpfanne *f; (Tier)* Schwänzchen *n.*

couff|e [kuf] *f,* **~in** *m* (großer) (Gemüse-)Korb *m.*

coug(o)uar [kug(w)ar] *m zoo* Puma, Silberlöwe *m.*

couic [kwik] *interj* quiek! *faire ~ (pop)* ab=kratzen, sterben.

couill|e [kuj] *f vulg* Hode(n *m*) od *f;* **~on** *m pop* Memme *f,* (Einfalts-)Pinsel *m;* **~onnade** *f pop* Dummheit *f;* **~onner** *pop* betrügen, übers Ohr hauen.

couiner [kwine] *fam* quietschen.

coul|age [kulaʒ] *m (Faß)* Lecken, (Aus-)Laufen; *(Metall)* Gießen *n,* Guß *m; (Wäsche)* Einweichen *n;* Verlust *m* durch Vergeudung *od* Veruntreuung; **~ant, e** *a (Wein)* süffig; *(Papier)* glatt; *(Stil)* flüssig; *(Mensch)* umgänglich, nachsichtig; *tech* lose, beweglich; *s m* Schiebering *m; bot* Ranke *f; arg* Käse *m; f vulg* Tripper *m; nœud m ~* Schlinge *f;* **~e** *f fam s. coulage; être à la ~ (pop)* alle Schliche kennen; **~é** *m mus* Bindung *f,* Schleifer *m; tech* Guß(-stück *n*) *m;* **~ée** *f* Fließen; *tech* Gießen *n,* Guß *m;* Schmelzmasse *f;* Abstich *m;* Schreibschrift *f; geol* Erguß *m; ~ de boue (geol)* Schlammstrom *m; ~ de lave (geol)* Fladen-, Schollenlava *f;* Lavastrom *m;* **~er** *itr* fließen, (ent)strömen, rinnen; (aus=)strahlen; *(Faß)* lecken, undicht sein, aus=laufen; *(Gas)* entweichen; *(Nase, Käse)* laufen; *(Kerze)* tropfen; *(Schiff)* sinken; *(Blüte)* ab=fallen; *(Zeit)* verrinnen; *(im Gespräch)* hinweg=gehen (*sur* über *acc*); (ab=, herunter=)gleiten; *fig* her=kommen, aus=gehen (*de* von); *tr (Flüssigkeit)* (durch=)seihen; laufen *od* gleiten lassen; *(Zeit)* verstreichen lassen; *(Schiff)* versenken; *(Zettel)* zu=stecken; *(Wort)* zu=flüstern; *(Blick)* (zu=)werfen; *(Wäsche)* ein=weichen; *(Kalk)* verrühren; *(Fugen)* verstreichen; *mus* schleifen; *theat* durch=fallen lassen; *fam* fertigmachen, zugrunde richten; *se ~* sich ein=schleichen; schlüpfen (*dans la foule* durch die Menge); sich ruinieren; *se la ~ douce (fam)* es sich wohl sein lassen; *faire ~ (Hochofen)* ab=stechen; *laisser ~ les rênes* die Zügel schießen lassen; *~ à fond* od *bas (tr)* völlig zugrunde richten; *(Schiff)* versenken; *itr (Schiff)* sinken; *fig* verloren=gehen; *~ de source* von selbst kommen; sich von selbst verstehen.

couleur [kulœr] *f* Farbe *f*, Kolorit *n; Farbstoff m; fig* Farbe, Schattierung, Seite; *fig pol* Färbung, Richtung *f; pl* Farben *f pl;* Fahne *f; de* ~ farbig; *en* ~ Bunt-; *haut en* ~ hochrot; *fig* farbenprächtig; kraftvoll; *sans* ~ farblos; *sous* ~ *de* unter dem Vorwand, zu ...; *appliquer, coucher, étaler la* ~ die Farbe auf=tragen; *en faire voir à qn de toutes les* ~*s* jdm arg mit=spielen; jdn nach Strich u. Faden herein=legen; *mettre en* ~ an=streichen; *voir tout* ~ *de rose* alles durch e-e rosarote Brille sehen; *boîte f de* ~*s* Mal-, Farb(en)kasten *m; crayon m de* ~ Farbstift *m; fidélité f des* ~*s* Farbtreue *f; film m en* ~*s* Farbbfilm *m; pâles* ~*s (med)* Bleichsucht *f; photographie f en* ~*s* Farbphotographie *f; télévision f en* ~*s* Farbfernsehen *n; transmission f en* ~*s* Farbübertragung *f; tube f de* ~ Farbtube *f;* ~ *antirouille* Rostschutzfarbe *f;* ~ *composite, binaire* Zwischenfarbe *f;* ~ *défectueuse* Mißfarbe *f;* ~ *à détrempe* Temperafarbe *f;* ~ *à l'eau* Wasserfarbe *f;* ~ *d'étalage* Dekorationsfarbe *f;* ~ *fondamentale* Grundfarbe *f;* ~ *à l'huile* Ölfarbe *f;* ~ *d'image* Bildtönung *f;* ~ *locale* Lokalfarbe *f;* ~ *opaque* Deckfarbe *f;* ~ *(à) pastel* Pastellfarbe *f*, -stift *m;* ~ *protectrice* Schutzfarbe *f;* ~ *vitrifiable* Glasur-, Schmelzfarbe *f*.

couleuvr|e [kulœvr] *f zoo* Natter *f; fig* heimtückische(r) Mensch *m; avaler des* ~*s* s-n Ärger hinunter=schlucken; Beleidigungen ein=stecken; ~ *à collier* Ringelnatter *f;* ~**eau** *m* kleine Natter *f*.

coulis [kuli] *s m* (durchgeseihte) Kraftbrühe *f;* dünne(r) Mörtel *m; a: vent m* ~ Zugluft *f;* ~**sant, e** [-sɑ̃, -ɑ̃t] *tech* Schiebe-; ~**se** *f tech* Rinne, Fuge *f*, Falz *m*, Führung(sleiste) *f;* Schieber *m;* Schwinge; *theat* Kulisse *f; meist pl* (Raum *m* hinter den) Kulissen *f pl a. fig pol;* Winkelbörse *f; dans la* ~ *(fig)* hinter den Kulissen; *porte, fenêtre f à* ~ Schiebetür *f*, -fenster *n; regard m en* ~ verstohlene(r) Blick *m; tuile f à* ~ Falzziegel *m;* ~**seau** *m tech* Schieber *m*, Gleitstück *n*, Stößel-, Zugschlitten *m;* ~**ser** *tr* mit e-m Falz versehen; *itr* in e-r Führung gleiten, sich (ver)schieben lassen; ~**sier** *m* Börsenmakler, Kulissier *m*.

couloir [kulwar] *m arch loc* (Durch-)Gang; Flur; *theat parl* Wandelgang *m; geol* Rinne; *min* Rutsche *f; chem* Filter *m* od *n; voiture f à* ~ *central, latéral* Wagen *m* mit Mittel-, Seitengang *m;* ~ *aérien* Luftkorridor *m*, -schneise *f;* ~ *latéral, médian* Seiten-, Mittelgang *m;* ~ *de basse pression (Wetter)* Tiefdruckrinne *f;* ~ *réservé aux bus et aux taxis* Bus- und Taxispur *f*.

coulomb [kulɔ̃] *m el* Coulomb *n*.

coulure [kulyr] *f* Abfallen der Blüten; *(Metall)* Auslaufen *n (aus der Gußform)*.

coup [ku] *m* Schlag, Stoß; Hieb; Streich; Stich; Schuß, Wurf; Knall; Zug, Schluck *m;* Wunde, Verletzung *f; arg in Zssgen* Diebstahl; *tech* Hub *m; à* ~*s de* mit (Hilfe *gen*); *à ce* ~, *pour le* ~ (für) diesmal; *à* ~ *sûr* ganz gewiß, bestimmt, sicher; *à tout* ~ jedesmal; bei jeder Gelegenheit; *au* ~ *de midi* Schlag zwölf Uhr; *après* ~ hinterher, wenn es zu spät ist; *du* ~ darauf; infolgedessen; *sans* ~ *férir* ohne Schwertstreich; *sous le* ~ *de* benommen, bedroht von; ~ *sur* ~ Schlag auf Schlag, ununterbrochen; *sur le* ~ sofort; *tout à* ~ plötzlich; *(tout) d'un* ~ auf einmal; *donner un* ~ *de balai, brosse, peigne à qc* etw ein bißchen aus=fegen, ab=bürsten, überkämmen; *donner un* ~ *de chapeau à* den Hut ab=nehmen *od* ziehen vor; *donner un* ~ *de main, d'épaule à qn* jdm behilflich sein; *donner un* ~ *de trompe (mot)* Signal geben; *être aux cent* ~*s* vor Unruhe, vor Aufregung außer sich sein; *faire les cent* ~*s* ein tolles Leben führen; *faire d'une pierre deux* ~*s* zwei Fliegen mit e-r Klappe schlagen; *monter le* ~ *à qn* jdn hinters Licht führen; *se monter le* ~ sich (selbst) etw vor=machen; *tenir le* ~ aus=, stand=halten; *valoir le* ~ der Mühe wert sein; ~ *d'accélérateur: donner un* ~ *d'accélérateur* Gas geben; ~ *d'aile* Flügelschlag *m;* ~ *d'air* Erkältung *f;* ~ *d'archet* Bogenstrich *m;* ~ *d'arrêt (fig)* Stoß, Schlag *m;* ~ *en arrière* Rückstoß *m;* ~ *d'autorité* Machtspruch *m;* ~ *balancé (Boxen)* Schwinger *m;* ~ *de barre à droite, gauche (pol)* Rechts-, Linksruck *m;* ~ *bas (Boxen)* Tiefschlag *m;* ~*s de bâton* Prügel *m pl;* ~ *de bec, dent, langue, patte (fig)* Stich, Hieb *m (mit Worten);* ~ *blanc, tiré en l'air* Schreckschuß *m;* ~ *de bonheur, du ciel* Glück(sfall *m*) *n;* ~ *au but* Volltreffer *m;* ~ *de cafard* Anfall *m* von Depression; ~ de chaleur Hitzschlag *m;* ~ *de chance* Glücksfall *m;* ~ *de chien* hinterhältige(r) Streich; *mar* plötzliche(r) Sturm *m;* ~ *de courant (el)* Stromstoß *m;* ~ *de couteau, d'épingle* Messer-, Nadelstich *m;* ~ *de* *dent* Biß *m;* ~ *de dés* Wurf *m (beim Würfeln);* ~ *de désespoir* Verzweiflungstat *f;* ~ *double (fig)* zwei Fliegen *f pl* mit e-m Schlag; ~ *dur (fig)* schwere(r), harte(r) Schlag *m;* schwierige Sache *f;* ~ *d'eau* Wassereinbruch *m;* ~ *d'éclat* aufsehenerregende Tat *f;* ~ *d'envoi (sport)* Anstoß *m;* ~ *d'essai* erste(r) Versuch, Probeschuß *m;* ~ *d'État* Staatsstreich *m;* ~ *de fer* Aufbügeln *n;* ~ *de feu* Schuß; *fig* Hochbetrieb *m;* ~ *de fil (fam)* Anruf *m;* ~ *de force* Gewaltstreich, Putsch *m;* ~ *de fortune* Glücksfall, Schicksalsschlag *m;* ~ *de foudre, de tonnerre* Blitz-, Donnerschlag; *fig* Blitz *m* aus heiterem Himmel; Liebe *f* auf den ersten Blick; ~ *de fouet* Peitschenhieb *m; fig* Aufmunterung *f;* ~ *franc (sport)* Freistoß *m;* ~ *de frein: donner un* ~ *de frein* plötzlich bremsen; ~ *de fusil* (Gewehr-)Schuß; *fig fam* Wucherpreis *m;* ~ *de grâce* Gnadenstoß *m;* ~ *de grisou (min)* schlagende Wetter *n pl;* ~ *de main (mil)* Handstreich; *fam* Dreh *m;* Hilfe *f;* ~ *de maître (fig)* Meisterstück *n;* ~ *de mer* Brandung *f,* Wellenschlag *m;* ~ *monté* abgekartete(s) Spiel *n;* ~ *d'œil* (flüchtiger) Blick; *fig* Überblick *m;* ~ *de pelle* Spatenstich *m;* ~ *de pied* Fußtritt *m;* ~ *de pierre* Steinwurf *m;* ~ *de pinceau* Pinselstrich *m;* ~ *de poing* Faustschlag *m;* ~*-de--poing m* Schlagring *m;* ~ *de pointe* Stoß *m;* ~ *de pouce* Nachhelfen *n;* ~ *de sang* Gehirnschlag, Schlaganfall, Blutsturz; *fig fam* Wutanfall *m;* ~ *de sifflet* Pfiff *m;* ~ *de soleil* Sonnenbrand, -stich *m;* ~ *de sonde* Stichprobe *f;* ~ *de sonnette* Klingelzeichen *n;* ~ *du sort* Schicksalsschlag *m;* ~ *de téléphone* Anruf *m;* ~ *de tête* unüberlegte Tat *f;* ~ *de théâtre (theat)* Knalleffekt *m,* überraschende Wendung *f; allg* unerwartete(s) Ereignis *n;* ~ *tranchant, de taille* Hieb *m;* ~ *de vent* Windstoß *m.*

coupable [kupabl] *a* schuldig, schuldhaft; strafbar, -würdig; pflichtwidrig; *s m* Schuldige(r), Täter *m; se rendre* ~ *de qc* sich *(dat)* etw zuschulden kommen lassen.

coup|age [kupaʒ] *m* (Ab-)Schneiden *n,* Schnitt *m; (Wein)* Verschneiden *n;* **~ant, e** *a* scharf(kantig), schneidend; *s m* Schneide *f.*

coupe [kup] *f* **1.** Pokal *a. sport,* Kelch *m;* (Obst-)Schale *f;* Wasserbecken *n; fig* Quelle *f;* **2.** (Ab-, Zu-)Schneiden *n;* (Zu-)Schnitt *m; (Holz)* Fällen *n,* Einschlag *m;* Schnittfläche, -zeichnung; Rille *f* (der Fensterbank); Auf-, Grundriß *m;* Profil *n; gram* Zäsur *f; (Spielkarten)* Abheben; Seitenschwimmen *n; min* Schicht *f; (Stein)* Behauen *n; phot* (Bild-)Ausschnitt; *(Anzug)* (Zu-)Schnitt *m,* Machart *f; tech* Span(breite *f*) *m; sous la* ~ *de qn (fam)* unter jds Fuchtel; *boire la* ~ *jusqu'à la lie (fig)* den Kelch bis zur Neige leeren; *faire des* ~*s sombres (fig)* stark lichten, gründlich auf⸗räumen; *(Artikel)* zs.⸗streichen (*à qc* etw); *mettre en* ~ *réglée (fig)* systematisch aus⸗beuten; *il y a loin de la* ~ *aux lèvres* bis dahin fließt noch viel Wasser ins Meer; ~ *challenge (sport)* Wanderpokal *m;* ~ *de cheveux* Haarschneiden *n,* -schnitt *m;* ~*-cigare m inv* Zigarrenabschneider *m;* ~*-circuit m inv el* Unterbrecher *m;* Sicherung *f;* ~*-fusible* (Abschmelz-, Schmelz-) Sicherung *f;* ~ *principal* Hauptsicherung *f;* ~*-cors m inv* Hühneraugenmesser *n;* ~*-faim m* Appetitzügler *m;* ~*-feu m inv (Wald)* Schneise *f;* ~*-fil m inv* Drahtschere *f;* ~*-file m inv* Passierschein; Presseausweis *m;* ~*-gorge m inv fig* Räuberhöhle *f;* ~*-jarret m* Strauchdieb *m;* ~*-légumes m inv* Wiegemesser *n;* ~ *en long* Längsschnitt *m;* ~ *nette* Kahlschlag *m;* ~*-ongles m inv* Nagelschere *f;* ~*-pain m inv* Brotschneidemaschine *f;* ~*-papier m inv* Brieföffner *m,* Falzbein *n;* ~*-pâte m inv* Teigmesser *n;* ~*-racines m inv* Hackmaschine *f;* ~ *en travers* Querschnitt *m;* ~*-tube,* ~*-tuyau m inv tech* Rohrschneider *m,* Rohrschneidemaschine *f;* ~*-vent m inv mot loc* Schutzscheibe *f;* ~*-verre m inv* Glasschneider *m.*

coupé [kupe] *s m mot* Kupee; *mus* Stakkato *n; (Tanz)* Biegeschritt *m; pp* durch-, geschnitten; *(Wappen)* geteilt; *tech* unterbrochen; ~ *en deux* halbiert; ~ *en petits carrés* gewürfelt; *bout m* ~ Schweizer Stumpen *m.*

coupell|ation [kupɛlasjɔ̃] *f (Metall)* Abtreiben, Kupellieren *n;* **~e** *f tech* Treibherd, Probiertiegel *m;* Schale *f;* **~er** *(Metalle)* kupellieren, abtreiben.

couper [kupe] (ab⸗, durch⸗, zer-) schneiden; ab⸗, unterbrechen; durch⸗, ab⸗beißen; unterbinden, trennen; ein⸗teilen; *el* ab⸗, aus⸗schalten, unterbrechen; *chem* spalten; *(Dampf)* (ab⸗)drosseln; *(Gas)* weg⸗nehmen; *(Holz)* fällen, schlagen, (ab⸗)hauen; ab⸗hacken; *(Stein)* schleifen, behauen; *min* hauen; *(Buch)* auf⸗schneiden; *(Tier)* verschneiden, kastrieren; *(Kleidungsstück)* zu⸗schneiden; *(Getränk)* verschneiden; *(Kartenspiel)* stechen; ab⸗heben; *mar* kappen; *(Ge-*

schriebenes) (zer)gliedern; *(Appetit)* verderben; *(Reise)* unterbrechen; *(Weg)* kreuzen *a. loc; (Straße)* sperren; *(Gelände)* durchqueren; *(Brükke)* ab=brechen; *(Fieber)* kupieren; *(Bart)* ab=nehmen; *(Kopf)* ab=schlagen; *tele* trennen; *tech (Kanten)* trimmen; stechen, gravieren; *min* nach=reißen; ~ *à qc (pop)* e-r S. entgehen; ~ *dans qc* auf e-e S herein=fallen; *se* ~ *(Straßen)* sich kreuzen; *fam* sich (selbst) widersprechen; Bruchstellen bekommen; ~ *bras et jambes à qn (fig)* jdn lahm=legen; ~ *à travers champ* querfeldein laufen; ~ *les cheveux en quatre* Haarspalterei treiben; ~ *court à qc* etw kurz ab=brechen; *à qn* jdn kurz ab=fertigen; *se* ~ *au doigt* sich in den Finger schneiden; ~ *en deux* durch=schneiden; ~ *l'équateur (mar)* die Linie passieren; ~ *l'herbe sous les pieds de qn* jdm den Wind aus den Segeln nehmen; ~ *la parole à qn* jdm ins Wort fallen; ~ *à, dans la racine* im Keim ersticken, mit Stumpf u. Stiel aus=rotten; ~ *à la scie* ab=sägen; ~ *le sifflet à qn (fam)* jdn zum Schweigen bringen; ~ *dans le vif* ins Fleisch schneiden; *fig* einschneidende Maßnahmen treffen; ~ *les vivres (mil)* die Lebensmittelzufuhr ab=schneiden (*à* dat); *ça te la coupe (pop)* da bist du sprachlos; da bleibt dir die Spucke weg.

couperet [kuprɛ] *m* Hackmesser; Fallbeil *n.*

couper|ose [kuproz] *f med* Kupferausschlag *m*, -finne *f;* **~osé, e** kupferig, finnig; rötlich; *nez m* ~ Burgunder-, Kupfernase *f;* **~oser** kupferig, finnig machen.

coupeur, se [kupœr, -øz] *m f (Konfektion)* Zuschneider(in *f*); *min* Häuer *m; f tech allg* Schneidemaschine *f;* ~ *de bourses (fam)* Taschendieb *m.*

coupl|age [kuplaʒ] *m tech* Kupp(e)lung; *el* Schaltung; *radio* Kopp(e)lung *f; schéma m de* ~ Schaltbild *n;* ~ *en parallèle, en série* Parallel-, Reihenschaltung *f;* ~ *par réaction* Rückkopplung *f;* **~e** *f* Koppelriemen *m;* zwei (gleiche, zufällig vereinte) Dinge *n pl; m* Paar (lebender, innerlich verbundener Wesen); Spant *n*, Schiffsrippe *f; el* Element; *tech* (Dreh-)Moment, Kräftepaar *n;* ~ *m d'entraînement* Antriebsdrehmoment *n;* ~ *m (de rotation)* Drehmoment *n;* ~ *m thermo-électrique* Thermoelement *n;* **~er** paarweise bringen *od* stellen; *(Hunde)* koppeln; *tech* (ver)kuppeln; *el* schalten; *radio* koppeln; **~et** [-plɛ] *m* Strophe *f;* Couplet, Lied *n;* Tirade *f;* Scharnier *n;* **~eur** *m el* Schalter; *radio* Koppler *m.*

coupoir [kupwar] *m* Blechschere *f; (Buchbinderei)* Beschneidemesser *n; tech* Schneidbrenner *m.*

coupole [kupɔl] *f* Kuppel *f; tech* Kupol-, Kuppelofen *m; aero* Kanzel *f; la C~ (fam)* die Académie Française; *voûte f en* ~ Kuppelgewölbe *n;* ~ *blindée (mil)* Panzerkuppel *f;* ~ *bulbeuse* Zwiebeldach *n;* ~ *à visibilité totale (aero)* Vollsichtkanzel *f.*

coupon [kupɔ̃] *m* Stoffrest; Abschnitt; *com* Anteil-, Zinsschein, Dividendenabschnitt *m; theat* Eintrittskarte *f;* ~*-réponse m* Antwortschein *m.*

coupure [kupyr] *f* Schnitt(-wunde *f*); *(Gelände)* Einschnitt; Abzugsgraben; *mil* Graben *m;* Banknote *f;* Zeitungsausschnitt *m; theat* Kürzung, Streichung *f; tech* Schneiden *n;* Trennstelle; *el tele* Unterbrechung, Abschaltung; *chem* Spaltung *f; mil* Abschnitt *m.*

cour [kur] *f* Hof(raum); (Fürsten-)Hof, Hofstaat *m*, -haltung *f;* Gerichtshof *m; vx (in Paris)* Sackgasse *f; être bien en* ~ in Gunst stehen; *faire la* ~ *à qn* jdm den Hof machen; *mettre hors de* ~ *(jur) (Klage)* ab=weisen, *(Verfahren)* ein=stellen; *hors m de* ~ *(jur)* Abweisung(sbescheid *m*); Einstellung *f* e-s Verfahrens; ~ *d'appel* Appellationsgericht *n;* ~ *d'assises* Schwurgericht *n;* ~ *de cassation* Kassationshof *m;* ~ *des comptes* Rechnungshof *m;* ~ *disciplinaire* Dienststrafkammer *f;* ~ *d'honneur* Schloß-, Ehrenhof *m;* ~ *intérieure* Innenhof, Lichtschacht *m;* ~ *de justice* (*franz.* Staats-)Gerichtshof *m;* ~ *martiale* Kriegs-, Standgericht *n;* ~ *de récréation* Schulhof *m.*

courag|e [kuraʒ] *m* Mut; Eifer, gute(r) Wille *m;* Ausdauer, Festigkeit; Härte *f; sans* ~ mutlos; *ne pas avoir le* ~ *de* es nicht übers Herz bringen zu; *perdre* ~ den Mut sinken lassen; *prendre* ~ Mut fassen; *prendre son* ~ *à deux mains (fam)* sich ein Herz fassen; *manque m de* ~ Mutlosigkeit *f;* **~eux, se** mutig, beherzt, kühn; eifrig.

cour|amment [kuramɑ̃] *adv* fließend; geläufig; gewöhnlich; **~ant, e** *a* laufend; fließend, zügig; *tech* beweglich; gängig, gangbar, gewöhnlich, üblich; *(Geld)* gültig; *s m* Strömung *f;* (Luft-)Zug; *el* Strom; laufende(r) Monat; *fig* (Ab-, Ver-)Lauf, (Fort-)Gang; *fam* Haken, Pfiff *m; f* Kurrentschrift *f; pop* Durchfall, -marsch *m; dans le* ~ *du mois* im Laufe des Monats; *du 15* ~ vom 15. d. M(onats); *fin f* ~ per Ende d. M. (dieses Monats); *tout* ~ eiligst, in aller Eile; *couper, interrompre le* ~ den Strom unterbrechen; ab=schalten; *être au* ~ *(de)* auf dem laufenden sein (mit); Bescheid wissen (über *acc*); keine Rückstände haben; *être de pratique* ~*e* üblich sein; *être de vente* ~*e* ein gangbarer Artikel, leicht verkäuflich sein; *se laisser aller au* ~ *du monde (fig)* mit dem Strom schwimmen; *se mettre au* ~ sich ins Bild setzen, sich orientieren; *tenir au* ~ auf dem laufenden halten; Bericht erstatten *dat; c'est tout à fait* ~ das ist gang u. gäbe; *il y a un* ~ *d'air* es zieht; *chien m* ~ Jagdhund *m; consommation, économie f de* ~ Stromverbrauch *m,* -ersparnis *f; coupure f de* ~ Stromunterbrechung, -sperre *f; main f* ~*e* Kladde *f; marque f* ~*e* gangbare Sorte *f; prise f de* ~ *(el)* Steckdose *f,* Anschluß *m; prix* ~ Marktpreis *m;* ~ *aérien* Luftströmung *f;* ~ *des affaires* Geschäftsgang *m;* ~ *d'air* Luftzug; *min* Wetterstrom *m;* ~ *alternatif* Wechselstrom *m;* ~ *ascendant* Aufwind *m;* ~ *de chauffage* Heizstrom *m;* ~ *continu* Gleichstrom *m;* ~ *descendant* Abwind *m;* Fallbö *f;* ~ *d'eau* Wasserlauf *m;* ~ *faible, lumière* Schwachstrom *m;* ~ *fort, force* Starkstrom *m;* ~ *marin* Meeresströmung *f;* ~ *de pente* Hangwind *m;* ~ *de perturbation (Wetter)* Störungsströmung *f;* ~ *de plaque* Anodenstrom *m;* ~ *polyphasé* Mehrphasenstrom *m;* ~ *de population* Bevölkerungsbewegung *f;* ~ *de régime* Betriebsstrom *m;* ~ *de secteur* Netzstrom *m;* ~ *de basse, de haute tension* Schwach-, Starkstrom *m;* ~ *triphasé* Dreh-, Dreiphasenstrom *m.*

courbat|u, e [kurbaty] *(Pferd)* steif; *(Mensch)* wie gerädert, ganz zerschlagen; ~**ure** *f (Pferd)* Steifigkeit; *(Mensch)* allgemeine Erschöpfung; Zerschlagenheit *f;* Muskelkater *m;* ~**urer** (völlig) erschöpfen.

courb|e [kurb] *a* gekrümmt, gebogen, krumm; geschwungen; *s f* Krümmung, Wendung, Biegung; gekrümmte Linie; *(Straße)* Kurve, Kehre; *(Schultern)* Wölbung; *math* Kurve *f; arch* Krümmling *m,* Krummholz *n; tech* Kennlinie *f;* Knie(stück) *n; équidistance f des* ~*s (Landkarte)* Schichthöhe *f; rayon m de* ~ Krümmungshalbmesser *m;* ~ *caractéristique* Kennkurve, -linie *f;* ~ *en épingle à cheveux* Haarnadelkurve *f;* ~ *d'égale inclinaison* Isokline *f;* ~ *de niveau* Höhen-, Schichtlinie, Isohypse *f;* ~ *de la production, des prix, de température* Produktions-, Preis-, Temperaturkurve *f;* ~ *en S* S-Kurve *f;* ~**er** (sich) krümmen, biegen, beugen; *se* ~ krumm werden; sich biegen; sich bücken; *fig* sich demütigen, kriechen; ~**ette** *f (Pferd)* Bogensprung *m; pl* tiefe(r) Bückling *m;* ~**ure** *f* Krümmung, Biegung; Wölbung *f; tech* Durchhang *m,* Durchbiegung *f;* ~ *terrestre* Erdkrümmung *f.*

courette [kurɛt] *f* kleine(r) Hof *m.*

coureur, se [kurœr, -øz] *s m f* (guter) Läufer; Wettläufer, Rennfahrer *m;* Rennpferd *n;* Herumtreiber; *in Zssgen* (häufiger) Besucher *m; m pl* Laufvögel *m pl; f* Dirne *f;* ~ *automobil(ist)e, cycliste, motocycliste* Auto-, Rad-, Motorradrennfahrer *m;* ~ *de demi-fond* Mittelstreckenläufer *m;* ~ *de dots* Mitgiftjäger *m;* ~ *de filles* Schürzenjäger *m;* ~ *de fond* Langstreckenläufer *m;* ~ *de haies* Hürdenläufer *m;* ~ *de places* Stellenjäger *m;* ~ *de steeple* Hindernisläufer *m;* ~ *de vitesse* Kurzstreckenläufer *m.*

courge [kurʒ] *f* Kürbis *m.*

courir [kurir] *irr itr* laufen, rennen, eilen; an e-m Wettlauf, -rennen teil=nehmen; dahin=jagen, -gleiten; sich übereilen, sich stürzen (*à* auf *acc, fig* in *acc*); *(Zeit)* verfließen, enteilen, entschwinden; um=gehen, im Schwange sein; umher=schweifen, sich herum=treiben; *fig* streben, nach=laufen, -jagen (*après* nach); herum=kommen; *(Fluß)* fließen; *(Wind)* wehen; *geog* verlaufen; *(Gerücht)* um=gehen; *(Knoten)* lose sein; *mar* fahren; *tr* jagen, verfolgen; durchstreifen; (eifrig) besuchen; *(Glück)* versuchen; *(Gefahr)* auf sich nehmen; *pop* auf den Wecker fallen, auf die Nerven gehen (*à qn* jdm); *en courant* in Eile; *par le temps qui court* unter den gegenwärtigen Umständen; *faire* ~ auf die Beine bringen; in Umlauf setzen; umsonst bemühen; *faire* ~ *un bruit* ein Gerücht verbreiten; ~ *le cachet* Privatstunden *dat* nach=jagen; ~ *un danger* sich e-r Gefahr aus=setzen; ~ *à sa fin* aufs Ende zu=gehen; ~ *le même lièvre* dasselbe Ziel verfolgen; ~ *le cent mètres* am 100-m-Lauf teil=nehmen; ~ *sur les pas, sur les brisées de qn* jdm ins Gehege kommen; ~ *à sa perte, à sa ruine* ins Verderben rennen, sich ins Verderben stürzen; ~ *au plus pressé* das Dringendste zuerst erledigen; ~ *un risque* ein Risiko ein=gehen; sich e-r Gefahr aus=setzen; ~ *le risque de* Gefahr laufen zu; ~ *les rues (fig)* nichts Ungewöhnliches sein; *les intérêts courent à partir de ...* die Verzinsung beginnt am ...; *vous pouvez ~!* das schaffen Sie nie! denkste! *le mois qui court* der laufende Monat.

cour|lis, ~lieu [kurli, -ljø] *m orn* Brachvogel *m.*

couronn|e [kurɔn] *f* Kranz *m;* Krone; Tonsur *f,* Haarkranz *m;* (Zahn-)Krone; *tech* Krone *f,* Kranz, Ring *m;* Rolle *f,* Flansch *m;* Kronenpapier *n; min* Firste; *el* Koronaentladung *f; grande ~* weitere Umgebung *f* von Paris; *petite ~* nähere Umgebung *f* von Paris; ~ de cheminée Schornsteinaufsatz *m; ~ d'épines* Dornenkrone *f; ~ d'épis* Erntekranz *m; ~ de fil* (Draht-)Rolle *f; ~ mortuaire* (Toten-)Kranz *m; ~ de roue* Radkranz *m; ~ (solaire) astr* (Sonnen-)Korona *f;* **~é, e** (preis)gekrönt; umgeben; bedeckt; **~ement** *m* (Be-)Krönung *a. fig; arch* Krone, Abdeckplatte; *fig* Vollendung *f;* **~er** (be)krönen, bekränzen; *fig* ein=fassen, umgeben; mit e-m Preis aus=zeichnen; *(Wünsche)* erfüllen; *(Pferd)* sich am Knie verletzen lassen; *se ~* sich bedecken, überziehen (*de* mit); *(Pferd)* sich am Knie verletzen; *la fin ~e l'œuvre* Ende gut, alles gut.

courre [kur] jagen; *chasse f à ~* Hetzjagd *f.*

courrier [kurje] *m* Kurier, (Eil-)Bote; Postbote, -wagen *m,* -schiff, -flugzeug *n;* Briefe *m pl,* Post(sachen *f pl*); (Zeitungs-)Chronik *f; par le même ~, par prochain ~* mit gleicher, mit der nächsten Post; *par retour du ~* postwendend; *dépouiller le ~* die Post durchsehen; *expédier, faire son ~* die Post auf=geben, erledigen; *mettre le ~ à la boîte* die Post in den Briefkasten werfen; *distribution f du ~* Postverteilung *f; levée f du ~* Leerung *f; ~ aérien m* Luftpost *f; ~ des auditeurs (radio)* Hörertribüne, -post *f; ~ convoyeur, auxiliaire* Bahnpostbeamte(r) *m; ~ des lecteurs (Zeitung)* Briefkasten *m,* Leserecke *f; ~ de malheur* Unglücksbote *m; ~ hors sac* Postwurfsendung *f;* **courriériste** *m (Zeitung)* Berichterstatter *m.*

courroie [kurwa] *f* Riemen; Gurt *m; lâcher la ~ à qn* jdm volle Freiheit lassen; *serrer la ~ à qn* jdm den Brotkorb höher hängen; *~ de commande, de transmission (tech)* Treibriemen *m; ~ de transport* Förderband *n.*

cour|roucer [kuruse] (heftig) erzürnen; in Harnisch bringen; *se ~* sich ereifern; *fig (Elemente)* wüten, toben; **~roux** [-ru] *m* Zorn, Grimm *m;* Toben, Wüten *n (der Elemente).*

cours [kur] *m* Lauf, Gang *a. fig; (Wasser, Gestirne)* Lauf; Korso *m,* Allee *f; fig* Ab-, Verlauf; Kurs(us), Lehrgang *m;* Vorlesung *f; pl* Studien *f pl;* Lehrbuch *n;* Umlauf *m;* Gangbarkeit *f; com* Kurs *m,* Notierung *f; (Blut)* Kreislauf *m; au ~ de* im Verlauf *gen, com* zum Kurs von; *dans le ~ de l'année* im Laufe des Jahres; *en ~ de construction* im Bau (befindlich); *en ~ de route* unterwegs; *au, de long ~ (mar)* weit; Hochsee-, Übersee-; *le ~ d'une vie* ein Leben lang; *avoir ~* gangbar, gebräuchlich sein; *avoir, suivre son ~* s-n Gang gehen, vor sich gehen; *donner libre ~ à* freien Lauf lassen *dat; faire baisser, monter les ~* die Kurse drücken, in die Höhe treiben; *les ~ baissent, montent, s'effritent, fléchissent, se maintiennent* die Kurse fallen, ziehen an, bröckeln ab, geben nach, bleiben fest; *baisse f des ~, bénéfice m de ~, chute f des ~, cote f des ~, fluctuations f pl des ~* Kursrückgang, -gewinn, -sturz *m,* -notierung *f,* -schwankungen *f pl; haut ~* Oberlauf *m; mise f hors de ~* Außerkurssetzung *f; salle f de ~* Hörsaal; Seminarraum, Übungsraum *m; travaux m pl en ~ (Hinweis)* Bauarbeiten *f pl; ~ acheteur, vendeur* Geld-, Briefkurs *m; ~ d'adultes* Erwachsenenlehrgang *m; ~ de(s) change(s)* Wechselkurs *m; ~ de conversion* Umrechnungskurs *m; ~ par correspondance* Fernkurs *m; ~ d'eau* Wasserlauf *m; ~ intensif* Intensivkurs *m; ~ de l'intérêt* Zinsfuß *m; ~ du jour* Tageskurs *m; ~ du marché* Marktpreis *m; ~ d'ouverture, de clôture* Eröffnungs-, Schlußkurs *m; ~ du soir* Abendkurs *m; ~ de vacances* Ferienkurs *m.*

cours|e [kurs] *f* (Wett-)Lauf *m,* (Wett-)Rennen *n;* Gang *m,* Fahrt; Bewegung; Besteigung, Bergtour *f;* Gang *m,* Besorgung *f; (Zeit, Gestirne)* Lauf *m;* Entfernung *f; tech* Hub *m; mar* Kaperfahrt *f; donner le départ de la ~* das Startzeichen geben; *auto f de ~* Rennwagen *m; bateau m de ~* Rennboot *n; champ m de ~s* Rennbahn *f; cheval m de ~* Rennpferd *n; commission f des ~s* Rennleitung *f; écurie f de ~s* Rennstall *m; ligne f d'arrivée de la ~* Ziel(linie *f*) *n; parcours m, piste f de ~* Rennstrecke *f; prix m de la ~ (Taxi)* Fahrpreis *m; ~ d'automobiles* Auto(mobil)rennen *n; ~ à l'aviron* Wettrudern *n; ~ aux armements* Wettrüsten *n; ~ de bateaux à voile* Wettsegeln *n,* Regatta *f; ~ sur cendrée* Aschenbahnrennen *n; ~ de chevaux* Pferderennen *n; ~ de côte(s) (mot)* Bergrennen *n; ~ cycliste* Radrennen *n; ~ éliminatoire* Vorlauf *m; ~ d'essai* Probefahrt *f,* -lauf *m; ~ de (demi-) fond* (Mittel-,) Langstreckenlauf *m; ~ de freinage* Bremsstrecke *f; ~ de(s) haies* Hürdenlauf *m; ~ libre (tech)* Freilauf *m; ~ de cent mètres* 100-Meter-Lauf *m; ~ de moto* Motorradrennen *n; ~ de natation* Wettschwimmen *n; ~ d'obstacles, de steeple* Hindernisrennen *n; ~ parcourue* Fahrstrecke *f; ~ du piston (tech)* Kolbenhub, -weg *m; ~ plate, de plaine* Flachbahnrennen *n; ~-poursuite f* Verfolgungsrennen *n; ~ à la présidence* Gerangel *n* um die Präsidentschaft; ~ de relais Staffellauf *m; ~ sur route* Straßenrennen *n; ~ en sac* Sackhüpfen *n; ~ à* od *en skis* Schilauf *m,* -fahren *n; ~ de sprint* Kurzstreckenlauf *m;* **~ier, ère** *s m f* Laufjunge *m,* -mädchen *f; m* (Streit-)Roß *n;* Mühlbach *m; f* Richtweg; *arch* Laufgang *m;* **~ive** *f mar* Laufgang *m;* **~on, ne** *m f bot* Stumpf *m.*

court, e 1. [kur, -rt] *a* kurz; niedrig, klein; *(Ansichten)* beschränkt; unzureichend; *adv* kurz; schnell; plötzlich; **2.** *s m* Tennisplatz *m; à fibre ~e* kurzfaserig; *à ~ terme* auf kurzes Ziel, kurzfristig; *à ~ d'arguments* (um Argumente) verlegen; *à ~e vue* kurzsichtig *a. fig; de ~e durée* kurzlebig; von kurzer Dauer *(fam); pour (le) faire ~* um es kurz zu machen; *tout ~* ganz einfach; sonst nichts; *attacher, (fig) tenir de ~* kurz an≈binden *od* halten; *avoir la vue ~e* kurzsichtig sein *a. fig; couper ~ (Rede)* kurz ab≈brechen; Einhalt gebieten (*à qc* dat); *demeurer, rester ~ (in der Rede)* stecken≈bleiben; nichts mehr zu antworten wissen; *être (à) ~ d'argent* knapp bei Kasse sein; *prendre au plus ~* den kürzesten Weg ein≈schlagen; *prendre de ~* überraschen, in Verlegenheit bringen; *tirer à la ~e paille* Hälmchen, das Los ziehen; *tourner ~* plötzlich e-e andere Richtung ein≈schlagen *a. fig; (Wagen)* auf engem Raum wenden *itr; fig* auf etw anderes über≈springen; plötzlich auf≈hören; *~-bouillon m Art* würzige Fischbrühe *f; ~e-botte f pop* Zwerg, Knirps *m; ~-circuit m el* Kurzschluß *m; ~er* kurzschließen; *qn (fam)* über jds Kopf *(acc)* hinweg handeln; *~e honte* Blamage *f; ~-jointé, e (Pferd)* mit kurzen Fesseln; *~ métrage m* Kurzfilm *m; radio* Kurzsendung *f; ~-vêtu, e* mit kurzem Kleid.

courtage [kurtaʒ] *m* Maklergeschäft *n,* -gebühr *f.*

court|aud, e [kurto, -d] *a* u. *s m f* untersetzt(e), stämmig(e Person *f*); *(Pferd, Hund)* mit gestutzten Ohren u. gestutztem Schwanz; **~auder** *(e-m Pferde* od *Hunde)* Ohren u. Schwanz stutzen.

courtepointe [kurtəpwɛ̃t] *f* Steppdekke *f.*

courtier, ère [kurtje, -ɛr] *s m f* Makler, Agent, Vermittler(in *f*) *m; ~ d'assurances* Versicherungsagent *m; ~ en immeubles* Grundstücksmakler *m; ~, ~ère de mariages* Heiratsvermittler(in *f*) *m; ~ maritime* Schiffsmakler *m; ~ en publicité* Vertreter *m* von Werbemitteln.

courtil [kurti] *m vx* (Bauern-)Gärtchen *n.*

courtilière [kurtiljɛr] *f* Maulwurfsgrille *f.*

courtine [kurtin] *f arch* Zwischenfassade *f.*

courti|san [kurtizɑ̃] *m* Höfling; Schmeichler; Verehrer, Liebhaber *m;* **~sane** [-zan] *f* Kurtisane, Halbweltdame; Dirne *f;* **~sanerie** *f* Speichelleckerei *f;* **~ser** *tr* den Hof machen (*qn* jdm); schmeicheln, huldigen (*qn* jdm); *~ la brune et la blonde* allen Frauen nach≈laufen.

court|ois, e [kurtwa, -z] ritterlich, höflich; höfisch; **~oisie** *f* Ritterlichkeit; Höflichkeit *f.*

couru, e [kury] *a* gesucht, gefragt; *c'est ~! (fam)* das ist klar!

couscous [kuskus] *m* Kuskus *n (arab. Hammelragout mit Grieß).*

cous|ette [kuzɛt] *f fam* (junge) Näherin *f;* **~eur, se** *m f* Näherin *f; (Buchbinderei)* Hefter(in *f*) *m; f* Buch-, Fadenheftmaschine *f.*

cousin, e [kuzɛ̃, -in] **1.** *m f* Vetter, Cousin *m;* Kusine, Base *f; fam* gute(r) Freund *m;* **2.** *m* (Stech-)Mücke *f; n'être pas ~s* sich nicht vertragen; *~ germain* Vetter *m* ersten Grades; *pl* Geschwisterkinder *n pl; ~ issu de germain* Vetter *m* zweiten Grades; *~ au troisième degré* Vetter *m* dritten Grades; **~age** *m* Vetternschaft *f;* **~er** *tr* als Vetter behandeln; *itr* sich gut verstehen.

cousoir [kuzwar] *m* Heftlade *f (des Buchbinders).*

coussin [kusɛ̃] *m* Kissen, Polster *n; ~ d'air, pneumatique* Luftkissen *n; ~ en caoutchouc* Gummikissen *n; ~ électrique* Heizkissen *n; ~ encreur*

Stempelkissen *n;* ~**er** [-si-] polstern; ~**et** [-nɛ] *m* kleine(s) Kissen *n,* Wulst *m a. arch;* ~ *des marais* Heidelbeere *f; tech* Lager(schale *f*), Achs(en)lager *n; arch* Kämpfer *m;* ~ *à billes* Kugellager *n;* ~ *de pied de bielle* Kolbenbolzenlager *n;* ~ *de rail* Schienenlager *n,* -stuhl *m;* ~ *de rotule (tech)* Gelenkpfanne *f;* ~ *de vilebrequin* Kurbelwellenlager *n.*

cousu, e [kuzy] besetzt, bedeckt (*de* mit); buntscheckig; *être (tout)* ~ *d'or* im Golde schwimmen; *garder bouche* ~*e* reinen Mund halten; ~ *main* handgenäht; *(fig fam)* erstklassig; ~ *de petite vérole* blatternarbig.

coût [ku] *m* Kosten *pl,* Ausgabe *f;* Preis *m; indice m du* ~ *de la vie* Lebenshaltungsindex *m;* ~ *de production* Produktionskosten *pl;* ~ *de la vie* Lebenshaltungskosten *pl;* ~**ant:** *prix m* ~ Einkaufs-, Selbstkostenpreis *m.*

cout|eau [kuto] *m* Messer *n; (Waage)* Schneide *f; être à* ~ *(x) tiré(s)* in offener Feindschaft leben; sich spinnefeind sein; *mettre le* ~ *sous la gorge à qn (fig)* jdm das Messer an die Kehle, die Pistole auf die Brust setzen; *il a le* ~ *sous la gorge* ihm sitzt das Messer an der Kehle, ihm steht das Wasser bis zum Hals; ~ *à cran d'arrêt* feststehende(s) Messer *n;* ~ *de chasse* Jagdmesser *n,* Hirschfänger *m;* ~ *de cuisine, à découper, à dessert, à fromage, à pain, de poche* od *pliant, à poisson, de table* Küchen-, Tranchier-, Dessert-, Käse-, Brot-, Taschen-, Fisch-, Tafelmesser *n;* ~ *à papier* Falzbein *n,* Brieföffner *m;* ~ *à reboucher* Spa(ch)tel *m;* ~**elas** [kutla] *m* Hirschfänger *m;* große(s) Küchenmesser *n;* ~**elier** [-tə-] *m* Messerschmied; Stahlwarenhändler *m;* ~**ellerie** [-tɛlri] *f* Messerschmiede(handwerk *n*) *f;* Stahlwaren(handlung *f*) *f pl.*

coût|er [kute] (etw) kosten; Ausgaben, Mühe verursachen (*qn* jdm); nicht leicht sein (*qn* für jdn); Überwindung kosten (*qn* jdm); ~ *cher, bon* teuer sein, viel Geld kosten; ~ *les yeux de la tête (fam)* sehr teuer zu stehen kommen; *il m'en* ~*e de ...* es fällt mir schwer, zu ... ; ~*e que* ~*e* koste es, was es wolle; um jeden Preis; *rien ne lui* ~*e* es fällt ihm alles leicht; er scheut keine Mühe, keine Kosten; *il n'y a que le premier pas qui* ~*e* aller Anfang ist schwer; ~**eux, se** kostspielig, teuer.

coutil [kuti] *m* Drell, Drillich, Zwillich *m (Baumwollstoff).*

coutr|e [kutr] *m (Pflug)* Kolter, Sech; Klöbeisen *n;* ~**ier** *m* Steilwender *m (Pflug).*

coutum|e [kutym] *f* Brauch *m,* Sitte, Gewohnheit *f;* Gewohnheitsrecht *n; (comme) de* ~ gewohnheitsmäßig; gewöhnlich, üblich; *avoir* ~ *de* pflegen zu; *passer en* ~ zur Gewohnheit werden; *une fois n'est pas* ~ einmal ist keinmal; *us m pl et* ~*s* Sitten u. Gebräuche *pl;* ~**ier, ère** gewohnheitsmäßig, herkömmlich; üblich; *il est* ~ *du fait* er hat die (schlechte) (An-)Gewohnheit; *droit m* ~ Gewohnheitsrecht *n.*

coutur|e [kutyr] *f* Nähen, Schneidern *n,* (Damen-)Schneiderei; Näharbeit; Nähstube *f;* Handarbeitsunterricht *m;* Naht *f a tech,* Saum *m;* Fuge; Narbe *f; sans* ~ nahtlos; *battre à plate* ~ *(fam)* tüchtig verprügeln; *(Heer)* völlig auf=reiben; *examiner sur toutes les* ~*s (fig)* auf Herz u. Nieren prüfen; *haute* ~ Modeschaffen, -gewerbe *n; magasin m de* ~ Damenkonfektionsgeschäft *n;* ~ *en points croisés, piquée, rabattue, surjetée* Kreuz-, Stepp-, Kapp-, überwendliche Naht *f;* ~**er** (mit Narben) bedekken; ~**ier** *m* Modeschöpfer; *anat* Schneidermuskel *m;* ~**ière** *f* Näherin, Schneiderin *f; aller faire un essayage chez sa* ~ zur Anprobe zur Schneiderin gehen; ~ *en linge* Weißnäherin *f.*

couv|age [kuvaʒ] *m* Brüten *n;* ~**ain** [-vɛ̃] *m (Insekten)* Brut *f;* ~**aison** *f* Brutzeit *f;* ~**ée** *f* Nestvoll *n* Eier *od* Junge; *(Vögel)* Brut *f; fam* ein Stall voll *m* Kinder.

couvent [kuvɑ̃] *m* Kloster; von Nonnen geleitete(s) Mädchenpensionat *n; entrer au* ~ ins Kloster gehen.

couver [kuve] *tr* (be-, aus=)brüten; *fig* aus=hecken, an=zetteln; *(Krankheit)* in sich tragen; *(Plan)* sich tragen mit; *itr* schwelen *a. fig;* sich an=spinnen, im Gange sein; gären *fig;* ~ *des yeux* kein Auge wenden von; *il faut laisser* ~ *cela (fam)* das muß man der Zeit überlassen.

couvercle [kuvɛrkl] *m* Deckel *m,* Kappe, Haube *f;* ~ *à charnière, fileté* Klapp-, Schraubdeckel *m.*

couvert, e [kuvɛr, -rt] *a (Land)* bewaldet; be-, ge-, zugedeckt; verborgen; *phot* erfaßt; *(Anleihe)* voll gezeichnet; *(Himmel)* bewölkt; *s m (Tisch)* Gedeck; (Eß-)Besteck; Obdach *n,* Unterkunft; Pakethülle, -adresse *f;* Dickicht, bedeckte(s) Gelände *n; mil* Deckung *f; fig* Deckmantel *m; f (Porzellan)* Schmelz *m,*

Glasur *f; mil* Bettzeug *n; à* ~ unter Dach u. Fach; geschützt; *sous le* ~ *de* unter dem Schein, Vorwand, Deckmantel *gen;* unter der Adresse *gen;* im Auftrag *gen; mettre à* ~ sichern, in Sicherheit bringen; *mettre* od *dresser (ôter) le* ~ den Tisch (ab=)decken; *se mettre à* ~ in Deckung gehen; *parler à mots ~s* durch die Blume sprechen; *rester* ~ die Kopfbedeckung auf=behalten; *bien* ~ warm angezogen; *le vivre et le* ~ freie Station, Verpflegung u. Unterkunft *f.*

couverture [kuvɛrtyr] *f* Decke *f,* Überzug *m;* Bettdecke; *arch* Dachhaut, Bedachung; Streuung; *com* Deckung, Sicherheit *f; fig* Deckmantel, Vorwand *m; (Zeitung)* Titelseite *f;* (Buch-)Deckel; Einband; (Heft-) Umschlag *m; mil* Deckung, Abschirmung *f;* Grenzschutz *m; sans* ~ *(com)* ungedeckt; *sous* ~ *de* unter dem Schein, Deckmantel *gen; tirer la* ~ *à soi (fig fam)* den Rahm ab=schöpfen; *détachement m de* ~ *(mil)* Sicherung(sabteilung) *f;* ~ *aérienne* Luftsicherung *f;* ~ *en ardoise* Schieferdach *n;* ~ *de cellophane* Zellophanumschlag *m;* ~ *de chaume* Strohdach *n;* ~ *de fascicule* Aktendeckel *m;* ~ *des flancs (mil)* Flankenschutz *m;* ~ *de laine* Wolldecke *f;* ~ *or (com)* Golddeckung *f;* ~ *photo* Flächen-, Reihenbilder *n pl;* ~ *de protection* Schutzumschlag *m;* ~ *de voyage* Reisedecke *f.*

couv|et [kuvɛ] *m vx* Kohlenbecken *n;* **~euse** *f* Bruthenne *f;* Brutkasten *m; arg* Redaktionsstube *f;* **~i** *a m: œuf m* ~ angebrütete(s), verdorbene(s) Ei *n;* **~oir** *m* Brutapparat, -raum *m.*

couvre|-chef [kuvrəʃɛf] *m hum* Kopfbedeckung *f; med* Kopfverband *m;* **~-feu** *m* Kohlendeckel *m;* Abendglocke *f,* -läuten *n;* Zapfenstreich *m;* Sperrstunde *f;* **~-joint** *m tech* Lasche; Deckleiste *f;* Firstziegel *m;* **~-lit** *m* Tages(bett)decke *f;* **~-nuque** *m mil* Nackenklappe *f;* **~-pied(s)** *m* Fußdeckchen *n;* (Parade-)Bettdecke *f;* **~-plat** *m* Schüsselstürze *f,* -deckel *m;* **~-radiateur** *m mot* Kühlerhaube; Heizkörperabdeckung *f.*

couvreur [kuvrœr] *m* Dachdecker *m.*

couvrir [kuvrir] *irr* (be-, zu=)decken, ein=hüllen, überziehen (*de* mit); überhäufen, -schütten; *(Fläche)* ein=nehmen; an=ziehen, (be)kleiden; verteidigen; *(Rückzug)* decken, schützen (*de* vor *dat*); verbergen, verstecken, verhüllen; entschuldigen, rechtfertigen; bemänteln; *(Untergebene, Ausgaben)* decken; *(Entfernung)* zurück=legen; übertönen; *(Versteigerung)* überbieten; *(männl. Tier)* belegen, bespringen; *(Bulle)* decken; *(Hengst)* beschälen; *(Gewölbe)* ab=decken; *(Dach)* ein=decken; *(durch Bäume)* beschatten; *mil* sichern, ab=schirmen; *se* ~ sich be-, zu=decken; e-e Kopfbedekkung auf=setzen; sich schützen (*de* mit); vor=schützen (*de qc* etw); *(Himmel)* sich bewölken, sich beziehen; ~ *de ses ailes (fig)* unter s-e Fittiche nehmen; ~ *de bâtiments* bebauen; ~ *de boue, de fange (fig)* mit Schmutz, Kot bewerfen; ~ *son chef de file (mil)* Vordermann nehmen *od* halten; ~ *qn des frais* jdm die Unkosten vergüten; ~ *les frais de production* die Herstellungskosten decken; ~ *son jeu* sich nicht in die Karten sehen lassen; ~ *d'or* mit Gold auf=wiegen; *(se)* ~ *de ridicule* (sich) lächerlich machen; *se* ~ *de sang* sich mit Blut beflecken.

cow-boy [ko-, kawbɔj] *m* Cowboy *m.*

cow-pox [kopɔks] *m med* Kuhpocken *pl.*

coxal, e [kɔksal] *a* Hüft-; **~gie** *f* Hüftschmerz *m,* -gelenktuberkulose *f.*

crabe [krab] *m* Taschenkrebs *m,* Krabbe *f; marcher en* ~ *(aero)* schieben.

crac [krak] *interj* krach! bums! *s m* Krachen *n; Monsieur m de C~ (etwa)* (Baron) Münchhausen *m.*

crach|at [kraʃa] *m* Speichel *m,* Spucke *f;* Auswurf; Stern *(im Spiegel, Glas); fam* Ordensstern *m; se noyer dans un* od *dans son* ~ *(fam fig)* über die eigenen Füße stolpern, sehr ungeschickt sein; **~é, e** *a: tout* ~ *(fam)* wie er leibt u. lebt; **~ement** *m* (Aus-)Speien; *el* Funkensprühen; *tele* Nebengeräusch *n; sans* ~ funkenfrei; ~ *de sang* Blutspeien *n;* **~er** *tr* (aus=) speien, (aus=)spucken; *pop* blechen, aus=spucken; *fam* um sich werfen, heraus=platzen (*qc* mit etw); *itr (bes. Feder)* spritzen; *el* Funken sprühen; ~ *blanc (arg)* großen Durst haben; ~ *sur* verächtlich herab=sehen auf *acc; ne pas* ~ *sur* nicht verachten; *il a ~é en l'air et son crachat lui est retombé sur le nez (fig)* er hat sich ins eigene Fleisch geschnitten; **~eur, se** *m f* Spucker(in *f*) *m;* **~in** *m* Sprühregen *m;* **~oir** *m* Spucknapf *m; tenir le* ~ *(fam fig)* das große Wort führen; die Unterhaltung monopolisieren; **~oter** immer ein wenig spucken.

crack [krak] *m fig fam* Kanone, Koryphäe *f;* **~er** *chem* kracken; **~ing** [-iɲ] *m* Kracken *n.*

Cracovie [krakɔvi] *f* Krakau *n.*
craie [krɛ] *f* Kreide *f; marquer à la ~ (fig)* rot an≈streichen; *bâton, morceau m de ~* Stück *n* Kreide; *~ lévigée* Schlämmkreide *f; ~ de tailleur* Schneiderkreide *f.*
crailler [kraje] *(Rabe, Krähe)* krächzen.
crain|dre [krɛ̃dr] *irr* (be)fürchten, sich fürchten (*qn, qc* vor jdm, etw), scheuen; respektieren; nicht vertragen können; *~ pour* bangen, zittern um; *se faire ~* sich Respekt verschaffen; *ne ~ ni Dieu ni le diable* vor nichts zurück≈schrecken; *craint l'humidité (com)* vor Nässe zu schützen; **~te** *f* Furcht, Scheu *f;* Respekt *m,* Ehrfurcht *f; dans la ~ que, de ~ que ... ne* (be)fürchtend, daß; *~ de Dieu* Gottesfurcht *f;* **~tif, ive** furchtsam, ängstlich.
cramb|é, ~e [krɑ̃be, krɑ̃b] *m bot* Meerkohl *m.*
cram|er [krame] *(fam)* (leicht) an≈brennen, -sengen.
cramoisi, e [kramwazi] *a* karm(es)inrot; purpur-, scharlachfarben; *fam* puterrot; *s m* Karm(es)in(rot) *n.*
crampe [krɑ̃p] *f med* Krampf *m; arch mar* Klammer, Krampe *f; ~ d'estomac* Magenkrampf *m.*
crampon [krɑ̃pɔ̃] *m arch* Krampe, Klammer, Haspe *f; (Hufeisen)* Stollen *m; (Bergsport)* Steigeisen *n; tech* Spannkluppe, Zwinge; *bot* Haftwurzel; *fig fam* Klette *f;* **~ner** (an≈) klammern, (mit Krampen) befestigen; *sport* mit Steigeisen besteigen; *qn (fam)* sich an jdn hängen, jdm lästig fallen; *se ~* sich an≈klammern (*à* an *acc*) *a. fig.*
cran [krɑ̃] *m* Kerbe *f,* Einschnitt *m,* Raste, Einkerbung *f; fig* Grad *m,* Stufe *f; fam* Mumm, Schneid; *tech* Schweißfehler *m; geol* Spalte *f,* Sprung *m; arg mil* Tag *m* Bau; *être à ~ (fam)* auf 180 sein; *lâcher d'un ~* (plötzlich) stehen≈lassen; *monter* od *hausser, descendre* od *baisser d'un ~ (fig)* eine Stufe steigen, sinken; *serrer sa ceinture d'un ~ (fig)* den Riemen enger schnallen; *~ d'arrêt (tech)* Sperrklinke; *(Gewehr)* Sicherung *f; ~ de mire (Gewehr)* Kimme *f; (Geschütz)* Visier *n.*
crân|e [krɑ(a)n] *s m* Schädel; *fig* Verstand *m, fam* Köpfchen *n;* Prahler, *fam* Angeber; Draufgänger *m; a fam* mutig, entschlossen; dreist, keck; prahlerisch; großartig; tadellos; famos; *se briser, se fendre le ~* sich den Schädel ein≈schlagen; *fracture, blessure* od *lésion f du ~* Schädelbruch *m,* -verletzung *f; ~ dénudé* Glatze, *fam* Platte *f;* **~er** prahlen, *fam* an≈geben; **~ie** *f* Prahlerei, *fam* Angeberei; Kühnheit *f;* **~eur, se** *m f* Draufgänger(in *f*); Angeber(in *f*) *m;* **~ien, ne** Schädel-; *boîte f ~ne* Hirnschale *f.*
craniologie [kranjɔlɔʒi] *f* Schädellehre *f.*
crap|aud [krapo] *m* Kröte *f;* niedrige(r) Sessel; *mus* Stutzflügel; *med* Huf-, Strahlkrebs *m; tech* Klemmplatte, Heftzwinge *f; (Diamant)* Fehler; *fig* (kleiner) Schlingel, Knirps; *fam* häßliche(r) *od* ungeschickte(r) Mensch *m; avaler un ~* in den sauren Apfel beißen; *~ volant (orn)* Ziegenmelker *m;* **~audière** *f* Krötenloch; *fig* Dreckloch *n;* (Räuber-, Laster-) Höhle *f;* **~audine** *f min* Krötenstein *m; tech* Axialdruck-, Spur-, Stützlager *n,* Drehpfanne *f;* Ablaufsieb *n; typ* Frosch *m,* Pfanne *f;* Kronentritt *m (Hufkrankheit); à la ~ (Geflügel)* ohne Knochen geröstet; **~ouillot** [-ujo] *m mil* Minenwerfer *m;* **~oussin, e** *m f pop* Knirps, häßliche(r) Gartenzwerg *m;* häßliche Kröte *f.*
crapul|e [krapyl] *f* Völlerei; Liederlichkeit *f;* Lumpenpack *n;* Schuft, Schurke *m;* **~er** *vx* ein liederliches Leben führen; **~eux, se** *a* ausschweifend, liederlich, wüst; *s m* liederliche(r) Mensch *m.*
craqu|e [krak] *f pop* Aufschneiderei, Lüge, Angabe *f;* **~elé, e** *a* rissig; *s m* Rissigmachen *n* von Glas(uren); Craquelé *n;* **~eler** rissig machen; **~elin** *m* Brezel *f,* Kringel *m; fam* Aufschneider, Angeber; Knirps *m; mar* leicht(gebaut)e(s) Schiff *n;* **~elure** *f* Rissigwerden *n;* **~ement** *m* Krachen, Knacken, Knarren *n;* **~er** krachen, knacken, knarren; *fig* zu zerplatzen, zs.zubrechen drohen; *plein à ~* brechend voll; *faire ~ une allumette* ein Streichholz an≈streichen; **~erie** *f fam* Angeberei, Angabe *f;* **~ètement** *m* Knistern; *(Storch)* Klappern *n;* **~eter** knistern; *(Storch)* klappern; **~eur, se** *fam* Angeber(in *f*), Aufschneider *m.*
crassane [krasan] *f Art* saftige Birne *f.*
crass|e [kras] *s f* Schmutz(schicht *f*), dicke(r) Dreck; *fig* Schmutz, Dreck *m (niedere Herkunft);* Ungeschliffenheit *f;* schmutzige(r) Geiz; *fam* (böser) Streich *m;* (Metall-)Schlacke, Krätze *f; mar fam* Nebel *m; a f* dick; grob; *fig* kraß; **~er** be-, verschmutzen; *se ~* schmutzig werden; *tech* sintern; **~erie** *f fam* schmutzige(r) Geiz

m; **~eux, se** *a* schmutzig, dreckig, schmierig; *fig* schmutzig; geizig, filzig; *tech* schlackig; *s m f* Schmutzfink, Dreckspatz *m;* Schmutzliese *f;* **~ier** *m* Schlackenhalde *f.*

crassule [krasyl] *f bot* Dickblatt *n.*

cratère [kratɛr] *m (Vulkan)* Krater; *tech* Ofenmund *m.*

cravache [kravaʃ] *f* Reitpeitsche *f;* **~r** *tr* mit der Reitpeitsche schlagen; *itr* sich am Riemen reißen, sich tüchtig an≈strengen.

crav|ate [kravat] *f* Krawatte *f,* Schlips, Binder *m;* Halsbinde *f;* Pelz(-umhang) *m;* Fahnenband *n; s'en jeter un (coup) derrière la ~ (fam)* sich e-n hinter die Binde gießen *od* kippen; *épingle f de ~* Krawattennadel *f; ~ à nouer* Selbstbinder *m;* **~ater** *qn* jdm e-e Krawatte um≈binden; *pop* jdn herein≈legen, bestehlen; jdn verhaften; **~atier** *m* Krawattenfabrikant, -händler *m.*

crawl [krol] *m sport* Kraul *n; nager, (fam) faire le ~* kraulen.

crayeux, se [krɛjø, -øz] kreidig.

crayon [krɛjɔ̃] *m* Bleistift; Farb-, Zeichenstift *m;* Bleistiftzeichnung; Skizze *f,* Entwurf *m;* Zeichnen *n;* Zeichenkunst *f;* Zeichner; *fig* Stil *m,* Ausdrucksweise; Beschreibung *f; machine f à, pour tailler les ~s, taille-~ m* Bleistiftspitzmaschine *f,* -spitzer *m; ~ bleu* Blaustift *m; ~ à bille* Kugelschreiber *m; ~ à copier, de couleur* Kopier-, Farbstift *m; ~ à coulisse, en métal* Drehbleistift *m; ~ (à) encre* Tintenstift *m; ~-feutre m* Filzschreiber, -stift *m; ~ noir (pour les yeux)* Augenbrauenstift *m; ~ pastel* Pastellstift *m; ~ rouge, (de) sanguine* Rotstift, Rötel *m; ~ de rouge à lèvres* Lippenstift *m;* **~nage** *m* Bleistiftzeichnung *f;* **~ner** mit dem (Blei-) Stift zeichnen; skizzieren, entwerfen *a. fig;* schildern, beschreiben; **~neur** *m* schlechte(r) Zeichner *m;* **~neux, se** kreideartig; Kreide-.

cré [kre] *fam, s. sacré.*

créanc|e [kreɑ̃s] *f* Glaube(n) *m; vx* Ver-, Zutrauen *n;* Berechtigung; (Schuld-) Forderung *f,* Schuldschein *m;* Guthaben *n,* -schrift *f; pl* Aktivforderungen *f pl,* Außenstände *pl; hors de ~* unglaubhaft; *amortir une ~ douteuse* e-e zweifelhafte Forderung ab≈schreiben; *donner ~* Glauben schenken; glaubhaft machen (*à qc* etw); *lettre(s) f (pl) de ~ (pol)* Beglaubigungsschreiben *n; ~ active, à recouvrer* Außenstände *pl; ~ exigible* fällige Schuld *f; ~ garantie, irrécouvrable, litigieuse* sichergestellte, uneinbringliche, strittige Forderung *f; ~ ordinaire, passive* Kurrent-, Passivforderung *f;* **~ier, ère** *m f* Gläubiger(in *f*) *m; désintéresser, satisfaire les ~s* die Gläubiger befriedigen; *assemblée f des ~s* Gläubigerversammlung *f; ~ gagiste, hypothécaire* Pfand-, Hypothekengläubiger *m; ~ privilégié* bevorrechtigte(r) Gläubiger *m; ~s solidaires* Gesamtgläubiger *m pl.*

créat|eur, trice [kreatœr, -tris] *s m* Schöpfer(in *f*), Erfinder(in *f*); *theat* erste(r) Darsteller *(e-r Rolle); com* Hersteller(in *f*) *m; le C~* der Schöpfer *(Gott); a* schöpferisch, erfinderisch; **~if, ive** *a: force f ~ive* Schöpferkraft *f;* **~ion** [-sjɔ̃] *f* Erschaffung, Schöpfung; Erfindung; Gründung, Er-, Einrichtung, Schaffung, Bildung; *theat* erste Darstellung *(e-r Rolle);* Uraufführung; *(Scheck)* Ausstellung; *(Ware)* Herstellung *f; loc (Zug)* Einlegen *n; ~ de capitaux (com)* Kapitalschöpfung *f; ~ d'emplois, de travail* Arbeitsbeschaffung *f;* **~ure** *f* Geschöpf *n,* Kreatur *f,* Wesen *n;* Günstling, Schützling *m; fam* Person *f;* Frauenzimmer, Weibsbild *n.*

crécelle [kresɛl] *f* Klapper, Knarre *f; fig fam* Schwätzer(in *f*) *m; voix f de ~* kreischende Stimme *f.*

crécerelle [krɛsrɛl] *f orn* Turmfalke *m.*

crèche [krɛʃ] *f* Krippe; *poet* Wiege; Kindertagesstätte, Kleinkinderbewahranstalt; *pop* Bude *f,* Haus *n;* **crécher** *pop* wohnen.

créd|ence [kredɑ̃s] *f* Kredenz, Anrichte *f;* **~ibilité** *f* Glaubhaftig-, Glaubwürdigkeit *f;* **~ible** glaubhaft, glaubwürdig; **~it** [-di] *m* Kredit *m;* (Gut-) Haben; Vertrauen *n,* Glaube(n) *m;* Ansehen, Gewicht *n; à ~* auf Kredit *od* Borg; *à porter au ~ du compte* zur Gutschrift auf das Konto; *à valoir sur mon ~* a conto meines Guthabens; *accorder, octroyer un ~* e-n Kredit gewähren; *avoir du ~* Kredit haben *od* genießen; *avoir tout ~ pour faire qc* jede Freiheit haben, etw zu tun; *dépasser, ébranler le ~* den Kredit überschreiten, erschüttern; *être en grand ~, jouir d'un grand ~ auprès de qn* bei jdm gut angeschrieben sein, hoch im Kurs stehen; *faire ~ à qn* jdm Glauben schenken, jdm vertrauen; jdn entschuldigen, jdm verzeihen; *com* jdm Kredit ein≈räumen; *mettre en ~ (com)* lancieren; *ouvrir un ~ en faveur de qn jusqu'à concurrence de* zugunsten jds e-n Kredit bis zur Höhe von ... eröffnen *od* ein≈räumen;

passer, porter au ~ de qn jdm gut≈schreiben; *avis m de ~* Gutschriftanzeige *f; banque f de ~* Kreditbank *f; côté m du ~* Habenseite *f; dépassement m de ~* Kreditüberschreitung *f; établissement m de ~* Kreditanstalt *f; lettre f de ~* Kreditbrief *m; octroi m d'un ~* Kreditgewährung *f; ouverture f d'un ~* Krediteröffnung *f; restriction f du ~* Krediteinschränkung *f; ~ en banque* Bankguthaben *n; ~ en blanc* Blankokredit *m; ~ à la consommation, à la production* Konsumptiv-, Produktivkredit *m; ~ courrier, de banque, de caisse, d'escompte, provisoire, de transition* Postlauf-, Bank-, Kassen-, Diskont-, Zwischen-, Überbrückungskredit *m; ~ foncier* Bodenkredit(anstalt *f*) *m; ~ municipal* Leihhaus *n;* **~ité** *m* Kreditnehmer *m;* **~iter** kreditieren, gut≈, zu≈schreiben (*qn de qc* jdm etw); an≈rechnen, erkennen; *~ un compte de ...* e-e Rechnung, ein Konto für ... kreditieren; **~iteur, trice** *s m f* Gläubiger (e-s Guthabens), Kreditor *m; a* e-n Kredit aufweisend; Kredit-; *garder un solde ~ dans son compte* e-n Kreditsaldo unterhalten; *colonne f ~trice* Gutschriftspalte *f; compte m ~* Kreditorenkonto *n; intérêts m pl ~s* Habenzinsen *m pl; ~ par acceptation* Wechsel-, Akzeptgläubiger *m.*

credo [kredo] *m* Glaubensbekenntnis; *C~ (rel)* Kredo *n.*

crédul|e [kredyl] leichtgläubig; **~ité** *f* Leichtgläubigkeit *f.*

créer [kree] (er)schaffen; erfinden; her≈stellen, ins Leben rufen; (be-)gründen, er-, ein≈richten, auf≈bauen, machen; stiften; *com* aus≈stellen; *(Ware)* her≈stellen; *(Aktien)* begeben; *(Absatzmarkt)* erschließen; *(Hypothek)* bestellen; *(Kardinal)* ernennen; *theat (Rolle)* zum erstenmal spielen; *(Stück)* auf≈führen; *loc (Zug)* ein≈legen.

crémaillère [kremajɛr] *f* Kesselhaken *m; tech* Zahnstange, -leiste *f; pendre la ~ (fam)* den Einstand *od* Einzug (in e-e neue Wohnung) feiern; *chemin m de fer à ~* Zahnradbahn *f.*

crémat|ion [kremasjɔ̃] *f* Leichenverbrennung *f;* **~oire** *four m ~* Verbrennungsofen *m;* **~orium** [-atɔrjɔm] *m* Krematorium *n.*

crème [krɛm] *f* Sahne *f,* Rahm *m;* Süß-, Schaumspeise, Creme *f;* Seim, Schleim *m;* legierte Suppe *f;* (dickflüssiger) Likör *m;* (Haut-)Creme *od* Krem *f; fig* (das) Beste, (die) Besten; (die) Auslese, Spitze; *couleur f ~* Cremefarbe *f; ~ aux amandes* Mandelkrem *f; ~ d'avoine* Haferschleim *m; ~ de beauté* Schönheitscreme *f; ~ pour chaussures* Schuhcreme *f; ~ fouettée* Schlagsahne *f; ~ glacée* Eiskrem *f; ~ grasse* Fettcreme *f; ~ de jour, de nuit* Tages-, Nachtcreme *f; ~ à raser* Rasiercreme *f; ~ solaire* Sonnencreme *f; ~ de tartre (chem)* Weinstein *m.*

crém|er [kreme] **1.** *itr* Rahm an≈setzen; *tr* cremefarben tönen; **2.** ein≈äschern; **~erie** [krɛmri] *f* Milchgeschäft *n; changer de ~ (pop)* das Lokal wechseln; **~eux, se** sahnig; sämig; **~ier, ère** *m f* Milch- u. Eierhändler(in *f*); *m* Sahnekännchen n.

crén|é, e [krene] *a bot* gekerbt; **~eau** *m* Zinne; Schießscharte *f; mar* Abflußrohr *n; faire un ~* rückwärts ein≈parken; **~elé, e** [krɛ(e)nle] *a* gezackt; **~eler** mit Schießscharten *od* Zinnen versehen; auszacken; *(Münze)* rändern; **~elure** *f* Verzahnung *f;* Zacken *f pl; anat bot* Kerbung *f.*

créole [kreɔl] *s m f* Kreole *m,* Kreolin *f; a* kreolisch.

créosot|e [kreɔzɔt] *f* Kreosot, Teeröl *n;* **~er** kreosotieren; *(Holz)* mit Kreosot tränken.

crêp|age [krɛpaʒ] *m* Kräuseln *n; vulg* Keilerei, Schlägerei *f.*

crêpe [krɛp] *m* Krepp; (Trauer-)Flor *m; f Art* Eierkuchen *m; ~ m (de latex)* Schaumgummi *n* od *m.*

crêpé, e [krɛpe] kraus; **~elé, e; ~elu, e** kraus, gekräuselt; **~er** kreppen, kräuseln; *(Haare)* toupieren; *se ~* kraus werden; *se ~ le chignon (fam)* sich in den Haaren liegen.

crêpière [krepjɛr] *f* Eierkuchenhändlerin *f.*

crépi [krepi] *m arch* (Ver-, Rauh-)Putz, (Rauh-)Bewurf *m.*

crépine [krepin] *f tech* Seiher *m,* Sieb *n;* Einsatz *m; zoo anat* Netz *n.*

crépinette [krepinɛt] *f Art* Bratwurst *f; bot* Knöterich *m.*

crépir [krepir] *arch* verputzen, bewerfen; *(Leder)* krispeln; *(Roßhaar)* kräuseln; **~issure** *f arch* Rauhputz, Bewurf *m.*

crépi|tement [krepitmɑ̃] *m* Knistern, Prasseln, Rasseln, Knattern, Knirschen; Röcheln; *tele* Knacken *n;* **~ter** knistern, (p)rasseln, knattern, rattern.

crép|on [krepɔ̃] *m* grobe(r) Krepp; Schminklappen *m;* Rolle *f* falscher Haare; **~u, e** kraus; gekräuselt; **~ure** *f* Kräuseln *n.*

crépuscul|aire [krepyskylɛr] dämmerig, dämmerhaft; Dämmer(ungs)-; *fig* ver-, untergehend, Untergangs-; **~e** *m* (Morgen-, Abend-)Dämmerung *f;*

Dämmer(licht *n*); *fig* Abend *m*, Dunkel, Ende; Aufdämmern *n;* Anfang *m; au* ~ in der Dämmerung; ~ *du matin* Morgendämmerung *f*.

crescendo [kreʃɛndo] : *aller* ~ zu=nehmen.

cresson [kre(ɛ)sõ] *m bot* Kresse *f; n'avoir plus de* ~ *sur la fontaine (pop)* e-e Glatze haben; ~ *alénois, de fontaine* od *officinal, d'Inde* Garten-, Brunnen-, Kapuzinerkresse *f;* ~ *des prés* Wiesenschaumkraut *n;* **~nière** [-sɔ-] *f* Kressenbeet *n*.

Crésus [krezys] *m* Krösus, reiche(r) Mann *m*.

crétacé, e [kretase] *a* kreidig, kreidehaltig; *s m geol* Kreide(zeit) *f*.

Crète, la [krɛt] Kreta *n*.

crêt|e [krɛt] *f zoo* Kamm *m*, Haube, Krone *f;* (Berg-, Wogen-)Kamm, Grat, Höhenrücken; (First-)Kamm; kleine(r) Damm *m*, Aufschüttung; (Mauer-)Kappe; *mil* Bekrönung *f;* (Helm-)Zierat *m; el* Spitze *f*, Maximum *n;* ~*-de-coq f bot* Hahnenkamm *m;* ~ *de haute pression* Hochdruckrücken *m;* **~é, e** *zoo* mit e-m Kamm versehen.

crételer [kretle] *(Huhn)* gackern.

crételle [kretɛl] *f bot* Kammgras *n*.

crétin, e [kretɛ̃, -in] *s m f* Schwachsinnige(r *m*) *f; fig* Depp, Idiot *m;* **~erie** *f* Narrenstreich *m;* **~iser** verdummen; *se* ~ *(med)* blöde werden, verblöden; **~isme** *m med* Kretinismus *m; fam fig* Idiotie *f*.

crétois, e [kretwa, -az] *a* kretisch; *C~, e s m f* Kreter(in *f*) *m*.

creton|ne [krətɔn] *f* Cretonne *f (Baumwollstoff)*.

creus|er [krøze] (aus=)höhlen, (um=)graben, hohl machen; aus=kehlen; (aus=)baggern; (aus=)bohren; *min* schürfen; *(Stollen)* vor=treiben, ab=teufen; *(Furche)* ziehen; *fig* vertiefen; aus=höhlen; ergründen, erforschen; *se* ~ hohl werden; *(Abgrund)* sich auf=tun; brüten (*sur un problème* über e-m Problem); *se* ~ *la cervelle, l'esprit, la tête (fig)* sich den Kopf zerbrechen; ~ *l'estomac* e-n hohlen Magen, hungrig machen; ~ *sa fosse, sa tombe (fig)* sich sein Grab schaufeln; *le grand air* ~*e* frische Luft zehrt; *machine f à* ~ *les fossés* Grabenbagger *m;* **~et** [-zɛ] *m* Schmelztiegel *m a. fig;* Gießpfanne *f;* (Schmelz-)Hafen *m; (Hochofen)* Gestell *n; fig* Prüfstein *m;* Feuerprobe *f;* ~ *d'essai* Probiertiegel *m*.

creux, se [krø, -øz] *a* hohl, Hohl-; *(Nuß)* leer, taub; tief(liegend); *(Gewebe)* lose; brüchig; *(Husten)* trocken; *(Jahrgang)* schwach; *(Börse)* lustlos; *(Magen, Stimme)* hohl; *(Wangen)* eingefallen; *(Augen)* tiefliegend; *(Fluß)* tief; *fig* inhalts-, gehaltlos, sinnentleert; *s m* Höhlung, Vertiefung, Mulde, Kuhle *f;* Hohlraum *m; min* Senkgrube; *tech* Gieß-, Gußform; *tech* Zahnlücke *f; mar* Hohl, Holl *n*, Tiefe; *(Schiff)* Höhe; *fig* Leere *f; avoir le nez* ~ e-n guten Riecher haben *fam; songer* ~ *(fig)* Grillen fangen; *j'ai l'estomac* ~ *(fam)* mir hängt der Magen (schief); *assiette f creuse* tiefe(r) Teller *m; bon* ~ kräftige Stimme *f; brique f creuse* Hohlziegel *m; chemin m* ~ Hohlweg *m; heures f pl creuses* stille Zeit, Flaute *f;* ~ *de l'estomac* Herzgrube *f;* ~ *d'une lame* Wellental *n; le* ~ *de la main* die hohle Hand *f*.

crevaison [krəvɛzõ] *f* Platzen, Bersten *n; mot* Reifenpanne *f*, Durchschlag *m; fig pop* Überanstrengung *f;* Krepieren *n*.

crevant, e [krəvɑ̃, -t] *pop* sehr anstrengend; zum Totlachen.

crevard [krəvar] *m pop* Hungerleider *m*.

crev|asse [krəvas] *f* (Gletscher-)Spalt *m;* Spalte *f*, Riß *m; (Haut)* Schrunde *f;* **~assé, e** rissig; *avoir les mains, lèvres* ~*es* aufgesprungene Hände, Lippen haben; **~asser** auf=springen lassen; rissig, schrundig machen; *se* ~ rissig werden, auf=springen.

crève [krɛv] *f pop* Tod *m;* Krankheit *f; avoir la* ~ *(pop)* auf dem letzten Loch pfeifen; e-e schöne Erkältung haben; ~*-cœur m* Mißmut *m;* Herzeleid *n;* ~*-la-faim m* Hungerleider *m*.

crev|é, e [krəve] *a* zerplatzt, ge-, zersprungen, geborsten; todmüde; *(Tier)* krepiert; *s m (Kleidung)* Schlitz *m;* **~er** *tr* auf=brechen, platzen lassen; *(Augen)* aus=stechen; *(Geschwür)* auf=stechen; *(Pferd)* zuschanden reiten; *arg* ab=murksen, um=bringen; *fig (Herz)* zerreißen; *itr* bersten, platzen *a. fig* (*de* vor *dat*), zerspringen; aus der Haut fahren wollen (*de* vor); *vulg* krepieren, verrecken; *mot* e-e (Reifen-)Panne, e-n Plattfuß haben; *se* ~ *pop* sich überanstrengen; *faire* ~ *(Reis)* quellen lassen; *(Tier)* verrekken, *(Pflanze)* ein=gehen lassen; ~ *d'ennui* vor Lange(r)weile sterben; ~ *de faim, de soif* verhungern, verdursten *od* verschmachten; *fig* sehr hungrig, durstig sein; ~ *dans sa peau* aus der Haut platzen; ~ *de rire* vor Lachen platzen; ~ *de santé* vor Gesundheit strotzen; *se* ~ *au travail, les* *yeux* sich ab=schinden; sich die Augen verderben; *cela crève les yeux (fig)* das springt in die Augen.

crevette [krəvɛt] *f* Garnele, *(als Speise)* Krabbe *f.*

cri [kri] *m* Schrei, (Aus-)Ruf; Notschrei *m;* (Tier-)Stimme *f; tech* Kreischen, Knirschen, Kratzen; *(Lokomotive)* Pfeifen *n; à grands ~s* mit lautem Geschrei; *fig* eindringlich; *jeter, pousser un ~* e-n Schrei aus=stoßen; *dernier ~* letzte(r) Schrei *m;* (aller)neueste Mode *f; ~ d'alarme, de détresse* Notruf *m; ~ d'armes* Wahlspruch *m; ~ de la conscience* Stimme *f* des Gewissens; *~ de guerre* Schlachtruf *m; ~ public* öffentliche Meinung *f; ~ de ralliement* Feldgeschrei *n;* **~age** [-ijaʒ] *m* (öffentliches) Ausrufen *n;* **~ailler** [kri(j)aje] immerzu schreien; zetern, keifen; quarren, plärren; *(Gans)* schnattern; **~aillerie** *f* dauernde(s) Geschrei; Gezeter, Gekeife; Geplärr(e) *n;* **~ailleur, se** *m f* Schreihals *m;* keifende(s) Weib *n;* **~ant, e** *fig* himmelschreiend; **~ard, e** *s m f* Schreihals, Schreier *m; a* dauernd schreiend, laut; kreischend, gellend; *(Farbe)* grell; *(Schulden)* drükkend; *(Kleidung)* auffallend.

cribl|e [kribl] *m* Sieb(werk) *n;* Rätter *m; min* Setzsieb *n,* -maschine *f; passer au ~* durchsieben; *fig* genau prüfen; *~-classeur m* Sortiersieb *n;* **~er** *tr* (durch)sieben; *tech* rättern; klassieren; durchbohren, -löchern; *fig* überschütten (*de* mit); *(mit Vorwürfen)* überhäufen; *(mit Fragen)* löchern; *itr arg* schreien, rufen; *être ~é de dettes* bis über die Ohren in Schulden stekken; **~eur** *m tech* Rätter *m,* Schüttelsieb *n; 3~eux, se* durchlöchert, löcherig; **~ure** *f* Siebmehl *n.*

cric [krik] *m* (Hand-, Hebe-, Wagen-) Winde *f; mot* Wagenheber; *lever par ~ (mot)* auf=bocken; *(interj): ~ (crac)!* ritsch(, ratsch)!

cricket [krikɛ] *m* Kricket *n (Spiel).*

cri-cri [krikri] *m zoo* Heimchen *n.*

crid [krid] *m s. criss.*

cri|ée [krije] *f* (öffentliche) Versteigerung *f;* **~er** *itr* (auf=)schreien *a. fig;* (aus=)rufen; quietschen; kreischen, knirschen, knarren, kratzen; *(Farben)* nicht zs.=passen; *(Magen)* knurren; *(Grille)* zirpen; *(Jagdhund)* an=schlagen, bellen; schimpfen (*contre, après* auf *acc*); zu Felde ziehen, sich empören (*à* gegen); zum Himmel schreien; an=flehen (*vers Dieu* Gott); *(Tiere)* schreien; *tr: ~ qc* über *acc,* nach etw schreien; etw hinaus=schreien, hinaus=posaunen; zu=rufen (*qc à qn* jdm etw); *(Möbel)* öffentlich versteigern; *(Zeitungen)* aus=rufen; *~ au feu, au secours* Feuer, um Hilfe rufen; *~ sur les toits (fig)* an die große Glocke hängen; *~ vengeance* nach Rache schreien; *cela se ~e sur les toits* die Spatzen pfeifen es von den Dächern; **~erie** [kriri] *f* Geschrei *n;* **~eur, se** *m f* Ausrufer; Schreier, Schreihals *m.*

crime [krim] *m* Verbrechen *n;* Missetat *f,* Frevel *m; faire un ~ à qn de qc* jdm etw als Verbrechen zur Last legen; *faire, commettre, consommer, perpétrer un ~* ein V. begehen; *~ d'État* Staatsverbrechen *n; ~ de guerre* Kriegsverbrechen *n; ~ contre les mœurs* Sittlichkeitsverbrechen *n.*

Crimée, la [krime] die Krim.

crimin|aliser [kriminalize] *(Zivilsache)* zur Strafsache machen; **~aliste** *m* Kriminalist *m;* **~alistique** *f* Kriminalistik *f;* **~alité** *f* Strafbarkeit, -fälligkeit; Kriminalität *f;* **~el, le** *a* verbrecherisch; sünd-, frevelhaft; strafbar; Straf-; *s m f* Verbrecher(in *f*) *m; m* Strafgerichtsbarkeit *f; au ~* strafrechtlich *adv; acte m ~* strafbare Handlung, Straftat *f; affaire f ~le* Strafsache *f; code m d'instruction ~le* Strafprozeßordnung *f; juge m ~* Strafrichter *m; juridiction f ~le* Strafgerichtsbarkeit *f; procédure f ~le* Strafverfahren *n; procès m ~* Strafprozeß *m; ~ de guerre* Kriegsverbrecher *m; grand ~ de guerre* Hauptkriegsverbrecher *m;* **~ologie** *f* Kriminalwissenschaft *f.*

crin [krɛ̃] *m* Mähnen-, Schwanzhaar; Roßhaar(einlage *f*); *fam* (Menschen-) Haar; *(~ végétal) com* Seegras *n; à tous ~s* mit vollen Haaren; *fig* leidenschaftlich, heißblütig; reinsten Wassers; *comme un ~* griesgrämig; *se prendre aux ~s (fam)* sich in die Haare geraten.

crincrin [krɛ̃krɛ̃] *m fam* schlechte Geige, Fiedel *f.*

crinière [krinjɛr] *f* Mähne *f a. fam von Menschen;* Helmschweif; *poet* (Kometen-)Schweif *m.*

crinoline [krinɔlin] *f (Mode)* Krinoline *f.*

criqu|e [krik] *f* kleine Bucht *f; (Eisen, Stahl)* Riß *m;* **~er** *(Eisen, Stahl)* reißen.

criquet [krikɛ] *m* Heuschrecke *f; fam* Knirps *m;* Schindmähre *f;* schlechte(r) Wein *m; ~ migrateur* Wanderheuschrecke *f.*

crise [kriz] *f med allg* Krise, Krisis; Wendung, Wende(punkt *m*) *f; à l'abri de la ~* krisenfest; *déclencher, traverser une ~* e-e Krise hervor=rufen, durch=machen; *une ~ se prépare* es kriselt; *années f pl de ~* Krisenjahre *n pl; ~ économique (mondiale)* (Welt-)Wirtschaftskrise *f; ~ de l'énergie* Energiekrise *f; ~ de main-d'œuvre* Arbeitskräftemangel *m; ~ de l'habitat, du logement* Wohnungsnot *f; ~ ministérielle* Kabinetts-, Regierungskrise *f; ~ de nerfs: avoir une ~ de nerfs* durch=drehen; *~ de vente* Absatzkrise *f.*

crisp|ation [krispasjɔ̃] *f* Zs.schrumpfen *n,* Schrumpfung; (krampfhafte) Zuckung; *fam* Bewegung *f* der Ungeduld, Unruhe *f; donner des ~s à qn* jdn ärgern, *fam* auf die Palme bringen; **~er** (krampfhaft) zs.=ziehen, verkrampfen, verzerren; *fam* ungeduldig, unruhig machen, (auf=)reizen.

crispin [krispɛ̃] *m theat* Diener(rolle *f*); *allg* Witzbold *m; (Handschuh)* Stulpe, Manschette *f.*

criss [kris] *m* Kris *m (Dolch der Malaien).*

crisser [krise] knirschen (*des dents* mit den Zähnen).

cristal [kristal] *m* Kristall(glas *n*) *m* u. *n; fig poet* (kristallene) Klarheit *f; cristaux m pl* Kristallwaren, -sachen *f pl; fam* Soda *f* od *n; ~ au plomb* Bleikristall *n; ~ de roche* Bergkristall *m;* **~lerie** *f* Kristallfabrik(ation) *f;* **~lier** *m* Kristallsucher, -schleifer *m;* **~lière** *f* Kristallgrube; Kristallschleifmaschine *f;* **~lin, e** *a min* kristallin(isch), Kristall-; *anat* Linsen-; *fig* kristallklar; *s m anat* Linse *f;* **~lisation** *f* Kristallisation; Kristallgruppe; *fig* Erstarrung; Sammlung *f (um etw);* **~lisé, e** erstarrt *a. fig; sucre m ~* Kristallzucker *m;* **~liser** *tr* kristallisieren; *fig* zs.=fassen; *itr* u. *se ~* sich kristallisieren; *fig* sich zs.=schließen; Gestalt an=nehmen; **~lisoir** *m* Kristallisationsgefäß *n;* **~lographie** *f* Kristallographie *f;* **~loïde** *a* kristallähnlich; *s m chem* Kristalloid *n.*

critère, critérium [kritɛr, kriterjɔm] *m* Kriterium, Unterscheidungsmerkmal *n; sport* Ausscheidungs-, Vorkampf *m.*

critiqu|able [kritikabl] angreifbar; tadelnswert; **~e** *a* kritisch; entscheidend, ernst; *s m* (Kunst-, Literatur-) Kritiker; kritische(r) Geist *m; f* Kritik *f;* Tadel *m;* Besprechung, Rezension *f; prêter, donner prise à la ~* Anlaß zur Kritik geben; *~ littéraire* Buchbesprechung *f; ~ des textes* Textkritik *f;* **~er** kritisieren, tadeln; besprechen, rezensieren; **~eur, se** *m f* Krittler(in *f*), Kritikaster *m.*

croass|ement [krɔasmɑ̃] *m* Krächzen *n;* **~er** *(Rabe)* krächzen; *fig* schimpfen.

croc [kro] *s m* **1.** Haken; Enter-, Bootshaken; *zoo* Fang-, Hakenzahn *m;* Krebsschere; Hacke *f; fam* Zahn *m;* **2.** [krɔk] *interj* krach! *mettre, pendre au ~ (fig)* an den Haken, Nagel hängen; *moustaches f pl en ~* aufgezwirbelte(r) Schnurrbart *m; ~ de boucherie* Fleischerhaken *m;* **~-en--jambe** [-kɑ̃ʒɑ̃b] *m* Beinstellen *n a. fig; donner, faire un ~ à qn* jdm ein Bein stellen.

croch|e [krɔʃ] *a vx* krumm; *s f mus* Achtelnote; *pl* Schmiedezange *f; double, triple, quadruple ~* Sechzehntel-, Zweiunddreißigstel-, Vierundsechzigstelnote *f;* **~er** *mar* an=haken; *(Noten)* schwänzen; *(Karten)* um=biegen; *fam* an=klammern; fest=halten; **~et** [-ʃɛ] *m* (kleiner) Haken *m,* Häkchen *n;* Haspe *f;* Tragreff *n;* Sperrhaken, Dietrich *m;* Heftklammer *f;* (Schuh-)Knöpfer *m;* Häkelnadel *f;* Gehäkelte(s) *n; typ* eckige Klammer *f; (Schrift)* Schnörkel *m;* Schmachtlocke *f; zoo* Fangzahn *m, pl* Giftzähne *m pl;* (Gebiß-)Klammer, *arch* Krabbe *f; (Boxen)* Haken; *fig* Umweg; Abstecher *m; (Weg)* Biegung *f; être, vivre aux ~s de qn* auf jds Kosten leben; *faire un ~ (fig)* e-n Haken schlagen, aus=biegen; *~ d'arrêt* Sperr-, Stellhaken *m,* Sperrung *f; ~(-bascule) m* Schnellwaage *f; ~ de bottes* Stiefelhaken *m; ~ de boucherie* Fleischerhaken *m; ~ à feu* Schürhaken *m,* -eisen *n; ~ à la mâchoire (sport)* Kinnhaken *m; ~ à mousqueton* Karabinerhaken *m;* **~eter** [-ʃte] an e-m Haken auf=hängen; mit e-m Dietrich öffnen; häkeln; **~eteur** *m* Lastträger; Grobian *m; santé f de ~* robuste Gesundheit *f; ~ de portes, de serrures* Einbrecher *m;* **~u, e** krumm, gekrümmt; *avoir les mains ~es (fig)* lange Finger machen; *nez m ~* Hakennase *f.*

crocodil|e [krɔdɔdil] *m* Krokodil(leder) *n; loc* Krokodilkontakt *m; larmes f pl de ~* Krokodilstränen *f pl;* **~iens** *m pl* Krokodile *m pl,* Panzerechsen *f pl.*

crocus [krɔkys] *m bot* Krokus *m.*

croire [krwar] *irr* **1.** *itr (absolument)* glauben, *rel* gläubig sein; *~ à, en qc, en qn* an e-e S, an jdn glauben; Vertrauen haben (*à, en* zu); für wahr, für möglich halten; **2.** *tr* glauben (*qc, qn, que* e-e S, jdm, daß); *je le crois sans peine* das glaube ich gern; *je ne te crois pas* ich glaube (es) dir nicht;

(penser, s'imaginer) meinen, denken, wähnen; an≈nehmen, vermuten; *je ne le crois pas capable de cela* das glaube ich nicht von ihm; *je croyais le connaître* ich glaubte ihn zu kennen; *je te croyais à Paris* ich glaubte dich in Paris *od* ich dachte, du seiest in Paris; an≈sehen als, halten für; *je le crois honnête* od *honnête homme* ich halte ihn für ehrlich, für e-n ehrlichen Mann; das Gefühl haben, der Ansicht sein (zu *inf.*, daß); **3.** *se ~ (croire à tort que)* sich *(dat)* e-e S ein≈bilden; *il se croit un génie* er hält sich für ein Genie; *il se croit très malin* er bildet sich ein, er sei sehr gescheit; *il se croit persécuté* er leidet an Verfolgungswahn; *se ~ qn, s'en ~ (fam)* von sich überzeugt sein; *~ en Dieu* an Gott glauben; *donner à ~* vermuten lassen; *en ~* es glauben; *ne pas en ~ ses yeux, ses oreilles* s-n Augen, s-n Ohren nicht trauen; *à l'en ~* wenn man ihn (sie) hört; *faire ~ qc à qn* jdm etw ein≈reden, jdn von etw überzeugen; *en faire ~ à qn* jdm etw weis≈machen; *se faire ~* Glauben finden; *~ fermement* felsenfest glauben; *~ en soi* Selbstvertrauen haben; *à ce que je crois* meines Erachtens, meiner Ansicht nach; *je crois bien* das glaube ich schon; freilich! *je vous crois* ganz meine Meinung! das ist klar; *je crois que oui* ich glaube ja; *si vous m'en croyez* glauben Sie mir! *il est à ~* man könnte meinen; *il se croit obligé de* er hält es für seine Pflicht zu; *tout porte à ~ que* alles deutet darauf hin, daß; *c'est à n'y pas ~* das ist nicht zu glauben, das ist unglaublich.

crois|ade [krwazad] *f* Kreuzzug *m*, **~é, e** *a* gekreuzt, Kreuz-; *(Anzug)* zweireihig; *(Riemen)* geschränkt; *s m hist* Kreuzfahrer; Köper *m (Stoff)*; *f* Fenster(-kreuz) *n*, Kreuzstock *m*; Kreuzung *f*, Kreuzweg *m*; *arch* Querschiff; *(~ de fils)* Fadenkreuz *n*; *tech* Handgriff *m*; *mar* Ankerkreuz *n*; *feu m ~* Kreuzfeuer *n*; *mots m pl ~s* Kreuzworträtsel *n*; *point m ~ (Stickerei)* Kreuzstich *m*.

crois|ement [krwazmɑ̃] *m* (Straßen-, Rassen-)Kreuzung; Kreuzungsstelle; Überlappung, Überschneidung; *(Textil)* Bindung *f*; Fadenkreuz *n*; *geol* Scharung *f*; *(Beine)* Übereinanderschlagen *n*; *~ à niveau* schienengleiche(r) Übergang *m*; **~er** *tr* durchkreuzen; *(Menschen)* über den Weg laufen, begegnen, in die Quere kommen *dat*; *(Beine, Kleidungsstück)* überea.≈schlagen; über-, durchqueren; *(Gewebe)* köpern; *(Faden)* zwirnen, zs.≈drehen; *(Bajonett)* fällen; *itr mar* kreuzen; *(Kleidung)* sich überea.≈schlagen lassen; *se ~* sich kreuzen *(a. Briefe, Tiere)*; sich durchkreuzen; *(Linien)* sich schneiden; ea. begegnen; ea. in die Quere kommen; *hist* das Kreuz nehmen; *(se) ~ les bras* die Arme unter≈schlagen; *fig* die Hände in den Schoß legen; **~ette** *f* Kreuzchen *n*; *tech* kreuzförmige Anordnung *f*; **~eur** *m mar* Kreuzer *m*; *~ cuirassé* Panzerkreuzer *m*; **~ière** *f mar* Kreuzen *n*, Kreuzfahrt *f*; *aero* Flug *m*; *vitesse f de ~* Reisegeschwindigkeit *f*; **~illon** [-jɔ̃] *m (Fenster)* Querholz *n*, Sprosse *f*; Drehkreuz; Kreuzgitter; *tech* Handkreuz *n*; *tele* Kreuzverstrebung *f*; *(Kirche)* Querschiff *n*; *loc* Warnkreuz *n*.

croiss|ance [krwasɑ̃s] *f* Wachstum; (An-)Wachsen *n*; Wuchs *m*; *~ économique* Wirtschaftswachstum *n*; *~ zéro* Nullwachstum *n*; **~ant** *m* zunehmende(r) Mond *m*, Mondsichel *f*; *(Wappen, Gebäck)* Hörnchen *n*; *Art* Heckensichel *f*; *tech* Gesenkhammer *m*; *mot* Laufbahn *f* (des Reifens); *en (forme de) ~* halbmondförmig.

croisure [krwazyr] *f* Kreuzgewebe *n*, Köper *m*; Fadenkreuz *n*; Kreuzungspunkt; Übertritt *m*.

croît [krwa] *m* Zuwachs *m (e-r Herde)*; **~re** [krwatr] *irr* wachsen, zu≈nehmen (*en* an *dat*); größer (dicker, höher, länger) werden; sich entwickeln, gedeihen; *(Wasser)* steigen; *ne faire que ~ et embellir* immer größer u. schöner werden; *fig* prächtig gedeihen; *~ comme un champignon* tüchtig wachsen.

croix [krwa] *f* Kreuz *n*; Orden(skreuz *n*) *m*; Bildseite *f (e-r Münze)*; *fig* (Leidens-)Kreuz *n*; *en ~* über Kreuz, kreuzweise; *la ~ et la bannière (fig)* viele Umstände; *mettre les jambes en ~* die Beine überschlagen; *mettre, attacher, clouer qn sur la* (od *en*) *~* jdn ans Kreuz schlagen, kreuzigen; *faire le signe de la ~* ein Kreuz schlagen; *faire, mettre une ~ sur qc (fig)* etw endgültig begraben; *il faut faire une ~ (à la cheminée)* das muß man im Kalender rot an≈streichen; *brassard m de la C~-Rouge* Rotkreuzbinde *f*; *chemin m de ~* Leidens-, Kreuzweg *m*; *portement m de la ~* Kreuztragung *f*; *~ d'atterrissage (aero)* Landekreuz *n*; *~ de fer* Eiserne(s) Kreuz *n*; *~ gammée* Hakenkreuz *n*; *~ potencée* Kruckenkreuz *n*; *la C~-Rouge* das Rote Kreuz; *~ de Saint-André* Andreaskreuz *n*.

cromlech [krɔmlɛk] *m* Kromlech *m* *(vorgeschichtliche Steingruppe).*
crône [kron] *m mar* Ladekran *m.*
croquant, e [krɔkɑ̃, -t] *a* knusp(e)rig; *s m* arme(r) Schlucker, einfältige(r) Mensch; *fam* Bauer; *(Fleisch)* Knorpel *m; s f (a. m)* Krokantkuchen *m.*
croque au sel [krɔkosɛl] : *à la* ~ (nur) mit Salz.
croque|-madame [krɔkmadam] **~e-monsieur** *m inv* Toast *m* mit Hühnerfleisch, gekochtem Schinken, (mit Käse überbacken).
croquembouche [krɔkɑ̃buʃ] *f* Krokant *m.*
croque|-mitaine [krɔkmitɛn] *m* Butzemann, schwarze(r) Mann *m;* **~-mort** *m fam* Begräbnisordner; Leichenträger *m; avoir une figure de* ~ *(fig)* e-e Leichenbittermiene zur Schau tragen; **~not** [-o] *m pop* Schuh *m;* **~(-)note** *m* arme(r) *od* schlechte(r) Musiker *m.*
croqu|er [krɔke] *itr* krachen, knirschen; *tr* knabbern, knuspern (*qc* an e-r S); hinunter⸗schlingen; skizzieren; *fig* (das Wesentliche) fest⸗halten, wieder⸗geben (*qc* von e-r S); *(Noten)* aus⸗lassen; *sport* krockieren; *(Geld)* verprassen; *arg (Mädchen)* verführen; *à* ~ zum Malen; zum Anbeißen (hübsch); *en* ~ *(arg)* verpfeifen; ~ *le marmot (fam)* ewig warten; *chocolat m à* ~ Eßschokolade *f;* **~et** [-kɛ] *m* **1.** Krokantstück; **2.** Krocket(spiel) *n;* **~ette** *f (Küche)* Krokette *f;* Schokoladeplätzchen *n.*
croqueur [krɔkœr] *m* Nascher, Fresser *m;* ~ *de rimes (fam)* Reimer, Reimschmied *m.*
croquigno|le [krɔkiɲɔl] *f* Krokantstückchen *n;* Nasenstüber *m; fig* Beleidigung *f;* **~let, te** [-lɛ, -lɛt] *fam* reizend, süß.
croquis [krɔki] *m* Skizze *f,* Entwurf *m; porter sur un* ~ in e-e Skizze ein⸗zeichnen; ~ *coté* Maßskizze *f;* ~ *au crayon* Bleistiftskizze *f;* ~ *panoramique, planimétrique* Ansichts-, Grundrißskizze *f;* ~ *à la plume* Federzeichnung *f;* ~ *du terrain* Geländeskizze *f.*
crosne [kron] *m bot* Knollenziest *m.*
cross-country [krɔskuntri] *m sport* Geländelauf *m.*
cross|e [krɔs] *f* gekrümmte(r) Griff; Henkel *(e-r Kanne); rel* Krummstab; (Gewehr-)Kolben; Lafettenschwanz; (Hockey-)Schläger *m;* (Anker-)Kreuz *n; tech* Kreuzkopf *m;* Krücke *f; (Aorta)* Bogen *m; chercher des ~s à qn (pop)* mit jdm Streit an⸗fangen; **~er** *(Ball)* fort⸗schlagen, -stoßen; *fig pop vx* herunter⸗machen, ab⸗kanzeln; *se* ~ sich streiten, sich schlagen; **~eron** *m* Krücke *f (des Krummstabes);* **~ette** *f* Trieb *m (e-s Baumes); arch* Verkröpfung *f.*
crotale [krɔtal] *m* Klapperschlange *f.*
crott|e [krɔt] *s f zoo* Kot; (Straßen-)Schmutz, Dreck *m; fig fam* Elend *n,* Gosse *f; fam* Schätzchen *n; interj* verflixt! ~ *de bique (fam)* Trödelkram *m;* ~ *(de chocolat)* Praline *f;* **~é, e** beschmutzt, schmutzig; *fig* elend; *il fait* ~ es ist schmutzig(es Wetter); **~er** beschmutzen, beschmieren; **~in** *m* Pferdeäpfel *m pl;* Mist *m.*
croul|ant, e [krulɑ̃, -ɑ̃t] baufällig; *fig* altersschwach; nahe am Zs.brechen; morsch; ~ *de sommeil* zum Umfallen müde; **~ement** *m* Einsturz *m;* **~er** (ein⸗)stürzen; erschüttert werden, wackeln; *fig* zs.⸗stürzen, -brechen; *faire* ~ *(fig)* über den Haufen werfen; *se laisser* ~ *à terre* sich zu Boden fallen lassen.
croup [krup] *m* (echter) Krupp *m,* Kehlkopfdiphtherie *f.*
croupade [krupad] *f (Pferd)* Hochsprung *m.*
croupal, e [krupal] *med* kruppös.
croup|e [krup] *f* Kruppe *f,* Kreuz *n (des Pferdes); fam* Hintern *(bes. e-r Frau);* Bergrücken; *arch* Walm *m;* Halbkuppel *f; être chatouilleux sur la* ~ *(fig fam)* empfindlich sein; *monter en* ~ hinten auf⸗sitzen; *fig* folgen, begleiten; *tortiller la* ~ *(fam)* mit den Hüften wackeln; ~ *en forme de cône* Bergkegel *m;* **~etons** [-ptɔ̃] : *à* ~ hockend, kauernd; *se tenir à* ~ (nieder⸗)kauern.
croupi, e [krupi] *a* modrig; *fig* verrottet; *(Wasser)* versumpft, stagnierend.
croupier [krupje] *m (Glücksspiel)* Croupier; *com* stille(r) Teilhaber; *fig* Helfershelfer *m.*
croupière [krupjɛr] *f (Pferd)* Schwanzriemen *m; mar* Hintertau *n; tailler des ~s à qn (fig)* jdm zu schaffen, Schwierigkeiten machen.
croupion [krupjɔ̃] *m fam* Steißbein *n; zoo* Schwanzwurzel *f; orn* Bürzel, Sterz *m; ne pas se décarcasser le* ~ *(fam fig)* sich kein Bein aus⸗reißen.
croupir [krupir] hocken, kauern; stokken, stagnieren; schlecht, faulig, stinkend werden; (ver)modern; *fig* (im Schmutz) verkommen.
croupon [krupɔ̃] *m (Rinderhaut)* Körper *m,* Kernstück *n.*
croust|ade [krustad] *f* knusprige Kruste *f;* Überbackene(s) *n;* **~illant, e** [-jɑ̃, -ɑ̃t] knusprig; *fig* schlüpfrig; *fig fam (Frau)* (frisch u.) knusp(e)rig;

~**ille** [-ij] *f fam* kleine Kruste; dünne Bratkartoffel *f; fam* Imbiß *m;* ~**iller** *tr* knuspern, knabbern; *itr* knusprig sein; ~**illeux, se** schlüpfrig.

croût|e [krut] *f* Kruste; (Brot-)Rinde *f;* Stück *n* Brot; Imbiß; *pop* Lebensunterhalt *m,* Brot *n; med* Schorf, Grind; Schinken *m,* schlechte(s) Gemälde *n; fam* verknöcherte(r) Mensch, Dummkopf *m; tech* Gußrinde; Schwarte; *allg* oberste Schicht *f; casser la ~ (pop)* essen, futtern; *casser une ~ (pop)* e-n Imbiß nehmen; frühstücken, vespern; *~s de lait (med)* Milchschorf *m; ~ terrestre* Erdrinde *f;* ~**er** mit e-r Kruste überziehen; *pop* essen; *se ~* verschorfen, verkrusten; ~**eux, se** grindig; ~**on** *m* Stück *n* Brotrinde, -kruste; Kanten, Knust; geröstete(r) Brotbrocken; schlechte(r) Maler; *fam* verknöcherte(r), bornierte(r) Mensch *m.*

crown(-glass) [krawn(glas)] *m tech* Kronglas *n.*

croy|able [krwajabl] glaubhaft, -würdig; ~**ance** *f* Glaube(n) *m* (*en Dieu* an Gott; *à qc* an e-e S); Glaubwürdig-, -haftigkeit; Überzeugung, Meinung, Anschauung *f;* ~**ant, e** *a* gläubig; *s m f rel* Gläubige(r *m*) *f.*

cru [kry] *m* Wuchs; Zuwachs *m; (Wein)* Gewächs *n,* Sorte *f;* (Grund u.) Boden *m,* Anbaufläche *f; du ~* (ein)heimisch; *de son ~* von ihm selbst; auf seinem Boden, *fam* Mist gewachsen; *bouilleur m de ~* Weinbrenner *m; grand ~* edle(r) Wein *m;* ~**, e** *a* roh, ungekocht; schwerverdaulich; *(Wasser)* hart; *(Farbe, Ton)* grell; *fig* roh, schonungslos, hart, derb; *(Wahrheit)* nackt; frei, offen; *tech* roh, unbearbeitet, unverarbeitet; *(Ziegel)* ungebrannt; *s m: à ~* direkt, ohne Unterlage; *monter à ~* ohne Sattel reiten; *parler ~* kein Blatt vor den Mund nehmen; *cuir, métal m, soie f ~(e)* Rohleder, -metall *n,* -seide *f.*

cruauté [kryote] *f* Grausamkeit; Roheit, Wildheit; Gefühllosigkeit; Härte; grausame Tat *f; exercer sa ~ sur qn* seine Roheit an jdm aus=lassen; *~ envers les animaux* Tierquälerei *f.*

cruch|e [kryʃ] *f* Krug *m,* Kruke *f; fig fam* Esel *m,* dumme Gans *f; tant va la ~ à l'eau qu'à la fin elle se brise* od *casse* der Krug geht so lange zum Brunnen, bis er bricht; ~**ette** *f* kleine(r) Krug *m;* ~**on** *m* kleine(r) Krug *m;* Wärmflasche *f (aus Ton); fig* (Einfalts-)Pinsel *m.*

cruci|al, e [krysjal] kreuzförmig; *fig* entscheidend, Entscheidungs-; ~**féracées,** ~**fères** *f pl bot* Kreuzblütler *m pl;* ~**fère** *a arch* kreuztragend; ~**fiement** [-fimɑ̃] *m* Kreuzestod *m;* Kreuzigung; Kasteiung *f;* ~**fié** *s m* Gekreuzigte(r) *m;* ~**fier** kreuzigen; kasteien; *fig* martern, quälen, peinigen; ~**fix** [-fi] *m* Kruzifix *n; mangeur m de ~* Frömmler, Scheinheiliger *m;* ~**fixion** [-ksjɔ̃] *f* Kreuzigung *f;* ~**forme** kreuzförmig; ~**rostre** [-rɔstr] *orn* kreuzschnäblig; ~**verbiste** *m f* jem, der Kreuzworträtsel löst.

crudité [krydite] *f* rohe(r) Zustand *m;* schwerverdauliche Speise *f;* Sodbrennen *n; (Wasser)* Härte; *fig* Roheit, Brutalität; Ungezwungenheit, Derbheit; *pl* Rohkost *f;* unanständige Reden *f pl; ~ des couleurs, des tons* grelle Farben *f pl,* Töne *m pl.*

crue [kry] *f* Hochwasser *n.*

cruel, le [kryɛl] grausam, unmenschlich; unerbittlich; streng, hart; schmerzlich; qualvoll; bitter; unausstehlich; *(Tier)* blutgierig, -rünstig; ~**lement** *adv fam* sehr, übermäßig; äußerst.

cruiser [kruzœr] *m* Luxusjacht *f.*

crûment [krymɑ̃] *adv* ungeschminkt, unverblümt; schonungslos; derb; *éclairer ~* grell beleuchten.

cruor [kryɔr] *m* geronnene(s) Blut *n.*

crural, e [kryral] *a* (Ober-)Schenkel-.

crustacés [krystase] *m pl* Krusten-, Krebstiere *n pl.*

cryolithe [krijɔlit] *f min* Kryolith *m.*

crypte [kript] *f arch rel* Krypta; Gruft *f.*

crypto|game [kriptɔgam] *a bot* bedecktsamig; *s f pl* bedecktsamige Pflanzen *f pl;* ~**gamique** *a: maladie f ~* Pilzkrankheit *f;* ~**gramme** *m* chiffrierte(s) Schriftstück *n;* ~**graphie** *f* Geheimschrift *f;* ~**graphique** *a: caractères m pl ~s* Geheimzeichen *n pl.*

crypton [kriptɔ̃] *m chem* Krypton *n.*

cub|age [kybaʒ] *m* (Messung *od* Berechnung *f* des) Rauminhalt(s) *m;* ~**ature** *f* Verwandlung *f* in e-n Würfel; ~**e** *s m math* Würfel *m;* Kubikzahl *f; (bouillon-~)* Suppen-, (Fleisch-) Brühwürfel; *fig* Klotz *m; a* Kubik-; *élever au ~* zur dritten Potenz erheben; *mètre m ~* Kubikmeter *m* od *s;* ~**er** *tr* kubieren, zur dritten Potenz erheben; den Rauminhalt messen *od* berechnen (*qc* e-r S *gen*); *itr* e-n Rauminhalt von ... haben; *(e-e hohe Summe)* aus=machen; ~**ilot** [-lo] *m tech* Kupolofen *m;* ~**ique** würfelförmig, kubisch; Raum-; *racine f ~* Ku-

bikwurzel *f;* **~isme** *m* Kubismus *m;* **~iste** *a* kubistisch; *s m* Kubist *m.*
cubital, e [kybital] Ellbogen-.
cubitus [kybitys] *m anat* Elle *f.*
cucurbitacées [kykyrbitase] *f pl* Kürbisgewächse *n pl.*
cucurbite [kykyrbit] *f* Destillierkolben *m.*
cueill|aison [kœjɛzõ] *f* (Zeit *f* der) Obsternte *f;* **~e-fruits** *m inv* Obstpflücker *(Gerät);* **~oir** *m* Obstkorb, -pflücker *m;* **~ette** *f* Obsternte *f; (Obst, Blumen)* Pflücken; (Ein-)Sammeln *n; mar* Sammelladung *f;* **~eur, se** *m f* (Obst-)Pflücker(in *f*) *m (Person); m (Strumpf)* Aufnehmer *m; ~euse mécanique de coton* Baumwollpflückmaschine *f;* **~ir** *irr (Obst, Blumen)* pflücken; (ein=)sammeln, lesen; *fig* genießen; ergreifen; *(Kuß)* rauben; *fam* überraschen, fest=nehmen; (plötzlich) weg=holen; *(Textil)* kulieren.
cuic [kɥik] *m orn* Pieplaut *m.*
cuiller, cuillère [kɥijɛr] *f* Löffel *m a. tech;* Kelle *f; orn* Löffelreiher *m; pop* Hand *f; (Fischfang)* Blinker *m; ne pas y aller avec le dos de la ~* tüchtig zulangen, *fig* kein Blatt vor den Mund nehmen; *biscuit m à la ~* Löffelbiskuit *m; herbe f aux ~s (bot)* Löffelkraut *n; ~ de bois* Kochlöffel *m; ~ à soupe,* Suppen-, Eßlöffel *m; ~ à café, petite ~* Kaffee-, Teelöffel *m; ~ (de coulée) tech* Gießkelle *f; ~ à dessert* Dessertlöffel *m; ~ (de drague)* Baggereimer *m; ~ à fondre (tech)* Schmelzlöffel *m; ~ (à pompes) tech* Löffelbohrer *m; ~ à pot* Suppenkelle *f;* **~ée** [kɥijəre] *f* Löffel *m* voll; **~on** *m* Löffelschale *f.*
cuir [kɥir] *m* Leder *n; (Tier)* Haut *f;* Lederwaren *f pl; fam* (Sprach-)Fehler *m,* falsche Bindung *f; pl mil* Lederzeug *n; arg sport* Leder *n,* Fußball *m; entre ~ et chair* unter der *od* die Haut; heimlich, im stillen; *tanner le ~ à qn (fig pop)* jdm das Fell gerben; *visage m de ~ bouilli* verwitterte(s) Gesicht *n; ~ artificiel* Kunstleder *n; ~ brut, vert* Rohleder *n; ~ chevelu* Kopfhaut *f; ~ de choix* Kernleder *n; ~ à empeignes* Oberleder *n; ~ fossil* Asbest *m; ~ d'œuvre, de molleterie* gegerbte(s) Leder *n; ~ de poule* feine(s) Handschuhleder *n; ~ de rasoir* Streichriemen *m; ~ de Russie* Juchten *m* od *n; ~ à semelle(s)* Sohl(en)leder *n; ~ en suif* Sattlerleder, geschmierte(s) Leder.
cuirass|e [kɥiras] *f* Harnisch, Brustpanzer; *zoo mar* Panzer; *tech* Mantel *m; défaut m de la ~* ungeschützte Stelle; *fig* schwache Stelle *od* Seite *f,* wunde(r) Punkt *m;* **~é, e** *a* gepanzert, Panzer-; *fig* gewappnet, gefeit (*contre* gegen); *s m* Panzer-, Schlachtschiff *n; division f ~e* Panzerdivision *f;* **~er** mit e-m Panzer versehen, panzern; *fig* gefeit machen; *se ~* sich wappnen (*contre* gegen).
cuire [kɥir] *irr tr itr* kochen, sieden; backen; braten; *(Ziegel, Porzellan)* brennen; *(Sonne)* reifen lassen; *itr* brennen, weh tun; *fam* (auf dem Scheiterhaufen) verbrennen *tr itr; fig* (in der Sonne) braten; *être dur à ~ (fig)* hartgesotten sein; *~ au même four* e-n gemeinsamen Haushalt führen; *~ dans son jus (fam)* im eigenen Saft braten; *il m'en cuit* es tut mir leid, reut mich; *trop gratter cuit, trop parler nuit* Reden ist Silber, Schweigen ist Gold.
cuis|age [kɥizaʒ] *m (Holz)* Verkohlen *n;* **~ant, e** leicht zu kochen(d); *(Schmerz)* stechend, brennend; *(Kälte)* schneidend; *fig* quälend; *(Bemerkung)* beißend; *essuyer un échec ~* e-e schwere Schlappe erleiden; **~eur** *m* (Ziegel-, Wein-)Brenner; große(r) Kochtopf *m;* **~ine** *f* Küche *f;* Kochen *n,* Kochkunst; Kost *f;* Küchenpersonal *n; fig fam* Mache *f,* Schwindel *m; faire la ~ (en plein air)* (ab)kochen; *fig* es (den Leuten) mundgerecht machen; *chaise f, couteau, fourneau m, table f de ~* Küchenstuhl *m,* -messer *n,* -herd, -tisch *m; latin m de ~* Küchenlatein *n; livre m de ~* Kochbuch *n; ~ fonctionelle* moderne Küche *f; ~ de poupée* Puppenküche *f; ~ roulante (mil)* Feldküche, Gulaschkanone *f; ~ scolaire* Schulspeisung *f;* **~iner** kochen, zu=bereiten; *fig fam* hin=drehen, schaukeln; mundgerecht machen; *arg* geschickt aus=fragen; **~inette** *f* kleine Küche *f;* **~inier, ère** *s m f* Koch *m,* Köchin *f; m* Kochbuch *n; arg* Denunziant; Kriminalbeamte(r); Rechtsanwalt *m; f* Küchen-, Kochherd *m; ~ chef, chef ~* Küchenchef, -meister, Oberkoch *m; tablier m de ~inière* Küchenschürze *f; ~inière à gaz, électrique* Gasherd, elektrische(r) Herd *m.*
cuiss|ard [kɥisar] *m hist med* Beinschiene *f; tech* (Verbindungs-)Hals *m;* **~e** *f* (Ober-)Schenkel *m;* Lende, Keule *f;* **~eau** *m* (Kalbs-)Keule *f.*
cuisson [kɥisõ] *f* Kochen, Sieden, Backen *n;* Koch-, Backzeit *f;* Kochwasser; *med* Brennen, Stechen; *tech* (Ein-)Brennen *n; de ~* selbstgebakken; *plaque f de ~* Koch-, Heizplatte *f.*

cuissot [kɥiso] *m* (Wild-)Keule *f.*
cuist|ance [kɥistɑ̃s] *f arg mil* Küche, Verpflegung *f;* **~ot** *m arg mil* Küchenbulle *m.*
cuistre [kɥistr] *m lit* Pedant, Schulfuchs *m;* **~rie** [-trə-] *f* Pedanterie *f.*
cuit, e [kɥi, -it] *pp s. cuire; a fam* ruiniert, verloren; *pop* besoffen; *assez, bien ~* gar; *avoir son pain ~* zu leben haben; *c'est du tout ~ (fam)* das ist ganz einfach; **~e** *f (Töpferei)* Brennen *n,* Brand; Schub *m (Ofenvoll);* Eindicken *n; pop* Schwips, Suff *m;* **~er, se** *pop* sich besaufen.
cuivr|e [kɥivr] *m* Kupfer; Kupfergeschirr; Blechinstrument; Kupfer (-stich *m*) *n; fil m de ~* Kupferdraht *m; ~ brut, électro* Roh-, Elektrolytkupfer *n; ~ jaune* Messing *n; ~ pyriteux* Kupferkies *m; ~ rouge* (reines) Kupfer *n; ~ vert (min)* Malachit *m;* **~é, e** *a* kupferrot; *(Stimme)* metallisch, klangvoll; **~er** verkupfern; kupferrot färben; **~erie** [-vrə-] *f* Kupferhütte, -schmiede *f;* Kupferwaren *f pl;* Kupferschmuck *m;* **~eux, se** *a* Kupfer-; kupferartig.
cul [ky] *m fam* Hintern, Po(po); *vulg* Arsch; Dummkopf; *(Flasche)* Boden; *m; mar* Gatt *n; à ~* am Ende *(ohne Mittel); en avoir plein le ~ (vulg)* im Eimer, erledigt sein, es satt haben; *baiser le ~ à qn (fig)* jdm in den Hintern kriechen; *enlever le ~ à qn* jdn verdreschen, verprügeln; *~-de-basse--fosse m* Verlies *n; ~-blanc m orn* Weißschwanz *m; ~-de-bouteille s m* Flaschenboden *m; a* flaschengrün; *~-de-four m arch* Halbkuppelgewölbe *n; ~-de-jatte m* Krüppel *m* ohne Beine *od* mit gelähmten Beinen; *~-de-lampe m arch* herabhängende Deckenverzierung *f; typ* Schlußvignette *f; ~-de-plomb m* schwerfällige(r) Mensch; Stubenhocker *m; ~-de--sac m* Sackgasse *f; ~-terreux m fam* Bauer *m;* **~asse** [-las] *f (Geschütz)* Bodenstück *n; (Gewehr)* Verschluß *m,* Schloß *n; mot* Zylinderkopf *m; el* Joch *n.*
culbut|e [kylbyt] *f* Purzelbaum, *sport* Überschlag; *allg* Sturz; *fig* Ruin *m,* Pleite *f; faire la ~* e-n Purzelbaum schlagen *od* schießen; **~er** *tr* über den Haufen werfen; *fig* auf den Kopf stellen; *mil* überrennen; *tech* (um=) kippen *a. itr,* aus=schütten; *itr* purzeln; *fig* Pleite, Bankrott machen; zugrunde gehen; *ne pas ~!* nicht kanten! nicht stürzen! **~erie** *f* Kippvorrichtung *f;* **~eur** *m tech* Kipper, Wipper; Kipphebel *m; interrupteur m à ~* Kippschalter *m;* **~is** [-ti] *m fam vx* Durcheinander *n.*
cul|ée [kyle] *f (Brücke)* Widerlager *n; mar* Rücklauf *m;* **~er** rückwärts gehen, fahren *a. mar; (Wind)* von achtern kommen; **~ière** *f (Pferd)* Schwanzriemen *m.*
culinaire [kylinɛr] kulinarisch; Küchen-, Koch-; *art m ~* Kochkunst *f.*
culmen [kylmɛn] *m* höchste Erhebung *f (e-s Gebirges, Massivs).*
culmin|ant, e [kylminɑ̃, -ɑ̃t] *a: point m ~ (astr)* Kulminationspunkt *m,* Mittagshöhe *f; geog* höchste(r) Punkt; *fig* Höhepunkt *m;* **~ation** *f astr* Kulmination *f; fig* Höhepunkt *m;* **~er** astr kulminieren; *geog* die größte Höhe erreichen; *fig* s-n Höhepunkt erreichen, gipfeln.
culot [kylo] *m* Jüngste(s) *(e-s Wurfes, im Nest); fig* Nesthäkchen *n;* Letzte(r); Bodensatz; (Lampen-, Glühbirnen-)Sockel; *mil* Geschoßboden *m; tech* Probekorn; *(Zündkerze)* Gehäuse *n; fam* Frechheit, Dreistigkeit *f.*
culot|te [kylɔt] *f a. pl* Knie-, Breecheshose; kurze Hose *f;* Schlüpfer *m; (Rind)* Schwanz-, *(Taube)* Bürzelstück; *tech* Gabelrohr *n; (Spiel)* beträchtliche(r) Verlust *m;* Pech(strähne *f*) *n; pop* Schwips, Rausch *m; porter la ~ (fig)* die Hosen an=haben; *prendre une ~* Pech (im Spiel) haben; *~ de chasse* Jagdhose *f; ~ de cheval* Reithose *f; ~ de golf* Knickerbocker *pl,* Golfhose *f; ~ de gymnastique* Turnhose *f; ~ de peau (mil fam)* Gamaschenhengst *m;* **~ter** *(durch Gebrauch, bes. Rauch)* schwärzen; *~ qn* jdm die Hose an=ziehen; **~tier, ère** *m f* Hosenschneider *m;* Hosennäherin *f.*
culpabili|ser [kylpabilize] *(Psychologie)* jdm Schuldgefühle ein=reden; **~té** *f* Schuld, Straffälligkeit; Strafbarkeit *f.*
culte [kylt] *m* (göttliche, Gottes-)Verehrung *f a. fig;* Kult *m;* Religion(sausübung) *f;* Kultus, Gottesdienst *m;* Anbetung *f; ~ domestique* Hausandacht *f; ~ de la personnalité* Personenkult *m.*
cult|ivable [kyltivabl] anbaufähig; **~ivateur** *s m* Landwirt; Landarbeiter; Kultivator *m (Gerät); a* ackerbautreibend; **~ivé, e** bebaut; *fig* gebildet; *surfaces f pl ~es* Anbaufläche *f;* **~iver** be-, an=bauen, (an=)pflanzen; bestellen, kultivieren; *fig* entwickeln, bilden, vervollkommnen; betreiben, pflegen; häufigen Umgang pflegen *od* suchen, verkehren (*qn* mit jdm); *fam* sich warm=halten (*qn* jdn).

cultuel, le [kyltɥɛl] *a* kultisch, gottesdienstlich; Kultus-; *s f* kulturelle Vereinigung *f.*
cult|ural, e [kyltyral] landwirtschaftlich; **~ure** *f* Anbau *m,* Zucht, (*a.* Bakterien-)Kultur; Bestellung; Bewirtschaftung, Wirtschaft *f;* Acker-, Kulturland *n; fig* Pflege, Bildung; Kultur *f; bouillon m de ~* Nährlösung *f (für Bakterien); mise f en ~ (Boden)* Nutzung *f; ~ du corps* Körperpflege *f; ~ florale* Blumenzucht, -kultur *f; ~ générale* Allgemeinbildung *f; ~ maraîchère* Gemüsebau *m; ~ physique* Leibesübungen *f pl; ~ de la vigne* Weinbau *m;* **~urel, le** kulturell, Kultur-; *biens m pl ~s* Kulturgüter *n pl;* **~uriste** *m f* Gymnastiktreibende(r *m) f.*
cumin [kymɛ̃] *m* Kümmel *m; ~ des prés* Gartenkümmel *m.*
cumul [kymyl] *m* Kumulierung *f;* gleichzeitiger Besitz *m* (mehrerer Ämter); *fam* Doppelverdienertum *n; ~ d'actions, de demandes (jur)* Klagehäufung *f; ~ de délits* Realkonkurrenz *f;* **~ard** *m fam* Doppelverdiener *m;* **~atif, ive** zusätzlich; Zusatz-; **~er** *tr, itr* (an=)häufen; mehrere Ämter gleichzeitig bekleiden; Doppelverdiener sein.
cumulus [kymylys] *m* Haufenwolke *f.*
cunéiforme [kyneifɔrm] *a: écriture f ~* Keilschrift *f.*
cupid|e [kypid] habsüchtig; gierig (*de* nach); **~ité** *f* Begierde, Habsucht *f.*
cupr|ifère [kyprifɛr] *a* kupferhaltig; *s f pl* Kupferwerte *m pl;* **~ique** kupferartig; Kupfer-; **~ite** *f* Rotkupfererz *n.*
cupule [kypyl] *f bot* Becher *m.*
curab|ilité [kyrabilite] *f* Heilbarkeit *f;* **~le** heilbar.
curat|elle [kyratɛl] *f jur* Kuratel, Vormundschaft, Pflegschaft *f;* **~eur, trice** *m f* Pfleger, Vormund, Kurator *m;* **~if, ive** *a* heilend; Heil-; *s m* Heilmittel *n; effet m ~* Heilwirkung *f; méthode f ~ive* Heilmethode *f.*
cure [kyr] *f* Kur; Heilung; Pfarrstelle, Pfarre(i) *f;* Pfarramt; Pfarrhaus *n; n'en avoir ~* sich nicht kümmern (*de* um); *faire, suivre une ~* e-e Kur gebrauchen, machen, an=wenden, sich e-r Kur unterziehen; *maison f de ~* Kurhaus *n; ~ d'air* Luftkur *f; ~ d'amaigrissement* Abmagerungskur *f; ~ hydrominérale* Trinkkur *f; ~ de jeûne* Heilfasten *n.* Fastenkur, *fam hum* Hungerkur *f; ~ de jouvence, de rajeunissement* Verjüngungskur *f; ~ de raisin, uvale* Traubenkur *f; ~ de repos, de chaise-longue* Liegekur *f; ~ thermale* Badekur *f.*
curé [kyre] *m (kath.)* Pfarrer *m.*
cure-dent [kyrdɑ̃] *m* Zahnstocher *m.*
curée [kyre] *f* Jägerrecht *n (der Hunde); âpre à la ~* beutegierig, gewinnsüchtig, ehrgeizig; *~ des places (fig)* Stellenjägerei *f.*
curement [kyrmɑ̃] *m* Abwässerklärung *f.*
cure|-môle [kyrmol] *m mar* Baggerprahm *m;* **~-ongles** *m inv* Nagelreiniger *m;* **~-oreille** *m* Ohrlöffel *m;* **~-pipe** *m* Pfeifenreiniger *m.*
cur|er [kyre] säubern, reinigen, aus=fegen; aus=schlämmen; aus=baggern; *se ~ les dents* sich in den Zähnen stochern; **~eter** *med* aus=kratzen, -schaben; **~ette** *f med* Kürette *f; min* Kratz-, Schabeisen *n,* Schlacken-, Löffelräumer *m;* **~eur** *m* Brunnen-, Kanalreiniger *m.*
curial, e [kyrjal] pfarramtlich, Pfarr-; *maison f ~e* Pfarrhaus *n.*
curie [kyri] *f rel* Kurie *f; (Maßeinheit)* Curie *n.*
curiethérapie [kyriterapi] *f* Radiotherapie *f.*
curiste [kyrist] *m* Kurgast *m.*
curi|eux, se [kyrjø, -øz] *a* wissensdurstig, wißbegierig; neugierig; merkwürdig, sonderbar, eigenartig, seltsam; erstaunlich; sehenswert; *s m* Neugierige(r), Schaulustige(r); Liebhaber; *arg* Untersuchungsrichter *m;* **~osité** [-oz-] *f* Neugier(de) *f;* Wissensdurst *m,* Wißbegierde; Seltenheit; Sehenswürdigkeit *f; pl* Raritäten *f pl.*
curriculum (vitae) [kyrikylɔm (vite)] *m (geschriebener)* Lebenslauf *m.*
curry [kyri] *m* Curry *m* od *n.*
curs|eur [kyrsœr] *m* Läufer, Schieber, Schiebering; *(Waage)* Reiter *m,* Laufgewicht *n; tech* Schlitten; *el* Gleitkontakt *m;* **~if, ive** *a (Schrift)* kursiv, fließend; *(Sprache, Stil)* flott, flüssig; *s f* Kursive, Kursivschrift *f.*
curure [kyryr] *f* Schlamm *m,* Baggergut *n.*
curv|atif, ive [kyrvatif, -iv] sich leicht aufrollend; **~iligne** *math* krummlinig; **~imètre** *m* Kurvenmesser *m,* Meßrädchen *n.*
cuscute [kyskyt] *f bot* Flachsseide *f.*
cuspid|e [kyspid] *f bot* Blattstachel, -dorn *m;* **~é, e** mit Blattstacheln, -dornen versehen.
custode [kystɔd] *f rel* (Hostien-)Behälter; Altarvorhang *m; (Wagen)* Seitenlehne; *(Auto)* Heckscheibe *f.*
cut|ané, e [kytane] *a* Haut-; **~icule** *f anat bot* Häutchen *n;* **~i(-réaction)** *f med* Pirquetsche Reaktion *f.*
cutter [kœtœr] *m mar* Kutter *m.*

cuv|age *m,* **~aison** *f* [kyvaʒ, -ɛzõ] *(Wein)* Gärenlassen *n;* **~e** [kyv] *f* *(Wein)* Bütte *f,* Gärbottich; *allg* Bottich, Zuber *m,* Wanne *f;* Trog *m;* Bowle; *tech* Pfanne; (Abdampf-) Schale *f; (Hochofen)* Schacht *m; (Gasometer)* Glocke *f; ~ de stockage* Behälter *m; ~ sous pression* Druckbehälter *m;* **~eau** *m* kleine Wanne, Bütte *f;* **~ée** *f* Wanne-, Büttevoll; *fig fam* Herkunft, Art *f; de première ~ (Wein)* erster Sorte *od* Güte; **~elage** *m* Auskleidung, Verzimmerung *f;* **~eler** arch verschalen, aus≈kleiden; *min (Schacht)* küvelieren; **~er** *itr (Wein)* in der Bütte gären; *fig* stärker werden; *tr* gären lassen; *~ son vin (fam)* seinen Rausch aus≈schlafen; *fig* sich beruhigen; **~ette** *f* Schale; Waschschüssel *f;* Ausguß-, Klosett-, Pißbecken *n; (Dachrinne)* Trichter *m;* (Quecksilber-)Kapsel *f; (Uhr)* Staubdeckel *m; (Kompaß)* Gehäuse *n; geog* Mulde *f; ~ de carburateur* Schwimmergehäuse *n; ~ inférieure du carter* Kurbelwanne *f;* **~ier** *m* große(r) Zuber *m,* Waschwanne *f; (Wein)* Gärkeller *m.*

cyan|amide [sjanamid] *f* Kalkstickstoff *m;* **~hydrique** *a: acide m ~* Zyanwasserstoff(säure *f*) *m,* Blausäure *f;* **~ogène** *m chem* Zyan *n;* **~ophycées** *f pl bot* Blaualgen *f pl;* **~ose** *f med* Blausucht *f;* **~uration** *f* Zyanierung *f;* **~ure** *m* Zyanid, blausaure(s) Salz *n; ~ de potassium* Zyankali *n.*

cybernétique [sibɛrnetik] *f* Kybernetik *f.*

cyclable [siklabl] *a: route, piste f ~* Radfahrweg *m.*

cyclamen [siklamɛn] *m* Alpenveilchen *n.*

cycl|e [sikl] *m* Zyklus, Kreis; Sagenkreis *m; astr el* Periode *f;* (Arbeits-) Spiel; Fahrrad *n; phys* Schwingungszahl *f; tech* Kreisprozeß *m; ~ infernal* Teufelskreis *m; ~ à deux, quatre temps (mot)* Zwei-, Viertaktprozeß *m;* **~ique** zyklisch; *chem* ringförmig; **~isme** *m* Radsport *m;* **~iste** *a* Rad-; *s m f* Radfahrer(in *f*) m; course *f ~* Radrennen *n.*

cyclo|ïde [sikɔid] *f math* Zykloide, Radlinie *f;* **~moteur** *m* Moped *n;* **~motoriste** *m f* Mofa-Fahrer(in *f*) *m* Mopedfahrer(in *f*) *m.*

cyclone [siklon] *m* Wirbelsturm *m;* Tiefdruckgebiet *n.*

cyclo|pe [siklɔp] *m hist* Zyklop *m;* **~péen, ne** zyklopisch.

cyclostomes [siklɔstɔm] *m pl zoo* Rundmäuler *n pl.*

cyclotourisme [siklɔturizm] *m* Fahrradtourismus *m.*

cyclotron [siklɔtrõ] *m phys* Zyklotron *n.*

cygne [siɲ] *m* Schwan *m; chant m du ~ (fig)* Schwanengesang *m; cou m de ~ (fig)* Schwanenhals *m.*

cylindr|e [silɛ̃dr] *m math tech mot* Zylinder *m;* Trommel, Rolle; (Garten-, Straßen-, Druck-)Walze; Mangel *f; à deux ~s (mot)* Zweizylinder-; *~ à vapeur* Dampfwalze *f;* **~ée** *mot* Zylinderinhalt; Hubraum *m;* **~er** zylinder-, walzenförmig machen; rollen, walzen, mangeln; *(Tuch)* kalandern; **~ique** *a* Zylinder-; zylindrisch, walzenförmig.

cymaise *s. cimaise.*

cymbalaire [sɛ̃balɛr] *f* Zimbelkraut *n.*

cymbal|e [sɛ̃bal] *f mus hist* Zimbel *f; pl* Becken *n pl;* **~ier** *m* Beckenschläger *m.*

cynégétique [sineʒetik] *a* Jagd-; *s f* Jägerei *f.*

cynips [sinips] *m* Gallwespe *f.*

cyn|ique [sinik] zynisch; unverschämt; schamlos; **~isme** *m* Zynismus *m;* Unverschämtheit, Schamlosigkeit *f.*

cyno|céphale [sinɔsefal] *m zoo* Pavian *m;* **~drome** [-drom] *m* Windhund-Rennbahn *f;* **~glosse** [-nɔglɔs] *f* Hundskraut *n.*

cypéracées [siperase] *f pl* Zypern-, Schein-, Riedgräser *n pl.*

cyphose [sifoz] *f med* Buckel *m.*

Cypr|e [sipr] *s. Chypre;* **c~iote** [sipriɔt] *s. chypriote.*

cypr|ès [siprɛ] *m* Zypresse *f;* **~ière** *f* Zypressenhain *m.*

cyprin [siprɛ̃] *m* Karpfen *m; ~ doré* Goldfisch *m.*

cyrill|ique, ~ien, ne [sirilik, -jɛ̃, -ɛn] *(Schrift)* kyrillisch, zyrillisch.

cysticerque [sistisɛrk] *m (Bandwurm)* Finne *f.*

cyst|ique [sistik] (Harn-)Blasen-; **~ite** *f* Harnblasenentzündung *f,* Blasenkatarrh *m;* **~olithe** *m med* Blasenstein *m;* **~oscope** [-tɔskɔp] *m* Blasenspiegel *m.*

cytise [sitiz] *m bot* Goldregen *m.*

czar *m s. tsar.*

D

D [de]: *système m D (fam)* Wendigkeit, Raffinesse; Kunst *f,* sich aus der Affäre zu ziehen.

dab(e) [dab] *m arg* Vater; Arbeit-, Brötchengeber *m.*

dactyl|e [daktil] *m* Daktylus *m (Versfuß)* Knäuel-, Knaulgras *n;* **~ique** daktylisch.

dactylo|gramme [daktilɔgram] *m* Fingerabdruck *m;* **~(graphe)** *m f* Maschinenschreiber(in *f*) *m; fam* Tippfräulein *n; bureau m pour ~* Schreibmaschinentisch *m; salle f des ~s* Schreibmaschinenraum *m;* **~graphie** *f* Maschinenschreiben *n;* **~graphier** mit der Maschine schreiben, tippen; maschinenschriftlich vervielfältigen; **~graphique** Schreibmaschinen-; **~logie, ~lalie** *f* Taubstummensprache *f;* **~scopique** *a: empreinte f ~* Fingerabdruck *m.*

dada [dada] *m (Kindersprache)* Hottehü, Pferd; *fig fam* Steckenpferd *n; le voilà parti sur son ~* da reitet er sein Steckenpferd.

dadais [dadɛ] *m* alberne(r) Mensch; Tölpel *m.*

dag|ard [dagar] *s. daguet;* **~orne** [-gɔrn] *f* Kuh *f,* die ein Horn verloren hat.

dagu|e [dag] *f* (großer) Dolch; *(Wildschwein)* Hauer; *(Hirsch)* Spieß *m; (Buchbinder)* Schabmesser *n;* **~et** [-gɛ] *m zoo* Spießer *m.*

dahlia [dalja] *m bot* Dahlie, Georgine *f.*

daigner [dɛ(e)ɲe] geruhen, die Güte haben (zu).

dai|m [dɛ̃] *m* Damhirsch(leder *n*); *fig* Dummkopf *m;* **~ne** [dɛn] *f* Damhirschkuh *f.*

dais [dɛ] *m* Baldachin; Thron-, Altarhimmel; *fig* Himmel(szelt *n*) *m.*

dall|age [dalaʒ] *m* Plattenbelag *m,* -pflasterung *f;* **~e** *f* Steinplatte; Fliese *f;* Rinnstein *m; tele* Kabelformstück *n; arg* Gurgel *f; arg* nichts; *que ~!* nicht die Bohne!; *~ de ciment* Zementdiele *f; ~ d'embasement* Sockelplatte *f; ~ funéraire, tumulaire* Grabplatte *f; ~ lumineuse* Glasbaustein *m; ~ en plâtre* Gipsdiele *f;* **~er** mit Steinplatten, Fliesen belegen.

dalmat|e [dalmat] *a* dalmat(in)isch; *D~ s m f* Dalmatiner(in *f*) *m;* **D~ie, la** [-si] Dalmatien *n;* **~ien** [-sjɛ̃] *m (Hund)* Dalmatiner *m.*

dalot [dalo] *m mar* Speigatt *n.*

dalton|ien, ne [daltɔnjɛ̃, -ɛn] farbenblind; **~isme** *m* Farbenblindheit *f.*

dam [dɑ̃] *m: (peine f du) ~ (rel)* (ewige) Verdammnis *f; à son (grand) ~* zu s-m Schaden.

Damas [damas] *m geog* Damaskus *n; d~* [-ɑ] *m* Damast *m (Stoff);* Damaszenerklinge, -pflaume *f; ~-cafard m* Halbdamast *m;* **d~quinage** *m,* **d~quinerie, d~quinure** *f* Damaszierung; damaszierte Arbeit *f;* **d~quiner, d~ser** *(Stahl)* damaszieren; *(Tuch)* damastartig weben; **d~sé, e** *a* damastartig; *(Stahl)* damasziert; *s m* Damastleinwand *f;* Damaszenerstahl *m;* **d~sure** *f* Damastmuster *n.*

dam|e [dam] **1.** *f* Dame, Frau; *jur pop* Ehefrau; Frau, Herrin (des Hauses); *(Karten-, Damespiel)* Dame; *(Schach)* Königin *f; (Kegelspiel)* König *m; tech* Ramme *f,* Stampfer *m; mar* Dolle, Rudergabel *f;* **2.** *interj* ach, doch; allerdings; *aller à ~ (Spiel)* e-e Dame, Königin bekommen; *coiffeur m pour ~s* Damenfriseur *m; (jeu m de) ~s* Damespiel *n; ~ de charité* Frau *f,* die e-m Wohltätigkeitsverein angehört; *~ de compagnie* Hausdame *f; ~s de la halle* Marktfrauen *f pl; ~ d'honneur* Hofdame *f; ~-jeanne f* Korbflasche *f,* Ballon *m; ~ patronnesse* Schirmherrin *f; ~ pneumatique* Preßluftstampfer *m;* **~er** *fam* u. *(Spiel)* zur Dame machen; *tech* rammen, ein=, fest=stampfen; *~ le pion à qn (fig fam)* jdn aus=stechen, jdm den Rang ab=laufen; *béton m ~é* Stampfbeton *m;* **~ier** *m* Damebrett; Schachbrettmuster *n; en ~* schachbrettartig.

damn|able [danabl] verdammenswert; **~ation** *f* (ewige) Verdammnis *f; ~!* verdammt! *mort* od *enfer et ~!* Tod u. Teufel! alle Wetter! **~é, e** *a* verdammt; verflixt, verteufelt; *s m* Verdammte(r) *m; être l'âme ~e de qn* jds willenlose(s) Werkzeug sein; *souffrir comme un ~* Höllenqualen aus=stehen; *travailler comme un ~* wie ein Besessener arbeiten, schuften; **~er** [dane] verdammen; *faire ~ qn* jdn zur Verzweiflung bringen; jdn rasend machen.

damois|eau [damwazo] *m hist* Edelknappe; *fam* Stutzer, Galan *m;* **~elle** *f hist* Edelfräulein *n.*

dancing [dɑ̃siɲ] *m* Tanzdiele, -bar *f.*

dandin|ement [dɑ̃din(ə)mɑ̃] *m* Schlenkern *n;* **~er** *tr (Beine)* schlenkern; *itr* u. *se* ~ schlotterig gehen; sich (in den Hüften) wiegen.

dandy [dɑ̃di] *m* (Mode-)Geck, Stutzer *m; Art* Segelboot *n;* **~sme** *m* Stutzer-, Geckenhaftigkeit *f.*

Danemark, le [danmark] Dänemark *n.*

danger [dɑ̃ʒe] *m* Gefahr *f; en* ~ in Gefahr, gefährdet; *hors de* ~ außer Gefahr; *courir le* ~ *de* Gefahr laufen zu; *mettre en* ~ gefährden; *il n'y a pas de* ~ es ist nichts zu befürchten; Gott bewahre! *quel* ~ *y a-t-il?* was ist dabei? *signal m de* ~ Warnsignal *n;* ~ *d'accident* Unfallgefahr *f;* ~ *aérien* Luftgefahr *f;* ~ *de contagion, d'infection* Ansteckungsgefahr *f;* ~ *d'écoute* Abhörgefahr *f;* ~ *de formation de glace, de givrage* Vereisungsgefahr *f;* ~ *de foudre* Blitzgefahr *f;* ~ *d'incendie* Feuersgefahr *f;* ~ *de mort* Lebensgefahr *f;* ~ *d'obscurcissement (jur)* Verdunkelungsgefahr *f;* ~ *de verglas* Glatteisgefahr *f;* **~eux, se** [dɑ̃ʒrø, -øz] gefährlich, gefahrvoll.

danois, e [danwa, -az] *a* dänisch; *D~, e s m f* Däne *m,* Dänin *f; d~ s m* Dänisch(e) *n (Sprache);* dänische Dogge *f.*

dans [dɑ̃] **1.** *(räuml. u. fig)* in *(auf die Fragen wo? u. wohin?);* ~ *un endroit* an e-m Ort; ~ *la rue* auf der Straße; ~ *Molière* bei Molière *(in Molières Werken); boire, manger* ~ trinken, essen aus; *choisir* ~ *qc* aus etw aus=wählen; *avoir foi* ~ vertrauen auf *acc,* Vertrauen haben zu; *descendre* ~ *(fig)* herab=steigen, sich herab=lassen zu; **2.** *(zeitl.)* in, innerhalb, während; ~ *huit jours* in acht Tagen *(von jetzt an);* ~ *les quinze jours* binnen 14 Tagen; ~ *les trois jours après (la) réception (com)* innerhalb dreier Tage nach Empfang; ~ *un moment* gleich, sofort; *on en parlera encore* ~ *longtemps* man wird noch lange davon reden; **3.** *(Art u. Weise)* ~ *ces circonstances* unter diesen Umständen; ~ *un accident* bei e-m Unfall; ~ *la mesure de* nach dem Maß, nach Maßgabe *gen;* in dem Maße wie; ~ *l'ensemble* im ganzen; ~ *le fond* im Grunde; ~ *le but* mit dem Ziel, in der Absicht; *agir* ~ *les règles* im Rahmen der Vorschriften handeln; *être* ~ *l'abattement* niedergeschlagen sein; *répondre* ~ *un sourire* lächelnd antworten; *il est* ~ es gehört zu, es entspricht *dat;* **4.** *(Annäherung) il a* ~ *les 40 ans* er ist etwa 40 Jahre alt; *cela coûte* ~ *les deux mille francs* das kostet annähernd 2000 Franken.

dans|ant, e [dɑ̃sɑ̃, -ɑ̃t] *a* zum Tanzen anregend; Tanz-; *air m* ~ Tanzmelodie *f; soirée f ~e* Tanzabend *m; thé m* ~ Tanztee *m;* **~e** *f* Tanz, Reigen *m;* Tanzmusik *f; fam* Tanzboden *m,* -lokal *n; fig pop* (körperl.) Züchtigung; Zurechtweisung *f; avoir le cœur à la* ~ zum Tanzen aufgelegt, unternehmungslustig sein; *entrer en* ~ *(fam)* an=fangen zu tanzen; *fig* an=fangen, los=legen; *ouvrir, commencer la* ~ den Tanz, *fig* den Reigen eröffnen, den Anfang machen; *mener la* ~ der Rädelsführer sein; *cela vient comme tambourin en* ~ das kommt wie gerufen; *air m de* ~ Tanzweise, -melodie *f,* -lied *n; art m de la* ~ Tanzkunst *f; chaussons m pl de* ~ Ballettschuhe *m pl; cours m, leçon f de* ~ Tanzstunde *f; orchestre m de* ~ Tanzorchester *n; pas m de* ~ Tanzschritt *m, professeur m de* ~ Tanzlehrer *m; salle f de* ~ Tanzsaal *m;* ~ *sur la corde* Seiltanzen *n;* ~ *macabre, des morts* Totentanz *m;* ~ *populaire* Volkstanz *m;* ~ *de Saint-Guy (med)* Veitstanz *m;* ~ *du ventre* Bauchtanz *m;* **~er** tanzen; springen; *(Licht)* flimmern; sich hin u. her, sich auf u. ab bewegen; *fig (vor Freude)* hüpfen; ~ *sur la corde (fig)* sich auf ein Wagnis ein=lassen; *faire* ~ *les écus (fig)* Geld springen lassen *od* verschwenden; *faire* ~ *l'anse du panier (beim Einkaufen)* Schmu machen; *ne savoir sur quel pied* ~ in der Tinte sitzen, in der Klemme, ratlos sein; *robe f à* ~ Tanz-, Ballkleid *n;* **~eur, se** *m f* Tänzer(in *f*) *m; être bon ~, bonne ~euse* ein guter Tänzer, e-e gute Tänzerin sein; *couple m de ~s* Tanzpaar *n; ours m* ~ Tanzbär *m;* ~ *de ballet* Ballettänzer *m;* ~ *de corde* Seiltänzer *m;* ~ *mondain* Eintänzer *m.*

Danube, le [danyb] die Donau.

daphné [dafne] *m bot* Seidelbast *m.*

dard [dar] *m hist* (Wurf-)Spieß; *zoo* Stachel; *zoo* Pfeilkarpfen *m; poet* (Schlangen-)Zunge *f; bot* Stempel *m; arch* pfeilförmige(s) Ornament *n; fam* stechende(r) Schmerz; *fig* (Gift-)Pfeil *m;* ~ *de flamme* Stichflamme *f;* **~er** (Spieß) werfen; *zoo* stechen (*qc* mit etw); *fam* heftig schmerzen; *fig (Strahlen, Pfeile)* (herab=)schießen; *(Blicke)* werfen (*sur qn* auf jdn); ~ *sa* *langue (Schlange)* züngeln; ~ *ses rayons sur qc* etw an=strahlen; **~illon** [-jõ] *m (Angel)* Widerhaken *m.*

dare(-)dare [dardar] *adv fam* in aller Eile, eiligst.

dariole [darjɔl] *f Art* Cremetörtchen *n.*

darne [darn] *f* Scheibe *f* (Fisch).

dar|se, ~ce [dars] *f* Hafenbecken *n (bes. in Mittelmeerhäfen);* **~sine, ~cine** *f* kleine(s) Hafenbecken *n.*

dartr|e [dartr] *f med* Flechte *f;* **~eux, se** flechtenartig; Flechten-; an Flechten leidend.

dat|ation [datasjõ] *f* Datierung *f;* **~e** *f* Datum *n,* Zeit(punkt *m*) *f;* Ausstellungstag *m;* (großes) Ereignis *n;* Geschichtszahl; *com* Laufzeit *f,* Termin *m; à longue, à courte* ~ lang-, kurzfristig; *de fraîche* ~ neu; *de longue* ~ seit langem; ... *de date (com)* ... Ziel; nach, a dato; *en* ~ *du, à la* ~ *du* vom; am; *en* ~ *de ce jour* unter dem heutigen Datum; *en* ~ *de Paris* aus Paris; *de vieille* ~ alt, langjährig; *être le premier en* ~ die ältesten Ansprüche haben; *faire* ~ Epoche machen; *mettre la* ~ das Datum ein=setzen; *porter une* ~ datiert sein; *ne pas porter de* ~ zeitlos sein; *prendre* ~ das Datum, den Tag fest=setzen *od* bestimmen; *timbre m à* ~ Datum(s)stempel *m;* ~ *de base* Stichtag *m;* ~ *du brevet* Dienstalter *n;* ~ *de l'échéance* Fälligkeitsdatum *n;* ~ *d'émission* Ausstellungsdatum *n;* ~ *limite* (Schluß-)Termin *m;* Haltbarkeits-, Frischhaltedatum *n;* ~ *limite de remise* Anzeigenschluß *m;* ~ *de livraison* Liefertermin *m;* ~ *de naissance* Geburtsdatum *n;* ~ *de parution* Erscheinungsdatum *n;* ~ *de la poste* Datum *n* des Poststempels; **~er** *tr* datieren; *itr* Epoche machen; veraltet, aus der Mode sein; *à* ~ *de* von ... an; ~ *de* stammen aus; ~ *de loin* alten Datums, schon lange her sein; *il ne ~e pas d'hier* er ist nicht von gestern; **~eur** *m typ* Datierer *m; (timbre m ~)* Datumsstempel *m.*

datif, ive [datif, -iv] *a (Vormund)* bestellt; *s m* Dativ, Wemfall *m.*

dation [dasjõ] *f jur* Übergabe, -tragung; Bestellung *f;* ~ *en paiement* Hingabe *f* an Zahlungs Statt.

datt|e [dat] *f* Dattel *f;* **~ier** *m* Dattelpalme *f.*

datura [datyra] *m bot* Stechapfel *m.*

daub|e [dob] *f* Schmoren *n; bœuf m en* ~, *à la* ~ Schmorfleisch *n,* -braten *m;* **~er** *tr* (ver)prügeln; verspotten; schmoren; *itr* spotten, herziehen (*sur* über *acc*); **~ière** *f* Schmortopf *m.*

dauphin, -e [dofɛ̃, -in] *m zoo* Delphin *m; D~, e s m f hist* Dauphin, franz. Thronfolger *m;* Gemahlin *f* des franz. Thronfolgers.

dauphinelle [dofinɛl] *f bot* Rittersporn *m.*

daurade *f s. dorade.*

davantage [davɑ̃taʒ] mehr; *(zeitl.)* (noch) länger.

davier [davje] *m med* Zahnzange; Fügezwinge; *(Böttcherei)* Reifzwinge; *mar* Rolle *f,* Staljenblock *m.*

de [d(ə)] von, von ... her, von ... an, aus; *Ausdruck des Genitivverhältnisses;* zufolge, wegen; aus; mit; nach; vor; für; *près* ~ nahe bei; ~ *près* aus der Nähe; ~ *ma vie* zeit meines Lebens; ~ *plus en plus* immer mehr; ~ *plus en plus grand* immer größer; ~ *soi-même* aus sich selbst heraus, von selbst; ~ *peu* beinahe; ~ *l'un à l'autre* zwischen beiden; *crise f* ~ *la puberté* Pubertätskrise *f; moyen m* ~ *paiement* Zahlungsmittel *n; rideau m* ~ *fer* eiserne(r) Vorhang *m;* ~ *jour* bei Tage; tagsüber; ~ *nuit* nachts; *le rendez-vous du dimanche* die Verabredung am Sonntag; *mourir* ~ *faim* vor Hunger sterben; verhungern; *crainte f des ennemis* Furcht vor den Feinden; *fier* ~ *son succès* stolz auf s-n Erfolg; ~ *ce côté* auf diese(r), nach dieser Seite; *souhaiter* ~ *manger* zu essen wünschen; *amour m* ~ *Dieu* Liebe zu Gott; *écrire* ~ *qc* über e-e S schreiben; *frapper d'un bâton* mit e-m Stock schlagen; *répondre* ~ *qn* für jdn einstehen, bürgen; *pas* ~ *chance* kein Glück; Pech! *bien* ~ *l'argent* (sehr) viel Geld; *défaut m d'argent* Mangel *m* an Geld; *montrer du doigt* mit dem Finger zeigen; *content* ~ zufrieden mit; *la ville* ~ *Paris* die Stadt Paris; *plein d'eau* voll(er) Wasser; *long* ~ *dix mètres* zehn Meter lang.

dé [de] *m* **1.** *(~ à coudre)* Fingerhut *m a. bot; fam* kleine(s) Trinkglas *n;* **2.** *(~ à jouer) (Spiel)* Würfel; Dominostein; *arch* Sockel, Steinblock *m; tech* Büchse *f (e-s Lagers); jouer aux ~s* würfeln, *fam* knobeln; *c'est un coup de ~(s)* das ist Glückssache; *les ~s sont jetés (fig)* die Würfel sind gefallen; *cornet m à ~s* Würfelbecher *m; coup m de ~s* Wurf *m (beim Spiel).*

dé- [de-] , *(vor Vokalen)* **dés-** [dez-] *pref* ent-, weg-, fort-; herunter; Ent-.

déambul|atoire [deɑ̃bylatwar] *m arch rel* Chorumgang *m;* **~er** spazieren=gehen, *fam* (herum=)schlendern.

débâcl|e [debɑkl] *f* Eisgang, -bruch; *fig* Zs.bruch *m,* Katastrophe *f;* Durcheinander *n; fam* Durchfall *m;*

~er *tr (Hafen)* räumen; *itr (Fluß)* auf=brechen, Eis führen.

débagouler [debagule] *pop itr* kotzen; *tr* aus=kotzen; *fig fam* aus=stoßen, von sich geben.

déball|age [debalaʒ] *m* Auspacken; Verkaufslager *n (billiger Waren);* Partiewarenhandel *m; fig pop* Geständnis *n;* **~er** *tr* aus=packen *a. fig; (Waren)* aus=stellen; *itr pop* sein Herz aus=schütten; **~eur** *m* Auspakker; herumziehende(r) Händler *m.*

débandade [debɑ̃dad] *f* Auflösung; Unordnung *f; à la ~* (wild) durcheinander; *en ~* aufgelöst; **~er** den Verband, die Binde ab=nehmen (*qc* von etw); lockern; entspannen *a. fig; se ~* sich (auf=)lösen; *se ~ l'esprit* sich geistig entspannen.

débanquer [debɑ̃ke] *tr (Glücksspiel)* die Bank sprengen (*qn* jdm); *mar* die Bänke *(von e-m Boot)* entfernen; *itr (Fischerei)* die Bank verlassen.

débaptiser [debatize] um=benennen, um=taufen.

débarbouiller [debarbuje] waschen, reinigen, säubern.

débarcadère [debarkadɛr] *m mar* Landungsbrücke, -stelle *f,* Pier *m* od *f; loc* Laderampe *f.*

débard|er [debarde] ab=laden, löschen; *(Holz, Steine)* ab=fahren, ab=transportieren; **~eur** *s m* Transport-, Dockarbeiter *m;* Pullunder *m; a: maître m ~* Lademeister *m.*

débarqu|ement [debarkəmɑ̃] *m* Ausladen *n,* Löschung; Landung, Ausschiffung *f; (quai de ~)* Ankunftsbahnsteig *m; ~ aéroporté* Luftlandung *f;* **~é** *m: nouveau ~* Neuling *m;* **~er** *v tr* aus=laden, löschen; aus=schiffen; *fig* aus=booten; *itr* an Land gehen; *mil* landen; *allg* aus=steigen (*de* aus); an=kommen; *s m: au ~* bei der Ankunft.

débarras [debara] *m* Entlastung, Erleichterung *f; (cabinet m de ~)* Rumpelkammer *f,* Abstellraum *m;* **~ser** [-se] *(Straße)* frei machen, (ab=, weg=)räumen, entrümpeln; *~ qn de qc* jdn von etw befreien, jdm etw ab=nehmen, *a. hum (Geld); se ~* sich entledigen (*de* gen), sich vom Halse schaffen (*de qc* etw); sich aus=ziehen, ab=legen (*de qc* etw).

débat [deba] *m* Debatte *bes. parl (meist pl),* Diskussion; *jur* Verhandlung *f,* Verfahren *n; intervenir dans les ~s* in die Debatte ein=greifen; *le ~ a roulé sur* die Debatte drehte sich um; *~ budgétaire (parl)* Haushaltsdebatte *f; ~ judiciaire* Gerichtsverhandlung *f.*

débât|er [debɑte] den Packsattel ab=nehmen (*une bête* e-m Tier); **~ir** *arch* ab=, nieder=, ein=reißen *a. fig;* die Heftfäden ziehen (*qc* aus etw).

débattre [debatr] *irr* debattieren, diskutieren, verhandeln (*qc* über e-e S), be-, durch=sprechen; *se ~* zappeln, um sich schlagen; *fig* sich sträuben; sich (ab=)mühen, sich herum=schlagen (*contre qc* mit etw); *~ du prix* vom Preis ab=handeln.

débauch|age [deboʃaʒ] *m* Entlassung *f,* (Personal-)Abbau *m; pol* Abwerbung *f;* **~e** *f* Ausschweifung; Schlemmerei; *fig* Überfülle, Verschwendung; *jur* Unzucht *f; faire une ~ de qc* etw übermäßig gebrauchen *od* an=wenden; **~é** *m* Wüstling, *fam* Lustmolch; Schlemmer *m;* **~er** abspenstig machen, von der Arbeit ab=halten; entlassen, ab=bauen; ab=werben; zu e-m unsoliden Lebenswandel, zu Ausschweifungen verleiten; *se ~* liederlich werden, auf Abwege geraten; **~eur, se** *m f* Verführer(in *f*) *m.*

débecter [debɛkte] *pop* an=kotzen.

débet [debɛ] *m com* Soll, Debet *n;* Rückstand *m* (e-r Schuld).

débil|e [debil] schwächlich; *fig* kraftlos, schwach; *fam* hirnrissig; *~ de la volonté* willensschwach; **~itation** *f med* Schwächung, Entkräftung *f;* Schwächezustand *m;* **~ité** *f* (allgemeine) Schwäche *f; ~ mentale, sénile, de la volonté* Geistes-, Alters-, Willensschwäche *f;* **~iter** schwächen, entkräften *a. fig.*

débin|e [debin] *f pop* Klemme; Not *f,* Elend *n; tomber dans la ~* in die Klemme geraten; **~er** *tr pop* an=schwärzen, verleumden; klatschen (*qn* über jdn); *se ~* sich davon=machen, ab=hauen; *~ le truc* das Geheimnis *(e-r S)* verraten; **~eur** *m pop* Verleumder *m.*

débit [debi] *m* Schuldkonto *n,* Belastung *f;* Absatz *m;* Geschäft *n,* Laden *m, in Zssgen:* Handlung; Verkaufsstelle *f (monopolisierter Waren);* Ausschank; *(Bier)* Ausstoß *m;* Wasser-, Abflußmenge; *tele* Belastung *f; (Holz)* Verschnitt *m; tech* (Arbeits-, Produktions-)Leistung, Kapazität; Förderung; Ergiebigkeit; Dosis *f;* Redefluß *m,* Sprechtempo *n; à votre ~* zu Ihren Lasten; *d'un ~ facile* (leicht) absatzfähig; *avoir un bon ~, être de bon ~* guten Absatz finden; *inscrire, porter qc au ~ de qn* jdn mit etw belasten; *avis m de ~* Lastschriftanzeige *f; côté m du ~* Debetseite *f; ~ de boissons* Schankwirtschaft *f; ~ de tabac* Tabakgeschäft *n;* **~ant** *m*

(Klein-)Händler; Schankwirt *m;* **~er** *com* belasten (*qn de qc* jdn mit etw); zu Lasten schreiben (*qn de qc* jdm etw); an=rechnen; um=setzen; vertreiben, (im kleinen) verkaufen, aus=schenken; dosieren; *(Wassermenge)* liefern; *el* ab=geben; *tech* leisten, produzieren; *(Holz)* zu=, verschneiden; *min* fördern; *(Ochsen)* zerlegen; *fig* in Umlauf bringen; vor=bringen; *vx* haarklein erzählen; vor=tragen, her=sagen; *~ un compte* ein Konto belasten (*de qc* mit etw); *~ sa marchandise (fam)* s-e Sache an den Mann bringen; *bois m ~é* Schnittholz *n;* **~eur, trice** *s m f* Schuldner(in *f*) *m; a* Debet-; *le solde de votre compte est ~* Ihr Konto weist e-n Debetsaldo auf; *colonne f ~trice* Lastschriftspalte *f; compte m ~* Debitorenkonto *n; ~ par acceptations* Wechselschuldner *m; ~ alimentaire* Unterhaltspflichtige(r) *m; ~ en faillite* Gemeinschuldner *m; ~ hypothécaire* Hypothekenschuldner *m; ~ principal* Hauptschuldner *m; ~ solidaire* Gesamtschuldner *m.*

déblai [deblɛ] *m (Erde, Schutt)* Wegräumen, -schaffen *n,* Erdaushub *m;* Enttrümmerung *f;* Durchstich, Einschnitt *m; pl* Abraum, Schutt *m,* Trümmer *pl; (Vorurteile)* Beseitigung *f;* **~ement** *m* Erdbewegung *f;* Aufräumungsarbeiten *f pl.*

déblatérer [deblatere] *tr (Unsinn)* reden, *fam* verzapfen; *itr: ~ contre qn* auf jdn schimpfen, *fam* gegen jdn los=ziehen.

déblay|er [deblɛje] Erde *od* Schutt ab=, weg=räumen, weg=schaffen; enttrümmern; aus=heben, ab=tragen; *(Raum)* frei machen; *~ le terrain (fig)* den Weg, die Bahn frei machen; **~euse** *f* Trümmerfrau *f.*

déblo|cage [deblɔkaʒ] *m com* Freigabe *a. loc; tech* Entriegelung *f; mil* Entsatz *m; ~ des prix, des salaires* Aufhebung *f* des Preisstopps, des Lohnstopps; **~quer** *tr* von der Blokkade befreien; *(Stadt)* entsetzen; *com (Sperrkonto)* frei=geben; *loc (Bremse)* lösen; *(Strecke)* entblocken, frei machen; *typ* die Fliegenköpfe heraus=nehmen (*qc* aus etw); *(Waffe)* entsichern; dämlich quatschen; *tech* die Arretierung lösen (*qc* e-r S *gen*).

déboire [debwar] *m fig* Enttäuschung *f;* Verdruß *m;* Unglück *n,* Schicksalsschlag; *vx (Getränk)* (unangenehmer) Nachgeschmack *m.*

déboi|sement [debwazmɑ̃] *m* Abholzung *f;* **~ser** ab=holzen.

déboît|ement [debwatmɑ̃] *m med* Aus-, Verrenkung *f;* **~er** *med* aus=, verrenken; *allg* ausea.-, aus dem Gehäuse nehmen; zerlegen; *(Tür)* aus=hängen; *mot* aus=scheren; *se ~* sich aus=renken; aus den Fugen gehen.

débond|er [debɔ̃de] *tr (Faß)* auf=spunden; *pop (jdm, der an Verstopfung leidet)* Luft machen; *itr* über=fließen, über die Ufer treten; *pop* ab=protzen; *se ~* sich entleeren, heraus=strömen; den Spund verlieren; *~ son cœur* s-m Herzen Luft machen; **~onner** auf=spunden.

débonnaire [debɔnɛr] sanftmütig; (zu) gutmütig, (zu) nachsichtig; **~té** *f* (zu große) Gutmütigkeit *f.*

débord [debɔr] *m* Ausströmen; Hochwasser *n;* Vorstoß, Saum; Straßenrand *m;* **~ant, e** *a* überfließend, übervoll; überstehend; *fig* überreich, überschwenglich, übermäßig; überschäumend; **~é, e** *fig* entfesselt, ungezügelt; *(Person)* überlastet (*de* mit); überwältigt; *mil* überflügelt; *(Ereignisse)* überholt; **~ement** *m* Überschwemmung *f;* Überfließen, Übertreten *n;* Erguß *m;* Ausschweifung *f;* Ausbruch *m (e-r Leidenschaft); fig* Ausbreitung; *mil* Überflügelung *f;* **~er** *itr* über=fließen, -laufen; über die Ufer treten; sich ergießen; übervoll sein (*de* von); *(Verwünschungen)* aus=brechen (*en* in *dat*); *(am Rand)* über=stehen; sich aus=weiten; *fig* über=strömen; *fig* platzen; *vulg* kotzen; *mar* in See stechen; *mil* ein=brechen, ein=dringen; *tr* überragen, hinaus=gehen *a. fig* (*qc a. de qc* über e-e S); über=stehen (*qc* über e-e S); *fig* übertreffen, überwältigen; den Rand ab=schneiden, den Saum ab=trennen (*qc* von etw); *mar* zu Wasser lassen; *(Boot)* ab=stoßen; *mil* überflügeln; *faire ~ qn (fam)* jdn auf die Palme bringen; *faire ~ le vase (fig)* das Maß voll=machen; *se ~ en dormant* sich beim Schlafen auf=dekken.

débosseler [debɔsle] aus=beulen.

débotter [debɔte] *tr* die Stiefel aus=ziehen (*qn* jdm); *se ~* die Stiefel aus=ziehen; *au débotté* beim Nachhausekommen; *fig* unvorbereitet.

débouch|é [debuʃe] *m* Ausgang *m* (e-s Engpasses), Ende *n,* Erweiterung *f (e-r Straße)* Abfluß, Ausfluß *m; fig* Ende *n* der Laufbahn; Absatzmarkt *m,* -gebiet *n; (Brücke)* Bogenweite *f; assurer un ~* Absatz verschaffen (*à qc* e-r S *dat*); *créer de nouveaux ~s* neue Absatzmärkte erschließen; *trouver un ~* Absatz finden; *ouverture f de nouveaux ~s* Erschließung *f* neuer

Absatzmärkte; *~s professionnels* Berufsmöglichkeiten *f pl;* **~er** *tr (Flasche)* entkorken; *(Straße)* frei machen; *fam* eine Verstopfung beseitigen (*qn* [bei] jdm); reinigen; *fig* den Verstand wecken (*qn* jdm); *itr* (heraus=)kommen (*de qc* aus etw); münden (*dans* in *acc*); zum Vorschein kommen; hervor=brechen; **~oir** *m* Flaschenöffner, Korkenzieher *m.*

déboucler [debukle] auf=, los=schnallen; *fam* auf freien Fuß setzen; *sa chevelure s'est débouclée* ihre Frisur hat sich aufgelöst.

débouill|i [debuji] *m (Stoff)* (Farb-)Echtheitsprobe *f;* **~ir** die Farbechtheit prüfen (*une étoffe* e-s Stoffes).

déboul|er [debule] *(Hase, Kaninchen)* (plötzlich) davon=laufen; *fam* ab=hauen; *pop* herunter=purzeln; **~onner** die Bolzen entfernen *od* los=schrauben (*qc* e-r S); *fig (Person)* ruinieren; hinaus=ekeln, ab=schießen.

debouquer [debuke] (aus e-m Kanal, e-r Meerenge) heraus=fahren, -kommen.

débourber [deburbe] aus=schlämmen, vom Schlamm reinigen; aus dem Dreck ziehen *a. fig; (Fisch)* wässern; *(Most)* ab=klären; *min* läutern.

débourrer [debure] *tr (Gewehr, Pfeife)* reinigen; *(Häute)* enthaaren; *(Gußmodell aus dem Sand)* lösen; frei=legen; *fig* manierlich machen, *fam* Schliff geben *dat; itr (Knospen)* auf=brechen; *pop* s-e Notdurft verrichten.

débours *(meist pl),* **~é** [debur, -urse] *m com* Ausgabe *f;* Auslagen *f pl; rentrer dans ses ~* auf s-e Kosten kommen; *~ de voyage* Fahrtauslagen *f pl;* **~ement** *m* Auslegen; Vorschießen *n;* **~er** *(Geld)* aus=geben; aus=legen, verauslagen; vor=strecken, -schießen.

déboussol|er [debusɔle] die Orientierung verlieren lassen; *être ~é* die Orientierung verloren haben.

debout [dəbu] *adv* aufrecht; stehend, auf den Beinen; auf *(nicht im Bett);* am Leben; *fam fig* auf der Höhe; *interj* auf! los! *dormir ~ (fig)* vor Müdigkeit um=fallen; *être ~* stehen; auf=sein; *laisser ~* stehen lassen; *mettre ~* auf=richten, aufrecht stellen; *fig* auf die Beine bringen; *passer ~ (Ware)* (zollfrei) durch=gehen; *rester ~* stehen bleiben; auf=bleiben; *tenir ~ (fig)* Hand u. Fuß haben; *tomber ~ (fig)* auf die Füße fallen; *histoire f à dormir ~* unglaubwürdige, unwahrscheinliche, sehr langweilge Geschichte *f; place f ~* Stehplatz *m; vent m ~* Gegenwind *m.*

débout|é [debute] *m jur* Abweisung *f;* abgewiesene(r) Kläger *m;* **~er** ab=weisen, verwerfen; *~ qn de sa demande, de son opposition* jdn mit seiner Klage, seinem Einspruch ab=weisen.

déboutonner [debutɔne] auf=knöpfen; *se ~ (Knopf)* auf=gehen; *se ~, ~ son cœur (fam)* sein Herz aus=schütten (*avec qn* bei jdm); *ne pas se ~* zugeknöpft, verschlossen sein; *manger, rire à ventre ~é (fig fam)* wie ein Scheunendrescher fressen; aus vollem Halse lachen.

débraill|é, e [debraje] *a* nachlässig, unordentlich, schlampig; *fig* zu frei, locker; unanständig; *hum* offenherzig gekleidet; *s m* nachlässige, unordentliche, (zu) freie Kleidung *f;* **~er, se** sich entblößen; *fig* sich (allzu) lässig *od* frei benehmen *od* bewegen; jede Zurückhaltung vermissen lassen.

débrancher [debrɑ̃ʃe] *el (e-n Zweig)* ab=schalten; *(Zug)* zerlegen, auf=lösen.

débray|age [debrɛjaʒ] *m fig* Arbeitsniederlegung *f; tech* Auskuppeln *n,* Auslösung *f; pédale f de ~* Kupplungspedal *n;* **~er** *tr tech* aus-, entkuppeln, aus=rücken, -lösen; ab=schalten; *itr* die Arbeit nieder=legen; *pop* Feierabend machen.

débrid|é, e [debride] *fig* zügellos; entfesselt; **~ement** *m med* Erweiterung *f* (e-r verengten Stelle); *fig* Entfesselung, Zügellosigkeit *f;* **~er** *tr* ab=zäumen; *pop (den Mund)* auf=reißen; *med (zwecks Ausweitung)* ein=schneiden; *itr fig* e-e Pause ein=legen; *sans ~* pausenlos, in einem fort; *~ les yeux à qn (fig)* jdm die Augen öffnen.

débris [debri] *m (pl)* Trümmer *pl,* Scherben; (Über-)Reste *a. fig;* Fetzen; Abfälle *m pl,* Schrott *m; geol* Geröll *n; tech* Ausschuß *m.*

débrouill|ard, e [debrujar, -rd] *fam a* pfiffig, schlau; *s m f* Pfiffikus *m;* e-r, der sich zu helfen weiß; **~er** entwirren, in Ordnung bringen; *fig* auf=, erklären; heraus=bringen, *fam* -kriegen; *(Schrift)* lesen können, entziffern; *se ~* sich zu helfen wissen; (irgendwie) zurecht=kommen; *(Wetter)* sich auf=klären; *(Durcheinander)* sich entwirren.

débroussailler [debrusaje] das Gestrüpp entfernen (*qc* in, auf, von etw).

débrutir [debrytir] (glatt=)schleifen.

débucher [debyʃe] *tr (Wild)* auf=jagen, -scheuchen; *itr* sein Lager verlassen, aus dem Wald heraus=treten, hervor=kommen.

débusquer [debyske] *tr mil* (aus e-r Stellung) vertreiben; *(Wild)* auf=jagen, -scheuchen; *fig* verdrängen, aus=stechen; *itr (Wild)* hervor=kommen; *allg* über=wechseln.

début [deby] *m (Spiel)* erste(r) Stoß *m,* Anspiel *n; fig* erste Schritte *m pl; theat* erste(s) Auftreten *n;* Start; Erstling(swerk *n*); *allg* Anfang, Beginn *m; au ~ de ...* am Anfang *gen; au ~ de l'année* zu Anfang des Jahres; *dans les ~s* anfänglich; *dès le ~* von Anfang an; *du ~ (jusqu')à la fin* von Anfang bis Ende; *il en est à son ~* er steht am Anfang; *appointements m pl de ~* Anfangsgehalt *n; ~ des affaires* Geschäftsbeginn *m; ~ oratoire (parl)* Jungfernrede *f;* **~ant, e** [-tɑ̃, -ɑ̃t] *m f* Anfänger(in *f*), Neuling *m; ~e de ski* Schihaserl *n;* **~er** *(Spiel)* an=fangen, den Anfang machen, an=spielen; *fig* s-e ersten Schritte tun; (zum erstenmal) an die Öffentlichkeit treten; *theat* zum erstenmal auf=treten; *allg* an=fangen, beginnen (*dans* in *dat, par* mit).

deçà [dəsa] *adv vx* diesseits, auf dieser Seite, hier; *~ (et) delà* hin u. her; *en ~ de (prp)* diesseits; *jambe ~, jambe delà* rittlings; *rester en ~ de la vérité, réalité (fig)* nicht übertreiben; hinter der Wirklichkeit zurück=bleiben.

décacheter [dekaʃte] entsiegeln.

décad|aire [dekadɛr] *a* Dekaden-; zehntägig; **~e** *f* Dekade *f (zehn Tage, a. Jahre).*

décad|ence [dekadɑ̃s] *f* Verfall *m;* Entartung, Dekadenz *f; tomber en ~ (fig)* in Verfall geraten; **~ent, e** dekadent, entartet.

décaèdre [dekaɛdr] *s m math* Zehnflächner, Dekaeder *m; a* zehnflächig.

décaféiné, e [dekafeine] koffeinfrei.

déca|gonal, e [dekagɔnal] zehneckig; **~gone** [-gɔ(o)n] *m* Zehneck *n;* **~gramme** *m* Dekagramm *n.*

décaiss|ement [dekɛsmɑ̃] *m* Auszahlung *f;* **~er** aus der Kiste nehmen; der Kasse entnehmen, aus=zahlen.

décal|age [dekalaʒ] *m tech* Verschiebung *a. fig,* Verstellung; Staffelung; Entfernung *f;* Abstand *m (räuml. od zeitl.);* Spanne *f; ~ horaire* Zeitunterschied *m; ~ des phases* Phasenverschiebung *f; ~ des prix* Preisspanne, -unterschied.

décalaminer [dekalamine] *mot* entrußen.

décaler [dekale] den Keil, Hemmklotz weg=nehmen (*qc* von etw); verschieben *a. fig; (Säge)* verschränken; *fig pol* verlagern.

décalcifier [dekalsifje] *(dem Boden)* den Kalk entziehen; *pp* sauer.

décalcomanie [dekalkɔmani] *f* Abziehbild(verfahren); Abziehplakat *n.*

déca|litre [dekalitr] *m* Dekaliter *m* od *n;* **~logue** *m* Dekalog *m;* die Zehn Gebote.

décalotter [dekalɔte] e-e Kuppel entfernen (*qc* von etw).

décalqu|age, ~e [dekalk(aʒ)] *m* Abziehen *n (e-s Bildes);* Abzug *m;* (Licht-)Pause; *fig* Nachahmung *f;* **~er** *(Bild)* ab=ziehen; *fig* nach=ahmen.

décamètre [dekamɛtr] *m* Dekameter *m* od *n;* Bandmaß *n.*

décamper [dekɑ̃pe] das Lager ab=brechen; ab=ziehen; aus=rücken, *fam* ab=hauen.

décanat [dekana] *m* Dekanat *n.*

décaniller [dekanije] *pop* sich aus dem Staube machen.

décan|tage [dekɑ̃taʒ] *m,* **~tation** *f* (Ab-)Klärung *a. fig;* Schlämmung *f,* Abgießen *n; bassin m de ~* Klärbecken *n; installation f de ~* Kläranlage *f;* **~ter** (ab=)klären *a. fig;* ab=gießen; **~teur** *m* Abklärgefäß *n,* Abscheider *m.*

décap|ant [dekapɑ̃] *m* Beizmittel *n;* **~er 1.** (ab=)beizen; ab=brennen; (ab=)schaben; entrosten; mattieren; ab=strahlen; **2.** um ein Kap herum auf die hohe See hinaus=fahren.

décapi|tation [dekapitasjɔ̃] *f* Enthauptung *f;* **~ter** enthaupten (*à* mit); *(Baum)* entwipfeln; *fig* der Besten berauben, führerlos machen; zerstören.

décapode [dekapɔd] *a* zehnfüßig; *s m pl zoo* Zehnfüß(l)er *m pl.*

décapo|table [dekapɔtabl] *a* mit zurückklappbarem Verdeck; *s f* Kabriolett *n;* Klappverdeckkarosserie *f;* **~ter** *(une voiture)* das Verdeck (e-s Wagens) zurück=klappen.

décarb|onater [dekarbɔnate] Kohlensäure entziehen (*qc* e-r S *dat*); **~urer** entkohlen.

décarcasser, se [dekarkase] *pop* sich ab=rackern, sich an=strengen.

décarreler [dekarle] e-n Plattenbelag entfernen (*qc* von etw).

décartelli|ser [dekartɛlize] entkartellisieren, entflechten; **~sation** *f* Entflechtung *f.*

décartonner [dekartɔne] den Karton entfernen (*qc* von etw).

déca|stère [dekastɛr] *m* Dekaster *m,* 10 Raummeter *m* od *n pl (Brennholz);* **~syllab(iqu)e** *poet* zehnsilbig.

décathlon [dekatlɔ̃] *m sport* Zehnkampf *m;* **~ien** [-tlɔnjɛ̃] *a m: (athlète) m ~* Zehnkämpfer *m.*

décat|ir [dekatir] *(Stoff)* dekatieren, krimpen; *fig fam* den Glanz, die Frische nehmen (*qc* e-r S *dat*), welk machen; **~isseur** *m* Dekateur *m;* **~isseuse** *f* Dekatiermaschine *f.*

décaver [dekave] im Spiel alles ab=nehmen (*qn* jdm); *fig fam* ruinieren, an den Bettelstab bringen; *pp* ruiniert; *pop (Augen)* tiefliegend.

décéder [desede] versterben, -scheiden.

déce|lable [deslabl] erkennbar; nachweisbar; **~ler** enthüllen, auf=decken, verraten; *tech* nach=weisen, finden; *se ~* zutage treten; sich zeigen.

décélé|ration [deselerasjɔ̃] *f* Verlangsamung *f;* **~rer** verlangsamen.

décembre [desɑ̃br] *m* Dezember *m.*

décence [desɑ̃s] *f* Anstand *m,* Schicklichkeit *f.*

décendrer [desɑ̃dre] entaschen.

décen|nal, e [desenal] zehnjährig; alle zehn Jahre wiederkehrend; **~nie** *f* Jahrzehnt *n.*

décent, e [desɑ̃, -t] *adv* **décemment** [-sa-] schicklich, (wohl-)anständig, sittsam; korrekt; dezent.

décentr|alisation [desɑ̃tralizasjɔ̃] *f* Dezentralisierung; Entflechtung; Verlagerung *f;* **~aliser** dezentralisieren, entflechten; verlagern; auf=lockern; **~er** *opt* dezentrieren.

déception [desɛpsjɔ̃] *f* Enttäuschung *f.*

décerner [desɛrne] *jur* an=ordnen, verfügen, erlassen; zu=erkennen, zu=sprechen; *~ la palme à qn* jdn zum Sieger, für den Besten erklären, jdm den Sieg zu=erkennen.

décès [desɛ] *m* Ableben, Hinscheiden *n;* Todesfall *m; fermé pour cause de ~* wegen Todesfalls geschlossen; *acte m de ~* Sterbeurkunde *f; date f du ~* Sterbedatum *n; faire-part m de ~* Todesanzeige *f.*

décev|ant, e [desvɑ̃, -ɑ̃t] *a* trügerisch; **~oir** *irr* enttäuschen.

déchaîn|ement [deʃɛnmɑ̃] *m fig* Entfesselung *f,* Ausbruch *m,* Toben *n;* **~er** [deʃɛ(e)ne] los=ketten; *meist fig* entfesseln, auf=peitschen; *se ~* los-, aus=brechen; toben wüten; *être ~é* außer Rand u. Band sein; *(vx) le diable est ~é* der Teufel ist los.

déchaler [deʃale] *(Flut)* zurück=gehen; *la plage déchale* der Strand trocknet ab.

déchanter [deʃɑ̃te] *fig fam* klein bei=geben; e-n Pflock zurück=stecken.

décharg|e [deʃarʒ] *f jur com allg* Entlastung; Quittung *f;* Steuererlaß *m; fig* Erleichterung; *mil* Salve; *fam* Tracht *f* (Prügel); Abstellraum *m,* Rumpelkammer; *arch* Entlastung (-sbogen *m*) *f;* Abfluß(rohr *n*); *typ* Einschießbogen *m; el* Entladung *f; donner ~* e-e Quittung ausstellen; Entlastung erteilen; *témoin m à ~* Entlastungszeuge *m; ~ (publique)* Schuttabladeplatz *m;* (Müll-)Deponie *f;* **~ement** [-ʒə-] *m* Ab-, Ausladen; *mar* Löschen; *mil* Entladen *n;* **~eoir** *m* Abflußrohr *n;* Zeug-, Weberbaum *m;* **~er** *tr* ab=, aus=, entladen, *mar* löschen; *(Last)* ab=nehmen (*qn de qc* jdm etw); *fig a. jur com* entlasten, erleichtern, befreien (*de* von); *(sein Herz)* aus=schütten; *com* aus=tragen, streichen; quittieren; *(Baum)* aus=lichten; *el mil* entladen; (ab=)schießen (*sur, contre qn* auf jdn); *fam (Blick)* werfen; *(Hochofen)* aus=kratzen; *arch* entlasten; *itr* schmieren, klecksen; ab=färben; *se ~ (fig)* sich frei=machen; *(Gewehr)* los=gehen; ab=wälzen (*de qc sur qn* etw auf jdn); ab=fließen, sich ergießen; *~ d'(une) accusation (jur)* frei=sprechen; *~ sa colère sur qn* s-e Wut an jdm aus=lassen; *~ un coup sur qn* jdm e-n Schlag versetzen; *~ d'une obligation* e-r Verpflichtung entbinden; *~ le plancher (fam)* raus=gehen; **~eur** *m* Ablader *m;* Entladevorrichtung *f.*

décharn|é, e [deʃarne] mager, hager; entblößt; *(Stil)* trocken; *(Berg)* kahl; **~er** das Fleisch ab=trennen, -lösen (*qc* von etw); ab=magern lassen; *se ~* ab=magern; *fig (Stil)* trocken werden.

déchaum|er [deʃome] die Stoppeln unter=pflügen (*un champ* auf e-m Acker); **~euse** *f Art* Hackpflug *m.*

déchauss|é, e; déchaux [deʃose, deʃo] barfuß; unterspült; freigelegt; schadhaft; *(Zahn)* ohne Zahnfleisch; **~er** die Schuhe, Strümpfe aus=ziehen, die Sporen ab=nehmen (*qn* jdm); *(Zahn, Baumstamm, Mauer)* bis zur Wurzel, unten frei=legen; die Erde *(um e-n Baum herum)* auf=lockern; unterspülen; *se ~* die Schuhe aus=ziehen; *(Zähne)* lose werden; *n'être pas digne de ~ qn* nicht würdig sein, jdm die Schuhriemen zu lösen; **~euse** *f* Weinbergspflug *m.*

dèche [dɛʃ] *f pop* Elend *n,* Not, Klemme *f; tomber dans la ~* in Not geraten.

déchéance [deʃeɑ̃s] *f pol* Absetzung; Ausschaltung *f;* (Ver-)Fall *m,* Verkommenheit, Erniedrigung *f; jur* Verlust *m,* Aberkennung *f,* Wegfall *m,* Erlöschen *n.*

déchet [deʃɛ] *m meist pl* Abfall(stoff *m,* -produkt *n*) Ausschuß, Bruch *m;* Reste *m pl;* Verlust *m; fig* Verminderung, Beeinträchtigung *f;* Verfall *m; ~s atomiques* Atommüll *m; ~s de coton* Baumwollabfälle *m pl;* Putzwolle *f; ~ de métal* Schrott *m; ~ de route (com)* Abgang, Schwund *m* (beim Transport); *~s toxiques* Giftmüll *m.*

décheveler [deʃəvle] die Haare zerzausen (*qn* jdm).

déchevêtrer [deʃəvetre] ab=halftern.

déchiffr|able [deʃifrabl] entzifferbar, lesbar; *(Rätsel)* lösbar; **~age, ~ement** [-frə-] *m* Entzifferung; Entschlüsselung *f;* **~er** dechiffrieren; *allg* entziffern, heraus=bekommen, *fam* -kriegen; *mus* vom Blatt lesen *od* singen *od* spielen; *(Rätsel)* lösen; *(Person)* durchschauen; **~eur, se** *m f* Entschlüßler; Entzifferer; (Rätsel-) Löser *m;* jem, der vom Blatt spielen, singen kann.

déchiquet|é, e [deʃikte] *a bot* gezackt; *geog* zerklüftet; *(Satz)* abgehackt; **~er** zerstückeln, -fetzen, -kleinern, -schneiden; *fig* in Stücke reißen, *fam* zerlegen; keine Ruhe lassen *dat,* quälen.

déchir|age [deʃiraʒ] *m* Ausea.nehmen *(e-s Floßes), (Schiff)* Abwracken *n;* **~ant, e** *a* herzzerreißend; ohrenbetäubend; **~ement** *m* Zerreißen *n;* Riß; *fig* heftige(r), lebhafte(r) Schmerz *m; pl* Wirren *pl;* Zwist *m;* **~er** zerreißen *a. fig;* auf=reißen; zerfetzen; *(Ohren)* betäuben; *fig* mit Füßen treten, herunter=machen, keinen guten Faden lassen (*qn* an jdm); *(Vertrag)* brechen; *(Land)* zerrütten, spalten; *se ~* (ein=)reißen; Risse bekommen; *~ une blessure (fig)* e-e Wunde wieder auf=reißen; *~ qn à belles dents* an jdm kein gutes Haar lassen; *~ en deux* entzwei=reißen; **~ure** *f* Riß *m.*

déch|oir [deʃwar] *irr* fallen, (ab=)sinken; nach=lassen; verfallen; **~u, e** heruntergekommen; verfallen; abgesetzt; *être ~ de qc* e-r S *(gen)* verlustig gehen; etw verwirkt haben; *ange m ~* gefallene(r) Engel *m.*

déchristianiser [dekristianize] dem Christentum entfremden, entchristlichen.

décibel [desibɛl] *m* Dezibel *n.*

décid|é, e [deside] *a* entschieden, bestimmt; entschlossen; ab-, ausgemacht; *c'est (une) chose ~e* das ist entschieden; **~ément** adv entschieden; sicher; wahrhaftig; **~er** *tr* entscheiden; fest=setzen, -legen; beschließen (*de* zu); bestimmen (*qn à qc* jdn zu etw); *itr ~ de qc* über e-e S entscheiden, etw bestimmen; *être ~é à* entschlossen sein zu; *se ~* sich entscheiden (*à* zu, *pour* für).

déci|gramme [desigram] *m* Dezigramm *n (‰ Gramm);* **~litre** *m* Deziliter *m* od *n (‰ Liter).*

décim|al, e [desimal] *a* Dezimal-; *s f math* (Dezimal-)Stelle, Dezimale *f; fraction f ~e* Dezimalbruch *m; système m ~ (math phys)* Dezimalsystem *n;* **~alisation** *f* Dezimalisierung *f;* **~aliser** dezimalisieren; **~e** *m* Zehntelfranc *m; (Steuer)* Zuschlag *m* von 10 %; *f com hist rel* Zehnt(e) *m.*

décimer [desime] dezimieren.

décimètre [desimɛtr] *m* Dezimeter *m* od *n (‰ Meter).*

décintré, e [desɛ̃tre] nicht tailliert, nicht auf Taille gearbeitet.

décis|if, ive [desizif, -iv] entscheidend, ausschlaggebend; **~ion** *f* Entscheidung *f;* Ent-, Beschluß; Ent-, Bescheid *m;* Verfügung, Anordnung; Entschiedenheit, Festigkeit *f; sans ~* unentschieden; *prendre une ~* e-e Entscheidung treffen; *rendre une ~* e-e Entscheidung treffen, ein Urteil fällen; *se réserver la ~* sich die Entscheidung vor=behalten; *s'en tenir à sa ~* bei s-r Entscheidung bleiben; an s-m Entschluß fest=halten; *~ arbitrale* Schiedsspruch *m; ~ du cabinet (pol)* Kabinettsbeschluß *m; ~ déclaratoire (jur)* Feststellungsbescheid *m; ~ à la majorité des voix* Mehrheitsbeschluß *m;* **~oire** *jur* entscheidend.

déclam|ateur, trice [deklamatœr, -tris] *s m f* Vortragskünstler(in *f*); schwülstige(r) Redner(in *f*) *od* Schriftsteller(in *f*); *allg* Phrasendrescher *m; a* schwülstig; **~ation** *f* Vortragskunst; schwülstige Rede *f;* Schwulst *m,* Effekthascherei *f; mus* Vortrag *m;* **~atoire** *a* Vortrags-; schwülstig; **~er** *tr* deklamieren, her=, auf=sagen; *itr* geschwollen, schwülstig reden; *fig* zu Felde ziehen (*contre* gegen).

déclanche *etc s. déclenche etc.*

déclar|atif, ive; ~atoire [deklaratif, -iv; -atwar] *a* Erklärungs-, Feststellungs-; **~ation** *f* Erklärung; Aussage; Verkünd(ig)ung; (An-)Meldung, Anzeige; Feststellung; Bestätigung *f;* Geständnis *n; (~ d'amour)* Liebeserklärung *f; faire sa ~ d'arrivée, de départ* sich an=, ab=melden; *faire une ~ en personne* e-e Erklärung persönlich ab=geben; *délai m de ~* Anmeldefrist *f; jugement m de ~ d'absence* Verschollenheitserklärung *f; sujet à ~* anmeldepflichtig; *~ d'accident* Unfallanzeige *f; ~ d'arrivée, de séjour* (polizeiliche) Anmeldung *f;*

~ *de décès* Todesanzeige *f;* ~ *de démission* Austrittserklärung *f;* ~ *de départ* (polizeiliche) Abmeldung *f;* ~ *des droits de l'homme et du citoyen* Erklärung *f* der Menschen- und Bürgerrechte; ~ *en douane* Zollerklärung *f;* ~ *d'expédition* Versanderklärung *f;* ~ *d'exportation* Ausfuhrerklärung *f;* ~ *de faillite* Konkurserklärung *f;* ~ *de guerre* Kriegserklärung *f;* ~ *d'impôts* Steuererklärung *f;* ~ *d'intention* Willenserklärung *f;* ~ *de naissance* Geburtsanzeige *f;* ~ *obligatoire* (An-)Meldepflicht *f;* ~ *personnelle* Familienanzeige *f;* ~ *de la valeur* Wertangabe *f;* **~er** erklären, bekennen; an≈geben, nennen; (an≈) melden; verkünden; *com* deklarieren; *se* ~ sich aus≈lassen, sich aus≈sprechen (*sur* über *acc*); Stellung nehmen (*sur* zu); *(Krankheit)* aus≈brechen; zum Vorschein kommen, in Erscheinung treten; e-e Liebeserklärung machen; ~ *coupable, décédé* für schuldig, für tot erklären; ~ *la séance ouverte* die Sitzung eröffnen; *rien à ~?* nichts zu verzollen?

déclassé, e [deklase] *a (sozial)* gesunken, deklassiert; *s m f* Deklassierte(r *m*) *f;* **~er** aus≈sortieren, -rangieren; um≈ordnen; in Unordnung bringen; entwurzeln, aus der Bahn werfen *fig;* die (Standes-)Unterschiede verwischen; *se* ~ *(Person)* (ab≈)sinken; in Unordnung geraten; *loc* in e-e andere Klasse über≈gehen.

déclench|e [deklɑ̃ʃ] *f tech* Auslösevorrichtung *f;* **~ement** *m* Auf-, Ausklinken *n;* Auslösung; Auslösevorrichtung *f; fig* Ausbruch *m;* Ankurbelung; *mil (Feuer)* Eröffnung *f;* **~er** aus≈klinken, -rücken, -kuppeln, -schalten, -lösen; *(Tür)* auf≈klinken; *fig* in Gang bringen, starten, aus≈lösen; *(Wirtschaft)* an≈kurbeln; *(Krieg)* entfesseln; *mil (Feuer)* eröffnen; *se* ~ in Gang kommen, aus≈brechen; los≈gehen; *fam* sich verrenken; **~eur** *m tech* Auslöser *m; (~ automatique) (phot)* Selbstauslöser *m.*

déclic [deklik] *m* Ausklinkvorrichtung *f;* Sperrhaken *m,* -klinke *f;* Druck *m (auf e-n Knopf);* Anknipsen *n; interj* knack! *pousser le ~, appuyer sur le ~* auf den (Auslöse-)Knopf drücken; *chronomètre m à ~* Stoppuhr *f;* ~ *automatique (phot)* Selbstauslöser *m.*

declin [deklɛ̃] *m* Sinken *(der Sonne); (Tag, Mond)* Abnehmen; *(Mond)* letzte(s) Viertel; *fig* Nachlassen *n,* Verfall, Niedergang *m,* Ende *n; être à* (od *sur*) *son* ~ zur Neige gehen, s-m Ende zu≈gehen; **~aison** [-kli-] *f astr* Deklination, Ab-, Mißweisung *a. geog; gram* Deklination, Beugung *f;* **~atoire** *a jur* Ablehnungs-; s m Einrede *f* der Nichtzuständigkeit; **~er** *itr astr* sich neigen, sinken; ab≈weichen; *allg* sich neigen; *fig* zur Neige, zu Ende gehen; nach≈lassen, verfallen, aus≈arten; *tr gram* deklinieren; *(s-n Namen)* nennen; ab≈lehnen, zurück≈weisen.

déclique(te)r [deklik(t)e] aus≈klinken.

décliv|e [dekliv] *a: (en ~)* geneigt, abschüssig; **~ité** *f (Gelände)* Abfallen *n,* Neigung *f;* Hang *m;* Abdachung *f; (Fluß)* Gefälle *n.*

déclore [deklɔr] den Zaun, die Mauer entfernen (*qc* von etw); *allg* öffnen.

déclouer [deklue] die Nägel ziehen (*qc* aus etw); vom Nagel nehmen; ab≈machen.

décocher [dekɔʃe] *(Pfeil)* mit e-m Bogen ab≈schießen; los≈lassen; *(Schlag)* versetzen; *(Blick)* werfen; *(spitze Worte)* äußern; ~ *un compliment* ein (unpassendes) Kompliment machen.

décoction [dekɔksjɔ̃] *f* (Ab-)Kochen *n;* Absud *m; (fig pop)* ~ *de coups de bâton* Tracht *f* Prügel.

décodeur [dekɔdœr] *m inform* Decoder *m.*

décoffrer [dekɔfre] *arch* aus≈schalen.

décohér|er [dekɔere] *radio* entfritten; **~eur** *m* Entfritter, Klopfer *m.*

décohésion [dekɔezjɔ̃] *f* Entfrittung *f.*

décoiffer [dekwafe] die Kopfbedekkung ab≈nehmen (*qn* jdm); die Frisur, die Haare in Unordnung bringen (*qn* jdm), zerzausen (*qn* jdn); *(Flasche)* enthülsen, entkorken; *allg* den Dekkel ab≈nehmen *od* ab≈schrauben (*qc* von etw); *fig* ab≈bringen (*de* von).

décolérer [dekɔlere]: *il ne décolère pas* sein Zorn verraucht nicht.

décollage [dekɔlaʒ] *m aero* Abflug; Aufstieg, Start *m; piste f de* ~ Startbahn *f;* ~ *en aveugle, sans visibilité* Blindstart *m;* ~ *par catapulte* Katapultstart *m;* ~ *manqué* Fehlstart *m.*

décollation [dekɔlasjɔ̃] *f* Enthauptung *f.*

décoll|ement [dekɔlmɑ̃] *m med* Ablösung *f;* ~ *de la rétine* Netzhautablösung *f;* **~er** *tr (Geleimtes)* ausea.≈nehmen; ab≈lösen; *allg* trennen; *itr fig fam* weg≈gehen, ab≈hauen; sich trennen, sich scheiden lassen; *aero* ab≈fliegen, auf≈steigen, starten; *sport* sich lösen; *(Radrennfahrer)* (hinter dem Schrittmacher) zurück≈bleiben; *pop* alt, krank, mager werden; *se* ~

ab=gehen, sich ab=lösen, aus dem Leim gehen; Vorsprung gewinnen.

décoll|etage [dekɔltaʒ] *m tech* Automatenarbeit *f.*

décolleté, e [dekɔlte] *a* ausgeschnitten; *fig* (allzu) frei; *s m* (Kleid-)Ausschnitt *m,* Dekolleté *n.*

décoll|eter [dekɔlte] dekolletieren; *tech* auf der Drehbank ab=stechen; *se ~* ausgeschnittene Kleider tragen; **~eteuse** *f* (Automaten-)Drehbank; Dreherin *f.*

décoloni|sation [dekɔlɔnizasjɔ̃] *f* Entkolonisierung *f;* **~ser** entkolonisieren.

décolor|ant [dekɔlɔrɑ̃] *m* Bleichmittel *n;* **~ation** *f* Entfärbung; Farblosigkeit *f a. fig;* **~é, e** *a* farblos, blaß *a. fig;* **~er** entfärben, bleichen; *fig* farblos machen; verblassen lassen; *se ~* verblassen, verschießen.

décombres [dekɔ̃br] *m pl* (Bau-)Schutt *m,* Trümmer *pl; min* Abraum *m; amas, monceau m de ~* Trümmerhaufen *m.*

décommander [dekɔmɑ̃de] ab=bestellen, ab=sagen; ab=schreiben (*qn* jdm); *se ~* sich entschuldigen, ab=sagen, schreiben.

décompléter [dekɔ̃plete] unvollständig machen.

décompos|er [dekɔ̃poze] (in s-e Bestandteile) zerlegen; auf=lösen, zersetzen *a. fig; (Gesicht)* verzerren; *typ* auf=teilen; *fig* auf=, zergliedern, analysieren; *se ~* zerfallen, sich in s-e Bestandteile auf=lösen; (ver)faulen, verwesen; *geol* aus=wittern; **~ition** *f* Zerlegung, -setzung *f;* Ver-, Zerfall *m;* Auflösung *a. fig;* Fäulnis, Verwesung; Verwitterung; *fig* Analyse; *(Gesicht)* Verzerrung *f; agent m de ~* Fäulniserreger *m.*

décompress|eur [dekɔ̃prɛsœr] *m mot* Dekompressor; Zischhahn *m;* **~ion** *f* Kompressionsverminderung *f.*

décomprimer [dekɔ̃prime] die Verdichtung, den Druck mindern (*qc* e-r S *gen*).

décompt|able [dekɔ̃tabl] *com* abzugsfähig; **~e** *m* Ab-, Auf-, Verrechnung *f;* Abzug *m; fig* Enttäuschung *f; faire le ~* kalkulieren *a. fig; de qc* etw in Abzug bringen; *(fig) trouver, éprouver du ~* nicht auf s-e Kosten kommen; arg enttäuscht sein; *~ définitif, final* Schlußabrechnung *f;* **~er** ab=ziehen, ab=, verrechnen; *vx fig* herab=setzen, -stimmen *(nur Infinitiv).*

déconcentration [dekɔ̃sɑ̃trasjɔ̃] *f com* Entflechtung *f.*

déconcert|ant, e [dekɔ̃sɛrtɑ̃, -ɑ̃t] *a* verwirrend; beunruhigend; seltsam; **~é, e** verwirrt; außer Fassung; **~er** *fig* verwirren, stören; außer, aus der Fassung bringen; vereiteln, durchkreuzen; *se ~* aus der Fassung geraten, die F. verlieren.

déconfit, e [dekɔ̃fi, -it] sprach-, fassungslos; **~ure** *f com* Vermögenszs.bruch *m;* Zahlungsunfähigkeit *f; fig* Ruin, Untergang *m.*

décongeler [dekɔ̃ʒle] *tr* (wieder) auf=tauen.

décongestion [dekɔ̃ʒɛstjɔ̃] *f fig* Auflockerung, Entlastung *f;* **~ner** [-tjɔ-] *(Verkehr)* entlasten; *med (Organ)* zum Abschwellen bringen, den Blutandrang herab=mindern (*qc* in e-r S).

déconne|cter [dekɔnɛkte] *el* ab=, aus=schalten; *tele* ab=stecken; **~xion** [-ksjɔ̃] *f* Abschaltung, Trennung, Unterbrechung *f.*

déconseiller [dekɔ̃se(ɛ)je] ab=raten (*qc à qn* jdm von etw).

déconsi|dération [dekɔ̃siderasjɔ̃] *f* Mißachtung *f,* Verruf *m; tomber dans la ~* in Mißkredit geraten; **~dérer** in Verruf, Mißkredit bringen; *se ~* in Verruf kommen.

déconsigner [dekɔ̃siɲe] *mil* das Ausgangsverbot auf=heben (*qn* für jdn); von der Gepäckaufbewahrung ab=holen.

décontami|nation [dekɔ̃taminasjɔ̃] *f* Entseuchung *f;* **~ner** entseuchen.

décontenancer [dekɔ̃tnɑ̃se] außer, aus der Fassung bringen; *se ~* die Fassung verlieren.

décontrac|té, e [dekɔ̃trakte] *(Gesicht, Lage)* entspannt; *fig fam* sorglos; lässig; **~ter** *(Muskel)* entspannen; **~tion** *f* Entspannung *f.*

déconvenue [dekɔ̃vənу] *f* Mißerfolg *m,* -geschick, *fam* Pech *n;* Enttäuschung *f.*

décor [dekɔr] *m* Verzierung *f,* Schmuck, Zierat, Dekor *m; theat* Dekoration, Ausstattung; Umgebung, Landschaft *f; fig* Rahmen *m; pl film* Bauten *pl; entrer dans le ~ (fam mot)* von der Fahrbahn ab=kommen; *changement m de ~ (fig)* (plötzliche) Veränderung *f* der Lage; *~ d'arbre de Noël* Christbaumschmuck *m; ~ mural* Wandschmuck *m;* **~ateur** *s m* Dekorateur; Innenarchitekt; Bühnenbildner *m; a* Dekorations-; **~atif, ive** Dekorations-; dekorativ; **~ation** *f* Dekoration, Ausschmückung, Ausstattung; Raumkunst *f;* Orden *m,* Ehrenzeichen *n; ~ d'étalage* Schaufensterdekoration *f.*

décorder [dekɔrde] *(Seil)* auf=drehen; *(Tier)* los=binden; *sport* ab=seilen.

décor|é, e [dekɔre] *s m f* Ordensträ-

ger(in *f*) *m*; **~er** (aus⸗)schmücken, (ver)zieren, dekorieren; *fig* ehren, aus⸗zeichnen (*de* mit); *(Orden, Titel)* verleihen (*qn* jdm).
décorner [dekɔrne] *(e-m Rind)* die Hörner, *(aus Papier)* die Eselsohren entfernen; *il fait un vent à ~ les bœufs* es stürmt entsetzlich.
décor|tiquer [dekɔrtike] *(Baum)* entrinden, ab⸗kratzen; ab⸗schälen; *(Reis)* enthülsen, schälen; **~tiqueur** *m*, **~tiqueuse** *f* Schälmaschine *f*.
décorum [dekɔrɔm] *m* Dekorum *n*, Anstand *m*, Schicklichkeit; Etikette *f*.
découcher [dekuʃe] *v* auswärts schlafen; *~ de sa maison* nicht zu Hause schlafen; *s m: frais m pl de ~* Übernachtungsgeld *n*.
découdre [dekudr] *(Genähtes)* auf⸗trennen; *(Eingenähtes)* heraus⸗trennen; *(Bauch)* auf⸗schlitzen; *fig fam* ausea.⸗reißen; *en ~ (fam)* sich schlagen, kämpfen; *se ~ (Naht)* auf⸗platzen, -gehen; *fig fam* in die Brüche gehen.
découler [dekule] (herab⸗)rinnen (*de* aus, von); ab⸗fließen; *fig* her⸗kommen, -rühren (*de* von), sich ergeben (*de* aus).
découp|age [dekupaʒ] *m (Geflügel)* Zerlegen, Tranchieren; *(Kuchen)* Aufschneiden; *(Stoff)* Zuschneiden; *(Bild)* Ausschneiden *n*; Photomontage *f*; *tech* Ab-, Aus-, Aufschneiden, Stanzen; *film* (Roh-)Drehbuch *n*; *pl* Ausschneidebogen *m*; **~é, e** *a* ausgeschnitten, ausgesägt; gezackt; **~e** *f (Kleid)* Ausschnitt *m*; Zuschneiden *n*; Teilungsnaht; Stanze *f*; **~er** zer-, aus⸗schneiden (*dans* aus); *(Braten)* vor⸗schneiden; *(Geflügel)* tranchieren; *(Kuchen)* auf⸗schneiden; zerkleinern, zerlegen; *tech* stanzen, lochen; *(Stoff)* zu⸗schneiden; *fig* verteilen; *se ~* sich ab⸗heben; *machine f à ~* Schneidmaschine *f*; *~ (à la scie)* aus⸗sägen; **~eur** *m* Zuschneider *m*.
découp|lé, e [dekuple] *(Person)* gut gebaut, kräftig; *(Hunde)* losgekoppelt; **~ler** *(Hunde)* los⸗koppeln; *loc tech* ent-, los⸗kuppeln; *radio* entkoppeln; *fig fam* auf den Hals hetzen.
découp|oir [dekupwar] *m* Lochschnittmaschine; Abschneideschere *f*; Locher *m*, Locheisen *n*; **~ure** *f* Ausschneiden, Stanzen *n*; ausgeschnittene, gestanzte Arbeit *f*; Aus-, Einschnitt *m*; Schnitz-, Maßwerk *n*; Durchbrechung *f*; (Zeitungs-)Ausschnitt; gezackte(r) Rand *m*.
décourag|ement [dekuraʒmɑ̃] *m* Entmutigung, Mutlosigkeit *f*; **~er** entmutigen, mutlos machen; den Schwung, die Lust nehmen (*qn* jdm); *(von e-m Verbrechen)* ab⸗schrecken; *se ~* den Mut verlieren *od* sinken lassen.
découronner [dekurɔne] der Krone, *fig* des Haarschmuckes berauben; den Nimbus nehmen (*qn* jdm); das Beste weg⸗nehmen (*qc* von etw).
décours [dekur] *m* Abnehmen *n* (des Mondes); *med* Rückgang *m*, Nachlassen, Abklingen *n*.
décous|u, e [dekuzy] *a fig* unzs.hängend, zs.hanglos; zerfahren; ungeregelt; *(Kleid)* aufgetrennt; *s m* Zs.hanglosigkeit *f*; **~ure** *f* (auf)geplatzte Naht *f*.
découv|ert, e [dekuvɛr, -rt] *a (Gelände, Wagen)* offen; *mar* ohne Deck; ohne Hut; *mil* ohne Deckung; *s m* offene(s) Gelände *n*; *com* ungedeckte(r) Betrag *m*, Kontoüberziehung; *(Börse)* Baisseposition *f*; (Einschnitt *m* beim) Tagebau *m*; *s f* Ent-, Aufdeckung; *mil* Aufklärung; *(Fechten)* Blöße *f*; *min* Abraum *m*; *à ~* offen, ungeschützt, freiliegend; *fig* offen, frei; *com* ungedeckt, ohne Deckung, blanko; *à visage ~* mit offenem Visier, *fig* ohne Verstellung, ohne Umschweife, offen; *aller à la ~e* auf Erkundung, *fig* auf die Suche gehen; *mettre un compte à ~* ein Konto überziehen; *crédit m à ~* Blankokredit *m*; *voyage m de ~e* Entdeckungsreise *f*; **~reur, se** *s m f* Entdecker(in *f*) *m*; **~rir** *irr tr* auf⸗decken, frei⸗legen; *fig* enthüllen; entblößen; ungeschützt lassen; entdecken; heraus⸗bekommen, ermitteln, (heraus⸗)finden, auf⸗klären, an den Tag bringen; *math (Aufgabe)* lösen; *mar* sichten; *arch* ab⸗decken; *min* erschürfen, -bohren; erschließen; *itr (vom Meer)* freigelegt werden; *min* fündig werden; *se ~* sich auf⸗decken, sich entblößen; den Hut ab⸗nehmen *od* ziehen; *(Wetter)* sich auf⸗klären; *mil* die Deckung verlassen; *(Fechten)* sich e-e Blöße geben; sichtbar sein; *~ son jeu* s-e Karten auf⸗decken *a. fig*; *~ le pot aux roses* hinter die Schliche kommen.
décrass|er [dekrase] säubern, reinigen, aus⸗waschen; *fig* (über das Notwendigste) auf⸗klären; Manieren bei⸗bringen (*qn* jdm), ab⸗schleifen; aus dem Dreck ziehen; *tech* ab⸗räumen; ab⸗, entschlacken; **~oir** *m* Staubkamm; Kammreiniger *m*.
décréditer [dekredite] *vx* diskreditieren, in Verruf, Mißkredit bringen.
décrép|ir [dekrepir] *arch* den Putz entfernen (*qc* von etw); *vulg (die Schnauze)* ein⸗schlagen; *se ~* den Putz verlieren; *fig* verfallen; **~it, e**

[-i, -it] verfallen, altersschwach; **~iter** knistern, prasseln; **~itude** *f* (völliger) Verfall *m*, Altersschwäche *f*; schlechte(r) Zustand *m*.

décret [dekrɛ] *m* Dekret *n*, Beschluß; Erlaß *m*, Verordnung, Verfügung *f*; *~ d'application* Ausführungsbestimmung *f*; *~-loi m* Notverordnung *f*.

décréter [dekrete] beschließen; verordnen, verfügen; *~ qn de prise de corps* gegen jdn e-n Haftbefehl erlassen.

décri [dekri] *m vx* Verruf(serklärung *f*) *m*; **~er** [-krije] in Verruf bringen, schlecht sprechen (*qn* über jdn); *~ sa marchandise (fig)* sich ins eigene Fleisch schneiden.

décrire [dekrir] *irr* beschreiben *a. math*, dar≈stellen, schildern.

décroch|age, ~ement [dekrɔʃaʒ, -mɑ̃] *m* Abhängen, Loshaken *n*; *geol* Verschiebung *f*; *(Gefecht)* Abbrechen *n*; *(mouvement m de ~)* Absetzbewegung *f*; **~er** *tr* vom Haken nehmen; *pol* stürzen; erlangen, *fam* ergattern; *loc* entkuppeln, ab≈hängen; *tele (den Hörer)* ab≈nehmen; *aero* überziehen; *itr mil* sich ab≈setzen; Fersengeld geben; *sport* e-n Vorsprung gewinnen (*qn* vor jdm); *fig fam* sich frei≈machen (*de* von); ab≈springen; *~ la timbale, le pompon (fig)* den Vogel ab≈schießen; **~ez--moi-ça** [-ʃemwasa] *m com* getragene Kleidung; Altwarenhandlung *f*.

décroiser [dekrwɑze] *(Gekreuztes)* ausea.≈nehmen; *(Fäden)* entwirren.

décroiss|ance [dekrwasɑ̃s] *f* Abnahme *f*; **~ement** *m* Abnehmen *n*.

décroît [dekrwa] *m astr* letzte(s) Viertel *n*; **~re** [-tr] *irr* ab≈nehmen *itr*; kürzer, schwächer werden; *(Hochwasser)* fallen; *fig* nach≈lassen.

décrott|er [dekrɔte] sauber≈machen; *(Kleider)* aus≈bürsten; *(Schuhe)* putzen; *~ qn* jdm die Kleider aus≈bürsten u. die Schuhe putzen; *fig fam (Person)* zurecht≈stutzen, Manieren bei≈bringen (*qn* jdm); **~eur** *m* Stiefel-, Schuhputzer *m*; **~euse, ~oire** *f* Schmutzbürste *f*; **~oir** *m* Kratzeisen *n*, Fußabstreifer; Abtreter *m*.

décrue [dekry] *f (Hochwasser)* Sinken, Fallen *n*; *fig* Abnahme *f*.

décrypter [dekripte] *(Geheimschrift)* entziffern.

déculotter [dekylɔte] *tr fam* die Hose aus≈ziehen (*qn* jdm); *(Pfeife)* reinigen; *itr pop* pleite gehen.

décupl|e [dekypl] *a* zehnfach; *s m* Zehnfache(s) *n*; **~er** *tr* verzehnfachen; (beträchtlich) steigern; *itr, se ~* sich verzehnfachen; (beträchtlich) steigen; e-e gewaltige Aktivität entwickeln.

décuver [dekyve] *(Wein)* ab≈lassen.

dédaign|er [dedɛ(e)ɲe] ver-, mißachten; verschmähen; (es) nicht für nötig halten (*de* zu); **~eux, se** voll(er) Verachtung (*de* für); verächtlich, geringschätzig; *être ~ de qc* etw verachten, verschmähen.

dédain [dedɛ̃] *m* Verachtung, Geringschätzung *f*; *avec ~* verächtlich, wegwerfend.

dédale [dedal] *m* Labyrinth *n*, Irrgarten *m*; *fig* Durcheinander *n*.

dedans [dədɑ̃] *adv* (dr)innen; hinein; *en ~* (von) innen; *(Person)* verschlossen, schüchtern; *en ~ (de)* in(nerhalb *gen*); *au ~ de* in; *là-~* da drinnen; *donner ~* herein≈fallen; *donner, entrer, rentrer ~* dagegen≈stoßen; *mettre, ficher, foutre ~ (fig fam)* herein≈legen; *pop* ein≈sperren; *se mettre ~* sich irren; *rentrer ~ à qn (fam)* auf jdn ein≈schlagen, auf jdn los≈gehen; *ne savoir si l'on est ~ ou dehors* im ungewissen sein; *s m: le ~* das Innere, Haus; *au ~* (dr)innen; im Inner(e)n.

dédic|ace [dedikas] *f rel* Einweihung; Kirchweih(fest *n*); *(Buch)* Widmung *f*; **~acer** *(Buch)* mit e-r Widmung versehen; **~atoire** *a* Widmungs-;

dédier [dedje] weihen, widmen.

dédi|re [dedir] *irr* verleugnen; widersprechen (*qn* jdm); *se ~* sein Wort zurück≈nehmen; widerrufen (*de qc* etw); zurück≈treten (*de qc* von etw); **~t** [-di] *m* Widerruf *m*; *com* Abstands-, Reugeld *n*.

dédommag|ement [dedɔmaʒmɑ̃] *m* Entschädigung(ssumme, -sleistung) *f*; Schadenersatz; *fig* Ausgleich *m* (*à* für); **~er** entschädigen (*de qc* für etw); Schadenersatz leisten (*qn* jdm); *se ~* sich schadlos halten (*de qc* für etw).

dédorer [dedɔre] die Vergoldung entfernen (*qc* von etw); *se ~* die Vergoldung verlieren.

dédouan|ement [dedwanmɑ̃] *m* Verzollung *f*; **~er** verzollen; zollamtlich ab≈fertigen; *fig fam* weiß≈waschen, rehabilitieren.

dédoubl|ement [dedubləmɑ̃] *m* Zweiteilung, Halbierung; *loc* Doppelführung *f*; *voie f de ~ (loc)* zweite(s) Gleis, Nebengleis *n*; *~ de la personnalité* Bewußtseinsspaltung *f*; **~er** in zwei (gleiche) Teile teilen; halbieren; ausea.≈falten; das Futter heraus≈trennen (*qc* aus etw); *chem* in s-e beiden Bestandteile zerlegen; *(Alkohol)* verschneiden; *loc* e-n Vorzug fahren lassen (*un train* zu e-m Zug); *sport* überrunden; *mil* in e-r Reihe marschieren lassen; *se ~ (fig)* sich teilen; an mehreren Orten zugleich sein; an Bewußtseinsspaltung leiden; *(Kleidung)* das Futter verlieren.

déduct|ible [dedyktibl] *com* abzugsfähig, anrechenbar; **~if, ive** deduktiv; **~ion** [-ksjɔ̃] *f com* Abzug *m;* Aufzählung, Darlegung, -stellung; Ableitung, Schlußfolgerung, Deduktion *f; faire ~* in Abzug bringen, ab=ziehen (*de qc* etw); *~ faite des frais* nach Abzug der Kosten; *~ d'impôt, de taxe* Steuerabzug *m.*

dédui|re [dedɥir] *com* ab=ziehen; ab=rechnen, -setzen; ab=leiten, folgern; *vx* auf=zählen, dar=legen, -stellen, ausea.setzen; *il faut en ~* davon muß man (einige) Abstriche machen; *on peut en ~ que* daraus kann man folgern, ableiten, daß; **~sible** *com* abzugsfähig.

déesse [deɛs] *f* Göttin *f.*

défaill|ance [defajɑ̃s] *f* Ohnmacht, Schwäche(anfall *m*) *f; tech* Versagen *n,* Ausfall *m; jur* Nichterfüllung *f* (e-r vertragl. Verpflichtung); *sport* schlechte Form *f; en cas de ~ de qn* falls jem ausfällt; *sans ~* nie versagend; *moment m de ~* schwacher Moment *m,* schwache Stunde *f; ~ de mémoire* Gedächtnisschwäche *f;* **~ant, e** *(Dynastie, Linie)* ausgestorben, erloschen; schwach, kraftlos; (sittl.) haltlos; *jur* nicht erschienen, säumig; **~ir** *irr* schwinden, verfallen; schwach, ohnmächtig werden; *jur* nicht erscheinen.

défaire [defɛr] *irr* ab=, auf=machen, ausea.=nehmen, auf=trennen, -lösen, aus=packen, ab=reißen; zerstören, vernichten; *(Feind)* schlagen, besiegen; *fig* in den Schatten stellen, aus dem Felde schlagen; schwächen, *fam* auf den Hund bringen; in Unordnung bringen; *~ de qc* von etw befreien, frei machen; *se ~* sich (auf=)lösen, auf=gehen; sich aus=ziehen; aus dem Leim gehen; *se ~ de qc, qn* sich e-r S, e-r Person *gen* entledigen *gen;* sich etw, jdn vom Halse schaffen; etw, jdn los=werden; jdn entlassen; *com* ab=stoßen, auf den Markt werfen; *(Amt)* nieder=legen; *(Gewohnheit)* ab=legen; *~ un marché* ein Geschäft rückgängig machen.

défait, e [defɛ, -ɛt] *a* abgemagert, heruntergekommen; aufgelöst; in Unordnung; *(Gesicht)* verzerrt; *(Heer)* geschlagen; **~e** *f* Niederlage *f; vx* Ausweg, Vorwand *m,* Ausflucht, Ausrede *f; infliger, essuyer* od *subir une ~* e-e Niederlage bei=bringen, erleiden; *~ électorale* Wahlniederlage *f;* **~isme** *m* Defätismus *m,* Miesmacherei *f;* **~iste** *s m f* Defätist, Miesmacher(in *f*) *m; a* defätistisch.

défal|cation [defalkasjɔ̃] *f com* Abzug *m,* Abrechnung *f; ~ faite de* abzüglich *gen;* **~quer** ab=ziehen, -rechnen, -setzen; in Abzug bringen.

défaufiler [defofile] die Heftfäden ziehen (*qc* aus etw).

défausser [defose] wieder gerade=biegen; *se ~ (Spiel)* (schlechte) Karten ab=werfen.

défaut [defo] *m* Fehlen *n;* Fehler, Mangel *m* (*de qc* an etw), Gebrechen *n;* Rand *m; jur* Nichterscheinen *n,* Säumnis *f; à ~ de* mangels, in Ermangelung *gen; par ~ (jur)* in Abwesenheit; *sans ~(s)* fehlerfrei, makellos; *être en ~ (Jagdhund)* die Fährte verloren haben; *fig* e-n Fehler begehen; sich *(dat)* e-n Verstoß zuschulden kommen lassen; auf dem Holzweg sein; s-n Verpflichtungen nicht nach=kommen; *faire ~* fehlen, nicht da=sein, aus=bleiben; *jur* nicht anwesend sein; *mettre en ~* täuschen; *(sur)prendre, trouver qn en ~* jdn ertappen; *ma mémoire est en ~* mein Gedächtnis läßt mich im Stich; *c'est là son moindre ~* das ist der geringste s-r Fehler; *avis m des ~s* Mängelrüge *f; jugement m par ~* Versäumnisurteil *n; ~ d'aspect* Schönheitsfehler *m; ~ des côtes (anat)* Weichen *pl; ~ de la cuirasse* schwache Stelle *f,* wunde(r) Punkt *m; ~ de fabrication, de forme, de prononciation, de tissage* Fabrikations-, Form-, Sprach-, Webfehler *m.*

défav|eur [defavœr] *f* Ungnade *f; en ~ de* zuungunsten *gen; être en ~ auprès de qn* bei jdm schlecht angeschrieben sein; **~orable** [-vɔ-] ungünstig; abträglich; *(Person)* nicht gut gesinnt, *fam* nicht gut, schlecht zu sprechen (*à* auf *acc*); **~oriser** benachteiligen.

défécation [defekasjɔ̃] Abklärung *(von Flüssigkeiten);* Darmentleerung *f,* Stuhlgang *m.*

défect|ibilité [defɛktibilite] *f* Unvollkommenheit *f;* **~ible** unvollkommen; **~if, iv** *gram* defektiv, unvollständig; **~ion** [-ksjɔ̃] *f mil pol* Abfall *m; faire ~* abtrünnig werden; **~ueux, se** [-tɥø, -øz] fehler-, mangelhaft; unvollkommen; schadhaft; **~uosité** [-tɥo-] *f* Mangel-, Fehlerhaftigkeit; Unvollkommenheit *f.*

défend|ant [defɑ̃dɑ̃] : *à son corps ~ (fig)* widerstrebend, widerwillig, ungern; **~eur, eresse** *m f jur* Beklagte(r *m*) *f;* **~re** verteidigen *a. jur;* sich ein=setzen, ein=treten (*qc* für etw); *(Ansicht)* vertreten; (be)schützen; verbieten, untersagen, verweigern; *se* ~ sich versagen; sich entziehen, ab=schlagen; sich zur Wehr setzen, sich wehren, sich verwahren, sich schützen (*de* gegen); ab=streiten, leugnen (*de qc* etw); *pop* sich durch=schlagen; *ne pouvoir se* ~ *de* nicht umhin=können, sich nicht enthalten können zu.

défens, défends [defɑ̃] *m (Wald)* Einschlagverbot *n; bois m en* ~ Schonung *f;* **~e** [-fɑ̃s] *f* Verteidigung *f,* Schutz *m;* Verbot *n;* Abwehr; *jur* Klagebeantwortung, Verteidigungsschrift, -rede *f; zoo* Stoßzahn, Hauer; *mar* Fender *m; pl jur* Sistierungs-, Einstellungsurteil *n,* -befehl *m; mil* Verteidigungsanlagen *f pl; en* ~ in Verteidigungsstellung; *sans* ~ schutzlos; *être hors de* ~, *(fam) ne pas avoir de* ~ sich nicht verteidigen können, wehrlos sein; *se mettre en* ~ in (die) Verteidigung gehen; *prendre la* ~ *de qn* jds Verteidigung übernehmen, sich für jdn ein=setzen; ~ *d'afficher* Ankleben verboten! ~ *d'entrer* Zutritt verboten! ~ *de fumer* Rauchen verboten! ~ *de passer* kein Durchgang! keine Durchfahrt! ~ *de stationner* Parkverbot; *légitime* ~ Notwehr *f;* ~ *antiaérienne, contre avions* Luft-, Flugabwehr; Flak *f;* ~ *anti-chars* Panzerabwehr *f;* ~ *élastique* hinhaltende(r) Widerstand *m;* ~ *nationale* Landesverteidigung *f;* ~ *passive* Luftschutz *m;* **~eur** *m* Verteidiger *m;* **~if, ive** *a* defensiv; Verteidigungs-; *s f* Defensive, Verteidigungsstellung *f; sur la ~ive* in Verteidigungsstellung, in der Verteidigung *od* Defensive; *acculer, contraindre à la ~ive* in die Verteidigung drängen; *bataille f ~ive* Abwehrschlacht *f.*

déféquer [defeke] *(Flüssigkeit)* (ab=) klären.

déférence [deferɑ̃s] *f* Willfährigkeit, Nachgiebigkeit; Rücksicht; Ehrerbietung *f;* **~ent, e** willfährig; nachgiebig, -sichtig; *canal, conduit m* ~ *(anat)* Samengang *m;* **~er** *tr* bringen (*à, devant* vor *acc*); an=zeigen; übertragen (*à* auf); zu=erkennen; zu=schreiben; nach=sehen, zu=gestehen; *(Eid)* zu=schieben; *itr* willfahren, nach=geben, sich fügen; ~ *en* od *à la justice* vor Gericht bringen.

déferl|ement [defɛrləmɑ̃] *m (Segel)* Setzen *n; (Wellen)* Brandung; *fig* Welle, Woge *f,* Strom *m;* **~er** *tr (Segel)* setzen; *itr (Wellen)* branden, sich brechen; *fig* strömen, wogen.

déferrer [defɛre] den Eisenbeschlag, das Hufeisen ab=machen, entfernen (*qc* von etw); *(e-m Gefangenen)* die Ketten ab=nehmen; *chem* enteisenen.

défet [defɛ] *m typ* Defektbogen, Fehlbogen *m.*

défeuill|aison [defœjɛzɔ̃] *f* Laubfall *m;* **~er** entblättern, -lauben; *se* ~ die Blätter verlieren.

défi [defi] *m* Herausforderung *f; mettre qn au* ~ *de faire qc* wetten, daß jem etw nicht (tun) kann *od* tut; **~ance** [-fjɑ̃s] *f* Argwohn *m,* Mißtrauen *n; mettre en* ~ mißtrauisch machen; ~ *est mère de sûreté (prov)* Vorsicht ist die Mutter der Porzellankiste *fam;* ~ *de soi-même* Mangel *m* an Selbstvertrauen; **~ancer, se** sich entloben; **~ant, e** mißtrauisch, argwöhnisch.

défibr|er [defibre] entfasern; *(Holz)* schleifen; **~euse** *f* Entfaserungsmaschine *f.*

déficeler [defisle] auf=schnüren.

défic|ience [defisjɑ̃s] *f* Mangel *m;* Schwäche *f;* **~ient, e** *a* schwach; schwächlich; *(Kind)* zurückgeblieben; *s m f med* Geistesschwache(r *m*), Schwachsinnige(r *m*) *f.*

défic|it [defisit] *m* Defizit *n,* Fehlbetrag; Verlust *m;* Unterbilanz *f; accuser, combler un* ~ ein Defizit auf=weisen, decken; *se solder par un* ~ mit e-m Defizit ab=schließen; ~ *budgétaire* Haushaltsdefizit *n;* ~ *de recouvrements fiscaux* Steuerausfall *m;* ~ *de rendement* Minderertrag *m;* **~itaire** *com* mit Verlust abschließend; *balance f commerciale* ~ passive Handelsbilanz *f; solde m* ~ Verlustsaldo *m.*

défier [defje] heraus=fordern (*à* zu); wetten (*qn de faire qc* daß jem etw nicht tun kann *od* tut); trotzen, die Stirn bieten (*qn,* jdm, *qc* e-r S *dat*); *mar* sich schützen (*qc* gegen etw); *se* ~ mißtrauen (*de qn* jdm); ~ *à la boxe, à la course* zu e-m Boxkampf, zu e-m Wettlauf heraus=fordern.

défigurer [defigyre] entstellen, verunstalten; verhunzen; verzerren; verändern.

défil|ade [defilad] *f mil mar* Vorbeimarsch *m,* -fahrt *f;* **~é** [-file] *m* Engpaß *m;* (Meer-)Enge *f; (Papierfabrikation)* Halbzeug *n;* Umzug, *mil* Vorbeimarsch *m* (*devant* an *dat*); lange, endlose Reihe *f;* ~ *aux flambeaux* Fackelzug *m;* ~ *de mannequins* Modenschau *f;* **~ement** *m mil* gedeckte(r) Raum *m;* **~er** *tr* den Faden ziehen (*qc* aus etw); *(Lumpen)* mahlen, zerreißen; *itr mil mar* auf=, vorbei=marschieren, vorbei=fahren; vorbei=ziehen; *se* ~ *(pop)* sich aus dem Staube machen; *(Halsband)* auf≈gehen; *mil* Deckung nehmen; ~ *son chapelet* sagen, was man auf dem Herzen hat.

défin|i, e [defini] bestimmt; **~ir** definieren, ab≈grenzen, bestimmen, erklären, kennzeichnen; fest≈setzen, -legen; *rel* beschließen; *(Dogma)* definieren; **~issable** bestimmbar; **~itif, ive** endgültig, abschließend, definitiv; *(Urteil)* rechtskräftig; *en ~ive* schließlich, endlich; entschieden; **~ition** *f* Definition, Erklärung *f; rel* Beschluß *m;* Konturzeichnung; *tele* Auflösung; Fernsehnorm, Zeilenzahl *f; à haute ~ (tele)* mit hoher Zeilenzahl; *par ~* zwangsläufig.

déflagr|ation [deflagrasjɔ̃] *f* Aufflammen; Auflodern *a. fig; chem* Verpuffen *n;* **~er** verpuffen, explodieren.

déflation [deflasjɔ̃] *f com* Deflation *f; fig* Abbau *m;* Aufhören *n* des Windes; *de ~* deflatorisch.

déflecteur [deflɛktœr] *m* Führungs-, Leitblech *n; mot* Drehfenster *n.*

défleurir [deflœrir] *tr* der Blüten berauben; *fig* den Reiz, die Frische nehmen (*qc* e-r S *dat*); *itr* verblühen.

déflor|aison, défleuraison [deflɔ-, -flœrɛzɔ̃] *f* Abfallen der Blüten; Verblühen *n;* **~ation** *f* Entjungferung *f;* **~er** deflorieren, entjungfern; *fig* den Reiz, die Frische nehmen (*qc* e-r S *dat*); entweihen.

défo|liant, e [defɔljɑ̃, -t] *a* entlaubend; *s m* Entlaubungsmittel *n;* **~lier** entlauben.

défonc|er [defɔ̃se] *(e-m Faß)* den Boden aus≈schlagen (*qc* dat); *(Erde)* auf≈wühlen; *(Straße)* unbefahrbar machen; tief um≈pflügen, rigolen; *(Leder)* walken; *(Tür)* ein≈schlagen; *(Hut)* ein≈drücken; *se ~ (Drogensüchtige) fam* auf den Trip gehen; **~euse** [-søz] *f*Rigolpflug *m.*

déform|ation [defɔrmasjɔ̃] *f* Mißbildung; Entstellung, Verunstaltung, Verzerrung; Formveränderung; *loc* Verformung; *tech* Verspannung, Verbiegung *f; ~ acoustique (tele)* Verzerrung *f; ~ professionnelle (fig)* Berufsblindheit *f;* **~er** deformieren, aus der Form bringen; entstellen, verunstalten, verzerren; *tech* verformen; *(Gewinde)* überdrehen; *fig* verbilden; *se ~* sich werfen, sich verziehen, sich verbiegen; *(Kleidung)* die Fasson, Form verlieren.

défou|lement [defulmɑ̃] *m* Abreagieren *n;* **~ler, se** sich ab≈reagieren.

défourner [defurne] aus dem (Back-) Ofen nehmen.

défraîch|i, e [defrɛʃi] nicht mehr neu; abgenutzt, abgetragen; *(Farbe)* verblaßt; *(Gesicht)* verblüht; **~ir** die Frische, die Neuheit, den Glanz nehmen (*qc* e-r S *dat*); verblassen lassen; *se ~* den Glanz, die Frische verlieren.

défrayer [defrɛ(e)je] *(Person)* frei≈halten; *fig* versorgen; *se ~* die Zeche (be)zahlen; *être défrayé de tout* alles frei haben; *~ (de bons mots)* unterhalten, zum Lachen bringen (*qn* jdn); *~ la conversation* die Unterhaltung bestreiten.

défrich|age, ~ement [defriʃaʒ, -mɑ̃] *m* Urbarmachen, Roden; Neuland *n;* **~er** urbar machen, roden; bebauen; *fig* erklären; erschließen; *~ du terrain vierge* Neuland erschließen.

défringuer, se [defrɛ̃ge] *pop* sich aus≈pellen.

défriper [defripe] glätten, auf≈bügeln; *fig* wieder in Form bringen.

défriser [defrize] die Frisur auf≈lösen (*qn* jdm); *fig fam* enttäuschen.

défroncer [defrɔ̃se] die Falten (heraus≈)bringen (*qc* aus etw); *se ~ (Stoff)* sich aus≈hängen; *~ les sourcils (fig)* wieder ein freundliches Gesicht machen.

défroqu|e [defrɔk] *f* armselige(r) Nachlaß *m;* abgelegte Kleidung *f;* **~é, e** *m f* gewesene(r) Mönch, Priester *m;* gewesene Nonne *f;* **~er, se** die Kutte, das Priestergewand ab≈legen.

défrusquer [defryske] *pop* aus≈ziehen (*qn* jdn).

défunt, e [defœ̃, -œ̃t] *a* verstorben; *fig* vergangen; *s m f* Verstorbene(r *m*) *f.*

dégag|é, e [degaʒe] losgelöst, leicht, frei, ungezwungen; schlank; *(Gang)* flott; **~ement** *m* Freimachen, Beseitigen; Lösen; *(Wort, Pfand) (Versprechen a.)* Entbinden *n; tech* Spielraum *m;* lichte Höhe; Bodenfreiheit *f; chem* Freiwerden, Entweichen *n,* Abgabe *f; arch* Flur, Gang; freie(r) Platz; (Neben-)Ausgang *m; mar* Flottmachen *n; mil* Entsatz *m,* Entlastung *f,* Loslösen *n,* Räumung *f (a. Gleis, Kanal); fig* Loslösung; Ungezwungenheit, Leichtigkeit; Entlastung *f (von e-r Verantwortung); armée f de ~* Entsatzheer *n; attaque f de ~* Entsatzangriff *m; escalier m de ~* Nebentreppe *f; porte f de ~* Nebenausgang *m; surface f des ~s* Verkehrsfläche *f; voie f de ~* Überführungsgleis *n; ~ de chaleur* Wärmeabgabe, -entwicklung *f; ~ de poussière* Staubentwicklung *f;* **~er** *(Pfand)* ein≈lösen; räumen, frei machen; *(Hindernis)* beseitigen; *(von Unnützem)* befreien; *(Schraube)* lockern; *mar* flott=machen; *chem* frei machen, aus=scheiden, entwickeln, aus=strömen, entweichen lassen; *(Fuß)* vor= *od* seitwärts setzen; *allg* (los=)lösen, heraus=nehmen, frei=, bloß=legen; befreien; *(Stil)* auf=lockern; *(Folgerung)* ziehen; *(Verantwortung)* ab=lehnen; *(Hauptgedanken, Tatsache)* heraus=stellen; *mil* entsetzen, -lasten; *med* Luft verschaffen *dat; fig* aus=strahlen; *se* ~ sich *(e-r Verpflichtung)* entziehen; sich los=lösen, sich trennen, sich los=, frei machen (*de* von); *fig* sich heraus=lösen; in den Vordergrund treten; sich zeigen, sich ergeben; zur Geltung kommen; *(Dampf)* entweichen, aus=strömen *a. fig,* sich entwickeln; *(Kopf)* klarer werden; *(Himmel)* sich auf=hellen; *(Weg)* frei werden; *mil* sich frei=kämpfen; ~ *l'accouplement* aus=kuppeln; ~ *sa parole* sein Wort ein=lösen *od* zurück=nehmen; ~ *qn de sa promesse* jdn seines Versprechens entbinden; ~ *la taille* die Figur (gut) zur Geltung kommen lassen.

dégain|e [degɛn] *f fam* lächerliche(s) Benehmen *od* Verhalten *n;* **~er** *(Waffe)* blank=ziehen.

déganter [degɑ̃te] den (die) Handschuh(e) aus=ziehen (*qn* jdm); *se* ~ s-e Handschuhe ausziehen.

dégarn|i, e [degarni] entblößt; *(Kopf, Baum)* kahl; *(Zimmer)* ausgeräumt, leer; *être* ~ knapp dran sein; **~ir** *(Schmuck, Einrichtung, Besatz)* entfernen (*qc* von, aus etw); weg=nehmen; *(Baum)* aus=putzen; *(Zimmer)* aus=räumen; *(von Truppen, Munition)* entblößen; *(Mauer)* frei=legen; *se* ~ *(Raum)* leer, *(Kopf)* kahl werden; *(Baum)* die Blätter verlieren; *com* sich verausgaben.

dégât [degɑ] *m* Schaden *m,* Verwüstung; Verschwendung, Vergeudung *f; causer des ~s* Schaden an=richten; *~s causés aux cultures* Flurschaden *m; ~s causés par l'eau, par l'incendie* Wasser-, Brandschaden *m; ~s matériels* Sachschaden *m.*

dégauchir [degoʃir] *tech* wieder ein=, (wieder) gerade=richten; *(Holz)* zu=richten, behauen, behobeln; ebnen, glätten; *fig (Person)* gewandter machen; *pop* finden.

déga|zage [degazaʒ] *m* Bilgenentwässerung *f;* **~zer 1.** entgasen; **2.** die Gaze, den Flor entfernen (*qc* von etw); *itr* die Bilgen entwässern; *fig (Stil)* pikant(er) machen.

dégel [deʒɛl] *m* (Auf-)Tauen *a. fig;* Tauwetter; *le temps est au* ~ wir haben Tauwetter; **~er** *tr* auf=tauen *a. fig;* auf=wärmen; *itr* auf=tauen *a. com fig; fam fig* warm werden; *il dégèle* es taut.

dégénér|ation [deʒenerasjɔ̃] *f* Entartung (Vorgang), Degeneration *f;* **~er** degenerieren, entarten, verderben; aus=arten (*en* in *acc*); **~escence** [-rɛsɑ̃s] *f* Entartung *(Zustand);* **~escent, e** entartend.

dégermer [deʒɛrme] entkeimen.

dégingandé, e [deʒɛ̃gɑ̃de] schlottrig; nachlässig.

dégivr|age [deʒivraʒ] *m mot* Gebläse *n; aero* Enteisung *f; dispositif m de* ~ Enteisungsanlage *f;* ~ *par l'air chaud* Warmluftenteisung *f;* **~er** *mot* entfrosten, *aero* enteisen; **~eur** *m* Enteiser(anlage *f*), Entfroster *m.*

déglacer [deglase] das Eis auf=tauen (*qc* e-r S *gen*); *fig* (auf=)wärmen; *tech* den Glanz entfernen (*qc* von etw).

déglinguer [deglɛ̃ge] *fam* klapp(e)rig werden; kaputt=gehen.

dégluer [deglye] den Leim, (klebrigen) Schleim entfernen (*qc* von etw).

déglut|ir [deglytir] (hinunter=, ver-) schlucken; **~ition** *f* Verschlucken *n.*

dégobiller [degɔbije] *vulg* kotzen.

dégoiser [degwaze] *fam tr* aus=schwatzen; um sich werfen (*qc* mit etw); zum besten geben; *itr* klatschen, schwätzen, quatschen.

dégommer [degɔme] das *od* den Gummi entfernen (*qc* von etw); *(Kokon)* entbasten; *fig fam* schassen, hinaus=werfen; *arg* um=bringen, kalt=machen, ab=knallen.

dégonfler [degɔ̃fle] die Luft ab=lassen (*qc* aus etw); *med (Schwellung)* zurück=gehen lassen; *fig (Herz)* erleichtern; *se* ~ sich entleeren; ab=schwellen; *(Reifen)* zs.=sacken; *(fam)* Angst kriegen; (ganz) klein werden; *arg* gestehen; *se* ~ *le cœur* sein Herz aus=schütten; *c'est un dégonflé* er ist e-e Memme.

dégorg|ement [degɔrʒəmɑ̃] *m* Abfluß(-rohr *n*), Auslauf *m; tech* Ausschlämmen *n,* Reinigung; *fig* Entlastung *f; (Menschen)* Hinausströmen *n;* **~eoir** *m tech* Abflußrohr *n,* Ablaufrinne *f;* Ballhammer *m;* Räumnadel; Walke; Spülmaschine *f;* **~er** *tr* (aus=) brechen, wieder von sich geben; aus=speien *a. fig;* spülen, entschlämmen; *tech* entleeren, aus=räumen, -winden; *(Fisch)* (aus=)wässern; *fam* zurück=geben; heraus=rücken (*qc* mit etw); *itr* (ab=)fließen; *se* ~ sich entleeren, sich ergießen; *med* ab=schwellen.

dégot(t)er [degɔte] *tr vx* schassen, hinaus=werfen; *pop* auf=gabeln, ergattern; *itr: ~ bien, mal* e-n guten, schlechten Eindruck machen.

dégouliner [deguline] *fam* (herunter=)rinnen, tröpfeln.

dégourd|i, e [degurdi] *a (Wasser)* überschlagen, lau; *(Mensch)* aufgeweckt, gewitz(ig)t; *(Frau)* etwas frei; *s m f* aufgeweckte(r) Junge *m;* schlaue Person *f;* **~ir** *(steif gewordene Glieder)* auf=lockern; *fig* beleben; wendig(er), gewandt(er) machen; *se ~ (les jambes en marchant)* sich die Füße vertreten.

dégoût [degu] *m* Appetitlosigkeit *f;* Ekel *m* (*de* vor); Widerwille; Überdruß *m;* Abneigung *f,* Abscheu *m; avoir du ~* Abscheu empfinden (*pour* vor *dat*); **~ance, ~ation** [-tɑ̃s, -ta-] *f pop* Ekel *n,* widerliche(r) Kerl *m;* **~ant, e** ekelhaft, eklig, widerlich; widerwärtig, empörend; **~é, e** *a* angeekelt; wählerisch; *n'être pas ~* nicht wählerisch sein, alles wahllos in sich hinein=stopfen; *s m: faire le ~ (fig)* zimperlich tun; **~er** den Appetit nehmen (*qn* jdm); *(Speise u. fig)* verleiden (*qn de qc* jdm etw); an=widern, -ekeln; ab=bringen (*de* von); *se ~ de* überdrüssig werden *gen,* satt bekommen *acc; ça me ~e (fam)* das macht mich krank, hängt mir zum Halse heraus.

dégoutter [degute] *itr* (herab=)tropfen; triefen (*de* von); *tr* herab=tropfen lassen.

dégrad|ant, e [degradɑ̃, -ɑ̃t] unehrenhaft, entwürdigend; **~ation** *f* Degradierung; *fig* Herabwürdigung, Erniedrigung; *arch* Beschädigung *f,* Verfall *m;* Schändung *(e-s Denkmals);* Abnutzung; Schadhaftigkeit *f,* Schaden; *chem* Abbau *m; geol* Abtragung, Verwitterung; *(Kunst)* Abstufung, Abtönung *f; ~ civique* Verlust *m* der bürgerlichen Ehrenrechte; **~er** degradieren; *fig* herab=setzen, -würdigen; beschädigen; verderben; aus=waschen, unterspülen, -höhlen; *chem* ab=bauen; *(Farben)* ab=stufen, schattieren, tönen; *se ~* sich erniedrigen, *fam* sich weg=werfen; verfallen, verkommen; *(Licht)* (allmählich) schwächer werden.

dégrafer [degrafe] los=, auf=haken.

dégraiss|age [degrɛsaʒ] *m* Entfettung; chemische Reinigung *f;* Flekkenentfernen *n;* **~er** *chem tech* ab=, entfetten, entölen; (chemisch) reinigen; *fam* schlank machen; **~eur** *m* Fleckwasser *n;* **~euse** *f* (Woll-)Entfettungsmaschine *f.*

dégras [degrɑ(a)] *m* Gerberfett *n.*

dégrav|(el)er [degrav(l)e] *(Rohr)* von Sand, Kalkstein reinigen; **~oyer** unterspülen, -höhlen; (den) Kies baggern (*qc* aus etw); *(Fluß)* aus=baggern.

degré [dəgre] *m* Stufe *f,* Grad *m;* Abstufung *f;* Stadium *n; jur* Instanz *f; au dernier ~* im höchsten Grade *od* Maße; *de ~ en ~* von Stufe zu Stufe; *par ~(s)* stufenweise, nach und nach, allmählich; *par dix ~s de froid* bei 10 Grad Kälte; *baisser d'un ~* um einen Grad fallen; *~ alcoolique* Alkoholgehalt *m; ~ centésimal* Grad *m* Celsius; *~ de chaleur, de froid* Wärme-, Kältegrad *m; ~ d'évolution* Entwicklungsstufe *f; ~ hydrométrique* Feuchtigkeitsgehalt *m* d. Luft; *~ d'instruction* Bildungsstufe *f; ~ intermédiaire* Zwischenstufe *f; ~ de latitude, de longitude* Breiten-, Längengrad *m; ~ de lecture (Zeitung)* Leserzahl *f; ~ de parenté* Verwandtschaftsgrad *m; ~ de précision* Genauigkeitsgrad *m; ~ de saturation* Sättigungsgrad *m; ~ thermique (mot)* Wärmewert *m; ~ d'urgence* Dringlichkeitsstufe *f.*

dégréer [degree] *mar* ab=takeln.

dégress|if, ive [degrɛsif, -iv] *a* abnehmend, degressiv; abgestuft; *s m* Rabatt *m,* Skonto *m* od *n;* **~ion** *f* Abnahme *f,* Rückgang *m;* Abstufung *f.*

dégr|èvement [degrɛvmɑ̃] *m (~ d'impôt)* Steuernachlaß *m,* -ermäßigung, -senkung *f;* **~ever** [-grə-] die Steuer ermäßigen (*qn* jdm), herab=setzen, senken (*qn* für jdn, *qc* auf e-e S); von Hypotheken entlasten (*qc* etw).

dégringol|ade [degrɛ̃gɔlad] *f fam* Hinunterpurzeln *n; fig* Sturz, Zs.bruch *m; ~ des prix* Preissturz *m;* **~er** *tr* hinunter=werfen, -stürzen; *itr* (hinunter=)purzeln, -fallen; *fig* zs.=brechen.

dégriser [degrize] *(e-n Betrunkenen)* nüchtern machen; *fig* ernüchtern.

dégross|ir [degrosir] grob, vor=bearbeiten; vor=zerkleinern; grob behauen; (rauh) schleifen, schruppen, strecken, recken; *fig* roh entwerfen; *(Menschen)* ab=schleifen, aus dem groben bringen; *se ~ (fig)* Schliff kriegen; **~issage** *m* Vor-, Grob-, Rauhschliff *m;* **~isseur** *m (Walzwerk)* Vorstraße *f.*

dégrouiller, se [degruje] *pop* (sich be)eilen, schnell machen.

déguenillé, e [degnije] zerlumpt.

déguerpir [degɛrpir] sich aus dem Staube machen, *fam* ab=hauen, türmen.

dégueul|asse [degœlas] *vulg* ekelhaft, säuisch; **~er** *vulg* (aus=)kotzen; *fig* um sich werfen (*qc* mit etw).

déguis|ement [degizmɑ̃] *m* Verkleidung; *fig* Verstellung *f;* **~er** verkleiden (*en* als); *fig* verstellen, verschleiern, verbergen, verstecken; *se ~ en courant d'air (pop)* sich aus dem Staub machen; *~ son jeu (fig)* mit verdeckten Karten spielen.

dégust|ateur, trice [degystatœr, -tris] *m f* (Wein-)Probierer, Prüfer; *fig* Genießer *m;* **~ation** *f* Kosten, Probieren *n (e-s Getränks);* Kostprobe *f; fig* Genuß *m;* Bier-, Weinstube *f;* **~er** *(Getränk)* probieren, kosten; *fig* genießen; *pop* durch=machen, ertragen.

déhanch|é, e [deɑ̃ʃe] mit ausgerenkten Hüften, hüftlahm; watschelnd; **~er, se** sich (in den Hüften) wiegen; *fig* sich ab=mühen.

déharnacher [dearnaʃe] *(Pferd)* ab=schirren; *fam* aus=pellen, aus=ziehen.

déhiscen|ce [deisɑ̃s] *f bot* Aufspringen *n;* **~t, e** *bot* aufspringend.

dehors [dəɔr] *adv* (dr)außen; hinaus; *interj* hinaus! *de ~* von (dr)außen; *en ~* (dr)außen; nach außen, auswärts; *en ~ (mar)* auf hoher See; *en ~ de ...* außerhalb *gen;* außer *dat;* ohne Zustimmung, ohne Wissen *gen; par ~* von außen; (außen) vorbei an *dat; toutes (les) voiles ~* mit gespannten Segeln; *être (tout) en ~* sehr freimütig *od* überschwenglich sein; *mettre qn ~* jdn hinaus=werfen; *mettre en ~* äußern, zum Ausdruck bringen; *ne pas se pencher au, en ~* nicht hinauslehnen! *s m* Äußere(s) *n;* Außenseite *f;* Ausland; *arch* Zubehör *n; pl* Schein *m; au(-)~* (dr)außen, nach außen; *en ~ de* außerhalb *gen; du ~* von (dr)außen.

déhouill|ement [deujmɑ̃] *m* Abbau (von Steinkohlen), Verhieb *m;* **~er** (ein Steinkohlenflöz) ab=bauen, verhauen.

déi|fication [deifikasjɔ̃] *f fig* Vergötterung *f;* **~fier** [-fj e] göttliche Ehren erweisen (*qn* jdm); *fig* vergöttern; **~té** *f* Gottheit *f.*

déjà [deʒa] *adv* schon, bereits; *fam (in Fragen)* (gleich) noch, doch (gleich).

déjanter [deʒɑ̃te] *(Schlauch)* von der Felge nehmen.

déjauger [deʒoʒe] *(Schiff)* hoch treiben *itr; (Wasserflugzeug)* auf Stufe gehen.

déjection [deʒɛksjɔ̃] *f* Darmentleerung *f;* Stuhl(gang) *m; pl* Exkremente *pl; fig* Auswurf (der Menschheit); *geol cône m de ~* Schuttkegel *m; (Vulkan)* Auswurfmasse *f; ~s animales* Mist *m.*

déjet|é, e [deʒte] *anat* verwachsen, krumm; *fig* verbogen; *n'être pas ~ (pop)* ganz gut aus=sehen; **~er** krümmen; *se ~* sich verziehen, sich werfen.

déjeuner [deʒœne] *v* frühstücken; zu Mittag essen; *s m* Frühstück; Mittagessen; Frühstücksgedeck *n; petit ~* (erstes) Frühstück *n,* Morgenkaffee *m; ~-débat m* Arbeitsessen *n; ~-dîner m, ~ dînatoire* späte(s) u. reichliche(s) Mittagessen *n; ~ de soleil* nicht lichtechte(r) Stoff *m; fig* Strohfeuer *n.*

déjoindre [deʒwɛ̃dr] ausea.=nehmen, -treiben; *se ~* aus den Fugen gehen.

déjouer [deʒwe] vereiteln; e-n Strich durch die Rechnung machen (*qn* jdm).

déjucher [deʒyʃe] *itr (Hühner)* von der Stange herunter=kommen, *tr* -jagen; *fam (aus dem Bett)* auf=stehen.

déjuger, se [deʒyʒe] s-e Meinung, s-n Entschluß ändern; *jur* ein Urteil ab=ändern, anders entscheiden.

delà [dəla] *adv: au, en, par ~* jenseits; darüber hinaus; noch mehr; *par ~, au ~ de (prp)* jenseits; über ... hinaus; *l'au-~ m* das Jenseits.

délabr|ement [delabrəmɑ̃] *m* Verfall *m;* Baufälligkeit; *fig* Zerrüttung *f;* **~é, e** *(Haus)* baufällig; *(Kleidung)* abgetragen; *(Magen)* verdorben; *(Gesundheit)* zerrüttet; **~er** verderben; verfallen, verkommen lassen, *fam* versauen; *fig* ruinieren, zerrütten.

délacer [delase] auf=schnüren, -machen.

délai [delɛ] *m* Aufschub *m;* Frist *f,* Termin; Verzug *m; à bref ~* kurzfristig; *dans le ~ de 8 jours* innerhalb 8 Tagen; *dans le plus bref ~* in kürzester Zeit; *sans ~* unverzüglich, sofort; fristlos; *accorder, demander, dépasser, observer, prolonger un ~* e-n Aufschub gewähren, verlangen, überschreiten, ein=halten, verlängern; *soumettre à un ~* befristen; *prolongation f du ~* Fristverlängerung *f; ~ d'appel (jur)* Berufungsfrist *f; ~ d'attente (loc)* Aufenthalt *m; tele* Wartezeit *f; ~ de circulation* (Um-)Laufzeit *f; ~ de conservation, de consigne* Aufbewahrungsfrist, -zeit *f; ~ de construction* Bauzeit *f; ~ d'échéance d'expiration (com)* Verfallzeit *f; ~ de déclaration* Anmeldefrist *f; ~ de faveur (com)* Wechselfrist *f; ~ de grâce* Gnadenfrist *f; ~ de livraison* Lieferfrist, -zeit *f; ~ d'opposition (jur)* Einspruchsfrist *f; ~ de paiement* Zahlungsfrist; Stundung *f; ~ de préavis* Kündigungsfrist *f; ~ de pres-*

cription Verjährungsfrist *f; ~ de production* Anmeldefrist *f; ~ de protection* Schutzfrist *f (für geistiges Eigentum); ~ de rigueur* äußerste(r) Termin *m; ~ de validité* Gültigkeitsdauer *f; ~ de vue* Frist *f* vom Sichttag an.

délaiss|ement [delɛsmɑ̃] *m* Verlassen(-heit *f*) *n;* Hilflosigkeit; *jur* Aufgabe *f,* Verzicht *m;* Überlassung, Abtretung *f;* **~er** auf≈geben; verlassen; im Stich lassen, sitzen≈lassen; *jur* verzichten (*qc* auf e-e S); ab≈treten, überlassen.

délaiter [delɛ(e)te] *(Butter)* aus≈kneten.

délarder [delarde] *(Schwein)* ab≈spicken; den Speck lösen (*qc* aus etw); *arch* behauen; ab≈kanten; verjüngen.

délass|ement [delɑ(a)smɑ̃] *m* Erholung, Entspannung *f;* **~er** erfrischen, erquicken; *se ~* sich erholen, sich entspannen.

délat|eur, trice [delatœr, -tris] *m f* Denunziant(in *f*) *m;* **~ion** [-sjɔ̃] *f* Denunziation, Anzeige *f.*

délav|é, e [delave] *a (Farbe)* verwaschen; **~er** die Farbe ab≈waschen (*qc* von etw), verwaschen; auf≈weichen.

délayer [dele(ɛ)je] auf≈lösen, verdünnen, verrühren; mit Wasser an≈rühren; *fig* verwässern; weitschweifig dar≈stellen.

delco [dɛlko] *m mot* Batteriezündung *f (Warenzeichen).*

délébile [delebil] auslöschbar, austilgbar.

délect|able [delɛktabl] angenehm, köstlich; **~ation** *f* Genuß *m;* **~er, se** (großen) Gefallen finden (*à qc* an e-r S).

délé|gataire [delegatɛr] *m f* Beauftragte(r *m*) *f;* **~gation** *f* Auftrag *m, com* Anweisung; Übertragung *(e-r Befugnis, Schuld);* Delegation, Abordnung; Entsendung *f; par ~ (de)* im Auftrage *(gen); ~ d'entreprise* Betriebsausschuß *m;* **~gué, e** [-ge] *m f* Abgeordnete(r *m*), Delegierte(r *m*); Beauftragte(r *m*) *f; ~ du personnel* Betriebsrat *m,* -rätin *f; m; ~ spécial* Bevollmächtigte(r) *m; ~ syndical* Gewerkschaft(l)er(in *f*) *m;* **~guer** beauftragen; delegieren, ab≈ordnen; *(Befugnis)* übertragen.

délest|age [delɛstaʒ] *m el* (automatische) Abschaltung; Entlastung *f; mar* Ausschießen, *aero* Abwerfen *n* des Ballastes; **~er** *aero* Ballast ab≈werfen, *mar* aus≈schießen (*qc* aus etw); *fam* e-e Last ab≈nehmen (*qn de qc* jdm etw); *(ironisch)* erleichtern, begaunern.

délétère [deletɛr] schädlich, (lebens-)gefährlich; *bes. fig* verderblich.

délibér|ant, e [deliberɑ̃, -ɑ̃t] *(Versammlung)* beratend; **~atif, ive** beratend; *(Stimme)* beschließend; **~ation** *f* Beratung *f;* Beschluß *m; fig* Überlegung *f; mettre en ~* zur Beratung stellen; *salle des ~s (jur)* Beratungszimmer *n;* **~é, e** *a vx* selbstsicher; überlegt; *(Haltung)* fest; *s m jur* Beratung *f; de propos ~* mit Überlegung, absichtlich; **~er** *itr* beraten (*de* über *acc*); überlegen, mit sich zu Rate gehen; *tr vx* beschließen.

délicat, e [delika, -at] *(Speise)* köstlich, lecker, ausgezeichnet; *(Mensch)* zart(-fühlend); fein(fühlig); weich; *(Frage)* heikel, schwierig, mißlich; *(Gesundheit)* schwach, schwächlich; empfindlich; *(Schlaf)* leise, leicht *(Person)* anspruchsvoll; taktvoll, gewissenhaft; **~esse** *f* Schmackhaftigkeit; Zartheit, Feinheit, Weichheit; Empfindlichkeit; Feinfühligkeit *f,* Fingerspitzengefühl *n,* Takt *m,* Gewissenhaftigkeit *f; pl* Delikatessen *f pl; être en ~ avec qn* mit jdm auf gespanntem Fuß stehen.

délic|e [delis] *m* Wonne, Lust *f; pl f* Freuden *f pl,* Genüsse *m pl;* **~ieux, se** köstlich; wonnig; angenehm.

délictueux, se [deliktɥø, -øz] strafbar; *fait m ~* strafbare Handlung *f.*

déli|é, e [delje] *a* dünn, fein; schlank; *(Stimme)* hell; *fig* subtil, scharfsinnig; gewandt, wendig; *s m* Haarstrich *m; mus* Fingerfertigkeit *f;* **~er** los≈, auf≈binden, lösen; *fig* entbinden, entheben (*de qc* e-r S gen); *(Verstand)* schärfen; *sans bourse ~* ohne e-n Pfennig auszugeben; *avoir la langue bien ~e* ein gutes Mundwerk haben; *~ la langue de qn* jdm die Zunge lösen; *se ~ les mains* sich die Hände frei machen.

délimit|ation [delimitasjɔ̃] *f* Grenzziehung; *fig* Abgrenzung *f;* **~er** *(Grenze)* fest≈legen, ziehen; *fig* bestimmen; ab≈, umgrenzen; *sport* ab≈stecken.

déliné|ament [delineamɑ̃] *m* Umriß *m;* **~er** im Umriß zeichnen, umreißen.

délinquan|ce [delɛ̃kɑ̃s] *f* Kriminalität *f; ~ juvénile* Jugendkriminalität *f;* **~t, e** *m f* Delinquent(in *f*) *m,* Straffällige(r *m*) *f; ~ primaire* Erststraffällige(r *m*) *f,* Nichtvorbestrafte(r *m*) *f.*

déliquescen|ce [delikɛsɑ̃s] *f chem* Eigenschaft *f,* sich zu verflüchtigen *od* aufzulösen; Zerfließen *n; fig poet* (völlige) Regel-, Formlosigkeit *f; fam* (völliger) Verfall *m*, Dekadenz *f;* **~t, e** sich verflüchtigend, auflösend; *fam* (völlig) dekadent; *fam* heruntergekommen.

délir|ant, e [delirã, -ãt] *fig* wahnsinnig, toll, unbändig, maßlos; *fam* berauschend, großartig, phantastisch; *med* phantasierend; **~e** *m* Delirium *n*, (Fieber-)Wahn *m; fig* Raserei *f*, Taumel, Rausch; Wahnsinn *m; ~ de persécution* Verfolgungswahn *m; ~ des sens* Überreizung *f* der Sinne (sorgane); **~er** *med* irre werden, phantasieren; *fig* rasen, außer sich sein (*de* vor); Unsinn reden; **~ium tremens** [-jɔm tremɛ̃s] *m* Delirium tremens *n*, Säuferwahnsinn *m*.

délisser [delise] *(Haare)* in Unordnung bringen; *(Lumpen)* sortieren.

délit [deli] *m* **1.** Delikt, Vergehen *n;* unerlaubte, strafbare Handlung *f; fig* Verstoß *m;* **2.** *arch (Stein)* verkehrte Seite *f; min* Schicht(fuge) *f; en flagrant ~* auf frischer Tat; *corps m du ~* Corpus delicti, Beweisstück *n; ~ de chasse* Jagdfrevel *m; ~ de douane* Zollhinterziehung *f; ~ forestier* Waldfrevel *m; ~ de fuite* Fahrerflucht *f; ~ impossible* Versuch *m* am untauglichen Objekt *od* mit untauglichen Mitteln; *~ d'imprudence* Fahrlässigkeit *f; ~ informatique* Computermißbrauch *m; ~ poursuivi (seulement) sur plainte* Antragsdelikt *n; ~ de presse* Pressevergehen *n; ~ rural* Feld-, Flurfrevel *m;* **~er** *arch (Stein)* nach der Schichtung schneiden; *se ~* zerlaufen; *geol* verwittern, ab≈blättern, rissig werden.

délivr|ance [delivrãs] *f* Freilassung, Befreiung; Erlösung; Ablieferung, Aushändigung, Aus-, Zustellung; *med* Ausstoßung der Nachgeburt; Entbindung, Niederkunft; Anweisung *f* (des Holzes im Walde); **~e** *m* Nachgeburt *f;* **~er** frei≈lassen, befreien (*de* aus, von); erlösen; ab≈liefern, aus≈händigen, aus≈folgen, aus≈, zu≈stellen; *(Fahrkarte)* aus≈geben; *(Patent)* erteilen; *fam (Schläge)* verabreichen, verpassen; *med* entbinden; *(Arbeit)* vergeben; *se ~* sich frei machen; *med* nieder≈kommen.

déloger [delɔʒe] *itr (aus e-r Wohnung)* aus≈ziehen; *mil* ab≈ziehen; *tr* aus≈quartieren; entfernen (*de* aus); verdrängen; *mil* vertreiben, aus≈heben; *~ sans tambour ni trompette (fam)* sang- u. klanglos ab≈ziehen.

déloy|al, e [delwajal] unredlich; treulos; *com* unlauter; unfair; unreell; **~auté** *f* Unredlichkeit, Treulosigkeit *f*.

delta [dɛlta] *m* Delta *n*.

déluge [delyʒ] *m* Sintflut *f;* Wolkenbruch; *fig* Hagel *m*, Flut *f; remonter au ~ (fig)* weit aus≈holen; *cela date du, remonte au ~ (fam)* das ist uralt, hat so e-n Bart.

déluré, e [delyre] gewitz(ig)t, fix, flink, gewandt; herausfordernd.

délustrer [delystre] dekatieren.

démago|gie [demagɔʒi] *f* Demagogie *f;* **~gique** demagogisch; **~gue** [-gɔg] *s m* Demagoge, Volksverführer *m; a* demagogisch.

démaigrir [deme(ɛ)grir] *tech* dünner machen; ab≈schrägen.

démailler [demaje] *(Gestricktes, Maschen)* auf≈ziehen; *se ~* Laufmaschen bekommen.

démailloter [demajɔte] *(Säugling)* aus≈wickeln.

demain [dəmɛ̃] *adv* morgen *a. fig; s m* der morgige Tag; *à ~* bis morgen; *jusqu'à ~* (noch) bis morgen; (noch) lange; *~ il fera jour* morgen ist auch ein Tag; *~ en huit (quinze)* morgen in acht (vierzehn) Tagen; *~ matin* morgen früh; *~ soir* morgen abend.

démancher [demãʃe] *tr* den Griff, Stiel ab≈machen (*qc* von etw); *fig* ausea.≈bringen, sprengen; *itr mar* e-e Meerenge verlassen; *se ~* den Griff verlieren; *fam* sich den Arm verrenken; *fig fam* aus dem Leim, in die Brüche gehen; *ne pas se ~* sich kein Bein aus≈reißen.

demande [dəmãd] *f* Bitte *f;* Gesuch *n*, Eingabe *f*, Antrag *m;* Verlangen, Begehren *n;* Frage *f; com* Anfrage; Nachfrage (*de* nach) *f; pl* Anforderungen *f pl; l'offre et la ~* Angebot u. Nachfrage; *à la ~ générale* auf allgemeinen Wunsch; *sur ~* auf Anfrage; *com* gegen Vorzeigung; *accorder, exaucer, satisfaire une ~* e-e Bitte gewähren; *débouter qn de sa ~* jdn mit s-r Klage ab≈weisen; *faire face à la ~* die Nachfrage befriedigen; *faire, formuler, présenter une ~* e-e Bitte äußern, ein Gesuch ein≈reichen; *faire qc à* od *sur la ~ de qn* auf jds Verlangen etw tun; *intenter une ~* e-e Klage ein≈reichen; *refuser, repousser, rejeter une ~* e-e Bitte ab≈schlagen; *répondre, donner suite à une ~* e-r Bitte entsprechen; *(la) belle ~!* das versteht sich von selbst! *formule f de ~* Antragsformular *n; lettre f de ~ d'emploi* Bewerbungsschreiben *n; ~ accessoire* Nebenklage *f; ~ d'admission* Zulassungsgesuch *n; ~ de brevet* Patentanmeldung *f; ~ des consommateurs* Verbrauchernachfrage *f; ~ en dommages-intérêts* Schadenersatzanspruch *m; ~ d'emploi* Stellengesuch *n; ~ d'extradition (pol)* Auslieferungsantrag *m; ~ en grâce* Gnadengesuch *n; ~ d'indemnité* Entschädigungsantrag *m; ~ en justice* gerichtliche Geltendmachung *f; ~ en mariage* (Heirats-)Antrag *m; ~ de mutation* Versetzungsantrag *m; ~ en nullité* Nichtigkeitsklage *f; ~ en poursuite criminelle* Strafantrag *m; ~ primordiale* vordringliche(r) Bedarf *m; ~ de prix* Preisnachfrage *f; ~ reconventionnelle (jur)* Gegenklage *f; ~ de renseignements* Auskunftsersuchen *n; ~ de retraite* Rücktrittsgesuch *n; ~ de salaire* Lohnforderung *f; ~ de secours* Unterstützungsgesuch *n; ~ d'urgence* Dringlichkeitsantrag *m.*

demand|er [dəmande] **1.** *(prier) ~ qc à qn* jdn um e-e S bitten *od* ersuchen, e-e S von jdm verlangen; *il m'a ~é de l'aider* er hat mich gebeten, ihm zu helfen *od* er hat mich um Hilfe gebeten; *il m'a ~é de l'argent* er hat Geld von mir verlangt; *~ à faire qc* bitten, e-e S tun zu dürfen; *~ la parole* ums Wort bitten. **2.** *(interroger)* jdn nach e-r S fragen, sich bei jdm nach e-r S erkundigen; *je ne t'ai pas ~é ton avis* ich habe dich nicht nach deiner Meinung gefragt; *il m'a ~é le prix du voyage* er hat sich bei mir nach dem Fahrpreis erkundigt. **3.** *~ qn* jdn sprechen wollen, verlangen; *~ après qn* sich nach jdm erkundigen; **4.** *(Preis, sein Recht)* fordern, verlangen; *~ que* od *à ce que* subj daß *ind;* **5.** *(Arbeitskräfte)* suchen; *(Genehmigung)* ein=holen; *(Telefongespräch)* an=melden; *(Stellung)* sich um e-e S bewerben; **6.** *(exiger) (Person)* zu=muten, ab=verlangen; *vous m'en ~ez trop!* das können Sie mir nicht zu=muten!; *(Sache)* erfordern, in Anspruch nehmen; *cela ~a du temps* es wird viel Zeit in Anspruch nehmen; bedürfen *gen,* brauchen, nötig haben; **7.** *jur* klagen; *~ acte de qc* etw beglaubigen lassen; *~ qn (en mariage)* um jds Hand an= halten; *~ merci* um Gnade bitten *od* flehen; *~ (son pain, l'aumône, la charité, sa vie)* betteln; *~ raison à qn* Genugtuung, *fig* e-e Erklärung von jdm fordern; *~ à réfléchir* sich Bedenkzeit erbitten; *~ des renseignements* um Auskunft bitten; Auskünfte ein=holen; *ne pas ~ son reste* nichts mehr wissen wollen; sich aus dem Staube machen; *ne ~ qu'à (travailler)* nur (arbeiten) wollen; *~ trop à qn* jdn überfordern; *je ne ~e pas mieux!* mit dem größten Vergnügen! sehr gern! *je vous ~e un peu* das frage ich Sie; *il ne ~e que ça* das ist alles, was er will; *on ne te ~e pas ton âge!* scher dich um deinen Kram! *on vous ~e au téléphone* Sie werden am Telefon verlangt; *on ~e tout de suite (com)* für sofort gesucht; **~eur, se** *s m f* Frager(in *f*); Antragsteller(in *f*) *m; tele* Anrufende(r *m*) *f; ~ d'emploi* Arbeitssuchende(r *m*) *f;* **~eur, eresse** [-dœr, -drɛs] *m f jur* Kläger(in *f*) *m.*

démang|eaison [demɑ̃ʒɛzɔ̃] *f* Jucken *n,* Juckreiz *m; fig* Gelüst *n* (*de* nach); **~er** jucken *a. fig; (fam) la main lui ~e* es juckt ihn in der Hand.

démant|eler [demɑ̃tle] *(Festung)* schleifen, ab=tragen; *fig* zerstören; *(Drogenring)* aus=heben; **~èlement** *m (Drogenring)* Aushebung *f.*

démantibuler [demɑ̃tibyle] *fam (Kinnbacken)* aus=hängen; *allg* aus den Fugen bringen, zerschlagen.

démaquill|age [demakijaʒ] *m* Abschminken *n;* **~ant** *a: lait ~* Reinigungsmilch *f; s m* Reinigungsmilch; **~er** ab=schminken.

démarcation [demarkasjɔ̃] *f* (Grenz-)Ziehung, Abgrenzung; *fig* Grenze *f,* Trennungsstrich *m; ligne f de ~* Grenz-, Demarkationslinie *f.*

démarch|e [demarʃ] *f* Gang(art *f*); *fig* Schritt *m,* Maßnahme *f; faire une ~ auprès de qn* bei jdm vor=sprechen; *faire les premières ~s* die ersten Schritte tun; *faire des ~s* Schritte unternehmen; *~ de porte en porte (com)* Akquirieren *n;* **~eur** *m com* Kundenwerber *m; ~ en publicité* Anzeigenwerber *m.*

démarier [demarje] *(Rüben)* verziehen.

démarqu|er [demarke] *tr* das Zeichen entfernen (*qc* von, aus etw); *(geistiges Eigentum)* nach=ahmen, plagiieren; *com* den Preis herab=setzen (*qc* e-r S *gen*); *itr (Pferd)* die Alterskennzeichen verlieren; *se ~ (sport)* sich frei spielen; **~eur** *m* Nachahmer, Plagiator *m.*

démarr|age [demaraʒ] *m mot* Start *m;* Anlassen, Anwerfen, Anspringen *n;* Anfang, Beginn *m;* **~er** *tr mar* von den Tauen los=machen; *mot* in Gang setzen, an=lassen, an=werfen; *(Zug)* ab=fahren lassen; *fig fam* in die Wege leiten, an=fangen; *itr* ab=fahren, -segeln; die Anker lichten; sich von den Tauen los=reißen; *mot* an=springen; *allg* starten; an=, ab=fahren; *fig fam* weg=gehen; in Schwung kommen, an=laufen; *(Knoten)* auf=gehen; *ne pas ~ de qc* von etw nicht los=

kommen; **~eur** *m* Anlasser *m; appuyer sur, actionner le ~* den Anlasser betätigen.

démasquer [demaske] demaskieren; *allg* frei≈legen; *fig* entlarven; entdecken; enthüllen.

démâter [demɑ(a)te] *tr* die Masten brechen (*un navire* e-m Schiff); *itr* die Masten verlieren.

démêl|é [deme(ɛ)le] *m* Streit, Zank *m;* Händel *m pl;* **~er** entwirren; auf≈klären, Ordnung bringen (*qc* in etw); ins reine bringen; trennen, scheiden; unterscheiden, durchschauen, erkennen; *(Haare)* aus≈kämmen; *se ~ (de)* sich heraus≈heben (aus); sich *(aus e-r Verlegenheit)* heraus≈helfen; *avoir à ~ avec* zu schaffen haben mit; **~oir** *m* weite(r) Kamm *m;* Haspel *f;* **~ures** *f pl* ausgekämmte Haare *n pl.*

démembr|ement [demɑ̃brəmɑ̃] *m* (Auf-)Teilung *f (e-s Landes); jur* beschränkte(s) dingliche(s) Recht *n;* **~er** zergliedern, zerstückeln; auf≈teilen.

déménag|ement [demenaʒmɑ̃] *m* Umzug; *fam* Weggang *m,* Flucht, Abschaffung *f; avis m de ~* Ab-, Anmeldebescheinigung *f; entreprise f de ~* Möbeltransportunternehmen *n; frais pl de ~* Umzugskosten *pl; voiture f de ~* Möbelwagen *m;* **~er** *tr* aus-, um≈räumen; fort≈schaffen; *itr* aus-, um≈ziehen; *fam* den Verstand verlieren; sterben; *~ à la cloche de bois* heimlich ausziehen; **~eur** *m* Möbeltransporteur *m.*

démence [demɑ̃s] *f* Wahnsinn *m,* Irresein *n; fig* Verrücktheit *f,* Blödsinn *m; ~ paralytique* (progressive) Paralyse *f.*

démener, se [dem(ə)ne] herum≈toben; *fig* sich ab≈plagen, *fam* -rackern, sich herum≈schlagen.

dément, e [demɑ̃, -ɑ̃t] *a* wahnsinnig. unvernünftig, verrückt; *s m* Wahnsinnige(r *m*) *f;* **~i** *m* Dementi *n,* Verleugnung, Widerlegung *f; fig* Schimpf *m,* Schande *f; donner, infliger un ~ à qn* jdn dementieren; **~iel, le** [-sjɛl] *a* Wahnsinns-; *fig* wahnsinnig.

démentir [demɑ̃tir] *irr* Lügen strafen, dementieren, widerlegen; (ab≈)leugnen, in Abrede stellen, widersprechen (*qn* jdm); *se ~ (fig)* nach≈lassen, sinken; sich widersprechen.

démerder, se [demɛrde] *vulg* sich aus der Patsche, der Verlegenheit helfen; sich durch≈schlagen, sich durch≈wursteln.

démérit|e [demerit] *m* Verfehlung *f,* Verschulden *n; rel* Schuldhaftigkeit *f; faire un ~ de qc à qn* jdm etw nicht als Verdienst an≈rechnen; **~er** sich versündigen, vergehen (*de qn* gegen jdn); Schuld auf sich *(acc)* laden, fehlen, *rel* sündigen.

démesur|e [dem(ə)zyr] *f* Maßlosigkeit, Unmäßigkeit *f;* **~é, e** übermäßig; *fig* unmäßig, maßlos.

démettre [demɛtr] ver-, aus≈renken; *fig* ab≈setzen, entfernen (*de* aus); *jur* ab≈weisen; *se ~ de qc (Amt)* etw nieder≈legen; *~ un ministre de ses fonctions* e-n Minister des Amts entheben.

démeubl|er [demœble] *(Zimmer)* aus≈räumen; *bouche f ~ée (fam)* zahnlose(r) Mund *m.*

demeur|ant, e [dəmœrɑ̃, -ɑ̃t] *a* wohnhaft; *au ~* übrigens, im übrigen; **~e** *f* Wohnung *f,* Wohnsitz *m;* Bleibe *f;* Aufenthalt(sort); *(Tier)* Bau; *jur* Verzug, Rückstand *m; à ~* auf die Dauer; ständig; *établir sa ~* s-n Wohnsitz auf≈schlagen *od* nehmen; *faire sa ~* wohnen; *mettre en ~ (jur com)* auf≈fordern, mahnen; *il y a péril en la ~* jeder Verzug bringt Gefahr; *mise en ~* Aufforderung, Mahnung *f; dernière ~* letzte Ruhestätte *f;* **~er** wohnen, sich auf≈halten; (übrig≈, zurück≈) bleiben; verharren (*dans* auf, in *acc*); *vx* lange brauchen, viel Zeit benötigen (*à* um zu); *en ~ d'accord* damit einverstanden sein; *~ en chemin (fig)* auf halbem Wege stehen≈bleiben; *~ sur le cœur, sur l'estomac (fig)* auf dem Magen, *med* im Magen liegen; *~ (tout) court* sprachlos sein, nichts zu erwidern wissen; stecken≈bleiben; *en ~ là* stehen≈bleiben; damit sein Bewenden haben; dabei bleiben; *~ en place* still≈sitzen, -stehen; *~ en reste, en arrière (com)* im Rückstand, schuldig bleiben; *~ au théâtre* sich auf dem Spielplan halten; *~ons-en là* reden wir nicht weiter darüber!

demi, e [dəmi] halb; Halb-; *un, e ... et ~, e* anderthalb; *deux (etc) ... et ~, e* zweieinhalb *etc; s m* Halbe(s) *n;* Halbe(r), halbe(r) Liter *m (Bier); (Fußball)* Läufer *m; pl* Läuferreihe *f; f* Hälfte, halbe Stunde *f; à ~* halb, zur Hälfte; **~-bas** *m* Kniestrumpf *m;* **~-botte** *f* Halbstiefel *m;* **~-centre** *m sport* Mittelläufer *m;* **~-cercle** *m* Halbkreis *m;* **~-clef** *f* (Fallreeps-) Knoten *m;* **~-colonne** *f* halbe Spalte *f;* **~-cultivé, e** halbgebildet; **~-deuil** *m* Halbtrauer *f;* **~-diamètre** *m math* Halbmesser *m;* **~-dieu** *m* Halbgott *m;* **~-douzaine** *f* halbe(s) Dutzend *n;* **~-fin, e** *a* halbfein; *s m* Goldlegierung *f;* **~-finale** *f sport* Vorentscheidung, Zwischenrunde *f;* **~-fond** *m sport* Mittelstrecke *f;* **~-frère** *m*

Halbbruder *m;* ~-**gros** *m* Zwischenhandel *m;* ~-**heure** *f* halbe Stunde *f;* ~-**jour** *m inv* Zwielicht *n,* Dämmer *m;* ~-**journée** *f* Halbtag *m;* ~-**lune** *f* Halbmond; halbrunde(r) Platz *m;* ~-**mal:** *il n'y a que* ~ *(fam)* das ist halb so schlimm; ~-**mesure** *f* halbe Maßnahme *f;* ~-**mondaine** *f* Halbweltdame *f;* ~-**monde** *m* Halbwelt *f;* ~-**mort, e** halbtot; ~-**mot:** *à* ~ andeutungsweise; auf bloße Andeutung hin; ~-**pause** *f mus* halbe Pause *f;* ~-**pension** *f* Halbpension *f;* ~-**pensionnaire** *m f* Halbinterne(r *m*) *f (Schüler);* ~-**place** *f* Fahr-, Eintrittskarte *f* zum halben Preis; ~-**produit** *m* Halbfabrikat *n,* Halbfertigware *f;* ~-**reliure** *f* Halbfranz-, -lederband *m;* ~-**rond, e** *a* halbrund; *s f* halbrunde Feile *f;* ~-**saison** *f; de* ~ Übergangs-; ~-**sang** *m inv* Halbblutpferd *n;* ~-**savant** *m* Pseudogelehrter *m;* ~-**savoir** *m* Halbbildung *f;* ~-**sel** *a inv* leicht gesalzen; ~-**sœur** *f* Halbschwester *f;* ~-**solde** *f* Wartegeld *n; m inv* Offizier *m,* der Wartegeld erhält; ~-**sommeil** *m* Halbschlaf *m;* ~-**soupir** *m mus* Achtelpause *f;* ~-**tarif** *m* halbe(r) Fahrpreis *m;* ~-**tasse** *f* Mokkatasse *f;* ~-**teinte** *f (Kunst)* Halbschatten *m;* ~-**tige** *f bot* Zwergstamm *m;* ~-**ton** *m mus* halbe(r) Ton *m;* ~-**tour** *m mil* Kehrtwendung *f; faire* ~ kehrt=machen; ~ *à droite!* ganze Abteilung — kehrt!

démilitari|sation [demilitarizasjɔ̃] *f* Entmilitarisierung *f;* ~**ser** entmilitarisieren.

déminer [demine] von Minen räumen.

démission [demisjɔ̃] *f* Rücktritt *m,* Abdankung; Entlassung(sgesuch *n*) *f;* Ausscheiden *n (aus dem Amt); fig* Verzicht *m; donner sa* ~ s-n Rücktritt erklären, s-e Entlassung ein=reichen; ~**naire** [-sjɔ-] *a* zurücktretend, verzichtend; zurückgetreten, entlassen, ausgeschieden; ~**ner** s-n Rücktritt erklären, zurück=treten, ab=danken; *(aus e-m Verein)* aus=treten (*de* aus); *fig fam* verzichten, (es) auf=geben.

démiter [demite] entmotten.

démobilis|ation [demɔbilizasjɔ̃] *f* Demobilisierung *f;* ~**er** demobilisieren.

démocrat|e [demɔkrat] *s m f* Demokrat(-in *f*) *m; a* demokratisch; ~**ie** [-si] *f* Demokratie *f;* ~ *populaire* Volksdemokratie *f;* ~**ique** demokratisch; ~**iser** demokratisieren; *fig* volkstümlich machen.

démod|é, e [demɔde] *a* aus der Mode, unmodern, altmodisch; ~**er, se** aus der Mode kommen, unmodern werden.

démograph|e [demɔgraf] *m* Bevölkerungsstatistiker *m;* ~**ie** *f* Demographie *f;* Bevölkerungsziffer, Volkszahl *f;* ~**ique** demographisch; Bevölkerungs-; *accroissement m* ~ Zunahme *f* der Bevölkerung.

demoiselle [dəmwazɛl] *f* Fräulein *n;* alleinstehende Frau; Verkäuferin *f; fam* Tochter; *fam* Dirne; *zoo* Libelle; *tech* Ramme *f;* Handschuhweiter *m;* ~ *de compagnie* (ledige) Gesellschafterin *f;* ~ *du comptoir* Kassiererin; Verkäuferin *f;* ~ *d'honneur* Ehren-, Brautjungfer *f;* ~ *du téléphone* Telefonistin *f; ces* ~*s* die jungen Damen.

démol|ir [demɔlir] ab=, nieder=reißen, ab=brechen, ab=tragen; zs.=, zerschlagen; *(Baum)* ab=, um=hauen; *fig* vernichten, (um=)stürzen; *(Gesundheit)* zugrunde richten; *pop* zu Boden schlagen; *tech* verschrotten, *mar* ab=wracken; *com* ruinieren; ~**isseur** *m* Abbrucharbeiter; *fig* Umstürzler; Kritikaster *m;* ~**ition** *f* Abbruch *m,* Zerstörung *f;* Ab-, Niederreißen *n; pl* Trümmer *pl.*

démon [demɔ̃] *m* Dämon; böse(r) Geist, Teufel *m.*

démonéti|sation [demɔnetizasjɔ̃] *f* (Geld-)Entwertung *f;* ~**ser** entwerten; *fig* verunglimpfen, in Mißkredit bringen.

démoniaque [demɔnjak] dämonisch, besessen; *fam* teuflisch, boshaft; rasend.

démonstrat|eur, trice [demɔ̃stratœr, -tris] *m f* Vorführer(in *f*) *m;* ~**if, ive** *allg* demonstrativ; überzeugend, beweisend; *gram* hinweisend; *(Person)* überschwenglich, lebhaft; mitteilsam; ~**ion** *f* Beweis(führung *f*); Unterricht *m* mit Vorführungen; Vorführung *f (e-s Gerätes);* (äußerer) Freundschaftsbeweis *m;* Äußerung; Demonstration *f; mil* Scheinmanöver *n.*

démont|able [demɔ̃tabl] zerlegbar; aufsetz-, abnehmbar; ~**age** *m* Abbau, -bruch *m;* Demontage; Zerlegung *f,* Ausbau *m;* ~**é, e** *(Meer)* wild bewegt; *(Mensch)* fassungslos; *tech* zerlegt, ausgebaut, abmontiert; ~**e-pneu** [demɔ̃tpnø] *m mot* Reifenheber *m,* Montiereisen *n;* ~**er** *(Reiter)* ab=werfen; ab=sitzen lassen; ab=setzen, stürzen; ausea.=nehmen, aus=bauen, ab=, demontieren, ab=bauen; *mil* außer Gefecht setzen; *mar* ab=wracken; *fig* aus der Fassung bringen, verwirren, zunichte machen; *se* ~ sich ver-, aus=renken; ausea.=gehen; *fig* die Fassung verlieren.

démontr|abilité [demɔ̃trabilite] *f* Beweisbarkeit *f;* **~able** beweisbar; **~er** be-, erweisen, dar=legen; demonstrieren, veranschaulichen, vor=führen; auf=weisen, zeigen.

démoralis|ateur, trice [demɔralizatœr, -tris] *a* verderblich; *s m f* Verderber(in *f*) *m;* **~ation** *f* Entsittlichung; Sittenlosigkeit, Verderbnis; Entmutigung, Demoralisierung *f;* **~er** verderben; demoralisieren; nieder=drükken, entmutigen.

démordre [demɔrdr] *fig* auf=geben, verzichten (*de qc* auf e-e S); *ne pas* ~ sich fest=beißen, beharren (*de qc* an, auf e-r S).

démouler [demule] aus der Form nehmen.

démultiplicat|eur [demyltiplikatœr] *m tech* Reduktionsgetriebe *n; radio* Feineinsteller *m;* **~ion** [-sjɔ̃] *f tech* Untersetzung; *radio* Feineinstellung *f.*

démun|ir [demynir] berauben (*de* gen), entblößen (*de qc* von etw); *se* ~ *de qc* sich e-r S entäußern; *être* ~*i d'argent* ohne e-n Pfennig Geld sein.

démuseler [demyzle] den Maulkorb ab=nehmen (*un chien* e-m Hund); *fig* entfesseln.

dénantir [denɑ̃tir] das Pfand aus den Händen nehmen (*qn* jdm); berauben (*qn de qc* jdn e-r S); *se* ~ das Pfand aus den Händen geben; sich entäußern (*de qc* e-r S *gen*).

dénatalité [denatalite] *f* Geburtenrückgang *m.*

dénationali|sation [denasjɔnalizasjɔ̃] *f* Ausbürgerung; (Re-)Privatisierung, Entstaatlichung *f;* **~ser** die Staatsangehörigkeit entziehen (*qn* jdm), aus=bürgern; die Verstaatlichung rückgängig machen *od* auf=heben (*qc* e-r S *gen*), entstaatlichen.

dénatter [denate] *(Haare)* auf=flechten.

dénatur|aliser [denatyralize] aus=bürgern; **~é, e** *a* entmenschlicht, verdorben, unnatürlich; *alcool m* ~ vergällte(r), denaturierte(r) Alkohol, Spiritus *m; père m, mère f* ~*(e)* Rabenvater *m,* -mutter *f;* **~er** unkenntlich machen; *chem* denaturieren, vergällen; verfälschen; *fig* entstellen, verderben.

dénazi|fication [denazifikasjɔ̃] *f* Entnazifizierung *f;* **~fier** entnazifizieren.

dénégation [denegasjɔ̃] *f jur* Verneinung, Leugnung *f;* Abstreiten *n.*

dénei|gement [denɛʒmɑ̃] *m* Schneeräumung *f;* **~ger** räumen.

déni [deni] *m jur* Bestreitung; Verweigerung *f.*

déniaiser [denjeze] gewitz(ig)t machen; *fam* die Unschuld nehmen (*qn* jdm); auf=klären.

déni|cher [deniʃe] **1.** *tr* aus dem Nest nehmen; *fig (Bande)* aus=heben; auf=stöbern, ausfindig machen; verscheuchen, vertreiben; *pop* finden; *itr* aus=fliegen; aus=ziehen; das Weite suchen; **2.** *(Standbild)* aus der Nische nehmen; **~cheur, se** *m f:* ~ *de fauvettes* Schürzenjäger *m;* ~ *de merles* Industrieritter *m.*

dénicotinisé, e [denikɔtinize] nikotinarm, -frei.

denier [dənje] *m* Heller *m; fig* Scherflein; *(Textil)* Denier *m; pl* Stück *n* Geld; Gelder *n pl; à beaux* ~*s comptants* für klingende Münze; ~ *de César (rel)* Zinsgroschen *m;* ~ *à Dieu* Handgeld *n;* ~ *de saint Pierre* Peterspfennig *m;* ~*s publics* öffentliche(n) Gelder *n pl.*

dénier [denje] ab=leugnen, -streiten; verweigern.

déni|grement [denigrəmɑ̃] *m* Verleumdung *f;* **~grer** an=schwärzen, verleumden, herab=würdigen.

déni|veler [denivəle] *(Boden)* uneben machen; das Niveau verändern (*qc* e-r S *gen*); **~vellation** *f,* **~vellement** [-vɛl-] *m* Unebenheit *f* des Bodens, Höhenunterschied *m.*

dénombr|ement [denɔ̃brəmɑ̃] *m* (Auf-) Zählung; **~er** (auf=)zählen; registrieren.

dénominat|eur [denɔminatœr] *m math* Nenner *m;* **~ion** [-sjɔ̃] *f* Benennung, Bezeichnung *f;* **dénommer** nennen, auf=führen; benennen.

dénonc|er [denɔ̃se] *(Vertrag)* (auf=) kündigen; *jur* an=zeigen; denunzieren, an=geben, *fam* verpetzen; *fig* verraten, sehen lassen; (deutlich) zeigen; **~iateur, trice** *m f* Denunziant(in *f*), Angeber(in *f*) *m;* **~iation** *f* Erklärung; (An-, Ver-, Auf-)Kündigung; Anzeige; Denunziation *f.*

dénoter [denɔte] hin=deuten, schließen lassen (*qc* auf e-e S); kennzeichnen.

dénou|ement, dénoûment [denumɑ̃] *m* Ausgang *m,* Ende *n,* (Auf-)Lösung *f bes. poet theat;* **~er** [-nwe] auf=knoten, -binden; geschmeidig machen; *fig* (auf=)lösen, entwirren; ein Ende machen *od* setzen *od* bereiten (*qc* e-r S *dat*); *(Gedanken)* entwickeln; *se* ~ sich auf=lösen; *(Kind)* sich entwickeln; *(Paar)* ausea.=gehen, sich trennen; *poet theat* enden, aus=gehen.

dénoy|auter [denwajote] *(Obst)* entsteinen, -kernen; **~er** *min* entwässern, -sumpfen.

denrée [dɑ̃re] *f* Eßware *f, pl* Lebensmittel *n pl; fig* Ware *f; une ~ rare* etw Seltenes *n; ~s alimentaires* Nahrungsmittel *n pl; ~s coloniales* Kolonialwaren *f pl; ~s périssables* verderbliche Lebensmittel *n pl.*

dens|e [dɑ̃s] dicht, fest, kompakt; (spezifisch) schwer; *(Stil)* gedrängt, kraftvoll; **~imètre** *m* Densimeter *n,* Senkwaage *f;* **~ité** Dichte *f a. fig;* spezifische(s) Gewicht *n; ~ de diffusion* Streuung *f; ~ de la population* Bevölkerungsdichte *f; ~ routière, kilométrique* Straßendichte *f; ~ du trafic* Verkehrsdichte *f; ~ des trains* Zugdichte, -folge *f.*

dent [dɑ̃] *f* Zahn; Zacken *m,* Zinke *f;* Bergkegel *m,* Horn *n; tech* Zahn(kamm) *m; jusqu'aux ~s* bis an die Zähne *(bewaffnet);* sehr; *aux ~s longues* rücksichtslos; *aiguiser ses ~s sur* s-e Zähne wetzen an *dat; avoir la ~ (fam)* Hunger haben; *avoir la ~ dure* e-e böse Zunge haben; *n'avoir rien à se mettre sous la ~* nichts zu beißen haben; *avoir les ~s longues* Kohldampf schieben, nichts zu beißen haben; ehrgeizig, anspruchsvoll sein; *avoir, conserver, garder une ~ contre qn* e-n Pik auf jdn haben; *avoir une ~ contre qn* gegen jdn etw haben; *claquer des ~s de froid* vor Kälte mit den Zähnen klappern; *craquer, crisser, grincer des ~s* mit den Zähnen knirschen; *déchirer à belles ~s* gierig verschlingen; *fig* kein gutes Haar lassen (*qn* an jdm); *ne pas desserrer les ~s* den Mund nicht auf=tun; *donner un coup de ~ à qn (fig)* jdm eins versetzen *od* aus=wischen; *être guéri du mal de ~s* tot sein, keine Zahnschmerzen mehr haben; *être sur les ~s* abgehetzt sein, hundemüde sein; scharf auf=passen; *extraire, arracher une ~* e-n Zahn ziehen; *se faire les ~s sur* s-e Zähne wetzen an *dat; faire ses ~s* Zähne bekommen; *se laver les ~s* sich die Zähne putzen; *manger du bout des ~s* widerwillig, mit langen Zähnen essen; *manger de toutes ses ~s* tüchtig hinein=hauen, *pop* wie ein Scheunendrescher fressen; *mentir comme un arracheur de ~s* wie gedruckt, das Blaue vom Himmel lügen; lügen, daß sich die Balken biegen; *mettre sur les ~s (fig)* fertig=machen; *mordre à belles ~s* tüchtig drauflos=essen; *ne pas perdre un coup de ~s* gierig essen; sich nicht stören lassen *a. fig; prendre la lune avec les ~s* das Unmögliche wollen; *rire du bout des ~s* gezwungen lachen; *serrer les ~s de rage* vor Wut die Zähne zs.=beißen; *se faire soigner les ~s* sich die Zähne in Ordnung bringen lassen; *tomber sous la ~ de qn* jdm in die Hände fallen; *brosse f à ~s* Zahnbürste *f; coup m de ~* Biß *m; mal m de ~s* Zahnschmerzen *m pl; ~s artificielles* Zahnersatz *m; ~ canine, œillère* Eck-, Augenzahn *m; ~ incisive* Schneidezahn *m; ~ de lait, de première dentition* Milchzahn *m; ~-de-lion f bot* Löwenzahn *m; ~-de-loup f* Sparren-, Zapfennagel *m;* Anlasserklaue *f; ~ molaire, mâchelière* Back(en)zahn *m; ~ sur pivot* Stiftzahn *m; ~ prémolaire* Lückzahn *m; ~ de sagesse* Weisheitszahn *m; ~ de seconde dentition, permanente* bleibende(r) Zahn *m; ~ à venin* Giftzahn *m;* **~aire** *a* Zahn-; **~al, e** *a gram* dental; *s f* Zahnlaut *m;* **~é, e** gezahnt, gezackt; **~elaire** *f bot* Bleiwurz *f;* **~elé, e** gezackt, gezahnt; *arch* ausgeschnitten; **~eler** aus=zacken, -zahnen.

dent|elle [dɑ̃tɛl] *f* Spitze, Kante *f (Gewebe); arg* Geldscheine *m pl; ~ à l'aiguille* genähte Spitze *f; ~ aux fuseaux* Klöppelspitze *f; ~ de soie* Blonde *f;* **~ellerie** [-tɛlri] *f* Spitzenfabrikation *f,* -handel *m;* **~ellier, ère** [-tə-] *s m f* Spitzenklöppler(in *f*), -fabrikant *m; a* Spitzen-; **~elure** *f* Auszackung; Zackenlinie *f,* -ornament *n.*

dent|er [dɑ̃te] (ver)zahnen; **~icule** *f* Zähnchen, Zäckchen *n; pl arch* Zahnschnitt *m;* **~iculé, e** gezahnt, gezackt; **~ier** *m (künstl.)* Gebiß *n;* (Zahn-)Prothese *f;* **~ifrice** *m* Zahnpflegemittel *n; a: eau f ~* Mundwasser *n; poudre, pâte f, savon m ~* Zahnpulver *n,* -pasta, -seife *f; tube m de ~* Tube *f* Zahnpasta *f;* **~ine** *f anat* Dentin, Zahnbein *n;* **~iste** *m* Zahnarzt, Dentist *m; cabinet m de ~* Zahnarztpraxis *f;* **~isterie** [-tistəri] *f* zahnärztliche(r) Beruf *m;* **~ition** *f (natürl.)* Gebiß *n; première ~, ~ de lait* Zahnen *n,* Zahndurchbruch *m; seconde ~* Zahnwechsel *m;* **~ure** *f (natürl.)* Gebiß *n; tech* (Ver-)Zahnung *f.*

dénucléaris|ation [denyklearizasjɔ̃] *f* nukleare Abrüstung *f;* **~er** atomfrei machen, atomar ab=rüsten; *zone ~ée* atomwaffenfreie Zone *f.*

dénud|ation [denydasjɔ̃] *f* Entblößung, Kahlheit; *geol* Denudation *f;* **~é, e** entblößt; kahl; vegetationslos; *(Draht)* blank; **~er** entblößen; bloß=, frei=legen; schälen; entblättern, entrinden; *se ~* kahl werden.

dénu|é, e [denɥe] beraubt (*de* gen); mittellos; *~ de* ohne; **~ement** [-nymɑ̃] *m* Mangel *m* (am Notwendigsten); Mittellosigkeit, Not *f;* **~er, se** [-nɥe] sich (des Notwendigsten) berauben; sich auf=opfern.

dénutri, e [denytri] unterernährt; **~tion** *f* Unterernährung *f.*

déodorant, e [deɔdɔrɑ̃, -t] *a* deodorisierend; *s m* Deodorant *n; ~ en aérosol* Deospray *m; ~ à bille* Deoroller *m.*

déontologie [deɔ̃tɔlɔʒi] *f* (Berufs-)Pflichtenlehre *f.*

dépailler [depaje] die (Stroh-)Füllung heraus=nehmen (*qc* aus etw).

dépann|age [depanaʒ] *m mot* Reparatur *f; service m de ~* (Auto-)Reparaturwerkstatt *f;* Abschleppdienst *m; voiture f de ~* Abschleppwagen *m;* **~er** *mot* reparieren, instand setzen *a. allg;* ab=schleppen; *fam* aus der Patsche, Verlegenheit helfen (*qn* jdm); **~eur** *m* Autoschlosser, Mechaniker *m;* **~euse** *f* Abschleppwagen *m.*

dépaqueter [depakte] aus=packen.

déparasit|age [deparazitaʒ] *m el* Entstörung *f;* **~er** entstören.

dépareill|é, e [depare(ɛ)je] unvollständig; nicht zs.gehörig; *livre m ~* Einzelband *m;* **~er** *(Zs.gehöriges)* ausea.=bringen, trennen; unvollständig machen.

déparer [depare] des Schmuckes berauben; entstellen, verschandeln, verderben *a. fig; com* das Beste heraus=suchen (*qc* aus etw).

déparier [deparje] *(Paar)* ausea.=bringen, trennen.

départ [depar] *m* Aufbruch *m,* Abreise *f,* Abmarsch *m;* Abfahrt *f,* Abgang *m a. loc; mar* Ausfahrt; Scheidung, Trennung *f; mil* Abschuß; *aero* Abflug, Start; *sport* Start, Absprung; *com* Versand, Abgang *m;* Verschiffung; *tech* Ingangsetzung *f,* Fahrtbeginn *m; fig* Entlassung *f,* Abtreten *n; fig* Beginn *m,* Einsetzen *n,* Eröffnung *f; mus* Einsatz *m; au ~ (fig)* zu Beginn, am Anfang; *à son ~* bei s-r Abreise; *~ ..., arrivée ... (loc)* ab ..., an ...; *~ usine (com)* ab Werk; *donner le ~* starten lassen (*à qc* etw); *être sur le ~* im Begriff sein abzureisen, reisefertig sein; *faire le ~* sondern, scheiden (*de* von); *faire un beau ~, bien prendre le ~ (sport)* gut ab=kommen; *prendre le ~* starten; *~ autorisé!* Start frei! *aérodrome m de ~* Startflughafen *m; clapet m de ~* Starterklappe *f; courrier m au ~* ausgehende Post *f; date f de ~* Abfahrtsdatum *n; faux ~, ~ manqué* Fehlstart *m; heure f de ~* Abfahrts-, Startzeit *f; ligne f de ~* Startlinie *f; liste f des ~s* Abgangsliste *f; point m de ~* Ausgangspunkt *m; port m de ~* Abgangshafen *m; préparatifs m pl de ~* Abfahrtsvorbereitungen *f pl; prix m de ~* Ausgangspreis *m; produit m de ~* Ausgangsmaterial *n; quai m de ~* Abfahrtsbahnsteig *m; signal m du ~* Abfahrtssignal, Startzeichen *n; télégramme m de ~ (aero)* Startmeldung *f; ~ arrêté, lancé* stehende(r), fliegende(r) Start *m; ~ de nuit* Nachtstart *m; ~ prématuré (Sprengung)* Frühzündung *f; ~ de rampe* Treppenpfeiler *m; ~ remorqué par avion* Flugzeugschleppstart *m; ~ au sandow* Gummiseilstart *m; ~ vent arrière, vent de côté, vent debout* Start *m* mit Rückenwind, mit Seitenwind, gegen den Wind.

départager [departaʒe] die Stimmengleichheit auf=heben; den Ausschlag geben (*qc* bei etw).

départ|ement [departmɑ̃] *m* Abteilung *f,* Verwaltungszweig *m;* Ministerium; Ressort *n,* (Geschäfts-)Bereich *m* od *n; geog* Departement *n; fig* Provinz *f;* **~emental, e** *a* Departements-.

départir [departir] (auf=, ver)teilen; *(Wohltat, Gunst)* erweisen; *(Arbeit)* an=vertrauen; *se ~ de* auf=geben, ab=stehen, ab=lassen von; sich entfernen, ab=weichen von.

dépass|ant [depasɑ̃] *m (Kleidung)* Vorstoß *m;* **~é, e** überholt; veraltet; **~ement** *m* Überholen *n; (Kredit, Termin)* Überschreitung *f;* **~er** *tr* überholen, hinaus=gehen, -kommen (*qc* über e-e S); hervor=ragen (*qc* aus etw), hinaus=ragen (*qc* über e-e S); größer, länger sein (*qc* als etw); *(Leine)* aus=scheren; *fig* überschreiten, -steigen; hinaus=gehen (*qc* über e-e S); übertreffen, -holen; über den Kopf wachsen (*qn* jdm); *fam* in Erstaunen setzen; *se ~* anea. vorbeigehen; sich selbst übertreffen; *~ les attentes* die Erwartungen übertreffen; *~ les limites* zu weit gehen; *~ (le montant de) la souscription de qc (com)* etw überzeichnen; *~ qn de la tête* jdn um Haupteslänge überragen; *cela me ~e* da komme ich nicht (mehr) mit.

dépassionner [depasjɔne] versachlichen.

dépaver [depave] *(une rue)* das Pflaster (e-r Straße) auf=reißen.

dépays|er [depe(ɛ)ize] aus der Heimat weg=schicken, in ein anderes Land schicken; s-e Gewohnheiten nehmen (*qn* jdm); *fig* irre=führen, verwirren, befremden; *je me trouve ~é* ich fühle mich fremd, nicht zu Hause.

dépecer [depəse] zerlegen, ausea.=nehmen; zerstückeln; *fig* in Stücke reißen.

dépêch|e [depɛʃ] *f* Depesche *f; (~ télégraphique)* Telegramm *n; ~ transmise par la T.S.F.* Radiotelegramm *n;* **~er** beschleunigen; (schnell) ab=fertigen, ab=schicken; *fam* schnell fertig werden (*qc* mit etw); schnell ab=fertigen (*qn* jdn); *se ~* sich beeilen.

dépeigner [depe(ɛ)ɲe] die Frisur in Unordnung bringen, die Haare zerzausen (*qn* jdm).

dépeindre [depɛ̃dr] schildern, beschreiben.

dépenaillé, e [depnaje] zerlumpt; zerschlissen; *fig* verkommen.

dépen|dance [depɑ̃dɑ̃s] *f* Abhängigkeit *f; hist* Lehen; abhängige(s) Gebiet; Vorwerk *n;* Nebenbetrieb *m,* Filiale *f;* Nebengebäude *n; pl* Zubehör *n;* **~dant, e** abhängig, untergeordnet; **~dre** *tr (Aufgehängtes)* herunter=nehmen; *itr* ab=hängen; abhängig, unterworfen, unterstellt sein; gehören (*de qc* zu etw); *fig* ab=hängen, die Folge sein (*de qc* von etw); bedingt sein (*de qc* durch etw); *cela ~ (fam)* das kommt darauf an, je nachdem; *cela ~ de vous* das liegt an Ihnen.

dépens [depɑ̃] *m pl* Ausgaben *f pl,* Kosten; Gerichtskosten *pl; aux ~ de* auf Kosten *gen; à ses (propres) ~* auf eigene Kosten; **~e** [-pɑ̃s] *f* Ausgabe, -lage *f,* Aufwand *m,* Aufwendung; Verausgabung *f; (Brennstoff)* Verbrauch *m; phys* ausströmende, -fließende Menge *f;* Ausfluß *m;* Speisekammer *f; pl* (Un-)Kosten *pl,* Kostenaufwand *m; entraîner des ~s* Kosten verursachen; *faire face, pourvoir aux ~s* die Kosten bestreiten, auf=bringen; *se mettre en ~* sich in Unkosten stürzen; *fig* sich gewaltig an=strengen; *réduire les ~s* die Kosten ein=schränken; *ne pas regarder à la ~* nicht auf die Kosten sehen; es sich etw kosten lassen; *rembourser qn de ses ~s* jdm die Auslagen zurück=erstatten; *menues ~s* kleine Ausgaben *f pl; ~s accessoires* Nebenkosten *pl; ~s courantes* laufende Kosten *pl; ~ d'eau, d'énergie, de courant* Wasser-, Energie-, Stromverbrauch *m; ~s d'entretien* Unterhalt(ung)skosten *pl; ~s d'État, publiques* Staatsausgaben *f pl; ~s d'exploitation* Betriebsunkosten *pl; ~ de forces* Kraftaufwand *m; ~s du ménage* Haushaltungskosten *pl; ~s militaires* Rüstungsausgaben *f pl; ~s particulières* Sonderausgaben *f pl; ~s de personnel* Personalaufwendungen *f pl; ~s de salaires* Lohnaufwand *m; ~s sociales* Sozialausgaben *f pl ~s supplémentaires* Mehrkosten *pl; ~ de travail* Arbeitsaufwand *m;* **~er** aus=geben, verausgaben; verschwenden; verbrauchen; *se ~* sich viel Mühe geben; sich erschöpfen (*en* in *dat*); s-e Kräfte verschwenden; sich für andere ein=setzen; *se ~ physiquement* sich aus=arbeiten, sich aus=toben; *~ sa salive (fam)* umsonst reden; **~ier, ère** *a* verschwenderisch; *s m f* Verschwender(in *f*); Beschließer(in *f*) *m.*

déperdition [depɛrdisjɔ̃] *f tech* Verlust, Abgang *m;* Verminderung; *fig* Schwächung *f; ~ de chaleur, de courant* Wärme-, Stromverlust *m.*

dépér|ir [deperir] dahin=siechen; verfallen, baufällig werden; ab=nehmen, vergehen, dahin=schwinden; ab=, aus=sterben, zugrunde gehen; **~issement** *m* Abnahme *f,* Verfall *m;* Siechtum; (Ver-)Welken *n.*

dépersonnaliser [depɛrsɔnalize] entpersönlichen.

dépêtrer [depe(ɛ)tre] *fig* befreien (*de qc* von, aus etw), vom Halse schaffen (*qn de qc* jdm etw); *se ~* sich los=machen, los=kommen (*de qc* von etw); *se ~ de qn* jdn los=werden.

dépeupl|ement [depœpləmɑ̃] *m* Entvölkerung *f;* **~er** entvölkern; den (Fisch-, Wild-)Bestand vernichten *od* vermindern (*qc* in etw); ab=holzen.

dépha|sage [defazaʒ] *m el* Phasenverschiebung *f;* **~sé, e** desorientiert; nicht in; verstört.

déphosphor|ation [defɔsfɔrasjɔ̃] *f tech* Entphosphorung *f;* **~er** den Phosphor entziehen (*qc* e-r S dat).

dépiauter [depjote] *fam* die Haut ab=ziehen (*qn* jdm), schinden.

dépi|lation [depilasjɔ̃] *f* Haarausfall *m;* Enthaarung *f;* **~latoire** *a* Enthaarungs-; *s m* Enthaarungsmittel *n;* **~ler** *(bes. Felle)* enthaaren; *min* die Pfeiler ab=bauen (*qc* in e-r S).

dépiquer [depike] *(Naht)* auf=trennen; dreschen; *(Sämling)* pikieren.

dépist|age [depistaʒ] *m* Aufspüren *n; med* Früherkennung *f; ~ du cancer* Krebsvorsorge *f;* **~er** auf=spüren; von der Fährte ab=bringen; *fig* irre=führen.

dépit [depi] *m* Verdruß, Ärger; Unwille(n) *m; en ~ de ...* trotz, ... *(dat)* zum Trotz; ohne Rücksicht auf *acc;* gegen; *en ~ du bon sens* gegen alle Vernunft; *concevoir du ~* sich ärgern (*de qc* über e-e S); **~er** [-te] verdrießen, ärgern.

déplac|é, e [deplase] *a* nicht am Platz *a. fig,* an der verkehrten Stelle; *fig* unpassend, deplaziert, unangebracht; *tech* versetzt, verschoben; *pol* (zwangs)verschleppt; **~ement** *m* Umstellung, Umbesetzung *f;* Umzug *m;* Verschiebung; Ortsveränderung; Verlagerung; *mar* (Wasser-)Verdrängung; *(Beamter)* Versetzung *f; être en ~* verreist sein; *frais m pl de ~* Reisekosten *pl; ~ d'affaires* Geschäftsreise *f; ~ d'agrément* Vergnügungsreise *f; ~ disciplinaire* Strafversetzung *f; ~ d'entreprise* Betriebsverlegung, -lagerung *f; ~ des fortunes* Vermögensumschichtung *f; ~ d'office* Amtsenthebung *f; ~ de la population* Bevölkerungsverschiebung *f;* **~er** um=stellen, verschieben, verrücken; *(Beamten)* versetzen; *(Betrieb)* verlegen; verdrängen; verstellen, verlagern, *fig* auf ein anderes Gleis schieben; verschieben; verpflanzen; *se ~* sich verschieben, sich bewegen, (ver)reisen; *se ~ vers l'arrière, vers l'avant (mil)* zurück=gehen, vor=rücken; *se ~ une vertèbre* sich einen Wirbel aus=renken.

déplai|re [deplɛr] *irr* mißfallen, zuwider sein *dat;* Verdruß machen *dat; se ~* sich nicht wohl fühlen (*à, en, dans* in, bei *dat*); ea. nicht leiden können; *(Pflanze)* nicht gedeihen; *je me déplais à la ville* es gefällt mir in der Stadt nicht; **~sant, e** unangenehm; **~sir** *m* Verdruß *m,* Unzufriedenheit *f,* Mißfallen *n; à son ~* zu s-m Leidwesen.

déplanter [deplɑ̃te] ver-, um=pflanzen.

déplâtrer [deplɑtre] den Gips, Putz entfernen (*qc* von etw).

dépli|ant [deplijɑ̃] *m* Faltprospekt *m;* Faltblatt *n;* Leporelloalbum *n;* **~er** ausea.=falten, auf=klappen; *(Waren)* aus=breiten; **~orama** [-plijɔ-] *m* Falttransparent *n.*

déplisser [deplise] die Falten entfernen (*qc* aus etw); glätten.

déploiement [deplwamɑ̃] *m bes. mil* Entfaltung; Entwicklung *f,* Aufmarsch *m;* Aufstellung *f; (Versorgung)* Organisation *f; fig* Aufwand *m;* Zurschaustellung *f; (Arme)* Ausbreiten *n; zone f de ~* Aufmarschbereich, Entwicklungsraum *m.*

déplor|able [deplɔrabl] beklagens-, bedauernswert; verheerend; *fam* jämmerlich, erbärmlich; **~ablement** *adv* bedauerlicherweise; **~er** beklagen; *fam* bedauern.

déploy|er [deplwaje] aus=breiten, auf=spannen; entfalten *a. mil,* entwickeln; auf=wenden; zeigen, an den Tag legen; zur Schau stellen; *(Schirm)* auf=spannen; *(à) enseignes ~ées* mit fliegenden Fahnen; *en ordre ~é (mil)* in geöffneter Ordnung; *rire à gorge ~ée* aus vollem Halse lachen.

déplumer [deplyme] rupfen *a. fig; se ~ (fam)* kahl werden; *fig* Haare lassen.

dépolariser [depɔlarize] *phys* die Polarisation auf=heben (*qc* e-r S *gen*).

dépol|i, e [depɔli] mattiert; *verre m ~* Milchglas *n; phot* Mattscheibe *f;* **~ir** matt schleifen.

dépolitiser [depɔlitize] entpolitisieren.

dépollu|ant, e [depɔlɥɑ̃, -t] *a* umweltfreundlich; **~er** reinigen; **~tion** *f* Reinigung *f.*

déponent, e [depɔnɑ̃, -ɑ̃t] *a gram* Deponens-; *s m* Deponens *n.*

dépopulation [depɔpylasjɔ̃] *f* Entvölkerung *f;* Bevölkerungsrückgang *m; ~ rurale* Landflucht *f.*

déport [depɔr] *m com* Deport; Kursabschlag *m; jur* Ablehnung *f;* Aufschub *m;* **~ation** [-ta-] *f* Deportation; (Zwangs-)Verschleppung *f;* **~é, e** *s m f* Zwangsverschleppte(r *m*) *f;* **~ement** *m* Wegschaffen *n; pl* (lokkerer) Lebenswandel *m;* **~er** deportieren; verschleppen, weg=schaffen; verschieben; *aero* ab=treiben.

dépos|ant [depozɑ̃] *m* Deponent *m;* **~é, e** *chem* niedergeschlagen; *el* gefällt; *marque f ~e (com)* Schutzmarke *f;* **~e** *f tech* Abbruch, Abbau *m (e-r Linie); ~-pied m mot* Fußraste *f;* **~er** *tr* hin=, nieder=, ab=, weg=legen, ab=stellen; lassen (*à* bei); lassen (*à* bei); ab=, weg=nehmen; *fig* ab=legen; *(Brief)* ein=werfen; *(Amt)* nieder=legen; *(König, Gewehr, mit dem Auto)* ab=setzen; *(Leiche)* bei=setzen; *(Mauer)* nieder=reißen, ab=tragen; *(Papiere)* vor=legen; *(Gesuch)* ein=reichen; *(Patent)* an=melden; *(Gesetzentwurf)* ein=bringen; ab=geben (*chez* bei); *(Kuß)* drücken (*sur* auf *acc*); *com* hinterlegen, deponieren, in Ver-, Aufbewahrung geben; ein=zahlen; *fig* legen, an=vertrauen; *(Anzeige)* erstatten; *jur* aus=sagen; *chem* ab=lagern; *itr* e-n Niederschlag bilden; *se ~ (chem)* sich ab=lagern, -setzen; *~ les armes* die Waffen strekken; *~ son bilan* Konkurs an=melden; *~ dans la boîte aux lettres* in den Briefkasten werfen; *~ sa charge* sein Amt nieder=legen; *~ qn de sa charge* jdn s-s Amtes entheben; *~ à la consigne, au vestiaire* in der Gepäckaufbewahrung, an der Garderobe ab=geben; ~ *une demande (jur)* e-e Klage ein=reichen; ~ *le masque (fig)* die Maske fallen=lassen; ~ *en nantissement* verpfänden; ~ *qc aux pieds de qn* jdm etw zu Füßen legen; ~ *à la poste* auf die Post bringen; ~ *une réclamation* reklamieren; *défense de ~ des ordures* Müll-, Schuttabladen verboten! ~**itaire** *m f com* Depositar, Verwahrer; Treuhänder; Mitwisser(in *f*) *m; seul* ~ Alleinauslieferer, -vertreter *m;* ~**ition** *f pol* Absetzung; (Zeugen-)Aussage *f;* ~ *de croix (Kunst)* Kreuzabnahme, Beweinung *f* Christi.

déposs|éder [depɔsede] enteignen (*qn de qc* jdn); ab=setzen; ~**ession** [-sɛs-] *f* Enteignung *f.*

dépôt [depo] *m* Niederlegen *n;* Verwahrung, Aufbewahrung, Hinterlegung, Ablage *f;* hinterlegte(r) Gegenstand *od* Betrag *m;* Depositum *n;* (Spar-)Einlage *f;* Depot *n;* (Waren-) Auslieferungslager *n,* Niederlage *f;* Speicher *m,* Lager(raum *m*), Magazin; Archiv *n;* Einbringung *(e-s Gesetzes);* Anmeldung *(e-s Patents);* Abgabe *f (e-r Erklärung); fig* (anvertrauter) Schatz; *chem* Niederschlag, Bodensatz, Rückstand; Kesselstein *m; geol med* Ablagerung *f,* Sediment *n;* Polizeigewahrsam *m; (Leiche)* Beisetzung *f; (~ d'ordures)* Schuttabladeplatz, Mülldeponie *f;* Überzug *m (aus Metall); tele* Auslieferung, Aufgabe; *(Post)* Auflieferung; *mil* Stammtruppe *f,* Ersatztruppenteil; Park *m,* Lager *n; en* ~ post-, bahnlagernd; *mettre en ~ chez* hinterlegen, ein=lagern bei; *prendre en* ~ in Verwahrung nehmen; *argent m mis en* ~ Depositengelder *n pl; augmentation f des ~s* Einlagenzuwachs *m; avoir m en* ~ Depositenguthaben *n; banque f de* ~ Depositenbank *f; fourniture f à titre de* ~ Kommissionslieferung *f; mandat m de* ~ Haftbefehl *m; mise f en* ~ Hinterlegung; Verwahrung *f; récépissé m de* ~ Hinterlegungsschein *m;* ~ *avant, arrière (mil)* vorgeschobene(s), rückwärtige(s) Lager *n;* ~ *des bagages (loc)* Gepäckschuppen; Handgepäckraum *m;* ~ *en banque* Bankguthaben *n;* ~ *de bilan* Konkursanmeldung *f;* ~ *central* Sammelstelle *f;* ~ *d'épargne* Spareinlage *f;* ~ *d'essence* Benzinlager *n;* ~ *frigorifique* Kühlhaus *n;* ~ *légal* Ablieferung *f* der Pflichtexemplare *(Bücher);* ~ *de locomotives* Lokomotivschuppen *m;* ~ *logistique* Versorgungslager *n;* ~ *de marchandises* Güterschuppen *m;* ~ *de mendicité* Armenhaus *n;* ~ *mortuaire* Leichenhaus *n,* -halle *f;* ~ *de munition* Munitionslager *n;* ~ *de poussière, de boue* Staub-, Schmutzschicht *f;* ~ *de rouille* Rostansatz *m.*

dépoter [depɔte] *(Blume)* um=topfen; *(Gefäß)* (ent)leeren.

dépotoir [depɔtwar] *m* Kläranlage *f;* Abstell-, Müllabladeplatz *m.*

dépouill|e [depuj] *f* abgeworfene *od* abgezogene Haut *f,* Balg; *tech* Überzug *m;* Verjüngung; *pl* Beute *f; la ~ mortelle* die sterblichen Überreste *m pl;* ~**é, e** entblößt; beraubt; kahl; enthäutet; *(Stil)* nüchtern; ~ *de* ohne; ~**ement** *m* Enthäuten *n;* Beraubung; Dürftigkeit; *rel* Entsagung; Durchsicht, (genaue) Prüfung; *math* Auswertung, Aufbereitung *f;* Ausziehen *n (aus e-m Werk); procéder au ~ du scrutin* zur Stimmzählung schreiten; ~ *du courrier* Durchsicht *f* der Post; ~**er** die Haut ab=ziehen (*qc* e-r S *dat*), häuten; frei=legen; kahl machen; (aus=)plündern; heraus=lösen; aus=ziehen; *fig fam* ab=streifen; weg=nehmen; *fig* berauben; frei=machen; ab=legen, sich entäußern (*qc gen); zerpflücken; *tech* entformen; hinterdrehen; verjüngen; *(Bücher, Akten)* prüfen; *(Buch)* Auszüge machen (*qc* aus etw); *(Stimmen)* (aus=)zählen; *(Statistik)* auf=bereiten; aus=werten; *(Post)* durch=sehen; *se* ~ sich häuten; sich entäußern (*de qc* e-r S *gen), verzichten (de qc* auf e-e S); ab=legen (*de qc* etw); kahl werden.

dépourvu, e [depurvy] mittellos; entblößt; ~ *de* ohne; *au* ~ unversehens; unvorbereitet; *prendre au* ~ überraschen.

dépoussiérer [depusjere] ent-, ab=stauben.

déprav|ation [depravasjɔ̃] *f fig* Verderbtheit, Verderbnis; Sittenlosigkeit, Verkommenheit; *med* Verschlechterung *f;* ~**er** verschlechtern, verderben.

dépréc|atif, ive; ~**atoire** [deprekatif, -iv; -atwar] Gebets-; Bitt-; ~**ation** *f* inständige, dringende Bitte; Beschwörung *f (in der Rede).*

dépréc|iateur, trice [depresjatœr, -tris] *a* herabwürdigend, absprechend; *s m f* tadelsüchtige(r) Mensch *m;* ~**iation** *f* Wertminderung, Entwertung *f;* ~ *de l'argent, monétaire* Geldab-, -entwertung *f;* ~**ier** entwerten, unterschätzen; herab=setzen, -würdigen; *se* ~ s-n Wert verlieren.

déprédat|eur, trice [depredatœr, -tris] *s m f* Plünderer; Veruntreuer *m; a* räuberisch; unehrlich; ~**ion**

[-sjõ] *f* Plünderung; Verwüstung; Veruntreuung *f; geog* Raubbau *m.*
déprendre, se [deprɑ̃dr] sich los=, frei machen (*de qn* von jdm).
dépress|if, ive [depre(ɛ)sif, -iv] nach unten drückend; schwächend; deprimierend, niederdrückend; **~ion** [-prɛs-] *f geog* Bodensenkung, Senke *f; (Meteorologie)* Tief(druckgebiet) *n; tech* Unterdruck, Sog *m; fig* Erniedrigung, Demütigung *f;* Rückgang *m,* Senkung *f;* Tiefstand *m;* Niedergeschlagenheit; *com* Flaute, Depression *f; ~ secondaire* Teiltief *n.*
dépri|mant, e [deprimɑ̃, -t] deprimierend; **~mé, e** deprimiert; **~mer** ein=drücken, senken; schwächen; nieder=drücken, deprimieren; erniedrigen.
dépuceler [depysle] entjungfern; *vulg (Flasche Wein)* springen lassen.
depuis [dəpɥi] *prp* seit, von ... an; *(räuml. u. Reihenfolge)* von (... her); *(Preis)* von ... an; *com* ab; *adv* seitdem, von da an; *~ ... jusqu'à* von ... bis; *~ longtemps* seit langem; *~ lors* seitdem, seit der Zeit; von dieser Zeit an, von da an; *~ peu* seit kurzem; *~ quand?* seit wann? wie lange (schon)? *~ toujours* seit, von je(her); *~ que (conj)* seitdem.
dépur|atif, ive [depyratif, -iv] *a* blutreinigend; *s m* Blutreinigungsmittel *n;* **~ation** *f (~ du sang)* Blutreinigung *f;* **~er** *(Blut, Säfte)* reinigen; *chem* läutern, (ab=)klären.
déput|ation [depytasjõ] *f* Abordnung; Abgeordnetenwürde *f;* **~é** *m* Abgeordnete(r) *m;* **~er** ab=ordnen; entsenden.
der [dɛr] *s m f arg* (der, die, das) Letzte; *le (la) ~ des ~ (fam)* der (die) Allerletzte.
déraciner [derasine] (mit der Wurzel) aus=reißen, entwurzeln *a. fig;* heraus=ziehen, -bringen; *fig (Übel)* aus=rotten (*qc de* etw in *dat*).
dérader [derade] *mar* von der Reede abgetrieben werden.
dérager [deraʒe] auf=hören zu wüten *od* toben.
déraidir [dere(ɛ)dir] geschmeidig(er), *fig* fügsam(er) machen.
déraill|ement [derajmɑ̃] *m loc* Entgleisung *f;* **~er** *loc fig* entgleisen; *fam* faseln; phantasieren; *faire ~* zum Entgleisen bringen; **~eur** *m (Fahrrad)* Gangschaltung *f.*
déraison [derɛzõ] *f* Unvernunft *f;* **~nable** [-zɔ-] unvernünftig, töricht; vernunftswidrig; **~ner** Unsinn, *fam* dummes Zeug reden; faseln.
dérang|ement [derɑ̃ʒmɑ̃] *m* Unordnung, Verwirrung, Störung; Zerrüttung *f; en ~* gestört; *équipe f de ~ (tele)* Meßtrupp *m; ~ du corps* Verdauungsstörung *f; ~ de réception (tele)* Empfangsstörung *f; ~ de service* Betriebsstockung *f;* **~er** in Unordnung, durchea.=bringen, verwirren, stören; *(Möbel)* verrücken; ungelegen kommen (*qn* jdm); *fig* auf Abwege führen; Störungen verursachen (*qc* an, bei e-r S); *(Magen)* verderben; *(Geist)* zerrütten; *se ~* in Unordnung, *fig* auf Abwege geraten; sich stören lassen; *(für jdn)* Platz machen; *~ les projets de qn* jdm e-n Strich durch die Rechnung machen; *ne vous ~ez pas!* lassen Sie sich nicht stören!; bemühen Sie sich nicht!
dérap|age [derapaʒ] *m mot* Schleudern, Gleiten, Rutschen; *aero fam* Abschmieren *n;* **~er** *itr (Anker)* sich los=reißen; *mot* schleudern, (aus=)rutschen; *aero* ab=rutschen, *fam* ab=schmieren; *fig* aus=arten.
déraser [derɑ(a)ze] ab=flachen, niedriger machen.
dératé, e [derate] *m f* Wildfang *m; courir comme un ~* wie ein Wilder laufen.
dérater [derate] die Milz entfernen (*qn* jdm).
dérat|isation [deratizasjõ] *f* Rattenbekämpfung *f;* **~iser** von Ratten befreien.
derby [dɛrbi] *m* Derby *n;* Laufstiefel; leichte(r), vierrädrige(r) Wagen *m.*
derechef [dərəʃəf] *adv* von neuem, wiederum.
déréglé, e [deregle] unregelmäßig, in Unordnung; gestört; *fig (Leben)* liederlich, locker; *(Ehrgeiz)* maßlos; **~er** in Unordnung bringen; *fig* liederlich machen, zur Liederlichkeit verführen; **dérèglement** [derɛgləmɑ̃] *m* Unregelmäßigkeit *f; (Uhr)* unregelmäßige(r) Gang *m;* Regellosigkeit, Unordnung; *fig* Zuchtlosigkeit, Liederlichkeit *f.*
dérélict [derelikt] *m mar* Treibgut *n;* **~ion** [-ks-] *f* Verlassenheit *f; tomber en ~* herrenlos werden.
déréquisition [derekizisjõ] *f* Freigabe *f* (beschlagnahmten Eigentums).
déri|der [deride] *(Haut)* glätten; *fig* auf=heitern, heiter machen *od* stimmen; *se ~* auf=tauen; **~sion** *f* Spott *m,* Verspottung *f,* Hohn *m; tourner en ~* ins Lächerliche ziehen; *rire m de ~* Hohngelächter *n;* **~soire** lächerlich, lachhaft; *prix m ~* Spottpreis *m.*
dériv|atif, ive [derivatif, -iv] *a med* ableitend; *gram* abgeleitet; *s m* ableitende(s), *fig* Ablenkungsmittel *n;*

~ation *f* Ab-, Umleitung, Abzweigung *f;* Seitenkanal *m; phys* Abweichung; *fig* Ablenkung *f; fig* Ausfluß *m; mar aero* Abtrift *f; el* Neben(an)schluß *m,* Abzweigung, Zweigleitung *f; (Geschoß)* Drall *m; monter en ~* nebenea.=schalten, parallel schalten; *boîte, borne f de ~* Abzweigdose, -klemme *f;* **~e** *f mar aero* Abweichung, Abtrift *f; (Schießen)* Vorhalt *m; aero* Seitenleitwerk; *loc* Abrollen *n (von Wagen); en ~* treibend; *fig* heruntergekommen; *aller en ~* abgetrieben werden; *être, aller à la ~ (fig)* willenlos sein, sich treiben lassen; *(Geschäft)* bergab gehen; *~ des continents (geol)* Kontinentalverschiebung *f;* **~é** *m chem* Derivat; *gram* abgeleitete(s) Wort *n;* **~ée** *f math* Ableitung, abgeleitete Funktion *f;* **~er** *itr* (vom Ufer) ab=treiben; ab=fließen; *gram fig* kommen, stammen, sich ab=leiten (*de* von, aus); *mar aero* abgetrieben werden; *fig* sich (willenlos) treiben lassen; *tr* ab=, um=leiten; *el* ab=zweigen; *tech* entnieten; **~omètre** *m mar aero* Abtriftmesser *m.*

derm|atologiste [dɛrmatɔlɔʒist] *m* Hautarzt *m;* **~atose** *f* Hautkrankheit *f;* **~e** *m* Lederhaut *f;* **~ite** *f* Hautentzündung *f; ~ des neiges* Gletscherbrand *m.*

dern|ier, ère [dɛrnje, -ɛr] letzte(r, s); äußerste(r, s); höchste(r, s); unterste(r, s), niedrigste(r, s), geringste(r, s); letzte(r, s); vorige(r, s), vergangene(r, s); *du ~* . . . sehr, äußerst, höchst . . .; *jusqu'au ~* bis auf den letzten Mann; *ces ~ières années* in den letzten Jahren; *en ~ière analyse* letzten Endes; *à la ~ière extrémité* in äußerster Not, *fam* Matthäi am letzten; *aux ~ières extrémités* zum äußersten; *en ~ (lieu)* zuletzt, an letzter Stelle; *arriver bon ~* zu guter Letzt kommen; *être du ~ bien avec qn* mit jdm sehr eng befreundet sein; *c'est le ~ homme que* . . . er wäre der letzte, den . . .; *~ière heure* letzte Meldungen *f pl; le jugement ~* das Jüngste Gericht; *~-né m* Nesthäkchen *n; le ~ venu* der zuletzt Gekommene; **~ièrement** *adv* neulich, kürzlich.

dérob|ade [derɔbad] *f* Umgehen *(e-r Schwierigkeit),* Ausweichen *n;* Rückzug *m;* **~é, e 1.** heimlich, Geheim-; verborgen; *(Blick)* verstohlen; **2.** geschält; *à la ~e* heimlich; *culture f ~e (agr)* Zwischenfrucht *f; heure f ~e* abgesparte Stunde; *porte f ~e* Hintertür *f;* **~er 1.** stehlen, entwenden; *fig* rauben, entziehen, nehmen; verschleiern, verheimlichen; **2.** enthüllsen, schälen; *se ~* sich entziehen; sich weg=stehlen; *fig* aus dem Weg gehen, aus=weichen; sich verbergen; *(Beine)* den Dienst versagen; *~ à la vue* den Blicken entziehen.

dérocher [derɔʃe] *(Metall)* ab=beizen, ab=brennen; die Felsblöcke entfernen (*qc* aus, von etw).

dérog|ation [derɔgasjõ] *f, acte m ~atoire (jur)* Beeinträchtigung; Abweichung *f* (*à* von), Verstoß *m* (*à qc* gegen etw); Ausnahme *f;* **~er** [-ʒe] beeinträchtigen (*à qc* etw); ab=weichen (*à qc* von etw), verstoßen (*à qc* gegen etw); sich etw vergeben; *bes. ironisch* sich herab=lassen.

dérosonde [derɔsõd] *f* Echolot *n.*

dérouill|age [derujaʒ] *m* Entrosten *n;* **~ant** *m* Entrostungsmittel *n;* **~é, e** *a* rostfrei; *s f pop* Schläge *m pl; prendre une ~e* Dresche kriegen; **~er** *tr* entrosten; *fig* wieder gelenkig machen; üben; Manieren, Lebensart bei=bringen (*qn* jdm); *pop* verdreschen, -tobaken.

déroul|ement [derulmã] *m* Abwickeln, Auf-, Entrollen *n; fig* Entwick(e)lung *f;* **~er** auf=rollen; aus=, auf=, ab=wickeln; ab=spulen, -haspeln; *(Kabel)* aus=legen; *(Film)* ab=laufen lassen; *fig* entrollen, entfalten, aus=breiten; *se ~ (Drama)* ab=rollen; sich ab=spielen; sich aus=breiten; **~euse** *f* Drahthaspel *f;* Kabel(transport)wagen *m.*

dérout|e [derut] *f* wilde Flucht; *fig* Zerrüttung *f,* Zs.bruch *m;* Durcheinander *n; mettre en ~* in die Flucht schlagen; *fig* durchea.=bringen; **~er** *fig* irre=führen, auf e-e falsche Fährte führen; verwirren; *mar* den Kurs ändern (*qc* e-r S *gen*); *se ~* vom rechten Weg ab=kommen.

derrick [dɛrik] *m* Drehkran; Bohrturm *m.*

derrière [dɛrjɛr] **1.** *prp* hinter; *regarder ~ soi* sich um=sehen, -schauen; *nous sommes ~ vous (fig)* wir stehen hinter Ihnen; **2.** *adv* hinten; nach hinten; *fig* zurück; *par ~* von hinten; hinten vorbei an *dat; fig* heimlich, -tükkisch; *de ~* Hinter-; *pensée f de ~ la tête* Hintergedanke *m; porte f de ~* Hintertür *f a. fig; roue f de ~* Hinterrad *n;* **3.** *s m* hintere(r) Teil *m,* Hinter-, Rückseite *f; fam* Hintern; *pl* rückwärtige(r) Teil *m (e-s Heeres); botter le ~* das Hinterteil versohlen; *se lever le ~ le premier (fam)* (mit dem) verkehrt(en Fuß) auf=stehen; *montrer le ~* kneifen, sich drücken; *se* *torcher le ~ de qc* auf e-e S pfeifen; *~ de la tête* Hinterkopf *m.*

derviche, dervis [dɛrviʃ, dɛrvi] *m rel* Derwisch *m.*

dès [dɛ] *prp* von ... an *(a. räuml.);* seit; schon (in, an *etc*); *~ avant* schon vor; *~ lors* seitdem, seit dieser Zeit, von dieser Zeit an; infolgedessen; *~ que (conj)* sobald (als), sowie; da (ja); *~ que possible* sobald wie *od* als möglich.

désabonn|ement [dezabɔnmɑ̃] *m* Abonnentenschwund, (Bezieher-) Sprung *m;* **~er** ab=bestellen; *se ~* sein Abonnement auf=geben, ab=springen.

désabus|é, e [dezabyze] enttäuscht; blasiert; **~er** die Illusion nehmen, die Augen öffnen (*qn* jdm).

désaccord [dezɑkɔr] *m* Mißklang *m,* -verhältnis *n;* Uneinigkeit, Meinungsverschiedenheit *f;* Zerwürfnis *n; être, se trouver en ~ avec qn sur qc* mit jdm über e-e S nicht einig sein; **~er** [-de] *mus* verstimmen; die Harmonie, das Gleichmaß stören (*qc* e-r S *gen);* Uneinigkeit bringen (*qc* in e-e S).

dés|accoupler [dezakuple] *(Gepaartes)* trennen; *tech* entkoppeln, -kuppeln, ab=schalten; aus=rücken, aus=kuppeln; *se ~ (Hunde)* sich (von der Koppel) los=reißen; **~accoutumer** ab=gewöhnen (*qn de qc* jdm e-e S); entwöhnen; **~achalander** die Kunden abspenstig machen (*qn* jdm); *se ~* die K. verlieren; **~aciérer** *tech* aus=glühen; **~adapter** untauglich machen; *se ~* sich aus der Gemeinschaft aus=schließen; **~aérer** *tech* entlüften.

désaffect|ation [dezafektasjɔ̃] *f* Zweckentfremdung *f;* **~er** s-r Bestimmung entziehen; nicht mehr benutzen; außer Betrieb setzen; **~ion** [-ksjɔ̃] *f* Verlust *m* der Zuneigung; **~ionner, se** die Zuneigung verlieren (*de qn* zu jdm).

désagréable [dezagreabl] unangenehm; unliebsam, unerfreulich; widerwärtig.

désagré|gation [dezagregasjɔ̃] *f chem geol* Zerfall *m,* Verwitterung; *tech* Zersetzung; *fig* Auflösung *f;* **~ger** zersetzen, auf=lösen; *se ~* zerfallen; verwittern.

désagrément [dezagremɑ̃] *m* Unangenehme(s) *n,* Unannehmlichkeit *f.*

dés|aimanter [dezɛmɑ̃te] entmagnetisieren; **~ajuster** in Unordnung bringen; ausea.=nehmen; **~altérer** *qn* jds Durst stillen *od* löschen; erquicken, befriedigen; *poet* tränken; **~amorcer** *(Schußwaffe, Munition)* entschärfen; *(Pumpe)* entwässern; *se ~ (el)* aus=setzen; **~annexer** (annektiertes Gebiet) zurück=geben; **~apparier** *s. déparier.*

désappoint|ement [dezapwɛ̃tmɑ̃] *m* Enttäuschung *f;* **~er 1.** enttäuschen; **2.** stumpf machen.

désappren|dre [dezaprɑ̃dr] *tr* verlernen.

désappr|obateur, trice [dezaprɔbatœr, -tris] mißbilligend, tadelnd; **~obation** *f* Mißbilligung *f,* Tadel *m;* **~ouver** mißbilligen, tadeln.

dés|arçonner [dezarsɔne] aus dem Sattel werfen *od* heben; *fig fam* aus der Fassung bringen; **~argenté, e** ohne Geld, *fam* blank; **~argenter** *tech* entsilbern; *fam* das Geld aus der Tasche ziehen (*qn* jdm).

désarm|é, e [dezarme] waffenlos, ohne Waffen; *fig* entwaffnet, wehrlos; *m* Entwaffnung, Abrüstung; *mar* Abtakelung *f;* **~ement** *m* Abrüstung *f;* **~er** *tr* entwaffnen *a. fig,* die Waffe aus der Hand schlagen (*qn* jdm); *(Schußwaffe)* sichern; *fig* besänftigen, beschwichtigen; *mar* ab=takeln, auf=legen; *itr* die Waffen nieder=legen; ab=rüsten; *fig* Frieden geben; nach=geben.

dés|arrimer [dezarime] (festgebundene Lasten) los=binden, verschieben; **~arroi** *m* Unordnung *f; fig* Durcheinander *n,* Verwirrung *f.*

désarticul|ation [dezartikylasjɔ̃] *f med* Exartikulation *f (Amputation im Gelenk);* **~é, e** in der Auflösung befindlich; **~er** exartikulieren; verrenken; *fig* zergliedern.

dés|assembler [dezasɑ̃ble] *(Bretter, Balken)* ausea.=nehmen; *se ~* ausea.=gehen; **~assimiler** *(Biologie)* aus=scheiden; **~associer** trennen; **~assortir** unvollständig machen; *(Laden, Lager)* räumen.

désastr|e [dezastr] *m* Katastrophe *f;* Unheil *n;* Zs.bruch; (völliger) Bankrott *m;* **~eux, se** katastrophal, vernichtend; verheerend.

désavantag|e [dezavɑ̃taʒ] *m* Nachteil *m;* Unterlegenheit *f; tourner au ~ de qn* für jdn schlecht aus=gehen; *voir qn à son ~* jdn in ungünstigem Licht sehen; **~er** benachteiligen; *(Waren)* das gute Aussehen nehmen (*qc* e-r S); **~eux, se** nachteilig, unvorteilhaft.

désav|eu [dezavø] *m* Widerruf(ung *f*) *m;* Verleugnung, Nichtanerkennung *f;* Widerspruch *m;* Mißbilligung *f; ~ de paternité* Anfechtung *f* der Vaterschaft; **~ouer** [-vwe] widerrufen; (ab=, ver)leugnen, in Abrede stellen, nicht an=erkennen; widersprechen (*qn* jdm); mißbilligen, tadeln, verurteilen; *(Kind)* als außerehelich erklären.

désax|age, ~ement [dezaksaʒ, -əmɑ̃] *m tech* Achsenverlagerung, Exzentrizität *f;* **~é, e** exzentrisch; *fig* aus dem Gleichgewicht; **~er** exzentrisch verstellen; *fig* aus dem Gleichgewicht bringen.

desceller [desɛle] das Siegel erbrechen (*qc* e-r S *gen*), entsiegeln; *arch* ab=brechen, -reißen.

descen|dance [dɛ(e)sɑ̃dɑ̃s] *f* Abstammung, Herkunft *f;* Nachkommen(schaft *f*) *m pl;* **~dant, e** *a* absteigend; von oben nach unten; niedergehend; *s m f* Nachkomme, Abkömmling *m;* **~derie** *f min* einfallende Strecke *f.*

descen|dre [desɑ̃dr] *itr* herab=, hinab=, herunter=, hinunter=steigen, -gehen, -fahren, -fliegen; gehen (*jusqu'à* bis zu) *a. fig; (Fluß)* hinab=fließen; aus=, ab=steigen, ein=kehren, Wohnung nehmen; (feindlich) ein=fallen; *sport* vor=dringen (*vers* auf *acc*) *fig* sinken, sich herab=lassen; hinab=reichen, hinab=führen, abwärts führen; *(Thermometer, Fluß, Preis)* fallen; *(Berg)* ab=fallen; *chem* sich nieder=schlagen; *jur* sich an Ort u. Stelle begeben; *mar (Wind)* nach Süden drehen; *min* ein=fahren; *aero* nieder=gehen, landen; *mot* zurück=schalten auf *acc*; ab=stammen (*de* von); *tr* hinunter=, herunter=bringen, -schaffen, -nehmen, -fahren; *loc* bringen; *(Fahrgestell)* aus=fahren; zu Boden schlagen *od* strecken; *mar* stromabwärts fahren; *mus (Saiten)* lockern; *fam* ab=setzen (*qn* jdn); *fam* nieder=schießen, *aero* ab=schießen, herunter=holen; *~ dans sa conscience* sein Gewissen prüfen; *~ dans le détail* in die Einzelheiten gehen; *~ la garde (mil)* abgelöst werden; *fam* sterben; *~ en latitude (mar)* sich dem Äquator nähern; *~ dans la rue* auf die Straße gehen *a. fig; ~ en soi-même* in sich gehen; *~ à terre* an Land gehen; *~ de voiture* aus=steigen; *la nuit ~d* die Nacht bricht herein; **~te** [desɑ̃t] *f* Abstieg *m,* -fahrt; Talfahrt; *aero* Landung *f;* Absprung *(mit dem Fallschirm); (Schi)* Abfahrtslauf *m;* Aus-, Absteigen *n,* Einkehr; *min* Einfahrt *f;* (feindlicher) Einfall *m;* Ab-, Herunternehmen, -schaffen; *(Weg)* Gefälle *n,* Abfall, Abhang; *fig* Fall; *arch* Hang, Fall *m;* Treppengeländer *n; fam med* Bruch; *aero* Abschuß; *tech (Kolben)* Niedergang *m; tech* Abflußrohr; *(Barometer)* Sinken, Fallen *n; à sa ~ (d'avion)* bei seiner Landung, *(de voiture)* beim Aussteigen; *avoir une bonne ~ (fig pop)* e-e ausgepichte Kehle haben; *faire une ~ en parachute* mit dem Fallschirm ab=springen; *tuyau m de ~* Abflußrohr *n; ~ d'air froid* Kaltlufteinbruch *m; ~ d'antenne (radio)* Niederführung *f; ~ de bain* Badematte *f; ~ de croix (Kunst)* Kreuzabnahme *f; ~ aux enfers (rel)* Höllenfahrt *f; ~ de justice* Haussuchung *f; ~ sur les lieux (jur)* Inaugenscheinnahme, Ortsbesichtigung *f;* Lokaltermin *m; ~ de lit* Bettvorleger *m; ~ de matrice* Gebärmuttervorfall *m; ~ à pic (Schi)* Schußfahrt *f; ~ en piqué* Sturzflug *m; ~ planée* Gleitflug *m; ~ du Saint-Esprit* Ausgießung *f* des Heiligen Geistes.

descript|if, ive [dɛskriptif, -iv] beschreibend; **~ion** [-sjɔ̃] *f* Beschreibung, Darstellung, Schilderung *f;* Verzeichnis *n* (von Gegenständen); *~ de brevet* Patentschrift *f.*

dés|échouer [dezeʃwe] *mar* wieder flott=machen; **~égrégation** [-segrega-] *f* Zs.führung *f* (der Weißen u. Schwarzen in den USA).

désem|baller [dezɑ̃bale] *(Waren)* aus=packen; **~bourber** aus dem Dreck ziehen *a. fig;* **~bourgeoiser** vom bürgerlichen Lebenswandel, von der bürgerlichen Philosophie ab=bringen; **~bouteiller** *(den Verkehr)* entlasten; **~brayer** *s. débrayer;* **~buage** *m mot* Gebläse *n; ~ de la vitre arrière* Heckscheibenheizung *f.*

désem|paré, e [dezɑ̃pare] fassungslos; ratlos; *mar* manövrierunfähig; **~parer** *mar* manövrierunfähig machen; *fig* aus der Fassung bringen (*qn* jdn); *sans ~* ohne sich von der Stelle zu rühren; auf der Stelle, sofort; ununterbrochen.

désem|plir [dezɑ̃plir] *tr* nehmen, gießen, tun (*qc* aus etw); *se ~* sich (ent)leeren; *ne pas ~* immer voll (besetzt) sein; **~poisonner** entgiften; **~prisonner** aus dem Gefängnis entlassen, frei=lassen.

dés|encadrer [dezɑ̃kadre] aus dem Rahmen nehmen; **~enchaîner:** *~ un forçat* e-m Sträfling die Kette ab=nehmen, los=ketten; **~enchantement** *m* Entzauberung; *fig* Ernüchterung, Enttäuschung *f;* **~enchanter** entzaubern; *fig* ernüchtern; **~encombrer** [-kɔ̃-] (wieder) frei machen, räumen; **~encroûter** die Kruste, den Kesselstein entfernen (*qc* von, aus etw); *fig* von Vorurteilen frei machen; **~enfiler** den Faden ziehen (*qc* aus etw); **~enfler** *tr (Schwellung)* zurück=gehen lassen; *(Stil)* schlichter werden lassen; *itr* dünner werden; **~enfourner** aus dem Ofen nehmen; **~enfumer** den Rauch entfernen (*qc* aus etw); **~engager** von e-r Verpflichtung befreien *od* frei machen; *tech* aus=rücken, -klinken; **~engorger** *(Verstopftes)* wieder frei machen; **~engrener** *tech* aus=rücken; **~enivrer** [-nivre] *(Betrunkenen)* wieder nüchtern machen; **~enlacer** aus der Schlinge befreien; die Fesseln ab=nehmen (*qn* jdm); **~enlaidir** *tr* das Häßliche mildern (*qn* an jdm); *itr* an Häßlichkeit verlieren; **~enneiger** *(von Schnee)* frei=schaufeln; **~ennuyer** die Langeweile vertreiben (*qn* jdm); *se ~* sich die Zeit vertreiben; **~enorgueillir** weniger arrogant machen; **~enrayer** den Hemmschuh weg=nehmen (*qc* von etw); **~ensabler** *tech* den Sand entfernen (*qc* aus etw); *mar* wieder flott=machen.

désensibiliser [desɑ̃sibilize] die Empfindlichkeit herab=setzen (*qc* gen); *~ une dent* den Nerv e-s Zahnes ab=töten.

dés|ensorceler [dezɑ̃sɔrsale] aus der Verzauberung befreien; **~entortiller** entwirren; **~envaser** entschlämmen; **~envelopper** aus=wickeln, -packen; **~envenimer** entgiften; *fig* mildern.

déséquilibr|e [dezekilibr] *m* Gleichgewichtsstörung *f;* Mißverhältnis *n; éliminer le ~* das Gleichgewicht wiederher=stellen; **~é, e** gleichgewichtsgestört; unausgeglichen; *med* labil; geistig gestört; *(Gang)* unsicher; **~er** aus dem Gleichgewicht bringen.

déséquiper [dezekipe] *(Schiff)* auf=legen; die Ausrüstung entfernen (*qc* e-r S *gen*); *min* aus=bauen, rauben.

désert, e [dezɛr, -rt] *a* unbewohnt; verlassen, einsam; (wie) ausgestorben; *s m* Wüste, Einöde; *fig* Verlassenheit *f; prêcher dans le ~* tauben Ohren predigen; *~ de pierres, de sable* Stein-, Sandwüste *f;* **~er** *tr* verlassen, auf=geben, ab=fallen (*qc* von etw); im Stich lassen; verraten; *(e-r Pflicht)* nicht nach=kommen; *itr* aus=reißen; *mil* desertieren; *itr* aus=reißen; *mil* desertieren; *~ à l'ennemi* zum Feind über=gehen; **~eur** *m* Deserteur, Fahnenflüchtige(r), Überläufer; *fig* Abtrünnige(r) *m;* **~ion** [-sjɔ̃] *f* Fahnenflucht *f;* Abfall; *(Partei)* Austritt *m; ~ d'appel (jur)* Versäumen, Erlöschen *n* e-r Berufung; *~ des campagnes* Landflucht *f;* **~ique** öde; Wüsten-.

désesp|érance [dezɛsperɑ̃s] *f* Verzweiflung, Hoffnungslosigkeit *f;* **~érant, e** hoffnungslos; entmutigend; abscheulich; **~éré, e** *a* verzweifelt, hoffnungslos, ohne Hoffnung; *s m f* Verzweifelte(r *m*) *f; comme un ~* aus Leibeskräften, wie ein Besessener; **~érer** *tr* zur Verzweiflung bringen; entmutigen; *itr* verzweifeln (*de* an *dat*); (dieHoffnung) auf=geben; *se ~* in Verzweiflung geraten, verzweifeln (*de* über *acc*); **~oir** *m* Verzweiflung; Hoffnungslosigkeit *f; en ~ de cause* aus heller Verzweiflung; als letztes Mittel; *être le ~ de qn* jdn zur Verzweiflung bringen; *être au ~* untröstlich sein; *plonger qn dans le ~* jdn in die Verzweiflung stürzen; *~ d'amour* Liebeskummer *m.*

déshabill|age [dezabijaʒ] *m* Entkleiden *n; theat* Entkleidungsszene *f;* **~é** *m* Negligé, Hauskleid *n; en ~ (fig)* ohne Umstände; **~er** ent-, aus=kleiden, aus=ziehen; *fig* entlarven; *se ~* sich aus=ziehen; ab=legen; *fig* sein wahres Gesicht zeigen.

déshabituer [dezabitɥe] ab=gewöhnen (*qn de qc* jdm e-e S); *se ~* e-e Gewohnheit ab=legen; auf=geben (*de qc* etw).

dés|herbant [dezɛrbɑ̃] *m* Unkrautvernichtungsmittel *n;* **~herber** Unkraut vernichten *od* jäten (*qc* in etw *dat*).

déshér|ence [dezerɑ̃s] *f* Erbenlosigkeit *f;* **~ité, e** *a* enterbt; *fig* unbemittelt; benachteiligt, zurückgesetzt; *s m f fig* Schlechtweggekommene(r *m*) *f;* **~iter** enterben; *fig* stiefmütterlich behandeln.

déshon|nête [dezɔnɛt] unanständig, unschicklich; anstößig; **~nêteté** [-nɛtte] *f vx* Unanständigkeit, Anstößigkeit *f.*

déshon|neur [dezɔnœr] *m* Unehre, Schande *f;* **~orant, e** unehrenhaft; **~orer** entehren, Schande machen (*qn* jdm); *(Frau)* schänden; *(Gebäude)* verschandeln, verunstalten; *(Baum)* köpfen.

dés|huiler [dezɥile] entölen; **~humaniser** [-zy-] unmenschlich machen; **~hydraté, e** [-zi-] Trocken-, Dörr- *(Obst, Gemüse);* **~hydrater** das Wasser entziehen (*qc* e-r S *dat*); **~hydrogéner** *chem* dehydrieren.

desiderata [deziderata] *m pl* Wünsche *m pl;* Wunschzettel *m.*

design [dizajn] *m* Design *n.*

désign|atif, ive [deziɲatif, -iv] kennzeichnend, unterscheidend; **~ation** *f* Bezeichnung, Benennung; Bestellung, Ernennung *f;* **~er** be-, kennzeichnen, dar=stellen; bedeuten; hin=weisen (*qn* auf jdn); bestimmen (*pour* zu), fest=setzen; (im voraus) ernennen; wählen; ~ *par un vote* durch Wahl bestimmen.

désillusion [dezilyzjɔ̃] *f* Enttäuschung *f;* **~ner** die Illusion(en) nehmen, die Augen öffnen (*qn* jdm), enttäuschen.

désin|corporer [dezɛ̃kɔrpɔre] aus=sondern, heraus=nehmen; **~crustant** *m* Kesselsteinlösemittel *n;* **~cruster** den Kesselstein entfernen (*qc* aus etw).

désinence [dezinɑ̃s] *f gram* Endung *f.*

désinfect|ant, e [dezɛ̃fɛktɑ̃, -ɑ̃t] *a* desinfizierend; *s m* Desinfektionsmittel *n;* **~er** desinfizieren, entwesen; **~eur** *m: appareil m* ~ Desinfektionsapparat *m;* **~ion** [-ks-] *f* Desinfektion *f.*

désin|flation [dezɛ̃flasjɔ̃] *f com* Deflation *f;* **~tégration** *f geol* Verwitterung; Atomzerfall *m,* -zertrümmerung, -spaltung *f;* ~ *nucléaire, radioactive* radioaktive(r) Zerfall *m;* **~tégrer** zerstören; *(Atom)* zertrümmern, spalten; *se* ~ zerfallen; **~téressé, e** uninteressiert (*dans* an *dat, de* zu); uneigennützig, selbstlos; unparteiisch; **~téressement** *m* Uninteressiertheit, Gleichgültigkeit, Uneigennützigkeit; Unparteilichkeit; *com* Abfindung *f;* **~téresser** ab=finden, entschädigen; *se* ~ *de qc* für, an e-r S kein Interesse mehr haben; e-r S gegenüber gleichgültig werden; **~toxication** *f* Entgiftung; Blutreinigung *f; cure f de* ~ Entziehungskur *f;* **~toxiquer** entgiften; **~viter** die Einladung zurück=nehmen (*qn* für jdn), aus=laden.

désinvol|te [dezɛvɔlt] ungezwungen, ungeniert; frech; **~ture** *f* Ungezwungenheit, Zwanglosigkeit; Ungeniertheit; Frechheit *f; avec* ~ ungezwungen; ungeniert.

désir [dezir] *m* Wunsch *m, poet* Verlangen *n;* Sehnsucht; Begierde *f;* ~ *de la gloire* Ruhmsucht *f;* ~ *de s'instruire* Wissensdrang, -durst *m;* **~able** wünschens-, begehrenswert; **~er** wünschen; ersehnen; begehren; mit Ungeduld erwarten; *se faire* ~ auf sich *(acc)* warten lassen; *laisser à* ~ zu wünschen übrig=lassen; ~ *(de) faire qc* etw tun wollen, mögen; **~eux, se** begierig (*de* nach, zu); bestrebt (*de* zu); *être extrêmement* ~ den dringenden Wunsch haben.

désist|ement [dezistəmɑ̃] *m* Verzicht *m; jur* (Zu-)Rücknahme *f;* Rücktritt *m (von e-r Kandidatur);* **~er, se** verzichten, Verzicht leisten (*de* auf *acc*), Abstand nehmen (*de* von), zurück=nehmen (*de qc* etw), zurück=treten (*de* von).

desman [dɛsmɑ̃] *m zoo* Rüsselmaus *f.*

désobé|ir [dezɔbeir] nicht gehorchen (*à qn* jdm); übertreten (*à qc* etw); **~issance** *f* Ungehorsam *m;* Übertretung *f;* ~ *dans le service (mil)* Befehlsverweigerung *f;* **~issant, e** ungehorsam.

désoblig|eance [dezɔbliʒɑ̃s] *f* Ungefälligkeit; Unfreundlichkeit *f;* **~eant, e** ungefällig; unfreundlich; **~er** unfreundlich sein (*qn* gegen jdn), vor den Kopf stoßen; kränken; e-n schlechten Dienst erweisen (*qn* jdm).

dés|obstruction [dezɔbstryksjɔ̃] *f* Beseitigung *f* der Verstopfung; **~obstruer** die Verstopfung beseitigen *(qc gen),* räumen; **~odorisant, e** *a* desodorisierend; *s m* Luftverbesserer *m;* **~odoriser** desodorieren; **~œuvré, e** *a* untätig, müßig; *fam* verbummelt; *s m f* Müßiggänger, *fam* Bummler *m;* **~œuvrement** *m* Untätigkeit *f,* Müßiggang *m, fam* Bummelei *f; vivre dans un complet* ~ keinen Finger krumm machen.

désol|ant, e [dezɔlɑ̃, -ɑ̃t] betrüblich, trostlos; *fam (übertreibend)* gräßlich, schrecklich, unausstehlich; **~ation** *f* Verwüstung, Vernichtung; Trostlosigkeit, Verzweiflung *f;* Jammer *m,* Elend *n;* **~é, e** *a (Landschaft)* öde, verödet; *fig* tiefbetrübt (*de* über *acc*); *je suis* ~ ich bin untröstlich; es tut mir (aufrichtig) leid; **~er** entvölkern, veröden, verwüsten, ruinieren; tief betrüben, erschüttern; zur Verzweiflung bringen; *se* ~ jammern, klagen (*de* über *acc*).

désolidariser [desɔlidarize] ausea.=bringen, trennen; *se* ~ die Solidarität auf=geben, sich nicht solidarisch erklären (*d'avec qn* mit jdm).

désopil|ant, e [dezɔpilɑ̃, -ɑ̃t] er-, aufheiternd; ergötzlich, lustig; zwerchfellerschütternd; **~er** *qn,* ~ *la rate à qn* jdn er-, auf=heitern; zum Lachen bringen; jdm das Zwerchfell erschüttern; *se* ~ herzlich lachen.

désord|onné, e [dezɔrdɔne] ungeregelt, ungleichmäßig; unordentlich, zerfahren; zügel-, maßlos; liederlich; **~onner** in Unordnung, Verwirrung bringen, durchea.=bringen; **~re** *m* Unordnung *f,* Durcheinander *n;* Regel-, Wahllosigkeit; Störung, Verwirrung *f;* Verstoß *m;* Ausschreitung, Unruhe; Ausschweifung *f; mettre en* ~ in Unordnung bringen.

désor|ganisateur, trice [dezɔrganizatœr, -tris] zersetzend, auflösend; **~ganisation** *f* Zerstörung; Zerrüttung, Zersetzung, Auflösung *f;* **~ganiser** zerstören; zersetzen, zerrütten, auf=lösen; stören, in Unordnung bringen; *se* ~ in Unordnung geraten; sich auf=lösen; ~ *les communications (mil)* die Verbindungen zerschlagen.

désor|ienté, e [dezɔrjɑ̃te] *a* verwirrt, verlegen; unschlüssig; *être tout* ~ ratlos, ganz verwirrt sein; **~ienter** aus der (Himmels-)Richtung, aus dem Kurs bringen; *fig* irre=führen; verwirren, aus der Fassung bringen.

désormais [dezɔrmɛ] *adv* nunmehr, von jetzt an, in Zukunft.

désoss|é, e [dezɔse] *a* ohne Knochen; *fig* weich, quallig; *s m fam* Schlangenmensch *m;* **~er** die Knochen lösen, trennen (*qc* aus etw); entgräten; *fig* zerpflücken, zergliedern.

désoxyribonucléique [dezɔksiribonykleik] *a: acide* ~ Desoxyribonukleinsäure *f.*

despot|e [dɛspɔt] *s m* Despot, Gewaltherrscher *m; a* despotisch; **~ique** despotisch; herrisch; **~isme** *m* Despotismus *m,* Gewaltherrschaft *f.*

desquam|ation [dɛskwamasjɔ̃] *f med* Schuppenbildung *f;* **~er** ab=schuppen; *se* ~ sich schuppen.

dessais|ir [dese(ɛ)zir] *jur* die Gerichtsbarkeit entziehen (*qn* jdm); *se* ~ *de* sich entäußern *gen,* ab=treten, heraus=, auf=geben (*de qc* etw); **~issement** *m* Herausgabe, Abtretung; *jur* Unzuständigkeitserklärung *f.*

déssaison|nalisé, e [desɛzɔnalize] *com* saisonbereinigt; **~ner** *tr* die Fruchtfolge wechseln (*qc* auf e-r S); *itr* zur Unzeit blühen.

dessa|lé, e [desale] *a (Küche)* gewässert; *fig* mit allen Wassern gewaschen, hell, durchtrieben; munter, lustig; **~ler** wässern, entsalzen; *fig* auf=klären, gewitz(ig)t machen; *se* ~ *fam)* schlau werden.

déssangler [desɑ̃gle] los=schnallen.

dessèch|ement [desɛʃmɑ̃] *m* Trokkenlegen; Austrocknen; Verdorren *a. fig; med* Einschrumpfen *n;* **~er** [desɛʃe] (aus=)trocknen; trocken=legen; dörren, *(Malz)* darren; aus=, verzehren; *fig* lähmen, ab=stumpfen; *se* ~ aus=, ein=trocknen, verdorren; *fig* hart, kalt, gefühllos werden; ~ *le cœur* die Gefühle ab=stumpfen; **~eur, se** *m f* Trockner *m,* Trockengerät *n.*

dessein [de(ɛ)sɛ̃] *m* Absicht *f,* Plan *m,* Vorhaben *n;* Anschlag *m,* böse Absicht *f; à* ~ mit Absicht, absichtlich; *à* ~ *de* od *que* in der Absicht, daß; *dans le* ~ *de* in der Absicht zu; *sans* ~ ohne Absicht, absichtslos, zufällig; *avoir des* ~*s* etw im Schilde führen (*contre, sur qn* gegen jdn); *à quel* ~*?* zu welchem Zweck? wozu?

desseller [desɛle] ab=satteln.

desserr|e [desɛr] *f: être dur à la* ~ *(fam)* sich schlecht vom Gelde trennen können; **~er** lockern, auf=machen; los=schrauben; ausea.=reißen; *fam (Schlag)* versetzen; *(Bremse)* lösen; *se* ~ sich lockern, locker werden; sich lösen; ~ *le cœur* sein Herz erleichtern; ~ *les nœuds (fig)* die Bande lockern; *sans* ~ *les dents, les lèvres, la bouche* ohne ein Wort zu sagen.

dessert [de(ɛ)sɛr] *m* Nachtisch *m,* Dessert *n;* **~e** *f* Serviertisch *m;* (Verkehrs-)Verbindung (*de* mit); *rel* Seelsorge; *tech* Bedienung; *min* Förderung *f; chemin m de* ~ Zufahrtsstraße *f; voie f de* ~ *(loc)* Anschlußgleis *n; min* Förderstrecke *f.*

dessertir [desɛrtir] *(Edelstein)* aus seiner Fassung heraus=nehmen.

desserv|ant [desɛrvɑ̃] *m* (Pfarr-)Vikar *m;* **~ir** *irr* versorgen; *(Maschine)* bedienen; *(Pfarramt)* versehen; *(Zug, Bus)* verkehren (*qc* nach etw); *mar* regelmäßig an=laufen, *aero* an=fliegen; *(Speisen, Tisch)* ab=räumen; *fig* e-n schlechten Dienst erweisen, schaden (*qn* jdm).

dessiccat|eur [desikatœr] *m* Trokkenapparat *m;* **~if** *m* Trockenmittel *n;* **~ion** [-sjɔ̃] *f* (Aus-)Trocknen *n,* Trockenlegung; Trockenheit *f; (Obst)* Dörren *n.*

dessiller [desije] : ~ *les yeux de* od *à qn (fig)* jdm die Augen öffnen.

dessin [de(ɛ)sɛ̃] *m* Zeichnung, Skizze *f,* Schema; Zeichnen *n,* Zeichenkunst *f; arch* Riß; Plan *m;* (Stoff-)Muster *n; fig poet* Entwurf *m,* Anlage *f; mus* Thema *n; je vais te faire un* ~ *(pop)* ich erkläre es dir genau; *pas besoin de faire un* ~ *(pop)* das versteht sich von selbst; *les arts du* ~ die Malerei; *bureau m de* ~ Zeichenbüro *n; crayon, papier m, planche f à* ~ Zeichenstift *m,* -papier, -brett *n; salle f de* ~ Zeichensaal *m;* ~ *pour affiche* Plakatentwurf *m;* ~ *animé* Trickfilm *m;* ~ *d'atelier, d'exécution* Werkstattzeichnung *f;* ~ *coté* Maßzeichnung *f;* ~ *au crayon* Bleistiftzeichnung *f;* ~ *de face, de profil, en élévation* Vorder-, Seitenansicht *f,* Aufriß *m;* ~ *floral, de ramage, à rayures* Blumen-, Ranken-, Streifenmuster *n;* ~ *au fusain* Kohlezeichnung *f;* ~ *en hachures* Schraffierung *f;* ~ *industriel* technische(s) Zeichen *n;* ~ *au lavis*

Tuschzeichnung *f; ~ linéaire* Linearzeichnen *n; ~ à main levée* Freihandzeichnen *n; ~ d'après nature* Zeichnen *n* nach der Natur; *~ en noir et blanc* Schwarzweißzeichnung *f; ~ de plans topographiques* Planzeichnen *n; ~ à la plume* Federzeichnung *f; ~ publicitaire* Werbezeichnung *f; ~ à la sanguine* Rötelzeichnung *f; ~ au trait* Umrißzeichnung *f;* **~ateur, trice** [-sina-] *m f* (Muster-)Zeichner(in *f*), Entwerfer *m; ~ d'affiches* Plakatgestalter *m; ~-concepteur m* Gestalter *m; ~ industriel* technische(r) Zeichner *m; ~ de personnages* figürliche(r) Zeichner *m; ~ projecteur* Konstruktionszeichner *m; ~ en publicité* Gebrauchsgraphiker *m;* **~er** (ab=)zeichnen; entwerfen, skizzieren; auf=reißen; *(Umrisse)* hervor=heben, an=deuten; *fig* dar=stellen, schildern; *se ~* sich ab=zeichnen; *fig* sich in ein günstiges Licht stellen; sich ab=heben; auf=tauchen, erscheinen; *(Plan)* Gestalt an=nehmen; *~ à l'échelle, en grandeur naturelle* maßstäblich, in natürlicher Größe zeichnen.

dess|oucher [desuʃe] die Stubben, (Baum-)Stümpfe aus=roden (*qc* aus etw); **~ouder** auf, los=löten; **~oûler, ~ouler** [-sule] *fam* nüchtern machen; *se ~* wieder nüchtern werden.

dessous [d(ə)su] *adv* unten, darunter; *s m* Unterteil *n;* Unter-, linke Seite; *theat* Versenkung; *fig* Kehrseite *f,* tiefere(r) Grund *m; arch* Leibung *f;* untere(s) Stockwerk *n; pl* (Damen-) Unterwäsche *f;* Unterholz *n; au-~* darunter; *ci-~* nachstehend, -folgend; *de ~* unter ... her; *en ~* unten, ohne aufzublicken; heimlich; heimtückisch; *là-~* darunter; *~ de* unter(halb); südlich *gen; il y a quelque chose là-~* es steckt etw dahinter; *avoir le ~* unterlegen sein; den kürzeren ziehen; *connaître le ~ des cartes* Bescheid wissen, im Bilde sein; *être dans le troisième ~ (fig)* übel dran sein; *faire qc par-~ la jambe (fig fam)* etw übers Knie brechen; *mettre ~* um=, hinunter=werfen; unter=werfen, besiegen; *vêtements m pl de ~* Unterkleidung *f; les ~ de l'affaire* die Hintergründe *m pl* der Angelegenheit; *~ de blouse* Blusenfutter *n; ~ de bouteille* Flaschenuntersatz *m; ~ de bras* Schweißblatt *n; ~ de plat* (Schlüssel-) Untersatz *m; ~-de-table m (com)* Draufgabe *f.*

dessuinter [desɥɛ̃te] *(Wolle)* entfetten, entschweißen.

dessus [d(ə)sy] *adv* oben; darauf, -über; *s m* Oberteil *n* od *m;* Ober-, rechte Seite *f;* (Kamin-)Aufsatz, Dekkel *m;* obere(s) Stockwerk *n; mus* Sopran, Diskant; *theat* Schnürboden *m; (Schuh)* Oberleder *n; au-~ de* über, oberhalb; nördlich *gen; bras ~, bras dessous* Arm in Arm; *sens ~ dessous* [sɑ̃tsytsu] drunter u. drüber, durcheinander; *fig* außer sich; *ci-~* oben; *de ~* von ... herunter; *en ~* auf der Vorderseite; oben; *là-~* darauf, darüber; *par-~* oben; darüber (hin, hinweg); *par-~ le marché* außerdem, darüber hinaus; *par-~ tout* vor allem, besonders; *avoir le ~* die Oberhand haben (*dans qc* bei etw); *en avoir par-~ la tête de qc (fam)* von etw die Nase voll haben; *avoir le nez ~ (fig)* die Nase drauf haben; *connaître les ~ et les dessous de qc* über e-e S genau Bescheid wissen; *être, mettre sens ~ dessous (fig)* auf dem Kopf stehen, auf den K. stellen; *mettre le doigt ~ (fig)* den Nagel auf den Kopf treffen; *mettre la main ~* zu=greifen; *se mettre au-~ de qc, passer par-~ qc (fig)* sich über e-e S hinweg=setzen; *prendre le ~ du vent (mar)* den Wind ab=fangen; *fig (Krankheit, Kummer)* es überwinden; *je compte là-~* ich verlasse mich darauf; *il est au-~ de tout soupçon* er ist über jeden Verdacht erhaben; *il est de cent coudées au-~ de tout cela* er steht weit über alledem; *il m'a marché ~* er hat, ist mir auf die Füße getreten; *vêtements m pl de ~* Oberkleidung *f; ~ de lit* Oberbett *n; le ~ du panier* die schönsten Stücke, das Beste, die Spitze; *~ de porte (Malerei)* Supraporte *f; ~ de table* Tischplatte *f.*

déstalini|sation [destalinizasjɔ̃] *f* Entstalinisierung *f;* **~ser** entstalinisieren.

destin [dɛstɛ̃] *m* Schicksal, Geschick, Los *n;* Bestimmung *f;* Ausgang *m,* Ende; Leben(slauf *m*) *n;* **~ataire** [-ti-] *m f* Empfänger *m (e-r Postsendung); délivrer, remettre au ~* dem E. aus=händigen; *~ inconnu (Brief)* unzustellbar; *liste f des ~s* Verteiler(liste *f*) *m;* **~ation** *f* Bestimmung *f,* Zweck *m;* Ziel *n,* Bestimmungsort *m; à ~ de* nach; *arriver à ~* am Ziel an=kommen, am Bestimmungsort ein=treffen; *gare f, lieu, pays, port m de ~* Bestimmungsbahnhof, -ort *m,* -land *n,* -hafen *m; point m de ~ (mil)* Marschziel *n;* **~ée** *f* Schicksal *n,* Vorsehung; Bestimmung *f,* Los; Leben *n;* **~er** aus=ersehen, bestimmen (*à* für, zu); fest=setzen; *se ~ au professorat* den Lehrberuf wählen.

destitu|er [dɛstitɥe] *(Beamten)* ab≈setzen, entlassen (*de* aus); **~tion** [-ty-] *f* Absetzung, Entlassung *f.*
destrier [dɛstrije] *m poet* Schlachtroß *n.*
destroyer [dɛstrwaje] *m mar aero* Zerstörer *m.*
destruct|eur, trice [dɛstryktœr, -tris] *s m f* Zerstörer, Vernichter, Verwüster *m; a* u. **~if, ive** zerstörerisch; **~ible** zerstörbar; **~ion** [-sjɔ̃] *f* Zerstörung(swut), Vernichtung; Abschaffung; Niederwerfung; *mil* Sprengung *f; (armes f pl de) ~ massive* Massenvernichtung(swaffen *f pl*) *f; détachement m de ~* Sprengkommando *n; puissance f de ~* Zerstörungskraft *f; tir m de ~ (mil)* Vernichtungsfeuer *n.*
désu|et, ète [desɥɛ, -ɛt] nicht mehr üblich *od* gebräuchlich; veraltet; altmodisch; **~étude** *f: tomber en ~* außer Gebrauch kommen; veralten.
désulfu|ration [desylfyrasjɔ̃] *f* Entschwefelung *f;* **~rer** entschwefeln.
désun|ion [dezynjɔ̃] *f* Trennung; Uneinigkeit, Zwietracht *f; ~ du mariage* Zerrüttung *f* der Ehe; **~i, e** uneinig; **~ir** ausea.≈, zerreißen; *fig* trennen, entzweien; gesondert behandeln; *se ~* ausea.≈gehen.
détach|able [detaʃabl] abnehmbar; *(Futter)* ausknöpfbar; **~ant, ~eur** *m* Fleckenwasser *n,* -entferner *m;* **~é, e** los(gelöst), getrennt, einzeln; *mil* abkommandiert, zugeteilt; *fig* gleichgültig, uninteressiert; *d'un air ~* mit gleichgültiger Miene; *pièces f pl ~es* Ersatz-, Einzelteile *n pl;* **~ement** *m* Uninteressiertheit, Gleichgültigkeit *f; mil* Kommando *n;* Abteilung *f;* Trupp *m; ~ avancé* Vorausabteilung *f; ~ d'escorte* Begleitkommando *n; ~ postcurseur, précurseur* Nach-, Vorkommando *n; ~ de sûreté* Sicherungsabteilung *f;* **~er 1.** los≈binden, -ketten; auf≈knoten, -schnüren; los≈, ab≈machen, lösen; entfernen; ab≈heben; ab≈lösen, -trennen; *(Beamten)* ab≈ordnen; *mil mar* ab≈stellen, ab≈kommandieren; hervor≈heben; *mus (Ton)* kurz an≈schlagen; *fig* entfremden; ab≈bringen (*de qc* von etw); *fam* an≈bringen; *(Schlag)* versetzen; **2.** die Flecken entfernen (*qc* aus etw), von Flecken reinigen; *se ~* sich frei machen, sich lösen (*de qc* von etw); sich ab≈heben; ab≈fallen; sich ab≈wenden (*de qn* von jdm); *(Weg)* ab≈zweigen (*de* von); *~ les yeux de qc* von etw den Blick wenden; *savon m à ~* Fleck(en-)seife *f.*
détail [detaj] *m* Zerteilen *n;* Einzelverkauf; Klein-, Einzelhandel *m;* vollständige Aufzählung *f;* eingehende(r) Bericht *m;* Einzelne(s) *n,* Einzelheit; *fam* Nebensache, Kleinigkeit *f; (Bild)* Ausschnitt *m; au ~* im kleinen; einzeln, stückweise; *en ~* im einzelnen, ausführlich; genau; im kleinen, einzeln; *entrer dans les ~s* auf (die) Einzelheiten ein≈gehen; *faire le ~* im kleinen verkaufen; *ne vous attardez pas aux ~s* halten Sie sich nicht mit Einzelheiten auf! *pour plus amples ~s voir ...* Näheres siehe ...; *magasin m de ~* Einzelhandelsgeschäft *n; marchand m au ~* Einzelhändler *m; prix m de ~* Einzelhandelspreis *m; trafic m de ~ (loc)* Stückgutverkehr *m; vente f au ~* Kleinverkauf *m;* **~lant, e** *s m f* u. *a: marchand m ~* Einzelhändler *m;* **~lé, e** ins einzelne gehend, detailliert; **~ler** zerteilen; im kleinen, einzeln verkaufen; genau erzählen, die Einzelheiten an≈geben (*qc* e-r S *gen*), schildern, präzisieren; von oben bis unten betrachten.
détaler [detale] *fam* Reißaus nehmen.
détartrer [detartre] den Kesselstein ab≈kratzen, -klopfen (*qc* von etw); *(Zähne)* den Zahnbelag entfernen.
détax|ation [detaksasjɔ̃] *f* Steuersenkung, -ermäßigung, -erleichterung *f;* **~e** *f* Steuererlaß; Gebührennachlaß *m,* -rückerstattung; Preisermäßigung *f,* ermäßigte(r) Eintritt *m;* **~er** die Steuer auf≈heben *od* senken (*qc* auf e-r S); die Gebühren, das Porto senken (*qc* für etw); den (Eintritts-)Preis herab≈setzen (*qc* für etw); *~ le café* die Kaffeesteuer senken *od* auf≈heben.
détect|er [detɛkte] frei≈legen, auf≈spüren, an≈zeigen; **~eur, trice** *a: lampe f ~rice (radio)* Röhrendetektor *m; s m radio* Detektor, Gleichrichter *m; ~ aérien* Peilgerät *n; ~ à galène* Kristalldetektor *m; ~ de mines* Minensuchgerät *n; ~ de gaz* Gasspürer *m;* **~ion** [-sjɔ̃] *f chem radio* Aufspürung, Wahrnehmung *f; engin m de* Spür-, Radargerät *n; ~ électromagnétique* Funkmeßtechnik *f; ~ des mines* Minensuchen *n; ~ par rayonnements (phys)* Strahlungsanzeige *f;* **~ive** *m* (Privat-)Detektiv *m;* **~ophone** [-tɔfɔn] *m* Abhörvorrichtung *f.*
déteindre [detɛ̃dr] *tr* bleichen; *itr* u. *se ~* verblassen, -schießen; ab≈färben (*sur* auf *acc*) *a. fig.*
dételer [detle] *tr (Zugtier)* ab≈, aus≈spannen, ab≈schirren; *loc* ab≈kuppeln; *itr fig fam* aus≈spannen.
détend|eur [detɑ̃dœr] *m* Druckreduzierventil *n;* **~re** entspannen; *(Dampf)* ab≈spannen; den Druck

vermindern (*qc* gen); *(Bein)* aus≈strecken; *(Zelt)* ab≈schlagen, ab≈bauen; *(Gardine)* ab≈nehmen; *fig* entspannen, mildern; *se* ~ s-e Spannung verlieren, nach≈lassen, -geben; *fig* sich entspannen.

détenir [detnir] *irr* (zurück≈)behalten, besitzen, bewahren; gefangen≈, in Haft, in Gefangenschaft halten; *(Stellung)* inne≈haben.

détente [detɑ̃t] *f tech* Arretierung, Sperrung *f; (Gewehr)* Abzug *m; (Gas)* Druckminderung, Ausdehnung *f; mot* Arbeitshub *m; (Wetter)* Milderung; *fig a. pol* Entspannung *f; lâcher la ~ (Gewehr)* ab≈drücken; *dur à la ~ (fam)* knick(e)rig, geizig; nicht leicht nachgebend; *(Gewehr)* schwer losgehend; *permission f de ~* Erholungsurlaub *m; politique de ~* Entspannungspolitik *f.*

détent|eur, trice [detɑ̃tœr, -tris] *s m f* Besitzer(in *f*), Inhaber(in *f*), Verwahrer(in *f*); Halter(in *f*) *m (e-s Kraftfahrzeuges); ~ d'animaux* Tierhalter *m; ~ de titre (sport)* Titelinhaber, -verteidiger *m; a: puissance f ~trice* Gewahrsamsmacht *f;* **~ion** [-sjɔ̃] *f* Besitz *m;* Be-, Zurückhalten *n,* Vorenthaltung; Inhaftierung, Haft *f;* Gefängnis(-strafe *f*) *n;* Festungshaft *f; établissement m de ~* Strafanstalt *f; ~ d'armes* Waffenbesitz *m; ~ cellulaire* Einzelhaft *f; ~ préventive* Vorbeugehaft *f; ~ provisoire* Untersuchungshaft *f.*

détenu, e [detny] *m f* Häftling *m;* (Straf-)Gefangene(r *m*) *f;* Arrestant(in *f*) *m.*

déterg|ent, e [detɛrʒɑ̃, -ɑ̃t] *a med* reinigend; *s m med* reinigende(s) Mittel; Fleckenwasser, -mittel *n;* Waschmittel *n;* **~er** *med* reinigen.

détérior|ation [deterjɔrasjɔ̃] *f* Verschlechterung, -schlimmerung, Beschädigung *f;* **~er** verschlechtern, beschädigen; schaden (*qc* e-r S *dat*); *fig* verderben; *se ~* sich verschlimmern; verfallen; schadhaft, ungünstiger werden.

détermin|ant, e [detɛrminɑ̃, -ɑ̃t] *a* bestimmend, ausschlaggebend; *s m math* Determinante, Bestimmungszahl; Erbanlage *f;* **~atif, ive** *a* entschieden, entschlossen; *gram* Bestimmungs-; *s m* Bestimmungswort *n;* **~ation** *f* Bestimmung *f;* Entschluß *m;* Entschlossenheit *f; prendre une ~* e-n Entschluß fassen; *~ du point* Ortsbestimmung *f;* **~é, e** fest, entschlossen; unverbesserlich; bestimmt; **~er** *tr* bestimmen, fest≈setzen, -legen; ermitteln; entscheiden; herbei≈führen, zur Folge haben; veranlassen, bewegen (*à* zu); *se ~* sich entschließen (*à* zu), sich entscheiden (*à* für).

déterr|é, e [detɛre] *m f: avoir un air de, l'air d'un ~* leichenblaß aus≈sehen; **~er** aus≈graben; *fig* auf≈stöbern, ausfindig machen.

deters|if, ive [detɛrsif, -iv] *a med* reinigend; *s m med* Reinigungsmittel *n;* **~ion** *f* Reinigung, Auswaschung *f.*

détest|able [detɛstabl] verabscheuungswürdig, abscheulich; **~ation** *f* Abscheu *m;* **~er** verabscheuen; hassen, nicht aus≈stehen können.

détirer [detire] *(Wäsche)* ziehen, strecken; *(Arme)* aus≈recken; *se ~* sich (st)recken.

détisser [detise] *(Gewebe)* zerzupfen.

déton|ant, e [detɔnɑ̃, -ɑ̃t] explosiv; Knall-; **~ateur** *m* Spreng-, Zündkapsel *f; ~ à retard* Zeitzünder *m;* **~ation** *f* Detonation *f,* Knall *m;* Explosion *f; mot* Klopfen *n;* **~er** explodieren; knallen.

détonner [detɔne] falsch singen *od* spielen; *fig* nicht (zuea.) passen, sich beißen; aus dem Rahmen fallen.

détor|dre [detɔrdr] auf≈drehen, glatt≈streichen; aus≈drücken; *fig* ab≈wickeln; **~s, e** [-tɔr, -ɔrs] aufgedreht, glattgestrichen; **~sion** *f* Aufdrehen *n;* **~tiller** auf≈drehen, -wickeln.

détour [detur] *m* Biegung, Windung *f;* Umweg *m; (Verkehr)* Umleitung *f; fig* Winkelzug *m;* Ausflucht, -rede *f; sans ~s* ohne Umschweife; **~né, e** gewunden; versteckt, abgelegen; *fig* indirekt; *chemin m ~* Umweg *m; sens m ~* Nebenbedeutung *f;* **~nement** *m* Ablenken *n;* Umleitung; *(Kopf)* Wendung; *jur* Unterschlagung *f; ~ d'avion* Flugzeugentführung *f; ~ de fonds* Veruntreuung *f* von Geldern; *~ de mineurs (jur)* Entführung *f* Minderjähriger; *~ d'objets trouvés* Fundunterschlagung *f;* **~ner** ab≈wenden; *(Wasserlauf)* ab≈leiten; *(Verkehr)* um≈leiten; *(Flugzeug)* entführen; *(vom Weg)* ab≈bringen; entfremden; e-e andere Bestimmung, Bedeutung geben (*qc* dat); *(e-m Gespräch)* e-e andere Wendung geben; *(e-r Frage)* aus≈weichen; *(Bedenken)* zerstreuen; *(von Sorgen)* ab≈lenken; *(von der Arbeit)* ab≈halten; *(Augen, Kopf, Blick)* ab≈wenden; *(Minderjährigen)* ent-, verführen; *com* veruntreuen, unterschlagen; *se ~* sich ab≈wenden (*de qc, de qn* von etw, von jdm); *(vom Weg)* ab≈kommen; e-n Umweg machen; *~ l'attention* die Aufmerksamkeit ab≈lenken (*de qn* jds); *~ qn de son projet* jdn von s-m

Plan ab=bringen; ~ *le sens* den Sinn verdrehen; ~ *la vérité* von der Wahrheit ab=weichen.

détracteur, trice [detraktœr, -tris] *s m f* Verleumder(in *f*) *m; a* verleumderisch.

détraqu|é, e [detrake] geistesgestört, -krank; *(Nerven)* zerrüttet; *(Magen)* verdorben; *tech* in Unordnung, *fam* kaputt; **~ement** *m* Störung; Zerrüttung *f;* **~er** in Unordnung bringen, stören; *fam* kaputt=machen; *fig fam (Geist)* verwirren; *(Gesundheit)* zerrütten; *(Magen)* verderben; *cela lui a ~é le cerveau (fig fam)* das hat ihn um den Verstand gebracht.

détremp|e [detrɑ̃p] *f* Tempera-, Leimfarbe; Tempera(malerei) *f; tech* Enthärten *n;* **~er** auf=, ein=weichen, ein=, an=rühren; *(Kalk)* löschen; *(Stahl)* enthärten.

détress|e [detrɛs] *f* Verzweiflung, (Todes-)Angst; (größte, höchste) Not; Hilflosigkeit *f;* Jammer *m,* Elend *n; mar* Seenot *f; train m en ~* liegengebliebene(r) Zug *m;* **~er** auf=flechten.

détri|ment [detrimɑ̃] *m* Schaden, Nachteil *m; au ~ de* auf Kosten, zum Schaden *gen; tourner au ~ de qn* nachteilig für jdn aus=gehen; **~tique** *a geol* Trümmer-; **~toir** *m* Frucht-, *bes.* Olivenpresse *f;* **~tus** [-ty(s)] *m geol* Überreste *m pl;* Schutt, Abfall *m.*

détroit [detrwa] *m* Meerenge *f.*

détromper [detrɔ̃pe] e-s Besseren belehren; *se ~* s-n Irrtum ein=sehen.

détrôner [detrone] entthronen; *fig* verdrängen.

détrouss|er [detruse] aus=plündern, -rauben; **~eur** *m* Straßenräuber *m; ~ de cadavres* Leichenfledderer *m.*

détruire [detrɥir] *irr* zerstören, vernichten, zugrunde richten; unterdrükken, ab=stellen, beseitigen; *se ~* zugrunde gehen; verfallen; vergehen; sich gegenseitig vernichten; *fam* sich das Leben nehmen; *~ qn dans l'esprit de* jdn in Mißkredit bringen bei.

dette [dɛt] *f com* Schuld *f; fig* Tribut, Zoll *m;* (moralische) Verpflichtung *f; acquitter, payer, régler une ~* e-e Schuld bezahlen *od* begleichen; *amortir, éteindre une ~* e-e Schuld ab=tragen *od* tilgen; *contracter, faire des ~s* Schulden machen; *être en ~ avec qn* bei jdm Schulden haben; *être accablé, criblé, perdu de ~s* bis an den Hals in Schulden stecken; *recouvrer une ~* e-e Schuld ein=treiben; *amortissement m, extinction f d'une ~* Tilgung *f* e-r Schuld; *titre m de ~ foncière* Grundschuldbrief *m; ~ par acceptation* Wechselschuld *f; ~s actives* Aktiva *n pl; ~ commerciale* Warenschuld *f; ~ fiscale* Steuerschuld *f; ~ d'honneur* Ehrenschuld *f; ~ hypothécaire* Hypothekenschuld *f; ~ de jeu* Spielschuld *f; ~s passives* Passiva *n pl; ~ portable* Bringschuld *f; ~ publique* Staatsschuld *f; ~ quérable* Holschuld *f.*

deuil [dœj] *m* Trauer(zeit); Trauerkleidung *f;* Trauer-, Leichenzug *m; grand, petit ~* Voll-, Halbtrauer *f; avoir les ongles en ~ (fam)* Trauerränder an den Fingernägeln haben; *être en ~, porter le ~ de qn* um jdn in Trauer sein; *faire son ~ de qc* etw in den Schornstein, Kamin schreiben; *mener le ~ de qn* jdm das Trauergeleit geben; *jour m de ~* Trauertag *m; vêtement m de ~* Trauerkleidung *f.*

Deutsche Mark [døtʃmark] *m (pl deutschemarks)* Deutsche Mark *f.*

deux [dø, *vor Vokal* døz] *a* zwei; beide; *s m* Zwei(er *m*) *f;* (der) Zweite; *~ mots m pl* einige, wenige Worte; *à ~ pas d'ici* ganz nah, in der Nähe; *à ~* zu zweit; *~ à ~* paarweise; *de ~ jours l'un, de ~ jours en ~ jours* e-n um den andern Tag, alle zwei Tage; *en moins de ~ (fam)* sehr schnell; *en ~* in zwei Teile; *en ~ secondes* im Nu; *les ~* die beiden; *tous (les) ~* alle beide; *partager en ~* halbieren; *jamais ~ sans trois* aller guten Dinge sind drei; *il ne fait ni une ni ~* er ist rasch entschlossen; er läßt es sich nicht zweimal sagen; *~-mâts m inv mar* Zweimaster *m; ~-pièces m inv* zweiteilige(r) Badeanzug *m;* Zweizimmerwohnung *f; ~-points m inv* Doppelpunkt *m,* Kolon *n; ~-ponts m inv mar* Zweidecker *m; D~ f* Zweibrücken *n; ~-quatre m inv mus* Zweivierteltakt *m; ~-roues m inv* Zweirad *n; ~-temps m inv* Viervierteltakt *m;* **~ième** [~zjɛm] *a* zweite(r, s); *s m* zweite(r) Stock *m; f loc* zweite(r) Klasse *f; mot* zweite(r) Gang *m;* **~ièmement** *adv* zweitens.

dévaler [devale] *itr* hinab=steigen (*de* von); *(Gelände)* abwärts führen; *tr* hinunter=befördern, -stürzen.

dévaliser [devalize] bestehlen, (aus=) plündern.

déval|orisation [devalɔrizasjɔ̃] *f* Ab-, Entwertung *f;* Wertminderung *f;* **~oriser, ~uer** [-lɥe] ent-, ab=werten; **~uation** [-lɥa-] *f* Abwertung *f.*

devanc|er [d(ə)vɑ̃se] voraus=gehen, -eilen (*qn* jdm); voran=gehen (*qc* dat); überholen; *fig* den Vorrang haben (*qn* vor jdm); überlegen, voraus sein (*qn* jdm); zuvor=kommen (*qn* jdm), überflügeln; ~ *l'appel (mil)* sich freiwillig melden; **~ier, ère** *m f* Vorgänger(in *f*); *pl* Vorfahren *m pl.*

devant [dəvɑ̃] **1.** *prp (örtlich)* vor, gegenüber; *fig* angesichts; *par-~* vor; *aller ~ soi* geradeaus gehen; *avoir de l'argent ~ soi* Geld auf der Seite, *(fam)* auf der hohen Kante haben; *avoir du temps ~ soi* Zeit haben; **2.** *adv* voraus, -auf; (nach) vorn, voran; *au-~ de* entgegen *dat; de ~* Vorder-; *patte, roue f de ~* Vorderpfote *f*, -rad *n; de ~ le jour* aus dem Licht; *par ~* vorn; voraus; vorn vorbei an; *(sens) ~ derrière* verkehrt herum; **3.** *s m* Vorderteil *n* od *m*, -seite *f*, -sitz *m*, -gebäude *n;* Vordergrund *m (e-s Bildes); sur le ~* nach vorn heraus; *balayer le ~ de la maison* vor dem Hause fegen; *prendre, gagner le(s) devant(s)* voraus=gehen, -eilen, -fahren, e-n Vorsprung gewinnen, zuvor=kommen; *chambre f sur le ~* Vorderzimmer *n; ~ de chemise* Vorhemd *n; ~ de lavabo* Badematte *f;* **~ure** [-tyr] *f* Fassade *f;* Schaufenster *n;* Auslage *f; regarder les ~s des magasins* (die) Schaufenster an=sehen.

dévast|ateur, trice [devastatœr, -tris] *a* verheerend; *s m* Verwüster *m;* **~ation** *f* Verwüstung *f;* **~é, e** verwüstet; geplündert; ruiniert; *fig* verbraucht; leer, kahl; **~er** verwüsten, verheeren.

dévein|ard [devɛnar] *m* Pechvogel *m;* **~e** *f* Pech(strähne *f*) *n; avoir la ~, être dans la ~* Pech haben.

développ|ante [devlɔpɑ̃t] *f math* Evolvente *f;* **~ateur** *m phot (selten)* Entwickler *m;* **~ée** *f math* Evolute *f;* **~ement** *m* Aus-, Abwickeln; Ausstrecken; Wachstum *n;* Entwicklung; Entfaltung *f;* Verlauf; Werdegang *m;* Ausarbeitung, -führung *f;* Bauplan *m; phot* Entwickeln *n; (Fahrrad)* Übersetzung *f; entrer dans les ~s* ins einzelne gehen; *état m de ~* Entwicklungszustand *m;* **~er** aus=wickeln, -packen; auf=rollen; aus=strecken; entfalten, entwickeln *a. phot,* zur Entfaltung bringen; *fig* erörtern, dar=legen, ausea.=setzen; aus=bauen, -arbeiten; *(Geruch)* verbreiten; *(Beziehungen)* aus=bauen, -gestalten; *(Kurve)* ab=wickeln; *arch* im Plan dar=stellen; *(Fahrrad)* e-e Übersetzung haben (5 *mètres* von 5 m); *se ~* sich aus=breiten, sich entwickeln, -falten; zu=nehmen, wachsen, gedeihen.

devenir [dəv(ə)nir] *v irr* werden; *s m* Werden *n; ne savoir que ~* nicht wissen, was (aus e-m) werden soll; *que devenez-vous?* was machen, treiben Sie (denn)? *qu'est devenu mon chapeau?* wo ist mein Hut hingekommen *od* geblieben?

dévergond|age [devɛrgɔ̃daʒ] *m* schamlose(s) Betragen *n,* Ausschweifung *f;* **~é, e** *a* schamlos, ausschweifend; *s m f* schamlose(r) Mensch *m;* **~er, se** alle Scham verlieren, sich Ausschweifungen hin=geben.

dévernir [devɛrnir] *(polierten Möbeln)* den Glanz nehmen.

déverrouiller [devɛruje] auf=riegeln; *loc* entriegeln.

devers [dəvɛr] : *par(-)~ soi (jur)* bei sich; *par(-)~ le juge* vor dem Richter.

dévers [devɛr] *m* Neigung; *loc* (Schienen-)Überhöhung *f; mot* Sturz *m; aero* Schräglage *f;* **~ement** [-sə-] *m (Quelle)* Ausschüttung *f; loc (Schiene)* Umkanten; *(Fische)* Aussetzen *n; geog* Überlauf *m;* **~er 1.** *tr* (ver)biegen; *itr* schief werden; *(Holz)* sich werfen, arbeiten; **2.** (er)gießen, aus=schütten *a. fig; (Bomben)* (ab=)werfen; *se ~* sich ergießen; ab=fließen; *~ qc sur qn* jdn mit etw überschütten, -häufen; *~ sur le marché* auf den Markt werfen; **~oir** *m (Wasserbau)* Wehr *n;* Schütz(e) *f; fig* Sammelbekken *n.*

dévêtir [deve(ɛ)tir] aus=kleiden, -ziehen; *se ~* sich entkleiden; sich entäußern (*de qc* e-r S *gen*).

déviat|eur, trice [devjatœr, -tris] *a* Ablenkungs-; **~ion** [-sjɔ̃] *f* Ablenkung, Abweichung *f;* (Zeiger-)Ausschlag *m; (Magnet)* Mißweisung; *med* Verlagerung, Mißbildung; (Verkehrs-)Umleitung; Verlegung (e-r Landstraße); Umgehungsstraße *f; fig* Abweg *m; ~ de la colonne vertébrale* Rückgratverkrümmung *f;* **~ionnisme** [-sjɔ-] *m pol* Mangel *m* an Linientreue.

dévid|er [devide] *(Garn)* ab=haspeln, -wickeln; *~ son chapelet, son écheveau (fig fam)* sein Verslein her=sagen; sein Herz aus=schütten; *~ le jar (arg)* Argot sprechen; **~oir** *m* (Garn-, Draht-)Haspel *f.*

dévier [devje] *itr* ab=weichen (*de* von) *a. fig;* ab=treiben; sich (ver)ändern; *tr (Verkehr)* um=leiten; in andere Bahnen lenken; *(Strahlen)* ab=lenken.

devin, ~eresse [dəvɛ̃, -inrɛs] *m f* Wahrsager(in *f*), Seher(in *f*) *m; il ne faut pas aller au ~ pour en être instruit* die Spatzen pfeifen es von den Dächern; *je ne suis pas ~ (fam)* das konnte ich nicht ahnen; das ist mir schleierhaft; *(serpent m) ~* Abgottschlange *f;* **~er** [-ine] vorher=sehen, -sagen; ahnen, (er)raten; durchschauen, heraus=bekommen; *(Rätsel)* lösen; *je vous le donne à ~* das raten Sie nicht; *vous ~ez le reste* das Übrige können Sie sich denken; **~ette** *f* Rätsel *n; poser une ~* ein R. auf=geben; **~eur, se** *m f fam* Rätselrater(in *f*) *m.*

devis [dəvi] *m* Kostenanschlag; Überschlag *m; établir un ~ estimatif* e-n Kostenvoranschlag machen.

dévisager [devizaʒe] scharf an=sehen; an=gaffen, -starren.

devis|e [dəviz] *f* Devise *f,* Wahlspruch *m,* Motto; Spruchband *n; pl* Devisen *f pl,* ausländische Zahlungsmittel *n pl; cours m des ~s* Devisenkurs *m; marché m des ~s* Devisenmarkt *m; octroi m de ~s* Devisenzuteilung *f; pénurie f de ~s* Devisenmangel *m; réglementation f des ~s* Devisenbewirtschaftung *f;* **~er** sich unterhalten, plaudern.

dévisser [devise] ab=schrauben; *(Bergsteiger)* ab=stürzen.

dévoiement [devwamɑ̃] *m arch* Neigung *f.*

dévoiler [devwale] entschleiern, enthüllen, auf=decken *a. fig; se ~* sich entschleiern; *fig* ans Licht kommen.

devoir [dəvwar] *irr* **1.** *v* schulden, schuldig sein; verdanken (*de inf* daß); müssen, haben zu; sollen; **2.** *s m* Pflicht, Schuldigkeit; Schulaufgabe, -arbeit *f; ne pas ~* nicht dürfen; *~ à Dieu et à diable, au tiers et au quart, de tous côtés* an allen Ecken u. Enden, überall Schulden haben; *accomplir, faire, remplir son ~* s-e Pflicht tun *od* erfüllen; *apprendre son ~ à qn* jdm bei=bringen, was sich gehört; *faillir, forfaire, manquer à son ~, trahir son ~* s-e Pflicht versäumen *od* verletzen; *se mettre en ~ de* sich an=schicken zu; *ramener, remettre, ranger qn à son ~* jdn auf den rechten Weg zurück=führen; *rendre ses ~s à qn* jdm s-e Aufwartung machen; *rendre les derniers ~s à qn* jdm die letzte Ehre erweisen; *rentrer dans le* od *son ~* sich wieder fügen; *il est de mon ~ de* es ist meine Pflicht zu; *je m'en fais un ~* ich betrachte es als meine Pflicht; *cela se doit* das gehört sich; *fais ce que dois, advienne que pourra* tue recht u. scheue niemand; *~ d'entretien* Unterhaltspflicht *f; ~ supplémentaire (Schule)* Strafarbeit *f.*

dévol|u, e [devɔly] *a jur* heim-, zugefallen; übertragen; *s m; jeter son ~ sur qc (fam)* auf e-e S sein Auge werfen; etw für sich beanspruchen; **~ution** *f* Heimfall, Anfall; Erbgang *m.*

devon [dəvɔ̃] *m* künstliche(r) Fisch *m (zum Angeln).*

dévonien [devɔnjɛ̃] *m geol* Devon *n.*

dévor|ant, e [devɔrɑ̃, -ɑ̃t] gefräßig; *(Tier)* reißend; *fig* verzehrend; unersättlich; *faim f ~e* Bären-, Heißhunger *m;* **~ateur, trice** *zoo* reißend; *fig* verheerend, alles verschlingend; **~er** verschlingen; fressen; *fig* ver-, auf=zehren; zerfressen, nagen (*qn, qc* an jdm, e-r S): verbrauchen; (aus=)plündern; *(Ärger)* hinunter=schlucken; *(Tränen)* unterdrücken; *(Zeit, Geld)* kosten; *(Buch)* verschlingen; *(Kilometer)* fressen; *(Raum)* durchfliegen; *fam* ruinieren; *~ des yeux* mit den Augen verschlingen.

dévot, e [devo, -ɔt] *a* fromm; frömmelnd; *s m f* Fromme(r); Frömmler, Heuchler(in *f*); Anhänger(in *f*) *m;* **~ion** [-sjɔ̃] *f* Frömmigkeit *f,* fromme(r) Eifer *m,* Hingabe; Ergebenheit, Hingebung; *pl* Andacht *f; à la ~ de* völlig ergeben *dat; faire ses ~s* seine Andacht verrichten; zur Kommunion gehen; *livre m de ~* Andachts-, Erbauungsbuch *n.*

dévou|é, e [devwe] ergeben; **~ement** [-vumɑ̃] *m* Opfertod *m;* Aufopferung (*à qn, qc* für jdn, etw); Hingebung, Ergebenheit *f;* **~er** [-vwe] weihen, widmen; *fig* bestimmen; aus=setzen; *se ~* sich (auf=)opfern; sich widmen.

dévoy|é, e [devwaje] *a* verirrt; irregeführt, -geleitet; *loc* fehlgeleitet; *s m* Irrläufer *m;* **~er** vom (rechten) Weg ab=bringen; irre=führen, -leiten; *arch* (ver)ziehen, schleifen; *se ~* auf Abwege geraten.

dextérité [dɛksterite] *f* Geschicklichkeit, Fingerfertigkeit; Gewandtheit *f a. fig.*

dext|rine [dɛkstrin] *f* Dextrin *n;* **~riné, e** gummiert.

dextrose [dɛkstroz] *m* Dextrose *f,* Traubenzucker *m.*

dia [dja] *interj* hü *(links); n'entendre ni à ~ ni à hue (fam)* keine Vernunft an=nehmen; nichts hören wollen; *l'un tire à ~ et l'autre à hue* der e-e will hü, der andere hott.

diab|ète [djabɛt] *m, ~ sucré* Zuckerkrankheit *f;* **~étique** *a* diabetisch; *s m f* Diabetiker(in *f*) *m,* Zuckerkranke(r *m*) *f.*

diabl|e [djɑ(a)bl] *m* Teufel, Satan; *fam* Mensch, Kerl; Ausbund; Brummkreisel; Springteufel; Stein-, Sackkarren; *tech* Reißwolf, Reifhaken *m; à la ~* schlecht, häßlich, unordentlich; *au ~ vauvert* sehr weit (weg); *comme un* *(beau)* ~ wie ein Verrückter; *du ~, de tous les ~s, comme tous les ~s* verteufelt, furchtbar, schrecklich; *en ~* verdammt *adv,* sehr; *qui, que ~* wer, was zum Teufel; *~ de* verteufelt, Teufels-; *avoir le ~ au corps* den Teufel im Leibe haben; *avoir le ~ dans sa bourse* keinen Pfennig haben; *ne craindre ni Dieu ni ~* vor nichts zurück=schrecken; *se démener comme un ~ dans un bénitier* sich drehen u. winden; *donner, envoyer au ~, à tous les ~s* zum Teufel wünschen; *faire le ~ (à quatre)* herum=toben; *tirer le ~ par la queue* am Hungertuch nagen; *~!* zum Teufel! *au ~!* zum Henker (mit)! verdammt! verflucht! *le ~ est déchaîné* der Teufel, die Hölle ist los; *que le ~ m'emporte!* hol' mich der Henker! *comme si le ~ vous emportait* wie mit Hunden gehetzt; *c'est (là), voilà le ~* da haben wir's; *ce n'est pas le ~* das ist nicht so schwer; *c'est le ~ à confesser* das ist e-e Heidenarbeit; *le ~ ne me ferait pas faire cela* keine zehn Pferde brächten mich dazu; *le ~ s'en mêle* das geht nicht mit rechten Dingen zu; *bon ~* gutmütige(r) Kerl *m; pauvre ~* arme(r) Teufel *od* Schlucker *m; table f du ~* Hünengrab *n; tapage m de tous les ~s* Höllenlärm, Heidenspektakel *m; ~ à moteur* Motorkarren *m; ~ à quatre* Teufelskerl *m; ~ de temps* Hundewetter *n;* **~ement** [-blə-] *adv* verteufelt, verdammt, schrecklich, furchtbar, sehr; **~erie** *f* Hexerei; Teufelei, Bosheit, Ungezogenheit *f;* **~esse** *f* Teufelin *f,* Teufelsweib *n;* **~otin, e** [-blɔtɛ̃, -in] *m f* Teufelchen *n;* kleine(r) Schelm, Schalk; *m Art* feine(r) Krapfen; Schokoladen-, Knallbonbon *m.*

diabol|ique [djabɔlik] diabolisch, teuflisch; höllisch, Höllen-; vertrackt.

diacode [djakɔd] *m pharm* Mohnsaft *m.*

diac|onal, e [djakɔnal] *rel* Diakonen-, Diakonats-; **~onat** [-na] *m* Diakonat *n;* **~onesse** [-kɔnɛs] *f* Diakonissin, Diakonisse *f;* **~re** *m rel* Diakon *m.*

diadème [djadɛm] *m* Diadem; Stirnband *n,* Kopfbinde *f.*

dia|gnose [djagnoz] *f med* Diagnose; (Pflanzen-) Bestimmung *f;* **~gnostic** [-gnɔs-] *m med* Diagnostik *f;* **~gnostique** diagnostisch; **~gnostiquer** diagnostizieren.

diagonal, e [djagɔnal] *a* diagonal; *s f* Diagonale *f; en ~e* übereck; schräg; *lire en ~e (fam)* flüchtig, diagonal lesen.

diagramme [djagram] *m* Diagramm, Schau-, Kurvenbild *n,* graphische Darstellung *f;* Entwurf, Abriß *m.*

dialec|tal, e [djalɛktal] dialektisch, mundartlich; **~te** *m* Dialekt *m,* Mundart *f;* **~ticien, ne** *m f* Dialektiker(in *f*) *m;* **~tique** *a (Philosophie)* dialektisch; *s f* Dialektik *f;* **~tologie** *f* Mundartkunde *f.*

dialog|isme [djalɔʒism] *m* Kunst des Dialogs, Gesprächsform *f;* **~ue** [-lɔg] *m* Dialog *m,* Gespräch *n;* **~uer** [-ge] *itr fam* sich unterhalten; die Gesprächsform an=wenden; *tr* in Dialogform kleiden; **~uiste** [-gist] *m film* Dialogist *m.*

dialyse [djaliz] *f med* Dialyse *f.*

diamant [djamɑ̃] *m* Diamant *m; fig poet* Perle; *mar* (Anker-)Krone *f; ~ brut, pour l'industrie* Roh-, Industriediamant *m; ~ de vitrier* Glaserdiamant *m;* **~aire** [-tɛr] *a* diamantartig, Diamant-; **~é, e** mit Diamanten besetzt; mit Glas- *od* Stahlpulver bestreut; *(Füllfederhalter)* mit Diamant- *od* Iridiumspitze; **~er** funkeln lassen; mit Diamanten schmücken *od* besetzen; **~ifère** diamantenhaltig; **~in, e** diamantartig.

diamétral, e [djametral] *a math* Durchmesser-; **~ement** *adv* diametral; völlig entgegengesetzt; **diamètre** *m* Durchmesser *m.*

diane [djan] *f mil* Wecken *n.*

diantre [djɑ̃tr] *m* Teufel *m; interj* zum Teufel; **~ment** *adv* verteufelt! verdammt!

diapason [djapazɔ̃] *m mus* Umfang *m,* Register *n;* Stimmgabel, -pfeife *f;* Orgelpfeifenmaß; *fig* Niveau *n;* Ton *m; se mettre au ~ de qn* sich nach jdm richten; sich auf jdn ein=stellen.

diapha|ne [djafan] durchscheinend, -sichtig, transparent; **~néité** *f* Lichtdurchlässigkeit *f.*

diaphonie [djafɔni] *f tele* Nebensprechen *n;* Übersprechdämpfung, Kanaltrennung *f.*

dia|phorèse [djafɔrɛz] *f* Schwitzen *n;* **~phorétique** *a* u. *s m* schweißtreibend(es Mittel *n*).

dia|phragme [djafragm] *m anat* Zwerchfell *n; ~ du nez* Nasenscheidewand; *anat bot tech* Scheidewand; *tele* Membran(e); *phot* Blende *f; (Verhütungsmittel)* Pessar *n;* **~phragmer** *phot* ab=blenden.

diapo [djapo] *f phot* Dia *n;* **~sitive** *f phot* Diapositiv *n.*

dia|pré, e [djapre] bunt; *(Stoff)* geblümt; **~prer** bunt machen; schmükken; **~prure** *f* Buntheit *f.*

diarrhé|e [djare] *f med* Durchfall *m;* **~ique** *a* durchfallartig; Durchfall-.

diarthrose [djartroz] *f anat* nach allen Seiten bewegliche(s) Gelenk *n.*
dia|scope [djaskɔp] *m* Bildwerfer, Diaprojektor *m;* **~thèque** [-tɛk] *f* Diapositivsammlung *f.*
dia|thermane [djatɛrman] diatherm, Wärme durchlassend; **~thermie** *f* Diathermie *f.*
dia|tom(ac)ées [djatɔm(as)e] *f pl* Kieselalgen *f pl;* **~tomique** *chem* zweiatomig.
diatonique [djatɔnik] *mus* diatonisch.
diatribe [djatrib] *f* heftige Kritik; Schmähschrift *f.*
dico [diko] *m fam* Wörterbuch *n.*
dicotylédon|e; ~é, e [dikɔtiledɔn, -e] *a bot* zweikeimblättrig; *s f pl* Dikotyledonen *f pl.*
dictame [diktam] *m bot* Eschenwurz *f; fig* Balsam, Trost *m.*
dictaphone [diktafɔn] *m* Diktiergerät *n.*
dict|ateur [diktatœr] *m* Diktator *m; faire le ~* den D. spielen; *ton m de ~* Befehlston *m;* **~atorial, e** [-tɔrjal] diktatorisch; *fig* gebieterisch; **~ature** *f* Diktatur *f.*
dict|ée [dikte] *f* Diktieren; Diktat *n,* Nachschrift *f; sous la ~ de qn* nach jds Diktat; *fig* unter jds Einfluß; *faire faire une ~ à la classe* die Klasse ein D. schreiben lassen; *prendre qc sous ~* etw nach D. schreiben; **~er** diktieren; vor=schreiben; *fig* ein=geben.
diction [diksjɔ̃] *f* Vortrag(sweise *f*) *m.*
dictionnaire [diksjɔnɛr] *m* Wörterbuch, Lexikon *n; consulter le ~* im W. nach=schlagen; *~ de poche* Taschenwörterbuch *n.*
dicton [diktɔ̃] *m* sprichwörtliche Redensart *f.*
didactique [didaktik] *a* didaktisch; *s f* Didaktik *f.*
didactitiel [didaktisjɛl] *m (inform)* Lehrprogramm *n.*
didactyle [didaktil] *zoo* zweifingrig.
didelphes [didɛlf] *m pl* Beuteltiere *n pl.*
dièdre [diɛdr] *m math* Flächenwinkel *m;* V-Stellung *f.*
diélectrique [dielɛktrik] *el a* nicht leitend; *s m* Nichtleiter *m.*
dièse [djɛz] *m mus* Kreuz *n; do ~* Cis, cis *n.*
diéser [djeze] *mus* mit e-m Kreuz bezeichnen.
diète [djɛt] *f* **1.** Diät; Schonkost *f;* Heilfasten *n;* **2.** Reichs-, Bundes-, Landtag *m; faire ~* diät leben; *~ absolue, hydrique, lactée, sèche* Hunger-, Trink-, Milch-, Trockenkur *f; ~ végétale* vegetarische Kost *f.*
diététi|cien, -ne [djetetisjɛ̃, -ɛn] *m* Diätetiker(in *f*) *m;* **~que** *a* diätetisch; *s f* Diätetik *f.*
Dieu [djø] *m* Gott; *d~* (heidnischer) Gott *m,* Gottheit *f; fig* Gott, Götze *m; pour l'amour de ~* um Gottes willen; aus reiner Menschenliebe, umsonst; *grâce à, par la grâce de ~* mit Gottes Hilfe; *à la grâce de ~* wie es Gott gefällt; *par la grâce de ~* von Gottes Gnaden; *croire en* od *à ~* an Gott glauben; *promettre, jurer ses grands d~x (fam)* es hoch u. heilig versprechen; *à-~-vat!* Gott befohlen! *par ~!* bei Gott! *~ te garde, conduise!* behüt' dich Gott! *~ me damne!* Gott verdamm' mich! *~ (en) soit loué, ~ merci* gottlob; *~ préserve, à ~ ne plaise* behüte Gott! Gott bewahre! *~ le veuille! plaise, plût à ~* wollte Gott; *on lui donnerait le bon ~ sans confession* er sieht aus, als ob er kein Wässerchen trüben könnte; *l'homme propose, ~ dispose* der Mensch denkt, Gott lenkt; *bon ~* liebe(r) Gott *m; confiance f en ~* Gottvertrauen *n; homme m de ~* Gottesmann *m; homme m du bon ~* gutgläubige(r) Mensch *m; les voies f pl de ~* die Wege *m pl* Gottes.
diffam|ant, e [difamɑ̃, -ɑ̃t] verleumderisch, ehrenrührig; Schmäh-; **~ateur, trice** [-fa-] *m f* Verleumder(in *f*) *m;* **~ation** *f* Verleumdung, üble Nachrede *f;* **~atoire** *a* verleumderisch; Schmäh-; **~er** verleumden; diffamieren.
différ|emment [diferamɑ̃] *adv* verschieden, anders (*de* als); **~ence** *f* Unterschied *m,* Differenz; Abweichung *f; à la ~ de* im Unterschied zu; zum U. von; *il y a une grande ~ de vous à lui* zwischen Ihnen u. ihm besteht ein großer U.; *~ en latitude, longitude (mar geog)* Breiten-, Längenunterschied *m; ~ en moins* Verlust, Minder-, Fehlbetrag *m; ~ de niveau* Höhenunterschied *m; ~ de phase* Phasenverschiebung *f; ~ en plus* Überschuß *m; ~ de potentiel* Spannungsunterschied *m; ~ de prix* Preisunterschied *m; ~ de température* Temperaturunterschied *m,* -schwankung *f;* **~enciation** *f* Unterscheidung; Differenzierung *f;* **~encier** unterscheiden, differenzieren.
différend [diferɑ̃] *m* Streit(fall) *m,* Meinungsverschiedenheit *f; porter un ~ en justice* e-n Streitfall vor Gericht bringen; *régler un ~* e-n Streit schlichten.
différ|ent, e [diferɑ̃, -t] verschieden, unterschiedlich, abweichend; *c'est ~* das ist etw anderes; *à ~es reprises*

wiederholt, mehrfach *adv; tout à fait ~* grundverschieden; **~entiation** [-sja-] *f math* Differenzieren *n;* **~entiel, le** [-sjɛl] *a math phys* Differential-; *s m mot* Ausgleichsgetriebe, Differential; *f math* Differential *n; calcul m ~* Differentialrechnung *f; équation f ~le* Differentialgleichung *f;* **~entier** [-sje] *math* differenzieren; **~er** *tr* auf=, verschieben; verzögern; *(Zahlung)* anstehen lassen; *itr* verschieden(er Meinung) sein, vonea. ab=weichen; säumen; *tele en ~é: la retransmission d'une émission en ~é* die Aufzeichnung einer Sendung übertragen; *~ beaucoup de qc* von etw erheblich ab=weichen; *~ du blanc au noir, du tout au tout* grundverschieden sein; *~ de prix* im Preis verschieden sein.

diffic|ile [difisil] schwer, schwierig, mühsam; schwer zu behandeln(d), schwierig *(im Umgang);* empfindlich; wählerisch; *faire le (la) ~* spröde, zurückhaltend sein; *il fait le ~* ihm ist nichts recht zu machen; **~ulté** [-kylte] *f* Schwierigkeit; Mühe *f;* Widerstand *m,* Reibung *f;* Einwand *m,* Bedenken *n; (Text)* schwierige Stelle *f; pl* Reibungen, *fam* Reibereien *f pl; sans ~* ohne Schwierigkeit, reibungslos, glatt; ohne weiteres; *aplanir une ~* e-e Schwierigkeit beheben; *se débattre, (fam) patauger au milieu des ~s* sich mit den Schwierigkeiten herum=schlagen; *entraîner des ~s* Schwierigkeiten mit sich bringen; *être, se trouver en ~s* sich in Schwierigkeiten befinden; *être hérissé de ~s* mit Schwierigkeiten gespickt sein; *se heurter, se cogner à des ~s, rencontrer des ~s* auf Schwierigkeiten *(acc)* stoßen; *faire, soulever, susciter des ~s à qn* jdm Schwierigkeiten machen *od* bereiten; *présenter des ~s* Schwierigkeiten bieten; *~ de paiement* Zahlungsschwierigkeit *f.*

difform|e [difɔrm] mißgestaltet, unförmig, häßlich; *fig* scheußlich, abstoßend; **~ité** *f* Mißbildung, Unförmigkeit, Häßlichkeit *f.*

diffract|er [difrakte] *phys (Licht)* brechen, beugen, ab=lenken; **~ion** [-sjɔ̃] *f* (Licht-)Brechung, Beugung; Ablenkung *f;* **diffringent, e** [difrɛ̃ʒɑ̃, -ɑ̃t] Lichtbrechung bewirkend.

diffus, e [dify, -yz] *(Licht)* diffus, zerstreut; *(Stil)* weitschweifig; *(Gefühl)* unbestimmt; **~er** *phys* zerstreuen, aus=, verbreiten, diffundieren; durch den Rundfunk verbreiten, übertragen, senden; *(Schrift)* verbreiten, verteilen; *ne pas ~ avant 17 heures* Sperrfrist: 17 h; **~eur** *m* Lichtschirm *m,* indirekte Beleuchtung *f; tech* Zerstäuber, Diffusor *m,* Düse *f;* Verteiler, Verbreiter; Lautsprecher *m;* **~ible** *phys med* sich (schnell) aus-, verbreitend; **~if, ive** *phys* sich nach allen Seiten ausbreitend; **~ion** *f* Aus-, Verbreitung; Streuung; Diffusion; Verteilung; *fig* Weitschweifigkeit *f; (~ radiophonique, par T.S.F.)* (Rundfunk-) Übertragung, Sendung *f.*

digérer [diʒere] verdauen; *fig* verarbeiten, *fam* verkraften; reifen lassen; ertragen; *(Beleidigung)* hinunter=schlucken; *(Behauptung)* hin=nehmen.

digest|e [diʒɛst] *fam* leicht verdaulich; **~eur** *m chem* Autoklav *m;* **~ibilité** *f* Verdaulichkeit *f;* **~ible** verdaulich; **~if, ive** *a* Verdauungs-; die Verdauung fördernd; *s m* die Verdauung fördernde(s) Mittel *n;* Verdauungsschnaps *m; appareil m ~ (anat)* Verdauungsapparat *m; tube, canal m ~* Darmkanal *m;* **~ion** [-stjɔ̃] *f* Verdauung; *être d'une ~ pénible* schwer verdaulich sein *a. fig.*

digit [di(d)ʒit] *m math inform* Ziffer *f; ~ binaire* Binärzeichen *n;* **~al** *a* Finger-; *inform* digital; *s f bot* Fingerhut *m; code ~ (inform)* Binärcode *m; empreinte f ~e* Fingerabdruck *m;* **~aliser** digitalisieren.

digitaline [diʒitalin] *f* Digitalin *n (Gift).*

digit|é, e [diʒite] *(Blatt)* gefingert; **~igrades** [-tigrad] *m pl zoo* Zehengänger *m pl.*

diglossie [diglɔsi] *f* Zweisprachigkeit *f.*

dign|e [diɲ] wert, entsprechend, angemessen; würdig, würdevoll; achtbar, bieder, ehrenwert; *~ d'admiration* bewundernswert; *~ de foi* glaubwürdig, -haft; **~itaire** *m* Würdenträger *m;* **~ité** *f* Würde; Bedeutung *f;* Ehrenamt *n.*

digress|er [digrɛse] ab=schweifen; **~ion** *f* Abschweifung; *astr* Abweichung *f; math* Abstand *m.*

digu|e [dig] *f* Deich, Damm *m; fig* Schranke *f; élever une ~* e-n Damm auf=schütten; *fig* e-e Schranke errichten (*contre* gegen); **~er** ein=deichen, -dämmen.

dilapid|ateur, trice [dilapidatœr, -tris] *s m f* Verschwender(in *f*) *m; a* verschwenderisch; **~ation** *f* Verschwendung, Vergeudung *f;* **~er** verschwenden, vergeuden.

dilat|ant, e; ~ateur, trice [dilatɑ̃, -ɑ̃t; -atœr, -tris] *a med* dilatatorisch, ausweitend; *s m* Dilatator *m,* Bougie *f;* **~ation** *f phys* (Aus-)Dehnung; Ausweitung, Erweiterung *f; coefficient m de ~ (phys)* Ausdehnungskoeffizient *m;* **~er** *phys* (aus=)dehnen; aus=weiten, erweitern; vergrößern, -mehren; *(Nüstern)* auf=blähen; *(Brust)* schwellen; *fig (Herz)* erfreuen; *se ~* sich (aus=)dehnen; weit werden; **~oire** aufschiebend; dilatorisch.

dilection [dilɛksjɔ̃] *f* (himmlische) Liebe *f.*

dilemme [dilɛm] *m* Dilemma *n,* (schwierige) Alternative; Verlegenheit *f.*

dilettant|e [dilɛtɑ̃t] *m* Dilettant, Liebhaber *m;* **~isme** *m* Liebhaberei *f.*

diligen|ce [diliʒɑ̃s] *f* Eifer *m,* Schnelligkeit; Postkutsche *f; à la ~ de (jur)* auf Betreiben *gen; en (toute, grande) ~* in (aller) Eile; *faire ~* sich beeilen; **~t, e** [-ʒɑ̃, -ɑ̃t] eifrig, tätig; sorgfältig; flink, *fam* fix; *partie f la plus ~e (jur)* betreibende Partei *f.*

dilu|er [dilɥe] (in e-r Flüssigkeit) auf=lösen; *fig* verwässern; **~tion** [-ysjɔ̃] *f* (Auf-)Lösung; *fig* Verwässerung *f.*

diluvi|al, e [dilyvjal] *a geol* Anschwemmungs-; alluvial; **~en, ne** [-vjɛ̃, -ɛ̃n] *a* Sintflut-; *geol* Anschwemmungs-; alluvial; *pluie f ~ne* Wolkenbruch *m;* **~um** [-ɔm] *m geol* Alluvium *n; ~ glaiseux* Löß *m.*

dimanche [dimɑ̃ʃ] *m* Sonntag *m; le ~* sonntags, am Sonntag; *(les) ~s et jours de fête* an Sonn- u. Feiertagen; *s'habiller en ~* sich sonntäglich an=ziehen; *tel qui rit vendredi, ~ pleurera* man soll den Tag nicht vor dem Abend loben; *billet m bon ~ (loc)* Sonntagsrückfahrkarte *f; chausseur, chauffeur, peintre m du ~* Sonntagsjäger, -fahrer, -maler *m; habits m du ~, des ~s* Sonntagskleider *n pl; ~ gras* Sonntag *m* vor Fastnacht; *~ des Rameaux* Palmsonntag *m.*

dîme [dim] *f hist* Zehnt(e) *m (Steuer).*

dimension [dimɑ̃sjɔ̃] *f* Dimension, Ausdehnung *f;* Maß(stab) *m*); *fig* Ausmaß, Format *n; à trois ~s* dreidimensional; *prendre les ~s de qc* etw ab=messen.

diminu|é, e [diminɥe] *a arch* sich verjüngend; *mus (Intervall)* klein; *(Mensch)* gesundheitlich geschwächt; *s m: ~ physique* Körperbehinderte(r) *m;* **~er** *tr* verringern, vermindern, verkleinern; beeinträchtigen, benachteiligen; schmälern; mildern; geringfügiger erscheinen lassen; *com* herab=setzen, ab=bauen, senken, ermäßigen; *(Ausgaben)* ein=schränken; *~ qn* jdn erniedrigen; jds Gehalt kürzen; *(Maschen)* ab=nehmen, fallen lassen; *(Textil)* decken; *tech* verjüngen; *itr* kleiner, schwächer, geringer, billiger werden; sich verringern; ab=nehmen; nach=lassen; *geol* sich verdrücken; *~ les prix* mit den Preisen herunter=gehen, die Preise senken; *~ de prix* billiger werden; *~ de vitesse* langsamer werden; *la demande ~e* die Nachfrage läßt nach, nimmt ab; **~tif, ive** [-ny-] *a gram* Verkleinerungs-; *s m* u. *terme m ~* Verkleinerungsform *f; m* Herdring *m (zum Verkleinern der Öffnung); fig* verkleinerte Ausgabe *f;* **~tion** [-ysjɔ̃] *f* Verringerung, Verminderung; Verkleinerung, -kürzung; Schwächung; *com* Herabsetzung, Senkung *f,* Abbau *m;* Ermäßigung *f,* Abschlag; Rabatt *m; (Geld)* Abwertung *f; (Stricken)* Abnehmen *n; arch* Verjüngung; *(Mensch)* Erniedrigung *f; accuser, subir une ~* e-e Verminderung, e-n Rückgang erfahren, zeigen; *~ des appointements, des traitements* Gehaltskürzung *f,* -abbau *m; ~ des dépenses* Kostensenkung *f; ~ des impôts* Steuersenkung, -ermäßigung *f; ~ de la natalité* Geburtenrückgang *m; ~ de la population* Bevölkerungsrückgang *m; ~ de prix* Preissenkung, -ermäßigung *f,* -abschlag *m; ~ de puissance* Leistungsabfall *m; ~ des recettes* Rückgang *m* der Einnahmen; *~ des salaires* Lohnabbau *m; ~ de la valeur* Wertminderung *f.*

dinanderie [dinɑ̃dri] *f* Messinggeschirr, -gerät *n.*

dînatoire [dinatwar] die Hauptmahlzeit ersetzend.

dind|e [dɛ̃d] *f* Pute *a. fig fam,* Truthenne *f;* **~on** *m* Puter, Truthahn; *fig fam* Gimpel, Einfaltspinsel *m; est-ce que nous avons gardé les ~s ensemble?* wir haben keine Schweine zs. gehütet; *être le ~ de la farce* der Dumme sein; **~onneau** *m* junge(r) Puter *m;* **~onner** *fam* an der Nase herum=führen; **~onnier, ère** *m f* Putenhirt(in *f*) *m; f fam* Landpomeranze *f.*

dîn|er [dine] **1.** *v* zu Abend essen; speisen, dinieren; **2.** *s m* Abendessen; Diner *n; donner à ~* ein Essen geben; *~ par cœur* nicht zu Mittag essen; *j'ai encore mon ~ sur le cœur* das Essen liegt mir wie Blei im Magen; *~ de gala* Festessen, Bankett *n; ~ de garçons* Herrenessen *n;* **~ette** *f* Kinder-, Puppenmahlzeit *f;* **~eur, se** *m f* Mittags-, Tischgast *m; beau ~* starke(r) Esser *m.*

din|go [dɛ̃go] **1.** *s m zoo* Wildhund *m;* **2.** *a arg* plemplem, verrückt; *s m* Verrückte(r *m*) *f;* **~gue** *a fam* ver-

rückt; *s m f* Verrückte(r *m*) *f;* **~guer** [-ge] *arg* herum=strolchen; (hin=)fallen; *envoyer* ~ zum Teufel jagen.
dinornis [dinɔrnis] *m orn* Moa *m.*
dinosau|re [dinozɔr] *m* Dinosaurier *m;* **~riens** *m pl zoo* Dinosaurier *m pl.*
dioc|ésain, e [djɔsezɛ̃, -ɛ̃n] *a rel* Diözesan-; *s m f* Diözesan *m;* **~èse** *m* Diözese *f.*
diode [djɔd] *f radio* Diode; Zweipolröhre *f.*
dioïque [djɔik] *bot* diözisch, zweihäusig.
dionée [djɔne] *f bot* Venusfliegenfalle *f.*
dionysiaque [djɔnizjak] dionysisch.
diop|tre [djɔptr] *m* Diopter *n;* Sehspalte *f; phot* Sucher *m;* **~trie** *f opt* Dioptrie *f.*
diorite [djɔrit] *m min* Diorit *m.*
dio|xine [djɔksin] *m* Dioxin *n;* **~xyde** *m* Dioxid *n;* ~ *de soufre* Schwefeldioxid *n.*
diphtér|ie [difteri] *f med* Diphtherie *f;* **~ique** diphtherisch.
diphtongue [diftɔ̃g] *f* Diphthong, Doppellaut *m.*
dipl|omate [diplɔmat] *s m f* Diplomat(in *f*) *m; a* diplomatisch; *femme f* ~ Diplomatin *f;* **~omatie** [-si] *f* Diplomatie *f;* **~omatique** *a* diplomatisch; Urkunden-; *s f* Urkundenlehre *f.*
dipl|ôme [diplom] *m* Urkunde *f,* Diplom, Zeugnis *n;* **~ômé, e** staatlich geprüft, Diplom-; *ingénieur m* ~ Diplomingenieur *m.*
dipsoman|e, ~iaque [dipsɔman, -jak] *a* trunksüchtig; *s m* Quartal(s)säufer *m;* **~ie** *f* Trunksucht *f.*
diptères [diptɛr] *m pl zoo* Zweiflügler *m pl.*
diptyque [diptik] *m (Kunst)* Diptychon *n.*
dire [dir] **1.** *v irr* sagen, reden, sprechen; her=, auf=sagen, vor=tragen, (be)singen; *rel (Messe)* lesen; nennen; erzählen; äußern, aus=sprechen; weiter=sagen; behaupten; mit=teilen; raten; befehlen (*de faire qc* etw zu tun); meinen; dagegen sagen, aus=setzen (*à* an *dat*); besagen, aus=drücken, zum Ausdruck bringen; an=zeigen, -künd(ig)en; **2.** *s m* Reden *n;* Aussage, Behauptung *f;* Gerede *n; jur* Aussage, Äußerung *f;* Bericht *m; en* ~ dazu sagen, meinen; *à l'heure dite* zur festgesetzten Stunde; *à vrai* ~, *à* ~ *vrai* um die Wahrheit zu sagen; eigentlich; offen gestanden; *au* ~ *de, selon le* ~ *de* wie ... sagt, behauptet; *aussitôt dit, aussitôt fait* gesagt, getan; *autrement dit* mit andern Worten; *d'après, selon ses propres* ~*s* nach s-n eigenen Worten; *pour ainsi* ~, *(fam) comme qui dirait* sozusagen, gewissermaßen; *pour tout* ~ kurz (u. gut); *proprement dit* genaugenommen; *sans mot* ~ ohne ein Wort zu sagen; *(y) avoir à* ~ viel dazu zu sagen haben; *se le faire* ~ sich (lange) nötigen lassen; *se tenir pour dit* sich gesagt sein lassen; *vouloir* ~ bedeuten; ~ *la bonne aventure* wahrsagen; ~ *bien des choses à qn* jdm herzliche Grüße aus=richten; ~ *son fait, ses vérités à qn* jdm die Meinung sagen; ~ *son mot* etw sagen; *ne* ~ *mot* keinen Ton, nichts sagen; ~ *un (petit) mot* ein Wort sprechen; ~ *pis que pendre de qn* kein gutes Haar an jdm lassen; ~ *que* wenn man bedenkt, daß; *disons (com)* in Worten; *disons-le* gestehen wir es; *dis? dites?* nicht wahr? *vous dites?* wie bitte? *dites donc!* sagen, hören Sie mal! *on dirait, aurait dit (de)* man sollte meinen; man möchte sagen; *dit-on* so sagt man; *il n'y a pas à* ~ dagegen ist nichts zu sagen; *vous avez beau dire, c'est bientôt dit* das ist leicht gesagt; *le cœur me le dit* ich ahne es; *si le cœur vous en dit* wenn Sie gern wollen; *vous en dites de belles, de toutes les couleurs!* was Sie nicht alles sagen! *c'est (bien) dit, voilà qui est dit* abgemacht! einverstanden! *ce n'est pas à* ~ *que* damit soll nicht gesagt sein *od* das soll nicht heißen, bedeuten, daß; *qu'est-ce à* ~*?* was soll das heißen, bedeuten? *on sait ce que parler veut* ~ ich weiß, was sich hinter Ihren Worten verbirgt; *je ne vous le fais pas* ~ Sie sehen ja ein, geben zu; *cela vous plaît à* ~ Sie (belieben zu) scherzen; das ist nicht Ihr Ernst; *ce n'est pas pour* ~ das soll nicht heißen; *pour mieux* ~, *disons mieux* besser gesagt; *vous m'en direz tant!* jetzt verstehe ich! *ça te dit de faire (qc)?* hast du Lust, (etw) zu tun? *c'est tout* ~, *cela dit tout* dazu ist nichts zu sagen; damit ist alles gesagt; *tout n'est pas encore dit* das ist noch nicht alles; *ce qui est dit est dit* dabei bleibt's; *quoi qu'on (en) dise* was man auch immer sagen möge; *il n'y a rien de dit* es ist nichts gesagt worden; *cela va sans* ~ das versteht sich von selbst; *vous l'avez dit* so ist es; *qu'en dira-t-on m* Gerede *n* der Leute; ~ *d'experts* Sachverständigengutachten *n.*
direct, e [dirɛkt] *a* direkt, unmittelbar, gerade; *fig* offen; *s m (Boxen);* ~ *du droit (gauche)* rechte(r) (linker) Gerade(r) *m; train* ~ *(loc)* Eilzug *m.*

direct|eur, trice [dirɛktœr, -tris] *s m f* Direktor(in *f*), Präsident(in *f*); Leiter(in *f*); *poet* Lenker *m; f tele* Voramt *n; (Mode)* Direktrice *f; a* leitend; Richt-; *idée f ~rice* Leitgedanke *m; roue f ~trice (Fahrrad)* Vorderrad *n; ~ commercial* kaufmännische(r) Leiter *m; ~ de conscience, spirituel* Beichtvater *m; ~ des créanciers* Konkursverwalter *m; ~ d'exploitation* Betriebsführer; Gutsverwalter *m; ~ général* Generaldirektor *m; ~ gérant* geschäftsführende(r) D.; *~ régional* Bezirksdirektor *m; ~ du personnel* Personalchef *m; ~ de production (film)* Produktionsleiter *m; ~ du service commercial, de vente* Verkaufsleiter, -direktor *m; ~ technique* technische(r) Direktor *m; ~ de travaux* Bauleiter *m; ~ d'usine* Betriebsleiter *m;* **~ion** [-sjɔ̃] *f* Leitung, Führung; Lenkung; führende Rolle; Verwaltung; Direktion *f;* Direktorium *n,* Vorstand *m;* Geschäftsleitung, -führung; Stelle *f,* Büro *n* e-s Direktors; Vorsitz; (Verwaltungs-)Bezirk *m;* Richtlinie, Anweisung, Direktive; Richtung; *fig* Wendung *f; mar* Kurs; *(Fluß)* Lauf *m; mot* Steuerung *f; min* Streichen *n; rel* Seelsorge *f; dans la ~ de, en ~ de* in *od* nach Richtung auf; *dans toutes les ~s* in allen Richtungen, nach allen Seiten; *pour quelle ~?* in welcher Richtung? *sous la ~ de* unter der Leitung *gen; changer de ~* die Richtung ändern, (ab=)schwenken; *détourner qn de la bonne ~* jdn vom rechten Weg ab= bringen; *être chargé de la ~* mit der Führung beauftragt sein; *prendre la ~* die Führung übernehmen; die Richtung ein= schlagen (*de* nach); *centre, service m de ~* Lenkungsstelle *f; changement m de ~* Richtungsänderung *f; comité m de ~* Vorstand *m; détermination f de la ~* Richtungsbestimmung *f; flèche f de ~* (Fahrt-)Richtungsanzeiger *m; ~ de l'aéroport* Flughafenleitung *f; ~ d'approche (aero)* Anflugrichtung *f; ~ de l'armée* Heeresleitung *f; ~ des besoins* Bedarfslenkung *f; ~ des capitaux* Kapitallenkung *f; ~ de course* Fahrtrichtung *f; ~ des créanciers* Gläubigerausschuß *m; ~ à droite, gauche (mot)* Rechts-, Linkssteuerung *f; ~ économique* Wirtschaftslenkung *f; ~ d'effort (mil)* Schwerpunktrichtung *f; ~ des études et fabrications d'armement* Heereswaffenamt *n; ~ générale* Generaldirektion, Hauptverwaltung *f; min* Hauptstreichen *n; ~ de marche* Marschrichtung *f; ~ du personnel de l'armée de terre* Heerespersonalamt *n; ~ suprême de la guerre* oberste Kriegführung *f; ~ de tir (mil)* Feuerleitung *f; ~ des travaux* Bauleitung *f; ~ du vent* Windrichtung *f; ~ de visée* Blickrichtung *f; ~ de vol* Flugrichtung *f; ~ à volant* Lenkradsteuerung *f;* **~ive** *f (meist pl)* Direktive, Richtlinie, Verhaltungsmaßregel, Weisung *f;* **~ivité** *f tele* Richtfähigkeit *f;* **~oire** *m* Direktorium *n,* Verwaltungsrat *m; (Kunst)* Directoire *n;* **~orat** [-a] *m* Direktorat *n;* Titel *m,* Amt(szeit *f*) *n* e-s Direktors; **~orial, e** *a* Direktions-.

dirig|é, e [diriʒe] *tele* gerichtet; *économie f ~e* gelenkte Wirtschaft, Planwirtschaft *f; loisirs m pl ~s* Freizeitgestaltung *f;* **~eable** *a* lenkbar; *s m* lenkbare(s) Luftschiff *n,* Zeppelin *m;* **~eant, e** *a* leitend; *s m* Leiter, Führer *m; pl* führende Kreise *m pl; ~ syndicaliste* Gewerkschaftsführer *m;* **~er** lenken, leiten, steuern, führen; dirigieren; an der Spitze stehen (*qc* gen); in der Gewalt haben; richten (*sur, vers* auf *acc*); schicken (*sur, vers* nach); *(Verkehr)* regeln; *se ~* sich wenden, s-e Schritte lenken (*vers* zu), *(Weg)* führen (*vers* nach); *aero* an= fliegen (*vers qc* etw); *~ une poursuite contre qn* e-e Klage gegen jdn an= strengen; **~isme** *m* Planwirtschaft *f;* **~iste** *m* Vertreter, Anhänger *m* der Planwirtschaft.

dirimant, e [dirimɑ̃, -ɑ̃t] ungültig machend, aufhebend; *empêchement m ~ de mariage* Ehehindernis *n.*

discale [diskal] *f com* Gewichtsverlust *m* durch Austrocknen.

discern|able [disɛrnabl] *(mit dem bloßen Auge)* erkennbar; **~ement** [-nə-] *m* Unterscheidung(svermögen *n*); Einsicht; Urteils-, *jur* Zurechnungsfähigkeit *f; agir sans ~* sich der Tragweite s-r Handlungen nicht bewußt sein; *âge m de ~* zurechnungsfähige(s) Alter *n; apte, capable de ~* zurechnungsfähig; *incapable de ~* unzurechnungsfähig; **~er** unterscheiden; deutlich sehen; erkennen, bemerken, fest=stellen.

discipl|e [disipl] *m* Schüler, Jünger, Anhänger *m;* **~inaire** *a* disziplinarisch; Disziplinar-; *s m* Soldat *m* e-r Strafkompanie; *punition f ~* Ordnungs-, *mil* Disziplinarstrafe *f;* **~ine** *f* (Lehr-, Unterrichts-)Fach *n;* Zweig *m* der Wissenschaft; Disziplin, Zucht; *rel* Geißel(-ung) *f; libre ~* freie Marktwirtschaft *f; ~ de soi-même* Selbstzucht *f; ~ de vote (parl)* Fraktionszwang *m;* **~iner** disziplinieren, an Zucht gewöhnen; zähmen, bändigen; regeln; in Zucht, Schranken halten; *rel* geißeln; *se* ~ sich an Ordnung, Zucht gewöhnen.

discobole [diskɔbɔl] *m (Kunst)* Diskuswerfer *m.*

discontinu, e [diskɔ̃tiny] unzs.hängend, zs.hanglos; *math* unstetig; **~ation** [-nɥa-] *f* Unterbrechung *f;* **~er** [-nɥe] *tr* unterbrechen, auf=hören (*qc* mit etw); *itr* auf=hören (*de* zu); *sans* ~ ununterbrochen *adv;* **~ité** [-nɥi-] *f* Zs.hanglosigkeit; Unterbrechung; *math* Unstetigkeit *f (a. Wetter).*

disconven|ance [diskɔ̃vnɑ̃s] *f* Mißverhältnis *n;* Unzuträglichkeit *f;* **~ir** leugnen, in Abrede stellen (*de qc* etw).

discophile [diskɔfil] *m* Schallplattenfreund *m.*

discord [diskɔr] *a m* disharmonisch; *(Klavier)* verstimmt; **~ance** *f* Mißverhältnis *n;* Mangel *m* an Übereinstimmung, Unvereinbarkeit; *mus* Disharmonie; *geol* Diskordanz *f;* **~ant, e** *mus* disharmonisch; verstimmt; nicht aufea. abgestimmt, nicht zuea. passend, unvereinbar; uneinheitlich; *geol* diskordant; *note f* **~e** Mißklang *m;* **~e** *f* Zwietracht, Uneinigkeit *f; pomme f de* ~ Zankapfel *m;* **~er** *mus* verstimmt sein.

discoth|écaire [diskɔtekɛr] *m f* Schallplattenarchivar(in *f*) *m;* **~èque** *f* Schallplattenschrank *m,* -sammlung *f;* Schallplattenarchiv *n;* Diskothek *f (Tanzlokal).*

dis|coureur, se [diskurœr, -øz] *s m f* Schwätzer(in *f*); Plauderer *m; a* geschwätzig, schwatzhaft; **~courir** (lang u. breit) reden, sich unterhalten, schwatzen (*de* über *acc*); **~cours** [-kur] *m* Rede; Ausführung; Ansprache; Abhandlung *f;* (Schul-)Aufsatz *m; gram* Rede(weise) *f; faire, prononcer un* ~ e-e Rede halten; *partie f du* ~ *(gram)* Wortart *f;* ~ *de clôture, d'ouverture* Schluß-, Eröffnungsansprache *f;* ~ *direct, indirect (gram)* direkte, indirekte Rede *f;* ~*-programme m* programmatische Rede *f;* ~ *de réception* Begrüßungsansprache, -rede *f;* ~ *du trône* Thronrede *f.*

discourtois, e [diskurtwa, -az] unhöflich.

discrédit [diskredi] *m com allg* Mißkredit *m; jeter le* ~ *sur qn* jdn in Mißkredit bringen; *tomber en* ~ in Mißkredit geraten; **~er** [-te] diskreditieren; in Mißkredit bringen.

discr|et, ète [diskrɛ, -ɛt] *a* diskret, zurückhaltend; taktvoll; verschwiegen; bescheiden; versteckt; unauffällig; behutsam; *math* unstetig; *med* einzelnstehend; *s m: faire le* ~ geheimnisvoll tun; **~étion** *f* Diskretion, Zurückhaltung; Umsicht; Mäßigkeit; Verschwiegenheit *f;* Takt *m; à* ~ nach Belieben; *mil* auf Gnade u. Ungnade; *à la* ~ *de qn* nach jds Ermessen; jds Willkür ausgesetzt, -geliefert; ~ *professionnelle* (berufliche) Schweigepflicht *f;* **~étionnaire** *a* dem freien Ermessen überlassen; *pouvoir m* ~ (richterliche) Machtbefugnis *f.*

discrimin|ant, e [diskriminɑ̃, -ɑ̃t] *a* unterscheidend; Unterscheidungs-; *s m math* Diskriminante *f;* **~ateur, trice** Unterscheidungs-; **~ation** *f* Unterscheidung(svermögen *n*); Diskriminierung *f;* ~ *raciale* Rassendiskriminierung *f;* **~er** unterscheiden; diskriminieren.

disculp|ation [diskylpasjɔ̃] *f* Entschuldigung, Rechtfertigung *f;* **~er** entschuldigen, rechtfertigen (*de* wegen).

discursif, ive [diskyrsif, -iv] *fam* flatterhaft; diskursiv, logisch.

discu|ssion [diskysjɔ̃] *f* Diskussion; Untersuchung, Erörterung; Ausea.setzung *f,* Wortwechsel, Streit *m; jur* Auspfändung *f; sans division ni* ~ solidarisch; *mettre en* ~ zur Debatte stellen, zur Sprache bringen; *ouvrir une* ~ e-e Aussprache eröffnen; *provoquer, déclencher une* ~ e-e D. hervor=rufen, aus=lösen; *la* ~ *porte, roule sur* die Diskussion dreht sich um; *cela est sujet à* ~ darüber läßt sich streiten; *base f de* ~ Diskussionsgrundlage *f;* ~ *d'intérêts* Interessenkonflikt *m;* ~ *de ménage* Ehestreit, häusliche(r) Streit *m;* **~table** diskutabel; bestreitbar, anfechtbar, fraglich; **~té, e** umstritten; **~ter** *tr* diskutieren, erörtern, besprechen (*de qc* etw, *qc avec qn* etw mit jdm); untersuchen; *jur* die Zwangsvollstreckung betreiben (*qn* gegen jdn); *itr* verhandeln (*sur* über *acc*); ~ *le coup (pop)* lebhaft diskutieren.

disert, e [dizɛr, -rt] *lit* (rede)gewandt; beredt.

disette [dizɛt] *f* (Hungers-)Not, Armut; Knappheit *f; fig* Mangel *m* (*de* an *dat*); ~ *de charbon* Kohlennot *f.*

diseur, se [dizœr, -øz] *m f* Erzähler(in *f*) *m,* Vortragende(r *m*) *f;* Vortragskünstler(in *f*); *fam* Schwätzer, Angeber *m; beau* ~ Schönredner *m; fin* ~, *fine* **~se** gewandte(r) Plauderer, gute(r) Erzähler(in *f*) *m;* ~, **~se** *de bonne aventure* Wahrsager(in *f*) *m.*

disgr|âce [disgrɑs] *f* Ungnade *f;* Mißgeschick, Unglück *n;* Schwerfälligkeit; Plumpheit *f; tomber en ~* in Ungnade fallen; **~acié, e** [-grɑ(a)-] von unangenehmem Äußeren *od* Wesen; in Ungnade gefallen; *fig* stiefmütterlich behandelt (*de, par* von); **~acier** s-e Gunst entziehen (*qn* jdm); entlassen; verabschieden; **~acieux, se** reizlos; ungeschickt; unangenehm; ungefällig, unfreundlich.

disjoindre [dizʒwɛ̃dr] trennen; lockern; ausea.=nehmen; *se ~* aus den Fugen gehen.

disjonct|eur [dizʒɔ̃ktœr] *m el* Ab-, Ausschalter; *mot* (selbsttätiger) Unterbrecher *m; ~-inverseur m* Umkehrschalter *m;* **~if, ive** *gram* disjunktiv, sich gegenseitig ausschließend; **~ion** [-sjɔ̃] *f* (Ab-)Trennung; Lockerung; *el* Aus-, Abschaltung *f.*

dislo|cation [dislɔkasjɔ̃] *f* Ausea.nehmen, -fallen; Zerlegen *n; med* Aus-, Verrenkung *f,* Auskugeln *n; geol* Verschiebung; *(Truppen)* Verteilung *f;* **~qué, e** *a* ausgerenkt; ausea.genommen; ausea.gerissen, zs.hanglos; *(Gang)* schlotterig; *s m* Schlangenmensch *m;* **~quer** ausea.=nehmen, -reißen; zerlegen; *med* aus=renken; *(Truppen)* verteilen; *fig* erschüttern, zerrütten; *se ~* ausea.=fallen; sich lockern.

dispache [dispaʃ] *f* Seeschadensregelung *f.*

disparaître [disparɛtr] *irr* verschwinden; *(in e-r Menge)* untertauchen; sich verlieren; sterben; *faire ~* auf die Seite schaffen, beseitigen, weg=räumen; *(Bedenken)* zerstreuen.

dispar|ate [disparat] *a* nicht zs.passend; *(Farben)* sich beißend; *s f* Mißverhältnis *n,* Diskrepanz *f;* **~ité** *f* Ungleichheit, Verschiedenheit, -artigkeit, Gegensätzlichkeit *f.*

dispar|ition [disparisjɔ̃] *f* Verschwinden *n;* **~u, e** *a* verstorben; *mil* vermißt; *s m* Vermißte(r) *m.*

dispatch|er [dispatʃœr] *m loc* Betriebsüberwacher *m;* **~ing** [-iŋ] *m* Betriebsüberwachung; Zugleitung *f.*

dispen|dieux, se [dispɑ̃djø, -øz] kostspielig; **~saire** *m Art* Poliklinik *f;* **~sateur, trice** *m f* Ver-, Austeiler(in *f*) *m;* **~se** *f* Dispens(ation *f*) *m,* Befreiung; Ausnahmebewilligung *f;* **~ser** ver-, aus=teilen; *~ qn de qc* jdn von etw dispensieren, befreien; jdm e-e S erlassen; *~ qn* jdn frei=stellen.

dispers|er [dispɛrse] ver-, zerstreuen; *mil* ausea.=sprengen; *pol (e-e Organisation)* auf=lösen; *(Kräfte)* zersplittern; **~if, ive** *opt* Streu-; *fig* ausea.gezogen; **~ion** *f* Zerstreuung, Auflösung; Zersplitterung; *phys* (Zer-)Streuung; *mil* Streuung *f.*

disponib|ilité [dispɔnibilite] *f* Verfügbarkeit *f;* Wartestand *m; pl* verfügbare Gelder *n pl; en ~* zur Disposition, Verfügung; *traitement m de ~* Wartegeld *n; ~s en espèces (com)* Barmittel *n pl;* **~le** *a* verfügbar; zur Verfügung stehend; greifbar; *(Geld)* flüssig; *s m* Lokomarkt *m.*

dispos, e [dispo, -z] *a m* munter, heiter, aufgeräumt; gut aufgelegt, gut gelaunt; *frais et ~* frisch u. munter.

dispos|ant, e [dispozɑ̃, -t] *m f jur* Verfügende(r); Schenkende(r); Erblasser *m;* **~er** *tr* an=ordnen, arrangieren; (her=)richten; auf=stellen; geneigt machen (*à* zu); vor=bereiten (*à* auf *acc*); disponieren; bestimmen; *com (Wechsel)* trassieren, *(Scheck)* aus=stellen (*sur* auf *acc*); *itr* verfügen (*de* über *acc*); zu vergeben haben (*de qc* etwas); *se ~* sich an=schicken (*à* zu); sich bereithalten, sich zur Verfügung stellen; *être bien, mal ~é* gut, schlecht gelaunt sein; *être ~é pour, envers qn* jdm gewogen sein; jdn nicht leiden können; *nous sommes tout ~és (com)* wir sind gern bereit (*à* zu); *autorisé à ~* verfügungsberechtigt; *pouvoir m de ~* Verfügungsgewalt *f;* **~itif** *m* Ein-, Vorrichtung; Anlage; *mil* Gliederung *f; ~ d'alarme* Alarmanlage *f; ~ anti-éblouissant* Blendschutz *m; ~ anti-parasite* Störschutz *m; ~ d'écoute* Abhörvorrichtung *f; ~ du jugement* Urteilsspruch, -tenor *m; ~ de largage des bombes* Bombenabwurfgerät *n; ~ de marche (mil)* Marschgliederung *f; ~-moteur m* Triebwerk *n; ~ de protection* Schutzvorrichtung *f; ~ réfléchissant (Fahrrad)* Rückstrahler *m; ~ de signalisation (Schießstand)* Anzeigevorrichtung *f; ~ de sonnerie (Uhr)* Weckerwerk *n;* **~ition** *f* Anordnung, Verteilung; Verfügung (*de* über *acc*); Vorkehrung; Bestimmung, Vorschrift; Verwendung; *fig* Lage, Verfassung *f;* Hang *m,* Neigung; Stimmung; Anlage, Veranlagung; Lust; Absicht; *com* Tratte *f; d'après les ~s en vigueur* nach den geltenden Bestimmungen; *avoir à sa ~* zu seiner Verfügung haben; *avoir la ~ de qc, qn* über e-e S, jdn verfügen können; *mettre à la ~ de qn* jdm zur Verfügung, bereit=stellen; *prendre ses ~s* s-e Vorkehrungen, Anordnungen treffen; *droit m de libre ~* Selbstbestimmungsrecht *n; ~ additionnelle* Zusatzbestimmung *f; ~ d'application* Aus-, Durchführungsbestimmung *f; ~ facultative, impérative* Kann-, Mußvorschrift *f; ~ interprétative* Auslegungsvorschrift *f; ~ pénale* Strafbestimmung *f; ~ au sacrifice* Opferbereitschaft *f; ~s tarifaires* Tarifbestimmungen *f pl; ~ testamentaire* Testamentsbestimmung *f; ~ transitoire* Übergangsbestimmung *f.*

disproportion [disprɔpɔrsjɔ̃] *f* Mißverhältnis *n;* **~né, e** [-sjɔ-] in keinem Verhältnis (stehend) (*à* zu); ungleich; unproportioniert; **~ner** in ein Mißverhältnis bringen, schlecht proportionieren.

disput|ailler [dispytaje] *fam* sich stundenlang um nichts u. wieder nichts herum≈streiten, -zanken; **~ailleur, se** *m f* Streithammel *m;* **~e** *f* Wortwechsel *m,* -gefecht *n;* Streit(igkeit *f*), (Wett-) Streit *m* (*de* um); *hors de ~* unbestreitbar; *chercher ~ à qn* mit jdm Streit suchen; *être en ~* streiten (*avec qn* mit jdm); *~ de mots* Streit *m* um Worte; **~er** *itr* streiten, sich zanken; wetteifern (*de* in *dat*); *tr* bestreiten, streitig machen (*qc à qn* jdm etw); Anspruch erheben (*qc* auf e-e S); behaupten; *sport* aus≈tragen; *fam* herunter≈machen (*qn* jdn); *se ~ (fam)* sich streiten (*qc* um etw); *se ~ avec qn* sich mit jdm zanken, streiten; *le ~ à* in Wettstreit, -bewerb treten mit; *~ le terrain (mil fig)* s-e Stellung zäh verteidigen; **~eur, se** *s m f* Disputierer *m; a* streitsüchtig.

disqu|aire [diskɛr] *m* Schallplattenhändler *m;* **~e** *m* (runde) Scheibe, Platte *f;* (rundes) Tablett *n;* (Sonnen-, Mond-)Scheibe *f;* Zifferblatt *n; rel* Hostienteller; *sport* Diskus *m;* Schallplatte; *loc* Signalscheibe; *tech* Lamelle *f; changer de ~* e-e andere Platte auf≈legen *a. fig; changeur m de ~s* Plattenwechsler *m; ~ d'appel (tele)* Nummernscheibe *f; ~ intervertébral (anat)* Bandscheibe *f; ~ magnétique* Magnetplatte *f; ~ microsillon, de longue durée, à rotation lente* Langspielplatte *f; ~ de stationnement (mot)* Parkscheibe *f; ~ tournant (tech)* Drehscheibe *f;* **~ette** *f inform* Diskette *f.*

disqualifi|cation [diskalifikasjɔ̃] *f sport* Ausschluß *m; fig* Unterlegenheit *f;* **~er** [-fje] *sport* disqualifizieren; *fig* herab≈setzen, -würdigen.

disrupteur [disryptœr] *m el* Ausschalter *m.*

dissection [disɛksjɔ̃] *f* Sezieren *n;* Sektion; *fig* Analyse *f.*

dissem|blable [disɑ̃blabl] unähnlich, ungleich; **~blance** *f* Unähnlichkeit, Ungleichheit, Verschiedenartigkeit *f.*

dissémin|ation [diseminasjɔ̃] *f bot* Ausstreuung; *fig* Aus-, Verbreitung *f;* **~er** aus≈, verstreuen; aus≈breiten.

dissen|sion [disɑ̃sjɔ̃] *f* Meinungsverschiedenheit *f,* Streit *m; pl* Streitigkeiten *f pl;* **~timent** *m* Meinungsverschiedenheit, Verschiedenheit *f* der Auffassungen.

disséquer [diseke] *anat* sezieren; *allg* zerlegen; *fig* zergliedern, genau untersuchen.

dissert|ation [disɛrtasjɔ̃] *f* Abhandlung, Dissertation; Seminararbeit *f;* (Schul-)Aufsatz *m (in der Oberstufe);* **~er** e-e Abhandlung, e-n Aufsatz schreiben (*sur, de* über *acc*); *(mündlich)* erörtern; *~ politique* über Politik sprechen.

dissiden|ce [disidɑ̃s] *f* Meinungs-, Glaubensverschiedenheit; (Glaubens-)Spaltung; *pol* Rebellion *f;* **~t, e** [-dɑ̃, -ɑ̃t] *a* sektiererisch; andersgläubig; dissident, regimekritisch; *s m f* Dissident, Sektierer; *pol* Regimekritiker(in *f*) *m.*

dissimil|aire [disimilɛr] ungleich; **~arité, ~itude** *f* Ungleichheit *f.*

dissimul|ateur, trice [disimylatœr, -tris] *m f* Heuchler(in *f*) *m;* **~ation** *f* Verstellung(skunst), Verheimlichung, Verschleierung *f; ~ d'actif* Bilanzverschleierung *f; ~ fiscale* Steuerhinterziehung *f;* **~é, e** *a* heuchlerisch, falsch; verborgen; *pol com* stillschweigend, verschleiert, kalt; *arch* blind; *s m f* Duckmäuser *m;* **~er** verbergen, verstecken; verheimlichen, verschleiern; nicht merken lassen; *vx* ignorieren; *se ~* sich verstecken, sich verbergen; *ne pas se ~* sich *acc* keinen Illusionen hin≈geben (*qc* über e-e S), sich *dat* keine falschen Vorstellungen machen (*qc* von etw); sich *dat* nicht verhehlen.

dissip|ateur, trice [disipatœr, -tris] *s m f* Verschwender(in *f*) *m; a* verschwenderisch; **~ation** *f* Verschwendung; Zerstreuung *f;* **~é, e** vergnügungssüchtig; leicht(sinnig), locker; **~er** zerstreuen, (auf≈)lösen; verschwenden, vergeuden; verzetteln; zerstreuen, von der Arbeit ab≈lenken; verderben; *(Mißverständnis, Zweifel)* beseitigen; *(Unwetter)* vertreiben; *se ~* sich zerstreuen, Zerstreuung suchen; leichtsinnig werden; sich verzetteln; verschwinden; vergehen, verfliegen.

dissoci|ation [disɔsjasjɔ̃] *f chem* Zerfall *m,* Zersetzung, Auflösung; Trennung *f;* **~er** zersetzen, auf≈lösen; trennen.

dissolu, e [disɔly] ausschweifend, liederlich; unanständig; **~ble** auflösbar; **~tif, ive** (auf)lösend; **~tion** [-sjɔ̃] *f chem* (Auf-)Lösung; Zersetzung; *fig pol jur* Auflösung; Ausschweifung *f,* liederliche(s) Leben *n; (~ de caoutchouc) mot* Gummilösung *f,* Fixativ *n.*

dissolvant, -e [disɔlvɑ̃, -ɑ̃t] *a chem* lösend; *fig* zersetzend; *s m* Lösungsmittel *n;* Nagellackentferner *m.*

disson|ance [disɔnɑ̃s] *f* Mißklang *m,* Dissonanz *f a. fig;* **~ant, e** *a* mißtönend; *fig* widerstreitend; **~er** e-n Mißklang bilden; *fig* nicht zs.≈passen.

dissoudre [disudr] *irr* (auf≈)lösen, zersetzen.

dissua|der [disɥade] ab≈raten, aus≈reden (*qn de qc* jdm e-e S); **~sif** abschreckend; **~sion** *f* Abschreckung *f.*

dissyllab|e [disilab] *a* zweisilbig; *s m* zweisilbige(s) Wort *n;* **~ique** *a* zweisilbig.

dissymétr|ie [disimetri] *f* Asymmetrie *f;* **~ique** *a* a-, unsymmetrisch.

distan|ce [distɑ̃s] *f* Abstand *m,* Entfernung; Wegstrecke *f;* (Zeit-, Standes-)Unterschied; zeitliche(r) Abstand *m; à ~* aus der Entfernung; *à courte, à faible, à petite ~* auf kurze Entfernung; *à peu de ~* in geringer Entfernung; *à ~s égales* in gleichem Abstand; *de ~, en ~* in (gewissen) Abständen; *mesurer une ~ au pas* e-e Strecke ab≈schreiten; *prendre ses ~s (sport)* Abstand nehmen; *rapprocher les ~s* die Unterschiede verwischen; *tenir à ~* sich vom Leibe halten; Abstand, Distanz wahren (*qn* zu jdm); *appréciation f des ~s* Entfernungsschätzen *n; ~ d'arrêt (mot)* Bremsweg *m; ~ explosive (el)* Funkenstrekke *f; ~ focale (opt)* Brennweite *f; ~ parcourue* Fahr-, Flugstrecke; Marschleistung *f; ~ de tir* Schußweite *f;* **~cer** [-se] *sport* ab≈hängen, *a.* disqualifizieren; *allg* hinter sich lassen; überholen; in die Ferne rücken (*qc* etw); *se ~ de qn* sich von jdm distanzieren; **~t, e** entfernt; *fig* reserviert, zurückhaltend.

disten|dre [distɑ̃dr] ausea.≈ziehen, strecken, spannen; **~sion** *f anat* (starke) Ausdehnung *f.*

distill|ateur [distilatœr] *m* Branntweinbrenner, Likör-, *fam* Schnapsfabrikant *m;* **~ation** *f* Destillation *f;* Destillieren; *(Kohle)* Schwelen; Destillat *n;* **~atoire** Destillations-; **~er** [-le] destillieren; brennen; (bei niedriger Temperatur) verkoken; *bot zoo* aus≈schwitzen, tropfenweise von sich geben; *fig* verbreiten; **~erie** *f* (Branntwein-)Brennerei *f;* Brennereigewerbe *n.*

distinct, e [distɛ̃, -kt] ver-, unterschieden; deutlich, klar; **~if, ive** Unterscheidungs-; **~ion** [-ksjɔ̃] *f* Unterscheidung *f;* Unterschied *m;* Achtung; Auszeichnung *f,* Verdienst *n;* Rang, Stand *m;* vornehme(s) Betragen *n; sans ~* unterschiedslos; *~s de classes* Standes-, Klassenunterschiede *m pl.*

distingu|é, e [distɛ̃ge] vornehm, von Rang *a. fig;* ausgezeichnet, tadellos, fein; *agréez l'assurance de mes sentiments ~s* mit vorzüglicher Hochachtung; **~er** unterscheiden, ausea.≈halten; erkennen, deutlich sehen; den Vorzug geben (*qc* e-r S *dat*); aus≈zeichnen; *se ~* sich unterscheiden (*de* von); sich aus≈zeichnen; deutlich werden; **~o** [-go] *m fam* Unterscheidung *f.*

distique [distik] *m poet* Distichon *n.*

distor|dre [distɔrdr] verzerren, verrenken; **~sion** *f* (Ver-)Zerrung *a. tele,* Verrenkung; *tech* Verwerfung, Verwindung; *phot* Verzeichnung *f; correction f de ~* Entzerrung *f.*

distr|action [distraksjɔ̃] *f* Zerstreutheit, Gedankenlosigkeit; Zerstreuung, Ablenkung; *jur* Unterschlagung; *jur* Aussonderung *f; com* Auswerfen *n;* **~aire** trennen; weg≈nehmen, ab≈ziehen; beiseite schaffen; unterschlagen, veruntreuen; entziehen, ab≈halten; *com* entnehmen; *fig* ab≈lenken, zerstreuen; **~ait, e** zerstreut, abgelenkt; geistesabwesend; fahrig; **~ayant, e** [-trɛjɑ̃, -ɑ̃t] unterhaltend, unterhaltsam; ablenkend.

distribanque [distribɑ̃k] *m* Bankomat, Geldautomat *m.*

distribu|er [distribɥe] ver-, aus≈, auf≈, ein≈teilen; (richtig) an≈ordnen; *(Schriften)* verbreiten; *(Post)* aus≈tragen; *com (Dividende)* aus≈schütten; *typ (Lettern)* ab≈legen; *(Arbeit)* zu≈weisen, -teilen; *(Lebensmittel)* aus≈geben (*à* an *acc*); **~teur, trice** [-by-] *m f* Ver-, Austeiler(-in *f*); Vertreter; Filmverleiher *m; m typ* Ableger; *tech* Verteiler *m; bureau m de poste ~* Zustellpostamt *n; ~ d'allumage (mot)* Zündverteiler *m; ~ automatique* (Verkaufs-)Automat *m; ~ de billets de quai* Bahnsteigkartenautomat *m; ~ d'eau chaude* Warmwasserspeicher *m; ~ d'engrais* Düngerstreumaschine *f; ~ d'essence* Zapfstelle *f; ~ pour la pesée* Wiegeautomat *m; ~ de savon* Seifenspender *m;*

~ *de tickets* Fahrkartenautomat *m;* ~ *de timbres-poste* Briefmarkenautomat *m;* **~tif, ive** ver-, zuteilend; *gram* Distributiv-; **~tion** [-sjõ] *f* Ver-, Aus-, Auf-, Einteilung; Anordnung; Verbreitung *f; (Ware)* Absatz, Vertrieb *m;* Versorgung (*de* mit); Zustellung *f,* Austragen *n (der Post); (Dividende)* Ausschüttung *f; (Karten)* Geben *n; theat film* Besetzung *f; (Arbeit)* Zuweisung, -teilung; *fam* Tracht *f* Prügel; *(Gas, Wasser)* Anschluß *m; typ* Ablegen *n; mot* Steuerung *f; film* Verleih; *(auf e-m Schriftstück)* Verteiler *m; arbre m de ~ (mot)* Steuerwelle *f; boîte f de ~ (el)* Schaltdose *f,* -kasten *m; mot* Steuergehäuse *n; centre m de ~* Ausgabestelle *f; eau f de ~* Leitungswasser *n; installation f de ~ (el)* Schaltanlage *f; réseau m de ~* Verteilungsnetz *n; tableau m de ~* Schalttafel *f,* -brett *n; tension f de ~* Netzspannung *f; usine f de ~ d'eau* Wasserwerk *n; ~ des affaires* Geschäftsverteilung *f; ~ des colis* Paketzustellung *f; ~ électrique* Stromversorgung *f; ~ d'eau* Wasserversorgung, -wirtschaft *f; ~ exceptionnelle* Sonderzuteilung *f; ~ de films* Filmverleih *m; ~ de porte en porte par la poste* Postwurfsendung *f; ~ des prix* Preisverteilung *f; ~ à soupapes (mot)* Ventilsteuerung *f; ~ des vivres* Verpflegungsausgabe *f.*

district [distrikt] *m* Distrikt, Bezirk *m,* Gebiet *n; fig* (Aufgaben-)Bereich *m* u. *n,* Kompetenz *f; ~ frontalier, industriel* Grenz-, Industriegebiet *n.*

dithyramb|e [ditirɑ̃b] *m poet* Dithyrambus *m; fig* Loblied, übertriebene(s) Lob *n;* **~ique** begeistert; übertrieben.

dito [dito] *adv* dito, desgleichen.

diur|èse [djyrɛz] *f* Harnabsonderung; Harnruhr *f;* **~étique** *a* u. *s m* harntreibend(es Mittel *n*).

diurn|al, e [djyrnal] täglich; **~e** täglich; *(Biologie)* Tages-, Tag-, Eintags-.

divag|ateur, trice [divagatœr, -tris] *(Phantasie)* zügellos, ausschweifend; **~ation** *f* Umherirren; *(Hunde, Irre)* freie(s) Umherlaufen; *(Fluß)* Über-die-Ufer-Treten *n; fig* Abschweifen; Irrereden *n;* Faselei *f;* **~uer** [-ge] umher⸗irren; *(Tier)* frei herum⸗laufen; *fig* ab⸗schweifen; durchea.⸗reden; faseln; *(Fluß)* über die Ufer treten, sich *(dat)* ein anderes Bett suchen.

divan [divɑ̃] *m* Diwan *m;* Chaiselongue *f* u. *n;* Couch *f; ~-lit m, ~ transformable* Bettcouch *f.*

diverg|ence [divɛrʒɑ̃s] *f math phys* Divergenz; *fig* (Meinungs-)Verschiedenheit; Gegensätzlichkeit *f;* **~ent, e** [-ʒɑ̃, -ɑ̃t] *math phys* divergent; *fig* gegensätzlich; abweichend; **~er** ausea.⸗laufen; *fig* ausea.⸗gehen, divergieren, vonea. ab⸗weichen.

divers, e [divɛr, -rs] *a* verschieden(artig); mannigfach, -fältig, divers; *pl* manche, verschiedene; *s m* Verschiedene(s) *n; à ~es reprises* zu wiederholten Malen; *en ~es occasions* bei verschiedenen Gelegenheiten; **~ifier** ab⸗wechseln, Abwechslung bringen (*qc* in e-e S); abwechslungsreich gestalten; **~ion** *f mil* Scheinangriff *m; fig* Ablenkung *f* (*à* für); *faire ~ à qc* von etw ab⸗lenken; **~ionniste** *m pol* Diversant, Abtrünnige(r), Saboteur *m;* **~ité** *f* Mannigfaltigkeit; Verschiedenheit *f.*

divert|ir [divɛrtir] ab⸗lenken, zerstreuen; unterhalten, belustigen; *jur* unterschlagen, veruntreuen; *se ~* sich unterhalten, sich zerstreuen (*à* mit); *se ~ de qc* sich über e-e S lustig machen; **~issant, e** unterhaltsam, belustigend; **~issement** *m* Unterhaltung, Belustigung *f; mus* Divertimento; *theat* Zwischenspiel *n,* Einlage; *jur* unrechtmäßige Aneignung von Erbschaftssachen *od* Gemeineigentum; *(Schweiz)* Veruntreuung, Unterschlagung *f.*

divette [divɛt] *f* Chansonette; (Kabarett-, Operetten-)Sängerin *f.*

dividende [dividɑ̃d] *m com* Dividende *f,* Gewinnanteil *m; distribuer, fixer, toucher un ~* e-e D. aus⸗schütten, fest⸗setzen, ab⸗heben.

divin, e [divɛ̃, -in] göttlich; Gottes-; *fig* himmlisch, erhaben; *fam* köstlich; *service m ~* Gottesdienst *m;* **~ateur, trice** (hell)seherisch; Seher-; *instinct m ~* Sehergabe *f;* **~ation** *f* Weissagung *f,* Hellsehen *n,* Wahrsagung; Ahnung *f;* prophetische(r) Blick *m;* **~atoire** seherisch, hellsichtig; *art m ~* Wahrsagekunst *f; baguette f ~* Wünschelrute *f;* **~iser** göttlich verehren, vergöttern; **~ité** *f* Gottheit; göttliche Natur; große Schönheit *f (Frau).*

divis, e [divi, -iz] geteilt; **~er** [-ze] (ein⸗, ver-, zer)teilen, (auf⸗)spalten (*en* in *acc*); entzweien; *(Wort)* trennen; *math* dividieren; *se ~ (Weg)* sich gabeln; sich gliedern, zerfallen (*en* in *acc*); **~eur** *m math* Divisor; *tech* Teilgerät *n;* **~ibilité** *f* Teilbarkeit *f;* **~ible** teilbar; **~ion** [-zjõ] *f* (Ein-, Ab-, Auf-)Teilung (*en* in *acc*); Trennung, Auflösung, Zerstückelung; Abteilung *f,* Abschnitt *m;* Gliederung, Uneinigkeit, Zwietracht; *math mil* Division; *(Krankenhaus)* Station; *(Schule)* Klasse; Stufe *f; typ* Trennungszeichen *n; par* ~ getrennt; *sans ~ ni discussion* solidarisch; *chef m de* ~ Abteilungschef *m; général m commandant la* ~ Divisionskommandeur *m; ~ aéroportée, blindée, d'infanterie mécanisée, parachutiste* Luftlande-, Panzer-, motorisierte Infanterie-, Fallschirmjägerdivision *f; ~ cellulaire (biol)* Zellteilung *f; ~ en degrés* Gradeinteilung *f; ~ des pouvoirs (pol)* Gewaltenteilung *f; ~ du risque (com)* Risikoausgleich *m; ~ du travail* Arbeitsteilung *f;* **~ionnaire** *a* Divisions-, Abteilungs-; *s m* Divisionsgeneral *m; monnaie f* ~ Scheidemünze *f.*

divorc|e [divɔrs] *m* Ehescheidung (*d'avec, avec* von); *allg* Trennung *f;* Gegensatz *m; ~-éclair m* Blitzscheidung *f;* **~é, e** *a* geschieden; *s m f* Geschiedene(r *m*) *f;* **~er** sich scheiden lassen (*d'avec qn* von jdm); *allg* brechen (*avec* mit), verzichten (*avec* auf *acc*).

divul|gateur, trice [divylgatœr, -tris] *m f* Verbreiter(in *f*) *m (e-r Nachricht);* **~gation** *f* Verbreitung *f;* **~guer** [-ge] verbreiten, unter die Leute bringen; verraten, aus⸗plaudern; **~sion** [-sjɔ̃] *f* Zerreißung *f;* Riß *m.*

dix [dis, di(z)] zehn; *s m* Zehn(er *m*) *f;* (der) Zehnte; **~-huit** [dizɥi(t)] achtzehn; **~-huitième** *a* achtzehnte(r, s); *s m* Achtzehntel *n;* **~ième** [dizjɛm] *a* zehnte(r, s); *s m* Zehntel *n;* **~ièmement** zehntens; **~-neuf** [diznœf] neunzehn; **~-neuvième** *a* neunzehnte(r, s); *s m* Neunzehntel *n;* **~-sept** [disɛt] siebzehn; **~-septième** *a* siebzehnte(r, s); *s m* Siebzehntel *n.*

dizain [dizɛ̃] *m* Zehnzeiler *m (Gedicht);* **~e** [-zɛn] *f: une ~e de* (etwa) zehn; *math* Zehner; *rel* Rosenkranzzehner *m.*

dizygote [dizigɔt] *a (Zwillinge)* zweieiig.

do [do] *m mus* C, c *n.*

docil|e [dɔsil] folgsam, fügsam; **~ité** *f* Folgsamkeit, Fügsamkeit *f.*

docimasie [dɔsimazi] *f min* Probierkunst *f.*

dock [dɔk] *m mar* Dock; Lagerhaus, Magazin *n,* Silo *m; ~ flottant* Schwimmdock *n;* **~er** [-kɛr] *m* Dock-, Hafenarbeiter *m.*

doct|e [dɔkt] *a* gelehrt; pedantisch; *s m* Gelehrte(r) *m;* **~eur** *m* Doktor; (hervorragender) Lehrer, Meister *m; être reçu ~* promovieren, *fam* s-n Doktor machen; *femme f ~* Doktorin; Ärztin *f; ~ en droit* Dr. jur. *m; ~ de l'Église* Kirchenlehrer *m; ~ ès lettres* Dr. phil. *m; ~ de la Loi* Schriftgelehrter *m; ~ (en) médecin(e)* Dr. med. *m; ~ ès sciences* Dr. rer. nat. *m; ~ en théologie* Dr. theol. *m;* **~oral, e** [-tɔ-] Doktor(en)-; pedantisch; **~orat** [-ra] *m* Doktorwürde *f,* -grad, -titel *m;* Doktorprüfung *f,* -examen *n;* Promotion *f;* **~oresse** *f* Ärztin *f.*

doctri|naire [dɔktrinɛr] doktrinär; **~nal, e** der Lehre entsprechend; theoretisch; *s m pol* Theoretiker *m;* **~narisme** *m pol* Doktrinarismus *m;* **~ne** *f* Lehre, Doktrin *f.*

document [dɔkymɑ̃] Dokument *n,* Urkunde *f; pl* Unterlagen *f pl,* Papiere *n pl; revêtir un ~ de sa signature* ein Dokument unterzeichnen; *~s comptables* Buchungsbelege *m pl; ~s d'embarquement* Verschiffungsdokumente *n pl;* **~aire** [-tɛr] *a* urkundlich, dokumentarisch; *s m* u. *film ~* Kulturfilm *m;* **~ation** *f* urkundliche(s) Beweismaterial *n;* Unterlagen *f pl; com* Katalog *m; réunir la ~* die Unterlagen zs.⸗stellen; **~er** Urkunden erbringen (*qc* über e-e S); (urkundlich) belegen; mit Unterlagen versehen (*qn* jdn); informieren; *se ~* Unterlagen sammeln; sich *dat* Belege verschaffen.

dodéca|èdre [dɔdekaɛdr] *m math* Dodekaeder *n,* Zwölfflächner *m;* **~gone** *m* Zwölfeck *n.*

dod(el)iner [dɔd(l)ine] *tr (Kind, Kopf)* wiegen, leicht hin- u. her⸗bewegen; *itr* wackeln (*de la tête* mit dem Kopf).

dodo [dɔdo] *m (Kindersprache)* Schlaf *m;* Zubettgehen *n;* Heia, Bettchen *n; faire ~* schlafen; *mettre au ~* ins Bett bringen.

dodu, e [dɔdy] fleischig; dick, fett; drall.

dogm|atique [dɔgmatik] *a rel* dogmatisch; *fig* entschieden, pedantisch; *s f rel* Dogmatik *f;* **~atiser** *rel* lehren; entschieden *od* in lehrhaftem Ton sprechen *od* schreiben; **~atisme** *m* Dogmatismus *m,* dogmatische Haltung *f od* Äußerungen *f pl;* **~e** *m rel* Dogma *n; allg* Lehre *f,* Lehrsatz *m.*

dogre [dɔgr] *m* Dogger *m (Fischereifahrzeug).*

dogu|e [dɔg] *m* (Bull-)Dogge *f; fig* bärbeißige(r) Mensch *m; caractère m, humeur f de ~* Bärbeißigkeit *f;* **~in, e** *m f* junge Dogge *f.*

doigt [dwa] *m* Finger *m; (~ de pied)* Zehe; *zoo* Klaue *f; tech* Hebel *m,* Klinke, Taste *f,* Bolzen *m; pl (Hirsch-*

geweih) Augensprossen *f pl; mus* Fingersatz *m; un ~ de* ein bißchen, ein wenig; *à deux ~s de* ganz nahe bei, an; unmittelbar vor; *du bout du ~* mit Fingerspitzen, vorsichtig; *sur le bout du ~* im Schlaf, aus dem Effeff; *avoir de l'esprit jusqu'au bout des ~s* grundgescheit, sehr geistreich sein; *avoir des yeux au bout des ~s* sehr feinfühlig *od* geschickt sein; *compter, calculer sur, avec ses ~s* an den Fingern her=zählen; *donner sur les ~s à qn* jdm auf die Finger klopfen; *être (comme) les deux ~s de la main* ein Herz u. eine Seele sein; *ne faire œuvre de ses dix ~s* keinen Handschlag tun, keinen Finger krumm machen; *se mettre, se fourrer le ~ dans l'œil* sich ins eigene Fleisch schneiden; sich sehr irren; *mettre le ~ sur la plaie (fig)* wissen, wo der Schuh drückt; *montrer du, au, avec le, du bout du ~* mit dem Finger zeigen (*qn* auf jdn); *se mordre les ~s, mordre ses ~s* sehr ungeduldig sein; *fig* bereuen (*de qc* e-e S); *obéir au ~ et à l'œil* aufs Wort gehorchen; *ne pas remuer le petit ~* keinen Finger rühren; *toucher du ~* deutlich sehen, klar erkennen; *ne pas toucher du bout du ~* nicht an=rühren; *ça ne vous brûlera pas les ~s* das wird nicht so heiß (aus-)gegessen; *les ~s me démangent* die Hand juckt mir, es reizt mich; *petit ~, ~ auriculaire* kleine(r) Finger *m; ~ de contact (tech)* Kontaktfinger; *mot* Abreißhebel *m; ~ d'entraînement (tech)* Mitnehmer *m; ~ de fée* große Fingerfertigkeit *f;* **~é** [-te] *m mus* Fingersatz *m;* Anschlag *m; allg* Fingerfertigkeit *f; fig* Fingerspitzengefühl *n;* **~er** *itr mus* die Finger richtig setzen; *tr (Noten)* mit dem Fingersatz bezeichnen; **~ier** [-tje] *m* Fingerling; *bot* Fingerhut *m.*

doit [dwa] *m com* Soll, Debet *n;* Soll-, Debetseite *f; ~ et avoir m* Soll u. Haben *n.*

dol [dɔl] *m jur* arglistige Täuschung *f;* Vorsatz *m.*

dol|éances [dɔleɑ̃s] *f pl* Klagen, Beschwerden *f pl;* **~ent, e** [-lɑ̃, -ɑ̃t] jammernd, kläglich; leidend.

doler [dɔle] *tech vx* mit dem (Dachs-) Beil glätten.

dolichocéphale [dɔlikosefal] *a* langschädlig; *s m f* Langschädel *m.*

dolmen [dɔlmɛn] *m* Dolmen *m (keltisches Hünengrab).*

doloire [dɔlwar] *f* Böttcher-, Dachsbeil; Kerbmesser *n.*

dol|omie [dɔlɔmi], **~omite** *f min* Dolomit *m.*

dolosif, ive [dɔlozif, -iv] *jur* arglistig; vorsätzlich.

doma|ine [dɔmɛn] *m* (Land-)Gut *n,* Länderei, Domäne *f; fig* Bereich *m* u. *n,* Gebiet, Fach *n,* Kompetenz, Zuständigkeit *f; dans tous les ~s* auf allen Gebieten; in jeder Beziehung; *tomber dans le ~ public (geistiges Eigentum)* frei werden; *D~ (de l'État)* Staatsdomänen, -güter; staatl. Domänenverwaltung *f; ~ aérien (aero)* Luftraum *m; ~ d'application* Geltungs-, Anwendungsbereich *m; ~ immobilier* Liegenschaft *f; ~ public* Gemeingut *n;* **~nial, e** [-manjal] Staats-, Domänen-; *forêt f ~e* Staatsforst *m.*

dôme [dom] *m* (italien.) Dom *m; arch* Kuppel *f; poet* Gewölbe *n; tech* Kuppel, Haube *f;* Deckel *m; geol* Kuppe *f.*

domest|ication [dɔmɛstikasjɔ̃] *f* Domestikation; Zähmung *f;* **~icité** *f* Hausangestelltenverhältnis *n;* Hausangestellte(n) *pl,* Personal *n;* Zahmheit *f;* **~ique** *a* Haus-; häuslich; einheim isch; innere(r, s); zahm; *s m f;* Hausangestellte(r *m*) *f; m* Personal *n; charbon m ~* Hausbrandkohle *f; économie f ~* Hauswirtschaft *f; état m ~* Hausangestelltenverhältnis *n;* **~iquer** domestizieren; zähmen.

domicil|e [dɔmisil] *m* Wohnsitz, -ort *m;* Wohnung *f; à ~* ins, zu, frei Haus; vom Hause; *sans ~ fixe* ohne festen Wohnsitz; *changer de ~* den W. wechseln; *établir son ~* s-n W. auf=schlagen (*à* in); *prendre, remettre à ~* vom Hause ab=holen; ins Haus liefern; *changement m de ~* Wohnungs-, Wohnortwechsel *m; livraison à ~* Lieferung *f* frei Haus; *prise, remise f à ~* Abholung *f* vom Hause; Lieferung *f* ins Haus; *travail m à ~* Heimarbeit *f; violation f de ~* Hausfriedensbruch *m;* **~iaire** *a* Haus-; *visite f ~* Haussuchung *f;* **~iation** *f (Wechsel)* Domizilierung *f;* **~ié, e** ansässig, wohnhaft; **~ier** unter=bringen; *(Wechsel)* domizilieren; *se ~* sich nieder=lassen.

domin|ant, e [dɔminɑ̃, -ɑ̃t] *a* (vor-) herrschend, überwiegend; Haupt-; *biol* dominant; *s f* Hauptzug *m; mus* Dominante *f;* **~ateur, trice** *s m f* (Be-)Herrscher(in *f*) *m; a* beherrschend; herrschsüchtig; **~ation** *f* Herrschaft, Beherrschung *f;* **~er** *tr itr* (be)herrschen, Herr sein (*sur* über *acc*); vor=herrschen (*dans* in *dat*); heraus=ragen (*qc* über e-e S), überwiegen; überragen (*de la tête* um

Haupteslänge); *(Geräusch)* übertönen.

domin|icain, e [dɔminikɛ̃, -ɛn] *m f rel* Dominikaner(in *f*) *m;* **~ical, e** sonntäglich; des Herrn *(Gottes); oraison f ~e* Vaterunser *n.*

domino [dɔmino] *m* Domino *m (Maskenkostüm); pl* Domino(spiel) *n.*

dommage [dɔmaʒ] *m* Schaden, Verlust, Nachteil *m,* Beschädigung *f; causer, être responsable du ~* Sch. an≈richten *od* verursachen; für den Sch. haften; *éprouver, subir un ~* Sch. leiden; *intenter une action en ~s--intérêts* auf Schadenersatz klagen; *supporter le ~* den Sch. tragen; *régler, réparer les ~s* den Sch. regeln, wiedergut≈machen; *(c'est) ~* das ist schade, es ist sch. (*de* um; *que* mit *subj* daß); *quel ~!* wie schade! *constatation f des ~s* Schadensfeststellung *f; ~ corporel, matériel* Personen-, Sachschaden *m; ~s (matériels) de guerre* Kriegs(sach)schäden *m pl; ~s et intérêts m pl* Schadenersatz *m; ~ partiel* Teilschaden *m; ~ pécuniaire* Vermögensschaden *m;* **~able** nachteilig; schädlich.

dompt|er [dɔ̃te] bezwingen, unterwerfen; zähmen, bändigen *a. fig;* **~eur** *m* Dompteur, Tierbändiger *m.*

don [dɔ̃] *m* Geschenk *n,* Schenkung, Spende; Gabe, Fähigkeit *f,* Talent *n; faire ~ de qc à qn* jdm etw schenken; *faire ~ de qc* etw verschenken; *~s de la fortune* Glücksgüter *n pl; ~ en nature* Sachspende *f;* **~ataire** [dɔ-] *m f* Beschenkte(r *m*) *f;* **~ateur, trice** *m f* Schenkende(r *m*) *f;* **~ation** *f* Schenkung(surkunde) *f; ~ entre vifs* Schenkung *f* unter Lebenden.

donc [dɔ̃k] also, folglich; denn (eigentlich); doch; *allons ~!* nanu! ich bitte Sie!

dondon [dɔ̃dɔ̃] *f fam* dicke(s) Weib, Elefantenküken *n.*

donjon [dɔ̃ʒɔ̃] *m* Bergfried *m.*

donn|ant, e [dɔnɑ̃, -ɑ̃t] gebefreudig, freigebig; *~ ~* gibst du mir, so geb' ich dir; Zug um Zug; **~e** *f* (Karten-)Geben *n; fausse ~* Vergeben *n; à qui la ~?* wer gibt? *à vous la ~* Sie geben; **~ée** *f* Grundlage *f,* Ausgangspunkt *m;* Gegebenheit *f; poet* Vorwurf *m; math* bekannte Größe *f; pl* Gegebenheiten, Tatsachen *f pl;* Merkmale *n pl;* Angaben *f pl; inform* Daten *n pl; communication, transmission de ~s* Datenübertragung *f,* Datenverkehr *m; ~s chronologiques* geschichtliche Daten *n pl;* **~er** *tr* geben, schenken; ver-, aus≈teilen; *(Befehl)* erteilen; *(Grund)* an≈geben; überlassen; *(Titel a. fig)* verleihen; bringen, be-, verschaffen, besorgen; *(Beweis)* liefern; hervor≈bringen, erzeugen, her≈geben; *(Früchte)* tragen; verursachen, machen; übergeben, -tragen, gewähren; an≈vertrauen, überantworten, aus≈liefern; verwenden; widmen, opfern; mit≈teilen, von sich geben, an den Tag legen; *(Meinung)* äußern; *theat* geben, auf≈führen; *(Fest)* veranstalten; zu≈schreiben, -erkennen; vor≈schreiben, diktieren; zeigen, dar≈legen; zu erkennen geben; *(Vortrag)* halten; *(Buch)* heraus≈geben; *pop* verraten (*qn* jdn); *itr agr* (gut) tragen; ergiebig sein; an≈greifen (*sur qc* etw); an≈rennen (*contre* gegen); (hinein≈)geraten, -stoßen, -gehen, -fahren (*dans, à* auf, in *acc*); Glauben schenken (*dans qc* dat); eitern; stoßen (*sur* auf *acc*), geraten (*à* auf *acc*); sich stürzen (*sur* auf *acc*); *(Fenster, Zimmer)* gehen, liegen (*sur* auf *acc,* nach); *mot* an≈springen; *(Sonne)* scheinen; *(Licht)* fallen; *étant ~é que (conj)* da, weil; *~ acquit, quittance* quittieren; *~ l'alarme* Alarm schlagen; *~ l'assaut* an≈greifen; *~ atteinte* schaden (*à qn* jdm), schädigen (*à qn* jdn); *~ avis (com)* avisieren (*de* acc); *~ une bataille* e-e Schlacht liefern *od* schlagen; *la ~ belle à qn* jdm etw vor≈machen; *~ du bénéfice* Gewinn ab≈werfen; *~ le bonjour* guten Tag sagen; *~ des bornes* Grenzen setzen (*à qc* dat); *~ au but* ins Ziel treffen; *~ la chasse à qc* auf e-e S Jagd machen; *~ congé à qn* jdm kündigen; *~ son consentement* zu≈stimmen; *en ~ de toutes les couleurs* Räubergeschichten erzählen; *~ un coup* e-n Schlag versetzen; *~ un coup d'épaule à qn* jdm (nach≈, aus≈) helfen; *~ un coup de téléphone* an≈rufen (*à qn* jdn); *~ libre cours* freien Lauf lassen; *~ de cul et de tête (fam)* sich ins Geschirr, Zeug legen; *~ décharge* Entlastung erteilen (*à qn* jdm); *~ dedans (fig)* herein≈fallen; *~ un devoir* e-e Aufgabe stellen; *~ du (de la) ... à qn* jdn betiteln mit; *~ un effet rétroactif* rückwirkend in Kraft setzen (*à qc* etw); *~ de l'effroi* Schrecken ein≈jagen; *~ à entendre* zu verstehen geben; tief blicken lassen; *~ de l'espoir* Hoffnung machen; *~ en gage* verpfänden; *~ des gages* verbürgen (*de qc* etw); *~ au hasard* dem Zufall überlassen; *~ son heure* e-e Zeit bestimmen *od* an≈setzen; *~ de l'humeur* verstimmen (*à qn* jdn); *~ de l'inquiétude* beunruhigen (*à qn* jdn); *~ de la joie* Freude machen *od* bereiten; ~ *jour à qn, qc* jdm, e-r S zum Erfolg verhelfen; ~ *le jour à qc* etw ins Leben rufen; (*à un enfant* e-m Kind) das Leben schenken; ~ *un jour à qn* jdm e-n Tag fest=setzen; ~ *lecture de qc* etw verlesen; ~ *lieu à* veranlassen, Veranlassung geben zu; *en ~ du long et du large, tout du long de l'aune à qn* jdn verdreschen, verprügeln; durch den Kakao ziehen, verhohnepipeln; ~ *du mal, du fil à retordre* sehr zu schaffen machen; ~ *(une maladie) à qn* jdn (mit e-r Krankheit) an=stecken; ~ *en mariage* zur Frau geben; ~ *tout au monde* das Letzte geben (*pour* für); ~ *la mort* töten (*à qn* jdn); e-n großen Schmerz bereiten; ~ *naissance (fig)* verursachen; ins Leben rufen (*à qc* etw); ~ *sur les nerfs* auf die Nerven gehen *od* fallen; *ne pas ~ une obole de (fig)* nicht e-n Pfennig geben für; ~ *dans l'œil, dans la vue (fig fam)* in die Augen stechen; ~ *un œuf pour un bœuf* mit der Wurst nach der Speckseite werfen; ~ *des otages* Geiseln stellen; ~ *dans le panneau, dans le piège* herein=fallen; ~ *passage, libre cours à* freien Lauf lassen *dat;* ~ *de la peine* Mühe machen; ~ *à penser* od *songer* od *réfléchir* zu denken geben; ~ *une poignée de main à qn* jdm die Hand drücken; ~ *pour* hin=stellen, aus=geben als; ~ *prise* sich e-e Blöße geben; ~ *procuration (com)* Prokura erteilen; ~ *une question, un problème* e-e Frage, ein Problem stellen *od* auf=werfen; ~ *raison, tort* recht, unrecht geben (*à qn* jdm); ~ *rendez-vous à qn* jdn bestellen; ~ *de bons résultats* gute Ergebnisse erzielen; sich bewähren; ~ *son reste à qn (fam)* jdm den Rest geben; ~ *le sein* stillen (*à un enfant* ein Kind); ~ *un siège* e-n Stuhl an=bieten; ~ *tête baissée (basse) dans (fig)* sich (kopfüber) stürzen in *acc;* ~ *sa tête à couper* Feuer u. Flamme sein; *ne savoir où ~ de la tête* nicht wissen, wo e-m der Kopf steht; ~ *la torture* auf die Folter spannen (*à qn* jdn); ~ *un bon tour* heraus=streichen (*à qc* etw); ~ *un mauvais tour* herunter=machen (*à qn* jdn); ~ *la vie, le jour à un enfant* e-m Kind das Leben schenken; ~ *de la voix (Hund)* an=schlagen; *quel âge me ~ez-vous?* wie alt schätzen Sie mich? *je vous le ~e en dix, cent, mille* das raten Sie nicht; *on lui en ~a (fam)* man wird ihm was husten; *je ~e ma tête à couper* darauf können Sie Gift nehmen; ~ *et retenir ne vaut* geschenkt ist geschenkt; *je me demande ce que ça va ~* ich frage mich, was daraus wird; **se ~** sich hin=, sich ergeben, sich widmen; *theat* aufgeführt werden; sich zu=schreiben; sich aus=geben (*pour qc* für etw); sich stoßen, sich schlagen (*de* mit); *se ~ des airs, de grands airs* sich auf=spielen, an=geben; *se ~ le bras* Arm in Arm gehen; *se ~ une entorse* sich (den Fuß) verrenken; *se ~ une indigestion* sich den Magen verderben; *se ~ du mal* sich an=strengen; *se ~ la mort* sich das Leben nehmen; *se ~ le mot* sich ins Einvernehmen setzen; überein=kommen; *se ~ du mouvement* sich Bewegung verschaffen; *se ~ de la peine* sich Mühe geben; *se ~ en spectacle* sich zur Schau stellen; *se ~ du bon temps* sich das Leben schön machen; **~eur, euse** *m f* Geber(in *f*) *m; pop* Denunziant *m; med* Spender(in *f*) *m;* ~ *d'ordre* Auftraggeber *m;* ~ *de sang* Blutspender *m.*

dont [dõ] **1.** *prn* dessen, deren; von, aus, mit dem, der, denen, welchem, welcher, welchen; wovon, woraus, womit; **2.** *s m* Lieferungs-, Vorprämie *f.*

donzelle [dõzɛl] *f* Frauenzimmer, Weibsstück *n.*

dop|er [dɔpe] *sport* dopen; **~ing, ~age** [-iŋ] *m* Dopen, Doping *n.*

dorade [dɔrad] *f* Goldbrasse(n *m*), -makrele *f;* ~ *chinoise* Goldfisch *m.*

doré, e [dɔre] *a* golden, goldglänzend; *(Küche)* (safran)gelb; goldbraun gebacken; *fig* glanzvoll, glänzend; glücklich; *(Sprache, Worte)* schmeichelhaft, verführerisch; *s m fam* Glückspilz *m; langue f ~e* gewandte Zunge *f;* gewandte(r) Redner *m; veine f ~e* poetische Ader *f;* ~ *sur tranche (Buch)* mit Goldschnitt; *com* ganz sicher.

dorénavant [dɔrenavɑ̃] *adv* von nun an, von jetzt ab; künftig, in Zukunft.

dor|er [dɔre] vergolden *a. fig;* mit Gold besticken *od* besetzen; *(Küche)* mit Eigelb überziehen; *fig* beschönigen; versüßen, schmackhaft machen, annehmbar machen; **~eur** *m* Vergolder *m.*

dor|ien, ne [dɔrjɛ̃, -ɛn] *a hist* dorisch; **~ique** *a arch* dorisch; *s m* dorische Säulenordnung *f.*

dorloter [dɔrlɔte] verzärteln, verhätscheln; *se ~* sich das Leben angenehm machen.

dorm|ant, e [dɔrmɑ̃, -ɑ̃t] *a* schlafend; *tech* fest(stehend); *s m* Schlafende(r); *arch* Ständer, Kämpfer; Türpfosten; Blendrahmen *m;* Fensterfutter *n;*

Grund-, Bodenschwelle *f; eau f ~e* stehende(s) Gewässer; *fig* stille(s) Wasser *n (Person); ~ de table* Tafelaufsatz *m;* **~eur, se** *a* schläfrig; *s m f* (Lang-) Schläfer(in *f*) *m; f* Liegesofa; Ohrschraube, -perle *f;* **~ir** *irr* schlafen; *fig* ruhen; (still=)stehen; ein=schlafen (*sur qc* bei etw); *(Segel)* schlaff herunter=hängen; *(Kreisel)* stehen; *(Geld)* nicht arbeiten; *laisser ~* nicht an=rühren, (auf sich be)ruhen lassen; *~ à bâtons rompus* mit Unterbrechungen schlafen; *ne pas ~ de qc* wegen *od* vor etw nicht schlafen können; *~ comme un loir, une marmotte, une souche* wie ein Murmeltier schlafen; *ne ~ que d'un œil, sur une oreille, les yeux ouverts* schlecht schlafen; e-n leichten Schlaf haben; *~ à poings fermés* wie e-e Ratte schlafen; *~ du sommeil du juste* den Schlaf des Gerechten schlafen; **~itif, ive** *a pharm* Schlaf-; *s m* Schlafmittel *n.*

dorsal, e [dɔrsal] *a anat* Rücken-; *s m* Rückenmuskel *m; f geog* Bergrücken *m; mil* Rückenlinie *f; ~e anticyclonique (Meteorologie)* Hochdruckkeil *m.*

dortoir [dɔrtwar] *m* Schlafsaal *m.*

dorure [dɔryr] *f* Vergoldung *f;* Ei *n* zum Bestreichen von Teig; *fig (falscher)* Schein *m; ~ sur tranche* Goldschnitt *m.*

doryphore [dɔrifɔr] *m* Kartoffelkäfer *m.*

dos [do] *m* Rücken *m;* Rückenlehne; Rückseite *f; à ~* hinter, *fig* gegen sich; *au ~ de qc* auf der Rückseite e-r S; *dans le ~* auf dem Rücken; *en ~ d'âne* sattelförmig; Sattel-; *agir dans le ~ de qn* hinter jds Rücken handeln; *avoir bon ~ (fig)* e-n breiten Rücken, Buckel haben; *avoir le ~ large* breite Schultern haben; *n'avoir pas une chemise à se mettre sur le ~ (fig)* kein Hemd auf dem Leibe haben; *être sur le ~ (fam)* lang=liegen *(a. krank); être sur le ~ de qn* jdm auf der Tasche liegen; hinter jdm her sein; *faire le gros ~ (Katze)* e-n Buckel machen; *fig* sich in Positur werfen; *se laisser manger la laine sur le ~* sich das Fell über die Ohren ziehen lassen; *mettre qc sur le ~ de qn (fig)* jdm etw auf=laden; *mettre tout sur le ~* sich alles auf den Leib hängen; *mettre, renvoyer ~ à ~* keiner *(von zwei Parteien)* recht geben; *se mettre qn à ~* jdn gegen sich auf=bringen; *porter qc sur son ~* die Last e-r S, für etw die Verantwortung tragen; etw auf dem Halse haben; *tomber sur le ~ de qn* über jdn her=fallen; *fig* jdm auf den Hals rücken; *tourner, montrer le ~ à qn* jdm den Rücken kehren; *j'en ai plein le ~ (pop)* ich habe die Nase voll; *cela vous retombera sur le ~* Sie haben die Folgen davon zu tragen; *chaise f à ~* Lehnstuhl *m; ~ de la main, du nez* Hand-, Nasenrücken *m; ~ du pied* Spann *m.*

dos|age [dozaʒ] *m pharm* Dosierung *f;* Mischungsverhältnis *n;* **~e** *f* Dosis *f; fig* (gehöriges) Maß *n;* **~er** dosieren, ab=, zu=messen; *chem* quantitativ *od* qualitativ bestimmen.

doss|ard [do(ɔ)sar] *m* Rückennummer *f (e-s Rennfahrers);* **~e** *f* Futter-, Schalbrett *n,* Schwarte *f;* **~eret** [-rɛ] *m* Eckpfeiler, Mauervorsprung *m;* Rückenverstärkung *f (e-r Handsäge);* **~ier** *m* (Rücken-)Lehne; Rückwand *f; mot* Rücksitz *m; (Bett)* Kopfbrett *n;* Aktendeckel *m,* Sammelmappe *f;* Akten(bündel *n*) *f pl;* Strafregister *n; joindre au ~* ab=legen; *~-classeur m* Ordner *m (für Akten); ~ personnel, individuel* Personalakten *f pl; ~-lit m* Rückenstütze *f (für Kranke); ~ rabattable* verstellbare Rückenlehne *f;* **~ière** *f (Pferdegeschirr)* Tragriemen *m.*

dot [dɔt] *f* Mitgift; Aussteuer *f,* Heiratsgut *n;* **~al, e** Mitgift-, Aussteuer-; *régime m ~ (jur)* Gütertrennung *f;* **~age** *m* Dotierung *f;* **~ation** *f* Schenkung; Ausstattung; Dotation; Zuweisung *f; ~ initiale* Erstausstattung *f;* **~er** aus=steuern; dotieren; aus=statten *a. fig* (*de* mit).

douair|e [dwɛr] *m jur* Wittum *n;* **~ière** *s f* Witwe *f* von Stande *(mit Wittum); a: reine f ~* Königinwitwe *f.*

douan|e [dwan] *f* Zoll(amt *n,* -verwaltung, -grenze *f*) *m; procéder aux formalités de ~* zollamtlich ab=fertigen (*avec qn* jdn); *agent m des ~* Zollbeamte(r) *m; bureau m de la ~* Zollamt *n; déclaration f en ~* Zolldeklaration *f; droits m pl de ~* Zollgebühren *f pl; règlements m pl de ~* Zollvorschriften *f pl; soumis aux droits de ~* zollpflichtig; *visite f de ~* Zollrevision *f; ~ d'entrée, de sortie* Einfuhr-, Ausfuhrzoll *m;* **~ier, ère** *a* Zoll-; *s m* Zollbeamte(r) *m; barrières f pl ~ères* Zollschranken *f pl; recettes f pl ~ères* Zolleinnahmen *f pl; tarif m ~* Zolltarif *m; union f ~ère* Zollunion *f,* -verein *m.*

douar [dwar] *m (arab.)* Zeltlager, -dorf *n.*

doubl|age [dublaʒ] *m* Doppelung *f; (Stoff)* Futter *n;* Einlage; *mar* Spiekerhaut *f;* Beschlag *m; film* Synchronisierung *f; mot* Überholen *n; ~ amovible, mobile* ausknöpfbare(s) Futter *n;* ~**e** *a* doppelt; Doppel-; zweifach; besonders gut *od* stark; *(Blume)* gefüllt; *fig* doppelzüngig, falsch; *s m* (das) Doppelte; Duplikat *n,* Zweitausfertigung; Dublette *f;* Doppelgänger; *theat* Vertreter(in *f*) *m; film* Double; *(Tennis)* Doppel *n; mar* Zweier *m; à ~ face (Kleidung)* doppelseitig zu tragen; *à ~ sens* zweideutig; *à ~ traction (loc)* mit zwei Lokomotiven; *au ~* doppelt *(bezahlen); avoir en ~* doppelt haben; *faire coup ~* zwei Fliegen mit e-r Klappe schlagen; *faire ~ emploi* überflüssig sein; *fermer à ~ tour* den Schlüssel zweimal herum⸗drehen; *mettre en ~* einfach falten; *adv: payer, voir ~* doppelt bezahlen, sehen; *étoffe f ~ face* zwei-, doppelseitige(r) Stoff *m; étoile f ~* Doppelstern *m; lettre f ~* Doppelbuchstabe *m; partie f ~* doppelte Buchführung *f; prise f ~* Doppelstekker *m; voiture f à ~ commande* Fahrschulauto *n; ~ m dames, messieurs (Tennis)* Damen-, Herrendoppel *n; ~ décision de l'OTAN* NATO-Doppelbeschluß *m; ~ emploi m (com)* doppelte Aufführung; *allg* unnütze Wiederholung; Überschneidung *f; ~ fenêtre f* Doppelfenster *n; ~ menton m* Doppelkinn *n; ~ m mixte* gemischte(s) Doppel *n; ~ sens m, entente f* Doppelsinn *m; ~-toit m* Überdach *n (Zelt);* ~**é, e** *s m* Dublee *n,* plattierte Arbeit *f; com* Nachgeschäft *n; (Billard)* Stoß *m* mit Bande; Doppelgewinn *m; a* verdoppelt; gefüttert; plattiert; *(Fahrzeug)* überholt; ersetzt; synchronisiert; *~ de* und zugleich; *~ or, (d')argent* Gold-, Silberdublee *n;* ~**eau** *m arch* Gurt(bogen) *m;* ~**ement** *m* Verdoppelung; *geol* Doppellagerung *f;* ~**er** *tr* verdoppeln; falten; *(Kleidungsstück)* füttern, unterlegen, plattieren; vorbei⸗gehen, -fahren (*qc* an e-r S); *fig* vermehren, -stärken, erhöhen; *theat* vertreten; vertretungsweise spielen; *film* synchronisieren; *mar* umschiffen; *tech* dublieren, plattieren; *typ (versehentlich)* doppelt setzen; *mot* überholen; *sport* überrunden; *itr* aufs Doppelte an⸗wachsen *od* steigen; *~ le pas* s-e Schritte verdoppeln; *fig* sich eifriger bemühen; *défense de ~* nicht überholen! ~**et** [-blɛ] *m* falsche(r) (Edel-)Stein; *(Spiel)* Pasch *m; gram* Dublette; *opt* Doppellinse *f;* ~**euse** *f* Dubliermaschine *f;* ~**ier** *m agr* Doppelraufe *f;* ~**on** *m typ (fehlerhafte)* Verdoppelung *f;* ~**ure** *f* Futter *n (Stoff); theat* Vertreter(in *f*) *m (für e-n (e-e) Schauspieler(in)); film* Double *n; ~ (d'hiver) amovible* ausknöpfbare(s) (Winter-)Futter *n; ~-lumière m (film)* Lichtdouble *n.*

douc|e-amère [dusamɛr] *f bot* Bittersüß *n;* ~**eâtre** [-satr] süßlich, fade; *fig* abgeschmackt; ~**ement** *adv* sanft, sacht, behutsam; leise; langsam, ohne Überstürzung; schonend; ruhig, geduldig; in aller Stille, heimlich; in angenehmer Weise; *fam* mittelmäßig, so lala; *interj* sachte! langsam! ~**ereux, se** süßlich, widerlich süß; *fig* affektiert; katzenfreundlich; ~**ette** *f* Acker-, Feldsalat *m;* ~**ettement** *adv fam* ganz sanft, sacht, gemütlich; ~**eur** *f* Süße, Süßigkeit; Sanftmut, Zartheit, Freundlichkeit, Milde; Lieblichkeit, Annehmlichkeit; (Seelen-) Ruhe; *tech* Schmiedbarkeit *f; pl* Süßigkeiten, Leckereien; galante Reden, Schmeicheleien *f pl;* Trinkgelder *n pl; en ~* mit Bedacht; in (aller) Ruhe; sacht(e).

douch|e [duʃ] *f* Dusche, Brause(bad *n*); *fig* (kalte) Dusche *f; prendre une ~* duschen; ~**er** (ab⸗)duschen; völlig durch⸗nässen; *fig fam* ab⸗kühlen (*qn* jdn), ernüchtern; *se ~* ein Brausebad nehmen, duschen.

doucin [dusɛ̃] *m* wilde(r) Apfelbaum *m.*

doucine [dusin] *f arch* Karnies *n;* Karnieshobel *m.*

doucir [dusir] *(Glas)* schleifen; *(Metall)* schlichten, polieren.

dou|é, e [dwe] begabt (*de* mit); ~**er** versehen, aus⸗statten (*de* mit).

douill|e [duj] *f tech* Tülle, (*a.* Geschoß-)Hülse, Buchse; *el* Fassung *f; arg* Geld; *pl* Haar(e) *n (pl); ~ d'accouplement (el)* Steckbuchse *f;* ~**er** *(pop)* blechen, bezahlen.

douillet, te [dujɛ, -t] *a* weich, mollig; gemütlich, bequem; *fig* weichlich, empfindlich, zimperlich; *s m* Weichling *m; f* warme(r) Morgenrock; wattierte(r) Mantel; *Art* Polstersessel *m.*

doul|eur [dulœr] *f* Schmerz *m;* Pein *f;* Leid *n; pl* rheumatische, neuralgische Schmerzen *m pl;* Wehen *f pl;* ~**oureux, se** [-lurø, -øz] *a* schmerzhaft; (über)empfindlich; *fig* schmerzlich; schmerzbewegt; *fam* schwierig; *s f fam* Rechnung *f.*

dout|e [dut] *m* Zweifel; Verdacht *m,* Vermutung *f;* Bedenken *n;* Besorgnis, Befürchtung *f; sans ~* gewiß, sicher(lich), wahrscheinlich; (doch) wohl, allerdings; *sans aucun ~* zweifellos, ganz bestimmt; *avoir des ~s* Zweifel hegen (*sur* wegen, hinsichtlich); *être dans le ~* nicht recht wissen, im Zweifel sein (*au sujet de* wegen); *ne faire aucun, pas de ~* fest=stehen; *laisser dans le ~ (jdn)* im Zweifel, *(etw)* im unklaren lassen; *mettre, révoquer en ~* in Zweifel ziehen; *cela est hors de ~* das ist über jeden Zweifel erhaben; **~er** zweifeln (*de* an *dat*), bezweifeln (*de qc* etw); nicht (recht) wissen; mißtrauen (*de qn* jdm); *ne ~ de rien* nicht zögern, zaudern; blind drauflos=gehen; sich (zu-)viel zu=trauen; *se ~ de qc* etw ahnen, vermuten; *ne pas se ~ de (fam)* keine Ahnung haben von; *je m'en ~e* das kann ich mir denken; **~eur, se** *s m f* Zweifler(in *f*) *m; a* zweifelnd, zum Zweifel neigend; **~eux, se** zweifelhaft, ungewiß, unsicher, fraglich; zweideutig, verdächtig; von zweifelhaftem Wert; *(Licht)* schwach, trübe.

douvain [duvɛ̃] *m* Daubenholz *n.*

douve [duv] *f* (Faß-)Daube *f;* Wassergraben; *(Pferderennen)* Wassergraben *m* mit Hürde; *bot* Sumpfhahnenfuß *m.*

doux, ce [du, dus] süß; fade; sanft, milde, zart, weich; leicht, mäßig; lau, lind, gelind(e); langsam; angenehm, erfreulich; liebenswürdig, freundschaftlich; sanftmütig, ruhig, friedlich; *(Pferd)* fromm; zahm; *(Droge)* weich; *s m* Süße(r) *m (Likör); f* Freundin, Verlobte *f; en douce (pop)* heimlich, still u. leise; *tout ~!* sachte! langsam! *avoir la vie douce* gemütlich leben; *se la couler douce (fam)* faulenzen; *faire les yeux ~ à qn* jdn verliebt an=sehen; *filer ~* klein bei=geben; *il fait ~* es ist mildes Wetter; *billet m ~* Liebesbrief *m; eau f douce* Süßwasser *n; prix m ~* mäßige(r) Preis *m; vin m ~* Süßwein *m.*

douz|ain [duzɛ̃] *m* Zwölfzeiler *m;* **~aine** *f* Dutzend *n; une ~ de* (etwa) zwölf; *à la ~* dutzendweise, in Menge; *péj* Dutzend-; **~e** zwölf; *s m* Zwölf(er *m*) *f;* (der) Zwölfte(r, s); *s m* Zwölftel *n;* **~il** [-i] *m* (Faß-)Spund *m.*

doyen, ne [dwajɛ̃, -ɛn] *m f rel (Universität)* Dekan *m;* Älteste(r *m*); Dienst-, Rangälteste(r *m*) *f; ~ d'âge* Alterspräsident; Doyen *m;* **~né** [-je(ɛ)ne] *m rel* Dekanswürde, -wohnung; *bot* Butterbirne *f.*

draconien, ne [drakɔnjɛ̃, -ɛn] drakonisch, sehr streng.

dragage [dragaʒ] *m* (Aus-)Baggern; Minenräumen *n.*

drage [draʒ] *f* Malztreber *pl.*

drag|ée [draʒe] *f* **1.** Dragée *n,* Bonbon *m* od *n, bes.* Mandel *f* mit Zuckerüberzug; *pharm* Dragée *n,* Pille *f;* (Flinten-)Schrot *n; fam* blaue Bohne *f;* **2.** Mischfutter *n; avaler la ~ (fig)* die Pille schlucken, in den sauren Apfel beißen; *tenir la ~ haute à qn* jdn zappeln lassen; jdn teuer bezahlen lassen; *~ amère (fig)* bittere Pille *f; ~ d'attrape* Scherzbonbon *m* od *n;* **~éifier** mit Zucker überziehen; **~eoir** *m* Bonbonniere *f.*

drag|eon [draʒɔ̃] *m bot* Wurzelschößling, -trieb, Ableger *m;* **~eonner** Schößlinge treiben.

dragon [dragɔ̃] *m* Drache *a. fig,* Lindwurm *m; zoo* Flug(eid)echse *f; mil* Dragoner *m;* **~, ne** *a* Dragoner-; *à la ~ne* keck, gewagt; *s f* Troddel *f,* Portepee *n.*

drag|ue [drag] *f* (Schwimm-)Bagger *m; (Fischerei)* Schleppnetz *n; ~ (à benne) preneuse, à godets, sèche, suceuse* Greif-, Löffel-, Trocken-, Saugbagger *m;* **~uer** *tr* (aus=)baggern; *(Minen)* räumen; *(Muscheln)* mit dem Schleppnetz fischen; *fam: ~ qn* jdn auf=reißen, sich jdn an=lachen; *itr* flirten, eine(n) auf=reißen; *se faire ~* auf Männer- *od* Frauenfang gehen; **~ueur, se** *a* flirtend; *s m* Schwimmbagger; Schleppnetzfischer *m; m f fam* Charmeur *m,* scharfe *od* aufreißende Frau *f; être ~, se* gerne flirten; *(~ de mines)* Minensuch-, -räumboot *n.*

drain [drɛ̃] *m agr* Abzugsrohr *n,* -kanal *m; med* Kanüle *f;* **~age** [drɛn-] *m* Entwässerung *f;* **~e** *f zoo* Misteldrossel *f;* **~er** *agr* dränieren; entwässern; *fig* an sich ziehen.

draisine [dre(ɛ)zin] *f loc* Draisine *f.*

dram|atique [dramatik] dramatisch; Schauspiel-, Bühnen-, Theater-; *fig* lebhaft; packend; **~atiser** dramatisieren; dramatisch, lebendig dar=stellen *od* erzählen; *fam* (zu) tragisch nehmen (*qc* etw); **~aturge** *m* Dramatiker *m;* **~e** *m* Drama, Schauspiel *n; ~ lyrique* Musikdrama *n;* Oper *f.*

drap [dra] *m* Tuch *n; être dans de beaux ~s* in der Klemme, Patsche sein; *se mettre, se fourrer dans les ~s* sich in die Federn legen; *tailler en plein ~* aus dem vollen wirtschaften, frei schalten u. walten; *~ de bain* Badetuch *n; ~ de lit* Bettuch, -laken *n; ~ mortuaire* Leichentuch *n;* **~é** [-pe] *m* Drapierung, Fältelung *f,* Faltenwurf *m;* **~eau** *m* Fahne, Flagge *f; (Buchhandel)* Waschzettel *m; film radio* Licht-, Klangreflektor, Neger *m; pl* Fahnentuch *n; être sous les ~x* Soldat sein; *lever le ~* Farbe bekennen; *mettre son ~ dans sa poche* seine Partei im Stich lassen; mit seiner Meinung hinter dem Berg halten; *planter un ~*

(pop) die Zeche schuldig bleiben; *se ranger sous les ~x de qn (fig)* sich um jds Fahne scharen; **~er** als Tuch zu=richten; mit (schwarzem) Tuch aus=schlagen *od* überziehen *od* drapieren; in Falten legen *od* fallen (*qn* um jdn); *fig* verhüllen; *se* ~ sich (ein=) hüllen (*dans* in *acc*); **~erie** *f* Tuchfabrikation *f*, -handel *m;* Stoffgeschäft *n*, -abteilung; Draperie *f;* Vorhang *m;* Gewandung *f*, Faltenwurf *m;* **~ier, ère** *m f* Tuchfabrikant, -händler *m; f* Packnadel *f*.

drastique [drastik] *a pharm* stark wirkend; *s m* stark wirkende(s) (Abführ-)Mittel *n*.

dravidien, ne [dravidjɛ̃, -ɛn] *geog* drawidisch; D~ *m* Drawida *m*.

drawback [drobak] *m* Zollrückvergütung *f*.

dray|er [dre(ɛ)je] *(Häute)* aus=scheren, schlichten; **~euse** *f* Schermaschine *f;* **~oire** [drɛ-] *f* Scher-, Firmeisen *n*.

drêche [drɛʃ] *f* Treber, Trester *pl*.

drège, dreige [drɛʒ] *f (Fischerei)* große(s) Schleppnetz *n;* Riffel *f*, Reff-, Flachskamm *m;* **dréger** *(Flachs)* riffeln.

drelin [drəlɛ̃] : *interj ~! ~!* bim bim! *s m pl* Gebimmel *n*.

drenne [drɛn] *f s. draine.*

dress|age [drɛsaʒ] *m* Dressur *f*, Abrichten; *(Zelt)* Aufschlagen; *(Glas)* Schleifen; *tech* Gerade-, Aufrichten *n;* **~er** auf=richten, erheben; auf=stellen, montieren; *(Ohren)* spitzen; *(Bett, Zelt)* auf=schlagen; *(Tisch)* dekken; *(Falle)* stellen; *(Bericht)* ab=fassen, auf=setzen; *(Plan)* auf=stellen, entwerfen; *(Bestand)* auf=nehmen; *(Liste)* an=legen; *(Protokoll)* führen, auf=nehmen; *(Urkunde)* aus=fertigen; *(Rechnung)* aus=stellen; *(Vertrag)* auf=setzen; *(Bilanz)* auf=stellen; *(Inventar)* auf=nehmen; *fam (Übertretung)* ahnden; *(Reise)* zs.=stellen; gerade=richten, -machen; dressieren, ab=richten; drillen; *(Küche)* an=richten; *tech* schleifen, bearbeiten, zu=richten, behauen, ab=hobeln, ebnen; *(Hecke)* beschneiden; *~ qn contre qn* jdn gegen jdn auf=hetzen *od* auf=stacheln; *se* ~ sich auf=richten; sich auf=stellen; sich erheben; *(Pferd)* sich auf=bäumen; *(Haare)* sich sträuben; *(Berg)* empor=ragen; *se ~ contre* sich wenden, sich erheben gegen; *~ ses batteries (fig)* (schweres) Geschütz auf=fahren; Anstalten treffen; *~ une embuscade* e-n Hinterhalt legen; *~ l'oreille, les oreilles (fig)* die Ohren spitzen; *se ~ sur les bouts du pied* sich auf die Zehenspitzen stellen; *les cheveux se ~ent sur la tête* die Haare stehen e-m zu Berge; **~eur, se** *m* Dressierer *m; f* Richtpresse *f;* **~oir** *m* Anrichte *f (Möbel),* Geschirrschrank *m*.

dribbler [drible] *sport* dribbeln; *(e-n Spieler)* umspielen.

drille [drij] **1.** *m fam* Kumpan, Kerl *m;* **2.** *f* Drillbohrer *m*.

drisse [dris] *f mar* Fall *n (Tau).*

drogu|e [drɔg] *f* Droge *f; fam* Rauschgift; *fig* Gesöff *n;* Schund *m; ~ blanche* Kokain *n; ~ brune* Opium *n;* **~é, e** *a* drogensüchtig; *s m f* Drogensüchtige(r *m*) *f;* **~er** mit Arzneien überfüttern; süchtig machen; *se ~* sich mit Medikamenten voll=stopfen; Rauschgift gebrauchen; **~erie** *f* Drogen(handel *m*) *f pl;* Drogerie *f;* **~iste** *m* Drogist *m*.

droit, e [drwa, -at] **1.** *s m* Recht *n*, Berechtigung *f;* (Rechts-)Anspruch *m;* Rechtswesen *n;* Rechtswissenschaft *f;* Rechte *n pl;* Gebühr, Abgabe; (indirekte) Steuer *f;* Zoll *m;* Gerechtigkeit; gerade Linie; *(Münze)* rechte Seite *f;* rechte(r) Winkel *m; (Boxen)* Rechte *f; s f* Rechte *(a. beim Boxen),* rechte Hand *od* Seite *f; mil* rechte(r) Flügel *m; pol* Rechte *f*, Rechtsparteien *f pl; math* Gerade *f;* **2.** *a* gerade; aufrecht, senkrecht, *min* seiger; aufrichtig, ehrlich, rechtschaffen, redlich; gesund, vernünftig; *(Jacke)* einreihig; rechte(r, s); **3.** *adv* gerade(aus); richtig, vernünftig; geradeswegs; *à ~e* (nach) rechts; *s m mil* Rechtswendung *f; à ~e et à gauche* auf allen Seiten; *à bon ~* von Rechts wegen; *à, par qui de ~* an, durch den Berechtigten, Zuständigen; *de (plein) ~* mit (vollem) Recht; *de quel ~* mit welchem Recht; *par ~ et raison* mit vollem Recht; *par voie de ~* auf dem Rechtswege; *aller ~ devant soi* (immer) geradeaus gehen; *aller sur les ~s de qn* in jds Rechte ein=greifen; *avoir ~ à qc* ein Recht auf e-e S haben; *avoir ~ à l'entretien* unterhaltsberechtigt sein; *avoir le ~ de* berechtigt sein zu; *avoir des ~s sur qc* Ansprüche auf e-e S haben; *conférer le ~ à qn* jdn berechtigen (*de* zu); *être dans son ~* im Recht sein; *être en ~* berechtigt sein (*de* zu); *être fondé en ~* zu Recht bestehen; *faire son ~* Rechtswissenschaft studieren; *faire ~ à une demande* e-m Antrag statt=geben; e-m Gesuch entsprechen; *percevoir des ~s* Zoll erheben; *user d'un ~* von e-m Recht Gebrauch machen; *à ~e — ~e! (mil)* rechts — um! *cela va de ~* das ist nur recht u.

billig; *la force prime le ~* Gewalt geht vor Recht; *où il n'y a pas de quoi, le roi perd son ~* wo nichts ist, hat der Kaiser sein Recht verloren; *~s acquis* (wohl)erworbene Rechte *n pl; ~ administratif* Verwaltungsrecht *n; ~ d'aînesse, de primogéniture* Erstgeburtsrecht *n; ~ d'auteur* Urheberrecht *n; ~ cambial* Wechselrecht *n; ~ canon(ique)* kanonische(s) Recht *n; ~ comme un cierge, un I, un jonc, un peuplier, un piquet, une statue* kerzengerade; *~ de cité* Bürgerrecht *n a. fig; ~ civil* bürgerliche(s), Zivilrecht *n; les ~s civiques* die bürgerlichen Ehrenrechte *n pl; ~ commercial* Handelsrecht *n; ~ commun* gemeine(s) Recht *n; ~ constitutionnel, public* Verfassungsrecht *n; ~ coutumier* Gewohnheitsrecht *n; ~ criminel, pénal* Strafrecht *n; ~ de disposition* Verfügungsrecht *n; ~ domestique, de famille* Familienrecht *n; ~ d'édition* Verlagsrecht *n; ~ électoral* Wahlrecht *n; ~ d'enregistrement* Einschreib(e)gebühren *f pl; ~ d'entrée* Einfuhrzoll *m;* Eintrittsgebühr *f; ~ à l'entretien* Unterhaltsanspruch *m; ~ à l'existence* Daseinsberechtigung *f; ~ féodal* Lehnsrecht *n; ~ fil m (Textil)* Einlage *f; ~ fiscal* Steuerrecht *n; ~ foncier* Grund(stücks)recht *n; ~ fondamental (pol)* Grundrecht *n; ~ du plus fort* Recht des Stärkeren, Faustrecht *n; ~ de gage* Pfandrecht *n; ~ de garde* Aufbewahrungsgebühr *f; ~ des gens, international (public)* Völkerrecht *n; ~ de grâce* Begnadigungsrecht *n; ~ de greffe (jur)* Kanzleigebühr *f; ~ de grève* Streikrecht *n; ~ de la guerre* Kriegsrecht *n; ~ d'habitation* Wohnrecht *n; ~s de l'homme* Menschenrechte *n pl; ~ d'imposition* Steuerhoheit *f; ~s d'inscription* Einschreib(e)gebühren *f pl; ~ de l'instance* Prozeßgebühr *f; ~ international privé* internationale(s) Privatrecht *n; ~ judiciaire* Prozeßrecht *n; ~ de magasinage (com)* Lagergeld *n; ~ maritime* Seerecht *n; ~ des minorités* Minderheitenrecht *n; ~ naturel* Naturrecht *n; ~ notarial* Notariatsgebühr *f; ~ obligatoire* bindende(s) Recht *n; ~ ouvrier* Arbeitsrecht *n; ~ de passage* Durchgangs-, Wegerecht *n; ~ des pauvres* Vergnügungssteuer *f;* Armenrecht *n; ~ des peuples à disposer d'eux-mêmes* Selbstbestimmungsrecht *n* der Völker; *~ de plainte* Beschwerderecht *n; ~s de port* Hafengebühren *f pl; ~ de préavis* Kündigungsrecht *n; ~ de préemption, d'option, de faveur* Vorkaufsrecht *n; ~ privé* Privatrecht *n; ~ protecteur* Schutzzoll *m; ~ public* öffentliche(s) Recht *n; ~ de recours* Beschwerde-, Rückgriffsrecht *n; ~ réel* Sachenrecht *n; ~ de réemption, de rachat* Rückkaufsrecht *n; ~ régalien, de souveraineté* Hoheitsrecht *n; ~ de reproduction* Nachdrucksrecht *n; ~ de retour* Heimfallsrecht *n; ~ social* Sozial-, Gesellschaftsrecht *n; ~ des sociétés* Gesellschaftsrecht *n; ~s de stationnement (loc)* Standgeld *n; ~ successif, successoral, de succession* Erbrecht *n; ~s successifs* ererbte Rechte *n pl; ~ syndical, de coalition, d'association (pol)* Koalitionsrecht *n; ~s des témoins* Zeugengebühren *f pl; ~ de timbre* Stempelgebühr *f; ~s de tirage spéciaux* Sonderziehungsrechte *n pl; ~ de traduction* Übersetzungsrecht *n; ~ de trouvaille* Finderlohn *m; ~s universitaires* Studiengebühren *f pl; ~ d'usage* Nutzungsrecht *n; ~ de vente* Verkaufs-, Vertriebsrecht *n; ~ de veto* Vetorecht *n; ~ de vote* Wahl-, Stimmrecht *n.*

droitier, ère [drwatje, -ɛr] *a* rechtshändig; *s m f* Rechtshänder; *pol* Rechte(r) *m*

droiture [drwatyr] *f* Redlichkeit, Rechtschaffenheit *f.*

drolatique [drolatik] ergötzlich, spaßig, lustig.

drôl|e [drol] *a* drollig, spaßig, spaßhaft; lustig, heiter, witzig; eigenartig, seltsam, sonderbar; *un ~ de ...* ein komischer, seltsamer, drolliger ... ; *fam* ein beachtlicher, gewaltiger ... ; *un ~ de corps, (fam) ~ de coco* ein komischer Kauz; **~esse** *f* liederliche(s) Frauenzimmer *n;* **~ement** *adv* sonderbar, seltsam; *fam* gewaltig, mächtig, äußerst, sehr; **~erie** *f* Spaßhaftigkeit, Lustigkeit *f;* lustige(r), tolle(r) Streich *m;* **~et, te** [-lɛ, -ɛt] ; **~ichon, ne** recht spaßig, lustig.

dromadaire [drɔmadɛr] *m* Dromedar *n.*

drome [drom] *f mar* Barring *m.*

dromie [dromi] *f* Wollhandkrabbe *f.*

dros|ère [drɔzɛr] *f,* **~éra** [-zera] *m bot* Sonnentau *m.*

dross|e [drɔs] *f* Ruder-, Steuerreep, Rack *n;* **~er** *mar aero* ab≈treiben.

dru, e [dry] *a* dicht, dick; stark, kräftig; *adv* dicht; viel, heftig u. schnell.

druide [drɥid] *m rel* Druide *m.*

drupe [dryp] *f bot* Steinfrucht *f.*

druse [dryz] *f geol* Druse *f.*

dry [draj] *a (Sekt)* trocken; *s m* trokkene(r) Sekt *m.*

dryade [drijad] *f* Baum-, Waldnymphe *f.*

dû, due [dy] *a* geschuldet, schuldig; gebührend, gehörig; *s m* Schuld(igkeit) *f;* das, was e-m zukommt, -steht; *en ~ temps* rechtzeitig; *en (bonne et) due forme* in gehöriger Form; **~ment** *adv* ordnungsgemäß.

dual|isme [dɥalism] *m* Dualismus *m;* **~ité** *f* Zweiheit *f.*

dubitat|if, ive [dybitatif, -iv] *a* e-n Zweifel enthaltend *od* ausdrückend; **~ivement** *adv* zweifelnd.

duc [dyk] *m* Herzog *m; orn* Ohreule *f; grand ~* Uhu *m; moyen ~* Waldohreule *f; petit ~* Zwergohreule *f;* **~al, e** herzoglich; Herzogs-; **~at** [-ka] *m* Dukaten *m.*

duch|é [dyʃe] *m* Herzogtum *n;* **~esse** *f* Herzogin *f.*

ducroire [dykrwar] *m com* Delkredere *n,* Bürgschaft(svergütung) *f.*

ductil|e [dyktil] dehn-, streckbar; *fig* weich, lenksam; **~ité** *f* Dehn-, Streckbarkeit; *fig* Weichheit, Lenksamkeit *f.*

duègne [dɥɛɲ] *f* Anstandsdame *f.*

duel [dɥɛl] *m* Duell *n,* Zweikampf; *gram* Dual *m; appeler, provoquer en ~* (heraus=)fordern; *se battre en ~* sich duellieren; *~ aérien* Luftkampf *m; ~ d'artillerie* Artillerieduell *n; ~ à l'épée, au pistolet* Degen-, Pistolenduell *n; ~ oratoire* Rededuell *n;* **~liste** *m* Duellant *m.*

duett|iste [dɥe(ɛ)tist] *m f* Duettsänger(in *f*); Duospieler(in *f*) *m;* **~o** *m* kleine(s) Duett, Duo *n.*

dugon(g) [dygɔ̃] *m zoo* Seekuh *f.*

duit [dɥi] *m (Fischerei)* Querdamm *m;* **~e** [-t] *f (Weberei)* Schuß, Einschlagfaden *m.*

dulcifier [dylsifje] *pharm chem* (ver)süßen, mildern.

dulcinée [dylsine] *f fam* Dulzinea *f;* Schatz *m.*

dumping [dœmpiŋ] *m com* Dumping *n,* Preisunterbietung *f.*

dun|e [dyn] *f* Düne *f;* **~ette** *f mar* Hütte, Kampanje *f.*

duo [dɥo] *m mus* Duett, Duo *n; mot* Soziussitz *m;* **~décimal, e** *math* Duodezimal-; **~dénum** [-denɔm] *m* Zwölffingerdarm *m.*

dup|e [dyp] *s f* Betrogene(r *m*) *f;* Gimpel *m; a* getäuscht; betrogen; *être la ~ de qn* von jdm getäuscht, betrogen, an der Nase herum-, angeführt werden; *être la ~ de qc* bei etw nicht auf s-e Kosten kommen; *être sa (propre) ~, la ~ de soi-même* sich Illusionen, sich selbst etw vor=machen; *je ne suis pas ~* ich täusche mich nicht; **~er** täuschen, betrügen, an der Nase herum=führen; **~erie** *f* Betrug *m,* Täuschung *f,* Schwindel *m;* **~eur, se** *m f* Betrüger(in *f*) *m.*

duplex [dyplɛks] *a: en ~* doppelt; Duplex-, doppel-, Doppel-; *s m tech* Duplexverfahren *n;* Maison(n)ettewohnung *f.*

duplic|ata [dyplikata] *m* Duplikat, Doppel *n,* Zweitausfertigung; Duplikatätzung *f; émettre un ~* ein D. aus=stellen; **~ateur** *m* Vervielfältiger *m;* **~atif, ive** *a* verdoppelnd; **~ation** *f math* Verdoppelung *f;* **~ature** *f* (einfache) Faltung *f;* **~ité** [-site] *f* Doppelzüngigkeit, Falschheit *f.*

dur, e [dyr] *a* hart; fest; schwer (*à* zu), schwierig; *fig* hartherzig (*pour, envers qn* gegen jdn), streng, rauh, unfreundlich; gefühllos; zäh; schwerfällig; abgehärtet (*à* gegen); *(Wein)* herb; *(Schnaps)* stark; *(Ei)* hartgekocht; *(Schlaf)* tief; *(Kind)* widerspenstig; *(Stil)* holperig; *(Farbe)* grell; *(Meer)* stürmisch; *sport (Ball)* scharf; *(Droge)* hart; *s m* Harte(s) *n; fam* Hartgesottene(r) *m; arg* Eisenbahn *f;* Zuchthaus *n;* Schnaps *m; s f: à la ~e* rauh, roh *adv; sur la ~e* auf d. bloßen Erde, auf d. Fußboden; *adv* hart, schwer; sauer, mühsam; *~ à cuire (Küche)* zäh; *fig fam* abgebrüht, hartgesotten; *~ à digérer, de digestion (fig)* schwer zu ertragen(d); kaum glaublich; *~ à la vente* schwer verkäuflich; *avoir le cœur ~* hartherzig sein; *avoir l'oreille ~e, être ~ d'oreille* schwer hören, schwerhörig sein; *avoir la peau ~e (fig)* ein dickes Fell haben; *avoir la tête ~e* e-n harten Schädel, e-n Dickkopf haben; *croire ~ comme fer* steif u. fest glauben; *être ~ pour qn* jdn streng behandeln; *être ~ à la détente* sich schwer vom Gelde trennen; nicht leicht nach=geben; *frapper, cogner ~* kräftig zu=schlagen; *rendre à qn la vie ~e* jdm das Leben schwer=machen; *répondre sur un ton ~* barsch antworten; *en voir de ~es* es schwer haben; *ça va chauffer ~ (pop)* es wird heiß her=gehen; *il est ~ à la fatigue* er schuftet wie ein Pferd; *la porte est ~e* die Tür geht schwer; *les temps sont ~s* die Zeiten sind schlecht; *construit en ~* massiv gebaut; *~e-mère f (anat)* harte Hirnhaut *f.*

dura|bilité [dyrabilite] *f* Dauerhaftigkeit, Beständigkeit *f;* **~ble** dauerhaft, beständig; *(Geschenk)* bleibend.

duralumin [dyralymɛ̃] *m tech* Duralumin *n.*

duramen [dyramɛn] *m* Hartholz *n.*
durant [dyrɑ̃] *prp* während; *sa vie* ~ sein Leben lang; ~ *tout le chemin* auf dem ganzen Wege.
dur|cir [dyrsir] *tr* hart machen, verhärten; *itr* u. *se* ~ hart werden; **~cissement** *m* Verhärtung *f;* Hartwerden *n; fig* Versteifung *f.*
dur|ée [dyre] *f* (Zeit-)Dauer; Dauerhaftigkeit, Beständigkeit, Haltbarkeit *f; de (longue)* ~ von (langer) Dauer; *de courte* ~ von kurzer Dauer; *com* kurzlebig; *disque m de longue* ~ Langspielplatte *f;* ~ *d'acheminement, de propagation* Laufzeit *f;* ~ *de combustion* Brennzeit *f;* ~ *de la construction* Bauzeit *f;* ~ *de conversation (tele)* Gesprächsdauer *f;* ~ *de démarrage* Anlaufzeit *f;* ~ *du déplacement* Dienstreise-, Marschdauer *f;* ~ *d'éclairage (el)* Brenndauer *f;* ~ *d'écoulement* Durchmarschzeit *f;* ~ *d'exposition (phot)* Belichtungszeit *f;* ~ *du match (sport)* Spieldauer *f;* ~ *du parcours* Fahrzeit *f;* ~ *de projection (film)* Laufzeit *f;* ~ *de rotation* Umlaufzeit *f;* ~ *de service* Betriebs-, *mil* Dienstzeit *f;* ~ *du vol (aero)* Flugdauer, -zeit *f;* ~ *de transmission (radio)* Übertragungszeit *f;* ~ *de travail* Arbeitszeit *f;* ~ *(de validité)* Gültigkeitsdauer *f;* ~ *(de la vie)* Lebensdauer *f;* **~er** (lange) dauern, währen; an=halten, an=dauern; *fam* (weiter=)leben; (sich) hin=ziehen, Bestand haben; *fam* bleiben, warten, (es) aus=halten, ertragen; *(Zeit)* e-m lang werden; *(Stoff)* halten; *ne pouvoir* ~ *en place (litt)* es nicht aus=halten können.
dur|et [durɛ] *a fam* etw hart; *s m* Ahornbaum *m;* **~eté** *f* Härte *a. fig,* Schwere; Strenge; Rauheit; Unbarmherzigkeit; Zähigkeit *f; pl* Grobheiten *f pl;* ~ *de cœur* Gefühllosigkeit *f;* ~ *d'oreille* Schwerhörigkeit *f;* ~ *des temps* schlechte Zeiten *f pl;* **~illon** [-jɔ̃] *m* Schwiele *f.*
duvet [dyvɛ] *m* Flaum(feder *f*) *m;* Daune(nbett *n*) *f;* Flaum(haare *n pl*), *fam* Milchbart *m;* **~age** [-vtaʒ] *m* Rauhen *n;* **~er, se** Flaumhaare bekommen; **~eux, se; ~é, e** flaumig.
dyke [dik] *m* Gesteinsgang *m.*
dynam|ique [dinamik] *a* dynamisch; *fig* tatkräftig, aktiv; temperamentvoll; *s f* Dynamik *f;* **~isme** *m* Energie, Tatkraft *f;* **~itage** *m* Sprengung *f (mit Dynamit u. fig);* **~ite** *f* Dynamit *n; faire sauter à la* ~ mit Dynamit sprengen; **~iter** (in die Luft) sprengen; **~iterie** *f* Sprengstoffabrik *f;* **~iteur, se** *m f* Sprengstoffabrikant, -attentäter *m;* **~itière** *f* Sprengstofflager *n.*
dynamo [dinamo] *f* Dynamo(maschine *f*), Generator *m;* Lichtmaschine *f;* **~mètre** *m* Dynamometer *n,* Kraftmesser *m.*
dynast|ie [dinasti] *f* Dynastie *f,* Herrscherhaus *n,* -familie *f;* **~ique** dynastisch.
dyne [din] *f phys* Dyn *n.*
dys|chromie [diskrɔmi] *f med* Hautverfärbung *f;* **~enterie** [-sɑ̃tri] *f med* Ruhr *f;* **~lexie** *f med* Legasthenie *f;* **~lexique** *a med* legasthenisch; *s m f* Legastheniker(in *f*) *m;* **~ménorrhée** [-menɔre] *f* Menstruationsbeschwerden *f pl;* **~pepsie** [-pɛpsi] *f* schlechte Verdauung *f;* **~peptique** *m f* an schlechter Verdauung Leidende(r *m*) *f;* **~pnée** [-pne] *f* Kurzatmigkeit, Atemnot *f,* -beschwerden *f pl;* **~symétrie, ~symétrique** [-si-] *s. dis-...;* **~urie** [-zyri] *f* Harnbeschwerden *f pl,* -zwang *m;* **~urique** an Harnzwang leidend.
dytique [ditik] *m* Schwimmkäfer *m.*

E

eau [o] *f* Wasser *n; (Obst)* Saft; *(Diamant)* Glanz *m,* Wasser *n; pl* Wasser *bes. poet;* Gewässer, Wässer *n pl;* Badeort *m,* Bäder *n pl; pl ecol* Abwasser *n;* Spring-, Gesundbrunnen *m; mar* Kielwasser *n; aller aux ~x* ins Bad reisen; *s'en aller en ~ de boudin, à vau-l'~ (fig)* zu Wasser werden; mißlingen; *être à l'~ (fam)* futsch, im Eimer sein; *être heureux comme un poisson dans l'~* sich so wohl befinden wie ein Fisch im Wasser; *être tout en ~* wie in Schweiß gebadet sein; *faire ~, avoir une voie d'~* leck sein; *se fondre en ~* in Tränen zerfließen; *s'imbiber, se gonfler d'~* sich mit Wasser voll=saugen; *se jeter dans l'~* ins Wasser gehen *(zum Baden), à l'~* sich ertränken; *fig* es wagen, es riskieren; *se jeter dans l'~ pour ne pas se mouiller* vom Regen in die Traufe kommen; *laver à l'~* mit Wasser waschen; *mettre à l'~* vom Stapel lassen; *mettre de l'~ dans son vin (fig)* Wasser in den Wein gießen; gelindere Saiten auf=ziehen; *mettre l'~ à la bouche de qn* jdm den Mund wässerig machen; *nager entre deux ~x* unter Wasser schwimmen; *fig* es mit keinem verderben wollen; *se noyer dans un verre d'~* sich nicht zu helfen wissen; *pêcher en ~ trouble* im trüben fischen; *porter de l'~ à la rivière* Eulen nach Athen tragen; *ne pas prendre l'~* wasserdicht sein; *se ressembler comme deux gouttes d'~* sich ähnlich sein wie ein Ei dem ander(e)n; *rester, être, tenir le bec dans l'~* im ungewissen bleiben, sein, lassen; *revenir sur l'~* (wieder) an die Oberfläche kommen; *fig* sich wieder emporarbeiten; *rincer à l'~* mit Wasser spülen; *suer sang et ~* Blut und Wasser schwitzen; *tenir à l'~* wasserdicht sein; *tomber à l'~* ins Wasser fallen; *vivre d'amour et d'~ fraîche* von Luft u. Liebe leben; *le temps est à l'~* es sieht nach Regen aus; *prov: il n'est pire ~ que l'~ qui dort* stille Wasser sind tief; *l'~ va toujours à la rivière* Geld kommt immer zu Geld; *tant va la cruche à l'~ qu'à la fin elle se casse* der Krug geht so lange zum Brunnen, bis er bricht; *adduction f d'~* Wasserzufuhr *f; alimentation f en ~* Wasserversorgung *f; basses ~x* niedrige(r) Wasserstand *m; fig* Geldknappheit, Ebbe *f; bruit, clapotement, clapotis, gazouillis, murmure m de l'~* Rauschen, Plätschern *n* des Wassers; *chasse f d'~* Spülkasten *m; château m d'~* Wasserturm *m; chauffage m à (l')~ chaude* Warmwasserheizung *f; chute f d'~* Wasserfall *m; compteur m à ~* Wasserzähler *m,* -uhr *f; conduite f d'~* Wasserleitung *f; consommation f d'~* Wasserverbrauch, -bedarf *m; coup m d'épée dans l'~ (fig)* Schlag *m* ins Wasser; *cours m d'~* Wasserlauf *m; distribution f d'~* Wasserverteilung, -versorgung *f; écoulement m d'~* Wasserabfluß *m; infiltration f d'~* Einsickern, Eindringen *n* des Wassers; *jet m d'~* Wasserstrahl *m; niveau m d'~* Wasserspiegel, -stand *m; point m d'~* Wasserstelle *f; prise f d'~* Wasseranschluß *m; production f d'~ chaude* Warmwasserbereitung *f; rat m d'~ (zoo)* Wasserratte *f; refroidissement m par ~* Wasserkühlung *f; teneur f en ~* Wassergehalt *m; trombe f d'~* Wasserhose *f; usine f de distribution des ~x* Wasserwerk *n; verre m d'~* Glas *n* Wasser; *ville f d'~x* Bäderstadt *f; voie f d'~* Wasserweg *m; (mar)* Leck *n; ~ adoucie* weiche(s) Wasser *n; ~ bénite* Weihwasser *n; ~ blanche* Bleiwasser; Mehl- u. Kleiewasser *n (für das Vieh); ~ condensée* Kondenswasser *n; ~x continentales, intérieures* Binnengewässer *n pl; ~x côtières* Küstengewässer *n pl; ~ courante, (fam) du robinet* fließende(s) Wasser *n; ~ dormante* stehende(s) Wasser *n; ~ douce* weiche(s) Wasser; Süßwasser *n; ~ d'égouts* Abwässer *n pl; E~x et Forêts* Forst- u. Wasserverwaltung *f; ~-forte f* Scheidewasser *n;* Radierung *f; ~ de fonte des neiges* (Schnee-)Schmelzwasser *n; ~ glacée* Eiswasser *n; ~x grasses, ménagères* Spülwasser *n; ~x industrielles* Industrieabwässer *n pl; ~ d'infiltration* Sickerwasser *n; ~ de lessive* Waschbrühe *f; ~-mère f* Mutterlauge; (Natursalz-)Sole *f; ~ de mine* Grubenwasser *n; ~ minérale* Mineralwasser *n; ~ oxygénée* Wasserstoffsuperoxyd *n; ~x de pluie* Regenwasser *n; ~ (non) potable* (kein) Trinkwasser *n; ~ de puits* Brunnenwasser *n; ~ du radiateur (mot)* Kühlerwasser *n; ~ de refroidissement* Kühlwasser *n; ~x résiduaires* Abwässer *n pl; ~ salée* Salzwasser *n; ~ de Seltz* Sodawasser *n; ~ de source, ~ vive* Quellwasser *n; ~x thermales* Thermalwasser *n; ~ de vaisselle* Spülwasser *n; ~x-vannes f pl* Abwässer *n pl,* Jauche *f; ~-de-vie f* Schnaps; Branntwein *m.*

ébah|i, e [ebai] verdutzt, verblüfft, wie aus den Wolken gefallen; **~ir** verblüffen, in Erstaunen setzen; *s'~* erstaunen, verblüfft sein (*de* über *acc); ~***issement** *m* Verblüffung *f,* Erstaunen *n;* Verwunderung *f.*

ébarb|er [ebarbe] *tech* ab=, entgraten; gußputzen; glätten; *(Papier)* beschneiden; *(Münzen)* beschroten; *(Feder)* reißen; *(Hecke)* stutzen; **~euse** *f* Abgratmaschine *f;* **~oir** *m* Schroteisen *n;* Schaber *m;* **~ure** *f* Abgratschrott *m;* Späne *m pl.*

ébat|s [eba] *m pl* Herumtollen; Ausgelassensein *n; prendre ses ~* sich herum=tummeln, ausgelassen sein; **~tre, s'** [ebatr] *irr* umher=springen; sich herum=tummeln; herum=tollen, sich herum=amüsieren.

ébaub|i, e [ebobi] *fam* verdutzt, verblüfft, baff; **~ir** verblüffen.

ébauch|age [eboʃaʒ] *m* Entwerfen *n;* Vorbearbeitung *f,* Vorwalzen *n;* **~e** *f* Entwurf; (schwacher) Versuch *m;* Skizze *f;* Umriß; Rohbau *m; fig* (schwache) Andeutung *f; pl* Rohfabrikate *n pl;* Rohblock *m;* **~er** an=deuten, (flüchtig) entwerfen, skizzieren; aus dem groben *od* roh bearbeiten; *tech* vor=walzen; schruppen; *s'~* sich ab=zeichnen; **~oir** *m* Schrotmeißel *m;* Bossierholz *n;* Rundstahl; Vorbohrer, Modellierstab *m.*

éb|ène [ebɛn] *f, meist: bois m d'~* Ebenholz *n;* **~éner** schwarz beizen; **~énier** *m* Ebenholzbaum *m;* **~éniste** *m* (Kunst-)Tischler, Schreiner *m;* **~énisterie** [-təri] *f* (Kunst-)Tischlerei, Schreinerei; (Kunst-)Tischlerarbeit *f.*

éberlu|é [ebɛrlɥe] verblüfft, verdutzt; **~er** verblüffen.

éblou|ir [ebluir] (ver)blenden; betören, verführen; verblüffen; überheblich machen; *se laisser ~* sich blenden lassen; **~issant, e** blendend *a fig;* **~issement** *m* Blendung *f; med* Schwindel(gefühl *n*) *m; fig* Verblendung *f;* Staunen *n;* Überraschung, Verwunderung *f; pl* Flimmern *n (vor den Augen); protection f contre l'~* Blendschutz *m.*

ébonite [ebɔnit] *f* Hartgummi *m.*

éborgner [ebɔrɲe] ein Auge aus=schlagen (*qn* jdm); (heftig) aufs Auge schlagen (*qn* jdm); das Licht, die Aussicht nehmen (*une maison* e-m Haus); *(Baum)* beschneiden.

ébou|er [ebwe] *(Straße)* fegen, von Schmutz reinigen; **~eur** [-wœr] *m* Müllarbeiter *m;* **~euse** *f* Straßenkehrmaschine *f.*

ébouillanter [ebujɑ̃te] (in kochendem Wasser) ab=brühen; spülen, waschen; *(Person)* verbrühen.

éboul|ement [ebulmɑ̃] *m* Einsturz; Zs.bruch *m; min* Zubruchgehen *n;* Verschüttung *f;* Erdrutsch *m;* Geröll *n,* Trümmerhaufen *m; pris sous un ~* verschüttet; **~er** *tr* zum Einfallen, Einsturz bringen; *itr* ein=stürzen; *s'~* ein=stürzen, -fallen, -rutschen; *min* herein=brechen; zu Bruch gehen; **~eux, se** dem Einsturz nahe, leicht einfallend; brüchig; *(Sand)* rollig; **~is** [-i] *m* Geröll *n;* Schutt *m;* Schutthalde *f; geog* Geröllablagerung *f; min* Nachfall *m.*

ébourgeonner [eburʒɔne] *(Baum)* aus=putzen.

ébouriff|ant, e [eburifɑ̃, -ɑ̃t] *fam* verblüffend, erstaunlich; unglaublich, haarsträubend; **~é, e** zerzaust; *fig* verblüfft; **~er** *(Haar)* zerzausen; *fig* aus der Fassung bringen, verblüffen; *s'~* zerzaust sein; s-e Haare zerzausen.

ébouter [ebute] die Spitze ab=schneiden (*qc* e-r S *gen*); *(Stock)* verkürzen; *(Fäden)* ab=schneiden; aus=zupfen.

ébranch|er [ebrɑ̃ʃe] *(Baum)* aus=ästen, aus=putzen; *fig* schmälern; schwächen; beschneiden; **~oir** *m* Baummesser *n.*

ébranl|able [ebrɑ̃labl] (leicht) zu erschüttern(d); **~é, e** *a* erschüttert; bewegt; **~ement** *m* Erschütterung *f a. fig;* (heftiger) Stoß *m;* Schwingung; *fig* Zerrüttung; Erregung *f;* Schock *m;* **~er** erschüttern *a. fig;* wankend machen, zum Wanken bringen; in Bewegung setzen; *(Kiste)* weg=rücken; *(Phantasie)* an=regen; *s'~* erschüttert werden; sich in Bewegung setzen; *mil* vor=rücken; weichen.

ébras|ement [ebrɑ(a)zmɑ̃] *m arch* Ausschrägung, (innere) Leibung; Fensteröffnung *f;* **~er** ab=, aus=schrägen; **~ure** *f* Ab-, Ausschrägung *f.*

Èbre, l' [ɛbr] *m geog* der Ebro.

ébréch|é, e [ebreʃe] schartig; ab-, ausgebrochen; angeschlagen; *(Vermögen)* stark angegriffen; *(Berg)* zackig;

~er schartig machen; *fig* ein Loch machen (*qc* in e-e S); *(Ruf)* schaden (*qc* dat), schädigen; *s'~* schartig werden; *s'~ une dent* sich ein Stück von e-m Zahn aus=brechen; **~ure** *f* Scharte; Beschädigung *f.*

ébriété [ebrijete] *f* Trunkenheit *f; fig* Rausch *m; être en état d'~* (be)trunken sein.

ébrou|ement [ebrumɑ̃] *m (Pferd)* Schnauben; Prusten; Niesen; *(Vogel)* Sich-(Auf-)Plustern *n;* **~er** *(Färberei)* ausspülen; *(Nüsse)* schälen; *s'~* schnauben, prusten, niesen; sich schütteln, sich strecken.

ébruit|é, e [ebrɥite] ruchbar; **~ement** *m* Ruchbarwerden; Ausschwatzen *n;* **~er** aus=plaudern, unter die Leute bringen; *s'~* ruchbar werden.

ébuard [ebyar] *m* Spaltkeil *m.*

ébullition [ebylisjɔ̃] *f* (Auf-)Kochen, Sieden; *fig* Aufbrausen, -wallen *n;* Gärung *f;* Brodeln *n;* Wallung *f; en ~* kochend, siedend; *entrer en ~* auf=wallen; *mettre en ~* zum Sieden bringen; *point m d'~* Siedepunkt *m.*

éburné, e; éburnéen, ne [ebyrne; -neɛ̃, -ɛn] elfenbeinartig, -farben.

écacher [ekaʃe] zerquetschen, -drükken; *tech* flach pressen; platt=walzen; *(Papier)* trocken=pressen; *(Wachs)* kneten.

écaill|age, ~ement [ekajaʒ] *m* Abschuppen *n;* Abschuppung *f; (Austern)* Öffnen; *(Glasur)* Abblättern *n;* **~e** [ekɑj] *f anat bot* Schuppe; *(Muschel, Auster)* Schale *f;* Schildpatt *n; tech* Hammerschlag, Sinter; Span; Splitter *m; (Metall)* Schlacke *f,* Abfall *m; arch* Schuppenmotiv *n; en ~* schuppig, plattig; *tomber par ~s* ab=springen, ab=bröckeln; *les ~s lui sont tombées des yeux* es fiel ihm wie Schuppen von den Augen; *lunettes f pl en ~(s)* Hornbrille *f;* **~é, e** (schuppenförmig) verziert (*de* mit); abgebröckelt; **~er** *(Fisch)* (ab=)schuppen; *(Auster)* öffnen; *(Belag)* ab=kratzen; schuppenförmige Verzierungen an=bringen (*qc* an e-e S); *s'~* sich ab=schuppen; ab=bröckeln; ab=splittern; ab=blättern, ab=schelfern; **~er, ère** *m f* Muschel-, Austernhändler(in *f*) *m; f* Austernmesser *n;* **~eux, se** schuppig; schuppenförmig; abblätternd, -bröckelnd; **~ure** *f* abgebrökkelte(s) Stück *n; zoo* Schuppen *f pl.*

écal|e [ekal] *f* (Nuß-, Mandel-, Kastanien-)Schale; (Erbsen-, Bohnen-)Hülse, Schote *f;* **~er** die Schale entfernen (*qc* von etw); *(Erbsen)* aus=machen (aus der Schale); **~ure** *f* (Samen-) Schale *f.*

écarlate [ekarlat] *a* scharlachrot, -farben; *s f* Scharlachrot *n,* -farbe *f; (Stoff)* Scharlach *m.*

écarquill|er [ekarkije] *(die Augen)* (weit) auf=reißen, -sperren; *avoir les yeux ~és* große Augen machen.

écart [ekar] *m* Seitensprung *m,* -wendung *f,* -schritt; Abstand; Unterschied; Spielraum *m;* Spanne; Abweichung; Abschweifung *f;* Abweg *m;* Verfehlung, Verirrung *f;* Verstoß; Fehlbetrag *m; mil* Streuung *f; (Skat)* Ablegen *n;* abgelegte Karten *f pl;* abgelegene Häusergruppe; *med* (Knochen-)Verrenkung; *tech* Blattung; *sport* Grätsche *f; à l'~* beiseite, abseits; fern (*de* von); *mettre, se mettre, tirer à l'~* beiseite legen, treten, nehmen; *se tenir à l'~* beiseite stehen; sich abseits halten, sich fern=halten (*de* von); *vivre à l'~* zurückgezogen leben; *grand ~ (sport)* Spagat *m; ~ des changes* Währungsspanne *f; ~de conduite* schlechte(s) Benehmen *n; ~ en direction (mil)* Breitenstreuung *f; ~ interpupillaire* Augenabstand *m; ~ de jeunesse* Jugendstreich *m;* -sünde *f; ~ de langage* Kraftausdruck *m; ~ de(s) prix* Preisunterschied *m; ~ de régime* Diätfehler *m; ~s de salaires* Lohnunterschiede *m pl; ~ de température* Temperaturunterschied *m; ~ type (Statistik)* Standardabweichung *f; ~ de voix (parl)* Stimmenunterschied *m;* **~é, e** [-te] *a* entfernt; *(Ort)* abgelegen; *(Ohren)* abstehend; *(Finger)* gespreizt; *(Karten)* abgelegt; *(Kandidat)* abgelehnt; *(Auffassung)* verworfen; *s m* Ekarté *n (Kartenspiel).*

écart|èlement [ekartɛlmɑ̃] *m* Vierteilen *(Strafe); fig* Hin- u. Hergerissensein *n;* Teilung *f* des Wappenschildes in vier Felder; **~eler** [-tə-] vierteilen; *(Wappenschild)* in vier Felder teilen; *fig* teilen; hin- u. her=reißen.

écart|ement [ekartmɑ̃] *m* Spreizen *n;* lichte Weite; Entfernung *f;* Zwischenraum; Abstand *m;* Spannweite; *loc* Spurweite *f; ~ des essieux* Achsstand *m; ~ des jambes* Spreize *f; ~ normal* Normalspur *f; ~ des roues* Radabstand *m;* **~er** entfernen, weg=nehmen, -rücken; fern=halten; ausea.=treiben; ab=lenken; *(Arme)* aus=breiten; *(Beine)* spreizen; *(Fluß)* ab=leiten; *(Karten)* ab=legen; *(Vorhang)* beiseite schieben; *mil* streuen; *(Vorschlag)* ab=lehnen; *(Beanstandung)* zurück=weisen; *(Hindernis)* beseitigen; *(Person)* kalt=stellen; *(von e-r Liste)* streichen; *(Argwohn)* zerstreuen; *(vom rechten Weg)* ab=bringen;

fig (der Pflicht) entfremden; *s'~* sich entfernen (*de* von); vom Wege ab=kommen; ab=rücken (*de qn* von jdm); *(Wege)* sich trennen; *(vom Thema)* ab=kommen, -schweifen; *(Wolken)* sich zerstreuen; *(Linien)* ausea.=laufen; *s'~ du sujet* nicht bei der Sache, nicht beim Thema bleiben.

écatir [ekatir] *s. catir.*

ecce homo [ɛkseɔmo] *m (Kunst)* Darstellung *f* Christi als Schmerzensmann.

ecchymos|e [ɛkimoz] *f* Quetschung *f*, blaue(r) Fleck *m;* **~é, e** blutunterlaufen.

ecclésiastique [ɛklezjastik] *a* kirchlich; geistlich; Kirchen-; *s m* Geistliche(r), Kleriker *m; l'E~* das Buch Jesus Sirach.

écervelé, e [esɛrvəle] *a* kopflos, unbesonnen, leichtsinnig; *s m f* Tollkopf, unbesonnene(r) Mensch *m;* leichtsinnige(s) Mädchen *n.*

échafaud [eʃafo] *m* Schafott, Blutgerüst; Baugerüst *n; fig* Todesstrafe *f; monter à l'~* auf das Schafott steigen.

échafaud|age [eʃafodaʒ] *m* Aufschlagen e-s Gerüstes; (Bau-)Gerüst *n;* Einrüstung; Arbeitsbühne *f; min* Stempelschlag; *fig (System)* Aufbau *m;* Gedankengebäude *n*, -komplex, -aufbau; große(r) Aufwand *m; ~ métallique, de montage* Stahl-, Montagegerüst *n; ~ volant* Hängegerüst *n;* **~er** *itr* ein Gerüst auf=schlagen, ein=rüsten; *tr* auf=häufen, -schichten; aufea.=setzen, auf=stapeln; *fig (Vermögen)* zs.=bringen; *(Plan)* entwerfen, aus=arbeiten; arbeiten (*qc* an e-r S); *(Buch)* zs.=stellen; *(Theorie)* auf=stellen; *(Gedankengebäude)* errichten; *(Unternehmen)* auf=bauen.

échalas [eʃalɑ(a)] *m* Wein-, Rebenpfahl *m; fig* Hopfen-, Bohnenstange *f;* dünne(s) Bein *n; avoir avalé un ~, se tenir droit* od *raide comme un ~* sich kerzengerade halten, *fam* ein Lineal verschluckt haben; **~sement, ~sage** *m (Weinstock)* Pfählen *n;* **~ser** pfählen.

échalote [eʃalɔt] *f bot* Schalotte *f.*

échancr|er [eʃɑ̃kre] (bogenförmig) aus=schneiden; aus=schweifen **~ure** *f* Kerbe *f;* Ausschnitt *m;* Ausschweifung; *(Meer)* Bucht *f;* Halsausschnitt *m; tech* Aussparung; Raste *f; ~ de fenêtre* Fensternische *f.*

échang|e [eʃɑ̃ʒ] *m* (Um-, Aus-)Tausch; Wechsel *m;* Abwechs(e)lung *f;* Umsatz *m; en ~ (de)* als Gegenleistung; als Ersatz (für); *accepter, donner en ~* in Tausch nehmen *od* geben; dafür nehmen *od* geben; *faire l'~ de qc* etw aus=wechseln; *faire un ~ avec qn* mit jdm etw aus=tauschen; *commerce m d'~* od *par ~* Tauschhandel *m; libre--~ m* Freihandel *m; valeur f d'~* Tauschwert *m; ~ commercial* Handelsbeziehungen *f pl; ~ de communications* Nachrichtenverkehr *m; ~ d'informations* Nachrichtenaustausch *m; ~ de lettres* Brief-, Schriftwechsel *m; ~ de livres* Tauschverkehr *m;* Schriftenaustausch *m; ~ du matériel roulant (loc)* Wagenübergang *m; ~ de notes diplomatiques* diplomatische(r) Notenwechsel *m; ~ de prisonniers* Gefangenenaustausch *m; ~ de vues* Meinungs-, Gedankenaustausch *m;* **~eabilité** *f* Austauschbarkeit *f;* **~eable** ver-, austauschbar; **~er** (gegenseitig) tauschen; aus=, ein=tauschen; *(Briefe)* wechseln; *fam* aus=wechseln; *~ son cheval borgne contre un aveugle* vom Regen in die Traufe kommen; *les articles vendus ne sont pas ~és* Umtausch nicht gestattet; **~eur** *m* **1.** (Autobahn-)Kreuz *n;* **2.** *tech: ~ de chaleur* Wärmetauscher *m;* **~iste** *m f* Austauschpartner(in *f*) *m.*

échanson [eʃɑ̃sɔ̃] *m* Mundschenk *m.*

échantillon [eʃɑ̃tijɔ̃] *m* Muster *n;* Probe(-stück *n*) *f;* Eichmaß *n;* Schablone; *tech* Lehre *f; (Gießerei)* Formbrett; *(Tischlerei)* Streichmodell *n;* Materialstärke *f; com* Waren-, Typen-, Ausfallmuster *n;* Warenprobe *f; acheter qc sur ~* etw nach Muster kaufen; *prélever des ~s* Proben entnehmen; *ne pas répondre à l'~* nicht vorschriftsmäßig sein; *carte f, cahier m d'~s* Musterkarte *f*, -heft *n; vente f sur ~* Kauf *m* nach Probe; *~ de contrôle* Gegenmuster *n; ~s factices destinés à l'étalage* Schaufensterattrappen *f pl; ~ pris dans le tas* od *la masse* Stichprobe *f; ~ sans valeur* Muster *n* ohne Wert; *~ de vin* Weinprobe *f;* **~nage** *m* Probenahme; Musterkollektion; Probeauswahl *f;* **~ner** (nach den Proben) aus=mustern, sortieren; e-e Probe nehmen (*qc* von etw); e-e Probe an=fertigen (*qc* von etw); *(Stoff)* zu Proben zerschneiden; eichen; **~neur** *m* Probenehmer *m.*

échan|vrer [eʃɑ̃vre] *tech (Hanf, Flachs)* schwingen; **~vroir** *m* Hanf- *od* Flachsschwinge *f.*

échapp|atoire [eʃapatwar] *f* (faule) Ausrede, -flucht *f;* Vorwand *m; répondre par une ~* e-e Ausrede haben; **~é** *m* Entsprungene(r), Entlaufene(r) *m;* **~ée** *f (Wild, Vieh)* Ausbrechen *n;* Abstecher; Ausflug *m;*

Durchsicht *f,* -blick; Ausblick; Zwischenraum; Umwendeplatz *(für Wagen); fig* kurze(r) Augenblick *m; arch* Weitung, Durchgangshöhe *f; sport* plötzliche(r) Spurt *m; par ~s* gelegentlich; verstohlen; *~ de lumière* Streiflicht *n; ~ de soleil* kurze(r) Sonnenblick *m; ~ de voûte* Gewölbespannweite *f;* **~ement** *m* Ausströmen, Entweichen *n;* Auspuff, -laß *m; (Uhr)* Hemmung *f; bruit m d'~* Auspuffgeräusch *n; gaz m d'~* Abgas *n; pot m d'~* Auspufftopf *m; soupape f d'~* Auspuffventil *n;* **~er** *itr* entweichen, -springen, -kommen, -rinnen, -gehen, -fahren, -schlüpfen (*à qn, à qc* jdm, e-r S); *(der Hand)* entgleiten, gleiten (*de* aus); *fig (Geduld)* aus=gehen; *(Name)* entfallen; *tr: l'~ belle* mit e-m blauen Auge, mit heiler Haut davon=kommen; *s'~ (de)* entfliehen, -laufen, -springen, -weichen, -wischen (aus); *(Pferd)* durch=gehen; *(Saum)* hervor=kommen; *(Naht)* auf=gehen; *(Flüssigkeit)* aus=laufen; *(Milch)* über=laufen; *(Tränen)* rinnen (*de* aus); *(Gas)* entweichen; *(Dampf)* aus=strömen; *(Rauch)* dringen (*de* aus); *fig (Hoffnung)* entschwinden; *faire ~* entweichen lassen; *(Dampf)* ab=lassen; *laisser ~* fallen lassen (*qc* etw); aus=stoßen (*un cri* e-n Schrei); versäumen, verpassen (*l'occasion* die Gelegenheit); *~ à la compétence* nicht in die Zuständigkeit fallen; *cela m'a ~é* das ist mir entgangen, entfallen; *cela m'~e (fam)* das verstehe ich nicht; *le mot m'a ~é* das Wort ist mir entschlüpft.

échard|e [eʃard] *f* Splitter *m; retirer, extraire une ~* e-n Splitter herausziehen; **~onner** von Disteln säubern; *(Textil)* entkletten; **~onnette** *f,* **~onnoir** *m* Distelmesser *n.*

échardonneuse [eʃardɔnøz] *f* Klettenwolf *m.*

écharn|age, ~ement [eʃarnaʒ, -nəmɑ̃] *m (Gerberei)* Ent-, Ausfleischen *n;* **~er** *(Häute)* ent-, aus=fleischen; ab=schaben; **~oir** *m* Ausfleischmesser, Schabeisen *n;* **~ure** *f* Abschabsel *n.*

écharp|e [eʃarp] *f* Schärpe *f;* Gurt *m;* Schulter-, Halstuch *n;* Schal *m;* (Arm-, Leib-, Schulter-)Binde; Schlinge; *arch* Strebeleiste; Verstrebung *f; en ~* quer, schräg; von der Seite; *enrouler une ~ autour de son cou* sich e-n Schal um den Hals binden; *avoir le bras en ~* den Arm in der Binde tragen; *prendre en ~ (mil)* in der Flanke an=greifen; *mot* in die Seite fahren (*qc* dat); **~er** *(Wolle)* ausea.=kämmen; zerhauen; (schwer) verwunden; zs.=schlagen, in Stücke schlagen; **~iller** [-je] *fam* zerstükkeln; *tech (Wolle)* ausea.=kämmen, -zupfen.

échass|e [eʃas] *f* Stelze *f; fam* lange(s), dünne(s) Bein *n; orn* Strandreiter; *arch* Gerüstbaum *m; marcher avec des ~s* Stelzen laufen; *marcher, être monté sur des ~s (fig)* wichtig tun; **~ier** *m* Stelzenläufer; *pl orn* Stelzvögel *m pl.*

échaud|age [eʃodaʒ] *m* Kalkmilch *f;* Kalken, Weißen; Verbrühen; Vertrocknen *n;* **~é, e** *s m* Spritzkuchen, Windbeutel *m (Gebäck); a (Getreide)* brandig, mehlarm; **~er 1.** ver-, ab=, aus=brühen; verbrennen; in heißem Wasser (aus=)waschen; **2.** mit Kalk tünchen, weißen; *s'~* sich verbrühen; *fig* sich die Finger verbrennen; durch Schaden klug werden; *(prov) chat ~é craint l'eau froide* gebranntes Kind scheut das Feuer; **~oir** *m* Brühkessel *m;* **~ure** *f (Haut)* verbrühte Stelle *f.*

échauff|ant, e [eʃofɑ̃, -ɑ̃t] erhitzend; *med* verstopfend; *fig* er-, aufregend; **~ement** *m* Erwärmung, Erhitzung *f; (Getreide)* Muffigwerden *n; med* Verstopfung *f; fam* Tripper *m; tech* Warm-, Heißlaufen *n; fig* Erregung *f; ~ du sol* Bodenerwärmung *f; ~ spontané* Selbsterhitzung *f;* **~er** erwärmen, warm machen; erhitzen; *med fam* verstopfen; *fig* erregen; *s'~* sich erhitzen; *(Getreide)* muffig, dumpfig werden; *(Häute)* schwitzen; *tech* sich warm=laufen; *fig* sich ereifern, in Zorn geraten; *~ la bile, la tête, les oreilles à qn* jdn in Harnisch bringen, wütend machen, auf=bringen.

échauffourée [eʃofure] *f* Zs.stoß *m;* Schlägerei *f;* Krawall *m; mil* Geplänkel *n;*

échauguette [eʃogɛt] *f* Wacht(t)urm *m;* (Burg-)Warte *f.*

èche *s. aiche*

échéan|ce [eʃeɑ̃s] *f* Fälligkeit *f;* Verfall(-tag *m,* -zeit *f*); Erfüllungstag; Termin *m;* fällige Zahlung *f; fig* Tag *m* der Entscheidung; *à brève, à courte ~* in, binnen kurzer Zeit; kurzfristig; *à longue ~* auf lange Sicht; langfristig; *à l'~* bei Verfall; *payer ses ~s* seine Verbindlichkeiten erfüllen; *venir à ~* fällig werden, verfallen; *date f d'~* Fälligkeitsdatum *n; ~s de fin de mois* Ultimofälligkeiten *f pl; ~ du terme* Fristablauf *m;* **~cier** *m (Wechsel)* Verfall-, Zeitbuch *n;* Terminkalender *m;* **~t, e** fällig; *le cas ~* gegebenenfalls.

échec [eʃɛk] *m* Mißerfolg *m;* Mißlingen *n;* Schlappe *f; theat* Durchfall *m; pl* Schachspiel *n;* Schachfiguren *f pl; donner, faire qn* ~ *et mat* jdn matt setzen; *essuyer, subir un* ~ e-e Schlappe erleiden; *jouer aux* ~*s* Schach spielen; *tenir en* ~ in Schach halten *a. fig; joueur m d'*~*s* Schachspieler *m; partie f d'*~*s* Schachpartie *f; tournoi m d'*~*s* Schachturnier *n; voué à l'*~ zum Scheitern verurteilt, aussichtslos; ~ *et mat* (schach)matt.

échel|ette [eʃlɛt] *f* kleine Leiter; Wagenleiter *f;* ~**ier** [-ʃə-] *m* Stangenleiter *f;* ~**le** [-ʃɛl] *f* Leiter; *mar* (Schiffs-)Treppe; *(Strumpf)* Laufmasche; *mus* Tonleiter; *phys* Gradeinteilung, Skala *f;* Maßstab *m a. fig;* Stufenleiter; Abstufung; Rangordnung; Hierarchie; *pol* Ebene *f; pl* Häfen *m pl (bes. im Mittelmeer); à l'*~ maßstabgerecht; *sur une grande, petite* ~ in großem, kleinem Maßstab; *à l'*~ *communale* auf kommunaler Ebene; *à l'*~ *nationale* auf Landesebene; *sur une large* ~ in großem Umfang *od* Maßstab; *sur toute l'*~ in jeder Beziehung; *appuyer, dresser une* ~ *contre un mur* e-e Leiter an e-r Wand auf=stellen; *escalader une* ~ auf e-e Leiter steigen; *faire monter qn à l'*~ *(fig)* jdm e-n Bären auf=binden, jdm e-e S weis=machen; *après cela on peut tirer l'*~ da hört (denn doch) alles auf! ~ *anémométrique* Windstärkenskala *f;* ~ *barométrique* Barometerskala *f;* ~ *brisée, pliante* Klappleiter *f;* ~ *de calage, de mise au point* Einstellskala *f;* ~ *de la carte* Kartenmaßstab *m;* ~ *de corde* Strickleiter *f;* ~ *des couleurs* Farbenskala *f;* ~ *coulissante* ausziehbare Leiter *f;* ~ *de coupée (mar)* Fallreep *n;* ~ *double* Trittleiter *f;* ~ *d'eau, d'étiage, fluviale* Wasserstandsmesser, Pegel *m;* ~ *d'évaluation* Bewertungsmaßstab *m;* ~ *fuyante, de réduction* verjüngte(r) Maßstab *m;* ~ *graduée, de graduation* Gradeinteilung, Strichskala *f;* ~ *d'incendie, de sauvetage* Feuer-, Brandleiter *f;* ~ *d'intérêts* Zinsskala *f;* ~ *linéaire* Linearmaßstab *m;* ~ *logarithmique* (logarithmischer) Rechenschieber *m;* ~ *mobile des salaires* gleitende Lohnskala *f;* ~ *des pompiers* Feuerwehrleiter *f;* ~ *des prix* Preisstaffelung *f;* ~ *de Ringelmann* Ringelmann-Skala *f;* ~ *des salaires* Lohnskala *f;* ~ *sociale* gesellschaftliche Rangordnung *f;* ~ *du thermomètre* Thermometerskala *f;* ~ *de tirant d'eau (mar)* Tiefgangsmarke *f;* ~ *des traitements* Besoldungsskala *f;* ~ *à transposer (typ)* Umstellungszeichen *n;* ~ *des valeurs* Wertskala *f;* ~**on** *m* (Leiter-)Sprosse; *fig* Stufe, Staffel *f;* Rang(stufe *f*); Dienstgrad *m;* Ebene *fig; mil* Staffel(stellung); Gefechtsstaffel *f; en premier* ~ in vorderer Linie; *disposer par* ~*s* staffeln; *s'élever par* ~*s* stufenweise auf=steigen; *monter* od *gravir, descendre un* ~ e-e Sprosse hinauf=, hinunter=steigen; *gravir les* ~*s de la hiérarchie* die Stufenleiter der Hierarchie erklettern; ~ *d'attaque* Angriffswelle *f;* ~ *de commandement* Befehlsstelle *f;* ~ *débordant (mil)* seitwärts gestaffelte(r) Teil *m;* ~ *d'imposition* Steuerstufe *f;* ~ *de résistance* Hauptkampfstellung *f;* ~ *de salaire* Lohnstufe *f;* ~ *de tête d'avant-garde* Vortrupp *m;* ~ *de traitement* Besoldungsgruppe *f;* ~ *de valeur* Wertklasse *f;* ~**onnement** *m* Staffelung *a. mil;* Verteilung auf verschiedene Zeitpunkte; *fig* Abstufung *f;* ~ *en profondeur* Tiefengliederung *f;* ~**onner** staffeln; (auf verschiedene Zeitpunkte) verteilen; ab=stufen.

échen|al, ~au, ~o [eʃnal, -no] *m tech* Gußrinne *f,* Masselbett *n.*

échen|illage [eʃnijaʒ] *m* Ablesen *n* der Raupen; ~**iller** Raupen ab=lesen (*qc* von etw); *fig* säubern.

écheveau [eʃvo] *m (Garn)* Strähne *f;* Strang *m;* Docke; *fig* Verwick(e)lung *f; (Drama)* Knoten; Wirrwarr *m,* Durcheinander *n; démêler, désentortiller l'*~ den Knoten lösen, das Durcheinander entwirren; *dévider son* ~ *(fig)* sein Verslein her=sagen; sein Herz aus=schütten.

échev|elé, e [eʃəvle] mit zerzaustem, fliegendem Haar; *(Baum)* zerzaust; *(Wolken)* zerfetzt, zerrissen; *fig* unordentlich; zügellos; *(Tanz)* wild, bacchantisch; *(Stil)* wirr; ~**eler** das Haar zerzausen (*qn* jdm); *fig* in Unordnung bringen.

échev|in [eʃvɛ̃] *m* Schöffe; *(in Belgien)* Beigeordnete(r) *m; tribunal m d'*~*s* Schöffengericht *n;* ~**inage** [eʃvinaʒ] *m* Schöffenamt *n;* Dauer *f* des Schöffenamtes; Schöffen *m pl.*

échidné [ekidne] *m* Ameisenigel *m.*

échiffre [eʃifr] *f hist* (hölzernes) Wachthäuschen *(auf e-r Stadtmauer); m* Treppengebälk *n,* -mauer *f.*

échi|ne [eʃin] *f* **1.** Rückgrat *n;* **2.** *arch* Ringwulst *m; avoir l'*~ *souple, flexible* unterwürfig, kriecherisch, ein Kriecher sein; *courber, plier l'*~ den Nacken (unter das Joch) beugen, sich unterwerfen; *frotter, caresser, rompre l'*~ *à qn* jdn (tüchtig) durchprügeln; ~**née** *f* Rückenstück *n (vom Schwein);* ~**ner** das Rückgrat zerbrechen (*qn* jdm); *fam* tot=schlagen; (sehr) ermüden; *fig* herunter=machen; *s'*~ *(fam)* sich ab=rackern; sich überarbeiten; *être ~né de travail* abgearbeitet sein.

échinodermes [ekinɔdɛrm] *m pl zoo* Stachelhäuter *m pl.*

échi|quéen, ne [eʃikeɛ̃] *a* Schach-; ~**queté, e** [eʃikte] schachbrettartig (auf)geteilt *od* gemustert; ~**quier** *m* Schachbrett; *fig* viereckige(s) Fischnetz; *fig* Kampffeld *n; en* ~ schachbrettartig; *disposer les pièces sur l'*~ die Schachfiguren auf=stellen; *l'É*~ das (britische) Schatzamt *n; chancelier m de l'É~ (England)* Schatzkanzler *m.*

écho [eko] *m* Echo *n,* Widerhall *m a. fig; fig* Anzeige *f (im Textteil); tele* Echo, Schatten-, Geisterbild *n;* Reflexion; Wiedergabe *f* e-r Neuigkeit; Klatsch *m; pl (Zeitung)* Lokale(s) *n; à tous les ~s* in allen Richtungen; *faire* ~ widerhallen, zurück=schallen; *se faire l'~ d'un bruit* ein Gerücht weiter=erzählen *od* verbreiten; *trouver (de l')*~ Anklang finden; ~*-sonde f* Echolot *n;* ~**graphie** *f med* Ultraschallaufnahme, -untersuchung *f;* ~**mètre** *m* Schallmesser *m;* ~**tier** [-tje] *m* (Lokal-)Berichterstatter *m.*

éch|oir [eʃwar] *irr* zu=, an=fallen, zuteil werden; anheim=fallen; *com* fällig werden; verfallen; *(Fall)* ein=treten; *si le cas y ~oit, s'il y ~oit, le cas ~éant (jur)* eintretenden-, gegebenenfalls, unter Umständen; ~ *en héritage* durch, als Erbschaft zu=fallen; *le délai ~oit le …* die Frist läuft am … ab; ~**u, e** *(Wechsel)* verfallen; abgelaufen; fällig.

échopp|e [eʃɔp] *f* **1.** (Verkaufs-)Stand; kleine(r) Laden *m;* (Kram-)Bude *f;* **2.** Ätz-, Radiernadel *f; (Gravierkunst)* Grabstichel *m;* ~**er** mit der Radiernadel bearbeiten.

échou|age [eʃwaʒ] *m* Auflaufen, Stranden *n;* Strandungsstelle *f;* ~**ement** [eʃu-] *m* Stranden; *fig* Scheitern *n;* Mißerfolg *m,* Schlappe *f;* ~**er** [eʃwe] *itr tr* stranden *a. fig;* auf Grund laufen (lassen); auf=laufen; *fig* scheitern; mißlingen, fehl=schlagen; *s'*~ auf=laufen (*sur* auf *acc*); auf Grund laufen; stranden *a. fig; faire* ~ vereiteln; hintertreiben; ~ *à un examen* in e-r Prüfung durch=fallen.

écimer [esime] *(Baum)* ab=wipfeln, kappen; *(Hecke)* stutzen.

éclabouss|er [eklabuse] bespritzen; beschmutzen; *fig* in Mitleidenschaft ziehen; kompromittieren; übertrumpfen; ~**ure** *f* Spritzer; Schmutzfleck; *fig* Flecken; Makel *m;* unangenehme Folge(erscheinung) *f; ~s d'encre, de sang* Tinten-, Blutflecken *m pl.*

éclair [eklɛr] *s m* Blitz; Wetter-, Lichtstrahl; *fig* flüchtige(r) Augenblick; *(Gebäck)* Liebesknochen *m;* (Auf-) Leuchten; *(Diamant)* Funkeln *n; tech* (Silber-)Blick *m; a* blitzschnell; Blitz-; *comme un* ~ blitzschnell; *il fait des ~s* es blitzt; *il fait des ~s de chaleur* es wetterleuchtet; *ses yeux lançaient des ~s* seine Augen blitzten (vor Zorn); *guerre f* ~ Blitzkrieg *m; ~s de chaleur* Wetterleuchten *n;* ~ *de génie* Geistesblitz *m;* ~ *en nappe, en boule, fulminant, en chapelet* Flächen-, Kugel-, Linien-, Perlschnurblitz *m;* ~**age** *m* Be-, Erleuchtung; *aero* Befeuerung; *mil* Aufklärung *f; fig* Licht *n;* Gesichtspunkt *m; sous un ~ différent (fig)* in anderem Licht; *frais m pl d'~ et de chauffage* (Kosten pl für) Licht und Heizung; *installation, intensité f d'*~ Beleuchtungsanlage, -stärke *f;* ~ *de délimitation* (Flugplatz-)Umrandungsfeuer *n;* ~ *à l'électricité, électrique* elektrische(s) Licht *n;* ~ *extérieur, intérieur* Außen-, Innenbeleuchtung *f;* ~ *du plafond* Deckenbeleuchtung *f;* ~ *de la plaque minéralogique (mot)* Nummernbeleuchtung *f;* ~ *de prise de vue (tele)* Aufnahmelampen *f pl;* ~ *de publicité* Reklamebeleuchtung *f;* ~ *de scène* Bühnenbeleuchtung *f;* ~ *de secours, de sûreté* Notbeleuchtung *f;* ~ *zénithal* Oberlicht *n;* ~**agiste** *m* Beleuchtungstechniker *m;* ~**ant, e** leuchtend; Leucht-; *corps m* ~ Leuchtkörper *m; gaz m* ~ Leuchtgas *n; pouvoir m* ~ Leuchtkraft *f.*

éclair|cie [eklɛrsi] *f* wolkenlose Stelle *f; (Wetter)* (vorübergehende) Aufheiterung; *(Wald)* Lichtung *f;* Durchforsten *n; fig* Lichtblick *m,* Besserung, Entspannung *f; il fait une* ~ das Wetter heitert sich auf; ~**cir** auf=, erhellen; *(Farbe)* auf=hellen; *(Wein, Flüssigkeit)* verdünnen, strecken; *(Haare, Reihen)* lichten; *(Wald)* durchforsten, aus=holzen; *(Pflanzen)* verziehen; *(Geschirr)* putzen, polieren; *(Teint)* frisch machen; *(Zweifel)* klären; *(Unklarheit)* beseitigen; *(Sache)* klar=stellen, *(Standpunkt)* klar=machen; *(Geheimnis)* lüften, Licht, Klarheit bringen (*qc* in e-e S); *s'~ (Gesicht, Himmel)* sich auf=heitern; *(Wetter)* sich auf=klären; *(Nebel)* zerreißen; *(Haare, Reihen)* sich lichten; *(Farbe)* heller, *(Flüssigkeit)* dünner werden; *(Schwierigkeiten)* sich beheben; *(Lage)* sich klären; ~**cissage** *m (Glas, Metall)* Polieren, Putzen; *(Pflanzen)* Verziehen *n;* ~**cissement** *m* Er-, Aufklärung; Erläuterung *f; (Wald)* Durchforsten; *(Zweifel, Schwierigkeit)* Beheben *n; demander des ~s* Aufschluß verlangen (*à qn sur qc* von jdm über e-e S).

éclair|e [eklɛr] *f bot: petite ~* Scharbockskraut *n,* Feigwurz *f; grande ~* Schellkraut *n;* ~**é, e** (hell) be-, erleuchtet; *fig* aufgeklärt; gutunterrichtet; freisinnig; ~**ement** *m* Belichtung; Beleuchtung *f;* ~**er** *tr* be-, erleuchten; auf=, erhellen *a. fig; (Gesicht)* auf=leuchten lassen; leuchten (*qn* jdm); *mil* auf=klären; *fig* auf=klären, e-e Erklärung geben (*qn* jdm); unterrichten (*qn* jdn); *itr (Augen, lit)* funkeln, blitzen; *(Licht)* leuchten; *s'~* als Beleuchtung verwenden (*à qc* etw); sich auf=, erhellen, hell werden; *(Gesicht)* auf=leuchten; *fig* klar, verständlich werden; ~**eur, se** *m f* Pfadfinder(in *f*) *m; mil* Aufklärer *m; mar* Erkundungsschiff *n; section f d'~s (mil)* Spähtrupp *m.*

éclat [ekla] *m* abgesprungene(s) Stück *n;* Splitter; Span; Knall *m;* (plötzliches) Getöse *n;* Lichtblitz, -schein *m;* Aufblitzen *n; (im Holz)* Spalt, Riß; *bot* Ableger; *fig* Skandal *m;* Aufsehen; Ärgernis *n;* Auftritt *m; fam* Krach *m;* Helligkeit *f;* Glanz *m;* Pracht; Herrlichkeit; Berühmtheit; *(Teint)* Frische *f; à l'abri des ~s* splittersicher; *donner de l'~* Glanz verleihen; *faire beaucoup d'~* großes Aufsehen erregen; *partir d'un ~ de rire* in ein Gelächter aus=brechen; *provoquer un ~* e-e Szene machen; e-n Skandal herbei=führen; *rire aux ~s* schallend, aus vollem Halse lachen; *voler en ~s* zerplatzen, zerschellen, in Stücke fliegen; *~ d'obus, de bombe* Granat-, Bombensplitter *m; ~ d'os* Knochensplitter *m; ~s de pierre, de roche* Steinsplitter *m pl; ~ de rire* schallende(s) Gelächter *n; ~ de trompette* Trompetenstoß *m; ~ de verre* Glassplitter *m; ~s de voix* Geschrei, laute(s) Stimmengewirr *n;* ~**ant, e** [-tɑ̃, -ɑ̃t] glänzend, schimmernd, blendendweiß; hell (leuchtend); laut schallend, schmetternd; widerhallend; *(Teint)* frisch; *fig* offenbar, -kundig, -sichtlich; augenscheinlich; hervorragend, auffallend, aufsehenerregend; ~**é, e** *(Motor)* aufgeschnitten; ~**ement** *m* Bersten, Zerplatzen, -springen; Krepieren; Absplittern; *el* Überspringen *n;* Trennung *f; ~ d'une coalition* Platzen *n,* Zusammenbruch *m* e-r Koalition; *~ d'un pneu* Platzen *n* e-s Reifens; ~**er** platzen, bersten, zersplittern, explodieren; erschallen, knallen, prasseln, krachen; ausea.=gehen, sich trennen; schallend lachen; zum Durchbruch kommen; deutlich sichtbar werden; laut *od* ruchbar werden, an den Tag kommen; blitzen, glänzen; *s'~ (fam)* sich aus=leben; auf=flackern; *(Haut, Knospe)* auf=springen; *bot* Ableger treiben; *(Krieg, Brand)* aus=, los=brechen; *(Feuer)* sprühen; *el (Funke)* überspringen; *(Koalition)* platzen, zusammen=brechen; *~ en injures, en reproches, en applaudissements* in Schmähungen, Vorwürfe, Beifall ausbrechen; *~ de rire* laut auf=lachen; *~ en sanglots* auf=schluchzen; *~ de santé* vor *od* von Gesundheit strotzen; *il finira par ~ (fam)* am Ende platzt ihm der Kragen; ~**eur** *m el* Funkenstrecke *f,* -induktor; *el* Entlader *m.*

éclect|ique [eklɛktik] *a* eklektisch; *s m* Eklektiker *m;* ~**isme** *m* Eklektizismus *m.*

éclip|se [eklips] *f astr* Finsternis, Verfinsterung; Verdunkelung *f; fam* Verschwinden *n;* Abwesenheit *f;* Fehlen *n a. fig; dispositif m à ~ (aero)* Einziehvorrichtung *f; feu m à ~s* Blinklicht *n; ~ de lune, de soleil* Mond-, Sonnenfinsternis *f; ~ totale, partielle* totale, partielle Finsternis *f;* ~**ser** verfinstern; verdunkeln; *fig* in den Schatten stellen (*qn* jdn); überstrahlen, den Rang ab=laufen (*qn* jdm), aus=stechen; *s'~* sich entfernen; verschwinden; *fam* ab=hauen, türmen; ~**tique** *a* ekliptisch; *s f astr* Ekliptik *f.*

écliss|e [eklis] *f med* Schiene; Spleiße; Schindel *f;* (Holz-)Span *m; tech* Lasche; *(Saiteninstrument)* Zarge *f; mettre des ~s (Glied)* in Schienen legen (*à qc* etw); ~**er** *(Glied)* schienen; *tech, bes. loc* verlaschen.

éclopé, e [eklɔpe] *a* lahm, *fam* marod(e); fußkrank, marschunfähig; *s m* Marschunfähige(r); Fußkranke(r) *m; pl* Nachzügler *m pl.*

éclo|re [eklɔr] *irr* aus dem Ei kriechen *od* schlüpfen; *(Blumen)* auf=blühen, sich öffnen; *(Knospen)* auf=brechen; *(Pflanzen)* sprießen, (zu) blühen (beginnen); *(Ei)* sich öffnen; *(Tag)* an=brechen; *fig* sich zeigen, an den Tag kommen; *faire ~* aus=brüten; zum (Auf-)Blühen bringen *a. fig; fig* zur Reife bringen, entfalten; ans Licht bringen; *les poussins sont ~s* die Küken sind ausgeschlüpft; ~**sion**

[eklozjõ] *f* Ausschlüpfen, -kriechen; Aufblühen, -brechen; Sprießen; *fig* Werden *n*, Entstehung, Geburt, Entfaltung *f*; *(Tag)* Anbruch *m*.

éclus|age [eklyzaʒ] *m* Durchschleusen *n*; **~e** *f* Schleuse *f a. fig*; *(porte f d'~)* Schleusentor *n*; *ouvrir, lâcher les ~s* die Schleusen öffnen *a. fig*; *~ à air* Luftschleuse *f*; **~ée** *f* Schleusenwasser *n*; **~er** durch=schleusen; mit Schleusen versehen; *pop* saufen; **~ier, ère** *a* Schleusen-; *s m* Schleusenmeister, -wärter *m*.

écœur|ant, e [ekœrɑ̃, -ɑ̃t] ekelhaft, widerwärtig, widerlich, abstoßend; **~ement** *m* Ekel *m*, Übelkeit *f*; *fig* Überdruß **~er** an=widern, an=ekeln.

écoin|çon, ~son [ekwɛ̃sɔ̃] Eckstein; Eckschrank *m*; Eckverblendung *f*; Zwickel *m*.

écol|e [ekɔl] *f* Schule *f*; Schulhaus, -gebäude *n*; Schulkinder *n pl*; Lehrkörper *m*; Lehre *f*; Lehrgebäude, System *n*; Übungen *f pl*; Ausbildung, Schulung *f*; *aller à l'~* zur, in die Schule gehen; *entrer dans une ~* in e-e Schule ein=treten; *être à bonne ~* in e-r guten Schule *od* Lehre sein; e-e gute Gelegenheit haben, etw zu lernen; *faire ~* Schule machen; vorbildlich sein; *faire une rude ~* durch e-e harte Schule gehen; *faire l'~ buissonnière* die Schule schwänzen; *fréquenter l'~* die Schule besuchen; *mettre un enfant à l'~* ein Kind in die Schule schicken; *sentir l'~* schulmäßig klingen; *auto-~* Fahrschule *f*; *camarade m d'~* Schulkamerad *m*; *cour f de l'~* Schulhof *m*; *fréquentation f de l'~* Schulbesuch *m*; *haute ~ (Reiten)* Hohe Schule *f*; *livre m à l'usage des ~s* Schulbuch *n*; *maîtresse f d'~* Volksschullehrerin *f*; *vaisseau m ~* Schulschiff *n*; *~ de l'air* Flugschule *f*; *~ en plein air* Freiluftschule *f*; *~ d'apprentissage* Berufsschule *f*; *~ d'art industriel* Kunstgewerbeschule *f*; *~ d'aveugles, de sourds-muets* Blinden-, Taubstummenschule *f*; *~ des beaux arts* Kunstakademie *f*; *~ supérieure des arts et métiers* technische Hochschule *f*; *~ d'aviation* Fliegerschule *f*; *~ de chimie* Chemieschule *f*; *~ à classe unique* einstufige Schule *f*; *~ de commerce, commerciale* Handelsschule *f*; *~ de danse* Tanzschule *f*; Ballettschule *f*; *~ de dessin* Kunsthochschule *f*; *~ de droit* juristische Fakultät *f*; *~ d'escadrille (aero)* Staffelexerzieren *n*; *~ forestière* Forstakademie *f*; *~ de groupe (mil)* Gruppenausbildung *f*; *~ de guerre* Kriegsakademie *f*; *~ hôtellière* Hotelfachschule *f*; *~ laïque* öffentliche Schule *f*; *~ maternelle, enfantine* Kindergarten *m*; Kleinkinderbewahranstalt *f*; *~ de médecine* medizinische Fakultät *f*; *~ ménagère* Haushaltungsschule *f*; *~ militaire* Kadettenanstalt *f*; *~ des mines* Bergakademie *f*; *~ normale primaire* Volksschullehrerseminar *n*; *~ normale supérieure* pädagogische Hochschule *f*; *~ de peloton* Zugexerzieren *n*; *~ de pensée* Lehrmeinung *f*; *~ de perfectionnement* Fortbildungsschule *f*; *~ de pilotage* Flugzeugführerschule *f*; *~ préparatoire* Vorschule *f*; *~ primaire élémentaire* Grund-, Volksschule *f*; *~ privée, libre* Privatschule *f*; *~ professionnelle* Fach-, Gewerbeschule *f*; *~ religieuse* Ordensschule *f*; *~ pour enfants retardés, arriérés* Hilfsschule *f*; *~ secondaire* höhere Schule *f*; *~ du soir* Abendschule *f*; *~ du soldat (mil)* Einzelausbildung *f*; *~ supérieure* Hochschule *f*; *~ supérieure de commerce* Handelshochschule *f*; *~ supérieure de guerre* Kriegsakademie *f*; *~ de tir* Schießschule *f*; Schießübungen *f pl*; *~ vétérinaire* tierärztliche Hochschule *f*; *~ de vol à voile* Segelfliegerschule *f*; **~ier, ière** *m f* Schüler(in *f*) *m*; *hist* Scholar; *fig* Anfänger(in *f*); Stümper *m*; *en ~, d'~* schülerhaft; *devoirs m pl d'~s* Schulaufgaben *f pl*; *faute f d'~* grobe(r) Schnitzer *m*; *malice f, tour m d'~* Schülerstreich *m*; *papier m ~* lin(i)ierte(s) Schreibpapier *n*.

éco|logie [ekɔlɔʒi] *f* Ökologie *f*; **~logique** ökologisch; umweltfreundlich; **~logisme** *m* Umweltschutz *m*; **~logiste** *m* Ökologe *m*; Umweltschützer(in *f*) *m*; *pol* Grüne(r *m*) *f*; **~lo** *m f fam: les ~s* die Grünen.

éconduire [ekɔ̃dɥir] *irr* (höflich) ab=weisen; hinaus=komplimentieren; ab=blitzen lassen; e-n Korb geben (*qn* jdm); *se laisser ~* sich abweisen, ab-fertigen lassen.

économ|at [ekɔnɔma] *m* Verwalterstelle *f*, -büro *n*, -wohnung *f*; Wirtschaftsgebäude *n*; Marketenderei *f*; **~e** *a* haushälterisch, sparsam, wirtschaftlich; *être ~ de qc* mit etw sparen *od* sparsam um=gehen; *s m f* Verwalter(in *f*); *~ de paroles* wortkarg; *m*; **~ie** *f* Wirtschaft; *fig* (An-)Ordnung; (zweckmäßige) Einrichtung; Struktur; Sparsamkeit, Wirtschaftlichkeit *f*; Maß *n*; Einsparung; Ersparnis *f*; *pl* Ersparnisse, Einsparungen *f pl*; *faire, réaliser des ~s* sparen, Geld zurück=legen; *mettre ses ~s à la caisse d'épargne* s-e Ersparnisse auf die Sparkasse bringen;

placer ses ~s s-e Ersparnisse an=legen; *vivre avec ~* haushälterisch, sparsam leben; *~ agricole* Agrarwirtschaft *f; ~ d'argent* Geldersparnis *f; ~ de bouts de chandelle* Knauserei; unangebrachte Sparsamkeit *f; ~ en carburant* Brennstoffersparnis *f; ~ compétitive* freie Wirtschaft *f; ~ de consommation* Verbrauchswirtschaft *f; ~ contrôlée par l'État, dirigée, planifiée* (staatl.) gelenkte Wirtschaft, Zwangs-, Planwirtschaft *f; ~ domestique* Hauswirtschaft *f; ~ d'efforts* Kraftersparnis *f; ~ des entreprises* Betriebswirtschaftslehre *f; ~ de frais* Kostenersparnis *f; macro-~* Makroökonomik *f; micro-~* Mikroökonomik; Betriebswirtschaftslehre *f; ~ de main-d'œuvre* Einsparung *f* von Arbeitskräften; *~ de(s) marché(s)* Marktwirtschaft *f; ~ mondiale* Weltwirtschaft *f; ~ nationale, politique* Gesamt-, Volkswirtschaft *f; ~ de place* Raumersparnis *f; ~ de poids* Gewichtsersparnis *f; ~ privée* private Wirtschaft *f; ~ rurale* Landwirtschaft *f; ~ de temps* Zeitersparnis *f,* -gewinn *m;* **~ique** *a* wirtschaftlich, haushälterisch, sparsam; Spar-, Wirtschafts ; *s m* Bereich *m* der Wirtschaft; wirtschaftliche Erscheinungsformen *f pl; f (science f ~)* Wirtschaftswissenschaft *f; crise f (dans le domaine) ~* Wirtschaftskrise *f; espace m ~* Wirtschaftskreise *m pl,* -raum *m; expansion f ~* Wirtschaftswachstum *n; milieux m pl ~s* Wirtschaftskreise *m pl; organisme m ~* Wirtschaftskörper *m; plan m ~* Wirtschaftsplan *m; politique f ~* Wirtschaftspolitik *f; secteur m ~* Wirtschaftsbereich *m;* **~iquement** *adv: les ~ faibles* die wirtschaftlich Schwachen *m pl;* **~iser** *tr* haushälterisch, sparsam um=gehen (*qc* mit etw); erübrigen; (er)sparen; *itr* sparsam leben *od* wirtschaften, haushalten; *~ sur tout* an allem sparen; **~iseur** *m* Wasser-, Vorwärmer *m;* Spargerät *n;* **~iste** *m* Volkswirt; Volkswirtschaftslehrer *m.*

écop|e, escope [ekɔp, ɛskɔp] *f* Wasserschaufel, Schöpfkelle *f;* **~er** *tr (Wasser aus e-m Fahrzeug)* heraus=schöpfen; *itr fig fam* Vorwürfe *od* Schläge bekommen; die Zeche bezahlen müssen, der Sündenbock sein; **~erche** [-pɛrʃ] *f* Rüstbaum *m.*

écor|cement, ~çage [ekɔrsəmɑ̃, -saʒ] *m* Abschälen, Abrinden *n;* **~ce** [ekɔrs] *f* (Baum-)Rinde, Borke; (Nuß-, Orangen-, Zitronen-, Melonen-)Schale; *(Gerberei)* Lohe *f; arch (Kapitell)* Wulst *m; fig* Oberfläche *f;* Schein *m;* Äußere(s) *n; graver une date sur l'~* ein Datum in die Rinde ritzen; *juger du bois par l'~* nach dem äußeren Schein urteilen; *~ cérébrale* Großhirnrinde *f; ~ du globe, terrestre* Erdrinde *f;* **~cer** entrinden, ab=schälen.

écorch|é [ekɔrʃe] *s m* Muskelfigur *f,* -modell *n (zum Studium);* Geschundene(r) *m; a (Tier)* gehäutet; **~e-cul:** *descendre une pente à ~ (fam)* e-n Abhang auf dem Hinterteil hinunter=rutschen; **~ement** *m* Schinden, Abziehen *n* des Fells; **~er** *(e-m Tier)* das Fell ab=ziehen; häuten; schinden; *(Haut)* wund=reiben, -laufen, -reiten; verletzen, durch=scheuern; zerkratzen; *(Mauer)* ein Stück weg=reißen (*qc* von etw), beschädigen; *fig* übel zu=richten; das Fell über die Ohren ziehen (*qn* jdm); prellen; zuviel bezahlen lassen; Übles reden (*qn* von jdm); *(Namen)* entstellen; verhunzen; *(den Ohren)* weh tun; *(in der Kehle)* brennen; *(Sprache)* radebrechen; *(Wort)* schlecht aus=sprechen; *(Wahrheit)* verdrehen; *(Instrument)* schlecht spielen; *il crie comme si on l'~ait* er schreit wie am Spieß; **~erie** *f* Abdeckerei *f;* Schindanger *m;* **~eur** *m* Abdecker; (Leute-)Schinder; *fig* Halsabschneider *m;* **~ure** *f* Schramme; wunde Stelle *f,* Wolf *m.*

écorn|er [ekɔrne] die Hörner, Kanten ab=stoßen (*qc* von etw); *(Geschirr)* an=schlagen; *(Vorräte)* an=greifen; *fig* schmälern, verringern; beeinträchtigen; *(Vermögen)* zum Teil durch=bringen; *~ les pages d'un livre* Eselsohren in ein Buch machen.

écorn|ifler [ekɔrnifle] *(Geld, Mittagessen)* schinden; *~ qn* bei jdm schmarotzen; **~ifleur, se** *s m f* Schmarotzer(in *f*) *m,* Nassauer; Parasit; Zechpreller; Plagiator *m.*

écornure [ekɔrnyr] *f* abgestoßene Ekke *od* Kante *f;* abgestoßene(s) Stück *n;* Scharte *f.*

écoss|ais, e [ekɔsɛ, -ɛs] *a* schottisch; *É~, e s m f* Schotte *m;* Schottin *f;* **É~e, l'** *f* Schottland *n.*

écosser [ekɔse] *(Erbsen)* enthülsen.

écosystème [ekɔsistɛm] *m* Ökosystem *n.*

écot [eko] *m* **1.** Baumstumpf *m;* **2.** Zeche *f;* Anteil *m (an der Zeche); payer son ~* seinen Beitrag leisten; seinen Anteil bezahlen.

écoufle [ekufl] *m orn* Gabelweihe *f;* (Papier-)Drachen *m.*

écoul|ement [ekulmɑ̃] *m* Ab-, Ausfluß; Abzug *m;* Rinnen *n;* Strömung *f; (Zeit)* Verfließen, -streichen *n;* Ablauf *m; (Menschenmenge)* Hinausströmen *n; com* Absatz; Vertrieb; *mil* Durchzug *(von Truppen); med* Ausfluß, Fluor; *arg* Tripper *m; canalisation f d'~* Entwässerung, Kanalisation *f; durée f d'~* Durchmarschzeit *f; robinet m d'~* Ablaufhahn *m; soupape f d' ~ et de trop-plein* Ab- u. Überlaufventil *n; tuyau m d'~* Abflußrohr *n; ~ d'air* Luftströmung *f; ~ du trafic* Verkehrsabwicklung *f;* **~er** *com* ab=setzen, verkaufen; in Umlauf bringen; *s'~ (Wasser)* ab=, aus=laufen, ab=fließen; *(Luft)* entweichen, aus=strömen; *(Zeit)* verrinnen, verfließen, verstreichen; *(Menge)* sich verlaufen; *(Geld)* zerrinnen; *(Ware)* Absatz finden; *fig* vergehen, verschwinden; *s'~ lentement, rapidement (Ware)* sich schwer, leicht ab=setzen lassen; *faire ~* ab=laufen, aus=fließen lassen; *(faire) ~ des marchandises* Waren ab=setzen; *laisser ~ un délai* e-e Frist versäumen, verstreichen lassen.

écourter [ekurte] ab=, verkürzen; (zu) kurz machen; *(Haare)* kurz schneiden; *(e-m Pferd, Hund)* den Schwanz, die Ohren stutzen; *fig* (ab=, ver)kürzen; *(Rede)* zs.=streichen.

écout|e [ekut] *f* **1.** *mar* Schot(e *f*) *m*, Segelleine *f;* **2.** Horchposten *m*, -stelle *f;* Abhören *n; être à l'~ (radio)* hören; *tele* auf Empfang stehen; *être aux ~s* auf der Lauer liegen, lauschen; *(se) mettre à l'~* auf Empfang stellen (gehen); *quitter l'~* die Hörbereitschaft unterbrechen; *rester à l'~ (tele)* am Apparat bleiben; *appareil, dispositif m d'~* Abhörvorrichtung *f; poste m d'~* Horchposten *m; service m d'~* Abhördienst *m; station f d'~* Abhörstation *f; table f d'~ (tele)* Klappenschrank *m; ~ radio et radar* Funkhorchdienst *m;* **~er** mit=, ab=, an=hören; zu=hören (*qn* jdm); horchen; belauschen; Gehör schenken (*qn* jdm); erhören; hören (*qn, qc* auf jdn, e-e S); *(Rat)* (be)folgen; *fam* gehorchen (*qn* jdm); *s'~ trop* sich verweichlichen; *ne pas ~ (Kind)* nicht hören wollen, ungehorsam sein; *se faire ~* sich Gehör verschaffen; *ne vouloir ~ personne* sich nichts sagen lassen; *n'~ que d'une oreille* nur mit halbem Ohr zu=hören; *~ d'où vient le vent* sein Mäntelchen nach dem Winde hängen; **~eur, se** *m f* Hörer(in *f*); Horcher(in *f*), Lauscher(in *f*) *m; m* Abhörapparat; *tele* Hörer; *radio* Kopfhörer *m; décrocher, raccrocher l'~* den Hörer ab=nehmen, auflegen.

écoutille [ekutij] *f mar* (Treppen-)Luke *f.*

écouvillon [ekuvijɔ̃] *m* Wischer *m;* Flaschenbürste *f.*

écrabouiller [ekrabuje] *fam* zerquetschen, zermalmen.

écran [ekrɑ̃] *m* Licht-, Ofen-, Kamin-, Wandschirm *m;* Stellwand *f; tech* Schutzblech; Gitter *n;* Kabelmantel *m; phot opt* Filter *m* u. *n; loc* Signaltafel; (Signal-)Blende; *film* Leinwand *f, (petit ~)* Bildschirm *m;* Film(kunst *f*) *m; sous ~* abgeschirmt; *porter à l'~* verfilmen; *vedette f de l'~* Filmstar *m; ~ actinique, luminescent* Leuchtschirm *m; ~ anti-éblouissant* Blendschutz *m; ~ coloré* Farbfilter *m; ~ de fumée* Rauschschleier *m; ~ jaune* Gelbfilter *n; ~ panoramique, large (film)* Breitwand *f; ~ protecteur pour les yeux* Augenschutzschirm *m; ~ radar* Radarschirm *m; ~ sonore* Lärmschutzwald *f.*

écras|ant, e [ekrazɑ̃, -ɑ̃t] erdrückend, überwältigend, vernichtend; übermäßig; *(Hitze)* drückend; **~é, e** eingedrückt; flach; geglättet; *(Nase)* platt; *rubrique f des chiens ~s (fam)* vermischte Lokalnachrichten *f pl;* **~ement** *m* Zerquetschen; Erdrükken; Zermalmen *n; mil* Vernichtung; *(Aufstand)* Niederwerfung; *sport* vernichtende Niederlage; *(Sprache)* Wortverkürzung *f; résistance f à l'~* Druckfestigkeit *f;* **~er** zerdrücken; platt drücken; zu Boden drücken; zermalmen; zertreten; zerschmettern; zerquetschen; niederschlagen, zu Boden schlagen; *(Auto, Zug)* überfahren; *(Zigarette)* aus=drücken; *fig* be-, er-, nieder=drücken; zer-, nieder=schmettern; vernichten, zugrunde richten; in den Schatten stellen; *(Aufstand)* nieder=werfen; *(mit Arbeit)* überhäufen; *(mit Steuern)* übermäßig belasten; *fam* aus=stechen, überragen; *sport* vernichtend schlagen; *s'~* zs.=stürzen; sich platt=drücken; *aero* zerschellen (*sur le sol* am Boden); *(Wogen)* sich brechen; *(Schnee)* knirschen; *(Menschen)* sich zerdrücken; *en ~ (fam)* wie ein Sack schlafen; *~ dans l'œuf* im Keime ersticken; **~eur** *m* ungeschickte(r) *od* rücksichtslose(r) Autofahrer; *~ de pommes de terre* Kartoffelquetsche *f.*

écrém|er [ekreme] *(Milch)* ent-, ab=rahmen, ab=sahnen; *(Glasfabrikation)* ab=schäumen; *fig* das Beste weg=nehmen (*qc* von etw), *fam* den Rahm ab=schöpfen (*qc* von etw); *lait m ~é* Magermilch *f;* **~euse** *f* Zentrifuge *f.*

écrêter [ekre(ɛ)te] die Spitze ab=

schneiden (*qc* e-r S *gen); (Straße)* ebnen.

écrevisse [ekrəvis] *f zoo* Krebs *m a. astr;* große (Scheren-)Zange *f; (fam) rouge comme une* ~ krebsrot; *aller* od *marcher comme une* ~, *à pas d'*~ den Krebsgang gehen.

écrier, s' [ekrije] (aus=)rufen.

écrin [ekrɛ̃] *m* Schmuckkästchen; Etui *n;* Schmuck *m;* Juwelen *n pl; fig* Kostbarkeiten *f pl.*

écri|re [ekrir] *irr* schreiben (*à qc* mit etw, *à qn* jdm); auf=, nieder=schreiben; ein=schreiben, -zeichnen; verfassen; komponieren; schriftlich aus=arbeiten *od* mit=teilen; *fig* (ein=)prägen ~ *au brouillon, au propre* ins unreine, ins reine schreiben; ~ *comme un chat, à la diable* sehr unleserlich schreiben; ~ *au courant de la plume* rasch hin=schreiben; ~ *à la craie, au crayon, à l'encre, avec un stylographe* mit Kreide, Bleistift, Tinte, mit e-m Füllfederhalter schreiben; ~ *de bonne encre (fig)* in scharfem Ton schreiben; ~ *sur une feuille (de papier), dans, sur un cahier, sur un tableau noir, sur un agenda* auf ein Blatt (Papier), in ein Heft, an e-e Tafel, in ein Notizbuch schreiben; ~ *une lettre à la machine* e-n Brief mit der Maschine schreiben; ~ *en toutes lettres* voll aus=schreiben; ~ *en majuscules* od *capitales, en minuscules* mit großen, kleinen Buchstaben schreiben; *machine f à* ~ Schreibmaschine *f; papier m à* ~ Schreibpapier *n;* ~**t, e** [ekri, -it] *a* schriftlich; ausgemacht; bestimmt; *(Papier)* beschrieben (*des deux côtés* auf beiden Seiten); *s m* Geschriebene(s); Schriftstück *n;* Schrift; schriftliche Prüfung *f;* Werk *n; par* ~ schriftlich, brieflich; schwarz auf weiß; *reconnu par* ~ verbrieft; *échouer, réussir à l'*~ bei der schriftlichen Prüfung durch=fallen, die schriftliche Prüfung bestehen; *mettre, rédiger, coucher par* ~ nieder=schreiben, zu Papier bringen; ~ *à la machine, à la main* maschinen-, handgeschrieben; ~ *en chiffres* in Ziffern geschrieben; *il est* ~ es ist beschlossen; *(Bibel)* es steht geschrieben; *c'était* ~ es hat so kommen müssen; ~**teau** *m* Anschlag *m;* Aufschrift *f;* Anschlag-, Aushangzettel *m;* Plakat; Schild *n;* Tafel *f;* ~**toire** *f* Schreibzeug *n;* ~**ture** *f* Schrift; Handschrift *f;* Geschriebene(s) *n;* Stil *m;* Eintragung; *com* Buchung *f; pl* (Geschäfts-)Bücher *n pl; jur* Prozeßschriften; Akten *f pl; (Bank)* Konten *n pl; annuler une* ~ e-e Buchung stornieren; *arrêter les* ~*s (com)* die Bücher ab=schließen; *passer une* ~ e-e Buchung vor=nehmen; *tenir les* ~*s* die Bücher führen; *balance f des* ~*s* Geschäftsbilanz *f; commis m aux* ~*s, teneur m d'*~*s* Buchhalter *m; comparaison f d'*~*s* Schriftvergleichung *f; droits m pl d'*~*s* Schreibgebühren *f pl;* ~ *braille* Blindenschrift *f;* ~ *en caractères d'imprimérie* Druckschrift *f;* ~ *de chat* Gekritzel *n;* ~ *de clôture* Abschlußbuchung *f;* ~ *cunéiforme* Keilschrift *f;* ~*s portées au débit* Lastschrift *f;* ~ *inverse* Gegenbuchung *f;* ~ *pictographique, idéographique* Bilderschrift *f;* ~ *renversée* Spiegelschrift *f; l'É*~ *sainte, les saintes É*~*s* die Heilige Schrift, die Bibel.

écri|vailler [ekrivaje] *fam* (hin=, zs.=) schmieren; viel u. schlecht schreiben; ~**vailleur** *m* Vielschreiber, Schmierer, Skribent, Schreiberling *m;* ~**vain** *m* Schriftsteller *m;* ~**vasser** viel u. schlecht schreiben, viel zs.=schreiben; ~**vassier, ère** *a* (tinten-)klecksend; *s m* (Artikel-)Schmierer; Federfuchser *m.*

écrou [ekru] *m* **1.** (Schrauben-)Mutter *f;* ~ *de blocage* Gegen-, Sicherungsmutter *f;* ~ *de fixation, de réglage* Feststell-, Stellmutter *f;* ~ *à oreilles, à papillon* Flügelmutter *f;* **2.** Einlieferungsschein *m (e-s Strafgefangenen); lever l'*~ *de qn* jdn aus der Haft entlassen; *levée f d'*~ (Feststellung *f* der) Haftentlassung *f; livre, registre m d'*~ Gefangenenregister *n; ordre m d'*~ Haftbefehl *m.*

écrou|elles [ekruɛl] *f pl med* Skrofeln *f pl;* ~**elleux, se** *a* skrofulös; *s m f* Skrofulöse(r *m*) *f.*

écrouer [ekrue] in die Gefangenenliste ein=tragen; ins Gefängnis ein=liefern.

écrou|ir [ekruir] *tech* kalt=hämmern; ~**issage** *m* Kalthämmern, -schmieden *n,* Kaltverformung *f;* Härten *n.*

écrou|lement [ekrulmɑ̃] *m* Einsturz; *fig* Zs.bruch; Verfall *m; danger m d'*~ Einsturzgefahr *f;* ~**ler, s'** ein=, zs.=stürzen; *(Mauer)* ein=fallen; *(Balken)* zs.=brechen (*sous* unter *dat*); *fig* zs.=brechen, zugrunde gehen; verfallen; *(Plan)* scheitern, ins Wasser fallen; *(Hoffnungen)* zunichte werden; *fam* sich fallen lassen (*sur* auf *acc, dans* in *acc*).

écroût|age, ~ement [ekrutaʒ, -tmɑ̃] *m* Abkrusten; *(Brachfeld)* Umbrechen *n;* ~**er** *(Brot)* ab=krusten; die Kruste, Rinde entfernen (*qc* von etw); *(Brachfeld)* umbrechen; ~**euse** *f Art* Egge *f.*

écru, e [ekry] roh(farben); ungebleicht; ungefärbt; unbearbeitet; *(Eisen)* schlecht geschweißt; *fil m* ~ Rohgarn *n; soie f ~e* Rohseide *f; toile f ~e* ungebleichte Leinwand *f.*
écu [eky] *m* (Wappen-)Schild *m* od *n;* Taler *m;* Papierformat (0,40 m × 0,52 m) *n; (Insekt)* Rückenschild *m.*
ectopie [ɛktɔpi] *f med:* ~ *testiculaire* Hodenhochstand *m.*

écubier [ekybje] *m mar* (Anker-)Klüse *f.*
écueil [ekœj] *m* Klippe *f a. fig;* (Felsen-)Riff *n;* (Sand-)Bank *f.*
écuell|e [ekɥɛl] *f* Napf *m;* (tiefe) Schale; Schüssel *f;* Napfvoll; *fam* Teller *m; manger à la même* ~ *(fig)* die gleichen Interessen haben; zs.=hausen; ~**ée** *f* Napfvoll *m.*
écul|er [ekyle] *(Absatz)* ab=, schief=laufen, schief=treten; *expression f ~ée* abgedroschene(r) Ausdruck *m.*
écum|age [ekymaʒ] *m tech* Abschäumen, -schöpfen *n;* Abstrich *m;* ~**ant, e** schäumend *a. fig. être* ~ *de rage* vor Wut schäumen; ~**e** *f* Schaum; Geifer; *(Pferd)* Schweiß *m; (Metall)* Schlacke *f; fig* Abschaum, Auswurf *m;* ~ *de mer* Meerschaum *m;* ~**er** *tr* ab=schäumen, -schöpfen; säubern (*qc* von etw); entschlacken; *fig* den Rahm ab=schöpfen (*qc* von etw); *itr* schäumen *a. fig;* herum=schmarotzen; ~ *des nouvelles* Neuigkeiten zs.=tragen; ~**eur** *m:* ~ *de marmites* Schmarotzer *m;* ~ *de(s) mer(s)* Seeräuber *m;* ~ *littéraire* Plagiator *m;* ~**eux, se** schaumig, schäumend; schaumbedeckt; ~**oire** *f* Schaumlöffel *m; un visage comme une* ~ ein pokkennarbiges Gesicht.
écurette [ekyrɛt] *f* Schürfbagger *m.*
écureuil [ekyrœj] *m* Eichhörnchen *n; vif comme un* ~ sehr lebhaft, flink wie ein Wiesel.
écurie [ekyri] *f* (Pferde-)Stall; *(~ de course)* Rennstall *m a. mot;* Rennpferde *n pl; fig* Gruppe *f;* ~ *d'Augias* Augiasstall *m; mettre un cheval à l'*~ ein Pferd in den Stall stellen; *c'est une vraie* ~ *(fig)* das ist ein richtiger Schweinestall; *garçon m d'*~ Pferdeknecht *m; garde f d'*~ Stallwache *f.*
écusson [ekysɔ̃] *m* (Wappen-)Schild *m* od *n; (Insekt)* Rückenschild *m; (Fisch)* Schuppe *f; (Kuh)* Milchspiegel *m;* Etikett; Firmen-, Namensschild; Okulierschildchen *n;* Schlüssellochdeckel; *mil* (Kragen-)Spiegel *m;* ~**nage** [-sɔ-] *m* Okulieren *n* (*à œil dormant, poussant* aufs schlafende, treibende Auge); ~**ner** okulieren; mit e-m Schild *od* Abzeichen versehen; ~**noir** *m* Okuliermesser *n.*
écuy|er [ekɥije] *m hist* (Schild-)Knappe; Junker; Reitlehrer; Kunst-, Schulreiter; Stallmeister *m; (Treppe)* Geländerstange *f; (Rebe)* Ausläufer *m; grand* ~ Oberstallmeister *m;* ~**ère** *f* (Kunst-)Reiterin *f; à l'*~ im Damensitz; *botte f à l'*~ Stulpen-, Reitstiefel *m.*
eczéma [e(ɛ)gzema] *m med* Flechte *f,* Ausschlag *m,* Ekzem *n;* ~**teux, se** *a* ekzemartig; *s m f* mit e-m E. Behaftete(r *m*) *f.*
edelweiss [edɛlvajs, -vɛs] *m bot* Edelweiß *n.*
Éden [edɛn] *m* Eden *n; le jardin d'*~ der Garten Eden; **édénien, ne; édénique** paradiesisch.
édent|é, e [edɑ̃te] *a* zahnlos; *s m pl zoo* Zahnarme *m pl;* ~**er** die Zähne aus=brechen (*qn* jdm), der Zähne berauben (*qn* jdn); *s'*~ die Zähne verlieren.
édicter [edikte] verordnen; *(Strafe)* fest=setzen; *(Gesetz)* erlassen; *fig* bekannt=geben.
édicule [edikyl] *m* Häuschen *n;* Kiosk *m;* Bedürfnisanstalt *f.*
édi|fiant, e [edifjɑ̃, -t] erbaulich, belehrend; ~**fication** *f* Errichtung *f;* Bau *m;* Erbauung *a. fig; fig* Belehrung *f; fig* Aufbau *m; en cours d'*~ im Bau (befindlich); ~**fice** *m* Gebäude *a. fig;* Bauwerk *n;* Bau *a. fig; fam* (menschlicher) Körper; *fig* Aufbau *m;* Struktur *f; bâtir, construire, élever un* ~ ein Gebäude errichten; *poser la première pierre d'un* ~ den Grundstein zu e-m Gebäude legen; ~ *social* Gesellschaftsordnung *f;* ~**fier** *(bedeutendes Bauwerk)* errichten; erbauen *a. rel; fig* begründen; belehren, auf=klären; *il m'a ~é sur son compte (ironisch)* jetzt weiß ich über ihn gründlich Bescheid, ich bin über ihn im Bilde.
édi|le [edil] *m hist* Ädil *m;* Magistratsbeamte(r), Stadtrat *m; pl* Stadtväter *m pl;* ~**lité** *f* Ädilenamt *n;* Magistrat *m;* städtische(s) (Tief-)Bauamt *n; pl* Geländenivellierung *f.*
Edimbourg [edɛ̃bur] *f* Edinburgh *n.*
édit [edi] *m* Edikt *n,* Erlaß *m;* Verordnung *f.*
édit|er [edite] heraus=geben, veröffentlichen; verlegen; *s'*~ veröffentlicht werden; s-e Werke im Selbstverlag erscheinen lassen; ~**eur** *m* Verleger, Herausgeber; Verlag; *fig* Urheber; *(Zeitung)* Leitartikler *m; libraire-*~ Verlagsbuchhändler *m;* ~**ion** [-sjɔ̃] *f* Aus-, Herausgabe; Auf-

lage *f;* Verlagsbuchhandel *m; catalogue m d'~* Verlagskatalog *m; contrat m d'~* Verlagsvertrag *m; droit m d'~* Verlagsrecht *n; maison f d'~* Verlag(shaus *n*) *m; ~ augmentée, corrigée, revue* vermehrte, verbesserte, durchgesehene Auflage *f; ~ complète* Gesamtausgabe *f; ~ pour la jeunesse* Jugendausgabe *f; ~ de luxe* Prachtausgabe *f; ~ officielle* amtliche Ausgabe *f; ~ populaire* Volksausgabe *f; ~ scolaire* Schulausgabe *f; ~ spéciale* Extrablatt *n;* Sondernummer *f;* Fachverlag *m;* **~ionner** *(e-e Auflage)* durchlaufend numerieren; **~orial, e** *a* verlegerisch; Leitartikel-; *s m* Leitartikel *m; lire l'~ en première page* den L. auf der ersten Seite lesen; **~orialiste** *m* Leitartikler *m.*

édredon [edrədɔ̃] *m* Daunendecke *f;* Federbett *n.*

éduc|abilité [edykabilite] *f* Bildungsfähigkeit *f;* **~able** bildungs-, erziehungs-, entwicklungsfähig; gelehrig; **~ateur, trice** *a* erzieherisch; bildend; *s m f* Erzieher(in *f*), (Tier-) Züchter(in *f*) *m;* **~atif, ive** erzieherisch; belehrend; lehrreich; *sport* trainierend; *film m ~* Lehrfilm *m;* **~ation** *f* Erziehung; Ausbildung; (gesellschaftliche) Bildung; Abrichtung, Dressur; Zucht, Züchtung *f; sans ~* schlecht erzogen, ungebildet, rüpelhaft; *avoir de l'~* wohlerzogen sein; *faire l'~ d'un enfant* ein Kind erziehen; *devoir, droit m d'~ des parents* Erziehungspflicht *f,* -recht *n* der Eltern; *maison f d'~* Bildungs-, Erziehungsanstalt *f; professeur m d'~ physique* Turn-, Sportlehrer *m; ~ civique* Staatsbürgerkunde *f; ~ manuelle* Handarbeitsunterricht *m; ~ permanente* Weiterbildung *f;* Erwachsenenfortbildung *f; ~ physique, corporelle* Leibesübungen *f pl;* Turnen *n (Schulfach); ~ politique* politische Bildung *f; ~ professionnelle* Berufsausbildung *f; ~ scolaire, universitaire* Schul-, Hochschulbildung *f; ~ spécialisée* Sondererziehung *f.*

édulcorer [edylkɔre] *pharm* süßen; *fig* versüßen.

éduquer [edyke] (sorgfältig) erziehen, bilden.

éfaufiler [efofile] aus=fasern.

effa|çable [ɛ(e)fasabl] auswischbar; auslöschbar; entfernbar; *tech* ausklappbar; versenkbar; **~cé, e** ver-, ausgewischt; kaschiert; *(Farbe, Erinnerung)* verblaßt; *(Kinn)* angezogen; *(Schultern)* zurückgenommen; *loc (Signal)* weggedreht; *(Gesicht) fig* unbedeutend, unauffällig; *(Verhalten)* bescheiden, zurückhaltend; *(Rolle)* untergeordnet; *fig* vergessen, vergangen; **~cement,** *tech* **~çage** [ɛfasmɑ̃, -saʒ] *m* Ausstreichen, -löschen; Löschen *n,* Tilgung *f; (Farben)* Verblassen *n; fig* Zurückgezogenheit; Vergessenheit *f;* bescheidene(s) Zurücktreten; *(Erinnerung)* Entschwinden, Verblassen *n; vivre dans l'~* zurückgezogen leben; **~cer** aus=, verwischen; aus=löschen; aus=radieren; (aus=)streichen; *(Fleck)* entfernen; *(Runzeln)* glätten; *(Farbe)* bleichen; *(Kurs)* herab=drücken; *(Schuld)* tilgen; *(Fehler)* wiedergut=machen; *fig* verdunkeln, in den Schatten stellen, bei weitem übertreffen; *s'~* ausgelöscht werden, verblassen; verschwinden; vergehen; *(Fußgänger)* aus=weichen; *fig* sich zurück=halten; sich zurück=ziehen (*de* von, aus); bescheiden zurück=treten (*devant qn* vor jdm); im Hintergrund bleiben; *~ les épaules* die Schultern zurück=nehmen; *~ de sa mémoire* aus s-m Gedächtnis streichen; *~ un nom sur une liste* e-n Namen auf e-r Liste streichen; *~ les plis de qc* etw glätten; *~ le signal (loc)* das Signal auf Fahrt stellen; *~ le tableau* die Tafel ab=wischen.

effaner [ɛ(e)fane] *tr* welke Blätter heraus=schneiden (*qc* aus etw).

effar|ant, e [ɛ(e)farɑ̃, -ɑ̃t] erschrekkend; unglaublich; **~ement** *m* Bestürzung; Verwirrung; Fassungslosigkeit *f;* **~é, e** verwirrt, fassungslos; außer sich; verstört; *(Wappentier)* aufgerichtet; **~er** (heftig) erschrecken, in Bestürzung versetzen, entsetzen, verwirren, aus der Fassung bringen; *s'~* (heftig) erschrecken, in Bestürzung *od* außer sich geraten, die Fassung verlieren; sich entsetzen; **~ouché, e** scheu, eingeschüchtert; beunruhigt; *(Tier)* aufgescheucht; **~oucher** auf=, verscheuchen; *fig* ab-, erschrecken, ein=schüchtern; *(Gefühl)* verletzen; *arg* stehlen; *s'~* erschrecken; sich ab=schrecken lassen; *(Gefühl)* verletzt werden; *(Pferd)* scheuen.

effect|if, ive [ɛ(e)fɛktif, -iv] *a* wirklich; tatsächlich; real; *com* bar; sicher zuverlässig; *s m* Bestand *m; (Waren)* Lager *n,* Vorrat *m; (Fabrik)* Belegschaft; *mil* Truppenstärke; *(Partei)* Mitgliederzahl *f; puissance f ~ive* Nutzleistung *f; tableau m des ~s de guerre* Kriegsstärkenachweis *m; tension f ~ive* Nutzspannung *f; ~s de guerre* Kriegsstärke *f; ~ net, réel* Ist--Stärke *f; ~ d'un bataillon* Bataillonsstärke; *~ du personnel* Personalstand *m; ~ prévu* Sollstärke *f; ~ des rationnaires* Verpflegungsstärke *f;* **~ivement** *adv* wirksam; tatsächlich, in der Tat.

effectuer [efɛktɥe] durch≈, aus≈führen; bewerkstelligen; bewirken; verwirklichen; *(Geschäft)* tätigen; *(Versprechen)* ein≈lösen; *(Versicherung)* ab≈schließen; *(Zahlung)* leisten; *(Geld)* (um≈)wechseln; *(Strecke)* zurück≈legen; *(Schritte)* unternehmen; *(Handlung)* vor≈nehmen; *s'~* zustande kommen, in Erfüllung gehen, sich verwirklichen, verwirklicht werden; sich vollziehen.

effémin|é, e [e(ɛ)femine] *a* verweichlicht; weichlich; schlaff; weibisch; *s m* Weichling *m;* **~er** verweichlichen; *(Kind)* verzärteln.

effervescen|ce [e(ɛ)fɛrvɛsɑ̃s] *f* Aufbrausen, -wallen; Brodeln *n; fig* Aufregung; Gärung *f;* **~t, e** aufbrausend, -wallend; brodelnd, gärend; *fig* leicht erregbar, aufbrausend; (sehr) aufgeregt; *(Leidenschaft)* wild.

effet [ɛ(e)fɛ] *m* Wirkung *f,* Effekt *m;* Ergebnis *n;* Folge *f;* Erfolg; Eindruck *m;* Ausführung; Verwirklichung; Tat *f;* Zweck; *com* Wechsel *m;* Wertpapier *n; tech* (Arbeits-)Leistung *f; (Billard)* Effet *n; (Versicherung)* Beginn *m; (Malerei)* Stimmung *f; pl* Ausrüstungs-, Kleidungsstücke *n pl;* Sachen *f pl;* Gerät; Gepäck *n;* Habseligkeiten *f pl;* Güter; *jur* Vermögensstücke *n pl;* Effekten *pl; à ~* wirkungs-, effektvoll; *à l'~ de (jur)* in der Absicht zu; *à* od *pour cet ~* zu diesem Zweck; dazu; *avec ~ du* mit Wirkung vom; *en ~* denn; *vx* tatsächlich, in der Tat; allerdings, freilich; *par l'~ de* infolge von; *sans ~* wirkungslos; unwirksam; *avoir de l'~ sur le résultat* das Ergebnis beeinflussen; *couper son ~ à qn* jdn aus der Fassung bringen; *déclarer sans ~* außer Kraft setzen; *émettre un ~* e-n Wechsel aus≈stellen; *faire (de l')~* wirken, wirksam sein; *faire son ~* Aufsehen erregen, wirken; *faire à qn l'~ de* jdm vor≈kommen wie; *faire l'~ de* aus≈sehen, sich aus≈nehmen wie; *faire* od *produire un bon ~* e-n guten Eindruck machen; sich gut aus≈nehmen; *honorer un ~* e-n Wechsel ein≈lösen; *mettre à ~* verwirklichen; *prendre ~* wirksam werden; *produire un ~ décisif* e-e entscheidende Wirkung haben; *protester un ~* e-n Wechsel zu Protest gehen lassen; *viser à l'~* auf Wirkung bedacht sein; *il n'y a point d'~ sans cause* jeder Ursache folgt die Wirkung; *à petite cause grand ~* kleine Ursachen, große Wirkungen; *~ d'aspiration* Saugwirkung *f; ~ brisant* Sprengwirkung *f; ~ calorifique* Wärme-, Heizeffekt *m; ~ de choc* Stoßwirkung *f; ~ de couleur* Farbwirkung *f; ~ curatif* Heilwirkung *f; ~ de distance* Fernwirkung *f; ~ à courte échéance* Wechsel *m* auf kurze Sicht; *~ d'éclatement* Sprengwirkung *f; ~ (produit) par (les) éclats* Splitterwirkung *f; ~ électronique* Ionisierung *f; ~ à l'encaissement* Inkassowechsel *m; ~ d'ensemble* Gesamteindruck *m; ~ d'équipement, d'habillement* Ausrüstungs-, Bekleidungsgegenstände *m pl; ~ explosif* Sprengwirkung *f; ~ fictif* Kellerwechsel *m; ~ final* Endergebnis *n; ~ de freinage* Bremseffekt *m; ~ gyroscopique* Kreiselwirkung *f; ~ incendiaire* Brandwirkung *f; ~ de lumière* Lichtwirkung *f; ~ moral* seelische Einwirkung (*sur* auf *acc*); *~ nocturne, de nuit (tele)* Nachteffekt *m; ~ à ordre (com)* Orderpapier *n; ~s à payer* Wechselverbindlichkeiten *f pl; ~ au porteur* auf den Inhaber lautende(r) Wechsel *m; ~ de la pression atmosphérique (Wetter), de souffle (Bombe)* Luftdruckwirkung *f; ~ non provisionné* ungedeckte(r) Wechsel *m; ~s publics* Staatspapiere *n pl; ~rétroactif (jur)* rückwirkende Kraft *f; ~ de surprise* Überraschungswirkung *f; ~ suspensif* aufschiebende Wirkung *f; ~ thermique* Wärmewirkung *f; ~ du tir* Feuerwirkung *f; ~ tiré* gezogene(r) Wechsel *m; ~ total* Gesamtleistung *f; ~ ultérieur* Nachwirkung *f; ~ utile* Nutzleistung; *mil* Schießwirkung *f; ~ à vue* Sichtwechsel *m.*

effeuill|age, ~ement [e(ɛ)fœjaʒ, -mɑ̃] *m* Entblätterung, Entlaubung *f;* **~aison** *f* Entblätterung *f;* Laubfall *m;* **~er** entblättern, -lauben; *fig* allmählich, nach u. nach zerstören; *s'~* s-e *od* die Blätter verlieren.

effi|cace [e(ɛ)fikas] *a* wirksam; wirkungsvoll; zugkräftig; *fig* durchschlagend, -greifend; *(Mensch)* tüchtig; leistungsfähig; *prêter à qn un appui ~* jdm kräftig unter die Arme greifen; **~cacité** *f* Wirksamkeit *f; tech* Wirkungsgrad *m;* (Arbeits-)Leistung; *(Mensch)* Leistungsfähigkeit, Tüchtigkeit *f; ~ des gouvernes (aero)* Steuerwirkung *f; ~ publicitaire* Werbewirkung *f; ~ du tir* Feuerwirkung *f;* **~cience** [-sjɑ̃s] *f* Leistungsfähigkeit *f;* Nutzeffekt *m;* Wirkungskraft *f;* **~cient, e** bewirkend; wirksam; *fam (Mensch)* tüchtig, leistungsfähig.

effigie [efiʒi] *f* Bild, Bildnis *n; (Münze)*

Bildseite *f,* Avers; *fig* Stempel *m,* Gepräge *n; pendre en ~* in effigie hängen.

effil|age [e(ɛ)filaʒ] *m* Ausfasern *n;* **~é, e** *a* dünn; zugespitzt, spitz (zulaufend), spitzig; *tech* verjüngt; *(Werkzeug)* spitzig; *(Stoff)* ausgefranst; *(Auto)* stromlinienförmig; *(Gestalt)* schlank, hager; *fig* scharf, spitz, beißend; *s m* (Rand-)Franse *f;* **~er** aus=fransen, aus=fasern; aus=zupfen; zu=spitzen; *(Haar)* dünn schneiden; *(den Bohnen)* die Fäden ab=ziehen (*qc* dat); *(Jagdhund)* ab=hetzen; *s'~* aus=franzen, aus=fasern; *(Gegenstand)* spitz zu=laufen, spitzig werden, sich verjüngen; *(Rauch)* sich verziehen; **~ochage** [-lɔ-] *m* Reißen *n;* Reißerei *f;* **~oche, ~oque** *f* Seidenfaser; Flockseide *f; (Papierherstellung)* gemahlene Lumpen *m pl; pl fam* Fransen *f pl;* **~ocher, ~oquer** aus=, zerfasern; reißen; *(Lumpen)* mahlen; *s'~* aus=fransen; *(Rauch)* sich verziehen; **~ocheuse** *f* Reißmaschine *f,* Lumpenwolf *m;* **~ochure, ~ure** *f* zerfaserte(s) Material *n; (Strumpf)* Laufmasche *f.*

efflanqu|é, e [e(ɛ)flɑ̃ke] *a* abgemagert, ausgemergelt; dürr; *fig* saft- u. kraftlos; schwächlich; *s m f* magere Person *f, fam* Strich *m;* **~er** *(Pferd)* ab=, aus=mergeln; *(Krankheit)* zehren (*qn* an jdm).

effleur|ement [e(ɛ)flœrmɑ̃] *m* leichte Berührung *f;* Streifen *n; (Häute)* Schleifen, Bimsen *n; fig* Knacks *m; (Thema)* oberflächliche Behandlung *f, fam* Antippen *n;* **~er** leicht berühren; streifen; ritzen, schrammen; leicht verletzen; *(Häute)* schleifen, bimsen; *(Erde)* auf=lockern; *(Thema)* streifen, an=tippen; *(Speise)* flüchtig kosten (*qc* von etw); *cette pensée ne m'avait jamais ~é* ich war nie auf diesen Gedanken gekommen.

effleurir [eflœrir] *a. s'~ (chem min)* aus=blühen; verwittern.

effloresc|en|ce [e(ɛ)flɔrɛsɑ̃s] *f* Aufblühen *n;* Reif *(auf Früchten); chem* Beschlag *m; min* Verwitterung *f,* Auswittern, Ausblühen *n; med* (Haut-)Ausschlag *m; fig* Erscheinen, Erwachen *n;* **~t, e** aufblühend; *chem* verwitternd; ausblühend.

efflu|ence [e(ɛ)flyɑ̃s] *f* Ausströmen *n;* **~ent, e** *a* ausströmend, ausfließend; *s m ecol* Abfall *m;* Abwasser *n; ~ radioactif* radioaktive(r) Abfall *m;* **~ve** *m* Ausströmen *n;* Ausdünstung *f; fig* Ausfluß *m,* Fluidum *n;* Duft *m;* Aroma *n; phys* Emanation; *el* Glimmentladung *f; lampe f à ~* Glimmlampe *f; ~ en couronne* Sprühen *n.*

effondr|é, e [e(ɛ)fɔ̃dre] *a (Weg)* ausgefahren, grundlos; *fig* heruntergekommen; zer-, niedergeschlagen; **~ement** [-drə-] *m* Ein-, Zs.sturz *m;* (tiefes) Umpflügen *n; geog* (Ab-)Senkung *f; fig* Zs.bruch; (Börsen-)Krach *m; (Mensch)* völlige Niedergeschlagenheit *f; (Preise)* Fallen, Nachgeben *n; (Regierung)* Sturz *m; ~ des cours* Kurssturz *m;* **~er** *agr* (tief) um=pflügen, -graben; *(Tür)* ein=treten; *(Schrank)* auf=brechen; *(Geflügel)* aus=weiden, -nehmen; *mar* aus=fischen; *fig* nieder=werfen, überwältigen; *s'~* ein=stürzen, -fallen; *fig* nach=geben; zs.=brechen; *s'~ dans la douleur, dans le désespoir* sich ganz dem Schmerz hin=geben, völlig verzweifelt sein; *s'~ dans un fauteuil* sich in e-n Sessel fallen lassen; **~eur** *m min* Auslösevorrichtung *f;* Lösebalken *m;* **~illes** [-ij] *f pl vx* (Boden-)Satz *m.*

efforcer, s' [e(ɛ)fɔrse] sich an=strengen, sich bemühen (*de, à* zu); streben (*vers* nach); an=streben, versuchen (*de, à* acc); *s'~ à un travail* sich zu e-r Arbeit zwingen.

effort [ɛ-, efɔr] *m* Anstrengung; Bemühung; Anspannung *f;* Streben *n;* (Arbeits-)Einsatz; Versuch *m;* (vollendetes) Werk *n;* Gewalt *f; tech* Druck *m;* Kraft; Belastung; Beanspruchung *f; med fam* Bruch; Muskelriß *m; après bien des ~s* nach vieler Mühe; *sans ~* mühelos; *(fam) se donner, attraper un ~* sich ver-, überheben; *faire tous ses ~s* alles auf=bieten, alle Minen springen lassen (*pour* um zu); *faire un ~ sur soi-même* es über sich bringen; sich zs.=nehmen; *faire ~ sur (mil)* den Schwerpunkt an=setzen auf *acc; faire un ~ pour qn (fam)* jdm (mit e-r großen Summe) unter die Arme greifen; jdm ein Opfer bringen; *soumettre à un ~* e-r (großen) Beanspruchung aus=setzen; *être soumis à des ~s contraires (fig)* ea. widersprechenden Einflüssen ausgesetzt sein; im Spannungsfeld gegensätzlicher Kräfte stehen; *ne reculer devant aucun ~* keine Anstrengung scheuen; *concentration f des ~s* Schwerpunktbildung *f; point m d'~ principal (mil)* Schwerpunkt *m; ~ de compression* Druckbeanspruchung *f; ~ continu* Dauerbeanspruchung *f; ~ créateur* schöpferische Leistung *f; ~ de l'eau* Gewalt *f* des Wassers, Staudruck *m; ~ excessif* Überbeanspruchung *f; ~ de flexion* Biegungsbeanspruchung *f; ~ fourni* Arbeitsleistung *f; ~ de frei-*

nage Bremskraft *f; ~s infructueux* ergebnislose Bemühungen *f pl; ~ maximum admissible* höchstzulässige Beanspruchung *f; ~ principal (mil)* Schwerpunkt *m; ~ propulseur de l'hélice* Vortriebkraft *f* der Luftschraube; *~ de rupture* Bruchspannung *f; ~ de tension, de traction* Zugbeanspruchung, -spannung *f; ~ de torsion* Drehbeanspruchung *f; ~ du vent* Winddruck *m.*

effraction [e(ɛ)fraksjɔ̃] *f* Einbruch *m; à l'épreuve de l'~* einbruchsicher; *ouvrir avec ~ (Behältnis)* erbrechen; *pénétrer par ~ dans qc* in e-e S ein=brechen; *vol m avec ~* Einbruchsdiebstahl *m.*

effraie [efrɛ] *f orn* Schleiereule *f.*

effranger, s' [efrɑ̃ʒe] aus=fransen.

effr|ayant, e [efrɛjɑ̃, -t] schrecklich, erschreckend, fürchterlich; **~ayer** erschrecken; entmutigen; *s'~* erschrekken (*de* über *acc*); zurück=schrecken (*de* vor *dat*); *(Pferd)* scheuen, scheu werden.

effréné, e [efrene] zügellos, unbändig, ausgelassen, wild, hemmungslos.

effr|itement [efritmɑ̃] *m (Gestein)* Verwitterung *f; (Mauer)* Zerbröckeln; *(Kurse)* Abbröckeln *n;* **~iter** verwittern; zerbröckeln; *s'~* verwittern; ab=, zerbröckeln; zerfallen; sich in s-e Bestandteile auf=lösen; *(Kurse)* ab=bröckeln.

effroi [efrwa] *m* Entsetzen, Grausen *n,* Schrecken *m;* (große) Furcht *f.*

effr|onté, e [efrɔ̃te] *a* frech, unverschämt, unverfroren; dreist; *s m* freche(r) Kerl, Flegel *m; f* unverschämte Person *f;* **~onterie** *f* Frechheit, Unverschämtheit; Dreistigkeit, Unverfrorenheit *f.*

effroyable [efrwajabl] entsetzlich, fürchterlich; schrecklich; *fam* überwältigend, gewaltig, ungeheuer.

effusion [e(ɛ)fyzjɔ̃] *f rel* Ausgießung *f; fig* Erguß *m;* Vergießen *a. fig,* Ausströmen *n;* Wärme, Herzlichkeit *f; avec ~* aus vollem Herzen; *accueillir qn avec ~* jdn mit offenen Armen auf=nehmen; *parler avec ~* s-e Seele in s-e Worte legen; *remercier avec ~* auf das herzlichste danken (*qn* jdm); *~ de sang* Blutvergießen *n.*

égaiement [egɛmɑ̃] *m s. égayement.*

égailler, s' [egaje] sich zerstreuen, ausea.=gehen.

égal, e [egal] gleich; gleichmäßig; gleichförmig; *(Weg)* eben; *math* kongruent; *fig* gleichgültig, einerlei; *(Stimmung)* gleichbleibend; *à ~e distance* gleich weit (entfernt); *à l'~ de* ebenso(sehr) wie; *n'avoir point d'~, être sans ~* nicht seinesgleichen haben; *tenir la balance ~e* unparteiisch sein, mit gleichem Maße messen; *il est toujours ~ à lui-même* er ist immer der gleiche; *tout lui est ~* ihm ist alles gleich; *cela m'est ~ (fam)* das ist mir egal *od* gleich; *mon ~* meinesgleichen; *~ en droits* gleichberechtigt; *~ en surface* flächengleich; **~ement** *adv* in gleicher Weise; ebenfalls; *fam* auch, gleichfalls; **~er** gleich=kommen (*qn, qc* jdm, e-r S); vergleichen (*à* mit); *(Rekord)* erreichen; *~ qn à un autre* jdn e-m anderen gleich=stellen; *~ qn en beauté, en importance* jdm an Schönheit, an Bedeutung gleich=kommen; *deux plus trois ~ent cinq* zwei plus drei ist fünf; *deux multiplié par trois ~e six* zwei mal drei ist sechs; **~isation** *f* Ausgleichung; Glättung; Einebnung *f; fonds m d'~ des changes* Devisenausgleichsfonds *m; ~ des changes* Währungsausgleich *m;* **~iser** *(Sachen)* gleich=machen; gleichmäßig verteilen, aus=gleichen; (ea.) an=gleichen; *(Boden)* ein=ebnen, eben machen; glatt=streichen; *sport* gleich=ziehen (*qn* mit jdm); **~itaire** *s m* Verfechter *m* der Gleichheit (vor dem Gesetz); *a* das Prinzip der Gleichheit verfechtend; **~itarisme** *m* Gleichmacherei *f;* **~itariste** *a* gleichmacherisch; *s m f* Gleichmacher(in *f*) *m;* **~ité** *f* Gleichheit; Gleichmäßigkeit; Ebenheit; Gleichförmigkeit; Gleichwertigkeit *f; sport* Ausgleich *m; math* Kongruenz *f; être à ~ avec qn* die gleiche Punktzahl erreicht haben wie jem; *être sur un pied d'~ avec qn* mit jdm auf gleichem Fuße stehen; *~ d'âme, d'humeur* Gleichmut *m; ~ des droits* Gleichberechtigung *f; ~ devant la loi, ~ civile* Rechtsgleichheit *f; ~ de points (sport)* Unentschieden *n; ~ politique* politische Gleichheit *f.*

égard [egar] *m* Rücksicht(nahme); Achtung *f; à tous (les) ~s* in jeder Beziehung; *à cet ~* in dieser Beziehung *od* Hinsicht; *à beaucoup d'~s, à maints ~s* in vieler Hinsicht; *à l'~ de qc* e-r S gegenüber; hinsichtlich, betreffs, in betreff e-r S; im Vergleich zu e-r S, in bezug auf e-e S; *à mon ~* was mich betrifft; *eu ~ à* in Anbetracht *gen; par ~ à, pour* mit Rücksicht, im Hinblick auf *acc; sans ~ pour* ohne Rücksicht auf *acc,* ohne Berücksichtigung *gen; avoir ~ à qc* etw berücksichtigen, in Betracht ziehen; *avoir des ~s pour qn* jdm Aufmerksamkeiten erweisen, jdn rücksichtsvoll behandeln; *manquer d'~s* *envers qn* es jdm gegenüber an Achtung fehlen lassen; *manquer aux ~s* gegen die guten Sitten verstoßen; *manque m d'~s* Rücksichtslosigkeit *f.*

égar|é, e [egare] *a (Geist, Mensch)* verwirrt, irre; verstört; *(Gegenstand)* verlegt; hier u. da verstreut; *(Mensch, Tier)* verirrt; *s m f* Verirrte(r *m*) *f; avoir l'air ~* verwirrt aussehen; **~ement** *m fig* Verirrung; Verwirrung *f;* Irrtum *m;* Geistesgestörtheit *f;* **~er** irre≈leiten, -führen, vom (rechten) Wege ab≈bringen *a. fig;* verwirren; *(Gegenstand)* verlegen; *s'~* vom Wege ab≈kommen; fehl≈gehen, sich verlaufen, sich verirren; *fig* sich irren; den Faden verlieren; irrereden; verwirrt werden; auf Abwege geraten; *(Gegenstand)* verlegt werden, abhanden kommen.

égay|ant, e [egɛjɑ̃, -ɑ̃t] auf-, erheiternd; *(Erzählung)* heiter; **~ement** *m* Aufheiterung *f;* **~er** auf≈, erheitern; *(Gesellschaft)* belustigen; *(Zimmer)* freundlich(er) gestalten; beleben, heller machen; *(Baum)* aus≈schneiden, lichten; *s'~* lustig werden; sich auf≈heitern; *s'~ aux dépens de qn* sich über jdn lustig machen.

Egée [eʒe] *f: la mer ~* die Ägäis, das Ägäische Meer.

égide [eʒid] *f* Ägide *f; fig* Schutz *m.*

églant|ier [eglɑ̃tje] *m* wilde(r) Rosenstrauch *m;* **~ine** *f* Hunds-, Heckenrose *f (Blüte).*

église [egliz] *f* Kirche; *É~* Kirche(ngemeinschaft); Geistlichkeit *f;* geistliche(r) Stand *m; aller à l'~* zur, in die Kirche gehen; *entrer, prier dans une ~* e-e K. betreten; in e-r K. beten; *se marier à l'~* sich kirchlich trauen lassen; *les États de l'É~* der Kirchenstaat; *l'É~ catholique, protestante, réformée* die katholische, protestantische, reformierte Kirche; *~ collégiale, paroissiale, de pèlerinage* Stifts-, Pfarr-, Wallfahrtskirche *f; l'É~ militante, triomphante* die streitende, triumphierende Kirche; *l'É~ primitive* die Urkirche.

églogue [eglɔg] *f* Ekloge *f,* Hirtengedicht *n.*

égocentri|que [egɔsɑ̃trik] *a* egozentrisch; *s m f* Egozentriker(in *f*) *m;* **~sme** *m* Egozentrizität, Ichbezogenheit *f.*

égoïne [egɔin] *f* Stichsäge *f, a.* Fuchsschwanz *m.*

égoïs|me [egɔism] *m* Egoismus *m,* Selbstsucht *f,* Eigennutz *m;* **~te** *a* egoistisch, selbstsüchtig; eigennützig; *s m* selbstsüchtige(r) Mensch, Egoist *m.*

égorg|ement [egɔrʒəmɑ̃] *m* Mord *m,* Ermordung *f;* Gemetzel, Blutbad; *(Schwein)* (Ab-)Schlachten *n;* **~er** den Hals ab≈schneiden (*qn* jdm); nieder≈machen, -metzeln; *fig* mißhandeln; gewaltig übervorteilen; ruinieren; **~eur, se** *s m f* Mörder(in *f*) *m.*

égosiller, s' [egozije] sich heiser schreien; *(Vogel)* ununterbrochen zwitschern.

égotis|me [egɔtism] *m* Selbstsucht; Ichbezogenheit *f;* **~te** *a* selbstsüchtig; *s m* selbstsüchtige(r), ichbezogene(r) Mensch *m.*

égout [egu] *m* Abtropfen; abfließende(s) Wasser *n;* (Dach-)Traufe; Kloake; Kanalisation *f;* Abwasser-, Abzugskanal; Rinnstein *m,* Gosse *f a. fig; eaux f pl d'~* Abwässer *n pl; tuyau m d'~* Fallrohr *n;* **~ier** [-tje] *m* Kanalreiniger *m;* **~tage, ~tement** *m* Abtröpfeln; Entwässern *n;* **~ter** abtropfen lassen; trocken≈legen; **~toir** *m* Abtropfbrett, -körbchen *n,* -schale *f; phot* Trockenständer *m;* **~ture** *f (Flasche)* letzte(r) Tropfen, Rest *m,* Neige *f.*

égrainer *s. égrener.*

égrapper [egrape] *(Beeren von der Traube)* pflücken, los≈trennen; *min (Erz vom Gestein)* trennen.

égratign|er [egratiɲe] (zer)kratzen; (auf≈)ritzen; auf≈rauhen; *(Seide)* auf≈kratzen; *(Kunst)* in Schabkunstmanier stechen; schraffieren; *fig* verletzen, kränken; sticheln; **~ure** *f* Kratzwunde; Schramme *f;* Ritzen; Schraffieren *n; fig* Kränkung *f;* Kratzer *m; ne pouvoir souffrir la moindre ~* sehr empfindlich sein; *s'en tirer sans une ~* mit heiler Haut davon≈kommen.

égren|age, égrainage, égrènement [egrənaʒ, egrɛnaʒ, -ɛnmɑ̃] *m;* Entkernen; Riffeln *n;* **~er** entkernen, aus≈körnen; riffeln; *fig* nachea. tun; *s'~ (Früchte)* ab≈fallen; *(Stahl)* zerspringen, zerplatzen; zerbröckeln; *(Menschen)* ausea.≈gehen; sich ausea.≈ziehen; *~ son chapelet* den Rosenkranz (her≈)beten; *fig* sein Herz aus≈schütten; **~euse** *f,* **~oir** *m* Entkörnmaschine *f.*

égrillard, e [egrijar, -rd] (sehr) ausgelassen; etwas zu frei, lose, schlüpfrig.

égris|é(e) [egrize] *m (f)* Diamantpulver *n;* **~er** *(Diamanten)* ab≈, vor≈schleifen; *(Marmor)* glatt≈schleifen.

égrotant, e [egrɔtɑ̃, -ɑ̃t] kränklich.

égrug|eoir [egryʒwar] *m* (Holz-)Mörser *m;* Stampfbüchse; Riffelbank *f;* **~er** zer-, klein≈stoßen, schroten; *blé m ~é* Schrot *m* od *n.*

égueuler [egœle] *(e-m Gefäß)* die Schnauze, den Rand beschädigen (*qc* e-r S); *s'~* sich ab=nützen; *pop* sich die Kehle aus dem Hals schreien.

Égyp|te, l' [eʒipt] *f* Ägypten *n;* **é~tien, ne** [eʒipsjɛ̃, -ɛn] *a* ägyptisch; *E~, ne s m f* Ägypter(in *f*) *m;* **é~tologie** *f* Ägyptologie *f;* **é~tologue** *m f* Ägyptologe *m* Ägyptologin *f.*

eh! [e] *interj* ei! nun! *~ bien!* nun gut! na! *~! là-bas* hallo! *~ quoi!* ach was!

éhonté, e [eɔ̃te] *a* schamlos; unverschämt, frech; *s m f* unverschämte(r) Mensch *m;* unverschämte Person *f.*

eider [ɛdɛr] *m* Eiderente *f.*

éjacul|ation [eʒakylasjɔ̃] *f* Ausspritzung *f;* (Samen-)Erguß *m;* **~er** aus=spritzen, -stoßen.

éject|able [eʒɛktabl] auswerfbar; *siège ~* Schleudersitz *m;* **~er** aus=werfen, *tech* aus=stoßen; *pop* hinaus=werfen; **~eur** *m* Auswerfer *m a mil;* Strahlpumpe *f,* -gebläse *n;* Spritzdüse *f;* Exhaustor *m;* Wasserhebewerk *n;* **~ion** [-ksjɔ̃] *f* Entleerung *f;* Auswurf *m,* -scheidung *f; pl* Exkremente *n pl.*

éjointer [eʒwɛ̃te] die Flügel stutzen (*un oiseau* e-m Vogel).

élabor|ation [elabɔrasjɔ̃] *f* Aus-, Ver-, Durcharbeitung *f;* **~er** aus=, verarbeiten.

élag|age [elagaʒ] *m (Baum)* Ausschneiden, Ausästen; Zurückschneiden *n;* **~uer** [-ge] *(Baum)* aus=ästen; zurück=schneiden; *fig* (ab=)kürzen; *(Überflüssiges)* weg=lassen, streichen.

élan [elɑ̃] *m* **1.** *zoo* Elch *m;* **2.** Anlauf, Sprung, Satz; *fig* Schwung *m;* Ungestüm *n;* Schneid *m;* Begeisterung; Regung, Anwandlung *f;* Drang *m; mil* Stoßkraft *f; plein d'~* schneidig; *avoir de l'~* Schmiß haben; *prendre son ~* e-n Anlauf nehmen; *~ vital* Lebenskraft *f.*

élanc|é, e [elɑ̃se] *a* schlank, rank; hoch aufgeschossen; schmächtig; *(Hals)* lang; **~ement** *m med* kurze(r), stechende(r) Schmerz, Stich *m;* **~er** *itr* heftig stechen, stechende Schmerzen verursachen; *s'~* los=, hervor=brechen, (sich) stürzen (*sur, vers qn* auf jdn, zu jdm hin); sich (empor=)schwingen *a. fig; (Mensch)* in die Höhe schießen; *(Turm)* empor=ragen, in die Höhe ragen; *(Rauch)* auf=steigen.

élarg|ir [elarʒir] erweitern, (aus=)weiten, verbreitern, (aus=)dehnen; breiter, weiter machen; vergrößern; *(Beziehungen)* aus=bauen; *(Gefangene)* frei=lassen; **~issement** *m* Erweiterung *f;* Weiten *n;* Vergrößerung, Ausweitung, Ausbauchung; Verbreiterung; *fig* Ent-, Freilassung *f;* Ausbau *m; min* Nachreißen *n (e-r Strekke);* **~issure** *f* Zwickel, eingesetzte(r) (Stoff-)Keil *m.*

élasti|cité [elastisite] *f* Elastizität, Spannkraft *f a. fig;* Federn *n;* Schnell-, Federkraft; Dehnbarkeit *f (a. e-s Begriffes);* **~que** *a* elastisch, federnd; dehnbar *a fig; s m* Gummiband *n,* -zug *m;* (Sprung-)Feder *f; conscience f ~* weite(s) Gewissen *n.*

élat|ère, élater [elatɛr] *m* Springkäfer; *bot* Springfaden *m;* **~éromètre** [-rɔ-] *m* Dampf-, Spannungsmesser *m,* Manometer *n.*

élav|é, e [elave] *(Jägersprache)* falb; **~er** *(Papier, Lumpen)* aus=waschen.

Elbe [ɛlb] *f (Insel)* Elba *n,* die Insel Elba; *(Fluß)* Elbe *f.*

elbeuf [ɛlbœf] *m* Elbeuftuch *n.*

eldorado [ɛldɔrado] *m* (El-)Dorado, Wunderland *n.*

électeur, trice [elɛktœr, -tris] *m f* Wähler(in *f*); Kurfürst(in *f*) *m; carte f d'~* Wahlausweis *m; promesses f pl faites aux ~s* Wahlversprechungen *f pl; ~ inscrit* Wahlberechtigte(r) *m;* **~if, ive** auf Wahl beruhend; durch Wahl bestimmt; Wahl-; *affinité f ~ive* Wahlverwandtschaft *f;* **~ion** [-sjɔ̃] *f* Wahl; Erwählung *f a. rel; d'~* auserwählt; *faire une ~* zu e-r Wahl schreiten; *voter aux ~s* ab=stimmen; *résultats m pl des ~s* Wahlergebnisse *n pl; ~ du comité de direction* Vorstandswahl *f; ~ complémentaire* Ersatzwahl *f; ~s législatives* Parlamentswahlen *f pl; ~s municipales* Gemeindewahl *f; ~s présidentielles* Präsidentenwahl *f pl;* **~oral, e** *a* Wahl-; *assemblée f ~e* Wahlversammlung *f; campagne f ~e* Wahlkampf *m; circonscription f ~e* Wahlbezirk *m; corps m ~* Wählerschaft *f; discours m ~* Wahlrede *f; fraude f ~e* Wahlfälschung *f; liste f ~e* Wählerliste *f; loi f ~e* Wahlgesetz *n; lutte f ~e* Wahlkampf *m; plate-forme f ~e* Wahlprogramm *n; propagande f ~e* Wahlpropagande *f; urne f ~e* Wahlurne *f;* **~oralisme** *m* Wahlpropaganda *f;* **~oraliste** Wahlpropaganda-, auf die nächsten Wahlen abzielend; **~orat** [-ra] *m* Wählerschaft *f;* Kurwürde *f;* Kurfürstentum *n; ~ féminin* Stimmen *f pl* der Frauen; *~ flottant* Wechselwähler *m pl.*

électri|cien [elɛktrisjɛ̃] *s m* Elektriker; *film* Beleuchter *m; a: ingénieur, ouvrier m ~* Elektroingenieur, -monteur *m;* **~cité** *f* Elektrizität *f; allumer* *(éteindre) l'~* das Licht ein=, (aus=) schalten; *compteur m (d'~)* (Elektro-)Zähler *m; note f d'~* Stromrechnung *f; panne f d'~* Stromausfall *m; source f d'~* Stromquelle *f; station, centrale, usine f d'~* Elektrizitätswerk *n; ~ atmosphérique* Luftelektrizität *f; ~ par frottement* Reibungselektrizität *f;* **~fication** *f* Elektrifizierung, Umstellung auf elektrischen Betrieb; Stromversorgung *f;* **~fier** elektrifizieren; mit Strom versorgen; *être ~é* an ein Stromnetz angeschlossen sein; **~que,** elektrisch; *fig* zündend, elektrisierend; *alimentation f, approvisionnement m en énergie ~* Energie-, Stromversorgung *f; allumage m ~* el. Zündung *f; appareil m ~* Elektrogerät *n; centrale f ~* Kraftwerk *n; champ m ~* el. Feld *n; charge f ~* el. Ladung *f; chariot m ~* Elektrokarren *m; chauffage m ~* el. Heizung *f; circuit m ~* el. Stromkreis *m; conducteur m ~* el. Leiter *m; courant m ~* el. Strom *m; cuisinière f ~* Elektroherd *m; décharge f ~* Entladung *f; distribution f, transport m de l'énergie ~* Verteilung *f* d. el. Energie; *éclairage m ~* el. Beleuchtung *f; étincelle f ~* el. Funke *m; fer m à repasser ~* el. Bügeleisen *n; locomotive f ~* el. Lokomotive, E-Lok *f; lumière f ~* el. Licht *n; moteur m ~* Elektromotor *m; outillage m ~* Elektrowerkzeuge *n pl; puissance f ~* el. Kraft *f; radiateur m ~* (el.) Heizofen *m,* -sonne *f; rasoir m ~* el. Rasierapparat *m; répulsion, résistance f ~* el. Abstoßung *f,* Widerstand *m; sonnerie f ~* el. Klingel *f; soudure f ~* Elektroschweißen *n; tension f ~* el. Spannung *f;* **~sable** elektrisierbar; **~sation** *f* Elektrisierung *f;* **~sé, e** *a fig* begeistert; **~ser** elektrisieren; *fig* begeistern; **~seur** *m* Elektrisierapparat *m.*

électro- [elɛktro, -trɔ-] *in Zssgen* Elektro-; **~-aimant** *m* Elektromagnet *m; intercaler un ~ dans un circuit* e-n Elektromagnet in e-n Stromkreis ein=schalten; *~ d'embrayage* Kupplungsmagnet *m;* **~calorimètre** *m* Elektrokalorimeter *n;* **~cardiographe** *m* Elektrokardiograph *m;* **~cardiogramme** *m* Elektrokardiogramm *n;* **~cautère** *m* Glühkauter *m;* **~chimie** *f* Elektrochemie *f;* **~chimique** elektrochemisch; **~choc** *m* Elektroschock *m;* **~cinétique** *f* Lehre *f* von den el. Strömen; **~coagulation** *f med* Elektrokoagulation *f;* **~copier** elektrisch vervielfältigen; **~culture** *f* Elektrokultur, el. Bodenbeheizung *f.*

électro|cuter [elɛktrɔkyte] durch Elektrizität hin=richten *od* töten; **~cution** *f* Hinrichtung *f,* Tod *m* durch el. Strom.

électrode [elɛktrɔd] *f* Elektrode *f; écartement m des ~s* Elektrodenabstand *m; ~ des bougies* Zündkerzenelektrode *f; ~ de masse* Massenelektrode *f.*

électro|diagnostic [elɛktrɔdjagnɔstik] *f* Elektrodiagnose *f;* **~dynamique** elektrodynamisch; *haut-parleur m ~* elektrod. Lautsprecher *m; microphone m ~* elektrodynamisches Mikrophon *n;* **~dynamomètre** *m* Elektrodynamometer *n;* **~encéphalogramme** *m* Elektroenzephalogramm *n;* **~galvanique** elektrogalvanisch.

électrogène [elɛktrɔʒɛn] stromerzeugend; *groupe m ~* Stromerzeugungsaggregat *n.*

électro|lyse [elɛktrɔliz] *f* Elektrolyse *f;* **~lyte** *m* Elektrolyt *m;* **~lytique** elektrolytisch; *cuivre ~* Elektrolytkupfer *n;* **~magnétique** elektromagnetisch; *énergie f ~* elektrom. Energie *f; oscillations f pl ~s* elektrom. Schwingungen *f pl; rayonnement m ~* elektrom. Strahlung *f;* **~magnétisme** *m* Elektromagnetismus *m;* **~mécanique** *s f* Elektromechanik *f; a* elektromechanisch; **~ménager** *a* elektrogeräte-; *s m* Elektrogeräteindustrie *f; appareil m ~* elektrisches Haushaltsgerät *n;* **~métallurgie** *f* Elektrometallurgie *f;* **~mètre** *m* Elektrometer *n;* **~moteur, trice** *a* elektromotorisch; *s m* Elektromotor *m.*

électron [elɛktrɔ̃] *m* Elektron *n (Teilchen); alliage m ~* E. *(Legierung); ~-volt m* Elektronenvolt *n.*

électro|nicien, ne [elɛktrɔnisjɛ̃, -ɛn] *a* Elektronen-; *s m f* Elektroniker(in *f*) *m;* **~nique** *s f* Elektronik *f; a* Elektronen-, elektronisch; *bombardement m ~* Elektronenbombardement *n; caméra f ~* Elektronenkamera *f; canon m ~* Elektronenkanone f; *cerveau m ~* Elektronengehirn *n; couplage m ~* Elektronenkupplung *f; courant m ~* Elektronenstrom *m; décharge f ~* Elektronenentladung *f; densité f ~* Elektronendichte *f; déviation f ~* Ablenkung *f* der Elektronen; *émission f ~* Elektronenemission *f; flux m ~* Elektronenströmung *f; image f ~* Ladungsbild *n; lentille f ~* Elektronenlinse *f; microscope m ~* Elektronenmikroskop *n; trajectoire f*

~ Elektronenbahn *f; tube m* ~ Elektronenröhre *f.*

électro|négatif, ive [elɛktrɔnegatif, -iv] elektronegativ; **~-optique** *f* Elektronenoptik *f;* **~phone** *m* Plattenspieler *m;* **~phore** *m* Elektrophor *m;* **~phorèse** [-fɔrɛz] *f* Elektro-, Ionophorese *f;* **~positif, ive** elektropositiv; **~scope** [-scɔp] *m* Elektroskop *n;* **~statique** *a* elektrostatisch; *s f* Elektrostatik *f;* **~technique** *a* elektrotechnisch; *s f* Elektrotechnik *f;* **~thérap(eut)ique** elektrotherapeutisch; **~thérapie** *f* Elektrotherapie *f;* **~thermique** elektrothermisch; **~typie** *f* Galvanotypie, galvanoplastische Vervielfältigung *f.*

électuaire [elɛktɥɛr] *m pharm* Latwerge *f.*

élégan|ce [elegɑ̃s] *f* Feinheit, Zierlichkeit; Eleganz; Anmut *f; s'habiller, se vêtir avec* ~ sich elegant kleiden; **~t, e** [-gɑ̃, -ɑ̃t] *a* fein, zierlich, geschmackvoll, elegant; *s m* Modegeck, Stutzer *m; f* Modedame *f; il s'en est tiré élégamment (fam)* er hat sich geschickt aus der Affäre gezogen.

élégi|aque [eleʒjak] *a* elegisch; schwermütig; *s m* elegische(r) Dichter *m;* **~e** [-ʒi] *f* Klagelied *n,* Elegie *f.*

élément [elemɑ̃] *m (a. Mensch)* Element *n;* Grund-, Urstoff; Grundbegriff; Bestand-, Einzelteil; Bauteil, -glied *n;* einfache(r) Körper *m; (Akkumulator)* Zelle; *mil* Einheit *f;* Truppenteil *m; pl* Anfangsgründe *m pl;* Grundlagen *f pl,* -züge *m pl;* Unterlagen *f pl; en être aux premiers ~s* in den ersten Anfängen stecken; *être dans son* ~ in seinem Element sein; *les quatre ~s* die vier Elemente *n pl;* ~ *d'actif, de passif (com)* Aktiv-, Passivposten *m;* ~ *constitutif, essentiel* wesentliche(r) Bestandteil *m;* ~ *de construction* Bauteil *n; ~s d'exploitation* Betriebsunterlagen *f pl;* ~ *de montage* Einbauteil *n;* ~ *préfabriqué* Fertigteil *n;* ~ *de raccord* Anschlußstück *n;* ~ *de radiateur* Heizkörperrippe *f;* ~ *de rechange* Ersatzteil *n;* ~ *sec* Trockenelement *n;* ~ *subversif* subversive(s) Element *n;* **~aire** [-tɛr] Grund-; Anfangs-; elementar; einfach; unzerlegbar; primitiv; *c'est* ~ das versteht sich von selbst; das ist einfach; *classes f pl ~s (Schule)* untere Klassen *f pl; couleurs f pl ~s* Primärfarben *f pl; mathématiques f pl ~s* niedere Mathematik *f.*

éléphant [elefɑ̃] *m* Elefant *m; être comme un* ~ *dans un magasin de porcelaine* sich wie ein E. im Porzellanladen benehmen; *faire d'une mouche un* ~ *(fam)* aus e-r Mücke e-n Elefanten machen; *l'~ barète* od *barrit* der E. trompetet; **~eau** *m* junge(r) Elefant *m;* **~esque** riesig, ungeheuer; **~iasis** [-tjazis] *f med* Elephantiasis *f;* **~in, e** elefantenartig; Elefanten-; aus Elfenbein, elfenbeinern.

élev|age [elvaʒ] *m zoo bot* Zucht, Züchtung; Viehzucht *f; min* Nachreißen *n* des Hangenden; *faire de l'~* Viehzucht treiben ~ *avicole* Geflügelzucht *f;* ~ *du bétail* Viehzucht *f;* ~ *industriel* Massentierhaltung *f;* **~é, e** *a* hoch, erhaben; hochgelegen, erhöht; *(Puls)* beschleunigt; *(Preis)* hoch; *(Stil)* gehoben; *bien* ~ wohlerzogen; *mal* ~ *(a)* ungesittet, ungezogen; *s m* schlecht erzogene(r) Mensch *m;* **~er** auf=, erheben *a. fig;* vergrößern, steigern; *(Niveau)* heben; *(Preis)* erhöhen; *(Puls)* beschleunigen; *(Mauer)* auf=führen, errichten; *(Haus, Denkmal)* errichten; *(Damm)* auf=schütten; *(Last)* heben; *(Fahne)* auf=pflanzen; *mus* transponieren; *math (in e-e Potenz)* erheben; *(Tiere, Pflanzen)* züchten; *(Kinder)* auf=, erziehen, groß=ziehen; *s'~* sich erheben; *(Laut)* stärker werden; *(Vogel)* auf=fliegen; *(Streit)* entstehen; *(Preis, Temperatur, aero)* steigen; *(Baum)* stehen; *(Zweifel)* auf=kommen; *(Summe)* sich belaufen (*à* auf *acc*); sich empor=arbeiten, sich auf=schwingen; *s'~ contre qn* gegen jdn auf=treten, sich gegen jdn erklären; *s'~ au dessus de qn* sich über jdn erheben; ~ *au carré (math)* quadrieren; ~ *le niveau d'un terrain* ein Gelände höher legen; ~ *des objections, des doutes* Einwände erheben, Zweifel äußern; ~ *des obstacles, des difficultés* Hindernisse, Schwierigkeiten bereiten; ~ *une perpendiculaire* e-e Senkrechte errichten; *s'~ sur la pointe des pieds* sich auf die Zehenspitzen stellen; ~ *des soupçons* Argwohn erregen; **~eur** *m* (Vieh-)Züchter *m;* **~euse** *f* Brutschrank, -ofen *m.*

élév|ateur, trice [elevatœr, -tris] *a* Hebe-; *s m* (Lasten-)Aufzug, Elevator; Hebekran *m,* -werk *n; min* Hubförderer; *(Feuerwaffe)* Zubringer *m; appareil m* ~ Hebevorrichtung *f; (muscle m)* ~ Hebemuskel *m;* ~ *d'automobiles* (Wagen-)Hebebühne *f;* ~ *à godets* Becher-, Paternosterwerk *n;* ~ *à vide* Unterdruckförderer *m;* **~ation** *f* Erhebung *a. fig;* Erhöhung; Bodenerhebung; (An-)Höhe *f,* Hügel; *tech* Aufriß *m; (Preise)* Steigen *n,* Steigerung; *(Mauer)* Errichtung;

(Haus) Errichtung *f,* Bau *m; (Flüssigkeit)* (Auf-)Steigen *n;* (Rang-)Erhöhung; Steigerung, Zunahme; *astr* Höhe; *(Puls)* Beschleunigung; *rel* Elevation *f; fig* Schwung *m;* Erhabenheit; Vornehmheit; *(Stil)* Gehobenheit *f; hauteur f d'~* Förderhöhe *f; ~ de côté, de face* Seiten-, Vorderansicht *f; ~ d'un nombre à la seconde, à la troisième puissance* Erheben *n* e-r Zahl in die zweite, dritte Potenz; *~ des normes* Normenerhöhung *f; ~ des prix* Preiserhöhung, -steigerung *f; ~ du taux de l'intérêt* Zinsfußerhöhung *f; ~ de température* Temperaturerhöhung *f;* **~atoire** *a* Hebe-; *appareil m ~* Hebezeug *n; pompe f ~* Hubpumpe *f.*

élève [elɛv] *m f* Schüler(in *f*); Zögling *m;* Zuchttier *n;* Sämling, Pflänzling; *mil* Anwärter *m; f* Aufzucht *f; vx se livrer à l'~ des bestiaux* Viehzucht treiben; *~-modèle m* Musterschüler *m; ~-officier m* Offiziersanwärter *m; ~-pilote m* Flugschüler *m; ~-surveillant m* Bergschüler *m.*

elfe [ɛlf] *m* Alb, Elf *m.*

élider [elide] *gram (Vokal)* elidieren, aus=stoßen, -lassen.

éligib|ilité [eliʒibilite] *f* Wählbarkeit *f,* passive(s) Wahlrecht *n;* **~le** wählbar.

élim|er [elime] *(Kleider)* ab=nutzen; *fig* (ab=)schwächen; **~é, e** fadenscheinig.

élimi|nation *f* [eliminasjɔ̃] Ausschaltung, Eliminierung; Wegschaffung, Entfernung, Beseitigung; Entsorgung *f; Ausscheidung a. sport; pol* Kaltstellung *f; ~ de bruits (radio)* Entstörung *f; ~ du caractère politique de la juridiction* Entpolitisierung *f* der Rechtsprechung; *~ urinaire* Harnausscheidung *f;* **~natoire** *a* Ausscheidungs-; *s f sport* Ausscheidungskampf *m,* -spiel *n; note f ~* den Ausschluß bedingende Note *f;* **~ner** *math chem* eliminieren; *(Hindernis)* aus dem Weg räumen, entfernen, beseitigen; *(aus e-r Liste)* streichen; *sport biol* aus=scheiden; *(Person)* aus=schalten; *pol* kalt=stellen; *(Gegenstand)* aus=rangieren; *(Fehler)* aus=merzen; *(Erinnerung)* verdrängen; *être ~é (sport)* aus=scheiden (müssen).

élingu|e [elɛ̃g] *f mar* (Seil-)Schlinge *f,* Heißstropp *n;* **~er** e-e Schlinge schlagen (*qc* um etw).

élire [elir] *irr* wählen; *~ domicile* s-n Wohnsitz auf=schlagen, sich häuslich nieder=lassen; *~ qn roi* jdn zum König wählen; *~ à la majorité des voix, à l'unanimité, à la majorité absolue, au premier tour de scrutin* mit Stimmenmehrheit, einstimmig, mit absoluter Mehrheit, beim ersten Wahlgang wählen.

élision [elizjɔ̃] *f gram* Elision, Auslassung *(e-s Vokals).*

éli|taire [elitɛr] elitär; **~te** Elite, Auswahl; *d'~* auserlesen; erstklassig; *troupes f pl d'~* Elite-, Kerntruppen *f pl; tireur m d'~* Scharfschütze *m;* **~tisme** *m* Elitedenken *n;* **~tiste** *pej* elitär.

élixir [eliksir] *m* Elixier *n,* Zauber-, Heiltrank *m; fig* (das) Beste, Quintessenz *f; ~ parégorique* benzoesäurehaltige Opiumtinktur *f; ~ de longue vie* Lebenselixier *n.*

elle, *pl* **elles** [ɛl] *prn* sie *f; pl* sie; *ces gants sont à ~* diese Handschuhe gehören ihr; *~-même* sie selbst.

ellébore [ɛlebɔr] *m: (~ noir)* Schnee-, Christrose; *(~ fétide)* Nieswurz *f.*

ellip|se [elips] *f gram math* Ellipse *f; foyer m de l'~* Ellipsenbrennpunkt *m;* **~sographe** [-sɔ-] *m* Ellipsenzirkel *m;* **~soïde** *m* Ellipsoid *n;* **~tique** elliptisch.

élocution [elɔkysjɔ̃] *f* Sprech-, Audrucks-, Darstellungsweise *f;* Stil *m;* Diktion *f;* Vortrag *m; ~ aisée, facilité f d'~* Sprachfertigkeit, Redegewandtheit *f.*

élog|e [elɔʒ] *m* Lob(rede *f*) *n; faire l'~ de qn* jdn loben; *recevoir des ~s* Lob ernten; **~ieux, se** lobend, anerkennend; *en termes ~* mit lobenden Worten.

éloign|é, e [elwaɲe] fern, entfernt; weit; abgelegen; mittelbar; weitläufig; *remettre à une date plus ~e* auf später verschieben; *je ne suis pas ~ de croire* ich möchte fast annehmen; *c'est encore bien ~* das liegt noch in weiter Ferne; *parents m pl ~s* entfernte Verwandte *pl; souvenirs m pl ~s* alte Erinnerungen *f pl;* **~ement** *m* Entfernen *n;* Entfernung, Beseitigung; Trennung *f;* Abstand *m;* Abwesenheit; Evakuierung *(der Zivilbevölkerung); fig* Zurückgezogenheit; Abneigung *f;* Widerwille *m* (*pour* gegen); *(Abreise)* Verschiebung; *(Zahlung)* Aufschiebung; *(Pflicht)* Vernachlässigung *f; ressentir, éprouver de l'~ pour qn* gegenüber jdm e-e Abneigung empfinden; **~er** entfernen; fern=halten; weg=schaffen, beseitigen; weg=rücken; von sich weisen; ab=wenden; abspenstig, abtrünnig machen; entfremden; *(Datum)* auf=, verschieben; verzögern; *fig* verwerfen; *s'~* sich entfernen; weg=, fort=gehen, -fahren; ab=weichen; ab=

kommen, ab=schweifen (*d'un sujet* von e-m Thema); verschwinden; Abstand gewinnen; sich unterscheiden, verschieden sein (*de* von); *fig* den Rücken kehren (*de qn* jdm).

élongation [elɔ̃gasjɔ̃] *f* (Zeiger-)Ausschlag *m; med* Dehnung; *astr* Elongation *f.*

éloquen|ce [elɔkɑ̃s] *f* Beredsamkeit, Redegabe, -kunst *f; user de toute son ~ pour* s-e ganze Redekunst auf=bieten, um zu; *les faits ont leur ~* die Tatsachen sprechen deutlich genug; *~ de la chaire* Kanzelberedsamkeit *f; ~ de la tribune* parlamentarische Redekunst *f;* **~t, e** beredt, beredsam; *fig* vielsagend; ausdrucks-, bedeutungsvoll, eindringlich.

élu [ely] *pp élire* wählen; *s m rel* Auserwählte(r); *parl* Abgeordnete(r) *m.*

élucid|ation [elysidasjɔ̃] *f* Aufklärung; Erklärung, Erläuterung *f;* **~er** auf=klären; erläutern, erklären.

élucubr|ation [elykybrasjɔ̃] *f meist pl* (geistige) Nachtarbeit; Ausgeburt *f* schlafloser Nächte; Hirngespinst *n;* **~er** *fig* (in schlaflosen Nächten) aus=hecken; (mühsam) aus=arbeiten.

éluder [elyde] *fig (e-r Schwierigkeit, Frage)* aus=weichen, aus dem Wege gehen (*qc* dat); *(Gesetz)* umgehen.

Élys|ée [elize] *m* Elysium *n,* Gefilde *n pl* der Seligen; *fig* angenehme(r) Ort; Park *m; (palais m de l'~)* Elysee *n (Wohnsitz m des Präsidenten der Französischen Republik in Paris);* **é~éen, ne** elys(ä)isch.

élytre [elitr] *m* Flügeldecke *(der Insekten).*

émaci|ation [emasjasjɔ̃] *f med* Abmagerung *f;* **~é, e** abgemagert; abgezehrt, ausgemergelt; **~er, s'** ab=magern; sich ab=zehren.

émail [emaj] *m, pl émaux* Email *n,* Emaille *f;* (Zahn-)Schmelz *m; (Wappen)* Farbe *f;* Schmelzglas *n;* Glasur *f;* Emaillack *m;* Emailarbeit *f; phot* Hochglanz *m; fig* Farbenpracht *f; ~ champlevé, cloisonné, translucide* Gruben-, Zellen-, Tiefschmelz *m;* **~lage** *m* Emaillierung *f;* **~ler** emaillieren, mit Schmelz überziehen; *(Ton)* glasieren; *fig* bunt durchwirken; *fig* übersäen (*de* mit); **~lerie** *f* Emaillierkunst *f;* **~leur, se** *m* Schmelzarbeiter(in *f*) *m;* **~lite** *f* Spannlack *m;* **~lure** *f* Schmelzarbeit *f.*

éman|ation [emanasjɔ̃] *f* Ausströmen *n;* Ausdünstung *f,* Ausfluß *m;* Ausstrahlung; Emanation *f;* **~er** aus=fließen, -dünsten, -strahlen; *fig* aus=gehen, hervor=gehen (*de* aus); her=rühren (*de* von).

émancip|ateur, trice [emɑ̃sipatœr, -tris] *f* emanzipatorisch; **~ation** *f;* Emanzipation *f; jur* Volljährigkeitserklärung *f;* **~é, e** frei; *jur* für volljährig erklärt; *fig* zu frei, ungeniert; **~er** emanzipieren; *jur* für mündig erklären; befreien; bürgerlich gleich=stellen; *s'~* sich emanzipieren.

émarg|ement [emarʒəmɑ̃] *m (Buch, Bild)* Beschneiden *n* des Randes; Quittieren, Auswerfen, Zeichnen *n* auf dem *od* am Rand e-r Rechnung; *(Liste)* Abzeichnen *n;* (Gehalts-)Zahlung, Auszahlung *f; pl* Bezüge *m pl; feuille f d'~* Anwesenheits-, Gehaltsliste *f;* **~er** *tr (Buch)* den Rand beschneiden (*qc* gen); *(Rechnung, Urkunde)* am Rand quittieren *od* aus=werfen; *(Liste)* am Rand ab=zeichnen; e-e Randbemerkung machen (*qc* zu etw); *itr* Gehalt beziehen (*au budget* aus der Staatskasse); **~iné, e** *bot* gezackt.

émascul|ation [emaskylasjɔ̃] *f* Entmannung; Kastrierung; *fig* Verweichlichung *f;* **~er** entmannen, kastrieren; *fig* entkräften; verweichlichen.

embabouiner [ɑ̃babwine] *fam* ein=wickeln, herum=kriegen, weich=machen.

embâcle [ɑ̃bɑkl] *m* Eisstau *m,* -barriere; (Wasser-)Stauung *f.*

emball|age [ɑ̃balaʒ] *m* Ein-, Verpacken *n;* Verpackung(smaterial *n*), Umhüllung; Aufmachung *f; sport* Endspurt *m; sans ~ (Ware)* lose; ohne Verpackung; *~ en sus* Verpackung extra; *caisse f d'~* Kiste *f* zum Verpacken; *frais m pl d'~* Verpackungskosten *pl; matériel m d'~* Verpackungsmaterial *n; papier m d'~* Packpapier *n; toile f d'~* Packleinen *n; ~ en caisses* Kistenverpackung *f; ~ de décoration, de présentation* Schau-, Geschenkpackung *f; ~ d'origine* Originalverpackung *f; ~ perdu* Einwegverpackung *f; ~ de protection* Schutzhülle *f; ~ sous vide* Vakuumverpackung *f; ~s vides* Leergut *n;* **~é, e** *a, pp* verpackt; *fig* wütend; *fam* begeistert, hingerissen; *(Pferd)* scheu; *s m* überspannte(r) Mensch; *sport* überlegene(r) Sieger *m; non ~* unverpackt; **~ement** *m fig* (Gefühls-)Aufwallung, unüberlegte Handlung *f;* Überschwang *m;* Hingerissensein *n;* übertriebene Begeisterung *f; (Maschine)* Durchgehen *n; (Börse)* Hausse *f;* **~er** ver-, ein=packen; *tech* ein=rücken; *min* auf=schieben; *fig fam* mit=reißen, begeistern; beschwatzen; herum=kriegen; ein=seifen, ein=wickeln, herein=legen, fort=schicken; *fam* prügeln, aus=schimpfen; *pop* schnappen, erwischen; *s'~ (Pferd)* scheu werden, scheuen; *(Maschine)* durch=gehen; *fig* sich ereifern, sich hin=reißen lassen; Feuer u. Flamme sein; wütend werden; *fam* ab=hauen, verduften; *~ le moteur* Vollgas geben; *être ~é pour qn* für jdn schwärmen, in jdn bis über die Ohren verliebt sein; **~eur** *m* Packer; *pop* Schwindler; Polizeibeamte(r) *m;* **~oter** (in Ballen) packen.

embarbouiller [ɑ̃barbuje] beschmieren; *fig* verwirren; *s'~ (fig)* sich verheddern, sich verhaspeln.

embarca|dère [ɑ̃barkadɛr] *m mar* Landungsbrücke *f,* -steg *m,* Anlegestelle *f;* Verladeplatz; Bahnsteig *m;* **~tion** *f* Boot; (kleines) Wasserfahrzeug *n; mettre les ~s à la mer* die Boote aus=setzen.

embard|ée [ɑ̃barde] *f (Wagen, Schiff)* plötzliche Seitenwendung *f; mot* Schleudern *n;* Ruck *m* nach der Seite; *faire une ~ (mot)* plötzlich aus=biegen; **~er** nach der Seite geschleudert werden; *mar* gieren, scheren; *mot* schleudern; *aero* zickzack fliegen.

embargo [ɑ̃bargo] *m* Embargo *n; mettre l'~ sur qc* mit e-m Embargo belegen.

embarqu|ement [ɑ̃barkəmɑ̃] *m* Verladung; Ein-, Verschiffung *f; (Reisende)* Einsteigen *n; conditions f pl d'~* Verladebedingungen *f pl; documents m pl d'~* Verladepapiere *n pl; frais m pl d'~* Verladungs-, Verschiffungskosten *pl; gare f d'~* Verladebahnhof *m; installation f d'~* Verladeanlage *f; port m d'~* Verschiffungshafen *m; quai m d'~* Ladekai *m;* **~er** *tr* (ver)laden; ein=schiffen; *(Wasser)* fassen; *(Boot)* hieven; *(Verbrecher) fam* ein=lochen, verhaften; *fig* verwickeln, mit hinein=ziehen (*dans* in *acc*); *(Sache)* beginnen, ein=fädeln; *itr* an Bord gehen; ein=steigen; *(Wellen in ein Boot)* herein=schlagen; *s'~* sich ein=schiffen (*pour* nach); *fam (Auto, Bahn, Flugzeug)* ein=steigen (*dans* in *acc*); *fig* sich ein=lassen (*dans* auf, in *acc*); *~ qn dans le train (fam)* jdn an den Zug bringen.

embarras [ɑ̃bara] *m* Hindernis; Hemmnis *n;* Stockung; Verwirrung; *med* Beschwerde; *fig* Schwierigkeit; Befangenheit; Verlegenheit; Ratlosigkeit; Notlage *f; n'avoir que l'~ du choix* nicht wissen, wie man sich entscheiden soll; *faire des* od *de l'~* wichtig=tun; große Ansprüche machen *od* stellen; *mettre dans l'~* in Verlegenheit bringen; *susciter des ~ à qn* jdm Schwierigkeiten machen *od* bereiten; *tirer qn d'~* jdm aus der Verlegenheit helfen; *le voilà dans l'~* er sitzt schön in der Tinte *od* Patsche; *faiseur m d'~* Aufschneider *m; ~ d'argent* Geldverlegenheit *f; ~ gastrique* Magenverstimmung *f; ~ de la langue* Anstoßen *n* beim Sprechen; *~ de paiement* Zahlungsschwierigkeit *f; ~ de voitures (lit)* Verstopfung mit Fahrzeugen; Verkehrsstockung *f,* -stau *m:* **~sant, e** hinderlich, beschwerlich; lästig; störend; *(Frage)* verfänglich; schwierig; **~sé, e** *(Paket)* sperrig; versperrt; gehemmt; peinlich; mißlich; wirr; verwirrt, verlegen; unschlüssig; in Schwierigkeiten; *(Magen)* verdorben; *(Stil)* schwerfällig; *être ~ de sa personne, de ses mouvements* unbeholfen, linkisch sein; *je serais bien ~ de (inf)* ich käme in Verlegenheit, wenn ich . . . ; *il était ~ pour répondre* er wußte nicht, was er antworten sollte; **~ser** (be)hindern, hemmen; belästigen, stören; *(Weg)* versperren, verstopfen; *(Magen)* beschweren; *(Brust)* beklemmen; *(Rohr)* verstopfen; *fig* in Verlegenheit bringen; verwickeln, verwirren; unklar, schwerfällig machen; durchea.=bringen; *(Stil)* überladen; *s'~* sich verwickeln; in Verwirrung geraten; sich (be)kümmern (*de* um); sich auf=laden, sich auf den Hals laden; besorgt sein (*de* um); sich belasten (*de* mit); *med* verschleimen; *(Redner)* sich verheddern.

embase [ɑ̃bɑz] *f* Sockel *m,* Fußplatte; Stirnfläche; *min* Schwelle; *(Gewehr)* Kornwarze *f; tech (Welle)* Sitz *m;* **~ment** *m arch* Grundmauer *f;* Sokkelvorsprung *m.*

embastiller [ɑ̃bastije] ein=sperren; *fig* knebeln.

embâter [ɑ̃bɑte] *(e-m Esel)* den Packsattel auf=legen.

embattre [ɑ̃batr] *irr (Rad)* beschlagen, schienen.

embauch|age *m,* **~e** *f* [ɑ̃boʃaʒ, -oʃ] *(Arbeiter)* An-, Einstellen *n; mil* (Rekruten-)Anwerbung *f; bureau m d'~* Werbebüro *n,* Personalstelle *f;* **~er** *(Arbeiter)* ein=stellen; an=werben; *fam* veranlassen mitzugehen; **~eur** *m* Werber *m.*

embauchoir [ɑ̃boʃwar] *m* Stiefelleisten, Schuhspanner *m.*

embaumer [ɑ̃bome] *tr* ein=balsamieren; mit Wohlgeruch erfüllen; *itr* duften; *fam* riechen (*qc* nach etw).

embecquer [ɑ̃be(ɛ)ke] *(Vogel)* füttern; *(Angel)* den Köder befestigen an *dat.*

embéguiner [ãbegine] den Kopf umhüllen (*qn* jdm); *s'~* sich vernarren (*de* in *acc*).

embell|ie [ãbe(ɛ)li] *f* Aufhellung; vorübergehende Wetterbesserung; *mar* (kurze) Windstille *f;* **~ir** *tr* schön(er) machen, verschönern; *fig* aus⸗schmücken; *itr (Person)* schöner werden; *cela ne fait que croître et ~* das wird immer größer und schöner; **~issement** *m* Verschönerung; Verzierung; *(Mensch)* Idealisierung; *(Text)* Ausschmückung *f.*

emberlificot|er [ãbɛrlifikɔte] *fam* verwirren, verwickeln; in e-e Falle locken; beschwatzen; *s'~ (fam)* sich verheddern; **~eur, se** *m f* Bauernfänger; Schwindler(in *f*) *m.*

embêt|ant, e [ãbɛtã, -ãt] *fam* unangenehm, ärgerlich, widerwärtig; **~ement** *m fam* Unannehmlichkeit, Schwierigkeit, Widerwärtigkeit *f;* **~er** *fam* langweilen; Unannehmlichkeiten bereiten (*qn* jdm); ärgern; *se laisser ~* sich übertölpeln, hinters Licht führen lassen; *ça m'~e rudement* das ärgert mich sehr, *fam* das hängt mir zum Hals heraus; *ne l'~e pas!* laß ihn in Ruhe!

emblav|e, ~ure [ãblav, -vyr] *f* frisch eingesäte(s) Feld; Saatfeld *n;* **~er** *(Feld)* bestellen; be-, ein⸗säen; *(maschinell)* drillen.

emblée [ãble] : *d'~* sofort, gleich, ohne weiteres, beim ersten Anlauf, auf (den ersten) Anhieb; *pol* im ersten Wahlgang; *emporter qc d'~* etw rasch durch⸗setzen.

emblème [ãblɛm] *m* Emblem, Sinnbild; Wappenbild; Kennzeichen; Attribut *n; pl* Insignien *pl; ~ de la souveraineté* Hoheitszeichen *n.*

embob|eliner [ãbɔbline] *fam* betören, beschwatzen, ein⸗wickeln; auf den Leim locken *od* führen; **~iner** auf⸗, umwickeln; auf⸗spulen; *fig s. ~eliner.*

emboire [ãbwar] *irr (Gußform)* ein⸗wachsen; ein⸗ölen; mit Öl tränken; *s'~ (Farben)* trübe, matt werden.

emboît|age [ãbwataʒ] *m* Einfügen; Einschachteln *n;* (Buch-)Hülle, Kassette; *(Buch)* (Einhängen *n* in die) Einbanddecke *f;* Inea.greifen *n; ~ du fonds* englische Broschur *f;* **~ement** *m* Einfügung, Verzapfung *f; ~ à baïonnette* Bajonettverschluß *m;* **~er** ein⸗schachteln, -fügen, -passen, -binden; verspunden; ein⸗lassen; (eng) umschließen; *(Lager)* aus⸗buchsen; *(Motor)* ein⸗kapseln; *(Buch)* in die Decke hängen; *(Lebensmittel)* ein⸗dosen; *theat* aus⸗pfeifen; *s'~* inea.⸗greifen, -passen; sich überea.⸗schieben; *~ le pas à qn* jdm auf dem Fuß folgen; *fig* jdn nach⸗äffen, nach⸗ahmen; sich nach jdm richten; *mil* zu jdm Schritt fassen; **~ure** *f* Fuge *f;* Gelenk *n.*

embolie [ãbɔli] *f med* Embolie *f; ~ cérébrale* Gehirnschlag *m.*

embonpoint [ãbɔ̃pwɛ̃] *m* Körperfülle, Korpulenz, Wohlbeleibtheit *f; prendre de l'~* dick(er) werden, zu⸗nehmen.

embosser [ãbɔse] quer vor Anker legen.

embouch|e [ãbuʃ] *f (Vieh)* Herausfüttern *n; m* fette Weide *f;* **~é, e:** *être mal ~* grob, ungehobelt sein; ausfällig, *fam* pampig werden; **~er** *(Blasinstrument)* an den Mund setzen, an⸗setzen; *(Tier)* heraus⸗füttern; *mar (in e-e Flußmündung)* hinein⸗fahren; *(e-m Pferd)* die Trense an⸗legen; *(fig) ~ la trompette* große Worte machen; alles aus⸗posaunen; **~oir** *m* Mundstück *n; (Gewehr)* Oberring *m;* **~ure** *f* (Fluß-)Mündung; Hafeneinfahrt; (enge) Öffnung *f; (Tunnel)* Mundloch; *(Blasinstrument)* Mundstück *n;* Ansatz *m;* Trense *f.*

embouqu|ement [ãbukmã] *m mar* Einfahrt *f; (Wasser)* Eintritt *m;* **~er** ein⸗laufen (*dans un canal* in e-n Kanal).

embourber [ãburbe] in e-n Morast (hinein⸗)führen, -fahren; *fig* in e-e schlimme Sache verwickeln; *s'~* sich fest⸗fahren; im Dreck stecken⸗bleiben; *fig* sich verstricken; sich verwikkeln (*dans* in *acc*).

embourgeois|ement [ãburʒwazmã] *m pol* Verbürgerlichung *f;* **~er, s'** verbürgerlichen *itr;* spießig werden.

embourser [ãburse] *(Beleidigung)* ein⸗stecken.

embout [ãbu] *m* (Stock-)Zwinge *f;* Ansatzstück *n;* Klemme *f;* **~er** mit e-r Zwinge versehen.

embouteill|age [ãbutɛjaʒ] *m* Verkehrsstau, -stockung; *(Beruf)* Überfüllung *f; tech* Abziehen *n* auf Flaschen; **~er** auf Flaschen (ab⸗)ziehen; *(Straße)* verstopfen.

embout|ir [ãbutir] *(Metalle)* treiben, aus⸗bauchen; ein⸗, aus⸗beulen; tief⸗ziehen; kümpeln; bördeln; *fam* ein⸗drücken, zerbeulen; *s'~ (mot)* rasen, prallen (*contre, sur* gegen); zs.⸗stoßen (*contre* mit); **~issoir** *m* Treibhammer *m.*

embranch|é, e [ãbrãʃe] *a loc* mit Gleisanschluß; *s m* Anschließer *m;* **~ement** *m* Ab-, Verzweigung *(von*

Röhren); Wegegabel, Kreuzung; *loc* Gleisabzweigung *f,* -anschluß *m;* Zweigbahn; Seitenlinie *f;* (Tier-) Stamm; *fig* Zweig *m;* Abteilung *f;* **~er** verbinden; an=schließen; zs.=fügen; *s'~* sich verzweigen; ab=zweigen (*sur* von); zs.=laufen.

embras|é, e [ɑ̃braze] in Brand gesteckt; *(Luft)* glühend heiß; *(Gebäude)* angestrahlt; *fig* entflammt; *journée f ~e* glühend heiße(r) Tag *m;* **~ement** *m* Feuersbrunst *f,* (großer) Brand; feurige(r) Glanz *m;* Anstrahlung *(durch Scheinwerfer);* (Fest-) Beleuchtung *f; fig* Aufruhr *m,* Unordnung; *fig* Glut *f;* **~er** in Brand stekken; (ver)sengen; *(Sonne)* heiß hernieder=strahlen (*qc* auf e-e S); in rote Glut tauchen; *(Gebäude)* an=strahlen; *fig* entflammen, -fachen, -zünden; *s'~* Feuer fangen, auf=flammen; auf= leuchten; *fig* erglühen; **~ure** *f* Schießscharte; Tür-, Fensteröffnung; Leibung *f.*

embrass|ade *f,* **~ement** *m* [ɑ̃brasad, -mɑ̃] Umarmung *f;* **~e** *f* Gardinenhalter *m;* **~er** umfassen, umgeben; umarmen; küssen; in sich begreifen, enthalten; (geistig) erfassen; *(Aufgabe)* über-, *(Sache)* unternehmen; *(Beruf, Gelegenheit)* ergreifen; *(Religion)* an=nehmen, sich bekennen (*qc* zu etw); *(Gelände)* überblicken; *(e-r Auffassung)* bei=pflichten; *(Meinung)* teilen; *~ la cause de qn* jds *od* für jdn Partei ergreifen; *~ qn au front, sur la bouche* jdn auf die Stirn, auf den Mund küssen; *qui trop ~e, mal étreint* wer sich zuviel vornimmt, führt nichts richtig durch.

embray|age [ɑ̃brɛjaʒ] *m tech* Einschalten *n;* Schaltung; Kupp(e)lung *f; levier m d'~* Kupplungs-, Schalthebel *m; pédale f d'~* Kupplungspedal *n; ressort m d'~* Kupplungsfeder *f; ~ à disques, à friction* Scheiben-, Reibungskupplung *f; ~ à griffes, à cônes* Klauen-, Konuskupplung *f; ~ à roue libre (Fahrrad)* Freilauf *m;* **~er** *tr tech* (ein=)kuppeln; ein=schalten, *(Maschinenteil)* ein=rücken; in Gang bringen; *itr fam* die Arbeit wieder-auf=nehmen, an=fangen; *(Gespräch) (fam) alors il a ~é sur ...* dann kam er mit der alten Leier von ...; **~eur** *m* Kupplungshebel *m.*

embrigader [ɑ̃brigade] in Brigaden, Rotten ein=, verteilen, zs.=fassen; an= werben; *s'~* sich ein=reihen; sich unter=ordnen.

embrocher [ɑ̃brɔʃe] an den (Brat-) Spieß stecken; *el* an=schließen; *fam* auf=spießen, durchbohren.

embrou|illage, ~illamini [ɑ̃brujaʒ, -jamini] *m pop* Durcheinander *n,* Wirrwarr *m;* **~illé, e** unklar, verworren; verwickelt; **~illement** *m* Verwirrung; Verworrenheit *f;* **~iller** durchea.=bringen, in Unordnung bringen; verwirren; verwickelt machen; *fig* in Verwirrung bringen; irre=machen; *s'~* in Verwirrung geraten; den Faden verlieren, ganz durchea.=sein; *fam* sich verheddern, sich verhaspeln; *(Verhältnisse)* verwickelt, kompliziert werden; *mar (Himmel)* trübe werden.

embroussaillé, e [ɑ̃brusaje] *(Haar)* zerzaust, struppig; *fig* verworren, verwickelt; *(Land)* voller Gestrüpp.

embrumer [ɑ̃bryme] in Nebel *od* Dunst hüllen; ein=, vernebeln; *fig* benebeln; *(Blick)* verdüstern.

embrun [ɑ̃brœ̃] *m* Gischt; bedeckte(r) Himmel *m.*

embry|ologie [ɑ̃brijɔlɔʒi] *f* Embryologie *f;* **~on** [-jɔ̃] *m* Embryo; Keim; *fig* Anfang, Beginn; Knirps *m;* **~onnaire** embryonal; *être à l'état ~* im Werden sein, sich in den Anfängen befinden, (noch) in den Kinderschuhen stecken.

embu, e [ɑ̃by] *a (Bild)* nachgedunkelt, verblaßt; *s m* dunkle(r), trübe(r) Ton *m;* **~é, e** [-bɥe] beschlagen, feucht angelaufen; **~er** an=laufen lassen.

embûche [ɑ̃byʃ] *f* Falle *f; pl* Nachstellungen *f pl; dresser, tendre des ~s* Fallen stellen, Schlingen legen (*à qn* jdm); **~r, s'** *(Wild)* wieder zu Holze gehen.

embus|cade [ɑ̃byskad] *f mil fig* Hinterhalt *m; attirer, tomber dans une ~* in e-n Hinterhalt locken, geraten; *dresser, tendre une ~* e-n Hinterhalt legen; *être, se tenir en ~* auf der Lauer liegen; **~quer** in e-n Hinterhalt legen; e-n Druckposten verschaffen (*qn* jdm); *s'~ (fam)* sich drücken.

éméch|é, e [emeʃe] *fam* beschwipst, angetrunken; **~er** *(Haare)* in Locken, Strähnen teilen.

émender [emɑ̃de] *(erstinstanzliches Urteil)* ab=ändern.

émeraude [emrod] *f* Smaragd *m;* Smaragdgrün *n.*

émeraudine [emrodin] *f* Goldkäfer *m.*

émerg|ence [emɛrʒɑ̃s] *f* Auftauchen; *(Quelle)* Zutagetreten *n; med* Austrittsstelle *f; angle m d'~* Austrittswinkel *m;* **~ent, e** heraus-, hervortretend; auftauchend; **~er** auf=tauchen; hervor=, heraus=ragen; *fig* zum Vorschein kommen.

émer|i [emri] *m* Schmirgel *m; frotter à l'~* schmirgeln; *il est bouché à l'~*

(fam) er ist strohdumm; *papier m* ~ Schmirgelpapier *n; polissage m à l'*~ Schmirgeln *n;* ~**illon** [-jɔ̃] *m zoo* Stein-, Zwergfalke; *tech* Drehring, Kettenwirbel; *mar* Haifischhaken *m;* ~**illonné, e** [-jɔ-] lustig; übermütig, lebhaft.

émérite [emerit] erfahren, geschickt; hervorragend.

émersion [emɛrsjɔ̃] *f* Empor-, Hervortauchen *n; astr* Austritt *m.*

émer|veillement [emɛrvɛjmɑ̃] *m* Verwunderung *f;* Entzücken *n;* ~**veiller** verwundern; Bewunderung erregen (*qn* jds); entzücken; *s'*~ sich sehr verwundern (*de qc* über e-e S); hingerissen, entzückt sein (von).

émméti|que [emetik] *a* Erbrechen verursachend; Brech-; *s m* Brechmittel *n;* ~**ser** ein Brechmittel hinzu≈fügen (*qc* zu etw) *od* verabfolgen (*qn* jdm).

émett|eur, trice [emɛtœr, -tris] *a* Sende-; *s m radio* Sender *m;* Sendestation *f; com* Emittent *m; antenne f*~*trice* Sendeantenne *f; poste m* ~ Rundfunksender *m (technische Anlage); station f* ~*trice* Rundfunksender *m (Betrieb);* ~ *auxiliaire* Hilfssender *m;* ~ *de brouillage, brouilleur* Störsender *m;* ~ *clandestin* Schwarzsender *m;* ~ *directionnel* Richtsender *m;* ~ *d'un effet* Wechselaussteller *m;* ~ *à plusieurs étages* Stufensender *m;* ~ *local* Ortssender *m;* ~ *à onde(s) courte(s), moyenne(s)* Kurz-, Mittelwellensender *m;* ~ *piloté* Steuersender *m;* ~ *pilote d'impulsion* Unterfrager *m;* ~ *pirate* Piratensender *m;* ~ *radioélectrique* Funksender *m;* ~*-récepteur m* Sender-Empfänger *m;* ~*-relais m* Relaissender *m;* ~ *répétiteur* Nebensender *m;* ~ *de signal de balise (aero)* Einflugzeichensender *m;* ~ *de télémesure* Meßwertsender *m;* ~ *de télévision* Fernsehsender *m;* ~ *du trajet d'atterrissage (aero)* Gleitwegsender *m;* ~ *de T.S.F.* Rundfunksender *m;* ~**re** *irr* (aus≈)senden, -strahlen; *(Gas)* ab≈blasen; *(Flüssigkeit)* aus≈spritzen; *(Schrei)* aus≈stoßen; *(Anleihe)* aus≈geben, auf≈legen; *(Geld)* in Umlauf setzen; *(Wechsel)* aus≈stellen; *(Aktien)* begeben; *(Ansicht)* äußern, aus≈sprechen; *(Anspruch)* geltend machen, stellen; *fig* hervor≈bringen; ~ *un message (tele)* e-e Meldung ab≈setzen; ~ *sur ondes courtes* auf Kurzwellen senden.

émeu, émou [emø, emu] *m orn* Emu *m.*

émeut|e [emøt] *f* Aufruhr *m;* Meuterei *f;* Tumult *m;* Aufregung *f;* Lärm *m;* ~**ier, ière** *a* aufrührerisch, *s m* Unruhestifter, Hetzer, Aufrührer; Aufständische(r) *m.*

émietter [emje(ɛ)te] zerkrümeln, -bröckeln; *(Zeit, Leben)* verzetteln; *s'*~ zerbröckeln.

émigr|ant [emigrɑ̃] *m* Auswanderer, Emigrant *m;* ~**ation** *f* Auswanderung; *zoo orn* Wanderung *f,* Ziehen *n;* ~ *des capitaux* Kapitalflucht *f;* ~**é, e** *s m f* (politischer) Flüchtling *m;* ~**er** aus≈wandern, emigrieren; *zoo* (weg) ziehen.

éminc|é [emɛ̃se] *m* dünne (Fleisch-) Schnitte *f;* ~**er** *(Fleisch)* in dünne Scheiben schneiden.

émine|mment [eminamɑ̃] *adv* höchst, außerordentlich; im höchsten Grade; ~**nce** [-ɑ̃s] *f* Anhöhe *f,* Hügel *m; anat* Vorwölbung; *(Anrede)* Eminenz; *vx fig* Überlegenheit, Vortrefflichkeit *f;* ~**nt, e** hervorragend; ausgezeichnet, vortrefflich; *à un degré* ~ in sehr hohem Grad.

émissaire [emisɛr] *s m* (Geheim-)Bote *m; tech* Ableitungskanal; Auslaß *m; a: bouc m* ~ Sündenbock *m.*

émission [emisjɔ̃] *f* Ausströmen; Ausstoßen *n;* Abgabe; Ausstrahlung; Äußerung; *com* Emission, Ausgabe, Begebung *f; (Geld)* Inumlaufsetzen *n; (Wechsel)* Ausstellung; *radio* Sendung; *(Gelübde)* Ablegung *f; ecol* Emission *f; banque f d'*~ Zettel-, Notenbank *f;* ~ *scolaire* Schulfunksendung *f;* ~*s enfantines* Kinderfunk *m;* ~*s féminines* Frauenfunk *m;* ~ *de fumée* Rauchentwicklung *f;* ~ *pirate* Piratensendung *f;* ~ *radiophonique* Rundfunksendung *f;* ~ *de télévision* Fernsehsendung *f;* ~*-débat f* Fernsehdebatte *f.*

émissivité [emisivite] *f* Abstrahlfähigkeit *f;* Emissionsgrad *m,* -vermögen *n.*

emmagasin|age [ɑ̃magazinaʒ] *m* Speicherung, Einlagerung, Stapelung *f; frais m pl d'*~ Lagergeld *n;* ~**er** speichern, (ein≈)lagern, stapeln; *fig* (an≈)sammeln; an≈, auf≈häufen; auf≈speichern.

emmailloter [ɑ̃majɔte] *(Kind)* (in Windeln) wickeln; ein≈wickeln *a. fig.*

emmanch|ement [ɑ̃mɑ̃ʃmɑ̃] *m* Bestielen; *fig fam* Einfädeln, Ingangbringen; *tech* Einstecken *n;* ~**er** mit e-m Stiel versehen; *tech* ein≈stecken; *(Rad)* auf≈pressen; auf≈setzen; *fig fam* in Gang bringen ein≈leiten, ein≈fädeln; *s'*~ *(fig)* in Gang kommen; vonstatten gehen; *l'affaire s'est mal* ~*ée* die Sache hat schlecht angefangen; ~**ure** *f* Ärmelloch *n.*

emmêler [ɑ̃me(ɛ)le] verwickeln; *fig*

verwirren; durchea.=bringen; *s'~* in Verwirrung geraten.

emménag|ement [ɑ̃menaʒmɑ̃] *m* Einzug *m* (in e-e neue Wohnung); *mar* Kajüteneinteilung *f;* **~er** *itr* (in ein Haus) ein=ziehen; *tr (Möbel)* in e-e neue Wohnung bringen *od* transportieren; e-e neue Wohnung ein=richten (*qn* jdm); *mar* mit Kajüten versehen.

emmener [ɑ̃mne] weg=führen, -bringen; *(Person, großes Tier)* mit=nehmen; *(Polizei)* ab=führen; *sport* mit=reißen; *~ qn chez soi* jdn mit nach Hause nehmen.

emmerd|ant, e [ɑ̃mɛrdɑ̃, -ɑ̃t] *vulg (Mensch)* widerlich, unausstehlich; *(Sache)* ärgerlich, verdammt unangenehm; **~er** *fig* langweilen, auf die Nerven gehen (*qn* jdm); zu=setzen (*qn* jdm), in Schwierigkeiten bringen; *être ~é* in der Klemme sitzen; *(pop) je t'~e* das ist mir Wurst; ich pfeife darauf; **~ement** [-də-] *m* Schwierigkeit, Unannehmlichkeit *f;* **~eur, se** *m f* Nervensäge *f;* Schikanierer *m;* lästige Person *f.*

emmieller [ɑ̃mjɛle] *fig* versüßen; *pop* lästig fallen (*qn* jdm).

emmit|onner, ~oufler [ɑ̃mitɔne, -tufle] *fam* (warm) an=ziehen, ein=hüllen, ein=mumme(l)n.

emmortaiser [ɑ̃mɔrtɛze] *tech* ein=zapfen.

emmotter [ɑ̃mɔte] mit Erde zu=dekken.

emmurer [ɑ̃myre] ein=mauern, -schließen.

émoi [emwa] *m* Unruhe, Aufregung; Erregung *f; mettre en ~* auf-, erregen.

émollient, e [emɔljɑ̃, -ɑ̃t] *a* erweichend; *fig* zuckersüß; beruhigend; *s m* erweichende(s) Mittel *n.*

émolument [emɔlymɑ̃] *m* Nutzen; Vorteil *m; pl* Gehalt *n;* Einkünfte; (Dienst-)Bezüge *pl; (in der Schweiz)* Verwaltungsgebühr *f; jur* Erbteil *n* od *m;* Gesamtgutsanteil *m* (des Ehegatten).

émonct|ion [emɔ̃ksjɔ̃] *f (Physiologie)* Ausscheidung *f;* **~oire** *m anat* Ausscheidungsorgane *n pl.*

émond|er [emɔ̃de] *(Bäume)* aus=putzen, beschneiden, aus=ästen; *(Getreide)* aus=putzen; *fig* reinigen; von Überflüssigem befreien; *(Geschriebenes)* kürzen, zs.=fassen; **~es** *f pl* abgeschnittene Zweige *m pl;* **~eur** *m* Baumputzer *m;* **~oir** *m* Gartenmesser *n,* Baumschere *f.*

émot|if, ive [emɔtif, -iv] *a* emotional; (leicht) erregbar; empfindsam; *s m f* leicht erregbare(r) Mensch *m; crise f ~ive* Nervenkrise *f;* **~ion** [-sjɔ̃] *f* Auf-, Erregung; Gemütsbewegung; Rührung; Erschütterung *f; ~-choc m* Affekt *m; ~-sentiment m* starke(s), bleibende(s) Gefühl *n;* **~ionnable** (leicht) erregbar; **~ionner** *(fam)* er-, auf=regen; **~ivité** [-ti-] *f* (leichte) Erregbarkeit *f.*

émott|er [emɔte] die Erdschollen zerschlagen (*qc* auf e-r S); *(Zucker)* zerbrechen; **~eur** *m (Zuckerfabrikation)* Brechmaschine; Staubmühle *f;* **~euse** *f* Ackerwalze *f.*

émoucher [emuʃe] die Fliegen ab=wehren (*un cheval* von e-m Pferd).

émouchet [emuʃɛ] *m* Sperbermännchen *n.*

émoucheter [emuʃte] *(Hanf)* rauhhecheln.

émou|dre [emudr] *irr* schleifen; schärfen; **~lu, e** scharf (geschliffen); *(fig) frais ~* neugebacken; frisch (*de* aus); *être frais ~ (de l'université)* sein Studium (an der Universität) gerade erst abgeschlossen, hinter sich haben.

émouss|é, e [emuse] stumpf, abgestumpft *a. fig;* **~er 1.** ab=stumpfen *a. fig; s'~* stumpf werden; **2.** das Moos entfernen (*qc* von etw).

émoustill|ant, e [emustijɑ̃, -ɑ̃t] *fig* erregend, pikant; **~er** an=regen, auf=heitern, auf=muntern.

émouv|ant, e [emuvɑ̃, -ɑ̃t] ergreifend, rührend; erregend; erschütternd; **~oir** *irr* in Bewegung setzen; *fig* er-, auf=regen; rühren, ergreifen; *s'~* sich auf=regen; unruhig, gerührt, aufgeregt, erschüttert sein *od* werden; *sans s'~* gelassen, ganz ruhig; *~ la bile à qn* jdn in Harnisch bringen; *~ qn de compassion* jds Mitleid erregen.

empaill|é, e [ɑ̃paje] mit Stroh ausgestopft *od* umflochten; *avoir l'air ~ (fam)* bekloppt aus=sehen; *(Stuhl)* mit Stroh beflechten *od* überziehen; mit Stroh umwickeln; in Stroh verpacken; **~eur** *m* Ausstopfer; Strohflechter *m.*

empaler [ɑ̃pale] auf=spießen; *(Verbrecher)* pfählen.

empanacher [ɑ̃panaʃe] mit e-m Federbusch schmücken; *(Rede)* aus=schmücken.

empanner [ɑ̃pane] *tr mar* bei=legen; *itr* auf=, back=brassen.

empaquet|age [ɑ̃paktaʒ] *m* Verpackung *f;* Einpacken; Packmaterial *n;* **~er** verpacken, ein=wickeln; ein Paket machen (*qc* aus etw); bündeln; *(Menschen)* hinein=packen; *s'~ (fam)* sich ein=packen, sich ein=hüllen.

emparer, s' [ɑ̃pare] Besitz ergreifen (*de* von), sich bemächtigen (*de qc* e-r

S); an sich *(acc)* reißen; erobern; gewinnen (*de* acc); *s'~ de la conversation* das große Wort führen.
empât|é, e [ɑ̃pate] *a* schwerfällig; *(Zunge, Stimme)* belegt; *(Gesicht)* aufgedunsen; **~ement** *m (Zunge)* Belag *m; (Farbe)* dicke(s) Auftragen; Überdecken; *(Geflügel)* Nudeln *n; med* teigige Anschwellung; *typ* Verschmierung *f;* **~er** teigig, klebrig, belegt machen; *(Küche)* mit Teig überziehen; *(Geflügel)* nudeln, stopfen; *(Farbe)* dick auf=tragen; *typ* verschmieren; *s'~* teigig, dick werden; die schlanke Linie verlieren.
empatt|ement [ɑ̃patmɑ̃] *m arch* Grundbalken *m;* Bankett *n;* vorstehende Dicke *f (e-r Grundmauer);* Achsstand; Radabstand *m;* Verzapfung; Unterlage *f; bot* Knoten *m; aero* Spannweite *f;* **~er** verlaschen, verzapfen; *(Holz)* unterlegen; **~ure** *f* Verlaschung *f.*
empaumer [ɑ̃pome] *(Ball) (vx)* auf=fangen; *(Spur)* auf=nehmen *(bei d. Jagd); ~ qn* jdn betören, übertölpeln, *fam* ein=wickeln; in seine Gewalt bekommen; *~ la balle (fig) (vx)* die Gelegenheit beim Schopf ergreifen.
empêch|ement [ɑ̃pɛʃmɑ̃] *m* Be-, Verhinderung *f;* Hindernis *n; en cas d'~* im Verhinderungsfalle; *mettre un ~ aux projets de qn* jdm e-n Stein in den Weg legen; *~ de délibérer valablement* Beschlußunfähigkeit *f; ~ de mariage* Ehehindernis *n;* **~é, e** *a* verhindert; (*~ de sa personne)* linkisch; **~er** (ver)hindern; sich widersetzen (*qc* e-r S *dat);* ab=halten (*de* von); *je ne puis m'~ de* ich kann nicht anders als; ich muß; ich kann nicht umhin, zu; *je n'~e pas qu'il (ne) (mit subj), je ne l'~e pas de (inf)* ich hindere ihn nicht daran, zu; *(il) n'~e que* indessen; trotzdem; **~eur** *m (de danser en rond)* Spielverderber *m.*
empeloter, empelotonner [ɑ̃plɔte, -tɔne] *(Garn)* zu e-m Knäuel wikkeln.
empenn|age [ɑ̃pɛnaʒ] *m (Pfeil)* Fiederung *f; (Waffe)* Flügelschaft *m; aero* Leitwerk *n,* Stabilisierungsfläche *f; (Bombe)* Steuerschwanz; *(Rakete)* Flugwerk *n; ~ horizontal, vertical* Seiten-, Höhenleitwerk *n;* **~er** befiedern; *aero* mit Stabilisierungsflächen versehen.
empereur [ɑ̃prœr] *m* Kaiser *m.*
emperl|er [ɑ̃pɛrle] mit Perlen verzieren; *(fig) la sueur ~e son front* Schweiß tritt ihm auf die Stirn; *prés m pl ~és de rosée* taubenetzte Wiesen *f pl.*
empes|age [ɑ̃pəzaʒ] *m (Wäsche)* Stärken *n;* **~é, e** gestärkt; steif; *fig* gezwungen, unnatürlich, geschraubt; *avoir un style ~* unnatürlich schreiben; e-n unnatürlichen, gezwungenen Stil haben; **~er** *(Wäsche)* stärken; **~eur, se** *m f* Wäschestärker(in *f*) *m.*
empest|é, e [ɑ̃pɛste] *pp med* angesteckt; *a* verderblich, giftig; stinkend; *s m f* Pestkranke(r *m*) *f;* **~er** *tr med* an=stecken; *(Luft)* verpesten *(Menschen)* durch Gestank belästigen; *fig* vergiften, verderben (*de* mit); *itr* stinken; *cela ~e* die Luft ist verpestet; *le bureau ~e le tabac* das Büro stinkt, riecht nach Tabak.
empêtrer [ɑ̃petre] *(die Füße)* verwikkeln; *fig* verstricken (*dans qc* in e-e S); auf den Hals laden (*qn de qn* jdm jdn); *s'~* sich verstricken (*dans qc* in e-e S); sich auf den Hals laden; sich belasten (*de* mit).
empha|se [ɑ̃fɑz] *f* nachdrückliche Betonung *f;* hochtrabende(r) Ton, Schwulst *m;* **~tique** emphatisch, nachdrücklich (betont); hochtrabend, schwülstig.
emphysème [ɑ̃fizɛm] *m* Emphysem *n,* Luft-, Windgeschwulst *f; ~ pulmonaire* Lungenerweiterung *f.*
emphytéo|se [ɑ̃fiteoz] *f* Erbpacht *f;* **~te** *m* Erbpächter *m;* **~tique** Erbpacht-; *bail m ~* Erbpacht *f;* Erbpachtvertrag *m.*
empiècement [ɑ̃pjɛsmɑ̃] *m (Kleidung)* Einsatz-, Schulterstück *n;* Passe *f;* Koller *n.*
empierr|ement [ɑ̃pjɛrmɑ̃] *m* Beschotterung *f;* Schotterbett *n;* Steinschüttung *f;* **~er** beschottern.
empiét|ement [ɑ̃pjɛtmɑ̃] *m* Eingriff (in fremde Rechte), Übergriff *m;* Beeinträchtigung *f* (*sur* gen); *min* Einbruch *m;* **~er** [-pje-] über=, ein=greifen (*sur* in *acc*); beeinträchtigen (*sur qc* etw); sich Rechte an=maßen (*sur qn* gegenüber jdm); sich (nach u. nach) widerrechtlich an=eignen (*sur qc* etw).
empiffrer [ɑ̃pifre] *fam* (mit Speisen) überladen, voll=stopfen; fett füttern; *s'~* sich voll=stopfen, sich überessen.
empil|age, ~ement [ɑ̃pilaʒ, -mɑ̃] *m* (Auf-)Stapeln *n;* Aufschichtung *f; (Kohle)* Aufschütten *n;* **~er** (auf=)stapeln, (auf=)schichten; *(Geld)* an=, auf=häufen; *s'~* sich an=, auf=häufen; sich stapeln; *(Menschen)* sich zs.=drängen, sich hinein=drängen; **~eur, se** *m f* Stapler(in *f*) *m.*
empire [ɑ̃pir] *m* Reich *n;* Herrschaft, Gewalt; Macht *f;* Einfluß *m;* Kaiserreich *n; pas pour un ~* um keinen

Preis der Welt; *agir sous l'~ des circonstances, de la nécessité* unter dem Druck der Verhältnisse, dem Zwang der Notwendigkeit handeln; *être sous l'~ de qn* unter jds Einfluß stehen; *style m E~* Empirestil *m; ~ des mers* Seeherrschaft *f; ~ sur soi-même* Selbstbeherrschung *f.*

empirer [ɑ̃pire] *tr* verschlimmern; *le traitement n'a fait qu'~ le mal* die Behandlung hat das Übel nur verschlimmert; *itr* schlimmer werden; sich verschlimmern.

empir|ique [ɑ̃pirik] *a* empirisch; Erfahrungs-; *s m* Empiriker; Quacksalber *m; valeur f ~* Erfahrungswert *m;* **~isme** *m* Empirismus *m,* Empirie; *med* Quacksalberei *f;* **~iste** *m* Empiriker; Quacksalber *m.*

emplacement [ɑ̃plasmɑ̃] *m* Platz *m;* Stelle *f;* (Stand-)Ort *m;* Baugelände *n,* -platz *m; mil* Stellung; *parl* Platzverteilung *f; ~ de combat sous abri* Gefechtsstand *m; ~ de mitrailleuse* MG-Stand *m; ~ de pièce* Geschützstand *m.*

emplâtre [ɑ̃plɑtr] *m med* (Zug-)Pflaster; Palliativ, Heilmittel *fig;* Pflästerchen *n; fig* schwerverdauliche Speise *f;* Klebstoff *m; pop* Ohrfeige *f; fam* Schwächling, Schlappschwanz *m; appliquer* od *mettre, lever* od *ôter un ~* ein Heftpflaster auf=legen, ab=lösen; *~ adhésif, agglutinant* Heftpflaster *n.*

emplette [ɑ̃plɛt] *f* Einkauf *m; faire des ~s* Einkäufe machen; *faire ~ de qc* e-e S (ein=)kaufen; *nous avons fait là une belle ~! (fam)* da haben wir uns etwas Schönes eingebrockt!

emplir [ɑ̃plir] *tr* (aus=, an=, er=)füllen (*de* mit); voll=machen; *(Glas)* voll=schenken; *itr mar* (mit Wasser) voll=(l)aufen; *s'~* voll werden; *~ d'eau un verre* ein Glas mit Wasser füllen; *~ de joie* mit Freude erfüllen; *le ciel s'emplit de nuages* der Himmel bedeckt sich mit Wolken.

emploi [ɑ̃plwa] *m* An-, Verwendung *f;* Gebrauch *m;* Verrichtung; Beschäftigung; (Dienst-)Stelle *f,* Amt *n;* (An-)Stellung; Bestimmung *f;* Einsatz *m; com (Geld)* Anlage *f; (Buchhaltung)* Eintrag *m; mil* Dienststellung; *theat* Rolle *f; en plein ~* vollbeschäftigt; *sans ~* (Mensch) ohne Anstellung, arbeitslos; *(Sache)* außer Dienst; unbenutzt; *avoir, tenir l'~ de valet (theat)* die Rolle des Dieners spielen; *chercher un ~* e-e Stelle suchen; *chercher, trouver de l'~* Arbeit suchen, finden; *faire un bon, mauvais ~ de son temps* s-e Zeit gut, schlecht verwenden; *faire ~ de capitaux* Kapitalien an=legen; *faire ~ de toutes les ressources* alle (Hilfs-)Mittel ein=setzen; *demande f d'~* Stellengesuch *n;* Bewerbung *f; domaine m d'~* Verwendungsbereich *m; double ~* unnütze Wiederholung *f; mode m d'~* Gebrauchsanweisung *f; offre f d'~* Stellenangebot *n; plein ~* Vollbeschäftigung *f; ~ abusif* Mißbrauch *m; ~ accessoire* Nebenamt *n,* -beschäftigung *f; ~ de bureau* Bürotätigkeit *f; ~ de la main-d'œuvre* Arbeitseinsatz *m; ~ à plein temps* Vollzeitbeschäftigung *f; ~ saisonnier* Saisonarbeit *f; ~ du temps* Stundenplan *m; ~ vacant* offene Stelle *f.*

employ|able [ɑ̃plwajabl] anwendbar; brauchbar; **~é, e** *a* angestellt; *m f* Angestellte(r *m*) *f;* Arbeitnehmer(in *f*) *m; assurance f des ~s* Angestelltenversicherung *f; ~ de l'administration publique* Behördenangestellte(r) *m; ~ d'assurance* Versicherungsbeamte(r) *m; ~ de banque* Bankbeamte(r) *m; ~ de bureau* Büroangestellte(r), Kontorist *m; ~ de chancellerie* Kanzleibeamte(r) *m; ~ de chemin de fer* Eisenbahnbeamte(r) *m; ~ de commerce* kaufmännische(r) Angestellte(r) *m; ~ par contrat* Vertragangestellte(r) *m; ~ aux écritures* Schreiber, Expedient *m; ~ d'exploitation* Betriebsangestellte(r) *m; ~ de guichet* Schalterbeamte(r) *m; ~ de magasin* Verkäufer *m; ~e de maison* Hausangestellte *f; ~ payé au mois* Gehaltsempfänger *m; ~ occupant un poste de direction* Angestellte(r) *m* in leitender Stellung; *~s et ouvriers* Angestellte u. Arbeiter *m pl; ~ à plein temps* vollzeitbeschäftigt; *~(e) des postes* Postbeamte(r) *m,* (-beamtin *f*); *~s au sol (aero)* Bodenpersonal *n;* **~er** *(Sache)* an=, verwenden, gebrauchen, benutzen; *(Person)* ein=, an=stellen, beschäftigen; *(Geld)* an=legen; *com (Posten)* ein=tragen; *s'~* sich beschäftigen (*à* mit); es sich angelegen sein lassen (*à* zu); sich bemühen (*à* um); sich verwenden, sich ein=setzen (*pour* für); gebraucht werden; **~eur** *m* Arbeitgeber; Dienstherr *m; association f d'~s* Arbeitgeberverband *m.*

emplumer [ɑ̃plyme] befiedern; mit Federn schmücken; *s'~* Federn bekommen.

empocher [ɑ̃pɔʃe] in die Tasche stekken, ein=stecken; *(Geld)* ein=streichen; *fig fam (Schläge, Beleidigung)* einstecken (müssen).

empoign|ade [ɑ̃pwaɲad] *f fam* heftige(r) Wortwechsel; Streit, Zank *m;* **~ant, e** packend; erregend; ergreifend; **~e** *f* Fassen, Ergreifen *n; acheter à la foire d'~ (fam)* klauen; *c'est la foire d'~ (fam)* da hilft nur Gewalt; **~er** [ɑ̃pwaɲe, ɑ̃pɔɲe] ergreifen, packen *a. fig;* beim Wickel nehmen; fassen; verhaften; *fig* herunter=reißen, -machen; *s'~* anea.=geraten in e-n Wortwechsel geraten; sich streiten; *~ qn par le bras, par les cheveux* jdn am Arm, an den Haaren packen.

empois [ɑ̃pwa] *m (Wäsche)* Stärke; *(Textil)* Schlichte *f.*

empoison|nement [ɑ̃pwazɔnmɑ̃] *m* Vergiftung *f a. fig.;* Giftmord *m;* Giftmischerei *f; fam* Gestank *m;* Verpestung; *fam* Schererei *f,* Ärger *m; meurtre m par ~* Giftmord *m; ~ par l'alcool* Alkoholvergiftung *f; ~ par un gaz* Gasvergiftung *f; ~ du sang* Blutvergiftung *f; ~ par la viande* Fleischvergiftung *f;* **~ner** vergiften *a. fig,* Gift geben (*qn* jdm); *fig* verpesten; heim=suchen; *(Menschen)* verderben; verführen; verleumden; belästigen, *fam* zu Tode langweilen; *(das Leben)* verbittern; vergällen, *s'~* Gift nehmen, sich vergiften; *(fam) cette histoire m'empoisonne, je suis empoisonné par cette histoire* die Sache wurmt mich; **~neur, se** *m f* Giftmischer(in *f*); Verderber; schlechte(r) Koch; Stänker; *pol* Brunnenvergifter *m.*

empoisser [ɑ̃pwase] ver-, aus=pichen, mit Pech bestreichen; beschmieren (*de* mit).

empoissonner [ɑ̃pwasɔne] *(Teich)* mit Fischbrut besetzen; Fische setzen (*qc* in e-e S).

emport|é, e [ɑ̃pɔrte] jähzornig; aufbrausend, hitzig; heftig; **~ement** *m* Aufwallung *f;* Zornesausbruch; Jähzorn *m;* Heftigkeit; Wut; *(Diskussion)* Hitze *f;* **~e-pièce** *m inv* Locheisen *n,* -zange *f;* Ausschlageisen *n; fig* bissige(r) Mensch *m; à l'~ (fig)* beißend; treffend; **~er** weg=tragen, -bringen, -schaffen; beseitigen; mit sich fort=reißen, ab=reißen; weg=schwemmen, -spülen; *(Pferd)* durch=gehen (*qn* mit jdm); *(Wind)* verwehen; verschlingen, auf=zehren; *(Krankheit)* dahin=raffen; besiegen; *(Festung)* erobern, ein=nehmen, erstürmen; *(Sieg)* davon=tragen; *(Preis, Partie)* gewinnen; *(Stellung)* erlangen, erringen; *(Sache)* durch=setzen; *lit* nach sich ziehen, zur Folge haben; ein=schließen *fig; l'~* siegen; *(Meinung)* sich durch=setzen; *l'~ sur* siegen über *acc,* überwinden; die Oberhand gewinnen über *acc;* überlegen sein *dat,* triumphieren über *acc;* aus=stechen; *s'~ (Pferd)* durch=gehen; *acc (Mensch)* hitzig, wütend werden, sich erhitzen, sich ereifern, eifern *(contre* gegen); auf=fahren, -brausen; *(Baum)* ins Holz schießen; *(jusqu')à qc* sich zu etw hin=reißen lassen; *se laisser ~ par la colère* sich im Zorn fort=reißen lassen; *~ la balance* den Ausschlag geben; *l'~ de haute lutte* sich schließlich durch=setzen, trotz harten Widerstands den Sieg davon=tragen; überwältigen (*qn, qc* jdn, etw); *~ le morceau (fam)* es schaffen; *~ la pièce (lit)* sehr bissig sein; *s'~ comme une soupe au lait* gleich *od* leicht auf=brausen, in Harnisch geraten; *autant en ~e le vent* das ist (ja doch) in den Wind gesprochen; *que le diable t'~e!* hol' dich der Teufel!

empot|é, e [ɑ̃pɔte] *a fig fam* unbeholfen, linkisch; **~er** *(Pflanze)* in e-n Topf ein=setzen; *min* ein=bühnen.

empourprer [ɑ̃purpre] purpurrot färben; *s'~* (purpur)rot werden; *s'~ de colère, de honte* vor Zorn, Scham ganz rot werden.

emprein|dre [ɑ̃prɛ̃dr] *irr* ab=, ein=, auf=drücken; *fig* ein=prägen, -zeichnen; *typ* prägen; *s'~ (fig)* sich ein=drücken, sich malen (*dans* in *dat, sur* auf *dat*); *~ ses pas sur la neige* Spuren im Schnee hinterlassen; *intérêt m ~t de curiosité* mit Neugierde gemischte(s) Interesse *n; ~t dans la mémoire* im Gedächtnis haftengeblieben; **~te** *f* Ein-, Auf-, Abdruck; Tritt *m;* Spur; Fuß(s)tapfe *f; mil* Treffer; *mil* Schliff *m;* Siegel *n;* Stempel *m a. fig; typ* Prägung, Matrize; *fig* Ausprägung *f,* Gepräge *n; marquer de son ~* s-n Stempel auf=drücken (*qc* e-r S *dat*); *~ digitale* Fingerabdruck *m.*

empress|é, e [ɑ̃prɛse] eifrig; geschäftig; (dienst)beflissen; zuvorkommend; *être ~* es eilig haben; *faire l'~* geschäftig tun; **~ement** *m* Geschäftigkeit *f;* (Dienst-)Eifer *m;* Bereitwilligkeit; Eilfertigkeit *f* (*à* zu); *accueillir qn avec ~* jdn bereitwilligst auf=nehmen; **~er, s'** sich beeilen (*de* zu); (eifrig) streben, sich (eifrig) bemühen (*à* zu, *autour de qn* um jdn).

emprise [ɑ̃priz] *f* Einwirkung; Macht *f;* beherrschende(r) Einfluß *m; jur* (unrechtmäßige) Enteignung *f; avoir de l'~ sur qn* auf jdn Einfluß haben, jdn beherrschen; *donner de l'~ sur soi à ses adversaires* sich seinen

Gegnern gegenüber e-e Blöße geben; *~s de la voie* Bahngelände *n.*

emprison|nement [ɑ̃prizɔnmɑ̃] *m* Verhaftung; Haft, Freiheits-, Gefängnisstrafe *f; tech* Verschluß *m; être puni d'un ~ de six mois* mit 6 Monaten Gefängnis bestraft werden; *~ cellulaire* Einzelhaft *f; ~ à vie* lebenslängliche Haft *f;* **~ner** ins Gefängnis ein=liefern, ein=sperren; gefangen=halten; *fig* ein=, um=, verschließen; *(Gas) (in e-m Behälter)* komprimieren.

emprunt [ɑ̃prœ̃] *m* Entlehnung; Anleihe; Aufnahme *f* von Geld; entliehene(s) Geld; Entlehnte(s), Erborgte(s) *n;* Entnahme *f; d'~* erborgt; falsch, Schein-; *accorder un ~* e-e Anleihe gewähren; *contracter, faire un ~* e-e Anleihe machen *od* auf=nehmen; *émettre un ~* e-e Anleihe auf=legen; *faire l'~ de qc* sich etw aus=borgen; *négocier un ~* e-e Anleihe vermitteln; *placer un ~* e-e Anleihe unter=bringen; *rembourser, restituer un ~* e-e Anleihe zurück=zahlen; *souscrire à un ~* e-e Anleihe zeichnen; *surpasser la souscription d'un ~* e-e Anleihe überzeichnen; *vivre d'~* von Erborgtem, *fam* von Pump leben; *fig* sich mit fremden Federn schmücken; *amortissement m d'un ~* Tilgung *f* e-r Anleihe; *émission f d'un ~* Begebung *f* e-r Anleihe; *intérêts m pl sur ~* Anleihezinsen *m pl; mot m d'~* Lehnwort *n; nom m d'~* Deckname, angenommene(r) Name *m; placement m d'un ~* Unterbringung *f* e-r Anleihe; *remboursement m d'un ~* Zurückzahlung *f* e-r Anleihe; *service m de l'~* Anleiheverzinsung *f; ~ communal, municipal* Kommunalanleihe *f; ~ de consolidation, de conversion* Konsolidierungs-, Konvertierungsanleihe *f; ~ forcé* Zwangsanleihe *f; ~ gouvernemental, national, d'État* Staatsanleihe *f; ~ hypothécaire, sur hypothèque* Hypothekenanleihe *f; ~ lombard* Lombardgeschäft *n; ~ superposé* überzeichnete Anleihe *f; ~ à court terme* kurzfristige Anleihe *f;* **~é, e** [-te] erborgt, angenommen, erkünstelt, falsch; unbeholfen, linkisch; **~er** (er)borgen, leihen (*à* von); e-e Anleihe machen, entlehnen (*à* bei), -nehmen; *fig* an=, über=nehmen (*de, à* von); nach=ahmen, -äffen; *(Weg)* ein=schlagen, benutzen; *(Hilfe)* in Anspruch nehmen; *(Licht)* empfangen; *~ une route aérienne* e-e Flugstrecke befliegen; **~eur, se** Darlehensnehmer(in *f*), Entleiher(in *f*) *m.*

empuantir [ɑ̃pɥɑ̃tir, -y-] verpesten.

empyrée [ɑ̃pire] *m* Feuerhimmel *m; fig* höhere Regionen *f pl.*

émul|ateur, trice [emylatœr, -tris] *m f* Nacheiferer *m,* -eiferin *f;* **~ation** *f* Wetteifer, -streit *m;* **~e** *m f* Nacheiferer *m,* -eiferin *f;* Nebenbuhler(in *f*); Rivale *m,* Rivalin *f; être l'~ de qn* jdm nach=eifern; mit jdm wetteifern.

émul|gent, e; ~sif, ive [emylʒɑ̃, -t; -sif, -siv] *a* ölig, ölhaltig; *s m* Milchsaft *m;* **~sion** [-sjɔ̃] *f* Emulsion; *pharm* Samenmilch *f;* **~sionner** emulgieren.

en [ɑ̃] *prp (Ort)* in, nach, an, auf; *partir ~ voyage* auf Reisen gehen, verreisen; *(Zeit)* in; im Jahre; *de temps ~ temps* von Zeit zu Zeit; *(Zustand, Material)* in, aus; *une montre ~ or* e-e goldene Uhr; *mettre ~ colère* in Harnisch bringen; erzürnen; *(Art u. Weise, Ziel, Ursache)* auf, durch, in; als; aus; *~ ami* als Freund; *vendre ~ gros* im großen verkaufen; *mettre ~ doute* in Zweifel ziehen; *(in Ausdrükken) ~ dépit de* trotz *gen; ~ comparaison de* im Vergleich zu; *(beim gérondif) ~ arrivant* bei der Ankunft; *adv (pronominal)* davon; sein, e; ihr, e; dessen; deren; *~ vouloir à qn* jdm zürnen, grollen, böse sein; *c'en est trop* das ist zuviel; *(Ort) j'~ viens* von dort komme ich (gerade).

enamourer, én-, s' [ɑ̃-, enamure] *vx* sich verlieben (*de* in *acc*).

encablure [ɑ̃kablyr] *f mar* Kabellänge *f* (185 bzw. 200 m).

encadr|ement [ɑ̃kadrəmɑ̃] *m* Einfassung, -rahmung; Umrahmung *f;* Rahmen *m a. fig; fig* (die) Kader *m pl; ~ de fenêtre, de porte* Fenster-, Türeinfassung *f;* **~er** ein=rahmen, -fassen, -fügen; *mil* die Kader auf=stellen (*qc* gen); (zwischen andere Einheiten) ein=schieben; (in e-e Einheit) ein=reihen; *(Artillerie)* ein=gabeln; ab=riegeln; *(taktisch)* an=lehnen; *fig* umschließen; umranden; **~eur** *m* Rahmenmacher; Einrahmer *m.*

encag|er [ɑ̃kaʒe] in e-n Käfig *od* Behälter stecken; *fam* ein=sperren, ins Gefängnis stecken; *mil* ab=riegeln; *min* beschicken, auf=schieben; **~eur** *m min* (Wagen-)Aufschieber *m,* Beschickungsvorrichtung *f.*

encaiss|able [ɑ̃kɛsabl] einziehbar, einkassierbar; **~age** *m* Verpacken *n* in Kisten; *bot* Einpflanzen *n;* **~ant, e** *a geol* einschließend; Neben-; **~e** *f* Bar-, Kassenbestand *m; ~ métallique* Hartgeldvorrat *m;* **~é, e** eingeengt, eingeschlossen; *(Straße)* eingeschnitten; *(Tal)* kesselförmig; **~ement** *m* Einkassieren; Inkasso; Beheben *n* (von Beträgen); Verpackung *f* in Kisten; *bot* Einpflanzen *n; (Fluß)* Eindämmung *f,* Uferdamm *m; (Straße)* Packlage *f; soigner l'~* das Inkasso übernehmen; **~er** in Kisten packen; *com* (ein=)kassieren, ein=nehmen; *(Geld)* ab=heben; *(Wechsel)* ein=ziehen; *(Straße)* den Unterbau her=stellen (*qc* e-r S *gen*); beschottern; *(Fluß)* ein=deichen; *bot* ein=pflanzen; *fam (Beleidigungen, Schlag)* ein=stecken; *fam* hin=nehmen, zu=stimmen (*qc* e-r S); *ne pas ~ qn (fam)* jdn nicht riechen können; *s'~ (Tal)* kesselförmig eingeschlossen sein, sich kesselförmig einsenken; **~eur** *m* Kassenbote; Geldeinnehmer; Kassierer; *min* Anschläger *m.*

encan [ɑ̃kɑ̃] *m: mettre, vendre à l'~* versteigern; *mettre sa conscience à l'~* käuflich sein; *vente f à l'~* Versteigerung *f.*

encanailler [ɑ̃kanaje] herab=würdigen; *s'~* in schlechte Gesellschaft geraten, mit Krethi und Plethi verkehren; herunter=kommen.

encapuchonner [ɑ̃kapyʃɔne] mit e-r Kapuze bedecken; *fam* ins Kloster stecken; *s'~* e-e Kapuze überziehen; *fig fam* ins Kloster gehen; *(Pferd)* den Kopf ein=ziehen.

encaqu|er [ɑ̃kake] *(Heringe)* in Tonnen packen; *fam fig* ein=, zs.=pferchen; *s'~* sich zs.=drängen; **~eur** *m* Heringspacker *m.*

encart [ɑ̃kar] *m typ* Einlage *f;* **~age** *m (e-r Zeitschrift beigelegter)* Prospekt *m;* Einheften, Einschalten *n;* **~er** ein=heften, -falzen; *(Stecknadeln)* ein=briefen; *(Prospekt)* bei=, ein=legen; *(bei der Polizei) (Prostituierte)* registrieren; **~onner** auf Pappe stecken.

encas, en-cas [ɑ̃kɑ(a)] *m inv* Rücklage, Reserve *f,* Notgroschen; Ausweg, Notbehelf *m;* fertig zubereitet in Reserve gehaltene(s) Gericht *n;* (Sonnen- u. Regen-)Schirm *m.*

encasern|er [ɑ̃kazɛrne] kasernieren; **~ement** *m* Kasernierung *f.*

encastr|ement [ɑ̃kastrəmɑ̃] *m* Einspannen; Einsetzen, -fügen *n;* Einbau *m;* Lager *n;* Vertiefung, Rille *f;* **~er** ein=setzen, -fügen, -bauen, -spannen, -betten, -falzen.

encaustiqu|e [ɑ̃kostik] *f* Bohnerwachs *n;* Möbelpolitur; Wachsfarbe; Wachsmalerei *f; peinture f à l'~* Brandmalerei *f;* **~er** ein=wachsen, bohnern; polieren.

encav|er [ɑ̃kave] ein=kellern; **~eur** *m* Küfer; Kellermeister *m.*

encein|dre [ɑ̃sɛ̃dr] *irr* um=, ein=schließen; umgürten, -geben, -fassen; *(Wasserlauf)* umfließen; **~te** *s f* Um-, Einfried(ig)ung; Umschließung; *(Festung)* Umwallung *f;* Festungswerke *n pl;* Stadtmauer *f;* Stadtgebiet *n;* (abgeschlossener) Raum; *(Jagd)* Kessel *m; a f* schwanger.

encellul|ement [ɑ̃sɛlylmɑ̃] *m* Einsperren *n* in e-e Zelle; Einzelhaft *f;* **~er** in e-e Zelle sperren.

encens [ɑ̃sɑ̃] *m* Weihrauch *m; fig* Schmeichelei; Lobhudelei *f;* **~ement** *m* Räuchern; Weihrauchstreuen *n a. fig;* **~er** Weihrauch streuen (*qn* jdm); verehren; beweihräuchern, schmeicheln (*qn* jdm); **~eur, se** *m f* Lobhudler(in *f*) *m;* **~oir** *m* Weihrauchfaß *n; fig* geistliche Macht *f; casser le nez à coups d'~, donner de l'~ par le nez* lobhudeln (*à qn* jdm); *manier l'~* (plumpe) Schmeicheleien sagen.

encéphal|algie [ɑ̃sefalalʒi] *f* Kopfschmerz *m;* **~e** *m* Gehirn *n;* **~ique** Gehirn-; Kopf-; **~ite** *f* Gehirnentzündung *f.*

encercl|ement [ɑ̃sɛrkləmɑ̃] *m* Einkesselung; Einkreisung, Umzing(e)lung *f; bataille f d'~* Kessel-, Umfassungsschlacht *f;* **~er** ein=kreisen, umzingeln, umfassen, ein=kesseln; *(Faß)* die Reifen auf=treiben (*qc* auf e-e S).

enchaîn|ement [ɑ̃ʃɛnmɑ̃] *m* Anketten *n;* Verkettung *f a. fig,* Anea.reihen *n;* Kette; Verknüpfung *f,* Zs.hang *m;* Abhängigkeit *f; ~ d'idées* Gedankenfolge *f;* **~er 1.** *(attacher, lier)* an=, verketten; fesseln; *(Hund)* an die Kette legen; *~é (à)* gekettet (an *acc*); **2.** *(soumettre, contraindre)* unterdrücken, beherrschen, zwingen; binden; hindern, hemmen; *il est ~é par la parole donnée* er hat sich durch sein Versprechen gebunden; *~ ses mauvais instincts* seine bösen Triebe im Zaume halten; **3.** *(coordonner, relier) (Gedanken) (logisch)* anea.=reihen; weiter=führen, fort=fahren (*qc* in *dat,* mit etw); über=leiten (*sur* auf *acc*); *il a bien ~é entre la première et la seconde partie de son discours* er hat vom ersten zum zweiten Teil seiner Rede gut übergeleitet; *theat (Gespräch)* wiederauf=nehmen; *film* ein=blenden; *s'~* sich verbinden (*à* mit); mitea. verknüpft sein; inea.=greifen; *s'~ à une dure besogne* e-e harte Arbeit auf sich *(acc)* nehmen.

enchant|é, e [ɑ̃ʃɑ̃te] ver-, bezaubert; behext; entzückt; entzückend; *je suis ~ de vous voir* es freut mich sehr, Sie zu sehen; *parole f ~e* Zauberwort *n;* **~ement** *m* Ver-, Bezauberung; Zauberei *f;* Zauber; Reiz *m;* Entzücken *n,* Wonne *f; être dans l'~* im siebenten

Himmel, überglücklich sein; **~er** *dat* be-, verzaubern; entzücken; *s'~* (großen) Gefallen finden (*de* an *dat*); **~eur, ~eresse** *s m f* Zauberer *m;* Zauberin *f; a* bezaubernd; entzükkend.

enchâss|er [ɑ̃ʃɑse] ein=fassen, -fügen, -setzen; umgeben; *fig* ein=schalten, -flechten *(in die Rede);* **~ure** *f (Edelstein)* (Ein-)Fassung *f.*

enchatonner [ɑ̃ʃatɔne] *(Edelstein)* (ein)fassen.

enchausser [ɑ̃ʃose] *agr* mit Stroh ab= decken.

enchère [ɑ̃ʃɛr] *f* höhere(s) (An-)Gebot *n; pl* Versteigerung, Auktion *f; acheter aux ~s* ersteigern; *couvrir une ~* ein Gebot überbieten; *être à l'~ (fig)* käuflich sein; *faire, mettre une ~* ein (höheres) Angebot machen; *mettre, vendre aux ~s* versteigern; *pousser les ~s* die Preise (bei e-r Versteigerung) hoch=treiben; *celui qui porte l'~ la plus élevée est déclaré adjudicataire* der Meistbietende erhält den Zuschlag; *vente f aux ~s* Versteigerung *f; ~s forcées* Zwangsversteigerung *f*

enchér|ir [ɑ̃ʃerir] teurer werden; ein höheres Gebot ab=geben; *~ sur qn* jdn überbieten; *fig* (noch) weiter gehen als jmd; *sur qc* etw weiter=treiben; *~ sur la vérité (in der Rede)* übertreiben; **~issement** *m* Aufschlag *m;* Verteuerung, Preissteigerung *f;* **~isseur** *m* Bieter; Steigerer *m; le (plus offrant et) dernier ~* der Meistbietende.

enchevalement [ɑ̃ʃ(ə)valmɑ̃] *m arch* Stützgerüst *n;* Abstützarbeiten *f pl.*

enchev|aucher [ɑ̃ʃəvoʃe] *(Ziegel)* überea.=legen, überdecken, verblatten; **~auchure** *f* Überdeckung, Ver-, Überblattung *f.*

enchevê|trement [ɑ̃ʃəvɛtrəmɑ̃] *m* Verwicklung *f;* Wirrwarr *m,* Durcheinander *n; pol* Verflechtung *f;* **~tré, e** verwickelt, -schachtelt; **~trer** *(Pferd)* (an=)halftern; *fig* durchea.= bringen, verwirren; *arch* durch e-n Stichbalken verbinden; *(Balken)* aus= wechseln; *s'~* durchea.=geraten, sich verwirren; **~trure** *f* Balkenwechsel *m.*

encheviller [ɑ̃ʃəvije] verdübeln.

enchifr|ènement [ɑ̃ʃifrɛnmɑ̃] *m* (Stock-)Schnupfen **~ener, s'** [-frə-] sich e-n (tüchtigen) Schnupfen holen; *il est tout ~é* er hat e-n tüchtigen Schnupfen.

enclav|e [ɑ̃klav] *f* Enklave *f; jur* Binnenland; rings umschlossene(s) Grundstück; eingesprengte(s) Gestein *n; faire ~* hinein=ragen; **~er** *(Landesteil)* mit fremdem Gebiet umschließen; *tech* ein=schließen, -setzen, -fügen, -zapfen; *s'~* von fremdem Gebiet umschlossen sein; eingeschlossen, eingefügt sein.

enclench|e [ɑ̃klɑ̃ʃ] *f tech* Kerbe *f;* **~ement** *m* Einklinken *n,* -schaltung *f;* Einhaken *n; loc* Verschluß *m; cabine f d'~* Stellwerk *n* (mit Abhängigkeiten); *crochet m d'~* Verschlußhaken *m; électro m d'~* Sperrmagnet *m; glissière f d'~* Verschlußschieber *m; installation f d'~* Stellwerksanlage *f; poste m d'~* Stellwerk *n;* **~er** ein=rükken, -schalten, -klinken; *loc* verriegeln, sperren; *tele* stöpseln; *aiguille f ~ée (loc)* verschlossene Weiche *f.*

enclin, e [ɑ̃klɛ̃, -in] *(positiv)* geneigt (*à* zu); *il est toujours ~ à l'indulgence* er ist immer zur Nachsicht geneigt; *(negativ) il est ~ aux rhumatismes, à la prodigalité* er neigt zum Rheumatismus, zur Verschwendung.

encliquet|age [ɑ̃kliktaʒ] *m* Klinkwerk; Gesperre; Sperrwerk; Einschnappen *n;* **~er** ein=klinken; ein=greifen, -schnappen, -rasten.

encloîtrer [ɑ̃klwatre] ins Kloster sperren; *s'~* ins Kloster gehen.

enclo|re [ɑ̃klɔr] *irr* ein=schließen, -zäunen, -fried(ig)en; *fig* umgeben; **~s** [-klo, -oz] *m* eingefriedigte(s) Grundstück *n;* Um-, Einfried(ig)ung *f;* Gehege *n.*

enclouer [ɑ̃klue] *(Pferd, Kanone)* vernageln.

enclum|e [ɑ̃klym] *f* Amboß *m a. anat el; (fig) remettre un ouvrage sur l'~* ein Werk um=arbeiten; *se trouver entre l'~ et le marteau* zwischen zwei Feuern sein; **~eau, ~ot** [-o] *m* Handamboß *m.*

encoch|e [ɑ̃kɔʃ] *f* Einschnitt *m,* Kerbe; Ein-, Auskerbung; Raste: Nute *f; (Karteikarte)* Rundloch *n; prendre l'~* ein=rasten; *table f à ~s* Griffloch-register *n;* **~er** ein=kerben, nuten; *(Bogensehne)* in die Kerbe (des Pfeils) legen.

encoignure [ɑ̃kɔ(wa)ɲyr] *f* (Zimmer-) Ecke *f,* Winkel *m;* senkrecht laufende Hohlkehle *f;* Eckbrett *n,* -schrank *m,* -möbel *n.*

encoll|age [ɑ̃kɔlaʒ] *m* Leimen; Schlichten *n; (Papier)* Leimung; Appretur *f;* **~er** leimen; gummieren; stärken; *(Papier)* planieren; *(Weberei)* schlichten; **~eur** *m* Leimarbeiter *m;* **~euse** *f* Schlicht-, Leimmaschine *f.*

encolure [ɑ̃kɔlyr] *f* (Pferde-)Hals *m;* Halsbreite *f,* -ausschnitt *m;* Kragen-,

Halsweite *f; gagner par une* od *d'une* ~ um e-e Halslänge gewinnen.

encombr|ant, e [ɑ̃kɔ̃brɑ̃, -ɑ̃t] sperrig, platzraubend, unhandlich; *fig* lästig, störend; *marchandises f pl* ~*es* Sperrgut *n; peu* ~ wenig Platz beanspruchend; ~**e** *m: sans* ~ unbehindert; ohne Unfall; glatt; ~**ement** *m* Versperrung; Stauung, Anhäufung; Überfüllung *f;* Gedränge *n;* (Verkehrs-)Stockung, Verstopfung *f; tech* Raumbedarf *m,* Maße *n pl; radio* Störung *f;* ~**er** (ver)sperren; überfüllen, -laden, -schütten (*de* mit); zu=schütten; *(Gedächtnis)* voll=pfropfen; *fig* belästigen; *s'*~ vollgestopft, -gepfropft sein; sich belasten (*de* mit); *classe f* ~*ée* überfüllte Klasse *f; marché m* ~*é* gesättigte(r) Markt *m; rue f* ~*ée* verstopfte Straße *f.*

encontre [ɑ̃kɔ̃tr] : *à l'*~ *de qn (prp)* gegen jdn, jdm entgegen, im Gegensatz zu jdm; *aller à l'*~ *de qn* sich jdm widersetzen; jdm widersprechen; *je n'ai rien à dire à l'*~ ich habe nichts dagegen einzuwenden.

encorbellement [ɑ̃kɔrbɛlmɑ̃] *m arch* Vorbau *m,* -kragung *f;* Mauervorsprung; Erker *m;* Ausladung *f.*

encorder [ɑ̃kɔrde] *(Bergsteiger)* an=seilen.

encore [ɑ̃kɔr] *adv* noch, immer noch; überdies; außerdem, dazu, ferner; aber-, nochmals; doch, wenigstens; *(mit Inversion)* indessen, allerdings; freilich; *interj* schon wieder! ~ *une fois* noch einmal; *mais* ~*?* (na) und? *non seulement …, mais* ~ nicht nur …, sondern auch; *pas* ~ noch nicht; *si* ~*,* ~ *si* wenn wenigstens; *et* ~ u. selbst dann; u. wenn auch; ~ *que (conj mit subj, vx)* obgleich, -wohl, -schon.

encorn|é, e [ɑ̃kɔrne] gehörnt; ~**er** mit Hörnern versehen; auf die Hörner nehmen; stoßen, verletzen.

encourag|eant, e [ɑ̃kuraʒɑ̃, -ɑ̃t] ermutigend, aufmunternd; ~**ement** *m* Ermutigung, Aufmunterung; Förderung; *fig* Ankurbelung *f; œuvre f d'*~ Hilfswerk *n; société f d'*~ Verein *m* zur Förderung (*de* gen); ~**er** ermutigen, Mut machen, zu=sprechen (*qn* jdm), auf=muntern, an=feuern; unterstützen, fördern, an=kurbeln; an=regen; *(zum Schlechten)* auf=stacheln; *s'*~ ea. Mut machen.

encourir [ɑ̃kurir] *irr* auf sich *(acc)* laden; sich *(dat)* zu=ziehen; sich aus=setzen (*qc* e-r S *dat*); *(Strafe)* verwirken; zu gewärtigen haben; verdienen; ~ *un blâme* sich e-n Verweis zu=ziehen; ~ *la peine de mort* sein Leben verwirkt haben; ~ *une responsabilité* haftpflichtig werden.

encrage [ɑ̃kraʒ] *m typ* Farbgebung *f;* Schwärzen *n.*

encrass|é, e [ɑ̃krase] verschmutzt, schmutzig; verstopft; ~**ement** *m* Verdrecken *n,* Verunreinigung, Verschmutzung *f;* ~**er** be-, verschmutzen; verrußen; *s'*~ *(fig) fam* ein=rosten, verkalken *itr.*

encr|e [ɑ̃kr] *f* Tinte; *(typ)* Druckerschwärze; Farbe *f; fig* Stil *m; boire l'*~ *(Papier)* Tinte auf=saugen; *cracher l'*~ *(Feder)* Tinte verspritzen; *écrire à l'*~ mit Tinte schreiben; *écrire de bonne* ~ e-n guten Stil schreiben; *remplir d'*~ *son stylo* seinen Füller mit Tinte füllen; *tremper la plume dans l'*~ die Feder in die Tinte tauchen, *c'est la bouteille à l'*~ man wird daraus nicht klug; das ist e-e verwikkelte, dunkle Geschichte; *il est dans la bouteille à l'*~ er ist in das Geheimnis eingeweiht; *bouteille f, flacon m à* ~ Tintenflasche *f,* -fläschchen *n; gomme f à* ~ Tinten(radier)gummi *m; tache f d'*~ Tintenfleck, Klecks *m;* ~ *de Chine* Tusche *f;* ~ *à copier* Kopiertinte *f;* ~ *d'imprimerie* Druckerschwärze *f;* ~ *indélébile à marquer le linge* Wäschetinte *f;* ~ *à stylo, stylographique* Füllfedertinte *f;* ~ *sympathique* Geheimtinte *f;* ~ *à tampon(s)* Stempelfarbe *f;* ~ *typographique* Buchdrukkerfarbe *f;* ~**er** schwärzen; Druckerschwärze auf=tragen (*qc* auf e-e S); ~**eur** *m: (rouleau)* ~ *m typ* Auftragwalze *f;* ~**ier** [-krije] *m* Tintenfaß *n; typ* Farbkasten *m.*

encrine [ɑ̃krin] *f zoo* Haarstern *m; (bot)* Seelilie *f.*

encroué, e [ɑ̃krue] : *arbre m* ~ auf e-n anderen gestürzte(r) und dort hängengebliebene(r) Baum *m.*

encroû|té, e [ɑ̃krute] *a* verkrustet; *fig* verknöchert; stumpfsinnig; dumm; *(in Vorurteilen)* befangen (*de* in *dat*); *s m* Banause *m;* ~**tement** *m* Verkrustung *f;* Ansatz *m* von Kesselstein; *fig* Verdummung; Verknöcherung *f;* ~**ter** mit e-r Kruste überziehen; mit Kalk bewerfen; *fig* verdummen, stumpfsinnig machen; *s'*~ verdummen; *fig* sich fest=fahren, ein=rosten; *s'*~ *de calcaire* e-n Ansatz von Kesselstein bekommen.

encuver [ɑ̃kyve] in Kufen *(acc) od* Bottiche füllen; *(Wäsche)* ein=weichen; ~ *le malt (Brauerei)* ein=maischen.

encyclique [ɑ̃siklik] *f rel* Enzyklika *f.*

encyclo|pédie [ɑ̃siklɔpedi] *f* Enzyklopädie *f;* Handbuch des Wissens; Sammelwerk *n;* ~ *vivante* wandelnde(s) Konversationslexikon *n,* Vielwisser *m;* ~**pédique** enzyklopädisch, (alle Wissenschaften) umfassend; ~**pédiste** *m* Enzyklopädist *m.*

endécagone, *s. hendécagone.*

endém|ie [ɑ̃demi] *f* Endemie *f;* ~**ique** endemisch; einheimisch; *fig* dauernd; *état m* ~ Dauerzustand *m.*

endent|é, e [ɑ̃dɑ̃te] gezähnt; ge-, verzahnt; *bien* ~ *(fig)* sich e-s guten Appetits erfreuend; *être bien* ~ schöne Zähne haben; *roue f* ~*e* Zahnrad *n;* ~**er** mit Zähnen versehen; ein=, verzahnen; ~**ure** *f* Verzahnung; *(Kupplung)* Klaue *f.*

endett|é, e [ɑ̃dɛte] verschuldet; ~**ement** *m* Ver-, Überschuldung *f;* ~**er** in Schulden stürzen; *s'*~ in Schulden *(acc)* geraten; sich in Schulden *(acc)* stürzen.

endeuill|é, e [ɑ̃dœje] in Trauer(kleidung); *être* ~ e-e traurige Note bekommen; ~**er** in Trauer *(acc)* versetzen; e-e traurige Note geben (*qc* e-r S).

endêv|é, e [ɑ̃deve] unartig; bockig; ~**er** *fam* (sehr) ärgerlich, böse sein; *faire* ~ *qn* jdn (halbtot) ärgern, wütend machen.

endiablé, e [ɑ̃djable] wie vom Teufel besessen; verteufelt; toll; leidenschaftlich.

endiamanté, e [ɑ̃djamɑ̃te] mit Diamanten besetzt; *fig* wie mit Diamanten übersät.

endigu|ement [ɑ̃digmɑ̃] *m* Eindeichen *n,* -dämmung *f a. fig;* ~**er** ein=deichen, -dämmen *a. fig* be-, ein=schränken; hemmen.

endimanch|é, e [ɑ̃dimɑ̃ʃe] im Sonntagsstaat; *avoir l'air* ~ feiertäglich aus=sehen; ~**er, s'** sich festlich kleiden; den Sonntagsstaat an=ziehen.

endive [ɑ̃div] *f* Chicorée *f* u. *m; être blanc comme une* ~ weiß wie ein Leichentuch, totenbleich aus=sehen.

endo|carde [ɑ̃dɔkard] *m* innere Herzhaut *f,* Endokard *n;* ~**cardite** *f* Entzündung der inneren Herzhaut, Endokarditis *f;* ~**carpe** *m bot* Innenschicht *f* der Fruchtwand, Endokarp *n;* ~**crine** *a f: glande f* ~ Drüse mit innerer Sekretion, endokrine Drüse *f.*

endoctriner [ɑ̃dɔktrine] *(Boten)* instruieren; *(Wähler)* bearbeiten; für sich *od* s-e Gedanken zu gewinnen suchen; ab=richten.

endo|gamie [ɑ̃dɔgami] *f* Heirat *f* innerhalb e-s Stammes; ~**gène** [-ʒɛn] *med bot* endogen, innen entstehend.

endolor|i, e [ɑ̃dɔlɔri] schmerzend; *(Seele)* betrübt; ~**ir** Schmerzen verursachen (*qc* in e-r S); *fig* betrüben.

endommag|ement [ɑ̃dɔmaʒmɑ̃] *m* Beschädigung *f;* ~**er** beschädigen; Schaden zu=fügen (*qc* e-r S); *s'*~ Schaden nehmen *od* leiden, beschädigt werden.

endorm|ant, e [ɑ̃dɔrmɑ̃, -ɑ̃t] einschläfernd *a. fig; fig* langweilig; ~**eur** *m* Schwindler; langweilige(r) Mensch *m;* ~**i, e** schläfrig; *fig* träge, schlafmützig; ~**ir** *irr* ein=schläfern, -lullen; *(Schmerz)* stillen, betäuben; *fig* langweilen; verblenden, betören, täuschen, Sand in die Augen streuen (*qn* jdm); *s'*~ ein=schlafen *a. fig; fig* träge, nachlässig werden; *(Gewissen)* sich beruhigen; *s'*~ *sur qc* sich um etw nicht kümmern; *s'*~ *sur ses lauriers* auf s-n Lorbeeren aus=ruhen; *s'*~ *sur le rôti* e-e Gelegenheit verpassen.

endos, ~**sement** [ɑ̃do, ɑ̃dosmɑ̃] *m* Indossierung, Wechselüberweisung *f,* Giro *n;* Übertragungsvermerk *m;* ~ *en blanc* Blankogiro *n;* ~ *de procuration* Vollmacht-, Prokuraindossament *n;* ~**sable** übertragbar, indossierbar; ~**sataire** *m* Indossat *m;* ~**sé** *m* Indossat, Girat *m;* ~**ser** *(Kleider)* an=ziehen, -legen; *(Buch)* mit e-m Rükken versehen; *com* indossieren, girieren; übertragen, -weisen; mit Giro versehen; auf sich nehmen; *(Verantwortung)* übernehmen; die Vaterschaft an=erkennen (*un enfant* an e-m Kind); *faire* ~ *qc à qn* jdm etw auf=bürden, -halsen; *j'en* ~*e toutes les suites* ich stehe für alle Folgen davon ein; ~**seur** *m* Indossant, Girant, Überweiser; *typ* Buchrückenpresser *m;* ~**sure** *f,* ~**sage** *m* Runden *n* des Buchrückens.

endo|scope [ɑ̃dɔskɔp] *m* Endoskop *n;* ~**smose** [-dɔs-] *f phys* Endosmose *f; fig* Einfluß *m;* Durchdringung *f;* Austausch *m;* ~**sperme** *m bot* Endosperm, Nährgewebe *n* in der Samenanlage; ~**thermique** *chem* endotherm.

endroit [ɑ̃drwa] *m* Ort, Platz *m,* Stelle *(a. e-s Buches);* Ortschaft *f;* Körpergegend; *(Stoff)* rechte Seite, Glanz-, Außenseite; *à l'*~ *de* in bezug, mit Rücksicht auf *acc; (örtlich)* an; *au bon* ~ an der rechten Stelle; *par* ~*s* stellen-, strichweise; *frapper au bon* ~ den Nagel auf den Kopf treffen; *tourner à l'*~ *(Kleidungsstück)* auf die rechte Seite drehen; *ne voir que l'*~ *du décor* nur den äußeren Schein sehen; *bel* ~ Lichtseite *f; petit* ~ Örtchen *n,* Toilette *f;* ~ *de chargement*

Ladestelle *f; ~ de rupture* Bruchstelle *f; ~ soudé* Lötstelle *f.*

endui|re [ɑ̃dɥir] *irr* ein=schmieren; überstreichen, -tünchen; be-, überziehen, bestreichen (*de* mit); verputzen; *s'~ la peau* sich die Haut ein=reiben (*de* mit); **~sage** *m* Verputzen *n; ~ au couteau* Verspachteln *n;* **~t** [-i] *m* Überzug; (Ver-)Putz; Bewurf; (Schutz-)Anstrich; Beschlag; Spachtelkitt *m;* Dichtungsmittel *n;* Schmiere *f;* Zapfenfett *n; min* Anflug; *(Zunge)* Belag *m; étaler, étendre, plaquer un ~* e-e Schicht auf=tragen; *~ antihalo (phot)* lichthoffreie Schicht *f; ~ antirouille* Rostschutzmittel *n; ~ asphaltique* Asphaltanstrich *m; ~ bitumineux* Bitumenanstrich *m; ~ de boue (lit)* Schmutzschicht *f; ~ calorifuge* wärmeundurchlässige Schicht *f; ~ de chaux* Tünche *f; ~ de ciment* Zementputz *m; ~ hourdé* Rauhputz *m; ~ hydrofuge, imperméable* wasserdichte(r) Anstrich *m; ~ paraffiné* Paraffin(isolier)schicht *f; ~ pour planchers* Fußbodenbelag *m; ~ de plâtre* Gipsputz *m; ~ de poussière (lit)* Staubschicht *f; ~ de protection* Schutzanstrich *m; ~ tendeur* Spannlack *m; ~ de vernis* Lackierung *f.*

endur|able [ɑ̃dyrabl] erträglich; **~ance** *f* Ausdauer; Lebensdauer; Haltbarkeit *f;* **~ant, e** ausdauernd.

endur|ci, e [ɑ̃dyrsi] verhärtet; verstockt; *(Sünder)* hartgesotten; abgehärtet; *célibataire m ~* eingefleischte(r) Junggeselle *m; fumeur m ~* passionierte(r) Raucher *m; haine f ~e* unversöhnliche(r) Haß *m;* **~cir** (ab=, ver)härten; stählen; *fig* hart, verstockt machen; *s'~* sich verhärten; gefühllos werden (*contre, à* gegen); sich ab=härten (*à* gegen); verstockt werden (*dans* in *dat*); **~cissement** *m* Er-, Ver-, Abhärtung; *fig* Verstocktheit, Hartherzigkeit *f* (*à* gegen).

endurer [ɑ̃dyre] erdulden, -tragen; aus=halten; zu=lassen, gestatten.

énerg|étique [enɛrʒetik] *a* kraftspendend; Energie-; *s f* Energiewirtschaft *f,* -spender *m;* Kraftnahrung *f; besoins m pl ~s* Energie-, Kalorienbedarf *m; consommation f, plan, potentiel, problème m, production f, ressources f pl ~(s)* Energieverbrauch, -plan *m,* -potential, -problem *n,* -erzeugung *f,* -quellen *f pl; suffisance f ~* ausreichende Kalorienmenge *f; valeur f ~* Nährwert *m;* **~ie** *f* Energie *f; appliquer, consommer toute son ~ à* s-e ganze Kraft ein=setzen für, (um) zu; *déployer de l'~* Energie entwickeln; *manquer d'~* es an Energie fehlen lassen; *approvisionnement m en ~ électrique* Energieversorgung *f; compteur m d'~* Wattstundenzähler *m; conservation f de l'~* Erhaltung *f* der Energie; *dépense f d'~* Energieverbrauch *m; économie f de l'~ électrique* (Elektro-)Energiewirtschaft *f; installation f d'~* Stromlieferungsanlage *f; rendement m en ~* Energie-Wirkungsgrad *m; réseau m d'~* Starkstromnetz *n; tableau m d'~* Starkstromschalttafel *f; transformation f d'~* Energieumwandlung *f; unité f d'~* Energieeinheit *f; ~ absorbée, nécessaire* Kraft-, Energiebedarf *m; ~ atomique, nucléaire* Atomenergie *f; ~ calorifique* Wärmeenergie *f; ~ du carburant* Kraftstoffenergie *f; ~ cinétique, de mouvement* kinetische Energie, Bewegungsenergie *f; ~ consommée* Stromverbrauch *m; ~ électrique* elektrische Kraft *f; ~ éolienne* Windenergie *f; ~ d'émission* Sendestärke *f; ~ de la houle* Wellenenergie *f; ~ hydraulique* Wasserkraft *f; ~ de liaison* Bindungsenergie *f; ~ des marées, marémotrice* Gezeitenenergie *f; ~ primaire* Primärenergie *f; ~ productrice* Leistungsfähigkeit *f; ~ rayonnée (radio)* Sende-, Strahlungsenergie *f; ~ solaire* Sonnenenergie *f; ~ vibratoire* Schwingungsenergie *f;* **~ique** energisch; (tat)kräftig; nachdrücklich; schneidig; wirksam; *(Stil)* kraftvoll.

énergumène [enɛrgymɛn] (vom Teufel) Besessene(r) *m;* Wüterich *m; crier comme un ~* wie toll schreien.

énerv|ant, e [enɛrvɑ̃, -ɑ̃t] auf-, erregend; entnervend, ermüdend, ermattend; *(fam) vous êtes ~* Sie können e-n nervös machen; *f;* **~é, e** *a* aufgeregt; nervös; *poet* matt, kraftlos; *s m f* nervöse(r) Mensch *m, fam* Nervenbündel *n;* **~ement** [-və-] *m* Aufregung, Erregung, Nervosität *f;* **~er** nervös machen, er-, auf=regen, reizen; auf die Nerven gehen (*qn* jdm); *poet* entkräften, schwächen; *s'~* sich auf=regen; nervös werden; *poet* erschlaffen.

enfaît|eau [ɑ̃fɛto] *m* Firstziegel *m;* **~ement** *m* Firstplatte *f,* -sattel *m;* **~er** den First ein=decken (*un toit* e-s Daches).

enfance [ɑ̃fɑ̃s] *f* Kindheit *f;* Kinderjahre *n pl;* Kindesalter *n a. fig;* Kinder *n pl; fig* Anfänge *m pl; dès sa plus tendre ~* von Kindesbeinen an; *sortir de l'~* die Kinderschuhe aus=ziehen; *tomber en ~* kindisch werden; *ami m d'~* Jugendfreund *m; protec-*

tion de l'~ Kinder-, Jugendschutz *m; souvenirs m pl d'~* Kindheitserinnerungen *f pl.*

enfan|t [ɑ̃fɑ̃] *m f* Kind *a. fig;* (kleiner) Junge *m;* (kleines) Mädchen *n;* Abkömmling; Nachkomme *m; fig* Ergebnis, Erzeugnis *n; faire l'~ (fam)* sich kindisch gebärden *od* benehmen; *mettre un ~ au monde, donner le jour, la vie à un ~* ein K. zur Welt bringen, e-m K. das Leben schenken; *promener un ~* ein Kind spazieren=fahren, -führen; *sevrer un ~* ein Kind entwöhnen; *absence f d'~s* Kinderlosigkeit *f; chanson f pour ~s* Kinderlied *n; enlèvement m d'~* Kindesentführung *f; jeu m d'~* Kinderspiel *n; jouet m d'~* Kinderspielzeug *n; lit m d'~* Kinderbett *n; livre m pour ~s* Kinderbuch *n; maison f d'~s* Kinderheim *n; mal* od *travail m d'~* (Geburts-)Wehen *f pl; maladie f des ~s* Kinderkrankheit *f; meurtre d'un ~* Kindesmord *m; petit ~* Kleinkind *n; petits-~s m pl* Enkel *m pl; rapt m d'~* Kindesraub *m; réduction f pour les ~s* Kinderermäßigung *f; ribambelle f d'~s* Schar *f* Kinder; *substitution, supposition f d'~* Kindesunterschiebung *f; supplément m pour ~s* Kinderzulage *f,* -zuschlag *m; tribunal m pour ~s* Jugendgericht *n; voiture f d'~* Kinderwagen *m; voleur m d'~* Kindesentführer *m; ~ adoptif* an Kindesstatt angenommene(s) Kind, Adoptivkind *n; ~ au biberon* Flaschenkind *n; ~ de chœur* Chorknabe *m;* Unschuldslamm *n; ~ conçu (jur)* Leibesfrucht *f; ~ gâté* verwöhnte(s), verzogene(s) Kind; Muttersöhnchen *n; fig* Günstling *m; ~ né pendant la guerre* Kriegskind *n; ~ légitime* eheliche(s) Kind *n; ~s jumeaux* Zwillingskinder *n pl; ~ du premier lit* Kind *n* aus erster Ehe; *~ au maillot* Wickelkind *n; ~ à la mamelle* Säugling *m; ~ naturel* natürliche(s) *od* uneheliche(s) Kind *n; ~ prodige* Wunderkind *n; l'~ prodigue* der verlorene Sohn *m; ~ terrible* vorlaute(s), schwatzhafte(s) Kind; *fig* Enfant terrible *n; ~ trouvé* Findelkind *n;* **~tement** *m* Geburt; *fig* Entstehung, Schöpfung *f;* **~ter** gebären, zur Welt bringen; *fig* schaffen, hervor=bringen; **~tillage** [-jaʒ] *m* Kinderei *f;* **~tin, e** kindlich; kindisch; kinderleicht; Kinder-; *c'est ~* das weiß jedes Kind.

enfarin|er [ɑ̃farine] (mit Mehl) bestreuen; *le bec ~é, la bouche, la gueule ~ée (fam)* vertrauensselig; mit alberner Miene; *~é de poussière* staubbedeckt.

enfer [ɑ̃fɛr] *m* Hölle *f; fig* Höllenqualen *f pl; (Bibliothek)* Giftschrank *m; pl* Hades, Orkus *m,* Unterwelt; Hölle *f; aller en ~* in die Hölle kommen; *aller un train d'~* ein Höllentempo (drauf) haben; dahin=rasen; *avoir l'~ dans le cœur, dans l'âme* von Gewissensqualen gepeinigt werden; von Haß erfüllt sein; *jouer un jeu d'~* ein gewagtes Spiel spielen; *l'~ est pavé de bonnes intentions* der Weg zur Hölle ist mit guten Vorsätzen gepflastert; *bruit m d'~* Höllenlärm *m; descente f aux ~s* Höllenfahrt.

enfermer [ɑ̃fɛrme] ein=schließen, -sperren; *(Geld)* verschließen; umgeben, -schließen; verbergen; *fig* in sich schließen, enthalten; *sport* an das Seil drängen; hindern; *s'~* sich ein=schließen; sich zurück=ziehen; sich isolieren; *fig* sich versteifen (*dans* auf *acc*); *~ le loup dans la bergerie* den Bock zum Gärtner machen.

enferrer [ɑ̃fɛre] auf=spießen; durchbohren; *s'~* sich in den Degen s-s Gegners stürzen; *(Fisch)* den Angelhaken schlucken; *fig* sich fest=fahren; sich fest=beißen; sich hinein=reiten; sich in s-n eigenen Worten *od* Schlingen fangen.

enfi|èvrement [ɑ̃fjɛvrəmɑ̃] *m* Fieberzustand *m;* **~évré, e** fiebernd *a. fig; fig* lebhaft, erregt; **~évrer** *fig* leidenschaftlich erregen, erhitzen; fiebern lassen; *s'~ (fig)* sich erregen, sich erhitzen.

enfil|ade [ɑ̃filad] *f* (lange) Reihe; *(Zimmer)* Flucht *f;* **~er** *(Nadel)* ein=fädeln; *(Perlen)* auf=reihen, -ziehen; auf=spießen; durchbohren; *(Weg)* ein=schlagen; *(in ein Kleidungsstück)* hinein=schlüpfen (*qc* in e-e S); über=streifen; *(Wind)* streichen, fegen (*qc* durch etw); *mil* bestreichen; der Länge nach beschießen; *s'~ le chemin à pied* sich zu Fuß auf den Weg machen; *s'~ un bon dîner* es sich schmecken lassen; *s'~ tout le travail* sich die ganze Arbeit auf=laden; *s'~ un verre* ein Glas hinter die Binde gießen; *cela ne s'~e pas comme des perles* das ist nicht so einfach wie es aussieht; **~eur** *m* Aufreiher; *~ de perles (fig)* Nichtsnutz *m, fam* Quatscher *m.*

enfin [ɑ̃fɛ̃] *adv* endlich; schließlich; zuletzt; kurz (gesagt); *~, nous verrons* nun, wir werden ja sehen.

enflamm|é, e [ɑ̃flame] flammend, glühend; feurig; *med* entzündet; *(Gesicht)* gerötet; *(von Scheinwerfern)* hell erleuchtet; *fig* begeistert; *(Rede)* zündend; erregt; **~er** an=, entzünden;

hell erleuchten; erhitzen; glühend machen; *fig* entflammen, -fachen, begeistern; an=feuern, an=stacheln; *med* e-e Reizung *od* Entzündung verursachen (*qc* in, an e-r S); *(Gesicht)* röten; *s'~* sich entzünden; in Brand geraten; *(Gesicht)* sich röten; *fig* entbrennen; sich ereifern (*pour* für); *se laisser ~ par la colère* sich vom Zorn hin=reißen lassen; *s'~ d'amour* in Liebe entbrennen; *s'~ de colère* in Zorn geraten.

enfl|é, e [ɑ̃fle] *a* (an)geschwollen; *fig* aufgeblasen, hochmütig; *(Stil)* schwülstig, bombastisch; *s m* Dikke(r); *fam* Dummkopf *m;* **~er** auf=blähen, -blasen; *(Fluß)* an=schwellen lassen; *fig* steigern; vergrößern; auf=bauschen; hochmütig machen; *s'~* an=schwellen *itr; (Segel)* sich blähen; *fig* sich auf=blähen; stolz werden; **~ure** *f* (An-)Schwellung; *fig* Aufgeblasenheit *f; (Stil)* Schwulst *m.*

enfon|cé, e [ɑ̃fɔ̃se] eingesunken, -geschlagen; *(in die Tasche)* tief hineingesteckt; *(Augen)* tiefliegend; eingefallen; in e-r Mulde liegend; *(Rippe)* gebrochen; *(Heer)* besiegt; *fig* versunken; verloren; vertieft (*dans qc* in e-e S); *(in Vorurteilen)* befangen; *fam* ruiniert; *~!* hereingefallen! *nous voilà ~s!* da haben wir den Salat! **~cement** *m* Einsenken, -schlagen, -rammen, -stoßen, -dringen *n; arch* Fundamenttiefe; Einbuchtung; Vertiefung *f; min* Abteufen *n; mil* Ein-, Durchbruch; *(Landschaft)* Hintergrund *m;* (Meeres-)Bucht *f;* **~cer** *tr* ein=schlagen, -stoßen, -rammen, -drücken, -tauchen, -treiben; versenken; tief hinein=ziehen (*dans* in *acc*); *(den Hals)* ein=ziehen; *mil* durchbrechen, -stoßen, zerschlagen; *fig fam* übertreffen, in den Hintergrund drängen; *fam* betrügen, herein=legen; *itr* ein=sinken; *(Schiff)* sinken; *s'~* sich senken, ein=, versinken; ein=stürzen; sich vertiefen, sich vergraben, sich versenken (*dans* in *acc*); *fam* sich ruinieren; *avoir la tête ~ée entre les épaules* den Kopf eingezogen haben; *~ son chapeau sur la tête* den Hut in die Stirn drücken; *~ un clou dans le mur* e-n Nagel in die Wand schlagen; *~ le clou (fig)* sich ständig wiederholen; *~ ses coudes dans les côtes de qn* jdm in die Rippen stoßen; *~ à qn un couteau dans le cœur* jdm ein Messer ins Herz stoßen; *~ qc dans le crâne, dans la tête de qn (fam)* jdm etw ein=trichtern, ein=bleuen; *~ les éperons à un cheval* e-m Pferd die Sporen geben; *s'~ dans l'étude* ganz in s-m Studium auf=gehen; *s'~ dans un fauteuil* in e-m Sessel versinken; *s'~ dans de mauvaises habitudes* häßliche Angewohnheiten an=nehmen; *~ son mouchoir dans sa poche* sein Taschentuch in die Tasche stekken; *~ une porte* e-e Tür ein=drükken, -stoßen; *~ une porte ouverte* offene Türen ein=rennen; *cette équipe de footbal s'est fait ~* diese Fußballmannschaft ist haushoch geschlagen worden; *~ez-vous bien ça dans la tête!* merken Sie sich das (gut)! **~çure** *f* Vertiefung; Grube *f; (Faß)* Boden *m.*

enformer [ɑ̃fɔrme] *(Hut)* über die Form schlagen, formen.

enfou|ir [ɑ̃fwir] vergraben, -scharren; *fig* verbergen; *s'~* sich vergraben (*dans* in *acc*); *~ ses mains dans ses poches* die Hände in die Tasche stekken; *~ son talent (fig)* sein Pfund vergraben; **~issement** *m* Ein-, Vergraben; *agr* Umgraben, -pflügen *n;* **~isseur** *m* Vergraber; Dungverteiler *m (Gerät).*

enfourch|ement [ɑ̃furʃəmɑ̃] *m* Gabel(verbind)ung; Anscherung *f;* **~er** auf die Heugabel spießen; auf=gabeln; *(Fahrrad, Pferd)* besteigen; *(Idee)* herum=reiten (*qc* auf e-r S); *~ son dada (fam)* sein Steckenpferd reiten; **~ure** *f (Baum, Geweih)* Gabelung *f; (Hose)* Kreuz *n.*

enfourn|er [ɑ̃furne] *(Brote)* in den Ofen schieben; *(Hochofen)* beschikken; *fam* verschlingen; in den Mund schieben; *allg* hinein=stecken; an=fangen, in Angriff nehmen; *s'~* (hin)ein=steigen (*dans* in *acc*); sich ein=lassen (*dans* in, auf *acc*); *fam* sich hinein=drängen; **~eur** *m (Bäckerei)* (Ein-)Schießer; Ofenarbeiter *m;* **~euse** *f* Beschickungsmaschine *f,* Füllwagen *m.*

enfreindre [ɑ̃frɛ̃dr] *irr (Gesetz, Vertrag)* übertreten, verletzen, zuwider=handeln (*qc* dat); *~ les convenances* den Anstand verletzen.

enfuir, s' [ɑ̃fɥir] *irr* (ent)fliehen; flüchten; entkommen; verschwinden; *(Zeit)* verfliegen, -gehen; entschwinden; *(Glück)* dahin=schwinden; *(Faß)* leck sein; *(Flüssigkeit)* aus=fließen, -laufen; *(Boden)* nach=geben; ein=sinken; *(Rauch)* ab=ziehen; *~ devant le danger, de peur* vor der Gefahr, aus Furcht fliehen; *~ à toutes jambes* Hals über Kopf fliehen.

enfum|é, e [ɑ̃fyme] rauchig, rußig; *(Glas)* dunkel; *(Teint)* (asch)grau; **~er** in Rauch hüllen; ein=, ver-, aus=räuchern; verrußen; durch Rauch schwärzen *od* beschädigen; *(Bild)* räuchern; *fam* benebeln; *s'~* sich ein=räuchern; *s'~ de brouillard* sich mit Nebel füllen; **~oir** *m* Dathe-, Bienenpfeife *f.*

enfût|age [ɑ̃fytaʒ] *m* Füllen *n* (des Weins) in Fässer; **~er, enfutailler** [ɑ̃fytaje] *(Wein)* in Fässer füllen.

engag|é, e [ɑ̃gaʒe] *pp* engagiert; in Anspruch genommen; Stellung zu Gegenwartsfragen nehmend; *(in e-e Mauer)* eingelassen; *s m* Freiwillige(r) *m; il s'est ~ trop avant* er hat sich zu weit vorgewagt; *il s'y est ~ tête baissée* er hat sich ohne Überlegung darauf eingelassen; *littérature f ~e* gesellschaftskritische Literatur *f;* **~eant, e** [-ʒɑ̃, -ɑ̃t] verführerisch, verlockend; reizend; einnehmend; **~ement** *m* Verpflichtung; *com* Verpfändung; Verbindlichkeit; (An-, Ein-) Stellung *f;* Dienst *m;* Versprechen *n;* Zusage *f;* Stellungnahme; *mil* Anwerbung *f;* Gefecht(sberührung *f*) *n;* Einsatz *m; sport* Meldung *f; pol, theat* Engagement *n; sans ~* stellungslos; unverbindlich, freibleibend; *contracter, prendre un ~ (volontaire)* e-e Verbindlichkeit ein=gehen; (sich freiwillig melden); *faire honneur à ses ~s, observer, remplir, respecter ses ~s* s-n Verpflichtungen nach=kommen, s-e Verpflichtungen erfüllen; *manquer à ses ~s* s-e Verbindlichkeiten nicht erfüllen; *prendre l'~ de qc* sich zu etw verpflichten; *rompre, violer un ~* e-e Verbindlichkeit nicht ein=halten; *rupture f d'~* Vertragsbruch *m; ~ contractuel* vertragliche Verpflichtung *f; ~ (religieux)* Gelübde *n; ~ tacite* stillschweigende(s) Eingehen *n* e-r Verpflichtung.

engager [ɑ̃gaʒe] **1.** *(sens propre)* verpfänden, versetzen, aufs Leihhaus tragen, zum L. bringen; *~ ses meubles* seine Möbel verpfänden; *fig (sein Wort)* verpfänden, *(sein Ehrenwort)* geben; **2.** *(lier)* verpflichten, binden; *sa parole l'~e* er ist an sein Wort gebunden, *son serment l'~e* er ist eidlich verpflichtet; **3.** *(embaucher)* an=, ein=stellen, in seine Dienste nehmen; *~ un jardinier* einen Gärtner ein=stellen; *theat* engagieren; *(Soldaten)* an=werben, *(Matrosen)* an=heuern; **4.** *(faire entrer)* ein=fügen, -setzen, -spannen, -schalten; verbinden; *arch* ein=binden, -lassen; *(Schlüssel)* hinein=stecken; *(Schiff, Wagen)* hinein=fahren lassen (*dans* in *acc*); *(Tau)* verwickeln; *(Truppen)* ein=setzen; **5.** *(commencer)* an=fangen, beginnen; *(Gespräch)* an=knüpfen, *(Diskussion)* eröffnen; *(Gefecht)* ein=leiten; *(Klinge)* binden; **6.** *(pousser qn)* bewegen, veranlassen, auf=fordern; *il l'a ~é à vendre sa maison* er hat ihn (dazu) bewogen, sein Haus zu verkaufen; mahnen, ermahnen (*à* zu); *il l'a ~é à la prudence, à plus de modération* er hat ihn zur Vorsicht ermahnt, zur Mäßigkeit gemahnt; *~ qn à faire qc* jdn bereden, auf=fordern, etw zu tun; **7.** *(entraîner)* verwickeln, hinein=ziehen (*dans* in *acc*); *~ qn dans une affaire* jdn in e-e Angelegenheit (mit) hinein=ziehen; **8.** *(risquer qc) (Kapitalien, Geld)* an=legen, hinein=stecken, investieren (*dans* in *acc*); *s'~* sich binden, zu=sagen, sich verpflichten, sich anheischig machen (*à* zu); sich verbürgen (*pour* für); sich ein=stellen, an=werben lassen; *mil* sich freiwillig melden; e-e Stelle an=nehmen (*comme* als), ein=treten *(chez* bei); sich verwickeln; sich ein=lassen (*dans qc* auf e-e S); (hinein=)geraten; unternehmen (*dans qc* etw); *(Weg)* ein=schlagen (*dans, sur* acc); *(Rohr)* passen (*dans qc* in e-e S); *(Kampf)* sich entspinnen, beginnen; *(Gegenstand)* sich verpfänden lassen; zu politischen *od* sozialen Fragen Stellung nehmen; *avoir peur de s'~* Angst haben, Stellung zu beziehen; nicht Farbe bekennen wollen, *~ des capitaux dans une entreprise* Kapital in ein Unternehmen stecken, in e-m Unternehmen investieren; *s'~ par caution* e-e Bürgschaft übernehmen; *~ pour une danse* zum Tanz auf=fordern; *s'~ dans de longues explications* sich in langen Erklärungen ergehen; *s'~ à faire qc* versprechen, etw zu tun; *~ un levier* e-n Hebel an=setzen; *~ des négociations* Verhandlungen an=knüpfen; *~ qn dans son parti* jdn auf s-e Seite bringen, jdn für s-e Partei gewinnen; *~ sa réputation à la légère* s-n Ruf leichtfertig aufs Spiel setzen; *s'~ dans une rue, dans un jardin* in e-e Straße, e-n Garten (hin)ein=gehen, -fahren, -biegen; *~ (dans le sable) (mar)* auf Grund laufen lassen; *~ sa voiture dans un chemin* mit s-m Wagen in e-n Weg ein=biegen; *le beau temps nous ~e à sortir* das schöne Wetter lockt uns ins Freie; *ce travail l'~e tout entier* diese Arbeit nimmt ihn völlig in Anspruch; *cela n'~e à rien* das verpflichtet zu nichts.

engainer [ɑ̃ge(ɛ)ne] in die Scheide stecken; ein=hüllen *a. fig;* (in sich) bergen.

engeance [ɑ̃ʒɑ̃s] *f* Brut; Sippschaft *f.*

engelure [ɑ̃ʒlyr] *f* Frostbeule *f.*
engendrer [ɑ̃ʒɑ̃dre] zeugen; *fig* erzeugen, hervor≈bringen, verursachen; *(Figur)* beschreiben.
engin [ɑ̃ʒɛ̃] *m* Gerät *n a. mil;* Vorrichtung; Maschine *f;* Werkzeug *n; aero* Rakete; *mil* Waffe *f;* Wagen *m; (Jagd, Fischfang)* Falle *f;* Netz; *tech* Hebezeug *n,* -bock *m,* -winde *f; ~s d'accompagnement d'infanterie* Infanteriebegleitwaffen *f pl; ~ d'autopoursuite, ~ à tête chercheuse* Selbstsuchgerät *n; ~ balistique* Geschoß *n; ~ blindé (sur chenilles)* Panzerkampfwagen *m; ~ blindé (sur roues)* Panzerwagen *m; ~ blindé de reconnaissance* Panzerspähwagen *m; ~ de D.C.A., ~ de sol-air* Flakrakete *f; ~ explosif* Sprengkörper *m; ~ fumigène* Rauchentwickler *m; ~ guidé* unbemanntes Flugzeug *n; ~ de levage* Hebemaschine *f; ~ spatial* Raumflugkörper *m; ~ téléguidé* ferngesteuerte Rakete *f; ~ de transport* Fördermittel *n.*
englac|ement *m,* **~iation** *f* [ɑ̃glasmɑ̃, -jasjɔ̃] Vereisung *f.*
englober [ɑ̃glɔbe] um≈, zs.≈fassen (*dans* in *acc*); ein≈schließen; vereinigen; ein≈verleiben; *(Vorort)* ein≈gemeinden.
engloutir [ɑ̃glutir] hinunter≈, verschlingen; verschwinden lassen; *fig* verschwenden, verprassen; **~issement** *m* Verschlingen; Verschwinden *n;* Verlust *m.*
engluer [ɑ̃glye] mit (Vogel-)Leim bestreichen *od* fangen; *fig* übertölpeln, *fam* leimen; *s'~* kleben, hängen≈bleiben; in e-e Falle geraten, sich fangen lassen.
engober [ɑ̃gɔbe] *(Keramik)* engobieren.
engommer [ɑ̃gɔme] gummieren.
engoncer [ɑ̃gɔ̃se] *(Kleid)* den Hals zu kurz erscheinen lassen; *avoir l'air ~é* linkisch wirken.
engorg|ement [ɑ̃gɔrʒəmɑ̃] *m tech* Verstopfung; (An-)Stauung; *(Markt)* Übersättigung; *med* Verschleimung, Verstopfung, Stauung *f;* **~er** *tech* verstopfen; *med* verschleimen, verstopfen; auf≈blähen.
engou|ement [ɑ̃gumɑ̃] *m* Schwärmerei; übertriebene Vorliebe; Begeisterung (*pour* für); *med (Organ)* Verstopfung *f;* Würgen *n* (im Hals); **~er** [-gwe] *med (Organ)* verstopfen; *s'~* sich verschlucken; *s'~ de qc* auf e-e S versessen, in e-e S vernarrt sein; schwärmen (*de qn* für jdn); sich bis über die Ohren verlieben (*de qn* in jdn); sich faszinieren lassen (*de qn* von jdm); *être ~é de* vernarrt sein in *acc,* fasziniert sein von.
engouffrer [ɑ̃gufre] in den Abgrund, in die Tiefe reißen; ver-, hinunter≈schlingen *a. fig; s'~* sich (in den Abgrund) stürzen; *(Wasser)* strömen; *(Wind)* sich verfangen (*dans* in *acc*); *(Menge)* sich hinein≈drängen.
engouler [ɑ̃gule] *fam* verschlingen.
engoulevent [ɑ̃gulvɑ̃] *m orn* Nachtschwalbe *f,* Ziegenmelker *m.*
engourd|i, e [ɑ̃gurdi] erstarrt, starr; *(Hände vor Kälte)* klamm; *(Mensch)* schwerfällig, dösig; **~ir** erstarren lassen; lähmen; steif machen; *(Fuß)* ein≈schlafen lassen; *fig* erschlaffen lassen; ab≈stumpfen; *(Schmerz)* betäuben; *s'~* erstarren, steif werden; *(Fuß)* ein≈schlafen; *fig* untätig werden; ein≈rosten; **~issement** *m* Erstarren *n;* Betäubung; Lähmung; Benommenheit *f; zoo* Winterschlaf *m; fig* Untätigkeit; Faulheit; Stumpfheit *f; ~ mental* Dämmerzustand *m.*
engrais [ɑ̃grɛ] *m* Dung, Dünger *m,* Düngemittel *n; d'~* Mast-; *mettre à l'~* mästen; *~ artificiel, chimique* Kunstdünger *m; ~ azoté* Stickstoffdünger *m; ~ phosphoré* Phosphorsäuredünger *m; ~ potassique* Kalidünger *m;* **~sement** [-smɑ̃] *m* Mästen; Düngen *n;* **~ser** *tr* mästen; fett machen; aus≈weiten; *agr* düngen; *itr* dick, fett werden; *s'~* zu≈nehmen; dick(er), fett werden, *fig fam* sich bereichern (*sur* an *dat*); **~seur** *m* Viehmäster *m.*
engranger [ɑ̃grɑ̃ʒe] *(Ernte)* ein≈fahren; speichern.
engraver [ɑ̃grave] *tr* mit Sand *od* Kies beschütten; *mar* auf den Sand treiben; *itr* auf Sand geraten.
engren|age [ɑ̃grənaʒ] *m* Inea.greifen *n;* Verzahnung *f;* Räder-, Triebwerk; Zahnradgetriebe *n;* Übersetzung; *fig* Verwicklung; Verkettung *f; être pris, saisi dans l'~ (fig)* im Getriebe stekken; *mettre le doigt dans l'~ (fig)* sich die Finger verbrennen; *commande f par ~s* Zahnradantrieb *n; raison f d'~* Übersetzungsverhältnis *n; roue f d'~* Zahnrad *n; train m d'~* Getriebe *n; ~ à chaîne* Kettengetriebe *n; ~ à changement de vitesse* Wechselgetriebe *n; ~ compensateur, différentiel* Ausgleichs-, Differentialgetriebe *n; ~ hélicoïdal* Schraubenverzahnung *f; ~ de marche arrière* Rückwärtsgang *m; ~ planétaire* Planetengetriebe *n; ~ à roues coniques, à roues à gradins* Kegelrad-, Stufenrädergetriebe *n; ~ à vis sans fin* Schneckengetriebe *n;* **~er** *tr (Zahn-*

rad) ein=rücken, kämmen; *(Mühle)* Getreide (auf=)schütten (*qc* in etw); *(der Dreschmaschine)* Garben zu=führen (*qc* dat); *(Vieh)* (mit Korn) mästen; *(Pumpe)* Wasser zu=gießen (*qc* in e-e S); *fig* vor=bereiten, an=fangen, in Angriff nehmen; *itr* inea.=greifen; *s'*~ *(Räder)* inea.=greifen; ~ *des relations* Verbindungen auf=nehmen *od* an=knüpfen; ~**eur** *m* Garbenzuführer *m;* ~**euse** *f (Dreschmaschine)* Zuführung *f;* **engrènement** *m (Zahnräder)* Inea.greifen, Kämmen; *(Garben)* Zuführen; *(Vieh)* Mästen *n.*

engrosser [ãgrose] *tr vulg* schwängern; *fig* (geistig) befruchten.

engrumeler [ãgrymle] gerinnen lassen; *s'*~ gerinnen.

engueul|ade *f,* ~**ement** *m* [ãgœlad, -mã] *pop* Geschimpfe *n,* Schimpferei *f;* Anschnauzer *m; recevoir une* ~ angeschnauzt werden; ~**er** *pop* be-, aus=schimpfen; an=schnauzen, an=fahren; an=brüllen, an=schreien; *s'*~ *comme du poisson pourri* sich Grobheiten an den Kopf werfen; *s'*~ *avec qn* (sich) lautstark mit jdm streiten.

enguirlander [ãgirlãde] mit Girlanden schmücken; *fig fam* an=schnauzen.

enhardir [ãardir] ermutigen; kühn machen; auf=muntern; *s'*~ sich erkühnen, sich ein Herz fassen (*à qc* zu etw).

énième [enjɛm] *a: pour la* ~ *fois* zum x-ten Mal; *s m f* der, die, das X-te.

énigm|atique [enigmatik] rätselhaft; ~**e** *f* Rätsel *n; déchiffrer, trouver une* ~ ein Rätsel lösen; *poser une* ~ ein Rätsel auf=geben; *le mot de l'*~ des Rätsels Lösung; *c'était donc cela le fin mot de l'*~*!* das also ist des Pudels Kern.

enivr|ant, e [ãnivrã, -ãt] berauschend; *(Duft)* betäubend; *(Schönheit)* verführerisch; *(Ideen)* begeisternd; ~**ement** *m* Rausch *m a. fig;* Betäubung *f,* Taumel *m;* ~**er** trunken machen, berauschen; *fam* e-n Affen an=hängen (*qn* jdm); *fig* erregen, gefangen=nehmen; verblenden; *s'*~ sich betrinken, sich berauschen *a. fig;* sich betäuben.

enjamb|ée [ãʒãbe] *f* (weiter) Schritt; *fam* Katzensprung *m; d'une* ~ auf einmal; *marcher à grandes* ~*s* große Schritte machen; ~**ement** *m* Enjambement *n;* ~**er** *tr* überschreiten *a. fig,* -springen; *(Brücke)* überspannen; *itr* große Schritte machen, weit aus=schreiten; *(Vers)* über=greifen (*sur* auf *acc*); *(Balken)* überragen; *(Recht)* ein=, über=greifen (*sur* in *acc*); ~ *les convenances* sich über die guten Sitten hinweg=setzen; ~ *deux marches à la fois* zwei Stufen auf einmal nehmen.

enjaveler [ãʒavle] in Schwaden legen.

enjeu [ãʒø] *m (Spiel)* Einsatz *m; retirer son* ~ s-n Einsatz (beizeiten) zurück=ziehen; *miser une somme à l'*~ e-e Summe aufs Spiel setzen.

enjoindre [ãʒwɛ̃dr] *irr* ein=schärfen, (ausdrücklich) befehlen, vor=schreiben (*qc à qn* jdm etw).

enjôl|er [ãʒole] beschwatzen, betören; ~**eur, euse** *s m f* Betörer(in *f*) *m; a* betörend, verlockend.

enjoliv|ement [ãʒɔlivmã] *m* Verzierung *f; (Schrift)* Schnörkel *m; fig* Beschönigung; *(Erzählung)* Ausschmükkung *f;* ~**er** verzieren; aus=schmükken; langatmig erzählen, breit=treten *a. fig;* ~**eur** *m mot* Radkappe *f;* ~**ure** *f* kleine Verzierung *f,* Schnörkel; *pl* Zierat *m.*

enjou|é, e [ãʒwe] heiter; munter; unbeschwert, sonnig; ~**ement** [-ʒu-] *m* Heiterkeit; Unbeschwertheit; *(Stil)* Gelöstheit *f.*

enkyst|é, e [ãkiste] *med* abgekapselt; ~**ement** *m* Ab-, Einkapselung *f;* ~**er, s'** sich ein=kapseln.

enlac|ement [ãlasmã] *m* Verflechtung; Umarmung; *fig* Verwick(e)lung *f;* ~**er** inea.=, (ver)flechten; umschlingen *a. fig; (in ein Netz)* verstricken; *(Körper)* umfassen; ~ *qn (dans ses bras)* jdn in die Arme schließen; *(Gegner)* mit den Armen umklammern.

enlaid|ir [ãlɛdir] *tr* häßlich machen; entstellen; verunstalten; *itr* häßlich werden; ~**issement** *m* Häßlichwerden, -machen *n;* ~ *du paysage* Verunstaltung *f* des Landschaftsbildes.

enlève|ment [ãlɛvmã] *m* Entfernung; Beseitigung; *(Müll)* Abfuhr *f; (Erde)* Ab-, Ausheben *n;* Wegnahme *f;* Entführung *f;* Raub; *com* Aufkauf; *aero* Aufstieg *m; mil* Erstürmung *f;* Abtransport *m;* (Truppen-)Verschiebung *f; (Kabel)* Ablegen *n; min* Verhieb *m;* ~ *à domicile sans frais* Abholung *f* frei Haus; ~**-taches** *m* Fleckentferner *m.*

enlev|é, e [ãlve] *a (Kunstwerk)* kühn; leicht hingeworfen; *fam* schmissig; ~**er** auf=, hoch=heben; weg=, entreißen; entziehen, -führen; mit=, weg=nehmen, weg=schaffen,; *(Kleider)* aus=ziehen; *(Hut)* ab=nehmen; *(Helm)* ab=setzen; *(in e-r Liste)* streichen; *(Zahl)* ab=ziehen; *(Erde)* ab=räumen; *(Torf)* stechen; *(Fleck)* entfernen, beseitigen; *(Mut, Stimmung)* nehmen, rauben; *(Tod)* dahin=raffen; *(Kind)* entführen; in Haft nehmen; *(Waren)* auf=kaufen; *(Pferd)* an=treiben; *(Truppen)* an=feuern, mit=reißen; ab=transportieren; *mil* erstürmen; überrumpeln; *(Stellung)* auf=rollen; *(Verbindung)* auf=heben; *(Angelegenheit)* schnell erledigen; flott durch=setzen; *(Vortrag)* leicht hin=werfen; *(Gedicht)* mit Feuer vor=tragen; *theat mus* leicht u. vollendet spielen; *fig* mit=, hin=reißen, entzükken; *ne rien* ~ keinen Abbruch tun (*à* dat); *s'*~ in die Höhe steigen, auf=steigen; sich erheben; lose, beweglich sein; *(Fleck)* heraus=gehen; *(Rinde)* sich (los=)lösen; *(Farbe)* ab=gehen, ab=blättern; *com* reißend abgehen; ~ *et transporter* ab=befördern; ~ *avec un balai* weg=fegen; ~ *au burin* ab=meißeln; ~ *les couverts* den Tisch ab=decken; ~ *l'envie à qn* jdm die Lust nehmen; ~ *avec la lime* ab=feilen; ~ *les meubles* die Möbel aus=räumen (*de qc* aus etw); ~ *la récolte* die Ernte ein=bringen; ~ *un siège (parl)* e-n Sitz erringen; ~ *les suffrages* stürmischen Beifall ernten; ~ *la sûreté (Waffe)* entsichern; *on ne peut lui* ~ *cette idée de la tête* er läßt sich von diesem Gedanken nicht abbringen; *il y a un colis à* ~ *à la gare* es muß ein Paket an der Bahn abgeholt werden; *cela n'enlève rien à sa bonté* das beeinträchtigt seine Gutherzigkeit nicht; *une pneumonie l'~a* e-e Lungenentzündung raffte ihn hinweg; *enlève-toi de là! (pop)* hau ab! *cela s'enlève comme des petits pains* das geht weg wie warme Semmeln; **~ure** *f* Relief *n; min* Verhieb, Abschnitt *m.*

enliser [ɑ̃lize] *(im Sand, Dreck)* versinken lassen; *s'*~ versinken *a. fig; fig* verschwinden, stecken=bleiben; versacken; *(Kräfte)* nach=lassen.

enlumin|er [ɑ̃lymine] (bunt) aus=malen; illuminieren, kolorieren; *(Stil)* aus=schmücken; *(Gesicht)* röten; **~ure** *f* ausgemalte(s) Bild *n (in e-r Handschrift);* Illumination; *(Gesicht)* Röte *f.*

enneig|é, e [ɑ̃ne(ɛ)ʒe] eingeschneit; verschneit; **~ement** [-ɛʒ-] *m* Schneehöhe *f*, -verhältnisse *n pl; bulletin m d'*~ Schneebericht *m.*

ennemi, e [ɛnmi] *a* feindlich, feindselig, widrig; verfeindet; *(Gestirn)* unheilvoll; *(Farben)* sich beißend; *s m f* Feind(in *f*), Gegner(in *f*) *m; en pays* ~ in Feindesland; *aller, marcher à l'*~ gegen den Feind marschieren; *attaquer, charger l'*~ den Feind an=greifen; *mettre l'*~ *en fuite* den Feind in die Flucht schlagen; *passer à l'*~ zum Feind über=gehen; *autant de pris sur l'*~ das wäre erst, schon einmal gewonnen; *il est* ~ *du travail, de l'alcool* er verabscheut die Arbeit, den Alkohol; *(prov) le mieux est l'*~ *du bien* das Bessere ist der Feind des Guten; *action f de l'*~ Feindeinwirkung *f;* ~ *héréditaire* Erbfeind; ~ *juré, mortel* Todfeind *m.*

ennobl|ir [ɑ̃nɔblir] adeln *nur fig;* sittlich heben; **~issement** *m* Läuterung *f.*

ennuag|ement [ɑ̃ny(ɥ)aʒmɑ̃] *m* Bewölkungszunahme *f;* **~er** mit Wolken bedecken; *fig* ein=hüllen; *s'*~ *(Himmel)* sich beziehen; *fig* sich trüben, sich verfinstern.

ennu|i [ɑ̃nɥi] *m* Langeweile *f;* Verdruß; Kummer; Ärger; Überdruß *m;* Lebensmüdigkeit *f; pl* Widerwärtigkeiten, Unannehmlichkeiten *f pl; se créer des ~s* sich Schwierigkeiten auf den Hals laden; *crever, mourir, périr, sécher d'*~ vor Lange(r)weile um=kommen *od* sterben; *ruminer ses ~s* über s-n Sorgen brüten; *tromper l'*~ die Langeweile vertreiben; *~s mécaniques* technische Schwierigkeiten *f pl; l'*~ *me tue* mich plagt die L.; **~yant, e** [-jɑ̃, -ɑ̃t] langweilig; verdrießlich; **~yé, e** verdrossen; verärgert; unzufrieden; müde; **~yer** langweilen, *fam* an=öden; verdrießen; beunruhigen; Kummer machen (*qn* jdm); auf die Nerven fallen (*qn* jdm); stören; belästigen; *s'*~ sich langweilen; sich sehnen (*de* nach); *s'*~ *comme une carpe* sich zu Tode langweilen; *cela m'~ierait d'arriver en retard* es wäre mir unangenehm, *od* peinlich wenn ich zu spät käme; **~yeux, se** langweilig, öde; unangenehm, verdrießlich; lästig; peinlich.

énonc|é [enɔ̃se] *m* WorAngabe; Aussage; Aufzählung; *math* Voraussetzung *f;* Konstruktionsdaten *n pl;* **~er** *(Gedanken)* aus=drücken; aus=sprechen; formulieren; auf=zählen; *(Grundsatz)* auf=stellen; *jur* aus=sagen; *(Tatsachen)* berichten; *(Vorschlag)* machen; *s'*~ sich aus=drükken; ~ *un faux* e-e falsche Aussage machen; **~iation** *f* Ausdruck(sweise *f*) *m;* Aussage; Angabe *f;* Wortlaut *m,* Formulierung; *jur* Darlegung; Aussprache *f.*

enorgueillir [ɑ̃nɔrgœjir] stolz, überheblich machen; *s'*~ stolz sein *od* werden (*de* auf *acc*).

énorm|e [enɔrm] unermeßlich; enorm, übergroß; maßlos, ungeheuer (groß); *fam* gewaltig, phantastisch; erstaunlich; *un type ~ (fam)* ein toller Kerl; **~ément** *adv* ungeheuer; *fam* entsetzlich, furchtbar; **~ité** *f* ungeheure Größe; *fig* Ungeheuerlichkeit; entsetzliche Tat *f; commettre une ~* e-n schweren Mißgriff tun, e-e große Dummheit machen; *dire des ~s* dummes Zeug reden.

enquérir, s' [ɑ̃kerir] *irr* sich erkundigen (*de* nach), nach=forschen, -fragen (*à qn, auprès de qn* bei jdm); *s'enquérir de qc auprès de qn* sich bei jdm nach e-r S erkundigen.

enquêt|e [ɑ̃kɛt] *f* Untersuchung, Ermittlung, Erhebung; Rund-, Umfrage; Meinungsumfrage *f; jur* Zeugenverhör *n; faire ouvrir une ~* e-e Untersuchung ein=leiten *od* an=stellen; *~ fiscale* Steuerfahndung *f; ~ judiciaire* gerichtliche Untersuchung *f; ~ pénale* Strafuntersuchung *f;* **~er** [-e(ɛ)te] e-e Untersuchung durch=führen (*sur* in *dat*); **~eur, euse** *m f* Untersuchungsbeamte(r) *m,* -beamtin *f;* Meinungsforscher(in *f*) *m; juge m ~* Untersuchungsrichter *m.*

enquiquiner [ɑ̃kikine] *pop* auf die Palme bringen (*qn* jdn).

enracin|ement [ɑ̃rasinmɑ̃] *m* Einwurzeln *n;* Verwurzelung *f;* **~é, e** eingewurzelt; *préjugés m pl ~s* eingewurzelte Vorurteile *n pl;* **~er** Wurzeln schlagen lassen; *fig* verankern; *s'~* wurzeln, *fig* Wurzel schlagen; *(schlechte Gewohnheiten)* ein=reißen; *(Irrtum)* sich fest=setzen; *laisser (s')~ des abus* Mißbräuche auf=kommen lassen.

enrag|é, e [ɑ̃raʒe] *a* toll, rasend, wütend; *med* tollwütig; leidenschaftlich; versessen (*de* auf *acc*); lärmend; heftig; *s m* Besessene(r); Wüterich *m; être ~ contre qn* auf jdn wütend sein; *manger de la vache ~e* am Hungertuch nagen; **~eant, e** *fam* furchtbar ärgerlich, verflixt; **~er** *fig* rasend, toll, wütend sein; *faire ~ qn* jdn ärgern, rasend machen; *j'~e de douleur* ich werde wahnsinnig vor Schmerz.

enray|age [ɑ̃rɛjaʒ] *m* Bremsen, Hemmen *n;* Sperrung; *mil* Ladehemmung *f; dispositif m d'~* Bremsvorrichtung *f; patin, sabot m d'~* Hemmschuh *m;* **~ement, enraiement** [-rɛ-] *m (Wagen)* (Ab-)Bremsen; *(Epidemie)* Eindämmen *n;* **~er** *fig* hemmen, (ab=) bremsen *(a. Wagen),* ein=dämmen; Einhalt gebieten (*qc* e-r S *dat*); *(Verfolgung)* ein=stellen; *(Angriff)* ab=schlagen, zum Stillstand bringen; *mil* Ladehemmung verursachen (*qc* bei etw); *tech* Speichen ein=setzen (*qc* in e-e S); *s'~* Ladehemmung haben; klemmen; sich fest=fressen; *~ un champ* die erste Furche auf e-m Acker ziehen; **~ure** *f* Hemmschuh *m;* Radspeichen(muster *n*) *f pl; (Acker)* erste Furche *f.*

enrégimen|tation [ɑ̃reʒimɑ̃tasjɔ̃] *f s. enrégimentement;* **~tement** *m péj* Reglementierung *f;* **~ter** *fig* sammeln, zs.=schließen, -fassen; *(für e-n Verein, e-e Partei)* werben, gewinnen (*dans qc* für etw); *péj* reglementieren; *s'~* sich an=schließen (*dans qc* an e-e S), sich gewinnen lassen (*dans qc* für etw).

enregistr|ement [ɑ̃rəʒistrəmɑ̃] *m* Registrierung; Eintragung; Protokollierung; Aufzeichnung; Speicherung; (Tonband-, Schallplatten-)Aufnahme *f; (in Frankreich)* öffentliche(s) Register *n,* Registratur *f; cabine f d'~* Aufnahmeraum *m; droit m d'~* Einschreibe-, Anmeldegebühr *f; lecture, reproduction f d'un ~* Wiedergabe *f* e-r Aufnahme; *mention f d'~* Eintragungsvermerk *m; ~ des bagages* Gepäckabfertigung *f; (tele) ~ en différé* Aufzeichnung *f; ~ sur disque* Schallplattenaufnahme *f; ~ sur fil, ruban magnétique* Draht-, Bandaufnahme *f;* **~er** registrieren; (in ein Register) ein=tragen, -schreiben; buchen; zu Protokoll nehmen; auf=, verzeichnen; *(Gepäck)* ab=fertigen; *(Schallplatte, Radio)* auf=nehmen; für e-e Aufnahme spielen *od* vor=tragen; *(faire) ~ ses bagages* sein Gepäck auf=geben; *~ sur disque, sur bande* auf Schallplatte, Band auf=nehmen; *musique f ~ée* Schallplatten-, Tonbandmusik *f; concert m de musique ~ée* Schallplatten-, Tonbandkonzert *n;* **~eur, se** *a* registrierend; selbstschreibend; *s m* Registriergerät *n;* Selbstschreiber *m; baromètre m ~* Barograph *m; caisse f ~se* Registrierkasse *f; ~ de route* Kursschreiber *m; ~ tarifeur* Tarifzähler *m; ~ de vitesse* Geschwindigkeitsschreiber *m.*

enrhum|er [ɑ̃ryme]: *le moindre courant d'air m'~e* bei dem geringsten Luftzug bekomme ich Schnupfen; *s'~* sich erkälten; sich e-n Schnupfen holen.

enrich|i, e [ɑ̃riʃi] *a* bereichert; reich besetzt, geschmückt (*de* mit); **~ir** reich, wohlhabend machen; *(Gegenstand)* reich besetzen (*de* mit); *chem* an=reichern; *fig* verschönern, aus=schmücken, verzieren; *(Kenntnisse)* erweitern; *(Gedanken)* entwickeln; *s'~* sich bereichern, reich werden; *(Gedächtnis)* zu=nehmen; *(Sammlung)* sich erweitern (*de* um); *sa col-*

lection s'est enrichie de deux timbres seine Sammlung hat sich um zwei Briefmarken vergrößert; **~issement** *m* Bereicherung; *chem* Anreicherung *f; fig* Schmuck *m; (Gedanke)* Vertiefung; *(Sammlung)* Erweiterung *f; son ~ fut rapide* er ist schnell reich geworden; *derniers ~s* Neuerwerbungen *f pl (Museum, Bibliothek).*

enrober [ɑ̃rɔbe] ein=, um=hüllen; um=kleiden, -manteln; mit e-r (Schutz-)Hülle um=geben; *(Küche)* glasieren; *fig* verschleiern, ein=kleiden.

enroch|ement [ɑ̃rɔʃmɑ̃] *m tech* Steingrundierung *f;* **~er** auf e-r Steinschüttung errichten.

enrôl|ement [ɑ̃rolmɑ̃] *m* Anwerbung; *mar* Anmusterung; *(Partei)* Aufnahme; *jur* Eintragung *f* (e-r Streitsache); **~er** an=werben; *(Wehrpflichtigen)* ein=ziehen (*dans* zu); *mar* an=mustern; ein=schreiben; *(in e-e Einheit)* ein=reihen; *(für e-e Partei, Gruppe)* gewinnen (*dans* für); *s'~* sich an=werben lassen; Soldat werden; *(Partei)* sich an=schließen, bei=treten (*dans* dat).

enrou|é, e [ɑ̃rwe] heiser; **~ement** [-ru-] *m* Heiserkeit *f;* **~er** heiser machen; *s'~* heiser werden; *s'~ à force de crier* sich heiser schreien.

enroul|ement [ɑ̃rulmɑ̃] *m* Zs.rollen; Herumwickeln *n; tech* Wick(e)lung *f;* Aufrollen *n;* Windung *f; arch* Schnörkel *m; spire f d'un ~* Windung *f* e-r Wicklung; **~er** auf=, zs.=rollen; (her)um=, auf=wickeln; *(Faden)* auf=haspeln, -spulen; *s'~* sich herum=winden, -schlingen (*autour de* um); sich auf=, zs.=rollen; sich ringeln; sich ein=wickeln (*dans* in *acc*); **~euse** *f* Haspel; Bäum-, Wickelmaschine; Spannrolle *f.*

enrubanner [ɑ̃rybane] mit Bändern schmücken; *fig* (aus=)schmücken; *(ironisch)* mit Lametta behängen.

ensabl|ement [ɑ̃sɑ(a)bləmɑ̃] *m* Versandung *f;* Sandhaufen *m,* -bank *f;* Einsinken *n* in den Sand; **~er** mit Sand bedecken *od* zu=schütten; *mar* auf den Sand treiben; *s'~* versanden *a. fig; (Wagen)* in den Sand ein=sinken; *mar* auf Sand laufen; *yeux m pl ~és de sommeil* verschlafene Augen *n pl.*

ensach|er [ɑ̃saʃe] ein=sacken, in Säcke füllen; **~euse** *f* (Sack-)Füllmaschine *f.*

ensanglant|é [ɑ̃sɑ̃glɑ̃te] blutbefleckt; *(Himmel)* blutigrot; **~er** mit Blut beschmieren; *fig* besudeln, beflecken.

ensauvager [ɑ̃sovaʒe] verwildern lassen.

enseignant, e [ɑ̃sɛɲɑ̃, -ɑ̃t] *s m f* Lehrer(in *f*) *m;* Dozent(in *f*) *m; a: corps m ~* Lehrerschaft *f; personnel m ~* Lehrkörper *m.*

enseigne [ɑ̃sɛɲ] **1.** *f* (Aushänge-, Laden-)Schild *n; com* Waren-, Firmenzeichen; *mil* Feldzeichen *n; mar* (National-)Flagge *f; à bonne ~* gegen hinreichende Sicherheit; *à telle(s) ~(s) que* dergestalt, daß; so, daß; *être logé à la même ~* sich in der gleichen Lage befinden; *marcher, combattre sous les ~s de qn* unter jds Fahne marschieren, kämpfen; *à bon vin point d'~* gute Ware lobt sich selbst; *~ d'imprimeur* Impressum *n; ~ lumineuse* Lichtreklame *f; ~ publicitaire* Reklameschild *n;* **2.** *m; ~ de vaisseau de 2me (1ère) classe* (Ober-)Leutnant zur See (z. S.).

ensei|gnement [ɑ̃sɛɲəmɑ̃] *m* Lehre *f;* Unterricht(en *n*) *m; entrer dans l'~* in das Lehramt ein=treten; *être dans l'~* ein Lehramt bekleiden; *tirer d'utiles ~s de* nützliche Lehren ziehen aus; *établissement m d'~* Lehranstalt *f; grève f de l'~* Lehrerstreik *m; ~ audio-visuel* Unterricht *m* mit audio-visuellen Mitteln; *~ par audition de disques* Unterricht *m* durch Schallplatten; *~ par correspondance* Fernunterricht *m; ~ du dessin, des langues vivantes* Zeichen-, Fremdsprachenunterricht *m; ~ individuel par leçons particulières* Einzelunterricht *m* durch Privatstunden; *~ libre* Privat(schul)unterricht *m;* Privatschulen *f pl; ~ obligatoire* Schulpflicht *f; ~ post-scolaire pour adultes* Erwachsenenbildung *f; ~ primaire* Grundschulunterricht *m;* Grundschulen *f pl; ~ public* öffentliche(r) Schuldienst *m; ~ secondaire* Gymnasialunterricht *m;* höhere(s) Schulwesen *n; ~ supérieur* Hochschulunterricht *m;* (die) Universitäten *f pl;* **~gner** lehren (*qc à qn* jdn e-e S), *fam* bei=bringen (*qc à qn* jdm e-e S); unterrichten (*qn* jdn); *(den Weg)* zeigen.

ensembl|e [ɑ̃sɑ̃bl] *adv* bei-, zusammen, miteinander; zugleich; insgesamt; *s m* (das) Ganze; Gesamtheit *f;* Komplex *m;* Summe; Einheit *f; mus theat* Ensemble; Zs.wirken; *theat* Zs.spiel *n;* Zs.stellung; *(Kleidung)* Garnitur; Kombination *f,* Komplet *n; fig* Harmonie, Einheitlichkeit *f; d'~* Gesamt-; umfassend; *dans l'~* insgesamt; im ganzen *od* gesamten; *tout ~* zugleich; *aller bien (mal) ~* (nicht) gut zs.=passen; *être bien (mal) ~* sich gut (schlecht) mitea. vertragen; sich gut (schlecht) verstehen; *faire une* *démarche* ~ gemeinsame Schritte unternehmen; *mettre* ~ zs.=stellen; *plan m d'*~ Übersichtsplan *m; vue f d'*~ Gesamtansicht *f;* -eindruck *m;* ~ *d'appartement* Wohnungseinrichtung *f;* ~ *des constructions* Bauwesen *n;* ~ *des employés* Belegschaft *f;* ~ *de feuilles (typ)* Bogensatz *m;* ~ *des frais* Gesamtkosten *pl;* ~ *de plage* Strandanzug *m;* ~ *des transports* Beförderungswesen *n;* **~ier** [-blije] *m* (Film-)Gestalter *m;* ~ *(décorateur) m* Innenarchitekt *m.*

ensemenc|ement [ɑ̃s(ə)mɑ̃smɑ̃] *m* Aussaat *f;* Anlegen, -setzen *n (e-rBakterienkultur);*~**er** (be-, aus=, ein=) säen; *(Fische)* setzen; *(Kultur)* an=legen, -setzen; *fig* befruchten.

enserrer [ɑ̃sɛre] **1.** in ein Treibhaus bringen; **2.** um=schlingen, -stricken; ein=schließen; *(Bereich)* umfassen; *(mit Mauern)* umgeben; *fig* be-, ein=engen; gefangen=halten.

ensevel|ir [ɑ̃səvlir] in ein Leichentuch hüllen; begraben *a. fig; mil* verschütten; *fig* verbergen; vergraben; *s'*~ sich begraben lassen; sich verbergen, versinken; *fig* sich vertiefen, sich versenken (*dans* in *acc*); *~i dans un profond sommeil* in tiefen Schlaf versunken; **~issement** *m* Bestattung *f.*

ensil(ot)|age [ɑ̃sil(ɔt)aʒ] *m* Einlagerung *f* in Silos; **~er** ein=lagern.

ensoleill|é, e [ɑ̃sɔlɛ(e)je] sonnig; besonnt; *fig* strahlend; **~ement** *m* Sonnenbestrahlung, -einstrahlung *f;* Sonnenschein *m;* **~er** bescheinen; mit Sonne erfüllen; *(Malerei)* auf=hellen; *fig* Glanz verleihen (*qc* dat); *(Gesicht, Leben)* auf=, erheitern.

ensommeillé, e [ɑ̃sɔmɛ(e)je] schläfrig; verschlafen; *fig* träge.

ensorcel|ant, e [ɑ̃sɔrsəlɑ̃, -ɑ̃t] bezaubernd, verführerisch, verlockend; **~er** verzaubern; behexen; *fig* betören, verführen, bezaubern; *(Geist)* gefangen=nehmen; **~eur, se** *m f* Zauberer, Hexenmeister *m;* Zauberin, Hexe *f;* Verführer(in *f*) *m;* **~lement** [-sɛl-] *m* Verzauberung; Zauberei *f; fig* Zauber *m.*

ensoufrer [ɑ̃sufre] (ein=)schwefeln.

ensuifer [ɑ̃sɥife] mit Talg bestreichen.

ensuite [ɑ̃sɥit] *adv* dann, darauf, nachher, danach; *(et)* ~ *?* und dann? was weiter?

ensuivre, s' [ɑ̃sɥivr] *irr* hervor=gehen; sich ergeben, folgen (*de* aus); *il s'ensuit que* daraus folgt, ergibt sich, daß; *et tout ce qui s'ensuit* u. alles Folgende; *dans le temps qui s'ensuivit* in der Folgezeit.

entabl|ement [ɑ̃tabləmɑ̃] *m arch* Gesims; Gebälk *n;* **~er** *tech* (passend) zs.=fügen, verbinden; **~ure** *f (Schere)* Scharnier *n; tech* Stoß *m.*

entach|er [ɑ̃taʃe] *fig* beflecken, besudeln (*de* mit); beeinträchtigen; *~é de nullité (jur)* null und nichtig.

entaill|e [ɑ̃taj] *f* Einschnitt *m;* Kerbe *f a. geol;* Schlitz *m;* Nute, Fuge; *med* Schnittwunde *f; assemblage m par* ~ *(arch)* Verblattung *f;* **~er** ein=schneiden, -kerben, -blatten, -kehlen; e-e Schnittwunde bei=bringen (*qn* jdm); verletzen; *s'*~ *le doigt* sich in den Finger schneiden.

entam|e [ɑ̃tam] *f (Brot)* Anschnitt *m,* erste(s) Stück; *(Spiel)* Ausspielen *n;* **~er** *(Brot)* an=schneiden, *(Vorrat, Flasche)* an=brechen; *(Haut)* ritzen, verletzen; *(Geldsumme)* an=greifen; *(Prozeß)* beginnen; *(Gespräch)* an=knüpfen; *(Verhandlungen)* ein=leiten; *(Ruf)* untergraben; *(Überzeugung, Freundschaft)* erschüttern; beeinträchtigen; *(Rost)* zerfressen; *chem* an=greifen; *(Glas)* ritzen; *tech* an=reißen, -zapfen, -schneiden; *mil* (den Angriff) eröffnen; e-e Bresche schlagen (*qc* in e-e S); *(Linie)* ein=drücken; *fig* an=fangen, beginnen; **~ure** *f* Anbrechen, -schneiden *n;* Anschnitt *m;* Verletzung, Schramme *f.*

entartr|age [ɑ̃tartraʒ] *m* Kesselsteinablagerung *f;* **~er** e-e Ablagerung bilden (*qc* auf e-e S).

entass|ement [ɑ̃tɑ(a)smɑ̃] *m* Anhäufung *f;* Haufen *m;* Aufstapeln *n;* Auffüllung, -schüttung *f; (Menschen)* Zs.drängen; *(Tiere)* Zs.pferchen *n; fig* Wust *m;* **~er** auf=, an=häufen; auf=stapeln, -schütten, -schichten; an=sammeln; *(Geld)* scheffeln, zs.=raffen; zs.=pferchen; *(Gelände)* auf=füllen; *s'*~ sich zs.=ballen; sich drängen; aufgestapelt, aufgehäuft sein.

ent|e [ɑ̃t] *f* Pfropfen; Pfropfreis *n;* gepfropfte(r) Baum; Pinselstiel *m;* **~er** (auf=)pfropfen *a. fig; (Familien)* verbinden *(durch Heirat); (Stock)* zs.=schrauben; **~oir** *m* Pfropfmesser *n.*

entéléchie [ɑ̃teleʃi] *f (Philosophie)* Entelechie *f.*

entend|ement [ɑ̃tɑ̃dmɑ̃] *m* Verstand *m;* Urteilskraft *f;* Begriffsvermögen; Verständnis *n;* Fassungskraft *f; se présenter, s'offrir à l'*~ einleuchtend sein; *cela passe l'*~ das ist undenkbar; **~eur** *m: à bon* ~ *salut!* wer Ohren hat, der höre!

enten|dre [ɑ̃tɑ̃dr] (an=, ab=)hören; *(Zeugen)* verhören; Gehör schenken (*qn* jdm); erhören; verstehen, begreifen; Verständnis haben (*qc* für etw); vor=, im Sinne haben, beabsichtigen, wollen; verlangen; erwarten (*que+subj* daß); *s'~* gehört werden; sich *od* ea. verstehen; (gut) aus=kommen (*avec qn* mit jdm); im Einverständnis sein, sich verständigen (*avec* mit); sich aus=kennen (*à* in *dat*), sich verstehen (*à, en* auf *acc*); *dire qc à qui veut l'~* etw aus=posaunen; *donner, laisser à ~, laisser* od *faire ~* zu verstehen geben; an=deuten; merken lassen; *~ de ses propres oreilles* mit eigenen Ohren hören; *~ parler, chanter* sprechen, singen hören; *~ la plaisanterie* Spaß verstehen; *~ raison* Vernunft an=nehmen; *à l' ~* wenn man ihn hört; *qu'~ez-vous par là?* was meinen Sie damit? *j'~s par là que* ich will damit sagen, daß; *il s'y ~d* er versteht sich darauf; er ist Fachmann; *cela s'~d* das ist (doch) klar; selbstverständlich; *il s'y ~d comme à ramer des choux (fam)* er hat von Tuten u. Blasen keine Ahnung; **~du, e** *a* erfahren; klug; geschickt; *(Sache)* abgemacht, entschieden; *jur* spruchreif; *s m: faire l'~* den Kenner, Fachmann spielen; *(c'est) ~!* abgemacht! gut! geht in Ordnung! *il est bien ~* es wird ausdrücklich vereinbart (*que* daß); *air m ~* Kennermiene *f; bien ~* natürlich, selbstverständlich *adv;* wohlverstanden.

enténébrer [ɑ̃tenebre] verdunkeln, -finstern *a. fig.*

entente [ɑ̃tɑ̃t] *f* Verständnis; Einvernehmen, Einverständnis; gegenseitige(s) Verstehen *n;* Ausgleich *m; com* Abkommen *n,* Absprache *f; arriver, parvenir à une ~* zu e-m Übereinkommen gelangen; *mot m à double ~* doppelsinnige(s) Wort *n; ~ sur les prix* Preisabsprache *f.*

entériner [ɑ̃terine] (gerichtlich) bestätigen *od* ein=tragen; *fig* billigen.

entér|ique [ɑ̃terik] Darm-; **~ite** *f med* Enteritis, (Dünn-)Darmentzündung *f.*

enterr|ement [ɑ̃tɛrmɑ̃] *m* Beerdigung, Bestattung *f,* Begräbnis; Leichenbegängnis *n,* -zug *m; fig* Ende *n;* Verzicht *m; aller, assister à un ~* zu e-r Beerdigung gehen; e-r B. *(dat)* bei=wohnen; *air m, figure f d'~* Leichenbittermiene *f; musique f d'~* Trauermusik *f;* **~er** be-, ein=, vergraben; bestatten, beerdigen; *tech* in die Erde verlegen; verstecken; *(Kummer)* verbergen; *fig* ein Ende bereiten (*qc* e-r S); in Vergessenheit geraten lassen; *(Absicht, Plan)* auf=geben; *(Hoffnung)* begraben; *s'~ tout vif (fig)* sich aufs Land zurück=ziehen; *vous nous ~erez tous* Sie werden uns alle überleben.

en-tête [ɑ̃tɛt] *m* Brief-, Titelkopf *m;* Auf-, Überschrift; Schlagzeile *f; inform* (Nachrichten-)Kopf *m; papier m à ~* Kopfbogen *m.*

entêt|é, e [ɑ̃tɛte] *a* eigensinnig, starrköpfig; *s m* Starr-, Dickkopf *m;* **~ement** *m* Halsstarrig-, Dickköpfigkeit *f,* Eigensinn *m;* Hartnäckigkeit; *f* **~er** betäuben; *(Wein)* zu Kopfe, *fig* in den Kopf steigen (*qn* jdm); *(Nägel)* mit e-m Kopf versehen; *s'~* sich versteifen (*à qc* auf e-e S), (eigensinnig) bestehen (*dans* auf *dat*); sich vernarren (*de* in *acc*); *s'~ dans ses opinions* auf seinen Ansichten beharren; *il s'~e à* er besteht darauf zu.

enthousias|me [ɑ̃tuzjasm] *m* Begeisterung *f,* Schwung; Enthusiasmus *m;* Schwärmerei; *rel* Verzückung *f;* **~mer** begeistern; entzücken; *s'~* sich begeistern (*pour* für); in Begeisterung geraten; **~te** *a* schwärmerisch eingenommen (*de* für); enthusiastisch, (leicht) begeistert; *s m f* Schwärmer(in *f*); Enthusiast; begeisterte(r) Anhänger *m.*

entich|é, e [ɑ̃tiʃe] vernarrt (*de* in *acc*); besessen (*de* von), eingenommen (*de* von), eingenommen (*de* für); *être ~ de ses opinions* starr an s-n Ansichten fest=halten; **~er, s'** sich vernarren (*de* in *acc*).

enti|er, ère [ɑ̃tje, -ɛr] *a* ganz, voll(ständig, -zählig), ungeteilt, völlig; unangetastet, unversehrt, ungeschmälert; *fig* eigensinnig, starrköpfig; *s m math (nombre m ~)* ganze Zahl *f; en ~* ganz, gänzlich, im ganzen; *dans, en son ~* unvermindert, unverkürzt; *avoir des opinions ~ères* feste Auffassungen haben; *écrire son nom en ~* s-n Namen aus=schreiben; *payer place ~ère (loc)* den vollen (Fahr-)Preis bezahlen; *cheval m ~* Hengst *m; restitution f en ~* Wiederherstellung *f* des früheren (Rechts-)Zustandes; **~èrement** *adv* ganz u. gar; *changer ~ d'opinion* s-e Meinung völlig ändern.

entité [ɑ̃tite] *f* Wesenheit *f; ~ du droit public* Körperschaft *f* des öffentlichen Rechts; *~ juridique* juristische Person *f.*

entoil|age [ɑ̃twalaʒ] *m* (Stoff-)Bespannung; *(Kleidung)* Einlage, (Leinen-)Versteifung *f;* Steifleinen *n;* **~er** versteifen; auf Leinwand auf=ziehen; mit Stoff bespannen; mit e-r Plane bedekken; in Leinwand ein=packen.

entôl|age [ɑ̃tolaʒ] *m arg* Diebstahl *m;* **~er** *arg* ab=stauben, bestehlen.

entomo|logie [ɑ̃tɔmɔlɔʒi] *f* Insektenkunde, Entomologie *f;* **~logique** entomologisch; ~**phage** insektenfressend.

entonner [ɑ̃tɔne] **1.** in Fässer *(acc)* (ab=)füllen; *s'~ (Wind)* sich fangen; **2.** *(Lied)* an=stimmen; *~ les louanges de qn* ein Loblied auf jdn singen.

entonnoir [ɑ̃tɔnwar] *m* Trichter *m a. mil; il a l'~ large (fam)* er hat e-e ausgepichte Kehle; *champ m d'~s* Trichterfeld *n; ~ de bombe* Bombentrichter *m.*

entorse [ɑ̃tɔrs] *f med* Verstauchung; *fig* Verdrehung; Vergewaltigung; Einbuße *f,* Schaden *m; se donner, se faire une ~ au pied* sich den Fuß verstauchen; *donner (vx), faire une ~ à qc* etw *(Gesetz, Wahrheit)* verdrehen; *à qn* jdm Schaden zu=fügen.

entortill|ement [ɑ̃tɔrtijmɑ̃] *m* (Um-)Winden *n; fig* Verwicklung *f;* ~**er** (ein=, um)wickeln (*dans* in *acc,* mit); umschlingen; *fig* herein=legen, ein=wickeln, beschwatzen; *(Stil)* überladen; *s'~* sich (herum=)schlingen (*autour de* um); sich verfangen, sich verheddern (*dans un discours* bei e-r Rede); *s'~ dans une couverture (fam)* sich in e-e Decke wickeln.

entour [ɑ̃tur] *m: à l'~* ringsherum, -umher; *à l'~ de* (rings) um ... herum; ~**age** *m* Umgebung; Gesellschaft; Umwelt; Nachbarschaft; *tech* Verkleidung; Einfassung, -rahmung *f;* ~**é, e** umgeben (*de* von); *fig* bewundert, gesucht; *un homme très ~* ein Mann, um den man sich reißt; ~**er** umgeben *a. fig;* ein=, umschließen; umzingeln; *(Beet)* ein=fassen; *(mit e-r Schnur)* umwinden; *fig* überhäufen (*de* mit); *s'~* sich umgeben (*de* mit); *(Personen)* um sich sammeln (*de* acc); *(Decke, Geheimnis)* sich (ein=)hüllen (*de* in *acc*); *s'~ de l'avis de qn* sich der Ansicht jds versichern; *~ de ses bras* umarmen; *~ d'une clôture* umzäunen; *s'~ de précautions* (umfangreiche) Vorsichtsmaßnahmen treffen.

entourloupette [ɑ̃turlupɛt] *f fam* Streich *m; faire une ~* e-n Streich spielen (*à qn* jdm).

entournure [ɑ̃turnyr] *f* Ärmelausschnitt *m; être gêné dans les* od *aux ~s (fig)* sich unbehaglich, nicht wohl fühlen; in Schwierigkeiten sein.

entozoaire [ɑ̃tɔzɔɛr] *m zoo* Schmarotzer, Parasit; Eingeweidewurm *m.*

entr|(e) [ɑ̃tr] *in Zssgen (drückt geringen Grad aus)* wechsel-, gegenseitig; mit-, unterea.; ~**accorder, s'** sich mitea. verständigen; gut mitea. aus=kommen; ~**accuser, s'** sich gegenseitig beschuldigen; ~**acte** *m* Zwischenakt *m; (Konzert theat film)* Pause; Unterbrechung; *mus* Zwischenaktmusik *f;* ~**admirer, s'** sich gegenseitig bewundern; ~**aide** *f* gegenseitige Hilfe *f,* Beistand *m; ~ judiciaire* Rechtshife *f;* ~**aider, s'** ea.bei=stehen.

entrailles [ɑ̃traj] *f pl* Eingeweide *n pl;* Innere(s); *fig* Herz; (das) Wesentliche; *sans ~* herzlos; *être remué jusqu'au fond des ~* bis ins Innerste, zutiefst aufgewühlt sein; *les ~ de la terre* das Erdinnere; der Schoß der Erde.

entrain [ɑ̃trɛ̃] *m* Schwung *m,* Temperament *n,* Lebendigkeit; Begeisterung *f; plein d'~* schwungvoll, feurig; fröhlich; *c'est plein d'~* da ist Schwung, Leben drin.

entraîn|able [ɑ̃trɛnabl] (leicht) mit-, hinzureißen(d) *od* zu beeinflussen(d); ~**ant, e** *fig* packend, mitreißend; ~**ement** *m* Schwung *m,* Begeisterung *f;* Eifer *m;* Verführung, Verleitung *f;* Reiz, Zauber *m;* Übung; Schulung *f; sport* Training *n;* Abhärtung; Ertüchtigung *f; tech* Antrieb *m; dans l'~ de la discussion* in der Hitze des Gefechts *fig; dans un bon état d'~ (sport)* in guter Form; *être à l'~* beim Training sein; *match m, partie f d'~* Übungsspiel *n; terrain m d'~* Übungsgelände *n; ~ accéléré* Kurzausbildung *f; ~ (militaire)* Ausbildung *f; ~ au P.S.V.* Blindflugausbildung *f; ~ radio* Funkausbildung *f; ~ par réaction* Strahlantrieb *m; ~ sportif* sportliche Ausbildung *f;* ~**er** (mit sich) fort=reißen; mit=nehmen; *fig* mit=reißen; verführen; nach sich ziehen, zur Folge haben; *(Erregung)* aus=lösen; *(Argument)* überzeugen; trainieren; ab=härten; schulen, üben, ertüchtigen; *tech* an=treiben; *s'~* üben, trainieren; *se laisser ~* sich hin=, fort=reißen lassen; *s'~ pour le championnat de tennis* auf die Tennismeisterschaft trainieren; *être bien ~é* in Hochform sein; ~**eur** *m* Trainer; Zureiter; Sportlehrer; Schrittmacher *m;* ~**euse** Animierdame *f.*

entrait [ɑ̃trɛ] *m* Spann-, Dach-, Binderbalken *m; ~ retroussé* Kehlbalken *m.*

entrant, e [ɑ̃trɑ̃, -ɑ̃t] *a (Schüler)* neu eintretend; *(Beamter)* neuernannt; *s m: les ~s et les sortants* die Ein- und Ausgehenden.

entrav|e [ɑ̃trav] *f meist pl (Tier)* (Fuß-)Fessel *f; fig* Hindernis, Hemmnis *n;* Störung *f; se libérer, se dégager, se détacher d'une ~* e-e Fessel sprengen; *mettre une ~* (be)hindern (*à qn* jdn); *~ à la circulation* Verkehrshindernis *n;* **~er** die Füße fesseln, Fesseln an≈legen (*un cheval* e-m Pferd); *fig* hemmen; hindern; stören; *(Prozeß)* verschleppen; *arg* verstehen, kapieren.

entre [ɑ̃tr] *prp (Ort, Zeit)* zwischen; *(Personen)* unter; *être ~ deux vins* angetrunken sein; *être ~ les mains de qn* in jds Händen, Gewalt sein; *s'expliquer ~ quatre yeux (pop)* [ɑ̃trkatzjø] sich unter vier Augen aus≈sprechen; *lire ~ les lignes* zwischen den Zeilen lesen; *nager ~ deux eaux* unter Wasser schwimmen; *fig* sich zwischen zwei Parteien hindurch≈winden, -lavieren; *regarder qn ~ les yeux* jdm fest in die Augen sehen, jdn fixieren; *brave ~ tous* höchst tapfer; *(soit dit) ~ nous* unter uns (gesagt); *~ deux âges* in gesetztem Alter; älter; *~ autres (choses)* unter anderem; *~ les deux* halb und halb; *~ chien et loup* in der Dämmerung; *~ quatre murailles* hinter Schloß u. Riegel; *~ la poire et le fromage* beim Nachtisch; *~(-)temps* inzwischen, unterdessen, in der Zwischenzeit; ganz nebenbei; **~bâiller** [-je] halb, ein wenig öffnen; *la porte est ~ée* die Tür ist angelehnt; **~chat** [ɑ̃trəʃa] *m (Tanz)* Luft-, Kreuzsprung *m; battre, faire un ~* e-n Luftsprung machen; **~choquer, s'** an≈, aufea.≈stoßen, -schlagen; *fig* anea.≈geraten; ea. widersprechen; **~côte** *f (Rind)* Rippenstück *n;* **~couper** zerschneiden; unterbrechen; *s'~ (Wege)* sich kreuzen; *paroles f pl ~ées* unzs.hängende Worte *n pl; voix f ~ée de sanglots* von Schluchzen unterbrochene Stimme *f;* **~croiser** (durch≈)kreuzen; inea.≈schlingen; **~déchirer, s'** ea. zerfleischen; *fig* ea. verleumden.

entre-deux [ɑ̃trədø] *m mar* Zwischenraum *m;* Zwischenwand *f; (Fisch)* Mittelstück *n; (Wäsche)* Einsatz; Konsoltisch *m.*

entre-deux-guerres [ɑ̃trədøgɛr] *m inv* Zwischenkriegszeit *f.*

entre-deux-fêtes [ɑ̃trədøfɛt] *m inv* Zeit *f* zwischen Weihnachten und Neujahr.

entrée [ɑ̃tre] *f* Eingang, -tritt, -zug, -marsch *m,* -fahrt *f;* Einstieg; Anfang, Beginn *m;* Einleitung, Eröffnung *f; (mus, Rennen)* Einsatz; Zugang, -tritt *m; (Examen)* Zulassung; *(Verein, Partei)* Eintritt; *theat* Auftritt *m; com* Buchung, Eintragung *f; pl* Eingänge *m pl; (droits m pl d'~)* Einfuhrzoll *m;* Vorgericht *n,* -speise; *(Flasche, Sack)* Öffnung; *(Kabel)* Zu-, Einführung *f; (prix m d'~)* Eintrittspreis *m; (carte f, billet m d'~)* Eintrittskarte *f; (~ de serrure)* Schlüsselloch *n; à l'~ de l'hiver* zu Anfang des Winters; *à l'~ de la nuit* bei einbrechender Dunkelheit; *avoir son ~ (theat)* freien Eintritt haben (*à* in *dat*); *avoir ses ~s chez qn* bei jdm ein- u. aus≈gehen; *donner ~* hinein≈führen (*dans* in *acc*); ein≈treten lassen (*à qn* jdn); *faire son ~* seinen Einzug halten; *faire son ~ dans le monde* zum erstenmal in der Gesellschaft erscheinen; *faire son ~ en scène (theat)* auf≈treten *a. fig; forcer l'~* ein≈dringen (*de* in *acc*); *manquer son ~ (theat)* seinen Auftritt, Einsatz verpassen; *solliciter l'~ d'une société* sich um Aufnahme in e-e Gesellschaft bewerben; *examen m d'~* Aufnahmeprüfung *f; permis m d'~* Einreisebewilligung *f; signal m d'~* Einfahrtsignal *n; visa m d'~* Einreisevisum *n; voie f d'~* Einfahrt(s)gleis *n; ~ en action* Einsatz *m; ~ d'air* Lufteintritt *m,* -zuführung *f; ~ des données (inform)* Dateneingabe *f; ~ en fonctions* Amtsantritt *m; ~ gratuite, de faveur* freie(r) Eintritt *m; ~ interdite* verbotene(r) Eingang *m,* Eintritt verboten! *~ libre (com)* kein Kaufzwang *m; ~ en matière* einleitende Bemerkung; *(jur)* Eintreten *n* in die Verhandlung; *~ dans le* od *au port (mar)* Einlaufen *n; ~ en possession* Besitzergreifung *f; ~ en scène (theat)* Auftritt *m; ~ en séance* Eröffnung *f* der Sitzung; *~ en service* Dienstantritt *m; ~ et sortie* Ein- u. Ausreise *f; ~ en vigueur* Inkrafttreten *n.*

entre|faites [ɑ̃trəfɛt] *f pl: sur ces ~* inzwischen, mittlerweile, unterdessen; **~fer** [-fɛr] *m el* Luftspalt *m;* **~filet** *m* [-lɛ] (eingeschobener kurzer) (Zeitungs-)Artikel *m;* Anzeige *f* im Textteil; **~gent** [-ʒɑ̃] *m vx* Gewandtheit; Lebensart *f;* Takt *m; avoir de l'~* sich gewandt benehmen (können); **~(-)jambe(s)** *m (Hose)* Schritt *m;* **~lacement** *m* Verflechtung *f;* Inea.flechten; *tele* Zeilensprungverfahren *n;* **~lacer** ein≈, verflechten; um≈, inea.≈schlingen, -winden; durchsetzen, -weben; **~lacs** [-lɑ] *m arch* Flechtwerk, Geflecht *n;* Schnörkel *m;* **~lardé, e** *(Fleisch)* durchwachsen; **~larder** spicken *a. fig;* **~mêler** [-me(ɛ)le] bei≈, ver-, unter≈mischen, bei≈, vermengen (*de* mit, *à* unter *acc*); ein≈flechten; *matière f ~ée* Beimischung *f;* **~mets** [-mɛ] *m* Süßspeise *f;* **~metteur, se** *m f* Unterhändler(in *f*); Vermittler(in *f*); Kuppler(in *f*) *m;* **~mettre, s'** *irr* sich ins Mittel legen; vermitteln (*dans une* *querelle* bei e-m Streit); sich verwenden (*pour* für, *auprès de qn* bei jdm); sich ein≈mischen (*dans* in *acc*); **~mise** *f* Vermittlung; Verwendung *f; par l'~ de qn* durch jds Vermittlung; *offrir son ~* seine V. an≈bieten; *se servir de l'~ de qn* sich der V. jds bedienen; **~pont** *m mar* Zwischendeck *n;* **~poser** *(Waren)* (ein≈)lagern; *(Möbel)* unter≈stellen; **~poseur** *m* Aufseher *m* e-s Warenlagers; Lagerverwalter, -halter *m;* **~positaire** *m* Einlagerer *m.*

entrepôt [ɑ̃trəpo] *m* Lagerhaus *n;* Zollspeicher; Freihafen; *(ville f d'~)* Stapelplatz *m; en ~* unverzollt; *pris à l'~* ab Lager; *commerce m d'~* Zwischenhandel *m; frais m pl d'~* Lagerspesen *pl; taxe f d'~* Lagergeld *n; ~ douanier* Zollverschluß *m; ~ d'essence, d'huile* Brennstoff-, Öllager *n; ~ frigorifique* Kühlhauslagerung *f; ~ maritime* Zwischenhafen *m; ~ de matériaux de construction* Baustofflager *n.*

entre|prenant, e [ɑ̃trəprənɑ̃, -ɑ̃t] unternehmend; unternehmungslustig; kühn, verwegen; *(gegenüber Frauen)* draufgängerisch; **~prendre** *irr* unternehmen; in Angriff nehmen; *(Auftrag)* übernehmen; *(Unterhaltung)* beginnen, an≈fangen; *(Krieg)* entfesseln; *(Prozeß)* an≈strengen; *(Beweis)* an≈treten; sich an≈schicken, versuchen (*de* zu); *fam* sich kümmern (*qn* um jdn); zu gewinnen suchen (*qn* jdn); sich machen (*qn* an jdn); *fam* frotzeln, auf den Arm, auf die Schippe nehmen; zu beeinflussen, zu überreden (ver)suchen; *~ sur les droits de qn (lit)* in jds Rechte ein≈greifen; *~ qn sur qc* mit jdm ein Gespräch über e-e S beginnen; *~ des vols de reconnaissance (aero)* auf≈klären; **~preneur** *m* Unternehmer; Lieferant; Industrielle(r) *m; ~ de bâtiments, de construction* Bauunternehmer *m; ~ de déménagements* (Möbel-)Spediteur *m; ~ de pompes funèbres* Inhaber *m* e-s Beerdigungsinstituts *n; ~ de transports, de roulage* Spediteur, Fuhrunternehmer *m;* **~prise** *f* Unternehmung *f;* -nehmen *n;* Betrieb *m;* Geschäft *n;* Arbeit *f;* Über-, Eingriff; Angriff *m* (*sur* auf *acc*); *avoir l'esprit d'~* Unternehmungsgeist haben; *s'engager dans une ~* sich auf ein Unternehmen ein≈lassen; *être à la tête d'une ~* an der Spitze e-s Unternehmens stehen; *mener à bien son ~* s-e Arbeit zu e-m guten Ende bringen; *caisse f de maladie de l'~* Betriebskrankenkasse *f; chef m d'~* Betriebsleiter *m; conseil, comité m d'~* Betriebsrat *m; contrat m d'~* Unternehmervertrag *m; équipe f d'une ~* Belegschaft *f* (e-s Betriebs); *esprit m d'~* Unternehmungsgeist *m,* -lust *f; fermeture f d'une ~* Betriebsstillegung *f; gérant m d'~* Betriebsführer *m; grande ~* Großbetrieb *m; moyenne ~* Mittelbetrieb *m; part f d'~* Geschäftsanteil *m; petite ~* Kleinbetrieb *m; règlement m d'~* Betriebsordnung *f; succès m* od *réussite f, échec m* od *faillite f d'une ~* Erfolg, Mißerfolg *m* e-s Unternehmens; *~ artisanale* handwerkliche(r) Betrieb, Handwerksbetrieb *m; ~ de camionnage, de roulage* Rollfuhrunternehmen *n; ~ commerciale* kaufmännische(r) Betrieb *m; ~ de communication* Verkehrsunternehmen *n; ~ de constructions et de travaux terrestres* Tiefbauunternehmen *n; ~ individuelle* Privatunternehmen *n; ~ industrielle* Industriebetrieb *m; ~ à caractère lucratif* Erwerbsgeschäft *n; ~ minière* Bergbauunternehmen *n; ~ productive* Erzeugerbetrieb *m; ~ à grand rendement* Großunternehmen *n; ~ subventionnée* Zuschußbetrieb *m; ~ à succursales multiples* Filialgroßbetrieb *m; ~ téméraire* Wagnis *n; ~ de transports* Transport-, Verkehrsbetrieb *m; ~ de transports aériens* Luftverkehrsunternehmen *n; ~s travaillant le fer et l'acier* Eisen u. Stahl verarbeitende Unternehmen *n pl.*

entrer [ɑ̃tre] *itr* ein≈treten; hinein≈gehen, -fahren; ein≈dringen; herein≈kommen; *mil* ein≈rücken, -marschieren; *mar* ein≈laufen; *(Zug)* ein≈fahren; hinein≈passen; enthalten sein; *fig* sich ein≈lassen, ein≈gehen (*dans* auf *acc*); sich beteiligen (*dans* an *dat*); *(Gesellschaft)* bei≈treten (*dans* dat); ergreifen (*dans une profession* e-n Beruf); *(Weg)* ein≈schlagen (*dans* acc); *tr* ein≈führen; hinein≈stecken; hinein≈schaffen; betreten; *com* ein≈tragen, buchen; importieren; *faire ~* hinein≈bringen; hinein≈, vor≈lassen; *faire ~ une lettre dans une enveloppe* e-n Brief in e-n Umschlag stekken; *faire ~ en ligne de compte* in Betracht ziehen; in Anschlag bringen; *faire ~ dans le secret* in das Geheimnis ein≈weihen; *laisser ~ le jour, le soleil* das Tages-, Sonnenlicht herein≈lassen; *~ en action* in Tätigkeit, *fam* in Aktion treten; *(mil)* eingesetzt werden; *~ dans les affaires des autres* sich in die Angelegenheiten anderer ein≈mischen; *~ pour beaucoup dans qc* auf e-e S starken Einfluß haben, viel zu etw bei=tragen, bei etw e-e große Rolle spielen; ~ *dans la caisse (Geld)* herein=kommen; ~ *en campagne (mil)* ins Feld rücken; ~ *dans une carrière* e-e Laufbahn ein=schlagen; ~ *dans la chair (Strick)* ins Fleisch schneiden; ~ *en charge* od *fonction* sein Amt übernehmen *od* an=treten; ~ *en circulation (Geld)* in Umlauf kommen; ~ *en colère, en fureur* wütend, zornig, böse werden; ~ *en communication (tele)* Verbindung bekommen; ~ *en comparaison* sich vergleichen lassen; ~ *en composition* sich auf e-n Vergleich ein=lassen; ~ *dans la composition* e-n Bestandteil bilden (*de* gen); ~ *en considération* berücksichtigt werden; ~ *en conversation* sich in ein Gespräch ein=lassen; ~ *en correspondance* in Briefwechsel treten; ~ *en coup de vent* herein=stürmen; ~ *dans les détails* auf (die) Einzelheiten ein=gehen; ~ *dans la fabrication* od *confection* zur Herstellung dienen (*de* gen); ~ *dans une famille* in e-e Familie ein=heiraten; ~ *en gare (Zug)* ein=laufen, -fahren; ~ *dans les intérêts de qn* jds Interessen wahr=nehmen; ~ *en jeu (fig)* sich ein=schalten; wirksam werden; ~ *en ligne de compte* in Betracht, in Frage kommen; ~ *en liquidation* in Liquidation geraten; ~ *en matière* auf die Sache ein=gehen, zur Sache kommen; an=fangen; ~ *en pourparlers avec qn* mit jdm in Unterhandlung treten; ~ *dans la pratique* üblich werden; ~ *en relation d'affaires* in Geschäftsverbindung treten; ~ *en religion* ins Kloster gehen; ~ *pour rien dans* bedeutungslos sein bei; ~ *en scène (theat)* auf=treten; ~ *dans le sens de qn* jdn verstehen; ~ *au service de qn* in jds Dienste treten; ~ *en service* den Dienst an=treten; ~ *pour un tiers dans* mit e-m Drittel beteiligt sein an *dat;* ~ *dans le tout* dazu=gehören; ~ *dans une valise* in e-n Koffer hinein=gehen; in e-m Koffer Platz haben; ~ *dans le vif du sujet* zur Sache kommen; ~ *en vigueur* in Kraft treten; ~ *dans les vues de qn* jds Ansichten teilen, jds Meinung bei=treten; *on ne peut rien lui faire* ~ *dans la tête* man kann ihm nichts begreiflich machen; *cela ne veut pas* ~ *dans ma tête* das will mir nicht in den Kopf; *je ne veux pas* ~ *dans ces considérations* davon will ich nichts wissen; *entrez!* herein! *défense d'*~, *on n'entre pas* Eintritt verboten!

entresol [ɑ̃trəsɔl] *m arch* Zwischenstock *m.*

entreten|eur [ɑ̃trət(ə)nœr] *m* Zuhälter *m;* ~**ir** *irr* unterhalten *a. fig;* instand halten; *tech* warten; *(in e-m Zustand)* erhalten; *péj* aus=halten; *(Familie)* ernähren, Unterhalt gewähren (*qn* jdm); pflegen, in gutem Zustand erhalten; begünstigen; *(Fähigkeit)* üben; (sich) unterhalten (*qn de qc* jdn mit etw (mit jdm über e-e S); *s'*~ sich (in gutem Zustand) erhalten; sich unterhalten (*avec* mit, *de* über *acc*); s-n Lebensunterhalt verdienen; in (der) Übung bleiben; ~ *(un) commerce avec qn* mit jdm in Verkehr stehen; ~ *qn dans de bonnes dispositions* jdn bei guter Laune halten; ~ *des espoirs, des illusions* sich Hoffnungen, Illusionen hin=geben *od* machen; ~ *qn dans une idée* jdn in e-m Gedanken bestärken; ~ *qn en particulier* mit jdm allein sprechen; ~ *qn de (belles) promesses* jdn mit (leeren) Versprechungen hin=halten; ~ *de bons rapports* gute Beziehungen pflegen (*avec qn* zu jdm); ~ *des ressentiments* Groll hegen (*contre qn* gegen jdn); ~**u, e** *(Haus)* gepflegt, in gutem Zustand; *(Mensch)* versorgt; *femme* ~*e* ausgehaltene Frau *f.*

entre|tien [ɑ̃trətjɛ̃] *m* Erhaltung; Instand-, Sauberhaltung *f;* Unterhalt *m;* Verpflegung; Unterhaltung, -redung *f;* Gespräch(sgegenstand *m*) *n; tech* Speisung; Wartung; (Wagen-)Pflege *f; avoir droit à l'*~ unterhaltsberechtigt sein; *être d'un trop grand* ~ zuviel Unterhaltungskosten verursachen; *faire l'objet de l'*~ den Gesprächsstoff ab=geben; *faire tomber l'*~ *sur* das Gespräch bringen auf *acc; sur quoi a porté votre* ~? worüber haben Sie gesprochen? *atelier m d'*~ Wartungs-, Reparaturwerkstatt *f; état m d'*~ Unterhaltungszustand *m; frais m pl d'*~ Unterhaltungskosten *pl; obligation f d'*~ Unterhaltspflicht *f;* ~*s SALT (pol)* SALT-Verhandlungen *f pl;* ~*-éclair m tele* Blitzgespräch *n.*

entre|toise [ɑ̃trətwaz] *f tech* Spann-, Querriegel; Stehbolzen *m;* Querholz *n;* Strebe *f;* ~**toisement** *m* Versteifung, Verstrebung, Vergurtung *f;* ~**toiser** ab=, versteifen, verstreben, verankern; ~**tuer, s'** sich gegenseitig töten; ~**voie** *f loc* Gleisabstand *m;* ~**voir** *irr* flüchtig, undeutlich sehen; *fig* voraus=sehen; ahnen; bemerken; *laisser* ~ *qc à qn* jdm etw in Aussicht stellen; ~**vous** *m* Balkenabstand *m; arch* Schalbrett *n;* Füllung *f;* ~**vue** *f*

Zs.kunft; Unterredung, Rücksprache *f.*

entrouvert, e [ɑ̃truvɛr, -rt] halb geöffnet; *laisser la porte ~e* die Tür angelehnt lassen.

entrouvrir [-vrir] *irr* halb, ein wenig öffnen; *(Akten)* rasch durchblättern; *s'~ (Tür)* halb auf=gehen; *(Blume)* sich öffnen.

enture [ɑ̃tyr] *f agr* Pfropfspalt *m; arch* Querholz *n;* Verblattung *f.*

énuclé|ation [enykleasjɔ̃] *f* Entkernung *f; med* operative Entfernung *f;* **~er** entkernen; heraus=schälen; *med* exstirpieren, entfernen.

énumér|ation [enymerasjɔ̃] *f* Aufzählung *f;* **~er** auf=zählen; *com (Posten)* auf=führen.

envah|ir [ɑ̃vair] *(Feind)* ein=fallen, -dringen, -brechen (*qc* in e-e S); überfallen, -schwemmen, -wuchern; *(Raum)* (völlig) besetzen; erfüllen; bedecken; *(Feuer)* erfassen; *(Krankheit)* befallen; *fig* ein=greifen (*qc* in e-e S); sich bemächtigen (*qc* e-r S *gen*); sich ein=mischen (*qc* in e-e S); *~ le domaine privé* in den privaten Bereich über=greifen; **~issant, e** um sich greifend; zupackend; überhandnehmend; zudringlich; **~issement** *m* Einfall (*d'un pays* in ein Land); Überfall *m* (*de* auf *acc*); Einströmen; *(Meer)* Vordringen *n;* Überflutung; *bot* Überwucherung *f; fig* Überhandnehmen *n;* Übergriff *m;* **~isseur** *s m* Eindringling *m; a m* eindringend.

envas|ement [ɑ̃vazmɑ̃] *m* Verschlammung *f;* **~er** verschlammen; in den Schlamm stecken; *s'~* verschlammen; im Schlamm versinken.

envelopp|ant, e [ɑ̃vlɔpɑ̃, -ɑ̃t] *a* umfassend; umhüllend; *fig* einschmeichelnd; bestrickend; *s f math* Umhüllende *f; mouvement m ~ (mil)* Umfassungsbewegung *f;* **~e** *f* Hülle; Umhüllung; Decke *f;* (Brief-)Umschlag *m;* Buchhülle *f; (Zigarre)* Deckblatt; Haarnetz *n; (Flasche)* Strohhülse; Tüte *f;* (Geschoß-) Mantel *m; (Baum)* Rinde; *anat bot* Haut *f,* Häutchen *n; zoo* Schale *f; tech* Mantel *m,* Decke; Ver-, Umkleidung *f;* Gehäuse *n; math* Einhüllende; *fig* äußere Erscheinung, äußere Form *f; coller, timbrer l'~* den Umschlag zu=kleben, mit e-r (Brief-)Marke versehen; *mettre une lettre sous ~* e-n Brief in e-n Umschlag stecken; *~ (d'un aérostat)* Ballonhülle *f; ~ affranchie, timbrée* Freiumschlag *m; ~ antidérapante* Gleitschutz *m; ~ budgétaire* Haushaltspaket *n; ~ calorifuge, isolante* Isolierung *f; ~ du carburateur* Vergasergehäuse *n; ~ de la circulation d'eau* Kühlwassermantel *m; ~ de cuir (d'un ballon de football)* Lederhülle *f* (e-s Fußballs); *~ du cylindre* Zylindermantel *m; ~ à fenêtre, transparente, à panneau* Fensterumschlag *m; ~ en papier* Papierhülle *f; ~ de plomb* Bleimantel *m; ~ (des pneus)* Reifendecke *f,* Mantel *m; ~ protectrice* Schutzhülle *f; ~ réfrigérante* Kühlmantel *m; ~ de turbine* Turbinengehäuse *n; ~ du vilebrequin* Kurbelgehäuse *n;* **~ement** *m med* Umschlag *m; mil* Einschließung, Umfassung *f;* **~er** ein=, um=hüllen; verkleiden; ein=, um=wickeln; ein=packen, -schlagen; ein=rahmen; *mil* umzingeln, -fassen; *fig* ein=schließen; hinein=ziehen (*dans* in *acc*); ein=wickeln, übertölpeln; verhüllen; *(Gedanken)* verschleiern, verbergen; *(Gefühl)* Besitz ergreifen (*qn* von jdm); mit=reißen; *se laisser ~* sich ein=wickeln, herein=legen lassen (*par* von); *~ dans un désastre* in ein Unglück mit hinein=reißen; *~ dans du papier, du carton ondulé* in Papier, in Wellpappe ein=wickeln, -schlagen; *~ d'un regard rapide* e-n schnellen Blick werfen (*qc* auf e-e S).

envenim|ement [ɑ̃vnimmɑ̃] *m* Vergiftung *f;* **~er** vergiften; infizieren; *fig* verschlimmern; böse, bösartig machen *od* werden lassen; gehässig dar=stellen; *(Streit)* schüren.

enverg|uer [ɑ̃vɛrge] *(Segel)* fest=machen; **~ure** [-gyr] *f* (Spann-, Flügel-) Weite; *fig* Größe *f,* Ausmaß; Kaliber *n fig; (Geist, Wille)* Kraft *f;* Weitblick; *(Unternehmen)* Umfang *m.*

envers [ɑ̃vɛr] *prp* gegen *(bes. Personen); ~ et contre tous* gegen jedermann, alle; *s m* Kehrseite; *(Stoff)* linke Seite; *(Blatt)* Unterseite *f; fig* Gegenteil *n;* andere, negative Seite *f; à l'~* verkehrt; *fig* wirr; durcheinander; *(Stoff)* links; *avoir l'esprit à l'~* verschroben sein; *avoir la tête à l'~* den Kopf verloren haben; *prendre qc à l'~* etw verkehrt auf=fassen; *qn* jdn falsch an=fassen; *(fam) faire des progrès à l'~* den Krebsgang gehen; *ses affaires vont à l'~* s-e Geschäfte gehen schlecht.

envi [ɑ̃vi] *m: à l'~* um die Wette.

en|viable [ɑ̃vjabl] beneidenswert; **~vie** [-vi] *f* Neid *m,* Mißgunst *f;* Verlangen *n;* Lust *f;* Muttermal *n;* Niednagel *m; avoir ~* Lust haben (*de* zu); *as-tu envie de faire une promenade, d'une glace?* hast du Lust zu einem Spaziergang, *fam* auf ein Eis? *être dévoré, rongé d'~* von Neid zerfressen werden; blaß werden vor Neid; *faire* ~ die Lust erwecken (*de* zu); *faire passer, ôter l'~ de qc à qn* jdm die Lust zu etw nehmen; *passer son* ~ seine Lust befriedigen; *porter* ~ *à qn* jdn beneiden; *sécher, crever d'~* vor Neid platzen; **~vier** [-vje] beneiden (*qn* jdn; *qc à qn* jdn um etw); mißgönnen (*qc à qn* jdm etw); (sehnsüchtig) wünschen, (heftig) begehren (*qc de qn* etw von jdm); *ne pas* ~ *qc à qn* jdm e-e S gönnen; **~vieux, se** *a* neidisch; mißgünstig; *s m f* Neider; *fam* Neidhammel *m; être* ~ *de qc* auf e-e S neidisch sein.

environ [ɑ̃virɔ̃] *adv* ungefähr, etwa, zirka; *prp* ungefähr um; *depuis* ~ etwa seit, seit ungefähr; *un homme d'~ cinquante ans* ein etwa 50jähriger Mann; **~nant, e** [-rɔ-] umliegend; **~nement** *m* Umwelt *f;* **~ner** umgeben, -schließen (*de* mit); *mil* ein≈schließen, umzingeln; herum≈liegen (*qc* um etw); *s'~* um sich versammeln; sich umgeben (*de* mit); **~s** *m pl* Umgebung, Umgegend *f; aux* ~ *de Noël* um Weihnachten.

envisager [ɑ̃vizaʒe] *fig* ins Auge fassen; betrachten; an≈sehen (*comme* als); berücksichtigen, in Betracht ziehen; planen, vor≈sehen; ~ *le pire* mit dem Schlimmsten rechnen; *comment envisagez-vous ce problème?* wie sehen Sie dieses Problem?

envoi [ɑ̃vwa] *m* Versand *m;* Ver-, Absenden *n;* Spedition; Sendung; Lieferung *f; min* Anschlag; *mil* Transport *m; (Gedicht)* (persönliche) Zueignung *f; contre* ~ *de* gegen Einsendung von; *coup m d'~ (sport)* Anstoß *m; date f d'~* Versanddatum *n; lettre f d'~* Begleitbrief *m;* ~ *d'argent* Geldsendung *f;* ~ *d'assortiment* Auswahlsendung *f;* ~ *sous bande* Kreuzbandsendung *f;* ~ *par (chemin de) fer* Bahnversand *m;* ~ *au choix, à l'examen, à vue* Ansichtssendung *f;* ~ *collectif* Postwurfsendung *f;* ~ *d'échantillon(s)* Mustersendung *f;* ~ *à titre d'essai* Probelieferung *f;* ~ *exprès* Eilsendung *f;* ~ *franco de port* portofreie Sendung *f;* ~ *groupé* Mischsendung *f;* ~ *en possession (jur)* Besitzeinweisung *f;* ~ *tombé en rebut* unzustellbare Sendung *f;* ~ *recommandé* Einschreibesendung *f;* ~ *contre remboursement* Nachnahmesendung *f;* ~ *en service détaché* Abkommandierung *f;* ~ *en souffrance* Irrläufer *m;* ~ *avec valeur déclarée* Wertsendung *f;* ~ *grande vitesse* Eilgut *n.*

envoiler, s' [ɑ̃vwale] *(Eisen, Stahl)* (beim Härten) krumm werden.

envol [ɑ̃vɔl] *m* Abflug; *aero* Start; *fig* Schwung *m;* **~ée** *f* Auffliegen *n; fig* Schwung; Gedankenflug *m;* **~er, s'** ab≈, davon≈fliegen; *aero* starten (*pour* nach); *fig (Zeit)* entfliehen, -schwinden, vergehen, enteilen; (hin-) auf≈steigen; *les oiseaux se sont ~és (fig)* die Vögel sind ausgeflogen.

envoût|ement [ɑ̃vutmɑ̃] *m* Behexung; *fig* Verzauberung *f,* Zauber, Bann *m; formule f d'~* Zauberformel *f;* **~er** behexen, verzaubern; in s-n Bann schlagen.

envoy|é, e [ɑ̃vwaje] *a* (wohl)gezielt; *(Antwort)* treffend; *s m* Bote; Berichterstatter; Abgesandte(r), Vertreter; *pol (~ extraordinaire)* Gesandte(r) *m;* **~er** *irr* (ab≈, fort≈, ver-, zu≈) schicken, senden; *(Person)* ab≈ordnen; *(Stein)* werfen; *(Ohrfeige)* geben; *(Schlag)* versetzen; *(Schuß)* ab≈feuern; *(die Äste)* aus≈strecken; *s'~* verschickt werden; sich gegenseitig zu≈schicken; *pop (Glas Wein)* sich genehmigen; sich unter den Nagel reißen; ~ *son adversaire au tapis pour le compte (Boxen)* seinen Gegner zum Auszählen auf die Bretter schicken; ~ *par chemin de fer, par la poste* mit der Bahn, Post schicken; ~ *chercher* holen lassen; ~ *d'un coup de pied au bas de l'escalier* jdn mit e-m Fußtritt die Treppe hinunter≈befördern; ~ *dire qc à qn* jdm etw sagen lassen; ~ *qn à l'école, en vacances* jdn in die Schule, in die Ferien schicken; ~ *qc à la figure de qn* jdm etw ins Gesicht schleudern; ~ *qn à la mort* jdn in den Tod schicken; ~ *en permission* in Urlaub schicken; ~ *en prison* ins Gefängnis schicken; ~ *qn promener, paître, coucher, à tous les diables* jdn zum Teufel jagen; jdm den Laufpaß geben; *s'~ tout le travail (pop)* die ganze Arbeit (widerwillig) tun; ~ *valser, dinguer qc* etw (mit aller Gewalt) um≈stürzen, in die Gegend schleudern; *fig* (völlig) auf≈geben, fallen≈lassen; *(Geschäft, Beruf, Studium)* an den Nagel hängen; *s'~ un verre de vin (pop)* sich ein Gläschen Wein genehmigen; ~ *à vue* zur Ansicht senden; **~eur, se** *m f* Absender(in *f*); *min* Anschläger; *el* Stromstoßgeber *m; retour à l'~* zurück an Absender.

enzyme [ɑ̃zim] *f chem biol* Enzym *n.*

éocène [eɔsɛn] *s m geol* Eozän *n; a* eozän.

éolien, ne [eɔljɛ̃, -ɛn] *a* äolisch; Wind-; *s f* Windrotor *m; dépôts m pl ~s* Ablagerungen *f pl* des Windes; *harpe f ~ne* Äolsharfe *f.*

épagneul [epaɲœl] *m* Spaniel, Wachtelhund *m.*

épais, se [epɛ, -ɛs] *a* dick; dicht; mächtig; stark; dickflüssig; *(Öl)* fett; *(Himmel)* bedeckt; *(Zunge)* schwer; *(Lippen)* wulstig; *(Nacht, Schatten, Schlaf)* tief; *fig* plump, schwerfällig; *(Herz)* hart; *(Scherz, Unwissenheit)* grob; *s m* Dicke *f; au plus ~ de la forêt* im tief(st)en Walde; *au plus ~ de la foule* mitten in der Menge; **~seur** *f* Dicke; Stärke; Dichte; Dichtigkeit; *min* Mächtigkeit; *(Nacht)* Tiefe; *fig* Schwerfälligkeit, Plumpheit *f; il s'en est fallu de l'~ d'un fil, d'un cheveu* es hing an e-m Faden; *~ de la neige* Schneehöhe *f;* **~sir** *tr (Mauer)* verstärken; *(Flüssigkeit)* verdicken; *(Küche)* ein=dicken; *(Luft)* dick(er) machen; *fig* an=schwellen lassen; verstärken, vergrößern; *itr* dick(er) werden; *s'~* dick(er) werden; dichter werden, sich verdichten; *(Finsternis)* tief(er), undurchdringlich werden; *(Zunge)* schwer werden; *(Geist)* schwerfällig werden; *(Gehör)* nach=lassen; **~sissant** *m (Küche)* Dikkungsmittel *n;* **~sissement** *m* Verdickung *f;* Eindicken *n; fig* Schwerfälligwerden *n.*

épanch|ement [epɑ̃ʃmɑ̃] *m med* Erguß *m a. fig; besoin m d'~* Mitteilungsbedürfnis *n; ~ de sang* Bluterguß *m;* **~er** Ausdruck geben (*qc* e-r S), enthüllen; offen äußern; *s'~* sein Herz aus=schütten; sich aus=sprechen, sich an=vertrauen *(avec qn* jdm); *med* sich ergießen; *~ sa bile, son fiel* Gift u. Galle speien; *~ sa joie* s-r Freude Ausdruck geben.

épand|age [epɑ̃daʒ] *m (Dünger)* Ausstreuen *n; champs m pl d'~* Rieselfelder *n pl;* **~re** *(Dünger)* aus=streuen; *(Blut)* vergießen; *(Schrei)* aus=stoßen; *s'~* sich aus=breiten; *(Fluß)* sich ergießen.

épanou|i, e [epanwi] entfaltet; aufgeblüht; *(Körper)* entwickelt; *fig* freudestrahlend, vergnügt; **~ir** zum Aufblühen bringen; aus=breiten, entfalten; *fig* erheitern; *(Gesicht)* auf=heitern; erhellen; *(Herz)* erfreuen; *s'~* auf=blühen; *min* mächtiger werden; *(Glas)* sich aus=weiten; *anat* sich aus=breiten; *fig* sich entfalten; *(Gesicht)* auf=leuchten, sich auf=heitern; *s'~ de joie* vor Freude leuchten; **~issement** *m* Aufblühen; *(Knospen)* Aufspringen *n; anat* Entfaltung, Verästelung, Ausbreitung; *(Körper, Fähigkeit)* Entwicklung; Aufheiterung *f;* Glanz *m.*

épar(t) [epar] *m* (Quer-)Riegel *m,* Querholz *n;* Sprosse *f.*

épargn|ant, e [eparɲɑ̃, -ɑ̃t] *a* sparsam, haushälterisch; *s m* Sparer *m;* **~e** *f* Sparen *n;* Sparsamkeit; Ersparnis *f;* Ersparte(s) *n; caisse f d'~* Sparkasse *f; retirer de l'argent à la caisse d'~* Geld von der Sparkasse ab=heben; *compte m d'~* Sparguthaben *n; compte m d'~-logement* Bausparkonto *n; contrat m d'~-logement* Bausparvertrag *m; dépôt m d'~* Spareinlage *f; esprit m d'~* Sparsinn *m; livret m de caisse d'~* Spar(kassen)buch *n; ~-logement f* Bausparen *n; petite ~* kleine(s) Sparguthaben *n;* kleine Sparer *m pl; ~ créatrice (de capitaux)* Zwecksparen *n; ~ de temps, des forces* Zeit-, Kräfteersparnis *f;* **~er** (er)sparen; *~ qc à qn* jdm e-e S ersparen, jdn vor etw bewahren; (ver)schonen (*qc à qn* jdn vor e-r S); schonend behandeln; erübrigen; sparsam um=gehen (*qc* mit etw); frei lassen, offen=lassen; aus=sparen; *s'~ qc* sich etw ersparen *a. fig; ne pas ~ qn* jdn rücksichtslos behandeln; *ne pas ~ qc* großzügig mit etw um=gehen; *ne pas ~ sa peine* keine Mühe scheuen; *ne rien ~* nichts unversucht lassen.

épar|pillement [eparpijmɑ̃] *m* Herumstreuen *n; fig* Verzettelung, Zerstreuung *f;* **~piller** ver-, zerstreuen; *(Geld)* vergeuden; *(s-e Kräfte)* verzetteln, zersplittern; **~s, e** [-par, -ars] zerstreut; vereinzelt; unzs.hängend; *(Haar)* aufgelöst, fliegend.

éparvin [eparvɛ̃] *m* Spat *m (Pferdekrankheit).*

épat|ant, e [epatɑ̃, -ɑ̃t] *fam* verblüffend; erstaunlich; famos, großartig, pfundig; *cela vous va ~amment* das steht Ihnen prächtig; **~e** *f: faire de l'~ (fam)* sich auf=spielen; an=geben; *le faire à l'~* flunkern; **~ement** *m (Nase)* Eingedrücktsein; *fig* (höchstes) Erstaunen *n,* Verblüffung *f;* **~é, e** platt, stumpf, eingedrückt; ohne Fuß; *fig* überrascht; sprachlos; *nez m ~* Stumpfnase *f;* **~er** den Fuß *od* das Unterteil *(e-s Gefäßes)* ab=brechen (*qc* gen); stumpf machen; aus=breiten; *fig fam* um=legen; *fig* verblüffen, in höchstes Erstaunen versetzen; *il ne s'~e de rien* er wundert sich über nichts *(acc);* **~eur** *m* Aufschneider, Prahlhans *m.*

épaul|ard [epolar] *m* Schwertwal; Butzkopf *m; ~ à tête ronde* Grind(wal) *m;* **~e** [epol] *f* Schulter, Achsel *f; mar* Bug *m; avoir les ~s carrées, être carré des ~s* breitschult(e)rig sein; *avoir, porter sur ses*

~s auf dem Halse haben (*qn, qc* jdn, etw); *en avoir par-dessus les ~s* die Nase (davon) voll haben; *coucher sa tête sur l'~, appuyer sa tête contre l'~* den Kopf auf die Schulter legen; *donner des coups, une tape sur l'~* auf die Schulter klopfen; *donner un coup d'~ à qn (fig)* jdm unter die Arme greifen; *faire toucher les ~s (sport)* auf die Schulter legen *od* zwingen; *faire qc par-dessus l'~* etw nebenbei tun; *hausser, lever, secouer les ~s* mit den Achseln zucken; *plier, baisser les ~s* sich (geduldig) in sein Schicksal fügen; *porter un fardeau sur les ~s* e-e Last auf den Schultern tragen; *regarder qn par-dessus l'~* jdn über die Schulter an=sehen, von oben herab behandeln; *rembourrer, monter, garnir les ~s* die Schultern *(e-r Jacke)* (aus=)polstern; *la responsabilité pèse, repose sur les ~s* die Verantwortung ruht auf den Schultern (*de* gen); *il a la tête sur les ~s* ihn kann so leicht nichts erschüttern, aus dem Gleichgewicht bringen; *l'arme sur l'~ — droite!* das Gewehr — über! *largeur f des ~s* Schulterbreite *f; ruban m d'~* Schulterband *n;* **~é, e** *(Tier)* schulterlahm; **~ée** *f* Stoß *m* mit der Schulter; Last *f* auf der Schulter; *(Hammel)* Bug *m;* **~ement** *m* Brust-, Schulterwehr; *arch* Kröpfung; Stützmauer *f; tech* Ansatz; Bund *m;* Widerlager *n;* Flansch *m; geol* Abdachung *f;* **~er** *(Tier)* an der Schulter verletzen; *(Gewehr)* an=legen; *mil (Truppen)* dekken; *tech* kröpfen; *(Mauer)* ab=stützen; *fig* (unter)stützen, helfen (*qn* jdm) **~ette** *f(Jacke)* Wattierung *f;* (Hemd-)Träger *m; mil* Schulterstück *n; (Holz)* Kerbe *f;* **~ière** *f (Rüstung)* Achselstück *n.*

épave [epav] *f* herrenlose Sache *f;* Strandgut; Wrack *n a. fig; pl fig* Überbleibsel *n pl,* Reste *m pl,* Trümmer *pl; droit m d'~* Strandrecht *n; ~ d'auto* Autowrack *n.*

épeautre [epotr] *m bot* Spelz, Dinkel *m.*

épé|e [epe] *f* Schwert *n;* Degen *m;* Klinge *f; zoo (~ de mer)* Schwert-, Sägefisch *m; fig* Militär *n;* Fechter *m; (~ de bourrelier)* lange Ahle; *(Fischfang)* Harpune *f; à la pointe de l'~* mit Gewalt; glänzend *adv; croiser l'~* die Klingen kreuzen, sich schlagen; *donner des coups d'~ dans l'eau* leeres Stroh dreschen *fam; mettre, pousser à qn l'~ dans les reins (fig)* jdm die Pistole auf die Brust setzen; jdn in die Enge treiben; *passer au fil de l'~* über die Klinge springen lassen; *c'est une ~ à deux tranchants* das ist ein zweischneidiges Schwert; *coup m d'~* Schwertstreich *m; c'était un coup d'~ dans l'eau* das war ein Schlag ins Wasser; *~ de chevet* ständige(r) Begleiter; Lieblingsgegenstand *m,* -thema *n;* **~isme** *m* Degenfechten *n;* **~iste** *m* Degenfechter *m.*

épeich|e [epɛʃ] *f orn* Rot-, Buntspecht *m;* **~ette** *f* kleine(r) Buntspecht, Kleinspecht *m.*

épeire [epɛr] *f* Kreuzspinne *f.*

épel|er [eple] buchstabieren; *fig* über Anfangskenntnisse *(acc)* verfügen (*qc* in e-r S); **~lation** [-pe(ɛ)-] *f* Buchstabieren *n.*

éperdu, e [epɛrdy] bestürzt, außer sich, (wie) toll; verzweifelt; heftig, rasend, *~ de bonheur* überglücklich; *~ de crainte* in großer Angst; *~ de joie* außer sich vor Freude.

éperlan [epɛrlɑ̃] *m zoo* Stint *m.*

éperon [eprɔ̃] *m* Sporn *a. zoo bot; mar* Schiffsschnabel; Rammsporn; Wellenbrecher *m;* Widerlager *n;* Gebirgsvorsprung; *fig* Ansporn, Stachel *m; fam* Krähenfüße *m pl; donner de l'~* die Sporen geben; *fig* an=spornen (*à qn* jdn); *gagner ses ~s* sich die Sporen verdienen; **~ner** [-prɔ-] die Sporen geben (*un cheval* e-m Pferd); *mar* rammen; *fig* an=spornen.

épervier [epɛrvje] *m orn* Sperber *m; (Fischfang)* Wurfnetz *n.*

épeuré, e [epœre] erschreckt, verängstigt.

éphélide [efelid] *f med* Sommersprosse *f.*

éphém|ère [efemɛr] *a* flüchtig; vorübergehend; kurzlebig; *fig* vergänglich; *s m* Eintagsfliege; *fig* Vergänglichkeit *f;* Vergängliche(s) *n;* **~éride** *f* (Abreiß-)Kalender *m.*

épi [epi] *m* Ähre *f; (Mais)* Kolben *m; (Haar)* Büschel; (doppelseitiges) Büchergestell *n; arch* Giebelähre *f; loc* Verschiebegleise *n pl;* (Strand-)Buhne *f; med* Ährenverband *m; glaner des ~s de blé* Ähren lesen; *barbes f pl de l'~* Grannen *f pl* der Ähre; *~ du vent (mar)* Windrichtung *f; ~ isolé* frei stehende(s) Büchergestell *n.*

épicarpe [epikarp] *m bot* Exokarp *n,* Haut *f.*

épic|e [epis] *f* Gewürz *n; pain m d'~* Leb-, Honig-, Pfefferkuchen *m;* **~é, e** (stark) gewürzt; scharf, gepfeffert *a. (Preis); fig* schlüpfrig, pikant.

épicéa [episea] *m* Fichte; Rottanne *f.*

épic|er [epise] würzen *a. fig;* **~erie** *f* Lebensmittel *n pl,* Kolonialwaren(handel *m,* -geschäft *n*) *f pl;* **~ier, ière** *m f* Kolonialwarenhändler(in *f*) *m; fig* Krämerseele *f,* Philister, Spieß(bürg)er *m.*

épi|démie [epidemi] *f* Epidemie, Seuche *f;* **~démique** epidemisch.

épiderme [epidɛrm] *m anat* Epidermis, Oberhaut *f; fig* Äußere(s) *n; avoir l'~ sensible (fig)* (sehr) empfindlich sein; *chatouiller l'~ à qn* jdm schmeicheln.

épier [epje] **1.** *itr* in die Ähren schießen; **2.** *tr* (heimlich, genau) beobachten; überwachen; belauschen, erspähen; *(Gelegenheit)* ab=passen.

épierrer [epjere] *(Feld)* von Steinen säubern.

épieu [epjø] *m* (Jagd-)Spieß *m.*

épieur, se [epjœr, øz] (heimlicher) Beobachter(in *f*); Späher(in *f*) *m.*

épi|gastre [epigastr] *m* Magen-, Herzgrube *f;* **~génèse** *biol, geol* **~génie** *f* Epigenese *f;* **~glotte** *f anat* Kehl(kopf)deckel *m;* **~gone** *m* Epigone *m;* **~gramme** *f* Epigramm; *Art* Ragout *n;* **~graphe** *f* Auf-, Inschrift *f;* Motto *n;* **~graphie** *f* Inschriftenkunde *f;* **~graphiste** *m* Inschriftenkenner *m.*

épila|tion [epilasjɔ̃] *f* Haarentfernung *f* **~toire** *m* Haarentfernungsmittel *n.*

épi|lepsie [epilɛpsi] *f med* Fallsucht, Epilepsie *f;* **~leptique** *a* epileptisch; *s m f* Epileptiker(in *f*) *m.*

épiler [epile] enthaaren, die Haare aus=zupfen (*qc* aus etw); entfernen (*qc* von etw); *crème f à ~* Haarentfernungskrem *f, a. m.*

épillet [epijɛ] *m* Ähre *f (Blütenstand).*

épilogue [epilɔg] *m* Epilog *m,* Schlußwort *n,* Nachrede *f;* Nachspiel *n;* **~r** (schlecht) reden (*sur* über *acc*); etw auszusetzen haben (*sur qc* an e-r S), tadeln (*sur qc* e-e S).

épinaie [epinɛ] *f* Dornenfeld *n.*

épinard [epinar] *m bot* Spinat *m; pl (Küche)* Spinat(-gericht *n*) *m; mettre du beurre dans les ~s de qn (fam)* für jdn ein unverhofter Gewinn sein; *cela ne met pas de beurre dans les ~s* das macht den Kohl nicht fett; *crêpes f pl aux ~s* Pfannkuchen *m* mit Spinat; *~s au gratin* Spinat überbacken.

épinceter [epɛ̃ste] noppen.

épine [epin] *f* Dorn(strauch); Stachel; (Gebirgs-)Grat *m; pl fig* mißliche Lage *f,* Schwierigkeiten *f pl; s'égratigner avec une ~* sich an e-m Dorn ritzen; *s'enfoncer une ~ dans le pied* sich e-n Dorn in den Fuß treten; *être sur des ~s* wie auf Kohlen sitzen; *marcher sur des ~s* in der Klemme sitzen; *tirer une ~ du pied (fig)* e-e Schwierigkeit aus dem Wege räumen (*à qn* jdm); *il n'y a pas de roses sans ~s* keine Rose ohne Dornen; *~ blanche* Weiß-, Hagedorn *m; ~ dorsale* Rückgrat *n; ~ noire* Schlehdorn *m,* Schlehe *f; ~-vinette f bot* Berberitze *f,* Sauerdorn *m.*

épinette [epinɛt] *f mus* Spinett *n;* Hühnermastkorb *m; bot* (kanadische) Rottanne *f.*

épineux, se [epinø, -øz] dornig *a. fig,* stachelig; *fig* mißlich, schwierig; bedenklich.

épinière [epinjɛr] *a f: moelle f ~* Rükkenmark *n.*

épingl|e [epɛ̃gl] *f* (Steck-)Nadel *f; chercher une ~ dans une botte de foin* etw Aussichtsloses tun; *donner des coups d'~* sticheln (*à qn* jdn); Seitenhiebe aus=teilen; *s'enfoncer une ~ dans le doigt* sich mit e-r Stecknadel in den Finger stechen; *monter en ~ (fam)* deutlich machen, in den Vordergrund stellen; heraus=stellen; *boîte f d'~s* Nadelbüchse *f; pelote f d'~s* Nadelkissen *n; piqûre f, coup m d'~* Nadelstich *m; fig* Stichelei *f; tête f d'~* Stecknadelknopf *m; tiré à quatre ~s* wie aus dem Ei gepellt; geschniegelt u. gebügelt; *virage m en ~ à cheveux* Haarnadelkurve *f; ~ anglaise, de nourrice, de sûreté* Sicherheitsnadel *f; ~ à chapeau, à cheveux, de cravate* Hut-, Haar-, Krawattennadel *f; ~ à linge* Wäscheklammer *f;* **~er** (mit e-r Nadel) fest=, an=stecken; *(Schneiderei)* ab=stecken; *~ qn (fig fam)* jdn schnappen; *se faire ~* sich erwischen lassen; **~erie** [-glə-] *f* Nadelfabrik, -industrie *f;* **~ette** *f* Anstecknadel; *(tech)* Räumnadel *f.*

épinoche [epinɔʃ] *f zoo* Stichling *m.*

Épiphanie [epifani] *f* Fest *n* der Heiligen Drei Könige, Dreikönigsfest *n (6. Jan.).*

épique [epik] episch; Helden-; heldenhaft; *fam* gewaltig.

épisiotomie [epizjɔtɔmi] *f med* Dammschnitt *m.*

épi|scopal, e [episkɔpal] bischöflich; **~scopat** [-a] *m* Episkopat *m;* Bischofsamt *n,* -würde *f;* (die) Bischöfe *m pl;* **~scope** *m (Panzer)* Sehschlitz *m.*

épi|sode [epizɔd] *m* Episode; Neben-, Zwischenhandlung *f; (Film, Roman a.)* Teil *m; mus* Nebenmotiv *n; (Malerei)* Nebengruppe *f;* **~sodique** episodisch; vorübergehend, gelegentlich; *personnage m ~* Nebenperson *f.*

épiss|er [epise] *(Seilerei)* spleißen, splissen; **~ure** *f* Spleißung; Spleiße *f.*

épisto|laire [epistɔlɛr] Brief-; *être en relations ~s avec qn* mit jdm in

Briefwechsel stehen; *échange m* ~ Briefwechsel *m; guide m* ~ Briefsteller *m; style m* ~ Briefstil *m;* ~**lier, ère** *m f* eifrige(r) *od* hervorragende(r) Briefschreiber(in *f*) *m.*
épi|taphe [epitaf] *f* Grabschrift; Grabplatte *f;* Epitaph *n;* ~**thalame** *m* Hochzeitsgedicht *n;* ~**thète** *f* (schmückendes) Beiwort; Attribut *n;* attributive(s) Adjektiv *n;* Benennung *f;* Bei-, Spitzname *m;* ~**tomé** *m* Zs.-, Kurzfassung *f.*
épître [epitr] *f* Epistel *f a. ironisch;* ~ *dédicatoire* (gedruckte) Widmung, Zueignung *f (e-s Verfassers).*
épizootie [epizɔɔti] *f med* (Vieh-)Seuche *f.*
éploré, e [eplɔre] in Tränen aufgelöst; verweint; *fig* untröstlich.
éployé, e [eplwaje] *(Adler auf Wappen)* mit ausgebreiteten Flügeln; *(Zeitung)* ausgebreitet.
épluch|age [eplyʃaʒ] *m* Reinigen, Putzen; Schälen; *(Textil)* Ausklauben, Noppen, Zupfen *n; com* Sortierung; *fig* genaue Durchsicht; strenge Kontrolle *f;* ~**er** reinigen; *(Gemüse)* putzen; verlesen; *(Obst)* schälen; *(Reis)* entspelzen; *(Nuß)* aus=, auf=machen; knacken; *(Krebs)* auf=lösen, -brechen; *(Baum)* aus=putzen; *(Wolle)* zupfen; *(von e-m Stoff)* ab=lesen; *fig* (genau) prüfen, unter die Lupe nehmen; Fehler heraus=klauben (*qc* aus etw); durch=hecheln; Erkundigungen ein=ziehen (*qn* über jdn); ~ *la vie de qn* in jds Privatleben herum=schnüffeln; ~**eur, se** *m f* Vorhechler *m;* Wollzupferin; *f* Schälmaschine *f;* ~*se électrique* (Gemüse-)Sortiermaschine *f;* ~ *de mots* Wortklauber *m;* ~ *d'écrevisses (fig)* Haarspalter, Schulfuchser *m;* ~*se de coton* Baumwollpflückmaschine *f;* ~**oir** *m* Ausputzmesser *n;* ~**ures** *f pl* (Kartoffel-, Obst-)Schalen *f pl;* (Küchen-)Abfälle *m pl;* Kehricht *m; balayer les* ~ die Abfälle zs.=kehren.
époint|é, e [epwɛ̃te] *(Messer)* abgebrochen; *(Pferd, Hund)* kreuz-, lendenlahm; ~**ement** *m* Stumpfwerden *n;* ~**er** ab=stumpfen; die Spitze ab=brechen (*qc* e-r S *gen*); *(Bleistift)* an=spitzen; *s'*~ stumpf werden.
épong|e [epɔ̃ʒ] *f* Schwamm *m a. zoo; avoir une* ~ *dans le gosier, boire comme une* ~ *(fam)* saufen wie ein Loch; *jeter l'*~ *(fig)* das Handtuch werfen; *passer une* ~ *mouillée sur le tableau* mit e-m nassen Schwamm über die Tafel wischen *od* fahren; *presser l'*~ *(fig)* jdn wie e-e Zitrone aus=pressen, jdn melken; *passons l'*~ *là-dessus* Schwamm darüber! *pêcheur m d'*~*s* Schwammfischer *m; serviette f* ~ Frottiertuch *n; tissu m* ~ Frottee *n; trous m pl d'*~ Poren *f pl* des Schwammes; ~ *de caoutchouc* Gummischwamm *m;* ~ *de fer* Eisenschwamm *m;* ~ *de toilette* Bade-, Toilettenschwamm *m;* ~**er** (mit e-m Schwamm *od* Tuch) ab=wischen, ab=trocknen; *(Kaufkraft)* ab=schöpfen; *s'*~ *le front* sich die Stirn ab=wischen; *s'*~ *au sortir du bain* sich nach dem Bad ab=trocknen.
éponte [epɔ̃t] *f min* Sol-, Dachfläche *f;* ~*s pl* Nebengestein *n.*
épontille [epɔ̃tij] *f mar* Stütze *f.*
épopée [epɔpe] *f* Epos, Heldengedicht *n.*
époque [epɔk] *f* Zeitabschnitt *m,* -alter *n,* -punkt *m;* Epoche *f;* Jahrhundert *n;* Zeit; Jahreszeit; Etappe *f; à l'*~ *de* zur Zeit *gen; à la même* ~ zur selben Zeit (des Jahres); *à toutes les* ~*s* zu allen Zeiten; *être de son* ~ mit s-r Zeit gehen; *faire* ~ Epoche machen; Aufsehen erregen; *vivre avec son* ~ mit s-r Zeit leben; *la belle* ~ die Zeit um 1900; *meuble m d'*~ Stilmöbel *n;* ~ *carbonifère (geol)* Karbon *n;* ~ *climatérique* Stufenjahr *n;* Wechseljahre *n pl;* ~ *glaciaire* Eiszeit *f;* ~ *tertiaire (geol)* Tertiär *n.*

épouiller [epuje] (ent)lausen.
époumoner, s' [epumɔne] sich heiser, sich die Lunge aus dem Leibe schreien; *je me suis époumoné à le lui expliquer* ich habe es ihm bis zur Erschöpfung ausea.gesetzt.
épous|ailles [epuzɑ(a)j] *f pl vx* Trauung *f;* ~**e** [epuz] *f* Gattin, Gemahlin; Ehefrau *f;* ~**ée** *f* Braut *f (am Hochzeitstag); parée comme une* ~ *de village* aufgedonnert wie ein Pfingstochse; ~**er** heiraten (*par amour* aus Liebe; *pour sa fortune* wegen s-s, ihres Geldes); sich vermählen (*qn* mit jdm); *fig* sich an=schließen (*qc* an e-e S); *s'*~ sich verheiraten; ~ *la cause de qn* für jdn ein=treten; *de qc* sich an e-e S an=schließen; ~ *une grosse dot* e-e große Mitgift erheiraten; ~ *la forme* die Gestalt an=nehmen (*de qc* e-r S *gen*); sich an=passen (*qc* e-r S *dat*); folgen (*qc* dat); ~ *les idées, les opinions de qn* sich jds Gedanken, Auffassungen zu eigen machen; ~ *qn en premières, en secondes noces* jdn in erster, zweiter Ehe heiraten; ~ *le parti, la querelle de qn* für jdn, jds Partei ergreifen.
épouss|eter [epuste] ab=stauben, aus=klopfen; *(Pferd)* ab=reiben;

~ette *f* Staubbesen *m*, -bürste *f;* Staubtuch *n*.

époustou|flant, e [epustuflɑ̃, -t] verblüffend; **~fler fam** verblüffen.

épouvantable [epuvɑ̃tabl] entsetzlich, grauenhaft, furchtbar; *fam* gräßlich; *(Wetter)* scheußlich; *(Kraft)* ungeheuer; *(Zorn)* schrecklich; *nouvelle f ~* Schreckensbotschaft *f*.

épouvantail [epuvɑ̃taj] *m* Vogelscheuche *f a. fig; fig* Schreckgespenst *n*.

épouvan|te [epuvɑ̃t] *f* (plötzlicher) Schrecken *m*, Entsetzen; Grausen *n; remplir qn d'~, jeter qn dans l'~* jdn in Schrecken versetzen; *cris, hurlements m pl d'~* Schreckensschreie *m pl;* **~ter** erschrecken; in Angst versetzen; ein=schüchtern; *s'~* e-n Schreck bekommen; sich entsetzen (*de* über *acc*).

époux [epu] *m* (Ehe-)Gatte, Gemahl *m; pl* Ehegatten *m pl*, -paar *n; futurs ~* Brautpaar *n; jeunes ~* Neuvermählte *pl; ~ communs en biens, vivant sous le régime de la séparation des biens* in Gütergemeinschaft, in Gütertrennung lebende Ehegatten.

éprein|dre [eprɛ̃dr] *irr vx* aus=pressen; **~te** *f, meist pl med* Stuhlzwang *m; (Fischotter)* Losung *f*.

éprendre, s' [eprɑ̃dr] *irr* sich verlieben (*de* in *acc*); *s'~ l'un de l'autre* sich inea. verlieben; *s'~ d'une grande passion* von e-r heftigen Leidenschaft ergriffen werden (*pour* für); **épris, e** [-pri, -iz] verliebt (*de* in *acc*), begeistert, leidenschaftlich eingenommen (*de* für).

épreuve [eprœv] *f* Probe; Prüfung *a. rel;* Erprobung *f;* Versuch *m;* Heimsuchung *f;* Unglück *n;* Versuchung *f; typ* Probedruck, Korrekturbogen; *phot* Abzug *m*, Bild *n; sport* Wettkampf *m; mil* Anschießen *n; (Schule)* Prüfungsarbeit *f; tech* Probelauf *m; à toute ~* (unbedingt) zuverlässig, sicher; unbestechlich; erprobt; *à l'~ de l'eau, du feu, des balles, des bombes* wasserdicht; feuer-, kugelfest; bombensicher; *être à l'~* widerstandsfähig sein (*de* gegen); *faire l'~ de qc* etw erproben; *mettre qc à l'~* etw auf die Probe stellen, erproben; *passer par de dures ~s, essuyer, subir de dures ~s* schwere Prüfungen durch=machen; *revoir* od *corriger une ~* Korrektur lesen; *tenter une ~ sur qn* jdn auf die Probe stellen; *tirer une ~* e-e Probeseite ab=ziehen; *banc m d'~* Prüf-, Bremsstand *m; marche f d'~* Übungsmarsch *m; temps m d'~* Probezeit *f; ~ d'adresse* Geschicklichkeitsprüfung *f; ~ d'aptitude* Eignungsprüfung *f; ~ par assis et levé* Abstimmung *f* durch Erheben u. Sitzenbleiben; *~ à l'atelier* Werkstattprüfung *f; ~ à la brosse (typ)* Bürstenabzug *m; ~ combinée (sport)* Vielseitigkeitsprüfung *f; ~ de compagnon* Gesellenprüfung *f; ~s écrites* schriftliche Prüfungsarbeiten *f pl; ~ éliminatoire* Ausscheidungskampf *m; ~ d'endurance* Dauerprüfung *f; ~ finale* Endkampf *m*, Finale *n; ~ de force* Kraftprobe *f; ~ au hasard, sur prélèvement* Stichprobe *f; ~ judiciaire* Gottesurteil *n; ~ de maître* Meisterprüfung *f; ~ des matériaux* Materialprüfung *f; ~ négative* Negativ *n; ~ à outrance* Zerreißprobe *f; ~ photographique aérienne* Luftbild *n; ~ en placard* Druckprobe; Korrekturfahne *f; ~ première* Hauskorrektur *f; ~ de réception* Abnahmeprüfung *f; ~ de résistance* Festigkeitsprobe *f; ~ de révision* Revisionsbogen *m; ~ de tir* Probeschießen *n; ~ en bon à tirer* fehlerfreie(r) Abzug *m*.

éprouv|é, e [epruve] *(Metall)* geprüft; *(Freundschaft)* erprobt; zuverlässig; bewährt; *(Fachmann)* erfahren; *(Gesundheit)* geschwächt; *(Mensch)* leidgeprüft, mitgenommen; *(Gefühl)* echt; **~er** auf die Probe stellen, erproben, (aus=)probieren; (nach=)prüfen, versuchen; *(Gewehr)* ein=schießen; *(Land)* heim=suchen; *fig* erfahren; empfinden; erleiden, ausgesetzt sein (*qc* e-r S *dat*), durch=machen, mitgenommen werden (*qc* von etw); *rel* prüfen; *faculté f d'~* Empfindungsfähigkeit *f; ~ de l'affection, de l'amour pour qn* für jdn Zuneigung, Liebe empfinden; *~ une déception* e-e Enttäuschung erleben; *~ des difficultés de paiement* in Zahlungsschwierigkeiten *(acc)* geraten; *~ de l'étonnement* erstaunt sein; *~ les joies de qn* jds Freude teilen; *~ des malheurs* Unglück haben; *~ des pertes, des revers* Verluste, Rückschläge erleiden; **~ette** *f* Probestab *m;* Versuchsstück; Reagenzglas *n; med Art* Sonde *f; ~ graduée* Meßzylinder *m*.

épucer [epyse] (ent)flöhen.

épui|sant, e [epɥizɑ̃, -ɑ̃t] *(den Boden)* ermüdend, auslaugend; *fig* schwächend, ermüdend; anstrengend; **~sé, e** erschöpft; *(Quelle)* versiegt; *min (Ader)* völlig abgebaut; *(Boden)* ermüdet; *(Uran)* abgereichert; *(Buch)* vergriffen; *(Vorrat)* erschöpft; ausverkauft; *(Mensch)* zermürbt, erschöpft, verbraucht, abgespannt, abgekämpft; *~ de fatigue* übermüdet; ~

de travail überarbeitet; *notre stock est* ~ wir sind ausverkauft; **~sement** *m min (Ader)* vollständige(r) Abbau *m; min* Wasserhaltung *f;* Auspumpen *n; (Boden)* Müdigkeit; *(Vorrat, Kraft)* Erschöpfung; *(Finanzen)* Zerrüttung *f; tomber dans l'*~ in e-n Zustand der Erschöpfung geraten; vor Übermüdung um=fallen; ~ *physique, cérébral* körperliche, geistige E.; **~ser** aus=, erschöpfen; aus=pumpen, -trocknen; *min* vollständig ab=bauen; *(Boden)* ermüden; *(Waren)* aus=verkaufen; *(Reserven)* ver-, auf=brauchen; *(Land, Finanzen)* zerrütten; *(Thema, Frage)* erschöpfend behandeln; *fam* mit=nehmen, sehr ermüden; *s'*~ sich erschöpfen; *(Quelle)* versiegen; *(Boden)* müde werden; *(Vorrat)* zu Ende gehen; *(Waren)* aus=gehen; *(Kraft)* nach=lassen; *(Kranker)* schwächer werden; ~ *sa curiosité* seine Neugier (restlos) befriedigen; ~ *ses flèches* seine Pfeile verschießen *a. fig;* ~ *tous les moyens* alle Mittel erschöpfen; nichts unversucht lassen; ~ *les munitions* die Munition verschießen; ~ *la patience de qn* jds Geduld erschöpfen; *(fam)* ~ *la santé* die Gesundheit untergraben; *s'*~ *à force de travail* sich über-, ab= arbeiten; *ma patience commence à s'*~ meine Geduld geht zu Ende; **~sette** *f* Wasserschaufel *f;* Fangnetz *n;* Kescher *m.*

épur|ateur [epyratœr] *m* Reiniger, Reinigungsapparat *m;* Kläranlage *f;* ~ *d'air, d'essence, d'huile* Luft-, Kraftstoff-, Ölreiniger *m;* **~atif, ive** reinigend; **~ation** *f* Reinigung *a. fig; pol* Säuberung(saktion); *(Sitten)* Läuterung; *(Geschmack)* Verfeinerung; *(Text)* Ausmerzung *f* der Fehler; *tech* Klärung, Aufbereitung; *(Metall)* Scheidung *f;* ~ *de l'air* Luftreinigung *f;* ~ *des eaux d'égout* Abwässerklärung *f;* ~ *à sec, par voie humide* Trocken-, Naßreinigung *f.*

épure [epyr] *f* Grund-, Aufriß *m;* Aufreißen *n (auf dem Reißboden);* geometrische Zeichnung *f;* Plan *m.*

épur|ement [epyrmɑ̃] *(vx) m fig* Verfeinerung; *(Text)* Ausmerzung *f (der Fehler, der anstößigen Stellen); (Stil)* Feilen *n;* Ausschluß *m (aus e-r Gesellschaft);* **~er** reinigen; säubern; *(Abwässer)* klären; *(Metall)* läutern, scheiden; *(ungesunden Ort)* sanieren; *fig* verfeinern, läutern; veredeln; *(Gesellschaft)* säubern; *(Person)* aus= schließen; ~ *un livre* die anstößigen Stellen aus e-m Buch aus=merzen.

épurge [epyrʒ] *f* (kreuzblätterige) Wolfsmilch *f; grande* ~ Rizinus *m.*

équarr|i, e [ekari] kantig; *bois m* ~ Kantholz *n; mal* ~ *(fig)* im Rohzustand; schlecht ausgeführt; ~ *grossièrement* roh behauen; **~ir** (vierkantig) behauen *od* schneiden; *(Holz)* zu= schneiden; *(Buchbinderei)* beschneiden; *(Tierkadaver)* ab=decken; *tech* mit dem Locheisen durchbohren; ~ *à la hache* mit der Axt behauen; **~issage, ~issement** *m* Zu-, Einschneiden *n (à la scie* mit der Säge); *(Holz)* Querschnitt *m; (Tiere)* Abdecken *n;* Kadaververwertung *f;* **~isseur** *m* Abdecker *m;* **~issoir** *m* Abdeckerei; Reibahle *f;* Locheisen; Abdeckermesser *n.*

équateur [ekwatœr] *m* Äquator *m; l'É*~ Ekuador *n.*

équation [ekwasjɔ̃] *f math* Gleichung *f; résoudre une* ~ e-e G. auf=lösen; ~ *algébrique, entière* algebraische G.; ~ *du premier, second degré* G. ersten, zweiten Grades.

équat|orial, e [ekwatɔrjal] Äquator-, Äquatorial-; *zone f ~e* Äquatorialzone *f;* **~orien, ne** *a* ekuadorianisch; *É~, ne s m f* Ekuadorianer(in *f*) *m.*

équerr|e [ekɛr] *f* Winkel(maß *n*) *m,* -band *n;* Teilkreis; Planzeiger *m; à fausse* ~ schiefwinklig; *en* ~, *d'*~ rechtwink(e)lig; ~ *en fer* Winkeleisen *n;* ~ *de fixation, mobile, à talus* Befestigungs-, Stell-, Böschungswinkel *m;* ~ *à prisme* Winkelprisma *n;* ~ *en T* Reißschiene *f;* **~er** schmiegen, in den rechten Winkel bringen.

équestre [ekɛstr] Reiter-; Ritter-; *statue f* ~ Reiterstandbild *n.*

équi|angle [ekɥiɑ̃gl] gleichwink(e)lig; **~distant, e** abstandsgleich, gleich weit entfernt; **~latéral, e** gleichseitig.

équi|librage [ekilibraʒ] *m* Auswuchtung *f; (Kurbelwelle)* Ausgleichen *n; (Kabel)* Ausgleich *m;* ~ *de diaphonie (tele)* Nebensprechausgleich *m;* **~libration** [eki-] *f* Herstellung *f* des Gleichgewichts; **~libre** [ekilibr] *m* Gleichgewicht *n;* Ausgewogenheit *f;* Ausgleich *m; déranger, troubler, rompre l'*~ das Gleichgewicht stören; *être en* ~ sich im Gleichgewicht befinden; *(Budget)* ausgeglichen sein; *faire, (rétablir) l'*~ das Gl. (wieder)her=stellen; *faire perdre l'*~ *à qn* jdn aus dem Gleichgewicht bringen; *mettre en* ~ ins Gl. bringen; *perdre, retrouver son* ~ sein Gl. verlieren, wieder=gewinnen; *budget m en* ~ ausgeglichene(r) Haushalt *m; état m d'*~ Gleichgewichtszustand *m; exerci-*

ce m d'~ Gleichgewichtsübung *f; sens m de l'~* Gleichgewichtssinn *m; ~ biologique* biologische(s) Gleichgewicht *n; l'~ européen* das europäische Gleichgewicht *n; ~ financier* Finanzausgleich *m; ~ des forces* Kräftegleichgewicht *n; ~ instable, stable* labile(s), stabile(s) Gleichgewicht *n; ~ naturel* Naturhaushalt *m,* natürliche(s) Gleichgewicht *n; ~ nucléaire* nukleare(s) Gleichgewicht *n; ~ stratégique (mil)* Gleichgewicht *n* der Kräfte; **~libré, e** ausgeglichen, ausgewogen *a. fig; fig* harmonisch; *montage m ~* Dreieckschaltung *f;* **~librer** ins Gleichgewicht bringen, aus=balancieren *a. fig;* aus=gleichen; *tech* aus=wuchten; aus=lasten; *s'~* sich im Gleichgewicht befinden; sich das Gl. halten; sich auf=heben; *~ un budget* e-n Haushalt aus=gleichen; *~ les comptes* die Konten saldieren; **~libreur, se** *a* Gleichgewichts-; Ausgleich-; *s m* Ausgleichvorrichtung *f; (Kanone)* Ausgleicher *m; tele* Nachbildung; *aero* Stabilisierungsfläche *f;* **~libriste** *m* Gleichgewichtskünstler; Seiltänzer; Jongleur *m a. fig.*

équimultiple [ekɥimyltipl] *être ~* ein Mehrfaches sein (*de* von).

équin, e [ekɛ̃, -in] *a* Pferde-.

équinoxe [ekinɔks] *m* Tagundnachtgleiche *f; ~ vernal* od *de printemps, d'automne* Frühjahrs-, Herbst-T.

équip|age [ekipaʒ] *m* (Schiffs-)Mannschaft; Bemannung; *mil mar aero* Besatzung *f; tech* Gerät *n;* Equipage *f; ~ d'un avion* Flugzeugbesatzung *f; ~ de pompe* Pumpwerk *n; ~ de pont* Brückenkolonne *f;* **~e** *f (Arbeiter)* Rotte *f;* Trupp *m; sport* Mannschaft; Belegschaft; *min* Schicht; *mil* Gruppe *f;* Stab *m; faire ~ avec qn* mit jdm zs.=arbeiten; *faire partie d'une ~* e-r Mannschaft an=gehören; Mitglied e-r M. sein; *(fam) drôle d'~!* komische Gesellschaft! *capitaine m d'~* Mannschaftsführer *m; chef m d'~* Vorarbeiter, Werkmeister *m; composition f de l'~* Mannschaftsaufstellung *f; esprit m d'~* Mannschafts-, Kameradschaftsgeist *m; homme m d'~* Eisenbahn-, Streckenarbeiter *m; sport m d'~* Mannschaftssport *m; ~ de boisage (min)* Baukolonne *f; ~ de cambrioleurs* Einbrecherbande *f; ~ de choc* Stoßtrupp *m; ~ de collaborateurs* Mitarbeiterstab *m; ~ de combat rapproché antichars* Panzernahkampftrupp *m; ~ de courtiers* Werbekolonne *f; ~ d'une entreprise* Belegschaft *f; ~ d'entretien téléphonique* Fernsprech-Instandhaltungstrupp *m; ~ de football* Fußballmannschaft *f; ~ de grenadiers-voltigeurs* Schützentrupp *m; ~ d'incendie* Löschmannschaft *f; ~ de jour, de nuit* Tag-, Nachtschicht *f; ~ de mesure* Meßtrupp *m; ~ de montage* Bautrupp *m; ~ nationale* Nationalmannschaft *f; ~ d'ouvriers* Bautrupp *m; ~ de radiotéléphonie* Funksprechtrupp *m; ~ de relais* Staffelmannschaft *f; ~ mobile de réparation* Feldwerkstatt *f; ~ de sauvetage* Rettungsmannschaft *f; ~ sélectionnée* Auswahlmannschaft *f; ~ des signaleurs, téléphonique* Winker-, Fernsprechtrupp *m; ~ de transmissions* Nachrichtentrupp *m;* **~ée** *f* (unüberlegter) Streich *m; vous avez fait là une belle ~* Sie haben sich da etwas Schönes eingebrockt, geleistet! **~ement** *m* Ausrüstung; Ausstattung; *(Haus)* Einrichtung *f; tech* Gerät, Zubehör *n;* Anlage; Armatur *f; (Fabrik)* Maschinenpark *m; ~ d'abonné (tele)* Anrufeinheit *f; ~ en armes* Bewaffnung *f; ~ de bandages, de pneus* Bereifung *f; ~ de bureau* Büroeinrichtung *f; ~ de campagne* Feldausrüstung *f; ~ de chasse, de montagne, de ski, de voyage* Jagd-, Bergsteiger-, Schi-, Reiseausrüstung *f; ~ de chauffage électrique* elektrische Heizanlage *f; ~ fixe, permanent* ständige Ausrüstung *f; ~ industriel* Industrieausrüstung; Industrialisierung *f; ~ intérieur* Inneneinrichtung *f; ~ ménager* Haushaltseinrichtung *f; ~ moteur* Antriebsaggregat *n,* Maschinenanlage *f; ~ photo* Fotoausstattung *f,* Bildgerät *n; ~ de prise de vue* Aufnahmegerät *n; ~ radar* Funkmeßgerät *n; ~ radio* Funkanlage *f; ~ régulier* Normalausstattung *f; ~ de studio (tele)* Studioausrüstung *f; ~ de vol* Fliegerschutzanzug *m; ~ pour le vol sans visibilité* Blindflugausrüstung *f;* **~er** aus=rüsten, -statten, *fam* aus=staffieren; *(Lokal)* ein=richten; *tech* montieren, armieren; installieren; *(Pferd)* an=schirren; *mar* bemannen; *s'~* sich aus=rüsten, sich aus=statten; *mil* sich feldmarschmäßig fertig=machen; *(Land)* sich industrialisieren; *~ industriellement* industriell entwickeln; *~ d'un réseau routier* mit e-m Straßennetz überziehen; *~ pour le ski* zum Schifahren aus=rüsten; *~ en véhicules* mit Fahrzeugen aus=statten; **~ier, ère** *m f sport* Mitglied *n* e-r Mannschaft; Spieler(in *f*) *m; ~ sélectionné* Auswahlspieler *m.*

équitable [ekitabl] *(Person)* gerecht; unparteiisch; *(Sache)* angemessen.

équitation [ekitasjõ] *f* Reitkunst *f;* Reiten *n; faire beaucoup d'~* viel reiten; *école f d'~* Reitschule *f; équipement m d'~* Reitzeug *n; leçons f pl d'~* Reitunterricht *m; professeur m d'~* Reitlehrer *m.*

équité [ekite] *f* Billigkeit; Rechtlichkeit *f; en toute ~* billigerweise; *pour des raisons d'~* aus Billigkeitsgründen.

équival|ence [ekivalɑ̃s] *f* Gleichwertigkeit *f;* gleiche(r) Wert *m;* Gleichheit, Gleichstellung *f;* **~ent, e** *a* gleichwertig (*à* mit); gleichbedeutend; gleichgestellt; *s m* Äquivalent *n,* Gegenwert *m;* Entschädigung *f;* Ersatz *m; (Wort)* Entsprechung; *tele* Dämpfung *f; ~ mécanique de la chaleur* mechanische(s) Wärmeäquivalent *n;* **~oir** *irr* gleichwertig sein, gleich=kommen; entsprechen (*à qc* e-r S *dat*), soviel bedeuten wie; *cela s'équivaut* das kommt auf eins *(acc)* heraus *od* hinaus.

équivoqu|e [ekivɔk] *a* zweideutig, doppelsinnig; verdächtig; zweifelhaft; schlüpfrig; *s f* Doppelsinn *m;* Zweideutigkeit *f;* Wortspiel *n;* Zweifel *m,* Unsicherheit *f; prêter à l'~* unklar sein; **~er** zweideutig, doppelzüngig reden *od* schreiben.

érable [erabl] *m bot* Ahorn(holz *n*) *m.*

éradication [eradikasjõ] *f med* Herausnehmen *n* (*des amygdales* der Mandeln).

érafl|er [erafle] ritzen; schrammen; *(Kugel)* streifen; *(Boden)* schürfen; *s'~ la main avec un clou* sich die Hand an e-m Nagel auf=reißen; **~ure** *f* Schramme *f;* Ritz, Kratzer; Streifschuß *m.*

éraill|é, e [eraje] *(Stimme)* heiser, krächzend; *(Auge)* blutunterlaufen; *(Gewebe)* fadenscheinig; *(Möbel)* zerkratzt; **~ement** *m med* Ektropium *n,* Triefaugen *n pl;* Lockerwerden *n* der Fäden *(e-s Gewebes); (Stimme)* Heiserwerden *n;* **~er** *(Gewebe)* aus=fasern, auf=lockern, zerschleißen; *(Parkett, Leder)* verschrammen, zerkratzen; *(ein Lied)* quäken; *s'~ la voix à crier* sich heiser schreien; **~ure** *f (Haut)* wunde Stelle; *(Stoff)* abgenutzte, mürbe Stelle *f.*

ère [ɛr] *f* Zeitabschnitt *m,* -alter *n,* -rechnung; Ära *f; ~ archaïque* Erdurzeit *f,* Archaikum *n; ~ cénozoïque* Erdneuzeit *f,* Känozoikum *n; ~ mésozoïque* Erdmittelalter *n,* Mesozoikum *n; ~ spatiale* Raumfahrtzeitalter *n; ~ tertiaire* Tertiär *n.*

érect|eur [erɛktœr] *a* u. *s m* erigierend(er Muskel *m*); **~ile** erigibel; *corps m ~ (anat)* Schwellkörper *m;* **~ion** [-sjõ] *f (Denkmal)* Errichtung; Einrichtung, Gründung; *(Physiologie)* Erektion *f.*

éreint|é, e [erɛ̃te] hundemüde, abgespannt; lendenlahm, *fam* geknickt; **~ement, ~age** *m* Übermüdung, Erschöpfung; *fig fam* boshafte Kritik *f,* Herunterreißen *n;* **~er** überanstrengen; ermüden; *(Pferd)* zuschanden reiten; *fig fam* herunter=reißen, fertig=machen; **~eur** *m* scharfe(r) Kritiker *m.*

érémitique [eremitik] einsiedlerisch; *mener une vie ~* ein Einsiedlerleben führen.

érésipèle [erezipɛl] *s. érysipèle.*

éréthisme [eretizm] *m* krankhafte Überreizung *f,* Erethismus *m.*

ergot [ɛrgo] *m (Hahn)* Sporn *m; (Hirsch)* Afterklaue *f; bot* Mutterkorn; abgestorbene(s) Zweigende *n; tech* Dorn, Nocken, Anschlag *m; se dresser, monter sur ses ~s (fig)* sich auf die Hinterbeine stellen; **~age, ~ement** *m* Rechthaberei *f;* **~é, e** *(Hahn)* gespornt; *(Getreide)* vom Mutterkorn befallen; **~er** (über Kleinigkeiten *(acc)*) nörgeln, meckern, streiten; **~eur** *m* Rechthaber *m.*

ergothéra|pie [ɛrgɔterapi] *f* Ergotherapie *f;* **~peute** *m f* Ergotherapeut(in *f*) *m;* **~peutique** ergotherapeutisch.

éricacées, éricinées [erikase, erisine] *f p* Heidekrautgewächse *n pl.*

ériger [eriʒe] *(Denkmal, Bauwerk)* auf=, errichten; auf=stellen, -richten; *(Gesellschaft)* gründen; ein=richten; *(Gericht)* ein=setzen; *fig* erheben (*en* zu); *s'~* errichtet werden; *fig* sich auf=werfen, sich auf=spielen (*en* zu, als); *s'~ en juge (des autres)* sich zum Richter (über die anderen) auf=werfen.

ermit|age [ɛrmitaʒ] *m* Einsiedelei, Eremitage *f;* einsame(s) Landhaus *n;* **~e** *m* Einsiedler, Eremit, Klausner *m; vivre en ~ (fig)* wie ein Einsiedler leben.

éro|der [erɔde] an=, zerfressen; zernagen; ätzen; *geol* ab=tragen; **~sif, ive** [-ro-] fressend, ätzend; **~sion** *f* Zerfressen *n a. med; (Waffe)* Ausbrennung; *geol* Erosion, Auswaschung; Abtragung; *med* angefressene Stelle *f; ~ fluviale* fluviatile Abtragung *f; ~ glaciale* glaziale Erosion *f; ~ monétaire* Kaufkraftschwund *m.*

érot|ique [erɔtik] erotisch; Liebes-; **~isme** *m;* Erotik *f; l'~ de ces images* das Erotische an diesen Bildern;

~omanie *f* Liebeswahnsinn *m*, Erotomanie *f*.
err|ance [ɛrɑ̃s] *f* Umherirren *n;* Heimatlosigkeit *f;* **~ant, e** *(Leben)* unstet; *(Mensch)* umherirrend; nomadisch; *(Hund)* streunend; *(Blick)* schweifend; *(Lächeln)* flüchtig; *rel* ungläubig; *chevalier m* ~ fahrende(r) Ritter *m; désirs m pl ~s* Sehnsüchte *f, pl; le Juif* ~ der Ewige Jude *m*.

errata [ɛrata] *m inv* (Druck-)Fehlerverzeichnis *n*.
erratique [ɛratik] *geol* erratisch; *med* unregelmäßig (auftretend); *(Schmerz)* wandernd; *bloc m* ~ Findling *m*.
erratum [eratɔm] *m* (Druck-)Fehler *m*.
err|e [ɛr] *f mar* Fahrt; *pl (Tier)* Fährte, Spur *f; les ~s sont rompues* die Spur ist abgerissen; **~ements** *m pl vx* Verfahren(sweise *f*) *n;* Geschäftsgang *m;* Fehler; Irrwege *m pl; les vieux* ~ der alte Schlendrian; **~er** umher=irren, -wandern; schweifen (*sur* über *acc*); *laisser ~ ses pensées* s-n Gedanken freien Lauf lassen; *un sourire ~ait sur ses lèvres* ein Lächeln spielte um s-e Lippen; **~eur** *f* Irrtum *m*, Versehen *n*, Fehler *m;* Unrichtigkeit *f; pl fig* Verirrungen *f pl; par* ~ aus Versehen, versehentlich; *sauf* ~ wenn ich nicht irre; Irrtum vorbehalten; *commettre, faire une* ~ e-n Irrtum begehen; *être dans l'~* sich im Irrtum befinden; e-n falschen Eindruck haben; *faire ~ sur qc* sich in e-r S täuschen; *faire une* ~ e-n Fehler machen; *induire qn en* ~ jdn irre=führen, -leiten; *revenir de son* ~ s-n Irrtum ein=sehen; *tirer qn d'~* jdn über e-n Irrtum auf=klären; *il y a ~ de communication (tele)* falsch verbunden; *il n'y a pas d'~ (fam)* da kommt man nicht drum herum! *(fam); une ~ s'est glissée* es hat sich ein Irrtum eingeschlichen (*dans qc* in e-e S); *~ d'appréciation* Schätzungsfehler *m; ~ de calcul* Rechenfehler *m; ~ de commande (tech)* Bedienungsfehler *m; ~ de date* unrichtige Datierung *f; ~ d'écriture, de plume* Schreibfehler *m; ~ de goût* Geschmacksverirrung *f; ~ d'indication* Mißweisung *f; ~ de justice* Justizirrtum *m; ~ de lecture* Ablesefehler *m; ~ de nom* Namensverwechslung *f; ~ de pointage* Zielfehler *m; ~ de relèvement (radio)* Richtungsbestimmungsfehler *m; ~ dans les transmissions (tele)* Abhörfehler *m; ~ typographique, d'impression* Druckfehler *m;* **~oné, e** fehlerhaft; falsch; irrtümlich, irrig; *interprétation f ~e* Mißdeutung *f*.
ersatz [ɛrzats] *m* Ersatz(stoff) *m*.
éruct|ation [eryktasjɔ̃] Aufstoßen, Rülpsen *n;* **~er** auf=stoßen, rülpsen; *pop (Beleidigung)* hervor=stoßen.
érudit, e [erydi, -it] *a* gelehrt; *s m* Gelehrte(r) *m;* **~ion** [-sjɔ̃] *f* Gelehrsamkeit *f*.
érugineux, se [eryʒinø, -øz] rostfarben; kupfergrün.
érupt|if, ive [eryptif, -iv] eruptiv; *med* mit Ausschlag verbunden; *roche f ~ive* Eruptivgestein *n;* **~ion** [-sjɔ̃] *f (Vulkan)* Ausbruch *m*, Eruption *f; (Zähne)* Durchbrechen *n; (Haut)* Ausschlag *m; fig* Emporschießen *n*, rasche Produktion *f; volcan m en ~* tätige(r) Vulkan *m; ~ de joie, de colère* Freuden-, Zornesausbruch *m*.
éry|sipèle [erizipɛl] *m med* Rose *f*, Rotlauf; Wundbrand *m;* **~thème** *m* Rötung *f* der Haut; **~thrine** *f min* Kobaltblüte *f*.
ès [ɛs] = *en les (bei akad. Graden); docteur m ~ lettres* Doktor *m* der Philosophie.
esbigner, s' [ɛzbiɲe] *pop vx* sich aus dem Staube machen.
esbrouf|e [ɛsbruf] *f fam* Bluff *m;* Wichtigtuerei, Angabe *f; faire de l'~* wichtig tun, sich wichtig machen, an=geben; *vol m à l'~* Taschendiebstahl *m* (durch Anrempeln); **~er** *fam* verblüffen; sich wichtig machen (*qn* bei jdm); **~eur** *m fam* Groß-, Wichtigtuer, Aufschneider, Angeber *m*.
esca|beau *m*, **~belle** *f* [ɛskabo, -bɛl] (Fuß-)Schemel; Hocker *m;* kleine Treppenleiter *f*.
escadr|e [ɛskadr] *f* Geschwader *n; chef m d'~ (mar)* Kommodore; *aero* Geschwaderführer *m; train m d'~* Begleitschiff *n; ~ de chasse* Jagdgeschwader *n;* **~ille** [-ij] *f mar aero* leichte(s) Geschwader *n;* Staffel *f; ~ de bombardement, de chasse* Bomber-, Jagdstaffel *f; ~ de reconnaissance* Aufklärungsstaffel *f; ~ de découverte* Fernaufklärungsstaffel *f;* **~on** *m* Schwadron; *fig* Schar, Menge *f*.
escal|ade [ɛskalad] *f* Ein-, Ersteigen *n;* (Berg-)Besteigung *f; pénétrer par ~ dans un appartement* in e-e Wohnung ein=steigen; *vol m à l'~* Einsteigdiebstahl *m;* **~ader** er-, übersteigen; er-, überklettern; erklimmen; *(Berg)* besteigen; ein=steigen (*qc* in e-e S); *(Häuser)* sich hinauf=ziehen (*qc* an e-r S); *(Pflanzen)* hinauf= klettern (*qc* an e-r S); *fig (Stellung)* erringen; **~e** *f* Hafen; *aero* Landeplatz *m;*

mar aero Zwischenlandung; *fig* Etappe *f,* Abschnitt *m; faire ~ (mar)* an≈legen (*à* in *dat*); *aero* an≈-fliegen (*à* acc), zwischen≈landen (*à* in *dat*); *vol m sans ~* Nonstopflug *m;* **~ator** *m (Warenzeichen)* Rolltreppe *f.*

escalier [ɛskalje] *m* Treppe *f; avoir l'esprit de l'~ (fam)* e-e lange Leitung haben; *descendre un ~ quatre à quatre* in großen Sprüngen die Treppe hinunter≈eilen; *faire des ~s dans les cheveux* Treppen ins Haar schneiden; *gravir, grimper, monter un ~* e-e Treppe hinauf≈steigen; *l'~ s'ouvre, débouche sur* die T. führt auf *acc; l'~ descend à la cave* die T. führt in den Keller hinunter; *bas m de l'~* Fuß *m* der Treppe; *cage f d'~* Treppenhaus *n; marche f d'~* Treppenstufe *f; noyau m d'~* Treppenspindel *f; palier m d'~* Treppenabsatz *m; rampe f d'~* Treppengeländer *n; ~ de cave* Kellertreppe *f; ~ en colimaçon, tournant, en vis* Wendeltreppe *f; ~ dérobé* Geheimtreppe *f; ~ extérieur* Freitreppe *f; ~ mécanique, roulant* Rolltreppe *f; ~ de navire* Schiffstreppe *f; ~ pliant, escamotable* Klappstiege *f; ~ de sauvetage* Rettungsleiter *f; ~ de service* Hintertreppe *f.*

escalope [ɛskalɔp] *f* (Fleisch-, Fisch-) Scheibe *f;* Schnitzel *n; ~ de veau* Kalbsschnitzel *n.*

escamot|able [ɛskamɔtabl] *aero (Fahrgestell)* einziehbar; **~age** *m* Verschwindenlassen *n;* Taschenspielerei, Gaukelei *f;* Stibitzen *n; fig* geschickte Ausrede *f; (Frage, Problem)* Umgehen *n; tour m d'~* Taschenspielertrick *m; ~ du train d'atterrissage (aero)* Einziehen *n* des Fahrgestells; **~é, e** eingefahren, -gezogen, -geklappt; verdeckt; **~er** geschickt verschwinden lassen; weg≈zaubern, (heimlich, listig) beiseite schaffen; stibitzen, mausen; *fig* rasch hinweg≈gehen (*qc* über e-e S); *(Schwierigkeiten, Pflicht, Einwand)* umgehen; *aero (Fahrgestell)* ein≈fahren, -ziehen; *(Wort)* verschlucken; *~ qc à qn* etw von jdm (durch List) erlangen; **~eur** *m* Taschenspieler; (listiger) Dieb; Bauernfänger *m.*

escampette [ɛskɑ̃pɛt] *f: prendre la poudre d'~* das Hasenpanier ergreifen.

escapade [ɛskapad] *f* Seitensprung *a. fig;* unüberlegte(r) Streich *m; faire des ~s* über die Stränge schlagen.

escape [ɛskap] *f arch* Säulenschaft *m.*

escarbille [ɛskarbij] *f* Flugasche *f.*

escarbot [ɛskarbo] *m* Käfer *m; ~ doré* Goldkäfer *m; ~ de la farine* Mehlkäfer *m.*

escarboucle [ɛskarbukl] *f min* Karfunkel *m.*

escarcelle [ɛskarsɛl] *f hist* Geldkatze *f.*

escargot [ɛskargo] *m* (Schnirkel-, Weinberg-)Schnecke *f; aller comme un ~* im Schneckentempo gehen; *cornes f pl de l'~* Fühler *m pl* der Schnecke; *~ de Bourgogne* Weinbergschnecke *f;* **~age** [-gɔ-] *m* Schneckenvertilgung *f;* **~ière** *f* Schneckengarten *m,* -platte *f.*

escarmouche [ɛskarmuʃ] *f* Geplänkel *n,* Plänkelei *f.*

escarp|e [ɛskarp] **1.** *f mil* (innere Graben-)Böschung *f;* **2.** *m* Raubmörder *m;* **~é, e** steil, abschüssig, schroff; *fig* schwierig; **~ement** *m* (steile) Böschung *f.*

escarpin [ɛskarpɛ̃] *m* leichte(r) (Tanz-)Schuh *m; (pop) jouer de l'~ (vx)* sich aus dem Staub(e) machen.

escarpolette [ɛskarpɔlɛt] *f* (Strick-) Schaukel *f.*

escarr|e [ɛskar] *f* Grind, Schorf *m;* **~ification** *f* Schorfbildung *f;* **~ifier** Schorfbildung bewirken (*une plaie* auf e-r Wunde).

Escaut, l' [ɛsko] *m* die Schelde.

esche *s. aiche.*

escient [ɛsjɑ̃] *m: à bon ~* mit Vorbedacht; mit voller Überlegung; vorsätzlich.

esclaffer, s' [ɛsklafe] schallend lachen; hellauf lachen.

esclandre [ɛsklɑ̃dr] *m* Skandal *m; causer, faire de l'~* e-n Skandal machen; *faire un ~ à qn* jdm e-e Szene machen.

esclav|age [ɛsklavaʒ] *m* Sklaverei *a. fig,* Knechtschaft *f; réduire en ~* versklaven; **~e** **[ɛsklav]** *m f* Sklave *m,* Sklavin *f; être ~ de sa parole* sein Wort gewissenhaft halten; *être ~ de son travail, du vice* Sklave s-r Arbeit sein, dem Laster verfallen sein.

escogriffe [ɛskɔgrif] *m fam* (langer) Lulatsch *m.*

escompt|able [ɛskɔ̃tabl] diskontierbar; **~e** *m com* Abzug, Diskont *m,* Skonto *m* od *n,* Rabatt *m;* Zinsberechnung *f; accorder un ~ sur les prix* e-n Rabatt auf die Preise gewähren; *faire l'~* diskontieren, ab≈ziehen (*de qc* etw); *augmentation f, abaissement du taux d'~* Diskonterhöhung, -senkung *f; banque f d'~* Diskontbank *f; bordereau m d'~* Diskontrechnung *f; effet m à l'~* Diskontwechsel *m; timbre m d'~* Rabattmarke *f; ~ bancaire* Bankdiskont *m;*

~ *au comptant* Kassenskonto *n;* ~ *de facture* Rechnungsrabatt *m;* **~er** *(Wechsel)* diskontieren; *fig vx* im voraus aus=geben, verbrauchen, berechnen; vorweg=nehmen; vorzeitig genießen; ~ *qc* etw erwarten, mit etw rechnen, auf e-e S hoffen; ~ *un succès* mit e-m Erfolg rechnen; **~eur** *m* Diskontnehmer *m.*

escort|e [ɛskɔrt] *f* Begleitung; Bedekkung *f;* Geleit, Gefolge *a. fig; mil* Begleitkommando *n; aero* Begleitschutz *m; sous l'~ de* begleitet von; *faire ~ à qn* jdn geleiten, begleiten; ~ *d'honneur* Ehrengeleit *n;* **~er** geleiten, eskortieren; **~eur** *m* Begleitschiff *n.*

escouade [ɛskwad] *f mil* Korporalschaft; Gruppe *f;* Trupp *m.*

escrim|e [ɛskrim] *f* Fechten *n;* Fechtkunst *f; faire de l'~* fechten; *champ, terrain m, piste f d'~* Fechtbahn *f; gants m pl d'~* Fechthandschuhe *m pl; poule f d'~* Fechtrunde *f; salle f d'~* Fechtsaal *m; tournoi m d'~* Fechtturnier *n;* ~ *au fleuret, au sabre* Florett-, Säbelfechten *n;* **~er, s'** *vx* sich streiten; sich ab=mühen (*à* zu); *(fam)* ~ *des mâchoires* tüchtig, mit Appetit essen; ~ *des pieds et des mains (fig)* sich ab=rackern; **~eur, se** *m f* Fechter(in *f*) *m.*

escro|c [ɛskro] *m* Betrüger, Gauner, Hochstapler, Schwindler *m;* **~quer** [-krɔke] *(Person)* prellen, betrügen; *(Sache)* ergaunern, erschwindeln; stehlen; ~ *de l'argent à qn* jdn um Geld prellen; **~querie** *f* Gaunerei, Betrug, Schwindel *m,* Hochstapelei *f;* ~ *à l'assurance* Versicherungsbetrug *m.*

espac|e [ɛspas] *m* (Luft-, Welt-)Raum; Platz; Zwischenraum *m;* Strecke; *tech* Lücke *f; f typ* Spatium *n; dans, en l'~ d'un an* innerhalb, binnen, im Laufe e-s Jahres; *géometrie f dans l'~* Raumgeometrie *f;* ~ *aérien* Luftraum *m;* ~ *battu (mil)* bestrichene(r) Raum *m;* ~ *chargeable* Laderaum *m;* ~ *cosmique, interstellaire* Weltraum *m;* ~ *creux, vide* Hohlraum *m;* ~ *à trois dimensions* dreidimensionale(r) Raum *m;* ~ *image (tele)* Bildraum *m;* ~ *libre (au-dessus du sol)* Bodenfreiheit *f;* ~ *mort (aero)* Totraum *m;* ~ *naturel* Naturraum *m;* ~ *ouvert* lichte Weite *f;* ~ *parcouru* zurückgelegte Strecke *f;* ~ *régénérateur* Erholungszone *f;* ~ *de temps* Zeitraum *m,* -spanne *f;* ~ *vert* Grünfläche *f;* ~ *vital* Lebensraum *m;* **~é, e** ausea., in Abständen (stehend, liegend); verstreut; zeitlich weit ausea.liegend; *typ* gesperrt; *être ~ de 50 m* in 50 m Abstand stehen; **~ement** *m* Abstand *m a. zeitlich; typ* Sperrung *f;* ~ *des piliers* Pfeilerabstand *m;* ~ *des trains* Zugabstand *m,* -folge *f;* **~er** Zwischenräume lassen (zwischen); ausea.=rücken; *typ* durch=schießen, sperren; immer seltener werden lassen; *s'~* ausea.=rücken; *(Besuche)* seltener werden.

espadon [ɛspadɔ̃] *m* zweihändige(s) (Schlacht-)Schwert *n; zoo* Schwertfisch *m.*

espadrille [ɛspadrij] *f* Leinenschuh (mit Bastsohle); Turnschuh *m.*

Espagn|e, l' [ɛspaɲ] *f* Spanien *n; faire, bâtir des châteaux en ~ (fig)* Luftschlösser bauen; **e~ol, e** [-ɲɔl] *a* spanisch; *E~, e s m f* Spanier(in *f*) *m; (fam) parler le français comme une vache ~e* Französisch radebrechen.

espagnolette [ɛspaɲɔlɛt] *f* Fenster-, Drehriegel *m.*

espalier [ɛspalje] *m* Spalier(mauer *f*) *n.*

espar|cet *m,* **~cette** *f,* **éparcet** *m* [ɛsparsɛ, -sɛt, eparsɛ] Esparsette *f,* Süßklee *m.*

espargoute [ɛspargut] *f bot* Spergel, Knöterich *m.*

espar(s) [ɛspar] *m mar* Spier(e *f*) *m.*

espèce [ɛspɛs] *f* Art; Sorte; Qualität *f;* Schlag *m;* Spezies *f; jur* Fall *m; (Abendmahl)* Gestalt *f; (verächtlich)* Kerl *m; pl* Bargeld *n; en, dans l'~* im vorliegenden Fall; in dieser Art; *une, (pop a.) un ~ de* etwa wie; (so) e-e Art; *d'~ différente* verschiedenartig; *la belle ~!* nette Sorte! ~ *d'imbécile!* blöde(r) Kerl! *cas m d'~* Sonderfall *m; conservation, propagation f de l'~* Arterhaltung, Fortpflanzung *f* der Art; *paiement m en ~s* Barzahlung *f; ~s en caisse* Barbestand *m;* ~ *humaine* Menschengeschlecht *n; ~s sonnantes* Metall-, Hartgeld *n.*

espér|ance [ɛsperɑ̃s] *f* Hoffnung, Erwartung; Aussicht *f; pl* Aussichten *f pl* (auf e-e Erbschaft); *anéantir, briser, détruire les ~s* die H. zerstören; *avoir une ~ de réussite* auf e-n Erfolg hoffen; *dépasser les ~s* die Erwartungen übertreffen; *donner de grandes ~s* zu großen H. berechtigen; *fonder de grandes ~s sur qc* große H. auf e-e S setzen; *mettre, placer ses ~s dans qc* s-e H. auf e-e S setzen; *ôter, perdre l'~* die H. nehmen, verlieren; *porter ses ~s sur qn* s-e H. auf jdn setzen; *lueur f, rayon m d'~* Hoffnungsschimmer, -strahl *m; suprême ~* letzte H.; ~ *de vie* Lebenserwartung *f;* **~er** *tr* erhoffen, erwarten, hoffen (*qc* auf e-e S); *itr: ~ que* darauf vertrauen, sich darauf verlassen, daß; ~ *jusqu'au bout* bis zuletzt hoffen; ~ *en Dieu, en l'avenir, en des temps meilleurs* auf Gott, die Zukunft, bessere Zeiten hoffen *od* vertrauen; *il faut ~ que* hoffentlich.

espiègl|e [ɛspjɛgl] *a* ausgelassen, übermütig; schalkhaft, schelmisch; boshaft; *s m* Schelm, Schalk, Spaßvogel *m;* **~erie** [-glə-] *f* Schalkhaftigkeit; Ausgelassenheit *f,* Übermut; Schelmenstreich *m;* Eulenspiegelei *f.*

espion, ne [ɛspjɔ̃, -jɔn] *m f* Spion(in *f*); Agent; Fensterspiegel *m;* **~nage** *m* Spionage *f;* Spionieren *n; service m d'~* Spionagedienst *m;* Abwehrorganisation *f; soupçonné d'~* spionageverdächtig; ~ *industriel* Werkspionage *f;* **~ner** *tr* bespitzeln, beschatten, nach=spionieren (*qn* jdm); *(Sache)* aus=kundschaften, aus=spionieren; *itr* spionieren.

esplanade [ɛsplanad] *f* freie(r) Platz; Vorplatz *m;* Esplanade *f.*

espoir [ɛspwar] *m* Hoffnung *f; avec, dans l'~* in der H. (*de* zu, *que* daß); *sans ~* hoffnungslos; *caresser, nourrir un ~* e-e H. hegen; *faire naître, éveiller un ~* e-e H. wecken; *mettre son ~ en* seine H. setzen auf *acc; renaître à l'~* wieder H. schöpfen; *(prov) l'~ est souvent une chimère* Hoffen u. Harren macht manchen zum Narren; *~ d'une amélioration* H. auf Besserung; *~ trompeur, fallacieux* trügerische H.

esprit [ɛspri] *m* Geist *m;* Seele *f,* Gemüt *n;* Verstand, Witz, Scharfsinn; *(Text)* Sinn *m,* Bedeutung *f;* Wesen *n,* Charakter *m;* Neigung, Gesinnung; Absicht; Stimmung; Denkungsart, Denkweise; Gabe, Fähigkeit *f; gram* Spiritus *m; dans l'~ de la loi* im Sinne des Gesetzes; *avoir l'~ bien fait* ein fähiger Kopf sein; *avoir de l'~* geistvoll sein; *avoir de l'~ au bout des doigts* (sehr) fingerfertig, geschickt sein; *avoir de l'~ jusqu'au bout des doigts* von Geist sprühen; *avoir l'~ à* Lust haben zu; *avoir le bon ~ de* den guten Gedanken haben zu, klug genug sein, um zu; *n'avoir pas tous ses ~s* nicht ganz bei Sinnen sein; *avoir l'~ dérangé* geistesgestört sein; *avoir mauvais ~* aufsässig sein; *calmer les ~s* die Gemüter beruhigen; *se creuser l'~* sich den Kopf zerbrechen; *être sain de corps et d'~* körperlich und geistig gesund sein; *être possédé du malin ~* vom bösen Geist besessen sein; *gagner l'~ de qn* jds Vertrauen gewinnen; *manquer d'~ d'à-propos* es an Schlagfertigkeit fehlen lassen; *perdre l'~* den Verstand verlieren; *perdre ses ~s* den Kopf verlieren; ohnmächtig werden; *rendre l'~* den Geist auf=geben; *reprendre ses ~s* wieder zu sich kommen; *tourner son ~ vers* s-e Aufmerksamkeit richten auf *acc; où avais-je l'~?* wo hatte ich meine Gedanken? *ôtez-vous cette idée de l'~* schlagen Sie sich diesen Gedanken aus dem Kopf! *cela me vient à l'~* das fällt mir ein; *l'~ est prompt, mais la chair est faible* der Geist ist willig, aber das Fleisch ist schwach; *état m d'~* Geisteshaltung; Stimmung *f; évocation f des ~s* Geisterbeschwörung *f; homme m d'~* geistreiche(r) Mann *m; large d'~* großzügig; *largeur f d'~* liberale Gesinnung *f; mot, trait m d'~* witzige(r) Einfall *m; petit ~* kleine(r) Geist *m; présence f d'~* Geistesgegenwart *f; tournure f d'~* Geisteshaltung *f; ~ d'attaque* Kampfgeist *m; ~-de-bois* Holzgeist *m; ~ de camaraderie* Kameradschaftsgeist *m; ~ de clocher* Kleinstädterei *f; ~ du commerce* Geschäftsgeist *m; ~ de corps* Korpsgeist *m; ~ d'entreprise, d'initiative* Unternehmungsgeist *m; ~ d'épargne* Sparsinn *m; ~ d'équipe* Mannschaftsgeist *m; ~ de l'escalier* Treppenwitz *m; ~ familier* Hausgeist *m; ~ faux* verbildete(r) Mensch *m; ~ follet* Kobold *m; ~ fort* Freidenker *m; ~ d'indépendance* Unabhängigkeitssinn *m; ~ de justice* Gerechtigkeitssinn *m; ~ moutonnier* Herdentrieb *m; ~ national* Nationalgefühl *n; ~ positif* Tatsachenmensch *m; l'E~ saint, le Saint-E~* der Heilige Geist; *~ de sel* Salzsäure *f; ~ du siècle* Zeitgeist *m; ~ de suite* Beharrlichkeit *f; ~ de travers* Querkopf *m; ~ de vengeance* Rachsucht *f; ~-de-vin* Weingeist *m.*

esquif [ɛskif] *m poet* (leichtes) Boot *n;* Nachen *m.*

esquill|e [ɛskij] *f* (Knochen-)Splitter *m; extraire les ~s* die Splitter entfernen; *réduire en ~s* zersplittern; **~eux, se** splittrig, zersplittert.

Esquimau, de [ɛskimo, -od] *s m f* Eskimo(-frau *f*) *m;* **e~** *s m Art* Eisschokolade *f; a* Eskimo-.

esquinter [ɛskɛ̃te] *fam (Person)* erschöpfen, ab=hetzen; schinden; übel zu=richten; *(Sache)* kaputt=machen, zerstören, ruinieren; beschädigen; *fig (Person)* herunter=reißen, scharf kritisieren; *s'~* sich ab=schinden; sich ab=rackern (*à* bei) sich ruinieren; *s'~ la vue* sich die Augen verderben.

esquiss|e [ɛskis] *f* Entwurf *m,* Skizze;

Andeutung *f,* erste(r) Ansatz *m* (*de* zu); *donner, tracer, faire une* ~ e-n E. machen; *faire une* ~ *de qc* etwas umreißen; *jeter une* ~ *sur le papier* auf dem Papier e-e Skizze machen; ~ *au charbon, au crayon* Kohle-, Bleistiftskizze *f;* ~ *croquis* Planskizze *f;* ~ *d'un sourire* Anflug *m* e-s Lächelns; ~**er** skizzieren, entwerfen, (flüchtig) hin=werfen; an=deuten; ~ *à grands traits* in großen Zügen entwerfen.

esquiv|e [ɛskiv] *f (Boxen)* Ausweichen *n; avoir la science de l'*~ geschickt aus=weichen können; ~**er** geschickt aus=weichen (*qc* dat); umgehen, vermeiden; *s'*~ aus=kneifen, sich drükken, sich dünn=machen; türmen; ~ *une obligation* sich e-r Verpflichtung entziehen.

essai [e(ɛ)sɛ] *m* Versuch *m;* Probe; Untersuchung, Prüfung; Bemühung *f* (*de* um); *(Kunst)* Skizze *f;* Essay *m* od *n; (Rugby)* Versuch *m (an e-m Baum)* Schürfung *f; à titre d'*~ versuchs-, probeweise; *faire un* ~ e-n Versuch machen (*de* mit); *faire ses premiers* ~*s* die ersten Schritte tun; *lancer un ballon d'*~ e-n Versuchsballon starten (lassen) *a. fig; se livrer à des* ~*s* Versuche an=stellen; *mettre à l'*~ *(fig)* auf die Probe stellen; *prendre à l'*~ auf Probe kaufen, *(Person)* nehmen; *atelier m d'*~*s* Prüffeld *n; balle f d'*~ Probeschuß *m; ballon m d'*~ Versuchsballon *m; banc m d'*~ Prüf-, Versuchsstand *m; borne f d'*~ Prüfklemme *f; clé f d'*~ Versuchstaste *f; coup m d'*~ Probestück *n,* erste(r) Versuch *m; course f, voyage m d'*~ Probefahrt *f; fiche f d'*~ Prüfstöpsel *m; film m d'*~ Probefilm *m; heures f pl d'*~ Prüflaufstunden *f pl; installation f d'*~ Versuchsanlage *f; lampe f d'*~ Prüflampe *f; ligne f d'*~ Prüfleitung *f; maquette f d'*~ Prüfeinrichtung, -schaltung *f; marche f d'*~ Probelauf *m; panneau m d'*~ Prüfschrank *m; phase f d'*~ Versuchsstadium *n; résultat m d'*~ Prüfergebnis *n; station f d'*~ Versuchsanstalt; *min* Versuchsstrecke *f; table f d'*~ Prüftisch *m,* -gestell *n; temps m d'*~ Probezeit *f; tube f à* ~ Reagenzglas *n; vente f à l'*~ Kauf *m* auf Probe; ~ *d'arbitrage* Schlichtungsversuch *m;* ~ *au banc* Prüfstanderprobung *f;* Prüflauf *m;* ~ *de charge* Belastungsprobe *f;* ~ *au choc* Stoßfestigkeitsprüfung *f;* ~ *de consommation* Verbrauchsprüfung *f;* ~ *contradictoire* Gegenprobe *f;* ~ *de dureté* Härteprüfung *f;* ~ *d'endurance* Dauerprüfung *f;* ~ *sur éprouvettes, à l'improviste* Stichprobe *f;* ~ *d'établir un record* Rekordversuch *m;* ~ *au frein* Bremsprüfung *f;* ~ *d'homologation* Zulassungsprüfung *f;* ~ *de laboratoire* Labor(atoriums)versuch *m;* ~ *sur maquette* Modellversuch *m;* ~ *des matériaux* Werkstoffprüfung *f;* ~ *nucléaire* Atomversuch *m;* ~ *de performance, de rendement* Leistungsprüfung *f;* ~ *de pression* Druckversuch *m;* ~ *de puissance (fig)* Kraftprobe *f;* ~ *de réception officiel* amtliche Abnahmeprüfung *f;* ~ *de résistance* Festigkeitsprüfung *f;* ~ *sur route (mot)* Probefahrt *f;* ~ *de rupture* Zerreißprobe *f;* ~ *de semences* Saatversuch *m;* ~ *au sol (cosm)* Fesselversuch *m;* ~ *de solidité, de sûreté* Zuverlässigkeitsprüfung *f;* ~ *en soufflerie, au tunnel aérodynamique* Windkanalversuch *m;* ~*s de tir* Anschießen *n;* ~ *d'usure* Abnutzungsprobe *f;* ~ *des vins* Weinprobe *f;* ~ *en vol* Flugprüfung *f.*

essaim [ɛsɛ̃] *m* (Bienen-, Mücken-) Schwarm *m a. fig;* Rudel *n,* Schar *f; se déployer en* ~ *(mil)* aus=schwärmen; ~**age** [ɛsɛmaʒ] *m* Schwärmen *n;* Schwärmzeit *f;* ~**er** [ɛse(ɛ)me] *itr* (aus=)schwärmen; *fig* aus=wandern, sich zerstreuen; Niederlassungen gründen; *tr* aus=schicken.

essart [ɛsar] *m* Rod(e)land *n;* ~**age** *m* Roden *n;* ~**er** (aus=)roden; urbar machen.

essay|age [ɛsɛjaʒ] *m* Anprobe *f* (*sur un mannequin* an e-m Mannequin); ~**er** *tr* versuchen, (aus=)probieren (*sur* an *dat*); untersuchen, prüfen; *(Kleid)* an=probieren (*à, sur qn* an jdm); *(Speise)* kosten, versuchen; *mot* ab=bremsen; *itr* versuchen, aus=probieren (*de qc* etw, *de* zu); *s'*~ (sich) versuchen (*à* in, an *dat; dans un rôle* in e-r Rolle); e-n Versuch unternehmen; sich wagen (*à* an *acc*); ~ *un avion en vol* ein Flugzeug ein=fliegen; ~**eur** *m* (Münz-, Nahrungsmittel-)Prüfer *a. tech;* Anprobierer *m;* ~**iste** *m* Essayist *m.*

esse [ɛs] *f* S-Haken *m; (Geige)* Schalloch *n; tech* Achsnagel *m.*

essen|ce [ɛsɑ̃s] *f* Wesen(heit *f*) *n,* Substanz; Essenz *f;* Extrakt *m;* (ätherisches) Öl; *(~ minérale)* Mineralöl *n;* Kraft-, Treib-, Brennstoff *m;* Benzin *n; (Baum, Holz)* Art *f; par* ~ wesensgemäß; s-r Natur nach; *faire le plein d'*~ auf=, voll=tanken; *prendre de l'*~ tanken; *rendre en* ~ *(jur)* in natura zurück=geben; *bidon m d'*~ Benzinkanister *m; briquet m à* ~ Benzinfeuerzeug *n; distributeur m d'*~, *pom-*

pe f à ~ Zapfstelle; Benzinpumpe *f; moteur m à* ~ Benzinmotor *m; poste m d'*~ Tankstelle *f; réchaud m à* ~ Benzinkocher *m; réservoir m à* ~ Kraftstoffbehälter, Benzintank *m;* ~ *d'aiguilles de pin* Fichtennadelöl *n;* ~ *d'amandes amères* Bittermandelöl *n;* ~ *d'avion* Flugzeugbenzin *n;* ~ *de café* Kaffee-Extrakt *m;* ~ *au plomb* Bleibenzin *n;* ~ *de roses* Rosenöl *n;* ~ *synthétique* synthetische(s) Benzin *n;* ~ *de térébenthine* Terpentinöl *n;* ~ *de voiture* Autobenzin *n;* **~tiel, le** [-sjɛl] *a* wesentlich; wesensmäßig; eigentlich; (unbedingt) notwendig, unerläßlich; *s m* Hauptsache *f;* Wesentliche(s) *n;* wesentliche(r) Teil *m;* **~tiellement** *adv* dem Wesen nach; vor allem; unbedingt, streng.

esseulé, e [ɛsœle] verlassen, vereinsamt.

essieu [ɛsjø] *m* (Wagen-, Rad-)Achse *f; être enlisé jusqu'aux* ~*x* bis zur Achse im Sand stecken; *boîte f d'*~ Achslager *n; camion m à trois* ~*x (mot)* Dreiachser *m; écartement m d'*~*x* Achsstand *m; enveloppe f d'*~ Achsgehäuse *n; rupture f d'*~ Achsbruch *m;* ~ *arrière, avant* Hinter-, Vorderachse *f;* ~ *de direction* Lenkachse *f;* ~ *oscillant* Schwingachse *f.*

essor [ɛsɔr] *m (Vogel)* Aufflug; *fig* Aufschwung; Anstoß; Aufstieg *m,* Aufblühen *n;* Fortschritt *m; donner un* ~ *à qc* etw in Schwung bringen; *être en plein* ~ sich in vollem Aufschwung befinden; rasch auf=blühen; *prendre l'*~ od *son* ~ sich empor=schwingen; empor=fliegen.

essor|age [esɔraʒ] *m* Trocknen *n;* **~er** *(Wäsche, Getreide)* trocknen; aus=wringen; zentrifugieren; *s'*~ sich in die Luft schwingen; **~euse** *f* Wringmaschine; Zentrifuge; Trockenschleuder *f;* ~ *à salade* Salatschleuder *f.*

essoriller [esɔrije] : ~ *un chien* e-m Hund die Ohren stutzen.

essouffl|é, e [ɛsufle] atemlos, außer Atem; **~ement** *m* Atemlosigkeit *f,* Keuchen *n;* **~er** außer Atem bringen; *s'*~ außer Atem kommen; *fig* nicht mehr mit=halten können.

essuie|-glace [ɛsɥiglas] *m mot* Scheibenwischer *m;* ~ *de la vitre arrière* Heckscheibenwischer *m;* **~-main(s)** *m* Handtuch *n;* **~-meubles** *m inv* Staubtuch *n;* **~-pieds** *m inv* Fußmatte *f;* **~-plume** *m* Tintenwischer *m;* **~-verres** *m inv* Gläsertuch *n.*

essuy|age [ɛsɥijaʒ] *m* Abtrocknen *n;* **~er** ab=wischen; (ab=, aus=)trocknen; ab=stauben; *fig* erdulden, ertragen, erleiden; ausgesetzt sein (*qc* e-r S *dat*); *s'*~ sich ab=trocknen, sich ab=wischen; ~ *le feu de l'ennemi* unter feindlichem Feuer liegen; ~ *le front ruisselant de sueur* den Schweiß von der Stirn wischen; ~ *les larmes de qn (fig)* jdn trösten; ~ *un orage, une tempête* ein Gewitter, Unwetter über sich *(acc)* ergehen lassen; ~ *des pertes* Verluste erleiden; ~ *les plâtres* die Wohnung trocken=wohnen; *fig* Pionierarbeit leisten; ~ *un refus* abschlägig beschieden werden; e-n Korb bekommen; ~ *des reproches, une réprimande* Vorwürfe, e-n Tadel ein=stekken müssen; **~eur, se** *m f:* ~, *se de vaisselle* Geschirrabtrockner(in *f*) *m.*

est [ɛst] Ost(en) *m; à l'*~ *de* östlich von; *vers l'*~ nach O., ostwärts; *habiter dans l'Est* im Osten wohnen; *longitude f* ~ östliche Länge *f; vent m d'*~ Ostwind *m.*

est-allemand,e [ɛstalmɑ̃, -d] ostdeutsch.

estacade [ɛstakad] *f* Pfahlwerk *n;* Umzäunung *f,* Staket *n; mar* Wellenbrecher, Hafendamm *m; (loc)* ~ *de chargement* Bekohlungsbühne *f.*

estafette [ɛstafɛt] *f* Meldegänger, -fahrer *m; chien m* ~ Meldehund *m;* ~ *motocycliste* Kradmelder *m.*

estafilade [ɛstafilad] *f* Schnittwunde, Schmarre *f;* Schmiß; *(Kleidung)* Riß; *fig* (schwerer) Schlag *m;* **~ilader** e-e Wunde, Schmarre bei=bringen (*qn* jdm).

estaminet [ɛstaminɛ] *m* Kneipe, Schenke *f.*

estamp|age [ɛstɑ̃paʒ] *m* Stanzen, Prägen, Pressen; Gesenkschmieden *n;* **~e** *f* (Kupfer-)Stich; Holzschnitt; Prägestempel *m;* Druckplatte; *tech* Stanze *f;* Locheisen *n; pl* Graphik *f; cabinet m des* ~*s* Kupferstichkabinett *n;* ~ *sur acier* Stahlstich *m;* ~ *en bois* Holzschnitt *m;* ~ *à l'eau forte* Radierung *f;* **~er** prägen, pressen, stanzen; stempeln; *(Inschrift)* ab=ziehen; *fig fam* übervorteilen, neppen; **~eur** *m* Stanzer *m;* Stanze *f; fam* Gauner *m;* **~euse** *f* Stanze *f;* **~illage** [-j-] *m* Abstempelung *f;* **~ille** [-ij] *f* Stempel(eisen *n*) *m; marquer qc de son* ~ *(fig)* e-r S s-n Stempel auf=drücken; ~ *de bibliothèque* Büchereistempel *m;* **~iller** (ab=)stempeln.

ester 1. [ɛste] *v:* ~ *en justice* vor Gericht auf=treten; *capable d'*~ *en justice* prozeßfähig; **2.** [-ɛr] *s m chem* Ester *m.*

esth|ète [ɛstɛt] *m f* Ästhet(in *f*) *m;* **~éticien, ne** *m f* Ästhetiker(in *f*); Kosmetiker(in *f*) *m;* **~étique** *s f*

Ästhetik; Schönheitspflege, Kosmetik *f; a* ästhetisch; harmonisch; schön; *n'avoir aucun sens ~* keinen Schönheitssinn haben; *chirurgie f ~* Schönheitschirurgie *f; professeur m d'~* Schönheitschirurg *m;* **~étisme** *m* Schönheitskult *m.*

estim|able [ɛstimabl] schätzenswert; achtbar; (recht) ordentlich; **~atif, ive; ~atoire** auf Schätzung beruhend; *devis m ~* Kostenvoranschlag *m;* **~ation** *f* (Ab-)Schätzung *f;* An-, Überschlag *m,* Veranschlagung; Bewertung *f; d'après une ~ approximative* nach ungefährer Schätzung; *faire une ~ de qc* etw *(acc)* schätzen, taxieren; *valeur f d'~* Schätz-, Taxwert *m; ~ exagérée, au-dessous de la valeur* Über-, Unterbewertung *f; ~ à vue* Augenmaß *n;* **~e** *f* (Hoch-)Achtung, Wertschätzung, Würdigung *f; mar* gegißte(s) Besteck *n; à l'~* schätzungsweise; *avoir, tenir qn en haute, en grande ~* jdn hoch=schätzen; *avoir de l'~ pour qn* vor jdm Achtung haben; *être en ~* (sehr) geschätzt sein; *évaluer qc à l'~* etw ab=schätzen; *inspirer de l'~* Achtung ein=flößen; *succès m d'~* Achtungserfolg *m; ~ de soi-même* Selbstachtung *f;* **~é, e** *a* geschätzt (*à* auf *acc*); geachtet; *(im Brief)* wert; *com* gesucht; *mar* gegißt; *s f: votre ~e* Ihr geehrtes Schreiben; **~er** (ab=, ein=)schätzen; beurteilen; taxieren, bewerten, veranschlagen; *fig* erachten, halten (*qc* für etw); der Ansicht sein, meinen; (hoch=)achten, schätzen; *~ approximativement (Kosten)* überschlagen; *~ au-dessous, au-dessus de sa valeur* unter-, überschätzen; *~ une distance au juger* e-e Entfernung schätzen; *~ à sa juste valeur* richtig ein=schätzen; *~ juste* für angemessen halten; *~ peu* gering=schätzen; mißachten.

estiv|age [ɛstivaʒ] *m* **1.** *(Vieh)* Übersommern *n; (centre m d'~)* Sommerfrische *f;* **2.** *mar (Fracht)* Zs.pressen *n;* **~al, e** sommerlich; Sommer-; *fleur f ~e* Sommerblume *f; séjour m ~* Sommeraufenthalt *m; station f ~e* Sommerfrische *f; toilette f ~e* Sommerkleidung *f;* **~ant, e** *m f* Sommerfrischler, Feriengast *m;* **~ation** *f zoo* Sommerschlaf *m,* Trockenstarre; *bot* Ästivation *f;* **~er 1.** *tr* übersommern lassen; *itr* den Sommer verbringen (*à la montagne* im Gebirge); **2.** *(Baumwollballen)* zs.=pressen.

estoc [ɛstɔk] *m* (Baum-)Stumpf; Stoßdegen *m;* Degenspitze *f; d'~ et de taille* auf Hieb u. Stoß; *fig* blindlings, aufs Geratewohl; *armes f pl d'~* Stoßwaffen *f pl;* **~ade** *f* Degenstoß; *fig* unerwartete(r) Angriff *m; donner l'~ (Stierkampf)* den Todesstoß geben; *donner l'~ à qn fig* jdm den Todesstoß geben, versetzen, jdn fertig=machen.

estoma|c [ɛstɔma] *m* Magen *m; avoir l'~ creux, vide* e-n leeren Magen haben; *avoir l'~ dans les talons* e-n Wolfshunger haben; *avoir de l'~ (fig fam)* Mut haben; Frechheit besitzen; *frapper à l'~* e-n Schlag auf den Magen versetzen (*qn* jdm); *manquer d'~ (fig fam)* sich nichts zu=trauen; *se remplir l'~* sich den Bauch füllen, *fam* voll=schlagen; *coup m dans l'~* Magenschlag *m; creux m de l'~* Magengrube *f; maladie f de l'~* Magenkrankheit *f; troubles m pl de l'~* Magenbeschwerden *f pl;* **~qué, e** *fam* verblüfft, bestürtzt; entrüstet (*de* über *acc*).

estomp|age [ɛstɔ̃paʒ] *m (Landkarte)* Schummerung *f;* **~e** *f* Wischer *m;* **~é, e** verschwommen; **~er** *(Zeichnen)* (ver-)wischen; *fig* mildern, dämpfen, verschleiern; *s'~* verfließen, verschwimmen, sich verwischen.

Estonie, l' [ɛstɔni] *f* Estland *n;* **e~n, ne** [-njɛ̃, -ɛn] *a* estnisch; *E~, ne s m f* Este *m,* Estin *f.*

estourbir [ɛsturbir] *arg* killen, tot=schlagen.

estrade [ɛstrad] *f* erhöhte(r) Platz *m;* Estrade *f;* Podium *n;* Bühne *f; battre l'~* umher=streifen; die Straßen unsicher machen.

estragon [ɛstragɔ̃] *m bot* Estragon *m.*

estrapade [ɛstrapad] *f* Wippen *n (Strafe);* Wippgalgen *m.*

estrogène [ɛstrɔʒɛn] *m s. oestrogène.*

estropi|é, e [ɛstrɔpje] *s m f* Körperbehinderte(r *m*) *f,* Krüppel *m; a* verkrüppelt; **~er** verkrüppeln, verstümmeln; lähmen; *(Gegenstand)* verderben, beschädigen, ruinieren; *(Text, Musikstück)* verhunzen; *(Sprache)* radebrechen.

estuaire [ɛstɥɛr] *m* (weite) (Gezeiten-, Fluß-)Mündung *f.*

estudiantin, e [ɛstydjɑ̃tɛ̃, -in] studentisch; Studenten-.

esturgeon [ɛstyrʒɔ̃] *m zoo* Stör *m.*

et [e] *conj* und; *et ... et* sowohl ... als auch; *~ cœtera* usw.; *~ moi donc!* und ich erst! *~ de trois* das wären drei; das war Nr. (Nummer) 3; *~ voici comment* und zwar so, folgendermaßen.

établ|age [etablaʒ] *m* Stallgeld *n;* **~e** *f* Stall *m; nettoyer une ~ de son fumier* e-n Stall (aus=)misten; *ramener le bétail à l'~* das Vieh in den Stall treiben; ~ *à vaches, à porcs* Kuh-, Schweinestall *m.*

établ|i, e [etabli] *a (Haus)* gelegen; *(Ruf)* (wohl)begründet; *(Person)* ansässig, *(Ordnung)* festgefügt; anerkannt; *(Gesetze)* bestehend; *(Brauch)* eingewurzelt; herkömmlich; *il est ~ que, c'est un fait ~ que* es steht fest, daß; *s m* Werkbank *f;* Arbeitstisch *m;* ~ *de menuisier* Hobelbank *f;* **~ir 1.** *(fonder, instaurer)* ein=richten, errichten, begründen; ~ *une affaire, une colonie, une fabrique, une usine* ein Geschäft, e-e Kolonie gründen, e-e Fabrik errichten, e-n Betrieb auf=bauen; ~ *l'ordre, la paix* die Ordnung, den Frieden her=stellen, Frieden stiften, für Ordnung sorgen; *(Verbindung)* her=stellen, *(Beziehungen)* an=knüpfen; *(Rekord)* auf=stellen; *(Konto)* errichten; ~ *la communication (tele)* ein Gespräch vermitteln; ~ *le contact (mil)* Verbindung auf=nehmen; ~ *une ligne (tele)* e-e Leitung legen; **2.** *(fixer)* fest=setzen, -stellen, -legen; *(Termin, Tagesordnung)* fest=legen; *(Inventur, Bilanz, Liste)* auf=stellen; *(Rechnung)* aus=fertigen; ~ *l'assiette de l'impôt de qn* jdn steuerlich veranlagen; ~ *le budget* den Haushaltsplan auf=stellen; ~ *sa demeure, son domicile* s-n Wohnsitz auf=schlagen; ~ *l'état de la question* den Stand der Dinge dar=legen; ~ *l'inventaire des marchandises* den Lagerbestand auf=nehmen; **3.** *(pourvoir qn)* versorgen, aus=statten, verheiraten; unter=bringen; *il a ~i tous ses enfants* er hat alle s-e Kinder untergebracht *fam;* **4.** *(prouver qc)* beweisen, dar=tun, dar=legen; ~ *l'innocence d'un accusé* den Beweis für die Unschuld e-s Angeklagten liefern; *(Recht)* begründen; **5.** *s'~ (s'installer)* sich nieder=lassen, sich an=siedeln; sich ein=nisten, ziehen (*à* nach); *(Arzt, Anwalt)* e-e Praxis eröffnen; *s'~ à son compte* sich selbständig machen; ein Geschäft an=fangen; sich fest=setzen; *mil* Stellung beziehen; sich verheiraten; *(s'instaurer)* sich ein=bürgern; begründet, eingeführt werden; zustande kommen; **~issement** *m* Errichtung *f,* Bau *m; (Institution, Wohnung)* Einrichtung *f; (Recht)* Begründung; Darlegung; Feststellung; *(Programm, Bilanz)* Aufstellung; *(Vertrag)* Abfassung; *(Rechnung, Bescheinigung)* Ausstellung *f; (Truppen)* Sichfestsetzen; *(Volk)* Seßhaftwerden *n; (Kinder)* Versorgung, Verheiratung; (Lehr-)Anstalt, Schule; *com* Anlage *f,* Geschäft, Unternehmen, Werk *n;* Niederlassung; Gründung *f; date f d'~* Ausstellungstag *m; frais m pl de premier ~* Anlagekosten *pl;* ~ *de l'assiette de l'impôt* Steuerveranlagung *f;* ~ *d'assurance* Versicherungsanstalt *f;* ~ *de bains* Badeanstalt *f;* ~ *bancaire* Bankgeschäft *n;* ~ *de compte* Rechnungsaufstellung *f;* ~ *de crédit (foncier)* (Boden-)Kreditanstalt *f;* ~ *d'expérimentation* Versuchsanstalt *f;* ~ *des frais* Kostenaufstellung *f;* ~ *graphique* graphische Anstalt *f;* ~ *d'un inventaire* Bestandsaufnahme *f;* ~ *d'une moyenne (math)* Mittelung *f;* ~ *en nom personnel* Einzelfirma *f;* ~ *pénitentiaire* Strafanstalt *f;* ~ *des plans* Planung *f;* ~ *du port* Fluttabelle *f; ~s sidérurgiques* Eisenhüttenwerk *n; ~-test m* Versuchseinrichtung *f;* ~ *d'utilité publique* gemeinnützige(s) Unternehmen *n.*

étag|e [etaʒ] *m* Stock(werk *n*) *m,* Geschoß *n,* Etage; *(Turm)* Plattform; *min* Sohle; *geol* Schicht; *(Berg)* Stufe *f;* Absatz *m; anat* Schädelgrube; *tech* (*a.* Raketen-)Stufe *f a. fig; fig* Rang, Stand, Grad *m; de bas ~* niederer Herkunft; *à deux, à plusieurs ~s* zwei-, mehrstöckig, *(Rakete)* -stufig; *grimper, escalader deux ~s* zwei Treppen hinauf=steigen; *loger, habiter au premier (~)* im 1. Stock wohnen; *menton m à double ~* Doppelkinn *n;* ~ *amplificateur, de détection, mélangeur, pilote, de sortie* Verstärker-, Gleichrichter-, Misch-, Steuer-, Ausgangsstufe *f;* ~ *à ciel ouvert (min)* Tagebausohle *f;* ~ *d'exploitation (min)* Fördersohle *f;* ~ *d'une fusée* Raketenstufe *f;* **~é, e** stufenförmig (angelegt); abgestuft; **~ement** *m* Überea.schichtung *f;* Abstufung *f;* **~er** stufenförmig auf=stellen *od* an=ordnen, auf=bauen, an=legen; ab=stufen; *(Haar)* Treppen schneiden (*qc* in e-e S); *s'~* stufenförmig an=steigen; **~ère** *f* Regal, Gestell *n;* Etagere *f,* Bücherbrett *n;* Anrichte *f; objets m pl d'~* Nippsachen *f pl.*

étai|i [etɛ] *m* Stützbalken *m;* Steife; Stütze *f a. fig; min* Stempel *m; mar* Stütztau, Stag *n;* **~iement, ~yement** (Ab-)Stützen *n.*

étaim [etɛ̃] *m* Kammwolle *f.*

étain [etɛ̃] *m* Zinn *n;* zinnerne(r) Gegenstand *m; papier m d'~* Silberpapier, Stanniol *n; vaisselle f d'~* Zinngeschirr *n;* ~ *alluvionnaire* Seifenzinn *n;* ~ *en feuilles* Blattzinn *n;* ~ *de glace* Wismut *n;* ~ *de soudure* Lötzinn *n.*

étal [etal] *m* Fleischbank *f;* Fleischerladen; Ladentisch *m;* ~**age** *m (Waren)* Ausstellen, -legen; Zurschaustellen *n;* Darbietung *f;* Schaufenster *n,* Auslage *f;* Standgeld *n; (Hochofen)* Rast *m; (Textil)* Anlegen *n; être à l'*~ im Schaufenster liegen; *faire* ~ zur Schau stellen (*de qc* e-e S); *fig* prahlen (*de qc* mit etw); *mettre à l'*~ aus≈stellen; *concours, éclairage m d'*~ Schaufensterwettbewerb *m,* -beleuchtung *f;* ~**agiste** *m* Standhändler; *(Messe)* Aussteller; Schaufensterdekorateur *m.*

étale [etal] *a (Meer)* stehend; *fig* unbeweglich, ruhig; *s m* Stillstand *m;* Stauwasser *n.*

étal|é, e [etale] ausgestellt, -gelegt, -gebreitet; zur Schau gestellt; *(Mensch, Tier)* ausgestreckt; ~**ement** *m* Verteilung; Staffelung; Zurschaustellung *f;* ~ *des vacances* Staffelung *f* der Ferientermine; ~**er** *(Waren)* aus≈legen, aus≈stellen; aus≈hängen; *(Papier, Gegenstände)* aus≈breiten; *(Zeitung)* entfalten; *(Zahlungen, Plan)* staffeln, verteilen; *(Kartenspiel)* auf≈decken; *fam* nieder≈strekken; *fig* prahlen (*qc* mit etw); zur Schau stellen; entfalten; enthüllen; ~ *du beurre sur le pain* Butter aufs Brot streichen; *s'*~ sich aus≈breiten; sich er-, aus≈strecken; sich hin≈ziehen; sich hin≈legen; *(Wasser)* sich beruhigen; *fig* sich zur Schau stellen; *s'*~ *tout de son long* lang hin≈fallen; ~**euse** *f* Anlegemaschine *f;* ~**ier** *s m* Inhaber *m* e-r Fleischbank; *a; garçon m* ~ Fleischverkäufer *m* (an e-r Fleischbank).

étalon [etalɔ̃] *m* **1.** (Zucht-)Hengst *m; coq m* ~ Zuchthahn *m; taureau m* ~ Zuchtbulle *m;* **2.** Eich-, Normalmaß; Normalgewicht *n; fig* Standard *m;* Modell *n;* ~ *d'intensité lumineuse* Lichteinheit *f;* ~ *monétaire* Währung *f;* ~*-or m* Goldwährung *f;* ~ *de(s) valeur(s)* Wertmesser *m;* ~**nage,** ~**nement** [-lɔ-] *m* Eichung; Eichgebühr; Stufenskala *f;* ~ *des émetteurs* Abstimmung *f* der Sender; ~**ner** eichen; messen; *tech* prüfen; *bot (Bäume)* zum Pfropfen aus≈wählen; *(Stute)* beschälen; ~**neur** *m* Eichmeister *m.*

étamage [etamaʒ] *m* Verzinnung *f;* Spiegelbelag *m.*

étambot [etɑ̃bo] *m mar* Ankersteven; *aero* Flossenträger *m.*

étam|er [etame] verzinnen; *(Spiegel)* belegen; foliieren; ~**eur** *m* Verzinner *m.*

étamine [etamin] *f* **1.** *bot* Staubgefäß *n,* -beutel *m;* **2.** Etamin *n;* Beutel-, Siebtuch *n; passer à l'*~ (durch≈)seihen; *passer à* od *par l'*~ *(fig) itr* auf Herz u. Nieren geprüft werden; *tr* (streng) prüfen.

étam|pe [etɑ̃p] *f* Stanze *f;* (Präge-)Stempel *m;* Gesenk *n;* ~**per** stanzen, prägen, im Gesenk schmieden; ~**ure** *f* Zinnlegierung *f;* Blattzinn *n.*

étanch|e [etɑ̃ʃ] (wasser-, luft)dicht; *fig* hermetisch abgeschlossen; *s f* Dichtigkeit *f;* Kalfatern *n; rendre* ~ ab≈dichten; *cloison f* ~ Schott *n;* ~ *à l'air, à l'eau, aux gaz, au son* luft-, wasser-, gas-, schalldicht; ~**éité** *f* Dichtheit, Undurchlässigkeit; Abdichtung *f; chape f d'*~ Isolierschicht *f;* ~ *à l'air* luftdichte(r) Abschluß *m;* ~**ement** *m* Abdichten; *(Blut)* Stillen; *(Durst)* Löschen *n;* ~**er** (aus≈)trocknen *tr; (Faß)* wasserdicht machen; *(Leck)* verstopfen; *(Blut)* stillen; *(Tränen)* trocknen; *(Durst)* löschen; ~ *la douleur de qn* jdn trösten.

étançon [etɑ̃sɔ̃] *m* Strebe; Stütze; Steife *f; min* Stempel *m;* ~**nement** [-sɔ-] *m* (Ab-)Stützung *f;* Absteifen *n;* ~**ner** (ab≈)stützen, (ver)steifen; *min* mit Stempeln aus≈bauen.

étang [etɑ̃] *m* Teich, Weiher; *tech* Löschtrog *m;* ~ *poissonneux* Fischteich *m.*

étape [etap] *f mil* Quartier *n;* Rastplatz; Tagesmarsch *m;* Wegstrecke, Etappe; Teil(flug)strecke *f;* Abschnitt *m; fig* (Entwicklungs-)Stufe *f,* Schritt *m; brûler les* ~*s (fig)* die Etappen überspringen.

étarquer [etarke] *(Segel)* hissen, straffen.

état [eta] *m* Zustand; Stand; Status *m;* Wesen *n;* Lage; Verfassung; Gestaltung *f;* Verhältnisse *n pl;* Beschaffenheit *f,* Befund; Stand *m,* Stellung *f,* Gewerbe *n,* Beruf *m;* (Be-)Rechnung *f;* An-, Überschlag *m;* Liste *f,* Register, Verzeichnis *n; dans cet* ~ *de choses* bei dieser Lage der Dinge; so wie die Dinge liegen; *en l'*~ *de* nach dem Stande *gen; en tout* ~ *de cause* in jedem Fall; *en* ~ *de vol* flugklar, startbereit; *dresser, établir un* ~ ein Verzeichnis, e-e Liste auf≈stellen; *être dans tous ses* ~*s* (ganz, sehr) aufgeregt sein, *fam* rein aus dem Häuschen sein; *être en* ~ *(jur)* spruchreif sein; *être en* ~ *de* imstande sein, in der Lage sein zu; vermögen, können; *être en bon* ~ in gutem Zustand, in guter Verfassung sein; *être hors d'*~ *de faire qc* außerstande sein, etw zu tun; *être sur l'*~ auf der Liste stehen; *faire* ~ *de qc* auf e-e S Bezug nehmen; etw in Betracht ziehen, erwägen, berücksichtigen; *mettre en ~ de* instand setzen zu; *mettre en ~ d'arrestation* verhaften; *mettre qn dans un mauvais ~* jdn übel zu≈richten; *mettre qn hors d'~ de* es jdm unmöglich machen zu; *mettre hors d'~ de servir* unbrauchbar machen; *rayer des ~s* aus den Listen streichen; *remettre en ~* wieder instand setzen, erneuern; *tenir qc en ~* etw instand, in Ordnung, in gutem Zustand halten; *vivre selon son ~ (lit)* standesgemäß leben; *~ d'agrégation* Aggregatzustand *m; ~ d'âme* Stimmung, Verfassung *f; ~ atmosphérique* Wetterlage *f; ~ de cause, de fait* Tatbestand *m;* Sachlage *f; ~ des choses* Sachlage *f;* Sachverhalt *m; ~ du ciel* Witterungsverhältnisse *n pl; ~ de circonstances exceptionnelles, d'exception* Ausnahmezustand *m; ~ civil* Personen-, Zivilstand *m;* Standesamt *n; ~ des comptes* Rechnungsübersicht *f; ~ de défense* Verteidigungszustand *m; ~ détaillé* umfassende Übersicht *f; ~ d'esprit* (Geistes-)Verfassung *f;* Sinn *m; ~ d'exploitation* betriebsfähige(r) Zustand *m; ~ des finances* Finanzlage *f; ~ de fortune* Vermögensverhältnisse *n pl,* -lage *f; ~ des frais* Kostenaufstellung *f; ~ général (med)* Allgemeinzustand *m,* -befinden *n; ~ de guerre* Kriegszustand *m; ~ hygrométrique* relative Feuchtigkeit *f; ~ de l'inventaire* Inventurverzeichnis *n; ~ de(s) lieux* Ortsbefund *m; ~ des marchandises* Lagerbestand *m; ~ de mariage* Ehestand *m; ~ mensuel* monatliche Meldung *f; ~ de la mer* Seegang *m; ~ militaire* Militär-, Wehrstand *m; ~ moral* (innere) Haltung *f; ~ naissant* Entstehungszustand *m; ~ de nature* Naturzustand *m; ~ navette* Umlauf-, Wiedervorlegemappe *f; ~ néant* Fehlmeldung, -anzeige *f; ~ de nécessité, d'urgence* Notstand *m; ~ nominatif* namentliche Liste *f; ~ numérique* Bestand *m; ~ des ordres* Auftragsbestand *m; ~ originel* Urzustand *m; ~ permanent* Beharrungs-, Dauerzustand *m; ~ des pertes* Verlustliste *f; ~ de possession* Besitzstand *m; ~ primitif* Urzustand *m; med* Primärstadium *n; ~ professionnel* Berufsstand *m; ~ des récoltes* Saatenstand *m; ~ de répartition* Verteilungsplan *m;* Anteilsberechnung *f; ~ des salaires* Lohnliste *f; ~ sanitaire, de santé* Befinden *n,* Gesundheitszustand *m; ~ de service* Dienstverhältnis *n;* Betriebszustand *m;* Dienstalter *n,* -jahre *n pl; ~ de siège* Belagerungszustand *m; ~ signalétique et des services (mil)* Lebenslauf *m,* Dienstlaufbahn *f; ~ de situation d'une banque* Bankausweis *m; ~ de la surface* Oberflächenbeschaffenheit *f; ~ du terrain* Bodenbeschaffenheit *f; ~ de transition* Übergangszustand *m; ~ de travail* Arbeitsverhältnis *n;* **~ifier, ~iser** [-ti-] verstaatlichen; **~isation** *f* Verstaatlichung *f;* **~isme** *m* Etatismus; Staatssozialismus *m;* **~iste** etatistisch; **~-major** *m mil* Stab *m; carte f d'~* Generalstabskarte *f; officier m d'~* Generalstabsoffizier *m; secrétaire m d'~* Stabsschreiber *m; ~ de l'armée, de l'air* Generalstab *m* des Heeres, der Luftwaffe; *~ d'armée* Armeeoberkommando *n; ~ général* Generalstab *m; ~ de groupe d'armées* Heeresgruppenkommando *n; ~ opérationnel* Führungsstab *m.*

État [eta] *m* Staat *m; affaire f d'~* Staatsangelegenheit; *fam* wichtige Sache *f; appartenant à l'~* staatseigen; *budget m de l'~* Staatshaushalt *m; chef m d'~* Staatsoberhaupt *n; confédération f d'~s* Staatenbund *m; coup m d'~* Staatsstreich *m; dette f de l'~* Staatsschuld *f; homme m d'~* Staatsmann *m; ministre m d'~* Staatsminister *m; petit ~* Kleinstaat *m; planification f par l'~* staatliche Planung *f; pouvoir m, puissance f de l'~* Staatsgewalt *f; raison f d'~* Staatsräson *f; secret m d'~* Staatsgeheimnis *n; secrétaire m d'~* Staatssekretär *m; union f d'~s* Staatenbund *m; ~s de l'Église* Kirchenstaat *m; ~ de droit* Rechtsstaat *m; ~ fédératif, fédéral, confédéré* Bundesstaat *m; ~ libre, limitrophe, membre* Frei-, Rand-, Mitgliedsstaat *m; ~ non-nucléaire* Nichtnuklearstaat *m; ~ nucléaire* Nuklearstaat *m; ~ d'origine* Heimatstaat *m; ~ policé, populaire, secondaire* Polizei-, Volks-, Kleinstaat *m; ~ tampon, tributaire* od *vassal, unitaire* Puffer-, Vasallen-, Einheitsstaat *m; ~-providence m* Wohlfahrtsstaat *m;* **~s-Unis, les** die Vereinigten Staaten *m pl.*

étau [eto] *m* Schraubstock; *fig* Druck *m; être pris, serré dans un ~ (fig)* in der Klemme sein.

étay|age, ~ement [etɛjaʒ, -mɑ̃] *m* Abstützen *n;* Absteifung, (Ver-)Spreizung, Absprießung *f; min* Ausbau *m* (mit Stempeln); **~er** ab≈stützen, -spreizen, -steifen; *fig* stützen; *(Behauptung)* untermauern.

été [ete] Sommer *m; en ~* im S.; *au fort de l'~, en plein ~* im Hochsommer, mitten im S.; *se mettre en ~* sich sommerlich kleiden; *heure f d'~* Sommerzeit *f; station f d'~* Sommerfrische *f; tenue f d'~* Sommeranzug *m; ~ de la Saint-Martin* Altweiber-, Nachsommer *m.*

éteignoir [etɛɲwar] *m* Löschhorn *n; fig* Schlafmütze *f;* Spielverderber *m.*

étein|dre [etɛ̃dr] *irr* (aus=)löschen; *(Licht)* aus=machen, *el* aus=schalten, *fam* aus=knipsen; *(Gas)* aus=drehen; *(Kalk)* löschen; *(Eisen)* ab=schrekken; *(Hochofen)* aus=blasen; *(Durst)* löschen; *(Farbe)* dämpfen; (aus=)bleichen; *(Schuld)* tilgen; *(Volk)* aus=rotten; *(Aufstand)* ersticken, unterdrükken; *(Ruhm)* verdunkeln; *(Eifer, Ehrgeiz, Geräusch)* dämpfen; *(Erinnerung)* verwischen; *s'~* erlöschen *a. fig; (Feuer)* aus=gehen; *(Farbe)* verblassen; *(Augen)* trübe werden; *fig* verschwinden; vergehen, zu Ende gehen; ab=, aus=, ersterben; (sanft) entschlummern; *(Zeitung)* ein=gehen; **~t, e** [-ɛ̃, -ɛ̃t] *(Vulkan)* erloschen; *(Feuer)* ausgegangen; *(Licht, Kalk)* gelöscht; *(Augen)* glanzlos; *(Metall)* matt; *(Farbe)* verblichen; verschossen; *(Stimme)* tonlos; *(Mensch)* verbraucht; *(Familie)* ausgestorben; *(Gefühl)* erstorben, erloschen.

étendage [etɑ̃daʒ] *m (Wäsche)* Aufhängen *n;* Trockenvorrichtung *f.*

étendard [etɑ̃dar] *m* Standarte; Fahne *f.*

étend|oir [etɑ̃dwar] *m* Trockenleine, -stange *f,* -platz; Spannrahmen *m; typ* Aufhängekreuz *n;* **~re** aus=strecken (*vers, du côté de* nach); aus=breiten, -dehnen, -spannen; *(Wäsche)* auf=hängen; *(Teppich, Decke)* aus=breiten (*par terre* auf der Erde, *sur qn* über jdm); *(Schirm)* auf=spannen; *(Schleier)* legen (*sur* über *acc*); *(Menschen)* (der Länge nach) aus=strekken; *(Metall)* (in die Länge) ziehen; *(Schicht)* auf=tragen, -streichen, -schmieren; *(Flüssigkeit)* verdünnen; strecken; *fig* erweitern; vergrößern; vermehren; verbreiten; *s'~* sich aus=breiten, sich in die Länge ziehen; sich aus=, erstrecken; sich hin=legen; sich erweitern, sich vergrößern; fort=schreiten; *(Armee)* sich entfalten; sich aus=lassen (*sur* über *acc*); *se faire ~ (fam) (Kandidat)* durch=fallen; *~ sur le carreau* zu Boden strecken; töten; *~ par terre* nieder=schlagen; *aussi loin que la vue peut s'~* soweit der Blick reicht; **~u, e** weitläufig, umfangreich; ausgebreitet; umfassend; *(Wäsche)* aufgehängt; *(Beine)* ausgestreckt; *(Wein)* verdünnt; *(Stimme)* umfangreich; **~ue** *f* Ausdehnung; Weite *f;* Umfang *m;* Größe *f;* Raum; Bereich *m;* Oberfläche; Strecke; Dauer *f,* Zeitraum *m;* Ausmaß *n;* Bedeutung(sumfang *m*) *f; ~ du dommage* Schadensumfang *m.*

étern|el, le [etɛrnɛl] ewig, immerwährend; unzertrennlich; **~iser** verewigen; *fig* in die Länge ziehen; *s'~* sich verewigen; ewig dauern; *fam* ewig sitzen=bleiben (*chez qn* bei jdm), nicht wieder weg=finden können (*chez qn* von jdm); **~ité** *f* Ewigkeit; Unsterblichkeit; Unvergänglichkeit; ewige Dauer *f; de toute ~* seit unvordenklichen Zeiten; *il y a des ~s que (fam)* es ist (schon) e-e Ewigkeit her, daß.

étern|uement [etɛrnymɑ̃] *m* Niesen *n;* **~uer** [-nɥe] niesen.

étêter [etɛte] *(Baum)* beschneiden, köpfen, kappen; stutzen; *(Nagel, Nadel)* ab=knipsen; *(un poisson* e-m Fisch) den Kopf entfernen.

éteule [etœ(ø)l] *f agr* Stoppel *f.*

éthane [etan] *m chem* Äthan *n;* **~anol** *m* Äthylalkohol *m.*

éth|er [etɛr] *m* Äther *m; ~ acétique* Essigäther *m; ~ benzoïque* Benzolsäureäthylester *m; ~ formique* Ameisensäureäthylester *m; ~-oxyde m* Äther *m; ~ de pétrole* Petroläther *m; ~-sel m* Ester *m;* **~éré, e** ätherisch; *fig* überirdisch; **~érification** *f* Ätherbildung *f;* **~érifier** ätherifizieren; **~érisation** *f* Äthernarkose *f;* **~ériser** mit Äther verbinden *od* betäuben.

Éthiopie, l' [etjɔpi] *f* Äthiopien *n;* **é~iopien, ne** äthiopisch; *É~, ne s m f* Äthiopier(in *f*) *m.*

éthique [etik] *a* ethisch, sittlich; *s f* Ethik, Sittenlehre *f.*

étho|logie [etɔlɔʒi] *f* Verhaltensforschung *f;* **~logue** *m f* Verhaltensforscher(in *f*) *m.*

éthy|le [eil] *m* Äthyl *n;* **~lène** *m* Äthylen *n;* **~lique** *a* Äthyl-; alkoholisch; *s m* Trinker *m;* **~lisme** *m* Alkoholvergiftung *f.*

ethmoïde [etmɔid] *m anat* Siebbein *n.*

eth|nie [ɛtni] *f* Sprach-, Kulturgemeinschaft *f;* **~nique** *a* ethnisch; volklich; Volks-, Völker-; *s m* Völkername *m;* **~nographie** *f* Ethnographie, beschreibende Völkerkunde *f;* **~nographique** ethnographisch; **~nologie** *f* Völkerkunde *f;* **~nologique** völkerkundlich, ethnologisch; **~nologiste, ~nologue** *m* Ethnologe, Völkerkundler *m.*

étiage [etjaʒ] *m* niedrigste(r) Wasserstand *m; échelle f d'~* Pegel *m.*

Étienne [etjɛn] *m* Stephan *m*.
étincel|ant, e [etɛ̃slɑ̃, -ɑ̃t] funkelnd, sprühend *a. fig; (Augen)* strahlend; *(Farbe)* leuchtend; *(Edelstein)* glitzernd; *(Rede)* glänzend, funkelnd; **~er** funkeln; glitzern; sprühen; schimmern; strahlen; *(Augen)* leuchten (*de* vor *dat*); *el* Funken schlagen; **~le** [-sɛl] *f* Funke(n) *a. fig;* glänzende(r) Punkt *m; jeter des ~s* Funken sprühen *a. fig; l'~ s'amorce, crépite* der F. springt über, knistert; *(fam) il a fait des ~s* er hat geglänzt; *pluie f d'~s* Funkenregen *m;* **~lement** *m* Funkeln, Funkensprühen *n*.
étiol|é, e [etjɔle] verkümmert; siech; bleich; **~ement** *m* Verkümmern, (Da-)Hinsiechen *n;* Bleichsucht *f; bot* Vergeilen *n;* **~er** verkümmern lassen; *s'~* dahin=siechen, verkümmern *a. fig; bot* vergeilen; **~ogie** *f* Ätiologie, Lehre von den (Krankheits-)Ursachen.
étique [etik] abgezehrt; dürr; *fig (Stil)* dürftig, ärmlich.
étiqu|etage [etiktaʒ] *m (Waren)* Auszeichnung; *loc* Bezettelung *f;* **~eter** etikettieren, mit e-r Aufschrift *od* e-m Zettel versehen; *fig* (in e-e Gruppe) ein=reihen; bezeichnen; **~ette** *f* Etikett *n,* Zettel *m,* Auszeichnung *f;* Preisschild *n;* Anhänger *m;* gesellschaftliche Umgangsformen *f pl,* Etikette *f; mil* Deckname *m; fig* Richtung, Partei *f; agrafer, attacher, fixer, mettre une ~* ein Etikett befestigen *(sur* auf *dat*); *manquer à l'~* gegen die Etikette verstoßen; *~ à coller, gommée* (Auf-)Klebezettel *m; ~ pour prix* Preisschild *n; ~ de tiroir* Kastenschild *n; ~ à œillet* Anhängezettel *m*.
étir|able [etirabl] streck-, dehnbar; **~age** *m tech* Strecken, Ziehen *n; (Stoff)* Verzug *m; ~ à chaud, à froid* Warm-, Kaltziehen *n;* **~er** *tech* strekken, recken, ziehen; *min* aus=walzen; *(Stoff)* dehnen, strecken; *(Häute)* aus=waschen, strecken; *s'~ (fam)* sich recken, sich (behaglich) aus=strecken, sich rekeln; *(Wolken)* sich ausea.=, sich verziehen; *(Stoff)* sich dehnen, sich strecken.
étisie [etizi] *f* Abzehrung, -magerung *f*.
étoff|e [etɔf] *f* Stoff *m;* Zeug; Material *n; fig* Gegenstand, Stoff *m; (Mensch)* Anlage, Art, Fähigkeit, Tüchtigkeit; *tech* Orgelpfeifenmasse; *typ* Druckereieinrichtung *f,* -unkosten *pl (Zins u. Amortisation); avoir l'~ de qc (fig)* das Zeug zu etw haben; *avoir de l'~* begabt, tüchtig sein; etwas können; *manquer d'~* e-n engen Horizont haben; *mesurer, auner une ~* e-n Stoff ab=messen; *tailler en pleine ~, ne pas épargner l'~ (fig)* aus dem vollen schöpfen; *l'~ chiffonne, rétrécit* od *se retire, donne* od *s'étire, gode* der Stoff knittert, geht ein, dehnt sich, bauscht sich; *bord m, lisière f d'une ~* Webkante *f; coupe f, coupon, métrage m d'une ~* Stück *n* Stoff; Stoffabschnitt *m; endroit, envers m d'une ~* rechte, linke Seite *f* e-s Stoffes; *largeur f d'~* Stoffbreite *f; pan, lambeau m d'~* Flicklappen *m;* Stoffetzen *m; pièce f, rouleau m d'~* Stoffballen *m; recoupe, retaille f d'~* Stoffreste *m pl; ~ pour ameublement* Möbelbezugsstoff *m; ~ pour costumes* Kleiderstoff *m; ~ de coton, de laine, de soie* Baumwoll-, Woll-, Seidenstoff *m; ~ double face, réversible* seitengleiche(r) Stoff *m; ~ de fibres synthétiques* Kunstfaserstoff *m; ~ à filtrer* Filtertuch *n; ~ fourrée* Futterware *f; ~ pour imperméables* Regenmantelstoff *m; ~ imprimée* bedruckte(r) Stoff *m; ~ de laine peignée* Kammgarngewebe *n; ~ de revêtement de murs* Wandbekleidungsstoff *m; ~ pour tabliers* Schürzenstoff *m;* **~é, e** reich ausgestattet; *(Mensch, Tier)* stattlich; kräftig; *(Stimme)* klangvoll; **~er** aus=staffieren; (gut, reich) aus=statten; füllig gestalten; *(Markt)* beschicken; *fig* aus=schmücken; aus=bauen; aus=gestalten.
étoil|e [etwal] *f* Stern *m; fig* Schicksal *n;* Prominente(r); (Film-)Star *m,* Diva *f;* Ordensstern *m; (Pferd)* Blesse *f; typ* Sternchen *n; (Glas)* sternförmige(r) Sprung *m; en ~* sternförmig; *avoir foi, être confiant en son ~* auf s-n Stern vertrauen; *coucher, dormir, passer la nuit à la belle ~* im Freien schlafen; *être conduit, guidé par une belle ~* von e-m guten Stern geleitet werden; *être né sous une bonne, mauvaise ~* unter e-m günstigen, ungünstigen Stern geboren sein; *une ~ apparaît* od *s'allume, pâlit* od *s'éteint* ein Stern erscheint, verschwindet; *catalogue m, carte f des ~s* Sternkatalog *m,* -karte *f; mauvaise ~* Unstern *m; moteur m (à cylindres) en ~* Sternmotor *m; naissance f des ~s* Entstehung *f* der Sterne; *ciel m criblé, semé d'~s* sternübersäte(r) Himmel; *~s clignotantes* od *scintillantes* od *vacillantes, brillantes, étincelantes* blinkende, glänzende, funkelnde Sterne; *~ filante* Sternschnuppe *f; ~ du matin, du soir* Morgen-, Abendstern *m; ~ de mer (zoo)* Seestern *m; ~ du moyeu* Radstern *m;*

~ *à cinq pointes* od *branches* fünfzackige(r) St.; ~ *polaire* Polarstern *m;* **~é, e** gestirnt, sternbesät; sternklar; sternförmig; *(Glas)* gesprungen; Stern(en)-; *bannière f ~e* Sternenbanner *n;* **~er** mit Sternen besetzen *od* schmücken; *s'~ (Glas)* sternförmig springen.

étole [etɔl] *f rel* Stola *f.*

étonn|ant, e [etɔnɑ̃, -ɑ̃t] erstaunlich; verwunderlich; **~é, e** erstaunt, verwundert; **~ement** *m* Erstaunen *n,* Verwunderung *f;* Befremden *n; (Gebäude)* Riß; *(Diamant)* Sprung *m;* **~er** in Erstaunen setzen, verwundern; *s'~* (er)staunen, sich wundern (*de* über *acc*).

étonnure [etɔnyr] *f (Diamant)* Sprung *m.*

étouff|ant, e [etufɑ̃, -ɑ̃t] *(Hitze)* drükkend; *(Wetter)* schwül; *fig* erstickend; **~é, e** erstickt; dicht (stehend *od* liegend); *(Geräusch)* gedämpft, schwach; *(Gelächter)* unterdrückt; **~ée** *f: à l'~* geschmort, gedämpft; *viande f à l'~* Schmorfleisch *n;* **~ement** *m* Ersticken *n;* Erstikkung(sanfall *m*); Atemnot *f,* beschwerden *f pl;* Beklemmung *f; (Feuer)* Löschen; *(Ton)* Dämpfen *n; (Aufstand)* Unterdrückung *f; (Affäre)* Vertuschen *n;* stickige Luft *f;* **~er** *tr* ersticken; (er)würgen; den Atem nehmen (*qn* jdm); *(Feuer)* löschen; *(Geräusch)* dämpfen, schlucken; *(Seufzer)* unterdrücken; *(Presse)* knebeln; *(Zweifel)* überwinden; *(Affäre)* vertuschen; tot=schweigen; *pop* verschwinden lassen; *tech* dämpfen, drosseln; *itr* ersticken; *s'~* ersticken; *(Geräusch)* sich verlieren, unter=gehen, verschwinden; *(Menge)* sich drängen; ea. erdrücken; ~ *de chaleur, de rire* vor Hitze um=kommen, vor Lachen platzen; ~ *dans l'œuf* im Keime ersticken; ~ *de rage, de colère* vor Wut, vor Zorn ersticken, platzen; **~eur** *m tech* Dämpfer *m;* **~oir** *m (Klavier)* Dämpfer; stickige(r) Raum *m.*

étoup|e [etup] *f* Werg *n,* Hede; Putzwolle *f; mettre le feu aux ~s (fig)* den Funken ins Pulverfaß werfen; **~ement** *m* Abdichtung, Packung *f;* **~er** (mit Werg) verstopfen, ab=dichten; **~ille** [-ij] *f* Zünder *m;* Lunte *f.*

étourd|erie [eturdəri] *f* Unbesonnenheit *f,* Leichtsinn *m;* Gedankenlosigkeit, Leichtfertigkeit *f; fam* unbesonnene(r) Streich *m; faire une ~* e-e Gedankenlosigkeit begehen; *faute f d'~* Flüchtigkeitsfehler; **~i, e** *a* unbesonnen, leichtsinnig; kopflos; *s m f* leichtsinnige(r) Mensch, Leichtfuß *m; à l'~ie* gedankenlos, leichtsinnig; **~ir** betäuben, benebeln, berauschen; besinnungslos machen; zerstreuen, ab=lenken; *s'~* sich betäuben, sich ab=lenken; Abwechslung suchen; ~ *les oreilles* in den Ohren liegen (*de qn* jdm); ~ *qn de plaintes* jdn mit Klagen überschütten; **~issant, e** *(Lärm)* (ohren)betäubend; *(Erfolg)* überwältigend; *(Kleidung)* pompös; *fig* (höchst) überraschend, erstaunlich; **~issement** *m* Betäubung *f;* Schwindel(anfall); *fig* Taumel *m.*

étourneau [eturno] *m orn* Star; *fig* Springinsfeld, Leichtfuß *m.*

étrang|e [etrɑ̃ʒ] sonderbar, seltsam; befremdlich; **~er, ère 1.** *a* fremd; ausländisch; auswärtig; Auslands-; Fremd(en)-; unbeteiligt (*à* an, bei *dat*); nicht verwandt (*à* mit); gleichgültig, unempfindlich (*à* gegenüber *dat*); *(Sache)* nicht zugehörig (*à* zu); *être ~ à qc* von etw nichts verstehen; mit etw nichts zu schaffen haben; *n'être ~ nulle part* überall zu Hause sein; *Affaires f pl ~ères* auswärtige Angelegenheiten *f pl; corps m ~* Fremdkörper *m; langue f ~ère* Fremdsprache *f; légion f ~ère* Fremdenlegion *f; ministère f des Affaires ~ères* Auswärtige(s) Amt *n; politique f ~ère* Außenpolitik *f;* **2.** *s m f* Fremde(r *m*) *f;* Ausländer(in *f*) *m; s m* Ausland *n;* Fremde *f; partir pour l'~* ins Ausland reisen; *voyager à l'~* im Ausland reisen; *agent m commercial à l'~* Auslandsvertreter *m; avoir m à l'~* Auslandsguthaben *n; correspondant m à l'~* Auslandskorrespondent *m; livraison f destinée à l'~* Auslandslieferung *f; marchandise f provenant de l'~* Auslandsware *f; nouvelles f pl de l'~* Auslandsnachrichten *f pl; police f des ~s* Fremdenpolizei *f; port m pour l'~* Auslandsporto *n; relations f pl avec l'~* Auslandsbeziehungen *f pl; représentation f à l'~* Auslandsvertretung *f; voyage m à l'~* Auslandsreise *f;* **~eté** *f* Seltsamkeit, Absonderlichkeit, Sonderbarkeit *f.*

étrangl|é, e [etrɑ̃gle] (sehr, zu) eng; eingeengt; eingeschnürt; zu kurz gefaßt; *(Stimme)* halb erstickt; *min* verdrückt; *tech* gedrosselt; *med (Bruch)* eingeklemmt; *être ~ par l'émotion* vor Erregung kein Wort heraus=bringen; *être ~ par la soif* verschmachten; *chemin m ~* Wegenge *f;* **~ement** [-glə-] *m* Erdrosseln, Erwürgen *n; med tech* Einschnürung; *(Bruch)* Einklemmung; *(Tal)* Verengung; Enge; *tech* Drosselung *f; fig*

Abwürgen *n,* Unterdrückung *f; clapet, soupape f d'~* Drosselklappe *f,* -ventil *n;* **~er** *tr* erwürgen, erdrosseln *(de ses mains* mit den Händen; *dans un lacet* in e-r Schlinge); die Kehle zu=, zs.=schnüren (*qn* jdm); ein=, beengen; verengen; zu eng machen; *tech* drosseln; *fig* zugrunde richten; im Keim ersticken; unterdrücken; *(Sache)* übers Knie brechen; *itr* ersticken; *(Kragen)* drücken; *s'~* sich erdrosseln; *(Fluß)* enger, schmaler werden; sich verengen; *~ les gaz (mot)* das Gas weg=nehmen; *s'~ de rire* vor Lachen platzen; *sa voix s'~e* seine Stimme versagt; **~eur** *m tech* Drossel *f.*

étrave [etrav] *f mar* (Vorder-)Steven *m.*

être [ɛtr] *s m* (Da-)Sein *n;* Wirklichkeit *f;* (Lebe-)Wesen *n;* Mensch *m; v irr* sein; da=sein, bestehen, existieren; leben; sich befinden; stehen; sitzen; liegen; gehen; *(Preis)* betragen; *Hilfszeitwort: (Passiv in Verbindung mit pp) ~ aimé* geliebt werden; *(gewisse itr) il était parti* er war abgereist; *je suis monté (Zustand)* ich bin hinaufgestiegen, oben; *(reflexiv) je m'en suis souvenu* ich habe mich daran erinnert; *(mit adv, adv. Bestimmung) ~ bien (mal) avec qn* mit jdm gut (schlecht) stehen; *mit prp:* **à:** *~ à plaindre, à blâmer* zu beklagen, zu tadeln sein; *~ à son travail* über s-r Arbeit sitzen; sich ganz s-r Arbeit widmen; *le temps est à la pluie* es sieht nach Regen aus; *tout est à refaire* man muß wieder von (ganz) vorn anfangen; *ce livre est à lui* dieses Buch gehört ihm, ist sein; *je suis tout à vous* ich bin ganz der Ihre; *je suis à vous* ich bin gleich fertig; ich stehe Ihnen (gleich) zu Diensten; *c'est à vous de décider* Sie haben zu entscheiden; *on est à se demander, croire, présumer* man muß sich fragen, glauben, annehmen; man fragt sich, glaubt, möchte meinen; *cela est encore à faire* das ist noch zu tun; **après:** *~ après qc (fam)* hinter e-r S her, auf e-e S scharf sein; *~ après qn (fam)* jdn aufs Korn nehmen, jdn schikanieren, hinter jdm her sein; jdn nicht in Ruhe lassen; **de:** *~ de* her=rühren von, gehören zu; *~ de moitié dans une affaire* zur Hälfte an e-r S beteiligt sein; *~ de la fête* am Fest teil=nehmen; *~ d'un parti* e-r Partei an=gehören; Mitglied e-r Partei sein; *il est de Lyon* er ist aus Lyon; *il est de notre parti* er steht auf unserer Seite, er gehört zu uns, ist e-r der Unsrigen; *cela n'est pas de jeu (fam)* das gilt nicht, das ist gegen die Spielregeln; *je suis d(e l)'avis que* ich bin der Meinung, Ansicht, daß; *comme si de rien n'était* wie wenn nichts (geschehen) wäre; **pour:** *~ pour qc* für etw sein, ein=treten, stimmen; *~ pour faire qc* beabsichtigen, etw zu tun, gleich etw tun; *n'~ pour rien dans une affaire* an e-r S kein Interesse haben; mit etw nichts zu tun haben; für etw nichts können; *il est pour moi* er hält zu mir; **sans:** *n'~ pas sans savoir qc* etw wissen müssen; etw genau wissen; *~ sans le sou* keinen Pfennig haben; **en:** *en ~* mit dabei=sein, mit=machen, dazu=gehören, daran beteiligt sein; *en ~ pour son argent* sein Geld umsonst ausgegeben haben; *en ~ pour sa peine* sich vergeblich angestrengt haben; *il ne sait (pas) où il en est* er weiß nicht, woran er ist, wo ihm der Kopf steht; *où en êtes-vous?* wie weit sind Sie? *je n'en suis pas encore là* soweit bin ich noch nicht; *j'en suis là* ich bin soweit, soweit bin ich; *il n'en est rien* das ist (gar) nicht der Fall; *on demande des volontaires; en êtes-vous?* es werden Freiwillige gesucht; machen Sie mit? *il en est ainsi* das ist so; so ist's; **y:** *y ~* zu Hause, zu sprechen sein (*pour qn* für jdn); *y ~ pour qc* bei etw s-e Hand im Spiel haben; *vous n'y êtes pas (fam)* Sie verstehen nicht, was ich meine; *j'y suis* ich habe verstanden; ich bin im Bilde; *vous y êtes* Sie haben es getroffen, so ist es; *ça y est! (fam)* so, das wäre geschafft! da haben wir die Bescherung! **(bei Betonung)** *c'est demain qu'il se met en route* morgen macht er sich auf den Weg; **(Ausdrücke)** *c'est cela* od *ça* das stimmt, so ist's, das ist richtig; *est-ce que vous croyez ...?* glauben Sie etwa ...? *soit!* gut! meinetwegen; mag sein! *ainsi soit-il (rel)* so sei es; amen; *il a été à Paris (fam)* er ist nach Paris gefahren; *ce n'est pas que* nicht etwa, daß; *il est des hommes qui* es gibt Leute, die; *il est huit heures* es ist 8 Uhr; *il est mieux* es geht ihm besser; *soit un triangle* angenommen ein Dreieck; *il n'est que de* das beste ist; man braucht nur; *quel jour sommes-nous?* welchen Tag haben wir (heute)? *n'est-ce pas?* nicht wahr?

étrein|dre [etrɛ̃dr] *irr* (fest) zs.=drükken, -schnüren, -binden, -ziehen; fester knüpfen; *mil* ein=schließen; umarmen, -schlingen, -fassen; *min* verdrücken; *fig* beklemmen, bedrücken; überwältigen; *~ qn sur son cœur, sa* *poitrine* jdn an sein Herz, an s-e Brust drücken; ~ *qn à la gorge* jdn an der Gurgel packen; *qui trop embrasse, mal ~t* wer zuviel anfängt, bringt nichts zustande; **~te** *f* Zs.drücken, -schnüren *n;* Umarmung; *min* Verdrückung *f; fig* Druck *m,* Beklemmung; *mil* Umfassung *f,* Ring *m.*

étrenn|e [etrɛn] *f meist pl* (Neujahrs-) Geschenk *n;* erste(r) Gebrauch *m,* Einweihung *f; avoir l'~ de qc* etw als erster benutzen, etw ein=weihen; *donner qc pour ~* etw zu Neujahr schenken; **~er** zum ersten Mal benutzen, ein=weihen (*qc* etw).

êtres, *vx* **aîtres** [ɛtr] *m pl* (die) verschiedene(n) Teile *m pl,* Lokalitäten *f pl* (des Hauses); *connaître les ~ d'une maison* in e-m Haus Bescheid wissen.

étrier [etrije] *m* Steigbügel *a. anat; tech* Bügel *m,* Klammer, Schelle *f; avoir le pied à l'~* reisefertig, *fig* auf dem besten Wege sein; *être ferme sur ses ~s* fest im Sattel sitzen; an s-r Ansicht (beharrlich) fest=halten; *mettre à qn le pied à l'~ (fig)* jdn in den Sattel heben; *tenir l'~ à qn* jdm den Steigbügel halten *a. fig; ~s à grimper* Kletterschuhe *m pl.*

étrill|e [etrij] *f* **1.** Striegel *m;* **2.** Wollkrabbe *f;* **~er** [-trije] striegeln; prügeln, *fam* verdreschen; *fam* neppen, prellen, übers Ohr hauen.

étriper [etripe] *(Tier)* aus=weiden, -nehmen; *vulg* ab=murksen; *s'~* sich auf=reiben, sich zermürben.

étriqu|é, e [etrike] *(Anzug)* zu eng, zu knapp; schmal; *(Mensch)* mager; *fig* armselig, dürftig; *(Stil)* trocken, phantasielos; *(Geist)* eng; **~er** (zu) eng machen; (zu) knapp halten; *fig* ver-, ab=kürzen, kürzer fassen.

étrivière [etrivjɛr] *f* Steigbügelriemen *m; donner les ~s* aus=peitschen (*à qn* jdn).

étroit, e [etrwa, -at] eng, schmal, knapp; *(Taille)* schlank; beschränkt, begrenzt; einseitig; kleinlich, engherzig; streng, bindend, zwingend; *(Bedeutung)* genau, wörtlich; *(Freundschaft)* innig; *à voie ~e* schmalspurig; Schmalspur-; *au sens m ~* im engeren Sinn; *être logé à l'~* eng, beschränkt wohnen; in beschränkten Verhältnissen leben; *se sentir à l'~* sich beengt fühlen; *surveiller ~ement* scharf bewachen; *se tenir ~ement à* sich genau halten an *acc; vivre à l'~* ein karges, kümmerliches Leben führen; *~ement lié* eng verbunden (*à, avec qn* mit jdm); **~esse** [-tɛs] *f* Enge; geringe Größe; Eingeschränktheit; Kleinlichkeit; Beschränktheit *f; (fig) ~ d'esprit* Beschränktheit; Borniertheit *f.*

étron [etrɔ̃] *m* Kot(haufen) *m.*

étronçonner [etrɔ̃sɔne] *(Baum)* ab=ästen.

étrusque [etrysk] etruskisch.

étud|e [etyd] *f* (Er-)Lernen, Studieren; Studium *n,* Studienzeit *f;* Einüben *n;* Ausbildung; Untersuchung, Forschung, Planung *f;* Entwurf *m,* Vorarbeit *f;* Wissen *n,* Gelehrsamkeit; Verstellung, Künstelei; Studie *f,* Aufsatz *m,* Abhandlung *f; mus* Übungsstück *n,* Etüde; Studienzeichnung *f; (Schule)* Arbeitssaal, -raum *m,* -zimmer; *(Anwalt)* Büro *n;* Kundschaft *f,* Klienten *m pl,* Praxis *f; pl* Vorarbeiten *f pl;* Studien *f pl; s'adonner, se livrer, s'appliquer, se consacrer à l'~* sich dem Studium widmen (*de* gen); *avoir fait de bonnes ~s* über e-e gute Schulbildung verfügen; *faire ses ~s de droit* Rechtswissenschaft studieren; *faire de bonnes, de mauvaises ~s* gut, schlecht lernen; *mettre une question, une pièce à l'~* e-e Frage (eingehend) prüfen, ein Dokument bearbeiten; *theat* ein Stück ein=studieren; *cela sent l'~* das ist gekünstelt; *bourse f d'~s* Stipendium *n; cabinet m d'~s* Arbeitszimmer *n; camarade m d'~s* Studienfreund *m; certificat m d'~s* Abgangszeugnis *n; dessinateur m d'~s* Projektionszeichner *m; homme m d'~* Gelehrte(r) *m; maître m d'~s* Hilfslehrer; aufsichtführende(r) Lehrer *m; voyage m d'~s* Studienreise *f; ~s des marchés* Markt-, Konjunkturforschung *f; ~s primaires, secondaires* Schulzeit *f; ~s supérieures, universitaires* Studium *n; ~ du terrain* Geländebeurteilung *f;* **~iant, e** *a* Studenten-; *m f* Student(in *f*) *m,* Studierende(r *m*) *f; être ~ en médecine* Medizin studieren; *association f d'~s* Studentenvereinigung *f; carte f d'~* Studentenausweis *m; chahut m, farce f d'~s* Studentenulk *m; foyer m, maison f d'~s* Studentenheim *n; ~ en droit, en lettres, en médecine, en sciences* stud. jur., phil., med., rer. nat.; **~ié, e** (wohl)durchdacht; *com* kalkuliert; *(Sprache)* gepflegt; gesucht; *péj* gekünstelt; er-, gezwungen; geheuchelt; **~ier** studieren, lernen; ein=üben; auswendig lernen; *(Rolle)* ein=studieren; beobachten; prüfen, untersuchen, ergründen, erforschen; sich Aufschluß zu verschaffen suchen (*qc* über e-e S); *~ un dossier, une affaire* e-e Akte, e-e Angelegenheit bearbeiten; ~

les échecs, le tennis, le piano Schach, Tennis, Klavierspielen lernen; ~ *le terrain* das Gelände untersuchen; *fig fam* das Terrain sondieren.

étui [etɥi] *m* Etui, Futteral *n;* Kapsel, Büchse *f,* Gehäuse *n;* Tasche *f,* Behälter; Überzug *m; (Messer)* Scheide; Buchhülle: *mil* Patronen-, Geschoßhülse; *mar* Persenning *f;* ~ *à aiguilles* Nadelbüchse *f;* ~ *à cartes* Kartentasche *f;* ~ *à chapeau* Hutschachtel *f;* ~ *à cigares* Zigarrentasche *f;* ~ *à cigarettes* Zigarettenetui *n;* ~ *à ciseaux* Scherenetui *n;* ~ *à lunettes* Brillenfutteral *n;* ~ *à manucure* Maniküre-Etui *n;* ~ *pour permis de conduire* Führerscheintasche *f;* ~ *à pipe* Pfeifenbeutel *m;* ~ *à revolver* Revolvertasche *f;* ~ *à violon* Geigenkasten *m.*

étuv|e [etyv] *f* (kleiner) Trockenofen *m,* -kammer *f,* -apparat *m;* Schwitzbad *n; atmosphère, chaleur f d'*~ *(fig)* Bruthitze *f;* ~ *bactériologique, à culture microbienne* Brutschrank *m;* ~ *à désinfection, à stérilisation* Desinfektionsschrank, Sterilisationskasten *m;* ~ *humide* Dampfbad *n;* ~ *à incubation* Inkubator *m;* **~ée** *f s. étouffée;* **~er** dämpfen, schmoren; trocknen, dörren; *(Kleider)* desinfizieren.

étymolog|ie [etimɔlɔʒi] *f* Etymologie *f;* **~ique** etymologisch.

eucalyptus [økaliptys] *m bot pharm* Eukalyptus *m.*

eucharist|ie [økaristi] *f rel* Eucharistie, Kommunion *f,* Abendmahl *n;* **~ique** eucharistisch; Kommunions-.

eugénique *f,* **eugénisme** *m* [øʒenik, -nism] Eugenik *f.*

euh [ø] *interj (Erstaunen, Zweifel)* oh, ach, soso.

eunuque [ønyk] *m* Eunuch *m.*

euphé|mique [øfemik] euphemistisch, beschönigend; **~misme** *m* Beschönigung *f;* Euphemismus, beschönigende(r) Ausdruck *m.*

eupho|nie [øfɔni] *f* Wohlklang, -laut *m;* **~nique** wohlklingend.

euphorbe [øfɔrb] *f bot* Wolfsmilch *f.*

euphorie [øfɔri] *f* Euphorie *f,* Wohlbefinden *n,* Entspannung *f.*

Eurasi|e, l' [ørazi] *f* Eurasien *n;* **e~atique** eurasisch; **E~en** *m* Eurasier; Angloinder *m.*

euro|communisme [ørokɔmynizm] *m* Eurokommunismus *m;* **~crate** *m* Eurokrat *m;* **~dollar** *m* Eurodollar *m;* **~missile** *m* in Europa stationierte Rakete *f.*

Europ|e, l' [ørɔp] *f* Europa *n; l'*~ *centrale* Mitteleuropa *n;* **e~éanisation** *f* Europäisierung *f;* **e~éaniser** europäisieren; **e~éen, ne** *a* europäisch; *E~, ne s m f* Europäer(in *f*) m; **e~éisation** *f* Europäisierung *f.*

euro|-stratégique [ørostrateʒik] eurostrategisch; **E~vision** [ørovisjɔ̃] *f* Eurovision *f; match en E~vision* Eurovisionsspiel *n.*

eurythmie [øritmi] *f* Eurhythmie *f;* Ebenmaß *n,* Harmonie; *fig* (innere) Ausgeglichenheit; *med* Gleichmäßigkeit *f* des Pulses.

eustache [østaʃ] *m* (Klapp-, Gärtner-)Messer *n.*

euthanasie [øtanazi] *f* Euthanasie *f;* Gnadentod *m.*

eux [ø] *m pl prn* sie *m pl; à* ~ ihnen; *~-mêmes* sie selbst; *c'est à* ~ *de parler* sie sind an der Reihe zu reden; *l'un d'(entre)* ~ e-r von ihnen; *je pense à* ~ ich denke an sie.

évacu|ant, e; evacuatif, ive [evakɥɑ̃, -ɑ̃t; -kɥatif, -iv] *a pharm* abführend; *s m* Abführmittel *n;* **~ation** *f* (Aus-, Ent-)Leerung *f;* Ablauf, Abfluß; *mil* Abtransport *m,* Räumung, Evakuierung *f;* ausgeschiedene(n) Stoffe *m pl;* ~ *d'air* Entlüftung *f;* ~ *de la chaleur* Wärmeabgabe *f;* ~ *des gaz* Gasabzug *m;* ~ *des procès* Erledigung *f* der (schwebenden) Prozesse; **~é, e** *a* geräumt; evakuiert; *s m f* Evakuierte(r *m*) *f; gaz m* ~ Abgas *n;* **~er** (ent)leeren; ab=lassen; *med* ab=führen; von sich geben; ab=transportieren, evakuieren, verlegen; *(Saal)* räumen.

évad|é, e [evade] *a* flüchtig; entflohen; *s m* Ausbrecher *m;* **~er, s'** aus=brechen; entweichen, -fliehen (*de* aus); heimlich weg=gehen, *fam* sich verziehen (*de* von, aus); *fig* sich entziehen, sich befreien; sich flüchten (*en* in *acc*); Ausflüchte machen; sich aus der Affäre ziehen; geistesabwesend sein.

évalu|able [evalɥabl] abschätzbar; berechenbar; **~ation** *f* (Ab-)Schätzung; Berechnung; Aus-, Bewertung; Ermittlung *f;* (Vor-)Anschlag *m;* Veranschlagung, Veranlagung; Wertbestimmung *f; corriger, rectifier une* ~ e-e Schätzung berichtigen; ~ *approximative* Voranschlag; Überschlag *m;* ~ *des biens* Vermögensbewertung *f;* ~ *budgétaire* Haushaltsvoranschlag *m;* ~ *des distances* Entfernungsschätzen *n;* ~ *des frais* Kosten(vor)anschlag *m;* ~ *des impôts* Steuervoranschlag *m;* ~ *de la rentabilité* Rentabilitätsrechnung *f;* ~ *au-dessus de sa valeur* Überschätzung *f;* **~er** (ab=)schätzen; berechnen, taxieren, veranschlagen;

be-, aus=werten; beurteilen, würdigen; ~ *approximativement* überschlagen; ~ *trop haut, trop bas* zu hoch, zu niedrig veranschlagen *od* an=setzen; ~ *une distance à vue d'œil, à vue de nez* e-e Entfernung ab=schätzen, über den Daumen peilen; *j'~e le dommage à un million* ich schätze den Schaden auf eine Million.

évanescent, e [evanɛsɑ̃, -ɑ̃t] nach u. nach verschwindend; sich verflüchtigend, verschwimmend.

évang|élique [evɑ̃ʒelik] *a* evangelisch, auf das Evangelium bezüglich; protestantisch; *s m pl* Protestanten *m pl;* **~élisation** *f* Verkündung *f* des Evangeliums; Bekehrung *f* (zum Christentum); **~éliser** das E. verkünden; **~éliste** *m* Evangelist *m;* **~ile** *m* Evangelium *n (Lehre); É~* E. *(Buch); il le prend pour parole d'é~* das ist für ihn das Evangelium.

évanou|i, e [evanwi] verschwunden; vergangen; *(Mensch)* ohnmächtig; **~ir, s'** ohnmächtig werden, in Ohnmacht fallen (*d'effroi* vor Schreck); *fig* verschwinden, vergehen, zerrinnen; sich verflüchtigen; *math* fort=fallen; **~issement** *m* Ohnmacht, Bewußtlosigkeit *f; tele* Schwund *m; fig* Verschwinden, Vergehen, Verklingen *n; revenir d'un ~* wieder zu sich kommen; *correcteur m d'~ (radio)* Schwundausgleich *m.*

évapor|able [evapɔrabl] verdampfbar; **~ateur** *m* Verdampfer, Evaporator *m;* **~ation** *f* Ver-, Eindampfung; Verdunstung *f; réfrigération f par ~* Verdunstungskühlung *f; température f d'~* Verdampfungstemperatur *f; vitesse f d'~* Verdunstungsgeschwindigkeit *f;* **~é, e** *a* verdampft; verdunstet; *fig* leichtsinnig, flatterhaft; *s m f* Windbeutel; lose(r) Vogel *m;* **~er** *chem* ab=dampfen; *s'~* verdunsten; verfliegen; sich verflüchtigen; verschwinden; *fam* sich aus dem Staub machen.

évas|é, e [evaze] glockig, ausladend, geschweift, bauchig; **~ement** *m* Erweiterung; Ausbauchung *f;* **~er** *(Öffnung)* (aus=)weiten, erweitern; *s'~* sich weiten; *(Kleid)* glockenförmig fallen; **~if, ive** ausweichend; **~ion** *f* Flucht *f;* Entweichen, Ausbrechen *n; fig* Zerstreuung, Ablenkung *f; besoin m d'~* Bedürfnis *n* nach Ablenkung; ~ *des capitaux* Kapitalflucht *f; ~ fiscale* Steuerflucht *f; ~ hors de la réalité* Flucht *f* in die Unwirklichkeit; ~ *du trafic* Verkehrsabwanderung *f;* **~ure** *f (Trichter)* Ausweitung *f.*

Ève [ɛv] *f* Eva *f; ne connaître qn ni d'~ ni d'Adam* jdn überhaupt nicht kennen.

évêché [eve(ɛ)ʃe] *m* Bistum *n;* Bischofswürde *f,* -amt *n;* bischöfliche(s) Palais *n;* Sitz *m* e-s Bischofs *(Stadt).*

éveil [evɛj] *m* (Auf-)Wecken; Erwachen *n a. fig;* Wachzustand *m; en ~* wach; *donner l'~ à qn* jdn warnen, verständigen; jdm e-n Wink geben; jdn auf=horchen lassen; *être, se tenir en ~* wachsam sein; auf=passen; *tenir en ~* wach=halten; **~lé, e** [-eje] (hell)wach; (auf)geweckt; flink, munter, regsam; *avoir l'air ~* aufgeweckt aus=sehen; *être ~ comme une portée de souris* hellwach, quicklebendig sein; *rêve m ~* Wachtraum *m;* **~ler** (auf=)wecken; *(Wunsch)* wach=rufen, erwecken; beleben; erregen; *s'~* wach werden; er-, auf=wachen; sich regen; *s'~ en sursaut* auf=schrecken; *(aus dem Schlaf)* auf=fahren.

événement [evɛnmɑ̃] *m* Ereignis *n,* Vorfall *m,* Vorkommnis *n,* Begebenheit *f;* Erlebnis *n; jur (Situation)* Eintreten *n; à tout ~ (lit)* auf jeden Fall, auf alle Fälle; *en cas m d'~* eintretendenfalls; *être au courant des ~s* über das Geschehen auf dem laufenden sein; *faire ~* (großes) Aufsehen erregen; *voici les ~s du jour (radio)* Sie hören die Nachrichten des Tages; *chaîne f, enchaînement, fil m, suite f des ~s* Kette, Verkettung, Reihe, Folge *f* der E.; *rencontre f fortuite d'~s* zufällige(s) Zs.treffen *n* von E.; *scène f, théâtre m d'un ~* Schauplatz e-s E.; **~iel, le** [-sjɛl] Tatsachen-.

évent [evɑ̃] *m* Luft-, Zugloch *n; (Luft)* Abzug; Luftkanal *m,* -zufuhr *f; (Wal)* Spritzloch *n;* **~ail** [-aj] *m* Fächer, Wedel *m; (Waren)* Auswahl; (Lohn-)Skala; (Preis-)Liste *f; fig* Umfang *m,* Leiter *f,* Möglichkeiten *f pl; tech* Schutzschild *m; en ~* fächerförmig; *agiter un ~* e-n F. bewegen; *ouvrir* od *déployer, fermer* od *plier un ~* e-n F. öffnen, schließen; *battement, coup m d'~* Schlag *m* mit dem Fächer; *voûte f en ~* Fächergewölbe *n; ~ à mouches* Fliegenwedel *m; ~ en nacre, de papier, de soie* Perlmutt-, Papier-, Seidenfächer *m;* **~aillerie** *f* Fächerhandel *m;* **~ailliste** *m* Fächerfabrikant, -händler, -maler *m.*

éventaire [evɑ̃tɛr] *m com* Auslage *f,* Stand; Bauchladen *m; ~ d'un marchand de journaux* Zeitungsstand *m.*

évent|é, e [evɑ̃te] dem Wind ausgesetzt, windig; *(Getränk)* schal, abgestanden; *(Parfüm)* verduftet; *fam* bekannt (geworden); *c'est un truc ~* den

Dreh kennt jeder; **~er** Luft zu=fächeln (*qn* jdm); *(Kleider)* aus=, durch=lüften; *(Getreide)* um=schaufeln; *(Segel)* nach dem Winde richten; *min* erschließen; *(Fährte)* wittern; *fig* auf=spüren, entdecken; ~ *qc* hinter e-e S kommen; *(Geheimnis)* aus=plaudern; *s'*~ sich *(dat)* Luft zu=fächeln; *(Getränk)* schal werden, ab=stehen; *(Parfüm)* verduften; ~ *la mine, la mèche (fig)* Lunte, den Braten riechen.

éventr|ation [evɑ̃trasjɔ̃] *f med* Eingeweidebruch *m;* **~er** den Bauch auf=schlitzen (*qn* jdm); *(Küche)* aus=nehmen, -weiden; *allg* (gewaltsam) auf=reißen, -schneiden, -stoßen, -brechen; weit öffnen; *(Segel)* auf=schlitzen.

éventu|alité [evɑ̃tɥalite] *f* Eventualität, Möglichkeit *f;* mögliche(r) Fall *m; être prêt, parer à toute* ~ allen Möglichkeiten vor=beugen; **~el, le** eventuell, etwaig, möglich; **~ellement** *adv* gegebenenfalls, unter Umständen.

évêque [evɛk] *m* Bischof *m; bonnet m d'*~ *(theat)* oberste Loge; Bischofsmütze *f (Serviette).*

évertuer, s' [evɛrtɥe] alle Kräfte auf=bieten, sich (sehr) an=strengen (*à* um zu).

éviction [eviksjɔ̃] *f jur* Besitzentziehung, Verdrängung *f.*

évid|age, ~ement [evidaʒ, -mɑ̃] *m* Aushöhlung, -kehlung, -sparung *f;* Hohlraum *m; med (Knochen)* Auskratzung *f.*

évid|emment [evidamɑ̃] *adv* offensichtlich, selbstverständlich, natürlich; **~ence** *f* Evidenz *f,* Augenschein *m,* Gewißheit *f; à l'*~, *de toute* ~ offensichtlich; *être en* ~ auf der Hand liegen, offen zutage liegen; *mettre en* ~ klar=stellen, hervor=heben; *(Gegenstand)* auffällig hin=legen; *se mettre en* ~ *(Person)* sich bemerkbar machen; sich vor=drängen; *se rendre à l'*~ sich überzeugen lassen; **~ent, e** augenscheinlich, einleuchtend, offensichtlich, klar, evident; *c'est* ~, *c'est une chose* ~*e* das ist klar, liegt auf der Hand; **~er** aus=höhlen, -kehlen, -bohren, -sparen; durchbrechen; (bogenförmig) aus=weiten, -schneiden; *med* aus=kratzen; **~oir** *m* (Hohl-)Bohrer, Hohlmeißel *m.*

évier [evje] *m (Küche)* Ausguß *m;* Spülbecken *n,* -stein *m.*

evinc|ement [evɛ̃smɑ̃] *m jur* Vertreibung, Verdrängung, Ausschließung *f;* **~er** *jur* (aus dem Besitz) vertreiben; *allg* verdrängen; aus=stechen.

évit|able [evitabl] vermeidbar; **~age** *m mar* Dreh-, Schwenkbewegung *f,* -raum *m;* **~ement** *m loc* Überholen *n; voie f d'*~ Überholgleis *n;* **~er** *itr mar* drehen; *tr* (ver)meiden; aus=weichen, aus dem Wege gehen (*qn, qc* jdm, e-r S); vermeiden, sich hüten (*de* zu, *que* ... *(ne)* daß); ersparen (*qc à qn* jdm etw).

évocat|eur, trice [evɔkatœr, -tris] *a* Erinnerungen wachrufend; vielsagend; anschaulich; *(Geister)* beschwörend; *s m* Geisterbeschwörer *m;* **~ion** [-sjɔ̃] *f* (Geister-)Beschwörung *f; fig* Zurückdenken (*de* an *acc*); Zurückrufen *n (in die Erinnerung);* Erinnerung; Vorstellung, *jur* Übernahme *f* e-s Verfahrens durch ein höheres Gericht.

évolu|er [evɔlɥe] Bewegungen aus=führen; sich hin u. her bewegen; *mil* Schwenkungen machen; auf=marschieren; *fig* sich (weiter=)entwikkeln; sich langsam ändern; **~tif, ive** [-ly-] entwicklungsfähig; sich entwikkelnd; Entwicklungs-; *(Krankheit)* fortschreitend; **~tion** [-sjɔ̃] *f mil* Bewegung *f;* Aufmarsch *m; mar* Schwenkung; *astr* Umdrehung; *biol* Evolution, Entwicklung *f a. fig; (Krankheit)* Verlauf *m; pl* Bewegungen, Vorführungen *f pl; (Tanz)* Schritte *m pl; théorie, doctrine f de l'*~ Entwicklungslehre *f;* ~ *démographique* Bevölkerungsentwicklung *f;* ~ *future* Aufstiegs-, Entwicklungsmöglichkeit *f;* ~ *des prix* Preisentwicklung *f;* ~ *de la situation* Änderung *f* der Lage.

évoquer [evɔke] die Erinnerung wach=rufen, erinnern (*qc* an e-e S); *(Geister)* beschwören; *(Problem)* stellen; *(Namen)* nennen, erwähnen; *(Kunst)* e-e Vorstellung geben (*qc* von etw); *jur* vor e-n höheren Gerichtshof ziehen.

évulsion [evylsjɔ̃] *f med* Entfernen; *(Zahn)* Ziehen *n.*

ex(-) [ɛks, egz] *pref* ehemalig, gewesen; aus-; ~ *abrupto* unvermittelt; ohne Umschweife; ~ *magasin* ab Lager.

exacerb|ation [ɛgzasɛrbasjɔ̃] *f* Verschärfung; *med* (vorübergehende) Verschlimmerung *f;* **~é, e** (sehr) heftig; (äußerst) lebhaft; **~er** verschärfen, verschlimmern; (stark) erregen; *(Zorn)* steigern; *(Begierde)* reizen; *(Leidenschaft)* auf=stacheln.

exact, e [ɛgza(kt), -kt(ə)] genau, streng, exakt; richtig, wahr, zutreffend; sorgfältig, zuverlässig; pünktlich; *à l'heure* ~*e* pünktlich *adv; c'est* ~ das stimmt; das ist richtig; *les* *sciences ~es f pl* die exakten Wissenschaften *f pl.*

exaction [ɛgzaksjɔ̃] *f* (ungesetzliche) Überforderung *f.*

exactitude [ɛgzaktityd] *f* Genauigkeit, Exaktheit; Richtigkeit; Pünktlichkeit; Strenge *f.*

exagér|ation [əgzaʒerasjɔ̃] *f* Übertreibung; Steigerung *f; ~ des proportions* Übermaß *n; ~ de la sensibilité* Überempfindlichkeit *f;* **~é, e** übertrieben, übermäßig; zu hoch gegriffen; zu stark betont; *(Lachen)* gezwungen; *effort m ~* Überanstrengung *f;* **~er** *tr* übertreiben; überschätzen; (die Farben) zu stark auf=tragen; *itr* zu weit gehen; das Maß überschreiten; *s'~* zu=nehmen; (zu) stark werden; sich e-e übertriebene Vorstellung machen (*qc* von etw); überschätzen.

exalt|ant, e [əgzaltɑ̃, -ɑ̃t] erregend, belebend; erhebend; **~ation** *f* Begeisterung, Erregung; Überschwenglichkeit, Überspanntheit, Exaltation; Schwärmerei; *med* Steigerung; Überreizung; *rel* Papstwahl *f; ~ de la sainte croix (rel)* Kreuzerhöhung *f;* **~é, e** *a* überspannt, überschwenglich, exaltiert; schwärmerisch; *s m* überspannte(r) Mensch, Schwärmer *m;* **~er** preisen, rühmen; bewundern, verehren; sich e-e übertriebene Vorstellung machen *(qn* von jdm); (übermäßig) erregen, begeistern; *(Gefühl)* verstärken, *(Eifer)* erhöhen; *(Farben)* hervor=treten lassen; *(Menschen)* vervollkommnen, entwickeln; *s'~* in Schwärmerei, Erregung geraten; sich erhitzen *fig.*

exam|en [ɛgzamɛ̃] *m* Prüfung *f,* Examen *n;* Untersuchung; Durchsicht; Einsicht (*de qc* in e-e S); Erforschung; Erwägung; *(Maschine)* Überprüfung, Überholung, Instandsetzung *f; après ~ approfondi, après plus ample ~* bei näherer Prüfung; *être reçu à un ~ avec la mention bien* e-e P. mit „gut" bestehen; *être refusé, (fam) recalé, collé, blackboulé à un ~* bei e-r P. durch=fallen, *(fam)* -rasseln; *faire l'~* e-e P. ab=halten; untersuchen (*de qc* etw); *passer, subir un ~* e-e P. machen *od* ab=legen; *se présenter à un ~* sich zu e-r P. melden; *soumettre qc à l'~* etw e-r P. unterziehen; *réussir à l'~* beim Examen durch=kommen; bestehen; *dissertation f, sujet m, question f d'~* Prüfungsaufsatz, -gegenstand *m,* -frage *f; épreuves f pl d'~* Prüfungsarbeiten *f pl; jury m d'~* Prüfungsausschuß *m; ~ d'admission, probatoire* Zulassungsprüfung *f; ~ de fin d'apprentissage artisanal* Gesellenprüfung *f; ~ approfondi* gründliche P.; *~ d'aptitude* Eignungsprüfung *f; ~ de capacité* Befähigungsnachweis *m; ~ de conscience* Gewissenserforschung *f; ~ écrit, oral* schriftliche, mündliche P.; *~ d'entrée, de passage, de sortie* od *de fin d'études* Aufnahme-, Versetzungs-, Abgangsprüfung *f; ~ fiscal* Steuerprüfung *f; ~ de maître, de maîtrise* Meisterprüfung *f; ~ des matériaux* Materialprüfung *f; ~ médical* ärztliche Untersuchung *f; ~ du permis de conduire* Fahr-, Führerscheinprüfung *f; ~ radioscopique, aux rayons* Röntgenuntersuchung, Durchleuchtung *f; ~ du sang* Blutuntersuchung *f; ~ de sélection* Ausleseprüfung *f; ~ de la situation* Beurteilung *f* der Lage; *~ du terrain* Geländebeurteilung *f;* **~inateur, trice** [-mi-] *a* prüfend; *s m f* Prüfer(in *f*) *m (im Mündlichen);* **~iner** (über)prüfen; untersuchen *a. med;* durch=sehen, -gehen, sichten; examinieren; erwägen; genau an=sehen, beobachten; *s'~* sich selbst, sein Gewissen erforschen, sich (sorgfältig) beobachten; *~ qn de la tête aux pieds* jdn von oben bis unten prüfend betrachten.

exan|thémateux, se; ~thématique [ɛgzɑ̃tematø, -øz; -tik] mit (Haut-)Ausschlag verbunden; Ausschlag-; **~thème** *m* (Haut-)Ausschlag *m.*

exaspér|ation [ɛgzasperasjɔ̃] *f* Erbitterung; große Erregung; Entrüstung; Wut; *med* Verschlimmerung *f;* **~é, e** außer sich; *(Schmerz)* rasend; *(Empfindlichkeit)* aufs höchste gesteigert; **~er** erbittern, auf=bringen, in Wut versetzen; *(Übel)* verschlimmern; *(Verlangen)* (aufs höchste) steigern; *s'~ (Person)* außer sich (*dat* od *acc*) geraten; *(Sache)* sich (aufs höchste) steigern; *med* sich verschlimmern.

exauc|ement [ɛgzosmɑ̃] *m* Erhörung, Gewährung, Erfüllung *f;* **~er** *(Gebet)* erhören; *(Bitte)* gewähren; *(Wunsch)* erfüllen.

excav|ateur, trice [ɛkskavatœr, -tris] *m* (Trocken-)Bagger *m; ~ (à chaîne) à godets* Eimer(ketten)bagger *m; ~ à grappin* Greifbagger *m; ~ orientable* Schwenkbagger *m; ~ traînant* Schrapper, Kratzer *m;* **~ation** *f* Aushöhlung, Vertiefung; Ausschachtung *f;* (Aus-)Baggern *n; min* Grubenraum *m;* **~er** aus=höhlen; vertiefen; aus=schachten, -baggern.

excéd|ant, e [ɛksedɑ̃, -ɑ̃t] überschüssig, -zählig; *fig* lästig, unerträglich; ermüdend; **~ent** *m* Überschuß *m* (*sur* über *acc, de* an *dat*), -maß; Übergewicht *n;* Überlänge *f;* Mehrbetrag *m;* überschießende Summe *f; être en ~* überzählig sein; *somme f en ~* Mehrbetrag *m; ~ annuel* Jahresüberschuß *m; ~ de bagages* Übergepäck *n; ~ brut* Bruttoüberschuß *m; ~ de dépenses* Mehrausgabe *f; ~ d'exportation* Ausfuhrüberschuß *m; ~ de frais* Mehrkosten *pl; ~ d'importation* Einfuhrüberschuß *m; ~ monétaire* Geldüberhang *m; ~ de naissances* Geburtenüberschuß *m; ~ de poids* Übergewicht *n; ~ de port* Mehrporto *n; ~ de pouvoir d'achat* Kaufkraftüberhang *m; ~ de production* Produktionsüberschuß *m; ~ de recettes* Mehreinnahmen *f pl; ~ de vente* Mehrumsatz *m;* **~entaire** überschüssig; *région f ~* Überschußgebiet *n;* **~é, e** wütend, außer sich; am Ende s-r Kraft; **~er** hinaus=gehen (*qc* über e-e S); übersteigen, -ragen, -schreiten, -treffen (*de* um); *fig* ermatten, erschöpfen; (sehr) lästig, auf die Nerven fallen (*qn* jdm); *(mit Aufmerksamkeiten)* überhäufen; *être ~é de travail* mit Arbeit überhäuft sein; *~ le temps* die Zeit überschreiten.

excell|ence [ɛksɛlɑ̃s] *f* Vortrefflichkeit, Vorzüglichkeit *f; E~* Exzellenz *f; par ~* recht eigentlich, im besonderen Sinn; **~ent, e** *a* ausgezeichnet, vortrefflich, vorzüglich; kostbar; köstlich, prächtig; *fam* prima; *s m* hervorragende Qualität *f;* **~entissime** *fam* phantastisch; **~er** sich aus=zeichnen; hervor=ragend, sehr geschickt sein (*dans sa profession* in s-m Beruf; *en musique* in der Musik; *au tennis* beim Tennis; *à* zu *mit Inf*); *~ en qc* sich gut auf e-e S verstehen.

excentr|er [ɛksɑ̃tre] *tech* exzentrisch (ver)stellen; **~icité** *f* Abstand *m* vom Mittelpunkt; Exzentrizität *a. fig; (Stadtteil)* Abgelegenheit; *fig* Überspanntheit *f;* **~ique** *a* exzentrisch *a. fig,* außermittig; abgelegen; *fig* überspannt, ausgefallen, auffallend; *s m f* exzentrische(r) Mensch *m; m* (das) Überspannte; *tech* Exzenter *m.*

except|é, e [ɛksɛpte] ausgenommen, mit Ausnahme *gen;* bis auf *acc;* außer *dat;* **~er** aus=nehmen, aus=schließen; verschonen; *~ dans une liste* aus e-r Liste streichen; *il faut en ~ ...* davon sind (ist) ... auszunehmen; **~ion** [-sjɔ̃] *f* Ausnahme; *jur* Einrede *f,* Einwand *m; à l'~ de, ~ faite de* ausgenommen, mit Ausnahme *gen; à quelques ~s près* bis auf wenige Ausnahmen; *par ~* ausnahmsweise; *sans aucune ~* ohne jede Ausnahme; *sans ~ d'âge, ni de sexe* ohne Rücksicht auf Alter u. Geschlecht *(acc); faire ~* e-e A. bilden; *faire une ~ pour, en faveur de qn* bei jdm, zugunsten jds e-e A. machen; *soulever une ~ (jur)* e-e Einrede geltend machen; *cette règle ne comporte* od *souffre pas d'~* diese Regel läßt keine A. zu; *l'~ confirme la règle* Ausnahmen bestätigen die Regel; *il n'y a pas de règle sans ~* keine Regel ohne A.; *cas m d'~* Ausnahmefall *m; loi f d'~* Ausnahmegesetz *n; mesure f d'~* Sondermaßnahme *f; traitement m d'~* Sonderbehandlung *f; tribunal m d'~* Sondergericht *n; ~ déclinatoire jur* Einrede *f* der Nichtzuständigkeit; *jur ~ de discussion* Einrede *f* der Vorausklage; **~ionnel, le** [-sjɔ-] außergewöhnlich, -ordentlich; Ausnahme-; *cas m ~* Sonderfall *m; congé m ~* Sonderurlaub *m; être m ~* ungewöhnliche(r) Mensch *m; prix m ~* Ausnahme-, Sonderpreis *m;* **~ionnellement** *adv* ausnahmsweise; ungewöhnlich.

exc|ès [ɛksɛ] *m* Übermaß *n* (*de* an *dat*), Maßlosigkeit; Übertreibung; Ausschweifung *f;* Exzeß *m;* Extrem *n; (Amtsgewalt)* Überschreitung *f; math* Rest, Überschuß *m; pl* Ausschreitungen, Tätlichkeiten *f pl,* Exzesse *m pl; (jusqu')à l'~* über alle Maßen; überaus; *par ~ de prudence* um ganz sicherzugehen; *boire, manger avec ~, à l'~* übermäßig trinken, essen; *pousser jusqu'à l'~* bis zum Letzten, Äußersten treiben; *tomber d'un ~ dans un autre* von e-m Extrem ins andere fallen; *l'~ en tout est un défaut* allzuviel ist ungesund; *~ de fatigue* Übermüdung *f; ~ de force* Kraftüberschuß *m; ~ de population* Übervölkerung *f; ~ de pose (phot)* Überbelichtung *f; ~ de pouvoir* Kompetenzüberschreitung *f; ~ de pression* Überdruck *m; ~ de travail* Überarbeitung *f; ~ de vitesse* Geschwindigkeitsüberschreitung *f; ~ de zèle* Übereifer *m;* **~essif, ive** [-ksɛ-] übermäßig, übertrieben; außergewöhnlich.

excip|er [ɛksipe] *jur* sich berufen, sich stützen (*de* auf *acc*); **~ient** [-pjɑ̃] *m pharm* Bindemittel *n.*

excis|er [ɛksize] *med* aus=schneiden; **~ion** [-zjɔ̃] *f* Ausschneidung *f.*

excit|abilité [ɛksitabilite] *f* Reizbarkeit, Erregbarkeit *f;* **~able** reiz-, erregbar; **~ant, e** *a* er-, anregend *a. pharm; fig* packend, spannend; *fam* aufregend; *pop* Klasse, prima; *s m* Reizmittel *n;* **~ateur, trice** *a* anregend, aufreizend; *s m f* Anstifter(in *f*),

Aufwiegler(in *f*) *m; s m phys* Erreger; Treiber(stufe *f*); *s f* Erregerdynamo *m; bobine f ~trice* Erregerspule *f; ~ de troubles* Unruhestifter *m;* **~ation** *f* Auf-, An-, Erregung *f;* (An-)Reiz *m;* Verhetzung, -leitung; Anstiftung; Aufwallung *f; être dans un état d'extrême ~* sich in e-m Zustand äußerster Erregung befinden; *circuit m d'~ (el)* Erregerkreis *m; courant m d'~* Erregerstrom *m; interrupteur m d'~* Magnetausschalter *m; signal m d'~* Treibersignal *n; ~ par choc, indépendante* Stoß-, Fremderregung *f;* **~é, e** *a* aufgeregt, erregt; *s m* Rasende(r) *m;* **~er** an=, er-, auf=regen; *(Wunsch)* (er)wecken; *(Person)* an=feuern, ermuntern, an=treiben; an=spornen (*à* zu); (an=, auf=)reizen; auf=wiegeln, auf=stacheln (*à* zu); auf=, verhetzen; sinnlich erregen; *s'~* in Wallung geraten; *(Sturm)* los=brechen; ea. an=spornen; *~ l'attention, l'admiration* Aufmerksamkeit, Bewunderung erregen; *~ l'appétit* den Appetit an=regen; *~ son auditoire* s-e Zuhörer mit=reißen *od* begeistern; *~ au travail* zur Arbeit an=spornen.

exclam|atif, ive [ɛksklamatif, -iv] Ausrufungs-; **~ation** *f* Ausruf *m; point m d'~* Ausrufezeichen *n;* **~er, s'** aus=rufen, auf=schreien; *s'~ de joie, de peur* vor Freude, vor Angst auf=schreien.

exclu|re [ɛksklyr] *irr* aus=schließen, -schalten, -stoßen (*de* aus); fern=halten; vermeiden; *(aus e-r Liste, e-m Text)* streichen; *s'~* ea. aus=schließen; sich nicht mitea. vereinigen lassen; *chercher à s'~* sich gegenseitig auszustechen suchen; *c'est une chose ~e!* das ist ausgeschlossen! **~sif, ive** *a* ausschließend, ausschließlich; unvereinbar; exklusiv; eigenwillig; eng(stirnig); Allein-; *s f* Veto; Ausschließen *n; agent m ~* Alleinvertreter *m; vente f ~ive* Alleinverkauf *m;* **~sion** *f* Ausschluß (*de* aus, von); Widerstand *m;* Schranke *f; à l'~ de* unter Ausschluß *gen; prononcer l'~ de qn* jdn aus=schließen; **~sivement** *adv* ausschließlich; nur; **~sivisme** *m* Exklusivität *f;* **~sivité** *f* Ausschließlichkeit *f; com* Alleinvertrieb *m,* -verkaufsrecht *n,* -auslieferung *f;* alleinige(s) Recht *n;* alleinige(s) Vorführungs-, Reproduktionsrecht *n; en ~* ausschließlich.

excommuni|cation [ɛkskɔmynikasjɔ̃] *f* (Kirchen-)Bann *m;* Exkommunikation *f;* **~er** [-nje] exkommunizieren.

excori|ation [ɛkskɔrjasjɔ̃] *f* Hautabschürfung, wunde Stelle, Schramme *f;* **~er** (Haut) wund reiben, ab=schürfen; *s'~* sich wund=liegen *od* sich wund reiben.

excré|ment [ɛkskremɑ̃] *m med* Ausscheidung *f,* Kot *m,* Exkrement *n; fig* Auswurf, Abschaum *m;* **~menteux, se** [-tø, -øz] ; **~mentiel, le** [-sjɛl] Kot-; **~ter** [-te] ab=sondern, aus=scheiden; **~teur, trice; ~toire** absondernd; Ausscheidungs-; **~tion** [-sjɔ̃] *f* Ausscheidung, Absonderung *f.*

excroissance [ɛkskrwasɑ̃s] *f* Auswuchs *m,* Gewächs *n.*

excursion [ɛkskyrsjɔ̃] *f* Ausflug *m,* Fahrt, Wanderung; (wissenschaftliche) Exkursion *f; fig* Exkurs *m,* Abschweifung; *tech* Abweichung *f; faire une ~* e-n A. machen; *billet m d'~* Ausflugs(fahr)karte *f; ~ en auto* Autofahrt *f; ~ à bicyclette* Radtour *f; ~ dominicale (du dimanche)* Sonntagsausflug *m; ~ de fréquence* Frequenzabweichung *f,* -verlauf *m; ~ d'une journée* Tagesfahrt *f; ~s organisées* (Ausflugs-)Fahrten *f pl* e-s Reisebüros; *~ à pied* Fußwanderung *f;* **~ner** [-sjɔ-] e-n Ausflug machen; **~niste** *m f* Ausflügler, Tourist(in *f*) *m;* Vergnügungsreisende(r *m*) *f.*

excus|able [ɛkskyzabl] entschuldbar, verzeihlich; **~e** [ɛkskyz] *f* Entschuldigung(sgrund *m,* -schreiben *n*); Ausrede *f; apporter, alléguer, donner une ~* e-e E. vor=bringen; *avoir toujours une ~ toute prête* immer e-e E. zur Hand haben; *faire, présenter ses ~s à qn* sich bei jdm entschuldigen; *prendre qc pour ~* etw vor=schützen; *on peut dire pour son ~* zu s-r E. kann man sagen; *(pop) faites ~* entschuldigen Sie! **~er** entschuldigen, verzeihen, Nachsicht haben (*qc* mit etw); *s'~* sich entschuldigen (*de qc* wegen etw); *de faire qc* sich entschuldigen, etw getan zu haben; *vx* etw ablehnen, absagen; *~ez-moi, vous ~ez!* entschuldigen Sie! verzeihen Sie! *veuillez m'~ auprès de* entschuldigen Sie mich, bitte, bei.

exeat [ɛgzeat] *m inv* (schriftliche) Ausgangserlaubnis *f.*

exécr|able [ɛgzekrabl, ɛks-] abscheulich, scheußlich; **~ation** *f* Abscheu; Widerwille *m; avoir qn en ~* jdn verabscheuen; **~er** verabscheuen; nicht leiden können.

exécut|able [ɛgzekytabl] aus-, durchführbar; vollstreckbar; erfüllbar; *mus* spielbar; **~ant, e** *m f mus* Vortragende(r *m*), Mitwirkende(r *m*) *f;* Künstler(in *f*) *m;* Ausführende(r *m*) *f;*

~er *(Vorhaben)* durch=, aus=führen; vollziehen, -bringen; *(Versprechen)* erfüllen; *(Arbeit)* erledigen; *(Auftrag)* aus=führen; *jur* (aus=)pfänden; *(Urteil)* vollstrecken; hin=richten; töten; *mus* vor=tragen, spielen; *sport* haushoch schlagen; *fig* erledigen, kalt=stellen, *s'~* sich entschließen; sich fügen; in den sauren Apfel beißen; *com* Vermögenswerte veräußern; e-r Verpflichtung nach=kommen; **~eur, trice** *m f: ~ (des hautes œuvres)* Scharfrichter *m; ~ testamentaire* Testamentsvollstrekker *m;* **~if, ive** *a* ausübend, vollziehend; *s m u. pouvoir m ~* ausübende Gewalt, Exekutive *f;* **~ion** [-sjɔ̃] *f* Durch-, Ausführung; *(Verbindlichkeit)* Erfüllung, Leistung; *(Auftrag)* Erledigung *f; mus* Vortrag *m,* Spiel *n; jur* Pfändung; *(Strafe)* Vollstreckung, -ziehung *f,* -zug *m;* Hinrichtung; *mil* Erschießung *f; avancer, retarder l'~ d'un projet* die Durchführung e-s Planes fördern, verzögern; *commencer l'~ de qc* e-e S in Angriff nehmen; *mettre à ~* aus=, durch=führen; *autorité f d'~ pénale* Strafvollstreckungsbehörde *f; commandement m d'~ (mil)* Ausführungskommando *n; dessin m d'~* Werkzeichnung *f; dispositions f pl d'~* Ausführungsbestimmungen *f pl; lieu m d'~* Erfüllungsort *m; ~ forcée* Zwangsvollstreckung *f; ~ partielle* Teilleistung *f; ~ simultanée* Leistung *f* Zug um Zug; *~ sommaire* Hinrichtung *f* ohne Gerichtsverfahren; **~oire** *a* vollzieh-, vollstreckbar; rechtskräftig; *s m* Vollstreckungsbefehl *m.*

exég|èse [ɛgzeʒɛz] *f* Exegese, Auslegung, Erklärung *f;* **~ète** *m* Exeget, Interpret *m;* **~étique** erklärend, auslegend, exegetisch.

exem|plaire [ɛgzɑ̃plɛr] *a* mustergültig, vorbildlich; *(Strafe)* exemplarisch, abschreckend; *s m* Exemplar, Stück *n; en double, triple ~* in doppelter, dreifacher Ausfertigung; *imprimer, tirer un livre à dix mille ~s* ein Buch in e-r Auflage von 10 000 Exemplaren drucken; *taper une lettre en trois ~s* e-n Brief in dreifacher Ausfertigung auf der Maschine schreiben; *~ d'auteur* Handexemplar *n; ~ de dédicace* Widmungsexemplar *n; ~ défraîchi* Remittende *f; ~ du dépôt légal* Pflichtexemplar *n; ~-éditeur m, ~ recueilli* Verlagsstück *n; ~ en feuilles* E. in losen Bogen; *~ gratuit* Freiexemplar *n; ~ isolé, dépareillé* Einzelstück *n; ~ de luxe* Prachtexemplar *n; ~ modèle, type* Musterexemplar *n; ~ d'occasion* antiquarische(s) E.; *~ de passe, hors tirage* Zuschußexemplar *n; ~ de presse, pour compte-rendu* Besprechungsstück *n; ~ de publicité* Werbeexemplar *n; ~ rogné* beschnittene(s) E.; *~ spécial* Sonderanfertigung *f; ~ de tête* erste(s) E.; **~ple** *m* Beispiel, Muster, Vorbild (*de,* für); (warnendes, abschreckendes) Beispiel, Exempel *n; à l'~ de* nach dem Beispiel *gen; par ~* zum Beispiel; *fam* nicht möglich! warum nicht gar! nanu! na, na! ach! was! *fam* dagegen; *sans ~* beispiellos; *apporter des ~s à l'appui d'une affirmation* e-e Behauptung mit Beispielen untermauern; *donner l'~, prêcher par l'~* mit gutem Beispiel voran=gehen, ein (gutes) B. geben; *faire un ~* ein Exempel statuieren; *se régler sur l'~ de qn, prendre ~ sur qn* sich an jdm ein B. nehmen; sich nach jdm richten; *servir d'~* als B. dienen (*à* für); *~ typique* Paradebeispiel *n.*

exempt, e [ɛgzɑ̃, -ɑ̃t] *a* frei, befreit, dispensiert (*de* von); *s m* Befreite(r), Dispensierte(r) *m; ~ d'acide* säurefrei; *~ de charges* lastenfrei; *~ de défauts, de fautes, d'erreurs* fehlerfrei; *~ de douane* zollfrei; *~ de droits* gebühren-, zollfrei; *~ de frais* kostenfrei; *~ d'impôts* steuerfrei; *~ d'intérêts* zinslos; *~ de pâte mécanique (Papier)* holzfrei; *~ de toute peine* straffrei; *~ de port* portofrei; *~ de tout reproche* einwandfrei; *~ du service militaire* vom Wehrdienst befreit; *~ de soucis* sorglos; *~ de timbre* stempelfrei; *~ de vertige* schwindelfrei; **~er** [ɛgzɑ̃te] befreien, dispensieren (*de* von); verschonen (*de* mit); *être ~é* ausgenommen, freigestellt, befreit sein (*de* von); *s'~ de qc* sich von etw frei machen; etw vermeiden; *vous ne pouvez vous ~ de* Sie können nicht umhin zu, Sie können nicht anders als; **~ion** [ɛgzɑ̃psjɔ̃] Befreiung *f;* Dispens *m; ~ d'impôts* Steuerfreiheit *f; ~ de toute peine* Straffreiheit *f; ~ de présence* Urlaub *m; ~ de service militaire* Befreiung *f* vom Wehrdienst.

exequatur [ɛgzekwatyr] *m* Exequatur *n; jur* Vollstreckbarkeitserklärung *f.*

exerc|er [ɛgzɛrse] *itr med* praktizieren; e-e (Rechtsanwalts-)Praxis haben; *tr* üben; aus=üben; aus=bilden (*qn à qc* jdn in e-r S); *(Geschmack)* bilden; *(Gewerbe)* (be)treiben; *(Amt)* bekleiden; verwalten; *(Recht)* geltend machen; *(s-e Wut)* aus=lassen (*sur, contre* an *dat*); *(die Geduld)* auf die Probe stellen; *(von e-r Fähigkeit)* Gebrauch machen (*qc* von etw); entfalten; *(Hund)* dressieren; *s'~* sich üben (*à* in *dat*); *sport* trainieren; *sur, contre qn* sich gegen jdn richten; *(Einfluß, Macht)* spürbar, fühlbar werden (*sur qn* bei jdm; *dans un domaine* auf e-m Gebiet); *~ un art, un métier, une industrie, une profession* e-e Kunst, ein Handwerk, ein Gewerbe, e-n Beruf aus=üben; *~ un commerce* ein kaufmännisches Unternehmen betreiben; *~ un contrôle, une influence* e-e Kontrolle, e-n Einfluß aus=üben (*sur* auf *acc*); *~ le corps à supporter le froid* den Körper gegen Kälte ab=härten; *s'~ à tirer* sich im Schießen üben; *s'~ à la patience* sich in Geduld üben; *s'~ au violon* Geige üben; *sa patience, sa curiosité s'est ~ée dans ces circonstances* s-e Geduld, Neugierde ist unter diesen Umständen auf die Probe gestellt worden; **~ice** *m* Übung *f; sport* Training; *mil* Exerzieren *n;* (körperliche) Bewegung; *(Macht, Beruf)* Ausübung; *(Pflicht)* Erfüllung; *(Recht)* Geltendmachung, Ausübung; *(Amt)* Bekleidung; (Steuer-)Prüfung *f;* Geschäfts-, Rechnungs-, Verwaltungsjahr *n; pl* Übungsbuch *n; en ~* im Amt; *entrer en ~* sein Amt an=treten; *faire l'~* exerzieren; *faire des ~s sur le piano, sur le violon* auf dem Klavier, der Geige üben; *faire, prendre de l'~* sich Bewegung verschaffen; *manquer d'~* nicht genug Bewegung haben; *réussir un ~ difficile* e-e schwierige Übung zustande bringen; *vous prendrez vos ~s page 2* Sie machen die Übungen auf Seite 2; *clôture f de l'~* Abschluß *m* des Geschäftsjahres; *~ d'alerte* Probealarm *m; ~ aux anneaux, à la barre fixe, aux barres parallèles, au cheval, à l'échelle, aux agrès* Übung *f* an den Ringen, am Reck, Barren, Pferd, an der Leiter, an den Geräten; *~s d'assouplissement* Lockerungsübungen *f pl; ~ sur la carte mil* Planübung *f,* -spiel *n; ~ pour le combat* Gefechtsausbildung *f; ~ d'exploitation, sous revue* Berichtsjahr *n; ~ fiscal* Steuerjahr *n; ~s (gymnastiques) au sol* Bodenturnen *n; ~ imposé* Pflichtübung *f; ~s libres* Freiübungen *f pl; ~s physiques* Leibesübungen *f pl; ~ préparatoire* Vorübung *f; ~s publics de gymnastique* Schauturnen *n; ~s de respiration* Atemgymnastik *f; ~ de service en campagne* Felddienstübung *f; ~ social* Geschäftsjahr *n* e-r Gesellschaft; *~ supplémentaire* Nachexerzieren *n; ~ de tir* Schießübung *f; ~ à titre honorifique* Ehrenamt *n; ~ de traduction* Übersetzungsübung *f; ~ de vol sans visibilité* Blindflugübung *f; ~ libre (sport)* Kürübung *f.*

exérèse [ɛgzerɛs] *f med* Abtragung, Entfernung *f.*

exergue [ɛgzɛrg] *m (Münze)* (Raum *m* für e-e) Inschrift *f.*

exfoli|ation [ɛksfɔljasjɔ̃] *f (Rinde, Schiefer, med)* Abblätterung; *med* Abschilferung *f;* **~er, s'** sich ab=blättern; *(Rinde)* sich ab=lösen.

exhal|aison [ɛgzalɛzɔ̃] *f* Ausdünstung *f;* Dunst; Duft *m;* **~ation** *f* Ausatmung, -dünstung *f;* **~er** aus=atmen, -dunsten, -hauchen; *(Duft)* aus=strömen *a. fig; (Wärme)* aus=strahlen; *(Ton)* von sich geben; *(Drohungen)* aus=stoßen; *s'~* aus=strömen; verdunsten; auf=steigen (*de* aus); (heraus=) dringen (*de* aus), her=kommen (*de* von); *fig* sich aus=drücken; sich Luft machen; *~ son âme, sa vie* s-e Seele, sein Leben aus=hauchen; *~ sa colère* s-m Zorn freien Lauf lassen; *~ son dépit* s-m Ärger Luft machen; *~ sa douleur dans un sanglot* s-m Schmerz in e-m Seufzer Ausdruck geben; *~ le dernier soupir* den letzten Seufzer aus=stoßen; *sa douleur s'~e* er läßt s-m Schmerz freien Lauf.

exhauss|ement [ɛgzosmɑ̃] *m* Erhöhung *f,* Höhermachen *n; (Schienen)* Überhöhung *f;* **~er** höher machen; auf=schütten; *arch* auf=stocken (*de* um); *fig* erhöhen.

exhaust|eur [ɛgzostœr] *m* Exhaustor, Entlüfter *m;* **~if, ive** erschöpfend *meist fig;* **~ion** [-tjɔ̃] *f* Absaugung.

exhéréd|ation [egzeredasjɔ̃] *f* Enterbung *f;* **~er** enterben.

exhib|er [ɛgzibe] *(Urkunde)* vor=legen, -zeigen, -weisen; ein=reichen; *(Tier)* vor=führen; *(Reichtum)* (übertrieben) zur Schau stellen; *fig (Kenntnisse) vor jdm* aus=breiten; *(Artist)* sich produzieren; **~ition** *f* Vorzeigen *n;* Vorlage; Zurschaustellung; Vorführung *f;* **~itionnisme** *m* Exhibitionismus *m;* **~itionniste** *m* Exhibitionist *m.*

exhilarant, e [ɛgzilarɑ̃, -ɑ̃t] erheiternd.

exhort|ation [egzɔrtasjɔ̃] *f* Ermahnung; Ermunterung *f* (*à* zu); *pl* Zureden *n;* **~er** ermahnen; auf=muntern, ermutigen.

exhum|ation [ɛgzymasjɔ̃] *f (Leiche)* Exhumierung, Ausgrabung *f;* **~er** exhumieren, aus=graben; *fig* wieder ans Licht ziehen; neu beleben.

exig|eant, e [ɛgziʒɑ̃, -ɑ̃t] anspruchsvoll; *(Kritiker)* streng; *(Gläubiger)* unerbittlich; ~**ence** *f* (An-)Forderung *f;* Erfordernis; Verlangen *n,* Anspruch *m;* anspruchsvolle(s) Wesen *n; ~s d'exploitation* Betriebsanforderungen *f pl;* ~**er** fordern; verlangen (*que mit subj* daß); erfordern; ~ *sous la contrainte* erzwingen; ~**ibilité** *f* Einklag-, Eintreibbarkeit; Fälligkeit *f;* ~ *courante* laufende Verbindlichkeit *f;* ~ *de pension* Pensionsverpflichtung *f;* ~**ible** einklagbar, eintreibbar; fällig.

exig|u, ë [ɛgzigy] gering(fügig); winzig, sehr klein; knapp; *(Mahlzeit)* kärglich; ~**uïté** [-gɥite] *f* Geringfügigkeit; Beschränktheit; Enge, Kleinheit *f.*

exil [ɛgzil] *m* Exil *n,* Verbannung; Landesverweisung *f; aller, être en* ~ in die Verbannung gehen; im Exil sein; ~**é, e** *a* verbannt; *fig* zurückgezogen; verborgen; *s m f* Verbannte(r *m*) *f;* ~**er** verbannen, des Landes verweisen; *fig* vertreiben, verjagen; *s'*~ in die Verbannung gehen; *fig* sich zurück=ziehen.

exist|ant, e [ɛgzistɑ̃, -ɑ̃t] *a* bestehend, vorhanden; *s m* (das) Seiende; *com* Barbestand; Vorrat *m;* ~**ence** *f* Bestehen, Dasein *n,* Existenz *f,* Vorhandensein *n;* Bestand *m;* Leben *n,* lebendige Wirklichkeit; Lebensform, -weise *f; ce n'est pas une ~!* das ist kein Leben! *conditions f pl d'*~ Lebensbedingungen *f pl; lutte f pour l'*~ Kampf *m* ums Dasein; *minimum m nécessaire à l'*~ Existenzminimum *n; moyens m pl d'*~ Unterhalts-, Existenzmittel *n pl;* ~ *en magasin* Lagerbestand *m;* ~**entialisme** *m* Existentialismus *m;* ~**entialiste** *s m* Existentialist *m; a* existentialistisch; ~**entiel, le** existentiell; ~**er** bestehen, existieren; da=sein, vorhanden sein; leben; *il ~e* es gibt; *ça n'~e pas!* Quatsch! Unsinn!

exode [ɛgzɔd] *m* Exodus, Auszug *m;* (Massen-)Auswanderung; Flucht *f; l'E*~ das 2. Buch Mosis; ~ *de capitaux* Kapitalflucht *f;* ~ *rural* Landflucht *f;* ~ *urbain* Stadtflucht *f.*

exonér|ation [ɛgzɔnerasjɔ̃] *f* Befreiung; Entlastung *f; (Steuer)* Freibetrag *m;* ~ *d'impôt* Steuerfreiheit *f;* ~ *de la responsabilité* Haftungsausschluß *m;* ~**er** entlasten, befreien; *(Ware)* vom Zoll, von der Steuer befreien; *s'*~ sich entlasten; *s'*~ *d'une dette* e-e Schuld tilgen; *s'*~ *de toute responsabilité* jede Verantwortung ab=lehnen; *montant m ~é* Freibetrag *m; ~é des prélèvements* umlagefrei.

exor|able *(lit)* [ɛgzɔrabl] Bitten zugänglich; gnädig; ~**bitant, e** übertrieben; übermäßig; *(Preis)* unerschwinglich; *jur* aufhebend; ~**bité, e** aus den Augenhöhlen tretend.

exorcis|er [ɛgzɔrsize] *(Geister, den Teufel)* beschwören; aus=treiben; ~**eur,** ~**te** *m* Teufels-, Geisterbeschwörer *m;* ~**me** *m* Exorzismus *m.*

exorde [ɛgzɔrd] *m* Einleitung *f,* einleitende Worte *n pl (e-r Rede); fig* Anfang *m.*

exostose [ɛgzɔstoz] *f anat* Exostose *f,* Überbein *n; (Baum)* Knorren *m.*

exot|érique [ɛgzɔterik] exoterisch; gemeinverständlich, populär; ~**ique** *a* exotisch, fremdartig; *s m* Exotische(s) *n; s m f* Exot(in *f*) *m;* ~**isme** *m* Fremdartigkeit; Vorliebe *f* für exotische Dinge.

expans|ibilité [ɛkspɑ̃sibilite] *f* Dehnbarkeit *f;* ~**ible** ausdehnbar; ~**if, ive** Ausdehnungs-; ausdehnend; *fig* expansiv, mitteilsam; *(Freude)* überströmend; *f; avoir la parole ~ive* das Herz auf der Zunge tragen; *être d'un naturel* ~ offenherzig sein; *force f ~ive* Expansionskraft *f;* ~**ion** *f phys* Ausdehnung; Expansion *a. pol; bot anat* Entwicklung; Ausweitung *a. fig;* Aus-, Verbreitung *f; fig* Überströmen *n;* Mitteilsamkeit, Offenheit *f; besoin m d'*~ Mitteilungsbedürfnis *n;* ~ *du capital, de crédit* Kapital-, Kreditausweitung *f;* ~ *économique* wirtschaftliche Expansion *f;* ~**ionniste** expansionistisch; ~**ivité** *f* Mitteilungsbedürfnis *n.*

expatri|ation [ɛkspatrijasjɔ̃] *f* Aufgabe *f* der Staatsangehörigkeit; Ausbürgerung; Ausweisung; Auswanderung *f;* ~**é, e** ausgewandert; ausgewiesen; ~**er** *(Person)* aus=weisen; *(Geld)* im Ausland an=legen; *s'*~ aus=wandern.

expect|ant, e [ɛkspɛktɑ̃, -ɑ̃t] abwartend; ~**ation** *f med* abwartende Heilmethode *f;* ~**ative** *f* Erwartung; Aussicht; Anwartschaft *f; avoir en* ~ in Aussicht haben; *rester dans l'*~ ab=warten; *sortir de son* ~ aus s-r abwartenden Haltung heraus=treten; *vivre dans l'*~ in (der) Erwartung leben; *attitude f d'*~ abwartende Haltung *f;* ~**orant** *m* den Auswurf (be)fördernde(s) Mittel *n;* ~**oration** *f* Schleimauswurf *m,* Sputum *n;* ~**orer** *(Schleim)* aus=werfen; *fig* von sich geben; ~ *par la bouche* aus=spucken.

expéd|ient, e [ɛkspedjɑ̃, -ɑ̃t] *a* zweckmäßig, -dienlich; ratsam; *s m* Mittel *n;* Ausweg; Notbehelf *m; avoir toujours quelque* ~ immer e-n Ausweg wissen, mit allen Hunden gehetzt sein; *recourir à des ~s* zum Äußersten gezwungen sein; *vivre d'~s* sich durch≈schwindeln, -lavieren; *il serait ~ de* es wäre ratsam zu; **~ier** *(Arbeit)* (rasch) erledigen; kurzen Prozeß machen (*qn* mit jdm); ab≈fertigen, fort≈schaffen (*qn* jdn); sich rasch entledigen (*qn, qc* jds, e-r S); *(Urkunde)* e-e beglaubigte Abschrift machen (*qc* von etw); *(Zug)* ab≈fertigen; *(Brief)* ab≈, weg≈schicken; *(Paket)* versenden, auf≈geben; *~ son adversaire au tapis (Boxen)* s-n Gegner auf die Bretter schicken; *~ qc par avion, par chemin de fer, par camion, par la poste* etw auf dem Luftweg(e), mit der Eisenbahn, mit e-m Lastwagen, mit der Post befördern; *~ le courrier* die Post ab≈fertigen; *~ qn au diable* jdn zum Teufel jagen; *~ par mer* verschiffen; *~ qn dans l'autre monde (fam)* jdn ins Jenseits befördern; *~ un télégramme* ein Telegramm auf≈geben; *~ en grande, petite vitesse* als Eil-, Frachtgut senden; **~iteur, trice** [-di-] *s m f* Absender(in *f*); Verfrachter(in *f*); Spediteur *m; retour à l'~!* zurück an Absender! *a: gare f ~trice* Abgangsbahnhof *m; ~ de fret* Frachtauflieferer *m;* **~itif, ive** flink, rasch; unternehmend; *(Urteil)* summarisch; *mener qc d'une façon ~tive* etw rasch erledigen; **~ition** *f (Brief)* Absendung; Beförderung; Abfertigung *f,* Versand *m;* Spedition; *(Menschen)* Verschickung *f,* Abtransport *m; (Zug)* Abfertigung; *(Urkunde)* Ausfertigung; beglaubigte Abschrift *f; mil* Feldzug *m;* Expedition; Unternehmung; Entdeckungs-, Forschungsreise *f; pour ~ conforme* für die Richtigkeit der Ausfertigung; *avis m d'~* Versandanzeige *f; bordereau m d'~* Begleitbrief, -zettel *m; bulletin m d'~* Versandschein *m; bureau m d'~* Versandstelle *f; commerce m, maison f d'~* Versandgeschäft, -haus *n; droits, frais m pl d'~* Versandgebühren *f pl; service m d'~* Versandabteilung *f; ~ des affaires courantes* Erledigung *f* der laufenden Angelegenheiten; *~ par chemin de fer* Bahnversand *m; ~ collective* Sammelladung *f; ~ de détail (loc)* Stückgutsendung *f; ~ en douane* Zollabfertigung *f; ~ de marchandises* Güterabfertigung *f; ~ par mer* Verschiffung *f; ~ d'un message* Aufgabe *f* e-s Telegramms; *~ par terre,* Verfrachtung *f;* **~itionnaire** *s m* (ausfertigender) Kanzleibeamte(r); Speditionsgehilfe *m; a: (commis m) ~* Expedient *m; corps m ~* Expeditionskorps *n.*

expér|ience [ɛksperjɑ̃s] Erfahrung *f;* Versuch *m;* (wissenschaftliches) Experiment *n* (*sur* an *dat*); *à titre d'~* versuchsweise; *par ~* erfahrungsgemäß; *avoir de l'~* E. haben; über E. *(acc)* verfügen; *devenir sage par ~* durch Erfahrung klug werden; *faire maintes fois l'~* häufig die E. machen; *faire des ~s de chimie* chemische Versuche, Experimente machen; auf dem Gebiet der Chemie experimentieren; *procéder à une ~* ein Experiment durch≈führen; *savoir par ~* aus E. wissen; *tenter une ~* e-n Versuch unternehmen; *~ passe science* Probieren geht über Studieren; *champ m d'~* Versuchsfeld *n; échange m des ~s* Erfahrungsaustausch *m; laboratoire m d'~s* Versuchslabor(atorium) *n; ~ aérienne* Flugerfahrung *f; ~ des affaires* Geschäftserfahrung *f; ~ faite sur des animaux* Tierversuch *m; ~ de guerre* Kriegserfahrung *f; ~ sur maquette* Modellversuch *m; ~ nucléaire* Atomversuch *m;* **~imental, e** [-ri-] experimentell; Experimental-, Versuchs-; *résultat m ~* Versuchsergebnis *n; station f ~e* Versuchsstation *f;* **~imentalement** *adv* experimentell; **~imentateur, trice** *m f* Experimentator(in *f*) *m;* **~imentation** *f* Erprobung *f,* Experimentieren; *fam* Experiment *n;* **~imenté, e** erfahren, gewiegt, routiniert; beschlagen; erprobt; *être très ~ dans les affaires* ein sehr erfahrener Geschäftsmann, *fam* durch sein; **~imenter** fest≈stellen, erfahren, die Erfahrung machen (*que* daß); *(Mittel)* aus≈probieren; *(Verfahren)* erproben; *(Menschen)* auf die Probe stellen; experimentieren, Versuche machen (*qc* mit etw).

expert, e [ɛkspɛr, -ɛrt] *a* sachverständig, -kundig (*en, dans* in *dat*); geübt; *s m* Sachverständige(r); Gutachter; Kenner *m; provoquer un rapport d'~* ein Sachverständigengutachten ein≈holen; *s'en rapporter au dire des ~s* sich auf das Urteil der Sachverständigen berufen; *comité m d'~s* Sachverständigenausschuß *m; estimation f par l'~* Sachverständigenschätzung *f; rapport m d'~* Sachverständigengutachten *n; ~-comptable m* Wirtschafts-, Buchprüfer *m; ~ économique, financier, fiscal* Wirtschafts-, Finanz-, Steuersachverständige(r) *m; ~ en publicité* Werbefachmann *m;* **~ise** *f* (Sachverständigen-)Gutachten *n,* Expertise *f; faire l'~ des dégâts* die Schäden ab≈schätzen; **~iser** begutachten; (als Sachverständiger) untersuchen, prüfen.

expi|able [ɛkspjabl] sühnbar; **~ation** *f* Sühne, Buße *f;* **~atoire** Sühn(e-), Versöhnungs-; *sacrifice m* ~ Sühnopfer *n;* **~er** (ab=)büßen, sühnen.

expir|ant, e [ɛkspirɑ̃, -ɑ̃t] sterbend; zu Ende gehend; verlöschend; **~ation** *f* Ausatmung *f; tech (Luft)* Austreten *n;* Ausfluß; *fig* Ablauf *m,* Ende; Erlöschen *n; à l'~ du terme* bei Fristablauf; *après ~ de* nach Ablauf *gen; date f d'~*Verfalldatum *n; ~ d'un délai* Fristablauf *m;* **~er** *tr* aus=atmen, -hauchen; *itr* sterben, den Geist auf= geben; sein Leben aus=hauchen; *(Flamme)* erlöschen; *(Ton)* verklingen; verhallen; *(Stimme)* verstummen; *(Blume)* verwelken; *(Frist)* ab= laufen, verstreichen; zu Ende gehen; *(Ausweis)* verfallen; außer Kraft treten; *laisser ~ un délai* e-e Frist verstreichen lassen *od* versäumen.

explétif, ive [ɛkspletif, -iv] *a* (aus)füllend; Füll-, Ergänzungs-; *s m* Füllwort *n.*

expli|cable [ɛksplikabl] erklärbar, -lich; verständlich; **~catif, ive** erklärend, erläuternd; *note f ~cative* Erläuterung, Gebrauchsanweisung *f;* **~cation** *f* Erklärung, Erläuterung; Deutung, Auslegung; *~ de texte (Schule)* (mündliche) Texterläuterung, Textinterpretation *f;* Aufschluß *m;* Rechtfertigung; Ausea.setzung *f; avoir une chaude ~ avec qn* mit jdm e-e heftige Ausea.setzung haben; *demander des ~s à qn sur qc* jdn wegen e-r S *(gen)* zur Rede stellen; *donner, fournir des ~s* Aufschluß geben; *voilà l'~* das ist des Rätsels Lösung; *~ des faits* Sacherklärung *f; ~ des signes* Zeichenerklärung *f;* **~cite** [-sit] ausdrücklich; klar, deutlich; **~citer** klar, deutlich aus=drücken; **~quer** erklären, erläutern; unterrichten, Auskunft geben (*qc* über e-e S); deuten, aus=legen; *(Text)* erläutern, interpretieren; rechtfertigen; den Grund an= geben (*qc* für etw); *~ que* erklären, äußern, an=geben, daß; *s'~* offen sprechen, sich aus=, besprechen (*à, avec qn* mit jdm); sich aus=lassen (*sur qc* über e-e S); sich rechtfertigen, entschuldigen (*sur qc* wegen e-r S *(gen); avec qn* bei jdm); sich ausea.=setzen; *pop* sich prügeln; sich erklären, sich verstehen; verständlich, leicht zu erklären sein; *cela s'~que aisément* das ist durchaus erklärlich; *je m'~que* jetzt verstehe ich, warum.

exploit [ɛksplwa] *m* (Helden-, Groß-) Tat; hervorragende Leistung; *jur* (Vor-)Ladung *f; signifier un ~* e-e Ladung zu=stellen; *voilà un bel ~* da haben Sie (hast du) was Schönes angerichtet! *~ d'ajournement* Ladung *f* zu e-m Termin; *~ de saisie* Pfändung *f;* **~able** [-tabl] *min* abbauwürdig; *(Wald)* nutzbar; *jur* pfändbar; **~ant, e** *a* ausbeutend, nutzend; *s m* Unternehmer; Eigentümer; Bergwerksbesitzer; Landwirt; Ausbeuter *m; ingénieur m ~* Betriebsingenieur *m; ~ agricole, forestier* Land-, Forstwirt *m; ~ de cinéma* Kinobesitzer *m;* **~ation** *f* (Aus-)Nutzung; Nutzbarmachung; Ausbeutung; Auswertung *f; min* Abbau *m,* Gewinnung; Bewirtschaftung *f;* Betrieb *m; arrêter, déplacer l'~* den Betrieb ein=stellen, verlegen; *être, mettre en ~* in Betrieb sein, setzen; *reprendre le travail d'une ~* die Arbeit in e-m Betrieb wiederauf=nehmen; *accident m d'~* Betriebsunfall *m; bâtiments m pl d'~* Betriebsgebäude *n pl; capital m d'~* Betriebsvermögen *n; chef m d'~* Betriebsführer *m; compagnie f d'~ téléphonique* Fernsprechkompanie *f; dépense f d'~* Betriebsausgabe *f; direction f de l'~* Betriebsführung *f; équipe f d'~ téléphonique* Fernsprech(betriebs)trupp *m; frais m pl d'~* Betriebsunkosten *pl; grande ~* Großbetrieb *m; lieu m d'~* Betriebsstätte *f; matériel m d'~* Betriebsmaterial *n; méthode d'~ (min)* Abbauverfahren *n; mise f en ~* Inbetriebsetzung *f; modes f pl d'~* Nutzungsarten *f pl; perturbation f, trouble m d'~* Betriebsstörung *f; petite ~* Kleinbetrieb *m; prescriptions f pl d'~* Betriebsvorschriften *f pl; recettes f pl d'~* Betriebseinnahmen *f pl; règlement m d'~* Betriebsordnung *f; sécurité f d'~* Betriebssicherheit *f; susceptible d'~* betriebsfähig; *~ agricole, rurale* landwirtschaftliche(r) B.; *~ par batterie locale (tele)* O.-B.-Betrieb *m; ~ à bras d'homme* Handbetrieb *m; ~ de brevet* Patentverwertung *f; ~ de la capacité* Kapazitätsausnutzung *f; ~ à ciel ouvert, en découverte (min)* Tagebau *m; ~ commerciale* kaufmännische(r) B.; Handelsunternehmen *n; ~ dévastatrice, sauvage* Raubbau *m; ~ à flanc de coteau* Stollenbau *m; ~ au fond* Untertagebetrieb, Tiefbau *m; ~ forcée* Zwangsbewirtschaftung *f; ~ forestière* forstwirtschaftliche(r) B.; *~ industrielle* Gewerbebetrieb *m; ~ d'une ligne aérienne* Betrieb e-r Fluglinie; *~ métallurgique* Hüttenbetrieb *m; ~ des mines* Bergbau *m; ~ modèle* Musterbetrieb *m; ~ moyenne* Mittelbetrieb *m; ~ municipale* Kommunalbetrieb *m; ~ en profondeur* Tiefbau *m; ~ des téléphones* Fernsprechbetrieb *m; ~ d'utilité publique* gemeinnützige(r) B.; *~ des vues aériennes* Luftbildauswertung *f;* **~é, e** *a* ausgenutzt; ausgebeutet; ausgeschlachtet; *s m* Ausgebeutete(r) *m;* **~er** *tr* aus=nutzen, -beuten; *(Unterlagen)* aus=werten; *min* ab=bauen; *(Kohle)* fördern, gewinnen; *(Holz)* schlagen; *(Unternehmen)* betreiben, führen; *(Land)* bewirtschaften; *fig* aus=schlachten; *l'événement a été dûment ~é par la presse* das Ereignis ist von der Presse gebührend ausgeschlachtet worden; *itr jur* vor=laden; pfänden; *~ d'une façon abusive* Raubbau treiben; *~ une ligne aérienne* e-e Luftverkehrslinie befliegen; *~ le succès* den Erfolg aus=nutzen; **~eur, se** *m f* Ausbeuter(in *f*) *m*.

explor|ateur, trice [ɛksplɔratœr, -tris] *a* forschend; Forschungs-; *med* untersuchend; *s m* Forscher, Forschungsreisende(r) *m; med* Sonde *f; tele* Abtaster *m;* **~ation** *f* (Er-)Forschung, Entdeckung; *mil* Erkundung, Aufklärung; Prüfung, Sondierung; *tele* Abtastung *f; partir en ~* auf e-e Forschungsreise gehen; *ligne f d'~ (tele)* Bildzeile *f; spot m d'~ (tele)* Abtastfleck, Lichtpunkt *m; voyage m d'~* Forschungsreise *f; ~ aérienne* Luftaufklärung *f; ~ électronique (tele)* Bildzerlegung *f* mit Kathodenstrahlröhren; *~ lointaine, rapprochée* Fern-, Nahaufklärung *f; ~ photo* Bilderkundung *f; ~ terrestre* Erdaufklärung *f;* **~er** erforschen; e-e Forschungsreise machen (*qc* in etw); *(Haus)* durchsuchen; *(Gegend)* ab=suchen; (wissenschaftlich) untersuchen *a. med,* erforschen; *(Gedanken)* sondieren; *mil* auf=klären, erkunden; *~ l'horizon à la jumelle* den Horizont mit dem Feldstecher ab=suchen.

explos|er [ɛksploze] explodieren, (zer-)platzen, in die Luft gehen, bersten, zerknallen; *fig (Zorn)* sich (plötzlich) Luft machen; *~ en injures* in Beleidigungen aus=brechen; **~eur** *m* Zündmaschine *f;* **~ible** explosionsfähig; **~if, ive** explosiv; Spreng-; Knall-; *s m* Sprengstoff *m; s f gram* Verschlußlaut *m; charge f ~ive* Sprengladung *f; obus m ~* Sprenggranate *f; onde f ~ive* Luftdruckwelle *f; substance f ~ive* Sprengstoff *m; ~ d'amorçage* Initialsprengstoff *m; ~ brisant* Brisanzsprengstoff *m;* **~ion** *f* Explosion *f;* Platzen, Zerspringen, Bersten *n; (Vulkan, Krankheit)* Ausbruch *a. fig; mot* Knall *m; faire ~* explodieren; *chambre f d'~* Verbrennungsraum *m; moteur m à ~* Explosionsmotor *m; ~ de colère, de haine* Zornes-, Haßausbruch *m; ~ démographique* Bevölkerungsexplosion *f; ~ nucléaire* Kernexplosion *f; ~ prématurée* Früh-, Fehlzündung *f; ~ de rire* Lachsalve *f*.

export|able [ɛkspɔrtabl] ausfuhr-, exportfähig; **~ateur, trice** *a* Ausfuhr-; exportierend; *s m* Exporthändler, Exporteur *m; commerçant m ~* Exportkaufmann *m; firme f ~trice* Exportfirma *f; pays m ~* Ausfuhrland *n;* **~ation** *f* Ausfuhr *f,* Export *m; encourager l'~* die A. fördern; *article m d'~* Ausfuhr-, Exportartikel *m; autorisation, licence f d'~* Ausfuhrgenehmigung *f; commerce m d'~* Ausfuhrhandel *m; droit m d'~* Ausfuhrzoll *m; excédent m d'~* Exportüberschuß *m; incitation f à l'~* Exportförderung *f; industrie f d'~* Ausfuhrindustrie *f; limitation, restriction f d'~* Ausfuhrbeschränkung *f; maison f d'~* Exportfirma *f; marchandise f d'~* Exportware *f; marchés, débouchés m pl ouverts à l'~* Absatzmärkte *m pl* im Ausland; *port m d'~* Ausfuhrhafen *m; possibilité f d'~* Ausfuhrmöglichkeit *f; prime f à l'~* Exportprämie *f; ~ de capitaux, de marchandises* Kapital-, Warenausfuhr *f; ~s visibles, invisibles* sichtbare, unsichtbare Ausfuhren *f pl;* **~er** aus=führen, exportieren; *fig* ins Ausland verpflanzen; *défense f d'~* Ausfuhrverbot *n; ~ des capitaux* Kapital im Ausland an=legen.

expos|ant, e [ɛkspozɑ̃, -ɑ̃t] *m f* Aussteller(in *f*); *math* Exponent *m;* **~é, e** *a* ausgesetzt (*à* dat); gefährdet; *phot* belichtet; *(Haus)* gelegen; *s m* Darstellung, -legung; Ausea.setzung; Aufstellung, Übersicht *f;* (Rechenschafts-)Bericht *m; faire un ~ complet de la question* (mündlich) e-n umfassenden Überblick über die Frage geben; *non- ~ (phot)* unbelichtet; *~ des faits, de la situation* Tatsachen-, Lagebericht *m; ~ général* Gesamtübersicht *f; ~ d'invention* Patentschrift *f; ~ de la mission* Einsatzbesprechung *f; ~ des motifs* Erläuterungen *f pl,* Begründung *f; ~ au soleil* der Sonne ausgesetzt; *(Haus)* mit Südseite; *~ au vent* dem Wind ausgesetzt, windig; **~er 1.** *(montrer) (Waren, Zeitschriften)* aus=legen, *(Tiere, Bilder)* aus=stellen, *(das Allerheiligste)* aus=setzen; *ce peintre ~e à la galerie X* dieser Maler stellt in der

Galerie X aus; ~ *qc dans une devanture, dans une vitrine* etw in e-m Schaufenster aus=stellen; ~ *aux yeux, aux regards de qn* jds Blicken *(dat)* aus=setzen; **2.** *(dire) (Tatsachen)* dar=legen; dar=stellen; *(Plan, Gedanken)* entwickeln, ausea.=setzen; *(Beweis)* liefern; **3.** *(placer, risquer)* (aus=)setzen; ~ *du linge au soleil* Wäsche sonnen; *(Film)* belichten; *(Leiche)* auf=bahren; *mil (Flanke)* entblößen; ~ *au mur* an der Wand auf=hängen; ~ *des vêtements à l'air* Kleider lüften; ~ *un bâtiment au sud* ein Gebäude mit der Front nach Süden bauen; ~ *à un péril, à un danger* e-r Gefahr *(dat)* aus=setzen; *(Vermögen, Leben)* aufs Spiel setzen; gefährden; in Gefahr bringen; bloß=stellen; **4.** s'~ *(Waren)* ausgestellt, ausgelegt werden; sich dar=bieten; sich aus=setzen; sich exponieren; sich in Gefahr *(acc)* bringen *od* begeben; sich bloß=stellen oder kompromittieren; *il s'~e à la critique* er gibt sich eine Blöße; **~ition** *f (Waren, Gemälde)* Ausstellung; Zurschaustellung *f; (Körper, Kind)* Aussetzen *n; (Theorie)* Darlegung, Erklärung; *(Drama)* Exposition; *(Gebäude)* Lage *f* (*au midi* nach Süden); *(Gemälde)* Aufhängen *n,* Beleuchtung *f; phot* Belichtung *f; faire l'~ de qc* etw ausführlich dar=legen; *inaugurer, visiter une* ~ e-e Ausstellung ein=weihen, besuchen; *catalogue m de l'~* Ausstellungskatalog *m; durée f d'~* Belichtungsdauer *f; participant m de l'~* Aussteller *m; salle f d'~* Ausstellungsraum *m,* -halle *f; stand m d'~* Messestand *m; terrains m pl de l'~* Ausstellungsgelände *n;* ~ *à l'action des rayons* Bestrahlung *f;* ~ *agricole* landwirtschaftliche A.; ~ *automobile* Automobilausstellung *f;* ~ *canine* Hundeausstellung *f;* ~ *circulaire, itinérante, ambulante* Wanderausstellung *f;* ~ *du fait* Darstellung *f* des Tatbestandes; ~ *industrielle* Industriemesse *f;* ~ *universelle* Weltausstellung *f;* ~ *de véhicules d'occasion* Gebrauchtwagenausstellung *f.*

exprès [ɛksprɛ] *adv* absichtlich; extra, besonders, eigens; *comme un fait* ~ wie wenn es hätte sein sollen; wie verhext; *je ne l'ai pas fait* ~ ich habe es nicht absichtlich getan; ~, **expresse** [ɛksprɛs] *a* ausdrücklich, formell; bestimmt; *s m* Expreßgut *n; colis m* ~ Eilpaket *n; lettre f* ~ Eilbrief *m.*

express [ɛksprɛs] *s m u. a: train m* ~ Schnellzug *m; prendre l'~ de Paris* den Schnellzug nach Paris nehmen.

expressément [ɛksprɛsemɑ̃] *adv* ausdrücklich; absichtlich.

express|if, ive [ɛksprɛsif] ausdrucksvoll; **~ion** *f* Ausdruck *m;* Ausdrucksweise; Äußerung (*de la peur* der Angst); Verkörperung; Redensart; *math* Formel *f; au-delà de toute* ~ über alle Maßen, unbeschreiblich; *réduire à sa plus simple* ~ auf die einfachste Form bringen *a. fig; moyen m d'~* Ausdrucksmittel *n; plein d'~, sans* ~ ausdrucksvoll, -los; *signe m d'~ (mus)* Vortragszeichen *n;* **~ionnisme** *m* Ausdruckskunst *f;* Expressionismus *m;* **~ionniste** *a* expressionistisch; *s m* Expressionist *m;* **~ivité** *f* Ausdrucksfähigkeit *f.*

exprim|able [ɛksprimabl] ausdrückbar; **~er** *(Saft)* aus=pressen, -drücken (*de* aus); *fig* äußern, aus=drücken, aus=sprechen, zum Ausdruck bringen; wieder=geben; zeigen; ~ *l'espoir* der Hoffnung Ausdruck geben; *si je puis m'~ ainsi* wenn ich so sagen darf; *droit m d'~ son opinion* Recht *n* der (freien) Meinungsäußerung.

expropri|ation [ɛksprɔprijasjɔ̃] *f jur* Enteignung *f;* ~ *pour cause d'utilité publique* E. im öffentlichen Interesse; ~ *forcée* Zwangsenteignung *f;* **~er** enteignen (*qn* jdn).

expuls|er [ɛkspylse] vertreiben (*de* aus); aus=weisen; hinaus=werfen; *(aus e-r Gesellschaft)* aus=schließen, aus=stoßen, entfernen *a. med; tech* aus=werfen, aus=spülen; **~eur, expultrice; ~if, ive** *med* ausstoßend; heraustreibend; **~ion** *f* Aus-, Vertreibung; Aus-, Verweisung; *med* Ausscheidung, Ausstoßung *f; arrêté m d'~* Räumungsbefehl *m.*

expurg|ation [ɛkspyrgasjɔ̃] *f (Wald)* Lichten *n; (Buch)* Ausmerzung *f* anstößiger Stellen; **~er** [-ʒe] die anstößigen Stellen aus=merzen *od* entfernen (*qc* aus etw).

exquis, e [ɛkski, -iz] auserlesen, ausgesucht, fein, ausgezeichnet; köstlich; wohlschmeckend; reizend, charmant; *med (Schmerz)* stechend.

exsangue [ɛks(gz)ɑ̃g] blutleer, -los, -arm; *fig* kraftlos.

exsu|dat [ɛksyda] *m med* Exsudat *n;* **~dation** *f* Ausschwitzung *f;* **~der** aus=schwitzen.

exta|se [ɛkstɑz] *f* Ekstase, Verzückung; *fig* Schwärmerei *f; tomber en* ~ in E., V. *(acc)* geraten; **~sié, e** verzückt; **~sier, s'** in Verzückung *(acc)* geraten; (laut) s-e Bewunderung äußern (*sur* über *acc*); **~tique** [-ta-] *a* ekstatisch, verzückt; *(Schmerz)* tief;

(Freude) überschwenglich; *s m f* Verzückte(r *m*) *f*.

extemporané, e [ɛktɑ̃pɔrane] *jur* nicht vorsätzlich; *pharm* sofort angefertigt u. verabreicht.

extens|eur [ɛkstɑ̃sœr] *a* Streck-; *s m* Streckmuskel; Expander; *aero* Gummizug; *tech* Spanner *m;* **~ibilité** *f* Dehn-, Streckbarkeit *f;* **~ible** dehn-, streckbar; elastisch; erweiterungsfähig; *(Tisch)* ausziehbar; **~if, ive** ausdehnend; *agr* extensiv; *(Sinn)* erweitert; *dans un sens* ~ im weiteren Sinne; **~ion** *f* (Aus-) Dehnung; (Aus-) Streckung; Erweiterung; Vergrößerung *f a. fig; fig* Umfang *m*, Ausmaß *n; (Krankheit)* Ausbreitung *f*, Umsichgreifen *n; (Handel)* Ausweitung *f;* Auftrieb; *tele* Nebenanschluß *m; par* ~ im weiteren Sinne; *prendre de l'*~ sich aus=weiten, sich vergrößern, sich vermehren; **~omètre** *m* Dehnungsmesser *m*.

exténu|ant, e [ɛkstenɥɑ̃, -ɑ̃t] schwächend, (sehr) ermüdend, ermattend; **~ation** *f* Entkräftung, Erschöpfung *f;* **~er** entkräften, erschöpfen; ermatten, schwächen; *fig* verringern, ab=schwächen; *s'*~ sich auf=reiben; sich ab=arbeiten.

extér|ieur, e [ɛksterjœr] *a* außerhalb befindlich; äußerlich; äußere(r, s); ausländisch; Außen-; *fig* nicht zugehörig; fremd; *s m* Äußere(s) *n;* Außenseite; *film* Außenaufnahme, -reportage; Außenwelt *f;* Ausland *n; à l'*~ (dr)außen; außerhalb; im Ausland; *vu de l'*~ von außen gesehen; *juger qn sur l'*~ jdn nach dem Äußeren beurteilen; *s'ouvrir à, vers l'*~ nach außen auf=gehen; *affaires f pl* ~*es (pol)* auswärtige Angelegenheiten *f pl; angle m* ~ Außenwinkel *m; commerce m* ~ Außenhandel *m; cour f* ~*e* Außenhof *m; nouvelles f pl de l'*~ Auslandsnachrichten *f pl; politique f* ~*e* Außenpolitik *f; quartiers m pl* ~*s* Außenbezirke *m pl;* **~iorisation** *f* Veräußerlichung; Äußerung *f;* Ausdruck *m;* **~ioriser** *(Gefühl, Gedanken)* äußern, aus=drücken; *s'*~ (äußerlich) sichtbar werden.

extermin|ateur, trice [ɛkstɛrminatœr, -tris] *a* vertilgend; *s m f* Vertilger(in *f*) *m; ange m* ~ Würgengel *m;* **~ation** *f* Ausrottung, Vertilgung, Vernichtung *f; camp m, guerre f d'*~ Vernichtungslager *n*, -krieg *m;* **~er** aus=rotten; vertilgen; vernichten; *mil* auf=reiben; nieder=machen; *s'*~ ea. vernichten; *pop vx* sich ab=rackern.

extern|at [ɛkstɛrna] *m* Externat *n; med* Außendienst *m;* **~e** *a* äußerlich; äußere(r, s); Außen-; außerhalb wohnend; *s m* Externe(r); *med* Famulus *m; angle m* ~ Außenwinkel *m; face f* ~ Außenseite *f*.

exterritorialité [ɛkstɛritɔrjalite] *f* Exterritorialität *f*.

extinct|eur, trice [ɛkstɛ̃ktœr, -tris] *a* Lösch-; *s m* Feuerlöschgerät *n*, -löscher *m; liquide m* ~ Löschflüssigkeit *f;* ~ *à main* Handfeuerlöscher *m;* ~ *à mousse (carbonique)* Schaum(feuer)löscher *m;* **~if, ive** löschend; annullierend; **~ion** [-ksjɔ̃] *f (Feuer)* (Aus-)Löschen; *(Licht)* Erlöschen; *(Kalk)* Löschen; *(glühendes Eisen)* Erkalten *n; (Schuld)* Tilgung; *(Firma)* Löschung *f; (Vertrag)* Erlöschen *n;* Annullierung *f; fig* Vernichtung, Ausrottung; (völlige) Erschöpfung *f; en voie d'*~ im Verschwinden, Aussterben; *sonner l'*~ *des feux* den Zapfenstreich blasen; ~ *des lumières* Verdunk(e)lung *f;* ~ *de voix* völlige Heiserkeit *f*.

extirp|able [ɛkstirpabl] ausrottbar; *med* operierbar; **~ateur** *m* Exstirpator, Grubber *m;* **~ation** *f (Unkraut)* Vernichtung; *med* Entfernung; *allg* Ausrottung *f;* **~er** heraus=reißen; aus=rotten, vertilgen; *med* entfernen, exstirpieren; *(Mißbrauch)* ab=stellen; *(Irrtum)* berichtigen.

extor|quer [ɛkstɔrke] *(Geld)* erpressen (*qc de qn* etw von jdm); *(Geheimnis)* entreißen (*à qn* jdm); ~ *une signature, une promesse à qn* jdm e-e Unterschrift, ein Versprechen ab=nötigen; **~sion** [-sjɔ̃] *f* Erpressung; Erzwingung *f*.

extra [ɛkstra] *pref* Sonder-; Außer-; besonders, sehr; *a. fam* feinste(r, s); unvergleichlich; ausgezeichnet, toll, prima; *s m inv* Zugabe *f;* Außergewöhnliche(s) *n;* Aushilfskellner *m;* **~budgétaire** außeretatmäßig; **~-conjugal, e** außerehelich; **~-contractuel, le** außervertraglich; **~-courant** *m el* Gegenstrom *m;* **~judiciaire** außergerichtlich; **~légal, e** ungesetzlich; **~-muros** [-myros] außerhalb der Stadt; **~-parlementaire** außerparlamentarisch; **~-terrestre** *a* außerirdisch; *s m f* Außerirdische(r *m*) *f*.

extract|eur [ɛkstraktœr] *m* Auszieher; *chem* Extraktionsapparat *m;* Honigschleuder *f; mil* Auswerfer *m;* **~ible** ausziehbar; extrahierbar; **~if, ive** ausziehend; Auszieh-; *industrie f* ~*ive* Bergbau *m* u. Industrie *f* der Steine u. Erden; **~ion** [-sjɔ̃] *f* (Her-) Ausziehen; (Zahn-)Ziehen *n; min* Förderung, Gewinnung *a. chem;* Fördermenge, -leistung *f; mil* Auswerfen; *chem* Extrahieren *n; (Gefangener)* Vorführung *f; math* (Wurzel-) Ziehen *n; fig* Herkunft *f; bâtiment m d'~* Schachtgebäude *n; câble m, machine f d'~* Förderseil *n,* -maschine *f; ~ à ciel ouvert* Tagebau *m; ~ journalière* Tagesförderung *f.*

extrad|er [ɛkstrade] *(Verbrecher)* aus=liefern; **~ition** *f* Auslieferung *f.*

extrados [ekstrado] *m arch* Bogen-, Gewölberücken *m; aero* Flügeloberseite, Saugseite *f.*

extrai|re [ɛkstrɛr] *irr* heraus=ziehen, -nehmen; *min* fördern, gewinnen; *(Pflanze)* (her)aus=reißen; aus=ziehen; *(Zahn, Wurzel)* ziehen; *(Erde)* aus=heben; *(Turm)* aus=fahren; *(Saft)* (her)aus=pressen; *chem* extrahieren, aus=laugen, destillieren; aus=scheiden; *(Buch)* exzerpieren; *(Geheimnis)* entreißen; *~ le noyau de qc* e-e S entkernen; *~ des passages d'un livre* aus e-m Buch Auszüge machen; *~ la quintessence, la moelle* den wesentlichen Inhalt zs.=fassen (*de* gen); *~ la racine carrée de* die Quadratwurzel ziehen aus; **~t** [-trɛ] *m* Extrakt; Auszug; Abriß *m,* Zs.fassung *f; faire, citer des ~s* Auszüge machen, zitieren; *~ baptistaire, de baptême* Taufschein *m; ~ du casier judiciaire* Strafregisterauszug *m; ~ de compte* Kontoauszug *m; ~ de malt* Malzextrakt *m; ~ de mariage* Trauschein *m; ~ mortuaire, de l'acte de décès* Totenschein *m,* Sterbeurkunde *f; ~ de naissance* Geburtsurkunde *f; ~ de viande* Fleischextrakt *m.*

extraordinaire [ɛkstraɔrdinɛr] außerordentlich; außer-, ungewöhnlich; unvorhergesehen; erstaunlich, unglaublich; seltsam; *fam* phantastisch, großartig, hervorragend; *par ~* ausnahmsweise, zufällig; *assemblée f ~* Sondersitzung *f; budget m ~* außerordentliche(r) Haushalt *m; dépenses f pl ~s* Sonderausgaben *f pl; envoyé m ~* außerordentliche(r) Gesandte(r) *m; frais m pl ~s* Nebenkosten *pl; tribunal m ~* Sondergericht *n.*

extrapolation [ɛkstrapɔlasjɔ̃] *f* Vermutung, Hypothese; *math* Extrapolation *f.*

extravag|ance [ɛkstravagɑ̃s] *f* Überspanntheit, Narrheit, Verrücktheit *f;* tolle(r) Streich *m;* Übertreibung; *(Preis)* unvernünftige Höhe *f;* **~ant, e** *a* überspannt, närrisch, toll; *(Preis)* übertrieben; *s m* Phantast, Narr, Schwärmer *m; il serait ~ de* es wäre widersinnig zu; *idée f ~e* Hirngespinst *n;* **~uer** [-ge] *vx* od *fam* faseln.

extravaser, s' [ɛkstravɑze] *(Blut)* aus den Gefäßen aus=treten; *(Saft aus e-r Pflanze)* aus=fließen.

extrême [ɛkstrɛm] *a* äußerste(r, s), höchste(r, s); übertrieben, extrem, maßlos; unnormal; *s m* äußerste Grenze *f;* Extrem *n;* Spitze, Höhe *f; pl* Gegensätze *m pl; math* äußere Glieder *n pl; (jusqu')à l'~* bis zum Äußersten; *avoir des opinions ~s* extreme Ansichten vertreten (*en* in *dat*); *être ~ en tout* in allem bis zum Äußersten gehen; *être réduit aux moyens ~s* zum Äußersten gezwungen sein; *passer d'un ~ à l'autre* von e-m E. ins andere fallen; *pousser qc à son point ~, à l'~* etw aufs Äußerste, auf die Spitze treiben; *les ~s se touchent* Gegensätze berühren sich, ziehen sich an; *~ droite, gauche f (pol)* äußerste Rechte, Linke *f; l'~ fin f de l'année* die letzten Tage des Jahres; *~ -onction f* Letzte Ölung *f; l'E~-Orient* der Ferne Osten; **~ment** *adv* äußerst, höchst; unglaublich; ungeheuer, schrecklich; furchtbar.

extrém|iste [ɛkstremist] *s m pol* Radikale(r) *m; a* radikal eingestellt; **~ité** *f* (äußerstes) Ende *n;* Endpunkt *m;* äußerste Not *f;* Extrem *n; pl* Gewalttätigkeiten *f pl; pl* Extremitäten *f pl; d'une ~ à l'autre* von einem Ende zum ander(e)n; *(en) être réduit à la dernière ~* auf dem letzten Loch pfeifen; *loger à l'~ de la ville* am äußersten Ende der Stadt wohnen; *se porter à des ~s* sich zu Tätlichkeiten hin=reißen lassen; *tomber d'une ~ dans l'autre* von e-m Extrem ins andere fallen; *~ de l'aile (aero)* Tragflügelende *n; ~ du fil* Drahtende *n.*

extrinsèque [ɛkstrɛ̃sɛk] äußerlich; *valeur f ~ (Münze)* Nennwert *m.*

exubéran|ce [ɛgzyberɑ̃s] *f* Überfülle *f,* -fluß *m;* Üppigkeit, Fülle *f;* Überschwang *m;* Ausgelassenheit *f; ~ de paroles* Wortschwall *m;* **~t, e** üppig, strotzend; übermütig, -schwenglich; ausgelassen; *(Freude)* überströmend; *bot* üppig (wuchernd).

exult|ation [ɛgzyltasjɔ̃] *f* Frohlocken, Jauchzen *n;* Jubel *m;* **~er** frohlocken, jauchzen.

exutoire [ɛgzytwar] *m med* künstliche(s) Geschwür *n;* Aus-, Abfluß *m; fig* Ventil *n,* Ablenkung *f.*

ex-voto [ɛksvɔto] *m* Weih-, Votivbild *n,* -tafel *f.*

eye-liner [ajlajnœr] *m* Eyeliner *m.*

F

fa [fa] *m mus* f, F *n; clef f de* ~ Baßschlüssel *m;* ~ *dièse* Fis, fis *n.*

fabl|e [fabl] *f* Fabel *f;* Märchen *n;* Sage; Erzählung; Lüge, Erfindung, Einbildung *f;* Gerede, Gespött *n; c'est la* ~ *de la ville* das ist Stadtgespräch; **~iau** [-blijo] *m* altfranzösische Versdichtung *f;* **~ier** *m* Fabelsammlung *f.*

fabri|cant [fabrikɑ̃] *m* Fabrikant, Fabrikbesitzer; Hersteller *m;* **~cateur** *m* Fälscher *m;* ~ *de fausse monnaie* Falschmünzer *m;* **~cation** *f* Anfertigung, Fabrikation, Erzeugung, Herstellung; Produktion *f;* Fabrikat *n,* Machart; Fälschung *f; de* ~ *soignée* sorgfältig hergestellt; *est-ce une robe de votre* ~*?* haben Sie das Kleid selbst geschneidert? *chef m de* ~ Betriebsleiter *m; défaut m de* ~ Fabrikationsfehler *m; frais m pl de* ~ Herstellungskosten *pl; procédé m de* ~ Herstellungsverfahren *n; secret m de* ~ Fabrik(ations)geheimnis *n;* ~ *de draps* Tuchweberei *f;* ~ *à grande échelle* Herstellung *f* im großen; ~ *de luxe* Luxusanfertigung *f;* ~ *à la main* Handarbeit *f;* ~ *de fausse monnaie* Falschmünzerei *f;* ~ *par pièces, hors série* Einzel-, Sonderanfertigung *f;* ~ *en série* Serienherstellung, -fertigung *f;* ~ *en grande série* Massenproduktion, -erzeugung *f;* **~que** *f* Fabrik(anlage *f,* -gebäude *n*) *f;* Betrieb *m;* Fabrikat *n,* Machart, Arbeit *f; vx rel* Kirchenbau, -rat *m,* -verwaltung *f,* -einkünfte *pl; marque f de* ~ Fabrikmarke *f; prix m de* ~ Fabrikpreis *m;* **~quer** an≈, verfertigen, her≈stellen, fabrizieren; *fig* (ver)fälschen; erfinden, erdichten; künstlich erzeugen; *pop* machen, tun; *(Star)* kreieren; *élément m* ~*é* Bauelement, -teil *n.*

fabul|ateur, trice [fabylatœr, -tris] *a* erfinderisch; gestaltend; *s m f* Simulant(in *f*) *m; faculté f* ~*trice* Gestaltungskraft, Erfindungsgabe *f;* **~ation** *f* Phantasiegebilde *n;* **~er** Märchen erzählen, fabulieren; **~eux, se** märchen-, sagenhaft; mythisch; *fig* phantastisch; **~iste** *m* Fabeldichter *m.*

fac [fak] *f fam (Universität)* Fakultät *f.*

façade [fasad] *f* Fassade, Stirn-, Vorderseite *f; fig* Schein *m,* Äußere(s) *n; se refaire la* ~ *(pop)* sich zurecht≈machen, sich schminken.

face [fas] *f* (An-)Gesicht, Antlitz *n; (Münze)* Kopfseite; *(Hobel)* Wange; *(Hammer, Amboß)* Bahn *f; fig* Gesichtswinkel *m;* Licht *n;* Lage *f;* Schein *m;* Ansehen *n;* Wendung *f;* ~ *à* mit Blick auf *acc;* angesichts *gen;* ~ *à* ~ von Angesicht zu Angesicht; Auge in Auge; *de* ~ von vorn; *en* ~ ins Gesicht; *(d')en* ~ gegenüber (*de qc* dat); *en* ~ *de, (fig) à la* ~ *de* in Gegenwart *gen; sous toutes les* ~*s* von allen Seiten; *avoir le soleil en* ~ die Sonne im Gesicht haben; *cracher à la* ~ *de qn* jdm ins Gesicht spucken; *faire* ~ *à qc* e-r S die Spitze bieten; sich gegen etw wehren; auf e-e S gefaßt sein; e-r S Genüge leisten; *(e-r Gefahr)* ins Auge sehen; *(e-r Verpflichtung)* nach≈kommen; *(Ausgaben)* decken; *(Kosten)* bestreiten; *(Lage)* meistern; *jeter la vérité à la* ~ *de qn* jdm die Wahrheit ins Gesicht schleudern; *se placer en* ~ *de qn* sich vor jdn hin≈stellen; *sauver la* ~ das Gesicht, den Schein wahren; *il faut voir les choses en* ~ man muß den Dingen ins Gesicht sehen; *pile ou* ~ *(Münze)* Kopf oder Schrift; *vue f de* ~ Vorderansicht *f; un* ~ *à* ~ *télévisé* e-e gemeinsame Fernsehdiskussion; ~*-à-main f* Lorgnette *f.*

facét|ie [fasesi] *f* Schwank *m,* Posse, Schnurre *f;* **~ieux, se** [-sjø, -øz] *a* drollig, scherzhaft; *s m* Spaßvogel *m.*

facett|e [fasɛt] *f* Facette, Schleifseite *f; à* ~*s* schillernd; vieldeutig; *œil m à* ~*s* Facetten-, Netzauge *n;* **~er** facettieren.

fâch|é, e [fɑʃe] böse (*de, contre, (pop) après* auf *acc*); verstimmt; aufgebracht; *être* ~ *avec qn* auf jdn böse sein, sich mit jdm überworfen haben; *j'en suis bien* ~ es tut mir sehr leid; **~er** kränken, betrüben; ärgern; zornig machen; *se* ~ *contre qn, (pop) après qn* mit jdm schimpfen; *avec qn* sich mit jdm verfeinden; mit jdm Streit bekommen; *de qc* sich über e-e S ärgern, auf≈regen (*pour un rien* um ein Nichts); *se* ~ *tout rouge* vor Zorn, Ärger platzen; **~erie** *f* Zwistigkeit *f,* Zerwürfnis *n;* **~eux, se** *a* unangenehm, unerfreulich, mißlich; verdrießlich, ärgerlich; *(Mensch)* lästig, zudringlich; *s m* ungebetene(r) Gast, Eindringling *m; c'est ~* das ist sehr unangenehm; das kommt sehr ungelegen.

faci|al, e [fasjal] Gesichts-; *angle m ~* Gesichtswinkel *m;* **~ès** [fasjɛs] *m med* Gesichtsausdruck *m,* Aussehen *n; geol* Fazies *f.*

faci|le [fasil] leicht (*à* zu); ungezwungen, natürlich; verträglich; umgänglich; nachgiebig; *(Frau)* leichtfertig; oberflächlich; *(Witz)* billig; *(Kind)* fügsam; *(Stil)* glatt, gewandt; *~ à manier* handlich; *il est ~ de faire cela* das ist leicht zu machen; *cela lui est ~* das fällt ihm leicht; **~lité** *f* Leichtigkeit; Erleichterung; leichte Auffassungsgabe, Fertigkeit, Gewandtheit (*à, de* zu); Gefälligkeit, Umgänglichkeit; Leichtfertigkeit; *(Stil)* Flüssigkeit, *pl* günstige Gelegenheit *f;* Erleichterungen *f pl;* Hilfe *f; pour plus de ~s* bequemlichkeitshalber; *~ d'élocution* Redegewandtheit *f ~s de paiement* Zahlungserleichterungen; bequeme Zahlungsbedingungen *f pl;* **~liter** erleichtern (*qc à qn* jdm e-e S); ermöglichen; *(Verdauung)* fördern.

façon [fasɔ̃] *f* Ausführung; Be-, Verarbeitung; Gestalt, Form *f;* Muster *n; (Kleidung)* Machart *f,* (Zu-)Schnitt; Macherlohn *m; agr* Bestellung, Bearbeitung; *fig* Art u. Weise *f; pl* Verhalten, Benehmen *n;* Manieren *f pl;* Umstände *m pl; à la ~ de* nach Art *gen; à sa ~* wie er will; nach s-r Art; *d'une ~ ou d'une autre* auf die e-e od andere Art; *de la même ~* auf dieselbe Art; *d'une ~ générale* (im) allgemein(en); *de toute ~* auf alle Fälle; wie dem auch sei; *de toutes les ~s* mit allen Mitteln; *de ~ (à ce) que* dergestalt, daß; *en aucune ~* auf keinen Fall; keineswegs; *sans ~(s)* zwanglos; ohne weiteres; formlos, ungeniert; *sans plus de ~* ohne weiteres; *faire des ~s* Umstände machen, sich zieren; *prendre, travailler qc à ~* etw in (Heim-)Arbeit nehmen, machen; *c'est une ~ de parler* das ist nicht so gemeint; *il a de très bonnes ~s* er macht e-n guten Eindruck; *voilà ma ~ de penser* das ist nun mal meine Ansicht; *~ d'agir* Handlungsweise *f; ~ de parler* Redensart *f; ~ de procéder* Verfahren *n; ~ de voir* Ansicht *f;* **~nage, ~nement** [-sɔ-] *m* Ver-, Bearbeitung, Formgebung *f;* Zurichten *n;* Fertigung *f; (Holz)* Behauen *n;* **~né, e** gemustert, geblümt; bearbeitet; **~ner** formen, bilden, gestalten, modeln, aus=, bearbeiten; die letzte Hand legen (*qc* an e-e S); *(Holz, Marmor)* behauen; *(Acker)* bestellen; *(Stoff)* mustern; *(Hut)* fassonieren; *fig* Gestalt geben (*qc* dat); aus=bilden; formen; **~nier, ère** *a* geziert; *s m* Heimarbeiter; Umstandskrämer *m.*

faconde [fakɔ̃d] *f* Beredsamkeit; Redseligkeit *f.*

fac-similé [faksimile] *m* Faksimile *n.*

fact|age [faktaʒ] *m* Spedition(sgeschäft *n*); Anfuhr; (Post-)Zustellung; Bestellgebühr *f;* Rollgeld *n;* **~eur** *m math fig* Faktor *m; fig* Moment *n;* Postbote, Briefträger; (Gepäck-)Träger *m; utiliser le ~ surprise fam* das Überraschungsmoment aus=nutzen; *~ de charge, de sécurité* Belastungs-, Sicherheitsfaktor *m; ~ financier* Geldbriefträger *m; ~s héréditaires (biol)* Erbfaktoren *m pl; ~ d'orgues, de pianos* Orgel-, Klavierbauer *m; ~ prix (fam)* Preisfaktor *m; ~ rural* Landbriefträger *m.*

fac|tice [faktis] nachgemacht, künstlich; gekünstelt; Attrappen-; *emballage m ~* Attrappe, Schaupackung *f; recueil m ~* Konvolut *n,* Sammelband *m;* **~tieux, se** [-sjø, -øz] *a* aufrührerisch; *s m* Aufrührer, -wiegler *m.*

faction [faksjɔ̃] *f* Partei; *pol* Clique *f,* Klüngel *m;* aufrührerische Gruppe; *mil* Wache *f; être de* od *en ~* Posten stehen, *fam* Wache schieben; *être en ~* auf der Lauer liegen; *relever de sa ~* ab=lösen; **~naire** *m* Wachtposten *m.*

factorerie [faktɔrri] *f* Handelsniederlassung *f (im Ausland).*

factotum [faktɔtɔm] *m* Faktotum *n.*

factrice [faktris] *f* Briefträgerin *f.*

factum [faktɔm] *m* Streit-, Schmähschrift *f.*

fact|uration [faktyrasjɔ̃] *f* Anrechnung, Inrechnungstellung; Rechnungsabteilung *f;* **~ure** *f* Rechnung, Faktura (*de* über *acc*); *mus* Faktur; *fig* Ausführung *f,* Bau, Stil *m;* Arbeit *f; (Musikinstrument)* Bau *m,* Herstellung *f; acquitter une ~* e-e R. quittieren; *dresser, établir, faire une ~* e-e R. aus=stellen; *payer, régler, solder une ~* e-e R. bezahlen, -gleichen; *montant m de la ~* Rechnungsbetrag *m; prix m de ~* Faktura-, Selbstkostenpreis *m; ~ d'expédition* Frachtbrief *m; ~ fictive, „pro forma"* Proforma-Rechnung *f;* **~urer** in Rechnung stellen, berechnen, fakturieren; *machine f à ~* Fakturier-, Rechnungsschreibmaschine *f;* **~urier** *m* Fakturabuch *n;* Fakturist *m.*

facule [fakyl] *f* Sonnenfackel *f.*

facultatif, ive [fakyltatif, -iv] wahlfrei, beliebig, freibleibend, unverbindlich; *arrêt m* ~ Bedarfshaltestelle *f; disposition f ~ive* Kannvorschrift *f.*

faculté [fakylte] *f* Vermögen *n,* Fähigkeit; Kraft; Eigenschaft *f;* Talent *n,* Gabe; Freiheit, Möglichkeit *f,* Recht *n,* Befugnis, Befähigung, Macht; *(Universität)* Fakultät *f; fam* (behandelnder) Arzt; *pl* Besitz *m,* Vermögen *n, mar* Ladung *f; avoir la* ~ können (*de* Inf.); befugt sein (*de* zu); *c'est au-dessus de mes ~s* das geht über meine Kräfte; ~ *d'assimilation, d'adaptation* Anpassungsfähigkeit *f;* ~ *combinatrice* Kombinationsvermögen *n,* -gabe *f;* ~ *contributive* Steuerkraft *f;* ~ *de déduction* Abzugsfähigkeit *f;* ~ *de droit, de médecine, des lettres, des sciences* juristische, medizinische, philosophische, mathematisch-naturwissenschaftliche Fakultät *f;* ~ *germinative (bot)* Keimfähigkeit *f; ~s intellectuelles* geistige Fähigkeiten *f pl; ~s manœuvrières* Wendigkeit *f;* ~ *d'orientation* Orientierungsvermögen *n;* ~ *perceptive* Empfindungsvermögen *n;* ~ *de rachat, de réméré* Rückkaufsrecht *n;* ~ *de travail* Arbeitskraft, Erwerbsfähigkeit *f; ~s visuelles* Sehvermögen *n,* -kraft *f.*

fad|a [fada] *fam* verrückt; **~aises** [-dɛz] *f pl* Albernheiten *f pl;* abgeschmackte(s) Zeug *n,* Unsinn *m.*

fad|asse [fadas] *(fam)* fade, abgeschmackt; **~e** *a* fade, schal; abgestanden; ungesalzen; ohne Würze, geschmacklos; *fig* reizlos, matt, saft- u. kraftlos; *s m arg* Anteil *m;* **~eur** *f* Fadheit; Geschmack-, Geistlosigkeit *f; pl* fade Komplimente *n pl.*

fading [fɑ(ɛ)diŋ] *m (radio)* Schwund *m.*

faf|fe, iot [faf, -jo] *m pop* Schein *m,* Banknote *f.*

fagot [fago] *m* (Reisig-)Bündel *n,* Faschine *f; de derrière les ~s (Wein) fig)* von der besten Sorte; *s'habiller comme un~* sich geschmacklos kleiden; **~age** [-gɔtaʒ] *m* Bündeln; Bündelholz, Reisig *n; fig* Pfuscharbeit; geschmacklose Kleidung *f;* **~er** *(Holz)* bündeln; *fig* geschmacklos kleiden; hin=pfuschen; **~eur, se** *m f* Pfuscher(in *f*), Stümper(in *f*) *m;* **~in** *m* Bündel *n* Anmachholz.

faibl|ard, e [fɛblar, -ard] *fam* schwächlich; **~e** *a* schwach (*de* an *dat*), kraftlos, matt; gebrechlich; charakterschwach; zu nachsichtig (*avec* gegen); unbedeutend; zu klein; gering; *math* niedrig; *(Stimmung)* flau; *(Kaffee)* dünn; *s m* Schwächling *m;* schwache Stelle *od* Seite *f,* wunde(r) Punkt *m;* Schwäche; Schwachheit *f; avoir du* ~ *pour qc* für etw e-e Schwäche haben, für e-e S etw übrig haben; *avoir un* ~ *pour qn* für jdn etwas übrig haben; *l'esprit est prompt, mais la chair est* ~ der Geist ist willig, aber das Fleisch ist schwach; *les économiquement ~s* die wirtschaftlich Schwachen, die Minderbemittelten; *esprit m* ~ Schwachkopf *m;* ~ *m d'esprit* Schwachsinnige(r) *m;* **~esse** *f* Schwäche, Schwachheit; Ohnmacht; schwache Stelle *a. fig;* schwache Stunde; Kleinheit, Geringfügigkeit; Schwächlichkeit *f; (Münze)* geringe(s) Gewicht *n; (Balken)* geringe Tragfähigkeit *f;* **~ir** schwach werden; nach=geben; *(Kräfte)* ab=nehmen; *(Wind, Widerstand, Gedächtnis)* nach=lassen; *(Hoffnung)* sinken; *(Kurs)* fallen; *sa détermination ~it* er wird in s-m Entschluß wankend; *sa patience ~it* ihm schwindet die Geduld, geht die Geduld aus.

faïenc|e [fajɑ̃s] *f* Steingut *n;* Fayence *f;* Halbporzellan *n; se regarder en chiens de* ~ wie Ölgötzen da=sitzen; *poêle m de* ~ Kachelofen *m;* **~erie** *f* Steingutfabrik *f,* -handel *m;* **~ier** *m* Steingutfabrikant, -händler *m.*

faill|e [faj] *f* **1.** *geol* Spalte *f* im Gestein, Sprung *m;* Verwerfung *f; fig* Riß, Bruch *m;* **2.** grobe(r) Seidenstoff *m;* **~i, e** *a* zahlungsunfähig; *s m* Konkurs-, Gemeinschuldner *m;* **~ibilité** *f* Fehlbarkeit *f;* **~ible** fehlbar, dem Irrtum unterworfen; **~ir** *irr* verstoßen (*à qc* gegen etw); *com* in Konkurs geraten; *j'ai ~i (mit inf.)* beinahe hätte *od* wäre ich; es fehlte nicht viel, u. ich hätte *od* wäre; *le cœur m'a ~i* mir fiel das Herz in die Hosen *(fam);* **~ite** *f* Konkurs, Bankrott *m,* Zahlungseinstellung, Insolvenz *f; fig* Zs.bruch, Mißerfolg *m; se déclarer en* ~ Konkurs an=melden; *être en* ~ bankrott sein; *faire* ~ Konkurs, *fam* Pleite machen, in Konkurs geraten; *ouvrir la procédure de la* ~ das Konkursverfahren eröffnen; *déclaration f de* ~ Konkurserklärung *f; masse f de la* ~ Konkursmasse *f; ouverture f de la* ~ Konkurseröffnung *f; procédure f de* ~ Konkursverfahren *n; syndic m de la* ~ Konkursverwalter *m.*

faim [fɛ̃] *f* Hunger *m; fig* heftige(s) Verlangen *n,* Lust, Sucht *f; apaiser, assouvir, calmer, rassasier sa* ~ s-n Hunger stillen; *avoir (très od bien)* ~ (sehr) hungrig sein, (großen) Hunger haben; *manger à sa* ~ sich satt essen; *ne pas manger à sa* ~ hungern, nicht das Notwendigste zum Essen haben; *mourir, (fam) crever de* ~ am Verhungern sein; ~ *de loup, du diable* Bärenhunger *m;* ~*-valle f (Pferd)* Freßkrampf; *fam* Heißhunger *m.*

faîne [fɛn] *f* Buchecker *f.*

fainéant, e [fɛneɑ̃, -ɑ̃t] *a* faul, träge; *s m f* Nichtstuer, Faulenzer(in *f*), Müßiggänger(in *f*) *m;* ~**er** faulenzen; ~**ise** *f* Müßiggang *m,* Faulenzerei *f.*

faire [fɛr] **1.** *irr, tr, itr* machen, tun; (er) schaffen, erzeugen; vollbringen, aus=führen; bilden, aus=machen, gleich=kommen *dat,* bedeuten; *math* sein; entsprechen *dat,* ab=geben; zur Folge haben, bewirken, veranlassen, verursachen; erheben, ernennen (*qc* zu etw); dar=stellen (*qc* als etw), halten (*qc* für etw); dienen (*qc* als etw); holen; *(mit Inf.)* lassen, veranlassen; *v tr (Gegenstand)* an=fertigen, her=stellen, fabrizieren; *(Haus)* bauen; *(Brot)* backen; *(Speise)* zu=bereiten; *(Kleid)* schneidern, machen; *(Anzug)* an=fertigen, machen; *(Gemälde)* malen; *(Dichtung)* verfassen, schreiben; *(Musikwerk)* komponieren; *(Rede)* halten; *(Kinder) pop* in die Welt setzen; *(Junge)* werfen; *(Ei)* legen; *(Zahn)* bekommen; *(Bedürfnis)* verrichten; *(Vorrat)* sammeln; *(Geld)* verdienen; ein=bringen; *(Verlust)* erleiden; *(Pension)* verschaffen; *(Kunden, Anhänger)* gewinnen; *(Getreide)* erzeugen, ernten; *(Schritt)* machen; *(Zeichen)* geben; *(Angebot)* machen, unterbreiten; *(Grimasse)* schneiden; *(Arbeit)* machen, tun, erledigen; *(Handel)* treiben; *(Besuch)* ab=statten, machen; *(Tennis)* spielen; *(Nachforschungen)* an=stellen; *(Rechnung)* aus=stellen; *(Handwerk)* aus=üben; *(Wissenschaft, Sprache)* studieren; *(Prüfung)* sich vor=bereiten (*qc* auf e-e S); *(Dienstzeit)* ab=leisten; *(Strafe)* ab=sitzen; *(Gewalt)* an=tun; *(Verbrechen, Irrtum, Dummheit)* begehen; *(Pflicht)* erfüllen; *(Wahl)* treffen; *(Almosen)* geben; *(Fest)* feiern; *(Lärm)* verursachen, machen; *(Schaden, Unheil)* an=richten; *(Wunde, Beleidigung)* zu=fügen; *(Furcht, Mitleid, Aufsehen)* erregen; *(Weg, Strecke)* zurück=legen, (hinauf=, hinab=)gehen, laufen, fahren; klettern (*le mur* über die Mauer); *fam* be-, auf=suchen; (vorübergehend) tätig sein (*une maison* in e-r Firma); *fam* dauern, aus=halten, ab=geben; *(mit Worten)* aus=drücken, sagen; *(Falten)* werfen; *(Blut)* ab=sondern; verlieren; *(Maß)* messen, enthalten, fassen, wiegen; wert sein; *(zeitlich)* dauern; *fam (im Preis)* an=setzen mit, berechnen auf; verkaufen für, um; *gram (Form)* bilden; *(Krankheit, Fieber)* haben; *(Zimmer)* auf=räumen; *(Geschirr)* spülen, ab=waschen; *(Silber, Schuhe)* putzen; *(Feuer)* (an=)machen; *(Koffer)* packen; *(Krieg)* führen; *(Frieden)* schließen; *(Spielkarten)* mischen; *(Fingernägel)* reinigen; *(Krallen)* wetzen; *(durch Unterricht)* aus=bilden, erziehen; *(Tier)* ab=richten; *theat (Rolle)* spielen, verkörpern, dar=stellen; markieren, nach=ahmen; so tun, als ob; sich stellen (~ *le sourd, le malade* sich taub, sich krank stellen; so tun, als sei man taub, krank); *(jung, alt, traurig)* aus=sehen, den Eindruck machen, als sei man *(reich, glücklich); (mit Substantiv ohne Artikel)* aus=sehen wie, wirken (~ *très femme* sehr fraulich); ~ *qc à qc* etw an e-r S ändern; *ne* ~ *que (de)* ... nichts tun als ... ; *s m* Tun, Machen *n;* Ausführung, Gestaltung, Formung; Fasson *f,* Stil *m;* **2.** *avoir fort à* ~ *(avec qn)* viel (mit jdm) zu tun haben; *n'avoir que* ~ *de* nichts anzufangen wissen mit; entbehren können; nicht brauchen; *se laisser* ~ sich gefallen lassen; *ne pouvoir* ~ *que* nicht verhindern können, daß; *savoir y* ~ *(fam)* sich darauf verstehen; **3.** ~ *l'admiration de tous* die Bewunderung aller erregen; ~ *adopter une motion (parl)* e-n Antrag zur Annahme bringen; ~ *affaire* e-n Vertrag schließen; ~ *une affaire* ein (gutes) Geschäft machen; ~ *attention* auf=merken, -passen; ~ *la barbe* rasieren (*à qn* jdn); ~ *des bénéfices* Gewinne erzielen; ~ *bien* sich gut machen *od* aus=nehmen; ~ *bien ensemble* gut zs.=passen; ~ *boire (Tier)* tränken; ~ *cadeau* schenken (*de qc* etw); ~ *du cent (mot fam)* hundert drauf haben; ~ *son chemin* es zu etw bringen; ~ *bien les choses* großzügig sein; es gut meinen; ~ *une chute (aero)* ab=stürzen; ~ *circuler un rapport* e-n Bericht um=laufen lassen; ~ *la classe, l'école* Unterricht erteilen; ~ *commerce de qc* mit etw handeln; ~ *crédit* Kredit ein=räumen; ~ *une demande* ein Gesuch ein=reichen, e-n Antrag stellen; ~ *des démarches* Schritte unternehmen (*auprès de* bei); ~ *ses dents* zahnen; ~ *droit à qc* etw befriedigen; ~ *son droit, sa médecine* Jura, Medizin studieren; ~ *eau* Wasser fassen; leck sein; ~ *mauvais effet* e-n schlechten Eindruck machen; ~ *de l'escrime* fechten; ~ *une expérience* ein Experiment, e-n

Versuch an=stellen, machen; ~ *face, front à qn* jdm die Stirn bieten; ~ *face aux dépenses* die Kosten bestreiten; ~ ~ *qc* etw machen lassen (*à, par qn* von jdm); ~ *fête à qn* von jdm begeistert sein; ~ *la fête, (fam) la bombe* ein tolles Leben führen; ~ *fonction de* dienen als; ~ *gras (maigre)* (kein) Fleisch essen; ~ *loi* als Gesetz gelten; ~ *mal à qn* jdm weh tun; ~ *du mal à qn* jdm schaden; ~ *manger* zu essen geben *dat; (Tier)* füttern; ~ *marcher qn* jdn an=führen, jdm Beine machen; ~ *ménage avec qn* mit jdm e-n Haushalt führen; ~ *le ménage* den Haushalt besorgen; ~ *un mensonge* lügen; ~ *mine de* Miene machen zu; ~ *grise mine* ein Gesicht machen, schmollen, bocken; ~ *de son mieux* sein Bestes tun; ~ *moderne* modern wirken; ~ *la moisson* die Ernte ein=bringen, ernten; ~ *le mort* sich tot=stellen; ~ *naufrage* Schiffbruch erleiden; ~ *la noce (fam)* in Saus u. Braus leben; ~ *l'objet d'une discussion* Gegenstand e-r Aussprache sein; ~ *opposition* Einspruch erheben (*à* gegen); ~ *la sourde oreille* sich taub stellen; ~ *part* mit=teilen (*à qn de qc* jdm etw); ~ *de la peinture* malen; ~ *pencher la balance* den Ausschlag geben; ~ *pénitence* Buße tun; ~ *peur à qn* jdm bange machen; ~ *la planche (Schwimmen)* den toten Mann machen; ~ *le plein (mot)* voll=tanken; *ne pas* ~ *un pli (fig)* kein Problem sein; ~ *un plongeon* tauchen; ~ *un prix à qn* jdm e-n Sonderpreis machen; ~ *un procès à qn* gegen jdn gerichtlich vor=gehen; ~ *de la publicité* werben, Reklame machen; ~ *la queue* Schlange stehen; ~ *un rapport à qn* jdm Bericht erstatten; ~ *rentrer une créance* e-e Schuld ein=treiben; ~ *des représentations* vorstellig werden; ~ *des reprises perdues* kunststopfen; ~ *fausse route* auf dem Holzwege sein; ~ *savoir* mit=teilen; ~ *semblant de (inf.)* so tun, als ob man; ~ *sensation* Aufsehen erregen; ~ *son service* s-n Militärdienst ab=leisten; ~ *du sport* Sport treiben; ~ *un stage* e-e Probezeit durch=machen; ~ *suivre* weiter=leiten, nach=senden; ~ *tapisserie (fam)* Mauerblümchen sein; ~ *la tête, (fam) une sale tête* schmollen; böse drein=sehen; *à qn* jdm unfreundlich begegnen; ~ *de la température (fam)* Temperatur, Fieber haben; ~ *du tort* schaden (*à qn* jdm); *ne* ~ *ni une ni deux* sich nicht lange besinnen; ~ *la valise, la malle* (zs.=)packen; *fam fig* ab=hauen; ~ *valoir* geltend machen, ~ *les vendanges* Wein lesen; ~ *bon visage à qn* jdm freundlich begegnen; ~ *les yeux doux* liebäugeln (*à* mit); ~ *du zèle* Eifer zeigen; **4.** *ça fait que (fam)* deshalb, weil; *2 et 2 font quatre* 2 u. 2 ist vier; *ce n'est ni fait ni à* ~ das ist nichts Halbes u. nichts Ganzes; *que fait-il dans la vie? (fam)* was macht, treibt er? *rien à* ~ nichts zu machen *od* wollen; *vous feriez bien, mieux de* Sie täten gut, besser daran zu; *je ne fais que (de) commencer* ich fange erst an; *ma tête me fait mal* ich habe Kopfweh; *il fait la pluie et le beau temps* er gibt den Ton an; *qu'est-ce que ça peut bien vous ~?* was geht Sie das an? *cela lui a fait qc* das ist ihm schwergefallen; *cela ne lui fait ni chaud ni froid* das läßt ihn kalt; *cela n'y fera rien* das ändert nichts daran; *cela y fait beaucoup* das gibt der Sache ein (ganz) anderes Gesicht; *ça va* ~ *un an* es ist bald ein Jahr her; *ça va lui* ~ *du bien* das wird ihm gut=tun *od* gut bekommen; *quelle taille, pointure faites-vous? (pop)* welche Größe, Nummer haben Sie? *ce travail lui fera la main* bei dieser Arbeit kann er sich üben; *il fait jour, nuit* es ist Tag, Nacht; *il fait clair, chaud, froid, sec, humide* es ist hell, warm *od* heiß, kalt, trocken, feucht; *quel temps fait-il?* wie ist das Wetter? *il fait beau, mauvais, vilain* es ist schönes, schlechtes, häßliches Wetter; *il fait (du) soleil* die Sonne scheint; *il fait du brouillard* es ist neb(e)lig; *il fait de la pluie* es regnet; *il fait bon (de)* es tut gut, es ist empfehlenswert (zu); *il faisait trente degrés à l'ombre* es waren *30* Grad im Schatten; *ne fais pas à autrui ce que tu ne voudrais pas qu'on te fît à toi-même* was du nicht willst, daß man dir tu, das füg auch keinem andern zu! **5. se** ~ werden, entstehen; sich entwickeln, reif werden, sich verbessern; *mar (Wind)* stärker werden; geschehen, statt=finden; zustande kommen; sich gewöhnen (*à* an *acc*); sich an=passen (*à* dat); sich ab=finden (*à* mit); sich verschaffen, gewinnen, *(Geld)* verdienen; sich *(die Nägel)* reinigen; *(Kleidungsstück)* Mode sein, gern getragen werden; sich schicken; *s'en* ~ *(fam)* sich Sorgen machen; sich genieren; *se* ~ ~ sich machen lassen; **6.** *se* ~ *des amis* sich Freunde machen, F. gewinnen; *se* ~ *la barbe* sich rasieren; *se* ~ *beau* sich hübsch machen, sich (heraus=)putzen; *se* ~ *un chemin* sich e-n Weg bahnen; *se ~ connaître* bekannt=werden; *se ~ écouter* Gehör finden, sich G. verschaffen; *se ~ une entorse* sich e-n Fuß verrenken; *se ~ fort* sich anheischig machen (*de* zu); *se ~ une idée* sich e-e Vorstellung machen (*de* von); *se ~ jour (fig)* sich heraus=stellen; sich durch=setzen; *se ~ les lèvres* sich (die Lippen) schminken; *se ~ mal* sich weh tun; *se ~ la main* sich üben; *se ~ un mérite de qc* sich etw als Verdienst an=rechnen, auf e-e S pochen; *se ~ protestant* protestantisch werden; *se ~ une raison* sich schicken, sich fügen (*de* in *acc*), resignieren; *se ~ sentir* fühlbar werden; *se ~ vieux* alt werden; **7.** *cela ne se fait pas* das tut man nicht; *comment se fait-il que* wie kommt es, wie ist es möglich, daß; *il pourrait bien se ~ que* es könnte sehr wohl sein, daß; *cela s'est fait tout seul* das ist von (ganz) allein gekommen; *il se fit un silence* Stille trat ein; *il se fait tard, jour, nuit* es wird spät, hell, Nacht *od* dunkel; *(il) faut le faire!* das ist schon e-e Leistung!; *il faut se le (la) faire (fam)* er (sie) nervt mich!; **~-part** *m* (Familien-)Anzeige *f; ~ de mariage, de naissance, de décès* Heirats-, Geburts-, Todesanzeige *f; cet avis tient lieu de ~* statt Karten; **~-valoir** *m agr* Bewirtschaftung *f; ~ direct* Selbstbewirtschaftung *f.*

fair-play [fɛrplɛ] *m inv* Fairneß *f.*

faisa|bilité [fəzabilite] *f* Machbarkeit *f; étude de ~* Durchführbarkeitsstudie *f;* **~ble** machbar.

fais|an, e [fəzɑ̃, -an] *m* Fasan; *arg fig* Betrüger, Gauner *m; ~ argenté, doré* Silber-, Goldfasan *m;* **~an(d)e** *f* Fasanenhenne *f;* **~andé, e** *(Fleisch)* mit e-m Stich; *fig* heruntergekommen, verdorben; alt; *littérature f ~e* Schundliteratur *f;* **~andeau** *m* junge(r) Fasan *m;* **~ander** *(Wild)* ab=lagern; *se ~ (Fleisch)* e-n Stich bekommen. **~anderie** *f* Fasanerie *f,* Fasanengehege *n.*

faiseur, se [fəzœr, -zøz] *m f* Macher(in *f*), Hersteller(in *f*), Verfertiger(in *f*); Schneider(in *f*); (Bücher-)Schreiber; Schwindler; Aufschneider; Intrigant *m; ~ de compliments* Komplimentemacher *m; ~ d'embarras* Unruhestifter *m; ~ d'horoscopes* Horoskopsteller *m; ~se de mariages* Heiratsvermittlerin *f; ~ de phrases* Phrasendrescher *m; ~ de projets* Plänemacher *m; ~ de tours* Taschenspieler *m.*

faisceau [fɛso] *m* Bündel, Büschel, Bund *n; (Blumen)* Strauß *m;* Faschine; Gewehrpyramide *f; (Kabel)* Strang, Satz; *anat* Faserstrang *m; hist* Liktorenbündel *n; min (Flöz)* Gruppe *f,* Zug; *phys* Strahl *m,* Garbe *f; tele* Richtstrahler; *(Scheinwerfer)* Lichtkegel *m; fig* Gruppe, Schar *f; lier en ~* bündeln; *aux -x!* an die Gewehre! *formez les ~x!* setzt die Gewehre zs.! *~ cathodique, électronique* Elektronenbündel *n,* -strahl *m; ~ de colonne* Säulenbündel *n; ~ directif* Richtstrahl *m; ~ de lignes* Strahlen-, Linienbündel *n; ~ lumineux* Lichtkegel *m; ~ du radiateur* Kühlerblock *m; ~ radiogoniométrique* Peilstrahl *m.*

faisselle [fɛsɛl] *f* (Käse-)Korb *m;* Strohmatte *f.*

fait, e [fɛ, fɛt] *a* gemacht, getan; beschaffen, gestaltet; gebaut, gewachsen; *(tout ~)* fertig; gekleidet, ausstaffiert; *jur* geschehen (*à* zu), ausgefertigt (*à* in *dat*); *(Mensch)* erwachsen, reif, gesetzt; *(Frucht)* überreif; mürbe; *(Speise)* gar, gekocht; *(Käse)* durch; gebildet (*de* aus); geschaffen, passend (*pour* für); geeignet (*pour* zu); gewöhnt (*à* an *acc*); *(Wetter)* beständig; *(Preis)* fest; *arg* geschnappt, erwischt, ertappt; *s m* Tat; Tatsache; Sache; Handlung *f; jur* Tatbestand *m;* Faktum *n;* Begebenheit *f,* Vorfall *m;* Ereignis *n;* Fall *m;* Wesen, Sein *n; pl* Sachverhalt *m; au ~* eigentlich, im Grunde genommen; alles wohl erwogen; *dans le ~, par le ~, de ~* tatsächlich, faktisch; *de ce ~* auf Grund dieser Tatsache; deshalb; *en ~* tatsächlich, nach den tatsächlichen Feststellungen, in tatsächlicher Beziehung; rechtlich; *en ~ de* was ... anbetrifft; *en ~ et en droit* in tatsächlicher und rechtlicher Beziehung; *en présence du ~* angesichts der Tatsache; *par son ~* durch s-e Schuld; *sur le ~* auf frischer Tat; *tout à ~* ganz (u. gar), gänzlich; *vous êtes tout à ~ gentil* es ist wirklich sehr freundlich von Ihnen; *acheter du tout ~* Fertigkleider, Konfektion kaufen; *aller droit au ~, en venir au ~ sans détours* sofort zur Sache kommen; *dire son ~ à qn* jdm s-e Meinung sagen; *entendre bien son ~* s-e Sache, sein Geschäft verstehen; *être sûr de son ~* s-r Sache sicher sein; *être bien ~ (Mensch)* gut gebaut sein; *être au ~ de* Bescheid wissen über *(acc),* vertraut sein mit, bewandert, eingeweiht sein in (*acc); mettre qn au ~ de qc* jdn von etw in Kenntnis setzen, jdm über e-e S Aufschluß geben, jdn in e-e S ein=weihen, jdn von etw verständigen; *se* *mettre au ~ de qc* sich über e-e S auf dem laufenden halten, sich über e-e S Aufschluß verschaffen, sich mit etw vertraut machen; *poser en ~ que* als Tatsache hin≈stellen, daß; *prendre qn sur le ~* jdn auf frischer Tat ertappen; *prendre ~ et cause pour qn* für jdn Partei ergreifen, jdm die Stange halten, sich für jdn ein≈setzen; *plaider un ~* e-e Tatsache geltend machen; *venir au ~* zur (Haupt-)Sache kommen; zur Ausführung schreiten; *au ~!* zur Sache! *si ~!* allerdings, ja doch! *je suis au ~* ich bin im Bilde; *c'en est ~* es ist aus, es ist vorbei (*de lui* mit ihm); es ist geschehen (*de* um); *c'est votre ~* das ist Ihr Fall, dafür sind Sie verantwortlich; *ce n'est pas mon ~* das ist nicht mein Fall; *c'est un ~ à part* das ist e-e Sache für sich; *c'est comme un ~ exprès* das paßt ausgezeichnet; *c'est bien ~ (pour lui* od *pour elle)* das ist ihm (ihr) recht geschehen; *il est de ~ que, le ~ est que* Tatsache, sicher ist, daß; *que Votre volonté soit ~e* Dein Wille geschehe; *aussitôt dit, aussitôt ~* gesagt, getan; *erreur f de ~* materielle(r) Irrtum *m; menus ~s m pl* Kleinigkeiten *f pl; expression f toute ~e (fig)* Schablone *f; possession f de ~* tatsächliche(r) Besitz *m; question f de ~ (jur)* Tatfrage *f; voies f pl de ~* Gewalttaten, Tätlichkeiten *f pl; ~ accompli* vollendete Tatsache *f; ~s d'un acte* Gegenstände *m pl* e-s Vertrages; *~s admissibles et pertinents (jur)* rechtserhebliche Tatsachen *f pl; ~ de commerce* Geschäftssache *f; ~s divers* vermischte Nachrichten *f pl,* Lokale(s) *n; ~s et gestes* Tun u. Treiben *n; ~ de guerre* Kriegshandlung *f; pl* Kriegstaten *f pl,* -ereignisse *n pl; ~ illicite* unerlaubte Handlung *f; ~ matériel* objektive(r) Tatbestand *m;* **~-tout, ~out** *m inv* Kochkessel, große(r) Kochtopf *m.*

faît|age [fɛtaʒ] *m* Firstpfette *f;* Dachfirst, -stuhl *m;* **~e** *m* (Dach-)First, Giebel; *(Berg)* Gipfel; *(Baum)* Wipfel *m; min* Firste; *(Mauer)* Brüstung *f; fig* Glanz-, Höhepunkt, Zenit *m; être au ~ (fig)* auf der Höhe stehen (*de* gen); *ligne f de ~* Gebirgsrücken *m;* Wasserscheide *f;* **~eau** *m* Firstaufsatz *m;* **~ière** *s f* First-, Hohlziegel *m;* Firstpfette; Dachluke *f; (Zelt)* Firststab *m; a* First-, Giebel-.

faix [fɛ] *m* Last, Bürde; *(Gebäude)* Senkung *f.*

fakir [fakir] *m rel* Fakir *m.*

falaise [falɛz] *f* Steilküste, Klippe; Felswand *f.*

falbalas [falbala] *m pl* verspielte Kleidung *f.*

fallacieu|x, se [falasjø, -øz] trügerisch, eitel; Trug-; **~sement** *adv* fälschlicherweise.

falloir [falwar] *v irr imp* **1.** *(avoir besoin de)* brauchen *(acc),* bedürfen *(gen),* nötig haben, benötigen *(acc); il me faut* ich brauche; *il me faut partir* ich muß weg(≈gehen); *il faut que tu m'aides* ich benötige deine Hilfe; *il faut que je (subj)* ich muß *(inf.); il lui faudra de la patience* er wird Geduld haben müssen; *il faut un médecin pour ce blessé* der Verunglückte hat e-n Arzt nötig; *il faut un don spécial pour exercer cette profession* dieser Beruf erfordert eine besondere Begabung; **2.** *(être nécessaire, indispensable)* müssen, sollen; *il faudrait au moins essayer* man müßte zumindest einen Versuch machen; *que me faut-il faire?* was soll ich tun? *s'il le faut* wenn, falls nötig, wenn es sein soll, wenn es ums Ganze geht; *il faut que cela change, finisse* das muß anders werden, ein Ende haben; *il faut voir* das bleibt abzuwarten; *c'est ce qu'il faudra voir!* das wollen wir (doch einmal) sehen! **3.** *(être probable) il faut qu'il ait perdu la tête* er ist wohl nicht bei Sinnen; *il faut qu'il n'ait rien compris* er wird alles mißverstanden haben. **4.** *s'en ~* fehlen; *il s'en faut de beaucoup, de peu* es fehlt viel, wenig daran; *tant s'en faut* bei weitem, weit gefehlt; *il s'en est fallu d'un cheveu que je me fasse écraser* ich wäre um ein Haar überfahren worden; **5.** *(expression) comme il faut* einwandfrei, tadellos, richtig, ordentlich, tüchtig; *une personne très comme il faut (fam)* ein sehr anständiger Mensch.

falot, e [falo, -ɔt] **1.** *a* unbedeutend, schwächlich, trübe; **2.** *s m* (Hand-) Laterne *f; arg* Kriegsgericht *n; ~ d'arrière-train (loc)* Schlußlicht *n.*

falourde [falurd] *f vx* Bündel *n* Knüppelholz.

falsifi|cateur, trice [falsifikatœr, -tris] (Ver-)Fälscher *m; ~ de billets de banque* Banknotenfälscher *m;* **~cation** *f* (Ver-)Fälschung *f; ~ des denrées, des produits alimentaires* Nahrungsmittelverfälschung *f; ~ de documents* Urkundenfälschung *f; ~ de (la) monnaie* Falschmünzerei *f; ~ de traites* Wechselfälschung *f; ~ du vin* Weinpanscherei *f;* **~er** [-fje] (ver)fälschen; *(Wein)* pan(t)schen.

faluche [falyʃ] *f* Studentenmütze *f.*

falun [falœ̃] *m* Muschelerde *f.*

famé, e [fame] : *bien, mal* ~ in gutem, schlechtem Ruf (stehend).

famélique [famelik] *a* hungrig, ausgehungert; *s m* Hungerleider *m.*

fameux, se [famø, -øz] berühmt, denkwürdig; bekannt; berüchtigt; *fam* famos, ausgezeichnet, großartig; gewaltig.

famil|ial, e [familjal] *a* die Familie betreffend, Familien-; *s f mot* große(r) Wagen *m; allocation f (meist pl)* ~*e* Kinderzulage *f; journée f* ~*e* Familientag *m; prestations pl* ~*s* Familien(bei)hilfe *f; réunion f* ~*e* Familienzs.kunft *f;* ~**iariser** vertraut machen (*avec* mit); gewöhnen (*à, avec* an *acc*); zähmen; *se* ~ sich vertraut machen, vertraut werden (*avec* mit); sich gewöhnen (*avec* an *acc*); ~**iarité** *f* Vertrautheit, Vertraulichkeit *f;* vertrauliche(r) Umgang *m;* Einfachheit, Alltäglichkeit *f; être dans la* ~ *de qn* mit jdm auf vertrautem Fuß(e) stehen, zu jdm in engen Beziehungen stehen; *prendre, se permettre des* ~*s avec qn* sich gegen jdn Freiheiten heraus=nehmen; ~**ier, ère** *a* vertraut, vertraulich; frei, ungezwungen; gewohnt, geläufig, bekannt; häufig vorkommend, üblich; *s m* Vertraute(r); Stammgast; (Haus-)Freund *m; être* ~ *avec qn* mit jdm auf vertrautem Fuß(e) stehen; *cette langue lui est* ~*ère* er ist in dieser Sprache zu Hause; *c'est un de ses* ~*s* er ist eng mit ihm befreundet; ~**le** [-mij] *f* Familie *a. zoo bot;* Verwandtschaft; Gattung *f;* Geschlecht *n;* Klasse *f; au sein de la* ~ im Familienkreis; *en* ~ unter sich, im engsten Familienkreis; *être de bonne* ~ aus gutem Hause sein; *être chargé de* ~ Kinder haben; *il fait partie de la* ~ er gehört zur Familie; *affaire f de* ~ Familienangelegenheit *f; air m de* ~ Familienähnlichkeit *f; chef, soutien m de* ~ Familienoberhaupt *n,* Haushaltungsvorstand *m; conseil m de* ~ Familienrat *m; déduction f pour charges de* ~ Familienermäßigung *f; drame m de* ~ Familiendrama *n; exonération f pour charges de* ~ Freibetrag *m* für Familienmitglieder; *fête f de* ~ Familienfest *n; fils m de* ~ junge(r) Mann *m* aus gutem Hause; *liens m pl de la* ~ Familienbande *n pl; livret m de* ~ Familienstammbuch *n; membres m pl de la* ~ Familienmitglieder *n pl; nom m de* ~ Familienname *m; père m de* ~ Familienvater *m; vie f de* ~ Familienleben *n;* ~ *nombreuse* kinderreiche F.; ~ *ouvrière, d'ouvriers* Arbeiterfamilie *f.*

famine [famin] *f* Hunger(snot *f*) *m; crier* ~ über Mangel *(acc)* klagen; *prendre qn par la* ~ jdm den Brotkorb höher hängen; *année f, salaire m de* ~ Hungerjahr *n,* -lohn *m.*

fanal [fanal] *m* (Schiffs-, Signal-) Laterne *f;* Leuchtfeuer *n; mot* Scheinwerfer; *fig* Leitstern *m.*

fan [fan] *m f* Fan *m;* ~**a** *m f fam* Fan *m;* ~**atique** *a* fanatisch; *s m* Fanatiker; blinde(r) Bewunderer *m; être* ~ *de qc* ein fanatischer Anhänger *gen* sein; von etw hell begeistert sein; ~ *du football, du jazz* Fußball-, Jazzfanatiker *m;* ~**atiser** fanatisieren, auf=putschen, -hetzen; ~**atisme** *m* Fanatismus *m.*

fanchon [fɑ̃ʃɔ̃] *f* Kopftuch *n.*

fan|e [fan] *f* welke(s) Blatt; dürre(s) Laub *n;* ~*s de pommes de terre* Kartoffelkraut *n;* ~**er** *(Heu)* wenden; welk machen, aus=trocknen; *(Farbe)* (aus=)bleichen; *se* ~ welken, verblühen, verblassen; *(Stoff)* verschießen; ~**eur, se** *m f* Heuer(in *f*); *f* Heuwender *m.*

fanfan [fɑ̃fɑ̃] *m fam* Kindchen, Herzchen, Püppchen *n.*

fanfare [fɑ̃far] *f* Fanfare *f;* Tusch *m,* Trompetengeschmetter *n;* Blechmusikkapelle *f; (Jagd)* Hörnerblasen; *fig* Geschrei, Getöse, Tamtam *n.*

fanfaron, ne [fɑ̃farɔ̃, -ɔn] *a* prahlerisch; *s m* Prahler, Aufschneider, Angeber *m;* ~**nade** *f* Prahlerei, Angeberei, Großsprecherei *f;* ~**ner** auf=schneiden, an=geben.

fanfreluche [fɑ̃frəlyʃ] *f* Flitter(kram), Firlefanz *m.*

fang|e [fɑ̃ʒ] *f* Schlamm, Schmutz *a. fig;* Kot *m;* ~**eux, se** schmutzig, schlammig; kotig.

fanion [fanjɔ̃] *m* Flagge *f;* Wimpel *m;* ~ *d'ambulance* Rote-Kreuz-Flagge *f;* ~ *de commandement, de signalisation* Kommando-, Signalflagge *f;* ~ *de jalonnement* Absteckfähnchen *n.*

fanon [fanɔ̃] *m* Haarbüschel *n* (am Pferdefuß); *(Rind)* Wamme; *(Wal)* Barte *f; (Truthahn)* Kehllappen *m;* Fähnchen *n; rel* Binde, Schnur; Manipel *m (f)*

fantais|ie [fɑ̃te(ɛ)zi] *s f* Lust, Laune *f,* Einfall *m,* Grille *f;* Geschmack *m;* Ansicht, Auffassung *f,* Gutdünken *n;* Eigenwilligkeit, Urwüchsigkeit; sprudelnde Lebendigkeit; Phantasie, *mus* Fantasie; schöpferische Kraft, Einbildungskraft; Liebelei; Abwechslung *f; a* künstlich; modisch; *à sa* ~ wie es ihm beliebt; *de* ~ Mode-; Phantasie-; *il me prend la* ~ *de* ich bekomme Lust zu; *article m de* ~ Modeartikel *m; bijouterie f de* ~ unechte(r) Schmuck *m; étoffe f de* ~ Modestoff *m; fil m* ~ Kunstzwirn *m; magasin m de* ~ Modewarengeschäft *n; pain m de* ~ Brot *n,* das nicht nach Gewicht verkauft wird; *prix m de* ~ Liebhaberpreis *m; tissu m de* ~ modische(s) Gewebe *n;* ~**iste** *s m* Kabarettist; Illusionist *m; a* dilettantisch; wirklichkeitsfremd; aus der Luft gegriffen, (frei) erfunden, falsch.

fantas|magorie [fɑ̃tasmagɔri] *f* Phantasmagorie *f; fig* Blendwerk, Trugbild *n;* ~**magorique** bizarr, phantastisch; ~**me** *m* Einbildung; Wahnvorstellung; (Fieber-)Phantasie *f;* ~**que** *a* grillenhaft, wunderlich, seltsam, launenhaft; ungewöhnlich, phantastisch; *s m* Phantast, wunderliche(r) Kauz *m.*

fantassin [fɑ̃tasɛ̃] *m* Infanterist *m;* ~ *porté* Panzergrenadier *m.*

fantastique [fɑ̃tastik] *a* eingebildet, unwirklich, phantastisch; unglaublich, unwahrscheinlich; ungewöhnlich; bizarr; *s m* Schauerromantik *f.*

fantoche [fɑ̃tɔʃ] *m* Marionette, Drahtpuppe *f; fig* Hampelmann *m.*

fant|omatique [fɑ̃tɔmatik] gespenstisch, schemenhaft; ~**ôme** [-tom] *s m* Gespenst; Trugbild; Phantom *n;* Schemen; Schatten *m;* Hirngespinst *n; fam* Schatten *m (sehr abgemagerter Mensch); a* Schein-; Schatten-; *se faire des* ~*s de rien (lit)* überall Gespenster sehen; *circuit m* ~ *(tele)* Vierer-, Phantomkreis *m; industrie f* ~ Schattenindustrie *f; le Vaisseau* ~ der Fliegende Holländer.

faon [fɑ̃] *m* Hirsch-, Rehkalb *n;* ~**ner** [fane] *(Hirschkuh, Reh)* Junge werfen.

faquin [fakɛ̃] *m* unverschämter Lümmel *m.*

faramineux, se [faraminø, -øz] *fam* erstaunlich, phänomenal, kolossal.

farandole [farɑ̃dɔl] *f* Farandole *f (provenzalischer Tanz).*

faraud, e [faro, -od] *a fam* eitel, stutzerhaft; großsprecherisch; *s m* Stutzer; Großtuer, Prahlhans *m; faire le* ~ an=geben.

farc|e [fars] *s f* **1.** *(Küche)* Füllsel *n;* **2.** Farce, Posse(nspiel *n*) *f,* Schwank; *fig* Streich, Schabernack *m; a fam* ulkig, komisch; *être le dindon de la* ~ *(fam)* der Dumme (dabei) sein; *faire des* ~*s* Ulk machen; ~**eur, se** *a* witzig; *s m* Spaßvogel, Witzbold *m.*

farcin [farsɛ̃] *m med (Pferd)* Wurm, Rotz *m;* ~**eux, se** am Rotz erkrankt.

farc|i, e [farsi] *(Geflügel, Tomate)* gefüllt; *fig* voll(gepfropft); ~**ir** füllen *(a. Geflügel); fig* voll=stopfen, spicken; *se* ~ sich vollpfropfen (*de* mit; *(Arbeit)* sich auf=laden, tun müssen; *(Mahlzeit)* sich genehmigen; *pop il faut se le* ~ *(Mensch)* mit dem wird man noch sein blaues Wunder erleben; *(Sache)* man muß sich halt damit abfinden.

fard [far] *m* Schminke *f; fig* falsche(r) Glanz *m,* Täuschung; Aufmachung *f; sans* ~ unverblümt; *enlever le* ~ ab=schminken (*à qn* jdn); *se mettre du* ~ sich schminken; Schminke auf=tragen; *parler sans* ~ reinen Wein ein=schenken (*à qn* jdm); *piquer un* ~ *(fam)* e-n roten Kopf kriegen; *boîte f de* ~ Schminkkasten *m;* ~ *en bâton, en crayon* Schminkstift *m;* ~ *pour les joues* Wangenrot *n;* ~ *à paupières* Lidschatten *m.*

fardeau [fardo] *m* Last, Bürde *f a. fig;* ~ *de la preuve (jur)* Beweislast *f.*

farder [farde] **1.** *tr* schminken; *fig* bemänteln, beschönigen, e-n falschen Glanz geben (*qc* e-r S); **2.** *itr (Mauer)* sich senken, sich setzen; *(Segel)* sich blähen; *se* ~ sich schminken; sich zurecht=machen.

fardier [fardje] *m* Rollwagen *m.*

farfadet [farfadɛ] *m* Kobold, Irrwisch *m a. fig.*

farfelu, e [farfəly] genialisch, eindrucksvoll.

farfouiller [farfuje] *fam* herum=stöbern, -wühlen; schnüffeln (*dans qc* in e-r S).

faribole [faribɔl] *f* Nichtigkeit, Belanglosigkeit, Lappalie *f.*

farin|acé, e [farinase] mehlartig, -haltig; ~**e** *f* Mehl *n; de la même* ~ *(fig)* vom gleichen Schlag; *fleur f de* ~ Auszugmehl *n; sac m à* ~ Mehlsack *m;* ~ *d'avoine* Hafergrütze *f,* -mehl *n;* ~ *blanche* Weizenmehl *n;* ~ *de bois* Sägemehl *n;* ~ *de briques* Ziegelstaub *m;* ~ *fossile* Kieselerde, -gur *f;* ~ *de froment, d'orge, de pommes de terre, de seigle* Weizen-, Gersten-, Kartoffel-, Roggenmehl *n;* ~ *lactée* Kindermehl *n;* ~ *d'os, de poisson* Knochen-, Fischmehl *n;* ~**er** mit Mehl bestreuen; ~**eux, se** *a* mehlig, mehlhaltig; *s m* Mehlspeise *f.*

farouche [faruʃ] *a (Tier)* wild, ungezähmt; *fig* ungesellig, unnahbar, (menschen)scheu; *(Kind)* schüchtern; *(Feind)* unerbittlich; *(Gegend)* unwirtlich; *(Sitte)* streng; *(Gefühl)* stark, unbeherrscht *(Haß)* wild; *pas* ~ *(Frau)* (sehr) zugänglich; *s m* Blutklee *m.*

farrago [farago] *m* Mischkorn *n; fig* Mischmasch *m.*

fart [far(t)] *m* Schiwachs *n;* **~age** *m* Wachsen *n;* **~er** *(Schi)* wachsen.

fasci|cule [fasikyl] *m* Heft *n,* Lieferung *f; ouvrage m en ~s* Lieferungs-, Fortsetzungswerk *n; ~ de mobilisation* (im Soldbuch eingeklebte) Anweisung *f* für den Fall e-r Mobilmachung; *~ spécimen* Probeheft *n;* **~culé, e** bündelförmig.

fasci|é, e [fasje] *zoo* quergestreift; **~e** *f mus* Zarge *f.*

fascinage [fasinaʒ] *m* (Pack-) Faschinenanlage *f.*

fasci|nant, e [fasinɑ̃, -t] faszinierend, bezaubernd; **~nateur, trice** *a* betörend, faszinierend; hypnotisch; **~nation** *f* hypnotische(r) Zwang *m; fig* Betörung *f;* Zauber, Reiz *m.*

fascine [fasin] *f* Faschine *f,* Reisigbündel *n.*

fasciner [fasine] **1.** bezaubern, faszinieren, fesseln; verblenden; bannen, nicht mehr los=lassen; **2.** mit Faschinen versehen.

fascis|ant, e *a* faschistoid; **~me** [faʃ(s)ism] *m* Faschismus *m;* **~te** *s m* Faschist *m; a* faschistisch.

fas|éyer, ~eiller [fazeje] *(Segel)* flattern.

faste [fast] *s m* Prunk, Aufwand *m,* Pracht *f; a* günstig; Glücks-.

fastidieux, se [fastidjø, -øz] langweilig, lästig; langwierig; widerwärtig; unangenehm.

fastigié, e [fastiʒje] *bot* in die Höhe wachsend.

fastueux, se [fastyø, -øz] prunkliebend; prunkvoll.

fat [fa(t)] *a m* geckenhaft; selbstgefällig, eingebildet; *s m* Geck, Laffe *m.*

fatal [fətal] schicksalhaft; unvermeidlich; verhängnisvoll, unglückselig, unheilvoll; tödlich; *coup m ~* Todesstoß *m; femme f ~e* Vamp *m;* **~alement** *adv* unvermeidlich; **~alisme** *m* Fatalismus, Schicksalsglaube *m;* **~aliste** *a* fatalistisch; *s m* Fatalist *m;* **~alité** *f* Verhängnis *n;* Schicksalsfügung *f;* Mißgeschick *n;* Zwang(släufigkeit *f*) *m;* unglückliche Umstände *m pl.*

fatidique [fatidik] weissagend, prophetisch; schicksalhaft.

fati|gable [fatigabl] ermüdbar; **~gant, e** ermüdend, anstrengend; lästig, beschwerlich; **~gue** *f* Ermüdung; Müdigkeit, Mattigkeit; Strapaze, Anstrengung, Mühe, Mühsal; *tech* Beanspruchung *f; se crever, se tuer de ~ (fam)* sich zu Tode arbeiten; *être accablé, assommé, brisé de ~* todmüde, wie gerädert sein; *tomber de ~* vor Müdigkeit um=fallen; *cheval m de ~* Arbeitspferd *n; essai m de ~* Dauerprüfung *f; vêtements m pl de ~* Arbeitskleidung *f; ~ du matériel* Werkstoffermüdung *f;* **~gué, e** ermüdet, niedergeschlagen; schwach, leidend; abgenutzt, brüchig; abgespannt; *(Buch)* zerlesen; *(Farbe)* verblichen; *(Boden)* erschöpft; *(Hut)* abgetragen; *(Sprungfeder)* lahm; *(Batterie)* verbraucht; *(Magen)* verstimmt: **~guer** *tr* ermüden, ermatten; auf=reiben, *fam* fertig=machen; an=strengen; belästigen; übermäßig beanspruchen; *(Gesichtszüge)* erschlaffen lassen; *(Boden)* erschöpfen; *itr tech* zu stark belastet *od* beansprucht sein; *se ~* ermüden; *(Augen)* überanstrengt werden; sich an=strengen, sich Mühe geben: überdrüssig werden (*de qc* e-r S), (e-e S) leid werden, *fam* satt kriegen; *~ les oreilles à qn* jdm dauernd in den Ohren liegen.

fatras [fatra] *m* Kram, Wust, Plunder, Trödel *m; ~ de mots* Wortschwall *m.*

fatuité [fatɥite] *f* Dünkel *m,* Überheblichkeit, Selbstgefälligkeit.

faubert [fobɛr] *m* Schiffsbesen *m.*

faub|ourg [fobur] *m* Vorstadt *f;* **~ourien, ne** *a* vorstädtisch; *s m* Vorstadtbewohner *m.*

fauch|age [foʃaʒ] *m* Mähen *n,* Mahd *f; ~ du regain* Grum(me)ternte *f;* **~aison** *f* Mähen *n;* (Zeit *f* der) Heuernte *f;* **~e** *f* Mahd *f; pop* Diebstahl *m;* **~ée** *f* Tag(e)werk *n* e-s Mähers; **~er** *tr* (ab=)mähen; *fig* nieder=schmettern; hinweg=raffen *(Kopf)* ab=schlagen; *mil* nieder=mähen; *fam* stehlen, klauen; *itr* beim Gehen die Füße nach außen drücken; *être ~é (comme les blés) fig* in der Klemme, blank, abgebrannt, geliefert sein; *la mort l'a ~é* der Tod hat ihn hinweggerafft **~et** *m* Heurechen *m,* -harke *f;* **~ette** *f* Hekkenschere *f;* **~eur** *m* Mäher, Schnitter; *zoo* (*a.* **~eux**) Weberknecht *m;* **~euse** *f* Mäherin, Schnitterin; Mähmaschine *f; ~-batteuse f* Mähdrescher *m; ~-lieuse f* Mähbinder *m;* **~on** *m* Korbsense *f.*

faucille [fosij] *f* Sichel *f; la ~ et le marteau (pol)* Hammer u. Sichel.

faucon [fokɔ̃] *m* Falke *m;* **~onnerie** *f* Falknerei *f.*

faufil [fofil] *m* Heftfaden *m;* **~er** heften; *se ~* sich ein=schleichen (*dans* in *acc*); sich hindurch=winden, durch=schlüpfen (*à travers* durch); **~ure** *f* Heftnaht *f.*

faun|e [fon] **1.** *m* Faun *m;* **2.** *f* Fauna, Tierwelt *f;* **~esque** faunisch; **~esse** *f* wilde(s) Weib *n;* **~ique** die Fauna betreffend.

fauss|aire [fosɛr] *m* Fälscher *m;* **~e** *s.*

faux; **~ement** *adv* fälschlich; **~er** *tr* (ver)fälschen; verbiegen, verdrehen; verderben, irre=leiten; *(Schloß)* überdrehen; ~ *compagnie (fam)* heimlich verschwinden; im Stich lassen (*à qn* jdn); *il a le goût ~é* er hat einen verbildeten Geschmack; *se ~ (Holz)* sich verziehen, sich werfen; **~et** [-ɛ] *m* **1.** Fistelstimme *f;* Falsett *n;* **2.** *(Faß)* Spund, Hahn, Zapfen *m; voix f de ~* Kopfstimme *f;* **~eté** *f* Falschheit, Unwahrheit; unrichtige Angabe; Unwahrhaftigkeit, Lügenhaftigkeit; Heuchelei *f.*

faut|e [fot] *f* Fehler *m,* Schuld *f,* Vergehen *n, rel* Sünde *f;* Versehen *n,* Schnitzer; Fehltritt; Mangel *m; jur* Fahrlässigkeit *f,* Verschulden *n; sans ~* unfehlbar, gewiß, sicher; *fam* auf jeden Fall, bestimmt; *~ de* mangels *gen,* aus Mangel an *dat; ~ de mieux* in Ermangelung e-s Besseren; *~ de quoi* andernfalls, sonst; *corriger une ~* e-n Fehler verbessern, wiedergut=machen; *être en ~* schuldig sein; *com* im Verzug sein; *faire ~* fehlen, vermißt werden; *ne pas se faire ~ de qc* sich *(dat)* e-e S nicht entgehen lassen; von etw ausgiebig Gebrauch machen; *faire, commettre une ~* e-n Fehler begehen, sich *(dat)* etw zuschulden kommen lassen; *prendre qn en ~* jdn bei e-m Fehler ertappen; *rejeter la ~ sur qn* die Schuld auf jdn schieben; *se sentir en ~* sich *(acc)* schuldig fühlen; *(rel) tomber en ~* sich *(dat)* etw zuschulden kommen lassen; *rel* e-e Sünde begehen; *c'est (de) sa ~* das ist seine Schuld; *à qui la ~?* wer ist schuld daran? *~ de grives on mange des merles (prov)* in der Not frißt der Teufel Fliegen; *épreuve f sans ~ (typ)* Reinabzug *m; exempt de ~(s)* fehlerlos; *~ d'autrui* fremde(s) Verschulden *n; ~ de calcul* Rechenfehler *m; ~ de composition (typ)* Satzfehler *m; ~ conjugale (jur)* ehewidrige(s) Verhalten *n; ~ contractuelle* vertragswidrige(s) Verhalten *n; ~ dactylographique, de frappe* Tippfehler *m; ~ d'impression* Druckfehler *m; ~ d'inattention* Flüchtigkeitsfehler *m; ~ légère* leichte Fahrlässigkeit *f; ~ d'orthographe* Rechtschreibfehler *m; ~ de prononciation* Aussprachefehler *m;* **~er** *fam (Frau)* e-n Fehltritt begehen.

fauteuil [fotœj] *m* Lehn-, Armstuhl, Sessel; *theat* Sperrsitz; *fig* Vorsitz *m;* Präsidium *n;* Sitz *m* in der Frz. Akademie; *arriver comme dans un ~ (fam)* mühelos sein Ziel erreichen; *occuper, quitter le ~* den Vorsitz führen, nieder=legen; *~ à bascule* Schaukelstuhl *m; ~ de bord (mar)* Deckstuhl *m; ~-cabine m* Strandkorb *m; ~ anglais, de cuir* Klubsessel *m; ~-couchette m (aero)* Liegesessel *m; ~ crapaud* niedrige(r) *Sessel m; ~ d'orchestre (theat)* Orchestersessel *m; ~ à pivot* Drehstuhl *m; ~ roulant* Rollstuhl *m.*

faut|eur, trice [fotœr, -tris] *m f* Anstifter (in) *f*); Aufwiegler *m; ~ de désordre, de troubles* Unruhestifter *m; ~ de grève* Streikhetzer *m; ~ de guerre* Kriegstreiber, -hetzer *m;* **~if, ive** schuldig, schuldhaft; fehlerhaft.

fauve [fov] *a* falb, fahlrot; tierisch; *fig* wild; *s m* Fahlrot(e) *n;* große Raubkatze *f; bêtes f pl ~s* Raubtiere *n pl.*

fauvette [fovɛt] *f orn* Grasmücke *f; ~ à tête noire, des jardins* Mönchs-, Gartengrasmücke *f.*

faux [fo] *f* Sense *f.*

faux, fausse [fo, fos] *a* falsch, unwahr, erlogen; unrichtig, verkehrt, unbegründet; verschoben; schief; unecht, nachgemacht, heuchlerisch; *(Tür, Fenster)* blind; *(Farbe)* unbestimmt; verwaschen; *(Klavier)* verstimmt, Schein-, Neben-; *s m* Falsche(s) *n;* Fälschung; Nachahmung; falsche Angabe *f; à ~* fälschlich; *chanter, jouer ~* falsch singen, spielen; *faire ~ bond (fig)* ab=sagen; im Stich lassen, versetzen (*à qn* jdn); *faire un ~ départ (sport)* e-n Fehlstart machen; *faire un ~ pas* stolpern; *fig* e-n Fehltritt begehen; *faire fausse route* auf dem Holzweg sein; auf Abwege geraten; *s'inscrire en ~ contre qc* etw für falsch erklären; *porter à ~* schief stehen; *fig* auf unsicheren Grundlagen beruhen; *prendre une fausse direction* e-e falsche Richtung ein=schlagen; *c'est du ~* das ist unecht(er Schmuck); *il est ~ comme un jeton, (pop) c'est un ~ jeton* er lügt wie gedruckt; *pop* er ist ein falscher Fuffziger; *fausse alarme* od. *alerte* falsche(r), blinde(r) Alarm *m; fausse-arcade f* Blendarkade *f; fausse-attaque f* Scheinangriff *m; ~-bord m mar* Schlagseite *f; ~-bourdon m (zoo)* Drohn(e *f*) *m; fausse-clef f* Nachschlüssel, Dietrich *m; ~-col m* (Hemd-)Kragen *m; fausse couche f* Fehlgeburt *f; ~ départ m (sport)* Fehlstart *m; fausse direction f* Fehlleitung *f; ~ en écriture* Urkundenfälschung *f; ~ frais m pl* unvorhergesehene Kosten *pl,* Nebenkosten *pl; ~-fuyant m* Ausflucht *f; fausse installation f (mil)* Scheinanlage *f; ~ jour m* indirekte(s) Licht *n; ~ ju-*

meaux zweieiige Zwillinge *m pl fausse manche f* Überärmel *m; fausse-monnaie f* Falschgeld *n; ~-monnayage m* Falschmünzerei *f; ~-monnayeur m* Falschmünzer *m; ~-nez* m Halbmaske *f; fausse-nouvelle f* Falschmeldung *f; fausse page f (typ)* Schmutztitel *m; ~-panneau m* Holzfüllung *f; ~-pas m* Fehltritt *m; ~ placement m de capitaux* Kapitalfehlanlage *f; ~ plancher m* Zwischendecke *f; fausse-porte f* blinde Tür *f; ~ puits m (min)* blinde(r) Schacht *m; ~ réfugié* Scheinasylant *m; ~-semblant m* Täuschung, Verstellung *f; ~ serment m* Meineid *m; ~-timon m (mot)* Zughaken *m; ~-titre m (typ)* Schmutztitel *m; fausse-voûte f* Scheingewölbe *n.*

faveur [favœr] *f* Gunst, Gewogenheit *f;* Vorteil *m;* Schonung, Nachsicht, Gnade *f;* Vergnügen *n;* Beliebtheit *f,* Einfluß *m,* Ansehen *n;* Volkstümlichkeit *f;* schmale(s) Seidenband *n; pl* Gunstbezeigungen; Vergünstigungen *f pl; à la ~ de* mittels, mit Hilfe *gen,* im Schutze *gen;* dank *gen; en ~ de* zugunsten *gen;* wegen, auf Grund *gen; en votre ~* zu Ihren Gunsten, zu Ihrem Vorteil; *avoir un tour de ~* bevorzugt werden; *être en ~ (com)* gefragt sein; *auprès de qn* bei jdm gut angeschrieben sein; *faire une ~ à qn* jdm e-e Gunst erweisen; *billet m de ~* Freikarte *f; entrée f de ~* freie(r) Eintritt *m; prix m de ~* Vorzugspreis *m.*

favor|able [favɔrabl] günstig; vorteilhaft; *dans le cas le plus ~* bestenfalls; **~i, ite** *a* beliebt; Lieblings-; *s m f* Günstling, Liebling *m,* Favoritin *f; sport* Favorit *m; m pl* Backenbart *m;* **~iser** begünstigen, fördern; ermutigen; Vorschub leisten *dat;* gewähren (*de qc* etw); *com* beehren (*de qc* mit etw); *(die Wirtschaft)* an≈kurbeln; *clause f de la nation la plus ~ée (com)* Meistbegünstigungsklausel *f;* **~itisme** *m* Günstlingswirtschaft *f.*

fayard [fajar] *m* Buche *f.*

fayot [fajo] *m fam* getrocknete Bohne *f; arg mil* Kriecher, Streber *m;* **~ter** [-jɔ-] *pop* sich durch Übereifer hervor≈tun.

fébri|fuge [febrifyʒ] *m s m* Fiebermittel *n;* **~le** fieberhaft *a. fig;* Fieber-; **~lité** *f* Fieberhaftigkeit *f.*

fécal, e [fekal] Kot-; *matières f pl ~es, med* **fèces** [fɛs] *f pl* Fäkalien, Exkremente *pl;* Bodensatz *m.*

fécond, e [fekɔ̃, -ɔ̃d] fruchtbar, ergiebig *a. fig;* reich (*en* an *dat*); befruchtend; schöpferisch; **~ant, e** befruchtend; **~ation** *f* Befruchtung *f; ~ artificielle* künstliche Befruchtung *f;* **~er** befruchten *a. fig,* fruchtbar machen; schwängern; *fig* bereichern; **~ité** *f* Fruchtbarkeit; *fig* Reichhaltigkeit, Fülle *f.*

fécul|e [fekyl] *f* Stärke(mehl *n*) *f; ~ de pommes de terre* Kartoffelmehl *n,* -stärke *f;* **~ent, e** stärkehaltig; **~erie** *f* Stärkefabrik *f.*

fédér|al, e [federal] Bundes-; eidgenössisch; *chancellerie f ~e* Bundeskanzleramt *n; diète f ~e* Bundestag *m; État m ~* Bundesstaat *m; gouvernement m ~* Bundesregierung *f; république f ~e* Bundesrepublik *f;* **~aliser** in e-n Bundesstaat um≈wandeln; **~alisme** *m* Föderalismus *m;* **~aliste** *a* föderalistisch; *s m* Föderalist *m;* **~atif, ive** Bundes-; föderativ; *État m ~* Bundesstaat *m;* **~ation** *f* Verband; Bund *m,* Föderation *f; ~ d'États* Staatenbund *m; ~ industrielle* Industrieverband *m; ~ patronale* Arbeitgeberverband *m; ~ professionnelle* Berufsverband *m; ~ syndicale mondiale* Weltgewerkschaftsbund *m; ~ syndicale ouvrière* Gewerkschaftsbund *m; ~ des travailleurs* Arbeitnehmerverband *m;* **~é, e** *a* verbündet, föderiert; *s m* Verbündete(r) *m;* **~er** verbünden.

fée [fe] *s f* Fee *f; a* verzaubert; zauberkräftig; *avoir des doigts de ~* sehr geschickt sein; *conte m de ~s* Märchen *n; ~ Carabosse* alte(s), häßliche(s) Weib *n;* **~rie** [feri] *f theat* Zauberstück, Märchendrama *n; fig* Zauberwelt *f;* zauberhafte(r) Anblick *m;* **~rique** feen-, zauberhaft.

feeder [fidœr] *m tech* Speise-, Gasleitung *f.*

fein|dre [fɛ̃dr] *irr tr* (er)heucheln, vor≈geben, -täuschen, -schützen; *~ de* (inf) tun, als ob *(subj);* sich stellen; *itr* sich verstellen; fingieren; *il a feint l'ignorance* er hat sich dumm gestellt; **~t, e** [fɛ̃, -ɛ̃t] fingiert, falsch, erheuchelt, erkünstelt; Schein-; **~te** *f* Täuschung, Finte; *fig fam* Falle *f,* Vorwand *m;* **~ter** *itr sport* e-e Finte machen; *tr (den Gegner)* täuschen, herein≈legen (*qn* jdn).

fêl|é, e [fe(ɛ)le] gesprungen, gerissen; *avoir la tête ~ée* nicht ganz richtig im Kopfe sein, *(fam)* e-n Knacks haben; **~er** Risse, Sprünge machen (*qc* in etw); *se ~* rissig werden, springen.

félibre [felibr] *m* provenzalische(r) Dichter *m.*

félicit|ation [felisitasjɔ̃] *f* Glückwunsch *m;* Anerkennung *f; faire, adresser des ~s à qn* jdn beglückwünschen, jdm gratulieren; *toutes*

mes ~s meine herzlichen Glückwünsche! *lettre f de ~s* Glückwunschschreiben *n;* **~é** *f* Glückseligkeit, reine Freude *f;* **~er** beglückwünschen (*de* zu), gratulieren (*qn de qc* jdm zu etw); s-e Anerkennung aus=drücken; (*qn* jdm); *se ~* sich glücklich schätzen; sich beglückwünschen, froh sein (*de qc* zu e-r S, über e-e S).
félidés [felide] *m pl* Katzen *f pl.*
félin, e [felɛ̃, -in] *a* katzenartig; Katzen- *a. fig; s m* katzenartige(s) Raubtier *n.*
fella|g(h)a [fɛlaga] *m* Aufständische(r) in Algerien; **~h** Fellache *m.*
félon, ne [felɔ̃, -ɔn] *a* treubrüchig, verräterisch; *s m f* Verräter(in *f*) *m;* **~ie** *f* Verrat, Treubruch *m.*
felouque [fəluk] *f* Feluke *f (Küstenfahrzeug des Mittelmeeres).*
fêlure [fe(ɛ)lyr] *f* Riß, Spalt, Sprung; *fig* Knacks, Klaps *m.*
femelle [fəmɛl] *s f zoo* Weibchen; *fam* Weib(sbild) *n; a zoo bot* weiblich.
fémin|in, e [feminɛ̃, -in] *a* weiblich; weibisch; *s m gram* Femininum *n;* **~isant, e** verweiblichend; **~isation** *f* Verweiblichung *f; la ~ d'une profession* das Vordringen der Frauen in e-m Beruf; **~iser** weiblich, weibisch machen, verweichlichen; **~isme** *m* Fra uenbewegung, -frage *f;* **~iste** *a* frauenrechtlerisch; *s f* Frauenrechtlerin *f;* **~ité** *f* Weiblichkeit; *(Mode)* weibliche Linie *f.*
femme [fam] *f* Frau; Ehefrau, Gattin *f; chercher ~* auf Freiersfüßen gehen; *prendre ~* sich verheiraten; *prendre pour ~* zur Frau nehmen; *elle est ~ à (inf.)* sie wäre imstande zu *(inf.); contes m pl de bonne ~* Ammenmärchen *n pl; maîtresse f ~* Frau *f,* die ihren Mann steht; traite *f* des ~s Mädchenhandel *m; ~ auteur* od *de lettres, poète, peintre* Schriftstellerin, Dichterin, Malerin *f; ~ célibataire, divorcée* ledige, geschiedene Frau *f; ~ de chambre* Zimmermädchen *n; ~ de charge* Haushälterin *f; ~ en couches* Wöchnerin *f; ~ de couleur* Farbige *f; ~ libérée* emanzipierte Frau *f; ~ de ménage, de journée* Reinemache-, Putzfrau *f; femme-objet f* Frau *f* als Sexualobjekt; *~ de tête* energische Frau *f; ~ de théâtre* Schauspielerin *f;* **~lette** [famlɛt] *f* schwache(s), unwissende(s) Weib *n;* Schwächling *m.*
fém|oral, e [femɔral] *anat* (Ober-) Schenkel-; **~ur** *m* (Ober-)Schenkelknochen *m.*
fenaison [fənɛzɔ̃] *f* Heuernte *f.*
fend|age [fɑ̃daʒ] *m* (Auf-)Spaltung *f;* **~ante** *f* Schlitzfeile *f;* **~erie** *f* Hammerwerk *n;* Spaltmaschine *f;* **~eur** *m* Spalter *m;* **~ille** [-ij] *f* (Haar-)Riß, Spalt *m;* **~illé, e** rissig; **~iller, se** rissig werden; **~oir** *m* Hack-, Spaltmesser *n;* **~re** (zer-, auf=)spalten, auf= schneiden, -schlitzen; *(Holz)* hacken; *(das Meer)* durchfurchen; *se ~* bersten, sich spalten; Sprünge, Risse bekommen; splittern, (zer)springen; *(Fechten)* e-n Ausfall machen; *fam* spendieren (*de qc* etw); heraus=rükken (*de qc* mit etw); *geler à pierre ~* Stein u. Bein frieren; *~ l'air (Vogel)* durch die Luft schießen; *~ la foule* sich durch die Menge drängen; *~ l'oreille à qn (fig)* jdn kalt=stellen; *~ la tête à qn* jdn ganz verrückt machen; *cela me ~ le cœur* das zerreißt mir das Herz; **~u, e** geschlitzt, gespalten; langbeinig; *yeux m pl ~s en amande* mandelförmige Augen *n pl.*
fenêtr|age [fənɛtraʒ] *m arch* Befensterung *f;* **~e** *f* Fenster *n a. anat;* Fensteröffnung; *(in e-m Schriftstück)* freie Stelle, Lücke; *tech* Aussparung *f; jeter par la ~* aus dem F. werfen; *se mettre à la ~* sich aus dem F. lehnen; sich ans F. stellen; *ouvrir une ~ (fig)* e-n Einblick gestatten *(sur qc* in e-e S); *regarder par la ~* zum F. hinaus= sehen, -schauen; *retenir un coin côté ~* e-n Fensterplatz belegen; *la ~ donne sur* das F. geht hinaus auf *acc; il faut passer par là ou par la ~ (fig)* da(ran) läßt sich nichts ändern; *appui m de ~* Fensterbrüstung, -bank *f; battant, châssis m de ~* Fensterflügel *m; enveloppe f à ~* Fensterumschlag *m; ~ basculante, à coulisse(s), à guillotine* Schwing-, Schiebe-, Fallfenster *n;* **~er** mit Fenstern, Öffnungen versehen.
fenil [fəni(l)] *m* Heuboden *m.*
fenouil [fənuj] *m* Fenchel *m.*
fente [fɑ̃t] *f* Riß, Spalt(e *f*), Sprung *m; geol* Kluft *f;* Schlitz *m;* Ritze *f;* Einschnitt; *(Fechten)* Ausfall *m; ~ de visée* Sehschlitz *m.*
fenton [fɑ̃tɔ̃] *m* Eisenklammer *f,* -anker, Dübel *m.*
féodal, e [feɔdal] feudal, Lehns-; *fam* phantastisch, großartig; **~ité** *f* Lehnsverhältnis, -wesen *n,* Feudalismus *m,* Feudalsystem *n; pol* einflußreiche Gruppe *f.*
fer [fɛr] *m* Eisen *n;* Stahl *m;* Klinge *f,* Schwert *n,* Dolch *m; med pl* Geburtszange; *pl fig* Knechtschaft *f,* Joch *n,* Gefangenschaft *f; pl* Fesseln, Ketten *f pl,* Bande *n pl; de ~* eisern; stahlgrau; *fig* unverwüstlich; streng, hart; *battre le ~* das E. schmieden; *donner*

un coup de ~ auf=bügeln *(à qc* e-e S); *employer le* ~ *et le feu (fig)* alle Hebel in Bewegung setzen (*pour* um zu); *être de* ~ *(fig)* nicht kleinzukriegen, sehr widerstandsfähig sein; *porter le* ~ *rouge sur* od *dans la plaie (fig)* harte Maßnahmen ergreifen; *tomber les quatre* ~*s en l'air* auf den Rücken fallen; *âge m du* ~ Eisenzeit *f;* eiserne(s) Zeitalter *n; bande f de* ~ eiserne(r) Reifen *m; barre f de* ~ Eisenstange *f; construction f en* ~ Eisenkonstruktion *f; copeaux m pl de* ~ Eisenspäne *m pl; extraction f du* ~ Eisengewinnung *f; fil m, tôle f de* ~ Eisendraht *m,* -blech *n; industries f pl du* ~ Eisenindustrie *f;* ~ *en barres, carré, doux* Stab-, Vierkant-, Weicheisen *n;* ~*-blanc m* (Weiß-)Blech *n;* ~ *à cheval* Hufeisen *n;* ~ *coulé, de fonte* Gußeisen *n;* ~ *à équerre* Winkeleisen *n;* ~ *feuillard* Bandeisen *n;* ~ *forgé, forgeable, malléable* Schmiedeeisen *n;* ~ *à friser* Brennschere *f, (modern)* Lockenstab *m;* ~*s à grimper* Steigeisen *n pl;* ~ *laminé, profilé* Walz-, Profileisen *n;* ~ *à repasser* Bügeleisen *n;* ~ *à souder* Lötkolben *m;* ~ *à T* T-Eisen *n;* ~**blanterie** *f* Klempnerei, Flaschnerei *f;* Blechwaren *pl;* ~**blantier** *m* Klempner, Flaschner, Spengler *m.*

féri|e [feri] *f rel* Wochentag *m (außer Samstag);* ~**é, e** [-rje] Feier-, Fest-; *jour m légalement* ~ gesetzliche(r) Feiertag *m.*

férir [ferir] *v: sans coup* ~ ohne Schwertstreich, widerstandslos.

ferm|age [fɛrmaʒ] *m* Pacht(zins *m*); Verpachtung *f;* ~**e 1.** *a adv* fest; sicher; kräftig, stark; standhaft, unerschütterlich; **2.** *s f* Pacht; Verpachtung *f;* Pachthof *m,* Gehöft; Bauernhaus *n,* -hof *m;* **3.** *s f* Balken, Träger, Dachbinder, -stuhl *m; de pied* ~ festen Fußes, ohne zu wanken; *acheter, vendre* ~ fest kaufen, verkaufen; *avoir la main* ~ *(fig)* e-e feste Hand haben; *boire, travailler* ~ tüchtig trinken, arbeiten; *donner, prendre à* ~ verpachten; pachten; *être* ~ *sur ses étriers (fig)* fest im Sattel sitzen; *tenir* ~ fest=bleiben, stand=halten; *bail m à* ~ Pachtvertrag *m; fille f de* ~ Magd *f; valet m de* ~ Knecht *m;* ~ *avicole, à poulets* Geflügel-, Hühnerfarm *f;* ~ *agricole* Bauerngut *n;* ~ *modèle, école* Muster-, Lehrgut *n.*

fermé, e [fɛrme] *a (Gesellschaft)* geschlossen; *(Mensch)* unempfindlich (*à* für); *avoir l'esprit* ~ *à qc* für etw keinen Sinn, kein Verständnis haben.

ferment [fɛrmɑ̃] *m* Ferment *n,* Gärungserreger, -stoff *m; fig* Ursache; Triebfeder *f;* ~**ation** *f* Gärung *f a. fig;* ~**er** gären *a. fig,* arbeiten; *(Teig)* auf=gehen; *(Keramik)* mauken; *fig* kochen *itr;* ~**escible** gärfähig.

fermer [fɛrme] *tr* (ab=, ein=, ver-, zu=) schließen; zu=machen; zu=drücken; umzäunen; vergittern; zu=mauern; *(Hahn)* zu=drehen; *(Messer)* zu=klappen; *(Faust)* ballen; *(Regenschirm)* zu=machen; *(Kleider)* zu=knöpfen; *(Weg)* sperren; *(Vorhang)* zu=ziehen; *(Fabrik)* still=legen (stillegen); *(Licht)* aus=drehen, ab=schalten; *(Diskussion)* beend(ig)en; *tech* ab=binden; *itr* schließen, zu=gehen; *se* ~ sich schließen; *(Tür)* zu=gehen, -fallen; *(Wunde)* zu=heilen; *fig* sich verschließen (*à qc* vor e-r S); ~ *la bouche à qn* jdm den Mund stopfen; ~ *à clef* ab=schließen; ~ *avec des clous* ver-, zu=nageln; ~ *en cousant* zu=nähen; ~ *au loquet* zu=klinken; *ne pas* ~ *l'œil de toute la nuit* die ganze Nacht kein Auge zu=tun; ~ *la porte sur soi* die Tür hinter sich *(dat)* zu=machen; ~ *par soudage* zu=löten; ~ *à double tour* doppelt abschließen; ~ *au verrou* verriegeln; ~ *les yeux sur qc* bei etw ein Auge zu=drücken.

fermeté [fɛrməte] *f* Festigkeit *a. fig;* Kraft, Stärke; Sicherheit; Entschlossenheit; Standhaftigkeit *f,* Rückgrat *n fig.*

fermeture [fɛrmətyr] *f* Verschluß *m,* Schließe *f; el* Einschalten; Schließen *n,* Schließung *f; heure f de* ~ Geschäftsschluß *m;* ~ *des bureaux, des guichets, des magasins* Büro-, Schalter-, Ladenschluß *m;* ~ *éclair* Reißverschluß *m;* ~ *d'entreprise* Betriebsstillegung *f.*

fermier, ière [fɛrmje, -jɛr] *m f* Pächter(in *f*); Landwirt *m.*

fermoir [fɛrmwar] *m* Verschluß *m,* Schließe *f;* Stemmeisen *n,* Holzmeißel *m.*

féroc|e [ferɔs] wild, grimmig; blutgierig; grausam, unbarmherzig, unmenschlich; schrecklich; *bête f* ~ wilde(s), reißende(s) Tier *n; faim f* ~ Heißhunger *m;* ~**ité** *f* Wildheit, Grausamkeit; Härte *f.*

ferr|age [fɛraʒ] *m (Tür)* Anschlagen; *(Pferd)* Beschlagen *n;* ~**aille** [-aj] *f* Alt-, Brucheisen *n,* Schrott *m; jeter, mettre à la* ~ verschrotten; *marchand m de* ~ Schrotthändler *m;* ~**ailler** mit dem Säbel herum=fuchteln, *fig* rasseln; *fig* sich streiten.

ferr|ant [fɛrɑ̃] *a m: maréchal m* ~ Hufschmied *m;* ~**é, e** (mit Eisen) beschlagen; beschottert; *(Wasser)* eisenhaltig; *être ~ sur une question, en histoire* über e-e Frage Bescheid wissen, in Geschichte *(dat)* beschlagen, gut bewandert sein; *voie f ~e* Schienenstrang *m; min* Gestänge *n; par voie ~e* per Bahn; *communication f par voie ~e* Eisenbahnverbindung *f;* **~er** (mit Eisen) beschlagen; an=schlagen; beschuhen; *min* Gestänge verlegen (*qc* in e-e S); *(Schuhe)* nageln; *(Fisch)* an=hauen; *(Stoff)* stempeln.

ferret [fɛrɛ] *m* Metallspitze *f;* Schnurstecker *m;* **~ier** [fɛrtje] *m* Schmiedehammer *m.*

ferr|eux, se [fɛrø, -øz]; **~ifère** eisenhaltig; *métaux m pl non ~* NE-Metalle *n pl;* **~ique** Eisen-; **~ite** *f radio* Ferrit *m.*

ferro-alliage [fɛroaljaʒ] *m* Ferrolegierung *f.*

ferron|nerie [fɛrɔnri] *f* Kunstschmiede(arbeiten *f pl*) *f;* **~nier** *m* Eisenhändler; (Kunst-)Schmied *m.*

ferroviaire [fɛrɔvjɛr] *a* Eisenbahn-; *s m pl* Eisenbahnpapiere *n pl; compagnie f, nœud, réseau, tarif, trafic m ~* Eisenbahngesellschaft *f,* -knotenpunkt *m,* -netz *n,* -tarif, -verkehr *m.*

ferrugineux, se [fɛryʒinø, -øz] eisenhaltig.

ferrure [fɛryr] *f* Eisen-, Hufbeschlag *m.*

ferry-boat [fɛribot] *m (pl ferry-boats)* Eisenbahnfähre *f.*

fertil|e [fɛrtil] fruchtbar, reich (*en* an *dat*); ergiebig; *(Thema)* dankbar; *être ~ en expédients* sich zu helfen wissen; **~isation** *f* Fruchtbarmachung *f;* **~iser** fruchtbar machen; **~ité** *f* Fruchtbarkeit; *fig* Findigkeit *f; les sept années de ~ (Bibel)* die sieben fetten Jahre.

féru, e [fery] verletzt; *fig* leidenschaftlich verliebt (*de* in *acc*); begeistert (*de* für).

férule [feryl] *f* Steckenkraut *n;* Zuchtrute *f,* Stock *m; fig* strenge Zucht *f; être sous la ~ de qn (fig fam)* unter jds Fuchtel stehen.

ferv|ent, e [fɛrvɑ̃, -ɑ̃t] glühend; inbrünstig; eifrig; leidenschaftlich; fromm; **~eur** *f* Inbrunst; Glut *f;* Eifer *m.*

fess|e [fɛs] *f* Hinterbacke *f; pl* Gesäß, Hinterteil *n; pop* Weiber *n pl; (fam) n'y aller que d'une ~* sich keine Mühe geben; *donner sur les ~s (fam)* das Hinterteil versohlen; *donner un coup de pied aux ~s (fam)* in den Hintern treten; *serrer les ~s (fig)* Bammel haben; **~ée** *f* Hinternvoll *m; fig pop* Schlappe, Blamage *f;* **~er** den Hintern versohlen (*qn* jdm); **~ier** *m fam* Hinterteil *n;* **~u, e** *fam* mit dikkem Hinterteil.

festin [fɛstɛ̃] *m* Festessen *n,* Schmaus *m; ~ de noces* Hochzeitsmahl, -essen *n.*

festival [fɛstival] *m* Festspiele *n pl; sport fam* großartige Leistung *f; ~ cinématographique* Filmfestspiele *n pl.*

festivité [fɛstivite] *f* Festlichkeit; *(in Belgien)* Feier *f.*

feston [fɛstɔ̃] *m* Blumen-, Laubgewinde *n; arch* Girlandenverzierung *f; (Stickerei)* Feston *n;* **~ner** mit Girlanden schmücken; aus=zacken, blattförmig aus=schneiden; festonieren.

festoyer [fɛstwaje] *itr* tüchtig schmausen; flott leben.

fêt|ard [fɛtar] *s m* Lebemann *m;* **~e** *f* Fest *n;* Fest-, Feier-, Namenstag *m; fig* Freude *f,* Vergnügen *n,* Fröhlichkeit *f; en ~* in festlicher Stimmung; lachend, strahlend; im Festgewand; *donner, offrir une ~ à, en l'honneur de qn* für jdn ein Fest veranstalten; *être de la ~ (fig)* mit dabeisein; *être à la ~* sehr zufrieden sein; *ne pas être à la ~* in e-r unangenehmen Lage *od* in schlechter Stimmung sein; *faire la ~* ein tolles Leben führen; *faire ~ à qn* jdn freudig empfangen; *souhaiter sa ~ à qn* jdm Glück zum Namenstag wünschen; *il n'a jamais été à pareille ~* es ist ihm noch nie so gut gegangen; *air m de ~* festliche(s) Aussehen *n; comité m des ~s* Festausschuß *m; jour m de ~* Feiertag *m; salle f des ~s* Festsaal *m; ~ anniversaire* Jubiläum *n; ~ de bienfaisance, de charité* Wohltätigkeitsveranstaltung *f; ~ commémorative* Gedenkfeier *f; F~-Dieu f* Fronleichnam *m; ~ des fleurs* Blumenkorso *m; ~ des mères* Muttertag *m; ~ des morts* Allerseelen *n; ~ de la moisson* Erntedankfest *n; ~ des Rois* Dreikönigstag *m;* **~er** feiern; festlich begehen; *fig* festlich empfangen.

fét|iche [fetiʃ] *m* Fetisch *m;* **~ichisme** *m* Fetischismus *m;* **~ichiste** *m* Fetischist *m.*

fét|ide [fetid] stinkend, übelriechend; widerlich; **~idité** *f* Gestank *m.*

fétu [fety] *m* Strohhalm; *fig* Pfifferling *m.*

feu, e [fø] **1.** *a* verstorben, selig, *~ mon père* mein seliger Vater *od* mein Vater selig; **2.** *s m* Feuer *n a. mil fig;* Brand *m,* Flamme, Hitze, Glut *a. fig;* Feuerung, Heizung *f;* (Signal-)Licht *n;* Feuerstelle *f,* Herd, Kamin *m; med* Entzündung; *fig* Familie *f,* Haus *n; fig* Leidenschaft, Begeisterung *f,* Eifer *m;*

fig Feuerwerk *n; poet* Liebe *f; jur* Feuertod *m; pl (Edelstein)* Feuer *n; pl* Verkehrsampel *f; à petit, grand ~* bei gelindem, starkem Feuer; *à l'épreuve du ~* feuerfest; *allumer un ~, faire du ~* Feuer an=zünden *od* (an=)machen; *n'avoir ni ~ ni lieu* keine Bleibe haben; *se chauffer, se sécher devant le ~* sich am F. wärmen, trocknen; *cesser le ~ (mil)* das F. ein=stellen; *demander, offrir du ~* um Feuer bitten (*à qn* jdn); F. an=bieten; *éteindre, noyer un ~* e-n Brand löschen; *être en ~* in Flammen stehen *a. fig; être pris entre deux ~x (fig)* in der Klemme sein; *faire ~ (mil)* feuern (*sur* auf *acc*); Funken schlagen; *faire long ~ (fig)* keine Wirkung (mehr) haben; mißlingen; *ne pas faire long ~* nicht lange dauern; *faire la part du ~* dem Feuer überlassen, was nicht zu retten ist; sich opfern; *se jeter au ~ pour qn* für jdn durchs F. gehen; *jeter ~ et flamme* Gift u. Galle spucken; *jeter, verser de l'huile sur le ~ (fig)* Öl ins F. gießen; *jouer avec le ~* mit dem Feuer spielen; *mettre le ~ à qc, mettre qc en ~* etw in Brand stecken; *mettre à ~ et à sang* verheeren; *prendre ~* F. fangen *a. fig;* in Wut geraten; *prendre ~ et flamme pour qc* für etw F. u. Flamme sein; *prendre entre deux ~x* ins Kreuzfeuer nehmen; *prendre sous le ~ (mil)* unter F. nehmen; *souffler le ~* das F. schüren; *n'y voir que du ~* geblendet sein; *fig* nichts merken, nichts verstehen; *c'est le ~ et l'eau* sie sind wie F. u. Wasser; *le ~ lui monte au visage* die Röte steigt ihm ins Gesicht; *au ~!* Feuer! *~ à volonté! (mil)* Feuer frei! *appui m de ~, soutien m par les ~x (mil)* Feuerunterstützung *f; arme f à ~* Schußwaffe *f; baptême m du ~* Feuertaufe *f; bouche f à ~* Geschütz *n; épreuve f du ~* Feuerprobe *f; intensité f du ~ (mil)* Feuerkraft *f; ouverture f du ~ (mil)* Feuereröffnung *f; pierre f à ~* Feuerstein *m; puissance f de ~* Feuerkraft *f; verre m à ~* feuerfeste(s) Glas *n; ~ arrière, rouge* Rück-, Schlußlicht *n; ~ d'artifice* Feuerwerk *n; ~ de balisage* Hindernisfeuer *n; ~ de Bengale* Feuerwerk *n; ~ de camp* Lagerfeuer *n; ~ de cheminée* Schornsteinbrand *m; ~ clignotant, à éclats, à éclipses* Blinklicht *n; ~ couvant* Schwelbrand *m; ~ de délimitation du terrain (aero)* Umrandungsfeuer *n; ~ éclaire-plaque* Kennzeichenleuchte *f; ~ d'enfer (fig)* Höllenfeuer *n; ~ follet* Irrlicht *n; ~ de forêt* Waldbrand *m; ~ de joie* Freudenfeuer *n; ~ latéral (mot)* Begrenzungsleuchte *f; ~ de mine* Grubenbrand *m; ~ de paille* Strohfeuer *n; ~ rouge, orange, vert (a. fig)* rote(s), gelbe(s), grüne(s) Licht *n; ~ de position, de stationnement (mot)* Standlicht; *aero* Positionslicht *n; ~ des projecteurs, de la rampe (theat)* Scheinwerfer-, Rampenlicht *n; ~ de stop, d'arrêt* Stopp-, Bremslicht *n.*

feudataire [fødatɛr] *m* Lehnsmann *m.*

feuil [fœj] *m tech* dünne Schicht, Folie *f.*

feuill|age [fœjaʒ] *m* Laub(werk) *n; arch* Blattwerk *n;* **~aison** *f* Belaubung *f,* Grünwerden *n;* **~ard** *m* Band-, Reifeneisen *n;* **~e** *f* Blatt *n; (Papier)* Bogen *m,* Blatt *n;* (Druck-) Bogen *m;* Liste *f;* Vordruck *m,* Formular *n;* Zeitung; *(Metall)* Folie *f;* Tranchiermesser *n; arch* Fenster-, Türflügel *m; pop* Ohr *n; à ~s mobiles* Loseblatt-; *trembler comme une ~* wie Espenlaub zittern; *bonne ~ (typ)* Aushängebogen *m; ~ d'aluminium* Aluminiumfolie *f; ~ d'audience, de séance* Sitzungsprotokoll *m; ~ de chou* Käseblatt *n; ~ corporative* Vereins-, Verbandsblatt *n; ~ de couverture* Deckbogen *m; ~ de cuivre* Kupferblech *n; ~ de décharge* Schmutzbogen *m; ~ de déclaration d'impôt* Steuererklärung *f; ~ de dépôt* Aufbewahrungsschein *m; ~s détachées* lose Blätter *n pl; ~ d'émargement, de paie* Gehalts-, Besoldungs-, Lohnliste *f; ~ d'enquête, de recherche* Laufzettel *m; ~ d'épreuve(s)* Korrekturbogen, -abzug *m; ~ d'étain* Stanniol *n,* Zinnfolie *f;* Blattzinn *n; ~ de garde (Buch)* Innenspiegel *m,* Vorsatzblatt *n; ~ gâtée* Makulaturbogen *m; ~ hebdomadaire, humoristique* Wochen-, Witzblatt *n; ~ d'images* Bilderbogen *m; ~ d'information* Nachrichtenblatt *n; ~ de maladie* Krankenschein *m; ~ morte* welke(s), dürre(s) Blatt *n; ~ de papier calque* Pauspapierbogen *m; ~ de papier timbré* Stempelbogen *m; ~ de placage* Furnier *n; ~ de planchette* Meßtischblatt *n; ~ de présence* Anwesenheitsliste *f; ~ de publicité* Anzeigenblatt *n; ~ in-quarto* Quartbogen *m; de rapport* Meldebogen *m; ~ de renseignements* Merkblatt *n; ~ de robe (Zigarre)* Deckblatt *n; ~ de route* Frachtbrief; Begleitschein; Marschbefehl; Militärfahrschein *m; pl* Begleitpapiere *n pl; ~ de scie* Sägeblatt, -band *n; ~ de titre* Titelblatt *n; ~ de tôle* Tafel *f* Blech; *~ de versement* Einzahlungsschein *m; ~ vierge, en blanc (typ)* Schimmelbogen *m; ~*

de vigne (fig) Feigenblatt *n;* ~ *volante* lose(s) Blatt; Flugblatt; Vorsatzblatt *n;* **~é** *m arch* Laubwerk *n;* **~ée** *f poet* Laub *f, pl mil* Latrinenanlagen, -gruben *f pl.*
feuill|er [føje] falzen, mit e-r Hohlkehle versehen; **~eret** *m* Falzhobel *m.*
feuill|et [føjɛ] *m (Buch)* Blatt *n;* Lamelle *f; zoo* Blättermagen *m; (Tischlerei)* kleine Leiste *f,* Furnierblatt, dünne(s) Brett *n; tech* Stellsäge *f;* ~ *de garde (Buch)* Vorsatzblatt *n;* ~ *magnétique (inform)* Magnetkarte *f;* ~ *mobile* Karteikarte *f;* ~ *de musique* Notenblatt *n;* **~eté, e** *a* blätt(e)rig; *pâte f ~e* u. *s m* Blätterteig *m;* **~eter** durchblättern, flüchtig lesen; lamellieren, aus Blättern *od* Platten zs.=setzen; zu Blätterteig verarbeiten.
feuilleton [fœjtõ] *m* Feuilleton *n;* Unterhaltungsteil; Fortsetzungsroman, -artikel; Unterhaltungsroman *m;* **~iste** *m* Feuilletonschreiber *m.*
feuillette [fœjɛt] *f* Faß *n (114—136 l).*
feuillu, e [fœjy] *a* dichtbelaubt; *s m* Laubbaum *m; bois m pl ~s* Laubhölzer *n pl.*
feuillure [fœjyr] *f tech* Falz, Anschlag *m.*
feutr|age [føtraʒ] *m* Verfilzen; Isolieren *n;* **~e** *m* Filz(hut) *m;* Filzunterlage *f;* Filzschreiber, -stift *m; pl* Filzpantoffeln *m pl; bande, semelle f de* ~ Filzstreifen *m,* -sohle *f;* **~é, e** verfilzt; schäbig; *fig* geräuschlos; gedämpft; **~er** zu Filz verarbeiten; mit F. aus=legen; dämpfen; *se* ~ verfilzen.
fève [fɛv] *f* Pferde-, Saubohne, große, dicke Bohne *f.*
février [fevrije] *m* Februar *m.*
fi [fi] *interj* pfui! *faire* ~ *de qn* jdn verachten, auf jdn pfeifen, jdn verschmähen; *faire* ~ *de qc* e-e S verschmähen, auf e-e S pfeifen.
fia|bilité [fjabilite] *f* Zuverlässigkeit *f;* **~ble** zuverlässig.
fiacre [fjakr] *m* (Pferde-)Droschke *f.*
fian|çailles [f(i)jɑ̃saj] *f pl* Verlobung *f,* Verlöbnis *n; bague f de* ~ Verlobungsring *m;* **~cé, e** *a* verlobt; *s m* Bräutigam, Verlobte(r) *m; f* Braut, Verlobte *f;* **~cer** verloben; *se* ~ *à* od *avec qn* sich mit jdm verloben.
fiasco [fjasko] *m* Mißerfolg *m,* Fiasko *n.*
fibr|anne [fibran] *f* Kunst-, Zellwolle *f;* **~e** *f* Fiber, Faser *f;* Faserstoff *m; min* Ader *f a. fig;* ~ *artificielle* Kunstfaser *f;* ~ *de bois* Holzwolle *f;* ~ *d'écorce* Bastfaser *f;* ~ *musculaire* Muskelfaser *f;* ~ *végétale* Pflanzenfaser *f;* ~ *de verre* Glaswolle *f;* ~ *vulcanisée* Vulkanfiber *f;* **~eux, se** faserig; **~ille** [-ij] *f* Fäserchen *n;* **~ine** *f* Fibrin *n;* **~ociment** *m* Asbestzement *m.*
fibrome [fibrom] *m med* Fibrom *n,* Geschwulst *f.*
ficel|age [fislaʒ] *m* Schnüren *n;* Verschnürung *f;* **~er** ver-, fest=, zs.= schnüren; *être mal ~é (fam)* schlecht gekleidet sein; **~(l)ier** *m* Bindfadenrolle *f;* **~le** [-sɛl] *s f* Bindfaden *m,* Schnur, Kordel *f; fig* Kunstgriff, Trick *m,* List *f; fam* schlaue(r) Bursche, gerissene(r) Kerl *m; arg mil* (Offiziers-)Tresse *f; a* durchtrieben; *tirer les ~s (fig)* die Fäden in der Hand halten; ~ *de lin, de chanvre, de papier* Leinen-, Hanf-, Papierschnur *f.*
fich|e [fiʃ] *f* (Holz-)Pflock, Bolzen; Stift; Stöpsel; *el* Stecker *m;* Tür-, Aufsatzband *n;* Fugkelle; Spielmarke *f;* Zettel *m;* Karteikarte *f; enfoncer une* ~ e-n Stöpsel ein=stecken; *mettre en* ~ in die Kartei *od* Datei auf=nehmen; *catalogue m sur ~s* Zettelkatalog *m; tiroir m à ~s* Katalogkasten *m;* ~ *banane* Bananenstecker *m;* ~ *de commande* Auftragszettel *m;* ~ *de consolation (fig)* Trostpreis *m;* ~*-femelle f* Steckdose *f;* ~*-guide f* Leitkarte *f;* ~*-horaires f* Fahrplanauszug *m;* ~ *intermédiaire* Zwischenstecker *m;* ~ *de livre* Buchkarte *f;* ~*-matière f* Sacheintragung *f;* ~ *de renvoi* Verweisungskarte *f;* ~ *de salaire* Lohnzettel *m;* ~ *de travail* (Arbeits-)Laufzettel *m;* **~er** *(Nagel)* ein=schlagen, -treiben; *(Stöpsel)* ein=stekken; *(Pfahl)* ein=rammen; *(Schlag)* versetzen; *(Fuge)* verstreichen; *(Polizei)* erkennungsdienstlich erfassen; *fam* werfen, schleudern, (um=)stürzen, schmeißen; machen, tun, arbeiten; geben; *se* ~ *de* pfeifen auf, sich lustig machen über *acc; avoir les yeux ~és sur* unverwandt blicken auf *acc;* ~ *le camp* sich aus dem Staub machen; ~ *dedans (pop)* an=führen, rein=legen; *~e-moi la paix!* laß mich in Ruhe! ~ *à la porte* hinaus=werfen; *se* ~ *par terre* hin=fallen; *se* ~ *dedans, le doigt dans l'œil* sich schwer irren; *je te ~e mon billet que* ich mache jede Wette, daß; *je t'en ~e* du bist auf dem Holzweg; *je t'en ~ai (fam)* das mache ich nicht noch mal; *je m'en ~e* das ist mir egal, schnuppe.
fichier [fiʃje] *m* Kartei *f; inform* Datei *f;* Karteikasten, Zettelkasten *m,* Kartothek *f;* ~ *de prêt* Benutzerkartei *f.*
fichoir [fiʃwar] *m vx* Wäscheklammer *f.*
fichtre [fiʃtr] *interj fam* Donnerwet-

ter! verflixt! **~ment** *adv fam* verdammt, mächtig.

fichu, e [fiʃy] **1.** *a fam* jämmerlich, erbärmlich, schlecht; verdammt, verflixt; erledigt, kaputt, futsch; **2.** *s m* Halstuch *n; bien* ~ gut gebaut; *mal* ~ nicht ganz in Ordnung, nicht auf dem Damm; schlecht gemacht; schlecht gebaut; ~ *comme quatre sous* mies gekleidet; *il est* ~ *de* er ist imstande, er wäre fähig, zu.

fict|if, ive [fiktif, -iv] erdichtet, fiktiv, Schein-; *facture f* ~*ive* Pro-forma-Rechnung *f; marché m* ~ Scheingeschäft *n;* **~ion** [-sjɔ̃] *f* Erdichtung, Erfindung, Fiktion *f.*

fid|èle [fidɛl] *a* treu (*à qn, à qc* jdm, e-r S); zuverlässig, getreu, genau, richtig; gläubig; *s m* Getreue(r); *rel* Gläubige(r) *m; rester* ~ *à une promesse* an e-m Versprechen fest=halten; **~élité** *f* Treue (*à* zu); Rechtschaffenheit, Ehrlichkeit *f;* Festhalten *n* (*à* an *dat*); Genauigkeit; Güte (der Wiedergabe); Klangreinheit *f;* ~ *à un contrat* Vertragstreue *f.*

fiduc|iaire [fidysjɛr] *a* treuhänderisch; *s m* u. *agent m* ~ Treuhänder *m; circulation f* ~ Notenumlauf *m; monnaie f* ~ Papiergeld *n; société f* ~ Treuhandgesellschaft *f;* **~ie** *f* Sicherheitsübereignung *f.*

fief [fjɛf] Lehen(sgut); *fig* (Spezial-) Gebiet *n,* Bereich *m, pol* Hochburg *f; donner en* ~ zu Lehen geben.

fieffé, e [fjefe] abgefeimt, ausgemacht, Erz-.

fiel [fjɛl] *m* Galle *f; fig* Groll *m,* Bitterkeit; Bosheit *f; se nourrir de* ~ bitteren Groll hegen; **~leux, se** gallig; *fig* gehässig, giftig.

fiente [fjɑ̃t] *f* Mist, Kot *m.*

fier [fje] *se* ~ vertrauen, sich verlassen (*à qn, à qc* auf jdn, e-e S); rechnen (*sur qc* mit etw).

fier, fière [fjɛr] stolz (*de* auf *acc*), hochmütig; kühn; würdig; *fam (vor s)* tüchtig, gewaltig, heftig; *faire le* ~ vornehm tun; prahlen; *~-à-bras m* Großsprecher *m;* **~té** *f* Stolz, Hochmut; Mut *m,* Unerschrockenheit; *(Kunst)* Kraft *f;* **fiérot** [fjero] *a* dummstolz; *s m fam* (eitler) Affe *m.*

fi|èvre [fjɛvr] *f* Fieber *n a. fig; fig* Auf-, Erregung, Unruhe *f; brûler, trembler de* ~ vor Fieber glühen, zittern; *travailler avec* ~ fieberhaft arbeiten; *accès m, poussée f de* ~ Fieberanfall *m;* ~ *aphteuse* Maul- u. Klauenseuche *f;* ~ *cérébrale* Gehirnentzündung *f;* ~ *infectieuse, intermittente, des marais, puerpérale* od *de lait* Wund-, Wechsel-, Sumpf-, Kindbettfieber *n;* **~évreux, se** *a* fieberkrank; fiebrig; ungesund; *fig* fieberhaft; unruhig; *s m f* Fieberkranke(r *m*) *f.*

fifre [fifr] *m* Querpfeife *f;* (Quer-)Pfeifer *m;* **~lin** [-frə-] *m fam* Pfifferling *m fig.*

figer [fiʒe] gerinnen machen *od* lassen; *(Fette)* steif u. hart werden lassen; *fig* lähmen; *se* ~ gerinnen; *fig* erstarren; *être figé dans qc (fig)* in e-e S festgefahren sein.

fignol|age [fiɲɔlaʒ] *m* sorgfältige Ausarbeitung; saubere Arbeit *f;* **~er** *fam tr* sorgfältig zurecht=machen; den letzten Schliff geben, (*qc* e-r S *dat*), (stilistisch) (aus=)feilen; herum=bosseln, -basteln (*qc* an e-r S).

figu|e [fig] *f* Feige *f; mi-~, mi-raisin* halb freiwillig, halb gezwungen; halb im Scherz; sauersüß; *ni* ~ *ni raisin* weder Fleisch noch Fisch; *faire la* ~ *à qn (vx)* jdn verhöhnen, verspotten; **~erie** [-ri] *f* Feigengarten *m;* **~ier** [-gje] *m* Feigenbaum *m.*

figurant, e [figyrɑ̃, -ɑ̃t] *m f* Statist- (in *f*) *m; fig* Nebenperson *f.*

figur|atif, ive [figyratif, -iv] bildlich; symbolisch; *écriture f* ~*ive* Bilderschrift *f;* **~ation** *f* bildliche Darstellung; *min* Gestaltung; *theat* Komparserie *f,* Auftreten *n; faire de la* ~ *(Film)* Statist sein; **~e** *f* Figur *a. math fig;* Gestalt *f,* Aussehen *n,* Haltung *f;* Gesicht, Antlitz *n;* Abbildung *f,* Bildnis, Bild *n;* Darstellung *f;* Muster *n,* Zeichnung *f;* bildliche(r) Ausdruck *m;* Symbol *n;* Metapher; Redefigur; *(Fechten)* Position *f; sous la* ~ *de* in der Gestalt *gen; faire* ~ *de* auf=treten, erscheinen als; verwendet werden als; *faire bonne* ~ s-n Mann stehen; etwas gelten; Haltung bewahren; *faire bonne* ~ *à qn* jdm freundlich begegnen; *faire triste* ~ elend aus=sehen; *fig* s-r Aufgabe nicht gewachsen sein; *jeter qc à la* ~ *de qn (fam)* jdm etw an den Kopf werfen, unter die Nase reiben; **~é, e** *a* bildlich, figürlich; *(Stil)* bilderreich; *s m* bildliche(r) Ausdruck *m;* bildliche Darstellung *f; au* ~ bildlich; *sens m* ~ übertragene Bedeutung *f;* ~ *m du terrain* Geländedarstellung *f;* **~er** *tr* bildlich dar=stellen, ab=bilden; modellieren; gestalten; *itr* e-e Nebenrolle spielen; erscheinen, sich zeigen; *theat* als Statist auf=treten; *sport* unter „ferner liefen" mit dabei=sein; *se* ~ sich vor=stellen, sich ein=bilden, sich denken; ~ *sur une liste* auf e-r Liste stehen.

figur|ine [figyrin] *f* Statuette *f,* Figürchen *n; (Malerei)* Nebenfigur; Briefmarke(nfigur); *theat* Figurine *f;* ~ *de bouchon de radiateur (mot)* Kühlerfigur *f;* ~**iste** *m* Gipsfigurengießer *m.*

fil [fil] *m* Faser *f;* Faden *m a. fig,* Garn, Gespinst *n;* Zwirn *m;* Schnur *f;* Draht *m; el* Ader, Leitung *f;* Strich; *(Wasser, Leben)* Lauf *m; (Messer)* Schärfe, Schneide; *(Marmor, Glas)* Ader *f; au* ~ *de l'eau* mit dem Strom; *à trois* ~*s (tech)* dreiad(e)rig; *contre le* ~ *de l'eau* gegen den Strom; *de* ~ *en aiguille* im Laufe des Gesprächs, ein Wort gibt das andere; wie es so kommt; *droit* ~ gerade(s)wegs; *avoir qn au bout du* ~ mit jdm telefonieren, *(fam)* jdn an der Strippe haben, jdn telefonisch erreichen; *n'avoir pas un* ~ *de sec sur le corps* keinen trokkenen Faden am Leibe haben; *dérouler le* ~ den Draht ab=rollen; *donner du* ~ *à retordre à qn* jdm viel zu schaffen machen, jdm Schwierigkeiten *od* Kummer bereiten; *donner un coup de* ~ *(tele)* an=rufen (*à qn* jdn); *être cousu de* ~ *blanc* leicht zu durchschauen sein; *faire perdre le* ~ *à qn* jdn aus dem Konzept bringen; *faire un nœud à un* ~ e-n Knoten in e-n Faden machen; *perdre le* ~ *(de son discours)* den Faden verlieren, aus dem Text kommen, sich verhaspeln; *suivre le* ~ *de ses pensées* s-e Gedanken weiter=spinnen; *tenir les* ~*s (fig)* die Fäden in der Hand haben, die Sache leiten; *ne tenir qu'à un* ~ *(fig)* an e-m Faden hängen, auf der Kippe stehen; *il n'a pas inventé le* ~ *à couper le beurre (fig fam)* er hat das Pulver nicht erfunden; *boule f de* ~ Garnknäuel *n; coup m de* ~ Telefongespräch *n,* Anruf *m; enregistrement m sur* ~ Drahtaufnahme *f; mince comme un* ~ *(fig)* hauchdünn; *pelote f de* ~ Garnknäuel *n; réseau m de* ~ *de fer* Drahtverhau *m; téléphonie f sans* ~*, T.S.F. f* Rundfunk *m,* Radio *n;* ~ *d'acier, d'antenne, de cuivre, de fer, de laiton* Stahl-, Antennen-, Kupfer-, Eisen-, Messingdraht *m;* ~ *aérien* Oberleitung *f;* ~ *d'allumage* Zündkabel *n;* ~ *d'amenée* Zuleitung(sdraht *m*) *f;* ~ *d'arcade* Litzenzwirn *m;* ~ *de bois* Holzfaser *f;* ~ *à brocher* Heftfaden *m;* ~ *de câble laminé* (Draht-)Litze *f;* ~ *conducteur* Leitungsdraht; *fig* rote(r) Faden *m;* ~ *à coudre* Nähfaden *m;* ~ *de couverture, d'étaim* od *de laine peignée, de laine brillante, de lin, à repriser, de soie* Deck-, Kamm-, Lüster-, Flachs-, Stopf-, Seidengarn *n;* ~ *de fer barbelé* Stacheldraht *m;* ~ *de ligature* Bindedraht *m;* ~ *de masse, de (mise à la) terre* Erdleitung *f;* ~ *neutre* Nulleiter *m;* ~ *nu, dénudé* blanke(r) Draht *m;* ~ *occupé* Draht *m* unter Spannung; ~ *à plomb* (Senk-)Lot *n;* ~ *recouvert, garni, guipé* besponnene(r) Draht *m;* ~ *de prise de courant* Kontaktschnur *f;* ~ *de raccordement* Verbindungskabel *n;* ~ *souple pour sonneries* Klingellitze *f;* ~ *télégraphique, téléphonique* Telegrafen-, Telefondraht *m;* ~*s de la Vierge* Sommerfäden *m pl,* Altweibersommer *m;* ~**age** *m* Spinnen; Gespinst *n.*

filaire [filɛr] *f* Fadenwurm *m.*

filament [filamɑ̃] *m* Faden *m;* Faser *f; el* Glühfaden *m;* Kathode *f;* ~ *de charbon* Kohle(n)faden *m;* ~ *de chauffage* Heizfaden *m;* ~**eux, se** faserig; fadenförmig.

filandière [filɑ̃djɛr] *f poet* Spinnerin *f.*

filan|dre [filɑ̃dr] *f* Faser; Schliere *f; pl.* Sommerfäden *m pl;* ~**dreux, se** faserig, sehnig; *(Marmor)* geadert; *fig* weitschweifig, langatmig.

filant, e [filɑ̃, -t] dickflüssig; fadenziehend; zäh; *(Puls)* sehr schwach; *étoile f* ~*e* Sternschnuppe *f.*

filasse [filas] *s f* Bast *m;* Werg *n;* Faser *f,* Bart *m allg; fam* zähe(s), faserreiche(s) Fleisch *n; cheveux m pl* ~ flachs-, strohblonde, strohige Haare *n pl.*

fila|teur [filatœr] *m* Spinnmeister; Spinnereibesitzer *m;* ~**ture** *f* Spinnerei *f; fig* Beschatten *n; prendre qn en* ~ jdn beschatten; ~ *de coton, de peigné, de soie* Baumwoll-, Kammgarn-, Seidenspinnerei *f.*

file [fil] *f* Reihe *f,* Zug *m;* Glied *n,* Rotte *f; à la* ~*, en* ~ in einer Reihe, e-r hinter dem anderen; *à la* ~ *indienne* im Gänsemarsch; *prendre la* ~ sich hinterea. auf=stellen; sich an=stellen; *chef m de* ~ *(mil)* Gruppen-, Anführer *m; ligne f de* ~ *(mar)* Kiellinie *f;* ~ *de rails* Schienenstrang *m.*

fil|é [file] *m* übersponnene(r) Faden *m;* Garn; (Fein-)Gespinst *n;* ~**er** *tr* spinnen; *fig* (aus=)spinnen, nach u. nach aus=, durch=, herbei=führen; *(Intrige)* spinnen; *(Stück, Szene)* allmählich entwickeln; *(Draht)* ziehen; *mus (Ton)* aus=halten u. dabei an=schwellen u. ab=klingen lassen; *(Tau)* allmählich nach=, los=lassen; *(Person)* (unauffällig) verfolgen; überwachen, beschatten; *mar (Knoten)* zurück=legen; *arg* geben; *itr* dick fließen; Fäden ziehen; sämig werden; nach=lassen, schlaff werden; *(Kabel)* ab=rollen; *(Lampe)* blaken, qualmen; *(Katze)* spinnen, schnurren; *(Zeit)* vergehen; *fig* sich davon=machen, ab=ziehen; *fam* sich aus dem Staube machen; sich drücken; flitzen; dahin=sausen, -brausen, -rasen; ~ *à l'anglaise* sich (auf) französisch empfehlen, *fam* verduften; ~ *un mauvais coton* übel dran sein; sehr krank sein; ~ *doux* klein bei=geben; sich fügen (*avec qn* jdm); *l'argent lui ~e entre les doigts* das Geld zerrinnt ihm unter den Händen.

filerie [filri] *f* Spinnerei *f.*

filet [filɛ] *m* (Einkaufs-, Fahrrad-, Fang-, Fisch-, Gepäck-, Haar-, Tarn-, Tennis-)Netz *a. fig; (Jagd)* Garn *n a. fig;* Filetarbeit *f; (Küche)* Lendenstück, Filet; *anat* (Zungen-, Vorhaut-) Bändchen *n; bot* Staubfaden *m; (Pferd)* Trense *f; tech* (Schrauben-) Gewinde *n; tech* Schliere; *arch* Abschlußleiste, -borte *f;* Saum, Rand; *(Buchbinderei)* Streich-, Fadenstempel *m; typ* (Spalten-)Linie *f; min* Flözstreifen; *(Flüssigkeit)* dünne(r) Strahl *m; allg* kleine Menge *f; se prendre à ses propres ~s* sich im eigenen Netz fangen; *tendre un ~* ein Netz spannen; *carte f des ~s d'air (Wetter)* Strömungsbild *n; coup m de ~* Fischzug *m a. fig; ~ d'air* Luftstrahl *m,* Stromlinie *f; ~ de bœuf* Ochsenlende *f,* Rinderfilet *n; ~ de camouflage* Tarnnetz *n; ~ à cheveux* Haarnetz *n; ~ d'eau* Gerinnsel *n; ~ de fil de fer* Drahtnetz *n; ~ de fumée* dünne Rauchfahne *f; ~ gras-maigre* schattierte Linie *f; ~ de lumière* Lichtstreifen *m; ~ mat (typ)* fette Linie *f,* Balken *m; ~ à papillons, de pêche, à provisions* Schmetterlings-, Fisch-, Einkaufsnetz *n; ~ protecteur* Schutznetz *n; ~ de voix* dünne, schwache Stimme *f.*

file|tage [filtaʒ] *m* Gewinde(schneiden) *n;* **~té, e** *a* mit Gewinde; *m* Netzstoff *m; chemise f en ~é* Netzhemd *n;* **~ter** *(Gewinde)* schneiden; *(Draht)* ziehen; *(Buch)* mit Goldstreifen versehen.

fileur, se [filœr, -z] *m f* Spinner(in *f*) *m.*

filia|l, e [filjal] *a* kindlich; Kindes-; *s f* Tochtergesellschaft, Filiale *f;* **~tion** *f* Abstammung, Kindschaft; *fig* Verkettung, Verbindung; Folge *f.*

filière [filjɛr] *f* Spinndüse; (Schneid-) Kluppe *f;* Zieheisen *n;* Gewindeschneidkopf *m;* Spannschloß *n; fig* Dienstweg *m, fam* Ochsentour; *com* Kette *f,* Kündigungsschein *m; min* Wandrute *f; passer par la ~* von der Pike auf dienen; die Ochsentour gehen.

fili|forme [filifɔrm] fadenförmig; *(Puls)* sehr schwach; **~grane** *m* Filigran; Wasserzeichen *n; lire en ~ (fig)* zwischen den Zeilen lesen.

filin [filɛ̃] *m* Trosse *f,* Tau *n.*

filipendule [filipɑ̃dyl] *bot* an e-m Faden hängend.

fill|e [fij] *f* Tochter *f;* (junges *od* kleines, Dienst-)Mädchen; Dirne; *rel* Nonne; *fig* Frucht, Folge *f; rester ~ (vx)* ledig bleiben; *grande ~* erwachsene(s) Mädchen *n; jeune ~* junge(s) Mädchen *n,* junge Dame *f;* Backfisch *m; petite ~* kleine(s) Mädchen *n; vieille (péj) ~* alte Jungfer *f; ~ adoptive* Adoptivtochter *f; ~ de cuisine* Küchenhilfe *f; ~ à marier* heiratsfähige Tochter *f; ~ de la maison* Haustochter *f; ~ mère f (péj)* ledige Mutter *f; ~ des rues* Straßenmädchen *n; ~ de salle* Reinemachefrau (in e-m Krankenhaus) *f;* **~ette** *f* kleine(s) *od* junge(s) Mädchen *n; pop* Halbliterflasche *f;* **~eul, e** [-jœl] *m f* Patenkind *n.*

film [film] *m* Film *m; tech* Häutchen *n,* Film; *fig* Ver-, Ablauf *m; réaliser, tourner un ~* e-n Film drehen; *copie f de ~* Filmkopie *f; distribution f des ~s* Filmverleih *m; publicité f par ~* Filmwerbung *f; rouleau m de ~* Filmspule *f; ~ d'animation, de dessins animés* Zeichentrickfilm *m; ~ en bobine* Rollfilm *m; ~ en couleurs* Farbfilm *m; ~ de cow-boys* Wildwestfilm *m; ~ documentaire* Kulturfilm *m; ~ sur écran large* Breitwandfilm *m; ~ d'enseignement, éducatif* Lehrfilm *m; ~ à épisodes* Fortsetzungsfilm *m; ~ de fiction* Spielfilm *m; ~ de long métrage* Spiel-, Hauptfilm *m; ~ de format réduit, de format standard* Schmal-, Normalfilm *m; ~ de court métrage* (Werbe-) Kurzfilm *m; ~ muet, sonore* od *parlant* Stumm-, Tonfilm *m; ~ policier* Kriminalfilm *m; ~ publicitaire* Werbefilm *m; ~ en relief, à trois dimensions* plastische(r), dreidimensionale(r) Film *m; ~ à grand spectacle* Ausstattungsfilm *m; ~ truqué, à trucages* Trickfilm *m; ~ à vues fixes* Stehfilm *m;* **~age** *m* Filmen *n;* **~er** (ver)filmen; *tech* mit e-m (Schutz-) Film überziehen; *~ en extérieur* Außenaufnahmen machen; **~ique** filmisch; Film-.

filmo|graphie [filmografi] *f* Filmverzeichnis *n;* **~logie** *f* Filmwissenschaft *f;* **~logue** *m* Filmwissenschaftler *m;* **~thèque** *f* Filmarchiv *n.*

filoche [filɔʃ] *f* Netzgewebe *n.*

filon [filɔ̃] *m min* Gang *m,* Ader *a. fig; fig* Fundgrube *f; fam* Druckposten *m,* Masche *f; trouver le ~ (fam)* den Bogen, Dreh heraus=kriegen.

filoselle [filozɛl] *f* Flockseide *f.*

filou [filu] *m* (Taschen-)Dieb, Gauner, Spitzbube *m;* **~tage** *m* Gaunerei *f;* **~ter** (be)stehlen, begaunern, bemogeln (*de* um); **~terie** Gaunerei *f;* Betrug; Bubenstreich *m.*

fils [fis] *m* Sohn; Knabe, Junge; Nachkomme *m; il est bien le ~ de son père* er kommt ganz auf s-n Vater heraus; *~ adoptif* Adoptivsohn *m; ~ de famille* junge(r) Mann *m* aus gutem Hause; *le ~ de la maison* der Sohn des Hauses; *~ de ses œuvres* Selfmademan *m; ~ à papa (pop)* Sohn *m* von Beruf.

filtr|age *m,* **~ation** *f* [filtraʒ, -asjɔ̃] Filtern, Filtrieren *n; fig (Menge)* Durchkämmen; *(Nachrichten)* Sieben *n; eaux f pl de ~* Sickerwasser *n;* **~ant, e** Filtrier-; Filter-; *bout m ~* Filtermundstück *n;* **~at** [-a] *m* Filtrat *n;* **~e** *m* Filter *m* od *s a. phys radio;* Sieb *n; ~ à air* Luftfilter *m; ~ de bande* Bandfilter *m; ~ coloré* Farbfilter *m; ~ éliminateur de bande* Sperrkreis *m; ~ à essence, à huile* Benzin-, Ölfilter *m; ~ jaune* Gelbfilter *m; ~ à poussière* Staubfilter *m;* **~er** *tr* durch=seihen, -schlagen, filtrieren, (ab=)klären; *(Nachrichten)* sieben; *(Licht)* dämpfen; *(Menschen)* durch=kämmen; *itr* durch=sickern *a. fig,* -dringen.

fin [fɛ̃] *f* Ende *n,* Schluß; Aus-, Untergang, Tod; (End-)Zweck *m,* Absicht *f,* Ziel *n; jur* Klageforderung *f,* -begehren *n,* Einwendung, Einrede *f; gram* Auslaut *m; aux ~s de* zwecks *gen; à cette ~, à ces ~s* zu diesem Zweck, deshalb; *à la ~* schließlich, am Ende; *à la ~ de mai, ~ mai* Ende Mai; *à la ~ des ~s* zu guter Letzt; *à des ~s pacifiques (mil)* zu friedlichen Zwecken *m pl; à une seule ~ (tech)* Einzweck-; Spezial-; *à toutes ~s utiles* zu beliebigem Gebrauch, zur weiteren Veranlassung; *en ~ de compte* schließlich; letzten Endes; *sans ~* endlos; *sauf bonne ~* unter üblichem Vorbehalt; *~ courant, prochain (com)* Ende des laufenden, nächsten Monats; *arriver, en venir à ses ~s* s-n Willen durch=setzen, sein Ziel erreichen; *n'avoir ni ~ ni cesse* nicht nach=lassen; *mener à bonne ~* zu e-m guten Ende führen; glücklich beenden; *mettre ~ à qc* e-r Sache ein Ende machen; *prendre ~* ein Ende nehmen, zu Ende gehen; *renvoyer qn des ~s de la plainte (jur)* jdn frei=sprechen; *répondre par une ~ de non-recevoir* ab=weisen (*à qn* jdn), e-n abschlägigen Bescheid erteilen (*à qn* jdm); *tirer, toucher à sa ~* sich s-m Ende nähern, zur Neige gehen; *c'est le commencement de la ~* das ist der Anfang vom Ende; *c'est la ~ de tout (fam)* das ist (doch) die Höhe! *~ d'alerte* Entwarnung *f; ~ d'année, de l'année* Jahresende *n; ~ d'investissement* Anlagezweck *m; ~s de série (Schlußverkauf)* Reste *m pl,* Restware *f; ~ d'utilisation* Verwendungszweck *m.*

fin, e [fɛ̃, fin] *a* fein, dünn; zart; schlank, zierlich, klein, fein, auserlesen, ausgesucht, gut; *fig* scharfsinnig, klug, schlau, pfiffig; *(Sinn)* scharf; *adv* vollständig, ganz; *s m* Feine(s) *n;* (das) Wichtigste, Hauptpunkt; *(Edelmetall)* Feingehalt *m;* Feinwäsche *f; f (~e-champagne)* Weinbrand *m; pl min* Feinkohle *f;* Mehle *n pl; au ~ fond de (fam)* im tiefsten Inner(e)n *gen; ~es herbes* mit fein(gehackt)en Kräutern; *le ~ du ~* das Allerbeste, -schönste; *la ~e fleur de qc* das Feinste, Beste, die Blume *gen; le ~ mot de l'histoire* des Rätsels Lösung, des Pudels Kern; das entscheidende Wort; *avoir le nez ~ (fig)* e-e gute Nase haben; *avoir l'oreille ~e* ein gutes Gehör haben; *être très ~* das Gras wachsen hören; *jouer au plus ~ avec qn* jdn überlisten wollen.

final, e [final] *a* End-, Schluß-; endgültig; letzte(r, s); *s m mus* Finale *n,* Schlußsatz *m; s f* Endsilbe *f,* -buchstabe; *mus* Schlußton *m; sport* Endspiel *n,* -kampf *m,* Finale *n; cause f ~e* Endursache *f; point m ~* Schlußpunkt *m; règlement m ~* Schlußabrechnung *f; résultat m ~* Endergebnis *n;* **~iste** *m* Teilnehmer am Endkampf, Finalist *m;* **~ité** *f* Zweckbestimmtheit, Finalität *f.*

financ|e [finɑ̃s] *f* Bargeld *n,* -schaft; Finanzwelt *f; pl* Finanzen, Staatseinkünfte *f pl;* Finanz-, Geldwesen *n;* Geldmittel, -verhältnisse *n pl;* Finanzwirtschaft *f; moyennant ~* gegen Zahlung; *être dans la ~* im Bankfach tätig sein; *ministre, ministère m des ~s* Finanzminister *m,* -ministerium *n;* **~ement** *m* Finanzierung; Bereitstellung *f* von Geldmitteln; *plan m de ~* Finanzierungsplan *m; ~ anticipé* Vorfinanzierung *f; ~ par propres fonds* Selbstfinanzierung *f;* **~er** finanzieren; Geld vor=strecken (*qn* jdm); **~ier, ère** *a* finanziell; Finanz-; *s m* Finanz-, Geldmann; Bankier *m; s f: à la ~ère (Küche)* mit den feinsten Zutaten zubereitet; *bulletin m ~* Börsenbericht *m; productivité ~ère* Rentabilität *f.*

finass|er [finase] *fam* überlisten, herein=legen wollen (*avec qn* jdn); **~erie** *f* Kniff *m*, List *f;* **~eur, se; ~ier, ère** *m f* Intrigant(in *f*) *m*.

fin|aud, e [fino, -od] *a* pfiffig, schlau, listig; *s m* Pfiffikus, Schlauberger *m;* **~esse** *f* Feinheit *f a. fig;* kaum merkliche(r) Unterschied *m*, Nuance; *(Sinne)* Schärfe *f; fig* Unterscheidungsvermögen *n*, Scharfsinn *m;* Schlauheit, Verschmitztheit, Listigkeit; Geschicklichkeit; Eleganz *f;* Raffinement *n; être au bout de ses ~s* mit s-m Latein am Ende sein.

finette [finɛt] *f* leichte(r) (Baum-) Wollstoff *m*.

fin|i, e [fini] *a* vollendet, fertig; erledigt *a. fig;* begrenzt, endlich; *(Schurke)* ausgemacht; *s m* Vollendung; Ausführung, Gestalt, Form *f;* (das) Endliche; *donner le ~ à qc* (die) letzte Hand an e-e S legen; *tout est ~* alles ist aus, verloren; *c'est un homme ~* er hat ausgespielt, abgewirtschaftet; **~ir** *tr* beend(ig)en, ein Ende machen (*qc* dat); auf=hören, fertig sein (*qc* mit etw); vollenden, fertig=machen, aus=arbeiten; *tech* schlichten; auf=essen, aus=trinken, zu Ende rauchen; *fam (Kleider)* auf=tragen; *itr* zu Ende gehen, ein Ende nehmen *od* finden, enden, auf=hören (*de* zu), aus=gehen; aus=laufen (*en* in *acc*) *(Vertrag)* ab=laufen; sterben, das Leben verlieren; *en ~* Schluß machen (*avec qn, avec qc* mit jdm, e-r S); *n'en ~ plus* zu keinem Ende kommen, nicht (mehr) auf=hören; *~ par faire qc* endlich, schließlich, zuletzt etw tun; *à n'en plus ~* endlos; *pour en ~* um es kurz zu machen; *~ mal* ein schlimmes Ende nehmen; *~ de parler* aus=reden; *la route finit dans un parc* die Straße endet in e-m Park; *c'est à n'en plus ~* das nimmt kein Ende; *tout est bien qui ~it bien* Ende gut, alles gut; *des applaudissements à n'en plus ~* nicht enden wollende(r) Beifall *m*.

finish [finiʃ] *m sport* Endspurt *m;* letzte Kraft(anstrengung) *f*.

finis|sage [finisaʒ] *m* Endbearbeitung, Fertigstellung; Vered(e)lung; Zurichtung, Appretur *f;* Schlichten *n;* **~seur, se** *m f* Fertigsteller(in *f*); Fertiger; guter Endspurtler *m; f tech* Feinkrempel; Glänzmaschine *f; train m ~* Fertigstraße *f*.

finition [finisjɔ̃] *f* Fertigstellung, Vollendung *f; pl* Versäuberungsarbeiten *f pl*.

finland|ais, e; finnois, e [fɛ̃lɑ̃dɛ, -ɛz; finwa, -az] *a* finnisch; *F~, se s m f* Finne *m*, Finnin *f;* **F~e, la** [fɛ̃lɑ̃d] *f* Finnland *n;* **~isation** *f pol* Finnlandisierung *f*.

fiole [fjɔl] *f* Fläschchen *n; fam* Flasche *f* Wein; *fam* Gesicht *n*, Kopf *m; se payer la ~ de qn (fam)* jdn durch den Kakao ziehen.

fion [fjɔ̃] *m pop* letzte(r) Schliff *m*, Vollendung *f; donner le coup de ~ à qc* e-r S den letzten Schliff geben.

fiord, fjord [fjɔrd] *m* Fjord *m*.

fioriture [fjɔrityr] *f mus* Koloratur *f; (Kleidung)* Besatz; *fig* Schnörkel *m*, Verzierung *f*.

firmament [firmamɑ̃] *m* Firmament *n*, Himmel(sgewölbe *n*) *m*.

firme [firm] *f* Firma *f;* Handelsname *m;* Geschäft *n; ~ fournissante* Lieferfirma *f; ~ d'importation, d'exportation* Import-, Exportfirma *f*.

fisc [fisk] *m* Fiskus *m;* Steuerbehörde *f*, Finanzamt *n;* **~al,e** fiskalisch; *serrer la vis ~e* die Steuerschraube an=ziehen; *année f ~e* Steuer-, Rechnungsjahr *n; bague f ~e* Banderole *f; capacité f ~e* steuerliche Leistungsfähigkeit *f; charges f pl ~es* Steuerlasten *f pl; conseiller m ~* Steuerberater *m; droit m ~* Steuerrecht *n; évasion f ~e* Steuerflucht *f; fraude f ~e* Steuerhinterziehung *f; timbre m ~* Stempelmarke *f;* **~alité** *f* Steuerwesen *n; poids m de la ~* steuerliche Belastung, Steuerlast *f*.

fiss|ible [fisibl] spaltbar; **~ile** schief(e)rig; spaltbar; **~ion** *f* Spaltung *f; ~ nucléaire (phys)* Kernspaltung *f;* **~ionnable** spaltbar; **~ipare** *(zoo)* sich durch (Zell-)Teilung fortpflanzend; **~ure** *f* Spalt(e *f*) *m*, Ritze *f;* Schlitz; *(Glas)* Sprung, Riß *m; anat* Furche; *med* Schrunde *f; fig* Riß *m*, Lücke *f;* **~uré, e** *geol* zerklüftet; **~urer** spalten; rissig machen; *se ~* reißen, rissig werden; *(Lippen, Hände)* auf=springen.

fist|on [fistɔ̃] *m pop* Söhnchen *n*.

fist|ulaire [fistylɛr] *a* Röhren-, Fistel-; **~ule** *f med* Fistel *f;* **~uleux, se** fistelartig.

fistuline [fistylin] *f* Leberschwamm, -pilz *m*.

fix|age [fiksaʒ] *m* Befestigung *f*, Festmachen; *phot* Fixieren *n;* **~ateur** *m* Fixiermittel, -bad, -salz *n;* **~atif** *m* Fixativ *n;* **~ation** *f* Befestigung *f*, Festmachen *n;* Halter *m;* Einspannung; Festlegung; Festsetzung, Bestimmung; *chem* Fixierung; *mil* Fesselung, Bindung *f; (Volk)* Seßhaftmachen, -werden *n; (Schi)* Bindung *f a. med; dispositif, mode m de ~* Befestigungsvorrichtung, -art *f; ~ de prix*

Preisfestsetzung *f; ~ de sécurité* Sicherheitsbindung *f.*

fix|e [fiks] *a* fest(stehend), unbeweglich; festgelegt; bestimmt; beständig, unveränderlich; *tech* feststehend, stationär; feuerfest; *(Blick)* starr; *s m* Fixum, feste(s) Gehalt *n; interj mil* Achtung! Augen geradeaus! *à heure, jour ~* zur bestimmten Stunde, an e-m bestimmten Tag; *à prix ~* zu festem Preis; *avoir le regard ~* ins Leere starren; *le baromètre est au beau ~* das Barometer steht auf beständig schön; *étoile f ~* Fixstern *m; ~-manche m* Ärmelhalter *m; ~-nappe m* Tischtuchklammer *f; ~-au-toit m (mot)* (Gummi-)Spanner *m;* **~é, e** fest, befestigt; *chem* gebunden; *être ~* Bescheid wissen; e-n Entschluß gefaßt haben; *me voilà ~* nun weiß ich, woran ich bin; **~er 1.** *(attacher, immobiliser)* befestigen, fest=machen, an=bringen; *~ une applique au mur* e-n Wandleuchter an der Wand an=bringen; *~ un chignon* die Haare auf=stecken; *~ un échafaudage branlant* ein wackliges Gerüst fest=machen; *(Feind)* binden, fesseln; *(Nomaden)* an=siedeln, seßhaft machen; *(fig) cet élève est difficile à ~* dieser Schüler kann nur schwer s-e Gedanken sammeln; *~ dans sa mémoire* sich ein=prägen, *fam* sich hinter die Ohren schreiben; *~ tous les regards sur soi* alle Blicke auf sich *(acc)* ziehen; **2.** *(regarder) ~ qn du regard* jdn fixieren, starr an=sehen, s-n Blick auf jdn richten; *~ le regard sur qn* od *qc* den Blick auf jdn *od* e-e S heften; **3.** *(donner forme)* fest=legen, bestimmen; *~ la date d'une réunion* den Termin e-r Versammlung fest=legen, e-n Versammlungstermin an=beraumen; *~ ses idées sur le papier* s-e Gedanken zu Papier bringen; *~ les limites d'un terrain* ein Gebiet ab=grenzen; *~ l'ordre du jour d'une réunion* die Tagesordnung e-r Versammlung fest=legen; *(Regel)* formulieren; **4.** *(chem)* binden; *(Foto, Kohlezeichnung)* fixieren; **5.** *(informer) ~ qn sur qc* jdn von etw in Kenntnis setzen, jdn über e-e S informieren, jdn von etw unterrichten; *je ne suis pas (encore) très ~é* ich habe mich (noch) nicht festgelegt; **6.** *se ~ une ligne de conduite* sich e-e S zur Richtschnur machen; *son choix s'est ~é sur qc* er hat sich für e-e S entschieden; *(se stabiliser) (Person)* beständig werden; *(se concentrer)* sich konzentrieren *(sur* auf *acc),* sich zs.=nehmen; *(s'établir)* sich (für dauernd) nieder=lassen; heiraten; **~ité** *f* Festigkeit; Unbeweglichkeit; Bindung; Beständigkeit *f.*

fjord [fjɔrd] *m s. fiord.*

flac [flak] *interj* klatsch! patsch!

flaccidité [flaksidite] *f* Schlaffheit *f.*

flacon [flakɔ̃] *m* Fläschchen *n; ~ en verre, métallique, de parfum* Glas-, Metall-, Parfümfläschchen *n.*

fla-fla [flafla] *m* Effekthascherei, Angabe *f; faire du ~* sich wichtig machen.

flag|ellant [flaʒɛlɑ̃] *m hist* Geißelbruder *m;* **~ellation** *f* Geißelung *f;* **~elle** *m* Flimmerhaar *n;* **~eller** geißeln *a. fig;* peitschen.

flageo|lant, e [flaʒɔlɑ̃, -t] zitternd; wankend; **~ler** *(Knie)* schlottern; wanken; *mot (Räder)* flattern; **~let** [-lɛ] *m* weiße (Zwerg-)Bohne *f; mus* Flageolett *n; pl fig* Storchenbeine *n pl.*

flagorn|er [flagɔrne] katzbuckeln (*qn* vor jdm) **~erie** [nə-] *f* niedrige Schmeichelei, Speichelleckerei *f;* **~eur** *m* Speichellecker *m.*

flagrant, e [flagrɑ̃, -ɑ̃t] sonnenklar, offenkundig, in die Augen springend; *(Widerspruch)* kraß; *prendre en ~ délit* auf frischer Tat ertappen.

flair [flɛr] *m* Witterung *(bes. des Hundes);* feine Nase *f; fig* Scharf-, Spürsinn *m,* Fingerspitzengefühl *n; avoir du ~ (fam)* e-n guten Riecher haben; **~er** wittern; (auf=)spüren, riechen; entdecken, ausfindig machen; ahnen, merken; *~ qc* etw beschnuppern; für etw e-n guten Riecher haben; **~eur, se** *a* Spür-; *s m f fam* jem, der e-n guten Riecher hat, Spürnase *f.*

flam|and, e [flamɑ̃, -ɑ̃d] *a* flämisch; *F~, e s m f* Flame *m,* Flamin, Flämin *f; m* Flämisch(e) *n;* **~ant** *m orn* Flamingo *m.*

flamb|age [flɑ̃baʒ] *m* Ankohlen; Knikken *n; résistance f au ~* Knickfestigkeit *f;* **~ant, e** flammend, flackernd; *tout ~ neuf (fam)* funkelnagelneu; *charbon m ~* Flammkohle *f;* **~ard, ~art** *m* Flammkohle *f;* kleine(s) Fischerboot *n; fam* Bootsfahrer, Paddler; *fig* flotte(r) Bursche *m; faire le ~* protzen, an=geben; **~e** *f* Schwertlilie *f;* **~é, e** *fam* verloren, futsch; *tech* geflammt; **~eau** *m* Fakkel *f;* Licht *n,* Kerze *f;* Leuchter *m; fig* Leuchte *f; marche, retraite f aux ~x* Fackelzug *m;* **~ée** *f* Strohfeuer, hell auflodernde(s) Feuer *n; fig* rapide(r) Anstieg *m; ~ des prix* hemmungslose Preissteigerung *f; faire une ~* ein kleines Feuer machen; **~er** *tr* (ab=)sengen, aus=brennen; an=kohlen; *itr* flammen, lodern, flackern; knicken; ~**erge** *f* Flamberg *m; mettre ~ au vent (fig)* vom Leder ziehen; ~**oiement** *m* (Auf-)Flammen, Lodern *n;* ~**oyant, e** flammend, funkelnd, blitzend; ~**oyer** (auf=)flammen, auf=leuchten; blitzen, funkeln.

flamingant, e [flamɛ̃gɑ̃, -ɑ̃t] *a* flamenfreundlich; *s m* Flämischsprechende(r) *m.*

flamm|e [flam] *f* Flamme *f; mar* Wimpel *m; mil* Fähnlein *n; fig* Glut, Leidenschaft; Liebe *f; jeter feu et ~s* Gift und Galle speien; ~**é, e** geflammt; ~**èche** *f* (großer) Feuerfunke *m;* ~**erole** *f fam* Irrlicht *n,* -wisch *m.*

flan [flɑ̃] *m Art* Sahnetorte *f;* Pudding *m;* Münzplatte; *typ* Mater; Matrize *f; à la ~ (pop)* schlampig; *en être comme deux ronds de ~ (pop)* baff sein, platt wie e-e Briefmarke sein; *c'est du ~! (pop)* alles nur Quatsch! alles nur Mache!

flanc [flɑ̃] *m (Mensch, Tier)* Seite, Weiche; *(Tier)* Flanke *a. mil tech;* Seitenwand *f,* -teil *n;* (Berg-, Ab-)Hang, Abfall *m; mar* Breitseite *f; fig poet* Schoß *m; ~ à ~* Seite an Seite; *se battre les ~s (fam)* sich gewaltig an=strengen, etw aus=brüten; *bousculer par une attaque de ~ (mil)* auf=rollen; *être sur le ~ (fam)* auf der Seite liegen, im Bett liegen müssen; *mettre qn sur le ~ (fam)* jdn fertig=machen; *prendre de ~* in der Flanke fassen; *prêter le ~* die Flanke ungedeckt lassen; *fig* sich e-e Blöße geben; *tirer au ~ (fam)* den Kranken spielen; *mil* sich drücken; *~-garde f* Seitendeckung *f.*

flancher [flɑ̃ʃe] *fam* nach=geben, aus=setzen, schwächer werden; zurück=weichen; Angst bekommen.

flanchet [flɑ̃ʃɛ] *m (Tier)* Dünnung *f,* Seitenstück *n.*

Flandre(s), la (les) [flɑ̃dr] Flandern *n.*

flandrin, e [flɑ̃drɛ̃, -in] *a* flandrisch; *s m; grand ~* lange(r) Lulatsch *m.*

flanelle [flanɛl] *f* Flanell; *arg* Schlappschwanz *m; avoir les jambes de ~ (fam)* weich in den Knien sein.

flân|er [flane] umher=schlendern, -bummeln; bummeln; ~**erie** *f* Bummel *m;* Bummelei *f;* ~**eur, se** *m f* Bummler(in *f*) *m;* ~**ocher** *fam* bummeln, faulenzen.

flanqu|ant, e [flɑ̃kɑ̃, -ɑ̃t] *mil* flankierend, bestreichend; ~**ement** *m* Flankieren, Bestreichen *n;* Flankendeckung *f;* ~**er 1.** *mil* bestreichen; flankieren *a. arch;* decken; **2.** schleudern, werfen; keß auf=setzen; *(Ohrfeige)* versetzen, geben; *se ~ (Krankheit)* sich zu=ziehen; *se ~ une bonne pile* sich verdreschen, -prügeln; *~ à la porte* hinaus=werfen; *se ~ par terre* hin=sausen, -fallen.

flapi, e [flapi] *fam* todmüde, wie gerädert.

flaque [flak] *f* Pfütze, Lache *f.*

flash [flaʃ] *m phot* Blitzlicht(lampe *f*) *n;* kurze Filmszene; *(Presse)* wichtige Kurznachricht *f; ~ électronique* Elektronenblitz *m; ~ d'information* Kurznachricht *f;* ~**-back** *m* Rückblende *f.*

flasque [flask] *a* schlaff, weich; matt; schlapp, lendenlahm; *s m tech* Flansch *m.*

flatt|er [flate] schmeicheln (*qn* jdm); streicheln, liebkosen; angenehm berühren *fig; (den Gaumen)* kitzeln; *(Bild)* verschönen; zu sehr schonen, zu zärtlich behandeln; begünstigen; Hoffnung machen (*qn de qc* jdm auf e-e S); *se ~* sich *(dat)* ein=bilden (*de qc* e-e S); sich *(dat)* Hoffnung machen (*de qc* auf e-e S), rechnen (*de qc* mit etw); *se ~ d'illusions* sich *(acc)* Illusionen hin=geben; ~**erie** *f* Schmeichelei *f;* ~**eur, se** *a* schmeichelhaft; schmeichlerisch; *s m f* Schmeichler(in *f*) *m.*

flatu|eux, se [flatɥø, -øz] blähend; ~**lence** [-ty-], ~**osité** [-tɥo-] *f* Blähung *f.*

fléau [fleo] *m* Dreschflegel; Waagebalken *m; fig* Geißel, Landplage *f,* Kreuz *n; tech* Torriegel *m.*

fléchage [fleʃaʒ] *m* Aus-, Beschilderung *f.*

flèche [flɛʃ] *f* **1.** Pfeil; *(Turm)* Helm *m,* Spitze; Deichsel; Durchbiegung *f,* Durchhang; *(~ de direction) mot* Winker; *(Kran)* Ausleger; Pflugbalken *m;* Stich-, Gipfel-, Pfeilhöhe *f; mil* Lafettenschwanz *m;* **2.** Speckseite *f; en ~* pfeilgerade; *fig* pfeilschnell; *avoir une position en ~* den anderen voraus sein; radikale, fortschrittliche Meinungen vertreten; *faire ~ de tout bois* alle Hebel in Bewegung setzen; *sortir, rentrer sa ~ (mot)* den Winker heraus=lassen, herein=nehmen.

fléch|ette [fleʃɛt] *f* kleine(r) Pfeil *m;* ~**er** aus=, beschildern.

fléch|ir [fleʃir] *tr* biegen, beugen; *fig* rühren, erweichen, bewegen; *itr* nach=geben *a. fig;* wanken, weichen; sich biegen; sich beugen; sich rühren lassen; *(Preis)* fallen; *(Kurse)* ab=bröckeln; *arch* sich senken, sich durch=biegen; *mil* wanken; ~**issant, e:** *effort m ~* Biegungsbeanspruchung *f;* **~issement** *m* Beugung *f,* Beugen *n; (Seil)* Durchhang *m;* Durchbiegen; Nachgeben *n; (Kurs)* Rückgang *m; (Preise)* Fallen *n,* Abschwächung *f; mil* Weichen *n;* **~isseur** *a* Beuge-; *s m anat* Beugemuskel *m.*

flegm|atique [flɛgmatik] *a* phlegmatisch; *fig* kaltblütig, leidenschaftslos; *s m* phlegmatische(r), kaltblütige(r) Mensch *m;* **~e** [flɛgm] *m med* Schleim *m;* Phlegma *n,* Gelassenheit *f; tech* (Roh-)Alkohol *m; faire perdre son ~ à qn* jdn in Schwung, auf die Palme bringen.

flemm|ard, e [flɛmar, -ard] *a fam* träge, faul; *s m* Faulpelz *m;* **~arder, ~er** *fam* faulenzen; **~e** *f fam* Faulheit *f; avoir la ~, battre, tirer sa ~* faulenzen *pop* gammeln, keine Lust zur Arbeit haben.

flet [flɛ] *m zoo* Flunder *f;* **flétan** [fletɑ̃] *m zoo* Heilbutt *m.*

flétr|i [fletri] welk, verwelkt; *(Farbe)* verblaßt, verschossen; **~ir 1.** welk machen, (ver)welken lassen; *(Farbe)* bleichen; *fig* entmutigen, nieder=schmettern; verunstalten, entstellen; den Glanz, die Frische nehmen (*qc* dat); **2.** brandmarken; *fig* schänden, entehren, beflecken; *se ~* verwelken, verdorren; verblühen; *(Farbe)* verblassen; dahin=siechen; schlaff werden; s-e Frische, s-n Glanz verlieren; **~issant, e** entehrend, schimpflich, schändlich; **~issure** *f* **1.** (Ver-)Welken, Verblühen *n;* **2.** Brandmarkung; *fig* Schmach *f,* Schandfleck *m;* Entehrung *f.*

fleur [flœr] *f* Blume; Blüte *f a. fig chem; (Frucht)* Flaum; *(Wein)* Schimmel *m; (Leder)* Narbe; *(Rede)* Floskel; *fig* Blüte(zeit) *f,* Glanz *m,* Frische *f,* Reiz, Schmelz, Flor; Kern *m,* Auswahl *f,* (das) Beste; *fam* Jungfräulichkeit; *pl mar* Bilge *f; à ~s* geblümt; *à ~ de* auf der Oberfläche *gen,* in gleicher Höhe mit; *à la ~ de l'âge* in den besten Jahren; *en ~* blühend, in Blüte; *comme une ~ (fam)* federleicht; *couvrir qn de ~s, jeter des ~s à qn (fig)* jdm, jdn lobhudeln; *être en ~* in Blüte stehen; *être très ~ bleue* sehr sentimental sein; *bouquet m, couronne f de ~s* Blumenstrauß, -kranz *m; pot m de* od *à ~s* Blumentopf *m; vase m à ~s* Blumenvase *f; ~s blanches (med)* weiße(r) Fluß *m; ~ de cerisier, de pêcher* Kirsch-, Pfirsichblüte *f; ~ de farine* feinste(s) Auszugmehl *n; ~ en papier* Papierblume *f; ~ des pois (fam)* elegante(r) Mann *m;* **~age** *m* Blumenmuster *n;* Weizenschrot *m* od *n;* **~aison** *f s. floraison;* **~-de-lis** *f* Lilie *f; (Heraldik)* Bourbonenlilie *f;* **~delisé, e** mit Bourbonenlilie; **~deliser** [-də-] mit Bourbonenlilien verzieren; **~er** *lit* duften; riechen (*qc* nach etw).

fleuret [flørɛ] *m* Florett *n; min* (Schlag-)Bohrer *m;* Florettseide *f.*

fleur|ette [flørɛt] *f poet* Blümlein *n; fig* galante Schmeichelei *f; conter ~ à qn* jdm den Hof machen; **~i, e** *a* blühend; blumengeschmückt; geblümt; *(Teint)* frisch, gerötet; *(Haut)* pick(e)lig; *(Leben)* angenehm, leicht; *(Stil)* bilderreich, blumig, überladen; *Pâques f pl ~es* Palmsonntag *m;* **~ir** *irr itr* (auf=)blühen *a. fig;* in Blüte stehen; haarig, pick(e)lig werden; *tr* (mit Blumen) schmücken; *fig* verzieren, -schönern; e-e Blume an=stecken (*qn* jdm); *~ sa boutonnière* sich *(dat)* e-e Blume ins Knopfloch stecken; **~issant, e** blühend; **~iste** *m f* Blumenzüchter(in *f*), -händler(in *f*) *m; magasin m de ~* Blumenladen *m.*

fleuron [flørɔ̃] *m* Blumenzierat *m; fig* Kleinod *n; arch* First-, Kreuzblume; *typ* Vignette *f.*

fleuve [flœv] *m* Strom, großer Fluß *m a. fig.*

flex|ibilité [flɛksibilite] *f* Biegsamkeit, Geschmeidigkeit *f;* **~ible** *a* biegsam, geschmeidig; nachgiebig; *fig* lenksam; *s m* (Gummi-)Schlauch *m; tech* biegsame Welle *f;* **~ion** [-ksjɔ̃] *f* Biegung, Beugung; *tech* Durchbiegung, Durchfederung; *gram* Flexion *f; résistance f à la ~* Biegefestigkeit *f;* **~ueux, se** [-sɥø, -øz] gewunden, mehrfach gebogen; **~uosité** [-sɥo-] *f* Gewundenheit *f.*

flibust|erie [flibystəri] *f* Freibeuterei; Gaunerei *f;* **~ier** *m* Freibeuter; Hochstapler, Gauner *m.*

flic [flik] *m péj* Schupo, *fam* Bulle *m; ~ flac (interj fam)* klipp, klapp; klitsch, klatsch; **~aille** [-aj] *f péj* Polente, Polizei *f.*

fling|ot, ~ue [flɛ̃go, flɛ̃g] *m pop* Flinte, Knarre *f;* **~uer** *arg* ab=knallen.

flipper [flipe] *fam* aus=flippen.

flipper [flipœr] *m* Flipper *m.*

flirt [flœrt] Flirt *m;* Liebelei *f; être en ~ avec qn* mit jdm flirten; **~age** *m* Tändelei *f,* Kokettieren *n;* **~er** flirten, kokettieren, *fam* poussieren; **~eur, se** *m f* Kokettierer *m,* Kokette *f.*

floc [flɔk] **1.** *interj* plumps! **2.** *s m* Quaste *f.*

floche [flɔʃ] *a (tech)* langhaarig; *s f* Flocke; Faser *f; soie f ~* Flockseide *f.*

flocon [flɔkɔ̃] *m* Flocke *f;* Faserbüschel *n; tomber par ~s, à gros ~s* in dicken Flocken fallen; ~*s d'avoine, de neige, de savon* Hafer-, Schnee-, Seifenflocken *f pl; ~ de fumée* Rauchwölkchen *n;* ~**ner** [-kɔ-] Flocken bilden; ~**neux, se** flockig.

flonflon [flɔ̃flɔ̃] *m* Tschingbum *n,* Bumsmusik *f (pop).*

flopée [flɔpe] *f pop* Masse, große Menge *f, fam* Unmenge (*de* von).

flor|aison [flɔrɛzɔ̃] *f* Blüte(zeit) *f,* Blühen *n;* ~**al, e** Blumen-, Blüten-; *exposition f ~e* Blumenschau *f;* ~**e** *f* Flora *f;* ~**alies** *f pl* Gartenschau *f.*

flor|ence [flɔrɑ̃s] *m* Futtertaft *m; F~ f* Florenz *n;* ~**entin** florentinisch.

florès [flɔrɛs] *m: faire ~ (fam)* Furore machen.

flori|culture [flɔrikyltyr] *f* Blumenzucht *f;* ~**fère** blütentragend; Blüten-; ~**lège** *m (fig)* Blumenlese *f.*

florin [flɔrɛ̃] *m* Gulden *m.*

florissant, e [flɔrisɑ̃] *fig* blühend.

flot [flo] *m* Welle, Woge; Flut *f;* Strom *m a. fig; fig* Menge, Masse *f,* Schar(en) *f (pl); à grands, longs ~s* in Strömen; *être à ~ (mar)* flott, *fig* bei Kasse sein; *mettre du bois à ~* Holz flößen; *remettre à ~* wieder flott=machen; *fig* wieder auf die Beine helfen (*qn* jdm); ~*s de fumée* Rauchfahnen *f pl; ~ humain, de gens* Menschenstrom *m; ~ de lumière* Lichtflut *f;* ~*s de ruban* Bändermeer *n;* ~**table** [flɔ-] flößbar; schwimmfähig; ~**tage** *m* Flößen *n; train m de ~* Floß *n;* ~**taison** *f (ligne f de ~)* Wasserlinie *f;* ~**tant, e** schwimmend *a. tech;* treibend; schwebend; flatternd, wehend, fliegend; *(Farbe)* schillernd; *(Schuld)* schwebend; *(Haar)* wallend; *fig* unsicher, veränderlich, schwankend; *mine f ~e* Treibmine *f; rein m ~* Wanderniere *f;* ~**te** *f* Flotte; Boje *f;* Bierbottich *m; pop* Wasser *n,* Regen *m; pl fam* Menge *f; ~ aérienne, commerciale, de guerre* Luft-, Handels-, Kriegsflotte *f; ~ baleinière, charbonnière, pétrolière* Walfang-, Kohlen-, Tankerflotte *f;* ~**té, e** *(Tischlerei)* überea.liegend; ~**tement** *m* Schwanken *a. fig; fig* Zögern *n,* Unentschlossenheit *f;* ~**ter** *itr* schwimmen, treiben; schweben (*en l'air* in der Luft); wehen, flattern, fliegen, wogen, wallen; hin- u. her=gehen; *fig* freien Lauf haben; schwanken; *tech* wackeln, lose sein, schlagen; *pop* regnen; *tr (Holz)* flößen; *un sourire ~ait sur ses lèvres* ein Lächeln spielte um s-e Lippen; ~**teur** *m tech* Schwimmer, Schwimmkörper *m;* ~**tille** [-ij] *f* Flottille *f.*

flou, e [flu] *a adv* zart, weich; duftig; *(Kleid)* locker, lose; *phot* unscharf, verschwommen; *fig* unbestimmt; *s m* Verschwommenheit, weiche Manier; Unbestimmtheit; *phot* Unschärfe *f; ~ d'image* Verwack(e)lung, Verwaschung *f; ~ de mouvement* Bewegungsunschärfe *f.*

flouer [flue] *fam vx* begaunern, bestehlen.

fluctu|ant, e [flyktɥɑ̃, -ɑ̃t] fluktuierend, schwankend, unbeständig, unsicher; ~**ation** *f* Schwankung *f;* ~*s des changes, de conjoncture, des prix* Währungs-, Konjunktur-, Preisschwankungen *f pl; ~ de vitesse, de voltage* Geschwindigkeits-, Spannungsschwankung *f;* ~**er** *fig* schwanken.

fluet, te [flyɛ, -ɛt] schmächtig, dünn; zart, schwächlich.

fluid|e [flɥid] *a* (dünn)flüssig; *fig* flüssig; *s m* flüssige(r) *od* gasförmige(r) Körper *m;* Flüssigkeit *f;* Fluidum *n;* ~**ifier** verflüssigen; ~**ité** *f* flüssige(r) Zustand *m.*

fluor [flyɔr] *m chem* Fluor *n; spath m ~* Flußspat *m;* ~**escence** *f* Fluoreszenz *f;* ~**escent, e** fluoreszierend; *tube m ~* Leuchtstoffröhre *f;* ~**ine** *f* Flußspat *m;* ~**ure** *f* Fluorid, Fluorsalz *n.*

flût|e [flyt] *f* Flöte *f;* Flötist *m;* längliche(s) Brot *n; (~ à champagne)* Sektglas *n; pl fam* lange, dünne Beine *n pl; interj fam* verflixt! *être du bois dont on fait des ~s (fig)* sehr weich sein; *~ à bec, douce* Blockflöte *f; F~ enchantée* Zauberflöte *f; ~ à l'oignon* Rohrflöte *f;* ~**é, e** *(Ton)* hell u. zart; Flageolett-; ~**eau** *m* Kinderflöte *f;* ~**er** *(Amsel)* flöten; ~**iste** *m* Flötenspieler, Flötist *m.*

fluvi|al, e [flyvjal] Fluß-; *navigation f ~e* Flußschiffahrt *f;* ~**atile** am, im Wasser lebend; ~**ométrique:** *échellef ~* Wasserstandsmesser, Pegel *m.*

flux [fly] *m* Flut *f a. fig; med* Ausfluß *m; tech* Strömen, Fließen *n,* Strömung *f; el* Fluß *m; ~ lumineux* Lichtstrom *m; ~ de paroles* Wortschwall *m; ~ et reflux* Ebbe u. Flut *f;* Gezeiten *pl; fig* (das) Hin u. Her; ~**ion** [-ksjɔ̃] *f med* Anschwellung, Entzündung; *fam* dicke Backe *f; ~ de poitrine* Lungenentzündung; entzündliche Reizung *f* von Lunge, Bronchien, Brustfell *od* Brustmuskel.

foc [fɔk] *m mar* Klüver *m.*

focal, e [fɔkal] *a* Brennpunkt-; *s f opt* Brennweite, -linie *f;* ~**isation** *f* Scharfeinstellung; Bündelung *f;* ~**iser** *(Strahlen)* bündeln.

foène, foëne [fwɛn] *f* Harpune *f.*
fœtus [fetys] *m* Leibesfrucht *f.*
foi [fwa] *f* Glaube(n) *m;* Vertrauen *n* (*en* auf, in *acc,* zu); Glaubwürdigkeit; Treue; Aufrichtigkeit, Zuverlässigkeit, Gewissenhaftigkeit; Beglaubigung *f;* Zeugnis *n; jur* Verbindlichkeit; *pol* Überzeugung *f; de, en bonne* ~ gutgläubig, in gutem Glauben; nach bestem Wissen und Gewissen; *de mauvaise* ~ böswillig, wider Treu u. Glauben; *en* ~ *de quoi (jur)* urkundlich dessen; *sous la* ~ *du serment* an Eides Statt; *sur la* ~ *des traités* im Vertrauen auf die Verträge; *ajouter* ~ *à qc* e-r S Glauben schenken; *avoir* ~ *en qn, qc* zu jdm Zutrauen haben; jdm, etw glauben; *faire* ~ *de qc* etw beglaubigen, beweisen; *faire* ~ maßgebend sein; Beweiskraft haben; *garder sa* ~ sein Wort halten; *ma* ~*!* wahrhaftig! *ma* ~*, oui* allerdings; *il est de mauvaise* ~ man kann ihm nicht trauen; *article m de* ~ Glaubensartikel *m; bonne* ~ Treu u. Glauben; *digne de* ~ glaubwürdig; *profession f de* ~ Glaubensbekenntnis *n;* ~ *conjugale* eheliche Treue *f;* ~ *des contrats* Vertragstreue *f;* ~ *des traités* Verbindlichkeit *f* der Verträge.
foie [fwa] *m* Leber *f; avoir les* ~*s (pop)* Bammel, Angst haben; *huile f de* ~ *de morue* Lebertran *m; pâté m de* ~ *gras* Gänseleberpastete *f.*
foin [fwɛ̃] **1.** *s m* Heu *n; pl* Heuernte *f;* **2.** *interj* pfui! *avoir du* ~ *dans ses bottes* gutsituiert, wohlhabend sein; *être bête à manger du* ~ dumm wie Bohnenstroh sein; *faire un* ~ *du diable (pop)* e-n Höllenlärm machen; *faire ses* ~*s* heuen; *fig* sein Schäfchen ins trockene bringen; *botte f de* ~ Heubündel *n; grenier m à* ~ Heuboden *m; meule f, tas m de* ~ Heuhaufen, -schober *m; rhume m, fièvre f des* ~*s* Heuschnupfen *m,* -fieber *n.*
foire [fwar] *f* (Jahr-)Markt *m;* Messe *f;* Volksfest *n; fam* Rummel *m,* Durcheinander, Geschrei *n; vulg* Dünnschiß *m; acheter à la* ~ *d'empoigne (fam)* stehlen, klauen; *faire la* ~ *(pop)* in Saus u. Braus leben; *champ, stand m de* ~ Messegelände *n,* -stand *m;* ~ *d'échantillons, de printemps* Muster-, Frühjahrsmesse *f;* ~ *aux rêves* Traumfabrik *f.*
foir|er [fware] kneifen; schief=gehen; *tech* sich überdehnen; *(Schraube)* sich überdrehen; nach=zünden; *mus* falsch spielen; ~**eux, se** *m f vulg* Hosenscheißer *m;* Bangbüx(e), Hängehose *f,* Feigling *m.*
fois [fwa] *f* Mal *n; à la* ~ auf einmal, zugleich; *bien des* ~ häufig, oft(mals); *chaque, (pop) à chaque* ~ jedesmal; *des* ~ *(pop)* manchmal, gelegentlich; *mainte(s)* ~ manches Mal, oft; *plusieurs* ~ mehrmals; *en plusieurs* ~ nach wiederholten Versuchen; nach und nach; etappenweise; *pour la dernière* ~ zum letztenmal; *la prochaine, la dernière* ~ nächstes Mal, das letztemal; *toutes les* ~ *que* jedesmal, wenn; *une* ~ einmal; *encore une* ~ nochmals, noch (ein)mal; *une* ~ *par an, par jour* einmal jährlich *od* im Jahr, täglich *od* am Tage; *une* ~ *que* ... wenn einmal ...; *une* ~ *pour toutes, une bonne* ~ ein für allemal; *il y avait, il était une* ~ es war einmal; *une* ~ *n'est pas coutume (prov)* einmal ist keinmal.
foison [fwazɔ̃] *f* Fülle *f; il y a de tout à* ~ es ist alles in Hülle u. Fülle vorhanden; ~**nement** [-zɔ-] *m* Aufquellen, Anschwellen *n; fig* Überfluß *m;* ~**ner** *(Pflanzen)* wuchern; *(Tiere)* wimmeln; sich stark vermehren; *chem* auf=gehen, -quellen; an=schwellen, wachsen; *fig* Überfluß haben (*de* an *dat*), im Überfluß vorhanden sein; *(Gedanke)* sich entwickeln.
folâtre [fɔlatr] mutwillig, ausgelassen; ~**r** ausgelassen sein; schäkern, scherzen; ~**rie** Mutwille *m,* Ausgelassenheit *f.*
foliation [fɔljasjɔ̃] *f* Foliierung *f.*
folichon, ne [fɔliʃɔ̃, -ɔn] ausgelassen, lustig.
folie [fɔli] *f* Narrheit, Verrücktheit; Geisteskrankheit *f,* Wahnsinn; dumme(r) Streich *m,* Torheit; Manie, Marotte *f;* Unsinn, Spaß *m,* Ausgelassenheit; heftige Leidenschaft; unsinnige Geldausgabe *f; pl* Scherzartikel *m pl; aimer qn à la* ~ in jdn ganz vernarrt sein; *faire des* ~*s* Dummheiten, Streiche, große Ausgaben machen; Unfug treiben; ~ *circulaire* manisch-depressive(s) Irresein *n;* ~ *discordante* Spaltungsirresein *n;* ~ *furieuse* Tobsucht *f;* ~ *des grandeurs* Größenwahn(sinn) *m;* ~ *des persécutions* Verfolgungswahn(sinn) m.
fol|ié, e [fɔlje] *bot* blätt(e)rig; ~**io** *m (Buch)* Blatt *n.*
folk|lore [fɔlklɔr] *m* Volkskunde *f;* ~**lorique** volkskundlich; *art m* ~ Volkskunst *f; chanson, danse f* ~ Volkslied *n,* -tanz *m;* ~**-song** *m* Folksong *m,* Volkslied *n.*
follement [fɔlmɑ̃] wahnsinnig.
follet, te [fɔlɛ, -ɛt] *a* albern, kindisch; *s m* Kobold *m; esprit m* ~ Poltergeist *m; feu m* ~ Irrlicht *n,* -wisch *m; fig*

Anwandlung *f;* Strohfeuer *n; poil m* ~ Flaumhaar n; Flaumbart *m.*

folicu|laire [fɔlikylɛr] *m* Revolverjournalist *m;* **~le** *m* Fruchtkapsel, Samenhülle *f; anat* Follikel *m,* Bläschen *n; ~ pileux* Haarbalg *m.*

foment|ateur, trice [fɔmɑ̃tatœr, -tris] *m* Anstifter, Aufwiegler, Hetzer *m; ~ de guerre* Kriegshetzer *m;* **~ation** *f med* Bähung; *fig* Anstiftung *f;* **~er** *fig* (an=)stiften; *(Streit)* schüren.

fon|cé, e [fɔ̃se] *(Farbe)* dunkel; **~cer** *tr* aus=schachten; *(Brunnen)* graben; *(Faß)* den Boden ein=setzen (*qc* dat); *min* ab=teufen, nieder=bringen; *(Farbe)* dunkler machen; *itr* sich stürzen (*sur* auf *acc*); her=fallen (*sur* über *acc*); (fort=, hinaus=)rennen, drauflos=fahren; *~ dans le brouillard (fig)* tapfer drauflos=gehen; **~ceur, se** *m f* Draufgänger(in *f*) *m.*

fon|cier, ère [fɔ̃sje, -ɛr] *a* Grund-, Boden-; Grundbuch-; *fig* bis auf den Grund gehend; gründlich; *(Irrtum)* fundamental; *s m* Grundsteuer *f; bien m ~* Grundstück *n,* Liegenschaft *f; crédit m ~* Bodenkredit(bank *f*) *m; impôt m ~, contribution f ~ère* Grundsteuer *f; propriétaire m ~* Grundeigentümer *m; registre m des propriétés ~ères* Grundbuch *n;* **~cièrement** *adv* von Grund aus, durchaus; *~ honnête* grundehrlich; *~ sain* kerngesund.

fonction [fɔ̃ksjɔ̃] *f* Amt *n,* Funktion *f,* Posten; Beruf *m;* Tätigkeit, Verrichtung; *math* Funktion; *chem* Wirkung, Wirksamkeit *f; pl* Amtsgeschäfte *n pl,* Dienstobliegenheiten *f pl; au moment de l'entrée en ~* beim Amtsantritt; *dans l'exercice de ses ~s* in Ausübung s-s Amtes; *cesser ses ~s* s-e Tätigkeit ein=stellen; *charger qn d'une ~, confier une ~ à qn* jdm ein Amt übertragen; *demeurer, rester en ~* im Amt bleiben; *destituer, relever, renvoyer qn de ses ~s* jdn s-s Amtes entheben; *entrer en ~(s)* sein Amt an=treten; in Funktion treten, wirksam werden; *être ~ de qc* von etw ab=hängen; *exercer une ~* ein Amt aus=üben *od* bekleiden *od* inne=haben; *faire ~ de* fungieren, dienen als; *initier qn à ses ~s* jdn in sein Amt ein=führen; *résigner ses ~s* sein Amt nieder=legen; **~naire** [-sjɔ-] *m f* Beamte(r) *m; corps m des ~s de carrière* Berufsbeamtentum *n; les hauts ~s* die Spitzen *f pl* der Behörden; *loi f sur les ~s* Beamtengesetz *n; traitement m des ~s* Beamtengehalt *n,* -besoldung *f; ~ administratif* Verwaltungsbeamte(r) *m; ~ de carrière, de profession* Berufsbeamte(r) *m; ~ titulaire* planmäßige(r) Beamte(r) *m;* **~narisation** *f* Verbeamtung *f;* **~nariser** verbeamten; verbürokratisieren; **~narisme** *m* Bürokratie *f;* **~nel, le** funktionell; funktional; **~nement** *m* Funktionieren, Arbeiten *n;* Betrieb, Lauf, Gang *m;* Wirkungsweise *f; mode m de ~* Arbeitsweise *f;* **~ner** funktionieren, arbeiten, in Gang sein, gehen, laufen.

fond [fɔ̃] *m* Grund, Boden; Unter-, Hintergrund *m a. fig,* Grundlage; Tiefe *f a. fig;* Bodensatz; Rest *m;* (das) Innerste; (die) Hauptsache, (das) Wesentliche; Inhalt; Kern; *(Textil)* Faden, Grund *m; jur* materielle Streitsache *f; sport* Zähigkeit, Ausdauer; *geol* Sohle, Talmulde; Geländevertiefung *f; min* Grubenbetrieb *m; mar* Bilge *f; à ~* gründlich, von Grund aus, eingehend; nachdrücklich, energisch; *à ~ de cale (mar)* im Kielraum; *fig fam* ohne Geld; *à ~ de train* in schnellstem Tempo; *au ~, dans le ~* im Grunde, eigentlich; in der Tiefe (*de* gen); *min* unter Tage; *au fin ~ de* im fernsten Winkel *gen; de ~ en comble* [fɔ̃tɑ̃kɔ̃bl] von Grund aus; ganz u. gar; *sans ~* grund-, bodenlos; *aller au ~ de qc* e-r S auf den Grund gehen, in e-e S tief ein=dringen; *avoir du ~* Ausdauer haben; über solide Kenntnisse verfügen; *couler à ~, envoyer par le ~ (tr)* versenken; *itr* sinken; *se détacher sur un ~ clair* sich von e-m hellen Hintergrund ab=heben; *faire ~ sur qn, qc* sich auf jdn, etw verlassen; jdm, e-r S *(dat)* volles Vertrauen schenken; *respirer à ~* tief atmen; *toucher au ~ d'un problème* auf den Kern e-s Problems stoßen; *traiter à ~* gründlich behandeln; *article m de ~* Leitartikel *m; audience f au ~ (jur)* Hauptverhandlung *f; couche f de ~ (Malerei)* Grundierung *f; course f de (grand) ~* Langstreckenlauf *m (über 5000 m); course f de demi-~* Mittelstreckenlauf *m; motif m de ~ (jur)* sachliche(r) Grund *m; projecteur m de ~* Rückscheinwerfer *m; ~ de culotte* Hosenboden *m; ~ du droit* materielle(s) Recht *n; ~ de lit* Bettrahmen *m; ~ de la mer* Meeresgrund *m; ~ musical, sonore* musikalische Untermalung; Hintergrundmusik *f; ~ de pêche* Fischgründe *m pl.*

fondage [fɔ̃daʒ] *m* (Aus-)Schmelzen *n;* (Metall-)Schmelze *f.*

fondamental, e [fɔ̃damɑ̃tal] Grund-, Haupt-; wesentlich; ursprünglich;

grundlegend; *accord, son m* ~ Grundakkord, -ton *m.*

fondant, e [fɔ̃dɑ̃, -t] *a* auf der Zunge zergehend, saftig, weich; *s m* Fondant *m (Zuckerwerk); med* Auflösungsmittel; *tech* Schmelz-, Flußmittel *n; (Metall)* Zuschlag *m; arg* Butter *f.*

fond|ateur, trice [fɔ̃datœr, -tris] *m f* Gründer(in *f*), Stifter(in *f*) *m; part f de* ~ Gründeraktie *f;* **~ation** *f* Gründung, Stiftung *f; arch* Fundament *n,* Fundierung *f; pl* Grundmauerwerk *n;* **~é, e** *a* begründet; ermächtigt, berechtigt; *(Schuld)* fundiert; *être ~ à croire* Grund haben anzunehmen, zu glauben; *s m; ~ général* Generalbevollmächtigte(r) *m; ~ de pouvoir(s), de procuration* Bevollmächtigte(r), Prokurist *m;* **~ement** *m* Grund *m,* Grundlage *a. fig;* Begründung *f; arch* Fundament *n; fam* After *m,* Hinterteil *n; sans* ~ unbegründet, grundlos; *jeter, poser les ~s* die Grundlagen, das Fundament legen; **~er** (be-)gründen; erbauen; den Grund legen (*qc* zu etw); *fig* stützen (*sur* auf *acc*); rechnen (*sur* mit); *(Schuld)* fundieren; berechtigen (*qn à qc* jdn zu etw); *se* ~ fußen, sich stützen (*sur* auf *acc*); *~ de grands espoirs sur qn* auf jdn große Hoffnungen setzen; *~ qn de procuration* jdm Prokura erteilen.

fond|erie [fɔ̃dri] *f* Gießerei, Schmelzhütte *f; ~ de caractères, de cloches* Schrift-, Glockengießerei *f;* **~eur** *m* Gießer, Schmelzer *m; ~ de caractères, de cloches* Schrift-, Glockengießer *m;* **~eur, se** *m f* Langläufer(in *f*) *m;* **~euse** *f* Gießmaschine *f;* **~oir** *m* Fettschmelze *f;* **~re** *tr* gießen; (ein=, ver)schmelzen; flüssig machen; verhütten; *(Butter)* zerlassen; *(Sicherung)* durch=brennen; *fig* auf=lösen; vereinigen, verschmelzen; vermischen; *(Aktien)* zu Geld machen; *itr* schmelzen; *(Eis)* auf=tauen; sich auf=lösen; zergehen; auf=gehen *(dans* in *dat); (*los=)stürzen (*sur* auf *acc*), her=fallen (*sur* über *acc*); *fig* ab=nehmen, dahin=schwinden; *fam* ab=magern; *se* ~ verschmelzen, zerfließen; auf=gehen (*dans* in *dat*); (ver)schwinden; *(Farben)* inea.=laufen; *~ en larmes* in Tränen zerfließen.

fondrière [fɔ̃drijɛr] *f* Sumpf-, Schlammloch *n.*

fonds [fɔ̃] *m* Grund u. Boden *m;* Grundstück; *(~ de commerce)* Geschäft *n,* Laden *m,* Lager *n; mus* Grundregister *n pl;* Vorrat, Bestand, Schatz; *fig* Stoff *m,* Kenntnisse *f pl; pl* Beträge *m pl,* Summen *f pl,* Fonds *m,* Kapital *n,* Gelder *n pl; à ~ perdu* ohne Aussicht auf Rückerstattung, auf Nimmerwiedersehen; *être en* ~ bei Kasse sein; *faire les* ~ das Kapital auf=bringen (*de qc* für etw); *rentrer dans ses* ~ sein Geld zurück=bekommen; *nos ~ sont bas (fam)* wir sind schlecht bei Kasse; *bailleur m de* ~ Geldgeber *m; mise f de* ~ Kapitaleinlage *f; ~ d'amortissement* Tilgungsfonds *m; ~ de caisse* Kassenbestand *m; ~ consolidés* Konsols *pl; ~ d'égalisation des changes* Devisenausgleichsfonds *m; ~ d'État, publics* Staatspapiere *n pl; ~ de grève* Streikkasse *f; ~ de marchandises* Warenlager *n; F~ Monétaire International* Internationale(r) Währungsfonds *m; ~ de prévoyance du personnel* Personalausgleichsfonds *m; ~ de prévision, de réserve* Rücklagefonds *m; ~ de retraite* Pensionskasse *f; ~ de roulement* Betriebskapital *n; ~ de secours* Unterstützungsfonds *m; ~ secret* Geheimfonds *m; ~ de stabilisation monétaire* Währungsstabilisierungsfonds *m; ~ social* Gesellschaftskapital *n.*

fondu, e [fɔ̃dy] *a* geschmolzen, gegossen, aufgelöst, flüssig; verschwommen, verfließend; inea. übergehend; *pop* verrückt; *s m film* Überblendung; Farbabstufung *f; fermeture, ouverture f en ~ (film)* Ab-, Aufblendung *f; ~ masqué graduel* Tricküberblendung; *s f* Fondue *f* od *n (warmes Käsegericht); ~ bourguignonne* Fleischfondue *f* od *n; ~ savoyarde* Käsefondue *f* od *n.*

fong|ible [fɔ̃ʒibl] *jur* vertretbar; *choses f pl ~s* Verbrauchsgüter *n pl;* **~icide** *m* Mittel *n* gegen den Hausschwamm; **~us** [-gys] *m bot* Schwamm *m; med* Schwammgeschwulst *f.*

fontaine [fɔ̃tɛn] *f* Quelle *f a. fig;* (Spring-)Brunnen; Wasserbehälter *m; bassin m de* ~ Brunnenbecken *n; eau f de* ~ Brunnenwasser *n; F~ de Jouvence* Jungbrunnen *m;* **~rie** *f* Brunnenbau *m.*

fontanelle [fɔ̃tanɛl] *f anat* Fontanelle *f.*

fonte [fɔ̃t] *f* **1.** Schmelze *f;* Auf-, Ein-, Verschmelzen; Auftauen; Gießen *n;* Guß *m;* Gußstück; Guß-, Roheisen *n;* Grauguß; *typ* Schriftguß *m;* **2.** Pistolenhalfter *f* od *n; de, en* ~ gußeisern; *~ brute, crue* Roheisen *n; ~ en coquilles* Hart-, Kokillenguß *m; ~ de fer* Gußeisen *n;* Eisenguß *m; ~ des neiges* Schneeschmelze *f.*

fonts [fɔ̃] *m pl: ~ baptismaux* Taufbecken *n,* -stein *m; tenir sur les ~ baptismaux* aus der Taufe, über die Taufe halten.

football [futbol] *m* Fußball *m; équipe f, match, terrain m de ~* Fußballmannschaft *f,* -spiel *n,* -platz *m;* **~er, ~eur, se** [-œr, -øz] *m* Fußballspieler(in *f*) *m.*

for [fɔr] *m: en, dans mon ~ intérieur* in meinem Innersten.

forage [fɔraʒ] *m* Bohren *n,* Bohrung *f;* Bohrloch *n.*

forain, e [fɔrɛ̃, -ɛn] *a* Jahrmarkt-; *s m u. marchand m ~* ambulante(r) Händler *m.*

forban [fɔrbɑ̃] *m* Freibeuter; Gauner, Hochstapler *m.*

forçage [fɔrsaʒ] *m agr* Verfrühung *f.*

forçat [fɔrsa] *m* Zuchthäusler, Sträfling *m.*

forc|e [fɔrs] *f* Kraft, Stärke, Macht, Gewalt, Wucht *f;* Zwang *m;* Vermögen *n;* elektrische Kraft *f,* Strom *m;* Wirkung(sgrad *m*); Schärfe *f;* Nachdruck *m; (Flüssigkeit)* Konzentration *f,* Gehalt; Einfluß *m;* (geistige) Fähigkeit *f,* Vermögen *n; (Arbeit)* Schwierigkeit *f; (ohne Artikel)* e-e Menge, sehr viele; *pl* Streitkräfte *f pl; pl* Tuch-, Stockschere *f; à ~ de travailler* durch vieles Arbeiten; *à ~ de bras* durch s-r Hände Arbeit; *à toute ~* mit aller Gewalt; unbedingt; *dans la ~ de l'âge* im besten Alter; *dans toute la ~ du terme* im wahrsten Sinne des Wortes; *de toutes ses ~s* aus Leibeskräften; *de ~, par ~* mit Gewalt, gewaltsam; zwangsweise; *de gré ou de ~* wohl oder übel; *en ~* in großer Zahl; *mil* mit beträchtlicher Truppenstärke; *avoir ~ de loi* Gesetzeskraft haben; *avoir ~ obligatoire* verbindlich sein; *être de ~ à* imstande sein zu; *reprendre des ~s* wieder zu Kräften kommen; *~ est de (mit inf)* man muß; *la ~ prime le droit* Gewalt geht vor Recht; *camisole f de ~* Zwangsjacke *f; déploiement m de ~s* Kraftaufwand *m; économie f des ~s* Kräftehaushalt *m; maison f de ~* Zuchthaus *n; tour m de ~* Kraftprobe, -leistung *f; ~s aériennes* Luftstreitkräfte *f pl; ~ ascensionnelle* Auftrieb *m; ~ attractive, d'attraction* Anziehungskraft *f; ~ centrifuge* Fliehkraft, Zentrifugalkraft *f; ~ centripète* Zentripetalkraft *f; ~ de corps* Schriftgrad *m; ~ de décision* Entschlußkraft *f; ~ de dissuasion* Abschreckungspotential *n; ~ effective* Nutzkraft *f; ~ explosive* Sprengkraft *f; ~ de frappe* nukleare Schlagkraft, Force de frappe *f; ~ hydraulique* Wasserkraft *f; ~ d'inertie* Beharrungsvermögen *n; ~ majeure* höhere Gewalt *f; ~ motrice* Antriebskraft, Energie *f;* Kraftstrom *m; ~s navales* Seestreitkräfte *f pl; ~s d'occupation* Besatzungsstreitkräfte *f pl; ~ de pénétration, de perforation* Durchschlagskraft *f; ~ de pesanteur* Schwerkraft *f; ~ portante* Tragkraft *f; ~ probante* Beweiskraft *f; ~ publique* öffentliche Gewalt *f; ~ rétroactive* rückwirkende Kraft *f; ~s de surface* Bodentruppen *f pl; ~s de terre et de mer* Land- u. Seestreitkräfte *f pl; ~s terrestres* Landstreitkräfte *f pl; ~ de traction* Zugkraft *f; ~ du vent* Windstärke *f; ~ de volonté* Willenskraft *f;* **~é, e** *a* gezwungen; zwangsläufig; Zwangs-; *fam* unvermeidlich; *fig* erkünstelt, unnatürlich; steif; *atterrissage m ~ (aero)* Notlandung *f; carte f ~e (fam)* Zwang *m; cours m ~* Zwangskurs *m; emprunt m ~* Zwangsanleihe *f; exécution f ~e* Zwangsvollstreckung *f; marche f ~e* Eilmarsch *m; travaux m pl ~s* Zwangsarbeit *f;* **~ément** *adv* mit Gewalt, gezwungenermaßen, notgedrungen; **~ené, e** *a* rasend, toll, wütend; außer sich; fanatisch, leidenschaftlich; eingefleischt; *s m* Wahnsinnige(r); Wüterich *m.*

forceps [fɔrsɛps] *m* Geburtszange *f.*

forcer [fɔrse] **1.** *itr (Wind)* stärker werden; *(beim Kartenspiel)* stechen; *tech* e-n Druck aus=üben, e-e Kraft wirken lassen (*sur* auf *acc*); *sport* sich bis zum äußersten an=strengen, sich verausgaben; *sans ~ (fam)* spielend leicht, bequem; *~ de rames, de voiles* aus Leibeskräften rudern, segeln so schnell es geht; *~ de vapeur* Volldampf geben; **2.** *tr (faire céder qc)* mit Gewalt öffnen *od* ein=nehmen; *~ l'entrée* den Zugang erzwingen; *(Tür)* auf=brechen; *(Schlüssel)* überdrehen; *(Hindernis)* überwinden; *(Widerstand)* brechen; **3.** *(faire céder qn)* bezwingen, nötigen, Gewalt an=tun *(qn* jdm); *~ qn à boire* jdn zum Trinken nötigen; *~ la main à qn* jdn *(zu e-r bestimmten Handlung)* zwingen; *~ qn à obéir* jdm s-n Willen auf=zwingen; *il a été ~é de céder* er mußte nach=geben; *(Mädchen)* vergewaltigen; *(Wild)* verfolgen, zu Tode hetzen; *(Verbot)* übertreten; **4.** *(obtenir de force)* erzwingen; *~ la porte de qn* mit Gewalt bei jdm ein=dringen, den Zutritt zu jdm erzwingen, sich bei jdm gewaltsam Eintritt verschaffen; *vouloir ~ la sympathie de qn* jds Zuneigung erzwingen wollen; *son courage ~e l'admiration* man kann s-n Mut nur bewundern; **5.** *(solliciter exagérément, accélérer)* übertreiben; *(Pferd, Stimme, Muskel)* überanstrengen; ~ *son talent* sich übernehmen; *(Schritt)* beschleunigen; *agr (Pflanzen)* verfrühen; *(Rechnung)* überhöhen; *(Text)* einseitig aus≈legen; *(Sinn)* verfälschen; **6.** *se* ~ sich Gewalt an≈tun, sich zwingen (*à* zu); sich überanstrengen.

forcerie [fɔrsəri] *f* Treibhaus *n.*

forcing [fɔrsiŋ] *m (Fußball)* plötzliche(r) Vorstoß *m.*

forcir [fɔrsir] *fam (Kind)* kräftig(er) werden.

forcl|ore [fɔrklɔr] *irr jur* (wegen Fristversäumnis) aus≈schließen; ~**usion** *f jur* Rechtsausschluß *m.*

forer [fɔre] (an≈, aus≈)bohren; ~ *au préalable* vor≈bohren.

forestier, ère [fɔrɛstje, -ɛr] *a* forstwirtschaftlich; Forst-, Wald-; *s m* Förster *m; chemin m* ~ Waldweg *m; maison f* ~*ère* Forst-, Försterhaus *n; ouvrier m* ~ Waldarbeiter *m.*

foret [fɔrɛ] *m* Bohrer *m;* ~ *à bois* Holzbohrer *m.*

forêt [fɔrɛ] *f* Wald *a. fig;* Forst *m; les arbres lui cachent la* ~ er sieht den Wald vor (lauter) Bäumen nicht; ~ *domaniale* Staatsforst *m;* ~ *à essences feuillies, mixtes* Laub-, Mischwald *m; la F~-Noire* der Schwarzwald; ~ *de résineux* Nadelwald *m;* ~ *vierge* Urwald *m.*

for|eur [fɔrœr] *m* Bohrer *m (Arbeiter);* ~**euse** *f* Bohrmaschine *f.*

forfai|re [fɔrfɛr] *irr* pflichtwidrig handeln (*à* gegen); ~**t** [-fɛ] *m* **1.** Schand-, Missetat *f;* Verbrechen *n;* **2.** Akkord, Stücklohn; Pauschalvertrag *m;* **3.** *(Pferderennen)* Abstandssumme *f,* Reugeld *n; acheter à* ~ in Bausch u. Bogen kaufen; *déclarer* ~ *(sport)* s-e Meldung zurück≈nehmen; verzichten; *travailler à* ~ im Akkord arbeiten; *prix m à* ~ Pauschalpreis *m; travail m à* ~ Akkordarbeit *f;* ~**taire** *a* Pauschal-; *somme f* ~ Pauschalsumme *f;* ~**ture** *f* Verletzung *f* der Amtspflicht.

forfanterie [fɔrfɑ̃tri] *f* Prahlerei, Großsprecherei *f.*

forficule [fɔrfikyl] *f* Ohrwurm *m.*

forg|e [fɔrʒ] *f* Schmiede; Esse *f;* Hammerwerk *n; bes. pl* Hütte *f;* ~ *de campagne, volante* Feldschmiede *f;* ~ *de maréchal-ferrant* Dorfschmiede *f;* ~**é, e** geschmiedet; ~ *à la main* handgeschmiedet; ~**eable** schmiedbar, hämmerbar; ~**er** schmieden, hämmern; *fig* auf≈stellen; gestalten; ersinnen, aus≈denken; fälschen; *(Wort)* bilden; *(Vorwand)* erfinden; *c'est en* ~*eant qu'on devient forgeron* Übung macht den Meister; ~**eron** [-ʒə-] *m* (Grob-)Schmied *m.* ~**eur** [fɔrʒœr] *m* Schmied; *fig* Erfinder *m;* ~ *de couteaux* Messerschmied *m.*

for|huer [fɔrye] *(Jagd)* die Hunde zurück≈blasen; ~**jeter** *arch* vor≈springen, ~**lancer** *(Wild)* auf≈stöbern; ~**ligner** *vx* aus der Art schlagen.

form|aliser, se [fɔrmalize] übel≈nehmen *(de qc* e-e S), sich stoßen (*de qc* an e-r S); *math* formalisieren; ~**alisme** *m* Formalismus *m;* (übertriebene) Förmlichkeit *f;* ~**aliste** förmlich; streng auf die Form bedacht; kleinlich, umständlich.

formalité [fɔrmalite] *f* Förmlichkeit; Formalität *f; accomplir, remplir les* ~*s requises* die erforderlichen Formalitäten erfüllen; ~*s de douane* Zollformalitäten *f pl.*

format [fɔrma] *m* Format *n;* (Bild-) Größe; (Film-)Breite *f;* Anzeigenraum *m;* ~ *en hauteur, à la française, à l'italienne* Hochformat *n;* ~ *de poche* Taschenformat *n;* ~ *standard* genormte Größe *f.*

form|ateur, trice [fɔrmatœr, -tris] bildend, gestaltend; *s m f* Gestalter(in *f*) *m;* ~**atif, ive** bildend; Bildungs-; ~**ation** *f* (Aus-)Bildung, Entwicklung; Entstehung, Gestaltung, Schulung *f;* Gebilde *n;* Form *f;* Bau *m;* Organisation, Gruppe; *geol* Formation; *com* Gründung *f; mil* Verband *m,* Gliederung, Ordnung *f; pl* Truppen *f pl; de récente* ~ neu aufgestellt; *en* ~ in Aufstellung; *en* ~ *serrée, dense, compacte (mil)* in geschlossener Formation; ~ *accélérée* Kurzausbildung *f;* ~ *de toutes armes (mil)* gemischte(r) Verband *m;* ~ *blindée* Panzerverband *m;* ~ *de capitaux* Kapitalbildung *f;* ~ *continue, permanente* Weiterbildung *f;* ~ *générale* Allgemeinbildung *f;* ~ *de marche* Marschordnung *f;* ~ *ouverte* geöffnete Ordnung *f;* ~ *des prix* Preisbildung *f;* ~ *professionnelle* Berufsausbildung *f;* ~ *de tourbillons* Wirbelbildung *f;* ~*s de transmissions* Nachrichtentruppen *f pl;* ~ *de vol serrée (aero)* geschlossene Formation *f.*

forme [fɔrm] *f* Form; Gestalt, Körperform; Art, Weise *f;* Ausdruck *m; sport* Form, Verfassung *f; mar* Dock; *(Hase)* Lager *n; (Schuh)* Leisten *m; typ* Druckform *f;* Rahmen *m; pl* Umgangsformen, Manieren *f pl; à la* ~ *(Papier)* handgeschöpft; mit Büttenrand; *en* ~ *de* in Form *gen;* als, wie; -förmig; *en bonne et due* ~ in aller Form; vorschriftsmäßig; *pour la* ~

pro forma, zum Schein; der Form wegen; *pour la bonne* ~ der Ordnung halber; *sans autre* ~ *de procès* kurzerhand, ohne weiteres, ohne weitere Umstände; *sous (la)* ~ *de* in Gestalt *gen; sous cette* ~ in dieser Fassung; *épouser, revêtir une autre* ~ e-e andere Gestalt an≈nehmen; *être en pleine* ~ *(sport)* in Hochform sein; *étudier qc sous toutes ses* ~*s* etw in jeder Bez iehung prüfen; *manquer de* ~*s* keine Manieren haben; *y mettre les* ~*s* sich taktvoll aus≈drücken; *prendre la* ~ *de* die Gestalt *gen* an≈nehmen; *prendre des* ~*s (fam)* zu≈nehmen, dicker werden; *défaut, vice m de* ~ Formfehler *m; manque m de* ~ Formlosigkeit, Ungeschliffenheit *f;* ~ *aérodynamique* Stromlinienform *f;* ~ *à gâteau* Kuchenform *f;* ~ *d'impression* Druckform *f.*

formel, le [fɔrmɛl] ausdrücklich, förmlich, formell; *beauté f* ~*le* Formschönheit *f; éducation f* ~*le* Formalbildung *f.*

former [fɔrme] **1.** *(créer)* schaffen, machen; erzeugen, hervor≈bringen; *Dieu a* ~*é l'Univers* Gott schuf die Welt; *(Plan)* auf≈stellen, schmieden; ~ *des mots nouveaux* neue Wörter prägen; *(Regierung, Satz)* bilden; *(Wunsch, Argwohn)* hegen; *(Sammlung)* auf≈bauen; *(Gewohnheit)* an≈nehmen; *(Unternehmen)* gründen; *(Beschluß)* fassen; *(Bündnis)* schließen; *(Truppen)* auf≈stellen; *ces montagnes* ~*ent un cadre magnifique* diese Berge geben e-n wunderbaren Rahmen ab; **2.** *(donner forme à qc) e-e S* gestalten, formen; *(Zug)* zs.≈stellen; **3.** *(développer, entraîner)* aus≈bilden, entwickeln, erziehen; ~ *le goût de qn* jds Geschmack bilden; ~ *un apprenti* e-n Lehrling aus≈bilden; *il a été* ~*é à rude école* er hat e-e harte Schule durchgemacht; ~ *qn à la réflexion* jdm das Denken bei≈bringen; **4.** *(constituer)* bilden, dar≈stellen, sein; *les anneaux* ~*ent une chaîne* die Ringe bilden e-e Kette; *parties qui* ~*ent un tout* Teile, die sich zu e-m Ganzen zs.≈fügen; ~*é de* bestehend aus; **6.** *se* ~ sich bilden, entstehen, sich entwickeln; sich auf≈stellen; **7.** *(expressions)* ~ *un numéro* e-e Nummer wählen; ~ *bloc autour de qn* sich um jdn scharen; ~*ez les faisceaux!* setzt die Gewehre zs.!

formiate [fɔrmjat] *m* ameisensaure(s) Salz *n.*

formica [fɔrmika] *m (Warenzeichen)* Resopal *n (Warenzeichen).*

formi|cant, e [fɔrmikɑ̃, -t] *(Puls)* schnell, aber schwach; ~**cation** *f* Kribbeln *n.*

formidable [fɔrmidabl] fürchterlich, furchtbar; kolossal, riesig, ungeheuer; *fam* erstklassig; hervorragend, sensationell, phänomenal; *pop* gewaltig, furchtbar.

form|ique [fɔrmik] Ameisen-; *acide m* ~ Ameisensäure *f;* ~**ol** *m chem* Formaldehyd *n.*

Formose [fɔrmoz] *f hist* Formosa *n.*

form|ulaire [fɔrmylɛr] *m* Vordruck *m,* Formular; Formelbuch *n;* ~ *de déclaration* Anmeldebogen *m;* ~ *de demande* Antragsformular *n;* ~**ulation** *f* Formulierung *f;* ~**ule** *f* Formel *f a. math chem;* Formblatt *n,* Vordruck *m;* Rezept *n;* ~ *de chèque* Scheckformular *n;* ~ *de compromis (pol)* Kompromißformel *f;* ~ *de début, finale* Eingangs-, Schlußformel *f;* ~*s de politesse* Höflichkeitsformeln *f pl;* ~**uler** ab≈fassen, formulieren, in Worte fassen; zum Ausdruck bringen; aus≈sprechen; *(Antrag)* stellen; *(Einwand)* erheben; *(Rezept)* schreiben; *math* auf e-e Formel bringen; ~ *un avis* e-e Stellungnahme ab≈geben; ~ *une plainte* e-e Klage ein≈reichen.

forni|cateur [fɔrnikatœr] unzüchtige(r) Mensch *m;* ~**cation** *f* Unzucht *f;* ~**quer** Unzucht treiben.

forsythia [fɔrsisja] *m* Forsythie *f.*

fort, e [fɔr, -rt] *a* kräftig, stark; groß; beleibt, korpulent, dick; reichlich; fest, dauerhaft, haltbar; abgehärtet; geschickt, tüchtig, fähig; gut beschlagen, bewandert *(en, dans une discipline* in e-m Fach, *sur une question* in e-r Frage); gewandt (*à un jeu* bei e-m Spiel); scharfsinnig, klug, intelligent; energisch; eigenwillig; heftig, kräftig, schwer; wirksam; einflußreich; mächtig; überzeugend, entscheidend; übertrieben, zu weitgehend; unglaublich; *mil* befestigt; *(Wein)* schwer; *(Essig, Soße)* scharf; *(Boden)* fett, schwer; *(Farbe)* dick aufgetragen; *(Butter)* ranzig; *(Hüfte)* breit; *(Blech)* grob, dick; *(Summe)* hoch, beträchtlich; *(Aussichten)* gut; *(Wort)* drastisch; gestützt, im Vertrauen (*de* auf *acc*); *adv* sehr; äußerst; stark; heftig; laut *(sprechen)*; *s m* Starke(r) *m;* Stärke; starke, stärkste Seite *f;* höchste(r) Grad *od* Punkt, Höhepunkt *m;* Hauptsache *f,* -punkt *m; mil* Fort; *(Schiff)* Mittelteil *n; (Balken)* dickste(r) Teil *m; au* ~ *de* mitten in; *à plus* ~*e raison* um so mehr; *au sens* ~ *du mot* im eigentlichen Sinne des Wortes; *au prix* ~ sehr teuer; *avoir* ~ *à faire* viel zu tun haben; *avoir une ~e envie de* große Lust haben zu; *avoir l'haleine ~e* aus dem Munde riechen; *crier, parler ~* laut schreien, sprechen; *se faire ~* sich anheischig machen (*de* zu); *se porter ~ pour qn (vx)* für jdn ein=stehen; *prêter main-~e à qn* jdn tatkräftig unterstützen; *vous y allez ~!* Sie nehmen den Mund voll! *c'est un ~ en gueule* er ist nicht auf den Mund gefallen; *ce n'est pas ~* das ist nicht besonders (klug); *c'est plus ~ que moi* ich kann mir nicht helfen; *c'est trop ~!* das ist unerhört! *devises f pl ~es* harte Währung *f; droit m du plus ~* Recht *n* des Stärkeren; *mer f ~e* hochgehende See *f; poids m ~* Bruttogewicht *n; prix m ~* volle(r) Preis *m;* **~ement** *adv* kräftig; stark, sehr, erheblich; fest; deutlich; *fig* heftig, nachdrücklich; tief.

forteresse [fɔrtərɛs] *f* Festung *f; ~ volante (aero)* fliegende Festung *f.*

fortifiant, e [fɔrtifjɑ̃, -t] *a* stärkend; *s m* Stärkungsmittel *n.*

fortification [fɔrtifikasjɔ̃] *f* Befestigung *f; pl* Festungswerke *n pl; ~ de campagne, côtière* Feld-, Küstenbefestigung *f.*

fortifier [fɔrtifje] (be-, ver)stärken, Kraft verleihen (*qn* jdm), kräftigen; *mil* befestigen.

fortin [fɔrtɛ̃] *m* kleine(s) Fort *n.*

fortiori [fɔrsjɔri] : *à ~* desto eher, (mit) um so mehr (Recht).

fortrait, e [fɔrtrɛ, -t] *(Pferd)* abgetrieben.

fortuit, e [fɔrtɥi, -it] unvorhergesehen, zufällig.

fortu|ne [fɔrtyn] *f* Glück(sfall *m*) *n;* Zufall *m;* Los, Schicksal; Vermögen *n;* Reichtum *m; mar* Notsegel *n; la F~* Fortuna, die Glücksgöttin; *de ~* Not-, Hilfs-, Behelfs-; behelfsmäßig; *sans ~* unbemittelt; *avoir de la ~* wohlhabend, begütert sein; *bâtir, gagner une ~* ein Vermögen erwerben; *faire ~* sein Glück machen, reich werden; *inviter qn à la ~ du pot* jdn ohne Umstände ein=laden; *bonne ~* glückliche(r) Zufall *m; champ m d'atterrissage de ~* Notlandeplatz *m; état m de ~* Vermögenslage *f; impôt m sur la ~* Vermögenssteuer *f; mauvaise ~* Unglück *n; revers m pl de ~* Schicksalsschläge *m pl; ~ nationale* Volksvermögen *n; ~s de mer* Gefahren *f pl* der See; Seerisiko *n; ~ sociale* Gesellschaftsvermögen *n;* **~né, e** begütert, wohlhabend; vom Glück begünstigt.

forum [fɔrɔm] *m* Forum *n.*

forure [fɔryr] *f* Bohrung *f,* Bohrloch *n.*

foss|e [fos] *f* Grube *f a. anat mot;* Loch *n,* Höhle; Gruft *f,* Grab *n; (Gerberei)* Lohgrube; *(Gießerei)* Schmelzgrube *f; min* Schacht(anlage *f*); *mar* Holk; *geol* Graben; *theat* Orchesterraum *m; avoir un pied dans la ~* mit einem Bein im Grabe stehen; *creuser sa ~* sein Grab schaufeln; *tampon m de ~* Kanaldeckel *m; ~ d'aisance* Senk-, Abtrittgrube *f; ~ à chaux* Kalkgrube *f; ~ collective* Sammelgrab *n; ~ commune* Massengrab *n; ~ filtrante* Sickergrube *f; ~ de graissage* Abschmiergrube *f; ~ nasale* Nasenhöhle *f; ~ aux ordures, à purin* Müll-, Jauchegrube *f; ~ aux ours* Bärenzwinger *m; ~ de saut* Sprunggrube *f; ~ septique* Hausklärgrube *f;* **~é** [fɔ-] *m* Graben *m; fig* Kluft *f; ~ antichar* Panzergraben *m.*

fossette [fɔsɛt] *f* Grübchen *n.*

fossil|e [fɔsil] *a* fossil; *fig* altmodisch; *s m* Fossil *n,* Versteinerung *f; fam* alte(r) Trottel *m; ~ caractéristique* Leitfossil *n;* **~ilisation** *f* Versteinerung *f;* **~iliser** versteinern; *se ~ (fig fam)* erstarren.

fossoyeur [fɔswajœr] *m* Totengräber *m a. fig.*

fou, *(vor Vokal u. h muet)* **fol, folle** [fu, fɔl] *a* wahnsinnig (*de joie* vor Freude); toll, verrückt; rasend (*de colère* vor Zorn); töricht, unvernünftig; närrisch; verstiegen, wunderlich; unbesonnen, leichtsinnig; ausgelassen; vernarrt, verschossen, *fam* verknallt (*de* in *acc*); versessen (*de* auf *acc*); ungeheuer, riesig; *tech* beweglich, lose; *s m f* Irre(r), Geisteskranke(r *m) f;* Narr *m,* Närrin *f;* Tor *m,* Törin *f; m (Schach)* Läufer; *orn* Tölpel *m; avoir un travail ~* wahnsinnig viel zu tun haben; *faire le ~* den Narren spielen, Unfug treiben; *il y a un monde ~* es herrscht ein tolles Gedränge; *folle farine f* Staubmehl *n; ~ rire m* unbändige(s) Gelächter *n.*

fouailler [fwaje] durch=, aus=peitschen; *fig* auf=peitschen; *fig* tief verletzen.

foucade [fukad] *f* tolle(r) Streich *m;* Laune *f; par ~s* stoßweise; von Zeit zu Zeit.

fou|dre [fudr] **1.** *f (poet a. m)* Blitz(strahl); *(coup m de ~)* Blitz-, Donnerschlag *m; fig* Unheil *n; f od m pl* Bannstrahl; *m* Held *m;* **2.** *m* Stückfaß *n; comme la ~, avec la rapiditéde la ~* blitzschnell; *comme frappé par la ~* wie vom Blitz getroffen; *la ~ éclate, tombe* der Blitz schlägt ein (*sur un arbre* in e-n Baum); *il a eu le coup de ~* es war bei ihm Liebe auf den ersten Blick; **~droyant, e** *fig* plötzlich; unwiderstehlich; ungeheuer; *(Blick)* vernichtend; **~droyer** durch e-n Blitz, durch e-e elektrische Entladung erschlagen *od* töten; vernichten, zermalmen; nieder=schmettern *a. fig.*

fouet [fwɛ] *m* Peitsche; *(Hund)* Rute *f;* Schläge, Prügel *m pl; (Küche)* Schneebesen *m; (~ de l'aile)* Flügelspitze; *fig* Geißel *f; donner un coup de ~ (fig)* auf=peitschen (*à qc* etw); *de plein ~* mit voller Wut *f; faire claquer son ~* s-e P. knallen lassen; *fig* sein Licht nicht unter den Scheffel stellen; *coup m de ~* Peitschenhieb; *med* plötzliche(r) heftige(r) Schmerz *m; manche m de ~* Peitschenstiel *m;* **~tard** *m: le père ~ (fam)* Knecht *m* Ruprecht; **~té, e** *a* gepeitscht; *s f* Tracht *f* Prügel; **~tement** *m* Peitschen *n* (*de la pluie* des Regens); **~ter** *tr* (aus=)peitschen; *(Regen)* klatschen (*qc* gegen etw); schlagen *(a. Küche); fig* auf=peitschen, elektrisieren, entzünden; *(Buch)* ein=schnüren; (mit e-r Schnur) kastrieren; *itr* schlagen (*contre* an, gegen; *de la queue* mit dem Schwanz); *avoir d'autres chats à ~* Wichtigeres zu tun haben.

fouger [fuʒe] *(Wildschwein)* (mit dem Rüssel) wühlen.

fougère [fuʒɛr] *f* Farnkraut *n.*

fougu|e [fug] *f* Feuer *n,* Schwung *m;* Begeisterung *f;* Ungestüm *n,* Heftigkeit *f; perroquet m de ~ (mar)* Kreuzmarssegel *n;* **~eux, se** ungestüm, feurig; wild, heftig; aufbrausend, hitzig.

fouill|e [fuj] *f* Auf-, Umgraben; Durchwühlen *n,* Ausgrabung; Ausschachtung *f;* Erdaushub *m;* Grube; *fig* Nachforschung, Durchsuchung *f; ~ à corps* Leibesvisitation *f; ~ en déblai, en rigole* Abtragen; Ausheben *n* (e-s Grabens); *~ à domicile* Haussuchung *f;* **~er** *tr* auf=, um=graben; *(Kunst)* Vertiefungen aus=meißeln (*qc* in *dat*); *fig* sorgfältig aus=arbeiten; durch-, ab=suchen; durchwühlen, -forschen; *(Problem)* eingehend erörtern; *itr* wühlen, graben; (herum=)stöbern (*dans qc* in e-r S); nach=forschen; *min* schürfen; *~ dans sa poche* in der Tasche herum=kramen; *tu peux toujours te ~! (fam)* da kannst du lange warten! **~eur, se** *a* suchend, forschend; *s m min* Schürfer, Prospektor; *fig* Spürhund, Schnüffler *m; f* Beamtin *f,* die Leibesvisitationen vornimmt; Untergrundpflug *m;* **~is** [-i] *m fam* Durcheinander *n,* Wirrwarr, Wust *m,* Kuddelmuddel *m* od *n.*

fouin|ard, e [fwinar, -ard] *a fam* zudringlich, neugierig; *s m* Schnüffler; zudringliche(r) Mensch *m;* **~e** *f* **1.** Stein-, Hausmarder; *fig* vorwitzige(r), indiskrete(r) Mensch; Schlaukopf *m;* **2.** Heugabel; Harpune *f;* **~er** *fam* herum=schnüffeln; s-e Nase in alles hineinstecken; **~eur** *m (~ de bibliothèque)* Bücherwurm; Schnüffler *m.*

fou|ir [fwir] *(Tiere)* graben, wühlen; **~isseur, se** *a* grabend; Wühl-; *s m* Wühler *m (Tier).*

foul|age [fulaʒ] *m* Keltern; Walken, Pressen *n; typ* Schattierung *f;* durchgeschlagene(r) Druck *m;* **~ant, e** *tech* niederdrückend; Druck-; *pop* ermüdend; *pompe f ~e* Druckpumpe *f.*

foulard [foulard] *m* Seidentuch *n,* -taft *m;* Halstuch *n.*

foule [ful] *f* (Menschen-)Menge, Masse *f,* Gedränge *n;* große Zahl, Vielzahl, Menge *f* (*de* gen nom, acc); *(Gewebe)* Webfach *n; en ~* in Scharen; in großer Zahl; *se mêler à la ~* sich unter die M. mischen; *il y avait ~* es wimmelte von Menschen.

foul|ée [fule] *f sport* Schritt *m; arch* Stufe; *pl (Jagd)* Fährte *f; à grandes ~s* mit großen Schritten; *shooter dans sa ~ (Fußball)* aus dem Lauf schießen; **~er** zs.=pressen, -drücken; fest=stampfen, -treten; *(Leder, Textil)* walken; *(Trauben)* keltern; *poet* den Fuß setzen (*qc* auf e-e S); wund reiben; *(Obst auf dem Transport)* an=schlagen; *med* verstauchen; *avoir le pied ~é* sich den Fuß verstaucht haben; *~ aux pieds* zertrampeln; *fig* mit Füßen treten; *se ~ la rate* Seitenstechen, Stiche bekommen; *fig* sich überarbeiten; *ne pas se ~ la rate, (pop) ne rien se ~* sich kein Bein aus=reißen; **~erie** *f* Walkerei, Walkmühle *f;* **~eur** *m* Walker *m;* **~euse** *f* Walke *f;* **~oir** *m* Stampfer; Walktrog *m;* **~on** *m* Walke *f.*

foulque [fulk] *f orn* Wasser-, Bläßhuhn *n.*

foulure [fulyr] *f* (leichte) Verstauchung *f.*

four [fur] *m* (Back-)Ofen *m;* Brat-, Ofenröhre *f; fam* Fiasko *n,* Mißerfolg *m; faire un ~ (theat)* ein Fiasko erleiden; *mettre au ~ (Brot)* ein=schießen; *ouvrir (la bouche comme) un ~* den Mund wie ein Scheunentor auf=reißen; *il fait noir comme dans un ~* es ist pechschwarz, stockfinster; *petits ~s* Teegebäck *n; ~ céramique* Brennofen *m; ~ à charbon, à gaz* Kohlen-, Gasofen *m; ~ à chaux*

Kalkofen *m; ~ crématoire* Verbrennungsofen *m.*
fourb|e [furb] *a* betrügerisch, arglistig; *s m* Betrüger, Schurke *m;* **~erie** [-bə-] *f* Schurkerei *f,* Schurkenstreich; Verrat, Betrug *m.*
fourbi *m arg mil* Waffen *f pl,* Gerät *n; fam* Kram, Krempel *m.*
fourb|ir blank putzen, polieren; **~issage** *m,* **~issure** *f* Polieren *n.*
fourbu, e [furby] ermüdet, erschöpft, fertig, zerschlagen.
fourch|e [furʃ] *f* (große) Gabel; Astgabel; *(Weg)* Gabelung *f; ~ à foin, à fumier, de bicyclette* Heu-, Mist-, Radgabel *f;* **~ée** *f* Heu-, Mistgabelvoll *f;* **~er:** *la langue m'a ~é* ich habe mich versprochen; **~et** [-ɛ] *m* Klauenseuche *f;* **~ette** *f* (Eß-)Gabel *f a. tech; tech* Bügel *m,* Öse *f; fig* Schere *f; (Gehälter)* Bandbreite *f; arg mil* Seitengewehr *n; avoir un joli coup de ~* fressen wie ein Scheunendrescher; *jouer de la ~* tüchtig zu=langen; *~ à quatre dents* vierzinkige Gabel *f; ~ à dessert, à poisson, à gâteaux* Dessert-, Fisch-, Kuchengabel *f; ~ de téléphone* Hörergabel *f;* **~on** *m* Zinke *f;* **~u, e** gegabelt, gabelförmig.
fourgon [furgɔ̃] *m* **1.** Ofengabel *f,* Schüreisen *n;* **2.** *loc* (gedeckter) Pack-, Güterwagen; geschlossene(r) Lastkraftwagen; *mot* Kastenaufbau *m; ~ d'ambulance, à bagages, à munitions* Kranken-, Gepäck-, Munitionswagen *m; ~ à bestiaux* Viehwagen *m; ~ cellulaire* Gefangenen(transport)wagen *m; ~ de déménagement* Möbelwagen *m; ~ funéraire* Leichenwagen *m; ~ postal* Postauto *n; ~ de secours* Bereitschaftswagen *m;* **~ner** [-gɔ-] stochern (*dans le poêle* im Ofen); *fig* wühlen, herum=stöbern (*dans qc* in e-r S); **~nette** *f* Lieferwagen *m.*
fourmi [furmi] *f* Ameise; *fig* Biene *f,* fleißige(r) Mensch *m; avoir une activité de ~* unermüdlich tätig sein; *avoir des ~s dans les jambes* ein Kribbeln in den Beinen haben; *~ blanche* weiße Ameise, Termite *f; ~-lion m* Ameisenlöwe *m;* **~lier** *m* Ameisenbär *m;* **~lière** *f* Ameisenhaufen *m a. fig; fig* Gewimmel *n;* **~llant, e** [-jɑ̃, -ɑ̃t] wimmelnd; *med* kribbelnd; **~llement** *m* Wimmeln; *med* Kribbeln *n;* **~ller** wimmeln, voll sein (*de* von); *med* kribbeln.
fourn|aise [furnɛz] *f* Schmelz-, Glutofen; *fig* Backofen *m; se jeter dans la ~* sich mitten in den Kampf stürzen; **~eau** *m* (Schmelz-, Zimmer-, Dauerbrand-)Ofen; (Koch-)Herd; Kocher *m; mar* Kombüse *f;* Pfeifenkopf; *haut ~* Hochofen *m; ~ à charbon* Kohlenmeiler, -herd *m; ~ de cuisine* Küchenherd *m; ~ économique* Sparherd *m; ~ électrique, à gaz* elektrische(r), Gasherd *m; ~ en faïence* Kachelofen *m; ~ de mine* Minenkammer *f; ~ à pétrole, à essence* Petroleum-, Benzinkocher *m;* **~ée** *f* Ofenvoll, Schub *m a. fig; tech* Beschikkung, Gicht *f; de la dernière ~ (fig)* neugebacken.
fourni, e [furni] versehen (*de* mit); *(Wald)* dicht; *(Bart)* stark; *com (Lager)* gut besetzt, reichhaltig; *(Ton)* voll; *bien ~* mit reichem Bestand.
fournil [furni] *m* Backstube *f.*
fourniment [furnimɑ̃] *m mil* Lederzeug *m; allg* Ausrüstung *f.*
fourn|ir [furnir] *tr* liefern (*qc à qn* jdm e-e S); versorgen, beliefern (*qn de* od *en qc* jdn mit etw); beschaffen, geben, besorgen; zur Verfügung stellen (*qc à qn* jdm e-e S); *(schriftliche Unterlagen)* vor=legen, bei=bringen; *(Beweis)* erbringen, führen; *(Gründe)* an=führen; *(Früchte)* hervor=bringen; *(Arbeit, Sicherheit)* leisten; *(e-e Anstrengung)* machen; *itr* bei=tragen (*à zu*); auf=kommen, sorgen (*à* für); *(Kartenspiel)* Farbe bekennen; *se ~ chez* s-e Einkäufe tätigen bei; beziehen von; *~ à la dépense, aux frais* für die Kosten auf=kommen; *~ des renseignements* Auskünfte erteilen; *~ un supplément d'argent* Geld zu=schießen; **~issement** *m com* Einlagekapital *n; jur* Zuteilung *f;* **~isseur, se** *m* Lieferant(in *f*) *m;* **~iture** *f* Lieferung *f;* Bedarf *m; (Handwerk)* Zutaten *f pl; tech* Zubehör *n* od *m;* (Salat-)Kräuter *n pl; ~s de bureau* Bürobedarf(sartikel *m pl*) *m; ~s scolaires* Lehrmittel *n pl.*
fourr|age [furaʒ] *m* (Vieh-)Futter *n; apporter du ~ aux bestiaux* das Vieh füttern; *~ concentré* Kraftfutter *n; ~ vert, sec* Grün-, Trockenfutter *n;* **~ager** *itr fig* herum=wühlen (*dans* in *dat*); *(in Büchern)* herum=schmökern; plündern (*dans qc* etw); *tr* durchea.=bringen; **~ager, ère** *a* Futter-; *s f* Futterwiese *f,* -feld *n; mil* Proviantwagen *m;* Fangschnur *f; betterave f ~ère* Futter-, Runkelrübe *f.*
fourré, e [fure] *a* mit Pelz besetzt, gefüttert; *(Speise)* gefüllt; *s m* Dickicht *n; bien ~* mit dichtem Fell; *coup m ~ (fig)* heimtückische(r) Streich *m.*
fourr|eau [furo] *m* (Degen-)Scheide *f;* Futteral *n;* Kappe, Hülse *f;* Überzug *m;* enganschließende(s) Kleid *n; tech* Buchse; *pop* Hose *f;* **~er** hinein=stek-

ken, -bohren, -schieben, -stopfen, -pfropfen, *(fig)* -ziehen (*dans qc* in e-e S); (mit Pelz) füttern; *(Bonbon)* füllen (*à, de* mit); *fam* (hin=)legen, -stellen, -tun; *fam* geben; *se* ~ sich verkriechen; sich verstecken; sich ein=mischen (*dans* in *acc*); hinein=geraten; ~ *dedans (fam)* herein=legen; *se* ~ *dedans* sich schwer irren; *se* ~ *le doigt dans l'œil (jusqu'au coude)* sich gewaltig irren, auf dem Holzweg sein; sich verrechnen *fig;* e-n Bock schießen; ~ *son nez partout* s-e Nase überall hinein=stecken; ~ *qn en prison* jdn ins Gefängnis, *fam* Loch stecken; ~ *qc dans la tête à qn* jdm etw ein=pauken, -bleuen; *se* ~ *qc dans la tête* sich etw in den Kopf setzen; *je m'en suis ~é jusque-là (fam fig)* ich habe mich vollgeschlagen; **~e-tout** *m* Rumpelkammer *f,* Verschlag *m;* große Reisetasche *f.*

fourreur [furœr] *m* Kürschner *m.*

fourrier [furje] *m mil* Fourier; *poet* Vorbote *m.*

fourrière [furjɛr] Pfandstall *m.*

fourrure [furyr] *f* Pelz(mantel) *m;* Pelzwerk *n; tech* Füllung, Einlage *f; commerce m de la* ~ Pelzhandel *m;* Kürschnerei *f; doublé de* ~ pelzgefüttert; *manteau m de* ~ Pelzmantel *m;* ~ *d'expansion* Sprengring *m;* ~ *de frein (mot)* Bremsbelag *m.*

fourvoyer [furvwaje] irre=führen; *se* ~ sich irren, in die Irre gehen, sich verirren (*dans* in *dat*).

fout|aise [futɛz] *f* dumme(s) Geschwätz *n, fam* Quatsch *m;* **~oir** *m pop* Schlamassel *m* od *n;* **~re** *v pop* schmeißen, pfeffern; *(Fußtritt)* versetzen; tun; *interj* Donnerwetter! *se* ~ *de* sich nichts machen aus; sich lustig machen über *acc;* ~ *en l'air (fig)* weg=schmeißen; ~ *le camp* sich aus dem Staub(e) machen; ~ *qn en colère* jdn auf die Palme bringen; ~ *dedans* herein=legen; ins Kittchen bringen; *s'en* ~ *plein la lampe* sich den Bauch voll=schlagen; ~ *qn à la porte* jdn an die Luft setzen; *~ez-moi la paix* lassen Sie mich in Ruhe! *ça la* ~ *mal* wie sieht denn das aus! das sieht ja schön aus! *va te faire ~!* scher dich zum Teufel! *qu'est-ce que ça peut vous ~?* was geht Sie das an? *je me ~s du monde* ich pfeife auf die Leute; **~rement, ~ûment** [-trə-, -ty-] *adv pop* verdammt, gewaltig; **~riquet** *m pop* Niete, Null *f;* **~u, e** *pop (vor d. s)* verflixt, verdammt, übel, böse; *(nachgestellt)* hin, kaputt, futsch, erledigt, schiefgegangen; *être* ~ *de* es fertig=bringen zu; *bien* ~ gut gebaut; sauber hingedreht; *mal* ~ mick(e)rig, dürr; verkorkst; ~ *comme l'as de pique* schlecht in Schale; *il est* ~ *de* er wäre fähig, zu.

fox-terrier [fɔkstɛrje] *m* Foxterrier *m.*

fox-trot [fɔkstrɔt] *m* Foxtrott *m.*

foyer [fwaje] *m* Herd *m a. med fig;* Feuerstätte; Feuerung *f; tech* Feuerraum; *phys* Brennpunkt; *fig* Mittelpunkt *m;* Heim, Haus *n; theat* Wandelgang *m; pl* Heimat *f; fonder un* ~ e-n Hausstand, e-e Familie gründen; *distance f du* ~ *(opt)* Brennweite *f;* ~ *domestique* Haushaltung *f;* ~ *d'étudiants, du soldat* Studenten-, Soldatenheim *n;* ~ *à huile* Ölfeuerung *f;* ~ *d'incendie* Brandherd *m;* ~ *de troubles (pol)* Gefahrenherd *m.*

frac [frak] *m* Frack *m.*

fracas [fraka] *m* Krachen, Dröhnen, Getöse, Gepolter, Klirren, Prasseln; *fig* Aufsehen *n;* Knalleffekt *m; faire du* ~ Aufsehen erregen; **~sant, e** *a fig* verblüffend; Aufsehen erregend; **~ser** zerschmettern, zertrümmern; *se* ~ zerbrechen.

fraction [fraksjɔ̃] *f math* Bruch; Bruchteil *m,* -stück; *(Brot)* Brechen *n;* Gruppe; *parl* Fraktion *f;* ~ *décimale, ordinaire* Dezimal-, gemeine(r) Bruch *m;* ~ *de seconde* Bruchteil *m* e-r Sekunde; **~naire** [-sjɔ-] *a* Bruch-; **~nel, le** *fig* trennend; auflösend; **~nement** *m* Zerlegung, Auf-, Zersplitterung; Einteilung; *chem* Fraktionierung *f;* Kracken *n;* **~ner** zerlegen, auf=splittern, (zer)teilen; *chem* fraktionieren.

fracture [fraktyr] *f* Zerbrechen *n; geol med* (Knochen-)Bruch *m;* ~ *de l'avant-bras, de la clavicule, du crâne, de la jambe* Vorderarm-, Schlüsselbein-, Schädel-, Beinbruch *m;* **~r** (auf=, er-, zer)brechen; *se* ~ *la jambe* sich das Bein brechen.

fragil|e [fraʒil] zerbrechlich, spröde; brüchig; baufällig; dünn, zart; *fig* schwach, gebrechlich; hinfällig; vergänglich; *avoir l'estomac* ~ e-n empfindlichen Magen haben; **~ité** *f* Zerbrechlichkeit, Sprödigkeit; *fig* Schwäche; Unbeständigkeit; Hinfälligkeit *f.*

fragment [fragmɑ̃] *m* Bruchstück *n a. fig;* Splitter; *(Papier)* Fetzen *m; fig* Fragment *n;* Teil *m; en ~s* bruchstückweise; **~aire** bruchstückhaft; brüchig; **~ation** *f* Zerkleinerung; *biol* (direkte) Zellteilung *f;* **~er** zersplittern, zerkleinern; auf=teilen.

fragran|ce [fragrɑ̃s] *f poet* Wohlgeruch *m;* **~t, e** wohlriechend.

frai [frɛ] *m* **1.** Laichen *n;* Laichzeit;

Laich *m,* Fischbrut *f;* **2.** Abnutzung *f (e-r Münze).*

fraîch|e [frɛʃ] *s f: à la* ~ im Kühlen; in der Morgen-, Abendkühle; *a. s. frais;* **~ement** *adv* frisch; (erst) vor kurzem; *fig* kühl; **~eur** *f* Frische, Kühle; Reinheit; frische Farbe; Neuheit; *fig* Erkältung *f;* **~ir** *(Wind)* auf=frischen.

frais, fraîche [frɛ, frɛʃ] *a adv* frisch *(a. Farbe);* kühl; neu; *fig* gesund, munter; frisch, ausgeruht; blühend; unverdorben; jugendlich; *fam* recht zweifelhaft; *s m* Frische; kühle, frische Luft *f; être* ~ *(fam)* in der Patsche sitzen; *être rasé de* ~ frisch rasiert sein; *mettre qn au* ~ *(fam)* jdn ins Loch stecken; *prendre le* ~ frische Luft schöpfen; *fleur f fraîchement cueillie* frischgepflückte Blume *f; grand* ~ *(mar)* steife(r) Wind *m;* ~ *émoulu (fig)* frisch gebacken.

frais [frɛ] *m pl* Kosten; Unkosten; Spesen *pl,* Auslagen; Gebühren *f pl; à* ~ *communs* auf gemeinsame Kosten; *à grands* ~ mit hohen Kosten; *à peu de* ~ mit wenig Kosten; *à nos* ~ auf unsere Kosten; *aux* ~ *de* auf Kosten *gen; aux* ~ *de la princesse (pop)* auf Regiments-, Staatskosten; *y compris les* ~ alle Spesen inbegriffen; *exempt de* ~, *sans* ~ kostenfrei; spesenfrei; *plus les* ~, ~ *non compris* zuzüglich der Kosten; *sur nouveaux* ~ von vornan; *condamner qn aux* ~ *(jur)* jdn zur Zahlung der Kosten verurteilen; *entraîner des* ~ Kosten mit sich bringen; *en être pour ses* ~ das Nachsehen haben, sich umsonst bemüht haben; *faire, supporter les* ~ *de qc* für die Kosten e-r S auf=kommen; die Kosten e-r S bestreiten *od* tragen; *faire ses* ~ auf s-e Kosten kommen *a. fig; faire, occasionner des* ~ (Un-)Kosten verursachen; *faire face aux* ~ die Kosten bestreiten, für die Kosten auf=kommen; *intervenir dans les* ~ e-n Teil der Kosten übernehmen; *se mettre en* ~ sich in Unkosten stürzen (*pour qn* für jdn) *a. fig; rembourser les* ~ die Kosten vergüten *od* ersetzen; *compte m de* ~ Unkostenrechnung *f; évaluation f de* ~ Kostenanschlag *m; faux* ~ Nebenkosten, unvorhergesehene Kosten *pl; menus* ~ kleine Ausgaben *f pl; réduction f des* ~ Kostenverringerung *f; total m des* ~ *encourus* Gesamtunkosten *pl;* ~ *d'achat, d'acquisition* Anschaffungskosten *pl;* ~ *accessoires* Nebenkosten *pl,* -gebühren *f pl;* ~ *d'administration* Verwaltungskosten *pl;* ~ *de banque* Bankspesen *pl;* ~ *de bureau, de chauffage, d'éclairage* Büro-, Heizungs-, Beleuchtungskosten *pl;* ~ *de camionnage* Rollgeld *n;* ~ *de chargement* Verladungsgebühr *f;* ~ *commerciaux* Vertriebskosten *pl;* ~ *de composition (typ)* Satzkosten *pl;* ~ *de construction* Baukosten *pl;* ~ *de déchargement (mar)* Löschkosten *pl;* ~ *de déménagement* Umzugskosten *pl;* ~ *de déplacement* Reiseauslagen *f pl,* -spesen *pl,* Tagegelder *n pl;* Trennungsentschädigung *f;* ~ *de distribution* Vertriebskosten *pl;* ~ *divers* sonstige Auslagen *f pl;* ~ *d'emballage* Verpackungskosten *pl;* ~ *d'emmagasinage, d'entreposage* Lagerspesen *pl;* ~ *d'encaissement* Inkassospesen *pl;* ~ *d'entretien* Unterhaltungs-, *mil pol* Stationierungs-, Instandhaltungskosten *pl;* ~ *de premier établissement, d'installation* Anlage-, Installationskosten *pl;* ~ *d'expédition* Versandkosten *pl;* ~ *d'exploitation, d'opération* Betriebskosten *pl;* ~ *de fabrication* Herstellungskosten *pl;* ~ *généraux* allgemeine Unkosten *pl;* ~ *d'impression* Druckkosten *pl;* ~ *invariables* feste Kosten *pl;* ~ *de justice* Gerichtskosten *pl;* ~ *de port* Portoauslagen *f pl;* ~ *de publicité* Werbekosten *pl;* ~ *de recommandation* Einschreib(e)gebühren *f pl;* ~ *de remboursement* Nachnahmegebühren *f pl;* ~ *de remise en état* Instandsetzungskosten *pl;* ~ *de stationnement* Standgeld *n;* ~ *de subsistance* Lebenshaltungskosten *pl;* ~ *de transport* Beförderungs-, Frachtkosten *pl;* ~ *de voyage* Reisekosten *pl.*

frais|e [frɛz] *s f* Erdbeere; *(Geweih)* Rose *f; (Truthahn)* Hautlappen *m;* Muttermal *n; pop* Birne *f,* Kopf *m,* Gesicht, Mundwerk; Gekröse *n; hist* Halskrause *f; tech* Fräser; Rosenbohrer *m;* Pfahlwerk *n (um e-n Brükkenpfeiler); a* fraise, erdbeerfarben; **~er** *tech* (ein=, aus=)fräsen; *(Teig)* kneten; bohren (*une dent* in e-m Zahn); (Schraube) versenken; *(Kalk)* verdünnen.

frais|eur [frɛzœr] *m* Fräser *m;* **~euse** *f* Fräsmaschine *f.*

frais|ier [frezje] *m* Erdbeerpflanze *f;* **~ière** *f* Erdbeerpflanzung *f.*

fraisil [frezi] *m* nicht ausgebrannte Asche; Kohlenlösche *f.*

fraisoir [frezwar] *m* Hohlbohrer *m.*

fraisure [frezyr] *f* Ausfräsung *f.*

frambois|e [frɑ̃bwaz] *f* Himbeere *f;* **~ier** *m* Himbeerstrauch *m.*

franc, franque [frɑ̃, frɑ̃k] **1.** *a hist* fränkisch; *s m* Frank *(Münze); F~ (hist)* Franke *m;* **2. ~, franche** [frɑ̃ʃ] frei (*de* von); freimütig, offen(herzig); *(Ton)* ungezwungen; echt, rein, unverfälscht; natürlich; ganz; *(Licht)* hell; *(Pinselstrich)* sicher; *péj (Schurke)* ausgemacht; Erz-; *huit jours ~s* volle 8 Tage; *avoir les coudées franches* Ellbogenfreiheit haben; *jouer ~ jeu* offenes Spiel spielen; *parler ~ et net* e-e offene Sprache reden; *corps m ~* Freikorps *n; coup m ~ (sport)* Freistoß *m; port m ~* Freihafen *m; terre f franche* Gartenerde *f; zone f franche* Freizone *f; ~-bord m* freie(r) Uferrand *m;* Schiffsplanke *f; ~-maçon m* Freimaurer *m; ~-maçonnerie* Freimaurerei *f; ~-parler m* Freimut *m* im Reden; *~ de port, de tous frais, de tout droit de douane, d'impôts* porto-, spesen-, zoll-, steuerfrei; *~-tireur m* Partisan *m.*

français, e [frɑ̃sɛ, -ɛz] *a* u. *adv* französisch; *s m* (das) Französisch(e), französische Sprache *f; F~, e s m f* Franzose *m,* Französin *f; achetez ~* kauft französisch; *en bon ~* klar, deutlich; *parler le ~ comme une vache espagnole* Französisch radebrechen.

France, la [frɑ̃s] Frankreich *n.*

Francfort [frɑ̃kfɔr] *f* Frankfurt *n.*

franchement [frɑ̃ʃmɑ̃] *adv* offen, aufrichtig; klar, deutlich; offensichtlich; entschlossen, nachdrücklich; *dire ~* rundheraus sagen.

franchir [frɑ̃ʃir] überschreiten, -steigen, -klettern, -queren, -fahren -springen, -fliegen; über=setzen (*qc* über e-e S); hinüber=gehen (*qc* über e-e S); durchbrechen (*le mur du son* die Schallmauer); *(Entfernung)* zurück=legen; *fig* überwinden; hinter sich bringen; hinaus=gehen (*qc* über e-e S); *~ le pas, le saut (fig)* sich zu e-m Entschluß durch=ringen; sich ein Herz fassen.

franchise [frɑ̃ʃiz] *f* (Gebühren-)Freiheit; *pol* Exterritorialität; *(Versicherung)* Franchise *f; fig* Freimut *m,* Offenheit; *(Kunst)* Ungezwungenheit; *allg* Klarheit *f; en ~* porto-, zoll-, gebührenfrei; *en toute ~ (fig)* in voller Offenheit; *~ de bagages* Freigepäck *n; ~ douanière, d'impôts, de port* od *postale* Zoll-, Steuer-, Portofreiheit *f; ~ militaire (auf Sendungen)* Feldpost *f.*

franch|issable [frɑ̃ʃisabl] überschreitbar; **~issement** *m* Überschreiten *n.*

franc|ique [frɑ̃sik] fränkisch; **~iscain** *m* Franziskaner *m.*

franciser [frɑ̃size] französisch machen; *mar* unter frz. Flagge segeln lassen.

francisque [frɑ̃sisk] *f* Streitaxt *f.*

franco [frɑ̃ko] *inv* portofrei, franko; *~-(in Zssgen)* französisch; *~ à bord, à domicile, gare* frei Schiff, Haus, Bahnstation; *~ de fret et de droits* fracht- u. zollfrei.

Francon|ie, la [frɑ̃kɔni] Franken *n;* **~ien, ne** *a* fränkisch; *F~, e s m f* Franke *m,* Fränkin *f.*

franco|phile [frɑ̃kɔfil], **~phobe** franzosenfreundlich, -feindlich; **~phone** *adj* französisch sprechend; französischsprachig; *l'Afrique ~* das französischsprachige Afrika.

François [frɑ̃swa] *m* Franz, Franziskus *m;* **~e** [-swaz] *f* Franziska *f.*

frang|e [frɑ̃ʒ] *f* Franse *f;* Saum, Rand *m a. fig; coiffure f à ~* Ponyfrisur *f; ~ d'interférence (phys)* Interferenzstreifen *m;* **~er** mit Fransen besetzen, säumen.

frangin, e [frɑ̃ʒɛ̃] *m f pop* Bruder *m,* Schwester *f.*

frangipane [frɑ̃ʒipan] *f* Mandelkrem *f,* -kuchen *m.*

franglais [frɑ̃glɛ] *m Übernahme englischer Ausdrücke ins Französische.*

franquette [frɑ̃kɛt] : *à la bonne ~ (fam)* ohne Umstände.

franqu|isme [frɑ̃kizm] *m* System *n* Francos; **~iste** *a* Franco-; *s m f* Francoanhänger(in *f*) *m.*

frapp|ant, e [frapɑ̃, -ɑ̃t] auffallend, eindrucksvoll, erstaunlich; treffend, schlagend; **~e** *f* **1.** *(Münze)* Prägung *f; typ* vollständige(r) Satz; *(Schreibmaschine)* An-, Durchschlag; **2.** *pop* Straßenjunge *m; être à la ~* gerade getippt werden; *faute f de ~* Tippfehler *m; ~-champagne m* Sektkühler; *~-cocktail m* Shaker *m; ~-devant m* Vorschlaghammer *m;* **~é, e** ge-, betroffen, geschlagen; *(Getränk)* eisgekühlt; beschienen (*de soleil* von der Sonne); *avoir l'esprit ~* stark unter dem Eindruck stehen (*de* gen); *~ à mort* todkrank; *~ de mort* vom Tode gezeichnet; **~er 1.** *itr* schlagen; *~ fort* tüchtig drauf=schlagen; *~ des mains, dans ses mains* in die Hände klatschen; *~ à la machine* auf der Schreibmaschine schreiben, tippen; (auf=)schlagen (*contre un mur* an e-e Mauer); auf=treffen (*sur qc* auf e-e S); (an=)klopfen (*à la porte* an die Tür); hämmern; **2.** *tr (sens propre)* schlagen; *~ qn au visage* jdn ins Gesicht schlagen; *du poing* mit der Faust; *la grosse caisse* die Pauke; *~ le sol du pied* mit dem Fuß auf den Boden stampfen; *(Klaviertasten, Glocken)* an=schlagen; *(Nagel)* ein=schlagen; *(Münze)* prägen; *(Regen)* peitschen (*les vitres* gegen die Scheiben); *(Geschoß)* auf=treffen (*qc* auf e-e S); *(Getränk)* kühlen (*de glace* mit Eis); *(Gegner)* treffen, *à terre* nieder=schlagen; ~ *qn à coups de poignard* jdn erdolchen; *(Krankheit)* an=, befallen, infizieren, verseuchen; heim=suchen; **3.** *(fig)* belegen (*d'une amende* mit e-r Geldstrafe), auf=erlegen (*qn de qc* jdm e-e S); *com* belasten (*de* mit); *(impressionner, surprendre)* beeindrucken, Eindruck machen (*qn* auf jdn), erschüttern; im Innersten treffen; zu Herzen gehen (*qn* jdm); überraschen, in Erstaunen setzen; erschrecken; ~ *un coup décisif (fig)* e-n entscheidenden Schlag führen; ~ *qn de crainte, d'étonnement* jdn erschrecken; jdn in Erstaunen setzen; ~ *en nullité* für nichtig erklären; **4.** *se* ~ sich klopfen, sich schlagen (*la poitrine* an die Brust); *fam* sich beunruhigen, sich Sorge machen; es tragisch nehmen; *ne te ~e pas!* reg dich nicht auf! **~eur, se** *a: esprit m* ~ Klopfgeist *m; s m* Zuschläger *m (Arbeiter).*

fraser [fraze] *(Teig)* kneten.
frasque [frask] *f* Seitensprung *m,* Eskapade *f.*
fratern|el, le [fratɛrnɛl] brüderlich; schwesterlich; Bruder-; **~isation** *f* Verbrüderung, Fraternisierung *f;* **~iser** sich verbrüdern (*avec qn* mit jdm); **~ité** *f* Brüderlichkeit; Verbrüderung *f;* Bund *m,* Verbindung *f;* ~ *d'armes* Waffenbrüderschaft *f.*
fratricide [fratrisid] *s m* Bruder-, Schwestermord, -mörder *m; a* brudermörderisch.
fraud|e [frod] *f* Betrug *m;* Betrügerei, Täuschung; Fälschung *f;* Schmuggel *m; en* ~ *(fig)* heimlich; *introduire, passer qc en* ~ etw ein=, durch=schmuggeln; ~ *à la douane, à l'impôt* Zoll-, Steuerhinterziehung *f;* ~ *électorale* Wahlbetrug *m;* ~ *informatique* Computerkriminalität *f;* **~er** *tr itr* betrügen; *tr (Gesetz)* umgehen; ~ *les droits de douane, l'impôt* Zoll, Steuer(n) hinterziehen; **~eur, se** *m f* Schmuggler(in *f*); Betrüger(in *f*) *m;* **~uleux, se** betrügerisch; *(Text)* gefälscht.
fray|er [fre(ɛ)je] *itr (Fisch)* laichen; verkehren, Umgang haben (*avec qn, ensemble* mit jdm, mitea.); *tr zoo (Bast)* fegen; wund scheuern; ~ *la voie, le chemin à qn (fig)* jdm den Weg ebnen; *se* ~ *un passage, une route, un chemin* sich e-n Weg bahnen (*à travers, parmi la foule* durch die Menge); *route f peu ~ée* wenig begangene(r) Weg; **~ère** *f* Laichplatz *m.*
frayeur [frɛjœr] *f* Schrecken *m,* Angst *f,* Schauder *m.*
fredaine [frədɛn] *f* Jugendstreich *m;* Torheit *f;* Seitensprung *m.*
Frédér|ic [frederik] *m* Friedrich *m;* **~ique** *f* Friederike *f.*
fredon [frədɔ̃] *m* Triller *m;* Weise *f;* **~ner** summen, trällern.
freezer [frizœr] *m* Gefrier-, Tiefkühlfach *n.*
frégate [fregat] *f mar* Fregatte *f;* U--Boot-Jäger *m; orn* Fregattvogel *m.*
frein [frɛ̃] *m tech* Bremse *f; (Pferd)* Mundstück *(der Trense); med* Bändchen *n; fig* Zügel, Hemmschuh *m* (*à* für); *sans* ~ ungezügelt; *desserrer, lâcher les ~s* die Bremsen lösen; *donner un coup de ~, serrer les ~s* bremsen, die Bremsen an=ziehen; *mettre le* ~ *à main,* die Handbremse ziehen; *mettre un* ~ *à qc (fig)* etw im Zaum halten; *ronger son* ~ s-n Ärger hinunter=schlucken; s-e Ungeduld nicht merken lassen; *garniture f, levier m, pédale f de* ~ Bremsbelag, -hebel *m,* -pedal *n; mâchoire f de* ~ Bremsbakke *f; patin m de* ~ Bremsklotz *m; ~s avant, arrière* Vorder-, Hinterradbremsen *f pl;* ~ *à air (comprimé), à contre-pédale, à main, moteur* Druckluft-, Rücktritt-, Hand-, Motorbremse *f;* ~ *à disques* Scheibenbremse *f;* ~ *de secours* Notbremse *f;* ~ *à tambours* Trommelbremse *f;* **~age** [frɛnaʒ] *m* Bremsen *n,* Bremsung; *(Schraube)* Sicherung; Verzögerung; Bremsvorrichtung *f; effet m, puissance f de* ~ Bremswirkung, -leistung *f;* **~ateur** *m:* ~ *de l'appétit* Appetitzügler *m;* **~er** *tr itr* bremsen; *tr fig* hemmen, zügeln, ein=dämmen; ~ *brusquement* scharf bremsen.
frelater [frəlate] verfälschen *a. fig.*
frêle [frɛl] zart, schwach, kraftlos; fein; ge-, zerbrechlich; *fig* vergänglich.
frelon [frəlɔ̃] *m* Hornisse *f.*
freluche [frəlyʃ] *f* seidene Quaste *f.*
freluquet [frəlykɛ] *m* Laffe *m.*
frém|ir [fremir] *fig* zittern, beben, schaudern (*de* vor *dat*); *(Bäume, Blätter)* rauschen säuseln; *(Meer)* brausen; *(Wasser)* wallen, sieden; *(Glocke)* nach=klingen, summen; *(Saite)* vibrieren; *(Busen)* wogen; *(Vorhang)* sich leicht bewegen; **~issant, e** summend, brummend, brausend; zitternd; **~issement** *m* Rauschen, Brausen, Summen; Vibrieren, Beben, Erzittern *n;* Schauder *m.*
frên|aie [frɛnɛ] *f* Eschenwald *m;* **~e** *m* Esche *f.*

fréné|sie [frenezi] *f* Raserei *f; avec ~* wie wahnsinnig; **~tique** wahnsinnig; rasend, toll; *(Beifall)* frenetisch.

fréquemment [frekamɑ̃] *adv* oft, häufig.

fréquen|ce [frekɑ̃s] *f* Häufigkeit; *(loc, Straße)* Verkehrsfolge, -dichte; *tech* Frequenz *f; basse, haute ~* Nieder-, Hochfrequenz *f; gamme f de ~s* Frequenzbereich *m; ~ acoustique, de battement, locale, propre, vocale* Ton-, Schwebungs-, Überlagerungs-, Eigen-, Sprechfrequenz *f; ~ d'émission, d'entrée* Sende-, Empfangsfrequenz *f;* **~ce-mètre** *m* Frequenzmesser *m;* **~t, e** häufig; zahlreich; ständig wiederkehrend; gewöhnlich, üblich; *(Puls)* schnell; *(Atem)* hastig.

fréquen|tation [frekɑ̃tasjɔ̃] *f* (häufiger) Besuch; Verkehr, Umgang *m* (*de* mit); *(Buch)* häufige Benutzung, Vertrautheit *f* (*de* mit); *~ scolaire* Schulbesuch *m;* **~té, e** *(Ort)* vielbesucht; *(Straße)* stark befahren, belebt; **~ter** häufig, regelmäßig besuchen, begehen, befahren; *(die Sakramente)* oft empfangen; verkehren (*qn* mit jdm); gehen (*une jeune fille* mit e-m Mädchen); *fig* oft lesen, studieren; *se ~* oft zs.=kommen.

frère [frɛr] *m* Bruder *m a. rel; ~s jumeaux* Zwillingsbrüder *m pl; ~(s) et sœur(s)* Geschwister *pl;* **frérot** [frero] *m fam* Brüderchen *n.*

fresque [frɛsk] *f* Freske *f,* Fresko *n; fig* großartige Darstellung *f; peinture f à ~* Freskomalerei *f.*

fressure [frɛsyr] *f* Geschlinge *n,* Innereien *f pl; fig fam* Bauch, Magen *m.*

fret [frɛ] *m* (Schiffs-)Fracht; Ladung *f; prendre à ~* chartern; *prendre du ~* Ladung an Bord nehmen; *assurance f sur (le) ~* Frachtversicherung *f; ~ aérien* Luftfracht *f; ~ d'aller, de retour* Hin-, Rückfracht *f;* **frètement** [frɛtmɑ̃] *m* Verheuerung *f.*

frét|er [frete] *(Schiff, fam Fahrzeug)* mieten; *mar* chartern; verfrachten; aus=rüsten; *fig* schmücken; **~eur** *m* Verfrachter, Reeder *m.*

frétill|ant, e [fretijɑ̃, t-] zappelig, quecksilb(e)rig; lebhaft, aufgeregt; **~illement** *m* Zappeln *n;* **~iller** zappeln; wedeln (*de la queue* mit dem Schwanz); hüpfen, springen (*de joie* vor Freude).

fretin [frətɛ̃] *m* kleine Fische *m pl a. fig; fig* Ausschuß *m; menu ~* Kleinkram *m,* Lappalien *f pl;* kleine Leute *pl.*

frette [frɛt] *f* Eisenband *n,* -ring; *arch* gebrochene(r) Zierstab *m (als Bandornament); pl* Beschläge *m pl.*

freud|ien, ne [frødjɛ̃, -ɛn] *a* Freudsch; *m f* Freudianer(in *f*) *m;* **~isme** *m* Freudsche Lehre *f.*

freux [frø] *m* Saatkrähe *f.*

friab|ilité [frijabilite] *f* Mürbheit, Zerreibbarkeit *f;* **~le** zerreibbar, mürbe, bröck(e)lig.

friand, e [friɑ̃, -ɑ̃d] *a (Person)* naschhaft; *fig* lüstern, versessen (*de* auf *acc,* nach); *s m Art* Pastete *f;* **~ise** Naschhaftigkeit *f; pl* Leckereien *f pl.*

Fribourg [fribur] *f* Freiburg *n* (im Breisgau).

fric [frik] *arg* Zaster *m,* Moneten *pl.*

fricadelle [frikadɛl] *f* Frikadelle *f,* deutsche(s) Beefsteak *n.*

fricandeau [frikɑ̃do] *m* Spickbraten *m.*

fricas|sée [frikase] *f* Frikassee *n; ~ de museaux (fam)* allgemeine(s) Geknutsche *n;* **~ser** frikassieren; kochen; *se ~ le museau (fam)* sich ab=knutschen.

fricative [frikativ] *f* Reibelaut *m.*

friche [friʃ] *f agr* Brache *f; être en ~* brach=liegen; laisser en *~* brachliegen lassen *a. fig.*

frichti [friʃti] *m fam* Essen *n.*

fricot [friko] *m pop* Ragout; Essen *n; faire le ~* das Essen kochen; **~er** [-kɔ-] *pop tr (als Ragout)* kochen, zu=bereiten; *fig* im Schilde führen; *com (die Bücher)* fälschen; *itr* kochen; *fig* sich unerlaubte Vorteile verschaffen; *arg mil vx* sich drücken; *~ avec qn* mit jdm unter e-r Decke stecken; **~eur** *m* Koch; *pop* Schieber; *mil vx* Drückeberger *m.*

friction [friksjɔ̃] *f* (Ein-, Ab-)Reibung *f a. fig; pop* Denkzettel *m; point m de ~ (fig)* Reibungspunkt *m; surface f de ~* Reibungsfläche *f;* **~ner** [-sjɔ-] (ein=)reiben, frottieren; *~ la tête, les oreilles à qn (fam)* jdm heim=leuchten, es jdm geben.

frigidaire [friʒidɛr] *m (Warenzeichen)* Kühlschrank *m.*

frig|ide [friʒid] *a med* frigid(e); unempfindlich, gefühllos; **~idité** *f* Kälte; *fig* Gefühllosigkeit; *med* Frigidität *f.*

frigo [frigo] *m* Kühlschrank, -wagen *m;* **~rie** [-gɔ-] *f* große Kalorie *f;* **~rifère** *s m* Luftkühler *m;* Gefrierfach *n; a* kühlend; **~rifier** kühlen; gefrieren lassen; tief=kühlen; *être ~é (fam)* ganz durchfroren sein; *viande f ~ée* Gefrierfleisch *n;* **~rifique** *a* kälteerzeugend; *s m* Kühlanlage *f; entrepôt m ~* Kühlhaus *n; navire m ~* Kühlschiff *n;* **~riste** *m* Kältetechniker *m.*

frileux, se [frilø, -øz] kälteempfindlich; (leicht) fröstelnd.

frimas [frimɑ] *m* Reif; *mar* Gischt *m, f (am Schiff).*
frime [frim] *f fam* Schein *m,* Verstellung, Lüge *f; pour la* ~ zum Schein; *ce n'est que de la* ~ er tut nur so.
frimousse [frimus] *f pop* Gesicht *n; (Tier)* Schnauze *f.*
fringale [frɛ̃gal] *f fam* Heißhunger *m; fig* Gelüst *n* (*de* auf *acc*), Gier *f* (*de* nach); ~ *de lecture* Lesehunger *m.*
fringant, e [frɛ̃gɑ̃, -t] munter, keck, forsch, lebhaft; *(Pferd)* feurig.
frin|guer [frɛ̃ge] *pop* (an=)kleiden, aus=staffieren; *être bien ~ué (pop)* gut in Schale sein; **~gues** [frɛ̃g] *f pl pop* Klamotten *pl.*
frip|é, e [fripe] *a* zerknittert; *(Gesicht)* gezeichnet; **~er** zerknittern; ab=nutzen; **~erie** *f* Trödelkram, -laden *m;* **~ier** *m* Trödler *m.*
fripon, ne [fripɔ̃, -ɔn] *s m f* Spitzbube, Gauner(in *f*), Schelm *m; a* schalkhaft, schelmisch; **~nerie** *f* Gaunerei *f.*
fripouille [fripuj] *f fam* Schuft, Schurke *m;* **~rie** *f* Schurkerei *f.*
frire [frir] *irr tr itr (in der Pfanne)* braten, backen (*dans du beurre, de l'huile* in Butter, Öl); *poêle f à* ~ Bratpfanne *f.*
frisage [frizaʒ] *m* Kräuseln *n; typ* unscharfe(r) Druck *m.*
frise [friz] *f arch* Fries, Gesimsstreifen *m,* Band *n;* Flausch *(Wollstoff); theat* Bühnenhimmel *m.*
Frise, la [friz] Friesland *n; la* ~ *orientale* Ostfriesland *n.*
frisé, e [frize] gekräuselt, gelockt; *chou m* ~ Grünkohl *m;* ~ *en tire-bouchons* mit Korkzieherlocken.
friselis [frizli] *m* Rascheln, Rauschen *n.*
fris|er [frize] *tr* kräuseln, Locken drehen (*qc* in e-e S); fälteln; entlang=streichen (*qc* an e-r S), streifen, nahe kommen (*qc* dat), grenzen (*qc* an e-e S); *itr* sich kräuseln; *typ* d(o)ublieren; ~ *la cinquantaine* auf die Fünfzig gehen; *cela ~e la grossièreté* das grenzt an Grobheit *(acc); lumière f ~ante* Streiflicht *n;* **~ette** *f* Löckchen *n;* **~on, ne** *a* friesisch; *s m f* ~, *ne* Friese *m,* Friesin *f; s m* Löckchen *n; tech* gerollte(r) Span *m;* **~otter** leicht kräuseln.
frisquet, te [friskɛ, -t] *a fam* etw frisch, kühl; *s f (Textil)* Kartenmuster *n.*
frisson [frisɔ̃] *m* Schauder(n *n*) (*de* vor *dat*); Schauer *m;* Erschauern, (Er-)Zittern (*dans la voix* der Stimme), Erbeben, Wogen; *(Wasser)* Rippeln *n; fig* Bewegung, Erregung *f;* Hauch *m; (Stoff, Blätter, Flügel)* Rauschen *n; donner le* ~ erschauern lassen (*à qn* jdn); *cela me donne un* ~ es überläuft mich kalt dabei; **~nant, e** erschauernd; bebend, zitternd (*de froid* vor Kälte); **~nement** *m* Erzittern; *(Stoff)* Rascheln *n;* **~ner** schaudern, erschauern, zittern (*de* vor *dat*); frösteln; *(Licht)* flackern, blinken; *je ~ne* es läuft mir kalt über den Rükken; mir graust.
fri|t, e [fri, -it] *a* gebacken, gebraten; *fig fam* erledigt, erschossen; *s f pl* Pommes frites *pl; il est* ~ *(fam)* es ist aus mit ihm; **~terie** *f* Fischbratküche *f;* Pommes-frites-Stand *m;* **~tes** *f pl* Pommes frites *pf, fam* Friten *pl.*
fritillaire [fritilɛr] *f bot* Kaiserkrone *f.*
frit|tage [fritaʒ] *m geol* Sinterung *f;* **~te** *f* Glasmasse *f.*
fritu|re [frityr] *f* Braten, Backen *(in der Pfanne);* Bratenfett *n;* gebratene Fische *m pl;* Bratfleisch; *tech* Knack-, Nebengeräusch *n;* **~rerie** *f* Fischbratküche *f;* **~rier** *m* Inhaber *m* e-r Fischbratküche.
frivol|e [frivɔl] unbedeutend; kindlich; eitel, oberflächlich; wertlos; leichtfertig, frivol; **~ité** *f* Leichtfertigkeit, Eitelkeit; Frivolitätenarbeit *f; pl* Kindereien, Spielereien *f pl.*
froc [frɔk] *m* (Mönchs-)Kutte; *arg* Hose *f; jeter le* ~ *aux orties (fam)* die Kutte ab=legen; s-n Beruf an den Nagel hängen; *prendre le* ~ ins Kloster gehen.
froid, e [frwa, -ad] *a* kalt *a. fig; fig* kühl, ohne Feuer; *(Empfang)* frostig; hart, unempfindlich; *(Stil)* ausdrucks-, seelenlos, nüchtern; *(Kleidung)* luftig, leicht; *s m* Kälte *a. fig; fig* Kühle; *tech* Kältetechnik *f; à* ~ kalt *adv; fig* gefühl-, schwunglos; *sport* ohne warm zu sein; *tech* auf kaltem Wege; *med* im Intervall; *attraper, prendre* ~ sich erkälten; *avoir* ~ *aux mains, aux pieds* kalte Hände, Füße haben; *n'avoir pas* ~ *aux yeux (fig)* unverfroren, nicht bange sein; *battre* ~ *à qn* jdm die kalte Schulter zeigen; *donner* ~ erschauern lassen (*à qn* jdn); *être en* ~ *avec qn* jdm aus dem Wege gehen; *jeter du* ~, *un* ~ wie e-e kalte Dusche, peinlich wirken; *vivre en* ~ *avec qn* mit jdm nichts zu tun haben wollen; *j'ai* ~ ich friere, es friert mich; *cela m'a fait* ~ *dans le dos* es überlief mich kalt; *il fait* ~ es ist kalt; *il fait cinq degrés de* ~ wir haben 5 Grad Kälte; *il fait un* ~ *à pierre fendre* es friert Stein u. Bein; *animaux m pl à sang* ~ Kaltblüter *m pl; coup m de* ~ plötzliche Kälte *f,* Kälteeinbruch *m; démarrage m à* ~

Kaltstart *m; guerre f ~e* kalte(r) Krieg *m; résistant au ~* kältebeständig; *sensation f de ~* Kältegefühl *n; vague f de ~* Kältewelle *f; ~ dû à l'évaporation* Verdunstungskälte *f; ~ intense* scharfe, beißende Kälte *f; ~ noir, de canard, de loup* grimmige, Hundekälte *f;* **~eur** *f fig* Kälte, Frostigkeit, Kühle; Zurückhaltung; Gefühllosigkeit; Gleichgültigkeit; *(Stil)* Nüchternheit, Unlebendigkeit *f;* **~ure** *f* (Winter-)Kälte *f.*

froiss|ement [frwasmɑ̃] *m (Muskel)* Quetschung *f; (Stoff)* Zerknittern; *(Seide)* Knistern; *(Papier)* Rascheln *n; fig* Reibung; Kränkung, Verunglimpfung *f;* **~er** quetschen; (ab≈)reiben, (ab≈)streifen; zertreten, -reiben; *(Stoff)* zerknittern, -knüllen; *fig* kränken, verletzen; *se ~* knittern; leicht zerknüllt sein; *fig* gekränkt, beleidigt sein; **~ure** *f* Knitterfalten *f pl.*

frôl|ement [frolmɑ̃] *m* Streicheln, Streifen; Knistern, Rascheln *n;* **~er** streifen, leicht berühren, streicheln; ganz nahe vorbei≈gehen, -fahren (*qc* an e-r S); *fig* grenzen (*qc* an e-e S); **~eur, se** *fig* (ein)schmeichelnd.

from|age [frɔmaʒ] *m* Käse *m; fig* Futterkrippe; *film* Rückblendung *f; entre la poire et le ~* beim Nachtisch; *fig* (so) nebenbei; *il a trouvé un ~ (fig)* er sitzt an der Futterkrippe; *couteau m, cloche f, plateau à ~* Käsemesser *n,* -glocke, -platte *f; croûte f du ~* Käserinde *f; ~ blanc, à la crème, de gruyère, aux herbes* Quark, Rahm-, Schweizer-, Kräuterkäse *m; ~ de chèvre, de brebis* Ziegen-, Schafkäse *m; ~ fermenté à pâte molle, à pâte dure, fondu* Weich-, Hart-, Schmelzkäse *m; ~ de tête, d'Italie* Sülze *f;* Preßkopf *m;* **~agé, e** mit Käse gemischt *od* bestreut; **~ager, ère** *a* Käse-; *s m f* Käsefabrikant(in *f*) *m;* **~agerie** *f* Käserei *f;* Käsehandel *m,* -geschäft *n.*

froment [frɔmɑ̃] *m* Weizen *m; pain m de ~* Weizenbrot *n; ~ de Turquie* Mais *m;* **~al** *m* Futterhafer *m.*

fronc|e [frɔ̃s] *f (Papier)* Falte *f; jupe f à ~s* Faltenrock *m;* **~ement** *m* Fälteln *n; ~ de sourcils* Stirnrunzeln *n;* **~er** falten; in Falten ziehen; fälteln; *~ les sourcils* die Stirn runzeln; die Nase rümpfen; **~is** [-i] *m* Bausch *m.*

frondaison [frɔ̃dɛzɔ̃] *f bot* Blattbildung *f;* Laub(werk) *n.*

frond|e [frɔ̃d] *f* **1.** (Farn-)Wedel *m;* **2.** Schleuder; **3.** *hist* Fronde *f; esprit m de ~* aufrührerische(r) Geist *m;* **~er** *tr vx* schleudern; tadeln, kritisieren; aus≈pfeifen; trotzen (*qn* jdm); *itr* meckern (*contre* über *acc*); **~eur, se** *a* kritisch; aufsässig; *s m f* Kritik(ast)er, Nörgler(in *f*) *m.*

front [frɔ̃] *m* Stirn *f;* Kopf *m,* Haupt; Gesicht *n; poet* Haltung, Miene; Frechheit, Kühnheit; Stirn-, Vorderseite; *pol mil* Front *f (a. Wetter); min* Stoß *m; de ~* von vorn; auf gleicher Höhe, nebenea.; *fig* direkt, unmittelbar, ohne Umschweife; gleichzeitig, zusammen; *sur ~ large, étroit* auf breiter, schmaler Front; *sur l'ensemble du ~* auf der ganzen Front; *aller, être au* od *sur le ~* an die Front gehen, an der Front stehen; *attaquer qn de ~* jdn offen an≈greifen; *avoir le ~* sich unterstehen, sich erdreisten (*de* zu); *désorganiser, rompre, percer le ~* die Front durchbrechen, -stoßen; *établir un ~ défensif* e-e Abwehrfront auf≈bauen; *faire ~* die Stirn bieten, trotzen (*à qn* jdm); *se frapper le ~* sich an den Kopf schlagen; *heurter qn de ~ (fig)* jdn vor den Kopf stoßen; *marcher le ~ levé* erhobenen Hauptes gehen; *mener de ~ plusieurs entreprises* mehrere Dinge gleichzeitig betreiben; *passer devant le ~ des troupes* die Front ab≈schreiten; *rectifier le ~* die Front begradigen; *attaque f de ~* Frontalangriff *m; changement m de ~* Frontwechsel *m a. fig; combattant m du ~* Frontkämpfer *m; guerre f sur deux, sur plusieurs ~s* Zwei-, Mehrfrontenkrieg *m; service m au ~* Frontdienst *m; tracé m du ~* Frontlinie *f,* -verlauf *m; ~ bombé, fuyant* gewölbte, fliehende Stirn *f; ~ chaud, froid, d'orage, polaire* Warm-, Kalt-, Gewitter-, Polarfront *f; ~ unique* Einheitsfront *f;* **~al, e** [-tal] *a* Stirn-; *s m* Stirnbinde *f.*

frontal|ier, ière [frɔ̃talje, -jɛr] *a* Grenz-; *s m f* Grenzbewohner(in *f*) *m; travailleur m ~* Grenzgänger *m;* **~ière** *s f* Grenze *f a. fig; a* Grenz-; *incident m de ~* Grenzzwischenfall *m; poste, poteau m, région, ville, zone f ~* Grenzposten, -pfahl *m,* -gebiet *n,* -stadt, -zone *f; ~ des secteurs* Sektorengrenze *f.*

frontispice [frɔ̃tispis] *m typ* Titelblatt, -bild *n; (großes Gebäude)* Stirnseite *f.*

fronton [frɔ̃tɔ̃] *m* (Fenster-, Tür-)Giebel *m;* Giebelseite *f.*

frott|age [frɔtaʒ] *m* Reiben, Bohnern, Wichsen *n;* **~ée** *f* Tracht *f* Prügel, Niederlage *f;* **~ement** *m* (Ab-)Reiben *n;* Reibung; *fig* Berührung; Schwierigkeit, Reiberei *f; perte f par ~* Reibungsverlust *m; résistance f de*

~ Reibungswiderstand *m;* **~er** *tr* (ab=, ein=)reiben (*de* mit); (ab=)scheuern; ab=schleifen; *(schmutzige Schuhe)* ab=streichen; *(Fußboden)* bohnern; *(Haut)* frottieren, reiben; *(Nägel)* polieren; *(Zähne)* bürsten; *(Streichholz)* an=zünden; *itr* reiben (*contre* an *dat*), *se* ~ sich reiben (*à, contre* an *dat*); sich ein=reiben (*de* mit); *fig* heraus=fordern, sich ein=lassen (*à qn* mit jdm); zu nahe treten (*à qn* jdm); ~ *avec une brosse* ab=bürsten; ~ *à l'émeri* ab=schmirgeln; *se* ~ *de latin* etwas Latein lernen; ~ *les oreilles à qn (fig)* jdm den Kopf waschen; *ne vous y ~ez pas!* lassen Sie die Finger davon! **~eur** *m* Abreiber; *el* Kontaktarm, Stromabnehmer, Schleifkontakt *m;* **~is** [-i] *m* Politur *f; biol* Präparat *n;* **~oir** *m* Scheuer-, Wischtuch *n;* Reiber *m;* Reibfläche *f;* Bohnerbesen *m;* Reibkissen *n.*

frou|-frou, ~frou [frufru] *m* Rauschen, Knistern, Rascheln *n;* **~frouter** rauschen; *(Seide)* knistern.

frouss|ard, e [frusar, -ard] *a pop* feige; *s m* Angsthase *m;* **~e** *f pop* (Heiden-)Angst *f, fam* Bammel *m.*

fructi|fère [fryktifɛr] fruchttragend; **~fication** *f* Befruchtung; Fruchtbildung *f,* -stand *m;* **~fier** Früchte tragen *a. fig; com* Zinsen ab=werfen; **~ueux, se** [-tyø, -øz] *fig* vorteilhaft, gewinnbringend, einträglich.

frug|al, e [frygal] mäßig, genügsam; einfach; **~alité** *f* Mäßigkeit, Genügsamkeit; Einfachheit *f.*

frugi|fère [fryʒifɛr] fruchttragend; **~vore** Früchte fressend.

fruit [frɥi] *m* **1.** Frucht *f a. fig; fig* Vorteil, Nutzen *m; pl* Obst *n;* Ertrag *m;* Ergebnis *n,* Folge; **2.** *arch* Neigung, Schräge *f; avec* ~ mit Nutzen; *sans* ~ frucht-, nutzlos; *~s de dessert, à noyau, à pépins, séchés* Tafel-, Stein-, Kern-, Dörrobst *n; ~s de mer* eßbare Seetiere *n pl;* ~ *sec (fig)* Versager *m, pop* Niete, Flasche *f;* **~é, e** [-te] mit Fruchtgeschmack; **~erie** *f* Obstkammer *f,* -geschäft *n,* -handel *m;* **~ier, ière** *a* Obst-; *s m f* Obsthändler(in *f*) *m; s m* Obstkammer *f,* -keller *m,* -gestell *n;* Käser *m; s f* Käserei *f; arbre m* ~ Obstbaum *m; cargo m* ~ Obstdampfer *m.*

frusques [frysk] *f pl pop* alte Kleider *od* Möbel *n pl;* Plunder *m;* Klamotten; Scharteken *f pl.*

frusquin [fryskɛ̃] *m: tout son saint-~* s-e Siebensachen *f pl,* s-e ganze Habe *f.*

fruste [fryst] abgegriffen, -gerieben, -genutzt, unleserlich geworden, verwischt; schadhaft; unbearbeitet; *med* unentwickelt; *fig* roh, ungebildet, ungeschliffen, grob; *(Stil)* holp(e)rig; *(Erinnerung)* fast verblaßt.

frust|ration [frystrasjɔ̃] *f* Enttäuschung; geschwundene Hoffnung, Ernüchterung; Frustration *f;* Unbefriedigtsein *n;* **~ratoire** enttäuschend, frustrierend; **~rer** betrügen, benachteiligen (*de qc* um etw); *qn de qc* jdn e-r S *(gen)* berauben, um etw bringen; *qn dans qc* jdn in s-n (berechtigten) Erwartungen enttäuschen.

fuchs|ia [fyʃja] *m bot* Fuchsie *f;* **~ine** [fyk-] *f chem* Fuchsin *n.*

fucus [fykys] *m* Seegras *n,* Tang *m.*

fuégien, ne [fɥeʒjɛ̃, -ɛn] *a* feuerländisch; *F~, ne s m f* Feuerländer(in *f*) *m.*

fuel(-oil) [fjul(ɔjl)] *m* Heizöl *n.*

fug|ace [fygas] flüchtig, vergänglich; kurz; *(Farbe)* schnell verblassend; *(Gedächtnis)* schlecht; *bot* schnell abfallend; **~acité** *f* Flüchtigkeit; Vergänglichkeit *f.*

fugitif, ive [fyʒitif, -iv] *a* (schnell) vorübergehend; flüchtig, vergänglich; *(Farbe)* unecht; *s m* Flüchtling *m.*

fugue [fyg] *f mus* Fuge *f; fam* Seitensprung *m;* Ausreißen *n.*

fui|r [fɥir] *irr itr* (ent)fliehen (*de* aus, *devant* vor *dat*); *fig* Ausflüchte suchen; aus=weichen (*devant qc* dat); entweichen; *(Boden)* ab=sacken, nach=geben; vorbei=fliegen; *(Zeit)* entschwinden, verfliegen; *(Gas)* aus=strömen; *(Flüssigkeit)* aus=laufen; *(Behälter)* leck sein; *(Licht)* heraus=dringen; *(Stirn)* zurück=treten; *(Kunst)* sich (gegen den Fluchtpunkt zu) fortschreitend verkürzen; *tr* fliehen (*qn, qc* vor jdm, etw); aus dem Wege gehen (*qn* jdm), meiden; sich ab=kehren (*qc* von etw); *faire* ~ in die Flucht schlagen; **~te** *f* Flucht *f* (*de* vor *dat*) *a. fig;* Entweichen, Verschwinden; *(Zeit)* Entschwinden *n; pol* Indiskretion *f,* Verrat *m* e-s Geheimnisses; *(Flüssigkeit)* Ausströmen, -fließen, -laufen *n;* lecke, undichte Stelle *f,* Leck *n; tele* Streuung, Dämpfung *f;* Stromverlust *m;* perspektivische Darstellung *f; chercher son salut dans la* ~ sein Heil in der Flucht suchen; *être en* ~ auf der Flucht sein; *mettre en* ~ in die Flucht schlagen; *prendre la* ~ die Flucht ergreifen; *canal m de* ~ Abflußkanal *m; délit m de* ~ Fahrerflucht *f; point m de* ~ Fluchtpunkt *m; soupçon m, tentative f de* ~ Fluchtverdacht, -versuch *m;* ~ *en avant* Flucht *f* nach vorn; ~ de capitaux Kapitalflucht *f; ~ d'eau* Leck *n* in der Wasserleitung.

fulgur|ant, e [fylgyrɑ̃, -ɑ̃t] leuchtend, blitzend, funkelnd; *(Schmerz)* stechend; *fig* überwältigend, heftig; blitzschnell; **~ation** *f* Wetterleuchten, Blitzen; helle(s) Leuchten, Funkeln *n a. el; med* Blitzschlag *m*, Behandlung *f* mit Funken von hoher Frequenz; **~er** blitzen, funkeln.

fuligineux, se [fyliʒinø, -øz] rußig; *fig* unklar.

fulmi|coton [fylmikɔtɔ̃] *m* Schießbaumwolle *f;* **~nant, e** blitzend, drohend; detonierend; Knall-, Spreng-; **~nate** *m: ~ de mercure* Knallquecksilber *n;* **~nation** *f* Detonation *f;* Schleudern *n (des Bannstrahles);* **~ner** detonieren; *fig* explodieren, wütend sein; schimpfen, wettern (*contre qn* gegen jdn); *tr (Bann)* schleudern.

fum|age [fymaʒ] *m* **1.** Räuchern; **2.** Düngen *n;* **~ant, e** rauchend, dampfend; kochend (*de colère* vor Zorn); *(Kopf)* heiß; *pop* sensationell; **~e-cigar(ett)e** *m* Zigarren-, (Zigaretten-) Spitze *f;* **~ée** *f* Rauch, Qualm; Dampf, Dunst; Schwaden; *fig* blaue(r) Dunst *m*, Illusion, Seifenblase *f; pl* Dämpfe *m pl*, Nebel *m (von Alkohol); eco* Abgase *n pl (Jagd)* Losung *f; sans ~* rauchlos; *s'en aller, s'évanouir en ~ (fig)* in Rauch auf≈gehen; *dissimuler par la ~ (mil)* ein≈nebeln; *conduit m de ~* Rauchabzug *m; ~s industrielles* Industrieabgase *n pl;* **~er** *itr* rauchen; qualmen; dampfen; sich wölken; *fig f am* rasen, toben; *tr* (aus≈)räuchern; *(Tabak)* rauchen; *(Hochofen)* an≈wärmen; *agr* düngen; *défense de ~!* Rauchen verboten! *verre m ~é* Rauchglas *n;* **~er** *f* Rauchen *n;* Opiumhöhle *f;* **~erolle** *f geol* Fumarole *f;* **~eron** *m* Rauchkohle *f;* (Zigarren-, Zigaretten-)Stummel *m;* kleine Lampe *f; arg* Bein *n.*

fumet [fymɛ] *m* (Wild-)Geruch *m; (Jagd)* Witterung; *(Wein)* Blume *f; fig* Duft *m.*

fumeterre [fymtɛr] *f bot* Erdrauch *m.*

fum|eur, se [fymœr, -øz] *m f* Raucher(in *f*) *m; ~ acharné, enragé* Kettenraucher *m;* **~eux, se** rauchig; qualmend; dunstig; *fig* unklar, verschwommen.

fumier [fymje] *m* Dünger, Mist; Mist-, Dunghaufen *m; pop* Mistvieh *n; fourche f à ~* Mistgabel *f; trou m, fosse f à ~* Dunggrube *f.*

fumi|gation [fymigasjɔ̃] *f (Zimmer)* Ausräuchern *n; med* Räucherung *f;* **~gène** *a* raucherzeugend; *s m* Rauchentwickler *m*, Nebelgerät *n; bombe f ~* Rauch-, Nebelbombe *f.*

fumiste [fymist] *m* Ofensetzer; *fig fam* Blender, Bluffer, unsichere(r) Kantonist *m;* **~rie** *f* Ofensetzerhandwerk *n; fig* Schwindel *m*, Irreführung *f;* Bluff; Unsinn *m.*

fumivore [fymivɔr] *a* rauchverzehrend; *s m* Rauchverzehrer *m.*

fumoir [fymwar] *m* Rauchzimmer *n.*

fumure [fymyr] *f* Düngen *n*, Düngung *f.*

fun|ambule [fynɑ̃byl] *m f* Seiltänzer(in *f*) *m;* **~ambulesque** seiltänzerisch; *fig* verstiegen, wunderlich.

fune [fyn] *f mar* Schleppseil *n.*

fun|èbre [fynɛbr] *a* Leichen-, Begräbnis-, Toten-; *fig* traurig, düster, finster; *rendre à qn les honneurs ~s* jdm die letzte Ehre erweisen; *chant m, mine f ~* Trauergesang *m*, -miene *f; char m ~* Leichenwagen *m; cloche f, lit m ~* Totenglocke *f*, -bett *n; convoi, cortège m ~* Trauergefolge *n; oraison f ~* Leichenrede *f; pompes f pl ~s* Beerdigungsinstitut *n; service m ~* Trauergottesdienst *m;* **~érailles** *f pl* (feierliches) Leichenbegängnis *n*, Bestattung *f; ~ nationales* Staatsbegräbnis *n;* **~éraire** Leichen-, Toten-; Begräbnis-; *chapelle f ~* Grabkapelle *f; frais m pl ~s* Beerdigungskosten *pl; indemnité f ~* Sterbegeld *n; monument m, pierre f ~* Grab(denk)mal *n*, Grabstein *m;* **~este** [-nɛst] unheilvoll, -bringend, verderblich (*à* für); traurig, kläglich; tödlich.

funiculaire [fynikylɛr] *a* Seil-, Strick-; *s m* Drahtseilbahn *f.*

funi|cule [fynikyl] *m bot* Keimgang *m;* **~culite** *f* Samenstrangentzündung *f.*

funin [fynɛ̃] *m mar* Tauwerk *n.*

fur [fyr] *m: au ~ et à mesure* in dem Maße, je nachdem (*que* wie); im gleichen Maße, dem anderen.

furax [fyraks] *fam* wütend, fuchsteufelswild.

furet [fyrɛ] *m zoo* Frettchen *n; fig* Spürhund; Teekessel *m (Spiel);* **~er** [fyrte] *fig* herum≈schnüffeln, -stöbern, -schmökern; **~eur, se** *m f* Schnüffler(in *f*); Stöberer *m; a* neugierig.

fur|eur [fyrœr] *f* Raserei, Wut *f*, Zorn *m;* (heftige) Leidenschaft, große Begeisterung; Heftigkeit *f*, Feuer; *(Sturm)* Toben *n; pl poet* Wutausbrüche *m pl; faire ~* sehr beliebt, in Mode sein; Furore machen; **~ibard, e** *fam* wütend; **~ibond, e** wütend, rasend; **~ie** *f* Furie; Raserei, Wut; Heftigkeit *f;* Wüten, Toben *n; mettre qn en ~* jdn in Wut bringen; **~ieux, se** *a* rasend, wütend (*contre qn, qc* auf jdn,

etw); außer sich; heftig; erbittert; *poet (Sturm)* verheerend, furchtbar; *fig* schrecklich, gewaltig.
furole [fyrɔl] *f* Irrlicht *n.*
furon|cle [fyrɔ̃kl] *m* Furunkel *m;* **~culose** *f* Furunkulose *f.*
furtif, ive [fyrtif, -iv] verstohlen, heimlich; *(Lächeln)* flüchtig; *entrer d'un pas ~* herein=schleichen; *glisser une main ~tive dans qc* heimlich in e-e S hinein=greifen.
fusain [fyzɛ̃] *m bot* Spindelbaum *m;* (Zeichen-)Kohle; Kohlezeichnung *f.*
fuseau [fyzo] *m* Spindel *f a. anat;* (Spitzen-)Klöppel *m;* Hülse; Keilhose *f; math* Kugelzweieck *n; en ~* spindelförmig; *~ horaire* Zeitzone *f; ~-moteur m* Motorgondel *f.*
fusée [fyze] *f* Rakete *f;* Brennzünder *m; tech* Spindel *f; mot* Achsschenkel *m;* Brennzünder *m;* Garnspule; *(Uhr)* Spindel, Schnecke *f; (Flüssigkeit)* Strahl *m; fig* Ausbruch, Anfall *m,* Aufflackern *n; mus* schnelle(r) Lauf; *med* Eiterkanal *m; lancer une ~* e-e Rakete ab=schießen; *avion-~ m* Raketenflugzeug *n; rampe f de lancement de ~s* Raketenabschußbasis *f; ~ anti-aérienne, de D.C.A.* Flakrakete *f; ~ antichars* panzerbrechende Rakete *f; ~ autodestructive à temps* Zeitzünder *m; ~ balistique* Raketengeschoß *n; ~ cosmique, balistique* Raumrakete, ballistische Rakete *f; ~ courante* Schwärmer *m; ~ de culot, fusante, percutante* Boden-, Brenn-, Aufschlagzünder *m; ~ éclairante* Leuchtrakete *f; ~-gigogne f, à plusieurs étages* Mehrstufenrakete *f; ~ intercontinentale* Interkontinentalrakete *f; ~ à moyenne portée* Mittelstreckenrakete *f; ~ paragrêle* Hagelrakete *f; ~ porteuse* Trägerrakete *f; ~ à retard(ement)* Verzögerungszünder *m; ~ de signalisation* Signalrakete *f; ~ téléguidée* ferngelenkte Rakete *f.*
fusel|age [fyzlaʒ] *m aero* Rumpf *m; extrémité f arrière, nez m du ~* Rumpfende *n;* Kanzel *f;* **~elé, e** spindelstromlinienförmig, windschnittig; *fig* dünn, fein.
fuséologie [fyzeɔlɔʒi] *f* Raketentechnik *f;* **~logue** *m* Raketentechniker *m.*
fuser [fyze] schmelzen; *(ohne Knall)* ab=brennen; *(Sicherung)* durch=brennen; *tech (Lager)* aus=laufen; *fig* sich aus=breiten; los=gehen; auf=steigen, -fliegen, sich erheben.
fusette [fyzɛt] *f* (Faden-)Rolle *f.*
fusible [fyzibl] *a* schmelzbar; *s m el* Sicherung *f.*
fusiforme [fyzifɔrm] spindelförmig.
fusil [fyzi] *m* Gewehr *n,* Flinte, Büchse *f;* Wetzstahl; *fig* Schütze *m; arg* Kehle *f,* Magen *m; abattre à coup de ~* nieder=schießen; *changer son ~ d'épaule (fig)* um=satteln; s-e Meinung, s-e Methode ändern; *coup m de ~* Gewehrschuß *m; fam* gesalzene Rechnung *f; pierre f à ~* Feuerstein *m; ~ à air comprimé* Luftgewehr *n; ~ antichars* Panzerabwehrbüchse *f; ~ de chasse* Jagdgewehr *n; ~ à lunette* Scharfschützengewehr *n; ~-mitrailleur (F.M.)* leichte(s) Maschinengewehr (LMG) *n;* **~ier** [-lje] *m* Füsilier *m;* **~lade** [-jad] *f* Gewehrfeuer *n;* Schießerei *f;* **~ler** [-je] erschießen; durchbohren (*du regard* mit dem Blick); *fam* knipsen *(de la caméra); pop* kaputt=machen.
fusion [fyzjɔ̃] *f* (Ver-)Schmelzen *n;* Schmelzprozeß *m;* Schmelze *f,* Fluß *m;* Auflösung *f* (*dans l'eau* in Wasser); *fig* Verschmelzung *f;* Aufgehen *n; com* Fusion, Zs.legung, Vereinigung *f; en ~* in geschmolzenem Zustand, schmelzflüssig; *entrer en ~* flüssig werden; *point m de ~* Schmelzpunkt *m; four m de ~* Schmelzofen *m; ~ nucléaire* Kernverschmelzung *f;* **~nement** [-zjɔ-] *m* Fusionierung, Verschmelzung *f;* **~ner** *tr* verschmelzen, zs.=legen, vereinigen, *com* fusionieren; *itr* sich zs.=schließen, inea. auf=gehen *a. fig.*
fustiger [fystiʒe] aus=peitschen; *fig* geißeln.
fût [fy] *m* Faß, Gebinde *n;* (Baum-) Stamm; (Säulen-)Schaft; *(Gewehr)* Schaft; *tech* Rahmen *m,* Gehäuse, Gestell *n,* Griff; *(Leuchter)* Fuß *m; ~ d'essence* Benzinfaß; Faß *n* Benzin.

futaie [fytɛ] *f* Hochwald *m.*
futaille [fytaj] *f* Faß *n.*
futaine [fytɛn] *f* Barchent *m.*
futé, e [fyte] *fam* pfiffig, verschmitzt.
futée [fyte] *f* Holzkitt *m.*
futi|le [fytil] nichtssagend, geringfügig, unbedeutend; *fig* leichtsinnig, oberflächlich; **~lité** *f* Inhaltlosigkeit, Nichtigkeit; Bedeutungslosigkeit; Nutzlosigkeit; Kindlichkeit; Bagatelle, Lappalie *f.*
futur, e [fytyr] *a* (zu)künftig; *s m* Zukunft *f; gram* Futurum *n; m f* Zukünftige(r *m*) *f; ~e maman* werdende Mutter *f;* **~isme** *m* Futurismus *m;* **~iste** futuristisch; **~ologie** *f* Futurologie *f,* Zukunftswissenschaft *f.*
fuy|ant, e [fɥijɑ̃, -ɑ̃t] fliehend, flüchtig; unbeständig; ungreifbar, nicht faßbar; *(Blick)* scheu, verstohlen; *arch* sich verjüngend; spitz zulaufend; **~ard** *m* Flüchtling, Ausreißer *m.*

G

gabardine [gabardin] *f* Gabardine(mantel) *m.*

gabarit [gabari] *m* (Schiffs-)Modell; Form-, Musterbrett *n;* Lehre, Schablone *f; loc* (Lade-, Begrenzungs-) Profil; *fig* Maß *n,* Norm, Größe *f.*

gabar(r)e [gabar] *f* Lastkahn *m;* große(s) Schleppnetz *n.*

gabegie [gabʒi] *f fam* Schlamperei *f,* Kuddelmuddel *m* od *n;* Verschwendung *f.*

gab|elle [gabɛl] *f hist* Salzsteuer *f;* **~elou** [-blu] *m hist* Beamte(r) *m* der Salzsteuer; *fam* Zollbeamte(r) *m.*

gabier [gabje] *m mar* Gast *m.*

gabion [gabjõ] *m agr* große(r), *mil* Schanzkorb *m.*

gable, gâble [gabl] *m arch* Zwerchhaus *n;* Wimperg *m.*

gâch|age [gɑ(a)ʃaʒ] *m tech* Anrühren *n;* Vergeudung *f;* ~ *des prix* Unterbieten der Preise; Dumping *n;* **~e** *f tech* Schließklappe *f;* -blech *n;* Kalkhacke *f; (Bäckerei)* Rührspatel *m* od *f; arg* Arbeitsplatz *m;* ~ *à ressort* Schnappschloß *n;* **~er** *(Mörtel, Kalk)* an=, ein=rühren, an=machen; *(Arbeit)* hin=hauen, -pfuschen, -schludern; *(Geld, Zeit)* vertun, vergeuden; *(Gelegenheit)* verpassen; *(Spaß)* verderben; ~ *le métier (fig fam)* das Spiel, die Preise verderben.

gâchette [gɑ(a)ʃɛt] *f* Drücker; Abzug(sstollen) *m; (Schloß)* Zuhaltung *f.*

gâch|eur, se [gɑʃœr, -øz] *m* Mörtel-, Speisrührer *m; m f* Pfuscher(in *f*), Schlamper *m; f pop* Spaßverderber(in *f*) *m;* **~is** [-i] *m* (Gips-)Mörtel, Speis; Schlamm, Matsch *m; fig fam* Kuddelmuddel *m* od *n,* Schlamassel *m, a. n,* Tohuwabohu *n; être dans le* ~ in der Patsche, Tinte sitzen.

gadget [gadʒɛt] *m* Ding, Gerät *n,* Vorrichtung *f.*

gadoue [gadu] *f* (Küchen-)Abfälle *m pl;* Müll, Schmutz; Kot *m;* Kompost(erde *f*) *m.*

gaélique [gaelik] gälisch.

gaff|e [gaf] *f* Bootshaken *m; fam* Dummheit *f,* (dummer) Fehler, *fig* Schnitzer *m; faire une* ~ *(fam)* e-n Bock schießen, e-e Dummheit machen; *faire* ~ *(pop)* auf=passen; **~er** *tr* mit e-m Haken fangen; *itr fam* e-n Bock schießen; *pop* auf=passen; **~eur, se** *a fam* ungeschickt; *s m f* Dussel, Schussel, Stoffel *m.*

gag [gag] *m* Gag, Scherz *m.*

gaga [gaga] *m fam* halbe(r) Idiot, alte(r) Trottel *m; a* blöde, vertrottelt.

gag|e [gaʒ] *m* (Unter-)Pfand *n a. fig;* Bürgschaft *f;* (sicherer) Beweis *m; pl* Lohn *m (d. Hausangestellten); à* ~*s* gegen Lohn *od* Entgelt; *donner, mettre en* ~ verpfänden; *emprunter, prêter sur* ~ gegen Pfand borgen, leihen; *être aux* ~*s de qn* in jds Diensten stehen; *fig* jdm blind ergeben sein; *retirer un* ~ ein Pfand ein=lösen; *lettre f de* ~ Pfandbrief *m; mise f en* ~ Verpfändung *f;* ~ *mobilier* Faustpfand *n;* **~er** wetten (*que* daß); verpfänden; durch ein Pfand sichern; **~eur** *m* Pfandgeber, -schuldner *m;* **~eure** [-ʒyr] *f* Wette *f; (sou)tenir la* ~ *(fig)* durch=halten; *c'est une* ~*! fam* das ist ja (heller) Wahnsinn! **~iste** *m* gegen Entgelt Beschäftigte(r) *m; (créancier m* ~*)* Pfandnehmer, -gläubiger *m.*

gagnant, e [gaɲɑ̃, -ɑ̃t] *a* gewinnend; Gewinn-; *s m* Gewinner *m; jur* siegende Partei *f; tout le monde le donne* ~ man betrachtet ihn allgemein als Sieger; *billet, numéro m* ~ Gewinn(los *n,* -nummer *f*), Treffer *m.*

gagne-pain [gaɲpɛ̃] *m inv* Broterwerb *m;* **~-petit** *m inv* Kleinverdiener *m.*

gagn|er [gaɲe] **1.** *itr* gewinnen, siegen, den Sieg davon=tragen *od* erringen; *sport il a* ~*é aux points, d'une longueur, d'une poitrine* er hat nach Punkten, mit e-er Länge, um Brustbreite gesiegt; *la mer* ~*e sur la côte* das Meer greift auf das Festland über; *fig elle* ~*e en charme en vieillissant (Person)* sie gewinnt an Reiz, je älter sie wird; ~ *à être connu* bei näherem Kennenlernen gewinnen; ~ *à faire qc* gewinnen, wenn man etw tut; **2.** *tr (Geld)* verdienen; ~ *gros* gut verdienen; ~ *sa vie* s-n Lebensunterhalt verdienen, ~ *de l'argent au jeu* beim Spiel Geld gewinnen, ~ *le gros lot* das Große Los ziehen; ~ *qc à qn, qc sur qn* jdm e-e S ab=gewinnen; *(acquérir)* erwerben *il a* ~*é une certaine réputation* er hat e-n gewissen Ruhm erworben; *(Zeit)* sparen; ~ *à* *qc* aus e-r S Profit schlagen; *il n'y a rien à y gagner* dabei ist nichts zu holen *fam; qu'est ce que j'y ~e?* was habe ich denn davon? *c'est autant de ~é* das ist doch, immerhin (et)was; *tu ne ~eras rien à t'emporter* mit Zorn erreichst du nichts; *~ qn de vitesse* jdm zuvor=kommen; *~ du terrain fig* Boden gewinnen, auf=holen. **3.** *(attraper)* (Krankheit) sich zu=ziehen, *fam* holen; *j'y ai ~é un rhume* ich habe mir dabei e-e Erkältung, e-n Schnupfen geholt; **4.** *(conquérir)* erwerben; *~ la faveur de qn* jds Gunst erlangen; *~ qn par des flatteries* sich in jds Gunst ein=schmeicheln; jdn für sich ein=nehmen, sich jdn geneigt machen; *~ des amis, tous les cœurs* Freunde, alle Herzen gewinnen; *~ qn* jdn überzeugen, *(péj)* verführen, bestechen; **5.** *(progresser)* näher kommen, sich nähern (*qc* e-r S *dat*); *(Ort, Ziel)* erreichen; *~ le large (mar)* auf das Meer hinaus=fahren; *fig* das Weite suchen; fassen, ergreifen; *l'épidémie ~e le pays voisin* die Seuche greift auf das Nachbarland über; *~ du terrain sur qn* jdn ein=holen; *le feu ~e du terrain* das Feuer greift um sich; sich bemächtigen (*de* gen); *la peur le ~e* die Furcht bemächtigt sich seiner; *le sommeil le ~e* der Schlaf überfällt, übermannt ihn; **6.** *se ~ (passif)* verdient, gewonnen werden; *(med)* ansteckend sein; **~eur, se** *m f* Gewinner(in *f*) *m.*

gai, e [ge, gɛ] *(adv a. gaîment) a* heiter, froh, fröhlich, munter, aufgeräumt, launig, lustig, fidel, ausgelassen; *(Gespräch)* aufheiternd; *(Gegend, Raum, Wetter)* freundlich, heiter; *(Farbe)* hell, lebhaft; *interj* lustig! los! mach zu! *un peu ~ (fam)* (etwas) angeheitert; *~ comme un pinson* quietschvergnügt, kreuzfidel; **~eté, gaîté** [ge(ɛ)te] *f* Munterkeit, Fröhlichkeit, Heiterkeit, Lustigkeit, Ausgelassenheit; *de ~ de cœur* freiwillig, aus freien Stücken.

gaillard, e [gajar, -ard] *a* lustig, vergnügt; munter, frisch; *(frais et ~)* frisch *od* gesund u. munter; wacker, tüchtig; etwas frei, locker; *(Wetter, Wind)* frisch, kühl; *fam* auf dem Damm *od* Posten; etwas angeheitert; *s m* Kerl, Bursche *m; mar (~ d'avant)* Back *f; s f* tüchtige Frau; *typ* Borgis *f;* **~ise** *f* Lustigkeit, Munterkeit *f;* lustige(r) Streich *m,* etw freie Äußerung *f.*

gaille|terie [gaj(ɛ)tri] *f* Stückkohle *f;* **~tin** *m* Nußkohle *f.*

gain [gɛ̃] *m* Gewinn *a. fig;* Vorteil; Erwerb(ung *f*) *m;* Ausbeute *f;* Einkommen *n,* Verdienst, Lohn *m; el* Verstärkung *f,* Anstieg *m; avoir ~ de cause* (e-n Prozeß) gewinnen; *être âpre au ~* hinter s-m Vorteil her sein; *réaliser de gros ~s* große Gewinne erzielen; *retirer du ~ de qc* aus etw Vorteil, Gewinn ziehen; *amour m du ~* Gewinnstreben *n; âpreté f au ~* Gewinnsucht *f; contrôle, réglage m de ~ (tech)* Lautstärkeregelung *f; ~ accessoire* Nebenverdienst *m; ~ horaire* Stundenlohn *m; ~ de place, de temps* Platz-, Zeitersparnis *f od* -gewinn *m; ~ de terrain (mil)* Geländegewinn *m.*

gain|e [gɛn] *f* Futteral, Etui *n,* Tasche; Hülle; Scheide *f a. anat bot; tech* Mantel *m,* Umhüllung *f;* Hüfthalter *m,* Korse(le)tt *n; arch* Postament *n;* **~é, e** [ge(ɛ)ne] bezogen, bespannt (*de* mit); eng umschlossen (*de* von).

gala [gala] *m* Fest(vorstellung *f*) *n.*

galactomètre [galaktɔmɛtr] *m* Milchmesser *m,* -waage *f.*

galalithe [galalit] *f* Galalith *n.*

galamment [galamɑ̃] *adv* galant; liebenswürdigerweise; gewandt, geschickt.

galant, e [galɑ̃, -ɑ̃t] *a* galant, artig, höflich, zuvorkommend, liebenswürdig; verführerisch; Liebes-; *s m* Anbeter *m; femme f ~e* Kokotte; Dirne *f; ~ homme* Ehrenmann *m;* **~erie** *f* Zuvorkommenheit, Höflichkeit; Rücksicht; Liebenswürdigkeit *f;* Kompliment; Liebesabenteuer *n.*

galantine [galɑ̃tin] *f* kalte(s) gefüllte(s) Spanferkel *od* Geflügel *n.*

galapiat [galapja] *m pop* Taugenichts, Strolch *m.*

galaxie [galaksi] *f astr* Milchstraße *f;* Spiralnebel *m.*

galb|e [galb] *m (Säule, Vase)* Schwellung, Rundung, Ausbauchung; *allg* Kontur(en *pl*); (schöne) Form *f; avoir du ~* e-e gute Figur haben; **~é, e** ausgebaucht, in der Mitte verstärkt; gut geformt.

gale [gal] *f med* Krätze; *(Tier)* Räude; *fig fam* Giftspritze, -nudel, böse Zunge *f; n'avoir pas la ~ aux dents* e-n gesunden Appetit haben.

galéjade [galeʒad] *f* Aufschneiderei *f.*

galène [galɛn] *f min* Bleiglanz *m; poste m à ~ (radio)* Detektorapparat *m.*

galère [galɛr] *f* Galeere *f; fig* mißliche(s) Abenteuer; *fig* Zuchthaus *n; tech* Flammofen; Fügehobel *m; pl* Zwangsarbeit *f; vogue la ~!* komme, was da wolle!

galerie [galri] *f* Galerie *f;* lange(r) Flur; gedeckte(r) *od* unterirdische(r)

Gang; (langer) Balkon, Umgang *m;* Terrasse *f;* (langer) Saal; *theat* Balkon, Rang *m; (Kirche)* Empore; *min* Strecke *f,* Stollen; *mot* Gepäckträger, Dachträger *m; fig* Zuschauer *m pl,* Publikum *n; pour la ~* aus Effekthascherei; *~ de cure (Sanatorium)* Liegeterrasse *f.*

galérien [galerjɛ̃] *m* Galeerensklave, -sträfling *m.*

galet [galɛ] *m* (glatter) Kiesel(stein); kiesige(r) Strand *m; tech* (Lauf-)Rolle *f; pl* Geröll; *geol* Strandgeröll *n; ~ de guidage (tech)* Führungsrolle *f.*

galetas [galta] *m* armselige Wohnung *f, fam* Loch *n.*

galette [galɛt] *f* flache(r) runde(r) (Blätterteig-)Kuchen; *allg* flache(r) runde(r) Gegenstand *m; tech* Flachspule *f;* Hutgerippe *n; pop* Zaster, Kies *m.*

galeux, se [galø, -øz] *a med* krätzig *a. tech; (Tier)* räudig; *(Gesellschaft)* schlecht; *s m f* krätzige(r) Mensch *m; qui se sent ~ se gratte (prov)* wen's juckt, der kratze sich; *brebis f ~se (fig)* räudige(s) Schaf *n.*

galibot [galibo] *m min* Berghilfsarbeiter, Fördermann *m.*

Galilée, la [galile] Galiläa *n.*

galimatias [galimatja] *m* Unsinn, *fam* Quatsch *m.*

galion [galjõ] *m mar hist* Galeone *f.*

galipette [galipɛt] *f fam* Luftsprung; Unfug *m.*

gall|e [gal] *f* Gallapfel *m.*

gallérie [gal(l)eri] *f zoo* Wachsmotte *f.*

Galles [gal] *f pl: le Pays de ~* Wales *n.*

gall|ican, e [galikɑ̃, -an] *rel* gallikanisch; **~icanismus** *m* Gallikanismus *m (Katholizismus in der Zeit Ludwig XIV.).*

gallicisme [galisizm] *m* Gallizismus *m.*

gallinacés [gal(l)inase] *m pl* Hühnervögel *m pl (Ordnung).*

gallois, e [galwa, -az] *a* walisisch; *G~, e s m f* Waliser(in *f*) *m.*

gallo-romain, e [gal(l)ɔrɔmɛ̃, -ɛn] *hist* galloromanisch.

galoche [galɔʃ] *f* Holzpantine *f;* (Über-)Schuh *m (mit Holzsohle); menton m de, en ~ (fam)* spitze(s), vorspringende(s) Kinn *n.*

galon [galõ] *m* Borte, Litze, *(bes. mil)* Tresse *f; arroser ses ~s (fam mil)* die Gurkenschalen begießen, den Einstand geben; *prendre du ~* auf=rükken, avancieren, befördert werden; **~nard** *arg,* **~né** *m fam* Offizier *m;* **~ner** mit Tresse(n) besetzen; ein=fassen.

galop [galo] *m* Galopp; *a. mus; au ~* im Galopp; *aller, prendre le grand ~ (fig)* jagen, rasen, *fam* schnell machen; *prendre le ~, se mettre au ~* Galopp an=schlagen; *et au ~!* aber dalli! hopp, hopp! fix! **~ade** [-ɔpad] *f* Galopp(ieren *n*) *m; allg* Rennen, Rasen *n; à la ~ (fam)* in aller Eile; **~er** *itr* galoppieren *a. fig; allg* rennen, laufen, eilen; *~ après qc* hinter e-r S her=jagen; *fig* enteilen; *(Gedanke)* fort=fliegen; *tr* in Galopp versetzen.

galopin [galɔpɛ̃] *m* (kleiner) Schlingel; Spitzbube *m.*

galoubet [galubɛ] *m* Trommelflöte; *theat* Stimme *f.*

galuchat [galyʃa] *m* Haifisch-, Rochenhaut *f.*

gal|ure [galyr], **~urin** *m pop* Deckel, Hut *m.*

galvan|ique [galvanik] galvanisch; **~isage** *m tech* Verzinken *n;* **~isation** *f* Verzinkung; *med* Galvanisation *f;* **~iser** *tech* verzinken *a. med,* galvanisieren; *fig* mit=reißen; auf=peitschen; **~omètre** *m* Stromstärkemesser *m,* Galvanometer *n;* **~oplastie** *f tech* Galvanoplastik *f;* **~o(type)** *m typ* Galvano, Klischee *n.*

galvaud|é, e [galvode] abgenutzt, abgedroschen; **~er** *tr* in Unordnung bringen, verderben; *(Wort)* ohne Sinn und Verstand an=wenden; *fig fam* in den Dreck ziehen, entwürdigen; *itr* herum=lungern; **~eux, se** *m f* Strolch, Stromer *m;* Herumtreiberin *f.*

gamb|ade [gɑ̃bad] *f* Luftsprung *m;* **~ader** (Luft-)Sprünge machen; **~ette** *f orn* Wasserläufer *m; pop* Bein *n; jouer, se tirer, tricoter des ~s (pop)* das Weite suchen, türmen; **~iller** [-je] mit den Beinen schlenkern; *pop* schwofen, tanzen.

gamelle [gamɛl] *f mil* Kochgeschirr *n;* Soldatenkost; *mar* (Offiziers-)Messe *f; manger à la ~ (vx)* in der Kantine essen; *ramasser une ~ (pop)* hin=fallen; Pech haben.

gamète [gamɛt] *m bot* Gamet *m,* Fortpflanzungszelle *f.*

gamin, e [gamɛ̃, -in] *s m f* Straßenjunge; Lausejunge, Lausbub; (kleiner) Schelm; Bengel, Schlingel *m;* Range *f; pop* Sohn *m,* Tochter *f; a* schelmisch; lausbubenhaft; **~erie** *f* Dummejungenstreich *m;* Kinderei *f.*

gamm|e [gam] *f mus* Tonleiter; *allg* Skala *f; tech* Umfang, Bereich *m a. radio; allg* Reihe, Reihen-, Aufea.folge *f; changer de ~ (fam)* e-n anderen Ton an=schlagen; *être au bout de sa ~ (fam)* nicht mehr weiter wissen;

toute la ~ in jeder Größe; *fam* alle zs.; ~ *d'accord (radio)* Abstimmbereich *m;* ~ *complète* chromatische Tonleiter *f;* ~ *des couleurs* Farb(en)skala *f,* -andrucke *m pl;* ~ *diatonique* Ganzton-Tonleiter *f;* ~ *des basses, hautes fréquences (radio)* Nieder-, Hochfrequenzbereich *m;* ~ *majeure, mineure* Dur-, Molltonleiter *f;* ~ *d'ondes* Wellenbereich *m;* ~ *des prix* Preisskala *f;* ~ *de puissance sonore* Dynamikbereich *m;* **~é, e:** *croix f ~e* Hakenkreuz *n.*

ganache [ganaʃ] *s f (Pferd)* Ganasche *f; fig fam* Trottel *m; pop* Kinnlade *f,* Kopf *m; a fam* dumm, doof; **~rie** *f* Dummheit *f.*

Gand [gɑ̃] *f* Gent *n.*

gandin [gɑ̃dɛ̃] *m* Geck *m.*

gang [gɑ̃g] *m* Verbrecherbande *f.*

ganglion [gɑ̃glijɔ̃] *m anat* Nerven-, Lymphknoten *m; med* Überbein *n.*

gan|grène [gɑ̃grɛn] *f med* Gangrän(e *f*) *f* od *n,* Brand; *fig* Krebsschaden *m;* **~grener** *fig* verderben, vergiften; *se* ~ brandig werden; **~greneux, se** [-grə-] brandig.

gangster [gɑ̃gstɛr] *m* Gangster *m;* **~isme** *m* Gangstertum, -unwesen *n.*

gangue [gɑ̃g] *f min* Ganggestein *n;* ~ *stérile (min)* Berg *m.*

gan|se [gɑ̃s] *f* Rundschnur; Schleife; *mar* Öse *f;* **~ser** paspeln.

gant [gɑ̃] *m* Handschuh *m; sans prendre de ~s* ohne viel Federlesens zu machen; unverblümt; *aller comme un* ~ wie angegossen sitzen; *fig* ausgezeichnet passen; *jeter, relever le* ~ den Fehdehandschuh hin=werfen, auf=nehmen; *mettre, prendre des ~s avec qn (fig)* jdn mit seidenen Handschuhen an=fassen; *il est souple comme un* ~ *(fam fig)* man kann ihn um den Finger wickeln; ~ *de boxe, de caoutchouc, fourré, en peau (de daim), protecteur, à rebras, tricoté* Box-, Gummi-, gefütterte(r), (Wild-) Leder-, Schutz-, Stulpen-, Strick- *od* gewirkte(r) Handschuh *m;* ~ *de toilette* Waschlappen *m;* **~elet** [-tlɛ] *m* Panzerhandschuh *m; tech* Handleder *n;* **~er** Handschuhe an=ziehen (*qn* jdm); *(Handschuhe u. fam fig)* (gut) passen (*qn* jdm); *se* ~ (die) Handschuhe an=ziehen; ~ *du sept* Handschuhnummer 7 haben; *cela me ~e* das trifft sich gut; **~erie** *f* Handschuhmacherei, -industrie, -fabrik *f,* -geschäft *n;* **~ier** *m* Handschuhmacher *m.*

garag|e [garaʒ] *m loc* Abstellen; *(voie f de ~)* Neben-, Abstell-, Überholungsgleis *n; mot* Garage *f,* Einstellraum *m,* Wagenhalle; Autobox; (Auto-)Reparaturwerkstatt; Tankstelle; Autovertretung *f; (~ d'avion)* (Flugzeug-)Halle *f;* ~ *de bicyclettes* Fahrradschuppen *m; (~ de canots)* Bootshaus *n; rentrer sa voiture au* ~ den Wagen in die Garage stellen; *allée f de* ~ Parkstreifen *m;* ~ *à étages* Stockwerksgarage *f,* Parkhaus *n;* **~iste** *m* Garagen-, Tankstelleninhaber *m.*

garan|ce [garɑ̃s] *f* Krapp(rot *n*) *m;* **~t** *m* Bürge; Gewährsmann *m; se porter, se rendre* ~ Bürgschaft leisten, ein=stehen (*de, pour* für); **~tie** [-ti] *f* Garantie, Gewähr, Sicherheit *f;* Schutz *m; sans* ~ ohne Gewähr; *être sous* ~ unter Garantie stehen; **~tir** gewährleisten, garantieren, verbürgen; Garantie geben (*qc* auf e-e S); bestätigen; versichern; versprechen; schützen, sichern (*de, contre* gegen).

garce [gars] *f pop* Weibsbild *n;* Hure *f.*

garçon [garsɔ̃] *m* Knabe, Junge, Bub; Bursche; junge(r) Mann; Kerl; *(vieux ~)* Junggeselle; Gehilfe, Geselle; *(~ de ferme)* Knecht; *(~ de café, d'hôtel)* Kellner *m; ~!* Herr Ober! *repas m de ~s* Herrenessen *n;* ~ *d'ascenseur* Liftboy *m;* ~ *de bureau* Bürodiener *m;* ~ *de cabine* Steward *m;* ~ *de course(s)* Laufbursche *m;* ~ *de cuisine* Küchenjunge *m;* ~ *d'écurie* Pferdeknecht, Stallbursche *m;* ~ *d'honneur* Brautführer *m;* ~ *de magasin* Verkäufer *m;* ~ *de recette(s)* Kassenbote *m;* **~ne** [-sɔn] *f* (zu freie) Junggesellin *f; cheveux m pl, tête f à la* ~ Bubikopf *m;* **~net** [-ɛ] *m* kleine(r) Junge *m; com* Knabengröße *f; a* Knaben-; **~nier, ière** *a* jungenhaft, burschikos; *s f* jungenhafte(s) Mädchen *n;* Junggesellenwohnung *f.*

garde [gard] **1.** *f* Bewachung; Beaufsichtigung, Aufsicht (*de* über *acc*), Obhut *f,* Schutz *m;* (Auf-)Bewahrung *f,* Gewahrsam *m; mil* Wache; Garde; *mil* Abschirmung; *(Schwert)* Parier-, Kreuzstange *f; (Degen)* Stichblatt *n,* Bügel *m; (Fechten)* Auslage; *(Boxen)* Deckung; *tech (~ au sol)* Bodenfreiheit *f; (in Redewendungen)* Aufmerksamkeit, Vorsicht, Acht; *à la* ~ *de Dieu* in die Hand, in den Schutz Gottes; *de* ~ wachhabend, diensttuend; *(Lebensmittel)* Dauer-; *en* ~ *(mil)* gefechtsbereit; *n'avoir* ~ *de faire qc* sich hüten, etw zu tun; *déposer qc en* ~ etw in Verwahrung geben; *être de* ~ Wache haben; *être, se tenir en ~, sur ses ~s, se mettre sur ses ~s, prendre* ~ acht=geben, auf=passen, auf der Hut sein, sich vor=sehen; *mettre en ~* warnen (*contre* vor *dat*); *sport* verwarnen; *mil* gefechtsbereit machen; *se mettre au ~-à-vous (mil)* (stramme) Haltung ein=nehmen; *prendre ~ à qn, à qc* auf jdn, etw acht=geben, auf=passen, Rücksicht nehmen; sich vor jdm, vor e-r S in acht nehmen; *prendre en ~* in Verwahrung, in Obhut nehmen; *se tenir sur ses ~s* auf der Hut sein; *~ à vous!* Vorsicht! *mil* stillgestanden! Achtung! *arrière-~ f (mil)* Nachhut *f; avant-~ f (mil)* Vorhut *f; bataillon m de ~* Wachbataillon *n; chien m de ~* Wachhund *m; corps m de ~* Wachlokal *n,* Wache *f; feuille f de ~ (Buch)* Vorsatzblatt *n; flanc-~ f (mil)* Seitendeckung *f; fruits m pl, saucisson m de ~* Dauerobst *n,* -wurst *f; mise f en ~ (sport)* (Ver-)Warnung *f; mil* (Einnehmen *n* der) Gefechtsbereitschaft *f; mouvement m en ~ (mil)* gesicherte Bewegung *f; service m de ~* Wachdienst *m; vin m de ~* Lagerwein *m; ~ du corps* Leibwache, -garde *f; ~ d'écurie* Stallwache *f; ~ d'honneur* Ehrenwache *f; ~ judiciaire* gerichtliche Verwahrung *f; ~ montante, descendante* auf-, abziehende Wache *f; ~ nationale, (Belgien) civique* Nationalgarde, Bürgerwehr *f; ~ de nuit* Nachtwache *f; ~ suisse (päpstliche)* Schweizergarde *f; ~-à--vous m (mil)* Stillgestanden, -stehen *n;* stramme Haltung *f;* **2.** *m (a. f)* Wächter, Hüter; Wärter; Aufpasser, -seher; Wach-, Gardesoldat, Gardist *m; f* Krankenwärterin *f; ~-barrière, m* Bahn-, Schrankenwärter *m; ~-bœuf m (orn)* Kuh-, Viehreiher *m; ~ champêtre* Feldhüter *m; ~-chasse m* Wild-, Jagdhüter *m; ~-chiourme m (fam)* Gefängniswärter *m; ~ du corps* Leibwächter *m; ~ d'enfants* Babysitter *m;* Babysitten *n; faire de la ~ d'enfants* bei jdm babysitten; *~ forestier* Forstaufseher, Revierförster *m; ~-frein m (loc)* Bremser *m; ~-frontière m* Grenzaufseher *m; ~ général (des forêts)* Oberförster *m; ~-magasin m* Lagerverwalter; Kammerunteroffizier *m; ~-malade m f* Krankenwärter(in *f*) *m; ~ de nuit* Nachtwächter *m; ~-phare m* Leuchtturmwärter *m; ~-port m* Hafenmeister *m (e-s Binnenhafens) ~ des sceaux* Großsiegelbewahrer; Justizminister *m; ~-vigile m* Schließer *m (e-r Wach- u. Schließgesellschaft);* **3.** *(in Zssgen, inv); ~-boue m (Fahrrad)* Schutzblech *n; mot* Kotflügel; *loc* Schienenräumer *m; ~-côte(s) m, pl ~(s)* Küstenwachschiff; Zoll-, Fischereiaufsichtsschiff *n; ~-feu m* Ofen-, Kaminschirm *m; ~-fou, ~-corps m* Geländer *n,* Balustrade *f; ~-manger m* Speise-, Fliegenschrank *m;* Speisekammer *f; ~-meuble m, pl a. ~s* Möbellager *n,* -speicher *m; ~-place m, pl ~(s) (loc)* Rahmen *m* für e-e Platzkarte; *ticket m ~* Platzkarte *f; ~-robe f, pl a. ~s* Ankleidezimmer *n;* Kleiderschrank *m;* Garderobe *f (Kleidung); ~-vue m* Lichtschirm *m.*

gard|é, e [garde] *(Bahnübergang)* beschrankt; *(Parkplatz)* bewacht; **~er** *tr* bewachen *(a. Gefangene),* -hüten, auf=passen (*qc* auf etw *acc*); beaufsichtigen, überwachen; *(Vieh)* hüten; *(Kranke)* warten, pflegen; *fig (sein Herz)* in acht nehmen; auf=heben, -bewahren, -sparen; (bei, für sich, zurück=)behalten; *(Geld)* zurück=legen; *(Kleidungsstück)* an=, *(Hut)* auf=behalten; *(das Zimmer, das Bett)* hüten; *fig* (bei=)behalten, fest=halten (*qc* an e-r S); bleiben (*qc* bei etw); (be)wahren; *(Platz, Rechte)* behaupten; *(Versprechen)* halten; *~ qn de qc* jdn vor e-r S bewahren, jdm etw ersparen; *itr* u. *se ~* sich hüten, sich in acht nehmen (*de* vor *dat, que* davor, daß); *se ~ (mit adj)* sich erhalten, sich bewahren; auf=passen, auf der Hut, wachsam sein; *~ les apparences* od *les dehors, les bienséances* den Schein, den Anstand wahren; *~ son calme* Ruhe bewahren, ruhig bleiben; *~ sous clef* unter Verschluß halten; *~ les mains libres* freie Hand behalten; *~ la mesure* maß=halten; *~ le pas* Schritt halten; *~ rancune, une dent à qn* jdm e-e S nach=tragen *fig; ~ son sang--froid (fig)* die Fassung nicht verlieren; *~ son sérieux* ernst bleiben; *~ le silence* Stillschweigen bewahren; *~ à vue* im Auge behalten, nicht aus den Augen lassen; *qu'est-ce que l'avenir nous ~e?* was wird uns die Zukunft bringen? *je m'en ~erai bien!* ich werde mich hüten! ich denke ja gar nicht (*fam* nicht im Traum) daran; *nous n'avons pas ~é les cochons ensemble (fig)* wir haben noch keine Schweine zs. gehütet! *~e ta vache! (fam)* laß dich nicht beschummeln *od* betrügen.

gardénal [gardenal] *m (Warenzeichen)* Phenobarbital, Beruhigungsmittel *n.*

gard|erie [gardəri] *f* (Privat-)Kindergarten *m,* Kinderbewahranstalt *f; (Wald)* Revier *n;* **~eur, se** *m f* Hüter(in *f*), Wärter(in *f*); Hirt(in *f*), Hütejunge, -bub *m;* **~ian** *m* (Rinder-) Hirt *m (in der Camargue);* **~ien, ne s** *m f* Hüter(in *f*), Wärter, Wächter,

Aufpasser, -seher, Platzwart *m;* Hausmeister(in *f*) *m; a* Schutz-; *ange m* ~ Schutzengel *m;* ~ *de but (sport)* Torwart *m;* ~*ne d'enfants* Kindergärtnerin *f;* ~ *de musée* Museumswärter *m;* ~ *de nuit* Nachtwächter *m;* ~ *de la paix* Pariser Polizist *m;* ~ *de prison* Gefangenenwärter, Gefängnisaufseher *m;* ~**iennage** [-djɛ-] *m* Bewachung *f,* Wärter-, Aufseheramt *n.*

gardon [gardõ] *m* Plötze, Rotfeder *f (Fisch); donner un chabot pour avoir un* ~ *(fig)* mit der Wurst nach der Speckseite werfen; *être frais comme un* ~ wie das blühende Leben aus=sehen.

gar|e [gar] **1.** *interj* Achtung! Vorsicht! Platz, weg (da)! warte (nur)! *sans dire, sans crier* ~ ohne zu warnen, ohne (vorherige) Warnung; unerwartet; *(sinon)* ~ *la casse, aux coups!* sonst gibt's Schläge, setzt es Hiebe! ~ *aux chutes!* nicht werfen! ~ *aux pickpockets!* vor Taschendieben wird gewarnt! ~ *la tête!* Kopf weg! **2.** *s f* Bahnhof *m,* Station *f; (~ fluviale)* Flußhafen *m; (~ d'eau) (Kanal)* Ausweichstelle *f; en* ~ bahnlagernd; ~ *restante* bahnpostlagernd; *à la* ~*! (fam)* laß(t) mich in Ruhe! hau(t) ab! Schluß damit! *chef m de* ~ Bahnhofs-, Stationsvorsteher *m;* ~ *aérienne* Flughafen *m;* ~ *d'arrêt* Haltestation *f;* ~ *d'arrivée* Ziel-, Ankunftsbahnhof *m;* ~ *d'attache* Heimatbahnhof *m;* ~ *centrale* Hauptbahnhof *m;* ~ *en cul-de-sac* Kopf-, Sackbahnhof *m;* ~ *de départ* Abgangs-, *(Güter)* Aufgabebahnhof *m;* ~ *destinataire* Bestimmungsbahnhof *m;* ~ *d'embarquement* Verladebahnhof *m;* ~ *d'embranchement, de bifurcation, de jonction* Umsteigebahnhof, Knotenpunkt *m;* ~ *expéditrice* Versand-, Abgangsbahnhof *m;* ~*-frontière f* Grenzbahnhof *m;* ~ *intermédiaire* Zwischenbahnhof *m;* ~ *de(s)* (od *aux*) *marchandises* Güterbahnhof *m;* ~*-marché m* Lkw-Ankunftsbahnhof *m* mit Verkaufsstelle; ~ *maritime* Hafenbahnhof *m;* ~ *(de) messageries* Eilgutabfertigung *f;* ~ *de passage, de transit* Durchgangsbahnhof *m,* -station *f;* ~ *de ravitaillement (mil)* Frontstation *f;* ~ *régulatrice (mil)* Frontleitstelle *f;* ~ *de remisage* Abstellbahnhof *m;* ~ *routière* Lkw-(Verteiler-)Bahnhof; Autobusbahnhof *m;* ~ *terminus* Endbahnhof *m;* ~ *de tête de ligne, de rebroussement* Kopfbahnhof *m;* ~ *de transbordement* Umladebahnhof *m;* ~ *de triage, de manœuvre, d'évitement* Verschiebe-, Rangierbahnhof *m;* ~ *de voyageurs* Personenbahnhof *m.*

garenne [garɛn] *f* (offenes) Kaninchengehege; *(Fischerei)* Reservat; Schonrevier *n; lapin m de* ~*, (pop)* ~ *m* wilde(s) Kaninchen *n.*

garer [gare] unter Dach u. Fach bringen; *(Ernte)* ein=bringen; *(Fahrzeug)* unter=stellen; *(Auto)* parken, in die Garage fahren; *aero* in der Flugzeughalle ab=stellen; *loc* ab=stellen; *(Flußschiff)* (in e-m Hafen) fest=machen; *se* ~ aus=weichen, -biegen, sich in Sicherheit bringen; *fig* sich hüten (*de* vor *dat); se* ~ *des voitures (pop)* bierruhig werden.

garg|ariser, se [gargarize] gurgeln; *pop* einen heben, trinken; genießen (*de qc* e-e S); ständig im Munde führen; ~**arisme** *m pharm* Gurgelwasser *n.*

garg|otage [gargɔtaʒ] *m* schlechte *od* unsaubere Küche *f,* schlechte(s) Essen *n;* ~**ote** *f* Garküche; Speisewirtschaft *f;* billige(s) *od* miese(s) Eßlokal *n;* ~**oter** schlecht *od* unsauber kochen; schlechtes Essen geben; in billigen *od* miesen Lokalen essen *od* verkehren; unappetitlich essen *od* trinken; ~**otier, ère** *m f* Speisewirt(in *f*); schlechte(r) Koch *m,* schlechte Köchin *f.*

gargou|ille [garguj] *f arch* Wasserspeier *m;* Traufe, Abflußrinne *f,* -rohr *n;* ~**illement** *m* Plätschern; Sprudeln; Kollern *n (im Leib);* ~**iller** plätschern, *fam* blubbern; kollern; *(Magen)* knurren; *pop* patschen, planschen; ~**illis** [-ji] *m* Plätschern *n (des Traufwassers).*

gargoulette [gargulɛt] *f* Tonkrug *m,* Kühlgefäß *n.*

gargousse [gargus] *f* Kartusche; Patronenhülse *f.*

garnement [garnəmã] *m (mauvais, méchant* ~*)* Taugenichts, Tagedieb, Galgenstrick *m; joli* ~ nette(s) Früchtchen *n.*

gar|ni, e [garni] *a* versehen, besetzt, verziert, (aus)geschmückt (*de* mit); *(Haar)* dick, dicht; *(Stoff)* flauschig; *(Sitzmöbel)* gepolstert; Polster-; *(Haus, Zimmer)* möbliert; *(Küche)* mit (Fleisch- *od* Gemüse-)Beilage *f; s m* möblierte(s) Haus *n,* Wohnung *f,* Zimmer *n; avoir la bouche bien* ~*e (fam)* schöne Zähne haben; *louer en* ~ möbliert vermieten; *assiette f* ~*e* Wurstplatte *f; choucroute f* ~*e* Sauerkraut *n* mit Speck *od* Würstchen; *hôtel m* ~ Hotel garni *n,* Pension *f,* Fremdenheim *n;* ~**nir** versehen, aus≈rüsten, -statten, ein≈richten (*de* mit); beschlagen, ein≈fassen, überziehen (*de* mit); *(Wand)* verkleiden; besetzen, verzieren, (aus≈)schmücken (*de* mit); verstärken; garnieren *(a. Küche); (Platz)* umgeben, -stehen, (um)säumen; *(Raum)* an≈, aus≈füllen (*qc* etw); *(Wohnung)* ein≈richten; *(Zimmer)* möblieren; *(Bett)* beziehen; *(Sitzmöbel)* polstern; *(Tuch)* rauhen; *(Kleidung)* füttern; *mil (Pferd)* an≈schirren; *mar* mit der Takelung, dem Takelwerk versehen; *se* ~ sich versehen (*de* mit); *(Raum)* sich füllen; ~ *de fourrure* mit Pelz besetzen *od* verbrämen.

garnison [garnizõ] *f* Besatzung; Garnison(stadt) *f;* Standort *m; pop* Läuse *f pl (auf dem Kopf); (être) en* ~ in Garnison (liegen).

garn|issage [garnisaʒ] *m* Einrichtung, Ausstattung *f;* Besatz, Beschlag *m;* Verschalung, Verkleidung *f;* Belag *m;* Futter; *tech* Ausgießen *n;* **~isseur, se** *m f* Verzierer(in *f*); Beschlägearbeiter; Polsterer, Fütterer *m; f* Rauhmaschine *f;* ~, *~se de chapeaux* Hutstepper(in *f*) *m,* -garniererin *f;* **~iture** *f* Garnitur, Verzierung *f,* Besatz; Beschlag *m;* Zubehör *n, a. m; (Geräte)* Satz *m,* Ausrüstung, Ausstattung; Inneneinrichtung; Verkleidung *f;* Belag *m; tech* Futter *n;* Dichtung; Packung, Bandage, Armatur; Liderung *f; typ* Format *n,* Ausfüllsteg; *mil (Handfeuerwaffe)* Beschlag *m; (Pferd)* Zaumzeug *n; mar* Takelage, Takelung *f,* Takelwerk *n; (Küche)* Bei-, Einlage *f;* ~ *d'amiante, d'asbeste* Asbestpackung *f;* ~ *de boutons* Satz *m* Knöpfe; ~ *brodée* Besatzstickerei *f;* ~ *de chaudière* Kesselarmatur *f;* ~ *de cheminée* Kamingarnitur *f (Uhr, Vasen* od *Leuchter);* ~ *de coussinet (tech)* Lagerfutter *n;* ~ *de dentelle* Spitzenbesatz *m;* ~ *de fer* Eisenbeschlag *m;* ~ *de fourrure* Pelzbesatz *m;* ~ *de foyer* (Satz *m*) Heizgeräte *n pl;* ~ *de frein* Bremsbelag *m;* ~ *de joint (tech)* Dichtungsmaterial *n;* ~ *de linge* Wäschebesatz *m;* ~ *de lit* Garnitur *f* Bettwäsche, Bettzeug *n;* ~ *de piston* Kolbendichtung, -liderung *f;* ~ *de tuyau* Rohrdichtung, -packung *f.*

garou [garu] *m bot* Seidelbast *m; loup-~ m* Werwolf *m.*

garrigue [garig] *f* Heide *f,* Ödland *n.*

garrot [garo] *m (Säge)* Knebel *a. med; (Pferd, Rind)* Widerrist *m;* Erdrosselung *f (als Hinrichtungsart) (a. vx* **~te** [-rɔt] *f);* **~ter** fesseln; knebeln *a. fig; fig* die Hände binden (*qn* jdm).

gars [gɑ] *m fam* Junge, Bub; Bursche; Kerl *m.*

Gascogne, la [gaskɔɲ]*: le golfe de* ~ der Golf von Biskaya.

gascon, ne [gaskõ, -ɔn] *a geog* gaskognisch; *fig* prahlerisch, großsprecherisch; *s m f* Gaskogner(in *f*); Prahlhans, Aufschneider *m;* **~nade** *f* Aufschneiderei, Prahlerei *f;* **~ner** gaskognisch sprechen; *fig* prahlen, auf≈schneiden.

gas-oil [gɑ(a)zɔjl, -zwal] *m* Gasöl *n.*

Gasp|ard [gaspar] *m* Kaspar *m.*

gasp|illage [gaspijaʒ] *m* Verschwendung, Vergeudung *f;* Raubbau *m;* ~ *de temps et d'argent* Zeit- u. Geldverschwendung *f;* **~iller** vergeuden, verschwenden; Raubbau treiben (*qc* an e-r S); **~illeur, se** *a* verschwenderisch; *s m f* Verschwender(in *f*) *m.*

gastéropodes [gasterɔpɔd] *m pl zoo* Bauchfüßer *m pl,* Schnecken *f pl.*

gastr|algie [gastralʒi] *f* Magenschmerzen *m pl;* **~ectomie** [-trɛk-] *f med* Magenresektion *f;* **~ique** gastrisch; Magen-; *embarras m* ~ Magenverstimmung *f; suc m* ~ Magensaft *m;* **~ite** *f* Magenschleimhautentzündung *f.*

gastro|-entérite [gastrɔɑ̃terit] *f* Magen-Darm-Katarrh *m;* **~-intestinal, e** *a* Magen-Darm-.

gastrono|me [gastrɔnɔm] *m* Feinschmecker *m;* **~mie** *f* Eßkultur *f;* **~mique** gastronomisch.

gastro|spasme [gastrɔspazm] *m* Magenkrampf *m;* **~tomie** *f* Magenoperation *f.*

gât|é, e [gɑte] *a* verdorben *a. fig; (Kind)* verwöhnt, verzogen; *s m (Obst)* faule Stelle *f; enfant m* ~ Muttersöhnchen *n; fig* Liebling *m; enfant m* ~ *de la fortune* Glückskind *n.*

gâteau [gato] *s m* Kuchen *m a. tech; (~ de miel)* (Honig-)Wabe *f; c'est du ~! (fig fam)* nichts leichter als das! *a (Eltern)* zu gut; *partager le ~, avoir part au ~ (fam)* (et)was ab≈kriegen, -bekommen; *trouver la fève au* ~ Glück haben; ~ *aux amandes, aux fruits, au chocolat* Mandel-, Obst-, Schokoladenkuchen *m;* ~ *feuilleté* Blätterteig(-kuchen) *m;* ~ *génevois* Sandtorte *f;* ~ *de marc d'olives* Ölkuchen *m;* ~ *placentaire (anat)* Mutterkuchen *m;* ~ *des Rois* Dreikönigskuchen *m;* ~ *de scories* Schlackenkuchen *m; (petits) ~x secs* Teegebäck *n.*

gâter [gate] verderben *a. fig;* beschädigen; beschmutzen, be-, verschmieren; *fig* schaden (*qc* e-r S); *(bes.*

Kind) verwöhnen, verziehen; *se ~* verderben *itr;* schlecht(er) werden, sich verschlechtern; *(Getränk)* ab≈stehen, schal werden; *~ les affaires, les choses (fam)* den Karren in den Dreck fahren; *~ l'existence à qn* jdm das Leben schwer≈machen, sauer machen; *~ la joie, le plaisir de qn* jdm die Freude, den Spaß verderben; *~ le marché, le métier* das Geschäft verderben, die Preise drücken; *ça va se ~!* das geht nicht gut! das geht schief! *ça ne ~e rien* das schadet nichts, macht nichts (aus); *et, ce qui ne gâte rien,* ... und dazu auch noch ...; und, was auch kein Nachteil ist, ...; *sujet à se ~ (Ware)* leicht verderblich; **~ie** *f* Verwöhnung; Näscherei, Leckerei *f,* leckere(r) Happen *m.*

gât|eux, se [gatø, -øz] *s m f* kindische(r) Alte(r *m*); *vieux ~ (fam)* alte(r) Knacker *od* Knopp *m;* **~isme** *m* Verfall *m* der geistigen Kräfte; *fig* Idiotie *f.*

gauch|e [goʃ] *a* linke(r, s); (wind-) schief, schräg; uneben; *fig* linkisch, ungeschickt, unbeholfen; verdreht, verschroben; *s f* Linke *a. pol,* linke Hand *od* Seite *f; mil* linke(r) Flügel *m; à ~* links, zur Linken, linker Hand; *fig* gegen den Strich; beiseite; *jusqu'à la ~ (pop)* bis zum letzten; *être de ~ (pol)* links stehen; *en mettre à ~ (fam)* sich etw auf die Seite, auf die hohe Kante legen; *passer l'arme à ~ (fam)* ins Gras beißen, sterben; *prendre du ~* sich verziehen, sich werfen; *prendre la ~, tenir sa ~, conduire à ~* links fahren; *à ~! ~! (mil)* links um! *à ~ m (mil)* Linkswendung *od* -schwenkung *f; centre m ~ (pol)* gemäßigte Linke *f; extrême ~ f (pol)* äußerste Linke *f;* **~er, ère** *a* linkshändig; *s m* Linkshänder; **~erie** *f* linkische(n) Bewegungen *f pl,* linkische(s) Wesen *n;* Unbeholfenheit, Ungeschicklichkeit *f;* **~ir** *itr* schief werden, sich verziehen, sich verspannen; sich verbiegen, sich krümmen; *(Holz)* sich werfen, arbeiten; ab≈, aus≈weichen; *tr* verfälschen, verändern; **~isant, e** *a* linksorientiert; **~issement** *m* Schiefwerden *n,* Verspannung, Verbiegung; *bes. aero* Verwindung *f;* **~iste** *a* Chaoten-, chaotisch; *s m f* Chaot *m.*

gaud|e [god] *f bot* Färberwau, -waid *m;* Maismehl *n,* -brei *m.*

gaudriole [godrijɔl] *f fam* Ulk, freie(r) Scherz, zweideutige(r) Witz *m,* Zote *f.*

gaufr|age [gofraʒ] *m* Gaufrieren *n,* Präge-, Blinddruck *m;* **~e** *f* (Honig-) Wabe; Waffel *f; être la ~ dans qc* bei etw der Leidtragende, der Dumme sein; *se sucrer la ~ (arg)* sich an≈malen, sich schminken; *moule m à ~s (pop)* pockennarbige(s) Gesicht *n;* **~er** gaufrieren, Muster auf≈prägen (*qc* e-r S); **~ette** *f* (Eis-)Waffel *f;* **~eur, se** *m f* Gaufrierer(in *f*) *m; f* Gaufriermaschine *f;* **~ier** [-frije] *m* Waffeleisen *n;* **~oir** *m* Gaufrierwalze *f;* **~ure** *f* Blindpressung *f,* Reliefdruck *m.*

gaul|age [golaʒ] *m* Abschlagen *n* (des Obstes); **~e** *f* lange Stange; Angelrute, Reitgerte *f; la G~* Gallien *n;* **~er** das Obst ab≈schlagen (*un arbre* von e-m Baum); *se faire ~ (pop)* sich schnappen lassen; **~ette** *f* Gerte, Rute *f;* **~is** [-i] *m* Niederwald *m;* Reisig *n.*

gaulois, e [golwa, -az] *a* gallisch; frei(mütig), offen; etwas frei; *G~e s m f* Gallier(in *f*) *m;* **~erie** [-zri] *f* derbe(r) Witz *m.*

gaullien, ne *a* gaullistisch.

gaupe [gop] *s f vx pop* Schlampe *f; a* schlampig.

gauss|er, se [gose] aus≈lachen (*de qn* jdn), sich lustig machen (*de qn* über jdn); **~erie** *f* Spott *m,* Stichelei *f;* **~eur, se** *s m f* Spötter(in *f*) *m; a* spöttisch, spottlustig.

Gautier [gotje] *m* Walter *m.*

gavage [gavaʒ] *m* Nudeln, Stopfen *(des Geflügels); fig* Einpauken *n.*

gave [gav] *m* Sturz-, Gießbach *m (in den Pyrenäen).*

gaver [gave] *(Geflügel)* nudeln, stopfen; *(Kind)* überfüttern; *fig (mit Wissen)* voll≈stopfen; *se ~* sich über(fr)essen (*de* mit).

gavotte [gavɔt] *f* Gavotte *f (Tanz).*

gavroche [gavrɔʃ] *m* (Pariser) Straßenjunge *m.*

gaz [gɑ(a)z] *m inv* Gas *n; (Physiologie)* Wind *m,* Blähung *f;* Gaswerk *n; à pleins ~* mit Vollgas *a. fig; couper les ~ (mot)* das Gas weg≈nehmen; *donner du ~, mettre les ~ (mot fam)* Gas geben; *alerte f aux ~* Gasalarm *m; attaque f par les ~* Gasangriff *m; chauffage m au ~* Gasheizung, -feuerung *f; compteur m à ~* Gasuhr *f,* -messer *m; conduite f de ~* Gasleitung *f,* -rohr *n; cuisinière f, fourneau, réchaud m à ~* Gasherd *m; dégagement m de ~* Gasentwicklung *f; densité f des ~* Gasdichte *f; énergie f des ~ (phys)* Gasdruck *m; intoxication f par le ~* Gasvergiftung *f; masque m à ~* Gasmaske *f; pleins ~* Vollgas *n; poêle m à ~* Gasofen *m; protection f contre les ~* Gasschutz *m; robinet m* *à* ~ Gashahn *m; tuyau m à* ~ Gasrohr *n; usine f à* ~ Gasanstalt *f; volet m des* ~ Drosselventil *n;* ~ *de bois* Holzgas *n;* ~ *pl brûlés, de combustion* Ab-, Verbrennungsgase *n pl;* ~ *carburant* Treibgas *n;* ~ *de chauffage* Heizgas *n;* ~ *pl de combat (mil)* Kampfgase, chemische Kampfstoffe *n pl;* ~ *détonant* Knallgas *n;* ~ *amené à longue distance* Ferngas *n;* ~ *d'échappement* Autoabgas *n;* ~ *d'éclairage* Leuchtgas *n;* ~ *pl de haut fourneau* Gichtgase *n pl;* ~ *de gazogène, de générateur, à l'air* Generatorgas *n;* ~ *hilarant* Lachgas *n;* ~ *de houille* Steinkohlengas *n;* ~ *d'huile* Ölgas *n;* ~ *lacrymogène* Tränengas *n;* ~ *des marais* Sumpfgas *n;* ~ *moutarde* Senfgas *n;* ~ *naturel* Natur-, Erdgas *n;* ~ *portatif* Flaschengas *n;* ~ *rare* Edelgas *n;* ~ *toxique* Giftgas *n;* ~ *de ville* Stadtgas *n.*

gaze [gaz] *f* (Textil) Gaze *f; (~ hydrophile, à pansement) med* Verbandstoff, -mull; *fig* hauchdünne(r) Schleier *m.*

gazé, e [gaze] gasvergiftet, vergast; *être ~ (arg vx)* besoffen sein; **~ification** [gazeifi-] *f* Vergasung; Gasbildung *f;* **~ifier** vergasen, in Gas verwandeln; mit Kohlensäure an=reichern; **~iforme** gasförmig.

gazelle [gazɛl] *f zoo* Gazelle *f.*

gazer [gaze] **1.** *tr* vergasen, durch Giftgas töten; *(Textil)* (mit Gas) sengen, rösten; *itr arg mot aero* rasen; **2.** *tr* mit Gaze überziehen; *fig vx* verhüllen, verschleiern, beschönigen; *ça ~e! (pop)* das haut hin!

gazette [gazɛt] *f vx* Zeitung; *fig* lebende Zeitung *f,* Klatschmaul *n.*

gaz|eux, se [gazø, -øz] gasförmig; Gas-; *(Getränk)* kohlensäurehaltig; Brause-; *s f* u. *eaux f pl ~ses* Sprudel *m,* Brause *f (Getränk); mélange m ~* Gasgemisch *n;* **~ier, ère** *a* Gas-; *s m* Gasarbeiter; Florweber *m.*

gazo|-bois [gazɔbwa] *m* Holz(ver)gaser *m* **~duc** *m* Erdgasröhre, -leitung *f;* **~gène** *m* (Gas-)Generator *m; ~ à bois* Holzgasgenerator *m.*

gazole [gazɔl] *m* Gasöl *n.*

gazo|mètre [gazɔmɛtr] *m* Gasometer, Gasbehälter; *arg* Magen *m;* **~moteur** *m* Gasmotor *m.*

gazon [gazõ] *m* Rasen(platz) *m; arg* Haar(e *pl*) *n;* **~nant, e** rasenbildend; **~ner** *tr* mit Rasen bedecken *od* verkleiden; **~neux, se** rasenartig, -bildend.

gazouillement [gazujmɑ̃] *m* Gezwitscher; *(Bach)* Plätschern, Geplätscher, Murmeln, Gemurmel; *(Kind)* Lallen *n;* **~iller** [-uje] zwitschern; *(Kind)* lallen; *(Bach)* plätschern, murmeln; *fig* flüstern; *pop* stinken; **~illis** [-ji] *m* leise(s) Zwitschern, Murmeln *n.*

geai [ʒɛ] *m orn* (Eichel-)Häher *m.*

géant, e [ʒeɑ̃, -ɑ̃t] *s m f* Riese *m,* Riesin *f a. fig; a* riesig, riesenhaft, gewaltig, kolossal, Riesen- *a. fig; à pas de ~* mit Riesenschritten; *cigarette f ~e* Zigarette *f* im Großformat; *paquet m ~ (com)* große(s) Paket *n,* große Packung *f; ~ de l'édition* Verlagsriese *m; ~ de l'industrie* Industriegigant *m.*

gecko [ʒɛko] *m zoo* Gecko *m; ~ des murailles* Mauergecko *m.*

géhenne [ʒeɛn] *f (Bibel)* Hölle; Folter *f; fig* Höllenqualen *f pl.*

gei|gnant, e [ʒɛɲɑ̃, -ɑ̃t] *a* dauernd (herum)jammernd; **~gnard, e** [-ɲar, -ard] *a pop* ewig (herum)heulend, -jammernd, jämmerlich; *s m f* Jammerlappen *m,* Heulsuse *f;* **~gnement** *m* Ächzen, Stöhnen; Jammern, Gejammer *n;* **~ndre** [ʒɛ̃dr] *v irr* ächzen, stöhnen, jammern; *fam* (herum=)nörgeln.

geisha [geʃa] *f* Geisha *f.*

gel [ʒɛl] *m* Frost *m;* (Ge-, Zu-, Ein-) Frieren; *chem* Gel *n; fig* Einfrieren *n.*

gélatin|e [ʒelatin] *f (~ d'os)* Gelatine *f,* Knochenleim *m; (~ végétale)* Gallerte *f; ~ culinaire* (Speise-)Gelatine *f;* **~eux, se** gelatinös; gallertartig; **~o-bromure** *m phot* Bromgelatine *f.*

gel|é, e [ʒəle] *a* ge-, zuge-, einge-, erfroren; vor Kälte zitternd; *fig* kalt, eisig; *pop vx* sprachlos (vor Staunen), platt; *arg* besoffen; *com* eingefroren, blockiert; *n'avoir pas le bec ~ (fig pop)* nicht auf den Mund gefallen sein; **~ée** *f* Frost *m;* Gelee *(von Früchten) n* od *m; (~ de viande)* Jus, Gallerte, Sülze *f; ravages m pl de la ~* Frostschäden *m pl; temps m de ~* Frostwetter *n; ~ blanche* (Rauh-)Reif *m; ~ matinale, nocturne* Nachtfrost *m; ~ de pommes* Apfelgelee *n* od *m; ~ au sol* Bodenfrost *m; ~ tardive* Spätfrost *m (im April, Mai);* **~er** *tr* gefrieren lassen, zum Gefrieren bringen; Frostschäden, *med* Erfrierungen verursachen (*qc* an *dat*); *vx (übertreibend)* zu Eis erstarren lassen; *fig* ab=stoßen(d wirken auf *acc*); ein=frieren; *itr* (ge-, zu=, ein=, er-)frieren; *se ~* gefrieren, zu Eis werden; *il a ~é blanc* es hat gereift; *il gèle (à pierre fendre)* es friert (Stein u. Bein).

géli|f, ive [ʒelif, -iv] eisklüftig, frostrissig; **~vure** *f* Eiskluft, Frostspalte *f,* -riß *m.*

gélinotte [ʒelinɔt] *f orn* Haselhuhn; junge(s) Masthuhn *n*.
gélule [ʒelyl] *f med* Kapsel *f*.
gelure [ʒəlyr] *f med* Erfrieren *n*.
Gém|eaux, les [ʒemo] *m pl astr* die Zwillinge *m pl; elle est (du signe des)* ~ sie ist Zwilling; **g~ination** *f biol* paarige Anordnung *f;* **g~iné, e** doppelt, Doppel-, Zwillings-; *biol* paarig; *école f ~e* Koedukationsschule *f*.
gém|ir [ʒemir] seufzen, stöhnen *a. fig,* ächzen, schluchzen, wimmern; klagen, jammern (*de* od *sur* über *acc*); *(Taube)* gurren; *(Tür)* knarren, quietschen; *(Wind)* heulen, pfeifen; **~issement** *m* Seufzen, Stöhnen, Ächzen *a. fig,* Schluchzen, Wimmern *n;* Klagelaut(e *pl*) *m; (Taube)* Gurren *n; pousser un* ~ (laut) auf=stöhnen.
gemm|age [ʒɛmaʒ] *m* Anzapfen *n* (der Nadelbäume); **~ation** *f bot* Knospen(treiben *n*) *f pl; zoo* Fortpflanzung *f* durch Knospung; **~e** *s f* Edelstein *m; biol* der Fortpflanzung dienende Knospe *f;* Harz *n; a: pierre f* ~ Edelstein *m; sel m* ~ Steinsalz *n;* **~é, e** mit Edelsteinen besetzt; **~er** *itr bot* Knospen an=setzen; *tr (Baum zur Harzgewinnung)* an=zapfen; **~ifère** knospentragend; Edelsteine enthaltend; **~iparité** *f biol* Fortpflanzung *f* durch Knospung; **~ule** *f biol* Keimkörper *m*.
génal, e [ʒenal] *a anat* Backen-.
gênant, e [ʒɛnɑ̃, -ɑ̃t] unbequem; *fig* lästig; störend; unangenehm, peinlich; *ce n'est pas* ~ das ist kein Problem.
gencive [ʒɑ̃siv] *f meist pl* Zahnfleisch *n*.
gendarme [ʒɑ̃darm] *m* Angehörige(r) *m* der kasernierten Polizei; *allg* Polizist, Gendarm; Fleck *(im Auge od in e-m Edelstein); fam* Brummbär, Polterer; *(Frau)* Dragoner, Feldwebel *m;* (Berg-)Zinne *f;* **~r, se** auf=brausen, in Harnisch geraten, sich ereifern; sich zur Wehr setzen (*contre* gegen); **~rie** [-məri] *f* Polizeitruppe, -kaserne *f*.
gendre [ʒɑ̃dr] *m* Schwiegersohn *m*.
gène [ʒɛn] *m (~ héréditaire) biol* Gen *n*.
gên|e [ʒɛn] *f* Unbequemlichkeit, Unbehaglichkeit; (lästige) Fessel *f;* Hindernis *n,* Last *f;* Zwang(slage *f*) *m,* Bedrängnis, Not(lage); Schwierigkeit, (*a.* Geld-)Verlegenheit, *fam* Klemme; Peinlichkeit, Beklemmung; Geniertheit, Gezwungenheit *f,* Hemmungen *f pl; dans la* ~ in Nöten; *sans* ~ zwanglos, ungezwungen, ungeniert; rücksichtslos, *fam* unverfroren; *éprouver de la* ~ sich genieren; *être sans* ~ sich keinen Zwang an=tun *od* auf=erlegen; *sans-~ m* Ungezwungenheit, Ungeniertheit *f;* **~é, e** [ʒe(ɛ)ne] behindert; geniert, verlegen, befangen, gehemmt; gedrückt, gezwungen; in (Geld-)Verlegenheit; in Nöten, in Bedrängnis, in bedrängter Lage; *n'être pas* ~ sich nicht genieren; ungeniert, wie zu Hause sein; sich keinen Zwang auf=erlegen; **~er** behindern; be-, ein=engen; *(Kleidung, Schuhe)* drücken, zu eng sein (*qn* jdm); *fig* hindern, ein=engen (*dans* in *dat*); Zwang auf=erlegen (*qn* jdm), lästig, *fam* auf den Wecker fallen (*qn* jdm), belästigen, stören; genieren, verlegen machen, in (*a.* Geld-) Verlegenheit bringen; peinlich berühren; *se* ~ sich *(dat)* Zwang an=tun *od* auf=erlegen; Opfer bringen, sich *(acc)* ein=schränken; sich *(acc)* genieren; sich (gegenseitig) lästig fallen, ea. im Wege sein; *ne pas se* ~ sich *acc* (ganz) wie zu Hause fühlen; keine Hemmungen haben; *avec qn* jdm gegenüber kein Blatt vor den Mund nehmen; *ne vous gênez pas!* tun Sie (ganz), als ob Sie zu Hause wären, *(ironisch)* tun Sie Ihren Gefühlen keinen Zwang an!
généalog|ie [ʒenealɔʒi] *f* Genealogie *f;* Abstammung *f a. biol;* **~ique** genealogisch; *biol* Abstammungs-; *arbre m* ~ Stammbaum *m; carte f* ~ Ahnentafel *f;* **~iste** *m* Genealoge *m*.
général, e [ʒeneral] *a* allgemein; umfassend; Gesamt-, General-, Haupt-, Ober-; *s m* Allgemeine(s) *n; mil* (*a. rel* Ordens-)General *m; f* Generalin; Frau *f* e-s Generals; Generalmarsch *m; (répétition ~e) theat* Generalprobe *f; dans l'intérêt* ~ im Interesse der Allgemeinheit; *d'intérêt* ~ gemeinnützig; *en* ~ im allgemeinen, gewöhnlich *adv,* meist; *battre la ~e* den Generalmarsch blasen; *pop* zittern, mit den Zähnen klappern; *assemblée f ~e* Generalversammlung *f; bien m* ~ Gemeinwohl, -gut *n; culture f ~e* Allgemeinbildung *f; directeur m* ~ Generaldirektor *m; état m ~ (med)* Allgemeinbefinden *n* (*de la santé* allgemeine(r) Gesundheitszustand *m*); *États m pl ~aux (hist)* Generalstaaten *(Niederlande),* -stände *m pl; état-major ~ (mil)* Große(r) Generalstab *m; frais m pl ~aux (com)* Gemein-, Betriebskosten *pl; grève f ~e* Generalstreik *m; mandat m* ~ Generalvollmacht *f; quartier m ~ (mil)* Hauptquartier *n; vue f ~e* Gesamtansicht *f;* ~ *de brigade* Generalmajor *m;* ~ *en chef* kommandierende(r) General *m;* ~ *(commandant) de*

corps d'armée General *m* (der Infanterie *etc*); ~ *de division* Generalleutnant *m;* ~ *membre du Conseil supérieur de la guerre* Generaloberst *m;* **~at** [-a] *m* Generalsrang *m;* Dienstzeit *f* als General; Generalat *n;* **~ement** *adv* (im) allgemein(en); ~ *parlant* (ganz) allgemein gesprochen; **~isateur, trice** (gern) verallgemeinernd; **~isation** *f* Verallgemeinerung *f;* **~iser** verallgemeinern; **~issime** [-lisim] *m* Generalissimus, Oberbefehlshaber *m;* **~iste** *a* der Allgemeinmedizin; *m f* Arzt *m,* Ärztin *f* für Allgemeinmedizin; **~ité** *f* Allgemeinheit; Allgemeingültigkeit; Mehrzahl, -heit *f; pl* allgemeine Ideen *od* Redensarten *f pl;* Allgemeine(s) *n; dans la* ~ *des cas* meist(ens); *se cantonner dans les* ~*s* nicht auf Einzelheiten ein=gehen.

génér|ateur, trice [ʒeneratœr, -tris] *a biol* Zeugungs-; *fig* bewirkend; *s m tech* Generator *m; f* Dynamo *m;* Lichtmaschine; *math* Mantellinie *f; force f ~trice* Zeugungskraft *f; organes m pl ~s* Zeugungsorgane *n pl;* ~ *(de vapeur)* Dampfkessel *m;* **~atif, ive** *biol* Zeugungs-; **~ation** *f (Physiologie)* Zeugung; *biol* Fortpflanzung; Nachkommenschaft; Generation *f;* Menschenalter *n; fig* Hervorbringung *f;* ~ *agame* ungeschlechtliche Fortpflanzung *f;* ~ *alternante (biol)* Generationswechsel *m;* ~ *(annuelle)* (Geburts-)Jahrgang *m;* ~ *sexuée* geschlechtliche Fortpflanzung *f;* ~ *spontanée (biol)* Urzeugung *f;* **~er** hervor=bringen, erzeugen.

généreux, se [ʒenerø, -øz] edel(mütig), großmütig, -zügig, hochherzig, *fam* nobel; freigebig; *(Boden)* ergiebig; *(Land)* fruchtbar; *(Wein)* edel; *faire le* ~ *(fam)* den großen Mann markieren.

générique [ʒenerik] *a* Gattungs-; *s m film* Vorspann *m;* Nachspann *m.*

générosité [ʒenerozite] *f* Edelmut *m;* Großmut, -zügigkeit; Freigebigkeit *f; pl* (großzügige) Spenden *f pl; être en veine de* ~ *(fam)* die Spendierhosen an=haben, in Geberlaune sein.

Gênes [ʒɛn] *f* Genua *n.*

genèse [ʒənɛz] *f* Kosmogonie; *(Bibel)* Schöpfungsgeschichte *f,* -bericht *m; allg* Entstehung, (fortschreitende) Entwicklung *f; la G~* die Genesis, das erste Buch Mose.

génés|iaque [ʒenezjak] kosmogonisch; Weltentstehungs-, Schöpfungs-; *(Bibel)* der Genesis *gen;* **~ique** *biol* genetisch; Zeugungs-; Fortpflanzungs-; *instinct m* ~ Geschlechtstrieb *m; facultés f pl ~s* Zeugungsfähigkeit *f.*

gen|êt [ʒ(ə)nɛ] *m bot* Ginster *m;* ~ *à balais* Besenginster *m;* **~ette** *f* Ginsterkatze *f.*

génét|hliaque [ʒenetlijak] *(Astrologie)* Nativitäts-; *allg* Geburts-; **~icien** [-tisjɛ̃] *m* Genetiker, Vererbungsforscher *m;* **~ique** *a* genetisch; *s f* Genetik, Vererbungsforschung *f.*

gêneur, se [ʒɛnœr, -øz] *m f* lästige(r) Mensch *m,* Nervensäge *f,* Störenfried *m.*

Genève [ʒənɛv] *f* Genf *n; le lac de* ~ der Genfer See.

geneviève [ʒənvjɛv] *f* Genoveva *f.*

genevois, e [ʒənvwa, -az] *a* Genfer; *G~, e s m f* Genfer(in *f*) *m.*

genévr|ette [ʒənevrɛt] *f* Wacholder, Genever, *Art* Steinhäger *m (Schnaps);* **~ier** [-vrije] *m bot* Wacholder *m; baie f de* ~ Wacholderbeere *f;* **~ière** *f* Wacholdergehölz *n.*

géni|al, e [ʒenjal] genial; **~alité** *f* Genialität *f.*

génie [ʒeni] *m* Genius, (guter Schutz-)Geist *m;* Genie, Talent *n* (*de, pour* zu, für), (Geistes-)Gaben *f pl,* Begabung *f* (*de, pour* für); Genie *n,* geniale(r) Mensch *m;* (wahres, eigentliches) Wesen *n,* Besonderheit *f; mil* Pioniere *m pl,* Pionierkorps; Ingenieurwesen *n; de* ~ genial; *idée f de* ~ geniale, großartige, glänzende Idee *f; soldat (, officier) m du* ~ Pionier(offizier) *m;* ~ *civil* Bauwesen *n;* ~ *investigateur, inventif* Forscher-, Erfindergeist *m.*

genièvre [ʒənjɛvr] *m* Wacholder *m (Baum* u. *Schnaps);* Wacholderbeere *f.*

génisse [ʒenis] *f* Färse, junge Kuh *f.*

gén|ital, e [ʒenital] *biol* Genital-, Geschlechts-; *appareil m* ~ *(anat)* Genitalapparat *m; organes m pl ~itaux* Geschlechtsorgane *n pl;* **~iteur** *m* Erzeuger *m (Vater);* männliche(s) Zuchttier *n;* **~itif** *m gram* Genitiv, Wesfall *m;* **~ito-urinaire** *a* urogenital; **~ocide** [-nɔsid] *m* Rassen-, Völkermord *m.*

génois, e [ʒenwa, -az] *a* genuesisch.

genou [ʒənu] *m (pl genoux)* Knie *n a. tech; (Pferd)* Vorderfußwurzel *f; bot* Knoten *m; (Hose)* Kniebeule *f; tech* Knierohr, -stück, -gelenk; Kugelscharnier *n; être chauve comme un* ~ *(fam)* glatzköpfig, kahlköpfig sein; *à ~x* kniend, auf den Knien; kniefällig; *sur les ~x (fam)* todmüde; *de qn* auf jds Schoß; *embrasser les ~x de qn (fig)* jdn auf den Knien bitten; *être à ~x* auf den Knien liegen; *être aux ~x* *de qn (fig)* vor jdm auf den Knien liegen; *fléchir les ~x* die Knie beugen; *fléchir, plier le ~ devant qn (fig)* vor jdm zu Kreuze kriechen; *se mettre à ~x, mettre le ~ à, en terre* nieder=, sich hin=knien; *(faire) mettre à ~x* in die Knie zwingen; *flexion f des ~x (sport)* Kniebeuge *f;* **~illère** [-nujɛr] *f* Kniewärmer, -schützer *m; tech* Kniegelenk *n.*

genre [ʒɑ̃r] *m zoo bot* Gattung *f;* Geschlecht *n a. gram; fam* Art, Sorte; Art, Weise, Art u. Weise; Lebensart *f,* Manieren *f pl,* Geschmack, Stil *m,* Eleganz, Mode *f; (~ littéraire)* (Literatur-)Gattung *f; (Kunst)* Genre *n; dans son ~* in s-r Art; *de ce ~* in d(ies)er Art; derart(ig); *de, en tout ~* aller Art; allerlei; *des deux ~s (gram)* männlich u. weiblich; *avoir du ~* Lebensart haben; *se donner un ~, faire du ~* sich affektiert benehmen, *fam* affig sein; *ce n'est pas (dans) mon ~* das ist nicht mein Fall, das liegt mir nicht; *plus, rien que ça de ~! (pop vx)* oh, dies Getue! diese Affigkeit! *le dernier ~* die neueste Mode; *peinture f, tableau m de ~* Genremalerei *f,* -bild *n; ~ d'affaires* Geschäftszweig *m,* Branche *f; ~ de construction* Bauart, -weise *f; ~ humain* Menschengeschlecht *n; ~ de revenu* Einkommensart *f; ~ de vie* Lebensweise, (Art der) Lebensführung *f.*

gens [ʒɑ̃] *m pl* (wenn ein *a* mit weibl. Endung unmittelbar vorausgeht: *f pl*) Leute *pl,* Menschen *m pl;* jemand; *(verneint)* niemand; Leute *pl (Untergebene, Soldaten, Diener); connaître les ~* s-e Leute, *fam* s-e Pappenheimer kennen; *se moquer des ~* sich über die andern lustig machen; *il y a ~ et ~ (fam)* es gibt solche u. solche; *il n'y avait ni bêtes ni ~* es war kein lebendes Wesen zu sehen; *bonnes ~* brave Leute *pl; droit m des ~* Völkerrecht *n; honnêtes ~* anständige Menschen *m pl; jeunes, vieilles ~* junge, alte Leute *pl; petites ~* kleine Leute *pl; tous les ~* alle Leute *pl,* alle Welt *f; vêtements m pl pour jeunes ~* Burschenkleidung *f; ~ d'affaires* Geschäftsleute *pl; ~ sans aveu, sans feu ni lieu* Hergelaufene *m pl,* hergelaufene(s) Volk *n; ~ de bien* anständige Menschen *m pl; ~ d'église* Geistlichkeit *f; ~ d'épée, de guerre* Kriegsleute *pl; ~ de justice* Gerichtspersonen *f pl; ~ de lettres* Literaten, Schriftsteller *m pl; ~ de maison* Hausangestellte *m pl,* Personal *n; ~ de mer* Seeleute *pl; ~ de qualité* Leute *pl* von Rang u. Stand; *~ de rien, de peu* Habenichtse *m pl; ~ de robe* Juristen *m pl; ~ de la ville* Städter *m pl; ~ du voyage* fahrende(s) Volk *n.*

gent [ʒɑ̃] *f vx* Volk, Geschlecht *n; péj* Sippschaft *f,* Volk *n; la ~ moutonnière (fig)* die Hammelherde, die Nachläufer, -plapperer, -beter *m pl.*

gentiane [ʒɑ̃sjan] *f bot* Enzian *m.*

gentil, le [ʒɑ̃ti, -ij] **1.** *a (adv gentiment)* niedlich, hübsch, reizend, entzückend, allerliebst; nett, lieb, freundlich, liebenswürdig; *(ironisch)* nett, sauber; **2.** *s m meist pl* Heiden *m pl; faire le ~* sich an=biedern; *c'est ~ à vous* das ist nett von Ihnen; **~homme** [-jɔm] *m, (pl gentilshommes)* [-zɔm] Adlige(r), Edelmann; *fig* Kavalier, Gentleman *m;* **~hommière** *f* Herrenhaus *m,* -hof *m;* **~lesse** [-jɛs] *f* Niedlichkeit, Anmut; reizende, nette Art *f;* nette(s), liebe(s), freundliche(s) Wesen *n; pl* nette Dinge *n pl,* lustige, witzige Einfälle *m pl; (ironisch)* nette, schöne Sachen *f pl;* **~let, te** ganz nett.

Geoffroi [ʒɔfrwa] *m* Gottfried *m.*

génuflexion [ʒenyflɛksjɔ̃] *f* Kniefall *m; pl fig* Unterwürfigkeit, Kriecherei *f.*

géo|centrique [ʒeɔsɑ̃trik] *a astr* geozentrisch; **~dèse, ~désien** *m* Geodät, Landmesser *m;* **~désie** *f* Geodäsie, Erd-, Landes-, Landvermessung *f;* **~désique** geodätisch.

géograph|e [ʒeɔgraf] *s m* Geograph, Erdkundler *m; a: ingénieur m ~* Kartograph *m;* **~ie** *f* Erdkunde, Geographie *f; ~ descriptive, historique, mathématique, physique, politique* beschreibende, historische, mathematische, physische, politische Geographie *f; ~ économique* Wirtschaftsgeographie *f; ~ humaine* Anthropogeographie *f;* **~ique** erdkundlich, geographisch; *carte f ~* Landkarte *f.*

geôl|e [ʒol] *f* Kerker *m,* Gefängnis *n;* **~ier** *m* Kerkermeister; Gefängnis-, Gefangenenwärter *m.*

géo|logie [ʒeɔlɔʒi] *f* Geologie *f;* **~logique** geologisch; **~logue** *m* Geologe *m;* **~mètre** *m* Geometer, Feldmesser, Vermessungsingenieur *m;* **~métrie** *f* Geometrie *f; ~ analytique, descriptive, infinitésimale, non euclidienne* analytische, darstellende, infinitesimale, , nichteuklidische G.; *~ dans l'espace* Stereometrie, Raumgeometrie *f; ~ plane* ebene G., Planimetrie *f;* **~métrique** geometrisch; **~physicien** *m* Geophysiker *m;* **~physique** *s f* Geophysik *f; a* geophysikalisch; **~politique** *f* Geopolitik *f;* **~rama** *m* (große) Weltkarte *f.*

Georges [ʒɔrʒ] *m* Georg *m;* **Ge-, Géorgie, la** [ʒeɔrʒi] Georgia *n (USA).*
Géorg|ie, la [ʒeɔrʒi] Georgien *n (UdSSR);* **g~ien, ne** *a* georgisch; *G~, ne s m f* Georgier(in *f*) *m.*
géorgique [ʒeɔrʒik] *(Literatur)* ländlich.
géo|synclinal [ʒeɔsɛ̃klinal] *m geol* Geosynklinale *f;* **~stationnaire** *a* geostationär; **~thermal, e** *a: source f ~e* heiße Quelle *f;* **~thermie** *f* Erdwärme *f;* **~thermique** geothermisch; **~tropisme** *m biol* Geotropismus *m.*
gérance [ʒerɑ̃s] *f* Geschäftsführung, Betriebsleitung; Verwaltung; Bewirtschaftung *f; ~ d'immeubles* Grundstücks-, Häuserverwaltung *f.*
géranium [ʒeranjɔm] *m bot* Geranie *f,* Geranium *n.*
gérant, e [ʒerɑ̃, -ɑ̃t] *m f (~ d'affaires)* Geschäftsführer(in *f*); Betriebsleiter; Verwalter *m; directeur m ~* Geschäftsführer *m; ~ d'un domaine, d'une propriété* Gutsverwalter *m; ~ de fortunes* Vermögensverwalter *m; ~ d'immeubles* Hausverwalter *m; ~ responsable (Zeitung)* verantwortliche(r) Herausgeber *m.*
Gérard [ʒerar] *m* Gerhard *m.*
gerb|age [ʒɛrbaʒ] *m* Garbenbinden; Einbringen *n* der Ernte; *(Fässer)* Stapeln *n;* **~e** *f* Garbe *f a. mil;* Bund, Bündel *n;* Strauß *m;* (Strahlen-)Bündel *n; ~ de feu* Feuergarbe *f;* **~er** in Garben binden; *(Fässer)* stapeln; *arg vx* verknacken, verurteilen; **~eur, se** *a* Stapel-; *s m* Garbenbinder *m; s f* u. *cric m ~* Stapelwinde *f;* **~ier** *m arg* Richter *m;* **~ière** *f* Garbenwagen *m.*
gerboise [ʒɛrbwaz] *f* Springmaus *f.*
ger|ce [ʒɛrs] *f* Sprung *(im Holz);* (Haut-)Riß *m,* Schrunde; (Kleider-)Motte; **~cé, e** aufgesprungen, rissig, schrundig; **~cer** *tr* rissig machen; *itr* u. *se ~* rissig werden, auf≈springen; **~çure** [-syr] *f* Sprung, Riß *m;* Schrunde *f.*
gérer [ʒere] verwalten; *(Geschäft)* führen; *(Betrieb)* leiten; bewirtschaften; *(Vormundschaft)* aus≈üben.
gerfaut [ʒɛrfo] *m orn* Geierfalke *m.*
germain, e [ʒɛrmɛ̃, -ɛn] **1.** *a* (alt)germanisch; *G~, e s m f* (alte) Germane *m,* Germanin *f;* **2.** *jur (Bruder, Schwester)* leiblich; *(Geschwister)* Voll-; *cousin(e) m f ~(e), issu(e) de ~s* Vetter *m od* Base *f* 1., 2. Grades.
germandrée [ʒɛrmɑ̃dre] *f bot* Gamander *m.*
German|ie, la [ʒɛrmani] Germanien *n;* **g~ique** germanisch; deutsch; **g~isant, e** *m f* Liebhaber(in *f*) *m* der deutschen Sprache, Literatur *etc;* **g~isation** *f* Germanisierung, Eindeutschung *f;* **g~iser** *tr* germanisieren, ein≈deutschen; *itr* Germanismen gebrauchen; **g~isme** *m* Germanismus *m,* deutsche Spracheigentümlichkeit *f;* **g~iste** *m* Germanist *m;* **g~ophile** deutschfreundlich; **g~ophobe** deutschfeindlich; **g~ophone** *a* deutschsprachig; *s m f* Deutschsprachige(e *m*) *f.*
germ|e [ʒɛrm] *m biol* Keim *a. fig; (Ei)* Hahnentritt *m,* Keimscheibe *f; fig* Ausgangspunkt, Ursprung *m,* erste Anfänge *m pl;* **~er** keimen *a. fig; fig* entstehen, sich entwickeln; Wurzeln schlagen; **~icide** [-misid] keimtötend; **~inal, e** *a* Keim-; *cellule f ~e* Keimzelle *f;* **~inateur, trice** das Keimen bewirkend; **~inatif, ive** *a* Keim-; *pouvoir m ~* Keimfähigkeit *f; vésicule f ~ive* Keimbläschen *n;* **~ination** *f* Keimen *n,* Keimung *f;* **~oir** *m (Brauerei)* Mälzerei *f; agr* Keimkiste *f,* -topf *m.*
gérondif [ʒerɔ̃dif] *m gram* Gerundium; Gerundivum *n.*
gerzeau [ʒɛrzo] *m bot* Kornrade *f.*
gésier [ʒezje] *m orn* Kaumagen *m; se poser sur le ~ (arg aero)* e-e Bauchlandung machen.
gésir [ʒezir] *irr* liegen; *ci-gît* hier ruht; *c'est là que gît le lièvre (fig)* da liegt der Hase im Pfeffer, der Hund begraben.
gesse [ʒɛs] *f bot* Platterbse *f; ~ chiche* Kichererbse, Spanische Wicke *f.*
gest|ation [ʒɛstasjɔ̃] *f* Trächtigkeit(s-), Schwangerschaft(sdauer); *fig* Vorbereitung(szeit) *f; être en ~ de qc (fig)* mit etw schwanger gehen; **~atoire** *a* Trag-.
gest|e [ʒɛst] **1.** *m* Geste, Gebärde *f; pl* Mienenspiel *n;* **2.** *f vx* Heldentat *f; au moindre ~* bei der geringsten Bewegung; *faire des (grands) ~s* (lebhaft) gestikulieren; *ne pas faire un ~* sich nicht rühren; *chanson f de ~ (hist) (franz.)* Heldengedicht *n; faits et ~s (fam)* Tun u. Treiben *n;* **~iculation** [-tiky-] *f* Gestikulation *f;* **~iculer** gestikulieren.
gestion [ʒɛstjɔ̃] *f (~ d'affaires)* Geschäfts-, Betriebs-, Amtsführung, Verwaltung *f; compte-rendu, rapport m de ~* Geschäfts-, Rechenschaftsbericht *m; frais m pl de ~* Verwaltungskosten *pl; mauvaise ~* Mißwirtschaft *f; règlement m de la ~* Geschäftsordnung *f; ~ de biens, de fortune* Vermögensverwaltung *f; ~ budgétaire* Haushaltsführung *f; ~ de caisse* Kassenführung *f; ~ comptable* Rech-

nungsführung *f; ~ directe* Selbstbewirtschaftung *f; ~ forcée* Zwangsverwaltung *f;* **~naire** *s m* Geschäftsführer; Verwalter, Verwaltungsdirektor *m; a* geschäftsführend; Verwaltungs-.
geyser, geiser [ʒɛzɛr] *m geog* Geysir, Geiser; Warmwasserbereiter, Badeofen *m.*
ghetto [gɛto] *m* G(h)etto *n a. fig;* **~ïsation** *f* G(h)ettoisierung *f.*
gibb|eux, se [ʒibø, -øz] buck(e)lig, höckerig; **~on** *m zoo* Gibbon *m;* **~osité** *f med* Buckel *m a. allg.*
gib|ecière [ʒibsjɛr] *f* Umhänge-, Jagd-, Schultasche *f; tour m de ~* Zauberkunststück *n,* Trick *m;* **~elotte** *f (bes.* Kaninchen-)Frikassee *n (mit Weißwein);* **~erne** *f vx* Patronentasche; **~erner** *tr pop* an=öden, langweilen; *itr arg mil* quatschen, quasseln.
gibet [ʒibɛ] *m* Galgen *m.*
gibier [ʒibje] *m* Wild(bret); *fig fam* Opfer *n (Person); dommage m causé par le ~* Wildschaden *m; gros ~* Hoch-, Großwild *n; menu ~* Klein-, kleinere(s) Federwild *n; ~ d'eau* Wasservögel *m pl; ~ à plume* Feder-, Flugwild *n; ~ à poil* (kleineres) Haar-, Niederwild *n; ~ de potence (fig)* Galgenvogel *m.*
giboulée [ʒibule] *f* Regen-, Hagel-, Schneeschauer *m; fig pop* Tracht Prügel, Dresche *f.*
giboyeux, se [ʒibwajø, -øz] wildreich.
Gibraltar [ʒibraltar] *m* Gibraltar *n; le détroit de ~* die Straße von Gibraltar.
gibus [ʒibys] *s m* u. *a.: chapeau m ~* Klappzylinder *m.*
gicl|er [ʒikle] *itr* (auf=, heraus=)spritzen; **~eur** *m* (Spritz-)Düse *f; ~ de carburant (mot)* Vergaserdüse *f; ~ de ralenti* Leerlaufdüse *f.*
gifl|e [ʒifl] *f* Ohrfeige, Backpfeife *f;* **~er** ohrfeigen, backpfeifen.

gig|antesque [ʒigɑ̃tɛsk] riesig, riesenhaft, gigantisch; *fig* gewaltig, ungeheuer; *péj* ungeheuerlich; **~antisme** *m biol* Riesenwuchs *m; fig* Riesenhaftigkeit *f.*
gigogne [ʒigɔɲ] *s f: mère f G~* Mutter *f* mit vielen Kindern; *a: table f ~* Satz *m* inea.geschobener Tische.
gigolo [ʒigolo] *m fam* Geliebte(r), Freund *m* einer älteren Frau.
gigot [ʒigo] *m* Hammel-, Lamm-, Rehkeule *f; (Pferd)* Hinterbacken *m; hum* Bein *n; manches f pl à ~* Puff-, Schinkenärmel *m pl;* **~er** [-gɔte] *fam* mit den Beinen zappeln, strampeln; *arg* tanzen.
gigue [ʒig] *f* Rehkeule *f; pop* Bein *n;* Gigue *f (Tanz); grande ~ (pop)* große(s), dürre(s) Mädchen *n,* Hopfenstange *f.*
gilet [ʒilɛ] *m* Weste; *(~ de corps)* Unterjacke *f;* Bluseneinsatz *m; pleurer dans le ~ de qn* sich bei jdm aus=weinen; *poche f de ~* Westentasche *f; ~ de sauvetage* Schwimmweste *f; ~ tricoté* Strickweste *f.*
gill|e [ʒil] *m* **1.** dumme(r) August; *fig* Einfaltspinsel *m;* **2.** große(s) Fischnetz *n;* **~otage** *m* Strich-, Zink-(hoch)ätzung, Zinkotypie *f.*
gimblette [ʒɛ̃blɛt] *f* Ring *m (Teegebäck).*
gin [dʒin] *m* Gin *(engl. Korn); (fälschlich)* Genever, Wacholder *m.*
gingembre *m* [ʒɛ̃ʒɑ̃br] *m* Ingwer *m.*
gin|gival, e [ʒɛ̃ʒival] Zahnfleisch-; **~givite** *f* Zahnfleischentzündung *f.*
ginguer [ʒɛ̃ge] herum=springen, -tollen; *(Pferd)* aus=schlagen.
ginguet, te [ʒɛ̃gɛ, -gɛt] *fam (Wein)* säuerlich.
gingko [ʒɛ̃ko] *m* Gingko(baum) *m.*
girafe [ʒiraf] *f* Giraffe; *fig fam* Hopfenstange *f.*
girandole [ʒirɑ̃dɔl] *f* Feuerrad *n;* Armleuchter *m; pl* Ohrgehänge *n.*
girasol [ʒirasɔl] *m* Mondstein *m.*
gir|ation [ʒirasjõ] *f* Rotation *f;* **~atoire** *a: mouvement m ~ (Phys tech)* Kreisbewegung *f; sens m ~* Kreisverkehr *m;* **~avion** *m* Drehflügelflugzeug *n.*
giro|fle [ʒirɔfl] *m, clou m de ~* (Gewürz-)Nelke *f;* **~flée** *f bot* Levkoje; *~ à cinq feuilles (pop) vx* fünf Finger *m pl* im Gesicht *(Spur e-r Ohrfeige); ~ jaune (bot)* Goldlack *m;* **~flier** [-flije] *m* Gewürznelkenbaum *m.*
girolle [ʒirɔl] *f bot* Eierschwamm *m.*
giron [ʒirõ] *m* Schoß *m a. fig; (Treppe)* Stufenfläche *f; (rentrer dans le) ~ de l'Église* (in den) Schoß *m* der Kirche (zurück=kehren).
girond, e [ʒirõ, -rõd] *f arg* rassig, Rasse-; puppig; mollig.
girouette [ʒirwɛt] *f* Wetterfahne *f a. fig,* -hahn; *fig* wetterwendische(r) Mensch; Konjunkturritter *m.*
gis|ant, e [ʒizɑ̃, -ɑ̃t] *a* liegend, ausgestreckt; ruhend, bewegungslos; *(Holz)* gefällt; *(Schiff)* gestrandet; *s m (Kunst)* ruhende Figur *f; fenêtre f ~e* Querfenster *n;* **~ement** *m geol min* (Ab-)Lagerung *f,* Lager(stätte *f*), Vorkommen *n; tech* Seitenwinkel *m; mar* Lage, Richtung *f (e-r Küste); ~ alluvionnaire (geol)* Seife *f; ~ aurifère, houiller, pétrolifère, uranifère* Gold-, Kohle-, Erdöl-, Uranvorkommen *n; ~ de minerai* Erzlagerstätte *f; ~ en couche, en filon, en amas* ge-

schichtete, gangförmige, massige Lagerung *f.*

gitan, e [ʒitɑ̃, an] *m f* (spanische) Zigeuner(in *f*) *m;* **G~e** *f* franz. Zigarettenmarke *f.*

gîte [ʒit] *m* (Nacht-)Lager, Quartier *n;* Unterkunft, Bleibe *f; (Tier)* Lager *n, (Hase)* Grube *f; min* Lager *n; (Mühle)* Bodenstein *m; (~ à la noix) (Fleischerei)* Nuß *f; f mar* Krängung; Lage *f (e-s gesunkenen Schiffes); ~ houiller* Kohlenflöz *n; ~ métallifère* Erzlager *n; ~ rural* Fremdenzimmer *n pl; ~***r** *(Tier, bes. Hase)* lagern; *fam (Mensch)* hausen, übernachten, die Nacht verbringen, lagern; *(Schiff)* sich auf die Seite neigen; gestrandet sein.

givr|age [ʒivraʒ] *m aero* Vereisung *f; danger m de ~* Vereisungsgefahr *f;* **~e** *m* (Rauh-)Reif *m; dépôt m de ~ (aero)* Eisansatz *m; fleurs f pl de ~* Eisblumen *f pl (am Fenster);* **~é, e** bereift; *arg* verrückt; **~er** mit Reif bedecken *od* überziehen; vereisen; **~eux, se** bereift; *(Edelstein)* rissig; **~ure** *f (Diamant)* Trübung *f.*

glabelle [glabɛl] *f* unbehaarte Stelle *f* zwischen den Augenbrauen.

glabre [gla(ɑ)br] glatt, unbehaart, kahl.

glaç|age [glasaʒ] *m (Papier)* Satinieren; *(Textil)* Glanzgeben *n,* Glacéappretur *f;* Polieren; Glasieren *n (a. Küche);* **~ant, e** *fig* frostig, kühl.

glac|e [glas] *f* Eis *n; (Fleischsaft-, Eiweiß-, Zucker-)* Glasur *f;* Zuckerguß; Spiegel(glas *n*) *m;* (dicke) Glas-, Schaufensterscheibe *f;* (Wagen-)Fenster *n; (Edelstein)* Fleck *m; fig* eisige Kälte; Frostigkeit, Gefühlskälte *f; pl* (Speise-)Eis, Gefrorene(s) *n,* Eiskrem *f* od *m; de ~ (fig)* eisig, frostig, kühl; *fondre, rompre la ~ (fig)* das Eis zum Schmelzen bringen, brechen; *banc m de ~* Eisbank *f; champ m de ~* Eisfeld *n; couche f de ~* Eisschicht, -dekke *f; débarrassé des ~s* eisfrei; *fabrication f de ~* Spiegelglasfabrikation *f; fleurs f pl de ~* Eisblumen *f pl (am Fenster); machine f à ~* Eismaschine *f; mer f de ~* Eismeer *n; montagne f de ~* Eisberg *m; polisseur m de ~* Spiegelglasschleifer *m; polisseuse f à ~* Spiegelglas-Schleifmaschine *f; pris dans les ~s* eingefroren; *vessie f à ~ (med)* Eisbeutel *m; ~s (accumulées)* Packeis *n; ~ artificielle* Kunsteis *n; ~ biseautée* geschliffene(r) Spiegel *m; ~ au chocolat, au citron, à la fraise, à la framboise, à la vanille* Schokoladen-, Zitronen-, Erdbeer-, Himbeer-, Vanilleeis *n; ~s dérivantes, flottantes* Treibeis *n; ~s descendantes* versenkbare (Seiten-)Fenster *n pl (e-s Autos): ~s de fond* Grundeis *n; ~ à main* Handspiegel *m; ~ panachée* gemischte(s) Eis *n; ~ du pare-brise* Windschutzscheibe *f; ~ de poche* Taschenspiegel *m; ~s polaires* Polareis *n; ~ quadrillée (tech)* Raster *m;* **~é, e** *a* vereist; eiskalt; eisgekühlt; Eis-; Glacé-; *(Mensch)* durchgefroren; *fig* (gefühls-)kalt; *(Empfang)* eisig, frostig, kühl; *s m* Glanz *m;* Glasur, Politur *f; bâton m ~* Eis *n* am Stiel; *bombe f ~e* Eisbombe *f; eau f ~e* Eiswasser *n; gants m pl ~s* Glacéhandschuhe *m pl; riz m ~* polierte(r) Reis *m;* **~er** gefrieren lassen; (vor Kälte) erstarren, *fig* kälter werden lassen; ab=kühlen, unempfindlich machen; *(vor Schreck, Angst)* erstarren lassen; *(Textil, Töpferei, Küche)* glasieren; *(Papier)* satinieren; polieren; *se ~* ge-, ein=frieren; *fig* erstarren; **~erie** *f* Herstellung *f,* Vertrieb *m* von Speiseeis; Spiegelglasfabrik(ation) *f,* -(groß)handel *m;* **~eur** *m* Satinierer, Glasierer *m;* **~eux, se** *(Edelstein)* unrein, wolkig; **~iaire** *a* Eis-, Gletscher-; *calotte f ~* (polare) Eiskappe *f; lac m ~* Gletschersee *m; période f ~* Eiszeit *f;* **~ial, e** eiskalt, eisig; Eis-; *fig* eisig, frostig, kühl; *(Stil, Redner)* leidenschaftslos; *océan m G~ Arctique, Antarctique* Nördliche(s), Südliche(s) Eismeer *n;* **~iation** *f geol* Vereisung, Vergletscherung *f;* **~ier** *m* Gletscher; Eiskonditor, -händler; Spiegelglasfabrikant *m;* **~ière** *f* Eiskeller *a. fig,* -schrank *m,* -maschine *f;* **~iologie** *f* Gletscherkunde *f;* **~is** [-si] *m* Abflachung *f; mil* Glacis, Vorfeld *n a. fig; (Malerei)* Lasur *f.*

glaç|on [glasɔ̃] *m* Stück *n* Eis, Eisklumpen *m a. fig;* Eisscholle *f,* -zapfen *m;* Eisbonbon *m* od *n;* **~ure** *f (Töpferei)* Glasur *f.*

gladiateur [gladjatœr] *m hist* Gladiator *m.*

glaïeul [glajœl] *m bot* Gladiole *f.*

glair|e [glɛr] *f* rohe(s) Eiweiß *n; med* zähe(r) Schleim *m;* **~er** *(Buchbinderei)* mit Eiweiß ein=reiben; **~eux, se** zähschleimig.

glais|e [glɛz] *f: terre f ~* Lehm, Ton *m;* **~eux, se** lehmig, tonig, tonhaltig; *sol m ~ (agr)* Lehmboden *m;* **~ière** *f* Ton-, Lehmgrube *f.*

glaive [glɛv] *m poet* Schwert *n a. fig; fig* Krieg *m; remettre le ~ dans le fourreau (fig)* die Feindseligkeiten beenden; *tirer le ~ (fig)* zum Schwert greifen, los=schlagen.

glanage [glanaʒ] *m* Ährenlesen *n,* Nachlese *f,* Stoppeln *n.*

gland [glɑ̃] *m bot anat* Eichel; Troddel, Quaste *f;* **~e** [glɑ̃d] *f anat* Drüse *f; ~ génitale* Keimdrüse *f; ~ lacrymale* Tränendrüse *f; ~ mammaire* Milch-, *(Mensch a.* Brust-)drüse *f; ~ pinéale* Epiphyse, Zirbeldrüse *f; ~ pituitaire* Hypophyse *f,* Hirnanhang *m; ~ prostatique* Vorsteherdrüse *f; ~ salivaire* Speicheldrüse *f; ~ sébacée* Talgdrüse *f; ~ sudoripare* Schweißdrüse *f; ~ thyroïde* Schilddrüse *f;* **~iforme** eichelförmig; **~ulaire; ~uleux, se** drüsenartig; Drüsen-; **~ule** *f* kleine Drüse *f.*

glan|e [glan] *f* Ährenbüschel *n;* Birnenzweig; Zwiebel- *od* Knoblauchstrang *m; fig* Nachlese *f;* **~er** *(Ähren)* lesen, stoppeln; *fig (Übriggebliebenes)* sammeln; **~eur, se** *m f* Ährenleser(in *f*) *m;* **~ure** *f* Nachlese *f.*

glap|ir [glapir] kläffen; kreischen; **~issant, e** *(Stimme)* kreischend; **~issement** *m* Gekläff; Gekreisch *n a. fig.*

glas [glɑ] *m: ~ funèbre* Totenglocke *f.*

glaucome [glokom] *m med* grüne(r) Star *m.*

glauque [glok] blaugrün.

glèbe [glɛb] *f vx* (Erd-)Scholle *f a. fig;* Erdklumpen; Ackerboden; Grund u. Boden *m; attaché à la ~* leibeigen; mit der Scholle verwurzelt; *serf m attaché à la ~* Leibeigene(r) *m.*

gléc(h)ome [glekom] *m bot* Gundelrebe *f,* Gundermann *m.*

glène [glɛn] *f* **1.** *anat* Gelenkpfanne, -grube *f;* **2.** *mar* aufgerollte(s) Tau *n.*

glénoïde, glénoïdal, e [glenɔid(al)] *a: cavité f ~(e)* u. *s f* Schultergelenkpfanne, -grube *f.*

glette [glɛt] *f* Bleiglätte *f.*

gliss|ade [glisad] *f* Ausgleiten *a. fig;* Schlittern *n;* Schlitterbahn *f; (Tanz)* Schleifschritt *m; aero* Abrutschen *n; faire une ~* aus≈gleiten, -rutschen; *faire des ~s* schlittern; **~age** *m (Holz)* Abriesen *n* **~ant, e** glatt, schlüpfrig; *(Silbe)* unbetont; *fig* unberechenbar; heikel; ungreifbar; **~é** *m (Tanz)* Schleifschritt *m;* **~ement** *m* (Ab-)Gleiten *a. fig;* (Ab-)Rutschen *n a. tech; (Ladung)* Verschiebung, Verlagerung; *(Schienen)* (Längs-)Verschiebung *f,* Wandern *n; el* Schlupf *m,* Schlüpfen *n; plan m* od *surface, voie f de ~ (tech)* Gleitfläche, -bahn *f; résistance f au ~ (tech)* Gleitwiderstand *m; ~ à droite, à gauche (pol)* Rechts-, Linksrutsch *m; ~ de sens* Bedeutungsverschiebung *f (e-s Wortes); ~ de terrain* Erd-, Bergrutsch *m.*

gliss|er [glise] **1.** *itr* (ab≈, aus≈)gleiten, ≈-rutschen; *fam* schlittern; entgleiten (*à qn* jdm); *le pied m'a ~é* ich bin ausgerutscht; *le verre m'a ~é des mains* das Glas ist mir aus den Händen gerutscht; sich schlängeln; *la vipère ~e parmi les pierres* die Viper schlängelt sich durch die Steine; *(passer rapidement)* fliegen, huschen (*sur* über *acc*); *fig* hinweg≈gleiten, (schnell) hinweg≈gehen (*sur* über *acc*); streifen, nur flüchtig berühren (*sur* acc); *~ons! (fam)* gehen wir (rasch) darüber hinweg! *~ sur (l'esprit de) qn* auf jdn keinen großen Eindruck machen, jdn nicht interessieren; **2.** *tr* (langsam) schieben, gleiten lassen; heimlich stecken (*à* in *acc*); zu≈stecken (*qc à qn* jdm e-e S); *il lui ~e un pourboire* er steckt ihm ein Trinkgeld zu; hinein≈stecken, ein≈schieben (*dans* in *acc*); *~ qc dans la main de qn* jdm e-e S in die Hand drücken; *~ qc à l'oreille de qn* jdm etw zu≈flüstern; **3.** *se ~* sich gleiten lassen, sich (langsam) schieben; sich ein≈schleichen *(a. fig); une erreur s'est ~ée dans mon rapport* ein Irrtum hat sich in meinen Bericht eingeschlichen; *un soupçon s'est ~é en moi* ich habe Verdacht geschöpft, Mißtrauen hat sich in mein Herz geschlichen; *(apparaître subitement)* unversehens dasein, sich unbemerkt aus≈breiten (*parmi* unter *acc*); **~eur** *m tech* Schlitten; *el radio* Schleifkontakt *m;* **~ière** *f* Gleit-, Lauf-, Führungsschiene, -stange, -bahn, -fläche; *(~ de chariot)* (Schlitten-)Führung *f; à ~* Roll-, Schiebe-; *table f à ~ (tech)* Gleittisch *m; ~ oscillante* Schwingrutsche *f; ~ de sécurité* Leitplanke *f; ~ transversale (tech)* Querführung *f;* **~oir** *m* Riese, Rutsche *f (zur Holzbringung); tech* Gleitstück *n;* **~e** *f* Schleif-, Schlitterbahn; Riese, Rutsche *f;* Führungsschlitten *m.*

global, e [glɔbal] zs.genommen, global, gesamt; Gesamt-; *com* pauschal; Pauschal-; *montant m ~* Pauschalbetrag *m,* Pauschale *f;* **~ement** *adv* im ganzen (genommen); **~isation** *f* Pauschalierung *f;* **~iser** *com* pauschalieren.

glob|e [glɔb] *m* Kugel *f,* Ball *m;* Glas-, Lampenglocke *f;* Globus; *arg vx* Bauch *m; ~ céleste* Himmelsglobus *m,* -kugel *f ~ de feu* Feuerball *m; ~ fulminant* Kugelblitz *m; ~ impérial (hist)* Reichsapfel *m; ~ de l'œil* Augapfel *m; ~ solaire* Sonnenball *m; ~ (terrestre)* Globus *m;* Erdkugel *f,* -ball *m;* **~ulaire** *a* kugel(förm)ig; Kugel-; *s f bot* Kugelblume *f;* **~ule** *m* Kügelchen *n; (~ médicamenteux)* sehr kleine Pille *f; ~s rouges, blancs (du sang)* rote, weiße Blutkörperchen *n pl;* **~uleux, se** kugel(förm)ig; Kugel-.

gloire [glwar] *f* Ruhm; Stolz *m,* Zierde; Herrlichkeit *f,* Glanz *m,* Glorie(nschein *m*), Ehre *f; (Kunst)* Heiligenschein *m,* Gloriole *f,* offene(r) Himmel *m; à la ~ de qn* zu jds Ehre; *~ à ...* Heil *dat;* Ehre sei *dat; sans ~* ruhmlos; *se couvrir de ~* sich mit Ruhm bedecken; Ruhm ernten; *se faire ~ de qc* sich e-r S *(gen)* rühmen, auf e-e S stolz sein; *mettre sa ~ à, en qc* s-e Ehre in e-e S setzen; *rendre ~ à qn, qc, chanter la ~ de qn, qc* jdn, etw rühmen, preisen, ehren, verherrlichen; *rendre ~ à la vérité* der Wahrheit die Ehre geben; *avide de ~* ruhmsüchtig; *couvert de ~* ruhmbedeckt; *passion f de la ~* Ruhmsucht *f; temple m de la ~* Ruhmeshalle *f.*

glomér|is [glɔmeris] *m zoo* Rollassel *f;* **~ule** *m bot* (Blüten-)Knäuel; *anat* Gefäßknäuel *m* od *n.*

glor|ia [glɔrja] *m inv rel* Gloria *n; fam rare* Kaffee *od* Tee *m* mit Weinbrand *od* Rum; **~iette** *f* Gartentempel, Pavillon *m;* **~ieux, se** rühmlich, ruhmvoll, ruhm-, glorreich; Ruhmes-; ruhmsüchtig, -redig; stolz (*de* auf *acc*), eitel; **~ification** *f* Verherrlichung *f;* **~ifier** verherrlichen, rühmen, preisen, in den Himmel heben; *se ~ de qc* sich e-r S *(gen)* rühmen, auf e-e S stolz sein; **~iole** *f* Eitelkeit, Ruhmsucht *f.*

glose [gloz] *f* Auslegung, Erklärung, Deutung; *fam* Glosse, hämische Bemerkung *f; pl* Kommentar *m; ~ marginale* Randbemerkung *f;* **~r** *itr* erklären, aus≈legen, deuten, kommentieren *(sur qc* etw); *tr* glossieren, Glossen machen, *fam vx* her≈ziehen (*sur qn, de qc* über jdn, über e-e S).

gloss|aire [glɔsɛr] *m* Glossar(ium), (erklärendes) Wörterverzeichnis, -buch *n;* Wortschatz *m (e-r Sprache);* **~ateur** *m* Ausleger, Erklärer, Deuter, Glossator *m.*

glossine [glɔsin] *f* Tsetsefliege *f.*

glossite [glɔsit] *f* Zungenentzündung *f.*

glott|e [glɔt] *f* Stimmritze *f;* **~ique** *a* Stimmritzen-.

glouglou [gluglu] *m (Flüssigkeit)* Gluckern, Glucksen; *(Taube)* Gurren; *(Puter)* Kollern *n;* **~ter** gluckern, glucksen; gurren, kollern.

glou|ssement [glusmɑ̃] *m* Gluck(s)en; Gurren; Kollern *n;* **~sser** *(Glucke)* gluck(s)en.

glouteron [glutrɔ̃] *m bot* Klette *f.*

glouton, ne [glutɔ̃, -tɔn] *a* gefräßig, gierig, *fam* verfressen; *s m f* Fresser(in *f*), Vielfraß *m a. m zoo;* **~nerie** [-tɔnri] *f* Gefräßigkeit, Gier, Fresserei *f.*

gloxinia [glɔksinja] *m bot* Gloxinie *f.*

glu [gly] *f* Vogelleim *m; fig* Lockmittel *n,* Köder *m; avoir de la ~ aux doigts* ungeschickt *od* unehrlich sein; *prendre à la ~* mit Leimruten fangen; *il est collant comme de la ~ (fam)* er bleibt immer bei einem kleben; *~ translucide* Porzellankitt *m;* **~ant, e** *a* klebrig; *fig* zäh, hartnäckig; *s m arg* Seife *f;* **~au** [-o] *m* Leimrute *f.*

glu|cide [glysid] *m* Kohle(n)hydrat *n;* **~cinium** [-jɔm] *m chem* Beryllium *n;* **~cose** [-koz] *m* (od *f*) Traubenzucker *m,* Dextrose *f.*

glume [glym] *f* Spelze *f (Teil der Ähre).*

glu|ten [glytɛn] *m bot* Kleber *m,* Gluten *n;* **~tinatif, ive** *s. agglutinatif;* **~tine** *f* Gelatine; Gallerte *f;* **~tineux, se** kleberhaltig; klebrig; **~tinosité** *f* Klebrigkeit *f.*

glyc|émie [glisemi] *f med* Blutzucker *m;* **~érine** *f* Glyzerin *n;* **~érique** *a* Glyzerin-; **~ine** *f bot* Glyzinie *f;* **~ocolle** *m* Leimsüß *n,* Aminoessigsäure *f,* Glykokoll *n;* **~ogène** *m* Leberstärke *f,* Glykogen *n;* **~ol** *m chem* Glykol *n;* **~ose** *s. glucose;* **~osurie** *f* Zuckerharnruhr, Zuckerkrankheit *f;* **~osurique** zuckerkrank.

glyp|he [glif] *m arch* Schlitz *m;* **~tique** [gliptik] *f* Steinschneidekunst, Glyptik *f;* **~tothèque** *f* Glyptothek *f.*

gnaf, gniaf [ɲaf] *m pop* Flickschuster *m.*

gnangnan, gnian-gnian [ɲɑ̃ɲɑ̃] *a inv fam* langsam, -weilig, tranig, schlafmützig; zimperlich; *s m f* Schlafmütze, Transuse *f.*

gneiss [gnɛs] *m min* Gneis *m.*

gn(i)ole, gnôle, gnaule [ɲol] *f arg mil* Schnaps *m.*

gnocchi [ɲɔki] *m pl* Käseklößchen *n pl.*

gnognote [ɲɔɲɔt] *f: c'est de la ~ (fam)* das ist ein Dreck, e-e Null.

gnom|e [gnom] *m* Gnom, Erd-, Berggeist; *fig* häßliche(r) Gartenzwerg *m;* **~ique** *a* aus (Sinn-)Sprüchen bestehend; gnomisch; Spruch-; *poésie f ~* Spruchdichtung *f.*

gnomon [gnɔmɔ̃] *m* Sonnenuhr *f.*

gnon [ɲɔ̃] *m pop* Schlag *m; recevoir un ~* eine verpaßt, versetzt kriegen.

gnos|e [gnoz] *f rel hist* Gnosis *f;* **~ticisme** [gnɔsti-] *m* Gnostik *f;*

~tique *a* gnostisch; *s m f* Gnostiker (-in) *f*) *m.*
gnou [gnu] *m zoo* Gnu *n.*
go [go] : *m (Brettspiel)* Go *n; tout de ~ (fam)* spielend *adv;* (ganz) von selbst, (ganz) einfach; ohne weiteres, schlankweg; mir nichts, dir nichts.
goal [gol] *m sport* Tor *n;* Torwart *m.*
gobelet [gɔblɛ] *m* Becher *m;* Becherglas *n;* Zauberbecher *m; ~ à boire, à dés* Trink-, Würfelbecher *m; ~ en plastique* Plastikbecher *m;* **~erie** *f* Hohlglasfabrikation *f,* -handel *m.*
gobel|in [gɔblɛ̃] *m* Kobold *m;* Gobelin *m;* **~ot(t)er** *fam* süffeln, bechern, zechen, herum≈kneipen; **~otteur** *m pop* Zecher, Zechkumpan, Saufbruder *m.*
gob|e-mouches [gɔbmuʃ] *m inv orn* Fliegenschnäpper *m; bot* Fliegenklappe, Venusfliegenfalle *f; fig fam* Einfaltspinsel, Dussel, Depp *m;* **~er** (ver-, hinunter≈)schlucken, verschlingen; (aus≈)schlürfen; *fig fam* für bare Münze nehmen, glauben; *pop* erwischen; *pop* e-n Narren gefressen haben (*qn* an jdm); *se ~ (fig pop)* sehr von sich eingenommen sein; *la ~, ~ le morceau, l'appât* herein≈fallen, auf den Leim gehen; *~ les mouches* s-e Zeit vertrödeln *od* verbummeln; sich alles aufschwatzen lassen.
goberger, se [gɔbɛrʒe] *fam* sich amüsieren, es sich *(dat)* wohl sein lassen; es sich *(dat)* bequem machen, sich *(acc)* aus≈strecken, sich *(acc)* recken.
gob|et [gɔbɛ] *m fam* Happen, Bissen *m;* Hinunterschlucken *n;* Schlinger; *fam fig* leichtgläubige(r) Mensch; *pop* Strolch, Taugenichts *m;* **~eur, se** *m f fig fam* leichtgläubige(r) Mensch *m;* **~ichonner** *pop* in Saus u. Braus leben.
gobie [gɔbi] *m* Grundel *f (Fisch).*
godasse [gɔdas] *f pop* (Quadrat-)Latschen, Schuh *m.*
Godefroy [gɔdfrwa] *m* Gottfried *m.*
godelureau [gɔdlyro] *m vx fam* junge(r) Galan, Süßholzraspler *m.*
god|er [gɔde] *(unerwünschte)* Falten werfen; **~et** [-ɛ] *m* kleine(r) Becher *m;* (Farben-, Öl-, Reib-)Näpfchen *n;* Pfeifenkopf; Bagger-, Schöpfeimer *m;* (Dach-)Traufe; (eingesetzte) Falte *f; (Eichel)* Becher; *(Blüte)* Kelch *m; bot* Märzblume, Osterglocke *f.*
god|iche [gɔdiʃ] *a* linkisch, ungeschickt; dumm, einfältig; albern; *s m f* Dummkopf *m,* dumme Gans *f;* **~ichon, ne** *a fam* ein bißchen blöde, doof; tapsig; *s m* Esel *m;* dumme Ziege *f.*
god|ille [gɔdij] *f* Wrickruder *n; (moteur m ~)* Außenbordmotor *m; (Schifahren)* Wedeln *n;* **~iller** wricken; **~illeur** *m* Wricker *m.*
godillot [gɔdijo] *m fam* derbe(r) Schuh *m.*
godiveau [gɔdivo] *m* Fleischklößchen *n;* Pastetenfüllung *f.*
godron [gɔdrõ] *m* Eierleiste *(Verzierung);* Glockenfalte *f.*
goé|land [gɔelɑ̃] *m orn* (große) Möwe, Mantel- *od* Silbermöwe *f;* **~lette** *f orn* Seeschwalbe *f; mar* Schoner *m;* **~mon** *m* Seegras *n,* Tang *m.*
gogaille [gɔgaj] *f* Gelage *n,* Schmaus(erei *f*) *m,* Schlemmerei *f; faire ~* schmausen, schlemmen.
gogo [gɔgo] *m fam* Gimpel, Leichtgläubige(r) *m; à ~ (fam)* in Hülle u. Fülle, massenhaft; nach Herzenslust.
goguenard, e [gɔgnar, -ard] *a* scherzhaft, spöttisch; *s m f* Spötter(in *f*) *m;* **~ise** *f* Schalkhaftigkeit *f;* spöttische(s, r) Wesen *n od* Blick *m.*
goguenot [gɔgno] *m pop* Nachttopf *m; pl* Lokus *m,* Latrine *f.*
goguette [gɔgɛt] *f fam* lustige Geschichte *f,* Schwank *m;* Zechgelage *n; être, se mettre en ~* eine Bierreise machen, von einer Kneipe zur anderen ziehen; e-n Schwips haben, beschwingt sein.
goinfr|e [gwɛ̃fr] *m* Fresser, Freßsack, verfressene(r) Mensch; Schmarotzer *m;* **~er (se)** fressen; sich durch≈fressen, schmarotzen; **~erie** [-frə-] *f* Fresserei, Gefräßigkeit *f.*
goitr|e [gwatr] *m* Kropf *m;* **~eux, se** *a* kropfartig; *s m f* Kropfleidende(r *m*) *f; fig fam* Idiot(in *f*) *m.*
golf [gɔlf] *m sport* Golf *n.*
golfe [gɔlf] *m* Meerbusen *m,* Bucht *f,* Golf *m; anat* Erweiterung *f,* Bulbus *m.*
golfeur [gɔlfœr] *m* Golf(spiel)er *m.*

gomm|age [gɔmaʒ] *m* Gummierung *f;* **~e** *f* Gummi *n* od *m; med* Gumma *n,* Gummiknoten *m; mettre toute la ~ (mot fam)* Vollgas geben; *affaires f pl à la ~ (fam)* Scheingeschäfte *n pl; mettre la ~ (fig fam)* sich ran≈halten; *~* adragante Tragant *m; ~ arabique* Gummiarabikum *n; ~ à crayon* Bleigummi *m; ~ à effacer, élastique* Radiergummi *m; ~ à encre* Tintengummi *m; ~-gutte f* Gummigutt *n; ~(-)laque f* Gummilack *m; ~ à mâcher* Kaugummi *m; ~ pour machines à écrire* Schreibmaschinengummi *m; ~-résine f* Gummiharz *n;* **~é, e** gummiert; **~er** gummieren; aus≈radieren; **~ette** *f* u. *papier m ~* gummierte(s) Papier *n;* **~eux, se** *a* gummiartig; *s* *m fam* Geck *m;* ~**ier** *m* Gummibaum *m;* ~**ifère** *bot* gummihaltig.

gond [gɔ̃] *m (Tür, Fenster)* Angel, Haspe *f,* Kloben *m; mettre, emporter, faire sortir, jeter qn hors de ses ~s (fig)* jdn aus der Fassung bringen; *sortir des ~s (fig)* aus dem Häuschen *od* außer Rand u. Band geraten; *cela le mit hors de ses ~s* er geriet (darüber) außer sich (*dat* od *acc*) vor Zorn.

gond|olage, [gɔ̃dɔlaʒ] ~**olement** *m (Holz)* Sichwerfen, Arbeiten *n;* ~**olant, e** *pop* urkomisch, zum Totlachen.

gondole [gɔ̃dɔl] *f* Gondel *f.*

gondoler [gɔ̃dɔle] *(a. se ~) (Holz)* sich werfen, arbeiten; *se ~ (pop)* sich biegen vor Lachen.

gondolier [gɔ̃dɔlje] *m* Gondoliere *m.*

gonfa|lon, ~**non** [gɔ̃falɔ̃, -nɔ̃] *m hist* Banner *n;* ~**lonnier, -nonnier** *m* Bannerträger *m.*

gonfl|age [gɔ̃flaʒ] *m* Aufblasen *n;* ~**é, e** aufgeblasen, -gebläht *a. fig;* geschwollen; *(Tür, Fenster)* verquollen; *pop* nicht bange; *être ~ à bloc* bis zum äußersten angespannt sein; *fig fam* Gottvertrauen haben; *j'ai le cœur ~* mir ist (so) schwer ums Herz, das Herz ist mir schwer; ~**ement** [-flə-] *m* Aufblasen, -blähen; Anschwellen *n;* Aufblähung; *med* Schwellung; Blähung *f; (Holz)* Quellen *n; (Luftballon)* Füllung *f;* ~**er** *tr* auf=blasen, (auf=)blähen; an=schwellen lassen; *(Reifen)* auf=pumpen; *fig* erfüllen (*de* mit); *itr* u. *se ~* sich auf=blähen; an=schwellen; sich voll=saugen (*de* mit); *(Holz)* quellen; *(Teig)* auf=gehen; *se ~ (fig fam)* sich wichtig vor=kommen; ~**eur** *m mot* Luftpumpe *f.*

gong [gɔ̃(g)] *m* Gong *m a. n.*

gongorisme [gɔ̃gɔrizm] *m (Stil)* Schwulst *m,* Schwülstigkeit *f.*

gon|io [gɔnjo] *m fam aero* (Funk-)Peiler *m; bâtiment m, cabane f ~* Peilgebäude, -haus *n;* ~**iomètre** *m aero* (Funk-)Peiler *m,* Peilgerät *n,* -anlage *f; ~ d'atterrissage* Landefunkfeuer *n; mil* Horstpeiler *m; ~ à impulsion, de jour* Impuls-, Rahmenpeiler *m;* ~**iométrie** *f math* Goniometrie, Winkelmessung, -rechnung *f;* ~**iométrique** *math* goniometrisch.

gon|ocoque [gɔnɔkɔk] *m med* Gonokokkus *m;* ~**orrhée** [-ɔre] *f med* Tripper *m,* Gonorrhö(e) *f.*

gon|ze [gɔ̃z] *m arg* Kerl *m;* ~**zesse** *f arg* Weib *n.*

gord [gɔr] *m* Fischzaun *m,* Sperrnetz *n;* ~**ien, ne** [-djɛ̃, -ɛn] *a; nœud m ~* gordische(r) Knoten *m; trancher le nœud ~* e-e gewaltsame Lösung herbei=führen.

gor|et [gɔrɛ] *m* Ferkel *n a. fig fam;* Schiffsschrubber *m; fig fam (Mensch)* Schwein *n,* Sau *f.*

gorg|e [gɔrʒ] *f* Kehle *f,* Rachen *m,* Gurgel *f,* Schlund *a. bot,* Hals *m;* (weibliche) Brust *f,* Busen *m,* Büste; Einschnürung, Verengung *f;* Einschnitt *m;* Rille, Nute; Hohlkehle *f (Verzierung); (Stanze)* Maul *n; geog* Klamm *f (Felsschlucht mit Wasserlauf); à pleine ~, à ~ déployée* aus vollem Halse, aus voller Kehle *od* Brust; *s'arrêter dans la ~ (Wort)* im Munde stecken=bleiben *(vor Staunen); le mot s'arrêta dans sa ~* ihm blieb das Wort im Munde stecken; *arroser la ~* die Kehle begießen, einen heben, trinken; *avoir un chat dans la ~ (fig)* e-n Frosch im Halse haben; *avoir mal à la ~* Halsschmerzen haben; *avoir la ~ prise* heiser sein; *chanter de la ~* mit der Bruststimme singen; *couper la ~ à qn* jdm den Hals um=drehen, jdn um=bringen, *fam* ab=murksen; *fig com* jdm den Hals ab=schneiden; *crier à ~ déployée, à pleine ~* aus Leibeskräften schreien; *faire des ~s chaudes* laut auf=lachen, sich lustig machen (*de* über *acc*); *mettre le couteau, le poignard, le pistolet, le pied sur, sous la ~ de qn* jdm das Messer an die Kehle, die Pistole auf die Brust setzen; *prendre, saisir, tenir qn à, par la ~* jdn an, bei der Gurgel packen, jdn würgen; *fig* gegen jdn Gewalt an=wenden, jdn zwingen; *prendre à la ~ (med)* sich auf die Brust legen *od* schlagen; *prendre qn à la ~* jdn in atemloser Spannung halten; *rendre ~* sich übergeben, brechen; *fig* wieder heraus=geben, -rücken (müssen); *faire rentrer à qn les paroles dans la ~* jdn zwingen, s-e Worte zurückzunehmen; *rire à ~ déployée, à pleine ~* aus vollem Halse lachen; *sauter à la ~ de qn* jdm an die Kehle springen; *serrer la ~ (fig)* die Kehle zu=schnüren; *tendre la ~* den Kopf hin=halten; *fig* keinen Widerstand leisten; *j'ai le couteau à la ~ (fig)* mir sitzt das Messer an der Kehle; *j'ai la ~ sèche* mir klebt die Zunge am Gaumen; *mal m de ~* Halsschmerzen *m pl; voix f de ~* Bruststimme *f; ~ annulaire* Ringnut(e) *f; ~-blanche f (orn)* Weißkehlchen *n; ~-bleue f (orn)* Blaukehlchen *n; ~ de colonne* Säulenhals *m; ~ de graissage, d'huile* Ölnute *f; ~-de-pigeon a inv* taubenblau;

s m Taubenblau *n; ~ de roulement (tech)* Laufrille *f;* **~ée** *f* Schluck, Mundvoll *m; par ~s* schluckweise; **~er** überfüttern; *(Geflügel)* nudeln, stopfen; *fig* überschütten (*de* mit); **~et** [-ɛ] *m* Kehl-, Profilhobel *m;* schmale Hohlkehle, Rille *f.*

gorille [gɔrij] *m zoo* Gorilla *m; (Leibwächter)* Gorilla *m.*

gosier [gozje] *m* Kehle *f,* Rachen, Schlund *m; avoir le ~ pavé* e-e ausgepichte Kehle haben; *avoir le ~ sec* e-e trockene Kehle, Durst haben; *chanter à plein ~* aus voller Brust singen; *crier à plein ~* aus Leibeskräften schreien; *rire à plein ~* aus vollem Halse lachen.

gosse [gɔs] *m f fam* Junge, Bub, Bengel *m;* Range *f,* Gör *n.*

goth|ique *(Kunst),* **got(h)ique** *(Sprache)* [gɔtik] *a* gotisch; *s m* Gotik *f,* (das) Gotisch(e) *n; f* gotische Schrift, Fraktur *f; ~ m primitif, rayonnant, flamboyant* Früh-, Hoch-, Spätgotik *f;* **G~s** [go] *m pl hist* Goten *m pl.*

gouache [gwaʃ] *f* Guasch-, Deckfarben *f pl;* Guasch(malerei) *f.*

gouaill|er [gwaje] *fam tr vx* verspotten, aus=lachen; spotten, lachen (*qn* über jdn); *fam* (jdn) veräppeln, *itr* spotten; **~e(rie)** *f fam* (sarkastischer) Spott *m; la ~ parisienne* der Hang der Pariser zum beißenden Spott; **~eur, se** *a fam* spöttisch; *s m f* Spötter(in *f*) *m.*

gouape [gwap] *f pop* Taugenichts, Tagedieb, Strolch *m.*

goudron [gudrɔ] *m* Teer *m; ~ de houille* (Stein-)Kohlenteer *m; ~ de lignite* Braunkohlenteer *m;* **~nage** [-drɔ-] *m* Teeren *n,* Teerung *f;* **~ner** teeren; *papier m ~é* Teer-, Dachpappe *f; toile f ~ée* geteerte Leinwand *f;* **~nerie** *f;* Teerschwelerei, -fabrik *f;* **~neux, se** *a* teer(art)ig; *s f* Teer(spritz)maschine *f.*

gouffre [gufr] *m* Abgrund; Schlund; Strudel *m; fig* Faß *n* ohne Boden.

goug|e [guʒ] *f* Hohlmeißel *m,* -eisen *n;* **~er** mit dem Hohlmeißel bearbeiten; aus=höhlen.

goujat [guʒa] *m* Flegel, Lümmel, Grobian *m;* **~erie** [-tri] *f* Flegelei, Lümmelei *f.*

goujon [guʒõ] *m* **1.** Stift, Zapfen, Pflock, Bolzen; Dübel *m;* **2.** Gründling *m (Fisch);* **~ner** *tech* verzapfen; verdübeln.

goul|e [gul] *f* Vamp *m; pop* Schnauze *f,* Maul *n;* **~ée** *f vx pop* Maulvoll *n,* große(r) Happen *m;* **~et** [-ɛ] *m* enge Hafeneinfahrt *f;* Eingang e-r Fischreuse; *geog* Engpaß *m;* **~ot** [-o] *m* Flaschenhals; *pop* Rachen *m,* Kehle *f,* Hals *m; boire au ~* aus der Flasche trinken; *repousser du ~ (pop)* aus dem Mund riechen; *rincer le ~ (pop)* die Kehle an=feuchten, einen heben; *~ d'étranglement* (Straßen-)Enge *f; fig* Engpaß *m; ~ du radiateur, de remplissage* Kühler(auslauf)-, Einfüllstutzen *m;* **~otte, ~ette** *f* Ablaufrinne; Rutsche, Schurre *f;* **~u,e** *a (adv ~ûment)* gefräßig, gierig *a. fig* (*de* nach); *s m f* Vielfraß, verfressene(r) Mensch *m.*

goum [gum] *m mil* Eingeboreneneinheit *f (in Nordafrika);* **~ier** *m* Soldat *m* e-r Eingeboreneneinheit.

goupill|e [gupij] *f* Splint, Spließ-, Drahtstift *m;* **~er** versplinten; *pop* deichseln, schaukeln, hin=drehen, in die Wege leiten; *se ~ (pop)* (dabei) raus=kommen.

goupillon [gupijõ] *m* Weihwedel *m;* Flaschenbürste *f;* Sprengpinsel *m; péj* Kirche *f.*

gourbi [gurbi] *m* (arabische Lehm-) Hütte *f.*

gourd, e [gur, gurd] *a* steif(gefroren); *agr (Korn)* gequollen; *n'avoir pas les bras ~s (fig fam)* ein loses Handgelenk haben, nicht lange fackeln; *n'avoir pas les mains ~es (fig fam)* sich nicht lange nötigen lassen, (immer) gleich zu=greifen.

gourde [gurd] *s f* Flaschenkürbis *m;* Kürbis-, Reise-, Feldflasche *f; fig pop* Trottel, Tropf *m; a f* bekloppt, doof.

gourdin [gurdɛ̃] *m* Knüttel, Knüppel *m.*

gourer [gure] *pop* verfälschen; *se ~ (fig pop)* sich irren.

gourgandine [gurgɑ̃din] *f fam* liederliche(s) Frauenzimmer *n.*

gourmand, e [gurmɑ̃, -ɑ̃d] *a* schlemmerisch; gefräßig; gierig (*de* nach); *s m* Schlemmer; starke(r) Esser; *agr* wilde(r) Trieb, Schößling; Sproß *m; être ~ de qc* etw sehr gern essen; **~er** tadeln, rügen, *fam* herunter=, fertig=machen; **~ise** *f* Schlemmerei, Gefräßigkeit, Naschhaftigkeit *f; pl* Leckereien, Schleckereien *f pl.*

gour|me [gurm] *f med* Milchschorf *m,* -borke; Druse *f (Pferdekrankheit); jeter sa ~ (fig)* sich *(dat)* die Hörner ab=stoßen, sich aus=toben; **~mé, e** *(Mensch, Haltung)* gezwungen, steif, förmlich; **~mer** die Kinnkette an=legen (*un cheval* e-m Pferde); *se ~* e-e steife Haltung an=nehmen, *fam* sich in Positur werfen.

gourmet [gurmɛ] *m* Feinschmecker; Weinkenner, -probierer *m.*

gourmette [gurmɛt] *f* Kinnkette *(am*

Zaum); Uhrkette *f;* (Glieder-)Armband *n.*

gourou [guru] *m* Guru *m.*

gousse [gus] *f (Hülsenfrüchte, Vanille)* Schote; *(Zwiebel, Knoblauch)* Zehe *f.*

gousset [gusɛ] *m* Achselhöhle *f; (Hemd)* Achselstück *n;* Westen-, *(Hose)* Uhrentasche *f; tech* Winkel-, Knotenblech *n;* Zwickel *m,* Tragband *n; avoir le ~ vide, percé* abgebrannt sein, kein Geld (mehr) haben.

goût [gu] *m* Geschmack *a. fig; fig* Schönheitssinn *m,* -empfinden *n;* gute(r) Geschmack *m; (Kunst)* Manier *f; (Literatur)* Stil *m;* Vorliebe *f,* Sinn *m* (*pour* für), Neigung *f,* Hang *m* (*pour* zu); Art *f;* Geruch *m; au, du ~ de qn* nach jds Geschmack; *au ~ du jour* modisch; *dans ce ~* in dieser Art; *de bon ~* schmackhaft; *fig* geschmack-, stilvoll; *de mauvais ~ (fig)* geschmacklos; kitschig; *par ~* aus Vergnügen, zum Spaß; *avoir le ~ de, du ~ pour qc* Sinn für, Lust zu etw haben; *n'avoir pas de ~* nach nichts schmecken; *avoir un ~ de qc* nach etw schmecken; *avoir un petit ~ aigre* etw sauer, säuerlich schmecken; *avoir un ~ de brûlé* angebrannt schmecken; *avoir un ~ de revenez-y (fam)* nach mehr schmecken; *être de, avoir bon, mauvais ~* gut, schlecht schmecken; *être en ~ de* Lust haben zu; *mettre qn en ~* jdn auf den Geschmack bringen (*de* zu); *faire perdre à qn le ~ de qc* jdm etw verleiden, verekeln; *prendre ~ à qc* an e-r S Gefallen, Geschmack finden, e-r S *(dat)* Geschmack ab=gewinnen; *prendre (un) ~ de qc* den Geruch e-r S *(gen)* an=nehmen; *c'est affaire de ~* das ist Geschmacks-, Ansichtssache; *chacun (à) son ~* jeder nach s-m Geschmack; über den G. läßt sich streiten; *des ~s et des couleurs il ne faut pas discuter (prov)* über den Geschmack soll man nicht streiten; *aberration f du ~* Geschmacksverirrung *f; bon ~* gute(r) Geschmack *m a. fig,* Schmackhaftigkeit *f,* Wohlgeschmack *m; mauvais ~* schlechte(r) Geschmack *m a. fig; fig* Geschmacklosigkeit *f; organe m du ~* Geschmacksorgan *n; plaisanterie f de mauvais ~* schlechte(r), üble(r) Scherz *m; ~ de l'épargne* Sparsinn, -trieb *m; ~ de la responsabilité* Verantwortungsfreudigkeit *f; ~ de la sensation* Sensationslust, -sucht *f;* **~er** *v tr* schmecken; kosten, versuchen, probieren; *fig* Geschmack, Gefallen finden (*qc* an e-r S), (gern) mögen, lieben, schätzen, e-e Vorliebe haben (*qn, qc* für jdn, etw); vor=ziehen; *~ la plaisanterie* Spaß verstehen *od* vertragen; *je ~e cela* das gefällt mir, bereitet mir Vergnügen, macht mir Spaß; *itr* kosten, probieren, versuchen (*à, de qc* etw); vespern; *fig* kennen=lernen (*de qc* etw), *fam* hinein=riechen (*de qc* in e-e S); *s m* (Nachmittags-)Kaffee; Fünfuhrtee *m;* Vesper *n.*

goutt|e [gut] *f* Tropfen; Schluck *m,* Schlückchen *n;* Schuß *(von e-m anderen Getränk); pop* Schluck, (Gläschen *n*) Schnaps; Tupfen *m,* Tüpfel *m* od *n; med* Gicht *f; pl pharm* Tropfen *m pl; arch* Tropfenleiste *f; une ~ de (allg)* ein bißchen, ein klein wenig; *ne ... ~* durchaus, absolut nichts, nicht das geringste; *~ à ~* tropfenweise, nach u. nach, allmählich; *à grosses ~s* in dikken Tropfen; *jusqu'à la dernière ~ de sang (fig)* bis zum letzten Blutstropfen; *n'avoir pas une ~ de sang dans les veines (fig)* keinen Tropfen Blut in den Adern haben; *boire une ~ (pop)* Wasser schlucken; *fig* blechen, zahlen müssen; *n'entendre ~* kein Wort verstehen; *n'y entendre, voir ~ (fig)* nichts verstehen, begreifen; *se ressembler comme deux ~s d'eau* sich wie ein Ei dem andern gleichen; *suer à grosses ~s* von Schweiß triefen, in Schweiß gebadet sein; *tomber à, en, par ~s* tropfen, tröpfeln; *ne voir ~* nicht die Hand vor den Augen sehen; *il a la ~ au nez* s-e Nase tropft; *~ d'eau, de pluie, de sueur, de sang* Wasser-, Regen-, Schweiß-, Blutstropfen *m; ~ sciatique* Ischias *m, a. n* od *f;* **~elette** *f* Tröpfchen *n;* **~er** tropfen, tröpfeln.

goutteux, se [gutø, -øz] gichtisch; gichtleidend; Gicht-.

gouttière [gutjɛr] *f* (*bes.* Dach-)Rinne; *med* Schiene; *allg* Rille; *anat* Furche *f; lapin m de ~ (hum)* Dachhase *m (Katzenbraten); ~ à huile (mot)* Ölwanne *f; ~ à secousses (tech)* Schüttelrinne *f; ~ transporteuse (tech)* Förderrinne *f.*

gouver|nable [guvɛrnabl] lenkbar, zu lenken(d), zu leiten(d); **~nail** [-aj] *m, pl ~s (mar)* (Steuer-)Ruder, *a. aero* Steuer *n; tenir le ~ (fig)* am Ruder sein; *~ de direction, de profondeur (aero)* Seiten-, Höhensteuer *n* **~nant, e** *a* regierend; Regierungs-; *s m pl: les ~s* die führenden Männer *m pl;* die Regierung; *f hist* Statthalterin; Erzieherin; Haushälterin *f;* **~ne** *f mar aero* Steuerung; *fig* Richtschnur *f,* Leitsatz *m,* Verhaltensregel *f; pl* *aero* Steuerflächen *f pl,* Steuer-, Leitwerk, Ruder *n; ceci soit dit pour votre ~!* richten Sie sich (bitte) danach! **~nement** *m* Regierung(sform); Führung, Leitung; (Ober-)Aufsicht; Verwaltung *f;* Gouverneursamt *n,* Statthalterschaft *f; G~* Gouverneurspalast *m,* Statthalterei *f; former, renverser un ~* e-e Regierung bilden, stürzen; *chef m de ~* Regierungschef *m; changement m de ~, chute f d'un ~* Regierungswechsel, -sturz *m; forme f de ~* Regierungsform *f; siège m du ~* Regierungssitz *m; ~ des âmes* Seelsorge *f; ~ fantoche* Marionetten-, Scheinregierung *f; ~ militaire* Wehrkreis *m;* Militärregierung *f; ~ monarchique, républicain, parlementaire* monarchische, republikanische, parlamentarische Regierungsform *f; ~ soviétique* Sowjetregierung *f;* **~nemental, e** Regierungs-; regierungsfreundlich; *affaires f pl ~es* Regierungsgeschäfte *n pl; parti, pouvoir m ~* Regierungspartei, -gewalt *f;* **~ner** *tr* regieren, verwalten; führen, leiten, lenken; beaufsichtigen, die (Ober-) Aufsicht führen (*qc* über e-e S); die (Erziehungs-)Gewalt haben (*qn* über jdn); *fig* beherrschen, in der Gewalt, in der Hand haben; *mar* steuern; *gram* regieren; *~ sa barque (fig)* sein Schiff steuern; *itr mar* steuern, das Steuer führen; sich steuern lassen, dem Steuer gehorchen; *se ~* sein eigener Herr sein; s-e Angelegenheiten selbst regeln *od* ordnen; sich beherrschen, sich in der Gewalt haben; sich regieren, sich leiten lassen; **~neur** *m* Gouverneur, Statthalter; *mil* Kommandant; *com* (General-)Direktor; Hofmeister, (Prinzen-)Erzieher *m; ~ militaire* Militärbefehlshaber *m.*

goyav|e [gɔjav] *f* Guave *f;* **~ier** *m* Gua(ja)venbaum *m.*

grabat [graba] *m* elende(s) Bett *n; je suis sur le ~ (fam vx)* ich bin erledigt; es geht mir sehr dreckig; **~aire** *a vx* bettlägerig; ans Bett gefesselt; *s m vx* Bettlägerige(r *m*) *f.*

grabuge [grabyʒ] *m fam* Krach, Zank u. Streit *m; il va y avoir du ~ (fam)* es ist dicke Luft.

grâce [grɑ(a)s] *f* Gnade, Gunst; *vx poet* Huld *f,* Wohlwollen; Entgegenkommen *n,* Freundlichkeit; Gefälligkeit; Gnade, Nachsicht, Verzeihung, Begnadigung; Anmut, Grazie *f;* Reiz *m,* Anziehende(s) *n; a. pl* Erkenntlichkeit *f,* Dank(sagung *f*) *m; pl* Dankgebet *n (nach Tisch); à la ~ de Dieu* auf Gedeih u. Verderb; *de ~* bitte; (aber) ich bitte Sie; *de bonne ~* gern; freundlicher-, entgegenkommenderweise; *de mauvaise ~* ungern, widerwillig; *par ~* aus Gefälligkeit, aus Gnade u. Barmherzigkeit; *par la ~ de Dieu* von Gottes Gnaden; *~ à* dank *dat; ~ à Dieu* gottlob, Gott sei Dank, glücklicherweise; *accorder à qn sa ~* jdn begnadigen; *accorder, demander une ~* e-e Gnade gewähren, erbitten; *vous auriez mauvaise ~ à vous plaindre!* Sie sind der letzte, der sich zu beklagen hätte! *demander ~* um Gnade bitten *od* flehen (*à qn* jdn); *demander qc en ~ à qn* jdn inständig, flehentlich um etw bitten; *être en ~ auprès de qn, dans les bonnes ~s de qn* bei jdm in Gunst stehen, beliebt sein, *fam* e-n Stein im Brett haben; *faire ~ à qn* jdm Gnade gewähren, verzeihen; *de qc à qn* jdm etw erlassen, ersparen, schenken; jdn mit etw verschonen; *faire à qn la ~ de* jdm den Gefallen erweisen, zu; *former un recours en ~, se pourvoir en ~* ein Gnadengesuch ein=reichen; *rendre ~(s)* danken, s-n Dank sagen *od* ab=statten (*à qn* jdm); *rentrer en ~ auprès de qn* von jdm wieder in Gnaden aufgenommen werden; *trouver ~ devant qn, aux yeux de qn* bei jdm, vor jds Augen Gnade finden; *~!* Gnade! Barmherzigkeit! *acte m de ~* Gnadenakt *m; action f de ~* Dank *m; pl rel* Danksagung *f; an m de ~* Jahr *n* der Gnade, des Heils, des Herrn; *bonne ~* Anmut, Grazie *f; pl* Wohlwollen, Entgegenkommen *n; coup m de ~* Gnaden-, Todesstoß *m; délai m de ~* Gnadenfrist *f; demande f, recours m en ~* Gnadengesuch *n; droit m de ~* Begnadigungsrecht *n; jours m pl de ~ (com)* Respekttage *m pl; mauvaise ~* Plumpheit, Ungeschicklichkeit; Ungefällig-, Unfreundlichkeit *f; voie f de la ~* Gnadenweg *m; votre G~* Euer Gnaden.

grac|ier [grasje] begnadigen; **~ieusement** [-sjøzmɑ̃] *adv* freundlicherweise; unentgeltlich, kostenlos; **~ieuseté** *f* Freundlichkeit, Liebenswürdigkeit, Leutseligkeit; Gefälligkeit *f,* Entgegenkommen *n;* Zugabe *f;* **~ieux, -se** anmutig, graziös; lieblich, hold; reizend, nett; gefällig *(a. Stil),* angenehm; liebenswürdig, freundlich, umgänglich, leutselig; *(formelhaft)* gnädig; *à titre ~* kostenlos, unentgeltlich.

graci|le [grasil] zierlich, zart; **~lité** *f* Zartheit, Zierlichkeit; Anmut *f.*

grad|ation [gradasjɔ̃] *f* Abstufung *f,* Übergang *m;* allmähliche Zu- *od* Abnahme; Stufenfolge, -leiter *f; par ~*

durch Abstufung, stufenweise; ~**e** *m* (Dienst-)Grad, Rang *m*, Charge, Würde *f*; *math* Neugrad *m (1/400 e-s Kreises)*; *monter en ~* auf=rücken, befördert werden; *passer par tous les ~s* von der Pike auf dienen; *en prendre pour son ~ (pop)* tüchtig einen auf den Deckel kriegen, gehörig abgekanzelt werden; *~ de docteur* Doktorgrad *m*; *~ universitaire* akademische(r) Grad *m*; ~**é, e** *a: soldat, homme m ~* u. *s m (mil)* Chargierte(r) *m*; ~**er** *arg mil* befördern.

gradient [gradjɑ̃] *m phys el* Gefälle; *(Meteorologie)* Druckgefälle *n*; *~ géothermique* geothermische Tiefenstufe *f*.

gradin [gradɛ̃] *m* (*bes.* Altar-)Aufsatz *m*, (flache) Bank, Stufe *f*; *pl* stufenförmig angeordnete Sitzreihen *f pl*; *en ~s* stufen-, terrassenförmig.

gradu|ation [gradɥasjõ] *f* Gradeinteilung; Skala; Abstufung *f*; *(Salzgewinnung)* Gradieren *n*; *(bâtiment m de ~)* Gradierwerk, -haus *n*; ~**é, e** *a* in Grade eingeteilt; abgestuft; sich allmählich steigernd; *s m f (Universität) vx* Graduierte(r *m*) *f*; *échelle f ~e* Skala *f*; ~**el, le** sich schrittweise vollziehend, stufenweise erfolgend; ~**er** in Grade ein=teilen; ab=stufen; allmählich steigern; *(Sole)* gradieren.

graf|fiti [grafiti] *m pl (Kunst)* Sgraffito *n*; Kritzelei *f (auf e-r Mauer)*; ~**igner** *pop* zer- *od* zs.=kratzen.

graill|er [graje] krächzen; ~**on** *m* **1.** Geruch *m* von angebranntem Fett *od* Fleisch; Speisereste *m pl*; **2.** *pop* Spucke *f*, (schleimiger) Auswurf *m*; ~**onner 1.** angebrannt riechen; **2.** *pop* Schleim aus=husten, -spucken.

grain [grɛ̃] *m agr allg* Korn; Körnchen; Kügelchen *n*; *bot* Beere; *(Kaffee)* Bohne; *min* körnige Struktur *f*; *typ phot* Korn *n*; *(Textil)* Köper *m*; *(Leder)* Narbe; *med* Pocken-, Blatternarbe *f*; *fig* Körnchen, Fünkchen; *fig* Samenkorn; *hist* Gran, Grän *n (Gewicht)*; *mar* Bö *f*, Windstoß; Schauer; *tech* Steinmeißel *m*; *pl* Korn, Getreide *n*; *à ~ fin (tech)* feinkörnig; *à gros ~* grobkörnig; *fig rel* oberflächlich; lax; *avoir un ~ (de folie)* e-n Stich, Klaps haben; *y mettre son ~ de sel (fig fam)* s-n Senf dazu=geben; *ne savoir ~ de qc (vx)* keine Ahnung, keinen blassen Schimmer von etw haben; *séparer l'ivraie du bon ~ (fig)* die Spreu vom Weizen scheiden; *veiller au ~ (fam)* auf dem Kieker, auf der Hut sein; *voir venir le ~* das Unglück kommen sehen; *eau-de-vie f de ~* Korn *m (Schnaps)*; *~ de beauté* Schönheitspflästerchen *n*; *~ de blé, d'avoine, de maïs, de millet, de poivre, de moutarde* Weizen-, Hafer-, Mais-, Hirse-, Pfeffer-, Senfkorn *n*; *~ de café* Kaffeebohne *f*; *~ d'énergie* Energiequant *n*; *~ fin (phot typ)* Feinkorn *n*; *~ de ladre (med)* Finne *f*; *~ d'orge* Gerstenkorn *a. med*; Korn *n (der Visiereinrichtung)*; *tech* Falzhobel *m*; *~ de pluie, orageux* Regen-, Gewitterbö *f*; *~ de poussière, de sable* Staub-, Sandkorn *n*; *~ de raisin* Weinbeere *f*; *~ de sel* Körnchen *n* Salz *a. fig*; *fig* Fünkchen *n* Geist, Witz.

grain|e [grɛn] *f bot* Samen(korn *n*) *m*; *pl com* Sämereien *f pl*; *donner de la ~* Samen tragen; *monter en ~* ins Kraut schießen; *fig* alt werden; *(junges Mädchen)* sitzen=bleiben; *(en) prendre de la ~ (fam)* zum Vorbild nehmen; *c'est de la ~ de voyou (fam)* der Junge ist auf die schiefe Bahn, Ebene geraten; *la mauvaise ~ pousse toujours (prov)* Unkraut vergeht nicht; *mauvaise ~* Gesindel, (Lumpen-)Pack *n*; *~ de lin* Leinsamen *m*; *~ de niais* etwas für (die) Dumme(n); Dummkopf *m*; *~ de ver à soie* Seidenraupeneier *n pl*; ~**eterie** [grɛntri] *f* Samenhandel *m*, -handlung *f*; ~**etier** Samen-, *a.* Gemüse- u. Futtermittelhändler *m*; ~**ier** *m* Samenhändler *m*.

graiss|age [grɛsaʒ] *m tech* (Ein-)Fetten, (Ein-)Schmieren *n*; Schmierung *f*, (Ein-)Schmieren *n*; Schmierung *f*, (Ein-)Ölen *n*, Ölung *f*; *~ général* Abschmieren *n*; *faire un ~ général de qc* etw ab=schmieren; ~**e** *f* Fett; Schmalz *n*; *tech* Schmiere *f*, Schmiermittel; *(Wein)* Zähwerden *n*; Fettleibigkeit, Korpulenz *f*; *faire, prendre de la ~* Speck an=setzen, dick werden; *mettre de la ~ dans qc* etw schmälzen; *boîte f à ~ (tech)* Schmierbüchse *f*; *couche f, coussinet m de ~* Fettschicht *f*, -polster *n*; *étoile f de ~* Fettauge *n (auf der Suppe)*; *peloton m, boule f de ~* Fettklumpen, Dickmops *m (Person)*; *tache f de ~* Fettfleck *m*; *~ alimentaire* Speisefett *n*; *~ antigel* Frostschutzfett *n*; *~ de bœuf, de mouton* Rinder-, Hammelfett *n*, -talg *m*; *~ à cuir* Lederfett *n*; *~ de laine* Wollfett *n*; *~ minérale* feste(s) Mineralöl *n*; *~ d'os* Knochenfett *n*; *~ de porc* Schweineschmalz *n*; *~ de rognon, de rôti, végétale* Nieren-, Braten-, Pflanzenfett *n*; *~ à voitures* Wagenschmiere *f*; ~**er** *tr* (ein=)fetten, (ein=)schmieren, (ein=)ölen; fettig, schmutzig machen; *itr*

(Hautkrem) fetten; *(Wein)* zäh werden; ~ *la patte à qn* jdn schmieren, bestechen; ~**eur** *m tech* Schmiervorrichtung *f,* -apparat *m,* -büchse *f,* Öler; *arg* Schwindler *m;* ~**eux, se** fetthaltig; Fett-; fettig, ölig; fettfleckig; schmierig; *dégénérescence f ~se (du cœur)* (Herz-)Verfettung *f; tissu m ~ (anat)* Fettgewebe *n.*

gram|en [gramɛn] *m bot* Gras *n;* ~**inacées** [-minase] *f pl* Gräser *n pl;* ~**inée** [-mine] *f* Gras *n,* Graminee *f.*

gramm|aire [gram(m)ɛr] *f* Grammatik, Sprachlehre *f; classes f pl de ~* Mittelklassen *f pl,* -stufe *f (der höheren Schulen); faute f de ~* grammati(kali)sche(r) Fehler *m; ~ transformationnelle* Transformationsgrammatik *f;* ~**airien, ne** *m f* Grammatiker(in *f*) *m;* ~**atical, e** grammati(kali)sch.

gramme [gram] *m* Gramm *n.*

grand, e [grɑ̃, -ɑ̃d] *a* groß, weit, umfangreich, beträchtlich; beachtlich, stattlich, bedeutend; bedeutsam, (hoch)wichtig; stark, heftig; *(Schrei)* laut; *(vor Maßangaben)* gut; *(Glas)* voll *(a. Zeit);* reichlich, viel; *(Beine, Bart)* lang; *(Baum)* hoch; er-, ausgewachsen; *(Alter, Zeit)* hoch, vorgerückt; *fig* groß, hoch(fliegend, -stehend), edel(mütig); vornehm, hochgeachtet, -geehrt; höchste(r, s), oberste(r, s); Groß-, Ober-, Hoch-, Haupt-; Erz-; *s m* Großartige(s), -zügige(s); große(s) Auftreten *n; (Spanien)* Grande *m; le G~, la G~e (nach Herrschernamen)* der, die Große; *les ~s* die Großen, die Erwachsenen; *hist* die Großen *(des Reiches);* die Gewaltigen *m pl (der Erde); à ~-peine* mit Mühe u. Not; mit knapper Not; *au ~ air* im Freien; *au ~ jamais* nie u. nimmer; *au ~ jour* am hell(icht)en Tage; *au ~ soleil* in der hellen, vollen Sonne; *de ~ cœur* aus ganzem, vollem Herzen; *de ~ matin* am frühen Morgen, frühmorgens, in aller Herrgottsfrühe; *en ~* im großen; im großen u. ganzen; in voller Größe, in Lebensgröße; Groß-; *en ~ habit* in großem Gesellschaftsanzug; *en ~ nombre* in großer Zahl; *en ~e toilette* in großer Toilette; *en ~e tenue, en ~ uniforme* in Galauniform; *avoir ~ air* sehr vornehm aus≈sehen; *avoir ~ besoin de qc* etw dringend brauchen *od* benötigen; *être plus ~ que nature* über Menschenkraft gehen, menschliche Kräfte übersteigen; *faire ~ cas de qc* viel Aufhebens von etw machen, großen Wert auf e-e S legen; *mener ~ train* auf großem Fuß leben; *monter sur ses ~s chevaux* auf≈brausen; von oben herab behandeln; *ouvrir de ~s yeux* große Augen machen; *ne pas valoir ~-chose* nicht viel wert sein; *voir ~* große Pläne (im Kopf) haben; *il a les yeux plus ~s que le ventre* s-e Augen sind größer als sein Mund; *j'avoue à ma ~e honte* ich muß zu meiner Schande gestehen; *c'est ~!* das ist umwerfend! *il est ~ temps* es ist hohe, höchste Zeit; *~ Dieu!* großer Gott! *le ~ mal? (fam)* was ist denn schon dabei? *~ merci!* vielen Dank! *pas ~-chose* nichts Besonderes; *exploitation f en ~* Großbetrieb *m; ~ âge m* hohe(s), vorgerückte(s) Alter *n; ~ air m* frische Luft *f; pl* vornehme(s) Erscheinung *f od* Wesen *n; ~ blessé m* Schwerverletzte(r), -verwundete(r) *m; ~ chemin m* Hauptweg *m; ~e communication f* Hauptverkehrsstraße *f; ~ criminel m* Hauptschuldige(r) *m; ~-croix f* Großkreuz *n (Orden);* Ritter, Inhaber *m* des Großkreuzes; *~-duc m* Großherzog; *hist (Rußland)* Großfürst *m; ~ duc m (orn)* Uhu *m; ~-ducal, e* großherzoglich; *~-duché m* Großherzogtum *n; ~e-duchesse f* Großherzogin, -fürstin *f; ~ m de l'eau* Springtide *f; ~es eaux f pl* Fluten *f pl;* Spielen *n* sämtlicher Wasserkünste *(e-s Parks); ~ ennemi m* Erzfeind *m; ~ ensemble m* Wohnsiedlung *f; ~ État m* Großstaat *m; ~e exploitation f* Großbetrieb *m; ~ format m* Großformat *n; ~ froid m* strenge, große Kälte *f;* starke(r), strenge(r) Frost *m; ~ fumeur m* starke(r) Raucher *m; ~e gelée f* starke(r) Frost *m; la G~e guerre* der (Erste) Weltkrieg; *une ~e heure* e-e volle, geschlagene Stunde; *~ huit m* Achterbahn *f; les G~es Indes f pl* Ostindien *n; ~ in-octavo m* Großoktav, Lexikonformat *n; ~ livre m (com)* Haupt-, Kontokorrentbuch *n; ~ livre m des valeurs (com)* Effektenbuch *n; ~ magasin m* Waren-, Kaufhaus *n; ~ maître m* Groß-, Hochmeister *m; ~ mal m* Grundübel *n ~-maman f (fam)* Großmama, Oma *f; ~ mât m* Großmast *m; ~-mère f* Großmutter *f; ~-messe f* feierliche Messe *f,* Hochamt *n; ~ monde m* viele Gäste *m pl; le ~ ~* die vornehme Welt; *~ mutilé m (de guerre)* Schwer(kriegs)beschädigte(r), Körperbehinderte(r) *m; plus ~ que nature (Bild)* überlebensgroß; *~-oncle m* Großonkel *m; (tout) ~ ouvert* weit offen, geöffnet; *~-papa m (fam)* Großpapa, Opa *m; ~s-parents m pl* Großeltern *pl; ~-père m* Großvater *m; ~e personne f* Erwachsene(r) *m, les ~es personnes* die großen Leute *pl; ~s et petits* groß u. klein; *~ prêtre m* Hohe(r)priester *m; ~ propriétaire m (foncier)* Großgrundbesitzer *m; ~e propriéte f (foncière)* Großgrundbesitz *m; ~e puissance f* Großmacht *f; ~ rabbin m* Großrabbiner *m; ~-route f* Landstraße *f; ~-rue f* Hauptstraße *f; ~e surface f* Großmarkt *m; ~-tante f* Großtante *f; ~ teint a* farbecht *a ~e ville f* Großstadt *f; ~e vitesse f (loc)* Eilgut *n; ~-voile f* Großsegel *n.*

Grande-Bretagne, la [grɑ̃dbrətaɲ] Großbritannien *n.*

grand|ement [grɑ̃dmɑ̃] *adv* reichlich, übermäßig, im Übermaß; in hohem Maße, sehr; großartig; -zügig, freigebig; *il est ~ temps de partir* es ist höchste Zeit zum Gehen; **~eur** *f* Größe *f a. fig;* Umfang *m,* Weite; Stärke; *(Schuld, Vergehen)* Schwere; Bedeutung, Wichtigkeit; *fig* Hoheit, Würde *f;* Adel *m; regarder qn du haut de sa ~ (fig)* jdn über die Schulter an=sehen; *Votre G~* Ew. (Euer) Hochwürden *(Anrede e-s Bischofs); ~ d'âme* Seelengröße *f; ~ naturelle* natürliche Größe, Lebensgröße *f.*

grand|iloquence [grɑ̃dilɔkɑ̃s] *f (Sprache)* Geschwollenheit *f,* Bombast *m;* **~iloquent, e** *(Rede, Stil)* geschwollen, bombastisch; **~iose** [-djos] großartig, erhaben, grandios.

grand|ir [grɑ̃dir] *itr* größer *od* groß werden, wachsen, zu=nehmen; *tr* größer werden, wachsen, zunehmen lassen, steigern; *fig* adeln; vergrößern; *se ~* sich größer machen; *fig* sich erhöhen; **~issant, e** wachsend, zunehmend; **~issement** *m* Wachstum *n; opt* Vergrößerung *f;* **~issime** *fam* gewaltig, großartig.

grange [grɑ̃ʒ] *f* Scheune, Scheuer *f.*

granit(e) [granit] *s m min* Granit *m; a (Textil)* granitfarben; *de ~* graniten; *cœur m de ~ (fig)* Herz *n* von Stein; **~é, e** *a* körnig, gekreppt; *s m* kreppartige(s), körnige(s) Gewebe *n;* Wollkrepp *m;* **~elle** *f* Halbgranit, Granitello *m;* **~er** granitartig bemalen, granitieren; **~eux, se** granithaltig; **~ique** *a* Granit-; **~oïde** *a* granitähnlich; *s m* Granitgneis *m.*

gran|ulaire [granylɛr] körnig; **~ulation** *f* Granulation *f a. med; tech* Körnen, Granulieren *n; ~ fine, grossière* Fein-, Grobkörnigkeit *f;* **~ule** *m* Körnchen *n; pharm* Granulum *n;* **~ulé, e** *a anat* granuliert; *s m* körnige(s) Medikament *n; pl* Erbskohle *f;* **~uler** körnen, granulieren; *arch (Putz)* auf=rauhen; **~uleux, se** körnig, granulös *a. med; ophtalmie f ~se (med)* Granulose *f;* **~ulie** *f* Miliartuberkulose *f;* **~uliforme** körnchenförmig; **~ulométrie** *f* Kornabstufung, -größenbestimmung *f.*

graph|ie [grafi] *f* Schrift(system *n*); Zeichenschrift; Schreibung, Schreibweise *f;* **~ique** *a* graphisch; zeichnerisch; Zeichen-; Schrift-; *s m* graphische Darstellung *f,* Diagramm *n; signe m ~* Schriftzeichen *n;* **~ite** *m min* Graphit *m;* **~iteux, se** graphithaltig; **~ologie** *f* Graphologie *f;* **~ologique** graphologisch; **~ologue** *m* Graphologe *m;* **~omètre** *m* Feldwinkelmesser *m.*

grapp|e [grap] *f* **1.** Traube *f; allg* Klumpen, Knäuel *m* od *n,* Büschel *n;* **2.** Mauke *f (Pferdekrankheit);* **3.** *(Färberei)* Krappblumen *f pl,* gemahlene(r) Krapp *m; mordre à la ~ (fam)* (fest) zu=, *fig* an=beißen, zu=greifen, ein=gehen (*qc* auf e-e S); *~ de raisin* Weintraube *f;* **~illage** [-jaʒ] *m (Wein)* Nachlese *f; min* oberflächliche(r) Abbau; *fam fig* kleine(r) Nebengewinn; Schmu *m;* **~iller** *itr (Wein)* Nachlese halten; Schmu machen; nippen; *tr fam (Gewinn)* nebenbei heraus=schlagen, *fam* -schinden; **~illeur, se** *m f* jem, der Nachlese hält, Schmu macht; **~illon** *m* kleine Traube *f.*

grappin [grapɛ̃] *m* Dregganker, Draggen *m;* Greifeisen *n, (Bagger)* Greifer; Steighaken *m,* -eisen *n; jeter, mettre le ~ sur qn (fam)* jdn an sich *(acc)* ziehen, an sich *(acc)* fesseln; jdm nicht von den Fersen gehen; jdn mit Beschlag belegen; *excavateur m à ~* Greifbagger *m.*

grappu, e [grapy] mit Trauben überladen, voller Trauben.

gras, se [gra, -ɑ(a)s] *a* fett *a. typ;* dick, feist, wohlbeleibt, -genährt; fettig, fettfleckig, speckig, schmierig, schmutzig; *bot* fleischig; *(Boden)* fett, schwer, fruchtbar; *(Straße)* schlüpfrig, glitschig, glatt; *(Stein)* feucht; *(Wein)* zäh; *fam* saftig, schlüpfrig, derb, zotig, unanständig; *s m* Fett, fette(s) Fleisch *n; au ~* in Fleischbrühe (gekocht); *avoir la langue ~se, le parler ~* e-e schwere Zunge *od* e-e quäkende Stimme haben; breit, guttural sprechen; *faire la ~se matinée* bis in die Puppen schlafen; *faire, manger ~* Fleisch essen; *parler ~* e-e gutturale Aussprache haben; Zoten reißen; *peindre ~* (die Farben) dick auf=tragen; *sortir fort ~ de qc (fam* *vx)* sich an etw gesundgestoßen haben; *il n'y a pas ~ (pop)* da ist nicht viel daran, dabei kommt, springt nicht viel heraus; *bêtes f pl ~ses* Mastvieh *n; bouillon m ~* fette (Fleisch-)Brühe *f; corps m pl ~ (chem)* Fette *n pl; dimanche m ~* Sonntag *m* vor Fastnacht; *eaux f pl ~ses* Spül-, Abwaschwasser *n; gros et ~* dick u. fett; *jour m ~* Fleischtag *m; pl* Fasching(szeit *f*) *m; lessive f ~se* Sodawaschbrühe *f; mardi m ~* Fastnacht(sdienstag *m*) *f; matière f ~se (chem)* Fett *n; mets m au ~* Fleischgericht *n; plantes f pl ~ses* Kakteen *m pl; riz m au ~* Brühreis *m; ~ à fondre, à lard, comme un moine, comme un porc* fett wie ein Schwein, wie e-e Sau; *~-double m* Fettrand *m (des Rindermagens); a.* Pansen; *~-fondu, e (Haustier)* abgemagert; *~ de la jambe* Wade *f;* **~sement** [gra-] *adv fam* üppig, im Überfluß *(leben);* reichlich, großzügig *(geben);* **~set, te** etwas, ziemlich fett; **~seyer** [-sɛje] das R in der Kehle sprechen, rollen *od* nicht aus=sprechen; **~souillet, te** [-sujɛ, -ɛt] *fam* dick u. rund, rundlich.

grat(t)eron [gratrɔ̃] *m bot* Labkraut *n.*

grati|fication [gratifikasjɔ̃] *f* Vergütung, Gratifikation, Zulage *f;* **~fier** zukommen lassen (*qn de qc* jdm etw); bedenken, beehren (*qn de qc* jdn mit etw).

gratin [gratɛ̃] *m (Küche)* Angehängte(s) *(im Topf);* Überbackene(s) *n; le ~ (pop)* die feinen Leute *pl,* das bessere Publikum; *au ~* überbacken; **~er** *tr (Küche)* überbacken; *c'est une histoire ~inée* das ist e-e pfundige Sache.

gratis [gratis] *adv fam* gratis, (für) umsonst; *a* Gratis-, kostenfrei, -los, unentgeltlich.

gratitude [gratityd] *f* Dankbarkeit *f.*

gratt|age [grataʒ] *m* (Ab-)Kratzen, (Ab-)Schaben; *tech* Abschürfen; Abschabsel *n;* **~e** *f* Jäthacke *f; fam* Profitchen *n,* Schmu *m; arg* Krätze *f.*

gratte-ciel [gratsjɛl] *m inv* Wolkenkratzer *m;* **~-cul** *m inv* Hagebutte *f;* **~-papier** *m inv péj* Federfuchser *m;* **~-pieds** *m* Schuhabkratzer *m.*

gratt|er [grate] *tr* (ab=)kratzen, (ab=)schaben; krauen; *(Huhn)* scharren (*qc* in e-r S); aus=radieren; kratzen (*la gorge* im Halse); *fam* sich unter den Nagel reißen, heraus=schlagen, -schinden; *(Fahrzeug) arg sport* ab=hängen, überholen, -runden; *pop (~ la couenne à qn* jdn) rasieren; verdreschen, verhauen; bestehlen; *itr mus* klimpern (*de qc* auf e-r S); pochen (*à la porte* an die Tür); *pop* schuften, sich ab=rackern, sich placken; *se ~* sich kratzen (*la tête* am Kopf, *l'oreille* hinterm Ohr); *~ l'épaule à qn (fig vx)* jdm Honig ums Maul schmieren, um den Bart gehen; *~ du pied la terre (Pferd)* ungeduldig mit den Hufen scharren; *il ~e la pavé (pop)* es geht ihm (sehr) dreckig *od* schlecht; *j'aimerais mieux ~ la terre avec mes ongles* da würde ich lieber Steine klopfen; *qui se sent galeux se ~e* wen's juckt, der kratze sich; **~oir** *m* Kratz-, Schabeisen; Radiermesser *n;* **~ure** *f* Abschabsel *n.*

gratuit, e [gratɥi, -it] unentgeltlich, kostenlos, (kosten)frei; *(Darlehen)* unverzinslich; Frei-, Gratis-; *fig* ohne Absicht, zweckfrei; grundlos, unbegründet, unmotiviert; *(Annahme)* willkürlich; *rel (Gnade)* unverdient; *assistance f judiciaire ~e* Armenrecht *n; billet m de parcours ~* Freifahrkarte *f; dégustation f ~e* Gratiskostprobe *f; enseignement m ~* Schulgeldfreiheit *f; entrée f ~e* Eintritt frei; *entretien m ~, pension f ~e* Freitisch *m; exemplaire m ~* Freiexemplar *n; offre f ~e* Gratisangebot *n; parcours m ~* Freifahrt *f;* **~é** *f* Unentgeltlichkeit, Gebührenfreiheit *f;* **~ement** *adv* kostenlos, unentgeltlich, gratis; ohne Absicht *od* Grund.

grav|atier [gravatje] *m* Schuttfahrer *m;* **~ats** [-a(ɑ)] *m pl* (Bau-, *bes.* Gips-)Schutt *m.*

grave [grav] *a phys* schwer; *fig* (folgen)schwer, (ge)wichtig, bedeutend; ernst(haft), gesetzt, feierlich; bedenklich, gefährlich; *(Krankheit)* schlimm, böse; *(Ton, Stimme)* tief; *gram* mit Gravis; *s m* tiefe(r) Ton; *(accent m ~)* Gravis *m.*

gravé, e [grave] *typ* gestochen; *(Stahl)* rostnarbig; pockennarbig; *fig (ins Herz)* eingegraben, gemeißelt.

grav|eler [gravle] mit Kies bestreuen; **~eleux, se** *a* kiesig; grießig; an Harngrieß leidend; *fig* schlüpfrig, zotig, unanständig; *s m f* an Harngrieß Leidende(r *m*) *f;* **~elure** *f* Zote, unanständige(r) Rede *f od* Scherz *m;* **~ement** *adv* gemessen, ernst; *(sich)* sehr *(irren);* erheblich *(verletzt);* schwer *(krank, leidend);* ernstlich *(erkrankt).*

graver [grave] *typ* stechen, schneiden; gravieren, (ein=)ritzen, (ein=)schneiden, (ein=)meißeln (*sur* in *acc*); *fig* ein=graben (*dans* in *acc*); *se ~ (fig)* sich ein=graben, -prägen; *~ sur bois* in Holz schneiden; *~ sur cuivre* in Kupfer stechen; *~ à l'eau forte*

(Kunst) radieren; ~ *sur microsillon* auf e-e Langspielplatte auf=nehmen.

graves [grav] *s f pl (Bordelais)* Kies-, Sandboden; *m Art* roter Bordeaux *m (Wein).*

graveur [gravœr] *m (Kunst)* Stecher, Radierer; Graveur *m;* ~ *sur acier* Stahlstecher *m;* ~ *sur bois* Holz-, Formschneider, Xylograph *m;* ~ *au burin, sur cuivre, en taille-douce* Kupferstecher *m;* ~ *à l'eau-forte, à la pointe sèche* Radierer *m;* ~ *de musique* Notenstecher *m.*

grav|ier [gravje] *m* Kies; *med* Nierengrieß *m;* ~ *à béton* Betonkies *m;* ~ *de carrière* Grubenkies *m;* ~ *grosseur de pois* Grus *m;* **~ière** *f* Kiesgrube *f;* **~illon** [-jɔ̃] *m* Roll-, Grobsplitt *m.*

gravir [gravir] (mühsam) erklettern, erklimmen *a. fig;* hinauf=klettern (*qc* auf e-e S); besteigen; ~ *une rampe (mot)* e-e Steigung nehmen.

gravitation [gravitasjɔ̃] *f phys* Schwer-, Anziehungskraft, Gravitation *f.*

gravité [gravite] *f* Schwere *a. fig; mus* Tiefe *f; fig* Gewicht *n,* große Bedeutung, Wichtigkeit; Würde, Feierlichkeit *f;* Ernst *m,* Bedenklichkeit, Gefährlichkeit *f; centre m de* ~ Schwerpunkt *m.*

graviter [gravite] gravitieren, angezogen werden (*vers* von), kreisen (*autour de* um); ~ *autour de qn* ständig um jdn sein, im Bannkreis einer Person leben.

gravure [gravyr] *f* Kupferstecher-, Holzschneidekunst *f;* Kupferdruck; (Kupfer-, Metall-)Stich; (Holz-) Schnitt *m;* ~ *sur acier* Stahlstich *m;* ~ *sur bois* Holzschnitt, -stich *m;* Holzschneidekunst *f;* ~ *en couleurs* Farbstich *m;* ~ *en creux, en relief* Tief-, Hochdruck *m;* ~ *sur cuivre, au burin* Kupferstich *m;* ~ *à l'eau-forte* Radierung *f;* ~ *sur linoléum* Linol(eum)schnitt *m;* ~ *à pointe sèche* Kaltnadelradierung *f.*

gré [gre] *m* Belieben, Gutdünken *n;* freie(r, s) Wille *m,* Ermessen *n;* Willkür; Laune *f;* Gefallen *n,* Geschmack *m;* Meinung *f;* Dank *m; à son* ~ nach Belieben, nach (Lust u.) Laune; nach Gutdünken, nach eigenem Ermessen; nach s-m Geschmack; s-s Erachtens, s-r Meinung nach; *à votre* ~ ganz wie Sie wünschen, wie es Ihnen beliebt; *au* ~ *de qn* nach jds Willen, Gutdünken, Laune *od* Geschmack; *au* ~ *de qn, de qc* jds Willkür, e-r S ausgesetzt, ausgeliefert, preisgegeben; *bon* ~, *mal* ~; *de* ~ *ou de force* wohl oder übel, im guten oder im bösen, so oder so; *contre le* ~ *de qn* gegen, wider jds Willen; *de son, de (son) bon* ~ aus freiem Ermessen, aus freien Stücken, auf eigenen Wunsch; frei-, gutwillig; *de mauvais* ~ ungern, widerwillig; *de plein* ~ in vollem Einverständnis; freiwillig; *de* ~ *à* ~ in beiderseitigem Einverständnis, in gegenseitigem Einvernehmen; im guten, gütlich; nach Übereinkunft, Vereinbarung; *com* unterderhand; *flotter au* ~ *des vents* ein Spiel der Winde sein; *savoir (bon)* ~ *de qc à qn* jdm für etw Dank wissen, dankbar, zu Dank verpflichtet, verbunden sein; *savoir beaucoup de* ~ *à qn de qc* jdm e-e S hoch an=rechnen; *savoir peu de* ~, *mauvais* ~ *à qn de qc* jdm etw nicht, schlecht danken.

grèbe [grɛb] *m orn* Steißfuß *m;* ~ *huppé* Haubensteißfuß, -taucher *m.*

grec, grecque [grɛk] *a* griechisch; *G~, Grecque m f* Grieche *m,* Griechin *f; s m* (das) Griechische; *f* Mäander *(Ornament); (Buchbinderei)* Heftbund *n;* Fuchsschwanz *m (Säge); renvoyer aux calendes ~ques* auf den Nimmerleinstag verschieben; *c'est du* ~ *pour moi* das sind mir böhmische Dörfer; *l'Église grecque* die griechisch-orthodoxe Kirche; *i (m)* ~ Ypsilon *n.*

Grèce, la [grɛs] Griechenland *n.*

gréciser [gresize] *(Wort)* gräzisieren.

gréco-romain, e [grekɔrɔmɛ̃, -ɛn] griechisch-römisch.

gredin, e [grədɛ̃, -in] *m f* Lausekerl, Lump, Strolch, Schuft, Spitzbube *m; f* Luder *n,* Spitzbübin *f; m pl* Gesindel, Lumpenpack *n;* **~erie** *f* Gemeinheit, Schuftigkeit, Spitzbüberei *f.*

gré|ement [gremɑ̃] *m mar* Betak(e)lung; Tak(e)lung, Takelage *f,* Takelwerk *n;* **~er** [gree] (be)takeln.

greff|age [grɛfaʒ] *m* Pfropfen *n;* **~e 1.** *m* Gerichtsschreiberei, -kanzlei *f;* **2.** *f* Edel-, Pfropfreis, -auge *n;* Vered(e)lung *f,* Pfropfen *n; med* Transplantation, Plastik *f; droits m pl de* ~ Kanzleigebühren *f pl;* ~ *de la cornée* Hornhautübertragung *f;* ~ *par œil* Okulieren *n;* ~ *d'organe* Organtransplantation *f;* ~ *par rameau détaché* Kopulieren *n;* **~er** veredeln, pfropfen; *se* ~ *(fig)* hinzu=kommen; **~eur** *m* Pfropfer *m.*

greffier [grefje] *m* Gerichtsschreiber, Kanzlist; Protokollführer; Urkundsbeamte(r) *m.*

greff|oir [grefwar] *m* Pfropfmesser *n;* **~on** *m* Edel-, Pfropfreis, -auge; *med* Transplantat, übertragene(s) Gewebe *n.*

grég|aire; ~arien, ne [gregɛr, -arjɛ̃,

-ɛn] *zoo* herdenweise lebend; *fig* herdenmäßig; Herden-, Massen-; *instinct m ~aire* Herdentrieb *m;* **~arisme** *m zoo* Herdentrieb *m,* -leben; *fig* Herdenmenschentum *n.*
grège [grɛʒ] *a f: soie f ~* Roh-, Grègeseide, Grège *f.*
grég|eois [greʒwa] *a m: feu m ~* griechische(s) Feuer *n.*
Grég|oire [gregwar] *m* Gregor *m;* **g~orien, ne** gregorianisch.
grègues [grɛg] *f pl vx* (Pluder-)Hose *f.*
grêl|e [grɛl] **1.** *a* (lang u.) dünn, schlank, hager, schmächtig; *(Stimme)* piepsig; **2.** *s f* Hagel *m a. fig;* Hagelwetter *n; être méchant comme la ~, pire que la ~* bitterböse, giftig, Gift u. Galle sein; *les coups tombent comme (la) ~, dru comme ~* es hagelt (nur so) Schläge; *assurance f contre la ~* Hagelversicherung *f; chute f de ~* Hagelschlag *m; dommage m causé par la ~* Hagelschaden *m; (intestin) ~ m* Dünndarm *m; ~ de balles* Kugelregen *m; ~ de bombes, de pierres* Bomben-, Steinhagel *m; ~ de coups* Hagel *m* von (Faust-)Schlägen; **~é, e** verhagelt; pockennarbig; **~er** *itr* hageln; *tr* durch Hagel vernichten *od* verwüsten; **~eux** *a m: le temps est ~* es sieht nach Hagel aus, es droht H.; **~on** *m* Hagelkorn *n a. med,* Schloße *f.*
grelot [grəlo] *m* Schelle *f,* Glöckchen *n,* Klapper *f (a. d. Klapperschlange); attacher le ~ (fig)* der Katze die Schelle an=hängen; *avoir les ~s (pop)* zittern; Schiß, Manschetten haben; *faire sonner son ~* viel Aufhebens *od* Geschrei, *fam* Tamtam machen; *mettre une sourdine à son ~ (fig)* stille(r), *fam* klein(er) werden; **~tant, e** [-lɔ-] vor Kälte zitternd; **~ter** (vor Kälte) zittern, mit den Zähnen klappern.
grémial [gremjal] *m rel* Gremiale *n.*
grémil [gremil] *m bot* Steinsame *m.*
grémille [gremij] *f zoo* Kaulbarsch *m.*
grenache [grənaʃ] *m* Süßwein *m* aus dem Languedoc u. dem Roussillon.
grenad|e [grənad] *f* Granatapfel *m; mil (~ à main)* Handgranate *f; G~ f (geog)* Granada *n; lance-~s m* Granatwerfer *m; ~ antichar* Panzerfaust *f; ~ à blanc* Übungsgranate *f; ~ non éclatée* Blindgänger *m; ~ à fusil* Gewehrgranate *f; ~ incendiaire, fumigène, lacrymogène* Brand-, Nebel-, Tränengashandgranate *f; ~ à manche* Stielhandgranate *f; ~ ovoïde à main* Eierhandgranate *f; ~ réelle* scharfe Handgranate *f; ~ sous-marine* Unterwasserbombe *f;* **~ier** *m* Granat-(apfel)baum; *mil* Grenadier; *fam* Dragoner, Feldwebel *m (resolute Frau);* **~ière** *f (Gewehr)* Mittelring *m; mettre à la ~ (Gewehr)* um=hängen; **~ille** [-ij] *f* Passionsblume *f,* Rangapfel *m,* Granadilla *f;* **~in, e** *s m Art* gespickte Fleischschnitte; *f* Kordonettseide *f; ~e s f* Granatapfelsaft *m.*
gren|age [grənaʒ] *m tech* Körnen; Einsammeln *n (der Raupeneier);* **~aille** *f* Kleinschrot *m* od *n;* Feinsplitt *m; agr* Samenabfälle *m pl,* Futtersamen *m;* **~ailler** *(Metall, Wachs)* körnen; **~aison** *f (Getreide)* Fruchtansatz *m.*
grenat [grəna] *s m min* Granat *m; a inv* granatfarben.
gren|é, e [grəne] *tech* gekörnt; *(Kunst)* punktiert; **~eler** *(Papier, Leder)* fein narben; **~er** *tr (Metall, Wachs)* körnen; *(Leder)* narben; *(Kunst)* in Punktiermanier schattieren; *itr* Samen tragen.
grènet|erie, ~ier *s. grain ...;* **~is** [grɛnti] *m (Münze)* Randverzierung *f,* Riffeln *f pl.*
grenier [grənje] *m* (Dach-)Boden, Speicher, Boden-, Dachraum *m; fig* Kornkammer *f; au ~* unterm Dach; *aller de la cave au ~ (fig)* vom Hundertsten ins Tausendste kommen; von einem Extrem ins andere fallen; *chercher qn, qc de la cave au ~* das ganze Haus nach jdm, nach e-r S durchsuchen; *~ à blé* Getreidespeicher *m; ~ à foin* Heuboden *m.*
gren|ouille [grənuj] *f* Frosch *m; pop* gemeinsame Kasse, Vereinskasse; *arg* Dirne *f; manger la ~ (pop)* Kassengelder unterschlagen; mit der Kasse durch=brennen; *la ~ coasse* der Frosch quakt; *cuisses f pl de ~* Froschschenkel *m pl; frai m de ~* Froschlaich *m; ~ verte, rousse, agile* (Grüner) Wasser- *od* Teich-, Gras-, Springfrosch *m;* **~ouillère** *f* Froschtümpel; Sumpf(loch *n) m; fam* Flußbad *n (bes.* für Nichtschwimmer); **~ouillette** *f pop* Laubfrosch *m; bot* Froschkraut *n,* -pfeffer *m.*
gren|u, e [grəny] voller Körner; körnig; *(Leder)* narbig; **~ure** *f* Körnung; *(Kunst)* Punktierung *f.*
grès [grɛ] *m* Sandstein; Sand *m; (~ cérame, poterie f de ~)* Steingut, -zeug *n; de ~* Stein-; *pot m de ~* Steintopf *m; ~ bigarré* Buntsandstein *m.*
grés|er [grese] mit Sand polieren; ab=kröseln; **~eux, se** sandsteinartig; Sandstein-; quarzhaltig; **~ière** *f* Sandsteinbruch *m.*

grésil [grezi(l)] *m* Graupeln *f pl; tech* Glaspulver *n;* ~**lement** [-zij-] *m (Grille)* Zirpen; Knistern, Knacken, Rauschen *n;* ~**ler** *itr* graupeln; *(Grille)* zirpen; knistern, leise plätschern; *tr tech* ab=kröseln; ~**lon** *m* Gruskohle *f,* Kohlengrus *m;* grobe(s) Mehl *n.*

grève [grɛv] *f* Strand; sandige(r) Uferstreifen; Streik, Ausstand *m,* Arbeitsniederlegung *f; en* ~ im Streik befindlich, streikend; *faire* ~ streiken; *faire la* ~ *du règlement, du zèle* durch strikte Durchführung der Vorschriften streiken; *lancer l'ordre de* ~ e-n Streik aus=rufen; *se mettre en* ~ in den Streik treten, die Arbeit ein=stellen *od* nieder=legen; *briseur, fauteur, meneur, piquet m de* ~ Streikbrecher, -hetzer, -führer, -posten *m; droit, fonds m de* ~ Streikrecht *n,* -kasse *f;* ~ *des achats* Käuferstreik *m;* ~ *d'avertissement* Warnstreik *m;* ~ *des dockers, des mineurs* Hafen-, Bergarbeiterstreik *n;* ~ *de la faim* Hungerstreik *m;* ~ *générale* Generalstreik *m;* ~ *de l'impôt* Steuerstreik *m;* ~ *non organisée,* ~ *sauvage* wilde(r) Streik *m;* ~ *partielle* Teilstreik *m;* ~ *perlée* Bummelstreik *m;* ~ *perlée* Bummelstreik *m;* ~ *de solidarité, de sympathie* Sympathiestreik *m;* ~ *sur le tas, des bras croisés* Sitzstreik *m;* ~ *surprise* Warnstreik *m;* ~ *tournante* punktuelle(r) Streik *m* in e-r Firma nach dem Rotationsprinzip; Schwerpunktstreik *m;* ~ *du zèle* Dienst *m* nach Vorschrift.

grever [grəve] *com allg* belasten (*de* mit); *une propriété* ~*ée d'hypothèques* ein mit Hypotheken belastete(r) (Grund-)Besitz.

gréviste [grevist] *a* streikend; *s m f* Streikende(r *m*) *f; piquet m de* ~*s* Streikposten *m.*

griblette [griblɛt] *f* mit Speck umwickelte dünne Fleischschnitte *f.*

gribouill|age [gribujaʒ] *m fam* Schmiererei, Sudelei *f,* Geschmier(e), Gesudel *n;* ~**e** [-uj] *m fam* Einfaltspinsel, Dussel, Depp *m; faire une politique de* ~ vom Regen in die Traufe kommen; die Flucht nach vorne an=treten; von einem Schlamassel in einen anderen kommen; ~**er** *fam itr* schmieren, sudeln; *tr* hin=schmieren, -sudeln; ~**eur, se** *m f fam* Schmierfink *m;* ~**is** [-ji] *m s.* ~*age.*

grief [grijɛf] *m* Beschwerde *f; jur* Klage-, Beschwerdegrund *m; pl* Beschwerde-, Klageschrift *f; faire* ~ *de qc à qn* jdm etw vor=werfen, -halten; ~*s d'appel (jur)* Berufungsgründe *m pl.*

grieu [grijø] *m s. grisou.*

grièvement [grijɛvmɑ̃] *adv* schwer *(verletzt),* ernstlich, gefährlich *(erkrankt).*

griff|ade [grifad] *f* Krallen-, Prankenhieb *m;* ~**e** *f* Kralle, Klaue *a. fig;* Unterschrift *f,* Namenszug *m,* Signatur *f;* Namensstempel; Stil *m;* Etikett *n; bot* Klaue *f,* Knöllchen *n; tech* Klaue, Kralle *f,* Haken, Greifer *m,* Pratze; Klemmbacke *f; donner un coup de* ~ *à qn (fig)* jdm e-n (Seiten-)Hieb versetzen; *être sous la* ~, *dans les* ~*s de qn (fig)* in jds Händen, Gewalt sein; *montrer les* ~*s* die Krallen zeigen, drohen; *tomber dans les* ~*s de qn* jdm in die Hände, in jds Hände fallen; ~ *d'accouplement, de commandement* od *d'entraînement, de serrage* Kupp(e)lungs-, Antriebs-, Stellklaue *f;* ~**é, e** *a: vêtements* ~*s* Kleidung *f* mit dem Etikett berühmter Couturiers; ~**er** mit den Krallen packen; e-n Krallen-, Prankenhieb versetzen (*qn* jdm); (zer)kratzen.

griffon [grifõ] *m* Greif *(Fabeltier); orn* Gänsegeier; langhaarige(r) Vorstehhund; große(r) Angelhaken *m;* (Ausfluß *m* e-r) Mineralquelle *f;* ~ *basset* Langhaardackel *m;* ~ *maltais* Malteser *m (Hund);* ~ *nain* Zwergpinscher *m;* ~*-singe m,* ~ *allemand* Affenpinscher *m.*

griffon|nage [grifɔnaʒ] *m* Gekritzel *n;* ~**nement** *m (Kunst)* flüchtige Skizze *f;* ~**ner** (hin=)kritzeln; *(Kunst, Literatur, mus)* flüchtig hin=werfen; ~**neur, se** *m f* Kritzler(in *f*); Vielschreiber *m.*

griffu, e [grify] mit Krallen versehen; ~**ure** *f* Krallenhieb; *(Graphik)* Kratzer *m,* Schramme *f.*

grign|e [griɲ] *f (unerwünschte)* Falte; Unebenheit im Filz; Spalte *f* im Brot; ~**on** *m* (Brot-)Kanten; *mar* Bruchzwieback *m;* Öltrester *pl;* ~**oter** (an)=knabbern; auf=reiben, zermürben; *fig fam* sich unter den Nagel reißen, ein=heimsen; *tech* aus=hauen; ~**otis** [-ti] *m (Kunst)* Strichelung *f.*

grigou [grigu] *m pop* Knicker, Knauser, Geizhals *m.*

gril [gri(l)] *m* (Brat-)Rost, Grill; *tech* Rost; *theat* Schnürboden *m; être sur le* ~ *(fig fam)* wie auf heißen, glühenden Kohlen sitzen; *faire cuire sur le* ~ auf dem Rost braten, grillen; *retourner qn sur le* ~ *(fig fam)* jdm die Hölle heiß machen; ~**lade** [-jad] *f* Rostbraten *m; à la* ~ vom Rost; ~**lage** *m* Grillen; *(Kastanien)* Rösten; *(Kaffee)* Rösten, Brennen; *(Mandeln)* Brennen; *chem tech* Rösten; *(Textil)* Sengen; Gitterwerk; Draht-

gitter *n*, -zaun *m; mot* Kühlerverkleidung *f; ~ décoratif* Ziergitter *n; ~ de protection* Schutzgitter *n;* **~lager** vergittern.
gril|le [grij] *f* Rost *m;* Gitter *n a. radio;* Ofen-, Feuerrost *m;* Sprechgitter *n;* Gittertür *f*, -tor *n;* Leserost *m; courant m de ~ (radio)* Gitterstrom *m; ~-écran* Schirmgitter *n; ~ protectrice* Schutzgitter *n;* **~lé, e** vergittert; *pop (Sache)* in die Binsen gegangen; *(Person)* aufgeflogen; überrundet; durchschaut; **~ler** *tr* auf dem Rost braten; grillen; *allg* rösten, braten; *(Kaffee)* brennen; (aus=)dörren, (ver)brennen, (ver)sengen *(a. übertreibend); chem tech* rösten; *(Textil)* sengen; *fam (Zigarette)* rauchen; (auf dem Scheiterhaufen) verbrennen; vergittern; ein=sperren, hinter Schloß u. Riegel setzen; *itr* auf dem Rost braten; *(übertreibend)* (in der Sonne) braten; *fig* brennen, vergehen (*de* vor *dat*); *~ d'impatience, dans sa peau* vor Ungeduld brennen *od* vergehen; **~-marrons** *m inv* Kastanienröster *m;* **~-pain** *m inv* Toaster *m.*
grillon [grijõ] *m zoo (~ des champs)* Grille *f; (~ domestique)* Heimchen *n.*
grillot [grijo] *m zoo* Grille *f.*
grima|çant, e [grimasɑ̃, -ɑ̃t] *a* grinsend; *(Stoff)* kraus; *sourire ~* gezwungenes Lächeln; **~ce** [-mas] *f* Fratze, Grimasse; *fig* Verstellung, Heuchelei *f; pl* affektierte(s) Wesen *n; faire la ~* ein schiefes Gesicht machen, ein Gesicht ziehen; *à qn* mit jdm maulen; *faire des ~s* Grimassen schneiden; Falten werfen; **~cer** Grimassen schneiden, e-e Fratze machen; Falten werfen; *fig* sich affektiert benehmen; sich verstellen; **~cier, ère** *a* (dauernd) Fratzen machend; heuchlerisch, verstellt; geziert, affektiert; *s m f* Fratzenmacher; Heuchler(in *f*); Zierbengel *m*, -puppe *f.*
grim|age [grimaʒ] *m theat* Schminken *n;* **~e** *m theat* komische(r) Alte(r) *m;* **~er (, se)** (sich) schminken.
grimoire [grimwar] *m* Zauberbuch *n;* unentzifferbare(s) Schrift *f od* Buch; unverständliche(s) Zeug *n;* unleserliche Schrift, *fam* Klaue *f; arg* Strafregister *n.*
grimpant, e [grɛ̃pɑ̃, -ɑ̃t] *a* kletternd; Kletter-, Schling-; *s m arg* Hose *f.*
grimpart [grɛ̃par] *m orn* Baumläufer *m.*
grimper [grɛ̃pe] klettern (*à qc* an e-r S hinauf, *sur qc* auf e-e S); *(Pflanze)* in die Höhe klettern, sich empor=ranken (*à qc* an e-r S); gelangen (*à qc* an e-e S).
grimpereau [grɛ̃pro] *m orn* Baumläufer *m.*
grimp|ette [grɛ̃pɛt] *f* Steige *f;* **~eur, se** *a* (gern) kletternd; Kletter-; *s m f* Kletterer *m*, Kletterin *f; m pl* Klettervögel *m pl.*
grinc|ement [grɛ̃smɑ̃] *m* Knirschen, Kreischen, Quietschen, Knarren *n; ~s de dents* Zähneknirschen, -fletschen, *(Bibel)* -klappern *n;* **~er** knirschen, kreischen, quietschen, knarren; *~ des dents* mit den Zähnen knirschen.
grinch|e [grɛ̃ʃ] *a pop* brummig, polternd, keifend; *s m arg* Dieb *m;* **~er** brummen, knurren; *arg vx* stehlen; **~eux, se** *a* mürrisch, griesgrämig, brummig, bärbeißig; *s m f* Griesgram, Nörgler(in *f*) *m.*
gringalet [grɛ̃galɛ] *m fam* schmächtige(s) Kerlchen *n*, Schwächling; Schwachmatikus *m.*
griot [grijo] *m* Kleienmehl *n;* **~te** [-jɔt] *f* Weichselkirsche *f.*
gripp|age, ~ement [gripaʒ] *m tech* Sichfestfressen, Heißlaufen; *mot (Kupplung)* Rupfen *n;* **~al, e** grippeartig, grippal; Grippe-; **~e** *f med* Grippe; *fig* Abneigung, Antipathie *f; avoir pris qn en ~* jdn nicht (mehr) (leiden) mögen *od* ausstehen können, *fam* auf jdn e-n Pik haben; **~é, e** an Grippe erkrankt; *tech* festgefressen; *être ~* die Grippe haben; **~er** *tr vx* greifen (*qc* nach etw), ergreifen, fassen, packen, schnappen; *pop vx* klauen, mausen, mopsen; *fig* schwerfällig machen; *itr* anea.=haften, -hängen; *tech* sich fest=fressen; *itr* u. *se ~ (Stoff)* knautschen, knautschig, faltig werden, Falten bekommen; **~e-sou** *m fam* Pfennigfuchser *m.*
gris, e [gri, -iz] *a* grau; *fig (Wetter, Gedanken)* trübe, düster; angetrunken, benebelt; *s m* Grau *n; à cheveux ~* grauhaarig; *être ~ (ivre)* blau sein; *faire ~e mine à qn* jdm ein finsteres Gesicht zeigen; *il fait ~* es ist trübe(s Wetter); *ventre-saint-~!* herrje! *la nuit tous le chats sont ~ (prov)* in der Nacht sind alle Katzen grau; *barbe, tête f ~e* Graubart, -kopf *m; cheval m ~ pommelé* Apfelschimmel *m; (petit-)~* Grauwerk, Feh *n (Pelz); substance f ~e (anat)* graue Hirnsubstanz *f; ~-brun* graubraun; *~ cendré* aschgrau; *~ clair, foncé* hell-, dunkelgrau; *~ de fer, bleuté* stahlgrau; *~ (de) perle* perlgrau; *~ pigeon* taubengrau; *~ souris* mausgrau; *~ vert, ~ verdâtre* feldgrau; **~aille** [-zaj] *f* Malerei *f* grau in grau; *~ quotidienne* graue(r)

Alltag *m;* **~ailler** *tr* grau machen; grau in grau (be)malen; *itr* grau werden; **~ant, e** zu Kopf steigend, berauschend; **~ard** *m* Dachs *m; (peuplier m ~)* Silberpappel *f;* **~âtre** graulich, etwas grau.

grisbi [grizbi] *m arg* Geld *n.*

gris|é [grize] *m typ* Azureelinien *f pl;* **~er** betrunken machen; *(Getränk)* zu Kopf steigen (*qn* jdm); *fig* berauschen; betäuben *fig; se ~ (fam)* sich einen an=trinken; sich berauschen (*de* an *dat*); **~erie** *f* leichte(r) Rausch, *fam* kleine(r) Schwips; *fig* Rausch *m,* Begeisterung *f.*

griset [grizɛ] *m* junge(r) Distelfink; Grauhai *m (Fisch).*

gris-gris [grigri] *m* Amulett *n.*

grisoller [grizɔle] *(Lerche)* tirilieren, trillern, singen.

grison, ne [grizõ, ɔn] *a* grau(haarig); *s m fam* Graukopf *m;* Grautier, Grauchen *n (Esel); G~ne m f* Graubündner(in *f*) *m; pays, canton m des G~s, les G~s* Graubünden *n;* **~nant, e** leicht ergraut; **~ner** grau werden.

grisou [grizu] *m min* Grubengas *n; coup, feu m de ~* Schlagwetter(explosion *f*) *n;* **~teux, se** grubengashaltig, schlagwetterführend.

griv|e [griv] *f* Krammetsvogel *m,* Wacholderdrossel; *arg* Wache *f;* Krieg *m; soûl comme une ~ (fam)* sternhagelvoll, total besoffen; *faute de ~s on mange des merles (prov)* in der Not frißt der Teufel Fliegen; **~elé, e** grau u. weiß gesprenkelt; **~eler** *vx* sich unrechtmäßig bereichern; auf Zechprellerei aus=gehen; **~èlerie** *f* Zechprellerei *f;* **~eleur** *m* Zechpreller *m.*

griveton [grivtõ] *m arg* Landser, Soldat *m.*

grivois, e [grivwa] *a* ziemlich frei, lose, schlüpfrig, zotig, unanständig; *s m* lockere(r) Vogel; *f* lose(s) Weib *n;* **~erie** *f* Schlüpfrigkeit, Unanständigkeit; Zote *f,* unanständige Reden *f pl.*

Groenland, le [grɔɛnlɑ̃d] *m* Grönland *n;* **g~ais, e** [-ɑ̃dɛ, -ɛz] *a* grönländisch; *G~, e s m f* Grönländer(-in *f*) *m.*

grog [grɔg] *m* Grog *m (Getränk).*

grogn|ard, e [grɔɲar, -rd] *a* brummig; *s m* Brummbär *fig;* alte(r) Haudegen *m;* **~asser** *pop* ewig, dauernd brummen; **~e** *f* Unzufriedenheit *f;* Unmut *m;* **~ement** *m* Grunzen, Gegrunze; Brummen, Gebrumm; Murren, Gemurre *n;* **~er** *(Schwein)* grunzen; *(Bär, Mensch)* brummen; *(Mensch)* murren; **~eur, se; ~on, ne** [-ɲõ, -ɔn] *a* brummig; *s m fig* Brummbär *m;* **~onner** *fam* brummeln, ewig brummen.

groin [grwɛ̃] *m* (Schweine-)Schnauze *f,* Rüssel *m; fig fam* Fratze *f.*

grol(l)e [grɔl] *f* Dohle *od* Saatkrähe *f; pl pop* Quadratlatschen, Schuhe *m pl.*

grommel|er [grɔmle] *tr itr* brummeln, (in den Bart) murmeln; **~lement** [-mɛl] *m* Gemurmel *n.*

grond|ement [grɔ̃dmɑ̃] *m* Knurren, Geknurre; Brummen, Gebrumm(e); Grollen, Rollen *n;* **~er** *itr* knurren; *(Bär)* brummen; dröhnen; *(Donner)* (g)rollen; schimpfen; *tr* aus=schimpfen, -schelten, -zanken; **~erie** *f* Geschimpfe; Ausschimpfen, -schelten, -zanken *n,* Standpauke *f;* **~eur, se** *a* zänkisch; *(Ton)* ärgerlich; *s m f* Zänker(in *f*), Zankteufel *m,* Xanthippe *f.*

grondin [grõdɛ̃] *m* Knurrhahn *f (Fisch).*

groom [grum] *m* Page, Boy, Laufjunge, -bursche *m.*

gros, se [gro, gros] *a* dick, groß; stark, beleibt; *(nachgestellt)* trächtig; *med* geschwollen; *(Stoff)* grob, derb; *(Stimme)* kräftig, laut; drohend; *(Lachen)* schallend, herzhaft; *(See)* hoch(gehend); *(Wetter)* häßlich, scheußlich; *(Wind, Fieber)* stark, heftig; *fig* beträchtlich, beachtlich; *(Zinsen)* hoch; bedeutend, wichtig; schwer, ernst, gefährlich; reich, wohlhabend, angesehen; *adv* viel *(kosten, verdienen); s m* Dicke(r) *m;* (der, das) dickste Teil; *fig* Hauptteil *m,* Kernstück *n; (commerce m de ~)* Großhandel *m; a. f* Blockschrift *f; f* Gros *n (12 Dutzend); jur* Ausfertigung, amtliche Abschrift; *com mar* Bodmerei *f; en ~ (com)* im großen, en gros, Groß-; in Blockschrift; *fig* in groben Zügen, im Umriß; *avoir les yeux ~ de larmes* dem Weinen nahe sein; *battre de la ~se caisse* die Pauke schlagen; *fig* auf die Pauke hauen, die Werbetrommel rühren; *devenir ~* Speck an=setzen, dick(er) werden; *dire à qn de ~ses vérités* jdm gegenüber kein Blatt vor den Mund nehmen; *écrire ~* groß schreiben, große Buchstaben machen; *être G~-Jean comme devant* so klug sein wie zuvor; *faire le ~ (com)* Großhandel treiben; *faire le ~ dos (Katze)* e-n Buckel machen; *fig* sich in die Brust werfen; sich auf=spielen; *faire les ~ yeux* ein strenges Gesicht machen; *gagner ~ (fam)* gut verdienen; große, gute Geschäfte machen; *jouer ~ (jeu)* hoch spielen; *fig (a. risquer ~)* viel aufs Spiel setzen, ein gewagtes Spiel treiben; *j'ai le cœur ~* mir ist das Herz schwer; *il y* *a* ~ *à parier que* ich wette hundert gegen eins, daß; *contrat m à la ~se (com mar)* Bodmereivertrag *m; entreprise f de* ~ Großhandelsunternehmen *n; indice m des (prix de)* ~ Großhandelsindex *m; négociant m en* ~ Großhändler, Grossist *m; prêt m à la ~se (com mar)* Bodmerei *f; prix m de* ~ Großhandelspreis *m; le ~ de l'armée* das Hauptheer, das Gros des Heeres; *~se artillerie f* schwere Artillerie *f; ~se aventure f (com mar)* Bodmerei *f; ~-bec m (orn)* Kernbeißer *m; ~ commun* Kirschkernbeißer *m; ~se besogne f* Hauptarbeit *f; ~ bétail m* Großvieh *n; ~ bonnet, (fam) ~se légume m (f)* hohe(s) Tier *n; ~ buveur* große(r) Trinker *m; ~se caisse (mus mil)* Pauke *f; ~ de conséquences* folgenschwer; ~ *cul m arg* schwere(r) Lkw *m; ~ses dents (pop)* Backenzähne *m pl; ~ comme le doigt, poing* finger-, faustdick; ~ *de l'eau* Springtide *f; ~ fumeur m* starke(r) Raucher *m; ~ gibier m* Hoch-, Großwild *n; ~se industrie f* Großindustrie *f; ~ industriel m* Großindustrielle(r) *m; ~ intestin m (anat)* Dickdarm *m; G~-Jean m pop* arme(r) Schlucker *od* Teufel; dumme(r) August; sture(r) Bock *m; ~ comme devant* so klug wie zuvor; *le ~ lot* das Große Los; ~ *de malheurs* unheilschwanger, verhängnisvoll; ~ *mangeur* starke(r) Esser *m; ~ matériel* Großgeräte *n pl; ~ mots m pl, ~ses paroles f pl* Schimpfworte *n pl; ~ mur* Stützmauer *f; ~ ouvrage m, ~se besogne f* Dreckarbeit *f; ~se plaisanterie f* derbe(r) Scherz *m; ~ plan m (film)* Großaufnahme *f; ~-porteur m* Großraumflugzeug *n; ~ rhume m* schwere Erkältung *f,* starke(r) Schnupfen *m; ~ tirage m typ* Massenauflage *f.*

groseill|e [grozɛj] *f (~ à grappes)* Johannisbeere *f; ~ à maquereau* Stachelbeere *f; ~ noire* schwarze Johannisbeere *f;* **~ier** [-ze(ɛ)je] *m (~ à grappes)* Johannisbeerstrauch, -busch *m; ~ épineux, à maquereau* Stachelbeerstrauch *m; ~ noir* schwarze(r) Johannisbeerstrauch *m.*

grosserie [grosri] *f* große Schneidwerkzeuge *n pl;* Silbergeschirr *n.*

grossesse [grosɛs] *f* Schwangerschaft *f; en état de ~ (avancée)* (hoch-)schwanger.

grosseur [grosœr] *f* Dicke; Stärke *f;* Umfang *m; med* Schwellung, Geschwulst *f.*

grossier, ère [grosje, -ɛr] *a* grob, rauh, dick; *fig* roh, gewöhnlich, gemein, niedrig; rüpel-, lümmel-, flegelhaft; *fam* ungeschliffen, ungehobelt; plump, ungeschickt; unvollkommen, unvollständig; *(Fehler)* schwer; *s m* Flegel, Rüpel, Lümmel *m;* **~ièrement** *adv* gröblich, schwer; **~ièreté** *f* (das) Grobe, Rauhe; *fig* Grobheit, Roheit; Gewöhnlichkeit, Gemeinheit; Niedrigkeit; Rüpel-, Lümmel-, Flegelhaftigkeit, *fam* Ungeschliffenheit; Ungeschicktheit; Schwere; *tech* Grobkörnigkeit *f.*

gross|ir [grosir] *tr* dick(er) machen *od* erscheinen lassen; mästen; anschwellen lassen; vergrößern *a. opt phot;* erweitern, vermehren, verstärken; *fig* größer erscheinen lassen, übertreiben; *itr* dick(er) werden; (an=)schwellen; größer, stärker werden, zu=nehmen *a. fig;* größer, erscheinen; *se ~* sich größer vor=stellen (*qc* etw); zu=nehmen *a. fig;* **~issant, e** wachsend, zunehmend, steigend; *opt* Vergrößerungs-; **~issement** *m* Vergrößerung *bes. opt phot;* Verstärkung, Erweiterung, Vermehrung *f;* **~iste** *m* Großhändler, Grossist *m.*

grossoyer [groswaje] *jur* aus=fertigen, e-e amtliche Abschrift machen (*qc* von etw).

grotesque [grɔtɛsk] *a* grotesk, bizarr, wunderlich, sonderbar, eigenartig, ausgefallen; ulkig, *fam* komisch; *s m f vx* komische (lächerliche) Schießbudenfigur *f; m pl* Arabesken *f pl.*

grotte [grɔt] *f* Grotte, Höhle *f.*

grouill|ement [grujmɑ̃] *m* Gewimmel *n;* **~er** wimmeln (*de* von); *vx pop* sich rühren, sich bewegen, sich beeilen; *(Magen)* knurren; *se ~ (pop)* sich tummeln, sich d(a)ran=halten.

group|age [grupaʒ] *m loc* (Zs.fassung zu e-r) Sammelsendung, -ladung *f;* **~e** *m* Gruppe *f; com* Konsortium, Syndikat *n,* Konzern *m; parl* Fraktion; *mil* Abteilung, Gruppe *f,* Verband; Trupp; Arbeitskreis *m; tech* Anlage *f,* Werk; *el* Aggregat *n,* Maschinensatz *m; (Kunst)* Gruppe *f; phot* Gruppenbild *n,* -aufnahme; Buchstabengruppe *f; en ~* in der Gruppe; *en, par ~s* in Gruppen, gruppenweise; *par ~s (mil)* abteilungsweise; *commandant, état-major m de ~ (mil)* Abteilungskommandeur, -stab *m; tir m de ~ (mil)* Abteilungsfeuer *n; ~ d'âge* Altersgruppe *f; ~ d'armées* Heeresgruppe *f; ~ d'artillerie, d'aviation* Artillerie-, Fliegerabteilung *f; ~ de combat (mil)* Kampfgruppe *f; ~ convertisseur (el)* Umformeraggregat *n,* -anlage *f,* -satz *m; ~ directif (Rakete)* Steuerwerk *n; ~ économique* Wirtschaftsgruppe *f;*

~ *d'édifices* Gebäudekomplex *m;* ~ *électrogène* Stromerzeugungsaggregat *n;* ~ *de maisons* Häusergruppe *f;* ~ *moteur (aero)* Motoranlage *f;* ~ *(moto)propulseur (aero)* Triebwerk *n;* ~ *parlementaire* Parlamentsfraktion *f;* ~ *de pression (pol)* Pressure-group *f;* ~ *professionnel* Berufsgruppe *f;* ~ *racial* Rassengruppe *f;* ~ *de reconnaissance (mil)* Aufklärungsabteilung *f;* ~ *de rochers* Felsmassiv *n;* ~ *de salaire* Lohngruppe, -stufe *f;* ~ *sanguin (biol)* Blutgruppe *f;* ~ *de téléguidage (Rakete)* Fernsteueranlage *f;* **~ement** *m* Gruppierung, Einteilung, Anordnung, Zs.stellung, -fassung; *mil* Massierung; *mil* Gruppe *a. com; com* Vereinigung, Genossenschaft *f,* Verband, Pool *m;* ~ *d'achat* Einkaufsgenossenschaft *f;* ~ *par âge* Altersklasseneinteilung *f;* ~ *de capitaux* Kapitalzs.fassung *f;* ~ *d'entreprises (com)* Konzern *m;* Arbeitsgemeinschaft *f;* ~ *d'études (allg)* Arbeitsgemeinschaft *f;* ~ *forestier* Forstgemeinschaft *f (zum Aufforsten von unterkultiviertem Gelände);* ~ *d'intérêts (com)* Interessengemeinschaft *f;* ~ *de(s) jeunes* Jugendgruppe *f;* ~ *de marche (mil)* Marschgruppe *f;* ~ *professionnel* Fachgruppe, -schaft *f,* -verband *m;* ~ *de résistance* Widerstandsgruppe *f;* ~ *tactique (mil)* Kampfgruppe *f;* **~er** *tr* gruppieren, zs.=fassen, -stellen, ein=teilen, ordnen; zs.=legen; versammeln, scharen (*autour de* um); *loc* zu e-r Sendung zs.=fassen; *arg mil* organisieren; *itr* e-e Gruppe bilden; sich zs.=fassen, gruppieren lassen; *se* ~ sich zs.=tun; sich gruppieren (*par* nach), sich scharen (*autour de* um); e-e Einheit bilden; *envoi m ~é (com)* Mischsendung *f;* **~uscule** *m péj pol* Grüppchen *n.*

gruau [gryo] *m* Grütze *f;* Grützbrei *m; Art* Kindermehl *n;* (Hafer-)Absud *m; farine f de* ~ Auszugmehl *n; pain m de* ~ ganz helle(s) Weißbrot *n.*

grue [gry] *f orn* Kranich; *tech* Kran *m; fig pop* Schnepfe, Dirne *f; faire le pied de ~ (fig)* sich ein Loch in den Bauch stehen; *cou m de* ~ Giraffenhals, lange(r) Hals *m;* ~ *d'alimentation (loc)* Speisekran *m;* ~ *à benne preneuse, à grappin* Greiferkran, -bagger *m; orn* ~ *cendrée* Graue(r), Gemeine(r) Kranich *m;* ~ *de chantier, de port* Bau-, Hafenkran *m;* ~ *de chargement* Ladekran *m;* ~ *dépanneuse (mot)* Abschleppkran *m;* ~ *à flèche* Auslegerkran *m;* ~ *flottante* Schwimmkran *m;* ~ *locomobile, roulante* Laufkran *m;* ~ *à tour, tournante* od *pivotante* Turm-, Dreh- *od* Schwenkkran *m.*

gruger [gryʒe] *fig* aus=saugen, -beuten, -nehmen.

grume [grym] *f* Rinde *f (auf bereits geschlagenem Holz); bois m de, en* ~ Stamm-, Rundholz *n.*

gru|meau [grymo] *m* Klümpchen *n,* Klumpen *m;* **~meler, se** klumpen, klümp(e)rig, klumpig werden; **~meleux, se** klümp(e)rig, klumpig.

grutier [grytje] *m* Kranführer *m.*

gruyère [gryjɛr] *m* Schweizer Käse *m.*

guano [gwano] *m* Guano *m (Vogeldünger).*

gué [ge] **1.** *m* Furt; (Pferde-)Schwemme *f;* **2.** *interj* juchhei! heißa! *passer à* ~ durch=schreiten, -waten, -fahren; **~able** *a: (Fluß)* e-e Furt, Furten haben(d); **~er** durch=waten; *(Pferd)* in die Schwemme reiten.

guède [gɛd] *f* Waid *m (Pflanze* u. *Farbstoff).*

guelte [gɛlt] *f com* Gewinnanteil *m,* Provision *f.*

guen|ille [gənij] *f meist pl* Lumpen *m pl,* zerrissene Kleider *n pl; fig* Plunder *m, fam* Dreckding *n; (Geschriebenes)* Wisch, Lappen *m; en ~s* in Lumpen (gehüllt), zerlumpt; **~illeux, se** zerlumpt; lumpig; **~illon** *m* Fetzen; Lappen, Wisch *m.*

guenon [gənõ] *f* Meerkatze *(Affe);* Äffin; *fig* Vogelscheuche *(häßliche Frau); pop* Chefin *f.*

guépard [gepar] *m* Gepard, Jagdleopard, -tiger *m.*

guêp|e [gɛp] *f* Wespe *f; fig* gehässige(r) Mensch, Zankteufel *m; pas folle, la ~ (fam)* sie ist nicht auf den Kopf gefallen, sie ist recht helle; *taille f de* ~ Wespentaille *f;* **~ier** *m* Wespennest *n a. fig; orn* Bienenfresser *m; j'ai donné, je suis tombé dans un ~ (fig)* ich habe in ein Wespennest gestochen, der Teufel ist los.

guère [gɛr] *adv: ne ...* ~ kaum, fast, beinahe nicht, nicht sehr, wenig, (sehr) selten; *ne ... ~ que* fast nur, fast ausschließlich; höchstens; *il ne s'en est fallu* ~ es hat wenig gefehlt.

guéret [gerɛ] *m* Brachland, -feld *n; pl poet* Flur(en *pl*) *f.*

guéridon [geridõ] *m* Leuchtertisch; kleine(r), runde(r) Tisch *m (bes. mit einem Bein).*

guérill|a [gerija] *f* Guerilla *f,* Klein-, Partisanenkrieg *m;* Partisanen *m pl;* **~ero** *m* Guerillakämpfer *m.*

guér|ir [gerir] *tr* heilen, gesund machen; *fig (Seele)* erlösen, befreien, frei machen (*de* von); ab=helfen (*qc* e-r S *dat*); *(Leidenschaft)* überwinden; *itr (Mensch)* genesen, (wieder) gesund werden; *(Wunde)* heilen *a. fig; se ~ de qc* sich *(dat)* e-e S ab≈gewöhnen; **~ison** [-zɔ̃] *f* Heilung; Genesung *f;* **~issable** heilbar; **~isseur, se** *m f* Heilkundige(r *m*) *f*, -praktiker(in *f*); *péj* Kurpfuscher, Quacksalber *m.*

guérite [gerit] *f mil* Schilderhaus; *loc* Bremsersitz *m;* Bretterbude *f;* Strandkorb *m.*

guerre [gɛr] *f* Krieg; *fig* Kampf, Streit, Zwist *m;* Streitigkeiten, Zwistigkeiten *f pl; à la déclaration de ~* bei Kriegsausbruch; *d'avant-~, d'après-~* Vorkriegs-, Nachkriegs-; *de bonne ~* nach Kriegsbrauch, -recht; *fig* mit Fug u. Recht; *de ~ lasse* am Ende s-r Kräfte; kriegs-, kampfesmüde; *en cas de ~* im Kriegsfall; *s'en aller en ~* in den Krieg ziehen; *déclarer la ~* den Krieg erklären; *être en ~* sich im Krieg(szustand) befinden; *fig* im Streit liegen (*avec* mit); *faire la ~ à qn* gegen jdn Krieg führen; *fig* sich jdm widersetzen; jdm hart zu≈setzen; jdm zu schaden suchen; jdn mit s-m Spott verfolgen; *faire la ~ à qc* etw bekämpfen, e-r S den Kampf angesagt haben; *faire bonne ~* mit ehrlichen Waffen, mit anständigen Mitteln kämpfen; *mettre sur le pied de ~* in den Kriegszustand versetzen; *partir en ~* zu Felde ziehen *a. fig* (*contre* gegen); *traduire en conseil de ~* vor ein Kriegsgericht stellen; *vivre sur le pied de ~ avec qn* mit jdm auf Kriegsfuß stehen; *à la ~ comme à la ~* man muß sich ins Unvermeidliche fügen; *armé en ~* zum Kriege gerüstet; *bâtiment, navire, vaisseau m de ~* Kriegsschiff *n; bruits m pl de ~* Kriegsgerüchte *n pl; carnet m de ~* Kriegstagebuch *n; charges, contributions f pl de ~* Kriegslasten *f pl; cimetière m de ~* Soldatenfriedhof *m; conseil m de ~* Kriegsrat *m; danger m de ~* Kriegsgefahr *f; déclaration f de ~* Kriegserklärung *f; dettes f pl de ~* Kriegsschulden *f pl; dommage, sinistre m de ~* Kriegs(sach)schaden *m; droit m de ~* Kriegsrecht *n; école f (supérieure) de ~* Kriegsschule (Kriegsakademie) *f; économie f de ~* Kriegswirtschaft *f; effectif m de ~* Kriegsstärke *f; emprunt m de ~* Kriegsanleihe *f; entrée f en ~* Eintritt *m* in den Krieg; *état m de ~* Kriegszustand *m; événements m pl de ~* Kriegsereignisse *n pl; expérience f de la ~* Kriegserfahrung *f; fauteur m de ~* Kriegshetzer *m; frais m pl de la ~* Kriegskosten *pl; la Grande G~* der (Erste) Weltkrieg; *impôt m de ~* Kriegssteuer *f; indemnités f pl de ~* Kriegsentschädigung *f; industrie f (du matériel) de ~* Kriegsindustrie *f; machine f de ~* Kriegsmaschine *f; matériel m de ~* Kriegsmaterial *n*, -bedarf *m; mutilé m de ~* Kriegsbeschädigte(r), -versehrte(r) *m; nom m de ~* Künstler-, Deck-, Spitzname *m; petite ~* Kleinkrieg *m;* Scheingefecht *n;* Gefechtsübung *f;* Kriegsspiel *n; prisonnier m de ~* Kriegsgefangene(r) *m; profit(eur) m de ~* Kriegsgewinn(ler) *m; ruse f de ~* Kriegslist *f; théâtre m de la ~* Kriegsschauplatz *m; tour m de vieille ~* alte(r) Trick *m; troubles m pl de la ~* Kriegswirren *pl; victime f de ~* Kriegsopfer *n; ~ aérienne* Luftkrieg *m; ~ atomique* Atomkrieg *m; ~ bactérienne, bactériologique* Bakterienkrieg *m; ~ biologique* biologische Kriegsführung *f; chimique* chemische(r) K.; *~ civile* Bürgerkrieg *m; ~ de commerce, commerciale* Handelskrieg *m; ~ au couteau, à mort, à outrance* K. bis aufs Messer; *~ douanière, de tarifs* Zollkrieg *m; ~-éclair f* Blitzkrieg *m; ~ économique* Wirtschaftskrieg *m; ~ d'épuisement, d'usure* Erschöpfungs-, Abnutzungskrieg *m; ~ étrangère, intestine* auswärtige(r) Krieg, Bürgerkrieg *m; ~ d'extermination* Vernichtungskrieg *m; ~ fratricide* Bruderkrieg *m; ~ froide, chaude* kalte(r), heiße(r) K.; *~ des gaz* Gaskrieg *m; ~ d'indépendance* Unabhängigkeits-, Freiheitskrieg *m; ~ maritime, navale* Seekrieg *m; la (Première, Seconde) G~ mondiale* der (Erste, Zweite) Weltkrieg; *~ de mouvement, de position* Bewegungs-, Stellungskrieg *m; ~ des nerfs* Nervenkrieg *m; ~ nucléaire* Nuklearkrieg *m; ~ offensive, défensive* Angriffs-, Verteidigungskrieg *m; ~ des ondes (radio)* Ätherkrieg *m; ~ de partisans* Partisanenkrieg *m; ~ préventive* Präventivkrieg *m; ~ psychologique* psychologische Kriegsführung *f; ~ de religion* Religionskrieg *m; ~ révolutionnaire* Revolutionskrieg *m; ~ sainte* heilige(r) Krieg *m; ~ sous-marine* U-Boot-Krieg *m; ~ terrestre* Landkrieg *m; ~ totale* totale(r) K.; *~ de tranchées* Grabenkrieg *m; la G~ de Trente Ans* der Dreißigjährige Krieg; ~ d'usure Zermürbungskrieg *m.*

guerr|ier, ère [gɛrje, -ɛr] *a* kriegerisch; kriegslustig; Kriegs-; *s m* Krieger *m; exploits m pl ~s* Kriegstaten *f pl;* **~oyer** Krieg führen, kämpfen.

guet [gɛ] *m* Lauer *f; au* ~ auf der Lauer; *avoir l'œil au* ~ spähen; *fig* die Augen auf=haben; *avoir l'oreille au* ~ horchen, die Ohren spitzen; *être au* ~, *faire le* ~ auf der Lauer stehen *od* liegen; Wache halten, *arg* Schmiere stehen; **~-apens** [gɛtapɑ̃] *m inv* Hinterhalt *m;* Hinter-, Arglist *f; (meurtre m par ~)* Meuchelmord *m; tendre un* ~ *à qn* jdm e-e Falle stellen *a. fig.*

guêtr|e [gɛtr] *f* Gamasche *f;* **~er (, se)** die Gamaschen an=ziehen (*qn* jdm).

guet|te [gɛt] *f* Strebe *f (schräge Stütze);* **~ter** belauern, auf =lauern (*qn* jdm), ab=passen *a. fig (Zeit, Gelegenheit);* **~teur, se** *m f* Späher, Aufpasser(in *f*) *m.*

gueul|ard, e [gœlar, -rd] *a pop* großschnäuzig, -mäulig; *vx* verfressen, gefräßig, gierig; *s m pop* Großmaul *n,* Schreihals; *vx* Fresser, Vielfraß *m; tech* Gicht(-öffnung) *f;* **~e** *f* Maul *n,* Schnauze *f a. pop péj,* Rachen *m a. fig; fig* (große, weite) Öffnung *f;* Eingang *m,* Loch *n; (Kanone)* Mündung; *pop* Fresse; *(grande ~)* Groß-, große Schnauze *f; fig fam* Aussehen *n,* Form, Gestalt, Wendung, Wirkung *f; avoir la* ~ *de bois (fam)* e-e trockene Kehle, e-n Kater haben; *avoir de la* ~ *(fam)* gut aus=sehen; *avoir une bonne* ~ *(fam)* sympathisch aus=sehen; *se casser la* ~ *(a. fig fam)* auf die Nase fallen; *donner sur la* ~ *à qn (pop)* jdm in die Fresse schlagen, jdm das Maul stopfen; *être fort en* ~ e-e große Schnauze haben; *faire une* ~ *(fam)* ein Maul machen, maulen; *tu en fais une ~! (pop)* du machst aber ein Gesicht! *ta ~! (pop)* (halt die) Schnauze! *fine* ~ *(fam)* Leckermaul *n; sale* ~ *(pop)* Dreckschnauze *f;* Scheißkerl *m;* ~ *cassée (pop)* Gesichtsverletzte(r) *m;* ~ *fraîche (vx pop)* Fresser, Freßsack *m; ~-de-loup m bot* Löwenmaul *n; med* Wolfsrachen *m;* ~ *de raie, d'empeigne (pop)* Fratze *f,* Ohrfeigengesicht *n;* **~ements** *m pl pop* Geschrei *n;* **~er** *pop itr* herum=schreien, -brüllen *od* das Maul auf=reißen, -haben; das große Wort führen; *tr* (in die Gegend) brüllen, schreien; **~eton** *m pop* Festessen *n fig;* (große) Fresserei *f;* **~etonner** *pop* e-e Fresserei ab=halten.

gueuse [gøz] *f* Massel, Luppe, Roheisenform *f,* -barren *m.*

gueus|er [gøze] *vx itr* betteln (gehen); *tr* erbetteln; **~erie** *f* Bettelhaftigkeit, -armut; Bettelei; Lumperei *f;* Bettel, Plunder *m.*

gueux, se [gø, gøz] *a* (bettel)arm; armselig; *s m f* Bettler(in *f*) *m,* Bettelweib *n;* Landstreicher(in *f*), Lump (-enkerl), Gauner(in *f*) *m;* Hure *f; courir la gueuse (pop)* den Mädchen nach=laufen.

gugusse [gygys] *m fam* dumme(r) August, Clown *m.*

gui [gi] *m* **1.** *bot* Mistel *f;* **2.** *mar* Giekbaum *m.*

guibolle [gibɔl] *f arg* Bein *n; jouer des ~s* flitzen, sausen, rennen.

guiche [giʃ] *f* Stirnlocke *f.*

guichet [giʃɛ] *m* kleine Tür *(a. in e-r größeren);* Neben-, Innentür *f;* Guckloch, Fensterchen, Schiebefenster *n;* Klappe *f (in e-r Tür);* (Fahrkarten-, Post-, Bank-)Schalter *m;* Kasse, Zahlstelle *f; fermeture f des ~s* Schalterschluß *m;* ~ *automatique* Bankomat *m;* ~ *des télégrammes* Telegrammannahme *f;* **~ier** [-ʃtje] *m (Gefängnis)* Pförtner, Schließer; Schalterbeamte(r) *m.*

guid|age [gidaʒ] *m tech* Führung; *aero* Steuerung *f;* **~e** *m* (Fremden-)Führer; *fig* Führer, Lehrmeister; Leitstern *m,* Richtschnur *f; (Buch)* (*bes.* Reise-)Führer *m,* Handbuch *n;* Leitfaden *m; mus* Thema *n; tech* Führung(sschiene, -stange *f,* -ring *m*) *f; mil* Flügelmann *m; f (Pferd)* Zügel *m; mener la vie à grandes ~s* flott, in Saus u. Braus leben; *carte-~ m* Leitkarte *f; ~-âne m* Linienblatt; Merkbüchlein, -buch *n;* ~ *épistolaire* Briefsteller *m; ~-interprète m* mehrsprachige(r) Führer *m;* ~ *de montagne* Bergführer *m; ~-papier m* Papiereinführer *m; ~-trottoir m (mot)* Bordsteinfühler *m;* **~er** führen; *(mot)* lenken, steuern; *fig* leiten; *mil* ein=weisen; *se* ~ *(fig)* sich leiten lassen (*par* von), sich zur Richtschnur nehmen (*par qc* e-e S); *engin m ~é (aero)* Robotflugzeug, gelenkte(s) Geschoß *n.*

guiderope [gidrɔp] *m (Ballon)* Schleppseil *n.*

guidon [gidɔ̃] *m mil* Fähnchen *n; mar* Wimpel *m; (Visiereinrichtung)* Korn *n; (Fahrrad)* Lenkstange *f; prendre le* ~ *affleurant, fin, plein* gestrichenes Korn, Fein-, Vollkorn nehmen; ~ *de commandement (mar)* Kommandoflagge *f;* ~ *de renvoi* Verweisungszeichen *n.*

guign|ard, e [giɲar, -rd] *a fam* vom Pech verfolgt; *s m f* Pechvogel, Unglücksrabe *m; m orn* Mor(i)nell, Mornellregenpfeifer *m;* **~e** *f* Herzkirsche *f; pop* Pech(strähne *f*) *n.*

guigner [giɲe] *itr* blinzeln; schielen; *tr* schielen, verstohlen blicken (*qc* nach etw); *fig* liebäugeln (*qc* mit etw), ein

Auge haben, spekulieren (*qc* auf e-e S).

guignette [giɲɛt] *f mar* Kalfaterhammer *m; agr* kleine Hacke; *zoo* Uferschnecke *f; orn* Strandläufer *m.*

guignier [giɲje] *m* Herzkirschenbaum *m.*

guignol [giɲɔl] *m* Kasperle(theater *n*) *n* od *m.*

guignolet [giɲɔlɛ] *m* Kirschlikör *m (aus Herzkirschen).*

guignon [giɲõ] *m pop* Pech(strähne) *f*) *n; avoir du* ~ Pech haben, vom P. verfolgt werden; *porter le* ~ Unglück bringen.

guillaume [gijom] *m* Falz-, Kehl-, Simshobel *m; G*~ Wilhelm *m.*

guilledou [gijdu] *m pop: courir le* ~ sich (in zweifelhaften Lokalen) herum=treiben, den Schürzen nach=laufen.

guillemet [gijmɛ] *m* Anführungszeichen, Gänsefüßchen *n.*

guillemot [gijmo] *m orn* Alk *m od* Lumme *f; pl* Alke *m pl;* ~ *à capuchon* Trottellumme *f.*

guilleret, te [gijrɛ, -ɛt] munter, ausgelassen, lebhaft, (quick)lebendig; *(Reden)* etwas frei, lose, zweideutig.

guillo|cher [gijɔʃe] guillochieren, mit Guillochen verzieren; **~chis** [-i] *m* Guilloche *f (Linienverzierung).*

guillotine [gijɔtin] *f* Guillotine *f,* Fallbeil *n; allg* Hinrichtung; Todesstrafe *f; fenêtre f à* ~ (vertikal verstellbares) Schiebefenster *n;* **~r** guillotinieren, enthaupten.

guimauve [gimov] *f bot* Eibisch; *fig fam* Kitsch *m; à la* ~ *(fig)* schmalzig.

guimbarde [gɛ̃bard] *f* Grundhobel; *fam* alte(r) Wagen, Klapperkasten, Schlitten *m,* Mühle *f.*

guimpe [gɛ̃p] *f* (Nonnen-)Schleier *m;* Spitzentuch *n,* -einsatz *m.*

guinch|e [gɛ̃ʃ] *m* od *f arg* Schwof, Tanz *m;* **~er** *arg* schwofen, tanzen.

guind|é, e [gɛ̃de] *fig* gewunden, geschraubt, steif, gekünstelt; affektiert; **~er** *(Last)* hoch=winden, hinauf=ziehen; *se* ~ *(fig)* Allüren an=nehmen, sich auf=spielen; *fam* sich auf=plustern, dick(e)tun.

Guinée, la [gine] *geog* Guinea *n.*

guing|an [gɛ̃gɑ̃] *m* Gingan *m (Baumwollstoff).*

guinguois [gɛ̃gwa]: *de* ~ schief; *fig* verdreht, verschroben.

ginguette [gɛt] *f* Ausflugslokal *n,* Gartenwirtschaft, Vorstadtkneipe *f.*

guip|er [gipe] *(Spitzen)* nähen; *el (Draht)* umspinnen; **~euse** *f el* Umspinnmaschine *f;* **~ure** *f* Gipürespitzen *f pl.*

guirlande [girlɑ̃d] *f* Girlande *f,* Blumen-, Laubgewinde *n.*

guise [giz] *f: à, selon sa* ~ auf s-e Weise, nach s-m Geschmack, wie es e-m paßt, *fam* nach s-r Fasson; *à votre* ~ wie Sie wollen, wünschen; wie es Ihnen beliebt; *en* ~ *de* als, zu; *en* ~ *de consolation* zum Trost; (an)statt, anstelle *gen.*

guit|are [gitar] *f* Gitarre *f;* **~ariste** *m f* Gitarrespieler(in *f*) *m.*

guitoune [gitun] *f arg mil* Zelt n, Unterstand *m.*

guivre [givr] *f (Heraldik)* Schlange *f.*

Gulf-Stream, le [gœlfstrim] der Golfstrom.

gustat|if, ive [gystatif, -iv] *a anat* Geschmacks-; *bourgeon m* ~ od *papille f ~ive* Geschmacksknospe *f od* -becher *m; impression, sensation f ~ive* Geschmackseindruck *m,* -empfindung *f; nerf m* ~ Geschmacksnerv *m;* **~ion** [-sjõ] *f* Geschmack *m,* (Ab-)Schmecken *n.*

gutt|a-percha [gytapɛrka] *f* Guttapercha *n;* **~ural, e** *a anat* Kehl-, Rachen-, Hals-; *gram* guttural, Kehl-; *s f* Kehllaut *m.*

Guy [gi] *m* Veit, Guido *m.*

gymn|ase [ʒimnaz] *m* Turnanstalt *f; (schweiz.)* Gymnasium *n;* **~aste** [-nast] *m f* Turnlehrer(in *f*); Turner(in *f*) *m;* **~astique** *a* gymnastisch; Turn-; *s f* Leibesübungen *f pl,* Turnen *n; faire de la* ~ turnen; *pour un bond, pas* ~*! (mil)* Sprung auf — marsch, marsch! *appareil m de* ~ Turngerät *n; costume, maillot m, culotte f, chaussures f pl de* ~ Turnanzug *m,* -hemd *n,* -hose *f,* -schuhe *m pl; cours m de* ~ Turnunterricht *m; exercice m de* ~ Turnübung *f; fête f de* ~ Turnfest, Schauturnen *n; leçon f de* ~ *(Schule)* Turnstunde *f; maître(sse f), professeur m de* ~ Turnlehrer(in *f*) *m; pas m* ~ Laufschritt *m; salle f de* ~ Turnhalle *f; société f de* ~ Turnverein ; ~ *aux agrès* Geräteturnen *n;* ~ *de chambre* Zimmergymnastik *f;* ~ *fonctionnelle* Heilgymnastik *f;* ~ *respiratoire* Atemgymnastik *f;* ~ *rythmique* Gymnastik *f;* ~ *en salle* Hallenturnen *n;* ~ *au sol* Bodenturnen *n;* **~ique** *a* Turn-.

gymno|spermé, e [ʒimnɔspɛrme] *bot* nacktsamig; **~spermes** *f pl* nacktsamige Pflanzen *f pl.*

gymnote [ʒimnɔt] *m zoo* Nacktaal *m;* ~ *électrique* Zitteraal *m.*

gynécée [ʒinese] *m* Kemenate *f,* Frauengemach *n; bot* Stempel *m.*

gynéco|logie [ʒinekɔlɔʒi] *f* Frauenheilkunde, Gynäkologie *f;* **~logique** gynäkologisch; **~logue, ~logiste** *m* Gynäkologe, Frauenarzt *m.*

gypaète [ʒipaɛt] *m orn* Lämmer-, Bartgeier *m.*

gyp|se [ʒips] *m min* Gips(stein) *m;* **~seux, se** gipsartig, -haltig.

gyrin [ʒirɛ̃] *m* Taumelkäfer *m; ~ nageur* Schwimmkäfer *m.*

gyro|phare [ʒirɔfar] *m* Blaulicht *n;* **~scope** *m phys* Gyroskop *n;* **~stat** [-ta] *m phys* Kreisel(vorrichtung *f*) *m.*

H

H [aʃ]: *heure f H (mil)* Zeit *f* X.
'ha! [a] *interj* ah! ha!
habile [abil] geschickt, gewandt (*en, dans* in *dat*); anstellig; tüchtig; gerissen, gerieben; *jur* fähig, berechtigt, ermächtigt; *être ~ à faire qc* etw geschickt, gewandt tun; *~ aux affaires* geschäftstüchtig; *~ à contracter mariage, à procéder, à succéder, à tester (jur)* heirats- *od* ehe-, prozeß-, erb-, testierfähig; *~ à parler* redegewandt; *~ en tout* in allen Sätteln gerecht; **~té** *f* Geschicklichkeit, Gewandtheit; Tüchtigkeit; Gerissenheit *f*.
habili|tation [abilitasjõ] *f jur* Erteilung *f* der Befugnis, Ermächtigung, Befähigung *f;* **~té** *f vx jur* (Geschäfts-)Fähigkeit *f;* **~ter** *jur* ermächtigen, befähigen, bevollmächtigen (*à* zu), die Befugnis erteilen (*qn* jdm).
habill|age [abijaʒ] *m* Ankleiden, -ziehen; *com* Drapieren, Stecken *n;* Aufmachung *f;* Gehäuse *n;* Montage *f; (Küche)* Zurichten; *agr* Beschneiden *n (vor dem Umpflanzen); typ* Satzanordnung (mit Schrift u. Illustration); *tech* Ummantelung *f;* **~é, e** (an)gekleidet (*de noir* schwarz), (gut) angezogen; *dormir tout ~* in Kleidern schlafen; *habit m ~* Gesellschaftsanzug *m;* **~ement** *m mil* Einkleidung; (Be-)Kleidung *f;* Anzug *m; atelier m d'~* Bekleidungsamt *n; ~ féminin, masculin* Damen-, Herrenkleidung *f; ~ de tête* Kopfbedeckung *f;* **~er 1.** (zum Verkauf) her=, zu=richten, fertig=stellen, instand setzen; zs.=stellen, montieren; **2.** (an=)kleiden, an=ziehen; *(fournir des vêtements)* (ein=)kleiden; *il m'a fait ~ à ses frais* er hat mich auf s-e Kosten ein=kleiden lassen; *la mère ~e l'enfant* die Mutter zieht das Kind an; **3.** *(faire mettre telle ou telle chose)* (be)kleiden, an=ziehen; *~ de* kleiden in *dat; (déguiser)* verkleiden; *~ un enfant en Arlequin* ein Kind als Harlekin verkleiden; *~ez-le chaudement!* zieht ihn warm an! *elle ~e toujours bien ses enfants* sie kleidet ihre Kinder immer ordentlich; **4.** *(Schneider)* arbeiten *(qn* für jdn); *(seoir)* stehen (*qn* jdm); kleiden; *un rien l'~e* alles steht ihr; **5.** *(recouvrir)* über=ziehen, ein=hüllen; *fig (dissimuler)* kleiden *(de* in *acc),* ein=kleiden, zu=decken, verhüllen, verschleiern; aus=schmücken; **6.** *s'~* sich (an=)kleiden; arbeiten lassen *(chez* bei); sich verkleiden (*en* als); Gesellschaftskleidung an=ziehen; *~ qn de toutes pièces (fig)* jdm übel mit=spielen; kein gutes Haar an jdm lassen; **~eur, se** *m f theat* Garderobier(e *f*) *m.*
habit [abi] *m* Kleidung *f;* (Gesellschafts-)Anzug; *(~ noir)* Frack; Rock *m;* Tracht *f,* Kleid, Gewand *n; fig* Form *f,* Äußere(s) *n; pl* Kleidung *f,* Kleider *n pl; se mettre en ~* sich in den Frack werfen; *prendre l'~* ins Kloster gehen; *l'~ ne fait pas le moine (fig)* der Schein trügt; *armoire, brosse f à ~s* Kleiderschrank *m,* -bürste *f; prise f d'~* Einkleidung *f; vieux ~s* getragene Kleidung *f; ~ de cérémonie* große(r) Gesellschaftsanzug *m; ~ de chœur (rel)* Chorrock *m; ~ religieux* Ordenstracht *f; ~ vert* (grüner Rock *m* der) Mitglied(er) *m* der Académie française.
habit|abilité [abitabilite] *f* Bewohnbarkeit *f;* **~able** bewohnbar; **~acle** *m mar* Kompaßhäuschen *n; aero* Kabine *f,* Führerraum; *poet* Wohnsitz *m;* **~ant, e** *s m f* Be-, Einwohner(in *f*) *m; pl* Einwohnerschaft *f; a* wohnhaft; *chez l'~ (mil)* in Privatquartieren; *commune f d'~s* Ortsgemeinde *f; nombre m d'~s* Einwohnerzahl *f; premiers ~s* Ureinwohner *m pl; ~ du pays* Inländer *m; ~s de la maison* Hausbewohner *m pl;* **~at** [-a] *m bot* Standort *m,* Vorkommen; *zoo* Wohn-, Verbreitungsgebiet; *geog* Siedlungsgebiet *n,* -raum *m; allg* Wohnung *f,* Heim(stätte *f*) *n; ~ concentré, dispersé* geschlossene, Streusiedlung *f;* **~ation** *f* Bewohnen (*de* gen), Wohnen *n* (*de* in *dat*); Wohnung; Wohnstätte *f,* -haus *n,* -sitz *m,* Behausung *f; bâtiment m d'~* Wohngebäude *n; construction f d'~* Wohnungsbau *m; droit m d'~* Wohnrecht *n; local m, pièce f d'~* Wohnraum *m; maison f, immeuble m d'~* Wohnhaus *n, pl* -bauten *m pl; rationnement m de l'~* Wohnraumbewirtschaftung *f; surface f d'~* Wohnfläche *f; ~ ancienne* Alt(bau)wohnung *f; ~ individuelle en*

bande continue Reihenhaus *n; ~ de fonction* Dienstwohnung *f; ~ de fortune* Behelfsheim *n; ~ à loyer modéré* Sozialwohnung *f;* **~é, e** bewohnt; *cosm* bemannt; **~er** *tr* bewohnen; *itr* wohnen, leben (*à, dans* in *dat*).

habit|ude [abityd] *f* (An-)Gewohnheit, Gepflogenheit; Vertrautheit (*de* mit); körperliche Verfassung *f, med* Habitus *m; d'~* gewöhnlich; sonst; *par ~* gewohnheitsmäßig, aus Gewohnheit; *avoir l'~ de qc* e-e S gewohnt sein, mit etw umzugehen wissen; *contracter une ~* e-e Gewohnheit an=nehmen; *perdre l'~* sich abgewöhnen (*de qc* e-e S); aus der Gewohnheit kommen; *prendre l'~ de qc* sich an e-e S gewöhnen; *tourner en ~* zur Gewohnheit werden; *homme m d'~* Gewohnheitsmensch *m; mauvaise ~* schlechte Angewohnheit, Unart *f; ~ de consommation* Verbrauchsgewohnheit *f;* **~ué, e** [-tɥe] *m f* Stammgast; Kunde *m,* Kundin *f; vx* Pfarrgehilfe *m; table f des ~s* Stammtisch *m;* **~uel, le** gewohnt; gewöhnlich, üblich; Gewohnheits-; **~uer** gewöhnen (*à* an *acc*); *s'~* sich gewöhnen (à an *acc*) die Gewohnheit an=nehmen (*à* zu) *m.*

habitus [abitys] *m (Physiologie) med* Habitus *m.*

'hâbl|er [ɑble] prahlen, auf=schneiden, *fam* an=geben; **~erie** *f* Prahlerei, Großsprecherei, *fam* Angabe *f;* **~eur, se** *m f* Prahlhans, Aufschneider, *fam* Angeber(in *f*) *m; vulg* Großschnauze *f.*

'Habsbourg [apsbur] *m f* Habsburger(in *f*) *m.*

'hach|e [aʃ] *f* Axt *f,* Beil *n; fait, taillé à coups de ~ (fig)* hingesudelt, verpfuscht; Pfusch-; *~ d'armes* Streitaxt *f; ~-fourrage m* Futterschneidemaschine *f; ~ de guerre* Kriegsbeil *n; ~-légumes m inv* Wiegemesser *n; ~-paille m inv* Häcksel-, Futterschneidemaschine *f; ~ de pierre, de silex (hist)* Steinbeil *n; ~-viande m inv* Fleischwolf *m;* **~é, e** *a. fig* abgehackt; unterbrochen; *viande f ~e* Hackfleisch, Gehackte(s), Mett *n;* **~er** (zer-)hacken, zerhauen, -stückeln, -schneiden; wiegen; zerschlagen; *mil* fast völlig auf=treiben, vernichten; *gram* zerhacken; *(Kunst)* schraffieren; *se faire ~* bis zum letzten Mann kämpfen; *fig* sich in Stücke reißen lassen; *~ menu comme chair à pâté* kurz u. klein, zu Brei schlagen; **~ereau** *m,* **~ette** *f* (Hand-)Beil *n; ~ette de ménage* Küchenbeil *n;* **~is** [-i] *m* Hackfleisch, Gehackte(s) *n.*

'hachisch [aʃiʃ] *m s. haschisch.*

'hach|oir [aʃwar] *m* Hack-, Wiegemesser; Hackbrett *n;* Fleischwolf *m;* **~ure** *f* Schraff(ier)ung, Schraffur *f;* **~urer** schraffieren.

'haddock [adɔk] *m* Schellfisch *m.*

'hagard, e [agar, -rd] wild; verstört, verängstigt; *(Blick)* scheu, irrend.

hagiographie [aʒjɔgrafi] *f* Lebensbeschreibung *f* von Heiligen.

'haie [ɛ] *f* Hecke *f;* Zaun *m;* Umzäunung; Barriere, Sperre; *sport* Hürde; Reihe *f;* Spalier *n (von Menschen); entourer d'une ~* mit e-r Hecke umgeben; ein=zäunen; *faire, former la ~* Spalier bilden; *franchir, sauter une ~* e-e Hürde nehmen; *course f de ~s* Hindernisrennen *n;* Hürdenlauf *m; ~ vive* lebende Hecke *f.*

'haïe [ai] *interj* hü! hott!

'haillon [ajõ] *m* Lumpen, Fetzen, Lappen, Flicken *m; vêtu de ~s* in Lumpen gehüllt, zerlumpt.

'Hainaut, le [ɛno] *geog* der Hennegau.

'hain|e [ɛn] *f* Haß *m* (*de* gegen), Feindschaft *f;* Abscheu, Widerwille *m* (*de, pour* vor *dat*); *en ~ de* aus Haß, Abneigung gegen; *avoir en ~* hassen; *prendre en ~* hassen lernen; **~eux, se** gehässig, boshaft; haßerfüllt, feindselig.

'haï|r [air] *irr* hassen; nicht leiden, aus=stehen, *pop* riechen können; verabscheuen, e-n Abscheu, Widerwillen, Ekel haben (*qc* vor etw); *~ comme la mort, à mort, comme la peste* wie den Tod, die Pest hassen; **~ssable** hassenswert, verabscheuungswürdig.

'haire [ɛr] *f* härene(s) Gewand, Büßerhemd *n.*

Haï|ti [aiti] *m* Haiti *n;* **~tien, ne** [-sjɛ̃, -sjɛn] *a* haitianisch, haitisch; *s m f H~* Haitianer(in *f*) *m,* Haitier(in *f*) *m.*

'halage [alaʒ] *m mar* Treideln *n; câble m de ~ (mar)* Zug- *od* Haltetau *n; chemin m de ~* Leinpfad, Treidelweg *m.*

'halbr|an [albrɑ̃] *m* junge Wildente *f;* **~ené, e** mit gebrochenen Schwungfedern.

'hâl|e [ɑl] *m* braune Hautfarbe; Bräune; Bräunung *f* durch Sonne u. Wind; **~é, e** sonnen-, wettergebräunt.

hal|eine [alɛn] *f* Atem *m, fam* Puste *f;* (Luft-, Wind-)Hauch *m; à perdre ~* endlos *adv; de longue ~* langatmig, -wierig; *hors d'~* außer Atem, atemlos; *sans ~* völlig erschöpft; *(tout) d'une ~ (fig)* in einem Atem, pausenlos, ununterbrochen; *perdre ~* außer

Atem kommen; *(re)prendre* ~ Luft holen; (wieder) auf=atmen, verschnaufen, *fam* sich verpusten; *retenir son* ~ den Atem an=halten; *tenir en* ~ *(fig)* in Atem, in Schach halten, nicht zur Ruhe, Besinnung kommen lassen; fesseln *fig;* **~ener** [alne] *(Jagd)* wittern.

'haler [ale] **1.** *(Hund)* hetzen; **2.** *(Schiff)* treideln, schleppen; *(Tau, Kette)* an=, ein=ziehen, ein=holen.

'hâler [ɑle] *(die Haut)* bräunen.

'hal|etant, e [altɑ̃, -ɑ̃t] keuchend, schnaubend, schnaufend; atemlos, außer Atem; *fam* nach Luft schnappend; ~ **ètement** [alɛtmɑ̃] *m* Keuchen, Schnauben, Schnaufen *n;* **~eter** keuchen, schnauben, schnaufen, *fam* nach Luft schnappen; *(Lokomotive)* fauchen.

'haleur, se [alœr, -øz] *m mar* Treidler *m.*

halieutique [aljøtik] *a* Fischfang-; *s f* Fischfang *m,* Fischerei *f.*

'hall [ol] *m* Saal *m,* Halle *f,* Vestibül *n;* Bahnhofs- *od* Flugzeughalle *f;* ~ *d'exposition* Ausstellungshalle *f,* -raum *m.*

'hallage [alaʒ] *m* Markt-, Standgeld *n.*

hallali [alali] *m (Jagd)* Hallali *n.*

'halle [al] *f* (Markt-, Kauf-)Halle *f; les H~s* die (Pariser) Zentralmarkthallen *f pl; bâtiment m à ~s multiples* Hallenbau *m; dame f de la* ~ Marktfrau *f; fort m de la* ~ Lastträger *m; langage m des ~s* Pöbelsprache *f; marchand m de la* ~ Markthändler *m;* ~ *de dépôt* Lagerhalle *f,* -raum *m;* ~ *d'expédition* Versandschuppen *m;* ~ *de montage* Montagehalle *f.*

'hallebarde [albard] *f* Hellebarde *f; il pleut des ~s* es gießt in Strömen; *cela rime comme* ~ *et miséricorde (fig)* das paßt wie die Faust aufs Auge.

'hallier [alje] *m* Dickicht *n,* Dickung *f.*

hallucin|ant, e [alysinɑ̃, -t] haarsträubend; **~ation** *f* Halluzination, Sinnestäuschung *f;* Trugbild *n;* **~atoire** halluzinatorisch; **~é, e** *a* an Sinnestäuschungen leidend; *fam* verrückt; *s m f* Seher(in *f*), Visionär *m;* **~ogène** *a* halluzinogen; *s m* Halluzinogen *n.*

'halo [alo] *m* Hof (um Sonne *od* Mond); *phot* Lichthof *m.*

halogène [alɔʒɛn] *a chem* halogen; *s m* Halogen *n.*

'halte [alt] *s f* Halt *m,* (An-)Halten *n;* (~ *de routiers)* Halte-, Rastplatz; *loc* Haltepunkt *m;* Rast; *fig* kurze Unterbrechung, Pause *f; interj* halt! *faire (une)* ~ haltmachen, halten, rasten; *halte-là!* halt! stehen=bleiben! *grand-~ f (mil)* Essenspause *f;* ~ *horaire (mil)* Marsch-, *fam* Zigaretten-, Pinkelpause *f.*

halt|ère [altɛr] *m sport* Hantel *f; faire des ~s;* hanteln; **~érophile** *m* Gewichtheber *m;* **~érophilie** *f* Gewichtheben *n.*

'hamac [amak] *m* Hängematte *f.*

'hamburger [ɑ̃burgœr] *m* Hamburger *m.*

'hameau [amo] *m* Weiler *m,* Dörfchen *n.*

hameçon [amsɔ̃] *m* Angelhaken *m; fig* Falle *f; mordre à l'*~ an=beißen *a. fig; fig* auf den Leim, in die Falle gehen.

'hammam [amam] *m* türkische(s) Bad, Dampfbad *n.*

'hampe [ɑ̃p] *f* **1.** (Lanzen-, Speer-) Schaft *m;* (Fahnen-)Stange *f;* (Pinsel-)Stiel; *bot* Schaft *m;* **2.** *(Rind)* Wampe, Wamme; *(Hirsch)* Brust *f.*

'hamster [amstɛr] *m zoo* Hamster *m.*

'han [ɑ̃] *interj* wumm.

'hanap [anap] *m* Humpen *m.*

'hanche [ɑ̃ʃ] *f* Hüfte; *tech* Ausbauchung *f; mettre le poing sur la* ~ *(fig)* e-e entschlossene u. drohende Haltung ein=nehmen; *tortiller des ~s* mit den Hüften wackeln; *(tour m de) ~s* Huftumfang *m; ~s fortes* Gesäßweite *f;* **~r** die Hüften hervor=treten lassen.

'hand|-ball [ɑ̃dbal] *m* Handball *m;* **~balleur, se** [-balœr, -øz] *m* Handball(spiel)er(in *f*) *m.*

'handi|cap [ɑ̃dikap] *m sport* Handikap *n;* Ausgleich *m;* Vorgabe(spiel *n*); *fig* ~ *mental, physique* geistige, körperliche Behinderung *f;* **~capé, e** *a* behindert; *s m f* Behinderte(r *m*) *f;* ~ *mental, physique* geistig, körperlich Behinderte(r *m*) *f;* **~caper** *sport* aus= gleichen; *fig* handikapen; **~sport** *m* Behindertensport *m.*

'hangar [ɑ̃gar] *m* Schuppen *m,* Schutzdach *n;* (Flugzeug-, Luftschiff-) Halle *f;* ~ *à canots* Bootshaus *n.*

'hanneton [antɔ̃] *m* Maikäfer; ~ *des roses* Rosenkäfer *m;* **~nage** *m* Maikäferbekämpfung, -vertilgung *f.*

'Hano|vre [anɔvr] *m* Hannover *n;* **h~vrien, ne** *a* hannoverisch, hannöverisch, hannoversch, hannöversch; *s m f H~* Hannoveraner(in *f*) *m.*

'hans|e, la [ɑ̃s] *hist* Hanse, Hansa *f;* **~éatique** [-sea-] hanseatisch; Hansa-, Hanse-.

'hant|er [ɑ̃te] oft, häufig besuchen, verkehren (*qn* mit jdm, *qc* in etw *dat*), aus= u. ein=gehen (*qn* bei jdm, *qc* in etw); *fig* heim=suchen, keine Ruhe lassen (*qn* jdm), quälen; *maison f ~ée* Haus *n,* in dem es spukt; **~ise** *f*

Unruhe, Angst, Besessenheit *f; j'en ai la ~* mir graut davor.

'happer [ape] *tr* schnappen, erhaschen, fangen; packen, erwischen; *itr* haften, kleben (*à* an *dat*).

'haqu|enée [akne] *f vx* Zelter *m (Pferd);* ~**et** [-ɛ] *m* (Sturz-)Karren *m*.

'hara-kiri [arakiri] *m* Harakiri *m*.

'harangu|e [arɑ̃g] *f* Ansprache; Rede *f; fam* Gewäsch *n*, langweilige Rede; Standpauke *f;* ~**er** e-e Ansprache halten (*qn* an jdn).

'haras [arɑ(a)] *m* Gestüt *n*.

'harasse [aras] *f* Glas-, Porzellankiste *f*.

'haras|sant, e [arasɑ̃, -t] ermüdend, erschöpfend; ~**sement** Erschöpfung, Ermüdung *f;* ~**ser** sehr müde machen; er-, übermüden.

'harc|elant, e [arsəlɑ̃, -ɑ̃t] quälend, störend; ~**èlement** [-sɛlmɑ̃] *m* Quälerei, Plage; Störung *f; mil* Geplänkel *n; tir m de ~* Störfeuer *n;* ~**eler** [-sə-] plagen, quälen; dauernd reizen, ärgern; stören *a. mil*, beunruhigen; heim=suchen.

'hard|e [ard] *f* **1.** *(Wild)* Rudel *n;* **2.** (Hunde-)Koppel *f;* ~**ées** *f pl* Wildschaden *m*.

'hardes [ard] *f pl* Sachen *f pl;* Kleider *n pl; péj* Klamotten *f pl*.

'hardi, e [ardi] *a* kühn, unerschrocken, beherzt, (wage)mutig, tapfer; dreist, frech, unverschämt; *(Sache)* kühn, gewagt; *interj* lustig! munter! los! zu! ~**esse** *f* Kühnheit *f*, Mut *m;* Dreistigkeit, Unverschämtheit *f; prendre la ~ de* sich die Freiheit nehmen, sich erlauben zu; *se permettre des ~s* sich allerhand heraus=nehmen.

'hardware [ardwɛr] *m* Hardware *f*.

'harem [arɛm] *m* Harem *m*.

'hareng [arɑ̃] *m* Hering; *arg vx* Zuhälter *m; être serrés comme des ~s* wie Heringe zs.gepfercht sein; *la caque sent toujours le ~* der Apfel fällt nicht weit vom Stamm; *~ frais, frit* od *grillé, mariné, pec* od *salé, vierge* grüne(r), Brat-, marinierte(r) *od* Bismarck-, Salz-, Matjeshering *m; ~ roulé* Rollmops *m; ~ saur, fumé* Bückling *m;* ~**aison** *f* Heringsfang(zeit *f*) *m;* ~**ère** [-ʒɛr] *f* Fischhändlerin *f; fig* Fischweib *n;* ~**erie** *f dial* Heringsmarkt *m;* ~**uet** [-gɛ] *m* Sprotte *f;* ~**uière** [-gjɛr] *f* Heringsnetz *n*.

'haret [arɛ] *a: chat m ~* Wildkatze *od* wildernde Katze *f*.

'har|gne [arɲ] *f* Bissigkeit, Gehässigkeit, Streitsucht *f;* ~**gneux, se** zänkisch, streitsüchtig, gehässig; kratzbürstig, mürrisch, grämlich; *(Tier)* bösartig, bissig.

'haricot [ariko] *m* Bohne *f; c'est la fin des ~s! (pop)* das ist (doch) die Höhe! *table f ~* nierenförmige(r) Tisch *m; ~s blancs, verts* weiße *od* Fitzbohnen, grüne *od* Schnitt- *od* Brechbohnen *f pl; ~ d'Espagne* Feuerbohne *f; ~s grimpants, nains* Stangen-, Buschbohnen *f pl*.

'haridelle [aridɛl] *f* Schindmähre; *fig* dürre Zicke *f*.

harmonica [armɔnika] *m mus* Harmonika *f; ~ à bouche* Mundharmonika *f*.

harmon|ie [armɔni] *f* Einklang *m*, Harmonie *f;* Wohlklang, -laut *m; mus* Harmonielehre *f;* Blasorchester *n; fig (~ des proportions)* Ebenmaß *n*, Ausgeglichenheit; Übereinstimmung; Eintracht *f*, Einklang *m; en (bonne) ~* einträchtig, in gutem Einvernehmen; *être en ~ avec* sich in Einklang, Übereinstimmung befinden mit; *manquer d'~* nicht (recht) zs.=passen; *mettre en ~* in Einklang bringen; *mauvaise ~* Disharmonie *f*, Mißverhältnis, schlechte(s) Einvernehmen *n;* ~**ieux, se** harmonisch; wohlklingend, -lautend; *fig* ausgeglichen; ~**ique** *a math phys mus* harmonisch; *s f* Oberschwingung *f;* ~**iser** in Einklang bringen; *s'~* sich aus=gleichen.

harmonium [armɔnjɔm] *m mus* Harmonium *n*.

'harn|achement [arnaʃmɑ̃] *m* Anschirren; (Pferde-)Geschirr; *mil fam* Lederzeug *n; fig fam* lächerliche(r) Aufzug *m;* ~**acher** *(Pferd)* an=schirren; *fig fam* lächerlich heraus=putzen; *s'~* sich geschmacklos an=ziehen; *être bien ~é (arg)* (gut) in Schale sein; ~**ais** [-nɛ] *m* (Pferde-) Geschirr *n; fam* Klamotten *f pl; hist* Harnisch *m*, Rüstung *f; tech* Getriebe, Vorgelege *n; blanchir, vieillir sous le ~* im (Waffen-)Dienst ergrauen; *cheval m de ~* Zug-, Arbeitspferd *n; ~ d'engrenage* Zahnradgetriebe *n*.

'haro [aro] *m: crier ~ sur qn* sich über jdn laut entrüsten.

harpagon [arpagɔ̃] *m* Geizhals, Knauser, Knicker *m*.

'harpail(le) *f* [arpaj] *m* Rudel *n* Hirschkühe (u. Junghirsche).

'harpe [arp] *f* **1.** Harfe *f;* **2.** *arch* (zur Verzahnung) vorstehende(r) Stein; Haken *m*, Klammer *f; ~ éolienne* Äolsharfe *f*.

'harpie [arpi] *f (Mythologie) orn* Harpyie; *fig* Furie *f*.

'harpiste [arpist] *m f* Harfenspieler(in *f*) *m*.

'harpon [arpõ] *m* Harpune *f; tech* Greifer; *arch* Haken *m*, Klammer *f;* **~ner** *tr itr* harpunieren; *tr pop* erwischen, -greifen; **~neur** *m* Harpunierer *m*.

'hasard [azar] *m* Zufall *m;* Glück(ssache *f*) *n;* Chance *f;* Risiko *n; pl* Zufälligkeiten *f pl*, Wechselfälle *m pl; à tout* ~ auf gut Glück; auf alle Fälle; *au* ~ aufs Geratewohl; *de* ~ zufällig; Zufalls-; *par* ~ zufällig *(in Fragen ironisch);* etwa, vielleicht; *par le plus grand des ~s* wie durch ein Wunder; *laisser au* ~ dem Zufall überlassen (*de* zu); *parler au* ~ ins Blaue hinein reden; *s'en remettre au* ~ es dem Zufall überlassen; *coup m de* ~ Glücks-, Zufall *m; (pur) effet m de* ~ (reine) Glückssache *f; jeu m de* ~ Glücksspiel *n;* **~é, e** gewagt, riskant, gefährlich; unüberlegt; **~er** aufs Spiel setzen; wagen, riskieren; *se* ~ es wagen (*à* zu); **~eux, se** gewagt, riskant, gefährlich; bedenklich.

'hasch [aʃ] *m arg* Hasch *n;* **~isch** [aʃiʃ] *m* Haschisch *m* od *n*.

'hase [ɑz] *f* Häsin *f*.

'hasté, e [aste] *bot* lanzenförmig.

'hât|o [ɑt] *f* Eile, Hast(igkeit); Übereilung; Ungeduld *f; à la* ~ überstürzt; *en (toute)* ~ [ɑ̃(tutə)ɑt] in (aller) Eile; *avoir* ~ es (sehr) eilig haben (*de* mit, zu); **~er** (vor)an=treiben; beschleunigen; *se* ~ sich beeilen; *~e-toi lentement! (prov)* eile mit Weile! **~if, ive** vor-, frühzeitig; frühreif; übereilt, -stürzt.

'hauban [obɑ̃] *m mar* Wanttau; *arch tech* Halte-, Rüst-, Ankerseil *n;* Spanndraht *m; pl mar* Wanten *pl*.

'haubert [obɛr] *m hist* Panzerhemd *n*.

'hauss|e [os] *f* Unterlage *f*, -satz *m; (Gewehr)* Visier *n; com* Preiserhöhung, -steigerung *f* (*de* um); Steigen *n* der Kurse; Hausse *f; en* ~ *(com)* steigend; *accuser une* ~ e-e Steigerung auf=weisen; *être en* ~ *(com)* steigen; *spéculer, jouer à la* ~ auf das Steigen der Kurse spekulieren; ~ *abusive, illicite* Preistreiberei *f;* ~ *des commandes* Auftragswelle *f;* ~ *en flèche des prix* rasche(s) Ansteigen *n* der Preise; ~ *des loyers* Mieterhöhung *f;* **~ement** *m:* ~ *d'épaules* Achselzucken *n;* **~er** *tr* höher machen, erhöhen; verstärken; er-, hoch=heben; *(Preis)* in die Höhe treiben; *mus* höher stimmen; *(Auto)* heben, hoch=winden, auf=bocken; *fig* steigern; (er)heben; stärken; *itr* steigen, an=wachsen, an=schwellen (*de* um); höher *od* zu hoch sein; *(Preise)* steigen, an=ziehen; *se* ~ mehr scheinen wollen, als man ist; ~ *le coude (fig fam)* (sich be)trinken; ~ *les épaules* die Achseln zucken; *se* ~ *sur la pointe des pieds* sich auf die Zehenspitzen stellen; ~ *la voix* die Stimme heben; **~ier** *m* Preis-, Kurstreiber; Terminverkäufer *m;* **~ière, aussière** *f mar* Trosse; *agr* Wagenleiter *f*.

'haut, e [o, ot] *a* hoch; groß; obere(r, s); *geog* Ober-, Hoch-; *geog* hoch gelegen; *(Wasser)* tief; *(Stimme)* laut, hell; *mus* hoch(gestimmt); *fig* hoch, groß; hochgestellt, vornehm, edel, erhaben *(a. Stil);* hochmütig, arrogant; gewaltig; *(Unrecht)* schreiend; *adv* hoch *a. fig; (auf Kisten)* oben; laut; *(zeitlich)* weit (zurückliegend); frei, offen (heraus); *s m* Höhe; Spitze *f*, Gipfel; (der) höchste Punkt, (der) höhere, obere Teil *m;* Oberteil *n; mus* (die) Obertöne *m pl; la ~e (pop)* die Hautevolee; *à ~e voix* mit lauter Stimme; *au* ~ *de* auf der Höhe von; *au, en* ~ *de* oben auf, oben in *dat; de* ~ von oben; *fig* von oben herab; im ganzen; *de ~e lutte* nach erbittertem Kampf; *de ~e mer* Hochsee-; *d'en* ~ von oben; vom Himmel; *du* ~ *de* von ... herab, herunter *a. fig; du, de* ~ *en bas* von oben nach *od* bis unten; *en* ~ oben; hinauf; aufwärts; *en* ~ *lieu* an höherer Stelle, höher(e)n Ort(e)s; *là-*~ da, dort oben, droben; im Himmel; *plus* ~ weiter oben; *tout* ~ *(adv)* ganz laut; ~ *la main* mühelos, spielend; *avoir la ~e main* die Oberhand haben; *dans* od *sur qc* das Regiment bei etw führen; *avoir une ~e opinion de qc* e-e hohe Meinung von etw haben; *avoir le verbe* ~ das große Wort führen; *avoir de ~es visées* hoch hinaus=wollen; *faire un ~-le-corps* in die Höhe fahren; *jeter, pousser les ~s cris* ach u. weh schreien, *fam* sich fürchterlich an=stellen; *marcher, porter la tête ~e* den Kopf hochtragen; niemandes Blick scheuen; *penser tout* ~ laut denken; *le prendre de* ~ *avec qn* jdn von oben herab behandeln; *regarder qn de* ~ auf jdn herab=blikken; *tenir la bride ~e à qn* jdm den Brotkorb höher hängen; *tenir la dragée ~e à qn* es jdm schwer=machen; *tenir en ~e estime* hochschätzen; *tenir le* ~ *du pavé* Herr der Lage sein; e-e wichtige Stellung ein=nehmen; *tomber de son* ~ der Länge nach, lang hinfallen; *fig* wie aus allen Wolken fallen; *viser (trop)* ~ (zu) hoch hinaus=wollen; *voir qc de* ~ etw überblicken; ~ *les bras!* an die Arbeit! ~ *les cœurs! (fig)* Kopf hoch! ~ *les mains!* Hände hoch! *la mer est ~e* die See geht hoch; *Chambre f ~e (pol)* Oberhaus *n; (chapeau m) ~ de forme* Zylinder *m (Hut); exécuteur m des ~es œuvres* Henker, Scharfrichter *m; mer f ~e* Flut *f; ordre m d'en ~* höhere(r) Befehl *m; le Très-Haut* der Allerhöchste *(Gott); ~-allemand* hochdeutsch; *~e antiquité f* graue(s) Altertum *n; la H~e Autorité* die Hohe Behörde (der Montanunion); *les ~s et les bas* das Auf u. Ab; *la H~e-Bavière, -Franconie, -Silésie, -Italie* Oberbayern, -franken, -schlesien, -italien *n; ~-de--chausses m (vx)* (Knie-)Hose *f; (Schule)* die Oberklassen *f pl; ~-le--cœur m inv* Übelkeit *f; ~ commandement m* Oberkommando *n; ~e conjoncture f* Hochkonjunktur *f; ~e considération f* Hochachtung *f; ~e--contre f (mus)* Alt(stimme *f*); Altist(in *f*) *m; ~-le-corps m inv* Auffahren *n;* Ruck *m; ~ en couleur* farbenfreudig, farbenfroh; in grellen Farben; *(Teint)* frisch; hochrot; *(Stil)* farbig, lebhaft; *~e cour f (de justice)* hohe(r) Gerichtshof *m; ~e cour f administrative* Oberverwaltungsgericht *n; la H~e Couture* die führenden Modehäuser; *~e école f (Reiten)* Hohe Schule *f; ~es études f pl* Hochschulstudien *n pl; ~ fait m* Heldentat *f; la ~e finance* die Hochfinanz, Geldaristokratie *f; ~ fourneau m* Hochofen *m; ~e fréquence f (el)* Hochfrequenz *f; ~e futaie f* Hochwald *m; ~es latitudes f pl geog* höhere Breiten *f pl; ~e lutte f* heftige(r) Kampf *m,* Ringen *n; ~ mal m* Fallsucht, Epilepsie *f; ~es mathématiques f pl* höhere Mathematik *f; la ~e mer* die hohe, offene See; *~e montagne f* Hochgebirge *n; ~e nouveauté f* Allerneueste(s) *n; ~ m d'une page* Seitenanfang *m; le H~--Palatinat* die Oberpfalz; *~-parleur m* Lautsprecher *m; ~-pendu m* Regenwolke *f; ~(-)le(-)pied a (Pferd)* frei; *loc* einzeln; *s m loc* Leerfahrt *f; ~ plateau m* Hochebene *f; ~e pression f (Meteorologie) tech* Hochdruck *m; ~-relief m (Kunst)* Hochrelief *n; le H~-Rhin* der Oberrhein *m; ~e saison f* Hochsaison *f; ~e surveillance f* Oberaufsicht *f; ~e tension f (el)* Hochspannung *f; ~e trahison f* Hochverrat *m; la ~e volée* od *société* die bessere Gesellschaft *f;* **~ain, e** stolz; hochmütig, eingebildet.

'haut|bois [obwa] *m mus* Oboe *f;* Oboist *m (a.* **~boïste** *m).*

'haut|ement [otmɑ̃] *adv* sehr, höchst, äußerst; **~eur** *f* Höhe *f a. math astr;* Anhöhe; *fig vx* Erhabenheit *f,* Adel *m (der Gesinnung); péj* Hochmut *m;* Anmaßung, Arroganz; *tech* Bodenfreiheit *f; à la ~ de (mar)* auf der Höhe von; *être à la ~ de qc, de son temps* e-r S *(dat)* gewachsen, auf der Höhe der Zeit sein; *prendre de la ~ (aero)* Höhe gewinnen, steigen; *tomber de sa ~* der Länge nach, lang hin=fallen; *fig* wie aus allen Wolken fallen; *saut m en ~* Hochsprung *m; ~ d'appui (arch)* Brusthöhe *f; ~ du baromètre, barométrique* Barometerstand *m; ~ de colonne (typ)* Spaltenhöhe *f; ~ de course (tech)* Hubhöhe *f; ~ du jour (arch)* lichte Höhe *f; ~ d'une lettre (typ)* Buchstabenhöhe *f; ~ méridienne (astr)* Meridian-, Mittagshöhe *f; ~ du pôle, polaire (astr)* Polhöhe *f; ~ du soleil* Sonnenstand *m,* -höhe *f; ~ du son* Tonhöhe *f; ~ de vol* Flughöhe *f.*

'Havane, la [avan] *geog* Havanna *n; h~ s m* Havanna(tabak) *m;* Havanna(zigarre) *f; a inv* hellbraun.

'hâve [ɑv] bleich, blaß; abgezehrt, hager.

'haveneau, ~enet [avno, -ɛ] *m* Krabbennetz *n.*

'havre [ɑvr] *m* (kleiner) Hafen; *fig* Zufluchtsort *m.*

'havresac [avrəsak] *m tech* Gerätetasche *f.*

Hawaï [awai] *m* Hawaii *n;* **~en, ne** *a* hawaiisch; *s m f* Bewohner(in *f*) *m* von Hawaii; *m gram* Hawaiisch(e) *n.*

'Haye, la [ɛ] *geog* Den Haag, *vx* der Haag.

'hayon [ɛjɔ̃] *m* Hecktür *f.*

'hé [(h)e] *interj* he(da)! hallo! nanu! nun! ach! *~!* nun ja! allerdings! *~ quoi!* nanu! was!

'heaume [om] *m hist* Helm *m.*

hebdomadaire [ɛbdɔmadɛr] *a* wöchentlich; Wochen-; *s m* Wochenzeitschrift *f.*

héberge [ebɛrʒ] *f jur* (oberer) Abschluß *m* e-r gemeinsamen Grenzmauer.

héberg|ement [ebɛrʒmɑ̃] *m* Beherbergung, Aufnahme; Unterbringung *f;* **~er** beherbergen, auf=nehmen; Unterkunft bieten *od* gewähren (*qn* jdm).

hébét|ant, e [ebetɑ̃, -ɑ̃t] *a* abstumpfend; **~é, e** *a* (abge)stumpf(t); stumpfsinnig, dumm; **~ement** [ebɛt-] *m* Abstumpfung; Verdummung *f;* Stumpfsinn *m;* **~er** stumpfsinnig machen, verdummen; ab=stumpfen; **~ude** *f* Stumpfsinn *m,* -heit *f.*

hébr|aïque [ebraik] hebräisch; **~eu** [-brø] *a m* hebräisch; *s m* (das) Hebräisch(e); *H~ m* Hebräer *m; c'est de*

l'~ pour moi das sind böhmische Dörfer für mich.
hécatombe [ekatɔ̃b] *f* Hekatombe *f*, Blutbad *n*.
hectare [ɛktar] *m* Hektar *m*.
hectique [ɛktik] *med* hektisch.
hecto|- [ɛkto] *(in Zssgen)* hundert; **~gramme** *m* Hektogramm *n*; **~litre** *m* Hektoliter *m* od *n*; **~mètre** *m* Hektometer *n*.
hégémonie [eʒemɔni] *f* Vorherrschaft, Führerschaft, Führung *f*.
hégire [eʒir] *f rel hist* Hedschra *f*.
'hein [(h)ɛ̃] *interj fam* ja? was! nicht wahr! nun? na? ha(ha)! nanu? wie (bitte)?
'hélas [elas] *interj* ach! o weh! leider.
Hélène [elɛn] *f* Helene *f*; *la Belle ~ (von Troja)* die Schöne Helena.
'héler [ele] *mar* preien, an⸗rufen, -sprechen; *allg* her(an⸗, -bei⸗)rufen.
héli|anthe [eljɑ̃t] *m bot* Sonnenblume *f*; **~anthème** [-tɛm] *m bot* Sonnenröschen *n*; **~anthine** [-tin] *f chem* Helianthin *n*.
héli|ce [elis] *f math* Schraubenlinie; *arch* Schnecke; *zoo* Schnirkelschnekke; *aero* Luftschraube *f*, Propeller *m*; *escalier m en ~* Wendeltreppe *f*; *vapeur m à ~* Schraubendampfer *m*; *~ de navire* Schiffsschraube *f*; *~ propulsive, sustentatrice, tractive* Druck-, Hub-, Zugschraube *f*; *~ transporteuse* Förderschnecke *f*; *~ tripale, à trois pales* dreiflügelige Luftschraube *f*; **~ciculture** [-si-] *f* Schneckenzucht *f*; **~coïdal, e**; **~coïde** [-koi-] *a math* schraubenförmig; Schrauben-; *s f math* Schraubenfläche *f*; **~con** *m mus* Helikon *n*; **~coptère** [-kɔptɛr] *m aero* Hubschrauber *m*.
hélio- [eljɔ] *(in Zssgen)* Sonnen-; **~centrique** *astr* heliozentrisch; **~chromie** *f* Farb(en)photographie *f*; **~graphe** *m astr* Heliostat *m*; **~graphie** *f* Sonnenbeschreibung; Lichtpause *f*; **~(gravure)** *f* Lichtdruck *m*, Heliogravüre; Lichtpause *f*; **~thérapie** *f med* Lichtbehandlung *f*; **~trope** [-trɔp] *m bot* Heliotrop *n*; **~tropine** *f chem* Heliotropin, Piperonal *n*; **~tropisme** *m biol* Lichtwendigkeit *f*.
héli|port [elipɔr] *m*, **~gare** *f* Landeplatz *m* für Hubschrauber; **~porté, e** mit Hubschraubern befördert; Hubschrauber-.
hélium [eljɔm] *m chem* Helium *n*.
hélix [eliks] *m anat* Ohrrand *m*; *zoo* Schnirkelschnecke *f*.
hellébore [ɛlebɔr] *s. ellébore*.
Héll|ène [elɛn] *m* Hellene, Grieche *m*; **h~énique** hellenisch, griechisch; **h~énisation** *f* Hellenisierung *f*; **h~éniser** hellenisieren; **h~énisme** *m* griechische Kultur *f*; Hellenismus *m*; **h~éniste** *m* Hellenist *m*; **h~énistique** hellenistisch.
helvét|ien, ne [ɛlvesjɛ̃, -ɛn], **~ique** [-tik] helvetisch, schweizerisch.
'hem [(h)ɛm] *interj* hm.
héma|- [ema] *(in Zssgen)* Blut-; **~témèse** [-temɛz] *f* Bluterbrechen *n*; **~tie** [-ti] *f anat* rote(s) Blutkörperchen *n*; **~tite** *f min* Roteisenstein *m*; **~tographie, ~tologie** *f* Hämatologie *f*; **~tome** [-tom] *m* Blutgeschwulst *f*; **~tose** *f (Physiologie)* Arterialisation *f*; **~t(os)ine** *f* Hämatin *n (Farbstoff)*; **~turie** *f* Blutharnen *n*.
héméralopie [emeralɔpi] *f med* Nachtblindheit *f*.
hemi|- [emi] *(in Zssgen)* Halb-; **~cycle** *m* Halbkreis *m a. arch*; **~plégie** *f med* halbseitige Lähmung *f*; **~plégique** *a* halbseitig gelähmt; *s m f* halbseitig Gelähmte(r *m*) *f*; **~ptères** [-miptɛr] *m pl zoo* Halbflügler *m pl*; Wanzen *f pl*; **~sphère** *m* (*bes.* Erd- *od* Himmels-)Halbkugel; Hemisphäre; *anat* Gehirnhälfte *f*; **~sphérique** halbkugelförmig; **~stiche** [-mistiʃ] *m* Halbvers *m*.
hémo|- [emɔ] *(in Zssgen)* Blut-; **~globine** *f* Hämoglobin *n*, rote(r) Blutfarbstoff *m*; **~pathie** *f* Blutkrankheit *f*; **~phile** *a* Bluter-; *s m* Bluter *m*; **~philie** *f* Bluterkrankheit *f*; **~ptysie** [-ptizi] *f* Bluthusten *n*; *~ violente (med)* Blutsturz *m*; **~rragie** [-mɔraʒi] *f* Blutung, Hämorrhagie *f*; Bluterguß; *fig* Aderlaß *m*, Einbuße *f*; *~ cérébrale, pulmonaire, rénale* Gehirn-, Lungen-, Nierenblutung *f*; *~ gastrique de l'estomac* Magenblutung *f*, -bluten *n*; *~ nasale* Nasenbluten *n*; *~ secondaire* Nachblutung *f*; **~rragique** *med* hämorrhagisch; **~rroïdes** [emɔrɔid] *f pl med* Hämorrhoiden *f pl*; **~stas(i)e** *f* Blutstillung *f*; **~statique** *a* blutstillend; *s m* blutstillende(s) Mittel *n*.
(h)endécagone [ɛ̃dekag(o)ɔn] *s m* Elfeck *a* elfeckig.
'henn|é [ɛne] *m* Henna(strauch *m*) *f*.
'henn|ir [enir] *(Pferd)* wiehern; **~issement** *m* Wiehern, Gewieher *n*.
Henri [ɑ̃ri] *m* Heinrich *m*.
'hep [(h)ɛp] *interj* hallo! he!
hépat|ique [epatik] *a anat med* Leber-; *s m f* Leberkranke(r *m*) *f*; *s f bot* Lebermoos *n*; **~ite** *f* Leberentzündung *f*; **~o-** *(in Zssgen) anat med* Leber-.
hept|(a)- [ɛpt(a)] *(in Zssgen)* Sieben-;

~**aèdre** [-ɛdr] *m math* Siebenflächner *m;* ~**agone** *s m* Siebeneck *n; a* siebeneckig (*a.* ~**agonal, e**).
héraldique [eraldik] *a* heraldisch; Wappen-; *s f* Wappenkunde, Heraldik *f.*
'héraut [ero] *m* Herold *m.*
herb|acé, e [ɛrbase] krautartig; *plantes f pl* ~*es* einjährige Pflanzen *f pl;* ~**age** *m* Kräuter *n pl;* Grünzeug, -futter *n;* Weide(platz *m*) *f;* ~**ager** *(Vieh)* weiden (lassen); ~**ager, ère** Viehmäster(in *f*) *m.*
herb|e [ɛrb] *f* Kraut; Gras, Grün *n;* Rasen *m; (Marihuana, Haschisch) pop* Gras *n; pl* Gemüse *n; en* ~ noch grün, unreif; *fig* (zu)künftig; *fam* angehend, in spe; *couper l'*~ *sous le pied de qn* jdn aus=stechen, jdm den Rang ab=laufen; *manger son blé, son bien en* ~ von Vorschüssen leben; *mauvaise* ~ *croît toujours (prov)* Unkraut vergeht nicht; *blé m en* ~ junge Saat *f; bouillon m d'*~*s, aux* ~*s* Kräutersuppe *f; brin m d'*~ Grashalm *m; fines* ~*s* Gewürzkräuter, feine Kräuter *n pl; mauvaise* ~ Unkraut *n; fig* Taugenichts *m;* ~ *d'amour* Vergißmeinnicht *n;* ~*s aromatiques* Gewürzkräuter *n pl;* ~*s marines* Meeresflora *f;* ~*s médicinales, officinales* Heilkräuter *n pl;* ~*s potagères* Küchenkräuter *n pl;* ~**eux, se** grasbewachsen; ~**icide** [-bisid] *a* unkrautvernichtend; *s m* Unkrautvernichtungsmittel *n;* ~**ier** *m* Herbarium *n; agr* Grasschuppen *m;* ~**ivore** *a zoo* pflanzenfressend; *s m pl* pflanzenfressende Tiere *n pl;* ~**orisateur,** ~**orisatrice** *m f* Pflanzensammler(in *f*) *m;* ~**oriser** Pflanzen sammeln; ~**oriste** *m* (Heil-)Kräuterhändler *m;* ~**oristerie** (Heil-)Kräuterhandlung *f,* -handel *m;* ~**u, e** *a* grasig, grasbewachsen; *s f agr* magere(r) Boden; *tech* Tonerdezusatz *m.*
hercul|e [ɛrkyl] *m* Herkules, starke(r) Mann; (Schwer-)Athlet *m;* ~**éen, ne** herkulisch, gewaltig, riesig.
'hère [ɛr] *m* **1.** *(pauvre* ~*)* Habenichts, arme(r) Teufel, arme(r) Schlucker; **2.** *(Jagd)* Knopfspießer *m.*
héré|ditaire [ereditɛr] *jur biol* erblich; Erb-; *bien m* ~ Erbgut *n; défaut, vice m* ~ Erbfehler *m,* -übel *n; mal m* ~ erbliche Belastung *f; ordre m* ~ Erbfolge *f; part f* ~ Erbteil *n;* ~**dité** *f* Vererbung *a. biol;* Erblichkeit *f a. biol;* Erbrecht *n; jur* Erbschaft *f,* Erbe *n; dévolution f de l'*~ Erbfall *m; pétition f d'*~ Erbschaftsklage *f.*
héré|sie [erezi] *f rel* Ketzerei, Irrlehre *f a. fig;* ~**tique** *a* ketzerisch, häretisch; *s m f* Ketzer(in *f*), Häretiker *m.*
'hériss|é, e [erise] *(Haare)* gesträubt, struppig, borstig, stachelig; *fig* bedeckt, gespickt (*de* mit); starrend, strotzend (*de* von); voll(er) (*de* ...); kratzbürstig, störrisch, verstockt, schwer zugänglich; ~ *de difficultés* voller Schwierigkeiten; ~**er** *(Haare, Federn)* auf=richten, sträuben; spikken, versehen, aus=statten (*de* mit); *se* ~ s-e Haare *od* Federn auf=richten *od* sträuben; *(Haare)* sich sträuben, zu Berge stehen; sich *(mit spitzen Gegenständen)* bedecken; *fig* sich sträuben, abgeneigt sein, e-e ablehnende Haltung ein=nehmen.
'hérisson [erisɔ̃] *m zoo* Igel *m a. tech agr; tech* Stachelwalze *f;* Rohrwischer; Stacheldraht *m; fig* Stachelschwein *n,* bärbeißige(r) Mensch *m; mil* Igelstellung *f,* Widerstandsnest *n.*
hérit|age [eritaʒ] *m* Erbschaft *f;* Erbe, Erbteil *n a. fig;* Hinterlassenschaft *f,* Nachlaß *m; faire, répudier un* ~ e-e Erbschaft machen, aus=schlagen; *acceptation f de l'*~ Erbschaftsannahme *f; bail m d'*~ Erbpacht *f; captation f d'*~ Erbschleicherei *f; contrat m d'*~ Erbvertrag *m; dévolution f de l'*~ Erbanfall *m; liquidation f d'*~ Erbausea.setzung *f; oncle m, tante f à* ~ Erbonkel *m,* -tante *f; pétition f d'*~ Erbanspruch *m,* Erbschaftsklage *f; renonciation f à l'*~ Erbschaftsverzicht *m;* ~**er** *itr tr* erben (*de qc* e-e S, *qc de qn* etw von jdm), beerben (*de qn* jdn); ~**ier, ère** *m f* Erbe *m,* Erbin; Erbberechtigte(r *m*) *f; faire son* ~ *de qn* jdn als Erben ein=setzen; *certificat m d'*~ Erbschein *m; institution f d'*~ Erbeinsetzung *f;* ~ *collatéral, contractuel* od *conventionnel, institué, légitime, principal, substitué, universel* Seiten-, Vertrags-, Testaments-, gesetzlich(r), Haupt-, Ersatz-, Universalerbe *m.*
herma|phrodisme [ɛrmafrɔdism] *m biol* Zwittertum *n,* -bildung *f,* Hermaphrodi(ti)smus(tis)mus *m;* ~**phrodite** *s m* Zwitter *m; a* Zwitter-.
herméneutique [ɛrmenøtik] *a rel* hermeneutisch; *s f* Hermeneutik, Deutung *f.*
hermès [ɛrmɛs] *(buste m en* ~*) (Kunst)* Herme *f.*
hermétique [ɛrmetik] hermetisch, luftdicht; *fig* unklar, unverständlich.
hermi|ne [ɛrmin] *f* Hermelin(pelz *m*) *n;* ~**nette, erminette** *f* Dachs-, Querbeil *n.*
hermi|tage [ɛrmitaʒ], ~**te** *s. erm-.*
'herni|aire [ɛrnjɛr] *a med* Bruch-; *bandage m* ~ Bruchband *n;* ~**e** [-ni] *f* (Eingeweide-)Bruch *m;* ~ *crurale, in-*

guinale, ombilicale, scrotale Schenkel-, Leisten-, Nabel-, Hodenbruch *m;* ~ *(ir)réductible, étranglée* bewegliche(r) (irreponibler), eingeklemmte(r) B.; **~é, e** [-nje] *med* ausgetreten; **~eux, se** *a* bruchleidend; Bruch-; *s m f* Bruchleidende(r *m*) *f;* **~otomie** *f* Bruchoperation *f.*

héro|ï-comique [erɔikɔmik] komisch-heroisch; *poème m* ~ komische(s) Heldengedicht *n;* **~ïne** [-rɔin] *f* **1.** Heldin *f a. theat;* **2.** *pharm* Heroin *n;* **~ïque** heldisch, heldenhaft, heroisch; Helden-; *pharm* drastisch; *poème m* ~ Heldengedicht *n; temps m pl* ~*s* Heldenzeitalter *n;* **~ïsme** *m* Heldenmut *m,* -haftigkeit *f,* -tum *n,* Heroismus *m.*

'héron [erɔ̃] *m orn* Reiher *m;* ~ *cendré* Fischreiher *m;* **~neau** [-rɔ-] *m* junge(r) Reiher *m;* **~nière** *f* Reiherstand *m,* -kolonie *f.*

'héros [ero] *m* Held *a theat fig;* Heros, Halbgott *m;* Hauptperson *f.*

herp|ès [ɛrpɛs] *m med* Herpes *m;* ~ *zoster m* Gürtelrose *f;* **~étique** *med* flechtenartig; Flechten-.

'hers|e [ɛrs] *f agr* Egge *f;* dreieckige(r) Kirchenkandelaber *m; (Burg)* Fallgatter *n; mar* Stropp; Dachstuhlgrundriß *m;* **~er** eggen.

hertz [ɛrts] *m* Hertz *n;* **~ien, ne** *a* Hertz-.

hésit|ant, e [ezitɑ̃, -ɑ̃t] zögernd; schwankend, unschlüssig; *(Rede)* stockend; *(Wetter)* unbeständig, wechselhaft; **~ation** *f* Zaudern, Zögern, Schwanken *n;* Unschlüssigkeit *f;* Anstoßen, Stocken *n (in der Rede); avec* ~ stockend; **~er** zögern (*à* zu), zaudern; schwanken (*entre* zwischen *dat*), unschlüssig sein (*sur* über *acc*); Bedenken haben *od* tragen (*à Inf.* zu *Inf*); *(in der Rede)* stocken, an=stoßen, stecken=bleiben.

'Hesse, la [ɛs] Hessen *n.*

hétaïre [etair] *f* Hetäre *f.*

hétéro|clite [eterɔklit] anders-, eigenartig; seltsam, wunderlich; verschiedenartig; *gram med* von der Regel abweichend, unregelmäßig; **~doxe** [-dɔks] *a* vom rechten Glauben abweichend, andersgläubig, ketzerisch; *s m* Ketzer *m;* **~doxie** *f* Ketzerei; Irrlehre *f;* **~dyne** [-din] *f radio* Überlagerungsempfänger *m;* **~gène** heterogen; *allg* ungleich-, verschiedenartig; **~généité** *f* Ungleichheit, Verschiedenartigkeit, Heterogenität *f;* **~morphe** *biol* verschiedengestaltig; **~plastie** [-plasti] *f med* Gewebsübertragung, -pflanzung, Heteroplastik *f;* **~sexualité** *f* Heterosexualität *f;* **~sexuel, le** *a* heterosexuell; *s m f* Heterosexuelle(r *m*) *f.*

'hêtr|aie [ɛtrɛ] *f* Buchengehölz *n,* -wald *m;* **~e** *m bot* Buche *f.*

'heu [ø] *interj* oh! sieh da! schau an! hm! pah! bah! ~*!* so lala.

heure [œr] *f* Stunde; Zeit(punkt *m*) *f;* Augenblick, Moment *m; (Zeitangabe)* Uhr; *pl* Zeit *f;* (stündliche) Gebete *n pl; H~s* Stundenbuch *n; à l'~* pünktlich; stundenweise; *à l'~ actuelle* gegenwärtig; *à une ~ avancée* in vorgerückter Stunde; *à cette ~, à l'~ qu'il est* im Augenblick, im Moment; *à l'~ dite* zur festgesetzten Zeit; *à une ~ indue* zu unpassender *od* nachtschlafender Zeit; *à l'~ militaire* mit militärischer Pünktlichkeit; *à quelle ~?* wann? *à ses ~s* wenn es e-m paßt; zu s-r Zeit; gelegentlich; *à l'~ sonnante* auf den Glockenschlag; *à toute(s les) ~(s)* jederzeit; zu jeder Tages(- u. Nacht)zeit; *avant l'~* vor der Zeit, vorzeitig; *d'une ~ à l'autre, d'~ en ~* von Stunde zu Stunde; stündlich; jeden Augenblick; *de bonne ~* früh(zeitig); *des ~s entières, durant des ~s* stundenlang; *par ~* stündlich; stundenweise; *pour l'~* für jetzt; *pour le quart d'~* im Augenblick; *deux ~s de suite* zwei Stunden hinterea.; *sur l'~* sofort, auf der Stelle, im Augenblick, im Moment; *tout à l'~* gleich, in Bälde; gerade, eben; *avancer, retarder l'~* die Uhr vor=, nach=stellen; *avoir l'~* genaue Zeit haben; *avoir de bons et de mauvais quarts d'~* launisch sein; *n'avoir pas une ~ de repos* keine ruhige Minute haben; *n'avoir pas une ~ à soi* keinen Augenblick Zeit haben; *chercher midi à quatorze ~s* Schwierigkeiten machen, wo keine sind; *convenir d'une ~ avec qn* mit jdm e-e Zeit aus=machen *od* verabreden; *demander l'~ à qn* jdn fragen, wie spät es ist; *être à l'~* pünktlich sein; *(Uhr)* richtig gehen; *n'être pas à l'~ (Uhr)* falsch gehen; *(Person)* nicht pünktlich sein; *faire des ~s supplémentaires* Überstunden machen; *se lever de bonne ~* früh auf=stehen; *mettre à l'~ (Uhr)* stellen; *prendre l'~* die Uhrzeit vergleichen; *à la bonne ~!* recht so! das lasse ich mir gefallen! das läßt sich (schon) hören! *à tout à l'~!* bis gleich! *l'~ est avancée* es ist schon spät; *c'est, il est l'~ de* es ist Zeit zu; *il est deux ~s* es ist 2 Uhr; *quelle ~ est-il?* wie spät ist es? *il sonne l'~* es schlägt voll; *son ~ est venue, a sonné* sein letztes Stündlein ist gekommen, s-e Stunde hat geschlagen; *la bonne ~* der rechte, gegebene Augenblick *od* Moment; *demi-~ f* halbe Stunde *f; dernière ~* Todesstunde *f,* letzte(s) Stündlein *n; (Zeitung)* letzte Meldungen *f pl; deux ~s* zwei Uhr; *grande, petite ~* gute, knappe Stunde *f; les huit ~s, la journée de huit ~s* der Achtstundentag; *livre m d'~s (rel, Kunst)* Stundenbuch *n; quart m d'~* Viertelstunde *f; ~s d'affluence* Hauptgeschäftszeit *f; ~ d'allumage* Brennstunde *f; ~ d'antenne (radio)* Sendestunde *f; ~ d'arrivée, de départ* Ankunfts-, Abfahrtszeit *f; ~ du berger* Schäferstündchen *n; ~s de bureau* Bürozeit *f; ~s de caisse* Kassenstunden *f pl; ~ de chemin* Wegstunde *f; ~s de classe* Unterrichtszeit *f; ~ de clôture* Polizeistunde *f; ~ de consultation* Sprechstunde *f; ~ de se coucher* Schlafenszeit *f; ~ d'émission* Sendezeit *f; ~ d'envol* Abflugzeit *f; ~ d'été* Sommerzeit *f; ~ de l'Europe centrale* mitteleuropäische Zeit *f; ~ H (mil)* Zeit X; ~ d'hiver Winterzeit *f; ~ d'horloge* volle, geschlagene S.; *~s d'interdiction* Sperrzeit *f; ~ entre le jour et la nuit* Dämmerstunde *f; ~ limite de la rédaction* Redaktionsschluß *m; ~ locale* Ortszeit *f; ~s de loisir* Freizeit *f; ~ moyenne, ~ temps moyen (astr)* mittlere Sonnenzeit *f; ~s d'ouverture* Öffnungszeit *f;* Schalterstunden *f pl; ~s de pointe* (Verkehrs-)Spitzen *f pl; ~ de réception* Empfangszeit *f; ~ du repas* Essens-, Tischzeit *f; ~s de service* Dienst-, Amtsstunden *f pl; ~ sidérale (astr)* Sternzeit *f; ~ supplémentaire* Überstunde *f; ~s de faible trafic* verkehrsschwache Z.; *~-travail f, ~s de travail* Arbeitszeit *f; ~ de vol (aero)* Flugstunde, *pl* -zeit *f.*

heureux, se [œrø, -øz] glücklich; (glück)selig; froh, zufrieden; erfolgreich; günstig, vorteilhaft, vortrefflich, ausgezeichnet, glänzend; gelungen; *(Gedächtnis)* gut; *(Antwort, Gedanke, Ausdruck)* gut, treffend, trefflich; *(Gesicht)* strahlend; *d'heureuse mémoire* seligen Angedenkens; *avoir la main heureuse* e-e glückliche Hand haben; *être ~* es gut *od* Glück haben; *être né sous une heureuse étoile (fig)* unter e-m glücklichen Stern geboren sein; *être plus ~ que sage* mehr Glück als Verstand haben; *pouvoir s'estimer ~ que* von Glück sagen können, daß; *rendre ~* glücklich machen, beglücken; *se trouver ~* sich glücklich fühlen; *c'est bien, très ~* endlich! *j'en suis ~* das freut mich.

'heurt [œr] *m* (Zs.-)Stoß *m;* Anstoßen *n;* An-, Aufprall; *fig* Zs.stoß *m; sans ~* reibungslos; **~é, e** *fig* sich beißend, stark kontrastierend; *(bes. Stil)* (zu) kontrastreich; ungleich(mäßig); abgehackt; **~er** *tr* (heftig) stoßen (*qc* an, auf, gegen e-e S); auf=treffen (*qc* auf e-e S); *fig* verletzen, beeinträchtigen, zuwider sein (*qc* e-r S); *itr* stoßen (*contre* an, gegen *acc*); (an=)klopfen, *poet* pochen (*à* an *acc*); *mot* auf=fahren (*contre* auf *acc*); *se ~* sich stoßen (*à la tête* am Kopf), *a. fig* (*contre* an *acc*); aufea.=prallen *a. fig;* kollidieren (*contre* mit); *fig* in Widerstreit geraten, heftig anea.=geraten; stark ab=stechen (*contre* von); *~ qn de front (fig)* jdn vor den Kopf stoßen; *~ à toutes les portes (fig)* überall an=klopfen; **~oir** *m* Türklopfer; Prellstein; *loc* Prellbock *m.*

hexa|èdre [ɛgzaɛdr] *a* sechsflächig; *s m* Sechsflächner *m,* Hexaeder *n;* **~gonal, e** sechseckig, -kantig; **~gone** *a* sechseckig; *s m* Sechseck *n;* **~mètre** *m* Hexameter *m.*

'hi [i] *interj: ~, ~, ~!* haha! huhu! *faire des ~ et des ho* sehr erstaunt tun.

hiatus [jatys] *m gram* Hiatus *m; fig* Unterbrechung, Lücke *f.*

hibern|al, e [ibɛrnal] winterlich; Winter-; *sommeil m ~* Winterschlaf *m;* **~ant, e** *zoo* Winterschlaf haltend; **~ation** *f* Winterschlaf *m;* **~er** Winterschlaf halten.

'hibou [ibu] *m orn* Eule *f; fig* (komischer) Kauz, Einsiedler *m.*

'hic [ik] *m fam* Haken *m,* Hauptsache *f;* das, worauf es ankommt; *voilà le ~* da liegt der Hase im Pfeffer! das ist der Haken!

'hid|eur [idœr] *f* Häßlich-, Scheußlich-, Gräßlichkeit *f;* **~eusement** *adv* fürchterlich, furchtbar; **~eux, se** scheußlich, häßlich, gräßlich, greulich, abscheulich.

'hie [i] *f* Ramme *f,* Rammbär *m.*

hiém|al, e [jemal] winterlich, Winter-; *bot* winterhart, überwinternd; **~ation** *f* Überwinterung *f.*

hier [(i)jɛr] *adv* gestern; *avant-~* vorgestern; *d'~* von gestern, noch neu, jung; *~ (au) soir* gestern abend; *~ matin* gestern früh, g. morgen; *il me semble que c'était ~* mir ist, als ob es gestern gewesen wäre.

'hiérarch|ie [jerarʃi] *f rel pol mil* Rangordnung, -folge, Hierarchie; *fig* Abstufung *f;* **~ique** hierarchisch, nach der Rangordnung; *(par la) voie f ~* (auf dem) Dienst-, Instanzenweg *m; autorité f ~ supérieure* vorgesetzte Dienststelle *f;* **~iser** rangmäßig ein=teilen *od* gliedern.

hiératique [jeratik] geheiligt; *fig* steif; feierlich.

'hiéro|glyphe [jerɔglif] *m hist* Hieroglyphe; *fig* unleserliche Schrift; unverständliche Rede *od* Sprache *f;* **~glyphique** hieroglyphisch; *fig* unverständlich.

hilar|ant, e [ilarɑ̃, -ɑ̃t] er-, aufheiternd; *gaz m* ~ Lachgas *n;* **~e** heiter, ausgelassen, lustig; Heiterkeit erregend; **~ité** *f* Heiterkeit, Fröhlichkeit *f;* ~ *(générale)* (allgemeines) Gelächter *n.*

'hile [il] *m bot* Hilum *n; anat* Hilus *m.*

'hindi [ɛ̃di], **hindoustani** [ɛ̃dustani] *m* Hind(ustan)i *n (Sprache).*

hindou [ɛ̃du] *a* indisch; *H~, e s m f* Inder(in *f*) *m;* **~isme** *m rel* Hinduismus, Brahmanismus *m.*

hipp|ique [ipik] *a* Pferde-, Reit-, Renn-; *concours m* ~ Reit- u. Fahrturnier *n; saison f* ~ Rennsaison *f;* **~isme** *m* Reiten *n,* Rennsport *m.*

hippo|campe [ipɔkɑ̃p] *m* Seepferdchen *n (Fisch);* **~drome** *m* (Pferde-) Rennbahn *f,* Rennplatz *m,* Hippodrom *n;* **~griffe** *m* Greif *m (Fabeltier);* **~mobile:** *à traction ~ (mil)* bespannt; **~phage** Pferdefleisch essend; **~phagique** *a: boucherie f ~* Pferdemetzgerei, Roßschlächterei *f;* **~potame** [ipɔpɔtam] *m* Fluß-, Nilpferd *n; fam fig* Bulle *m (Mensch).*

hircin, e [irsɛ̃, -in] bocksartig; Bocks-; *odeur f ~e* Bocksgeruch *m.*

hirond|eau [irɔ̃do] *m* junge Schwalbe *f;* **~elle** *f* Schwalbe *f;* (kleiner) Flußdampfer *m; une ~ ne fait pas le printemps* eine Schwalbe macht noch keinen Sommer; *nid m d'~* Schwalbennest *n; ~ de cheminée, rustique* Rauchschwalbe *f; ~ de fenêtre* Mehl-, Haus-, Dachschwalbe *f; ~ de rivage, grise* Uferschwalbe *f.*

hirsute [irsyt] strubb(e)lig, struppig; zott(el)ig; *fig* rauh, grob; brummig, mürrisch.

hispan|ique [ispanik] spanisch; *la péninsule ~* die Iberische Halbinsel *f;* **~isme** *m* spanische Spracheigentümlichkeit *f;* **~o-américain, e** spanisch-amerikanisch.

'hisser [ise] hoch=, empor=ziehen, in die Höhe ziehen, (her)auf=ziehen; hoch=winden; *(Flagge)* hissen; *(Segel)* heißen; *se ~* sich auf=, empor=schwingen; sich (gegenseitig) hoch=, empor=ziehen; *fig* sich hoch=, empor=arbeiten.

histoire [istwar] *f* Geschichte; Geschichtswissenschaft *f,* -werk *n;* Erzählung; erfundene Geschichte, Lüge *f,* Schwindel *m,* Märchen *n;* unangenehme Sache *f; pl fam* Klimbim, Firlefanz *m; avoir des ~s avec qn* mit jdm etw haben; *être de l'~* der Geschichte an=gehören, historisch sein; *faire des ~s (fam)* Umstände machen; *faire des ~s à qn* jdm Steine in den Weg legen *fig; c'est l'~ de ...* so geht es mit ...; *c'est une ~! ~ que tout cela! que d'~s!* das ist doch alles Schwindel! *c'est une autre ~* das steht auf e-m andern Blatt, ist etw anderes; *c'est toute une ~ (fam)* das ist e-e ganze Geschichte, zu lang zum Erzählen; *le plus beau de l'~ (fam)* das Beste von der Geschichte; *étude f de l'~* Geschichtsforschung *f; leçon f d'~* Geschichtsstunde *f; philosophie f de l'~* Geschichtsphilosophie *f; professeur m d'~* Geschichtsprofessor, -lehrer *m; vilaine ~ (fam)* dumme Geschichte *f; ~ d'amour* Liebesgeschichte *f; ~ ancienne, du moyen âge, moderne, contemporaine* Alte, Mittlere, Neu(er)e, Neueste (*od* Zeit-)Geschichte *f; ~ de l'art* Kunstgeschichte *f; ~ de la civilisation* Kulturgeschichte *f; ~ à dormir debout* unglaubliche, unwahrscheinliche G.; *~ ecclésiastique* Kirchengeschichte *f; ~ économique* Wirtschaftsgeschichte *f; horrible ~* Schauergeschichte *f; ~ humoristique* Humoreske *f; ~ de la littérature, littéraire* Literaturgeschichte *f; ~ militaire* Kriegsgeschichte *f; ~ naturelle* Naturgeschichte, -kunde, -beschreibung *f; ~ des religions* Religionsgeschichte *f; ~ de rire, de s'amuser* nur so zum Spaß; *~ sacrée (rel)* Heilsgeschichte *f; ~ sainte* Biblische G.; *~ universelle, mondiale* Weltgeschichte *f.*

histo|logie [istɔlɔʒi] *f anat* Gewebelehre *f;* **~ricité** [-risi-] *f* geschichtliche(r) Wahrheit *f od* Wert *m;* **~rien** *m* Historiker, Geschichtsforscher *od* -schreiber *m; ~ de la littérature, de l'art* Literar-, Kunsthistoriker *m;* **~rier** *(Buch)* illustrieren, verzieren; **~riette** *f* Geschichtchen *n;* **~riographe** *m* Geschichtsschreiber *m;* **~rique** *a* geschichtlich, historisch; Geschichts-; *s m* geschichtliche(r) Darstellung *f od* Überblick *m; (être) classé monument ~* unter Denkmalsschutz (stehen); *faire l'~ de qc* etw in s-m geschichtlichen Zs.hang dar=stellen; *c'est ~ (fam)* das ist amtlich; *peinture f ~* Historienmalerei *f; temps m pl ~s* geschichtliche Zeit *f.*

histrion [istrijɔ̃] *m* Possenreißer, Schmierenkomödiant; (Markt-) Schreier *m.*

'hitlérien, ne [itlerjɛ̃, -ɛn] Hitler-.

'hit-parade [itparad] *m* Hitliste, Hitparade *f.*
hiver [ivɛr] *m* Winter *m; poet* Winterszeit *f; fig* Lenz *m,* (Lebens-)Jahr *n; d'~* winterlich; Winter-; *en ~* im Winter; *au milieu, au plus fort, au cœur de l'~* mitten im Winter, im strengsten Winter; *résister à l'~* den Winter überstehen; *fruits m pl de l'~* Winterobst *n; paysage m d'~* Winterlandschaft *f; poil m* od *toison f, pelage m d'~* Winterhaar *n,* -pelz *m; quartiers m pl d'~* Winterquartiere *n pl; soirée f d'~* Winterabend *m; sports m pl d'~* Wintersport *m; vêtements m pl d'~* warme Kleidung, Winterkleidung *f,* -sachen *f pl;* **~nage** *m* Überwintern *n a. mar;* Winter(kur)aufenthalt; Winterhafen *m;* Regenzeit *(in den Tropen); agr* Winterbestellung *f;* **~nal, e** winterlich; Winter-; *blés m pl ~naux* Wintergetreide *n; ouragans m pl ~naux* Winterstürme *m pl;* **~nant** *m* Winter(kur)gast *m;* **~ner** *bes. mar* überwintern; *agr* im Herbst bestellen.
'ho! [(h)o] *interj* heda! hallo! oh!
'hobereau [ɔbro] *m orn* Baumfalke; *hist* (Kraut-)Junker *m.*
'hochement [ɔʃmɑ̃] *m: ~ de tête* Kopfschütteln *n.*
'hochepot [ɔʃpo] *m* Ragout *n* von verschiedenem Fleisch mit Kastanien *od* Rüben.
'hochequeue [ɔʃkø] *m orn* (weiße) Bachstelze *f.*
'hocher [ɔʃe] *(den Kopf)* schütteln.
'hochet [ɔʃɛ] *m* Kinderklapper *f; fig* Spielzeug *n,* Tand *m.*
'hockey [ɔkɛ] *m sport* Hockey *n; balle, crosse f de ~* Hockeyball, -schläger *m; ~ sur glace* Eishockey *n.*
'holà [(h)ɔla] *interj* heda! hallo! halt! *s m: mettre le ~* Frieden stiften; ein Ende machen.
'holding [ɔldiŋ] *m* u. *f* Holding-, Dachgesellschaft *f.*
'hold-up [ɔldœp] *m* bewaffnete(r) Raubüberfall *m.*
'holland|ais, e [ɔlɑ̃dɛ, -ɛz] *a* holländisch; *H~, e s m f* Holländer(in *f*) *m; (le) ~ (das) Holländisch(e); brique f ~e* Klinker *m;* **'H~e, la** Holland *n; h~ m (fromage m de H~)* Holländer *(Käse) m; f* holländische(s) Porzellan *n; Art* Batist *m.*
holocauste [ɔlɔkost] *m* Brand-, Sühnopfer; Opfer(tier) *n;* Selbst(auf)opferung *f; fig* (großes) Opfer; großzügige(s) Angebot *n.*
holothurie [ɔlɔtyri] *f zoo* Seegurke *f.*
'homard [ɔmar] *m zoo* Hummer *m.*
hombre [ɔ̃br] *m* Lomber(spiel) *n.*
'home [om] *m* Heim *n,* Häuslichkeit *f; ~ d'enfants* Kinderheim *n.*
homélie [ɔmeli] *f* Homilie, erbauliche Bibelauslegung; (langweilige) Moralpredigt *f.*
homéo|pathe [ɔmeɔpat] *m* Homöopath *m;* **~pathie** *f* Homöopathie *f;* **~pathique** homöopathisch.
homérique [ɔmerik] *a: rire m ~* homerische(s), schallende(s), nicht enden wollende(s) Gelächter *n.*
homicide [ɔmisid] *s m f* Mörder(in *f*); Totschläger *m; m* Tötung *f,* Totschlag *m; a* mörderisch; Mord-; *~ par imprudence, par négligence, involontaire* fahrlässige Tötung *f; ~ intentionnel, prémédité, volontaire* vorsätzliche Tötung *f,* T. mit Vorbedacht.
homilétique [ɔmiletik] *f* Kanzelberedsamkeit; *(evang.)* Lehre *f* von der Predigt.
homi|niens [ɔminjɛ̃] *m pl biol* Hominiden *m pl;* **~nisation** *f* Vermännlichung; *biol* Menschwerdung *f.*
hommage [ɔmaʒ] *m hist* Huldigung *f a. allg fig;* (Ehren-)Geschenk *n; avec mes ~s respectueux* mit vorzüglicher Hochachtung; *faire ~ de qc à qn* jdm etw als Huldigung dar=bringen *od* verehren *od (Buch)* widmen; *présenter, offrir, faire agréer ses ~s à qn* jdm s-e Huldigung dar=bringen, s-e Aufwartung machen; *rendre ~ à qn* jdm huldigen; jdn begrüßen; *à qc* etw würdigen; *rendre ~ à la vérité* der Wahrheit die Ehre geben; *mes ~s!* ich empfehle mich! *(présentez) mes ~s à Mme X.!* Empfehlung an Ihre, empfehlen Sie mich Ihrer Frau Gemahlin! *~ de l'auteur* vom Verfasser überreicht.
hommasse [ɔmas] *a (Frau)* männlich aussehend *od* wirkend; *femme f ~* Mannweib *n.*
homme [ɔm] *m* Mensch; Mann; Herr *m; pop* Mannsperson *f,* -bild *n;* (Ehe-) Mann; Sohn *m; pl (Soldaten od Arbeiter) (nach e-r Zahl)* Mann; *poet* Mannen *m pl; de la hauteur, de la taille d'un ~* mannshoch; *connaître les ~s* die Menschen kennen, Menschenkenntnis haben; *dépouiller le vieil ~ (rel)* den alten Adam aus=ziehen; *allg* s-e schlechten Gewohnheiten ab=legen; *être ~ à faire qc* Manns genug, dazu fähig sein, etw zu tun; *être ~ à le faire* imstande sein, es fertig=bringen, es zu tun; *n'être pas ~ à qc* nicht der Mann zu etw sein; *trouver son ~* an den rechten Mann kommen; *les ~s sont ainsi faits* so sind die Menschen nun einmal; *vous êtes mon ~, voilà mon ~* Sie sind, das

ist der Mann, den ich brauche; *vous êtes un ~ mort* Sie sind ein Kind des Todes; *c'est un ~ comme nous* er ist auch nur ein Mensch; *~ à la mer! (mar)* Mann über Bord! *~ d'honneur n'a que sa parole* ein Mann, ein Wort; *l'~ propose, Dieu dispose* der Mensch denkt, Gott lenkt; *bout m d'~* Knirps *m; connaissance f des ~s* Menschenkenntnis *f; quelle espèce d'~* wes Geistes Kind *n; figure f d'~* menschliche Gestalt *f; le fils de l'~* des Menschen Sohn *m (Christus); folle des ~s* mannstoll; *galant ~* Mann *m* von Ehre; Kavalier *m; jeune ~* junge(r) Mann; Bursche; *vx poet* Jüngling *m; ouvrage m de la main des ~s, œuvre f des ~s* Menschenwerk *n; bonne pâte f d'~* gute(r) Kerl, gutmütige(r) Mensch *m; race f d'~s* Menschenrasse *f; vêtement m d'~* Herrenkleidung *f; le vieil ~ (rel)* der alte Adam; *~ d'action* Mann *m* der Tat; *~ d'affaires* Geschäftsmann *m; ~ d'un certain âge* ältere(r) Herr *m; ~ d'argent* Geldmann *od* -mensch *m; ~ de bien* anständige(r) Mensch, Ehrenmann *m; l'~ blanc* der weiße Mann; *~ de chambre (mil)* Stubendienst *m (Person); ~ de confiance* Vertrauensmann *m; ~ de corvée de soupe (mil)* Essenholer *m; ~ de couleur* Farbige(r) *m; ~-Dieu m* Gottmensch *m; ~ d'équipe* Strecken-, Rottenarbeiter *m; ~ d'esprit* Mann *m* von Geist; *~ d'État* Staatsmann, Politiker *m; un ~ comme on n'en fait plus* ein Mann vom alten Schlag, von altem Schrot u. Korn; *l'~ qu'il faut* der rechte, der richtige Mann; *~ à femmes* Frauenheld, Schürzenjäger *m; ~ de finance* Finanzmann *m; ~-grenouille m* Froschmann, Sporttaucher *m; ~ de guerre* Krieger, Militär *m; ~ d'honneur* Ehrenmann *m; ~ du jour* Held *m* des Tages; *~ de lettres* Literat, Schriftsteller *m; ~ de liaison* Verbindungsmann *m; ~ lige (hist)* Lehnsmann *m; ~ de loi* Jurist *m; ~ de main* Handlanger, Helfershelfer *m; ~ de marque* hervorragende(r) Mann *m; ~ de métier* Fachmann, Fach-, gelernte(r) Arbeiter *m; ~ du monde* Weltmann, Mann *m* von Welt; *~ nouveau* Emporkömmling; Selfmademan *m; ~-orchestre m* Einmannband *f; ~ de paille (fig)* Strohmann; Sitzredakteur *m; ~ de peine* Hilfs-, ungelernte(r) Arbeiter; Dienstmann *m; ~ du peuple* Mann *m* aus dem Volk; *~ de plume* Mann *m* der Feder; *~ politique* Politiker, Staatsmann *m; ~ au pouvoir* Machthaber *m; ~ public* Mann *m* des öffentlichen Lebens; *~ de qualité* vornehme(r), feine(r) Mann *m; ~ de rien* hergelaufene(r) Mensch *m; ~ de robe* Gerichtsperson *f;* Beamte(r) *m; ~-robot m fig* Roboter *m; l'~ de la rue* der Mann auf der Straße; *~-sandwich m* Plakatträger *m; ~ serpent* Schlangenmensch *m; ~ de tête* Mann *m* von Entschluß; *~-tronc m* Krüppel *m* ohne Arme u. Beine.

homo|- [ɔmɔ] *(in Zssgen)* Gleich-; **~centre** *m math* gemeinsame(r) Mittelpunkt *m* (mehrerer Kreise); **~gène** homogen, in sich gleich(artig); *math* gleichnamig; *phys tech* gleichförmig, -mäßig; **~généiser** homogenisieren, innig (ver)mischen; **~généité** *f* Homogenität, Gleichartigkeit *f;* **~logation** *f* gerichtliche *od* amtliche Genehmigung *od* Bestätigung *f;* Garantieschein *m;* Genehmigung, Freigabe *f;* **~logue** *a biol* entsprechend; *math chem* homolog; *s m* Pendant *n;* **~loguer** gerichtlich *od* amtlich bestätigen, genehmigen; rechtskräftig machen; *mot typ* prüfen; *sport (Rekord)* an=erkennen; **~nyme** [-nim] *a* gleichlautend; *s m* Namensvetter *m; gram* Homonym *n; pl* gleichlautende Wörter *n pl;* **~phile** *a* homophil; *s m* Homophil, Homophiler *m;* **~philie** *f* Homophilie *f;* **~phone** [-fɔn] *gram* gleichklingend; **~phonie** *f* Gleichklang *m;* **~sexualité** *f* Homosexualität *f;* **~sexuel, le** *a* homosexuell; *s m f* Homosexuelle(r *m*) *f.*

hom|uncule, ~oncule [ɔmɔ̃kyl] *m* Homunkulus; *fam* Knirps *m.*

'hongr|e [ɔ̃gr] *a (bes. Pferd)* kastriert; *s m* Wallach *m;* **~er** *(bes. Pferd)* kastrieren; **H~ie, la** Ungarn *n;* **~ois, e** *a* ungarisch; *H~, e s m f* Ungar(in *f*) *m; (le) h~* (das) Ungarisch(e).

honnête [ɔnɛt] ehrlich, redlich; brav, bieder; anständig, sittsam, tugend-, ehrenhaft, gesittet; wohlerzogen; schicklich; passend, angebracht, angemessen; ausreichend, genügend; gefällig; *fam* höflich, zuvorkommend, liebenswürdig; *(ironisch)* schön, sauber; **~té** *f* Ehrlich-, Redlichkeit; Bieder-, Sittsam-, Anständigkeit; Tugend-, Ehrenhaftigkeit; Gesittet-, Wohlerzogenheit; Schicklichkeit; Angemessenheit *f.*

honneur [ɔnœr] *m* Ehre *f;* Ehrgefühl *n;* Stolz *m,* Zier(de); Ehrerbietung; Ehrenerweisung, -bezeigung *f; pl* Ehrenämter *n pl,* Würden *f pl; mar* Salut(schießen *n*) *m; hist* Insignien *pl; au champ d'~* auf dem Felde der Ehre; *avec ~* in Ehren, ehrenvoll, -haft; *(en tout bien et) en tout ~* in allen Ehren; *en l'~ de qn* zu jds Ehren; *pop* wegen *gen; en l'~ de quel saint?* zu welchem Zweck? in welcher Absicht? *pour l'~* um der Ehre willen, nur um die Ehre; *pour, à l'~ de qn* zu jds Ehren; *sans ~* ehrlos; *sauf votre ~* mit Verlaub, wenn Sie gestatten; *sur l'~, sur mon ~, (foi d'homme) d'~* auf (meine) Ehre! *~ à* ein Bravo für; *affirmer, assurer sur l'~* auf Ehre versichern; *avoir l'~ de faire qc* die Ehre haben, sich die Ehre geben, sich beehren, etw zu tun; *être arrivé aux ~s* zu Amt u. Würden gelangt sein; *faire ~ à qn* jdm Ehre machen; *faire l'~ à qn* jdm die Ehre geben; *faire à qn l'~ de* jdm die Ehre erweisen zu; *faire ~ de qc à qn* jdm etw zu=schreiben; *se faire ~, se donner l'~ de qc* sich etw zur Ehre an=rechnen, zugute halten; *faire ~ à une lettre de change* e-n Wechsel ein=lösen *od* honorieren; *faire les ~s de la maison, de la table* den Wirt machen; die Gäste begrüßen; *faire ~ à sa parole, à ses engagements* od *ses affaires* sein Wort halten, s-n Verpflichtungen nach=kommen; *faire ~ à un repas* sich ein Essen gut schmecken lassen, e-m Essen fleißig zu=sprechen; *mettre en ~* zu Ehren bringen; *mettre son ~ à* alle Ehre ein=legen, um zu; *piquer qn d'~* an jds Ehrgefühl rühren; *se piquer d'~ à* sich e-e Ehre daraus machen zu; *rendre les ~s* e-e Ehrenbezeigung machen, die militärischen Ehren erweisen; *rendre de grands ~s à qn* jdm hohe Ehren erweisen; *tenir qc à ~ (litt)* etw in Ehren halten; *un homme d'~ n'a qu'une parole* ein Mann, ein Wort; *à tout seigneur, tout ~, ~ au mérite* Ehre, wem Ehre gebührt; *cour f d'~ (arch)* Ehrenhof *m; croix f d'~* Kreuz *n* der Ehrenlegion; *dame, demoiselle f d'~* Hofdame *f*, -fräulein *n; demande f en réparation d'~* Ehrenklage *f; dette f d'~* Ehrenschuld *f; escorte f d'~* Ehrengeleit *n; festin m d'~* Festessen *n; garçon m, demoiselle f d'~* Brautführer *m*, -jungfer *f; garde f d'~* Ehrenwache *f; homme m d'~* Ehrenmann; Mann *m* von Ehre; *hôte m d'~* Ehrengast *m; la Légion d'~* die (französische) Ehrenlegion; *marque f d'~* Zeichen *n* der Hochachtung; *membre m d'~* Ehrenmitglied *n; parole f d'~* Ehrenwort *n;* auf Ehre! *perte f de l'~ (jur)* Ehrverlust *m; place f d'~* Ehrenplatz *m; point m d'~* Ehrenpunkt *m; réparation f d'~* Ehrenrettung, -erklärung *f; tour m d'~ (sport)* Ehrenrunde *f; vin m d'~* Ehrentrunk *m; ~ de la corporation, professionnel, militaire* Standes-, Berufs-, Soldatenehre *f; les ~s funèbres, de la sépulture, suprêmes* die letzte Ehre; *~s de la guerre (mil)* ehrenvolle(r) Abzug *m; ~s militaires* militärische Ehrenbezeigung *f.*

'honnir [ɔnir] *vx* öffentlich bloß=stellen, an=prangern; verabscheuen; *honni soit qui mal y pense* ein Schelm, wer Arges dabei denkt!

honor|abilité [ɔnɔrabilite] *f* Ehrenhaftigkeit; Ehrbarkeit *f;* **~able** ehrenhaft, -wert; ehr-, achtbar; anständig, redlich; ehrenvoll, rühmlich; angemessen, ausreichend; *faire amende ~ (fam)* Abbitte tun; **~aire** *a* Ehren-; Titular-; *s m, meist pl* Honorar *n*, (Arzt-, Anwalts-)Gebühren *f pl; barème m d'~s* Gebührenordnung *f; membre m ~* Ehrenmitglied *n; ~s médicaux* Arztgebühren *f pl;* **~ariat** [-a] *m* Ehrentitel *m;* **~er** *p* ehren, in Ehren halten, schätzen, achten; (S) Ehre machen (*qn* jdm); *cette réponse vous ~e* diese Antwort macht Ihnen Ehre; beehren (*de* mit); *il nous a ~és de sa visite* er hat uns mit seinem Besuch beehrt; *(Wechsel, Arzt od Anwalt)* honorieren; *(Wechsel)* ein=lösen; *s'~* sich Ehre machen; *votre ~ée* Ihr geehrtes Schreiben *n;* **~ifique** ehrenvoll; ehrenamtlich; Ehren-; *charge f ~* Ehrenamt *n.*

'hont|e [ɔ̃t] *f* Schande, Schmach *f;* Schandfleck *m; à la ~ de qn* zu jds Schande; *avoir ~ de qc* sich *acc* e-r S *gen* schämen; *se couvrir de ~* sich blamieren; *faire ~ à qn* jdm Schande machen *od* bereiten; jdn beschämen; *faire ~ de qc à qn* jdm etw vor=halten, über e-e S Vorhaltungen machen; *mourir de ~* sich zu Tode schämen; *perdre, mettre bas la* od *toute ~, avoir toute ~ bue* alles Schamgefühl verloren haben; *rougir de ~* schamrot werden; *j'avoue à ma ~* ich muß zu meiner Schande gestehen; *tu n'as pas ~!* pfui! schäm dich! *c'est une ~, c'est grand-~* es ist e-e Schande; *courte ~ (vx)* Blamage; Schlappe *f, fam* Reinfall *m, arg* Pleite *f; fausse, mauvaise ~* falsche Scham *f;* **~eux, se** beschämt (*de* über *acc*); schändlich, schimpflich; *vx* schamhaft, verschämt, schüchtern, verschüchtert.

hôpital [ɔpital] *m* Krankenhaus, Hospital; *(~ militaire)* Lazarett *n; (fälschlich)* Hospiz, Heim *n; train-~ m* Lazarettzug *m; vaisseau-~ m* Lazarettschiff *n; ~ de campagne* Feldlazarett *n; ~ d'évacuation primaire, secondaire* Etappen-, Reservelazarett *n.*

'hoquet [ɔkɛ] *m* Schluckauf *m; avoir le ~, ~***er** den Schluckauf haben.

horaire [ɔrɛr] *a* Stunden-; Zeit-; *tech* stündlich; pro Stunde; *s m* Stunden-, Fahr-, Flug-, Sendeplan *m; conforme à l'~* fahrplanmäßig; *fuseau m ~* Zeitzone *f; non prévu dans l'~* außerfahrplanmäßig; *signal m ~* Zeitzeichen *n; vitesse f ~* Stundengeschwindigkeit *f; ~ à la carte, libre, mobile, variable* gleitende Arbeitszeit, Gleitzeit *f.*

'horde [ɔrd] *f* Horde, Bande *f.*

'horion [ɔrjɔ̃] *m* Faust-, heftige(r) Schlag *m.*

horizon [ɔrizɔ̃] *m* Horizont *m a. fig; geol mar aero* Kimm(ung) *f; fig* Gesichtskreis *m;* Aussichten, Perspektiven *f pl; min* (Abbau-)Sohle *f; faire un tour d'~* sich e-n Überblick verschaffen; *ouvrir des ~s* neue Aussichten eröffnen; *l'~ politique* der politische Horizont; **~tal, e** *a* waag(e)recht, horizontal; *s f math* Waag(e)rechte *f; plan m ~* Grundriß *m;* **~talité** *f* waagrechte Lage *f.*

horlog|e [ɔrlɔʒ] *f* (Turm-, öffentliche) Uhr *f; heure f d'~ (pop)* geschlagene, volle Stunde *f; réglé comme une ~* wie aufgezogen, aufgezogen wie e-e Uhr; *sens m (inverse) d'~* (umgekehrter) Uhrzeigersinn *m; ~ de contrôle, contrôleuse* Stech-, Kontrolluhr *f; ~ de gare* Bahnhofsuhr *f; ~ parlante (tele radio)* Zeitansage, -angabe *f; ~ pneumatique, régulatrice* Normaluhr *f;* **~er, ère** *a* Uhrmacher-; Uhren-; *s m* Uhrmacher *m; industrie f ~ère* Uhrenindustrie *f;* **~erie** *f* Uhrmacherei *f;* Uhrenhandel *m,* -geschäft *n,* -fabrik *f;* Uhren *f pl.*

'hormis [ɔrmi] *prp poet: ~ de* außer *dat,* ausgenommen *acc,* abgesehen von *dat; ~ que (conj)* außer, abgesehen davon, mit dem Unterschied, daß.

hormone [ɔrmɔn] *f biol* Hormon *n,* Wirkstoff *m.*

horo|dateur [ɔrɔdatœr] *m* Datum(- u. Stunden)stempel *m;* **~kilométrique** *a: compteur m ~* Tachometer *m;* **~métrie** *f* Zeitmessung *f;* **~scope** *m* Horoskop *n; tirer, dresser, faire l'~ de qn* jds H. stellen; *allg* jdm die Zukunft sagen.

horr|eur [ɔrœr] *f* Schrecken *m,* Entsetzen *n;* Schauder *m,* Grausen *n;* Entsetzlichkeit, Gräßlichkeit, Scheußlichkeit *f;* Grauen *n,* Schauerlichkeit *f, poet* Graus; Abscheu (*de* vor *dat*), Widerwille (*de* gegen); Abscheu, Greuel *m;* Scheusal *n; pl* Schrecken *m pl;* schreckliche, entsetzliche, abscheuliche Dinge *n pl; avoir ~ de qn, qc, avoir qn, qc en ~* jdn, etw verabscheuen; *faire ~* Schrecken, Abscheu, Widerwillen erregen; *c'est une ~* es ist schrecklich, entsetzlich; *cela me fait ~* davor graut mir; *je suis saisi, je frémis d'~* mich schaudert (*de* vor *dat*); *quelle ~!* wie schrecklich! wie entsetzlich! *nuit f d'~* Schreckensnacht *f; les ~s de la guerre, de la mort* die Schrecken des Krieges, des Todes; **~ible** schrecklich, entsetzlich, furchtbar, fürchterlich; grauenhaft, gräßlich, abscheulich, schauderhaft, garstig; **~ifiant, e** grauenhaft, -erregend; **~ifié, e** schaudernd; **~ifier** in Schrecken versetzen, schaudern machen; **~ipilant, e** *fam (S)* haarsträubend, schauerlich *(Person* od *S); auf*regend, -aufreizend; **~ipilation** *f* Schauder *m;* Gänsehaut *fig; fam* Aufgebrachtheit, Rage *f;* **~ipiler** die Haare zu Berge stehen lassen (*qn* jdm), schaudern machen; *fam* wahnsinnig machen, auf die Palme bringen; *qc, qn m'horripile* etw, jem macht mich wahnsinnig.

'hors [ɔr] *prp* außer(halb *gen*) *dat;* ausgenommen mit Ausnahme *gen; ~ de* aus ... heraus, über *acc* ... hinweg; außerhalb *gen a. fig; fig* außer; *mettre ~ feu (Hochofen)* aus=gehen lassen, aus=machen; *mettre ~ de cour, de cause (jur)* ab=weisen; *mettre ~ la loi* für vogelfrei erklären; *prononcer un ~ de cour (jur)* das Verfahren ein=stellen; *cela est ~ de cause* davon kann nicht die Rede sein; *~ d'ici!* hinaus! raus! *mise f ~ de circulation, d'usage* Außerkurs-, -betriebsetzung *f; ~ d'affaire* aus der Klemme *od* Patsche; *~ d'âge (im Alter)* schwer zu schätzen(d); *(Schiff)* überaltert; *~ d'atteinte* außer Reichweite; *~-bord m* Außenbordmotor *m; ~ bourse* außerbörslich; *~ cadres* überzählig; *~ de cause* (*jur* am Prozeß) unbeteiligt; nicht zur Sache gehörig; *~ circuit (el)* abgeschaltet; *~ de combat* kampfunfähig; *~ commerce, ~ vente* nicht im Handel (befindlich); unverkäuflich; *~ cours, de circulation* außer Kurs; *~ de danger* außer Gefahr; *~ de dispute* unbestritten; *~ de doute* außer Zweifel, zweifelsfrei, -ohne; *~ d'eau (Neubau)* gedeckt; *~ d'haleine* außer Atem; *~ jeu (sport)* aus; *(Fußball* abseits; *~-jeu m (sport)* Arbeitsstellung *f; ~ ligne, classe* außer-, ungewöhnlich, hervorragend; *~ la loi* vogelfrei; *~-la-loi m* Gesetzlose(r) *m; ~ du ma-*

riage außerehelich; ~ *d'œuvre (arch)* außerhalb, vorspringend; ~*-d'œuvre s m* Vorspeise *f; fig* Beiwerk *n*, Nebensache *f;* ~ *(de) pair* unvergleichlich; ~ *de portée* unerreichbar; ~ *de prix* sehr teuer; ~ *de propos* nicht zur Sache gehörig; unpassend, unangebracht; ~ *saison* außerhalb der Saison; ~ *de sens,* ~ *son bon sens (Person)* von Sinnen; ~*-série a: numéro m* ~ *(Zeitung, Zeitschrift)* Sondernummer *f; a fig* hervorragend, außergewöhnlich; ~ *du service* außer Dienst; ~ *de soi* außer sich, *fam* ganz aus dem Häuschen; ~*-texte m (Buch)* (Bild-)Tafel *f;* ~ *d'usage, de service* nicht mehr zu gebrauchen(d), *fam* ausgedient.

hortensia [ɔrtɑ̃sja] *m bot* Hortensie *f.*

horti|cole [ɔrtikɔl] *a* Gartenbau-; **-culteur** *m* (Handels-)Gärtner *m;* **-culture** *f* Gartenbau *m; exposition f d'*~ Gartenbauausstellung, Gartenschau *f.*

hosanna [ɔzana] *m rel* Hosianna *n; allg* Triumphgesang *m,* -lied *n;* Freudenschrei *m.*

hospi|ce [ɔspis] *m* Hospiz; Armen-, Waisenhaus; Alters-, Körperbehindertenheim *n;* ~ *d'aliénés* Irrenhaus *n,* -anstalt *f;* ~**talier, ère** *a* Krankenhaus-, Anstalts-, Heim-; gastfreundlich, -frei, gastlich; *centre m* ~ *(mil)* Standortlazarett *n; établissement m* ~ Heilanstalt *f; sœur f* ~*ère (rel)* Barmherzige Schwester *f;* ~**talisation** *f* Aufnahme *f* in ein Krankenhaus; Krankenhausaufenthalt *m,* -behandlung *f;* ~**taliser** in ein Krankenhaus ein=liefern, -weisen; ~**talité** *f* Gastfreundschaft, -freiheit; Gastlichkeit *f;* Gastrecht *n; donner l'*~ *à qn* jdn gastlich auf=nehmen, jdm Gastrecht gewähren.

hostie [ɔsti] *f rel* Oblate, Hostie *f.*

hosti|le [ɔstil] feindlich, -selig; ~**lité** *f* Feindseligkeit, -schaft *f; pl* Feindseligkeiten, Kampfhandlungen *f pl; commencer, finir les* ~*s* die Feindseligkeiten eröffnen, die Kampfhandlungen beenden; *cessation, fin f des* ~*s* Einstellung, Beendigung *f* der Kampfhandlungen; *ouverture f des* ~*s* Eröffnung *f* der Feindseligkeiten, Beginn *m* der Kampfhandlungen.

hosto [ɔsto] *m arg* Krankenhaus; *arg mil* Lazarett *n.*

hôte, esse [ot, otɛs] *m f* Gastgeber(in *f*), Wirt(in *f*); Gast; *fig* Bewohner(in *f*) *m; compter sans son* ~ die Rechnung ohne den Wirt machen; *être l'*~ *de qn* jds Gast, bei jdm zu Gast sein; *table f d'*~ gemeinsame Gästetafel *f;* ~*esse d'accueil* Hosteß *f;* ~*esse de l'air, de bord (aero)* Stewardeß *f;* ~ *d'honneur* Ehrengast *m.*

hôtel [ɔtɛl] *m* Hotel *n;* Gasthof *m,* -haus *n; (*~ *garni)* Pension *f,* Fremdenheim *n,* Zimmervermietung *f;* herrschaftliche(s) Stadthaus; öffentliche(s) Gebäude *n; maître m d'*~ Haushofmeister; *(Hotel)* Oberkellner *n;* ~*-Dieu m* städtische(s) Krankenhaus *n;* ~ *des Monnaies* Münz(stätt)e *f;* ~ *particulier* herrschaftliche(s) Privathaus *n;* Privatpension *f;* ~ *de passe* Stundenhotel *n;* ~ *des Postes* Hauptpost(amt *n*) *f;* ~ *de premier ordre* erstklassige(s) Hotel *n;* ~ *des Ventes* Auktionshalle *f; H*~ *de ville* Rat-, Stadthaus *n;* ~**ier, ère** [-tə-] *s m f* Hotelbesitzer(in *f*), Hotelier, Gastwirt(in *f*) *m; a* Hotel-; *industrie f* ~*ère* Gaststätten- u. Beherbergungsgewerbe *n;* ~**lerie** [-tɛlri] *f* Gasthaus *n,* -hof *m; (Schweiz)* Hotelgewerbe *n; contrat m d'*~ Gastaufnahmevertrag *m.*

'hott|e [ɔt] *f* Rückentragkorb *m,* Kiepe; Regen-, Abwässertonne *f; (*~ *de cheminée)* Rauchfang *m; tech* (Abdeck-, Abzugs-)Haube *f;* Baggereimer *m;* ~ *de vigneron* Bütte, Butte *f;* ~**ée** *f* Tragkorbvoll *m.*

'hou [(h)u] *interj* hu! pfui!.

houa(i)che [waʃ, wɛʃ] *f mar* Kielwasser *n;* Logleinenmarke *f.*

'houblon [ublɔ̃] *m* Hopfen *m; glandules f pl de* ~ Hopfenmehl, Lupulin *n; perche f à* ~ Hopfenstange *f;* ~**ner** [-blɔ-] hopfen, mit Hopfen versehen; ~**nier, ère** *a* Hopfen-; hopfenerzeugend; *s m* Hopfenbauer *m; f* Hopfenfeld *n.*

'hou|e [u] *f (*~ *à bras)* Hacke *f;* ~**er** [we] (be-, um=)hacken.

'houill|e [uj] *f* (Stein-)Kohle *f; couche, veine f de* ~ Kohlenflöz *n; goudron m de* ~ Steinkohlenteer *m; mine f de* ~ (Stein-)Kohlenbergwerk *n,* Kohlengrube *f;* ~ *blanche* weiße Kohle, Wasserkraft *f;* ~*s grasses, maigres* Back- *od* Fett-, Sand- *od* Magerkohle *f;* ~*s sèches, flambantes* Flammkohle *f;* ~ *tout-venante* Förderkohle *f;* ~**er, ère** *a* (stein)kohlenhaltig; (Stein-)Kohlen-; *s f* (Stein-)Kohlenbergwerk *n,* Zeche *f; bassin, terrain m* ~ *(geol)* Kohlenbecken, -gebirge *n; formation f* ~*ère (geol)* Kohlenformation *f;* ~**eur** *m* Bergarbeiter, -mann; Hauer *m;* ~**eux, se** (stein)kohlenhaltig.

'houle [ul] *f* Dünung, hohle See *f; fig* Wogen, Hin u. Her *n; il y a de la* ~

die See geht hohl; ~ *humaine* wogende Menschenmenge *f.*

'houlette [ulɛt] *f* Hirtenstab *m;* Hirten *m pl;* Bischofs-, Krummstab *m; tech Art* (Gieß-)Kelle *f.*

'houleux, se [ulø, -øz] *(See)* hohl; *fig* unruhig, erregt.

'houp [(h)up] *interj* heda! hopp!

'houppe [up] *f* (Haar-)Büschel *n,* Tolle; Quaste; Troddel; *(Vogel)* Haube *f; (Baum)* Wipfel *m;* ~ *à poudrer* Puderquaste *f.*

'houppelande [uplɑ̃d] *f hist* weite(r) Überrock *m.*

'houpper [upe] *(Wolle)* kämmen.

'houppette [upɛt] *f* kleine Troddel *f.*

'hourra [(h)ura] *interj* hurra! *s m* Hurrageschrei *n; allg* Beifallskundgebung *f; pousser des ~s* hurra schreien.

'hourvari [urvari] *interj* hierher! such! *(Jagdruf); s m fam* Heidenlärm, Spektakel *m;* Durcheinander *n,* allgemeine Aufregung *f.*

'houspiller [uspije] herunter=machen, -putzen; *se* ~ sich herum=balgen, -zanken.

'houss|e [us] *f* (Pferde-)Decke *f;* (Möbel-)Überzug, Schoner; *mot* Schonbezug *m; allg* Schutzhülle *f;* ~ *de fauteuil* Sesselschoner *m;* ~ *de pneus, à pneumatique (mot)* (Ersatz-)Reifenhülle *f;* ~ *de selle* Satteldecke *f;* **~er 1.** zu=decken, mit e-r Decke, e-m Überzug versehen; **2.** ab=stauben.

'houss|ine [usin] *f vx* Gerte *f;* **~oir** *m vx* Staubwedel *m.*

'houx [u] *m bot* Stechpalme *f.*

hovercraft [ɔvœrkraft] *m* Luftkissenfahrzeug *n.*

hoverport [ɔvœrpɔr] *m* Hafen *m* für Luftkissenfahrzeuge.

'hoyau [wajo] *m arg* (gekrümmte) Hacke *f.*

'hublot [yblo] *m mar* Bullauge *n.*

'huche [yʃ] *f hist (flache)* Truhe *f;* Brot-, *(Mühle)* Mehlkasten; Fischkasten *m.*

'huchet [yʃɛ] *m hist* Hifthorn *n.*

'hu|e [(h)y] *interj* hü! hott! *à ~ et à dia* kreuz u. quer; *l'un tire à ~, et l'autre à dia* der eine will hü u. der andere hott.

'hu|ée [ɥe] *f meist pl* Hohnrufe *m pl,* -geschrei, -gelächter *n;* **~er** [ɥe] *tr* mit Hohngelächter, -geschrei, -rufen empfangen, aus=pfeifen; *itr (Eule)* schreien.

'hugue|not, e [ygno, -nɔt] *a rel* hugenottisch; *s m f* Hugenotte *m,* Hugenottin *f; œufs à la ~e* Eier *n pl* in Hammelfleischbrühe.

'Hugues [yg] *m* Hugo *m.*

huil|age [ɥilaʒ] *m* Ölen *n,* Schmierung *f;* **~e** *f* Öl; Ölgemälde; *pop* hohe(s) Tier; *arg* Moos *n,* Zaster *m,* Geld *n; faire tache d'~ (fig)* sich aus=breiten, an Boden gewinnen, um sich greifen; *jeter de l'~ (pop)* prima in Schale sein; *jeter, verser de l'~ sur le feu (fig)* Öl ins Feuer gießen; *peindre à l'~* in Öl malen; *il n'y a plus d'~ dans la lampe (fam)* es geht zu Ende *(mit dem Kranken); il tirerait de l'~ d'un mur* er holt aus allem noch (et)was heraus; *bain m d'~* Ölbad *n; burette f à ~* Ölkanne *f,* -kännchen *n; carter m d'~* Ölsumpf *m; consommation f d'~* Ölverbrauch *m; couleur f à l'~* Ölfarbe *f; épuration f d'~* Ölreinigung *f; graissage m à l'~ sous pression* Öldruckschmierung *f; moteur m à ~ lourde* Schwerölmotor *m; (indicateur de) niveau m d'~* Ölstand(sanzeiger) *m; peinture f à l'~* Ölgemälde *n;* Ölmalerei *f;* Ölanstrich *m; pompe f à ~* Ölpumpe *f; pression f d'~ (tech)* Öldruck *m; réservoir m à ~* Öltank *m; résidu m d'~* Ölrückstand *m; saintes ~s* geweihte(s) Öl *n; tache f d'~* Ölfleck *m; vidange f d'~ (mot)* Ölablaß *m;* ~ *alimentaire, comestible* Speiseöl *n;* ~ *d'amande* Mandelöl *n;* ~ *animale* tierische(s) Öl *n;* ~ *d'arachide* Erdnußöl *n;* ~ *de baleine, de poisson* (Fisch-)Tran *m;* ~ *de bras, de coude, de poignet (pop)* Muskelkraft, Energie, Anstrengung *f;* ~ *brute* Rohöl *n;* ~ *à chauffer* Heizöl *n;* ~ *de colza* Rüböl *n;* ~ *de copra(h)* Kokosöl *n;* ~ *(pour moteurs) diesel* Dieselöl *n;* ~ *essentielle, volatile* Essenz *f,* ätherische(s) Öl *n;* ~ *de foie de morue* Lebertran *m;* ~ *de graissage, lubrifiante* Schmieröl *n;* ~ *légère, lourde* Leicht-, Schweröl *n;* ~ *de lin* Leinöl *n;* ~ *à machines* Maschinenöl *n;* ~ *minérale* Mineral-, Erdöl *n;* ~ *pour moteurs* Motoren-, Treiböl *n;* ~ *de noix* Nußöl *n;* ~ *d'olive* Olivenöl *n;* ~ *de palme* Palmöl *n;* ~ *de résine* Kienöl *n;* ~ *de ricin* Rizinusöl *n;* ~ *sainte* geweihte(s) Öl *n;* ~ *solaire* Sonnenöl *n;* ~ *de table* Tafelöl *n;* ~ *végétale* Pflanzenöl *n;* **~é, e** *a: tout était bien ~* alles lief wie geschmiert; **~er** (ein=) ölen; (ab=)schmieren; **~erie** *f* Ölhandel *m,* -gewinnung, -mühle *f;* **~eux, se** ölig; ölhaltig; ölgetränkt; *(Haut, Haar)* fettig; **~ier** *m* Ölmüller, -händler *m;* Menage *f.*

huis [ɥi] *m: à ~ clos* unter Ausschluß der Öffentlichkeit; in geheimer Sitzung; *allg* im geheimen; *demander le ~ clos (jur)* den Antrag auf Ausschluß der Öffentlichkeit stellen; **~serie** [ɥisri] *f* Tür-, Fensterbalken *m pl;* **~sier** *m* Türsteher, -hüter; Amts-, Gerichtsdiener *(a. ~ audiencier);* Gerichtsvollzieher *m.*

'huit [ɥi(t)] acht; *s m* Acht(er *m*) *f;* (der) Achte; (der) achte; Achter *m (Boot); en ~* in acht Tagen; *d'aujourd'hui, de lundi en ~* heute, Montag in acht Tagen; *d'ici, dans les ~ jours* binnen acht Tagen; *tous les ~ jours* alle acht Tage; *il y a ~ jours* vor acht Tagen; *barbe f de ~ jours* Stoppelbart *m; journée f de ~ heures* Achtstundentag *m;* **~ain** *m* Achtzeiler *m,* achtzeilige(s) Gedicht *n;* **~aine** *f* ungefähr, etwa acht Tage *m pl; une ~ de* ungefähr, etwa acht; *dans une ~* in ungefähr, etwa acht Tagen; **~ante** *(Schweiz, Belgien)* achtzig; **~ième** *a* achte(r, s); *s m* Achtel *n; f* 8. Klasse *f;* **~ièmement** *adv* achtens.

huîtr|e [ɥitr] *f* Auster *f; fig fam* Esel, Dummkopf *m; vulg* Auster *f; banc m d'~s, parc m à ~s* Austernbank *f,* -park *m; écaille f d'~s* Austernschale *f; ~ perlière* Perlmuschel *f;* **~ier, ère** *a* Austern-; *s m orn* Austernfischer *m; f* Austernbank *f od* -park *m; industrie f ~ère* Austernzucht *f.*

'hul|otte [ylɔt] *f orn* Waldkauz *m;* **~uler** *s. ululer.*

'hum [(h)œm] *interj* hm!

humain, e [ymɛ̃, -ɛn] *a* menschlich; Menschen-; human, mensch(enfreund)lich; mitfühlend, -empfindend; *s m* Menschliche(s) *n;* Menschennatur, -kraft *f; les ~s (poet)* die Menschen, die Sterblichen *m pl; plus qu'~* übermenschlich; *n'avoir pas, plus figure* od *forme ~e* nicht, nicht mehr menschlich, wie ein Mensch aus=sehen; *n'avoir rien d'~* nichts Menschliches an sich haben, kein Mitleid kennen; *le genre ~* das Menschengeschlecht; *le respect ~* die Angst vor der öffentlichen Meinung, vor dem Gerede der Leute; *les sciences f pl ~es* die Geisteswissenschaften; **~ement** *adv* wie ein Mensch, als Mensch; menschenwürdig; *~ parlant* nach menschlichem Ermessen; *~ possible* menschenmöglich.

human|isation [ymanizasjɔ̃] *f* Vermenschlichung; Zivilisierung *f;* **~iser** vermenschlichen; zivilisieren, gesittet machen; bilden; umgänglicher, entgegenkommender, nachgiebiger machen; zähmen, bezwingen; *s'~* menschlich(er) werden; sich an=passen (*avec qn* an jdn); sich verständlich machen (*avec qn* jdm); gesitteter, umgänglicher, entgegenkommender werden; **~isme** *m* Humanismus *m;* **~iste** *s m* Humanist *m; a* humanistisch; **~itaire** menschenfreundlich, human; *(Handlung, Einrichtung)* humanitär, zum Wohl der Menschheit; Humanitäts-; **~itarisme** *m* Menschenfreundlichkeit *f;* **~ité** *f* menschliche Natur; Menschheit; Menschlichkeit, Menschenfreundlichkeit, -liebe *f;* Mitgefühl *n; pl* Studium *n* der schönen Wissenschaften; Oberstufe(nunterricht *m*) *f; devoir m de l'~* Gebot *n* der Menschlichkeit.

humble [œ̃bl] *a* demütig; unterwürfig, -tänig, devot; einfach, schlicht; bescheiden, niedrig; *s m pl* einfache Menschen *m pl,* kleine Leute *pl; à mon ~ opinion* nach meiner unmaßgeblichen Meinung; *d'origine ~, d'~ origine* aus kleinen, einfachen, bescheidenen Verhältnissen (stammend).

humect|ation [ymɛktasjɔ̃] *f* An-, Befeuchten, (Be-)Sprengen *n;* **~er** an=, befeuchten, (be)sprengen, *(Wäsche)* (ein=)sprengen; *poet* (be)netzen; *s'~ le gosier (pop)* einen hinter die Binde kippen *od* gießen, einen heben.

'humer [yme] ein=saugen, tief ein=atmen; schnuppern, schnüffeln, riechen.

humér|al, e [ymeral] *a anat* Oberarm-; **~us** [-ys] *m* Oberarmbein *n.*

humeur [ymœr] *f* Stimmung; (*bes.* schlechte) Laune; Grille *f,* Einfall *m; pl* (Körper-)Säfte *m pl; avec ~* verdrießlich, verstimmt, unwirsch; *d'~ changeante* launisch; *par ~* aus Laune; *avoir de l'~* schlechte Laune haben; *être d'~ à* geneigt, gewillt sein zu; *être en ~ de* aufgelegt sein, Lust haben zu; *être de bonne, mauvaise ~* gute, schlechte Laune haben; *je ne suis pas d'~ à rire* mir ist (gar) nicht zum Lachen, lächerlich zumute; *belle, joyeuse ~* rosige Stimmung *f; ~ aqueuse (anat)* wässerige Augenflüssigkeit *f; ~ de chien, de dogue (fam)* Stinkwut *f; ~s froides (med pop)* Skrofeln *f pl; ~ vitrée (anat)* Glaskörper *m.*

humid|e [ymid] feucht; naß; naß; *d'une chaleur ~* feuchtwarm; *il fait un froid ~* es ist naßkalt; **~ification** *f* An-, Befeuchtung *f;* **~ifier** an=, befeuchten; **~ité** *f* Feuchtigkeit; Nässe *f; à préserver de l'~* trocken auf=bewahren! *craint l'~!* vor Nässe zu schützen! *degré m d'~* Feuchtigkeitsgehalt *m; tache f d'~* Stockfleck *m; ~ atmosphérique, du sol, propre* Luft-, Boden-, Eigenfeuchtigkeit *f.*

humil|iant, e [ymiljɑ̃, -ɑ̃t] demütigend, ehrenrührig; *(Niederlage)* vernichtend; **~iation** *f* Demütigung *f;* **~ier** demütigen; *s'~* sich demütigen, sich erniedrigen; **~ité** *f* Selbsterniedrigung; Demut *f; en toute ~* in aller Bescheidenheit.

hum|oral, e [ymɔral] *a med* Humoral-; *théorie f ~e,* **~orisme** *m* Humoralpathologie *f;* **~oriste** *a* humoristisch; *s m* Humorist; *med* Vertreter *m* der Humoralpathologie; **~oristique** humoristisch; *journal m ~* Witzblatt *n; pièce f ~* Humoreske *f;* **~our** *m* Humor *m; ~ noir* Galgenhumor *m.*

humus [ymys] *m* Humus(erde *f,* -boden) *m.*

'hun|e [yn] *f mar* Mars, Mastkorb *m; grand-~ f* Großmars *m; mât m de ~* Stenge *f; vergue f de ~* untere Marsrahe *f; ~ d'artimon, de misaine, de beaupré, de perroquet* Besan-, Fock-, Mittel-, Vormars *m;* **~ier** *m mar* Marssegel *n.*

'Huns, les [œ̃] *m pl hist* die Hunnen *m pl.*

'hupp|e [yp] *f* **1.** *orn* Haube *f,* Schopf *m;* **2.** *orn* Wiedehopf *m; rabattre la ~ à qn (fig fam rare)* jdm e-n auf den Deckel geben; *alouette f à ~* Haubenlerche *f;* **~é, e** *orn* mit e-r Haube, e-m Schopf; *fig fam* reich, vornehm, fein; *les plus ~s y sont pris* darauf fällt jeder herein.

'hure [yr] *f* (abgeschnittener) Kopf *m (e-s Wildschweins, gewisser Fische); (Küche)* Kopfsülze *f,* Preßkopf *m; pop* Fratze, Fresse; Birne *f,* Dez *m.*

'hurl|ement [yrləmɑ̃] *m meist pl* Brüllen, Gebrüll; Heulen, Geheul; Schreien *n,* Geschrei *n;* Schrei *m;* **~er** heulen, brüllen, schreien (*de douleur* vor Schmerz) *(a. übertreibend u. péj); (Hund)* jaulen; *(Farben)* sich beißen; *~ avec les loups* mit den Wölfen heulen; *~ à la lune* den Mond an=bellen; **~eur, se** *a* brüllend, heulend, schreiend; *s m f* Schreihals *m; m zoo* Brüllaffe *m.*

hurluberlu [yrlybɛrly] *s m fam* Taps, unbesonnene(r) Mensch; Luftikus *m.*

'hussard [ysar] *m* Husar *m;* **~e** *f: à la ~* draufgängerisch, forsch.

'hutte [yt] *f* Hütte *f; (Jagd)* Anstand.

hyacinthe [jasɛ̃t] *s f bot* Hyazinthe *f;* Hyazinth *m (Edelstein); a* hyazinthfarben, blauviolett.

hya|lin, e [jalɛ̃, -in] glasartig; **~lographie** *f* Glasdruck *m;* **~loïde** [-lɔid] glasklar; *humeur, membrane f ~ (anat)* Glaskörper *m,* -haut *f;* **~lotechnie** [-tɛkni] *f* Glasherstellung *od* -bearbeitung *f.*

hybrid|ation [ibridasjɔ̃] *f biol* Bastardierung, Kreuzung *f;* **~e** *a biol* hybrid; *s m* Mischling, Bastard *m;* Bastardpflanze *f;* **~er** bastardieren, kreuzen; **~ité** *f,* **~isme** *m* hybrid(isch)e(r) Charakter *m.*

hydarthrose [idartroz] *f med* Gelenkwassersucht *f.*

hydne [idn] *m bot* Stachelschwamm *m.*

hydr|(o)- [idr(ɔ)] *(in Zssgen)* Wasser-; **~acide** *m* Wasserstoffsäure *f;* **~argyrique** [-ʒi-] *a* Quecksilber-; **~argyrisme** *m* Quecksilbervergiftung *f;* **~atation** *f chem* Hydratation *f; med* Wasserversorgung *f;* **~ate** [idrat] *m chem* Hydrat *n; ~ de calcium* gelöschte(r) Kalk *m; ~ de carbone* Kohlehydrat *n; ~ de potassium, de sodium* Ätzkali, -natron *n;* **~ater** *chem* Wasserstoff an=lagern (*qc* an etw); hydrieren; mit Wasser versorgen, den Wasserbedarf decken (*qc gen*); **~aulicien** [idro-] *m* Wasserbauingenieur *m;* **~aulicité** *f* Wasserkraft *f;* **~aulique** *a phys tech* hydraulisch; *s f* Hydraulik *f; centre m, centrale f ~* Wasserkraftwerk *n; construction f ~* Wasserbau *m; énergie f ~* Wasserkraft *f;* **~avion** *m* Wasserflugzeug *n; ~ à coque* Flugboot *n; ~ de haute mer, transocéanique* Hoch-, Überseeflugzeug *n; ~ de reconnaissance* Seeaufklärer *m,* Aufklärungsflugboot *n;* **~azine** *f chem* Hydrazin; *n.*

hydre [idr] *f* Seeschlange; *zoo fig* Hydra *f.*

hydrémie [idremi] *f med* Blutverdünnung *f.*

hydro|base [idrɔbaz] *f* Wasserflughafen *m;* **~carbure** *m* Kohlenwasserstoff *m;* **~cèle** *f med* Wasserbruch *m;* **~centrale** *f* Wasserkraftwerk *n;* **~céphale** [-sefal] *med* mit e-m Wasserkopf behaftet; **~céphalie** *f* Gehirnwassersucht *f;* Wasserkopf *m;* **~chlorique** [-klɔ-]*: acide m ~* Chlorwasserstoff-, Salzsäure *f;* **~culture** *f* Hydrokultur *f;* **~cution** *f* Kälteschock *m;* **~dynamique** *f* Dynamik *f* flüssiger Körper; **~électricité** *f* durch Wasserkraft erzeugte Energie *f;* **~électrique** *a: centre m, centrale f ~* Wasserkraftwerk *n;* **~fin** *m* Flugboot *n* ohne Tragflächen; **~fuge** wasserabstoßend; **~gène** *m* Wasserstoff *m; bombe f à ~* Wasserstoffbombe *f; carbure m d'~* Kohlenwasserstoff *m; ~ sulfuré* Schwefelwasserstoff *m;* **~géné, e** wasserstoffhaltig; **~ogéner** hydrieren, Wasserstoff an=lagern (*qc* an etw); **~glisseur** *m* Tragflächenboot *n,* **~graphie** *f* Gewässer(kunde *f*) *n pl;* **~lithe** [-lit] *m chem* Kalziumhydrid *n;* **~logie** *f*

Lehre *f* vom Wasser; **~logique** hydrologisch; **~lyse** [-liz] *f chem* Hydrolyse *f;* **~mel** [-mɛl] *m* Met *m;* **~mètre** *m* Hydrometer *n;* **~pathie** *f* Wasserheilkunde *f;* **~phile** *a* wasseraufsaugend, -ziehend; *s m* Kolbenwasserkäfer *m; (coton m ~)* Watte *f;* **~phobe** [-fɔb] wasserscheu; tollwütig; **~phobie** *f* Wasserscheu; Tollwut *f;* **~phone** [-fɔn] *m* Hydro-, Unterwassermikrophon *n;* **~phtalmie** *f* Augenwassersucht *f;* **~pique** *a* wassersüchtig; *s m f* Wassersüchtige(r *m*) *f;* **~pisie** *f* Wassersucht *f; ~ du péricarde* Herzbeutelwassersucht *f;* **~plane** *m* Wellenschlitten *m,* Gleitboot *n;* **~planer** auf dem Wasser gleiten; **~ptère** *m* Tragflügelboot, Tragflächenboot *n;* **~scope** [-skɔp] *m* Rutengänger *m;* **~soluble** wasserlöslich; **~sphère** *f* Hydrosphäre *f;* **~statique** *a* hydrostatisch; *s f* Hydrostatik *f; balance f ~* hydrostatische Waage *f;* **~thérapie** *f* Wasserheilkunde *f;* **~thérapique:** *traitement m ~* (Kalt-) Wasserbehandlung *f.*

hydr|oxyde [idrɔksid] *m chem* Hydroxyd *n;* **~ure** *m chem* Wasserstoffverbindung *f.*

hyène [jɛn] *f zoo* Hyäne *f a. fig; fig* gemeine(s) Biest *n.*

hygi|ène [iʒjɛn] *f* Hygiene, Gesundheitslehre, -pflege *f; règle f d'~* Gesundheitsregel *f; service m d'~* Gesundheitsdienst, -amt *n; ~ alimentaire* Nahrungsmittel-, Ernährungshygiene *f; ~ du corps* od *corporelle, de la peau, de la bouche* Körper-, Haut-, Mund- *od* Zahnpflege *f; ~ individuelle, sociale, professionnelle* individuelle, öffentliche *od* soziale, Gewerbehygiene *f; ~ des pays chauds* Tropenhygiene *f; ~ scolaire* Schulhygiene, -gesundheitspflege *f;* **~énique** hygienisch, sanitär; Gesundheits-; *serviette f ~* Damen-, Monatsbinde *f; papier m ~* Klosettpapier *n;* **~éniste** *m* Hygieniker *m.*

hygro|mètre, ~scope [igrɔmɛtr, -skɔp] *m* (Luft-)Feuchtigkeitsmesser *m;* **~métrique** *a: état m ~ de l'air* Feuchtigkeitsgehalt *m* der Luft; **~scopique** hygroskopisch, Feuchtigkeit anziehend.

hym|en, ~énée [imɛn, -ene] *m poet* Ehe; *fig (enge) Verbindung, Vereinigung f;* **~en** [-mɛn] *m anat* Jungfernhäutchen *n;* **~énoptères** *m pl zoo* Hautflügler *m pl.*

hymne [imn] *m* Hymne *f; f rel* Hymnus, (Lob-)Gesang *m; ~ national* Nationalhymne *f.*

hyoïde [jɔid] *s m* u. *a: os m ~ (anat)* Zungenbein *n.*

hyper|- [ipɛr] *(in Zssgen)* Über-; **~bole** *f math* Hyperbel; *fig* Übertreibung *f;* **~bolique** *math* Hyperbel-; übertrieben; übertreibend; **~boloïde** *a* hyperbelartig; *s m math* Hyperboloid *n;* **~borée; ~boréen, ne**[-reɛ̃, ɛn] *a* hyperboreisch, im äußersten Norden wohnend; **~émèse** *f* Schwangerschaftserbrechen *n;* **~émotif, ive** übererregbar; **~esthésie** *f* Überempfindlichkeit; nervöse Reizbarkeit *f;* **~génèse** *f biol* übermäßige(s) Wachstum *n;* **~glycémie** *f med* Hyperglykämie *f,* erhöhte(r) Blutzuckerspiegel *m;* **~marché** *m* Großmarkt *m;* **~métrope** weitsichtig; **~métropie** *f* Weitsichtigkeit *f;* **~nerveux, se** hypernervös, übernervös; **~nervosité** *f* Hypernervosität, Übernervosität *f;* **~nerveux, se** hypernervös, übernervös; **~nervosité** *f* Hypernervosität, Übernervosität *f;* **~sécrétion** *f med* übermäßige Absonderung *f;* **~sensibilité** *f* Überempfindlichkeit *f;* **~sensible; ~sensitif, ive** überempfindlich; **~sexué, e** mit e-m stark ausgeprägten Sexualtrieb; **~tendu, e** mit erhöhtem Blutdruck; *être ~* e-n (zu) hohen Blutdruck haben; **~tension** *f (~ artérielle) med* erhöhte(r) Blutdruck *m;* **~trophie** *f* Hypertrophie *f,* übermäßige(s) Wachstum *n;* krankhafte Wachstumssteigerung; Wucherung *f;* **~trophié, e** übermäßig *od* krankhaft vergrößert *od* hypertrophiert; **~trophier** übermäßiges *od* krankhaftes Wachstum bewirken, zur Folge haben; *s'~* übermäßig wachsen; wuchern.

hypno|se [ipnoz] *f* Hypnose *f;* **~tique** [-nɔ-] hypnotisch; **~tisé, e** *fig* gebannt; **~tiser** hypnotisieren; *fig* in s-n Bann schlagen, fesseln; *s'~ (fig)* sich ganz, völlig konzentrieren (*sur qc* auf e-e S); **~tiseur** *m* Hypnotiseur *m;* **~tisme** *m* Hypnotismus *m.*

hypo|- [ipɔ] *(in Zssgen)* Unter-; **~chlorite** [-klɔ-] *m chem* Chlorhydroxyd, Hypochlorit *n;* **~condre** [-kɔ̃dr] *m anat* Hypochondrium *n;* **~condriaque** [-drijak] *a* hypochondrisch, schwermütig; *s m* Hypochonder *m;* **~condrie** *f* Hypochondrie, Schwermut *f.*

hypo|crisie [ipɔkrizi] *f* Heuchelei; Scheinheiligkeit *f;* **~crite** *a* heuchlerisch; scheinheilig; *s m f* Heuchler(in *f*) *m;* Scheinheilige(r *m*) *f.*

hypo|dermique [ipɔdɛrmik] *med (Einspritzung)* subkutan; **~gastre** *m* *anat* Unterbauchgegend *f,* Unterleib *m;* ~**gastrique** *a* Unterleibs-; *ceinture f* ~ Leibbinde *f;* ~**glycémie** *f* Hypoglykämie *f, fam* Unterzucker *m;* ~**physe** [-fiz] *f anat* Hirnanhang *m;* ~**style** *a: salle f* ~ Hypostylos *m,* Säulenhalle *f;* ~**sulfite** *m chem* Schwefelhydroxyd, Hyposulfit *n;* ~**tension** *f med* gesenkte(r) Blutdruck *m;* ~**ténuse** [-tenys] *f math* Hypotenuse *f;* ~**thécaire** [-tekɛr] hypothekarisch; Hypotheken-; *banque f* ~ Hypothekenbank *f; caisse f* ~ Bodenkreditanstalt *f; cédule, lettre f* ~ Hypothekenbrief *m; créance, dette f* ~ Hypothekenforderung, -schuld *f; créancier, débiteur m* ~ Hypothekengläubiger, -schuldner *m; droit m* ~ Hypotheken-, Grundpfandrecht *n; radiation f* ~ Löschung *f* e-r Hypothek; ~**thèque** *f* Hypothek, Grundpfandverschreibung *f; sur* ~ gegen hypothekarische Sicherheit; *constituer, prendre, amortir, purger une* ~ e-e H. bestellen, auf≈nehmen, ab≈tragen, löschen; *avancement m d'une* ~ Nachrücken *n* e-r H.; *constitution, purge f d'une* ~ Hypothekenbestellung, -löschung *f; droit m d'*~ Hypotheken-, Grundpfandrecht *n; franc d'*~*s (Grundstück)* schuldenfrei; *lettre f d'*~ Hypothekenbrief; ~ *conventionnelle, légale* vertragliche, gesetzliche H.; ~ *de garantie* Sicherungshypothek *f;* ~ *judiciaire* Zwangshypothek *f;* ~ *de premier, second rang* erste, zweite H.; ~**théquer** mit e-r Hypothek belasten; hypothekarisch sichern; *fig* (vorweg) belasten; ~**thermie** *f med* Untertemperatur *f;* ~**thèse** *f* Annahme, Hypothese *f;* ~ *de travail* Arbeitshypothese *f;* ~**thétique** hypothetisch, angenommen; zweifelhaft, ungewiß, unsicher; ~**tonie** *f med* verminderte Spannung *f;* ~**trophie** *f* Unterernährung *f.*

hypso|mètre [ipsɔmɛtr] *m* Höhenmesser *m;* ~**métrie** *f* Höhenmessung *f.*

hysope [izɔp] *f bot* Ysop *m.*

hystér|ectomie [isterɛktɔmi] *f* operative Entfernung *f* der Gebärmutter; ~**ie** *f med* Hysterie *f;* ~**ique** *a* hysterisch; *s m f* Hysteriker(in *f*) *m;* ~**isme** *m* hysterische(s) Krankheitsbild *n;* ~**otomie** *f med (~ abdominale)* Kaiserschnitt *m.*

I

i [i] *m: droit comme un I* kerzeng(e)-rade; *mettre les points sur les i* sich klar u. deutlich aus≈drücken, es ganz genau sagen, erklären; *i grec* Ypsilon *n.*

ïamb|e [jɑ̃b] *m* Jambus *m; pl* Spottgedicht *n;* **~ique** *a jambisch.*

ibérique [iberik] *geog* iberisch; *la péninsule I~* die Iberische Halbinsel.

ibidem [ibidɛm] *adv* ebenda.

ibis [ibis] *m orn* Ibis *m.*

ice|berg [isbɛrg, ajs-] *m* Eisberg *m;* **~-boat** [ajsbot] *m* Eisjacht *f;* **~-cream** [ajskrim] *m* Eiskrem *f, fam m;* **~-field** [ajsfild] *m geog* Inlandeis *n.*

icelui, icelle, *pl* **iceux, icelles** [isəlui, isɛl, isø] *prn vx jur hum* selbige(r, s), besagte(r, s).

ichneumon [iknømɔ̃] *m* Ichneumon *m* od *n,* Pharaonsratte *(Raubtier);* Schlupfwespe *f (Insekt).*

ichtyo|- [iktjɔ] *(in Zssgen.)* Fisch-; **~colle** [-kɔl] *f* Fischleim *m;* **~logie** *f* Fischkunde *f;* **~phage** fisch(fr)essend; **~saure** [-sɔr] *m zoo* Ichthyosaurus *m.*

ici [isi] *adv* hier(her); *d'~* von hier; von hier, jetzt an; von hier, hiesig; *d'~ à ce que (conj)* bis (daß) . . .; *d'~ (à) demain* bis morgen (früh), noch lange; *d'~ un an* übers Jahr, in Jahresfrist; *d'~ trois jours* (heute) in drei Tagen; *d'~ là (räuml. u. zeitl.)* bis dahin; *(zeitl.)* inzwischen, unterdessen, einstweilen; *d'~ peu* in, binnen kurzem; *jusqu'~* bis hier(her); bis jetzt; *par ~* hierher, -durch; hierherum, hier vorbei; *à partir d'~* von hier aus; von jetzt an; *~-bas* hienieden; *d'~-bas* irdisch; *j'en ai jusqu'~ (fam)* es steht mir bis hier, ich habe es satt; *il n'en est pas question d'~ longtemps* davon kann noch lange nicht die Rede sein.

icône [ikon] *f rel (Kunst)* Ikone *f.*

icono|claste [ikɔnɔklast] *m rel* Bilderstürmer *m;* **~gène** *m chem phot* Natriumkarbonat, Soda, kohlensaure(s) Natrium *n;* **~graphie** *f* Ikonographie *f;* **~lâtre** [-latr] *m* Bilderverehrer *m;* **~lâtrie** *f rel* Bilderverehrung *f,* -dienst *m;* **~scope** [-skɔp] *m (Fernsehen)* Ikonoskop *n;* **~stase** *f rel* Bilderwand *f.*

icosaèdre [ikɔzaɛdr] *m math* Zwanzigflächner *m.*

ict|ère [iktɛr] *m med* Gelbsucht *f;* **~érique** gelbsüchtig; Gelbsucht-.

idé|al, e [ideal] *a* (*pl* **~als, ~aux**) erdacht, vorgestellt; ideal, vollkommen; Ideal-; *s m* Ideal; Wunschbild *n;* **~alisation** *f* Idealisierung *f;* **~aliser** idealisieren; **~alisme** *m* Idealismus *m;* **~aliste** *a* idealistisch; ideal denkend; *s m* Idealist *m.*

idé|e [ide] *f* Idee; Vorstellung *f;* Begriff; Gedanke; Sinn *m,* Bedeutung; Meinung, Ansicht; erste Idee *f,* Einfall, Entwurf *m,* Skizze *f;* falsche Vorstellung, Einbildung; Phantasie, Laune *f; une ~ (fam)* e-e Idee, ein bißchen, ein (ganz) klein wenig; *à mon ~* meiner Auffassung nach; *en ~* in Gedanken, in der Vorstellung; *agir à son ~* nach s-m Kopf handeln; *avoir de l'~ (fam)* was los haben; *avoir ~ de qc* e-e Vorstellung von etw haben; *avoir ses ~s sur qc* s-e eigenen Ansichten über e-e S haben; *avoir une haute ~ de qn, qc* e-e hohe Meinung von jdm, etw haben; *n'avoir pas la moindre, la première ~ de qc* keine, nicht die leiseste Ahnung, keinen blassen Schimmer von etw haben; *avoir son ~ à soi* sich sein(en) Teil denken; *changer d'~* s-e Meinung, Ansicht ändern, sich anders besinnen; *changer les ~s à qn* jdn auf andere Gedanken bringen; *donner une ~ de qc* e-e Vorstellung von etw geben *od* vermitteln; *donner l'~ de qc à qn* jdn auf e-e S bringen; *entretenir qn dans ses ~s* in s-n Ansichten bestärken; *épouser les ~s de qn* sich jds Gedanken, Auffassungen zu eigen machen; *se faire une ~ de qc* sich von etw e-e Vorstellung machen; *se faire des ~s (fam)* sich Illusionen machen; sich unnütz Sorgen machen; *se mettre une ~ dans la tête* sich etw in den Kopf setzen; *s'ôter une ~ de l'esprit (fam)* sich etw aus dem Kopf schlagen; *on ne m'ôtera pas de l'~ que (fam)* ich bleibe bei der Meinung, daß; *ne pas pouvoir se faire à l'~ de qc* etwas nicht fassen können; *aucune ~!* keine Ahnung! *il y a de l'~ (fam)* es steckt was dahinter; *on n'a pas ~ de cela* man kann sich keine

Vorstellung davon machen, es spottet jeder Beschreibung, es ist unerhört; *fam* wie kann man nur!; *on ne peut lui enlever cette* ~ er läßt sich nicht davon abbringen; *c'est une* ~! das wäre was! *quelle* ~! wo denken Sie hin! *cela ne me sort pas de l'*~ das geht mir nicht aus dem Sinn, ich komme nicht davon ab; *il me vient à l'*~ es fällt mir (gerade) so ein; *abondance f des* ~*s* Gedankenfülle *f; absence f d'*~*s* Einfallslosigkeit *f; association f des* od *d'*~*s* Ideenassoziation, Gedankenverbindung *f; cours, fil m, suite f des* ~*s* Gedankengang *m,* -folge *f; demi-*~ *f* undeutliche Vorstellung *f; échange m des (*od *d')*~*s* Gedankenaustausch *m; élévation f des* ~*s* Gedankenflug *m; homme m à* ~*s* einfallsreiche(r) Mensch *m;* ~ *creuse* Hirngespinst *n;* ~ *délirante* Wahnvorstellung *f;* ~ *de Dieu* Gottesvorstellung *f;* ~ *directrice, générale* Leitgedanke *m; pl* Richtlinien *f pl;* ~ *fixe* fixe Idee, Zwangsvorstellung *f;* ~ *fondamentale* Grundgedanke *m;* ~*s noires* trübe Gedanken *m pl;* ~ *préconçue* vorgefaßte Meinung *f;* ~**el, le** ideel, gedacht, vorgestellt.

idem [idɛm] *adv fam* desgleichen, gleichfalls, ebenso, auch.

identi|fiable [idɑ̃tifjabl] identifizierbar; ~**fication** *f* Identifizierung *f,* Erkennen *n; mil* Ansprache; Bestimmung *(e-s Ortes),* Ortung; Kennzeichnung *f;* ~**fier** identifizieren, erkennen; fest=stellen; *mil* an=sprechen; *(selten)* gleich=machen, -setzen, -stellen; s'~ sich hineinversetzen (*avec* in *acc*); mitea. verschmelzen, inea. auf=gehen; über=gehen (*avec, à* in *acc*); ~**que** identisch; völlig gleich; übereinstimmend, gleichlautend; gleichbedeutend; ~**té** *f* Identität; völlige Übereinstimmung, Gleichheit *f; établir, vérifier l'*~ *de qn* jds Identität fest=stellen; *établir son* ~, *justifier de son* ~, *prouver son* ~ sich auf=weisen, sich legitimieren; *carte f d'*~ Personalausweis *m,* Kennkarte *f; interrogatoire m d'*~ *(jur)* Vernehmung *f* zur Person; *papiers d'*~ Ausweispapiere *m pl; pièce f d'*~ *(beliebiger)* Ausweis *m; plaque f d'*~ *(mil)* Erkennungsmarke *f; preuve f d'*~ Identitätsnachweis *m.*

idéo|graphie [ideɔgrafi] *f* Bilderschrift *f;* ~**logie** *f* Ideen-, Begriffslehre; Ideologie *f;* Gedankengut *n; péj* reine Theorie *f; conflit m d'*~*s* ideologische(r) Gegensatz *m;* ~**logique** ideologisch; *cataloque m* ~ Sachkatalog *m;* ~**logue** *m* Ideologe; *péj* wirklichkeitsfremde(r) Theoretiker *m.*

idio|matique [idjɔmatik] idiomatisch, mundartlich; ~**me** [-djom] *m* Idiom *n;* Sprache *f;* Dialekt *m,* Mundart *f;* ~**syncrasie** [-sɛ̃-] *f* Eigenart; *(krankhafte)* Überempfindlichkeit *f.*

idio|t, e [idjo, -ɔt] *a* blöd(sinnig), verrückt, idiotisch; *med* schwachsinnig; *s m f* Idiot(in *f*) *m,* Verrückte(r *m*); *med* Schwachsinnige(r *m*) *f;* ~**tie** [-si] *f* Blödsinn *m,* Verrücktheit, Idiotie *f; med* Schwachsinn *m;* ~**tisme** *m* (Sprach-)Eigentümlichkeit *f.*

idol|âtre [idɔlatr] *a* Götzendienst treibend; *allg* abgöttisch verehrend (*de qn* jdn); leidenschaftlich verliebt (*de* in *acc*); *s m* Götzendiener; leidenschaftliche(r) Verehrer *m* (*de* gen); ~ *de soi-même* völlig von sich selbst eingenommen; ~**âtrer** abgöttisch verehren; vergöttern, leidenschaftlich lieben; *s'*~ sich selbst beweihräuchern; ~**âtrie** *f* Götzendienst *m,* Abgötterei; *allg* abgöttische Verehrung; leidenschaftliche Liebe *f* (*de* zu); ~**e** *f* Götze(nbild *n*); *fig* Abgott *m,* Idol *n; être l'*~ *du jour* der Held des Tages sein.

idyll|e [idil] *f (Literatur, Kunst)* Idylle *f;* Idyll *n;* romantische Liebe *f;* ~**ique** idyllisch.

if [if] *m bot* Eibe *f,* Taxus *m.*

igloo, iglou [iglu] *m* Iglu *m* od *n.*

Ign|ace [iɲas] *m* Ignatius, Ignaz *m.*

igname [iɲam] *f bot* Jamswurzel *f.*

ignare [iɲar] unwissend, ungebildet.

ign|é, e [igne] feurig; *geol* vulkanisch; ~**ifuge** [ign-] *a* feuersicher, -fest machend; *s m* Feuerschutz(mittel *n*) *m;* ~**ifugeage** *m* Brandfreiheit *f;* ~**ifuger** feuerfest machen; ~**ition** [ign-] *f* Entzündung; Verbrennung; Rotglut *f;* ~ *spontanée* Selbstentzündung *f.*

igno|ble [iɲɔbl] unfein, gemein, schändlich; häßlich, schmutzig, widerlich, ekelhaft; ~**minie** *f* Schande, Schmach *f,* Schimpf *m;* ~**minieux, se** schimpflich, schändlich, schmachvoll.

igno|rance [iɲɔrɑ̃s] *f* Unwissenheit; Unkenntnis, Bildungslücke *f;* ~**rant, e** *a* unwissend (*en qc* in e-r S); *s m* Ignorant *m; être* ~ *de qc* etw nicht kennen *od* wissen; ~**ré, e** unbekannt, verborgen, in der Verborgenheit; ~**rer** nicht wissen, nicht kennen (wollen); ignorieren, nicht beachten; *ne pas* ~ sehr wohl wissen; *nul n'est censé* ~ *la loi* Unkenntnis (des Gesetzes) schützt vor Strafe nicht.

iguane [igwan] *m* Leguan *m.*

il, elle, *pl* **ils, elles** [il, *fam vor Kon-*

sonanten i; ɛl] *prn* er, sie, es, *pl* sie; **il-** (*in Zssgen vor* l) un-, nicht.

île [il] *f* Insel *f a. fig;* Häuserblock *m; l'~ de Beauté* Korsika *n; les ~s Britanniques* die Britischen Inseln *f pl; l'~ Maurice* Mauritius *n; les ~s Sous-le-vent* die Inseln *f pl* unter dem Wind.

il|éon, ~éum [ileɔ̃, -ɔm] *m* Krummdarm *m;* **~éus** [-ys] *m* Darmverschluß *m,* -verschlingung *f.*

Iliade, l' [iljad] *f* Illias *f.*

iliaque [iljak] *a anat* Hüft-; *os m ~* Hüftbein *n.*

illég|al, e [ilegal] illegal, ungesetzlich, rechtswidrig; unrechtmäßig, unberechtigt; **~alité** *f* Ungesetzlichkeit. Rechtswidrigkeit; Unrechtmäßigkeit; ungesetzliche Handlung *f.*

illégiti|me [ileʒitim] unrechtmäßig; *allg* ungerechtfertigt; *(Kind)* unehelich; **~mité** *f* Unrechtmäßigkeit; *(Kind)* Unehelichkeit *f.*

illettré, e [ilɛtre] *a* ungebildet; des Lesens u. Schreibens unkundig; *s m* Analphabet *m.*

illicite [ilisit] *a* unerlaubt; rechtswidrig; unstatthaft; *concurrence f ~* unlautere(r) Wettbewerb *m.*

illico [iliko] *adv fam* sofort, unverzüglich; auf dem schnellsten Wege.

illimité, e [ilimite] unbeschränkt, unbegrenzt; *(Gewalt)* unumschränkt; nicht genau festgelegt.

illisi|bilité [ilizibilite] *f* Unlesbarkeit, Unleserlichkeit *f;* **~ble** unlesbar, unleserlich.

illog|ique [ilɔʒik] unlogisch; **~isme** *m* (das) Unlogische, *fam* Unlogik *f;* Mangel *m* an Logik.

illumin|ant, e; ~atif, ive [ilyminɑ̃, -ɑ̃t; -atif, -iv] be-, *fig* erleuchtend; **~ateur** *m* Be-, *fig* Erleuchter *m;* **~ation** *f* Be-, *fig* Erleuchtung; Festbeleuchtung, Illumination *f;* Anstrahlen *(von Bauwerken); fig* Licht *n (das e-m aufgeht); ~ de plafond* Deckenbeleuchtung *f;* **~é, e** *a* be-, erleuchtet; *(Gebäude)* angestrahlt; *s m rel* Erleuchtete(r), Schwärmer, Schwarmgeist; Verrückte(r) *m;* **~er** be-, erleuchten; festlich beleuchten, an≈strahlen; *fig* erleuchten, auf≈klären; *s'~* erstrahlen, -glänzen, auf≈leuchten.

illus|ion [ilyzjɔ̃] *f* (Sinnes-)Täuschung; *(Kunst) theat allg* Illusion; Einbildung *f,* Wahn(vorstellung *f*) *m;* Blendwerk *n;* Taschenspielertrick *m,* Zauberkunststück *n; pl* Potemkinsche Dörfer *n pl; entretenir des ~s* sich Illusionen hin≈geben; *faire ~ à qn* jdn täuschen; *se faire ~ sur soi-même* sich *(dat)* selbst e-e S vor≈machen; *se faire des ~s* sich *(dat)* falsche Vorstellungen machen (*sur* über *acc*); *~ d'optique* optische Täuschung *f; ~ sensorielle* Sinnestäuschung *f;* **~ionner** [-sjɔ-] täuschen (*sur* über *acc*); *s'~* sich *(dat)* etw vormachen; sich Illusionen machen (*sur* über *acc*); **~ionniste** *m* Taschenspieler, Zauberkünstler; Verwandlungskünstler *m;* **~oire** täuschend; trügerisch, illusorisch.

illustr|ateur [ilystratœr] *m* Illustrator *m;* **~ation** *f* Illustration *f,* Bild *n,* Abbildung; Bebilderung; Berühmtheit *f;* (Ruhmes-)Glanz *m; ~ dans le texte* Textabbildung *f.*

illustre [ilystr] (welt)bekannt; (hoch)berühmt; *(Familie, Haus)* erlaucht.

illustré, e [ilystre] *a* illustriert, bebildert; *s m (journal m ~)* Illustrierte *f;* **~er** illustrieren, bebildern; berühmt machen; *s'~* sich aus≈zeichnen.

ilménite [ilmenit] *m min* Ilmenit *m,* Titaneisenerz *n.*

îlot [ilo] *m* kleine Insel *f;* Häuserblock *m; aménagement m en ~s fermés* geschlossene Bebauung *f; chef m d'~* Block-, Luftschutzwart *m; ~ de circulation, directionnel* Verkehrs-, Leitinsel *f; ~ insalubre* Elendsviertel *n; ~ de résistance* Widerstandsnest *n; ~ rocheux* Schäre *f; ~ de verdure* (kleine) Grünanlage *f.*

ilote [ilɔt] *m hist* Helot; *fig* Paria *m.*

imag|e [imaʒ] *f* (Ab-, Eben-, Spiegel-) Bild *a. fig;* Bildnis; Bildwerk; Götter-, Heiligenbild *n;* Abbildung, bildliche Darstellung; Schilderung, Beschreibung; *fig* Vorstellung *f;* Sinnbild, Gleichnis *n; photo* Aufnahme *f (auf d. Filmstreifen); on amuse des enfants avec des ~s (prov)* mit Speck fängt man Mäuse; *aspect m de l'~* Bildeindruck *m; beau, belle comme une ~* bildschön; *briseur m d'images (rel)* Bilderstürmer *m; centre m de l'~* Bildmitte *f; culte m des ~s (rel)* Bilderverehrung *f; distance f de l'~* Bildweite *f; feuille f d'~s* Bilderbogen *m; grandeur f de l'~* Bildgröße *f; livre m d'~s* Bilderbuch *n; plan m de l'~ (phot)* Bild-ebene *f; sage comme une ~ (Kind)* (mucks)mäuschenstill; sehr brav, artig; *surface f de l'~* Bildfläche *f; ~ consécutive* Nachbild *n; ~ à grand contraste* kontrastreiche(s) B.; *~ en couleurs* Farbdruck *m; ~ à décalquer* Abziehbild *n; ~ d'Épinal* Bilderbogen *m (XIX. Jahrhundert); fig* naive, vereinfachende Darstellung *f (von Geschehnissen); ~ douce* flache(s) Bild *n;* ~ *floue* unscharfe(s) Bild *n;* ~ *de marque* Markenzeichen, Image *n;* ~ *négative (phot)* Negativ *n;* ~ *publicitaire* Werbe-, Reklamebild *n;* ~ *reflétée* Spiegelbild *n;* ~ *de la rétine* Netzhautbild *n;* ~ *de la Vierge* Marienbild *n;* **~é, e** *(Stil)* bilderreich; **~er** bebildern; *(Stil)* bilderreich, anschaulich gestalten; **~erie** *f* Bilderfabrikation *f,* -handel *m,* -sammlung *f;* ~ *populaire* volkstümliche Bildkunst *f;* **~ier, ère** *a* Bilder-; *s m f* Bilderfabrikant(in *f*), -händler(in *f*) *m; industrie f ~ère* Bilderfabrikation *f.*

imag|inable [imaʒinabl] denkbar; *tout le, toute la ...* ~ alle(r, s) erdenkliche; **~inaire** (nur) vorgestellt, eingebildet; in der Vorstellung *od* Einbildung; erdacht, erdichtet; unwirklich; Schein-; *math* imaginär; *être, voyager, se perdre dans les espaces ~s (fig)* in höheren Regionen schweben, in e-r Scheinwelt leben; **~inatif, ive** *a* phantasievoll, -begabt; einfallsreich; Einbildungs-; *faculté, puissance f ~inative* Einbildungskraft *f;* **~ination** *f* Einbildung(skraft), Vorstellung, Phantasie; Idee *f,* Gedanke; Einfall *m;* Hirngespinst *n; d'~* belletristisch, schöngeistig; *en, par l'~* in der Phantasie, in Gedanken; *cela passe l'~* das ist unvorstellbar; **~iner** sich (*dat*) vor=stellen, sich *(dat)* denken; erdenken, erdichten; ersinnen, erfinden; kommen, verfallen (*qc* auf e-e S); denken, meinen; *s'~* sich vor=stellen, sich denken; sich ein=bilden (*être* zu sein); *ne pouvoir s'~* sich nicht vorstellen, denken können; unvorstellbar sein; *j'ai ~é qc* mir ist etw eingefallen.

imago [imago] *m* vollständig ausgebildete(s) Insekt *n.*

imbattable [ɛ̃batabl] unschlagbar, unbesiegbar; *(Preis)* nicht zu unterbieten(d).

imbécil|e [ɛ̃besil] *a* schwachsinnig; blöd(e), stumpf(sinnig), einfältig, dumm; *s m f* Schwachsinnige(r *m*) *f;* Schwachkopf, Einfaltspinsel *m;* **~lité** *f* Schwachsinn *m;* Blödheit *f,* Stumpfsinn *m;* Dummheit, Eselei *f.*

imberbe [ɛ̃bɛrb] bartlos; *fig péj* noch grün, mit Milchbart.

imbib|er [ɛ̃bibe] (durch)tränken, imprägnieren (*de* mit); auf=saugen; *s'~ de qc* sich mit etw voll=saugen; etw ein=saugen; *fig* etw in sich auf=nehmen; *pop* sich voll=saufen; **~ition** *f* Durchtränkung, Imprägnierung *f;* Aufsaugen; Einziehen *n.*

imbr|ication [ɛ̃brikasjɔ̃] *f* dachziegelartige Anordnung *f;* Dachziegelverband *m; fig* Verschachtelung *f;* **~iquer, s'** dachziegelartig angeordnet sein; *fig* sich verschachteln.

imbroglio [ɛ̃brɔljo] *m* Durcheinander *n,* Wirrwarr *m; theat* (verwickeltes) Intrigenstück *n.*

imbu, e [ɛ̃by] *a* durchdrungen (*de* von), behaftet (*de* mit), voller (*de* ...).

imbuvable [ɛ̃byvabl] nicht zu trinken(d), ungenießbar; *fig fam* unausstehlich, unmöglich.

imit|able [imitabl] nachahmenswert; **~ateur, trice** *a* zur Nachahmung neigend; *s m f* Nachahmer(in *f*) *m;* **~atif, ive** *a* nachahmend, lautmalend; **~ation** *f* Nachahmung *f,* -machen, -äffen, -leben *n; rel* Nachfolge; Nachbildung, -ahmung, Kopie *f; à l'~ de* nach dem Muster, Vorbild *gen; d'~, en* ~ unecht; *se méfier des ~s! (com)* vor Nachahmungen wird gewarnt! *c'est de l'~* das ist unecht; ~ *cuir, daim* Kunstleder *n;* Wildlederimitation *f;* **~er** nach=ahmen, -machen, -äffen, kopieren; zum Vorbild nehmen, sich richten (*qn* nach jdm).

immaculé, e [imakyle] fleckenlos; *fig* unbefleckt, rein; *I~e Conception f (rel)* Unbefleckte Empfängnis *f.*

immanen|ce [imanɑ̃s] *f (Philosophie)* Immanenz *f,* Innewohnen *n,* Mitenthaltensein *n;* **~t, e** immanent, innewohnend, (mit) enthalten.

immangeable [ɛ̃mɑ̃ʒabl] nicht zu essen(d), ungenießbar.

immanquable [ɛ̃mɑ̃kabl] unausbleiblich, sicher.

immarcescible [im(m)arsɛsibl] unvergänglich.

immariable [ɛ̃marjabl]: *être* ~ nicht heiratsfähig sein.

immat|érialité [im(m)aterjalite] *f* Unkörperlichkeit, Unstofflichkeit *f;* **~ériel, le** unkörperlich, unstofflich, geistig; *faux m* ~ *(jur)* intellektuelle Urkundenfälschung, Falschbeurkundung *f.*

immatricu|lation [imatrikylasjɔ̃] *f* Immatrikulation, Einschreibung, Registrierung *f; aero* Erkennungszeichen *n; certificat m d'~* Aufnahmebescheinigung, Immatrikulationsurkunde *f; numéro m d'~ (mot)* amtliche(s) Kennzeichen *n,* Autonummer *f; plaque f d'~* Nummernschild *n;* **~ler** immatrikulieren, ein=schreiben; registrieren; ein=tragen.

immédiat, e [imedja, -t] *a* unmittelbar; direkt; sofortig; *aide f ~e* Soforthilfe *f; s m: dans l'~* im Augenblick; **~ement** *adv* unmittelbar; gleich, sofort, unverzüglich.

immémorial, e [imemɔrjal] uralt; *de temps* ~ seit undenklichen Zeiten.
immens|e [im(m)ɑ̃s] unermeßlich; maß-, grenzenlos, unendlich; ungeheuer, gewaltig; ~**ité** *f* Unendlichkeit; ungeheure, gewaltige Größe *od* Weite *f*.
immer|ger [imerʒe] ein≈tauchen (*dans qc* in e-e S); *(im Meer)* versenken; ~**sion** [-sjɔ̃] *f* Ein-, Untertauchen *n;* Versenkung; Überflutung *f; tech* Absenken *n; astr* Eintritt *m* in den Schatten; *mort f par* ~ Tod *m* durch Ertrinken.
immérité, e [im(m)erite] unverdient.
immesur|able [im(m)əzyrabl] unmeßbar; ~**é, e** ungemessen.
immeuble [imœbl] *a jur* unbeweglich; *s m* unbewegliche(s) Gut; Grundstück; Gebäude, (Miets-)Haus *n; pl* Immobilien *pl,* Liegenschaften *f pl; grever un* ~ ein Grundstück belasten; *agent, courtier m d'*~*s* Grundstücksmakler *m; biens m pl* ~*s* unbewegliche Güter *n pl; gérance f d'*~*s* Grundstücksverwaltung *f;* ~ *d'habitation* Wohngebäude *n;* ~ *agricole* od *rural, forestier* land-, forstwirtschaftlich genutzte(s) Grundstück *n;* ~ *d'angle* Eckgrundstück *n;* ~ *de bureau* Bürohaus *n;* ~ *à étages* mehrgeschossige(s) Haus *od* Gebäude *n;* ~*s insalubres* Elendsquartiere *n pl;* ~ *de rapport, (Schweiz) locatif* Mietshaus *n.*
immi|grant, e [immigrɑ̃, -ɑ̃t] *a* einwandernd; *s m f* Einwanderer *m,* Einwand(e)rerin *f,* Immigrant(in *f*); Gastarbeiter(in *f*) *m;* ~**gration** *f* Einwanderung, Immigration *f;* ~**gré, e** *a* eingewandert; *s m f* Eingewanderte(r *m*) *f; travailleur* ~ Gastarbeiter(in *f*) *m;* ~**grer** ein≈wandern; immigrieren.
immi|nence [iminɑ̃s] *f* unmittelbare(s) Drohen *od* Bevorstehen *n;* ~**nent, e** unmittelbar drohend *od allg* bevorstehend; in Kürze zu erwarten(d).
immi|scer, s' [imise] sich ein≈mischen (*dans* in *acc*).
immission [im(m)isjɔ̃] *f* Immission *f.*
immixtion [im(m)iksjɔ̃] *f* Einmischung *f;* Hineinziehen *n,* Einführung *f* (*de qn dans qc* jds in e-e S).
immobil|e [imɔbil] unbeweglich, fest; *(Gesetz)* unerschütterlich; ~**ier, ère** *a jur* unbeweglich; Grundstücks-; *agent, courtier m* ~ Grundstücksmakler *m; biens m pl* ~*s, choses f pl* ~*ères* Immobilien *pl; crédit m* ~ Immobiliarkredit *m; impôt m* ~ Grundsteuer *f; propriété f* ~*ère* Grundeigentum *n; saisie, vente f* ~*ère* Grundstücksverpfändung *f,* -verkauf *m; société f* ~*ère* Baugesellschaft, -genossenschaft *f,* -sparverein *m;* ~**isation** *f* Unbeweglich-, Festmachen *n; jur* Umwandlung in ein unbewegliches Gut, Immobilisierung; *com* feste Anlage; *(Konto)* Sperre; Stillegung, Außerbetriebsetzung; *med* Bettlägerigkeit *f; pl com* Anlage(kapital *n*) *f;* ~**isé, e** bewegungsunfähig; ~**iser** unbeweglich machen *a. mil; jur* zu unbeweglichem Gut machen, immobilisieren; *fig* lähmen; *(Kapital)* fest≈legen; *(Konto)* sperren; *(Fahrzeug)* still≈legen; *s'*~ (unbeweglich) stehen≈bleiben; sich nicht mehr rühren; *mot* halten; ~**isme** *m* Fortschrittsfeindlichkeit *f;* ~**ité** *f* Unbeweglichkeit, Regungslosigkeit, Starre; *fig* Starrheit *f.*
immodéré, e [im(m)ɔdere] un-, übermäßig; ~**ment** *adv* maßlos.
immodes|te [im(m)ɔdɛst] unbescheiden frech; unanständig, schamlos; ~**tie** *f* Unbescheidenheit; Schamlosigkeit, Unanständigkeit *f;* unanständige Reden *f pl.*
immol|ation [im(m)ɔlasjɔ̃] *f rel* Opferung *f; allg* (Hin-)Opfern, Abschlachten, Hinmorden; ~**er** *rel* opfern; ab≈schlachten, hin≈morden; *fig* (auf≈)opfern (*qc à qn* jdm etw); ins Verderben stürzen; *s'*~ sich (auf≈)opfern.
immond|e [im(m)ɔ̃d] schmutzig, drekkig; *rel* unrein; *fig* gemein, widerlich, ekelhaft; ~**ices** [imɔ̃dis] *f pl* Schmutz, Dreck, Kehricht, Unrat *m.*
immoral, e [im(m)ɔral] unmoralisch, unsittlich, sittenlos; gegen die guten Sitten verstoßend; ~**ité** *f* Sittenlosigkeit, Unsittlichkeit; Sittenwidrigkeit *f;* Verstoß *m* gegen die guten Sitten.
immor|taliser [im(m)ɔrtalize] unsterblich machen; *s'*~ *(fig)* sich verewigen; ~**talité** *f* Unsterblichkeit *f;* ~**tel, le** *a* unsterblich; *fig* unauslöschlich, unvergänglich; *s m f* Unsterbliche(r *m*) *f (Gott, Göttin* od *fam Mitglied der Französischen Akademie); f bot* Immortelle, Strohblume *f.*
immotivé, e [im(m)ɔtive] unbegründet, unmotiviert.
immu|abilité [imɥabilite] *f s.* ~*tabilité;* ~**able** unveränderlich, unwandelbar, stets gleich(bleibend).
immu|nisant, e [im(m)ynizɑ̃] *a med* Schutz-; ~**nisation** *f* Immunisierung *f;* ~**nisé, e** *a med* immun, unempfänglich, gefeit; ~**niser** *med allg* immun (*contre* gegen), *allg* unempfänglich machen (*contre* für); ~**nité** *f pol med* Immunität; Straf-, Steuer-, Lastenfreiheit; Unverletzlichkeit, Unantastbarkeit *f; accorder, lever l'*~ I. ge-

währen, die I. auf≈heben; ~ *diplomatique, parlementaire* diplomatische, parlamentarische Immunität *f;* ~ *fiscale* Abgaben-, Steuerfreiheit *f.*

immutabilité [im(m)ytabilite] *f* Unveränderlichkeit *f.*

impact [ɛ̃pakt] *m* Zs.stoß; *(Geschoß)* Auf-, Einschlag; Treffer *m; point m d'~* Auf-, Einschlagstelle *f.*

impair, e [ɛ̃pɛr] *a (Zahl)* ungerade; *anat* unpaarig; *s m fam* Ungeschicklichkeit, Dummheit *f,* Schnitzer *m.*

impalpable [ɛ̃palpabl] staubfein, nicht tast-, fühlbar; *fam* verschwindend klein.

impardonnable [ɛ̃pardɔnabl] unverzeihlich.

imparfait, e [ɛ̃parfɛ, -t] *a* unvollendet; unvollständig; unvollkommen; *s m gram* Imperfekt *n;* erste Vergangenheit *f.*

impartageable [ɛ̃partaʒabl] unteilbar.

impartial, e [ɛ̃parsjal] unparteiisch; **~ité** *f* Unparteilichkeit *f.*

impartir [ɛ̃partir] erteilen, gewähren, bewilligen.

impasse [ɛ̃pa(ɑ)s] *f* Sackgasse *f a. fig; loc* tote(s), Abstellgleis *n; arriver, entrer dans une* ~ in e-e Sackgasse geraten; auf e-m toten Punkt anlangen; *j'étais dans une* ~ *(fig)* ich befand mich in e-r Sackgasse, es gab für mich keinen Ausweg (mehr); ~ *budgétaire (com)* Haushaltslücke *f; faire l'~ sur qc* etw übergehen, etw aus≈lassen.

impassi|bilité [ɛ̃pasibilite] *f* Unempfindlichkeit, Kaltblütigkeit *f;* Gleichmut *m;* Unerschütterlichkeit, Unbeirrbarkeit *f;* **~ble** unempfindlich, gefühllos; gleichmütig; unerschütterlich, (felsen)fest; unbeirrbar, äußeren Einflüssen unzugänglich.

impat|ience [ɛ̃pasjɑ̃s] *f* Ungeduld (*de* bei, in *dat,* mit); *pl fam* nervöse Zustände *m pl; avec* ~ ungeduldig *adv;* **~ient, e** ungeduldig (*de* bei, in, mit); unwillig (*de* über *acc*); voll Sehnsucht (*de* nach); gespannt (*de* auf *acc*); **~ienter** ungeduldig machen, auf≈regen; aus der Fassung, zur Verzweiflung bringen; *s'~er* die Geduld verlieren; aus der Fassung, in Verzweiflung geraten.

impavide [ɛ̃pavid] *(ironisch)* furchtlos, unerschrocken; unerschütterlich.

impay|able [ɛ̃pɛjabl] *fig* unbezahlbar, nicht mit Geld zu bezahlen(d), nicht mit Gold aufzuwiegen(d); *fam* köstlich, großartig, gottvoll; **~é, e** unbezahlt; *(Wechsel)* nicht eingelöst.

impeccable [ɛ̃pɛkabl] *rel* sünd(en-)los; unfehlbar; fehler-, einwandfrei, tadellos.

impécuniosité [ɛ̃pekynjozite] *f* Geldmangel *m,* Armut *f.*

impédance [ɛ̃pedɑ̃s] *f el* Scheinwiderstand *m,* Impedanz *f.*

impedimenta [ɛ̃pedimɛ̃ta] *m pl* Hindernis *n,* Schwierigkeit *f.*

impén|étrabilité [ɛ̃penetrabilite] *f phys* Undurchdringlichkeit *a. fig; fig* Unerforschlichkeit, Undurchsichtigkeit *f;* **~étrable** undurchdringlich; unzugänglich *a. fig; fig* unerforschlich, undurchsichtig, undurchschaubar.

impén|itence [ɛ̃penitɑ̃] *f* Unbußfertigkeit *f;* **~itent, e** unbußfertig; *fam* unverbesserlich; *pécheur m* ~ verstockte(r) Sünder *m.*

impensable [ɛ̃pɑ̃sabl] undenkbar.

impense [ɛ̃pɑ̃s] *f meist pl jur (Gebäude)* Aufwendung, Ausgabe, -lage *f; pl* Aufwand *m.*

impératif, ive [ɛ̃peratif, -iv] *a* gebieterisch, gebietend; Zwangs-; *(Grund)* zwingend; *s m gram* Imperativ *m; disposition f ~ive* Mußvorschrift *f.*

impératrice [ɛ̃peratris] *f* Kaiserin *f.*

imper|ceptibilité [ɛ̃pɛrsɛptibilite] *f* Nichtwahrnehmbarkeit *f;* **~ceptible** nicht wahrnehmbar; unmerklich; verschwindend klein.

imper|fectible [ɛ̃pɛrfɛktibl] nicht vervollkommnungsfähig; **~fection** *f* Unfertigkeit; Unvollständigkeit; Unvollkommenheit; Mangelhaftigkeit *f;* Mangel, Fehler *m.*

impér|ial, e [ɛ̃perjal] *a* kaiserlich; Kaiser-; *s f vx* Betthimmel *m; vx (Wagen)* Verdeck *n (mit Sitzen);* Spitzbart *m; couronne f ~e (a. bot)* Kaiserkrone *f; ville f ~e (hist)* freie Reichsstadt *f;* **~ialisme** *m* Imperialismus *m,* Weltmachtpolitik *f;* **~ialiste** *a* imperialistisch; *s m* Imperialist *m.*

impérieux, se [ɛ̃perjø, -øz] herrisch, gebieterisch; dringend, unabweislich, unabwendbar, unwiderstehlich.

impérissable [ɛ̃perisabl] unvergänglich.

impéritie [ɛ̃perisi] *f* Unwissenheit; Unfähigkeit *f.*

imper|méabiliser [ɛ̃pɛrmeabilize] wasserdicht machen, imprägnieren; **~méabilité** *f* (Wasser-)Undurchlässigkeit, Dichtheit *f;* **~méable** *a* wasserdicht; *geol* undurchlässig; *tech* geschützt (*à* gegen); *fig* unempfindlich (*à* für); *s m* Regen-, Gummimantel *m;* ~ *à la poussière* staubdicht.

imper|sonnalité [ɛ̃pɛrsɔnalite] *f* Unpersönlichkeit *f;* **~sonnel, le** unpersönlich *a. gram.*

imper|tinence [ɛ̃pɛrtinɑ̃s] *f* Unverschämtheit, Frechheit; Flegelei *f;* **~tinent, e** *a* unverschämt, impertinent, frech, flegelhaft; *s m f* Flegel *m,* freche(s) Ding *n.*
imper|turbabilité [ɛ̃pɛrtyrbabilite] *f* Unerschütterlichkeit *f;* **~turbable** unerschütterlich; nie versagend; **~turbablement** unerschütterlich.
impét|igineux, se [ɛ̃petiʒinø, -øz] eitergrindig; **~igo** [-tigo] *m med* Eitergrind *m,* Honigborke *f.*
impét|rant, e [ɛ̃petrɑ̃, -t] *m* Empfänger; *jur* Antragsteller, Beschwerdeführer *m;* **~rer** *(auf Grund e-s Gesuches, e-r Bewerbung)* erlangen, erhalten, bekommen.
impét|ueux, se [ɛ̃petɥø, -øz] *(Wind)* heftig, stark; *(Sturm)* tobend; *(Wasser)* tobend, reißend; *fig* ungestüm, heftig *(a. Schmerz); (Schwung)* mit-, hinreißend; *(Leidenschaft)* stürmisch; **~uosité** [-tɥo-] *f* Heftigkeit *f a. fig; fig* Ungestüm *n,* hinreißende(r) Schwung *m,* Gewalt, Wucht *f.*
impi|e [ɛ̃pi] *a* gott-, ruchlos; *s m* Gottlose(r *m*) *f;* **~été** [-pje-] *f* Gott-, Ruchlosigkeit *f.*
impitoyable [ɛ̃pitwajabl] erbarmungs-, mitleidlos; hart-, unbarmherzig; unerbittlich, schonungslos.
implacable [ɛ̃plakabl] unversöhnlich; *fig* unerbittlich, erbarmungslos.
implant|ation [ɛ̃plɑ̃tasjɔ̃] *f* Einführung; Festsetzung; Einbürgerung; Verwurzelung; *(Bauwerk)* Lage *f;* **~er** *(Wurzel)* senken; *fig (Gebrauch, Sitte)* ein=führen; *(Bauwerk)* (in ein Gelände) stellen; *s'~* sich fest=heften, -setzen; *fig* sich ein=bürgern, verwurzeln, Fuß fassen; *fam* sich ein=nisten, sich breit=machen; *~ qc dans la tête de qn* jdm etw in den Kopf setzen.
implication [ɛ̃plikasjɔ̃] *f* Nachsichziehen, Zurfolgehaben *n;* Verwick(e-)lung *f* (in e-e Straftat).
implicite [ɛ̃plisit] (mit) einbegriffen; selbstverständlich; stillschweigend; *(Glaube)* blind.
impli|qué, e [ɛ̃plike] verwickelt (*dans qc* in e-e S), in Zs.hang stehend (*dans* mit); **~quer** (mit) verwickeln (*dans qc* in e-e S), (mit) ein=begreifen, enthalten, ein=schließen.
implor|ant, e [ɛ̃plɔrɑ̃, -ɑ̃t] flehend; flehentlich; **~ation** *f* Flehen *n;* **~er** an=flehen, -rufen.
implo|ser [ɛ̃plɔse] implodieren; **~sion** *f* Implosion *f.*
impoli, e [ɛ̃pɔli] unhöflich; **~tesse** *f* Unhöflichkeit; Grobheit *f.*
impondérab|ilité [ɛ̃pɔ̃derabilite] *f phys* Unwägbarkeit *f;* **~le** *a* unwägbar; *s m pl fig* Imponderabilien *pl.*
impopul|aire [ɛ̃pɔpylɛr] unbeliebt; unpopulär; **~arité** *f* Unbeliebtheit *f.*
import|ance [ɛ̃pɔrtɑ̃s] *f* Wichtigkeit, Bedeutung; *(Summe)* Höhe *f; (Schaden)* Umfang *m;* Gewichtigkeit *f,* Ansehen *n,* Einfluß *m;* Wichtigtuerei, *fam* Angabe *f; d'~* von Bedeutung; gehörig, tüchtig, gewaltig *adv; de grande* od *haute, de peu d'~* von großer, geringer Bedeutung; *de la plus haute ~* höchst bedeutsam, von größter Bedeutung; *sans ~* ohne Bedeutung, unbedeutend, unerheblich; *attacher de l'~ à qc* e-r S *dat* Bedeutung bei=messen; *avoir de l'~* von Bedeutung sein; *se donner des airs d'~* sich auf=spielen, wichtig tun, *fam* an=geben; *prendre de l'~* Bedeutung gewinnen; **~ant, e** *a* bedeutend, wichtig; erheblich, beträchtlich, nennenswert, weitgehend; gewichtig, angesehen, einflußreich; wichtigtuerisch, *fam* angeberisch; *s m* (die) Hauptsache, (das) Wesentliche; Wichtigtuer, *fam* Angeber *m; faire l'~* sich auf=spielen, wichtig tun, *fam* an=geben; *~ pour l'approvisionnement, pour les communications* versorgungs-, verkehrswichtig.
import|ateur, trice [ɛ̃pɔrtatœr, -tris] *a* einführend; Einfuhr-; *s m* Importeur *m; pays m ~* Einfuhrland *n;* **~ation** *f* Einfuhr *f,* Import *m* (*en provenance de* aus); *fig* Einführung *(e-r Sitte);* Einschleppung *(e-r Seuche); pl* Einfuhr(menge, -höhe), eingeführte Warenmenge *f; restreindre l'~* die Einfuhr beschränken *od* drosseln; *article m d'~* Importartikel *m; commerce m d'~* Einfuhrhandel *m; droits m pl d'~* Einfuhrzoll *m; excédent m d'~* Einfuhrüberschuß *m; firme, maison f d'~* Importfirma *f; interdiction, prohibition f d'~* Einfuhrverbot *n,* -sperre *f; licence, liste f d'~* Einfuhrlizenz, -liste *f; prime f d'~* Einfuhrprämie *f; restriction f d'~* Einfuhrbeschränkung, -drosselung *f; ~ aérienne* Einfuhr *f* auf dem Luftwege; *~ alimentaire* Lebensmitteleinfuhr *f; ~ de capitaux, de marchandises* Kapital-, Wareneinfuhr *f; ~s totales* Gesamteinfuhr *f;* **~er 1.** *tr* ein=führen, importieren; *(Seuche)* ein=schleppen; *(Sitte, Mode)* ein=führen; *(Ideen)* Eingang verschaffen (*qc* e-r S *dat*); **2.** *itr (nur unpersönlich)* von Bedeutung, Belang, wichtig sein; e-e Rolle spielen (*à* für); *ce qui ~e* worauf es ankommt; *cela m'~e beaucoup* das ist sehr wichtig, spielt e-e große Rolle

für mich; *il m'~e de, que* es ist mir daran gelegen, kommt mir darauf an zu, daß; *n'~e!* macht nichts! *n'~e où, quand, qui, quoi* irgendwo(hin), -wann, -wer, -was; *peu ~e* es spielt keine (große) Rolle, es kommt nicht so sehr darauf an; *peu m'~e* das ist mir gleichgültig, einerlei, *fam* egal, *pop* schnuppe; *qu'~e?* was tut, macht das, hat das zu sagen? was kommt darauf an? *que vous ~e cela?* was geht Sie das an? was kümmert Sie das?

import-export [ɛ̃pɔrɛkspɔr] *m* Import-Export *m.*

importun, e [ɛ̃pɔrtœ̃, -tyn] *a* ungelegen; lästig; beschwerlich; zu-, aufdringlich; *s m f* lästige(r), aufdringliche(r) Mensch; ungelegene(r) Besuch, ungebetene(r) Gast *m;* **~er** belästigen (*de* mit); lästig fallen, zur Last fallen (*qn* jdm); e-e Last, beschwerlich sein (*qn* jdm); **~ité** *f* Lästigkeit, Unannehmlichkeit, Ungehörigkeit; Zu-, Aufdringlichkeit *f.*

impos|able [ɛ̃pozabl] steuerpflichtig; ver-, besteuerbar; *matière f ~* Steuerobjekt *n; non ~* steuerfrei; *revenu m ~* steuerpflichtige(s) Einkommen *n;* **~ant, e** großartig, eindrucksvoll, erhebend, imposant, mächtig, gewaltig; **~é, e** *a* zur Steuer veranlagt; be-, versteuert; *(Preis)* vorgeschrieben; *s m f* Steuerpflichtige(r *m*) *f,* -zahler(in *f*) *m; charge f ~e* Auflage *f; non ~* unversteuert; *production f ~e* Produktions-, Leistungssoll *n; travail m ~* Zwangsarbeit *f;* **~er** *tr* auf=zwingen, -drängen, -bürden; auf=erlegen (*qc à qn* jdm e-e S); besteuern, mit e-r Steuer belegen, veranlagen (*pour* für); *(Preis)* vor=schreiben; *(Kriegsrecht, Embargo)* verhängen; *(Achtung, Ruhe)* gebieten (*à qn* jdm); *rel (die Hände)* auf=legen; *typ* aus=schießen; *itr; en ~ à qn* jdm imponieren; jdm etw vor=machen, jdm Sand in die Augen streuen; *s'~* sich auf=drängen (*à* dat), sich durch=setzen; *s'~ à qn* auf jdn e-e große Anziehungskraft aus=üben; *s'~ la règle de …* es sich zur Regel machen zu …; *~ silence à qn* jdn zum Schweigen bringen, jdm Schweigen gebieten; *~ silence à qc* etw unterdrücken; *une visite s'~e! (com)* ein Besuch lohnt sich (immer)! *ça s'~ait (fam)* es blieb nichts anderes übrig; das war das Nächstliegende; **~ition** *f rel (Hand)* Auflegen *n;* Steuer, Abgabe; Be-, Versteuerung; steuerliche Erfassung; Steuerveranlagung, -ausschreibung; *(Kriegsrecht, Embargo)* Verhängung *f; typ* Ausschießen *n;* Formeneinrichtung *f; année f d'~* Steuer-, Veranlagungsjahr *n; avis m d'~* Steuerbescheid *m; base f de l'~* Steuergrundlage *f; catégorie f, échelon m d'~* Steuerklasse *f; droit m d'~* Steuerhoheit *f; franchise f d'~* Steuer-, Abgabefreiheit *f; période f d'~* Steuerperiode, Veranlagungszeit *f; taux m d'~* Veranlagungssatz, Steueransatz *m; ~ complémentaire, supplémentaire* Nachtragsveranlagung, Nachbesteuerung *f; ~ double* Doppelveranlagung, -besteuerung *f; ~ de la fortune* Vermögensbesteuerung *f; ~ progressive* Steuerstaffelung *f; ~ sur les revenus* Veranlagung *f* zur Einkommen(s)steuer.

impossib|ilité [ɛ̃pɔsibilite] *f* Unmöglichkeit *f; de toute ~* absolut unmöglich; *être, se trouver dans l'~* nicht in der Lage sein (*de* zu); **~le** *a* unmöglich (*à* zu) *a. fam (übertreibend),* ausgeschlossen; *fam* zu auffällig; unwirklich, phantastisch; aufsehen-, anstoßerregend; *s m* (das) Unmögliche; (das) Menschenmögliche; *par ~* was nicht anzunehmen ist; *à l'~ nul n'est tenu* man kann von niemandem etwas Unmögliches verlangen.

imposte [ɛ̃pɔst] *f arch* Schlußstein *(des Widerlagers);* Fensterpfosten *m;* Oberlicht *n.*

impost|eur [ɛ̃pɔstœr] *m* Betrüger; Schwindler, Heuchler; Hochstapler *m;* **~ure** *f* Betrug; Schwindel *m,* Heuchelei; Verstellung; Hochstapelei *f.*

impôt [ɛ̃po] *m* Steuer, Abgabe, Auflage *f; pl* Steuerwesen *n; asseoir un ~ établir l'assiette d'un ~* e-e Steuer veranlagen; *frapper, grever d'~s* mit Steuern belasten; *frauder l'~* Steuer(n) hinterziehen; *lever, percevoir un ~* e-e Steuer erheben; *accroissement m des ~s* Steuererhöhung *f; arrérage m, reliquat m d'~s* Steuerrückstand *m; assiette f de l'~* Steuerveranlagung, -bemessungsgrundlage *f; assujetti à l'~, passible d'~* steuerpflichtig; *barème m de l'~* Steuertabelle *f; classe f de l'~, catégorie f d'~* Steuerklasse *f; déclaration f d'~* Steuererklärung *f; droit m de voter l'~ (parl)* Steuerbewilligungsrecht *n; exempt, exonéré d'~* steuerfrei; *exemption f d'~* Steuerfreiheit *f; exonération f de l'~* Steuerbefreiung *f; feuille f d'~* Steuererklärung *f; montant m de l'~* Steuerbetrag *m; percepteur m des ~s* Steuereinnehmer *m; perception f de l'~* Steuererhebung *f; peréquation f des ~s* Steuerausgleich *m; poids m des ~s* Steuerlast *f; produit, rendement m de l'~* Steueraufkommen *n; réduction f d'~* Steuersenkung *f; remboursement m, restitution f de l'~* Steuerrückerstattung *f; remise f de l'~* Steuernachlaß, -erlaß *m; réserve f pour les ~s* Steuerrücklage *f; rôle m de l'~* Steuerregister *n; source f de l'~* Steuerquelle *f; sursis m au paiement de l'~* Steuerstundung *f; ~ sur la plus-value* Wertzuwachssteuer *f; ~ sur les acquisitions immobilières* Grunderwerb(s)steuer *f; ~ sur l'alcool* Branntweinsteuer *f; ~ sur les allumettes* Zündholzsteuer *f; ~ (sur les articles) de luxe, ~ sur le luxe* Luxussteuer *f; ~ sur les bénéfices* Ertrags-, Gewinnsteuer *f; ~ sur le bénéfice, sur le revenu des sociétés, ~ corporatif* Körperschaftssteuer *f; ~ sur les boissons* Getränkesteuer *f; ~ sur le capital* Kapital-, Vermögenssteuer *f; ~ sur les chiens* Hundesteuer *f; ~ sur le chiffre d'affaires, ~ sur les transactions commerciales* Umsatzsteuer *f; ~ communal* Gemeindesteuer *f; ~ de consommation* Verbrauchssteuer *f; ~ sur les donations (entre vifs)* Schenkungssteuer *f; ~ ecclésiastique* Kirchensteuer *f; ~ foncier* Grundsteuer *f; ~ de luxe, somptuaire* Luxussteuer *f; ~ sur le produit* Ertragssteuer *f; ~ public* Staatsabgabe *f; ~ réel* Realsteuer *f; ~ sur le revenu* Einkommen(s)steuer *f; ~ sur les revenus du capital* Kapitalertrag(s)steuer *f; ~ sur les salaires et les traitements* Lohnsteuer *f; ~ sur les spectacles* Vergnügungssteuer *f; ~ sur les successions, successoral* Erbschaftssteuer *f; ~ sur le sucre* Zuckersteuer *f; ~ sur le tabac* Tabaksteuer *f; ~ sur les véhicules, voitures, automobiles* Kraftfahrzeugsteuer *f.*

impoten|ce [ɛ̃pɔtɑ̃s] *f med* Bewegungsunfähigkeit *f (~ fonctionnelle);* **~t, e** gelähmt; bewegungsunfähig; *s m f* Körperbehinderte(r *m*) *f.*

impraticab|ilité [ɛ̃pratikabilite] *f;* Undurchführbarkeit; Unbenutzbarkeit *f;* **~le** unaus-, undurchführbar; unbenutzbar, unbrauchbar; unzweckmäßig; *(Weg)* ungangbar, unbefahrbar.

impré|cation [ɛ̃prekasjɔ̃] *f* Verwünschung *f;* Fluch *m;* **~catoire** *a* Verwünschungs-.

imprécis, e [ɛ̃presi, -z] ungenau, inexakt; vage, verschwommen; **~ion** [-zjɔ̃] *f* Ungenauigkeit; Verschwommenheit *f.*

impré|gnation [ɛ̃preɲasjɔ̃] *f* Imprägnierung, Tränkung; Aneignung, Assimilation *f;* **~gner** (durch-)tränken, durchsetzen; imprägnieren; sättigen (*de* mit); *fig* erfüllen; *s'~ de qc* e-e S ein=saugen; *fig* etw ganz in sich *(acc)* auf=nehmen.

impréparation [ɛ̃preparasjɔ̃] *f* mangelnde Vorbereitung *f.*

imprenable [ɛ̃prənabl] uneinnehmbar; *(Aussicht)* unverbaubar.

imprescriptib|ilité [ɛ̃prɛskriptibilite] *f* Unverjährbarkeit *f;* **~le** unverjährbar; *allg* unantastbar.

impression [ɛ̃prɛsjɔ̃] *f;* (Ein-, Ab-)Druck; *typ* (Ab-)Druck *m,* Drucklegung *f; (Textil)* Bedrucken *n; (Malerei)* Grundierung *f; fig* Eindruck *m; à l'~ (typ)* im Druck (befindlich); *donner une ~* e-n Eindruck vermitteln; *faire (une) ~* Eindruck machen; *commande f d'~* Druckauftrag *m; droit m d'~* Verlagsrecht *n; erreur, faute f d'~* Druckfehler *m; frais m pl d'~* Druckkosten *pl; machine f pour l'~* Druckmaschine *f; papier m d'~* Druckpapier *n; surface f d'~* Satzspiegel *m; ~ d'art, artistique* Kunstdruck *m; ~ en offset* Offsetdruck *m; ~ (en) couleur(s)* (Mehr-)Farbendruck *m; ~ sur cuivre, en taille-douce, hélio* (Kupfer-)Tiefdruck *m; ~ avec enlevages* Ätzdruck *m; ~ d'essai* Probe-, Andruck *m; ~ sur étoffe* Stoff-, Zeugdruck *m; ~ gaufrée* Reliefdruck *m; ~ à l'huile* Öldruck *m; ~ de labeur, d'ouvrage* od *de travail* Werk-, Akzidenzdruck *m; ~ litho* Steindruck *m; ~ lumineuse* Lichtreiz *m; ~ à la machine, à la main* Maschinen-, Handdruck *m; ~ par machine rotative, sur rotative* Rotationsdruck *m; ~ mate* Mattdruck *m; ~ publicitaire* Werbe-, Reklamedruck *m; ~ en relief, en creux, à plat* Hoch-, Tief-, Flachdruck *m; ~ sensorielle* Sinneseindruck *m; ~ de similigravures* Autotypiedruck *m; ~ typo(graphique)* Hoch-, Buchdruck *m;* **~nabilité** [-sjɔ-] *f* Eindrucksfähigkeit; Empfindlichkeit, Reizbarkeit; *phot* Lichtempfindlichkeit *f;* **~nable** für Eindrücke empfänglich; eindrucksfähig; empfindlich, sensibel; reizbar; *phot* lichtempfindlich; **~nant, e** eindrucksvoll; **~ner** ein=wirken (*qc* auf e-e S); *fig* beeindrucken, Eindruck machen, wirken, e-e (starke) Wirkung aus=üben (*qn* auf jdn); *s'~ (pop)* sich beeindrucken lassen; **~nisme** *m (Kunst)* Impressionismus *m.*

imprév|isible [ɛ̃previzibl] unvorhersehbar; **~ision** *f* mangelnde Voraussicht *f;* **~oyance** [-vwajɑ̃s] *f* Sorglosigkeit, Unbesorgtheit *f;* **~oyant, e**

sorglos, unbesorgt, kurzsichtig; **~u, e** unvorhergesehen, unerwartet, überraschend; *en cas d'~* unvorhergesehenenfalls; *sauf ~* wenn nichts dazwischenkommt; *faire la part de l'~* mit allem rechnen, auf alles eingerichtet *od* gefaßt sein.

imprim|able [ɛ̃primabl] druckreif; wert, gedruckt zu werden; **~atur** [-atyr] *m inv* Druckerlaubnis *f*, Imprimatur *n;* **~ante** *f inform* Drucker *m; ~ à laser* Laserdrucker *m;* **~é, e** *a* gedruckt (vorliegend); *(Stoff)* bedruckt; *s m* Druckwerk *n*, -schrift, -sache *f;* bedruckte(r), Druckstoff *m; (a. formule f ~e)* Formular, Formblatt *n*, Vordruck *m; page f d'~* Druckseite *f; ~ publicitaire* Werbedruck(sache *f*) *m;* **~er** (ein=)drücken; (ab=, be)drucken; *(Bewegung)* mit=teilen; *(Richtung)* geben; *fig (e-n Stempel)* auf=prägen (*à l'esprit, à l'âme de qn* jdm); *(Furcht)* ein=flößen; *(Achtung)* gebieten; *machine f à ~* Druckmaschine *f; permission f d'~* Druckerlaubnis *f;* **~erie** *f* Buchdruck(erkunst *f*) *m;* (Buch-)Druckerei *f; caractère m, lettre f d'~* Letter, Type *f; encre f d'~* Druckerschwärze *f; ~ clandestine* Geheimdruckerei *f; ~ lithographique* lithographische Anstalt *f;* **~eur, se** *a* Druck(erei)-; *s m* (Buch-)Drucker *m; f* Druckmaschine *f*.

impro|babilité [ɛ̃prɔbabilite] *f* Unwahrscheinlichkeit *f;* **~bable** unwahrscheinlich.

impro|bateur, trice [ɛ̃prɔbatœr, -tris]*; ~batif, ive* mißbilligend, ablehnend; **~bation** *f* Mißbilligung, Ablehnung *f*.

improbité [ɛ̃prɔbite] *f* Unehrlichkeit, Unredlichkeit *f*.

impro|ductif, ive [ɛ̃prɔdyktif, -iv] unproduktiv; unergiebig; **~ductivité** *f* Unproduktivität; Unergiebigkeit *f*.

impromptu, e [ɛ̃prɔ̃pty] *adv* aus dem Stegreif; *a inv* improvisiert, unvorbereitet; *s m* Stegreifgedicht, *theat* -stück; *mus* Impromptu *n*.

imprononçable [ɛ̃prɔnɔ̃sabl] unaussprechbar.

impro|pre [ɛ̃prɔpr] ungeeignet, untauglich (*à* zu); *(Wort, Ausdruck)* unpassend, sinnentstellend, fehl am Platz; **~priété** *f* Unpassendheit; Untauglichkeit *f; ~ de terme* falsche(r) Ausdruck *m*.

improuvable [ɛ̃pruvabl] unbeweisbar.

impro|visateur, trice [ɛ̃prɔvizatœr, -tris] *a* Stegreif-; *s m* Improvisator; Stegreifdichter *m;* **~visation** *f* Improvisation, Stegreifdichtung *f*, -spiel *n*, -handlung *f;* **~viser** *tr* aus dem Stegreif sprechen *od* dichten *od mus* spielen; *tr* u. *itr* improvisieren; **~viste:** *à l'~* unerwartet, unvermutet, unverhofft, überraschend, plötzlich.

impruden|ce [ɛ̃prydɑ̃s] *f* Unklugheit, Unvorsichtigkeit, Unbesonnenheit; Fahrlässigkeit *f;* unvorsichtige Worte *n pl;* unbesonnene(s) Handeln *n; homicide m, blessure f par ~* fahrlässige Tötung, Körperverletzung *f;* **~t, e** unklug, unvorsichtig, unbesonnen, sorglos; fahrlässig.

impub|ère [ɛ̃pybɛr] (geschlechts)unreif, noch nicht mannbar, noch nicht erwachsen; unmündig; **~erté** *f* (Geschlechts-)Unreife; Unmündigkeit *f*.

impud|ence [ɛ̃pydɑ̃s] *f* Unverschämtheit, Frechheit, Schamlosigkeit *f;* **~ent, e** unverschämt, schamlos, frech.

impud|eur [ɛ̃pydœr] *f* Schamlosigkeit, Unanständigkeit *f;* **~icité** *f* Sitten-, Hemmungslosigkeit, Unkeuschheit; Unzucht, unzüchtige Handlung *f;* **~ique** unkeusch, unzüchtig; sitten-, hemmungslos.

impuissan|ce [ɛ̃pɥisɑ̃s] *f* Unvermögen *n*, Machtlosigkeit, Ohnmacht *fig; (Bemühen)* Vergeblichkeit; *med* Zeugungsunfähigkeit, Impotenz *f;* **~t, e** machtlos, ohnmächtig *fig;* unfähig, nicht imstande; *(Bemühungen)* vergeblich; *med* impotent, zeugungsunfähig.

impuls|if, ive [ɛ̃pylsif, -iv] *a* (an)treibend; Treib-; triebhaft, impulsiv; *s m f* triebhafte(r), triebhaft handelnde(r), impusive(r) Mensch *m;* **~ion** [-sjɔ̃] *f phys* (An-)Stoß; *fig* (An-)Trieb, Drang *m;* Betreiben *n*, Veranlassung *f; radio* Impuls; *(Rakete)* Schub *m; sous l'~ de qn* auf jds Betreiben, Veranlassung; *donner (de) l'~* in Schwung setzen, *fig* bringen, in Gang bringen; an=kurbeln *a. fig* (*à* acc); *donner une ~ à l'économie* die Wirtschaft an=kurbeln; *force f d'~* Trieb-, Schwungkraft *f; ~ électrique* Stromstoß *m; ~ motrice (Psychologie)* Zwangshandlung *f; ~ volitive* Willensimpuls *m;* **~ivité** *f* Triebhaftigkeit *f*.

impun|ément [ɛ̃pynemɑ̃] *adv* ungestraft, straflos; ohne nachteilige Folgen; **~i, e** unbe-, ungestraft, straflos; **~issable** straffrei; **~ité** *f* Straflosigkeit *f;* Ausbleiben *n* nachteiliger Folgen.

impur, e [ɛ̃pyr] unrein *a. rel fig; fig* unkeusch, unzüchtig, unsittlich; **~eté** *f* Unreinheit *a. rel fig; fig* Unkeuschheit, Unsittlichkeit; Unzucht; Obszönität, Zote *f.*

imput|abilité [ɛ̃pytabilite] *f jur* Zurechnungsfähigkeit *f;* **~able** zuzuschreiben(d), zurückzuführen(d) (*à* auf *acc*); *(Vorteil, Summe)* anzurechnen(d) (*sur* auf *acc*); *com* abzuziehen(d), zu Lasten (*sur* von); **~ation** *f jur* Zurechnung, Beimessung; *com* Anrechnung, Abschreibung *f,* Abzug *m; ~ de qc à un compte* Belastung *f* e-s Kontos mit etw; **~er** zu≈schreiben, zur Last legen, auf≈bürden (*qc à qn* jdm e-e S); *jur com* an≈rechnen (*sur* auf *acc*); *com* ab≈ziehen; ab≈schreiben (*sur* von); *~ un paiement à une dette* e-e Zahlung zum Ausgleich e-r Schuld bestimmen.

imputrescible [ɛ̃pytrɛsibl] unverweslich; *(Holz)* nicht faulend.

inabordable [inabɔrdabl] *(Küste)* ohne Landungsmöglichkeit; *(Ort)* unzugänglich; *fig* unerreichbar, *fam* zu hoch; *(Preis)* unerschwinglich; *(Person)* unnahbar.

inacceptable [inaksɛptabl] unannehmbar.

inaccessible [inaksɛsibl] unzugänglich; *fig* unerreichbar; *(Person)* unnahbar; unempfänglich (*à* für).

inaccomplissement [inakɔ̃plismɑ̃] *m jur* Nichterfüllung *f;* Nichteintreten *n.*

inaccoutumé, e [inakutyme] ungewohnt, nicht gewohnt (*à qc* e-e S); ungewöhnlich.

inach|evé, e [inaʃve] unbeendet, unvollendet, unfertig; **~achèvement** *m* Unfertigkeit *f.*

inact|if, ive [inaktif, -iv] untätig; nicht in Betrieb; *(Handel)* stagnierend; *med* unwirksam; **~ion** [-sjɔ̃] *f* Untätigkeit *f; dans l'~ (Person)* untätig; **~ivité** *f* Tatenlosigkeit, Untätigkeit *f;* Wartestand *m;* Unwirksamkeit; *fig* Langsamkeit *f; mettre en ~* zur Disposition stellen.

inactuel, le [inaktɥɛl] unzeitgemäß.

inad|aptation [inadaptasjɔ̃] *f* Ungeeignetheit; mangelnde Anpassungsfähigkeit *f;* **~apté, e** ungeeignet; schwererziehbar; asozial; *les ~s* die Außenseiter.

inad|missibilité [inadmisibilite] *f* Unzulässigkeit *f;* **~missible** unzulässig, unstatthaft.

inadvertance [inadvɛrtɑ̃s] *f* Unachtsamkeit *f,* Versehen *n; par ~* aus Versehen, versehentlich.

inal|iénabilité [inaljenabilite] *f* Unveräußerlichkeit *f;* **~iénable** unveräußerlich.

inalliable [inaljabl] *(Metalle)* nicht legierbar; *fig* unvereinbar.

inaltérable [inalterabl] unveränderlich; *fig* unwandelbar, unerschütterlich, unverbrüchlich.

inamical, e [inamikal] unfreundlich, feindselig.

inam|ovibilité [inamɔvibilite] *f* Unabsetzbarkeit *f;* **~ovible** unabsetzbar, auf Lebenszeit (eingesetzt).

inanimé, e [inanime] unbeseelt; leblos *a. fig (Blick); fig* stumpf, matt.

inani|té [inanite] *f* Nichtigkeit; Grund-, Ergebnis-, Nutzlosigkeit *f;* **~tion** [-sjɔ̃] *f* Entkräftung, Erschöpfung *f.*

inap|aisable [inapɛzabl] nicht zu befriedigen(d), unstillbar *a. fig;* **~aisé, e** unbefriedigt.

inaperçu, e [inapɛrsy] unbemerkt.

inappétence [inapetɑ̃s] *f* Appetitlosigkeit *f; fig* Abscheu *m,* Gleichgültigkeit *f,* Überdruß *m.*

inappli|cable [inaplikabl] nicht anwendbar; *(Plan)* undurchführbar; **~cation** *f* Nachlässigkeit, Unaufmerksamkeit *f;* **~qué, e** nicht angewandt, nicht ausgenutzt; träge, nachlässig, unaufmerksam.

inappréciable [inapresjabl] unbestimmbar; verschwindend gering, geringfügig; unschätzbar.

inapt|e [inapt] ungeeignet (*à* für, zu); *mil* untauglich; **~itude** *f* Ungeeignetheit; *mil* Untauglichkeit *f; ~ au service, au travail* Dienst-, Arbeitsunfähigkeit *f.*

inarticulé, e [inartikyle] undeutlich, unartikuliert.

inassermenté, e [inasɛrmɑ̃te] unvereidigt.

inasservi, e [inasɛrvi] nicht unterworfen.

inassimilable [inasimilabl] nicht assimilierbar, nicht anzugleichen(d).

inassouvi, e [inasuvi] ungestillt, unbefriedigt.

inatt|aquable [inatakabl] unangreifbar *a. fig; fig* unantastbar; *jur* unanfechtbar; *tech* beständig; *~ par les acides* säurefest.

inattendu, e [inatɑ̃dy] unerwartet, überraschend, plötzlich.

inatten|tif, ive [inatɑ̃tif, -iv] unaufmerksam, unachtsam, flüchtig; **~tion** *f* Unaufmerksamkeit, Unachtsamkeit *f,* Versehen *n; faute, erreur f d'~* Flüchtigkeitsfehler *m.*

inaugur|al, e [inɔ(o)gyral] *a* Einweihungs-, Eröffnungs-; Antritts-; *cérémonie f ~e* Einweihungs-, Eröffnungsfeier *f; discours m ~* Antrittsrede *f;* **~ation** *f* Einweihung, Eröffnung, *(Denkmal)* Enthüllung *f; fig* Anfang, Beginn, Auftakt *m* (*de* zu); *discours m d'*~ Einweihungs-, Eröffnungs-, Antrittsrede *f;* **~er** ein=weihen, eröffnen *a. fig; (Denkmal)* enthüllen; *fig* ein=leiten, herbei=führen.

inauthent|icité [inɔ(o)tɑ̃tisite] *f* mangelnde Beglaubigung, Unechtheit *f;* **~ique** unbestätigt, unbeglaubigt; unecht.

inavou|able [inavwabl] den, die, das man nicht ein=gestehen, an=, zu=geben kann, zu dem (der) man sich nicht bekennen kann; **~é, e** uneingestanden, geleugnet; nicht anerkannt.

inca [ɛ̃ka] *a* Inka-; *s m f I*~ Inka *m f.*

incalculable [ɛ̃kalkylabl] unermeßlich, unübersehbar; nicht vorauszusehen(d), unberechenbar.

incan|descence [ɛ̃kɑ̃dɛsɑ̃s] *f* Weißglut *f;* Glühen *n; fig* Erhitzung, Erregung *f (der Gemüter);* Sturm *m,* Gewalt *f (der Leidenschaften); lampe f à* ~ Glühbirne *f;* **~descent, e** weißglühend; *fig* er-, überhitzt; aufbrausend; *tête f ~e* Hitz-, Brausekopf *m.*

incantation [ɛ̃kɑ̃tasjɔ̃] *f* Zauber(spruch) *m.*

incap|able [ɛ̃kapabl] *a* unfähig, nicht imstande (*de* zu); *s m f* (*jur* Rechts-) Unfähige(r *m*) *f;* ~ *d'agir, de contracter, d'ester en justice, de tester* handlungs-, geschäfts-, prozeß-, testierunfähig; ~ *de discerner, de travailler* urteilsunfähig, unzurechnungsfähig; arbeitsunfähig; **~acité** [-si-] *f* (*jur* Rechts-)Unfähigkeit *f;* ~ *de gagner sa vie* Erwerbsunfähigkeit *f;* ~ *de paiement* Zahlungsunfähigkeit *f;* ~ *(temporaire, permanente) de travail* (vorübergehende, dauernde) Arbeitsunfähigkeit *f.*

incar|cération [ɛ̃karserasjɔ̃] *f* Festnahme, Verhaftung; Haft *f;* **~cérer** fest=nehmen, verhaften, inhaftieren.

incar|nadin, e [ɛ̃karnadɛ̃, -in] *a* fleischfarben; *s m* Fleischfarbe *f;* **~nat, e** [-a, -at] *a* fleisch-, (hoch)rosenrot; *s m* Röte, rote Farbe *f.*

incar|nation [ɛ̃karnasjɔ̃] *f rel* Mensch-, Fleischwerdung; Inkarnation; *fig* Verkörperung *f;* **~né, e** *fig fam* leibhaftig; **~ner** *theat film (Rolle)* verkörpern; *s'*~ *(rel)* Mensch, Fleisch werden; *fig* sich verkörpern, Gestalt an=nehmen (*dans* in *dat*).

incartade [ɛ̃kartad] *f* Dummheit, Eselei *f,* Streich *(Pferd);* (plötzlicher) Seitensprung; *(Sprache)* Schnitzer, Bock *m.*

incassable [ɛ̃kasabl] (fast) unzerbrechlich; bruchsicher; nicht splitternd.

incen|diaire [ɛ̃sɑ̃djɛr] *a* Brand-; Zünd-; *fig* aufrührerisch, revolutionär; *s m* Hetzer *m; bombe, plaque, torche f* ~ Brandbombe *f,* -plättchen *n,* -fackel *f;* **~die** [-di] *m* Feuersbrunst *f,* (Groß-, Schaden-)Feuer *n,* (Groß-)Brand; *fig* Aufruhr *m; il suffit d'une étincelle pour allumer un* ~ *(prov)* kleine Ursachen, große Wirkungen; *assurance f contre l'*~ Feuerversicherung *f; avertisseur m d'*~ Feuermelder *m; bouche f d'*~ Hydrant *m; danger m d'*~ Brandgefahr *f; échelle f à* ~ Feuerleiter *f; extincteur m à* ~ Feuerlöscher *m; foyer, lieu m d'*~ Brandherd *m,* -stätte *f; piquet m d'*~ Brandwache *f (Person); pompe f à* ~ Feuerspritze *f; service m d'*~ Feuerlöschwesen *n;* ~ *de chambre, de comble, de forêt, de mine* Zimmer-, Dachstuhl-, Wald-, Grubenbrand *m;* ~ *volontaire* Brandstiftung *f;* **~dié, e** *a* abgebrannt; *s m f* Abgebrannte(r *m*) *f;* **~dier** in Brand stecken *od* schießen; an=zünden, ein=äschern; *fig* in Aufruhr versetzen, revolutionieren; *(Gesicht)* röten; *pop* mit Vorwürfen überhäufen.

incert|ain, e [ɛ̃sɛrtɛ̃, -ɛn] *a* unsicher, ungewiß, zweifelhaft; unbestimmt *(a. Farbe); (Wetter)* unbeständig, veränderlich; schwankend; unschlüssig; *s m* (das) Ungewisse; **~itude** *f* Ungewißheit; Unzuverlässigkeit; Unbeständigkeit *(a. Wetter);* Unschlüssigkeit *f; tenir qn dans l'*~ jdn im ungewissen lassen; *principe m d'*~ *(phys)* Ungewißheitsrelation *f;* ~ *des prix* Schwanken *n* der Preise.

incess|amment [ɛ̃sɛsamɑ̃] *adv* unverzüglich, sogleich, -fort; *vx* unaufhörlich, unablässig; **~ant, e** (be)ständig, stetig; nicht endend *od* enden wollend.

incessi|bilité [ɛ̃sɛsibilite] *f jur* Nichtübertragbarkeit *f;* **~ble** nicht abtretbar, nicht übertragbar.

incest|e [ɛ̃sɛst] *m* Blutschande *f,* Inzest *m;* **~ueux, se** [-tyø, -øz] *a* blutschänderisch; in Blutschande gezeugt; *s m f* Blutschänder(in *f*) *m.*

incha|ngé, e [ɛ̃ʃɑ̃ʒe] unverändert; **~ngeable** unveränderlich.

inchavirable [ɛ̃ʃavirabl] *mar* kentersicher.

incid|emment [ɛ̃sidamɑ̃] *adv* nebenbei, -her, beiläufig; gelegentlich, bei Gelegenheit; **~ence** [-dɑ̃s] *f* Folge *f;* (Aus-, Nach-)Wirkung *f,* Nachhall *m;* Einwirken *n; l'*~ *de cette mesure sur les prix* die Auswirkung dieser Maßnahme auf die Preise; *tech* Einfall *m,* Anstellung, Trimmlage *f; angle m d'*~

(phys) Einfall(s)winkel *m;* **~ent, e** *a* gelegentlich, beiläufig; *gram* eingeschoben; Zwischen-, Neben-; *phys* einfallend; *s m* Zwischenfall *m,* Störung, Unterbrechung *f; (Literatur)* Nebenhandlung *f; jur* Inzidenzpunkt *m,* -sache *f,* -streit(igkeit *f*), -prozeß; Zwischenstreit *m; l'~ est clos* der Vorfall ist beigelegt, erledigt; *s f u. proposition f ~e (gram)* Zwischensatz *m; ~ de chargement (mil)* Ladehemmung *f; ~ de frontière* Grenzzwischenfall *m; ~ de parcours* Rückschlag *m; ~ dans le service* Betriebsstörung *f.*

incinér|ateur [ɛ̃sineratœr] *m* Müllverbrennungsanlage *f;* **~ation** *f chem* Veraschen *n;* Einäscherung, Feuerbestattung; Müllverbrennung *f;* **~er** veraschen; ein=äschern.

incis|e [ɛ̃siz] *f gram* Zwischen-, eingeschobene(r) Satz *m;* **~é, e** *bot* (tief) eingeschnitten, gelappt; **~er** ein=schneiden, e-n Einschnitt machen (*qc* in e-e S); **~if, ive** *a fig* schneidend, beißend, bissig; *(Beobachtungsgabe)* scharf; *s f (dent) ~ive* Schneidezahn *m;* **~ion** *f* Einschnitt *m.*

incit|ant, e [ɛ̃sitɑ̃, -ɑ̃t] *a med* anregend, *s m* Reizmittel *n;* **~ation** *f* An-, Aufreizung; Aufstachelung; Verleitung, Verführung *a. jur;* Anregung *f;* **~er** an=reizen; auf=stacheln, -hetzen; verleiten, verführen; (an=)treiben; an=halten, an=regen (*à* zu).

incivil, e [ɛ̃sivil] *vx* unhöflich, ungeschliffen, grob; **~ité** *f vx* Unhöflichkeit, Grobheit, Ungeschliffenheit *f.*

inclassable [ɛ̃klasabl] unklassifizierbar, nicht einzuordnen(d).

inclémen|ce [ɛ̃klemɑ̃s] *f (Klima)* Rauheit; *(Winter)* Strenge; *(Wetter)* Unfreundlichkeit *f;* **~t, e** *(Klima)* rauh, streng, unfreundlich; *poet* ungnädig, unnachsichtig.

inclin|able [ɛ̃klinabl] *(Fenster)* herunterlaßbar; *(Sessel)* verstellbar; **~aison** *f* Neigung *f;* Gefälle *n;* Schräg(ein)stellung, -lage; *(Magnetnadel)* Inklination *f; phot* Nadirwinkel *m; (Buchstabe)* Schiefstehen *n; (Geschoß)* Flugbahnneigung *f; dispositif m d'~* Kippvorrichtung *f; ~ latérale (aero)* Kantung *f;* **~ation** *f* Verneigung, Verbeugung; *fig* (Zu-) Neigung *f,* Hang *m;* Liebe *f; par ~* aus Neigung; *avoir de l'~* sich hingezogen fühlen (*pour* zu); *mariage m d'~* Neigungsehe *f;* **~é, e** geneigt, abfallend; schräg(gestellt, -sitzend); **~er** *tr* neigen; schräg stellen; *fig* veranlassen, drängen, beeinflussen; *cela m'incline à (inf)* das veranlaßt mich dazu, zu ... *inf; itr* sich neigen; Gefälle haben; schräg stellen; *fig* geneigt sein, tendieren, neigen (*à* zu); *mar* krängen; *s'~* sich verneigen, sich verbeugen *a. fig; allg* sich neigen; sich beugen (*devant un argument* e-m Argument); **~omètre** *m* Längsneigungsmesser *m.*

inclu|re [ɛ̃klyr] *irr* ein=schließen, -schalten, -fügen; ein=legen (*dans une lettre* in e-n Brief); **~s, e** [ɛ̃kly, -yz] : *ci-~, e* anbei, als Anlage; **~sif, ive** einschließend, -begreifend, -beziehend, umfassend; **~sion** *f* Einschließung *f;* Einbegriffen-, Einbezogensein *n; min* Einschluß *m;* **~sivement** *adv* einschließlich.

incoercib|ilité [ɛ̃kɔɛrsibilite] *f* Unbezwingbarkeit *f;* **~le** nicht zu unterdrücken(d); *fig* nicht aufzuhalten(d).

incogn|ito [ɛ̃kɔɲito, -ɔgn-] *adv* inkognito; unbemerkt, unauffällig, im stillen; *garder l'~* das Inkognito bewahren; **~oscible** [-gnɔsibl] der (menschlichen) Erkenntnis entzogen *od* verschlossen.

incohéren|ce [ɛ̃kɔerɑ̃s] *f* Inkohärenz; *fig* Zs.hanglosigkeit *f;* **~t, e** unzs.-hängend, zs.hang(s)los.

incolore [ɛ̃kɔlɔr] farblos *a. fig (Stil); fig* blaß, matt, verschwommen, unklar.

incomber [ɛ̃kɔ̃be] obliegen (*od* ob=liegen), zu=kommen (*à qn* jdm); *il lui ~e de (inf)* es obliegt ihm, zu *inf.*

incombus|tibilité [ɛ̃kɔ̃bystibilite] *f* Feuerfestigkeit *f;* **~tible** unverbrennbar, feuerfest.

incommensurable [ɛ̃kɔm(m)ɑ̃syrabl] *math* inkommensurabel; *allg* nicht vergleichbar; *(mißbräuchlich)* unermeßlich, gewaltig.

incommodant, e [ɛ̃kɔmɔdɑ̃, -t] lästig (*pour qn* jdm), störend.

incomm|ode [ɛ̃kɔmɔd] unbequem; lästig, beschwerlich; **~odé, e** unpäßlich; behindert; leicht benommen; **~oder** belästigen, stören; *(Speise)* nicht bekommen, nicht zuträglich sein (*qn* jdm); **~odité** *f* Unbequemlichkeit, Beschwerlichkeit; (Geld-) Verlegenheit *f; vx* Unwohlsein *n,* Unpäßlichkeit *f, pl* Beschwerden *f pl.*

incommunicable [ɛ̃kɔmynikabl] nicht mitteilbar.

incommu|tabilité [ɛ̃kɔmytabilite] *f jur* Nichtübertragbarkeit *f;* **~table** *jur* nicht übertragbar.

incomparable [ɛ̃kɔ̃parabl] unvergleichlich, unübertrefflich.

incomp|atibilité [ɛ̃kɔ̃pabilite] *f* Unvereinbarkeit; Unverträglichkeit *f;* **~atible** unvereinbar (*avec* mit); un-

verträglich; *être* ~ *avec qc* nicht zu etw passen, etw aus=schließen.
incomp|étence [ɛ̃kɔ̃petɑ̃s] *f jur* Unzuständigkeit; Ungeeignetheit *f;* **~étent, e** unzuständig; unfähig, ungeeignet; unmaßgeblich; *se déclarer* ~ sich für unzuständig erklären.
incomplet, ète [ɛ̃kɔ̃plɛ, -t] unvollständig; lückenhaft, defekt; unvollkommen.
incompréhen|sible [ɛ̃kɔ̃preɑ̃sibl] unergründlich; unverständlich, unbegreiflich, *fam* rätsel-, schleierhaft; **~sion** *f* Verständnislosigkeit *f.*
incompressible [ɛ̃kɔ̃prɛsibl] nicht zs.drückbar, unelastisch; *fig* ungehemmt.
incompris, e [ɛ̃kɔ̃pri, -z] *a* unverstanden *(a. ironisch); (Genie)* verkannt; *s m* verkannte(s) Genie *n.*
incon|cevable [ɛ̃kɔ̃s(ə)vabl] unerklärlich, unfaßbar; *(übertreibend)* unbegreiflich; *c'est* ~ das ist mir ein Rätsel; **~ciliable** unvereinbar; **~ditionnel, le** unbedingt, bedingungslos; *s m f* begeisterte(r) Anhänger, Fan *m;* **~duite** *f* schlechte(r) Lebenswandel *m,* Liederlichkeit *f;* schlechte(s) Betragen *n;* **~fort** *m* mangelnde Bequemlichkeiten *f pl;* **~fortable** unbequem, ungemütlich; **~gru, e** unpassend, ungebührlich, ungehörig; unschicklich; **~gruité** [-gryite] *f* Ungehörigkeit, Unschicklichkeit *f; faire une* ~ sich unanständig auf=führen.
inconn|aissable [ɛ̃kɔnɛsabl] *a* unerkennbar; *s m* (das) Unerforschliche; **~u, e** *a* unbekannt; völlig, ganz neu; *s m f* Unbekannte(r m) *f; m* (das) Unbekannte; *f math* Unbekannte *f.*
incon|sciemment [ɛ̃kɔ̃sjamɑ̃] *adv* unbewußt; ohne es zu wissen, ahnungslos; **~science** *f* Bewußtlosigkeit; Unbewußtheit; Leichtfertigkeit; Gewissenlosigkeit *f;* **~scient, e** [-sjɑ̃, -ɑ̃t] *a* unbewußt; verantwortungslos; *med* nicht bei vollem Bewußtsein; *s m* verantwortungslose(r) Mensch *m;* (das) Unbewußte; **~séquence** *f* Inkonsequenz, mangelnde Folgerichtigkeit *f;* **~séquent, e** inkonsequent, nicht folgerichtig; leichtsinnig, unbesonnen; **~sidéré, e** unüberlegt, unbedacht, übereilt; leichtsinnig, -fertig; **~sistance** [-sis-] *f* mangelnde Folgerichtigkeit; Haltlosigkeit, Unbeständigkeit, Flatterhaftigkeit *f;* **~sistant, e** schwach; lose, locker; *fig* unbeständig, haltlos, flatterhaft; **~solable; ~solé, e** [-sɔ-] untröstlich; **~sommable** [-sɔ-] unverbrauchbar; **~stance** *f* Unbeständigkeit *f,* Wankelmut *m;* Untreue, Treulosigkeit *f;* **~stant, e** *(litt)* unbeständig *(a. Wetter);* unzuverlässig, unverläßlich; wankelmütig, wetterwendisch; treulos, untreu; **~stitutionnalité** *f* Verfassungswidrigkeit *f;* **~stitutionnel, le** verfassungswidrig; **~testable** unbestreitbar; **~testablement** *adv* unstreitig; **~testé, e** unbestritten; **~tinence** *f* Unkeuschheit; Ausschweifung *f;* ~ *de langage* Geschwätzigkeit, Schwatzhaftigkeit *f;* ~ *d'urine (med)* unwillkürliche(r) Harnabfluß *m,* Enurese *f;* **~tinent, e** *a* unkeusch, unenthaltsam; ausschweifend; unmäßig; *adv poet* sofort, sogleich; **~trôlable** unkontrollierbar, nicht nachprüfbar; **~venance** *f* Ungebührlichkeit, Unschicklichkeit *f;* **~venant, e** unpassend, ungebührlich, ungehörig, unschicklich; **~vénient** *m* Miß-, Übelstand; Nachteil *m; pl* Unzuträglichkeiten *f pl; je n'y vois pas d'*~ ich habe nichts dagegen, bin damit einverstanden; **~vertibilité** *f com* Nichtkonvertierbarkeit, Nichteinlösbarkeit *f;* **~vertible** *com* nicht konvertierbar, nicht einlös-, umtausch-, umwechselbar.
incoordination [ɛ̃kɔɔrdinasjɔ̃] *f* Zs.hang(s)losigkeit; *med* Koordinationsstörung *f.*
incorp|oration [ɛ̃kɔrpɔrasjɔ̃] *f* Einverleibung, Eingliederung, Aufnahme; *mil* Einberufung; *(~ communale)* Eingemeindung *f;* **~orel, le** unkörperlich; *(Güter)* immateriell; **~orer** bei=mengen, zu=setzen *(qc dans, avec, à qc* e-r S etw); ein=verleiben, ein=gliedern, auf=nehmen; *(Rekruten)* ein=ziehen; *(dans une commune)* ein=gemeinden; *tech* ein=bauen.
incorr|ect, e [ɛ̃kɔrɛkt] unrichtig, fehlerhaft; unkorrekt, unvorschriftsmäßig; grob, unhöflich; **~ection** [-sjɔ̃] *f* Unrichtigkeit, Fehlerhaftigkeit; *(Sprache)* Verstoß *m* gegen die Syntax; Unkorrektheit *f;* unkorrekte(s) Verhalten *n;* Verstoß *m;* Grobheit, Unhöflichkeit *f; (Buch)* Fehler *m,* Versehen *n,* Irrtum *m.*
incorrig|ibilité [ɛ̃kɔriʒibilite] *f* Unverbesserlichkeit *f;* **~igible** unverbesserlich.
incorrup|tibilité [ɛ̃kɔryptibilite] *f* Unvergänglichkeit; Unantastbarkeit; Unbestechlichkeit *f;* **~tible** unvergänglich, unverweslich; unantastbar; unbestechlich.
incoté, e [ɛ̃kɔte] *com* nicht notiert.
incréd|ibilité [ɛ̃kredibilite] *f* Unglaubhaftigkeit, -würdigkeit *f;* **~ule** *a* ungläubig; skeptisch; *s m f* Ungläubi-

ge(r) *f;* **~ulité** *f* Ungläubigkeit *f;* Unglaube *m;* Skepsis, Zweifelsucht *f.*

incr|éé, e [ɛ̃kree] *rel* unerschaffen; **~étion** *f (Physiologie)* innere Sekretion *f.*

increvable [ɛ̃krəvabl] *(Reifen)* kein Loch bekommend; *fig pop* unermüdlich, unverwüstlich.

incrimin|able [ɛ̃kriminabl] tadelnswert; **~ation** *f* An-, Beschuldigung *f;* **~er** an=, beschuldigen, (etw) zur Last legen (*qn* jdm); (für etw) verantwortlich machen.

incrochetable [ɛ̃krɔʃtabl] *(Türschloß)* einbruchsicher.

incroyable [ɛ̃krwajabl] unglaublich, unerhört.

incroyant, e [ɛ̃krwajɑ̃, -ɑ̃t] *a* ungläubig; *s m f* Ungläubige(r *m*) *f.*

incrust|ant, e [ɛ̃krystɑ̃, -ɑ̃t] *(Flüssigkeit)* (Kalk-)Ablagerungen bildend; *(Alge)* inkrustierend; **~ation** *f arch (Kunst)* Belegen *n;* eingelegte Arbeit *f; (Kleid)* Einsatz *m,* Inkrustierung *f; geol* Ablagerung; Schlackenbildung; Kruste *f;* Kesselstein *m;* **~é, e** verkleidet, ausgelegt, überzogen (*de* mit); eingesetzt, eingearbeitet; **~er** verkleiden, überziehen, inkrustieren, aus=, be-, ein=legen (*de* mit); *(Stoff)* ein=setzen; Ablagerungen bilden (*qc* auf e-r S), übersintern; *s'~* sich mit e-r Kruste, sich mit Kesselstein überziehen; *fig fam (Meinung)* sich fest=setzen, sich ein=fressen; *(Person)* sich ein=nisten; *(Besuch)* an=wachsen, Wurzel schlagen (*chez qn* bei jdm).

incub|ateur, trice [ɛ̃kybatœr, -tris] *a* Brut-; *s m* Brutapparat *m,* -maschine *f,* -ofen, -schrank *m;* **~ation** *f* Bebrütung *f,* Brüten *n,* Brut; *med* Inkubationszeit; *fig* Vorbereitung *f;* ~ *artificielle* künstliche Brut *f.*

incul|pation [ɛ̃kylpasjɔ̃] *f* An-, Beschuldigung; Anklage *f;* **~pé, e** *m f* Ange-, Beschuldigte(r *m*) *f;* **~per** an=, beschuldigen, zur Last legen (*qn de qc* jdm etw), an=klagen.

inculquer [ɛ̃kylke] ein=schärfen, bei=bringen, *fam* ein=trichtern (*qc à qn* jdm etw).

incul|te [ɛ̃kylt] *agr* brachliegend; Brach-; ungepflegt, vernachlässigt *a. fig; fig* ungebildet, roh; **~tivable** *agr* nicht anbaufähig; **~tivé, e** unkultiviert; **~ture** *f agr* Unmöglichkeit *f* des Anbaus; *fig* Mangel *m* an geistiger Entwicklungsfähigkeit.

incunable [ɛ̃kynabl] *m* Inkunabel *f,* Wiegendruck *m.*

incur|abilité [ɛ̃kyrabilite] *f* Unheilbarkeit *f;* **~able** unheilbar.

incurie [ɛ̃kyri] *f* Nachlässigkeit, Gleichgültigkeit, Sorglosigkeit *f;* Schlendrian *m,* Schlamperei *f.*

incursion [ɛ̃kyrsjɔ̃] *f (feindlicher)* Einfall, Streifzug (*dans* in *acc*) *a. fig; fig* Übergriff *m* (*dans* auf *acc*); ~ *(par voie aérienne) (aero) (feindl.)* Einflug *m.*

incu|vation [ɛ̃kyvasjɔ̃] *f* Biegung; (*med* Ver-)Krümmung *f;* ~ *osseuse* Knochenverkrümmung *f;* **~ver** ein=buchten; biegen; krümmen; *el (Strahl)* ab=biegen, -lenken.

indanthrènes [ɛ̃dɑ̃trɛn] *m pl* Indanthrenfarbstoffe *m pl.*

Inde, l' [ɛ̃d] *f* Indien *n; la mer des ~s* der Indische Ozean; *les ~s occidentales, orientales* West-, Ostindien *n.*

indé|brouillable [ɛ̃debrujabl] unentwirrbar; **~calquable** unnachahmlich.

indé|cence [ɛ̃desɑ̃s] *f* Anstößigkeit, Unanständigkeit *f;* **~cent, e** anstößig, unanständig.

indé|chiffrable [ɛ̃deʃifrabl] ni cht zu entziffern(d); unleserlich; *fig* unerklärlich, unverständlich, rätselhaft; **~chirable** unzerreißbar.

indécis, e [ɛ̃desi, -z] *a* unentschieden; *(Problem)* ungelöst; unentschlossen; unschlüssig; unbestimmt, undeutlich, unklar, ungenau; *s m* (das) Unbestimmte; **~ion** *f* Unentschlossenheit, Unschlüssigkeit *f,* Wankelmut *m; (selten)* Unbestimmtheit, Unklarheit, Ungenauigkeit *f.*

indé|clinable [ɛ̃deklinabl] *gram* undeklinierbar, unveränderlich; **~composable** nicht (weiter) zu zerlegen(d); unzerlegbar; unzersetzbar; **~cousable** *(Naht)* nicht aufgehend; **~crottable** nicht mehr sauber zu bekommen(d), *fam* zu kriegen(d); *fig* unverbesserlich; verkalkt; verstaubt; **~fectible** unvergänglich; unwandelbar, treu; **~fendable** nicht zu verteidigen(d); *fig* unhaltbar.

indéfi|ni, e [ɛ̃defini] *a* unbestimmt *a. gram;* unbegrenzt; *passé m* ~ zs.gesetzte(s) Perfekt *n;* **~niment** *adv* unbegrenzt; auf unbestimmte Zeit; **~nissable** nicht definierbar; *fig* unerklärlich, unbegreiflich; undefinierbar.

indé|formable [ɛ̃defɔrmabl] formbeständig, -treu; unverschiebbar; *être* ~ die Form, *fam* die Fasson nicht verlieren; **~frisable** *f* Dauerwelle(n *pl*) *f;* ~ *à chaud, à froid* Warm-, Kaltwelle *f;* **~hiscent, e** [-isɑ̃, -ɑ̃t] *bot (Fruchthülle)* nicht aufspringend.

indélébile [ɛ̃delebil] *(Fleck, Zeichen)* nicht zu entfernen(d); *(Farbe)* echt; *(Lippenstift)* kußfest, -echt; *fig* unauslöschlich; unvergänglich; *encre f* ~ Wäschetinte *f.*

indélicat, e [ɛ̃delika, -t] unzart, unfein; takt-, rücksichtslos; unehrlich; **~esse** *f* Unfeinheit; Takt-, Rücksichtslosigkeit; Unehrlichkeit *f*.

indémaillable [ɛ̃demajabl] *(Gewebe)* maschenfest.

indemn|e [ɛ̃dɛmn] nicht geschädigt, ohne Schaden (erlitten zu haben); unbeschädigt, unverletzt; unberührt; entschädigt; *sortir ~ d'un accident* bei e-m Unfall nicht zu Schaden kommen; **~isation** *f* Entschädigung *f*, Schadenersatz *m;* Schadloshaltung; Kostenerstattung, Vergütung; Abfindung *f;* **~iser** entschädigen (*de qc* für etw); Schadenersatz leisten (*qn de qc* jdm für etw); *s'~* sich schadlos halten (*de qc* für etw); *obligation f d'~* Ersatzpflicht *f;* **~ité** *f* Entschädigung *f;* Schadenersatz *m;* Vergütung *f;* Abstand *m;* Abfindung(ssumme) *f; accorder* od *allouer, recevoir une ~* e-e Entschädigung gewähren, erhalten; *avoir droit à une ~* Anspruch auf Entschädigung *(acc)* haben; *être tenu à une ~* schadenersatzpflichtig sein; *réclamer une ~* Entschädigung verlangen; *~ d'accident* Unfallentschädigung *f; ~ en capital* Kapitalabfindung *f; ~ de déménagement* Umzugsvergütung *f; ~ de dépenses* Unkosten-, Spesenvergütung *f; ~ de déplacement, de route* Reisekostenvergütung *f; ~ différentielle* ausbezahlte(r) Unterschiedsbetrag *m; ~ d'entrée en campagne* Mobilmachungsgeld *n; ~ pour cause d'expropriation* Enteignungsentschädigung *f; ~ forfaitaire* Abfindung *f; ~ de guerre* Kriegsentschädigung *f; ~ d'isolement, de séparation* Trennungsentschädigung *f; ~ journalière* Tage-, Krankengeld *n; ~ kilométrique* Kilometergeld *n; ~ locale* Ortszulage *f; ~ de logement, de résidence* Wohnungsgeld *n; ~ de première mise* Einkleidungsgeld *n; ~ en nature, pécuniaire* Sach-, Geldentschädigung *f; ~ parlementaire* Diäten *pl; ~ de représentation* Aufwandsentschädigung *f; ~ de retard* Säumniszuschlag *m; ~ de risques* Gefahrenzulage *f; ~ de vie chère* Teuerungszulage *f*.

indémontrable [ɛ̃demɔ̃trabl] nicht beweisbar.

indéniable [ɛ̃denjabl] unleugbar; nicht zu (ver)leugnen(d).

indent|ation [ɛ̃dɑ̃tasjɔ̃] *f* Auszahnung, -zackung, Kerbe; Einbuchtung *f;* **~er** aus≈zacken, ein≈kerben; *s'~ (Küste)* Vorsprünge, Buchten haben.

indé|pendance [ɛ̃depɑ̃dɑ̃s] *f* Unabhängigkeit, Freiheit; Selbständigkeit *f (a. als Charakterzug);* Freiheitsdrang *m; faire acte d'~* sich selbständig machen; *montrer beaucoup d'~* sich nichts sagen lassen; *guerre f d'~* Unabhängigkeits-, Freiheitskrieg; Befreiungskrieg *m;* **~pendant, e** unabhängig; selbständig; freiheitsliebend; *tech* freistehend; *(Zimmer)* mit eigenem Eingang.

indé|racinable [ɛ̃derasinabl] nicht zu entwurzeln(d); *fig* unausrottbar; **~réglable** *tech* nie versagend.

indésirable [ɛ̃dezirabl] *a* unerwünscht; lästig; *s m f* unerwünschte Person *f*.

indes|criptible [ɛ̃dɛskriptibl] unbeschreiblich; **~tructibilité** *f* Unzerstörbarkeit *f;* **~tructible** unzerstörbar.

indétermin|able [ɛ̃detɛrminabl] nicht bestimmbar; **~ation** *f* Unbestimmtheit; Unentschlossenheit, Unschlüssigkeit *f;* **~é, e** unbestimmt; unbegrenzt; *fig* ungreifbar.

index [ɛ̃dɛks] *m* Zeigefinger *m; (Buch)* Register *n; math* Kennziffer; Richtzahl *f; tech* Zeiger *m; phot* Bildmarke *f; I~ (rel)* Index *m; être à l'~* auf der schwarzen Liste stehen; *mettre à l'~* auf den Index setzen; aus≈schließen, verbieten; ächten, in Acht u. Bann tun; *mise f à l'~* Verbot *n;* Aussperrung *f;* Ächtung; Verfemung *f;* **~ation** *f* Anpassung *f* an den Lebenshaltungsindex; **~é, e** Index-; abgestimmt (*sur* auf *acc*); **~er** mit e-m Inhaltsverzeichnis *od com* Index versehen; dem Lebenshaltungsindex an≈passen; aus≈richten (*sur* auf *acc*).

indian|isme [ɛ̃djanism] *m* Indologie *f;* **~iste** *m* Indologe *m*.

indic [ɛ̃dik] *m arg* (Polizei-)Spitzel *m*.

indica|teur, trice [ɛ̃dikatœr, -tris] *a* anzeigend; (An-)Zeige-; *s m* (An-)Zeiger *m;* Anzeige-, Meßgerät *n;* Indikator *m a. chem;* Verzeichnis; Kursbuch *n;* Fahrplan *(in Heftform);* (Polizei-)Spitzel *m; appareil, dispositif m ~* Anzeigegerät *n*, -vorrichtung *f; poteau m ~* Wegweiser *m; ~ aérien* Flugplan *m (Heft); ~ d'air* Windmesser *m; ~ de direction* Richtungs-, *(aero)* Kursanzeiger *m; ~ (de changement) de direction (mot)* Fahrtrichtungsanzeiger *m; ~ de débordement (inform)* Überlaufanzeige *f; ~ de grisou (min)* Schlagwetteranzeiger *m; ~ de niveau d'eau, d'essence, d'huile* Wasser-, Benzin-, Ölstandsmesser *m; ~ de pression de la vapeur* Dampfdruckanzeiger *m; ~ de profondeur (min)* Teufenanzeiger *m; ~ visuel* Sichtgerät *n; ~ de vitesse*

Geschwindigkeitsmesser *m;* ~**tif, ive** *a* anzeigend; *s m* Kennzeichen *n;* Erkennungsmelodie; *inform* Kennung *f; mil* Kennbuchstaben *m pl,* Deckname *m; tele* Ruf-, *radio* Pausenzeichen *n; gram* Indikativ *m; à titre* ~ zur Unterrichtung; ~ *téléphonique* Vorwahl *f;* ~**tion** *f* Anzeige, Angabe *f;* Anzeichen, Merkmal *n;* Hinweis, Wink *m,* Andeutung *f,* Fingerzeig *m; med* Indikation *f; sauf* ~ *contraire* falls nichts anderes angegeben ist; ~ *pour la composition (typ)* Satzanordnung *f;* ~ *d'heure (radio)* Zeitangabe, -ansage *f;* ~ *du lieu* Ortsangabe *f;* ~ *de niveau* Höhenangabe *f;* ~ *numérique* Zahlenangabe *f;* ~ *d'origine* Ursprungsvermerk *m;* ~ *de provenance* Herkunftsbezeichnung *f;* ~ *du poids* Gewichtsangabe *f;* ~ *du prix* Preisangabe, Auszeichnung *f;* ~ *de service* Dienst-, Postvermerk *m;* ~ *des sources* Quellennachweis *m;* ~ *de la station (radio)* Pausenzeichen *n;* ~ *de la taxe (tele)* Gebührenansage *f;* ~*s techniques* technische Daten *n pl.*

indice [ɛ̃dis] *m* (An-, Kenn-)Zeichen; Merkmal *n,* Anhaltspunkt *m;* Kennziffer *f;* Index *m a. math; com* Meß-, Richtzahl *f; pl jur* Indizien *n pl; preuve f par* ~*s* Indizienbeweis *m;* ~ *céphalique, facial* Schädel-, Gesichtsindex *m;* ~ *du coût de la vie, pondéré, des prix, des prix de gros* Lebenshaltungs-, Bewertungs-, Preis-, Großhandelsindex *m;* ~ *d'octane (Kraftstoff)* Oktanzahl *f;* ~ *de la production* Produktionsindex *m;* ~ *de réfraction (phys)* Brechungsexponent *m.*

indicible [ɛ̃disibl] unsäglich, unaussprechlich, unbeschreiblich, namenlos.

indien, ne [ɛ̃djɛ̃, -ɛn] *a* indisch; indianisch; *s m f* Inder(in *f*); Indianer(in *f*) *m; f* bedruckte(r) Kattun *m,* Indienne *f; l'océan I*~ der Indische Ozean.

indifférlemment [ɛ̃diferamɑ̃] *adv* unterschiedslos; in gleicher Weise; ~**ence** *f phys* Indifferenz *f;* Gleichgültigkeit; Teilnahmslosigkeit; Gefühlskälte *f;* ~**encié, e** undifferenziert; ~**ent, e** *a phys chem* indifferent; *chem* träge, unempfindlich (*à* gegen); gleichgültig, lieb-, gefühl-, teilnahmslos; nebensächlich, unwichtig, irrelevant; uninteressant; parteilos; *s m: faire l'*~ den Gleichgültigen spielen; *cela m'est* ~ das ist mir gleich(gültig), *fam* egal; *chose f* ~*e* Nebensache *f;* ~**er** *hum* gleichgültig lassen.

indigénat [ɛ̃diʒena] *m* Heimat-, Bürgerrecht *n;* Staatsangehörigkeit; eingesessene Bevölkerung *f.*

indigence [ɛ̃diʒɑ̃s] *f* (Be-)Dürftigkeit, Armut *f; être dans l'*~ in schlechten Verhältnissen leben; *certificat m d'*~ Bedürftigkeitsnachweis *m;* ~ *d'idées, d'esprit* geistige Armut *f.*

indigène [ɛ̃diʒɛn] *a* einheimisch *a. zoo bot;* eingeboren; (alt)eingesessen; *s m f* Eingeborene(r *m*); *hum* Einheimische(r *m*) *f.*

indigent, e [ɛ̃diʒɑ̃, -t] bedürftig, unbemittelt, arm; *fig* dürftig, kümmerlich.

indiglest e [ɛ̃diʒɛst] un-, schwer verdaulich; *fig* ungeordnet, zs.hanglos, unzs.hängend, wirr, konfus; ~**estion** *f* Verdauungsstörung *f,* verdorbene(r) Magen; *fig fam* Überdruß *m; j'en ai une* ~ *(fam)* es hängt mir zum Halse raus, ich habe es satt, es steht mir bis oben.

indignlation [ɛ̃diɲasjɔ̃] *f* Entrüstung, Empörung *f,* Unwille *m;* ~**e** un-, nicht würdig (*de qn, qc* jds, e-r S); nichtswürdig, schändlich; empörend, verwerflich; ~**é, e** empört, entrüstet, aufgebracht, unwillig (*de* über *acc*); ~**er** auf=bringen, in Empörung versetzen; *s'*~ sich entrüsten, unwillig werden (*de* über *acc*); ~**ité** *f* Un-, Nichtswürdigkeit; Schändlichkeit *f;* schändliche(r) Streich *m;* Beleidigung *f,* Hohn *m.*

indigo [ɛ̃digo] *s m* Indigo *m* od *n* *(Farbstoff); a* indigoblau.

indiqule-fuite(s) [ɛ̃dikfɥit] *m* Undichtigkeits-, Verlustanzeiger *m (für Rohrleitungen);* ~**é, e** *med* indiziert, angezeigt; *allg* angebracht; *tout, pas très* ~ durchaus, nicht gerade angebracht; ~**er** (an=)zeigen; *(Weg)* weisen; bezeichnen; an=geben; hin=weisen, e-n Hinweis geben, deuten (*qc* auf e-e S), erkennen, schließen lassen (*qc* auf e-e S), verraten; bestimmen, fest=setzen; *(Kunst, Literatur)* (nur) an=deuten; *en* ~*ant* unter Angabe (*qc* e-r S); ~ *du doigt* mit dem Finger zeigen (*qn, qc* auf jdn, etw).

indirect, e [ɛ̃dirɛkt] indirekt *a. gram,* mittelbar; *impôts m pl, contributions f pl* ~*(e)s* indirekte Steuern *f pl.*

indiscernable [ɛ̃disɛrnabl] nicht zu unterscheiden(d).

indisciplilnable [ɛ̃disiplinabl] undisziplinierbar; ~**ne** *f* Undiszipliniertheit, Zuchtlosigkeit *f;* ~**né, e** undiszipliniert, zuchtlos.

indislcret, ète [ɛ̃diskrɛ, -t] *a* unbescheiden; auf-, zudringlich, taktlos; schwatzhaft; indiskret *(a. Frage);* neugierig; *lit (S)* wahllos, unüberlegt; *s m f* unbescheidene(r), taktlose(r)

Mensch; Schwätzer *m*, Klatschmaul, -weib *n;* **~crétion** *f* Auf-, Zudringlichkeit, Taktlosigkeit; Neugier; Schwatzhaftigkeit, Indiskretion *f.*

indis|cutable [ɛ̃diskytabl] unbestreitbar; unumstößlich; indiskutabel; *c'est ~* es ist, wäre zwecklos, darüber zu reden; *il est ~ que* es steht außer Zweifel, daß; **~cuté, e** unbestritten; **~pensable** unerläßlich, unumgänglich, unbedingt notwendig; unentbehrlich; unabkömmlich; *s m* (das) Allernotwendigste; *si c'est ~* wenn es (gar) nicht anders geht, wenn es unbedingt sein muß; *minimum m ~ pour subsister* Existenzminimum *n; ~ à la vie* lebenswichtig, -notwendig; **~ponible** nicht verfügbar; unabkömmlich; **~posé, e** unpäßlich; *fig* verstimmt; ungehalten; abgeneigt (*contre qc* e-r S *dat*); eingenommen (*contre* gegen); *je suis ~* mir ist nicht wohl, nicht gut, unwohl; **~poser** das Wohlbefinden beeinträchtigen *od* stören (*qn* jds); *fig* abgeneigt machen; auf=bringen; verstimmen; **~position** *f* Unpäßlichkeit *f*, Unwohlsein *n;* **~sociable** *pol (Land)* unabtrennbar; **~soluble** *fig* un(auf)lösbar, untrennbar.

indistinct, e [ɛ̃distɛ̃(kt), -tɛ̃kt] undeutlich, unklar; ungenau; **~ement** *adv* unklar, ungenau; unterschiedslos, ohne Unterschied.

individu [ɛ̃dividy] *m* Individuum *a. péj;* Einzelwesen *n*, -person *f;* einzelne(r) *m*, Person *f; mon, son ~ (fam)* ich für meine Person, sein liebes Ich; **~alisation** [-dɥa-] *f* Individualisierung *f;* **~aliser** individualisieren; für sich betrachten; **~alisme** *m* Individualismus *m;* **~aliste** *a* individualistisch; *s m f* Individualist(in *f*) *m;* **~alité** *f* Individualität; Eigenart; Einzelperson *f;* **~el, le** [-dɥɛl] persönlich, individuell; Einzel-; *maison f ~le* Einfamilienhaus *n;* **~ellement** *adv* als Individuum, einzeln.

indivis, e [ɛ̃divi, -iz] ungeteilt; Gesamt-; *par ~* ganz, im ganzen; gemeinschaftlich; *propriété par ~ (jur)* Gesamthandseigentum *n;* **~ibilité** *f* Unteilbarkeit *f;* **~ible** unteilbar; **~ion** *f* Ungeteiltheit *f;* ungeteilte(s), gemeinschaftliche(s) Eigentum *n; ~ forcée* Zwangsgemeinschaft *f.*

in-dix-huit [indizɥit] *m* Oktodezformat *n*, -band *m.*

Indo|chine, l' [ɛ̃dɔʃin] *f* Hinterindien, Indochina *n;* **i~chinois, e** *a* indochinesisch; *I~, e s m f* Indochinese *m*, -chinesin *f.*

indo|cile [ɛ̃dɔsil] ungehorsam, störrisch, eigensinnig, -willig; **~cilité** *f* störrische(s) Wesen *n*, Eigensinn *m.*

indo-européen, ne [ɛ̃dɔøropeɛ̃, -ɛn] indogermanisch, -europäisch.

indo|lence [ɛ̃dɔlɑ̃s] *f* Gleichgültigkeit, Uninteressiertheit, Interesselosigkeit; Trägheit; Apathie *f;* **~lent, e** gleichgültig, uninteressiert; schlafmützig; träge, apathisch; *med* schmerzlos.

indolore [ɛ̃dɔlɔr] schmerzlos.

indomp|table [ɛ̃dɔ̃tabl] nicht zu zähmen(d) *od* zu bändigen(d); *fig* unbezähmbar, unbeugsam; **~té, e** ungezähmt, ungebändigt; wild; ungebeugt *a. fig.*

Indonésie, l' [ɛ̃dɔnezi] *f* Indonesien *n;* **i~n, ne** *a* indonesisch; *I~n, ne s m f* Indonesier(in *f*) *m.*

in-douze [induz] *m* Duodezformat *n*, -band *m.*

indu, e [ɛ̃dy] *(adv: indûment) a* unangebracht, ungelegen, unpassend, ungehörig; ungewohnt; unberechtigt, ungerechtfertigt; *com jur* nicht geschuldet; *s m* Nichtschuld *f.*

indubitable [ɛ̃dybitabl] unzweifelhaft, über jeden Zweifel erhaben, unstreitig; **~ment** *adv* zweifellos.

induct|ance [ɛ̃dyktɑ̃s] *f phys* Induktanz; *tech* Drossel, Spule *f;* **~eur, trice** *a el* induzierend, primär; *s m el* (Funken-)Induktor, Induktionsapparat *m;* **~if, ive** induktiv; **~ion** [-sjɔ̃] *f* Schlußfolgerung *f; jur* Indizienbeweis *m; el* Induktion *f.*

indui|re [ɛ̃dɥir] *irr* bringen, verleiten, verführen (*à* zu); folgern, schließen (*de* aus); *el* induzieren; *~ en erreur* irre=führen; *~ en tentation* in Versuchung führen; **~t, e** *a el* induziert, sekundär, Induktions-; *s m el* Anker *m; courant m ~* induzierte(r) Strom, Induktionsstrom *m.*

indulgen|ce [ɛ̃dylʒɑ̃s] *f* Nachsicht; Langmut *f; rel* Ablaß *m;* **~t, e** nachsichtig, langmütig.

indur|ation [ɛ̃dyrasjɔ̃] *f med* Verhärtung *f;* **~é, e** verhärtet; *chancre m ~ (med)* harte(r) Schanker *m;* **~er** *med* verhärten *tr; s'~* verhärten *itr.*

industri|alisation [ɛ̃dystrijalizasjɔ̃] *f* Industrialisierung *f;* **~aliser** industrialisieren.

industri|e [ɛ̃dystri] *f* Gewerbe *n;* Wirtschaft; Industrie *f; nécessité est mère d'~* Not macht erfinderisch; *branche f d'~* Industriezweig *m; capacité f de l'~* Industriekapazität *f; centre m d'~ de guerre* Rüstungszentrum *n; chef m d'~* Industriekapitän *m; chevalier m d'~* Schwindler, Gauner, Hochstapler *m; contrôle m de l'~* Industriekontrolle *f; déplacement m de* *l'~* Industrieverlagerung *f; foyer m d'~* Industriezentrum *n; grande ~* Großindustrie *f; liberté f de l'~* Gewerbefreiheit *f; petite ~* Kleingewerbe *n,* Kleinbetriebe *m pl; surveillance f de l'~* Gewerbeaufsicht *f; ~ des accessoires* Zubehörindustrie *f; ~ aéronautique* Flugzeugindustrie *f; ~ d'affinage, amélioratrice, de finissage, de perfectionnement* Vered(e)lungsindustrie *f; ~ agricole* Industrie *f* zur Verarbeitung landwirtschaftlicher Erzeugnisse; *~ alimentaire, de l'alimentation* Nahrungsmittelindustrie *f; ~ de l'armement* Rüstungsindustrie *f; ~ d'art, artistique* Kunstgewerbe *n; ~ automobile* Kraftfahrzeug-, Automobilindustrie *f; ~ de base, primaire, ~-clé f* Grundstoff-, Schlüsselindustrie *f; ~ du bâtiment, de la construction* Baugewerbe, -handwerk *n; ~ de la chaussure* Schuh(waren)industrie *f; ~ chimique* chemische Industrie *f; ~ du cinéma, cinématographique* Filmindustrie *f; ~ (des articles) de consommation* Verbrauchsgüterindustrie *f; ~ du cuir* Lederindustrie *f; ~ électrique* Elektroindustrie *f; ~ (de l')électronique* Elektronikindustrie *f; ~ de transformation du fer* eisenverarbeitende Industrie *f; ~ gazière* Gaserzeugung *f; ~ horlogère* Uhrenindustrie *f; ~ hôtelière* Gaststätten- u. Beherbergungsgewerbe *n; ~ du journal, du livre* Zeitungs-, Buchgewerbe *n; ~ lourde* Schwerindustrie *f; ~ des matériaux de construction* Baustoffindustrie *f; ~ métallurgique* Hüttenindustrie *f; ~ minière* Montanindustrie *f,* Bergbau *m; ~ papetière* Papierindustrie *f; ~ porcelainière* Porzellanindustrie *f; ~ privée* Privatwirtschaft *f; ~ des produits finis* Fertig(waren)industrie *f; ~ sidérurgique* Eisenhüttenindustrie *f; ~ sucrière* Zuckerindustrie *f; ~ du tabac* Tabakindustrie *f; ~ textile* Textilindustrie *f; ~ du tourisme* Fremdenindustrie *f; ~ de transformation, transformatrice, utilisatrice* verarbeitende Industrie *f; ~ du verre* Glasindustrie *f; ~ du vêtement* Bekleidungsindustrie *f; ~ vinicole* Weinbau *m;* **~el, le** [-trijɛl] *a* gewerbetreibend, industriell; gewerblich; Gewerbe-, Industrie-; *s m* Industrielle(r) *m; arts pl ~s* Kunstgewerbe *n; centre m ~* Industriezentrum *n; dessinateur m ~* technische(r) Zeichner *m; école f ~le* Gewerbeschule *f; entreprise f ~le* Industrieunternehmen *n; espionnage m ~* Werk(s)spionage *f; exploitation f ~le* Gewerbebetrieb *m; exposition f ~le* Industrieausstellung *f; petit ~* Kleingewerbetreibende(r) *m; produit m ~* gewerbliche(s) Erzeugnis, Industrieprodukt *n; publicité f ~le* Industriewerbung *f; travail m ~ (du bois)* (Holz-)Verarbeitung *f; ville f ~le* Industriestadt *f;* **~eux, se** geschickt, gewandt; *vx* betriebsam, regsam; fleißig; erfinderisch.

iné|branlable [inebrɑ̃labl] *bes. fig* unerschütterlich, unbeugsam, (felsen-)fest; **~changeable** nicht aus-, vertauschbar.

inédit, e [inedi, -t] *a* (noch) unveröffentlicht, ungedruckt; *(Verfasser)* (noch) nicht an die Öffentlichkeit getreten; *fam* neu, (noch) ungebraucht; noch nicht amtlich; *s m* Ungedruckte(s) *n;* Neuheit *f.*

inéducable [inedykabl] unerziehbar.

ineff|able [inɛfabl] unaussprechlich, unsäglich; **~ablement** *adv* unsagbar.

ineffaçable [inɛfasabl] *(Fleck, Farbe)* nicht herausgehend; *fig* unauslöschlich.

ineff|icace [inɛfikas] unwirksam, wirkungslos; **~icacité** *f* Wirkungslosigkeit, Unwirksamkeit *f.*

inégal, e [inegal] ungleich; verschieden; *(Boden)* uneben; *(Weg)* holp(e-)rig; ungleichmäßig, unregelmäßig; veränderlich, schwankend; **~é, e** unerreicht; **~ité** *f* Ungleichheit, Verschiedenheit; Unebenheit; Ungleichmäßigkeit, Unregelmäßigkeit; Veränderlichkeit *f.*

inél|astique [inelastik] unelastisch; **~égance** *f* mangelnde Eleganz *f;* **~égant, e** unelegant; taktlos; **~igible** nicht wählbar; **~uctable** unvermeidlich, unabwendbar.

inemploy|able [inɑ̃plwajabl] nicht benutzbar, nicht verwendbar; **~é, e** unbenutzt, ungebraucht; nicht verwendet, un(aus)genutzt.

inénarrable [inenarabl] nicht wiederzugeben(d), unbeschreiblich (*fam* komisch).

inept|e [inɛpt] *vx* unfähig; unzulänglich, unbrauchbar; sinnlos; dumm, albern; **~ie** [-si] *f* Dummheit; Albernheit *f,* Blödsinn *m; pl* dumme(s) Zeug *n.*

iné|puisable [inepɥizabl] unerschöpflich, nie versiegend *a. fig;* **~quitable** unbillig, ungerecht.

inerme [inɛrm] *vx* unbewaffnet, waffenlos; ohne Waffen; *zoo* stachel-, *bot* dornlos.

iner|te [inɛrt] bewegungs-, regungs-, leblos; *phys* träge *a. fig;* **~tie** [-si] *f phys* Beharrungsvermögen *n,* Trägheit *a. fig; fig* Stumpfheit, Schlaffheit, Energielosigkeit *f; pol* passive(r) Widerstand *m; moment m d'~ (phys)* Trägheitsmoment *n.*

ines|comptable [inɛskɔ̃tabl] nicht diskontierbar; **~péré, e** unverhofft, unerwartet; **~timable** unschätzbar.

iné|tendu, e [inetɑ̃dy] nicht ausgedehnt, ohne Ausdehnung; **~vitable** unvermeidlich, unumgänglich.

inex|act, e [inɛgza(kt), -akt] ungenau, unrichtig; fehlerhaft, falsch; *(Mensch)* unpünktlich; **~actitude** *f* Ungenauigkeit *f;* Fehler(haftigkeit *f*) *m;* Unpünktlichkeit *f;* **~cusable** [inɛksky-] unentschuldbar; unverzeihlich; **~écutable** [inɛgze-] unaus-, undurchführbar; nicht erfüllbar; **~écuté, e** unausgeführt; *jur* unerfüllt; **~écution** *f jur* Nichterfüllung *f;* **~ercé, e** ungeübt; **~igible** *(Schuld)* nicht einzutreiben(d); noch nicht fällig; *(Bedingung)* die nicht gestellt werden kann; **~istant, e** nicht existierend, nicht bestehend, nicht vorhanden; wesenlos; gegenstandslos; *fam* unbedeutend, wertlos; **~istence** *f* Nichtvorhandensein *n;* Wesenlosigkeit; Gegenstandslosigkeit *f;* **~orabilité** *f* Unerbittlichkeit *f;* **~orable** unerbittlich; *être ~* sich nicht erweichen lassen; **~périence** [inɛks-] *f* Unerfahrenheit *f;* **~périmenté, e** *(Mensch)* unerfahren, ungeübt; *(Verfahren)* noch nicht erprobt; **~piable** nicht zu sühnen(d); **~pié, e** ungesühnt; **~plicable** unerklärlich, unbegreiflich; rätselhaft, sonderbar; **~pliqué, e** *(Tat)* un(auf)geklärt; *(Text)* unerklärt; **~ploitable** nicht auszubeuten(d); nicht verwertbar; **~ploité, e** nicht ausgebeutet; nicht in Betrieb (befindlich); **~plorable** unerforschlich; **~ploré, e** unerforscht; **~plosible** explosionssicher; **~pressif, ive** ausdruckslos, nichtssagend; **~primable** unaussprechlich, unbeschreiblich; **~pugnable** [-gn-] *mil* uneinnehmbar; **~tensible** nicht ausdehnbar, unelastisch; **~tinguible** nicht zu löschen(d); *fig* unauslöschlich; *(Gelächter)* homerisch; *(Durst)* nicht zu stillen(d); **~tirpable** unausrottbar; **~tricable** unentwirrbar; *fig* verworren, verzwickt, vertrackt.

infaillib|ilité [ɛ̃fajibilite] *f* absolut sichere(r) Wirkung *f od* Erfolg *m; rel* Unfehlbarkeit *f;* **~le** absolut sicher; unausbleiblich; unvermeidlich; untrüglich; *rel* unfehlbar.

infaisable [ɛ̃fəzabl] untunlich; unaus-, undurchführbar; *une chose ~* ein Ding der Unmöglichkeit.

in|famant, e [ɛ̃famɑ̃, -ɑ̃t] schimpflich; ehrenrührig, entehrend; **~fâme** [ɛ̃fam] ehrlos; schändlich, niederträchtig, gemein; schmutzig; Schand-; **~famie** [-fa-] *f* Ehrlosigkeit, Schande; Schändlichkeit; Schandtat, Niederträchtigkeit; Gemeinheit, Schlechtigkeit *f; pl* häßliche Worte *n pl,* grobe Beleidigungen *f pl; marque f d'~* Brand-, *fig* Schandmal *n.*

infant, e [ɛ̃fɑ̃, -ɑ̃t] *m f* Infant(in *f*) *m;* **~erie** [-tri] *f* Infanterie *f; appui, soutien m d'~* Infanterieunterstützung *f; canon m d'~* Infanteriegeschütz *n; ~ portée, blindée* Panzergrenadiere *m pl;* **~icide** *s m* Kindesmord *m; m f* Kindesmörder(in *f*) *m; a* kindesmörderisch; **~ile** *med* infantil; Kinder-; *maladie, mortalité f ~* Kinderkrankheit, -sterblichkeit *f;* **~ilisme** *m med* Infantilismus *m.*

infatigable [ɛ̃fatigabl] unermüdlich.

infatuat|ion [ɛ̃fatɥasjɔ̃] *f* Selbstgefälligkeit, Eitelkeit *f;* **~ué, e** eingebildet, von sich überzeugt, selbstzufrieden; *être ~ de soi-même* (sehr) von sich selbst eingenommen, *fam* überzogen sein.

infécond, e [ɛ̃fekɔ̃, -ɔ̃d] unfruchtbar *a. fig;* **~ité** *f* Unfruchtbarkeit *f a. fig.*

infect, e [ɛ̃fɛkt] stinkend, faulig; verdorben, verpestet; *fig* ekelhaft, widerlich; **~er** verpesten; *med* an=stecken, infizieren; *fig* verderben; *s'~* sich infizieren, sich an=stecken, sich e-e Infektion zu=ziehen; **~ieux, se** [-sjø, -øz] ansteckend; *maladie f ~se* ansteckende Krankheit *f;* **~ion** [-sjɔ̃] *f med* Ansteckung, Infektion; verpestete Luft; *fig* Verseuchung, Vergiftung *f; c'est une ~* es stinkt furchtbar; *foyer m d'~* Infektionsherd *m.*

inféod|ation [ɛ̃feɔdasjɔ̃] *f hist* Lehnsübertragung *f;* **~er** *tr* als Lehen vergeben; *s'~ à qc (fig)* sich e-r S *(dat)* ganz hin=geben, sich an e-e S eng an=schließen, sich an e-e S an=gliedern, sich in e-e S ein=gliedern.

infér|ence [ɛ̃ferɑ̃s] *f* (Schluß-)Folgerung *f,* Schluß *m;* **~er** schließen, folgern (*qc de qc* etw aus etw).

infér|ieur, e [ɛ̃ferjœr] *a* untere(r, s); unterste(r, s); *geog* Unter-, Nieder-; von geringerem Rang *od* Wert; von geringerer Qualität; *(der Zahl, dem Umfang nach)* schwächer, geringer (*en* an *dat;* dem ... nach); *(Summe, Rang)* niedriger (*à* als); gering-, minderwertig; *(geistig)* niedrigstehend; *(Gefühle, Instinkte)* nieder, niedrig; *s m* Untergebene(r) *m; de naissance ~e* unebenbürtig; *être ~ à qn, qc* hinter jdm, e-r S zurück=bleiben; jdn, etw nicht erreichen; *être ~ en qc* jdm, e-r S in etw *(dat)* nach=stehen; **~ieurement** *adv* unter (*à* acc), niedriger (*à* als), unterhalb (*à* von *od gen*); **~iorité** *f* niedrigere Lage; *fig* niedrigere(r) Stellung *f*, Stand; *fig* geringere(r) Rang *od* Wert; Nachteil *m;* Unterlegenheit; Minderwertigkeit *f; complexe, sentiment m d'~* Minderwertigkeitskomplex *m*, -gefühl *n*.

infernal, e [ɛ̃fɛrnal] höllisch; Höllen- *a. fig; fig* teuflich; unausstehlich, fürchterlich; *(Lärm)* toll, ohrenbetäubend; *machine, pierre f ~e* Höllenmaschine *f*, -stein *m*.

infer|tile unfruchtbar *a. fig; fig (Thema)* undankbar; **~tilité** *f* Unfruchtbarkeit *f*.

infester [ɛ̃fɛste] *(Feinde, Räuber)* heim=suchen, unsicher machen; *(Ungeziefer)* befallen, verseuchen; plagen, belästigen.

infeutrable [ɛ̃føtrabl] nicht verfilzend.

infid|èle [ɛ̃fidɛl] *a* un(ge)treu, treulos; unehrlich; *(Glück, Sieg)* schwankend, ungewiß; *(Gedächtnis)* unzuverlässig; *(Bericht, Übersetzung)* ungenau; *s m f* Ungläubige(r *m*) *f;* **~élité** *f* Untreue, Treulosigkeit; Unehrlichkeit *f; rel* Unglaube *m; (Gedächtnis)* Unzuverlässigkeit, Schwäche; *(Bericht, Übersetzung)* Ungenauigkeit; Veruntreuung, Unterschlagung *f*.

infiltr|ation [ɛ̃filtrasjɔ̃] *f* Einsickern, -dringen *n a. fig; geol med* Infiltration *f;* Einschleusen *n; ~ calcaire (med)* Verkalkung *f;* **~er** *tr (Agenten)* ein=schleusen; *s'~* ein=, durch=, versickern; ein=ziehen, -dringen (*dans* in *acc*); *(Verkehr)* sich ein=fädeln; *fig* sich ein=schleichen, Eingang finden (*dans* in *acc*); sich ein=schleusen.

infime [ɛ̃fim] winzig klein; *vx* unterste(r, -s), niedrigste(r, s).

infini, e [ɛ̃fini] *a* unbegrenzt, unendlich; endlos, zahllos, ungezählt; grenzenlos; *fam (Menge)* ungeheuer, unheimlich; *s m* (das) Unendliche; *math* Unendlich *n; à l'~ (math)* im Unendlichen; *régler à l'~* auf Unendlich ein=stellen; **~ment** *adv* überaus, außerordentlich, unbeschreiblich, *fam* gewaltig, ungeheuer; *~ petit (math)* unendlich klein; **~té** *f* Unendlichkeit, Unbegrenztheit; *fam* Unmenge, Unmasse, Unzahl *f;* **~tésimal, e** unendlich, verschwindend klein; *math* Infinitesimal-; *calcul m ~* Infinitesimalrechnung *f*.

infinitif, ive [ɛ̃finitif, -iv] *a gram* Infinitiv-; *s m* Infinitiv *m*.

infirm|atif, ive [ɛ̃firmatif, -iv] *jur* entkräftend; aufhebend; **~ation** *f jur* Entkräftung, Aufhebung *f*.

infirme [ɛ̃firm] *a* gebrechlich, körperbehindert, verkrüppelt; *s m f* Körperbehinderte(r *m*) *f*.

infirmer [ɛ̃firme] *jur* entkräften; auf=heben, für nichtig, ungültig erklären; außer Kraft setzen; *(Urteil)* auf=heben.

infirm|erie [ɛ̃firməri] *f* Krankenzimmer *n (e-r Anstalt); mil* (Kranken-) Revier *n;* **~ier, ère** *m f* (Kranken-) Pfleger *m*, Schwester *f; mil (~ sanitaire)* Lazarettgehilfe; Sanitäter, *fam* Sani *m; ~ère-major f* Oberschwester *f;* **~ité** *f* Gebrechen *n;* Gebrechlichkeit; Schwäche *f a. fig*.

inflamm|able [ɛ̃flamabl] leicht brennbar, feuergefährlich; leicht Feuer fangend *a. fig (Herz);* **~ation** *f* Entzündung *f a. med; point m d'~* Flammpunkt *m; ~ spontanée* Selbstentzündung *f;* **~atoire** *med* entzündlich.

inflation [ɛ̃flasjɔ̃] *f com* Inflation *a. fig; ~ galopante, rampante* galoppierende, schleichende I.; *fig* Aufblähung, Übersteigerung *f;* **~niste** [-sjɔ-] inflationistisch.

infléch|i, e [ɛ̃fleʃi] neigend (*vers* zu); *voyelle ~e (gram)* Umlaut *m; bot* einwärts geneigt; **~ir** einwärts biegen, beugen; *astr* ab=lenken; *fig (Vorschrift)* lockern; *(Verhalten)* ändern; *s'~* ab=biegen *itr*.

inflex|ibilité [ɛ̃flɛksibilite] *f* Starrheit, Starre; Festigkeit *a. fig; fig* Unnachgiebigkeit, Unbeugsamkeit, Unerbittlichkeit *f;* **~ion** [-sjɔ̃] *f* Neigen, Verbeugen *n;* (Ver-)Biegung; *opt* Beugung, Ablenkung; *(Stimme)* Modulation *f; gram* Umlaut *m; point m d'~ (math)* Wendepunkt *m*.

infliger [ɛ̃fliʒe] *(Strafe)* verhängen (*à* über *acc*), auf=erlegen (*à* dat); *(Verweis)* erteilen; *allg* bei=bringen, zu=fügen; *s'~ (Entbehrungen)* auf sich *(acc)* nehmen.

inflorescence [ɛ̃flɔrɛsɑ̃s] *f bot* Blütenstand *m*.

influ|ençable [ɛ̃flyɑ̃sabl] (leicht) zu beeinflussen(d); **~ence** *f* Einfluß *m;* (Ein-)Wirkung *f;* Ansehen *n*, Geltung, Autorität; *el* Influenz *f; sous l'~ de* unter dem Einfluß *gen; avoir de l'~, exercer une ~ sur qn* auf jdn e-n Einfluß aus=üben; *subir l'~ de qn* unter jds Einfluß stehen; *sphère, zone f d'~* Interessensphäre *f*, Einflußbereich *m; ~s ambiantes* Umwelteinflüsse *m pl; ~ mondiale* Weltgeltung *f; ~ prépondérante (pol)* Übergewicht *n*, Vormachtstellung *f; ~ réciproque* Wechselwirkung *f;* **~encer** beeinflussen, e-n Einfluß aus≈üben (*qn* auf jdn); ~**ent, e** einflußreich; angesehen.

influenza [ɛ̃flyɑ̃za] *f* Grippe *f.*

influer [ɛ̃flye] beeinflussen (*sur qc* etw), e-n Einfluß aus≈üben (*sur* auf *acc*).

influx [ɛ̃fly] *m* (Ein-)Wirken *n.*

in-folio [infɔljo] *s m* Folioformat *n,* -band; Foliant *m; a inv* Folio-.

infondé, e [ɛ̃fɔ̃de] *(Belgien)* unbegründet.

inform|ateur, trice [ɛ̃fɔrmatœr, -tris] *m f* Auskunftgeber(in *f*); *(agent m ~)* Nachrichtenagent(in *f*) *m;* ~**aticien, ne** *m f* Informatiker(in *f*) *m;* ~**tif, ive** informatif; ~**ation** *f* Erkundigung; Benachrichtigung, Mitteilung, Auskunft, Information, Nachricht; *pl (Radio, TV)* Nachrichten *f pl; inform* Daten *n pl;* Unterrichtung; *(Zeitung)* Meldung; *jur* Ermitt(e)lung, Untersuchung; (Zeugen-)Vernehmung *f,* -verhör *n; pl* Angaben *f pl; pour, à titre d'~* zur Unterrichtung; *donner, fournir des ~s* Auskunft geben *od* erteilen (*sur* über *acc*); *ouvrir une ~ (jur)* e-e Untersuchung ein≈leiten; *prendre des ~s, aller aux ~s* Erkundigungen ein≈ziehen, Umfrage halten, sich Aufschluß verschaffen; *procéder à, faire une ~* ein Zeugenverhör vor≈nehmen, e-e Strafuntersuchung durch≈führen; *centre m d'~* Auskunftsstelle *f; chef m des ~s (Zeitung)* Leiter *m* des Nachrichtendienstes; *demande f d'~* Bitte *f* um Auskunft; *échange m d'~s* Nachrichtenaustausch *m; journal m d'~s* Nachrichtenblatt *n; service m d'~(s)* Nachrichtendienst *m; source f d'~* Informations-, Nachrichtenquelle *f; ~ par l'image* Bildberichterstattung *f; ~s météorologiques* Wetterbericht *m; ~ pénale* Strafuntersuchung *f; ~ préliminaire* Ermitt(e)lungsverfahren *n; ~ de presse* Zeitungs-, Pressenotiz *f; ~s régionales (radio)* Heimatnachrichten *f pl; ~ tendancieuse* Tendenzmeldung *f;* ~**atique** *f* Informatik *f;* ~**atisable** informatisierbar; ~**atisation** *f* Informatisierung, elektronische Verarbeitung *f;* ~**ser** elektronisch verarbeiten, informatisieren.

informe [ɛ̃fɔrm] formlos, unförmig; *(Werk)* nicht genügend durchgearbeitet, mangelhaft gestaltet, unvollkommen im Aufbau; *jur* formwidrig.

inform|é [ɛ̃fɔrme] *m jur* Auskunft, Nachricht *f; jusqu'à plus ample ~ (jur)* bis auf weiteres, bis weitere Unterlagen zur Verfügung stehen; ~**er** *tr* benachrichtigen (*de qc* über e-e S), unterrichten, in Kenntnis setzen (*de qc* von etw); mit≈teilen (*qn de qc* jdm etw); *itr jur* e-e Untersuchung durch≈führen (*contre qn sur qc* gegen jdn wegen e-r S); *s'~* sich erkundigen (*de qc* nach etw, *auprès de qn* bei jdm); sich informieren.

infortun|e [ɛ̃fɔrtyn] *f* Unglück(sfall *m*), Mißgeschick *n; pl* Schicksalsschläge *m pl,* Leiden *n pl; compagnon* od *frère m, compagne* od *sœur f d'~* Leidensgenosse *m,* -genossin *f;* ~**é, e** *a* unglücklich, leidgeprüft; *s m f* Unglückliche(r *m*) *f.*

infraction [ɛ̃fraksjɔ̃] *f* Übertretung *f,* Verstoß *m* (*à, de* gegen); Zuwiderhandlung, strafbare Handlung; (Rechts-)Verletzung *f;* Rechtsbruch *m;* Delikt *n; ~ au contrat* Vertragsbruch *m; ~ fiscale* Steuervergehen *n; ~ à la paix* Friedensbruch *m; ~ aux règlements* Verstoß *m* gegen die Regeln.

infranchissable [ɛ̃frɑ̃ʃisabl] unüberschreitbar *a. fig; fig* unüberwindlich.

infrangible [ɛ̃frɑ̃ʒibl] unzerbrechlich.

infra|rouge [ɛ̃fraruʒ] infra-, ultrarot; ~**son** [-sɔ̃] *m* Infraschall *m;* ~**structure** *f* Tiefbau(arbeiten *f pl*); Unterbau *m;* Infrastruktur; *aero (~ aérienne)* Bodenorganisation *f.*

infréquenté, e [ɛ̃frekɑ̃te] *(Gegend)* einsam, verlassen, still; *(Weg)* nicht benutzt, nicht begangen, nicht befahren.

infroissable [ɛ̃frwasabl] knitterfrei.

infructueux, se [ɛ̃fryktɥø, -øz] frucht-, ergebnis-, erfolg-, nutzlos, vergeblich.

infumable [ɛ̃fymabl] nicht zu rauchen(d).

infus, e [ɛ̃fy, -yz] angeboren, natürlich; *avoir la science ~e (fam)* die Weisheit mit Löffeln gefressen haben; ~**er** *(Flüssigkeit)* ein≈spritzen, -führen; *(Blut)* übertragen; *(feste Substanz)* ein≈, auf≈weichen, aus≈laugen; *laisser ~ (Tee)* ziehen lassen.

infusible [ɛ̃fyzibl] nicht schmelzbar.

infus|ion [ɛ̃fyzjɔ̃] *f* Aufgießen *n,* -guß; (Kräuter-)Tee *m; ~ de menthe, de tilleul* Pfefferminz-, Lindenblütentee *m;* ~**oires** *m pl* Aufgußtierchen, Infusorien *n pl; terre f d'~* Infusorienerde, Kieselgur *f.*

ingagnable [ɛ̃gaɲabl] nicht zu gewinnen(d).

ingambe [ɛ̃gɑ̃b] *fam* flink, behende, munter; *(Greis)* rüstig.

ingén|ier, s' [ɛ̃ʒenje] darüber nach≈denken, sich darüber den Kopf zerbrechen (*à faire* wie man machen könnte); sich bemühen, versuchen (*à* *faire qc* etw zu tun); ~**ieur** *m* Ingenieur *m;* ~ *agronome, agricole* Diplomlandwirt *m;* ~ *des arts et manufactures, civil* Zivilingenieur *m;* ~ *en chef* Ober-, Chefingenieur; technische(r) Leiter *od* Direktor *m;* ~ *des chemins de fer* Eisenbahningenieur *m;* ~ *conseil* beratende(r) Ingenieur *m;* ~ *constructeur* Konstrukteur *m;* ~ *des constructions civiles* Bauingenieur *m;* ~ *des constructions navales* Schiffsbauingenieur *m;* ~ *diplômé* Diplomingenieur *m;* ~ *éclairagiste* Beleuchtungsingenieur *m;* ~ *électricien* Elektroingenieur *m;* ~ *électronicien* Elektronikingenieur *m;* ~ *hydrauliste, des travaux hydrauliques* Wasserbauingenieur *m;* ~ *mécanicien* Maschineningenieur *m;* ~ *des mines* Bergbauingenieur *m;* ~ *des ponts et chaussées, routier* Straßenbauingenieur *m;* ~ *du son (film)* Tonmeister *m;* ~ *des travaux souterrains* Tiefbauingenieur *m;* ~**ieux, se** *a (Mensch)* erfinderisch, findig, geschickt; *(Sache)* sinnreich, kunstvoll, gut ausgedacht; *s m* (das) Ausgeklügelte; ~**iosité** *f* Findigkeit, Geschicktheit *f,* Scharfsinn *m;* sinnreiche Einrichtung *f.*

ingén|u, e [ɛ̃ʒeny] *a* offen, unbefangen, offen-, treuherzig; harmlos, unschuldig; naiv; *s m f* Naturkind *n; m* Naturbursche *m; f theat* Naive *f; faire l'*~ den Unschuldigen spielen, *fam* markieren; *ne joue pas les* ~*es (fam)* tu nicht so; ~**uité** [-nɥi-] *f* Offenheit, Unbefangenheit, Offen-, Treuherzigkeit; Harmlosigkeit, Naivität; *theat* (Rolle der) Naive(n) *f.*

ingér|ence [ɛ̃ʒerɑ̃s] *f* Einmischung *f* (*dans* in *acc*) *a. pol;* ~**er** *(in den Magen)* ein=führen; *med* ein=nehmen; *s'*~ *(fig)* sich vor=drängen (*auprès de* bei); *s'*~ *dans qc* sich in e-e S ein=mischen, hinein=drängen, *fam* s-e Nase in e-e S stecken; *s'*~ *dans les affaires d'autrui* sich in die Angelegenheiten anderer mischen.

ingest|ible [ɛ̃ʒɛstibl] *pharm* zum Einnehmen, innerlich (anzuwenden); ~**ion** [-tjɔ̃-] *f* Einführen *(in den Magen); med* Einnehmen *n.*

ingr|at, e [ɛ̃gra, -at] *a (Äußeres)* ungefällig, unangenehm; undankbar *(a. Sachen)* (*envers qn* jdm gegenüber); *(Boden)* unergiebig; *(Arbeit)* nutzlos, vergeblich; *(Geschäft, Gedächtnis)* schlecht; *s m* Undankbare(r *m*) *f; âge m* ~ Flegeljahre *n pl;* Backfischalter *n;* ~**atitude** *f* Undank(barkeit *f*) *m; (Boden)* Unfruchtbarkeit, *(Arbeit)* Nutzlosigkeit, Vergeblichkeit *f; payer qn d'*~ jdm mit Undank lohnen.

ingrédient [ɛ̃gredjɑ̃] *m* Bestandteil *m,* Ingrediens *n,* Zutat *f; fig* Teil *m;* (An-)Zeichen *n.*

inguérissable [ɛ̃gerisabl] unheilbar.

inguinal, e [ɛ̃gɥinal] *anat* Leisten-; *hernie f* ~*e (med)* Leistenbruch *m.*

ingurgiter [ɛ̃gyrʒite] verschlingen; *fam* (gierig) hinunter=schlingen, *(Getränk)* -stürzen.

inhabile [inabil] ungeeignet, unbrauchbar, unfähig *a. jur* (*à* zu); ~**té** *f* Ungeschick(lichkeit *f*) *n.*

inhabilité [inabilite] *f jur* (Geschäfts-)Unfähigkeit *f.*

inhab|itable [inabitabl] unbewohnbar; ~**ité, e** unbewohnt.

inhabituel, le [inabitɥɛl] ungewohnt, ungewöhnlich.

inhal|ateur, trice [inalatœr, -tris] *a* Inhalier-; *s m* Inhalierapparat *m;* ~ *d'oxygène* Sauerstoffgerät *n;* ~**ation** *f* Einatmen; *med* Inhalieren; *bot* Ein-, Aufsaugen *n; faire des* ~*s (med)* inhalieren; ~**er** ein=atmen.

inharmon|ie [inarmɔni] *f* mangelnde Harmonie *f;* ~**ieux, se** [-njø, -øz] unharmonisch.

inhéren|ce [inerɑ̃s] *f* innige(s) Verbundensein *n,* Inhärenz *f;* ~**t, e** innewohnend (*à qc* e-r S *dat*); innig verbunden (*à qc* mit e-r S).

inhibit|eur, trice [inibitœr, -tris] *a* hemmend; ~**if, ive** *(Physiologie)* hemmend; ~**ion** [-sjɔ̃] *f med* Funktionshemmung *f,* -verlust *m; (Psychologie)* Hemmung *f; jur* Verbot *n;* ~**oire** hemmend.

inhospitalier, ère [inɔspitalje, -ɛr] wenig gastfreundlich; *(Empfang)* unfreundlich, frostig; *(Land)* ungastlich; undankbar.

inhum|ain, e [inymɛ̃, -ɛn] *a* unmenschlich, grausam, hart-, unbarmherzig, mitleid(s)los; ~**anité** *f* Unmenschlichkeit; Grausamkeit; Hart-, Unbarmherzigkeit *f.*

inhum|ation [inymasjɔ̃] *f* Begräbnis *n,* Beerdigung, Bestattung *f;* ~**er** begraben, beerdigen, bestatten.

inimaginable [inimaʒinabl] unvorstellbar, undenkbar; *c'est* ~ das spottet jeder Beschreibung.

inimitable [inimitabl] unnachahmlich.

inimitié [inimitje] *f* Feindschaft *f,* Haß *m,* Abneigung *f.*

inin|flammable [inɛ̃flamabl] nicht entzündlich, feuerfest; ~**telligence** *f* mangelnde Intelligenz, fehlende Begabung *f;* ~**telligent, e** unintelligent, unbegabt; ~**telligibilité** *f* Unverständlichkeit *f;* ~**telligible** unverständlich; ~**téressant, e** uninteressant; ~**terrompu, e** ununterbrochen; *attaque f ~e (mil)* rollende(r) Angriff *m.*

iniqu|e [inik] (sehr) unbillig, ungerecht; ~**ité** *f* (große) Ungerechtigkeit, Unbilligkeit; *rel* Sünde *f.*

initi|al, e [inisjal] *a* Anfangs-; *s f* Initiale *f,* Anfangsbuchstabe *m; pl* Handzeichen *n; lettre, vitesse f ~e* Anfangsbuchstabe *m,* -geschwindigkeit *f; ~e ornée* Zierbuchstabe *m;* ~**alement** *adv* zunächst, -erst; ~**ateur, trice** *s m f* Lehrmeister(in *f*) *fig;* Wegbereiter(in *f*), Neuerer, Vorkämpfer, Bahnbrecher *m; a* einführend; bahnbrechend; ~**ation** *f rel* Einweihung; *allg* Einführung; *(~ sexuelle)* Aufklärung *f;* ~**ative** *f* Initiative; Anregung *f,* Vorschlag *m; (droit m d'~) parl* Vorschlags-, Antragsrecht *n; (esprit m d'~)* Unternehmungsgeist *m; de sa propre ~* aus eigener Initiative; *manquer d'~* keine Initiative haben; *prendre l'~* die Initiative ergreifen; den ersten Schritt tun; *syndicat m d'~* Fremdenverkehrsverein *m; ~ législative* Gesetzesinitiative *f; ~ populaire, de plébiscite* Volksbegehren *n; ~ privée* Privatinitiative *f;* ~**er** [-sje] *rel* ein=weihen, *allg* ein=führen (*à* in *acc*); vertraut machen (*à* mit).

inject|é, e [ɛ̃ʒɛkte] blutunterlaufen; ~**er** ein=spritzen; spülen, aus=waschen; *avoir la face ~e* puterrot sein; ~**eur** *m tech* Injektor *m,* Einspritzdüse, Dampfstrahlpumpe *f; med* Irrigator, Spülapparat *m;* ~**ion** [-sjɔ̃] *f* Einspritzung *f; (Holz)* Tränken *n,* Imprägnierung; *tech* Aus-, Einpressung; *med* Spülung; *geol* Injektion *f; ~ intestinale (med)* Einlauf *m; ~ de capitaux* Finanzspritze *f.*

in|jonction [ɛ̃ʒɔ̃ksjɔ̃] *f* Einschärfung *f,* ausdrückliche(r), strikte(r) Befehl *m; ~ de paiement* Zahlungsaufforderung *f.*

injouable [ɛ̃ʒwabl] *theat* nicht aufführbar; *drame m ~* Buch-, Lesedrama *n.*

injur|e [ɛ̃ʒyr] *f* Beleidigung, Beschimpfung *f;* Schimpf(wort *n*) *m; charger d'~s* mit Schimpfworten überhäufen; *dire, proférer des ~s* Beleidigungen aus=stoßen; *l'~ des ans, du temps* der Zahn der Zeit; *~ calomnieuse (jur)* verleumderische Beleidigung *f; ~ verbale (jur)* Verbalinjurie *f;* ~**ier** beleidigen, beschimpfen, schmähen; ~**ieux, se** beleidigend; Schimpf-.

injust|e [ɛ̃ʒyst] ungerecht(fertigt); unbillig; ~**ice** *f* Ungerechtigkeit *f;* Unrecht *n.*

injust|ifiable [ɛ̃ʒystifjabl] nicht zu rechtfertigen(d); unentschuldbar; ~**ifié, e** ungerechtfertigt, unberechtigt.

inlassable [ɛ̃lasabl] unermüdlich, rastlos.

inné, e [ine] angeboren.

inner|vation [inɛrvasjɔ̃] *f (Physiologie)* Innervation *f;* ~**ver** innervieren.

innoc|ence [inɔsɑ̃s] *f* Unschuld, Schuldlosigkeit; Reinheit; Harmlosigkeit; Naivität, Einfalt *f;* ~**ent, e** *a* unschuldig, schuldlos; rein, harmlos, einfach; naiv, einfältig; *s m f* Unschuldige(r *m*); Unschuld, Naive *f; faire l'~* harmlos tun, sich dumm stellen; *plaider ~ (jur)* s-e Unschuld beteuern; ~**enter** *jur* für unschuldig erklären; entschuldigen, rechtfertigen; *ce fait l'~e* dieser Umstand beweist seine Unschuld; *s'~er* s-e Unschuld beweisen.

innocuité [inɔkɥite] *f* Unschädlichkeit, Harmlosigkeit *f.*

innombrable [in(n)ɔ̃brabl] unzählig, zahllos.

innommable [inɔmabl] unbenennbar; *péj* unbeschreiblich, scheußlich, ekelhaft.

innov|ateur, trice [inɔvatœr, -tris] *a* nach Neuem suchend *od* strebend; neuerungsfreudig; *s m f* Neuerer, Wegbereiter(in *f*), Bahnbrecher *m;* ~**ation** *f* Neuerung *f;* ~**er** *tr* neu, als Neuerung ein=führen; *itr* Neuerungen ein=führen.

inobserv|able [inɔpsɛrvabl] nicht zu beobachten(d); undurchführbar; nicht zu befolgen(d); ~**ance** *f* Nichtbefolgung, Nichteinhaltung *f (e-r Vorschrift, Anordnung);* ~**ation** *f* Nichteinhaltung *f (e-s Vertrages);* Versäumnis *n, a. f* Überschreitung *f (e-r Frist);* ~**é, e** nicht be(ob)achtet; unausgeführt, unbefolgt.

inoccup|ation [inɔkypasjɔ̃] *f* Untätigkeit *f;* ~**é, e** unbeschäftigt, untätig; ohne Beschäftigung; *(Gebiet)* unbesetzt; *(Platz)* nicht besetzt, frei.

in-octavo [inɔktavo] *s m* Oktavformat *n,* -band *m; a inv* Oktav-.

inocul|able [inɔkylabl] einimpfbar; ~**ateur, trice** *a* Impf-; *s m f* Impfende(r *m*) *f,* Impfarzt *m,* -schwester *f;* ~**ation** *f* (Ein-)Impfung *f;* ~**er** (ein=) impfen; *fig* ein=impfen (*qc à qn* jdm etw).

inodore [inɔdɔr] geruchlos.

inoffensif, ive [inɔfɑ̃sif, -iv] harmlos, ungefährlich; unschädlich.

inofficieux, se [inɔfisjø, -øz] nicht offiziös; *(jds Rechte)* beeinträchtigend, widerrechtlich.

inond|ation [inɔ̃dasjɔ̃] *f* Überschwemmung, -flutung *f*, Hochwasser *n*; *~ de cave* Kellerüberschwemmung *f*; **~é, e** überschwemmt; getränkt; *~ de lumière* lichtüberflutet; *~ de sang* blutüberströmt; **~er** überschwemmen, -fluten, unter Wasser setzen; tauchen (*de qc* in e-e S), tränken, benetzen (*de qc* mit etw); *fig (Volksmenge)* sich ergießen (*qc* über, in e-e S); überschwemmen, -ziehen, durch=dringen.

inopérable [inɔperabl] nicht mehr zu operieren(d).

inopérant, e [inɔperɑ̃, -t] *jur* unwirksam, wirkungslos; *(Beweismittel)* ungeeignet.

inopiné, e [inɔpine] unvermutet, unerwartet, unvorhergesehen.

inopportun, e [inɔpɔrtœ̃, -yn] unangebracht, unpassend; ungelegen, unzeitig; *(Zeit)* unrecht; *(Augenblick)* ungünstig, falsch; **~ité** *f* Unzweckmäßigkeit *f*; ungünstige(r) Zeitpunkt *m*.

in|organique [inɔrganik] anorganisch; *chimie f ~* anorganische Chemie *f*; **~oubliable** unvergeßlich; **~oublié, e** unvergessen; **~ouï, e** [inwi] unerhört, beispiellos; ausgefallen; ungewöhnlich, außerordentlich; **~ox** *(Besteck, etc)* rostfrei, Nirosta-, Cromargan *(Warenzeichen)*; **~oxydable** rostfrei; *~* **petto** [inpɛt(t)o] bei sich, im Herzen, im stillen; **~qualifiable** *péj* unqualifizierbar, unbeschreiblich; **~-quarto** [inkwarto] *s m* Quartformat *n*, -band *m*; *a inv* Quart-.

inqui|et, ète [ɛ̃kjɛ, -ɛt] unruhig; rastlos; besorgt (*de qn, sur qc* um jdn, etw); ängstlich, unsicher; **~étant, e** [-kje-] beunruhigend; besorgniserregend; **~éter** beunruhigen; Besorgnis erregen (*qn* jds), ängstigen; belästigen (*qn* jdn); Rechenschaft verlangen (*qn* von jdm), verhören; *s'~* sich sorgen, sich Sorgen, Gedanken machen (*de* um); *ne s'~ de rien* sich keine Sorgen, Gedanken machen; *sans être ~é* unbehelligt; **~étude** *f* Unruhe; Rastlosigkeit; Besorgnis *f*, Befürchtungen *f pl*; *donner de l'~* Besorgnis erregen; *ne pas inspirer d'~s* keinen Anlaß zu Befürchtungen geben; *soyez sans ~* seien Sie unbesorgt.

inquisit|eur, trice [ɛ̃kizitœr, -tris] *s m* Inquisitor *m*; *a* forschend, prüfend; *grand ~* Großinquisitor *m*; **~ion** [-sjɔ̃] *f hist rel* Inquisition *f*; **~orial, e** [-tɔ-] Inquisitions-; inquisitorisch.

insaisissable [ɛ̃se(ɛ)zisabl] nicht zu ergreifen(d); nie zu treffen(d), nie zu erreichen(d); *jur* unpfändbar; *fig* kaum wahrnehmbar, unmerklich, verschwindend gering.

insalissable [ɛ̃salisabl] nicht schmutzend.

insalu|bre [ɛ̃salybr] ungesund, gesundheitsschädlich; *immeuble, îlot m ~* Elendsquartiere *n pl*, -viertel *n*; **~brité** *f* ungesunde(r) Charakter *m*, Unzuträglichkeit *f*.

insanité [ɛ̃sanite] *f* Unsinn, Blödsinn *m*; *pl* alberne Reden *f pl*, dumme(s) Zeug *n*.

insatia|bilité [ɛ̃sasjabilite] *f* Unersättlichkeit *f*; **~ble** unersättlich *a. fig*; *(Hunger, Durst)* nicht zu stillen(d).

insatis|faction [ɛ̃satisfaksjɔ̃] *f* Unzufriedenheit *f*; **~fait, e** unbefriedigt, unzufrieden.

ins|cription [ɛ̃skripsjɔ̃] *f* In-, Aufschrift; Beschriftung; Einschreibung, -tragung (*sur un registre* in ein Register); Anmeldung; *com* Buchung *f*; Vermerk *m*; *pol* Aufnahme *f* in die Tagesordnung; *loc* Kurveneinstellung *f*; *faire ~ au procès-verbal* zu Protokoll nehmen; *prendre une ~* e-e Eintragung vor=nehmen; *prendre ses ~s* sich immatrikulieren, sich ein=schreiben lassen (*à* in *acc*); *rayer une ~* e-e Eintragung streichen *od* löschen; *date f d'~* Einschreibungsdatum *n*; *demande f d'~* Meldung *f*; *droit m d'~* Einschreibungsgebühr *f*; *feuille, liste f des ~s* Anmeldeformular *n*, -liste *f*; *~ au bilan (com)* Bilanzierung *f*; *~ funéraire* Grabinschrift *f*; *~ hypothécaire* Eintragung *f* e-r Hypothek; **~crire** *irr* ein=schreiben *a. math*, -tragen (*sur* in *acc*); *(in ein Denk-, Grabmal)* ein=meißeln; *fig* rechnen, zählen (*à* zu); *s'~* sich ein=tragen (lassen); sich an=melden (*à* zu); *faire ~* (an=)melden; *s'~ en faux contre qc* etw bestreiten; *s'~ en faux contre qn* Fälschungsklage gegen jdn an=melden; *~ à l'ordre du jour* auf die Tagesordnung setzen; *~ au rôle d'équipage* an=mustern, *mar* -heuern; **~crit, e** [-i, -it] *a* eingeschrieben *a. math*; wahlberechtigt; *s m* Wahlberechtigte(r) *m*; *non ~ (parl)* unabhängig.

inscrutable [ɛ̃skrytabl] unerforschlich.

insécable [ɛ̃sekabl] unteilbar.

insécurité [ɛ̃sekyrite] *f* Unsicherheit *f*; *~ du droit* Rechtsunsicherheit *f*.

insect|e [ɛ̃sɛkt] *m* Insekt, Kerbtier *n*; **~icide** *a* insektenvernichtend; *s m* Schädlingsbekämpfungsmittel *n*; *poudre f ~* Insektenpulver *n*; **~ivore** *a* insektenfressend; *s m pl zoo* Insektenfresser *m pl*.

insécuriser [ɛ̃sekyrize] verunsichern.
in-seize [insɛz] *s m* Sedezformat *n*, -band *m; a inv* Sedez-.
insémin|ation [ɛ̃seminasjɔ̃] *f (artificielle)* (künstliche) Befruchtung, Besamung *f;* **~er** künstlich befruchten, besamen.
insensé, e [ɛ̃sɑ̃se] *a* sinnlos, unsinnig; unvernünftig; wahnsinnig, verrückt, toll; *s m f* Wahnsinnige(r *m*), Verrückte(r *m*) *f*, Narr *m*.
insensi|bilisateur, trice [ɛ̃sɑ̃sibilizatœr, -tris] *a* betäubend; Betäubungs-; *s m* Betäubungsmittel, Narkotikum *n;* **~bilisation** *f* Betäubung *f;* **~biliser** unempfindlich machen, betäuben; **~bilité** *f* Unempfindlichkeit, Gefühllosigkeit; (Gefühls-)Kälte *f;* **~ble** unempfindlich (*à* für), gefühllos; gefühlskalt; unmerklich; *~ à l'eau, aux intempéries* wasser-, witterungsunempfindlich.
inséparable [ɛ̃separabl] untrennbar; unzertrennlich.
insérer [ɛ̃sere] ein≈führen, -fügen, -rücken, -schalten, -setzen, -legen, -schieben, -streuen; hinein≈bringen; *(Anzeige)* in die Zeitung setzen; *(Zeitungsartikel)* bringen; *prière d'~* zur gefälligen Besprechung.
insermenté, e [ɛ̃sɛrmɑ̃te] unvereidigt.
insertion [ɛ̃sɛrsjɔ̃] *f* Einführung, -fügung, -schaltung *f;* Einrücken, -schieben, -setzen *n; (Anzeige)* Aufnahme; Anzeige, Annonce *f*, Inserat *n;* Veröffentlichung, Bekanntgabe, -machung *f (in der Zeitung); anat* Ansatz *m*.
insidieux, se [ɛ̃sidjø, -øz] hinterhältig, hinter-, arglistig, heimtückisch, falsch; *(Frage)* verfänglich; *(Krankheit)* heimtückisch, schleichend.
insigne [ɛ̃siɲ] *a* bemerkenswert, hervorragend, ausgezeichnet, vorzüglich; ganz besondere(r, s); arg, schlimm; *s m* (Rang-)Abzeichen; (Ehren-)Zeichen *n; pl* Insignien *pl; ~ d'aviateur, d'aviation* Fliegerabzeichen *n; ~ de(s) blessé(s)* Verwundetenabzeichen *n; ~ de grade (mil)* Rangabzeichen *n; ~ officiel, (mil) réglementaire* Dienstabzeichen *n; ~ de parti (politique)* Parteiabzeichen *n; ~ de souveraineté, de nationalité* Hoheitszeichen *n; ~ sportif* Sportabzeichen *n; ~ de tir* Schützenschnur *f*.
insigni|fiance [ɛ̃siɲifjɑ̃s] *f* Bedeutungs-, Belanglosigkeit; Unerheblichkeit *f;* **~fiant, e** unbedeutend, bedeutungslos, ohne Bedeutung; unerheblich, belanglos.
insinu|ant, e [ɛ̃sinɥɑ̃, -ɑ̃t] einschmeichelnd, anschmiegsam; **~ation** *f* Einschmeich(e)lung; Einflüsterung; Andeutung, Anspielung; Verdächtigung *f;* **~er** *med (Instrument)* behutsam, vorsichtig ein≈führen; (hinein)gleiten lassen; *fig* ein≈flüstern; ein≈geben; (geschickt) zu verstehen geben; vorsichtig bei≈bringen, *fam* -biegen (*qc à qn* jdm etw); *s'~* allmählich, langsam *od* unauffällig, unbemerkt ein≈dringen, hinein≈gleiten (*dans* in e-e S); *fig* sich ein≈schmeicheln, sich beliebt machen (*dans les bonnes grâces de qn* bei jdm).
insipid|e [ɛ̃sipid] ohne Geschmack, fade; *fig* abgeschmackt, geist-, witzlos; langweilig, öde; *être ~* keinen Geschmack haben, nach nichts schmekken; **~ité** *f* fade(r) Geschmack *m; fig* Abgeschmacktheit, Schalheit, Geistlosigkeit, Öde *f*.
insist|ance [ɛ̃sistɑ̃s] *f* Nachdruck *m;* Beharrlichkeit *f; avec ~* beharrlich, nachdrücklich; **~er** dringen (*sur qc* auf e-e S), bestehen, beharren (*sur qc* auf e-r S); *~ pour que* darauf dringen, daß; Nachdruck, den Ton, den Akzent legen (*sur qc* auf e-e S); nicht nach≈lassen (*à faire qc* etw zu tun); *ne pas ~ sur qc (fig)* über e-e S hinweg≈gehen, etw fallen≈lassen; *n'~ons pas!* lassen wir das!
insociab|ilité [ɛ̃sɔsjabilite] *f* Ungeselligkeit, Unverträglichkeit *f;* **~le** ungesellig, unverträglich.
insolation [ɛ̃sɔlasjɔ̃] *f* Sonneneinstrahlung *f;* Sonnenbad *n; med* Sonnenstich *m; fraction f d'~ (Meteorologie)* Sonnenscheindauer *f*.
insol|ence *f* Unverschämtheit, Frechheit; Anmaßung; Respekt-, Taktlosigkeit *f;* **~ent, e** *a* unverschämt, frech; anmaßend, takt-, respektlos; *s m* Flegel, Grobian, *fam* Frechdachs *m*.
insoler [ɛ̃sɔle] der Sonne aus≈setzen.
insolite [ɛ̃sɔlit] ungewohnt, -wöhnlich.
insoluble [ɛ̃sɔlybl] *chem* nicht löslich; *fig* unlösbar.
insol|vabilité [ɛ̃sɔlvabilite] *f* Zahlungsunfähigkeit *f; en cas d'~* im Falle der Nichteintreibbarkeit; **~vable** zahlungsunfähig, insolvent.
insomnie [ɛ̃sɔmni] *f* Schlafstörung *f*.
insondable [ɛ̃sɔ̃dabl] unergründlich *a. fig; fig* unerforschlich.
inson|ore [ɛ̃sɔnɔr], **~orisé, e** [-sɔ-] schalldicht; schalldämmend; **~isation** *f* Schalldämmung *f;* **~oriser** schalldicht machen; schall≈dämmen.
insou|ciance [ɛ̃susjɑ̃s] *f* Sorglosigkeit *f;* Leichtsinn *m;* **~ciant, e; ~cieux, se** sorglos, unbekümmert, leichtsinnig; *être ~* in den Tag hinein leben.

insoumis, e [ɛ̃sumi, -z] *a* nicht unterworfen; ungezogen; *s m* u. *soldat m* ~ Wehrdienstverweigerer *m;* **~sion** *f* Ungehorsam *m,* Widersetzlichkeit *f;* Widerstand *m* (*à* gegen); *mil* Weigerung *f,* den Wehrdienst anzutreten.

insoup|çonnable [ɛ̃supsɔnabl] über jeden Verdacht erhaben; **~çonné, e** *(Person)* nicht verdächtigt; *(Sache)* unvermutet; ungeahnt.

insoutenable [ɛ̃sutnabl] *(Kampf)* nicht durchzuhalten(d); *(Behauptung, Meinung)* unhaltbar; *(Zustand)* unerträglich; *(Mensch)* unausstehlich; *(Prozeß)* aussichtslos.

inspect|er [ɛ̃spɛkte] be(auf)sichtigen, inspizieren, kontrollieren; mustern, prüfen; **~eur, trice** *m f* Inspektor(in *f*), Aufseher(in *f*), Aufsichtsbeamte(r) *m,* -beamtin *f;* Inspekteur; *mil* Inspizient *m;* ~ *d'académie* Schulrat *m;* ~ *des chemins de fer* Eisenbahninspektor *m;* ~ *des contributions* Steuerinspektor *m;* ~ *des douanes* Zollinspektor *m;* ~ *de l'enseignement* Schulinspektor *m;* ~ *des finances* Finanzinspektor *m;* ~ *des forêts* Forstaufseher *m;* ~ *des mines* Berghauptmann *m;* ~ *de police* Polizeiinspektor *m;* ~ *des ponts et chaussées* Straßenaufsichtsbeamte(r) *m;* ~ *du travail* Gewerbeaufsichtsbeamte(r) *m;* ~ *des viandes, de la viande de boucherie* Fleischbeschauer *m;* **~ion** [-sjɔ̃] *f* Be(auf)sichtigung, Aufsicht, Inspektion; Kontrolle, Prüfung; Inspektorenstelle; Aufsichtsbehörde *f,* -amt *n; mil* Besichtigung *f,* Appell *m; faire, passer l'~ de qc* etw inspizieren, besichtigen; *tournée f d'~* Inspektionsreise, -fahrt *f; (zone f d')~ aérienne (pol)* Luftinspektion(szone) *f;* ~ *des bâtiments* Bauamt *n;* ~ *des écoles* Schulbehörde *f;* ~ *des lieux, locale (jur)* Lokaltermin *m;* ~ *des métiers, du travail* Gewerbeaufsichtsamt *n;* ~ *du trafic* Straßenverkehrsamt *n.*

inspir|ant, e [ɛ̃spirɑ̃, -ɑ̃t] begeisternd, anregend, ermunternd; **~ateur, trice** *a* belebend, anregend; aufreizend; begeisternd; *anat* Atem-; *s m f* Anreger(in *f*); Anstifter(in *f*) *m;* **~ation** *f* Einatmen, Atemholen *n; fig* Anregung; Eingebung; Einflüsterung; Inspiration *f a. rel; fam* Einfall *m;* **~é, e** begeistert, enthusiastisch; *fam* einfallsreich *(Mensch); être bien* ~ e-e gute Idee haben; *tu as été bien* ~ *de ...* du hast recht daran getan zu *Inf;* **~er** ein=atmen; *(Luft)* ein=blasen, zu=führen (*à qn* jdm); *fig* ein=geben, ein=flößen; erregen, erwecken; *(Tat)* veranlassen, bewirken; inspirieren, begeistern, an=feuern; *s'*~ sich beeinflussen, leiten, anregen lassen (*de* von); sich zum Vorbild nehmen (*de qn, qc* jdn, etw); ~ *confiance* Vertrauen erwecken; ~ *du dégoût* Ekel erregen; an=widern, -ekeln (*à qn* jdn).

instab|ilité [ɛ̃stabilite] *f phys* Labilität *a. fig;* Unbeständigkeit *f;* Wankelmut *m;* **~le** *phys* unstabil, labil *a. fig; fig* unbeständig, wandelbar, schwankend; fahrig; *(Frieden)* unsicher; *chem (Verbindung)* unbeständig; *être en équilibre* ~ auf der Kippe stehen; *équilibre m* ~ *(phys)* labile(s) Gleichgewicht *n.*

install|ation [ɛ̃stalasjɔ̃] *f* Ein-, Vorrichtung; Anlage; Ausstattung; Installation *f;* Einbau *m;* Einführung, Einsetzung *f (in ein Amt);* ~ *d'aérage* Entlüftungsanlage *f;* ~ *d'alerte au feu* Feuermeldeanlage *f;* ~ *de bord (aero)* Bordanlage *f;* ~ *à ciel ouvert* Freiluftanlage *f;* ~ *de clarification, de décantation* Kläranlage *f;* ~ *de climatisation* Klimaanlage *f;* ~ *de congélation* Gefrieranlage *f;* ~ *de débit* Thekenaufsatz *m;* ~ *de déchargement* Entladeanlage *f;* ~ *de distribution (el)* Schaltanlage *f,* -werk *n;* ~ *de drainage, d'irrigation* Ent-, Bewässerungsanlage *f;* ~ *d'éclairage* Licht-, Beleuchtungsanlage *f;* ~ *d'enclenchement (loc)* Stellwerk *n;* ~ *d'énergie* Kraft-, Stromversorgungsanlage *f;* ~ *d'extraction (min)* Förderanlage *f;* ~ *frigorifique, réfrigérante* Kühlanlage *f;* **~s** *logistiques (mil)* Versorgungsanlagen *f pl;* ~ *mécanique* Maschinenanlage *f;* ~ *pilote* Versuchsanlage *f;* **~s** *portuaires* Hafenanlagen *f pl;* ~ *radar* Funkmeßanlage *f;* ~ *radio* Funkanlage *f;* ~ *radiogoniométrique, de radioguidage* Funkpeilanlage *f;* ~ *de réception (radio)* Empfangsanlage *f;* ~ *de signalisation sur grandes distances* Fernmeldeanlage *f;* ~ *simulée (mil)* Scheinanlage *f;* ~ *téléphonique* Fernsprechanlage *f;* ~ *de visée (mil)* Zielvorrichtung *f;* ~ *des voies ferrées* Gleisanlage *f;* **~er** *(in ein Amt)* ein=führen, -setzen; unter=bringen; *(Wohnung)* ein=richten, aus=statten; *(Anlage)* errichten; ein=bauen; *(Maschine)* auf=stellen; an den richtigen Platz stellen; *s'*~ sich (*fam* häuslich) nieder=lassen; **~ateur** *m* Installateur *m.*

instance [ɛ̃stɑ̃s] *f* dringende, inständige, flehentliche Bitte *f; jur* Verfahren *n,* Rechtsgang *m,* Instanz *f; à l'~ de ...* auf Antrag, Ansuchen *gen; avec* ~

eindringlich, inständig, flehentlich; *en ~* in der Schwebe; *être en ~* (noch) unerledigt sein; vor≈liegen; *être en ~ de divorce* in Scheidung leben; *former, lier une ~* e-e Klage erheben, anhängig machen; *juger en première, dernière ~* in erster, letzter Instanz, erst-, letztinstanzlich erkennen *od* entscheiden; *désistement m d'~* Klagerücknahme *f; introduction, suspension, reprise f de l'~* Eröffnung, Einstellung, Wiederaufnahme *f* des Verfahrens; *marche f de l'~* Instanzenweg *m; ~ d'appel* Berufungsinstanz *f,* -verfahren *n; ~ en divorce* (Ehe-) Scheidungsprozeß *m; ~ judiciaire, pendante* gerichtliche(s), anhängige(s) Verfahren *n; ~ de révision, en cassation* Revisionsinstanz *f.*

instant, e [ɛ̃stɑ̃, -ɑ̃t] *a (adv instamment) (Bitte)* dringend, inständig; *s m* Augenblick, Moment *m (a. übertreibend); à l'~, dans l'~* augenblicklich, im Augenblick, sofort; *à chaque, à tout ~, d'~ en ~, d'un ~ à l'autre* jeden, alle Augenblick(e); *à l'~ même* eben gerade, im Moment; *dans un ~* gleich; bald; *dès l'~ que* sobald, -wie; *par ~s* zeitweise, von Zeit zu Zeit; *pour l'~* für den Augenblick, vorerst; *un ~!* einen Augenblick! Moment (mal)! ja doch! gleich! **~ané, e** *a* ganz kurz, nur e-n Augenblick dauernd; plötzlich (eintretend); *s m* Momentaufnahme *f,* Schnappschuß *m;* **~anéité** *f* (ganz) kurze Dauer; Plötzlichkeit *f.*

instar [ɛ̃star]: *à l'~ de* nach Art *gen,* (so) wie; nach dem Beispiel, Muster *gen.*

instaur|ateur, trice [ɛ̃stɔratœr, -tris] *m* (Be-)Gründer(in *f*) *m;* **~ation** *f* (Be-)Gründung; Errichtung; Einsetzung, -führung *f;* **~er** (be)gründen, ein≈setzen, -führen.

instigat|eur, trice [ɛ̃stigatœr, -tris] Anstifter(in *f*), (Haupt-)Macher, Drahtzieher *m;* **~ion** [-sjɔ̃] *f* Anstiftung *f; à l'~ de qn* auf jds Anregung.

instill|ation [ɛ̃stilasjɔ̃] *f med* Einträufelung *f;* **~er** ein≈träufeln; *fig* träufeln.

instinct [ɛ̃stɛ̃] *m* Instinkt; (An-)Trieb; Drang, Hang *m,* Neigung *f* (*de* zu); *d'~, par ~* instinktiv, triebhaft *adv; ~ de conservation* Selbsterhaltungstrieb *m; ~ grégaire* Herdentrieb *m; ~ sexuel* Geschlechtstrieb *m;* **~if, ive** [ɛ̃stɛ̃ktif, -iv] instinktiv, instinktmäßig.

instit|uer [ɛ̃stitɥe] stiften, gründen; ein≈führen, -richten, -setzen; ernennen; *~ qn son héritier* jdn zu s-m Erben ein≈setzen *od* machen; **~ut** [-y] *m* gelehrte, wissenschaftliche, literarische Gesellschaft *f;* Institut *n,* Anstalt *f; rel* Orden(sregel *f*) *m; ~ d'assurance (sociale)* (Sozial-)Versicherungsanstalt *f; ~ bancaire* Geldinstitut *n; ~ de beauté* Schönheitssalon *m; ~ de crédit* Kreditanstalt *f; l'I~ de France* die 5 frz. Akademien; *~ médico-légal* gerichtsmedizinische(s) Institut *n; ~ météorologique (aero)* Wetterwarte *f; ~ de recherches* Forschungsanstalt *f; ~ régional des assurances* Landesversicherungsanstalt *f;* **~uteur, trice** *m f* (Volksschul-)Lehrer(in *f*); Erzieher(in *f*) *m; ~ adjoint* Hilfslehrer *m;* **~ution** *f* Stiftung, Gründung; Einrichtung; *(Erbe)* Einsetzung; *(~ d'éducation, d'enseignement)* (Lehr-, Unterrichts-, Erziehungs-)Anstalt *f,* Institut *n; ~ de bienfaisance* Wohlfahrtseinrichtung *f; ~ de crédit* Kreditanstalt *f; ~ d'État* staatliche Einrichtung *f; ~ d'utilité publique* gemeinnützige Einrichtung *f.*

instruc|teur [ɛ̃stryktœr] *s m mil* Ausbilder *m; a m mil* Ausbildungs-; *jur* Untersuchungs-; *juge m ~* Untersuchungsrichter *m;* **~tif, ive** belehrend; lehr-, aufschlußreich, instruktiv; **~tion** [-sjɔ̃] *f* Unterricht *m;* Erziehung; Ausbildung; Belehrung; Unterweisung; Lehre *f;* Kenntnisse *f pl,* Wissen *n;* Bildung; Instruktion; Verhaltensmaßregel *f; inform* Befehl *m; jur* Untersuchung, Ermitt(e)lung *f;* Verfahren *n,* Prozeß *m; pl* Anleitung, (Gebrauchs-)Anweisung; (Dienst-) Vorschrift *f a. mil; se conformer, s'en tenir aux ~s* sich an die Vorschriften halten, den Weisungen folgen; *avion m d'~* Schulflugzeug *n; bataillon m d'~* Lehrbataillon *n; code m d'~ criminelle* Strafprozeßordnung *f; juge m d'~* Untersuchungsrichter *m; tir m d'~* Übungsschießen *n; ~ d'une cause, d'un procès* Prozeßleitung *f; ~ civique* Staatsbürgerkunde *f; ~ criminelle* Strafuntersuchung *f,* Strafverfahren *n; ~s pour l'emploi* Bedienungsvorschrift *f; ~ judiciaire* gerichtliche Untersuchung *f; ~ obligatoire* Schulzwang *m; ~ pénale* Ermitt(e)lungsverfahren *n; ~ préalable, préliminaire, préparatoire* Voruntersuchung *f; ~ professionnelle* Berufsausbildung *f; ~ publique* Schulwesen *n; ~ religieuse* Religionsunterricht *m; ~ de service* Dienst- *od* Bedienungsvorschrift *f; ~ du tir, sur le tir* Ausbildungsschießvorschrift *f.*

instru|ire [ɛ̃strɥir] *irr tr* unterrichten (*qn dans qc,* jdn in e-r S), (be)lehren (*qn dans qc* jdn (in) e-e(r) S); an=leiten, -weisen, instruieren; benachrichtigen, in Kenntnis setzen (*qn de qc* jdn von etw), informieren (*qn de qc* jdn über e-e S); *jur (Untersuchung, Prozeß)* durch=führen, leiten; *itr* e-e Untersuchung, e-n Prozeß durch=führen *od* leiten; *s'~* Kenntnisse erwerben; klüger werden; **~isable** bildungsfähig; **~isant, e** aufschluß-, lehrreich; **~it, e** [-i, -it] unterrichtet; gebildet; gelehrt.

instrument [ɛ̃strymɑ̃] *m* Werkzeug *a. fig,* Gerät, Instrument *n a. mus;* Apparat; Vertrag(swerk *n*) *m,* Urkunde *f,* Dokument *n; jouer d'un ~* ein Instrument spielen; *orchestre m d'~s à cordes (mus)* Streichorchester *n; ~s aratoires* Ackergeräte *n pl; ~s à cordes, à archet* Saiteninstrumente *n pl; ~ de géodésie* Vermessungsgerät *n; ~ de mesure* Meßinstrument *n; ~ de paiement* Zahlungsmittel *n; ~ de la paix* Friedensinstrument *n; ~ de pêche* Fischfanggerät *n; ~s à percussion (mus)* Schlaginstrumente *n pl,* -zeug *n; ~ de précision* Präzisionsinstrument *n; ~ de preuve (jur)* Beweisstück *n; ~ de ratification* Ratifikationsurkunde *f; ~ sonore* Klanginstrument *n; ~ de travail* Arbeitsgerät *n; ~s à vent (mus)* Blasinstrumente *n pl; ~s pour vol sans visibilité* Blindfluggeräte *n pl;* **~aire** *a* Urkunden-; **~al, e** *a mus* Instrumental-; *composition f ~e* Instrumentalsatz *m;* **~ation** *f mus* Instrumentierung *f;* **~er** *mus* instrumentieren; *jur* e-e Urkunde aus=stellen, -fertigen; **~iste** *m mus* Instrumentalist *m.*

insu [ɛ̃sy] *m: à l'~ de qn* ohne jds Wissen; *à mon ~* ohne mein Wissen, ohne daß ich es (darum) wußte.

insubmersible [ɛ̃sybmɛrsibl] *mar* nicht versenkbar.

insubor|dination [ɛ̃sybɔrdinasjɔ̃] *f* Ungehorsam *m* (im Dienst); **~donné, e** ungehorsam, widersetzlich.

insuccès [ɛ̃syksɛ] *m* Mißerfolg *m;* Mißlingen, Scheitern *n.*

insuff|isance [ɛ̃syfizɑ̃s] *f* Unzulänglichkeit *f;* Mangel(haftigkeit *f*) *m;* Minderwertigkeit; Unfähigkeit *f; com* Ausfall *m;* Überschuldung; *med* Insuffizienz, Schwäche *f; ~ cardiaque* Herzinsuffizienz, -schwäche *f; ~ des locaux scolaires* Schulraumnot *f; ~ numérique* ungenügende Zahl *f; ~ de poids* Untergewicht *n; ~ de rendement* Ertragsminderung; Minderleistung *f;* **~isant, e** ungenügend, unzureichend, unzulänglich; von geringerer Qualität (*à* als); mangelhaft, minderwertig; unfähig; *alimentation f ~e* Unterernährung *f.*

insuff|lateur [ɛ̃syflatœr] *m med* Einbläser *m (Gerät);* **~lation** *f med* Einblasung *f;* **~ler** *med* ein=, auf=blasen; *fig* ein=flößen.

insul|aire [ɛ̃sylɛr] *a* insular; Insel-; *s m f* Inselbewohner(in *f*), Insulaner(in *f*) *m;* **~arité** *f* Inselcharakter *m,* -lage *f.*

insuline [ɛ̃sylin] *f pharm* Insulin *n.*

insult|ant, e [ɛ̃syltɑ̃, -ɑ̃t] beleidigend; **~e** *f* Beleidigung, Beschimpfung *f; laver une ~ (litt)* e-e Beleidigung nicht auf sich sitzen=lassen; *souffrir une ~* e-e Beleidigung hin=nehmen *od* ein=stecken; *c'est une ~ à la vérité!* das schlägt der Wahrheit ins Gesicht; **~é, e** *m f* Beleidigte(r *m*) *f;* **~er** *tr* beleidigen, beschimpfen; *fam* herunter=machen, -putzen; *itr* ein Hohn sein (*à qc* auf e-e S); ins Gesicht schlagen *fig* (*à qc* e-r S); **~eur, se** *m f* Beleidiger(in *f*) *m.*

insupport|able [ɛ̃sypɔrtabl] unerträglich; *(Mensch)* unausstehlich; **~er** unerträglich sein (*à qn* jdm).

insurgé [ɛ̃syrʒe] *m* Empörer, Aufrührer *m; pl* Aufständische *m pl;* **~er, s'** sich empören, auf=stehen, sich erheben *a. fig; fig* sich auf=lehnen (*contre* gegen).

insurmontable [ɛ̃syrmɔ̃tabl] unübersteigbar, unüberwindlich.

insurrection [ɛ̃syrɛksjɔ̃] *f* Aufstand *m,* Erhebung, Revolte; *fig* Auflehnung *f (contre* gegen); **~nel, le** aufrührerisch, revoltierend.

intact, e [ɛ̃takt] unberührt; unversehrt, unbeschädigt; vollständig, heil, ganz, intakt, einwandfrei; *fig* tadel-, makellos, untadelig.

intangible [ɛ̃tɑ̃ʒibl] unberührbar.

intarissable [ɛ̃tarisabl] nie versiegend *a. fig;* unerschöpflich *a. fig; fig* unermüdlich.

inté|grable [ɛ̃tegrabl] integrierbar; **~gral, e** *a* vollständig, völlig, ganz; ungekürzt, unvermindert, uneingeschränkt; *s f math* Integral *n; calcul m ~* Integralrechnung *f; casque ~* Integralhelm *m;* **~gralité** *f* Vollständigkeit *f.*

inté|grant, e [ɛ̃tegrɑ̃, -t] (unbedingt) dazugehörend; *(Bestandteil)* wesentlich, integrierend; *faire partie ~e de qc* unbedingt zu e-r S gehören; **~gration** *f math* Integrieren *n; com* Integrierung; *pol* Integration *f;* **~grationniste** *m f* Befürworter(in *f*) *m* der Rassenintegration; **intègre** über jeden Tadel erhaben, rechtschaffen, redlich, integer; (völlig) unbescholten;

unbestechlich; **~grer** *math com* integrieren; *s'~* sich ein=fügen (*à* in *acc*); **~grité** *f* Vollständigkeit; Unversehrtheit; einwandfreie, tadellose Beschaffenheit; *fig* Redlichkeit, Rechtschaffenheit; Unbestechlichkeit *f; atteinte f à l'~ corporelle* Körperverletzung *f.*

intell|ect [ɛ̃tɛlɛkt] *m* Verstand, Intellekt *m;* **~ectualisme** [-tɥa-] *m* Intellektualismus *m;* **~ectuel, le** *a* verstandesmäßig; Verstandes-; geistig; Geistes-; intellektuell; *s m f* Intellektuelle(r *m*) *f,* Verstandesmensch *m; propriété f ~le* geistige(s) Eigentum *n; travailleur m ~* Geistesarbeiter *m;* **~igence** *f* Verstand *m;* Intelligenz *f;* Geist *m (a. personifiziert u. Person); inform* Intelligenz *f;* Verständnis *n (de* für), Einsicht; Kenntnis *f,* Wissen; Geschick; Einvernehmen, (geheimes) Einverständnis *n* (*avec qn* mit jdm); *pl* geheime Verbindungen *f pl; avoir des ~s avec l'ennemi* mit dem Feind in Verbindung stehen; *être d'~ avec qn* mit jdm dick befreundet sein *od* unter einer Decke stecken *fig; vivre en bonne ~ avec qn* mit jdm in gutem Einvernehmen leben; *~ de l'art* Kunstverständnis *n;* **~igent, e** intelligent; verstandesbegabt; verständig, klug, gescheit, gewitzt; geschickt; *(Blick)* verständnisvoll; **~igentsia** [-igɛn(t)sja] *f* Intelligenz *f,* Intellektuelle(n) *m pl;* **~igible** verständlich; deutlich (vernehmbar).

intemp|érance [ɛ̃tɑ̃perɑ̃s] *f* Unmäßigkeit *(bes. im Essen u. Trinken); fig* Maßlosigkeit *f; ~ de langue; ~ de plume* Vielschreiberei; Weitschweifigkeit *f;* **~érant, e** unmäßig; maßlos.

intempéries [ɛ̃tɑ̃peri] *f pl* Temperaturschwankungen *f pl;* Unbilden *pl* der Witterung; *(im Baugewerbe)* Schlechtwettergeld *n; résistant aux ~* wetterbeständig, -fest.

intempestif, ive [ɛ̃tɑ̃pɛstif, -iv] unzeitig, zur Unzeit, zu unpassender Zeit; ungelegen, unpassend, unangebracht.

intemporel, le [ɛ̃tɑ̃pɔrɛl] zeitlos.

intenable [ɛ̃tənabl] unhaltbar.

intendan|ce [ɛ̃tɑ̃dɑ̃s] *f* Aufsicht; Verwaltung, Leitung, Direktion; *mil* Intendantur *f;* **~t** *m* (Vermögens-, Schloß-)Verwalter; Haushofmeister; Direktor, Leiter *(e-s Unternehmens od e-r Dienststelle);* Aufseher; *mil* Intendant(urrat) *m;* **~te** *f (Schule)* Verwalterin *f; rel* Oberin *f.*

intens|e [ɛ̃tɑ̃s] *(Hitze)* groß; *(Kälte)* streng; *(Schmerz)* heftig; *(Druck)* stark; *(Anstrengung)* gewaltig; lautstark; *(Verkehr)* lebhaft, stark; **~if, ive** stark, heftig; intensiv *a. tech;* **~ification** *f* Verstärkung, Intensivierung *f;* **~ifier** intensivieren, verstärken; *(Beziehungen)* aus=bauen; *s'~* zu=nehmen; sich enger gestalten; **~ité** *f* Stärke, Heftigkeit, Intensität *f; diminuer d'~* nach=lassen; *courant m de haute ~* Starkstrom *m; ~ de brouillage (radio)* Störgrad *m; ~ de champ (radio)* Feldstärke *f; ~ de la coloration* Farbkraft *f; ~ du courant* Stromstärke *f; ~ lumineuse* Lichtstärke, Leuchtkraft *f; ~ de réception (radio)* Empfangslautstärke *f; ~ sonore* Lautstärke *f; ~ du trafic* Verkehrsdichte *f; ~ du trafic sur une ligne (loc)* Streckenbelastung *f.*

intenter [ɛ̃tɑ̃te] *(Klage)* erheben; *(Prozeß)* anhängig machen, an=strengen; *~ une action à, contre qn* jdn verklagen; *~ des poursuites contre qn* jdn (gerichtlich) belangen; *~ un procès à qn, qc (fig)* jdm, e-r S den Prozeß machen.

intention [ɛ̃tɑ̃sjɔ̃] *f* Absicht *f,* Vorhaben *n,* Vorsatz; Zweck; Wille *m;* Gesinnung *f; à l'~ de* für *acc,* zu Händen, zugunsten, zu Ehren *gen; à cette ~* zu diesem Zweck; *avec, sans ~* absichtlich, unabsichtlich; *avoir l'~ de* vorhaben, die Absicht haben, beabsichtigen zu; *avoir de bonnes ~s envers qn* es gut mit jdm meinen; *avoir de mauvaises ~s* Böses im Schilde führen; *ce n'est nullement mon ~* ich denke (ja) gar nicht daran; *l'enfer est pavé de bonnes ~s (prov)* der Weg zur Hölle ist mit guten Vorsätzen gepflastert; *bonne, mauvaise ~* gute(r), böse(r) Wille *m; ~ de lucre (jur)* gewinnsüchtige Absicht *f;* **~né, e** [-sjɔ-] : *bien, mal ~* wohlmeinend *od* wohlgesinnt, nicht wohlgesinnt; **~nel, le** *(Tat)* absichtlich, beabsichtigt; bewußt; **~ner** beabsichtigen.

inter [ɛ̃tɛr] *(in Zssgen)* zwischen-; Zwischen-; *s m tele fam* Fernamt *n; ~ droit, gauche (sport)* Halbrechts, -links *m;* **~allemand, e** innerdeutsch, deutsch-deutsch; **~allié, e** verbündet; **~armes** *a: groupement m ~* Kampfgruppe *f;* **~astral, e** *(astr)* interstellar; **~calaire** Schalt-; eingeschoben; *jour m ~* Schalttag; *med* fieberfreie(r) Tag *m;* **~calation** *f* Einschaltung, -fügung *f; typ* Zwiebelfisch; *geol* Einschluß *m;* **~caler** ein=schalten, -fügen; **~céder** [-se-] sich verwenden, Fürbitte ein=legen (*pour qn auprès de qn* für jdn bei jdm); **~cellulaire** *anat* zwischen den Zellen (befindlich); Interzellular-; **~cepter** [-sɛpte] auf=, ab=fangen;

(Brief) unterschlagen; *(Verbindung)* unterbrechen; *tele* ab=hören, -horchen; **~cepteur** *m* u. *a: chasseur m* ~ Abfangjäger *m; (Rakete)* Unterbrecher *m;* **~ception** [-sjõ] *f* Abfangen, -hören, -horchen *n;* Unterbindung *f; sport* Dazwischentreten *n; avion, chasseur m d'~* Abfangjäger *m;* **~cesseur** *m* Fürsprecher, Vermittler *m;* **~cession** *f* Fürsprache, Verwendung, Vermittlung *f;* **~changeabilité** *f* Auswechselbarkeit *f;* **~changeable** auswechsel-, austauschbar; **I~cité** *m* Intercity, Intercity-Zug *m;* **~confessionnel, le** interkonfessionell, zwischenkirchlich; **~connecter** *inform* miteinander verbinden; **~connexion** *f* Verbundsystem *n; ligne f d'~ (tele)* durchgeschaltete Leitung *f; ~ de données, de fichiers* Datenverknüpfung *f;* **~~continental, e** interkontinental; die Kontinente verbindend; **~costal, e** *anat* Zwischenrippen-; **~dépendance** *f* gegenseitige Abhängigkeit *f;* Wechselbeziehungen *f pl; com* Verflechtung *f.*

interdi|ction [ɛ̃tɛrdiksjõ] *f* Untersagung *f,* Verbot; Entmündigung *f; frapper qn d'~ (jur)* jdn entmündigen; *demande f en ~* Entmündigungsantrag *m; heure f d'~* Sperrstunde *f; tir m d'~* Behinderungsfeuer *n; ~ d'atterrissage (aero)* Landeverbot *n; ~ correctionnelle, ~ des droits civiques, civils et de famille* Aberkennung *f* der politischen, bürgerlichen u. Familienrechte; *~ de construire* Bauverbot *n; ~ d'émettre* Funkverbot *n,* -stille *f; ~ d'exportation* Ausfuhrverbot *n,* -sperre *f; ~ d'un journal* Zeitungsverbot *n; ~ judiciaire, légale, civile* (gerichtliche) Entmündigung *f; ~ professionnelle* Berufsverbot *n; ~ de séjour* Aufenthaltsverbot *n;* Ausweisung, Landesverweisung *f; ~ de stationner* Parkverbot *n; ~ de survoler (aero)* Luftsperre *f;* **~re** *irr* untersagen, verbieten (*qc à qn* jdm etw); entmündigen, unter Vormundschaft *od* Kuratel stellen; suspendieren, entheben (*qn de ses fonctions, ses fonctions à qn* jdn s-s Amtes); *rel* mit dem (Kirchen-) Bann, Interdikt belegen; *~ l'accès de sa maison à qn* jdm das Haus verbieten; **~t, e** [-di, -it] *a* verboten; amtsenthoben, suspendiert; mit dem (Kirchen-)Bann belegt; verblüfft, bestürzt; *s m* Interdikt *n,* Kirchenbann; *jur* Entmündigte(r) *m; être, rester, demeurer ~* wie vor den Kopf geschlagen, sprachlos sein; *lancer, prononcer l'~ contre qn* den Bannstrahl gegen jdn schleudern, jdn mit dem Bann belegen; *~(e)!* Betreten verboten! *~ aux moins de seize ans* Jugendliche unter 16 Jahren haben keinen Zutritt.

interdisciplinaire [ɛ̃tɛrdisiplinɛr] interdisziplinär.

intéress|ant, e [ɛ̃terɛsɑ̃, -ɑ̃t] interessant; wissenswert; anziehend, fesselnd; reizend; *com* vorteilhaft, günstig; *être dans un état, dans une position, situation ~(e) (fam)* in anderen Umständen sein, ein Kind erwarten; *faire l'~ (fam)* an=geben; **~é, e** *a* interessiert (*à qc* an e-r S); *com* beteiligt (*à, dans qc* an e-er S); selbst-, gewinnsüchtig; *com* in Frage kommend; *s m f* Teilhaber(in *f*) *m;* Beteiligte(r *m*) *f;* Interessent(in *f*), Reflektant *m; allg* Interessierte(r *m*); Betreffende(r *m*) *f;* **~ement** *m* Gewinnbeteiligung *f;* **~er 1.** *(associer)* Anteil nehmen lassen, beteiligen (*qn à qc* jdn an e-er S); *~ les travailleurs aux résultats de l'entreprise* die Arbeiter am Geschäftsergebnis beteiligen; **2.** *(concerner)* an=gehen, betreffen; *cette mesure ~e tout le monde* diese Maßnahme betrifft alle; wichtig, interessant sein (*qn* für jdn); **3.** *(retenir l'attention)* interessieren; Teilnahme erregen (*qn* jds); an=ziehen, reizen; *cela ne m'~e pas* das kann mich nicht reizen; **4.** *(éveiller l'intérêt)* interessant, anziehend machen; *ce professeur ~e ses élèves* dieser Lehrer weiß das Interesse seiner Schüler zu wekken; *je l'ai ~é à ce projet* ich habe ihn für dieses Projekt gewonnen; *s'~* sich beteiligen (*dans qc* an e-r S); Anteil nehmen (*à qc* an e-r S); sich interessieren (*à qc* für etw); sich angelegen sein lassen, Wert darauf legen (*à faire qc* etw zu tun); ein=treten (*à qn* für jdn).

intérêt [ɛ̃terɛ] *m* Interesse *n;* Anteil *m;* Beteiligung, (An-)Teilnahme *f* (*à, pour* an); Gefallen, Vergnügen *n;* Reiz *m;* Neugier *f;* Gewinn, Vorteil, Nutzen; Eigennutz *m,* Gewinn-, Selbstsucht *f; (dommages-~s)* Schadenersatz *m; meist pl* Zinsen *m pl; pl* Verzinsung *f;* Belange *pl;* Interessen *n pl;* Wohl(stand *m*) *n; à ~s fixes* festverzinslich; *dans l'~ de qn* in jds Interesse; zu jds Besten; *dans l'~ public* im Interesse der Allgemeinheit; *par ~* aus Interesse *od* Eigennutz; *sans ~s* zinsfrei, -los; *agir contre ses propres ~s* sich selbst ins Fleisch schneiden *fig; avoir des ~s dans qc* an e-r S beteiligt sein; *concilier les ~s* die Interessen in Einklang bringen; *défendre, sauvegarder les ~s de qn* jds Interessen vertreten *od* wahr=nehmen; *embrasser les ~s de qn* sich für jdn verwenden *od* ein=setzen; sich jds an=nehmen, für jdn Partei ergreifen; *bien entendre ses ~s* sich auf s-n Vorteil verstehen; *éveiller l'~* das Interesse erregen; *joindre l'~ au capital, capitaliser les ~s* die Zinsen zum Kapital schlagen; *mettre, placer à ~* verzinslich an=legen; *prêter à ~* auf Zinsen aus=leihen; *produire, (rap)porter des ~s* Zinsen bringen *od* tragen, sich verzinsen; *seconder, favoriser, servir les ~s de qn* jds Belange wahr=nehmen; *susciter, éveiller de l'~* Interesse erwecken *od* finden; *veiller aux ~s de qn* jds Interessen wahren; *il y a ~* es ist wünschenswert; *il a tout ~* es liegt ganz in s-m Interesse (*à* zu); *c'est dans votre ~* es liegt in Ihrem Interesse; *affaire f d'~* Geldangelegenheit, -sache *f; association, communauté f, groupement m d'~s* Interessengemeinschaft *f; calcul m des ~s* Zinsrechnung *f; coupon m d'~* Zinsschein *m; créance f d'~* Zinsforderung *f; dette f d'~* Zinsschuld *f; paiement m des ~s* Verzinsung *f; prêt m à ~* verzinsliche(s) Darlehen *n; rapportant des ~s* zinstragend, -bringend; *sauvegarde f des ~s* Wahrung *f* der Interessen; *service m des ~s* Zinsendienst *m; sphère, zone f d'~s (pol)* Interessengebiet *n; table f d'~s* Zinstabelle *f; taux m d'~* Zinsfuß *m; ~s accrus, courus* aufgelaufene, ausstehende Zinsen *m pl; ~s arriérés* rückständige Zinsen *pl; ~s bancaires* Bankzinsen *m pl; ~ de capital* Kapitalzinsen *m pl; ~ commun, général, public* Gemeinwohl; öffentliche(s) Interesse *n; ~s compensatoires* Schadenersatz *m* wegen Nichterfüllung; *~(s) composé(s)* Zinseszins *m; ~s courants* laufende Zinsen *m pl; ~s créanciers, créditeurs* Haben-, Aktivzinsen *m pl; ~s débiteurs, passifs* Debet-, Passivzinsen *m pl; ~s de droits* gesetzliche Zinsen *m pl; ~s dus, échus* fällige Zinsen *m pl; ~s à échoir* noch nicht fällige Zinsen *m pl; ~ de l'État* Staatsinteresse *n; ~s journaliers* Tageszinsen *m pl; ~ légal, légitime* berechtigte(s) Interesse *n; ~s moratoires, de retard* Verzugszinsen *m pl; ~ particulier* Eigennutz *m; ~s personnels* persönliche Verhältnisse *n pl; ~s professionnels* Berufsinteressen *n pl; ~(s) simple(s)* einfache Zinsen *m pl; ~ usuraire* Wucherzinsen *m pl.*

inter|étatique, ~-états *inv* [ɛ̃tɛretatik, -eta] zwischenstaatlich; **~face** *f inform* Schnittstelle *f,* Interface *n;* **~férence** *f phys radio* Interferenz *f; tele* Übersprechen *n;* **~férer** *phys* interferieren; **~féron** *m* Interferon *n;* **~folier** *(Buch)* durchschießen; **~glaciaire** *a: période f ~* Zwischeneiszeit *f;* **~gouvernemental, e** *a: déclaration f ~e* gemeinsame Erklärung *f* der Regierungen.

intérieur, e [ɛ̃terjœr] *a* innere(r, s); inwendig, innerlich; Innen-; inländisch; Binnen-; *arch (Durchmesser)* licht; *s m* (das) Innere; (das) Landesinnere, Binnenland; Familienleben *n,* -kreis *m;* Häuslichkeit *f,* (Da-)Heim, Haus; *fig* Innenleben, (das) Innere, Herz *n; (Kunst)* Innenansicht *f,* Interieur *n; phot* Innenaufnahme; *film* Atelieraufnahme *f; sport* Mittelstürmer *m; à l'~* innen; *pharm* innerlich; innerhalb (*de* gen); *d'~ (Mensch)* häuslich; *aménagement m ~* Inneneinrichtung *f; antenne f ~e* Zimmerantenne *f; commerce m ~* Binnenhandel *m; côté m ~* Innenseite *f; cour f ~e* Innenhof *m; lac m, mer f ~(e)* Binnensee *m,* -meer *n; Ministère m de l'I~* Innenministerium *n; ministre m de l'I~* Innenminister *m; navigation f ~e* Binnenschiffahrt *f; politique f ~e* Innenpolitik *f; surface f ~e* Innenfläche *f; travaux m pl ~s* Hausarbeit *f;* **~ement** *adv* innen, im Inner(e)n; innerlich.

intérim [ɛ̃terim] *m inv* Zwischenzeit, -lösung *f,* Provisorium, Interim *n; par ~* in der Zwischenzeit; provisorisch; *assurer, faire l'~* die Vertretung machen; **~aire** *a* vorläufig, einstweilig, provisorisch, interimistisch; Zwischen-; *s m* provisorische(r) Inhaber (e-s Amtes, e-r Stelle); Vertreter *m;* Zeitarbeiter(in *f*) *m.*

intériorité [ɛ̃terjɔrite] *f* Einbegriffensein *n; fig* Innerlichkeit *f.*

interje|ctif, ive [ɛ̃tɛrʒɛktif, -iv] *a gram* Ausrufungs-; **~ction** [-ks-] *f gram* Interjektion, Ausrufungs-, Empfindungswort *n; ~ d'appel (jur)* Berufungseinlegung, Appellation *f; ~ de recours (jur)* Beschwerdeerhebung *f;* **~ter** [-ʒəte] *jur: ~ appel* Berufung ein=legen; *~ recours* Beschwerde erheben.

interli|gnage [ɛ̃tɛrliɲaʒ] *m typ* Durchschuß *m;* **~gne** *m* Zwischenraum *m (zwischen den Zeilen);* zwischen zwei Zeilen Geschriebene(s) *n; fig* Hintergedanke; *f typ* Durchschuß *m; sans ~s, ~gnage (typ)* kompreß; **~gner** *tr* zwischen die Zeilen schreiben; *typ* durchschießen; **~néaire** zwischenzeilig.

interlocut|eur, trice [ɛ̃tɛrlɔkytœr, -tris] *m f* Gesprächspartner(in *f*), -teilnehmer(in *f*) *m;* **~ion** [-sjɔ̃] *f jur* Zwischenentscheid *m,* -urteil *n;* **~oire** [-twar] *a jur* vorläufig, vorbereitend; Vor-, Zwischen-; *s m* u. *décision f* ~ Zwischenurteil *n,* Vorentscheid *m.*

interlope [ɛ̃tɛrlɔp] *a* Schmuggel-, Schmuggler-, Schleich-, Schwarz-; *fig* verdächtig, zweideutig; fragwürdig; verrufen; *commerce m* ~ Schleich-, Schwarzhandel *m; maison f* ~ verrufene(s) Haus *n;* Spielhölle *f; marchand m* ~ Schleich-, Schwarzhändler *m.*

interloquer [ɛ̃tɛrlɔke] verwirren, aus der Fassung bringen, stutzig machen.

interlude [ɛ̃tɛrlyd] *m* Zwischenmusik *f.*

intermède [ɛ̃tɛrmɛd] *m theat mus* Zwischenspiel, Intermezzo *n a. fig; mus* Einlage *f.*

intermédiaire [ɛ̃tɛrmedjɛr] *a* Zwischen-, Mittel-; *s m* Mittelweg *m;* Vermittlung; Mittelsperson *f,* -mann, Vermittler(in *f*), Unterhändler; *com* Zwischenhändler *m; tech* Verbindungs-, Zwischenstück *n; (phot) cadre m* ~ Kassettenrahmen *m; par l'~ de* durch Vermittlung *gen,* über *acc; servir d'~* vermitteln, als Vermittler dienen; *commerce m* ~ Zwischenhandel *m; espace, temps m* ~ Zwischenraum *m,* -zeit *f; membre m* ~ Zwischenglied *n; produit m* ~ Zwischenprodukt, Halbfertigfabrikat *n.*

interminable [ɛ̃tɛrminabl] endlos.

interm|ittence [ɛ̃tɛrmitɑ̃s] *f* Abwechseln *n;* (kurze) Unterbrechung *f a. el; el med* Aussetzen *n; par* ~ zeitweilig, vorübergehend; **~ittent, e** zeitweilig unterbrochen, aussetzend, diskontinuierlich; *med* intermittierend; *fièvre f ~e* Wechselfieber *n; source f ~e (geol)* Karst-, Hungerquelle *f.*

internat [ɛ̃tɛrna] *m* Internat *n;* Stelle *f* e-s Assistenzarztes *(an e-m Krankenhaus);* Assistenzarztzeit *f.*

international, e [ɛ̃tɛrnasjɔnal] international, zwischenstaatlich; völkerrechtlich; *l'I~e f* die Internationale *(Organisation u. Lied); droit m* ~ Völkerrecht *n;* **~isation** *f* Internationalisierung *f;* **~iser** internationalisieren; unter internationale Kontrolle stellen; **~isme** *m* Internationalismus *m.*

intern|e [ɛ̃tɛrn] *a* innere(r, s); Innen-; *s m* Interne(r); Assistenz-, Hilfsarzt *m;* **~é, e** *m f* Internierte(r *m*) *f;* **~ement** *m* Internierung; Einweisung *f; camp m d'~* Internierungslager *n;* ~ *préventif* Sicherungsverwahrung *f;* **~er** internieren; *med* in e-e Anstalt ein=weisen.

internonce [ɥtɛrnɔ̃s] *m rel pol* Internuntius *m.*

interocéanique [ɛ̃tɛrɔseanik] zwei Weltmeere verbindend; interozeanisch.

interpell|ateur, trice [ɛ̃tɛrpɛlatœr, -tris] *m f* Fragesteller(in *f*) *m,* Fragende(r *m*) *f; parl* Interpellant *m;* **~ation** [-sjɔ̃] *f* Einspruch *m; parl* Anfrage, Interpellation; *jur* Aufforderung; Mahnung *f;* **~er** [-pə(e)-] befragen, e-e Anfrage richten (*qn* an jdn); *parl* interpellieren; *jur (zu e-r Erklärung)* auf=fordern; mahnen (*de faire qc* etw zu tun); *(Polizei)* vorübergehend fest=nehmen.

inter|pénétration [ɛ̃tɛrpenetrasjɔ̃] *f* gegenseitige Durchdringung, Verflechtung *f;* **~pénétrer, s'** sich gegenseitig durchdringen.

interphone [ɛ̃tɛrfɔn] *m* (Gegen-) Sprechanlage *f.*

interplanétaire [ɛ̃tɛrplanetɛr] interplanetarisch; *aéronef f* ~ Raumschiff *n.*

interpol|ation [ɛ̃tɛrpɔlasjɔ̃] *f* Interpolation *a. math;* Einschiebung *f (in e-n Text);* Einschiebsel *n,* gefälschte Stelle *f;* **~er** *(Textstelle)* ein=schieben, interpolieren *a. math.*

interpos|er [ɛ̃tɛrpoze] dazwischen=stellen, -setzen, -legen; *fig* in die Waagschale werfen; zur Verfügung stellen, *(Hilfe)* leisten; *s'~* dazwischen=treten; sich ein=schieben; *fig* sich ins Mittel, *fam* Zeug legen; vermitteln (*entre* zwischen); *personne f ~ée* Mittelsperson *f;* **~ition** *f* Dazwischenstellen, -setzen, -legen, -sein *n;* Zwischenstellung, -lage *f; fig* Dazwischentreten; Eingreifen, -schreiten *n;* Vermittlung, Intervention *f.*

interpr|étable [ɛ̃tɛrpretabl] zu interpretieren(d), zu erklären(d); auslegbar, deutbar; **~étariat** [-a] *m* Dolmetscherwesen *n;* **~étateur, trice** *s m f* Ausleger(in *f*), Erklärer(in *f*) *m; phot* Auswerter *m; a* erklärend, erläuternd; **~étatif, ive** erläuternd, erklärend; **~étation** *f* Auslegung, Deutung, Interpretation; Erklärung, Erläuterung; Auswertung; Übersetzung *f;* Dolmetschen *n; theat* Darstellung, Verkörperung; *mus* Wiedergabe *f; souffrir plusieurs ~s* verschiedene Auslegungen zu=lassen; ~ *consécutive, simultanée* Konsekutiv-, Simultandolmetschen *n;* ~ *des photos aériennes* Luftbildauswertung *f;* ~

des songes Traumdeutung *f;* **~ète** *m* Ausleger, Interpret; Erklärer; Dolmetscher, *fig* Dolmetsch, Fürsprecher; *theat* Darsteller *m; se faire l'~ de qc* sich zum Sprachrohr e-r S machen; *~ juré, parlementaire* vereidigte(r), Verhandlungsdolmetscher; **~éter** aus=legen, deuten, interpretieren; aus=werten; erklären, erläutern; (ver)dolmetschen; *theat (Rolle)* auf=fassen; dar=stellen, verkörpern, spielen *a. mus; mus (Kunst)* wieder=geben; *mal ~* falsch verstehen.

interrègne [ɛ̃tɛrrɛɲ] *m hist* Interregnum; *fig* Zwischenzeit, Unterbrechung *f.*

interrog|ateur, trice [ɛ̃tɛrɔgatœr, -tris] *s m f* Frager(in *f*) *m,* Fragende(r *m*) *f;* Prüfer, Prüfende(r), Examinator *m; a* fragend; *(Blick)* forschend; *~-répondeur m (aero)* Kenngerät *n;* **~atif, ive** *a gram* Frage-; **~ation** *f* Frage; Befragung; Prüfungsfrage(n *pl*) *f; point m d'~* Fragezeichen *n a. fig;* **~atoire** *m* Verhör *n,* Einvernahme, Vernehmung(sprotokoll *n*) *f; subir un ~* verhört werden; *faire subir un ~ à qn* jdn verhören; *~ contradictoire* Kreuzverhör *n; ~ de fond, de forme* od *d'identité* Vernehmung *f* zur Sache, zur Person; **~er** [-ʒe] (be-, aus=)fragen; *~ qn sur qc* jdn über e-e S aus=fragen; prüfen (*en, sur* in *dat,* über *acc*); *jur* verhören; *fam* um Rat fragen, zu Rate ziehen.

interromp|re [ɛ̃tɛrɔ̃pr] unterbrechen *a. jur el;* ins Wort fallen (*qn* jdm); stören *a. jur (Besitz); el* (aus=, ab=)schalten, trennen; *s'~* auf=hören (*dans qc* mit etw); *(Rede)* ab=brechen (*dans* acc); inne=halten, stocken; *~ l'allumage (mot)* die Zündung ab=stellen; *propos m pl ~us* zwanglose Unterhaltung, Plauderei *f.*

interrupt|eur, trice [ɛ̃tɛryptœr, -tris] *a* störend; *s m* Störenfried; *el* Unterbrecher, Schalter *m; ~ d'allumage (mot), d'éclairage* Zünd-, Lichtschalter *m; ~ à bascule, à boîtier, à bouton-poussoir, à fiche, à gradation* Kipp-, Dosen-, Druckknopf-, Stöpsel-, Serienschalter *m;* **~ion** [-sjɔ̃] *f* Unterbrechung *a. jur el;* Störung; *el* Abschaltung, Trennung *f; (Zahlungen)* Einstellen *n; parl* Zwischenruf *m; sans ~* ohne Unterbrechung; ununterbrochen; *ouvert sans ~* durchgehend geöffnet; *~ de la circulation, de service* Verkehrs-, Betriebsstörung *f; ~ (volontaire) de grossesse* Schwangerschaftsunterbrechung *f,* -abbruch *m; ~ du travail* Arbeitseinstellung, -ruhe *f.*

inter|secté, e [ɛ̃tɛrsɛkte] *math* geschnitten; *allg* gebrochen; *arch* sich überschneidend, verschlungen; **~section** [-sjɔ̃] *f* Schnitt(punkt *m,* -linie, -fläche *f*) *m;* Überschneidung, Kreuzung *f; point m, ligne, surface f d'~* Schnittpunkt, -linie, -fläche *f; ~ de la nef (arch)* Vierung *f; ~ (de routes)* Straßenkreuzung *f;* **~stellaire** *astr* interstellar.

inters|tice [ɛ̃tɛrstis] *m* Zwischenraum; *anat* Spaltraum *m;* Zwischenzeit *f;* **~titiel, le** *a anat* Bindegewebs-.

inter|syndical, e [ɛ̃tɛrsɛ̃dikal] zwischengewerkschaftlich; **~tropical, e** tropisch; **~urbain, e** *a tele* Fern-; *s m* u. *bureau m ~ (tele)* Fernamt *n; communication, liaison f ~e* Ferngespräch *n,* -anschluß *m; service m ~ (tele)* Fernverkehr *m;* **~valle** [-val] *m* Abstand, Zwischenraum *m,* Entfernung; Zwischenzeit *f;* Zeitabstand *m,* -spanne *f;* Bereich *m; mus* Intervall *n; radio* (Sende-)Pause *f; fig* Unterschied *m; par ~s* mit Unterbrechungen; von Zeit zu Zeit, hin u. wieder, dann u. wann; *sans ~s* ununterbrochen, pausenlos; *~s lucides* lichte Augenblicke *m pl.*

interven|ant, e [ɛ̃tɛrvənɑ̃, -ɑ̃t] *a* intervenierend; *s m f* Nebenkläger *m;* **~ir** *irr bes. pol mil* ein=schreiten, -greifen (*dans une discussion* in e-e Aussprache); sich ein=mischen, intervenieren (*dans qc* in e-r S); teil=nehmen (*dans qc* an e-r S); sich ins Mittel legen, vermitteln (*dans* bei); *jur* sich beteiligen, teil=nehmen (*à, dans qc* an e-r S); *(Sache)* ein=treten, geschehen; dazwischen=kommen; *~ pour qn, en faveur de qn* für jdn ein gutes Wort ein=legen, sich für jdn ein=setzen *od* verwenden; *un jugement est ~u* es ist ein Urteil gefällt worden; **~tion** [-vɑ̃sjɔ̃] *f* Einschreiten *n,* -mischung, Intervention; Vermittlung *f; med (~ chirurgicale)* (chirurgischer) Eingriff *m,* Operation *f; (Sache)* Eintreten, Dazwischenkommen *n; sans mon ~* ohne mein Dazutun; *acceptation f par ~ (com)* Ehrenakzept *n; ~ étatique* staatliche(r) Eingriff *m; ~ de tiers (jur)* Beteiligung *f* Dritter *(an e-m Prozeß);* **~tionnisme** [-sjɔ-] *m pol* Interventionismus *m;* **~tionniste** interventionistisch.

interver|sibilité [ɛ̃tɛrvɛrsibilite] *f math* Vertausch-, Umkehrbarkeit *f;* **~sion** *f* Umkehrung, -stellung, Vertauschung *f;* **~tir** um=stellen, -drehen, -kehren; *(die Rollen)* vertauschen.

interview [ɛ̃tɛrvju] *f* Interview *n; prendre une ~ de qn, soumettre qn à* *une* ~ *(lit)* jdn interviewen; ~**er** *v* [-uve] interviewen; *s m* [-uvœr] Interviewer *m.*

interzones [ɛ̃tɛrzon] *a inv* Interzonen-; *commerce, trafic m* ~ Interzonenhandel, -verkehr *m.*

intest|able [ɛ̃tɛstabl] *jur* nicht testierfähig; ~**at** [-a] *a* ohne (ein) Testament (zu hinterlassen); *héritier m ab* ~ *(jur)* gesetzliche(r) Erbe *m.*

intestin, e [ɛ̃tɛstɛ̃, -in] *a* körpereigen, innere(r, s) *a. allg fig; s m* Darm *m; pl* Gedärm, Eingeweide *n; douleurs f pl d'*~*s* Leibschmerzen *m pl; gros* ~ Dickdarm *m; guerre f* ~*e* Bürgerkrieg *m;* ~ *grêle* Dünndarm *m;* ~**al, e** *a* Darm-, Eingeweide-; *canal m* ~ Darmkanal *m; suc m* ~ Darmsaft *m; vers m pl* ~*aux* Eingeweidewürmer *m pl.*

intimation [ɛ̃timasjɔ̃] *f* (amtliche) Mitteilung, Erklärung, Ankündigung; (An-)Weisung, Aufforderung; *(Befehl)* Erteilung; *jur* Vorladung *f.*

intime [ɛ̃tim] *a* innere(r, s), innerste(r, s); innig, eng; vertraut, intim; *s m f* Intimus, Busenfreund(in *f*) *m; rapports m pl* ~*s* enge Beziehungen *f pl;* Intimverkehr *m.*

intimé [ɛ̃time] *m jur* Berufungsbeklagte(r) *m;* ~**er** (amtlich) mit=teilen, erklären, an=kündigen; *(Befehl)* erteilen; *jur* (vor e-e höhere Instanz) vor=laden; *(Konzil)* ein=berufen.

intim|idation [ɛ̃timidasjɔ̃] *f* Einschüchterung *f;* ~**ider** ein=schüchtern, *fam* bange machen.

intimité [ɛ̃timite] *f* Enge (der Beziehungen), Verbundenheit, Innigkeit; Vertraulichkeit; Vertrautheit, enge Freundschaft, Intimität *f; (Ort)* Geborgenheit *f; dans la plus stricte* ~ im engsten (Familien-)Kreis; *dans l'*~ *de mon âme* im Grunde meines Herzens; *les obsèques ont eu lieu dans l'*~ die Beisetzung fand in aller Stille statt.

intitul|é [ɛ̃tityle] *m* Titel *m,* Über-, Aufschrift; Eingangsformel *f bes. jur;* ~**er** betiteln, e-n Titel geben (*qc* e-r S); bezeichnen, nennen; *jur (Schriftstück)* mit e-m Eingang versehen; *s'*~ sich nennen, sich den Titel *gen* geben *od* bei=legen.

into|lérable [ɛ̃tɔlerabl] unerträglich; ~**lérance** *f* Unduldsamkeit, Intoleranz; Unverträglichkeit *f;* ~**lérant, e** unduldsam, intolerant.

intonation [ɛ̃tɔnasjɔ̃] *f mus* Tonangabe *f; (Sprache)* Intonation *f,* Ton(fall) *m.*

into|xication [ɛ̃tɔksikasjɔ̃] *f* Vergiftung *f; symptôme m d'*~ Vergiftungserscheinung *f;* ~ *par l'alcool, par la fumée, par la nicotine, par le poisson, par la viande* Alkohol-, Rauch-, Nikotin-, Fisch-, Fleischvergiftung *f;* ~ *mercurielle, saturnine* Quecksilber-, Bleivergiftung *f;* ~**xiqué, e** vergiftet; drogenabhängig, -süchtig; ~**xiquer** vergiften.

intrados [ɛ̃trado] *m arch* Unter-, Innenseite (e-r Wölbung); *aero* Flügelunterseite *f.*

intraduisible [ɛ̃tradɥizibl] unübersetzbar.

intraitable [ɛ̃trɛtabl] schwierig im Umgang; unnachgiebig, halsstarrig; fest.

intra|-muros [ɛ̃tramyrɔs] *adv* u. *a* in(nerhalb) der Stadt(mauern) (gelegen); ~**musculaire** *med* intramuskulär.

intransférable [ɛ̃trɑ̃sferabl] *jur* nicht übertragbar.

intransi|geance [ɛ̃trɑ̃ziʒɑ̃s] *f* Unnachgiebigkeit *f,* Starrsinn *m;* Unversöhnlichkeit *f;* ~**geant, e** unnachgiebig; unversöhnlich; *il n'est pas* ~ er läßt mit sich reden.

intratransitif, ive [ɛ̃trɑ̃zitif, -iv] *gram* intransitiv.

intransmissible [ɛ̃trɑ̃smisibl] *jur* nicht übertragbar; *biol* nicht erblich.

intransportable [ɛ̃trɑ̃spɔrtabl] *com* nicht versandfähig; *(Kranker)* nicht transportfähig.

intraveineux, se [ɛ̃travɛnø, -øz] *med* intravenös.

intrépid|e [ɛ̃trepid] unerschrocken, furchtlos, kühn; *fam* unermüdlich, zäh, hartnäckig, beharrlich; *(Zecher)* wacker; ~**ité** *f* Kühnheit, Unerschrockenheit, Furchtlosigkeit; *fam* Hartnäckigkeit, Zähigkeit, Beharrlichkeit *f.*

intri|gant, e [ɛ̃trigɑ̃, -ɑ̃t] *a* ränkesüchtig; *s m f* Intrigant(in *f*) *m;* ~**gue** *f* Intrige(nspiel *n*) *f;* Ränke *pl,* Machenschaften *f pl;* Umtriebe, Schliche *m pl, fam* Tour *f,* Dreh *m; (Literatur) theat* Verwick(e)lung *f,* Knoten *m; comédie f d'*~ *(theat)* Intrigenstück *n; machinateur m d'*~ Ränkeschmied *m;* ~ *de couloirs* Hintertreppenintrige *f;* ~**guer** *itr* intrigieren, Ränke schmieden; *tr* neugierig machen; keine Ruhe lassen, nicht aus dem Sinn gehen *od* wollen (*qn* jdm).

intrinsèque [ɛ̃trɛ̃sɛk] innere(r, s); wesentlich, eigentlich; *(Wert)* wirklich, wahr; besondere(r, s); ~**ment** *adv* innerlich; s-m (inneren) Wesen nach, eigentlich; in Wirklichkeit.

introduc|teur, trice [ɛ̃trɔdyktœr, -tris] *m* Einführer(in *f*) *m;* ~**tion**

[-ksjɔ̃] *f* Einführung (*à qc* in e-e S) *a. med (e-s Instrumentes)* (*dans qc* in etw); Einleitung *f* (*à qc* in e-e S); Vorwort *n; mus* Introduktion; *tech* Zufuhr; *(Turbine)* Beaufschlagung *f; (Münze)* Einwurf *m; jur* Eröffnung *(e-s Verfahrens), (Klage)* Erhebung; *(Gegenstand)* Einbringung *f; lettre f d'~* Empfehlungsschreiben *n; loi f d'~* Einführungsgesetz *n;* **~toire** *a* Einführungs-.

introduire [ɛ̃trɔdɥir] *irr* **1.** *(faire entrer qn; présenter qn)* (her)ein=führen; *il fut introduit par un serviteur* er wurde von einem Diener hereingeführt; *~ (auprès de qn)* (bei jdm) ein=führen; *a. fig ~ qn dans un cercle, une famille* jdn in eine Gesellschaft, in einen Kreis ein=führen; *~ un personnage (Roman)* zum erstenmal auf=treten lassen; **2.** *(faire entrer qc)* (hin)ein=führen, -bringen, -stecken, -drücken, -schieben; *on lui ~it une sonde dans l'estomac* er bekommt eine Sonde in den Magen eingeführt; *~ une pièce dans un distributeur automatique* eine Münze in einen Automaten ein=werfen; *el* (in e-n Stromkreis) ein=schalten; *~ en fraude* ein=schmuggeln (*en* in *acc*); *(Krankheit)* ein=schleppen; *(in Literatur)* ein=schieben, -schalten; *tech* zu=führen; **3.** *(faire adopter) (mode, usage, expression)* ein=führen, auf=bringen; *~ sur le marché* auf den Markt bringen; **4.** *jur (plainte)* (Klage) erheben, *(instance)* (Verfahren) eröffnen ein=leiten; **5.** *s'~* sich Zutritt verschaffen, ein=dringen, sich ein=schleichen (*dans* in *acc*); sich ein=drängen; *(Mode, Gebrauch)* auf=kommen; *(Sitte)* sich ein=bürgern.

introït [ɛ̃trɔit] *m rel (Messe)* Introitus, Eingang *m.*

intromission [ɛ̃trɔmisjɔ̃] *f* Einführen *n (e-s Gegenstandes in e-n ander(e)n).*

intronis|ation [ɛ̃trɔnizasjɔ̃] *f* feierliche Einsetzung; *fig* Einführung *f;* **~er** auf den Thron erheben, feierlich ein=setzen; *fig* ein=führen.

introspection [ɛ̃trɔspɛksjɔ̃] *f* Selbstbeobachtung *f.*

introuvable [ɛ̃truvabl] unauffindbar; nicht aufzutreiben(d); *(Post)* nicht zu ermitteln(d), unbekannt verzogen; unvergleichlich.

intrus, e [ɛ̃try, -yz] *a jur rel* unqualifiziert; (ohne Berechtigung) eingedrungen; *s m f* Eindringling, ungebetene(r) Gast *m;* **~if, ive** *a: roches f pl ~ives (geol)* Intrusivgestein *n;* **~ion** [-zjɔ̃] *f* (Amts-)Erschleichung *f;* Eindringen, Hereindrängen *n; tele* Aufschaltung *f.*

intu|itif, ive [ɛ̃tɥitif, -iv] intuitiv; **~ition** *f* Intuition, Eingebung; (Vor-) Ahnung *f,* Gefühl *n; avoir l'~ de qc* etw ahnen; *tableau m d'~ (Schule)* Anschauungsbild *n.*

intumes|cence [ɛ̃tymɛsɑ̃s] *f* Anschwellen *n; med* Schwellung *f;* **~cent, e** (an)schwellend.

inusable [inyzabl] *(Stoff)* haltbar, unverwüstlich, strapazierfähig.

inusité, e [inyzite] ungebräuchlich; ungewohnt; ungewöhnlich.

inutile [inytil] unnütz, nutzlos, vergeblich; unbrauchbar; unnötig, überflüssig; *être ~* sich erübrigen; **~ment** *adv* vergeblich, vergebens, ergebnislos, umsonst.

inutili|sable [inytilizabl] unbrauchbar, unbenutzbar; **~sé, e** unbenutzt, ungebraucht; **~ser** unbrauchbar machen.

inutilité [inytilite] *f* Nutz-, Zwecklosigkeit; Vergeblichkeit, Ergebnislosigkeit; Unbrauchbarkeit *f; pl* überflüssige Dinge *n pl,* Überflüssige(s) *n.*

invagination [ɛ̃vaʒinasjɔ̃] *f med* Einstülpung *f.*

invaincu, e [ɛ̃vɛ̃ky] unbesiegt, unbezwungen.

inva|lidation [ɛ̃validasjɔ̃] *f* Ungültigkeitserklärung, Annullierung *f;* **~lide** *a* gebrechlich; arbeits-, dienstunfähig; *fam* ausgedient; *min* bergfertig; *jur* ungültig, unverbindlich; *s m mil* u. *(~ civil)* Invalide *m; pl* Invalidenrente *f;* **~lider** *jur* für ungültig erklären, annullieren; **~lidité** *f* Invalidität; Dienst-, Arbeits-, Erwerbsunfähigkeit; *jur* Ungültigkeit *f; assurance f contre l'~ et la vieillesse* Invaliden- u. Altersversicherung *f; pension f d'~* Invalidenrente *f.*

invar [ɛ̃var *m* Nickelstahl *m.*

inva|riabilité [ɛ̃varjabilite] *f* Unveränderlichkeit *f a. gram;* **~riable** unveränderlich *a. gram,* unwandelbar; beständig; *com* (krisen)fest.

invasion [ɛ̃vazjɔ̃] *f* (feindlicher) Einfall, -bruch *m,* Invasion *f a. fig; (Seuche)* Ausbruch *m;* plötzliche(s) Auftreten *n a. fig;* Zunahme, schnelle Verbreitung *f; les grandes ~s* die Völkerwanderung *f.*

invectiv|e [ɛ̃vɛktiv] *f* Beleidigung, beleidigende Äußerung, Schimpfrede, Schmähung *f; proférer des ~s, se répandre en ~s contre qn* sich gegen jdn in Schmähungen ergehen; **~er** *itr* sich in Schmähungen ergehen (*contre* gegen), schimpfen (*contre* auf *acc*), wettern (*contre* über *acc*); *tr fam* herunter=machen, -putzen.

invend|able [ɛ̃vɑ̃dabl] unverkäuflich; **~u, e** *a* unverkauft; *s m pl* unverkaufte Waren *f pl od* Artikel *m pl;* Remittenden *pl.*

inventaire [ɛ̃vɑ̃tɛr] *m* Inventar; Verzeichnis *n;* (Waren-)Bestandsaufnahme, Inventur *f; par, sous bénéfice d'~ (com)* bei Kostendeckung; *fig* falls es sich lohnt; *dresser, établir, faire l'~* Inventur, Bestandsaufnahme machen; *établissement m d'un ~* Bestandsaufnahme *f; livre m d'~* Bestandsbuch *n; pièce f de l'~* Inventarstück *n; solde f pour cause d'~* Inventurausverkauf *m; valeur f d'~* Bilanzwert *m; ~ annuel* Jahresinventur *f; ~ effectif, théorique* Ist-, Sollbestand *m; ~ des marchandises* Warenbestand(saufnahme *f*) *m; ~ d'une succession* Nachlaßinventar *n; ~ vif* lebende(s) Inventar *n.*

inven|ter [ɛ̃vɑ̃te] erfinden; aus=, erdenken, ersinnen, erdichten; *fam* aus=hecken, sich *(dat)* zs.=dichten; *n'avoir pas ~é la poudre, le fil à couper le beurre (fig)* das Pulver nicht erfunden haben; **~teur, trice** *m f* Erfinder(in *f*) *m;* **~tif, ive** erfinderisch; **~tion** [-sjɔ̃] *f* Erfindung *a. péj; péj* (reine) Phantasie *f; brevet m d'~* Patent *n; office m des brevets d'~* Patentamt *n.*

inventorier [ɛ̃vɑ̃tɔrje] inventarisieren, ein Verzeichnis auf=nehmen (*qc* von etw), Inventur machen (*qc* in e-r S); ab=schätzen.

invérifiable [ɛ̃verifjabl] unkontrollierbar, nicht nachprüfbar.

invers|able [ɛ̃vɛrsabl] kippsicher; **~e** *a* umgekehrt, entgegengesetzt; Gegen-; *s m* Gegenteil *n* (*de* gen), -satz (*de* zu); umgekehrte(r) Fall; Kehrwert *m; à l'~ de* im Gegensatz zu; *en sens ~* in entgegengesetzter Richtung; im umgekehrten Fall; *faire la preuve ~* den Gegenbeweis liefern; **~ement** *adv* umgekehrt, hinwieder(um), dagegen; **~er** um=kehren *a. phys; el (Stromrichtung)* um=schalten; *~ les pôles* um=polen (*de qc* etw); **~eur** *m el* Stromwender, Umschalter *m; ~ phare-code (mot)* Abblendschalter *m;* **~if, ive** *gram* invertierend; *construction f ~ive* Inversion *f;* **~ion** [-sjɔ̃] *f* Um-, Verkehrung; *gram chem* Inversion; *el* Umschaltung; *med* Verlagerung *f (e-s Organs); ~ narrative (film)* Rückblendung *f; ~ sexuelle* Homosexualität *f; ~ de température* Temperaturumkehr f.

invertébrés [ɛ̃vɛrtebre] *m pl zoo* Wirbellose *pl.*

inverti, e [ɛ̃vɛrti] *a* umgekehrt; *s m f* Homosexuelle(r *m*), Invertierte(r *m*) *f;* **~r** um=, verkehren, auf den Kopf stellen *fig; el* um=schalten.

invest|igateur, trice [ɛ̃vɛstigatœr, -tris] *a* forschend; Forscher-; *s m f* Forscher(in *f*) *m; génie m ~* Forschergeist *m; regard m ~* forschende(r) Blick *m;* **~igation** *f* (Nach-)Forschung; *jur* Ermitt(e)lung *f; champ m d'~* Forschungsgebiet *n.*

invest|ir [ɛ̃vɛstir] aus=statten, betrauen, *hist* belehnen (*de* mit); verleihen (*qn de qc* jdm etw); ein=setzen (*de* in *acc*); *(Geld)* an=legen, investieren (*dans* in *acc*); *mil* ein=schließen; *~ qn d'autorité* jdm Macht geben; *~ qn de sa confiance* jdm sein (volles) Vertrauen schenken; *~ qn d'une procuration* jdm Vollmacht erteilen; **~issement** *m mil* Einschließung; *com* Anlage, Investierung, Investition *f; pl* Anlagevermögen *n; besoin m, demande f d'~* Anlagebedarf *m; biens m pl d'~* Investitionsgüter *n pl; crédit m d'~* Anlage-, Investitionskredit *m; garantie f d'~* Anlagegarantie *f; valeurs f pl d'~* Anlagewerte *m pl; ~ de capital* Kapitalanlage, -investierung *f; ~ à court terme* kurzfristige Anlage *f.*

investiture [ɛ̃vɛstityr] *f* Belehnung, Einsetzung *f; pol* Auftrag *m* (zur Regierungsbildung); *hist* Investitur *f; querelle f des ~s (hist)* Investiturstreit *m.*

invétéré, e [ɛ̃vetere] *(Gewohnheit)* eingewurzelt; *(Leiden)* hartnäckig, chronisch; *(Verbrecher, Trinker)* Gewohnheits-; unverbesserlich.

invincib|ilité [ɛ̃vɛ̃sibilite] *f* Unbesiegbarkeit; Unüberwindlichkeit; Unwiderlegbarkeit *f;* **~le** unbesiegbar, unschlagbar; *fig* unüberwindlich, unerschütterlich, unermüdlich; *(Argument)* unwiderlegbar.

inviol|abilité [ɛ̃vjɔlabilite] *f* Unverletzlichkeit, Unantastbarkeit; *parl* Immunität *f;* **~able** unverletzlich, unantastbar; *(Eid)* unverbrüchlich; **~é, e** unverletzt *fig; (Berggipfel)* unbezwungen.

invisib|ilité [ɛ̃vizibilite] *f* Unsichtbarkeit *f;* **~le** unsichtbar; verborgen, geheim; *(Person)* nie anzutreffen(d); *être, demeurer ~* sich nicht sehen, sich (ständig) verleugnen lassen.

invit|ant, e [ɛ̃vitɑ̃, -ɑ̃t] anziehend, einladend; **~ation** *f* Einladung, Aufforderung *f* (*à* zu); *sur l'~ de qn* auf jds Einladung; *adresser, envoyer une ~ à qn* e-e Einladung an jdn ergehen lassen *od* verschicken; *billet m, lettre f d'~* Einladungsschreiben *n; ~***e** *f fam* auffordernde, ermunternde Geste *f*, Wink *m; ~***é, e** *s m f* (geladener) Gast *m; a: non ~* uneingeladen, unaufgefordert; *~***er** ein=laden (*à* zu); auf=fordern, ersuchen, veranlassen (*à* zu); *fig* an=regen, reizen (*à* zu); *s'~* ungebeten erscheinen.

invo|cation [ɛ̃vɔkasjɔ̃] *f rel* Anrufung *f; ~***catoire** Anrufungs-.

involontaire [ɛvɔlɔ̃tɛr] unfreiwillig, unabsichtlich; unwillkürlich *(a. Physiologie).*

involucre [ɛ̃vɔlykr] *m bot* (Blüten-)Hülle *f*.

involution [ɑ̃vɔlysjɔ̃] *f biol* Rückbildung; *bot* Einrollen *n; math* Involution *f*.

invoquer [ɛ̃vɔke] *rel* an=rufen; erflehen, bitten; *~ le secours de qn* jdn um Hilfe bitten; sich berufen (*qc* auf e-e S *acc*), geltend machen, vor=schieben; in Anspruch nehmen, sich stützen (*qc* auf e-e S), heran=ziehen.

invraisembl|able [ɛ̃vrɛsɑ̃blabl] unwahrscheinlich; *fam* unmöglich, unglaublich; *~***ance** *f* Unwahrscheinlichkeit *f*.

invulnérab|ilité [ɛ̃vylnerabilite] *f* Unverwundbarkeit *f; ~***le** unverwundbar; *fig* unverletzbar; gefeit (*à* gegen).

iod|e [jɔd] *m chem* Jod *n; teinture f d'~ (pharm)* Jodtinktur *f; ~***é, e; ~ifère** jodhaltig; *~***eux, se; ~ique** *a* Jod-; *~***isme** *m* Jodvergiftung *f; ~***oforme** *m pharm* Jodoform *n; ~***ure** *m* Jodid *n; ~ d'argent* Silberjodid, Jodsilber *n*.

ion [jɔ̃] *m phys el* Ion *n; ~***ien, ne** [jɔnjɛ̃, -ɛn] *a geog hist* ionisch; *la mer I~ne* das Ionische Meer; *~***ique** *arch* ionisch; *ordre m ~* ionische Säulenordnung *f; ~***isation** *f* Ionisierung *f; ~***iser** *phys* ionisieren; *~***osphère** *f* Ionosphäre *f*.

iota [jɔta] *m* Jota; *fam* I-Tüpfelchen *n; il n'y manque pas un ~* es fehlt nicht der Punkt auf dem i.

ipéca(cuana) [ipeka(kɥana)] *m bot* Brechwurz(el) *f*.

Irak, l' [irak] *m* der Irak; **i~ien, ne** *a* irakisch; *s m gram* Irakisch(e) *n; I~, ne m f* Iraker(in *f*) *m*.

Iran, l' [irɑ̃] *m* der Iran; **i~ien, ne** *a* iranisch; *s m gram* Iranisch(e) *n; I~, ne m f* Iranier(in *f*) *m*.

irascib|ilité [irasibilite] *f* Jähzorn *m; ~***le** jähzornig.

iri|dacées [iridase] *f pl* Schwertliliengewächse *n pl; ~***descent, e** in den Regenbogenfarben schillernd, irisierend; *~***dien, ne** *a anat* Iris-; *~***dium** [-jɔm] *m chem* Iridium *n*.

iri|s [iris] *m anat* Regenbogenhaut, Iris; *bot* Schwertlilie *f; ~***sation** *f* Irisieren, Schillern *n* in den Regenbogenfarben; *~***sé, e** in den Regenbogenfarben schillernd; *~***ser** in den Regenbogenfarben schillern lassen; *s'~* e-n regenbogenfarbenen Glanz an=nehmen; schillern.

iritis [iritis] *f* Regenbogenhautentzündung *f*.

irland|ais, e [irlɑ̃dɛ, -ɛz] *a* irisch; *I~, e s m f* Ire *m*, Irin *f;* Irländer(in *f*) *m; (l')i~ m* (das) Irisch(e); **I~e, l'** Irland *n; la mer d'~* die Irische See; *~ du Nord* Nordirland *n*.

iron|ie [irɔni] *f* Ironie *f*, feine(r) Spott; *fig* Hohn *m; ~ du sort* Ironie *f* des Schicksals; *~***ique** ironisch, spöttisch; *~***iser** ironische, bissige Bemerkungen machen; *~***iste** *m* Ironiker, ironische(r) Mensch, Spötter *m*.

irrachetable [iraʃtabl] nicht zurückkaufbar; nicht ablösbar.

irrad|iation [iradjasjɔ̃] *f* (Aus-)Strahlung *f*, Strahlen *n; ~ thermique* Wärmestrahlung *f; ~***ier** *itr* (aus=)strahlen; *tr (Atomphysik)* beschießen (*par* mit).

irrai|sonnable [irɛzɔnabl] unvernünftig; *~***sonné, e** unüberlegt.

irrationnel, le [irasjɔnɛl] vernunftwidrig; unvernünftig; *math* irrational.

irréal|isable [irealizabl] unausführbar, nicht zu verwirklichen(d); nicht zu Geld zu machen(d), nicht zu verkaufen(d); *~***isé, e** unverwirklicht, unausgeführt.

irrecevab|ilité [irəsəvabilite] *f* Unannehmbarkeit; *jur (Klage)* Unzulässigkeit *f; ~***le** unannehmbar; *jur* unzulässig; *rejeter une demande ~* e-e Klage als unzulässig ab=weisen.

irré|conciliable [irekɔ̃siljabl] unversöhnlich; *~***couvrable** nicht beitreibbar, nicht einzutreiben(d), uneinbringlich; *~***cupérable** *(Gegenstand)* unwiederbringlich verloren; nicht reparabel; *il est ~* er ist ein hoffnungsloser Fall; *~***cusable** einwandfrei, tadellos; unwiderlegbar; *(Zeuge)* glaubwürdig; *~***dentisme** *m pol* Irredentismus *m; ~***ductible** nicht zurückführbar, nicht zu reduzieren(d); *math (Bruch)* nicht mehr zu reduzieren(d), nicht mehr zu kürzen(d); *med (Bruch)* nicht zurückzubringen(d); nicht wieder einzurenken(d); *chem* nicht weiter zu zerlegen(d); *(Rente)* unkürzbar; *fig* Grund-; unbeugsam, unnachgiebig, unerbittlich.

irréel, le [ireɛl] unwirklich, irreal; wesenlos.

irré|fléchi, e [irefleʃi] *(Handlung)* unüberlegt; *(Mensch)* unbesonnen, gedankenlos, unbedacht; **~flexion** *f* Mangel *m* an Überlegung, Gedankenlosigkeit, Unbesonnenheit *f;* **~formable** unabänderlich; unverbesserlich; **~fragable** unabweislich, nicht von der Hand zu weisen(d); **~futable** unwiderlegbar; **~gularité** *f* Unregelmäßigkeit; Regellosigkeit *f;* Formfehler *m;* **~gulier, ère** *a* unregelmäßig *a. gram,* regellos; regelwidrig; *mil* irregulär; *(Beamter)* außerplanmäßig; *fam* ungehörig, unfair; *s m pl* irreguläre Truppen *f pl;* **~ligieux, se** religions-, glaubenslos; religionsfeindlich, gottlos; **~ligion** *f* Unglaube *m;* **~ligiosité** *f* Gottlosigkeit *f;* **~médiable** unheilbar; nicht wiedergutzumachen(d); unersetzbar; unabänderlich, unwiderruflich; **~médiablement** *adv* unrettbar; unwiederbringlich, unwiderruflich; **~missible** *a* unverzeihlich; **~missiblement** *adv* unnachsichtig, erbarmungslos; endgültig, hoffnungslos.

irremplaçable [irɑ̃plasabl] unersetzlich.

irré|parable [ireparabl] nicht wiedergutzumachen(d); *tech* nicht mehr zu reparieren(d); **~préhensible** untadelig; **~prochable** untadelig, musterhaft; *jur* unbescholten; tadellos, einwandfrei; **~sistible** unwiderstehlich; **~solu, e** unentschlossen, schwankend; unentschieden; unsicher, ungewiß; **~solution** *f* Unentschlossenheit *f,* Schwanken *n.*

irrespect [irɛspɛ] *m* Unehrerbietigkeit, Respektlosigkeit *f;* **~ueux, se** unehrerbietig, respektlos.

irrespirable [irɛspirabl] nicht zu atmen(d); *fig* unerträglich.

irresp|onsabilité [irɛspɔ̃sabilite] *f* Unverantwortlichkeit; Unzurechnungsfähigkeit *f;* **~onsable** nicht verantwortlich (*de* für); unzurechnungsfähig.

irré|trécissable [iretresisabl] *(Stoff)* nicht einlaufend; **~vérence** *f* Respektlosigkeit, Unehrerbietigkeit *f;* ungebührliche(s) Betragen *n;* **~vérencieux, se; ~vérent, e** respektlos, unehrerbietig, ungezogen, frech; **~versible** nicht umkehrbar; **~vocabilité** *f* Unwiderruflichkeit; Unabsetzbarkeit *f;* **~vocable** unwiderruflich; nicht zurücknehmbar, -ziehbar; unabsetzbar; *(Zeit)* unwiederbringlich; *(Entwicklung)* zwangsläufig.

irrig|able [irigabl] (leicht) zu bewässern(d); **~ateur** *s m* (Bewässerungs-) Spritze *f; med* Irrigator *m; a* Bewässerungs-; *canal m* ~ Bewässerungsgraben *m;* **~ation** *f* Bewässerung; Berieselung; *med* Spülung *f;* Einlauf *m; canal m d'~* Bewässerungsgraben *m; champ m d'~* Rieselfeld *n;* ~ *nasale, vaginale* Nasen-, Scheidenspülung *f;* **~atoire** *a* Bewässerungs-; **~uer** [-ge] bewässern, berieseln; *med* spülen, aus=waschen.

irrit|abilité [iritabilite] *f* Reizbarkeit; Erregbarkeit; *biol* Reaktion *f* auf Reize; **~able** reizbar; leicht erregbar, (über-)empfindlich; aufreizend; **~ant, e** *a* aufreizend, -regend; ärgerlich; Reiz-; *s m pharm* Reizmittel *n;* **~ation** *f* Ärger *m,* Verärgerung; Entrüstung *f;* Zorn; *biol* Reiz *m; med* Reizung, Entzündung *f;* **~er** (auf=)reizen, auf=wühlen, -regen; (ver)ärgern, auf=bringen; *med* reizen, an=greifen; *s'~* ungeduldig, gereizt, aufgeregt, ärgerlich werden; in Zorn geraten (*de* über *acc*); *med* sich entzünden; ~ *la soif* durstig machen.

irruption [irypsjɔ̃] *f* Einbruch, (feindlicher) Einfall *m; fig* Eindringen, Hereinbrechen; *(Wasser)* (plötzliches) Überfluten *n; faire* ~ ein=dringen, -brechen; *fig* s-n Einzug halten (*dans* in *acc*).

isabelle [izabɛl] *a* isabellfarben, milchkaffeebraun; *s m* Isabellfarbe; Isabelle *f (Pferd).*

isard [izar] *m* Gemse *f (in den Pyrenäen).*

isatis [izatis] *m* Eisfuchs *m.*

Iseu(l)t [izø] *f* Isolde *f.*

isiaque [izjak] *rel hist* Isis-; *culte m* ~ Isiskult *m.*

islam, ~isme [islam, -ism] *m rel* Islam *m;* (die) islamische Welt, (die) islamischen Völker *n pl;* **~ique** islamisch; **~isation** *f* Islamisierung *f;* **~iser** islamisieren.

island|ais, e [islɑ̃dɛ, -ɛz] *a* isländisch; *(l')i~* (das) Isländisch(e); *I~, e s m f* Isländer(in *f*) *m;* **l~e, l'** *f* Island *n.*

iso- [izɔ] *(in Zssgen)* gleich-; **~bar(iqu)e** *a* gleichen Luftdrucks; **~bare** *s f u. a: ligne f* ~ Isobare *f;* **~cèle** [-sɛl] *math* gleichschenk(e)lig; **~chromatique** einfarbig; **~chron(iqu)e** *a* gleichzeitig; *s f* Isochrone *f;* **~chronisme** *m* Gleichzeitigkeit *f;* **~cline** *f phys geog* Isokline *f;* **~gone** *a math* gleichwink(e)lig; *s f phys geog* Isogone *f.*

isol|ant, e [izɔlɑ̃, -ɑ̃t] *a* isolierend *(a.*

Sprache); nicht leitend; Isolier-; *s m* Isolierstoff *m,* Isolationsmittel *n; matière f ~e* Isoliermittel *n; ruban m, bande f ~(e)* Isolierband *n; ~ thermique* Wärmeschutz(mittel *n*) *m;* **~ateur, trice** *a* isolierend; *s m phys* Isolator, Nichtleiter *m; ~ à cloches multiples (el)* Glockenisolator *m;* **~ation** *f s. ~ement; ~ à l'huile, à l'amiante* Öl-, Asbestisolierung *f; ~ phonique* Schallisolierung *f; ~ thermique* Dämmung, Isolierung *f;* **~lationnisme** *m pol* Isolationismus *m;* **~é, e** *a* isoliert, abgesondert; *(Ort)* abgelegen, -geschieden, entlegen, einsam; *(Haus)* einzelnstehend; *(Mensch)* allein, einsam, zurückgezogen; einzeln; vereinzelt; *s m mil* Versprengte(r) *m; cas m ~* Einzelfall *m; commerçant m ~* Einzelhändler *m; pièce f ~e* separate(s) Zimmer *n; ~ hermétiquement* luftdicht abgeschlossen; **~ement** *m* Isolierung *a. phys el;* Absonderung; Abdichtung; *(Ort)* Abge-, Entlegenheit, Abgeschiedenheit, Einsamkeit *f; couche f d'~* Isolierschicht *f; ~ acoustique, phonique* Schallabdichtung *f; ~ cellulaire* Einzelhaft *f; ~ thermique* Wärmeisolierung *f;* **~er** isolieren, ab=sondern, trennen (*de* von); *fig* für sich nehmen; **~oir** *m el* Isolator; Isolierschemel *m; pol* Wahlzelle *f.*

iso|mère [izɔmɛr] *a chem* isomer; **~mérie** *f chem* Isomerie *f;* **~métrique** *a* isometrisch; **~morphe** *a* von gleicher Gestalt; *math* isomorph *f;* **~morphisme** *m chem math* Isomorphismus *m;* **~phonie** Schalldichte *f;* **~therme** *s f (Meteorologie)* Isotherme *f; a* isothermisch; *wagon m ~* Kühlwagen *m;* **~thermie** *f* Wärmeisolierung *f;* **~tope** [-tɔp] *m chem* Isotop *n;* **~tron** *m phys* Isotron *n;* **~trope** [-trɔp] *a phys* isotrop.

Isra|ël [israɛl] *m* Israel *n;* **i~élien, ne** *a* israelisch; *I~, ne s m f* Israeli *m;* **i~élite** *a* israelitisch, jüdisch; *I~ s m f* Israelit(in *f*) *m;* Jude *m,* Jüdin *f.*

issu, e [isy] *a* hervorgegangen (*de* aus), abstammend (*de* von), entsprossen (*de* aus); *s f* Ausgang; *(Wasser)* Aus-, Abfluß *m; fig* Folge(erscheinung) *f,* Ergebnis, Resultat *n,* Erfolg; Ausweg *m; pl (boucherie)* Abfälle *m pl; pl* Kleie *f; à l'~e de* am Ende, Schluß *gen; sans ~e* aussichts-, hoffnungs-, ausweglos; *avoir ~e sur* gehen, führen auf *acc; avoir une heureuse ~e* gut aus=gehen, *se ménager une ~e* sich e-n Ausweg frei-, e-e Tür offen=halten; *ne pas voir d'~e* nicht wissen, wie es weiter=gehen soll; *cousin m ~ de germains* Vetter *m* zweiten Grades.

isthm|e [ism] *m* Landenge *f,* Isthmus *m; anat* Enge *f; l'I~* der I. von Korinth; *~ du gosier* Rachen-, Schlundenge *f;* **~ique** isthmisch.

itali|aniser [italjanize] italianisieren, italienisch machen; **~anisme** *m* italienische Spracheigentümlichkeit *f;* **I~e, l'** *f* Italien *n;* **i~en, ne** *a* italienisch; *I~, ne s m f* Italiener(in *f*) *m; (l')i~ m* (das) Italienisch(e); **~que** *a hist* italisch; *s m* u. *caractère m ~ (typ)* Kursive *f; imprimer en ~s* kursiv drucken.

item [itɛm] *adv* desgleichen, ebenso; ferner, außerdem, dazu; *s m com* (Rechnungs-)Posten, Punkt; *(Lehrmaschinen)* Lehreinheit *f.*

itérat|if, ive [iteratif,-iv] wiederholt; **~ivement** *adv* wiederholt, zu wiederholten Malen, mehrfach, -mals.

Ithaque [itak] *f* Ithaka *n.*

itinér|aire [itinerɛr] *a* Reise-, Weg-; *s m* (Reise-, *mil* Marsch-)Route *f;* Beförderungs-, Reiseweg *m;* (Kabel-) Strecke; *aero* Flugstrecke; *loc* Fahrstraße, -strecke; *vx* Reisebeschreibung *f; carte f d'~* Flugstreckenkarte *f; croquis m d'~* Marschskizze *f; ~ de délestage* Entlastungsstraße *f;* **~ant, e** *a* Wander-; *bibliothèque f ~e* Autobücherei *f; exposition f ~e* Wanderausstellung *f; prédicateur m ~* Wanderprediger *m.*

itou [itu] *adv pop* auch; *et moi ~* ich auch.

iv|oire [ivwar] *m* Elfenbein(schnitzerei, -farbe *f*) *n; d'~* blendend-, blütenweiß; *en ~, d'~* elfenbeinern; *la Côte-d'I~* die Elfenbeinküste; *sculpteur m en ~* Elfenbeinschnitzer *m;* **~oirerie** *f* Elfenbeinschnitzerei *f;* **~oirier** *m* Elfenbeinschnitzer *m;* **~oirin, e** elfenbeinartig; elfenbeinfarben; **~orine** *f* künstliche(s) Elfenbein *n.*

ivraie [ivrɛ] *f bot* Taumellolch *m,* Tollgerste *f; poet* Unkraut *n; séparer le bon grain de l'~ (fig)* das Unkraut *od* die Spreu vom Weizen, die Schafe von den Böcken sondern.

ivr|e [ivr] betrunken; *fig* trunken, berauscht; *~ de joie* außer sich vor Freude, freudetrunken; *~ mort* völlig betrunken; *~ de sang, de carnage* blutrünstig, -dürstig; *~ de sommeil* schlaftrunken; **~esse** *f* Trunkenheit *f,* Rausch; *pop* Suff; *fig* Taumel *m* (der Begeisterung); *~ du triomphe* Siegestaumel *m;* **~ogne** [ivrɔɲ] *m* Säufer, Trunkenbold *m;* **~ognerie** *f* Trunksucht *f;* **~ognesse** *f* Säuferin *f.*

J

jabot [ʒabo] *m orn* Kropf *m; (Mode)* Brustkrause *f,* Jabot *n; pop* Magen *m; faire ~ (fig fam)* sich auf=plustern, dick(e)=tun; *se remplir le ~ (pop)* sich den Bauch voll=schlagen.

jabot|age [ʒabɔtaʒ] *m* Geschwätz, Geplapper *n;* **~er** *orn* zwitschern; *allg pop* schwatzen; plappern; **~eur, se** *m f pop* Schwätzer(in *f*) *m.*

jacass|e [ʒakas] *f* Elster; *fig vx* Plaudertasche *f,* Plappermaul *n;* **~er** *(Elster)* schreien; *(Frau)* schnattern, plappern; **~erie** *f* Geschnatter, Geplapper *n.*

jachère [ʒaʃɛr] *f agr* Brachliegen; *(terre f, champ m en ~)* Brachland, -feld *n,* Brache *f; être (laisser) en ~* brach=liegen (lassen).

jacinthe [ʒasɛ̃t] *f bot* Hyazinthe *f; min* Hyazinth *m; ~ des bois* Hasenglöckchen *n; ~ de mai* Sternhyazinthe *f.*

jack [(d)ʒak] *m (Spinnerei)* Jackmaschine; *tele* Klinke *f.*

jacobée [ʒakɔbe] *f* Jakobskraut *n.*

jacobin [ʒakɔbɛ̃] *m hist* Jakobiner; *allg* begeisterte(r) Demokrat *m;* **~isme** *m* Jakobinismus *m.*

jacquard [ʒakar] *m* Jacquardwebstuhl *m;* -gewebe *n.*

jacquerie [ʒakri] *f* Bauernaufstand *m.*

Jacques [ʒak] *m* Jakob; *maître m ~* Faktotum *n; ~ Bonhomme* der franz. Bauer.

jacquet [ʒakɛ] *m* Puff *n (Spiel); vx* Eichhörnchen *n.*

jacquot, jacot [ʒako] *m orn* Jako *m.*

jac|tance [ʒaktɑ̃s] *f* Prahlerei, Großsprecherei, *fam* Angabe *f; pop* Gequassel *n;* **~ter** *pop* quasseln; **~ulatoire** *a: oraison f ~* Stoßgebet *n.*

jade [ʒad] *m min* Jade *m* od *f.*

jadis [ʒadis] *adv* einst(mals), ehemals, vorzeiten; *au temps ~* in alten Zeiten.

jaguar [ʒagwar] *m zoo* Jaguar *m.*

jaill|ir [ʒajir] *(Flüssigkeit)* (hoch) auf=spritzen; heraus=, empor=schießen; hervor=sprudeln; *(Flamme)* empor=, heraus=schlagen; *(Funken)* heraus=, über=springen, sprühen; *(Blitz)* zucken; *allg* empor=, in die Höhe ragen, sich steil erheben; *fig* entspringen, hervor=gehen; **~issant, e** *a: eaux f pl ~es* Springquelle *f;* artesische(r) Brunnen *m;* **~issement** *m* Aufspritzen, Emporschießen; Emporschlagen, Sprühen; Zucken *n; el* Entladung *f; fig* Aufblitzen *n;* (Geistes-) Blitz *m; pl* Sprudeln *n (des Geistes).*

jais [ʒɛ] *m* Gagat *m,* Pechkohle *f; de ~, noir comme (du) ~* pech-, kohlrabenschwarz.

jale [ʒal] *f* große Schale *f,* große(r) Kübel *m.*

jalon [ʒalɔ̃] *m* Fluchtstab *m,* Meßstange *f; fig* Anhaltspunkt *m; pl* Richtlinien *f pl;* **~nement** *m* Markierung *f;* **~ner** *itr* Meßstangen stecken; *tr* ab=stecken, markieren; *mil* ein=weisen; mit Tuchzeichen aus=legen; **~neur** *m mil* Einweiser *m.*

jal|ouser [ʒaluze] beneiden; eifersüchtig sein (*qn* auf jdn); **~ousie** *f* Eifersucht *f;* Neid *m,* Mißgunst; Jalousie *f (am Fenster); exciter la ~* Neid erregen; *~ de métier* Konkurrenz-, Brotneid *m;* **~oux, se** *a* eifersüchtig; mißgünstig, neidisch (*de* auf *acc*); *(eifrig* od *ängstlich)* bedacht (*de* auf *acc*); *s m f* Neider(in *f*), Neidhammel *m;* Eifersüchtige(r *m*) *f; faire des ~* Neid erregen.

jamaï|quain, e [ʒamaikɛ̃, -ɛn] *a* jamaikanisch; *s m f J~* Jamaik(an)er(in *f*) *m;* **J~que** *f* Jamaika *n.*

jamais [ʒamɛ] *adv* je(mals); *ne ... ~* nie(-mals); *à (tout) ~, pour ~* für immer, auf ewig; *plus que ~* mehr denn je; *s m: au grand ~* nie u. nimmer; *~ plus (... ne)* nie(mals) mehr; *il n'en fait ~ d'autres* so macht er's immer; *mieux vaut tard que ~* besser spät als nie; *sait-on jamais?* wer weiß?

jambage [ʒɑ̃baʒ] *m* (Mauer-)Verstärkung *f;* Gewände *n;* Grund-, Stützmauer *f;* (Tür-, Fenster-)Pfosten; Ständer; *(Schrift)* Grundstrich *m; ~ de cheminée* Kamineinfassung *f.*

jambe [ʒɑ̃b] *f* Bein *n;* Unterschenkel; *(Wild)* Lauf; *(Zirkel)* Schenkel *m; arch* (Mauer-)Verstärkung *f,* Pfeiler *m; à toutes ~s* so schnell man kann; *par-dessous la ~* im Schlaf, spielend, mühelos; sorglos, leichtfertig; *~ deçà, ~ delà; ~ de- ci, ~ de-là; les ~s écartées* rittlings; *n'aller que d'une ~ (fig)* nicht voran=kommen; *avoir de bonnes ~s* gut auf den Beinen, gut zu Fuß sein; *avoir des ~s de cerf* flinke Beine haben; *avoir un beau jeu de*

~s (Boxen) gute Beinarbeit leisten; *avoir la ~ bien faite* schöne Beine haben; *n'avoir plus de ~s (fam)* vor Müdigkeit um=fallen, -sinken; *couper, casser bras et ~s à qn (fig)* jdn völlig erledigen, *fam* fertig=machen; *donner des ~s à qn* jdm Beine machen; *jeter le chat aux ~s de qn (fig vx)* jdm e-n Knüppel zwischen die Beine werfen; *jouer des ~s, prendre ses ~ à son cou* die Beine unter den Arm nehmen; *rompre à qn bras et ~s (vx)* jdn windelweich schlagen; *tenir la ~ à qn (pop)* jdm auf den Wecker fallen, jdn an=öden; *tirer dans les ~s de qn* jdn hinterrücks überfallen; *traîner la ~* nicht mehr (laufen) können; *traiter qn par-dessous ~* jdn von oben herab behandeln; *cela me fait, fera une belle ~! (ironisch)* davon habe ich was! *cela ne vous rend pas la ~ mieux faite* das nützt Ihnen gar nichts; *quand on n'a pas de tête, il faut avoir des ~s (prov)* was man nicht im Kopf hat, muß man in den Beinen haben; *gras m de la ~* Wade *f; ~ artificielle, articulée* Beinprothese *f; ~ de bas (Strumpf)* Beinling *m; ~ de bois* Holzbein *n,* -fuß *m; ~s cagneuses, en manches de veste* X-, O-Beine *n pl; ~ de force* Stützbalken *m,* Strebe *f; ~ de jeu, de soutien* Spiel-, Standbein *n;* **~é, e:** *être bien, mal ~* schöne, häßliche Beine haben; **~elet** [-ɛ] *m* Fußreif *m (exot. Schmuck);* **~ette** *f* Beinchen; kleine(s) Taschenmesser *n;* Kniestockpfosten *m; donner la ~ à qn* jdm ein Bein stellen; **~ier, ère** *a* (Schien-)Bein-; *s m* Schienbeinmuskel *m; f* Beinschiene; Gamasche *f;* Wadenschützer *m; ~ère orthopédique* Beinbandage *f.*

jambon [ʒɑ̃bɔ̃] *m (Schwein) (a.* Vorder-) Schinken *m a. pop (beim Menschen); œufs m pl au ~* Rührei *n* mit Schinken; *~ de Bayonne* od *cru, d'York* od *cuit, fumé* rohe(r), gekochte(r), geräucherte(r) Schinken *m; ~ roulé, saumoné* Roll-, Lachsschinken *m;* **~neau** *m (Schwein)* (Eis-)Bein *n; pop* Gitarre; Mandoline *f arg* Hinterbacken *m.*

jamboree [dʒambɔri, ʒɑ̃bɔre] *m* Pfadfindertreffen *n.*

jan [ʒɑ̃] *m* Tricktrack-, Puffbrett *n (Spiel); bot* Ginster *m.*

jansénis|me [ʒɑ̃senizm] *m* Jansenismus *m;* **~te** *a* jansenistisch; *s m* Jansenist *m.*

jante [ʒɑ̃t] *f* Felge *f,* Radkranz *m; tech* Bandage *f.*

janvier [ʒɑ̃vje] *m* Januar *m.*

Japon, le [ʒapɔ̃] Japan *n;* **j~ais, e** [-ɔnɛ, -ɛz] *a* japanisch; *s m pl arg* Geld *n; J~, e s m f* Japaner(in *f*) *m; (le) j~* (das) Japanisch(e).

japp|ement [ʒapmɑ̃] *m* Gekläff *n;* **~er** kläffen *a. fig; fig* viel Geschrei machen; *pop* das Maul auf=reißen; **~eur, se** *a* kläffend; *m* Kläffer *m (Hund) a. fig.*

jaquemart [ʒakmar] *m (Turmuhr) (figürlicher)* Stundenschläger *m.*

jacquette [ʒakɛt] *f* Cut(away) *m; (Dame)* (Kostüm-)Jacke *f; hist* Kittel; *(Buch)* Schutzumschlag *m; sous ~* im Schutzumschlag; *~ de sauvetage* Schwimmweste *f; ~ tricotée* Strickjacke *f.*

jacquier [ʒakje] *m* Brotfruchtbaum *m.*

jardin [ʒardɛ̃] *m* Garten(anlage *f*), Park *m; c'est une pierre dans mon ~* das ist auf mich gemünzt, das gilt mir; *arrangement m de ~s* Landschaftsgärtnerei *f; art m des ~s* Gartenkunst *f; chaise f de ~* Gartenstuhl *m; cité-~ f* Gartenstadt *f; dessinateur m de ~s* Gartenarchitekt *m; ~ d'acclimatation* Tiergarten *m; ~ d'agrément, de plaisance* Lust-, Zier-, Wohngarten *m; ~ anglais, paysager* englische(r), landschaftliche(r) G.; *~ botanique, zoologique* botanische(r), zoologische(r) G.; *~ sur comble* Dachgarten *m; ~ d'enfants* Kindergarten *m; ~ fleuri* Blumengarten *m; ~ à la française* französische(r), geometrisch angelegte(r) G.; *~ fruitier* Obstgarten *m; ~ d'hiver* Wintergarten *m; ~ maraîcher* Gemüse-, Handelsgarten *m; J~ des Oliviers (Bibel)* Ölberg *m; ~ ouvrier* Schreber-, Kleingarten *m; ~ particulier* Hausgarten *m; ~ potager* Gemüsegarten *m; ~s publics* öffentliche Anlagen *f pl; ~s suspendus (de Babylone)* die hängenden Gärten *m pl* (der Semiramis); **~age** [-in-] *m* Gartenbau(erzeugnisse *n pl*) *m;* (*bes.* Gemüse-) Gärtnerei *f;* Gartenland *n,* -arbeit *f;* Fleck *m (in Diamanten); amateur m de ~* Gartenfreund *m; outil, ustensile m de ~* Gartengerät *n; terrain m propre au ~* Gartenland *n;* **~er** *itr* im Garten arbeiten; *tr (Baum)* aus=holzen; **~et** [-ɛ] *m* Gärtchen *n;* **~eux, se** *(Edelstein)* fleckig, unrein; **~ier, ère** *a* Garten-; *s m f* Gärtner(in *f*); f Blumenständer *m,* -brett *n;* Gemüsewagen *od* -karren *m;* Gericht *n* mit verschiedenen Gemüsen; *zoo* Gold(lauf)käfer *m; à la ~ère (Küche)* nach Gärtnerinart *(mit verschiedenen Gemüsen); culture f ~ère* Gartenbau *m; exploitation f ~ère* Durchforstung *f; ouvrier m ~* Gartenarbeiter *m; ~ère d'enfants* Kindergärtnerin *f;* ~ *fleuriste, maraîcher, paysagiste, pépiniériste* Blumen-, Gemüse-, Landschafts-, Obstgärtner *m;* **~iste** *m* Gartenarchitekt *m.*

jargon [ʒargɔ̃] *m* **1.** Berufs-, Standessprache *f,* Jargon *m;* Kauderwelsch *n;* **2.** gelbe(r) Diamant *m;* **~ner** *itr* e-n Jargon sprechen; *(Sprache)* radebrechen; *(Gänserich)* schnattern.

jarre [ʒar] **1.** *f* (großer irdener) Krug *m;* **2.** *m (Wolle, Fell)* Ober-, Grannenhaar *n; (~ électrique) (el)* (große) Leidener Flasche *f.*

jarret [ʒarɛ] *m* Kniekehle; *zoo* Fußwurzel *f; (Rohr)* Knie *n; (Kunst) arch* Winkel, Knick *m,* Ausbuchtung *f; avoir du ~ (fam)* gut zu Fuß, ein guter Tänzer sein; *être ferme sur ses ~s (fig)* nicht aus der Fassung zu bringen sein; ~ *de veau* Kalbshaxe *f.*

jarr|etelle [ʒartɛl] *f* Strumpf-, Sockenhalter *m; porte-~s m inv* Strumpfhaltergürtel *m;* **~etière** *f* Strumpfband *n; tele* Schaltdraht *m; (ordre m de la) J~* Hosenbandorden *m;* **~ette** *f* Kniestrumpf *m.*

jars [ʒar] *m* Gänserich, Ganter *m.*

jas|er [ʒɑ(a)ze] schwatzen, plappern; klatschen (*de* über *acc*); plaudern, *fam* her≈ziehen (*de* über *acc*); *pop* nicht dicht≈halten; *orn* schreien, kreischen; ~ *comme une pie (borgne) (fam)* quasseln; **~eur, se** *a* geschwätzig, schwatzhaft; *s m f* Schwätzer(in *f*) *m; m orn* Seidenschwanz *m.*

jasmin [ʒasmɛ̃] *m bot* Jasmin *m (a. Parfüm).*

jasp|e [ʒasp] *m min* Jaspis *m; (Buchbinderei)* Marmorfarbe *f;* ~ *sanguin (bot)* Blutjaspis, Heliotrop *m;* **~er** (Buchbinderei) marmorieren.

jaspiner [ʒaspine] *arg* quatschen, schwatzen.

jaspure [ʒaspyr] *f (Buch)* Marmorierung *f.*

jatt|e [ʒat] *f* Satte, Schale *f (randloser)* Napf *m;* **~ée** *f* Schalevoll *f.*

jaug|e [ʒoʒ] *f* Eichmaß *n,* Haupt-, Kontroll-, Gebrauchsnormale; *tech* Lehre *f,* Kaliber, Maß *n,* Meßkörper *m,* -gefäß *n; mar* Tonnage, Wasserverdrängung; *(Gärtnerei)* Rille; *(Textil)* Gaugezahl *f; certificat m, marque f de ~* Eichschein, -stempel, -strich *m;* ~ *d'ajustage, d'angles, de contrôle, à coulisse, de filetage, plate, de profondeur* Einstell-, Winkel-, Abnahme-, Schub-, Gewinde-, Flach-, Tiefenlehre *f;* ~ *d'essence, d'huile (mot)* Benzin-, Ölstandsmesser *m;* ~ *de fond* Grundpegel *m;* ~ *à ruban* Bandmaß *n;* **~eage** *m* Eichung *f; tech* (Ab-)Lehren *n;* Messung; *(droit m de ~)* Eichgebühr; *mar* Tonnage(bestimmung); *fig* Abschätzung *f;* **~er** *tr* eichen; *tech* (ab≈)lehren, messen; *mar* die Tonnage bestimmen (*qc* e-r S); *fig (Person, Fähigkeiten)* ab≈schätzen; *itr (Schiff)* Tiefgang haben (*de* von); ~ *2000 tonneaux (mar)* 2000 Tonnen haben; **~eur** *m* Eich(meist)er, Vermesser *m;* Eichmaß *n; (Benzinpumpe)* Meßbehälter *m.*

jaun|âtre [ʒonɑtr] gelblich; **~e** *a* gelb; *s m* Gelb(e) *n; (Rasse)* Gelbe(r); Streikbrecher *m; rire ~* gezwungen lachen; *fièvre f ~* Gelbfieber, gelbe(s) Fieber *n; filtre m ~* Gelbfilter *m; le fleuve, la mer J~* der Gelbe Fluß, das Gelbe Meer; *liqueur f au ~ d'œuf* Eierlikör *m; maladie f ~* Gelbsucht *f; ~ de chrome, citron, clair, d'œuf, d'or, de paille* chrom-, zitronen-, hell-, ei-, gold-, strohgelb; ~ *comme un coing* quittegelb; ~ *d'eau* Gelbe Seerose *f; ~ d'œuf* Eigelb *n,* -dotter *m* u. *n;* **~et, te** *a* gelblich; *s m pop* Goldstück *n; pain m ~* Mischbrot *n; ~ d'eau (bot)* Gelbe Seerose *f;* **~i, e** vergilbt; **~ir** *tr* gelb färben; *itr* gelb werden, vergilben; **~isse** *f med* Gelbsucht *f;* **~issement** *m* Gelbfärben *n,* -färbung *f;* Vergilben, Gelbwerden *n.*

Java [ʒava] *f* Java *n;* **j~nais, e** *a* javanisch; *J~ e s m f* Javaner(in *f*) *m.*

Javel [ʒavɛl]: *eau f de ~,* **j~le** *f* Bleichlauge *f.*

javel|er [ʒavle] *(Getreide)* in Schwaden legen; **~eur, se** *m f* Schwadenleger(in *f*) *m; f* Mähmaschine *f* mit Ablegevorrichtung; **~ine** *f;* **1.** lange(r), dünne(r) Speer *m;* **2.** *acr* kleine(r) Schwaden *m;* **~le** *f (Getreide)* Schwade(n *m*) *f;* Reisigbündel *n.*

javelli|sation [ʒavɛlizasjɔ̃] Bleichen *n;* **~ser** keimfrei machen.

javelot [ʒavlo] *m* Wurfspieß, Speer *m a. sport; lancement m du ~ (sport)* Speerwerfen *n.*

jazz(-band) [dʒaz(bɑ̃d)] *m* Jazz(-orchester *n*) *m,* -musik *f.*

je [ʒə] *prn* ich; *~-m'en-fichisme, ~-m'en-foutisme (pop)* (absolute) Wurstigkeit *f; ~-ne-sais-quoi m* gewisse(s) Etwas *n; Monsieur m, Madame, Mademoiselle f J'ordonne (fam)* Feldwebel *m fig,* Kommandeuse *f.*

Jean [ʒɑ̃] *m* Johann(es), Hans *m; la Saint-~* der Johannistag; *chevalier, (ordre) m de Saint-~* Johanniter(orden) *m; feu m de la Saint-~* Johannisfeuer *n; ~-Baptiste* Johannes der Täufer; *j~-foutre m inv vulg* Seiltänzer *m,* Nichtsnutz *m,* Hanswurst *m;*

~ne [ʒan] *f* Johanna, Hanna; *~ d'Arc* Johanna von Orléans; *coiffure à la ~ d'Arc* Pagenkopf *m;* **~neton, ~nette** [ʒa-] *f* Hannchen *n;* **j~nette** *f* goldene(s) Kreuz *(an Halsband od Kette);* (*bes.* Ärmel-)Plätt-, Bügelbrett *n;* **~not** *m* Hänschen *n.*

jéciste [ʒesist] *a* der *Jeunesse étudiante catholique (J.E.C.)* [ʒɛk] angehörend.

jenny [ʒɛni] *f* Spinnmaschine *f.*

jérémiades [ʒeremjad] *f pl* Klagelieder *n pl fig,* Gejammer *n.*

Jérôme [ʒerom] *m* Hieronymus *m.*

jerrycan [ʒɛrikan] *m* Kanister *m.*

Jersey [ʒɛrzɛ] *m* (Insel *f*) Jersey *n;* **j~** *m* Jersey(bluse *f*) *m (Stoff).*

Jérusalem [ʒeryzalɛm] *f* Jerusalem *n.*

jésuit|e [ʒezɥit] *s m* Jesuit; *péj* Heuchler, Intrigant *m; a* jesuitisch; **~ique** jesuitisch; *fam* heuchlerisch, falsch, verschlagen; **~isme** *m péj* Heuchelei, Falschheit, Verschlagenheit *f.*

Jésus [ʒezy] *m* Jesus *m; j~ (Kunst)* Jesuskind; *fam* Wickelkind *n;* kleine(r) Liebling *m; l'enfant ~* das Christkind; *(papier m) j~* Papier *n* im Format 55 × 72 cm; *société f de ~* Jesuitenorden *m; ~-Christ* [-kri] Jesus Christus.

jet [ʒɛ] *m* Wurf *m,* Werfen *n;* Strahl; *fam* Düsenflugzeug *n; fig* (Geistes-) Blitz *m; (Fischnetz)* Auswerfen *n; tech* Einguß *n (in die Form); mot* Brennstoffdüse *f; agr* Schößling, Trieb *m; à ~ continu* unaufhörlich, ununterbrochen; *à un ~ de pierre* e-n Steinwurf entfernt; *du premier ~* auf Anhieb; *d'un seul ~* auf einen Schlag; aus einem Guß; *appareil m à ~ de sable* Sandstrahlgebläse *n; premier ~ (fig)* erste(r) Entwurf *m,* Skizze *f; ~ d'abeilles* Bienenschwarm *m; ~ de coulée (tech)* Gußloch *n; ~ d'eau* Wasserstrahl; Springbrunnen *m,* Fontäne *f; arch* Wetterschenkel *m;* Tropfrinne *f; ~ de feu* Feuergarbe *f; ~ de flamme* Stichflamme *f; ~ de flammèche (loc)* Funkenflug *m; ~ de lumière, de sable, de sang, de vapeur* Licht-, Sand-, Blut-, Dampfstrahl *m.*

jetable [ʒətabl] Wegwerf-.

jeté [ʒəte] *m* (Tisch-)Läufer *m.*

jetée [ʒəte] *f* Mole *f,* Hafendamm *m; ~ embarcadère* Einschiffungsplatz *m.*

jeter [ʒəte] (hin=, ab=, hinab=, hinunter=, aus=, hinaus=, weg=, um=)werfen, schleudern, *pop* schmeißen; (aus=, ver)streuen; *(zum Fraß)* vor=werfen *(aux oiseaux* den Vögeln); *(Reiter, Flugblätter)* ab=werfen; *(Mantel)* um=, über=werfen; *(Karte)* ab=werfen, aus=spielen; *(Brücke)* schlagen; *(Flüssigkeit)* (aus=, weg=, ver)gießen, -schütten; speien *(a. Feuer); (Strahlen)* schießen lassen; *(Funken)* sprühen; von sich geben, aus=stoßen *(a. Schrei, Worte, Drohung); bot* treiben; *(Wurzel)* schlagen; *(Worte)* hin=werfen, *(sur le papier)* aufs Papier werfen; *tech (Feuer)* dämpfen; *typ* lassen *(un blanc* Zeilenabstand, *un espace* e-n Zwischenraum); *fig* (ver)setzen (*dans* in *acc*); führen, bringen (*à* zu, auf *acc*); *(Schrecken, Furcht)* verbreiten; **se ~** sich (nieder=)werfen, sich stürzen (*sur, vers, contre, à, dans qc* auf *od* über e-e S, auf e-e S zu, gegen, an, in e-e S); *de qc* sich von etw hinab=stürzen; s-e Zuflucht nehmen (*dans* in *dat*); her=fallen, sich her=machen (*sur* über *acc*); *(Fluß)* sich ergießen, münden (*dans* in *acc*); *fig* sich *(ins Elend, Unglück)* stürzen, sich *(in Gefahr)* begeben (*dans* in *acc*); sich *(Vergnügungen)* hin=, sich (*dem Trunk)* ergeben, frönen (*dans qc* e-r S *dat*); *se ~ au travers de qc* sich e-r S in den Weg stellen; *être ~é (Schiff)* verschlagen werden; *être ~é à la côte* stranden; *~ l'ancre* Anker werfen; *~ l'argent par la fenêtre (fig)* das Geld zum Fenster hinaus=werfen; *~ ses armes* die Waffen nieder=legen *od* strecken; *~ (à) bas, par terre* (um=) stürzen; *~ son bonnet par-dessus les moulins (bes. Frau)* sich über alles hinweg=setzen, alle Rücksichten fallen=lassen; *~ par-dessus bord* über Bord werfen; *se ~ dans les bras de qn* bei jdm Zuflucht suchen; *~ les bras autour du cou de qn* s-e Arme um jds Hals schlingen; *~ la carriole dans l'ornière (fig)* den Karren in den Dreck fahren; *~ aux chiens, aux moineaux (fig)* zum Fenster hinaus=werfen; *se ~ au cou de qn* sich jdm an den Hals werfen; *~ un coup d'œil sur qn, qc* e-n Blick auf jdn, etw werfen; *~ un coup d'œil sur qc* etw *(Geschriebenes)* überfliegen; *~ dehors* hinaus=werfen, *pop* raus=schmeißen; *se ~ à l'eau* ins Wasser springen, gehen *(um sich das Leben zu nehmen); se ~ dans l'eau (zum Baden)* ins Wasser springen; *de peur de la pluie* vom Regen in die Traufe kommen; *~ (un essaim) (Bienen)* schwärmen; *~ qc à la face, à la figure, au nez de qn (fig)* jdm etw an den Kopf werfen, unter die Nase reiben; *~ par la fenêtre* zum Fenster hinaus=werfen; *se ~ au feu pour qn* für jdn durchs Feuer gehen; *~ les fondements de qc* den Grund zu etw legen; *~ la gourme* sich die Hörner ab=stoßen, sich aus=toben; *~ en haut* hinauf=werfen;

~ *sa langue aux chiens, au chat* es *(das Raten)* auf=geben; ~ *le manche après la cognée (fig)* die Flinte ins Korn werfen; ~ *au panier* in den Papierkorb werfen, *fig* unter den Tisch fallen lassen; *se* ~ *aux pieds de qn* sich jdm zu Füßen werfen; ~ *de la poudre aux yeux de qn (fig)* jdm Sand in die Augen streuen; ~ *en prison* ins Gefängnis werfen; ~ *de profondes racines* tiefe Wurzeln schlagen, *fig* fest verwurzeln; ~ *des reflets variés* spiegeln, blenden *itr;* ~ *sa tête (Hirsch)* das Geweih ab=werfen; ~ *qc à la tête de qn (fig)* jdm etw an den Kopf, jdm etw nach=werfen; *se* ~ *à la tête de qn* sich jdm auf=drängen; *se* ~ *la tête au mur (fig)* mit dem Kopf durch die Wand gehen; ~ *au vent (fig)* in den Wind schlagen.

jeton [ʒ(ə)tɔ̃] *m* (Spiel-, Zahl-, Bier-) Marke; Automatenmünze *f; (hartes)* Notgeld *n; arg* Schlag *m; avoir les* ~*s (arg)* Manschetten, Schiß haben; *être faux comme un* ~; *être très faux* ~ falsch wie eine Katze sein; *vieux* ~ *(fam)* alte(s) Wrack *n (Mensch);* ~ *de présence* Anwesenheitsmarke *f; pl* Anwesenheits-, Sitzungs-, Tagungsgeld *n,* Diäten *pl.*

jeu [ʒø] *m* (Kinder-, Unterhaltungs-, Gesellschafts-, Glücks-)Spiel *n;* Spielplatz *m,* -feld *n,* -regel, -weise *f,* -betrieb; Einsatz *m (beim Spiel); fig* Spiel *n (des Zufalls),* Laune *f,* Scherz, Witz *m; péj* Spielerei *f,* Kinderspiel *n;* Handhabung *f; (~ du piano, du violon* Klavier-, Geigen-)Spiel *n; mus* Vortrag *m;* Spiel *(e-s Musikers, Schauspielers);* (Mienen-, Muskel-) Spiel; *bes. tech* Funktionieren *n;* Spiel *n;* Spiel-, Zwischenraum *m,* Hublänge *f;* Satz *m,* Garnitur *f (zs.gehöriger Dinge); au* ~ beim Spiel; *en* ~ *(tech)* in Betrieb; *y aller franc* ~, *bon* ~ *(fig)* mit offenen Karten spielen; *avoir du* ~ *(tech)* Spiel haben; lose, locker sitzen; *(Spielkarten)* ein gutes Blatt haben; *avoir beau* ~ gewonnenes *od* leichtes Spiel haben (*de* mit); *vous avez beau* ~ *de vous moquer* Sie haben leicht spotten; *cacher, couvrir son* ~ sich nicht in die Karten sehen lassen, mit verdeckten Karten spielen; *donner du* ~ Spielraum lassen; *donner beau* ~ *à qn* es jdm leicht=machen; *entrer en* ~ *(fig)* ins Spiel kommen, sich ein=schalten; wirksam werden, mit=spielen; *être à son* ~ auf sein Spiel acht=geben *od* achten; *être en* ~ *(fig)* im Spiel sein, mit=machen; auf dem Spiel stehen; in Betracht, *fam* in Frage kommen; *faire le* ~ den Einsatz zahlen; *faire le* ~ *de qn (fig)* jdm in die Hände arbeiten; *se faire un* ~ *de qc* mit etw sein Spiel treiben, sein Vergnügen an e-r S finden *od* haben; *ne pas faire entrer en* ~ *(fig)* aus dem Spiel lassen; *jouer bien son* ~ s-e Sache gut machen; *jouer un* ~ *dangereux, un mauvais* ~ ein gefährliches Spiel treiben; *jouer gros, grand* ~, *un* ~ *d'enfer* hoch spielen; *fig* ein gewagtes Spiel treiben; *jouer un* ~ *serré* vorsichtig spielen, *fig* sich keine Blöße geben; *mettre qc en* ~ etw ins Spiel bringen *a. fig; fig* etw auf=bieten, ein=setzen; *mettre qn en jeu* jdn hinein=bringen, -ziehen; *montrer son* ~ s-e Karten auf=decken; *se piquer au* ~ das Spiel *od* es nicht auf=geben, *fam* nicht lokker=lassen; *fig fam* sich nichts ins Bockshorn jagen lassen; *tirer son épingle du* ~ sich aus der Klemme, *fam* der Affäre ziehen; *fam* die Stellung halten; *ce n'est qu'un* ~ *pour moi* das ist ein Kinderspiel für mich; *cela n'est pas de* ~ das ist gegen die Regel; das war nicht ab-, ausgemacht; *ce n'est pas un* ~ *d'enfant* das ist kein Kinderspiel; *c'est un* ~ *à se rompre le cou, les jambes* dabei kann man sich den Hals brechen; *le* ~ *me plaît* die Sache macht mir Spaß; *le* ~ *ne, n'en vaut pas la chandelle* es lohnt sich nicht, es ist nicht der Mühe wert; *camarade m de* ~ Spielkamerad *m; dette f de* ~ Spielschuld *f; maison f de* ~ Spielhaus *n,* -bank *f; passion f du* ~ Spielleidenschaft *f,* -teufel *m; perte f au* ~ Spielverlust *m; règle f du* ~ Spielregel *f; table f de* ~ Spieltisch *m; vieux* ~ altmodisch, -fränkisch; ~*x d'action, en plein air* Bewegungsspiele *n pl;* ~ *d'adresse* Geschicklichkeitsspiel *n;* ~ *d'agrément* Unterhaltungsspiel *n;* ~ *de bascule* Schaukelbewegung *f;* ~ *de cartes* Kartenspiel *n;* ~ *collectif* Gemeinschaftsspiel *n;* ~ *de construction* Baukasten *m;* ~ *de dés* Würfelspiel *n;* ~ *d'échecs* Schachspiel *n;* ~ *d'enfant* Kinderspiel *n a. fig;* ~ *d'équipe (sport)* Zs.spiel *n;* ~*x de gymnastique* Turnspiele *n pl;* ~ *de hasard* Glücksspiel *n;* ~ *inutile (tech)* tote(r) Gang *m;* ~ *de jambes (sport)* Beinarbeit *f;* ~*x de lumière* Lichterspiel *n;* ~ *de mots* Wortspiel *n;* ~ *de la nature* Naturspiel *n; les* ~*x Olympiques* die Olympischen Spiele *n pl;* ~ *d'orgue* Orgelregister *n;* ~ *de l'orgue* Orgelspiel *n;* ~ *du piston (tech)* Kolbenhubraum *m;* ~ *de quilles* Kegelspiel *n;* ~ *de réflexion* Denksport(aufgabe *f*) *m;* ~ *de rôles* Rollenspiel *n;* ~ *de scène* Bühnenspiel *n;* ~ *de société, innocent* Gesellschafts-, Pfänderspiel *n.*

jeudi [ʒødi] *m* Donnerstag *m; la semaine des quatre ~s* der Nimmerleinstag; *J~ saint* Gründonnerstag *m.*

jeun [ʒœ̃] : *à* ~ noch nüchtern; mit nüchternem *od* auf nüchternen Magen; *fam* nüchtern, mit klarem Kopf.

jeun|e [ʒœn] *a* jung; *(Kind)* klein; jünger; junior; (der) Jüngere; jugendlich *(a. Kleidungsstück, Frisur); fig* unreif, naiv, kindlich; Jugend-; *s m* Junge(s), Jungtier *n; pl les ~s* die Jungen *m pl,* der Nachwuchs; *dans mon ~ temps* als ich jung war, in meiner Jugend; *pour ~s gens (Kleidung)* Burschen-; *avoir l'air ~, faire ~* jung aus=sehen; *avoir la barbe trop ~* noch nicht mit=reden können; *que vous êtes ~!* wie naiv, was für ein Kind Sie sind! *association f de ~s gens* Jugendbund *m;* ~ *âge m* Jugend(alter *n*) f; ~s bêtes f pl Jungvieh *n;* ~ *fille* (junges) Mädchen *n; ~s gens m pl* junge Leute *pl;* ~ *homme m* junge(r) Mann *m;* ~ *personne f* junge(s) Mädchen *n;* ~ *premier m, -ère f (theat)* jugendliche(r) Liebhaber(in *f*) *m;* **~esse** *f* Jugend(alter *n,* -jahre *n pl*); Jugend *f,* junge Leute *pl; fam* junge(r) Mann *m,* junge(s) Mädchen *od* Ding *n; fig* Jugendlichkeit; Frische, Kraft *f; de* ~ von jung auf; *n'être plus de première* ~ die besten Jahre hinter sich haben; ~ *n'a pas de sagesse* Jugend hat keine Tugend; *il faut que ~ se passe* Jugend muß sich aus=toben; *air m de* ~ jugendliche(s) Aussehen *n; auberge f de* ~ Jugendherberge *f; seconde* ~ zweite J.; ~ *estudiantine, ouvrière, scolaire* studentische, Arbeiter-, Schuljugend; **~et, te** *fam* reichlich, ein bißchen jung; **~ot** [-o] *m arg* Jüngelchen, Bürschchen *n.*

jeûn|e [ʒøn] *m* Fasten *n; fig* Entbehrung *f; (observer un) régime m de* ~ (e-e) Hungerkur *f* (machen); *c'est long comme un jour de ~ (fam)* das dauert ja ewig, e-e Ewigkeit; das will ja gar kein Ende nehmen; *jour m de ~ (rel)* Fasttag *m;* **~er** fasten; *fig* hungern, entbehren (*de qc* e-e S); sich enthalten (*de qc* e-r S); **~eur, se** *m f* Fastende(r *m*) *f;* Hungerkünstler *m.*

jiu-jitsu [ʒjyʒitsy] *m sport* Jiu-Jitsu *n.*

joaill|erie [ʒɔajri] *f* Juwelierkunst *f;* Schmuck(waren *f pl) m,* Juwelen *n pl;* **~ier, ière** *m f* [ʒɔaje] Juwelier *m.*

Job [ʒɔb] *m* Hiob *m; femme f à* ~ Xanthippe *f,* Zankteufel *m; pauvre comme* ~ arm wie e-e Kirchenmaus.

job [dʒɔb] *m* **1.** *arg* Arbeit *f,* Job *m;* **2.** *pop* Dummkopf, Einfaltspinsel *m; monter le j~ à qn (arg vx)* jdn verkohlen, zum Narren, zum besten haben; *se monter le j~ (arg vx)* sich etw vormachen; große Rosinen im Kopf haben.

jobard, e [ʒɔbar, -d] *a fam* dumm, einfältig, dämlich; *s m* Einfaltspinsel, Dummkopf, Dumme(r) *m;* **~er** *tr fam s. monter le ~;* **~erie, ~ise** *f* Leichtgläubigkeit; Dämlichkeit, Dummheit, Einfalt *f; pl* dumme, alberne Reden *f pl.*

jociste [ʒɔsist] *m* Angehörige(r) *m* der *Jeunesse Ouvrière Catholique (J.O.C.)* [ʒɔk].

jockey [ʒɔkɛ] *m* Jockei, Berufsrennreiter *m.*

Joconde, la [ʒɔkɔ̃d] die Mona Lisa.

jocrisse [ʒɔkris] *m* Pantoffelheld; Dummkopf, Tropf *m; faire le* ~ sich dumm an=stellen; **~rie** *f* Ungeschicktheit, Dummheit *f.*

jogging [(d)ʒɔgiŋ] *m* Jogging *n.*

joie [ʒwa] *f* Freude, Lust, Wonne; Fröhlichkeit *f; pl* Vergnügungen *f pl,* Genüsse *m pl; de* ~ vor Freude; *s'en donner à cœur* ~ es *(acc)* voll u. ganz genießen; *faire la ~ de qn* jds Freude sein; *se faire une ~ de qc* an e-r S Vergnügen finden; *ne pas se tenir de* ~ sich vor Freude nicht halten (können); *feu m, fille f, jour m de* ~ Freudenfeuer, -mädchen *n,* -tag *m; plein, rempli de* ~ voll(er) Freude; *rayonnant de* ~ freudestrahlend; *transports m pl de* ~ helle(r), laute(r) Jubel *m;* ~ *anticipée* Vorfreude *f;* ~ *bruyante, débordante, folle* überströmende Freude *f,* Freudentaumel *m;* ~ *de vivre* Lebensfreude *f.*

joignant, e [ʒwaɲɑ̃, -ɑ̃t] *a* anstoßend, -grenzend (*à* an *acc*), benachbart (*à qc* e-r S *dat*); Nachbar-.

joindre [ʒwɛ̃dr] *irr* **1.** *(mettre ensemble) tr* (mitea.=)verbinden *a. fig;* ~ *deux lignes de chemin de fer* zwei Eisenbahnlinien mitea.verbinden; ~ *l'utile à l'agréable* das Angenehme mit dem Nützlichen v.; *(Hände)* falten; *(Lippen)* zs.=pressen; *(Gegenstände)* zs.=fügen *od* nebenea.=legen, -setzen, -stellen; ~ *les pièces d'un ensemble* Teile zu einem Ganzen zs.=fügen; *tech* an=fügen, zs.=stücken; ~ *les deux bouts (fam fig)* gerade (mit s-m Geld) aus=kommen; **2.** *(ajouter)* hinzu=tun, -fügen, bei=fügen, -legen; ~ *un document à une lettre* einem Brief eine Urkunde bei=fügen; ~ *une prime au salaire* dem Gehalt e-e Vergütung hinzu=fügen; *en y joignant* unter Hinzuziehung, Hinzu-,

Beifügung *gen; joignez à cela que* hinzu kommt (noch), daß; *elle joint l'intelligence au charme* in ihr vereinigen sich Klugheit und Charme; ~ *au capital (Zinsen)* zum Kapital schlagen; **3.** *(atteindre)* begegnen (*qn* jdm); treffen, ein=holen; *je n'arrive pas à le* ~ ich kann ihn nicht erreichen; **4.** *itr (Tür, Fenster)* schließen, dicht sein; *(Kleidung)* (eng) an=liegen; *ne pas~,* ~ *mal* undicht sein; **5.** *se* ~ sich vereinigen, sich zs.=schließen, sich mitea. verbinden *(pour qc* zu etw); wieder zs.=finden, sich wieder zs.=schließen, vereinigen; mit=machen (*à qn* mit jdm, *à qc* bei etw); unmittelbar aufea.=stoßen, ein Ganzes bilden; *se* ~ *à la conversation* am Gespräch teil=nehmen; *leurs propriétés se joignent* ihre Grundstücke stoßen aneinander.

joint, e [ʒwɛ̃, -t] *a* verbunden, -einigt; angefügt; *s m anat tech* Gelenk *n; arch tech* Fuge *f; tech* Stoß *m,* Naht; Dichtung; Verbindung *f,* Anschlußstück *n; geol* Kluft *f; arg* Joint *m; fig fam* (der) springende Punkt *m; à pieds ~s* mit beiden Füßen zugleich; *ci-~ (Brief)* anbei, als Anlage; *les mains ~es* mit gefalteten Händen; *sans* ~ nahtlos; *connaître le* ~ *(fam)* den Bogen raus=haben; *trouver le* ~ *(fam)* dahinter=kommen, auf den Dreh kommen; ~ *à cela que* hinzu kommt (noch), daß, außerdem; *pièces f pl ~es* Anlagen *f pl;* ~ *d'about* Stoßfuge *f;* ~ *annulaire* Dichtungsring *m;* ~ *articulé* Gelenk(stück *n,* -muffe *f*) n; ~ à brides Flanschverbindung *f;* ~ *en caoutchouc* Gummidichtung *f;* ~ *de Cardan (mot)* Kardangelenk *n;* ~ *de culasse* Zylinderkopfdichtung *f;* ~ *à manchon* Muffenverbindung *f;* ~ *à onglet* Gehrung *f;* ~ *de rails* Schienenstoß *m;* ~ *rivé* Nietnaht *f;* ~ *à rotule* Kugelgelenk *n;* ~ *soudé* Schweißverbindung *f;* ~ *à T* T-Stück *n,* T-Verbinder *m;* **~tif, ive** anea.stoßend, fugendicht; **~ture** *f* Verbindungsstelle, Fuge *f; anat* Gelenk *n;* ~ *du genou* Kniegelenk *n.*

joli [ʒɔli] *a* hübsch, nett *a. fig;* niedlich; *(Summe)* ganz hübsch, nett; *(ironisch)* sauber; *s m* (das) Hübsche, (das) Nette; *avoir une ~e situation, un joli poste (fam)* e-e gute Position, e-e prima Stelle haben; *c'est du ~!* das ist ja reizend, e-e schöne Geschichte! *ce sera du ~!* das kann ja heiter werden! ~ *cœur m* Zierbengel, Zieraffe *m;* ~ *à croquer* zum Anbeißen (hübsch), bildhübsch; *un* ~ *monsieur (ironisch)* ein sauberer Patron.

jolibois [ʒɔlibwa] *m bot* Seidelbast *m.*

joli|esse [ʒɔliɛs] *f* hübsche(s) Äußere(s) *n;* Gefälligkeit, Anmut; Niedlichkeit *f;* **~et, te** ganz hübsch, ganz nett; **~ment** *adv* hübsch, nett; sehr, äußerst, außerordentlich; *(ironisch)* gehörig, tüchtig, ordentlich.

jomarin [ʒɔmarɛ̃] *m bot* Stechginster *m.*

jonc [ʒɔ̃] *m* Binse *f,* (Schilf-)Rohr; spanische(s) Rohr *n (Spazierstock);* einfache(r) (Finger-)Ring *m; pop* Gold *n; droit comme un* ~ kerzengerade; *natte f de* ~ Schilf-, Rohrmatte *f;* ~ *d'Inde (bot)* spanische(s) Rohr *n.*

jonchaie [ʒɔ̃ʃɛ] *f* Binsendickicht, Röhricht, Schilf *n.*

jonch|ée [ʒɔ̃ʃe] *f* gestreute Blumen *f pl od* Zweige *m pl; allg* Streu *f;* Haufen; *Art* Käse *m (auf Binsen);* **~er** *(Boden)* bestreuen (*de* mit); umher=, verstreut liegen (*qc* auf e-r S); *être ~é de qc* mit etw be-, übersät sein.

jonch|ère [ʒɔ̃ʃɛr] *f: s. jonchaie f s. ~aie;* **~et** [-ɛ] *m* (Spiel-)Stäbchen *n.*

jonction [ʒɔ̃ksjɔ̃] *f* Verbindung, Vereinigung *f; (point m de ~)* Verbindungs-, Kreuzungs-, Knotenpunkt; (Gleis-)Anschluß; *geog* Zs.fluß *m; tele* Leitung *f; inform* Schnittstelle *f; opérer sa* ~ *(mil)* sich vereinigen, zs.=stoßen (*avec* mit); *conduite, ligne f (el) de* ~ Anschlußleitung *f; gare f de* ~ Kreuzungsbahnhof *m; pièce f de* ~ Ansatz-, Verbindungsstück *n; voie f de* ~ Verbindungsgleis *n;* ~ *de câble* Kabelverbindung *f.*

jongl|er [ʒɔ̃gle] gaukeln, Kunststücke machen; jonglieren *a. fig;* ~ *avec les chiffres* mit Zahlen um sich werfen *(fam);* **~erie** [-glə-] *f* Taschenspielerei, Gaukelei *f;* Kunststück(chen) *n,* Taschenspielertrick *m a. fig;* Jonglieren *n; fig* Betrug(smanöver *n*); *pl péj* Hokuspokus *m;* **~eur** *m hist* Spielmann, fahrende(r) Sänger; Gaukler, Taschenspieler *a. fig,* Zauberkünstler; Jongleur; *fig* Betrüger, Schwindler *m.*

jonque [ʒɔ̃k] *f mar* Dschunke *f.*

jonquille [ʒɔ̃kij] *s f* Jonquille *f bot (Narzissenart); a* blaßgelb.

Jordanie, la [ʒɔrdani] Jordanien *n;* **j~n, ne** [-njɛ̃, -ɛn] *a* jordanisch; *J~, ne s m f* Jordanier(in *f*) *m.*

joseph [ʒɔzɛf] *a: papier m* ~ *(Art)* Filter-, Filtrier-, Fließpapier *n.*

jouable [ʒwabl] *theat* aufführbar; *mus* spielbar.

joubarbe [ʒubarb] *f bot* Hauswurz *f,* Immergrün *n.*

joue [ʒu] *f* Backe, Wange; Seite(nwand, -fläche); *tech* Wange *f; en* ~ *(Gewehr)* angelegt; *aux ~s creuses* hohlwangig; *aux ~s rouges, rondes* rot-, pausbäckig; *se caler les ~s (pop)* tüchtig drauflos=essen; *coucher, mettre qn, qc en ~* auf jdn, etw zielen; *fig* jdn, etw aufs Korn nehmen; es auf jdn, etw abgesehen haben; *donner à qn sur la ~* jdm e-e Ohrfeige geben, *fam* eine runter=hauen; *mettre en ~ (Gewehr)* an=legen; *mise f en ~ (Gewehr)* Anschlag *m; ~ (d'une cisaille), de filière, de frein, de serrage* Schneid-, Kluppen-, Brems-, Klemmbacke *f; ~ enflée* geschwollene, *fam* dicke Backe *f; ~s pendantes* Hängebacken *f pl.*

jouée [ʒwe] *f* Tür-, Fensterwange; *(Dachluke, Polstermöbel)* Seitenwand *f.*

jou|er [ʒwe] *itr (absolument)* spielen; *il ~e volontiers seul* er spielt gern allein; *il ~e à la Bourse* er spekuliert an der Börse; *(tech)* Luft, (Spiel-) Raum haben; funktionieren, gehen; zur Anwendung kommen, zur Ausführung gelangen; *le pêne ~e dans la serrure* der Riegel dreht im Schloß; *(Holz)* arbeiten; *(S) (im Wind)* spielen, *(auf den Wellen)* tanzen; schillern; *(Mensch)* sich verstellen; **2.** *itr (à, de, ...)* spielen; *à un jeu* ein Spiel, *d'un instrument* ein Instrument, *avec un jouet* mit einem Spielzeug, *avec une arme* mit e-r Waffe, *aux soldats* Soldaten; *avec sa vie, sa santé* mit s-m Leben, s-r Gesundheit; *(fig) au grand seigneur* den großen Mann spielen; *fam* mimen, markieren; *~ à l'expert, (fam) les experts* sich als Sachverständiger auf=spielen; *(fig) ~ sur* rechnen auf *acc*, mit; *il ~e sur la défaite* er rechnet mit der Niederlage; *~ une somme sur un cheval* Geld auf ein Pferd setzen; *~ de qc* e-e S benutzen; *~ du bâton* mit dem Stock um sich schlagen; *~ pour de l'argent* um Geld spielen; **3.** *tr (se moquer de, vx) ~ qn* jdn täuschen, betrügen, *fam* an=führen, zum Narren, zum besten haben; **4.** *tr (Spiel, Partie)* spielen; *(Karte)* aus=spielen, *(Stein)* setzen, *(Spielfigur)* ziehen; *theat mus (une valse* einen Walzer); *theat* (*un rôle* e-e Rolle); *(Eigenschaft, Gemütsbewegung)* heucheln, vor=täuschen; *il a ~é l'homme repenti* er hat Reue geheuchelt; **5.** *tr (risquer qc)* einsetzen, aufs Spiel setzen, wagen, riskieren *a. fig; ~ sa tête* sein Leben aufs Spiel setzen; *~ qc contre qn* e-e S gegen jdn aus=spielen; **6.** *(expressions) se ~* spielen, sich tummeln, tanzen, sein Spiel treiben, tändeln (*de* mit); sich lustig machen (*de* über *acc*), verlachen, -spotten, in den Wind schlagen (*de* acc); zum besten haben (*de* acc), ein Schnippchen schlagen (*de qn* jdm); sich hinweg=setzen (*de* über *acc*), spielend fertig werden (*de* mit) *od* schaffen (*de qc* etw); es ab=sehen (*à* auf *acc*), sich ein=lassen (*à qn* mit jdm); *en jouant, pour ~* zum Spaß, *fam* nur (mal) so; *en se jouant* spielend, mit Leichtigkeit; *faire ~* in Gang bringen, in Bewegung setzen; *faire ~ tous les ressorts (fig)* alle Hebel in Bewegung setzen, alle Minen springen lassen; *ne pas ~* keine Rolle spielen; *~ atout* Trumpf spielen; *~ à la balle, au billard, à cache-cache, aux cartes, aux dés, aux échecs, au football, à la petite guerre, aux soldats, au tennis* Ball, Billard, Versteck, Karten, Würfel, Schach, Fußball, Krieg, Soldaten, Tennis spielen; *~ sa dernière carte* den letzten Trumpf aus=spielen; *~ la comédie (fig)* Komödie spielen, sich verstellen; *~ des coudes* die Ellbogen gebrauchen, sich vor=, durch=drängen; *~ avec le feu (fig)* mit dem Feuer spielen; *~ au plus fin* sich gegenseitig zu übervorteilen suchen; *~ à la hausse, baisse (Börse)* auf das Steigen, Fallen der Kurse spekulieren; *~ le jeu de qn* jdm in die Hände arbeiten; *~ bien son jeu* s-e Sache gut machen; *~ un jeu dangereux, un mauvais jeu* ein gefährliches Spiel treiben; *~ gros, grand jeu, un jeu d'enfer* hoch spielen; *fig* ein gewagtes Spiel treiben; *~ (un jeu) serré* vorsichtig spielen, *fig* sich keine Blöße geben; *~ de la mâchoire (fam)* schlingen, gierig essen; *~ des mains (fam)* klauen; sich in den Haaren liegen; *~ de malheur* Pech haben, vom Unglück verfolgt sein; *~ sur les mots* mit Worten spielen; zweideutig reden; *~ aux quilles* Kegel schieben, kegeln; *~ (à) quitte ou double* alles aufs Spiel, auf eine Karte setzen; *~ de son reste* aufs Ganze gehen; *~ un rôle* e-e Rolle spielen; *~ serré* vorsichtig zu Werke gehen; *~ un tour, une pièce, une farce à qn* jdm e-n Streich spielen; *~ le tout pour le tout, à tout perdre* alles aufs Spiel setzen; *~ son va-tout* va banque spielen, das Letzte daran=setzen; *~ des yeux, de la prunelle* (verliebte) Augen machen, liebäugeln (*avec qn* mit jdm).

jou|et [ʒwɛ] *m* Spielzeug *n; fig* Spielball *m; pl* Spielsachen, -waren *f pl; il est le ~ de tout le monde* mit ihm kann jeder machen, was er will; *magasin, marchand m de ~s* Spielwarenhandlung *f*, -händler *m;* **~eur, se** *s m f* Spieler(in *f*); *(Börse)* Spekulant *m; a* verspielt; dem Spiel verfallen; *beau* ~ gute(r) Verlierer *m;* ~ *d'échecs, de football, de tennis* Schach-, Fußball-, Tennisspieler *m;* ~ *de marionnettes* Puppenspieler *m;* ~ *professionnel (sport)* Berufsspieler *m.*

joufflu, e [ʒufly] *fam* pausbäckig.

joug [ʒu] *m* Joch *n a. fig; fig* (Gewalt-)Herrschaft *f*, Zwang *m;* (~ *du mariage)* Ehejoch *n;* Waagebalken *m; mettre sous le* ~ unterjochen; *secouer son* ~ sein Joch ab=schütteln.

jou|ir [ʒwir] genießen, aus=kosten (*de qc* etw); den Genuß haben; sich freuen (*de* über *acc*), Freude haben (*de* an *dat*); im Genuß sein, sich erfreuen (*de qc* e-r S *gen*); haben, besitzen (*de qc* etw), im Besitz sein (*de qc* e-r S *gen*); ~ *de qn* jdn aus=nutzen *od* sich s-r Gegenwart, s-s Umgangs erfreuen; *capacité f de* ~ Genußfähigkeit *f;* ~ *d'un avantage fiscal* steuerbegünstigt sein; ~ *du droit* berechtigt sein (*de* zu); ~ *des droits civils* rechtsfähig sein; ~ *des droits civiques* im Besitz der bürgerlichen Ehrenrechte sein; ~ *d'une grande fortune* sehr vermögend sein; ~ *d'une liberté entière, d'une bonne réputation* völlige Freiheit, e-n guten Ruf haben; ~ *du malheur de qn* jdm gegenüber Schadenfreude empfinden; ~ *de la préférence* den Vorrang haben; ~ *de son reste* (etw) bis zum letzten, bis zur Neige aus=kosten; ~ *d'un gros revenu* ein großes Einkommen haben; ~ *d'une bonne santé* sich e-r guten Gesundheit erfreuen; ~ *de l'usufruit* die Nutznießung haben; ~ *de la vie* das Leben genießen; **~issance** *f* Freude *f;* Behagen; Vergnügen *n;* Genuß *m;* Sinnenlust *f; jur* Genuß, Nießbrauch *m*, Nutznießung; (Be-)Nutzung(srecht *n*) *f;* Besitz *m; s'adonner à la* ~ sich dem Genuß hin=geben; *avoir la pleine* ~ *de ses facultés mentales* voll zurechnungsfähig sein; *entrer en* ~ *de qc* in den Genuß e-r S kommen; *avide de* ~ genußsüchtig; *droit m de* ~ Nutzungsrecht *n; moyen m de* ~ Genußmittel *n; personne f ayant un droit de* ~ Nutzungsberechtigte(r *m*) *f; valeur f de* ~ Nutzungswert *m;* ~ *des droits civils* Rechtsfähigkeit *f;* ~ *usufruitière* Nutznießung *f*, Nießbrauch *m;* **~issant, e** im Besitz *od* Genuß (*de qc* e-r S); **~isseur, se** *m f* Genießer(in *f*); Genußmensch *m.*

joujou [ʒuʒu] *m* Spielzeug *n; pl* Spielsachen *f pl; faire* ~ *(fam)* spielen; *faire* ~ *avec une (nouvelle) machine (iron)* an einer (neuen) Maschine herum=spielen.

jour [ʒur] *m* Tag *m;* (Tages-)Licht *n*, Helle *f*, Licht *n* der Sonne; Beleuchtung *f;* Schein *m a. fig;* (Licht-)Loch *n*, Spalt *m;* Lücke, Öffnung *f;* Durchbruch *m;* Fenster; *fig* Licht *n*, Klarheit, Deutlichkeit *f; pl (menschliches)* Leben *n; à* ~ *(Textil) arch* durchbrochen; auf der Höhe der Zeit, zeitgemäß; *au (grand)* ~ bei (hellem) Tageslicht; *au grand* ~ *(fig)* am hellichten Tage, in aller Öffentlichkeit; *au petit* ~ im Morgengrauen; *un de ces* ~*s* in Kürze, demnächst, nächstens, an e-m der nächsten Tage, in den nächsten Tagen; ~ *à* ~ Tag für Tag; *au* ~ *(min)* über Tage; *avant le* ~ vor Tagesanbruch; *ces* ~*s-ci* dieser Tage; *chaque* ~ jeden Tag; *dans huit* ~*s* in acht Tagen; *de* ~ bei Tage, tagsüber; *de ce* ~ heutig; *de deux* ~*s l'un* einen Tag um den ander(e)n; *de* ~ *en* ~, ~ *à* ~ von einem Tag auf den ander(e)n, von Tag zu Tag; *de nos* ~*s* heut(zutag)e; *de tous les* ~*s* Alltags-, (all)täglich, gewöhnlich; *d'un* ~ kurz(lebig); *d'un* ~ *à l'autre* von einem Tage zum ander(e)n, jeden Tag; *du* ~ vom (gleichen) Tage; heutig, herrschend, Mode-; *du* ~ *où* seit dem Tage, an dem; *du* ~ *au lendemain* von heute auf morgen, bald, schnell; *du premier* ~ vom ersten Tage an; *en plein* ~ am hellen Tage; *l'autre* ~, *ces derniers* ~*s* neulich, kürzlich; *le* ~ *de* am Tage *gen; le* ~ *précédent, suivant* tags zuvor, darauf; am Vortag, am folgenden Tage; *nuit et* ~ Tag u. Nacht; *par* ~ täglich, jeden Tag; ~ *par* ~ tagein, tagaus; *(pendant) le* ~ bei Tage; *(pendant) des* ~*s entiers* ganze Tage lang; ~ *pour* ~, *à pareil* ~ auf den Tag; *sous un* ~ *(dé)favorable* bei (un)günstigem Licht; *sur ses vieux* ~*s* auf s-e *od* ihre alten Tage, in s-m *od* ihrem Alter; *tous les* ~*s (que Dieu fait)* alle Tage (, die Gott werden läßt); *un* ~ *ou l'autre* über kurz oder lang; *un beau* ~, *quelque* ~ e-s (schönen) Tages; *un de ces* ~*s* (e-n) dieser Tage, demnächst; *attenter aux* ~*s de qn* jdm nach dem Leben trachten; *avoir son* ~ Empfangstag haben; *cacher le* ~ *à qn (fig)* jdm im Licht stehen; *donner le* ~ das Leben schenken (*à un enfant* e-m Kind); *donner le* ~ *à qc* etw ins Leben rufen; *donner un beau* ~ *à qc* etw ins rechte Licht setzen; *donner les, ses huit* ~*s à qn* jdm kündigen; *être à* ~ auf dem laufenden sein; offen zutage liegen;

être dans son bon ~ in guter Stimmung, bei guter Laune sein; *n'être pas dans son* ~ *(Bild)* schlecht, ungünstig hängen; *être de* ~ *(mil)* Dienst haben; *se faire* ~ Tag werden; ans Licht, zum Vorschein kommen; sich Bahn brechen, zum Durchbruch kommen; *(Wahrheit)* sich durch=setzen; *faire de la nuit le* ~ *et du* ~ *la nuit* die Nacht zum Tage machen; *jeter le, du* ~ *sur qc (fig)* Licht in etw bringen; *mettre à* ~ auf den neuesten Stand bringen, auf=arbeiten; *(die Post)* erledigen; *fig* ins reine bringen; *mettre au* ~ ans Licht bringen, zutage fördern; zur Welt bringen; ins Leben rufen; *(Buch)* heraus=geben; bekannt=machen; *mettre dans son vrai* ~ ins rechte Licht setzen; *percer à* ~ *(fig)* durchschauen; enthüllen; *prendre* ~ e-n Tag bestimmen, fest=legen (*pour qc* für etw); sich verabreden (*avec qn* mit jdm); *ravir le* ~ *à qn* (*lit*) jdm das Leben rauben; *tenir à* ~ auf dem laufenden halten; *vivre au* ~ *le* ~ von der Hand in den Mund, in den Tag hinein leben; *voir le* ~ das Licht der Welt erblicken; ans Tageslicht kommen; *(Buch)* erscheinen; *c'est clair comme le* ~ das ist sonnenklar, *fam* ein klarer Fall; *c'est comme le* ~ *et la nuit (fam)* das ist wie Tag u. Nacht, etw ganz anderes; *c'est mon* ~ ich habe heute Dienst; ich bin heute an der Reihe; *il fait* ~ es wird Tag; es ist (schon) hell; *à chaque* ~ *suffit son mal, sa peine* jeder Tag hat s-e Plage; *les* ~*s se suivent et ne se ressemblent pas* die Zeiten ändern sich; *argent m au* ~ *le* ~ *(com)* tägliche(s) Geld *n*, G. auf tägliche Kündigung; *les beaux* ~*s* die schöne Jahreszeit; die schönsten Jahre des Lebens; *beau comme le* ~ *(fam)* bildschön; prima in Schale, gut gekleidet; *broderie f à* ~ Lochstickerei *f; chute f du* ~ Einbruch *m* der Nacht; *contre-*~ *m* Gegenlicht *n; demi-*~ *m* Halbdunkel *n; fig* Zwielicht *n*, Dämmerung; Ungewißheit *f; dernier* ~ *du mois (com)* Ultimo *m; équipe f de* ~ Tagesschicht *f; exploitation f à* ~ *(min)* Tagebau *m; faux* ~ schlechte(s) Licht *n a. fig; grand* ~ helle(r, s) Tag(eslicht *n*) *m;* Licht *n* der Öffentlichkeit; *mauvais* ~ schlechte(r), Unglückstag *m;* böse Tage *m pl;* schlechte Jahreszeit *f; naissance, pointe f du* ~ Tagesanbruch *m; ordre m du* ~ Tagesordnung *f; percé à* ~ durchbrochen; *fig* durchlöchert, durchschaut; *petit* ~ Morgengrauen *n; les vieux* ~*s* die alten Tage, das Alter; ~ *de l'an* Neujahr(stag *m*) *n;* ~ *artificiel* künstliche Beleuchtung *f;* ~ *de caisse, de recette* Kassentag *m;* ~ *du calendrier* Kalendertag *m;* ~*s caniculaires* Hundstage *m pl;* ~ *de conciliation (jur)* Vergleichstermin *m;* ~ *de congé* Urlaubstag *m;* ~ *de déchéance (Wechsel)* Verfalltag *m;* ~ *de deuil* Trauertag *m;* ~ *de l'échéance* Stich-, Fälligkeitstag *m;* ~ *d'été, d'hiver, de printemps, d'automne* Sommer-, Winter-, Frühlings-, Herbsttag *m;* ~*s de faveur, de grâce, de répit (com)* Respektage *m pl;* ~ *férié (national, légal)* (nationaler, gesetzlicher) Feiertag *m;* ~ *fixe, prévu, repère* Stichtag *m;* ~ *de foire* Markttag *m;* ~ *de guigne (fam)* Unglückstag *m;* ~ *d'en haut* Oberlicht *n;* ~ *intercalaire* Schalttag *m;* ~ *de joie* Freudentag *m;* ~ *de la lessive* Waschtag *m;* ~ *limite* Redaktionsschluß *m;* ~ *de livraison (com)* Auslieferungstag *m;* ~ *de naissance* od *natal,* ~ *de la mort* od *de décès, de noces* Geburts-, Todes-, Hochzeitstag *m;* ~ *ouvrable* Arbeits-, Werk-, Wochen-, Alltag *m;* ~ *de paie* Zahl-, Löhnungstag *m;* ~ *de paiement (com)* Erfüllungstag *m;* ~ *de place* Börsentag *m;* ~*s de planche (mar)* Liegetage *m pl,* Lade-, Wartezeit *f;* ~ *de pluie* Regentag *m;* ~ *(de réception)* Empfangstag *m;* ~ *du règlement, de virement* Abrechnungstag *m;* ~ *de repos* Ruhetag *m;* ~ *du scrutin (pol)* Wahltag *m;* ~ *de soleil* sonnige(r), Sonnentag *m;* ~ *de travail* Arbeitstag *m;* ~*s de vue (com)* Sichttage *m pl.*

Jourdain, le [ʒurdɛ̃] der Jordan.

journ|al [ʒurnal] *m* Zeitung *f,* Blatt *n;* Zeitschrift *f;* Tagebuch; *com* Journal *n; enregistrer, inscrire, passer, porter au* ~ ins Journal ein=tragen; *recevoir un* ~ e-e Zeitung halten; *article m, coupure f de* ~ Zeitungsartikel, -ausschnitt *m; correspondant, éditeur m de* ~ Zeitungskorrespondent, -verleger *m; lecteur m d'un* ~ Zeitungsleser *m;* ~ *des achats* Einkaufsbuch *n;* ~ *bimensuel* Halbmonats(zeit)schrift *f;* ~ *de bord* Log-, Schiffstagebuch *n;* ~ *du bord* Bordzeitung *f;* ~ *de la bourse* Börsenzeitung *f;* ~ *de caisse* Kassentagebuch *n;* ~ *à scandales, à cancans* Skandal-, Revolverblatt *n;* ~ *de combat* Kampfblatt *n;* ~ *du commerce* Handelsblatt *n;* ~ *du dimanche* Sonntagszeitung *f;* ~ *d'entreprise* Werkzeitung *f;* ~ *financier* Finanzblatt *n;* ~ *du gouvernement* Regierungsblatt *n;* (~) *hebdomadaire m* Wochenblatt *n;* ~*illustré* illustrierte

Zeitschrift, Illustrierte *f; ~ des jeunes, pour la jeunesse* Jugendzeitschrift *f; ~ de marche* Kriegstagebuch *n; ~ du matin, du soir* Morgen-, Abendblatt *n; (~) mensuel m* Monatsschrift f; *~ de modes* Modezeitung, -zeitschrift *f; ~ mural* Wandzeitung *f; ~ officiel* Amtsblatt *n; ~ de l'opposition* Oppositionszeitung *f; ~ parlé (radio)* Nachrichten(dienst *m*) *f pl; ~ parlé régional (radio)* Heimatnachrichten *f pl; ~ professionnel, spécial* Fachzeitung, -zeitschrift *f; (~) quotidien m* Tageszeitung *f; ~ télévisé* Fernsehnachrichten; **~aleux** *m péj* Zeitungsschmierer, Winkeljournalist *m;* **~alier, ère** *a* täglich; Tages-; *s m f* Tagelöhner(in *f*); Hilfsarbeiter(in *f*) *m,* Aushilfe *f; cadence f ~ère, débit m ~* Tagesleistung *f; indemnité f ~ère* Tagegeld *n;* **~alisme** *m* Journalistenberuf *m;* Presse *f;* Journalismus *m,* Zeitungswesen *n;* **~aliste** *m f* Journalist(in *f*), Zeitungsschreiber(in *f*); *typ* Zeitungssetzer *m;* **~alistique** Zeitungs-.

journ|ée [ʒurne] *f* (Ver-, Ablauf des) Tag(es) *m;* Tagesarbeit *f,* Tagewerk *n,* -lohn *m; (Arbeit)* Schicht *f;* (denkwürdiger, Gedenk-)Tag *m; à la ~* tageweise, im Tagelohn; *à grandes, petites ~s (allg)* schnell, langsam; *à longueur de ~* ununterbrochen; *(de) toute la ~* den ganzen Tag; *des ~s entières* tagelang; *toute la sainte ~* den lieben langen Tag; *femme f de ~* Putzfrau *f; homme m de ~* Tagelöhner *m; travail m à la ~* Schichtarbeit *f; faire la ~ continue* durch=arbeiten; *~ de chômage* Feierschicht *f; ~ électorale* Wahltag *m; ~ de l'enfance* Tag *m* des Kindes; *~ de huit heures* Achtstundentag *m; ~ normale* Normalarbeitstag *m; ~ de travail* Arbeitstag *m;* Tagewerk *n;* **~ellement** *adv* täglich; alle Tage.

jout|e [ʒut] *f hist* (Lanzen-)Stechen *n; fig* Streit *m,* Rivalität *f; pl* Streitigkeiten *f pl; ~ de coqs* Hahnenkampf *m; ~ sur l'eau* Schifferstechen *n; ~ oratoire* Wortgefecht *n,* -streit *m,* Rededuell *n;* **~er** Lanzen stechen; *(in e-m Wettkampf)* kämpfen; *fig* sich messen, sich in e-n Streit ein=lassen, streiten (*avec* mit); **~eur** *m* Lanzenstecher; Kämpfer *a. fig; fig* Streiter *m; rude ~* wackere(r) Kämpe *m.*

Jouvenc|e [ʒuvɑ̃s] *f: fontaine f de ~* Jungbrunnen *m;* **j~eau, elle** *m f (hum, sonst vx)* Jüngling *m;* Jungfrau, Jungfer, Maid *f.*

jovial, e [ʒɔvjal] heiter, frohsinnig, fröhlich, jovial; **~ité** *f* Heiterkeit *f,* Frohsinn *m,* Fröhlichkeit *f.*

joyau [ʒwajo] *m* Juwel, Kleinod *a. fig; pl poet* Geschmeide *n; ~x de la couronne* Kronjuwelen *n pl.*

joy|euseté [jwajøzte] *f fam* Scherz, Spaß, Ulk *m;* **~eux, se** *a* fröhlich, lustig, vergnügt, *fam* fidel; *(Nachricht)* erfreulich; *(Überraschung)* freudig; *bande f ~se* lustige Gesellschaft *f; ~ compère, drille m (fam)* fidele(s) Haus *n,* lustige(r) Bruder *m; ~se nouvelle f* Freudenbotschaft *f; ~se vie f* lustige(s) Leben *n.*

jubé [ʒybe] *m rel arch* Lettner *m.*

jub|ilaire [ʒybilɛr] *a rel allg* Jubel-; *année f ~ (rel)* Jubeljahr *n;* **~ilant, e** *a fam* jubelnd, jauchzend; **~ilation** *f fam* Jubel *m,* triumphierende, unbändige Freude *f;* **~ilé** *m rel* Jubeljahr *n,* -ablaß *m; allg* 50jährige(s) Jubiläum *n;* goldene Hochzeit *f;* **~iler** *fam* jubeln, jauchzen.

juch|er [ʒyʃe] *itr* u. *se ~ (Vogel)* sich (zum Schlafen auf e-n Zweig) setzen; *itr (sehr hoch)* wohnen; *tr* hoch legen, setzen, stellen, hängen; **~oir** *m* Hühnerstange *f,* Wiemen *m.*

jud|aïque [ʒydaik] jüdisch; **~aïsme** *m* Judentum *n;* **~as** [-da] *m* Guckloch *n;* Verräter *m; J~* Judas; baiser m de J~ Judaskuß *m.*

judelle [ʒydɛl] *f* (Schwarzes) Wasserhuhn *n.*

Judée, la [ʒyde] Judäa *n.*

judic|ature [ʒydikatyr] *f* Richterstand *m,* -amt; Gericht(shof *m,* -behörde *f*) *n;* **~iaire** [-sjɛr] gerichtlich, richterlich; Gerichts-, Richter-, Rechts-; *en dehors de, par la voie ~* außergerichtlich; auf dem Rechtswege; *acte m ~* gerichtliche Urkunde, Gerichtsurkunde *f; affaires f pl ~s* Gerichtswesen *n; assistance f ~ (gratuite)* Armenrecht *n; autorité f ~* Justizbehörde *f; casier m ~* Strafregister *n; débats m pl ~s* Gerichtsverhandlung *f; droits m pl ~s* Gerichtsgebühren *f pl; enquête f ~* gerichtliche Untersuchung *f; entraide f ~* Rechtshilfe *f; erreur f ~* Justizirrtum *m; faculté f ~* Urteilsfähigkeit *f; fonctionnaire m de l'ordre ~* Gerichtsperson *f; formes f pl ~s* Gerichts-, Prozeßformen *f pl; frais m pl ~s* Gerichtskosten *pl; hypothèque f ~* Zwangshypothek *f; instruction f ~* Rechtsbelehrung *f; liquidation f ~* Zwangsliquidation *f; ordre m ~* Richterstand *m; organisation f ~* Gerichtsverfassung *f; pouvoir m ~* richterliche Gewalt *f; prononcé m ~* Richterspruch *m; recouvrement m par voie ~* Zwangsbeitreibung *f; règlement m* ~ Gerichtsordnung *f; témoin m* ~ Zeuge *m* vor Gericht; *transaction f* ~ Prozeßvergleich *m; vacances f pl ~s* Gerichtsferien *pl; vente f* ~ gerichtlich angeordnete(r) Verkauf *m; voie f* ~ Rechtsweg *m;* **~iairement** *adv* gerichtlich; *informer* ~ *contre qn* gegen jdn e-e gerichtliche Untersuchung durch=führen; **~ieux, se** [-sjø, -øz] scharfsinnig, gescheit, klug; fachgemäß.

judo [ʒydo] *m sport* Judo *n;* **~ka** *m* Judoka *m.*

jugal, e [ʒygal] *anat* Jochbein-; *os m* ~ Jochbein *n.*

jug|e [ʒyʒ] *m* Richter *a. fig allg; sport* Schieds-, *(du ring) (Boxen)* Ring-, *(à l'arrivée)* Zielrichter *m; devant le* ~ vor Gericht; *s'ériger en* ~ sich zum Richter auf=werfen; *être* ~ *et partie* Richter in eigener Sache sein; *faire qn* ~ *de qc, prendre qn pour* ~ *dans qc* jdn in e-r S als Richter an=rufen; *renvoyer devant le* ~ dem Gericht überweisen; *bon* ~ *(fig)* Kenner *m; premier* ~ erstinstanzliche(r) Richter *m;* ~ *d'appel* Berufungsrichter *m;* ~*-arbitre m (sport)* Schiedsrichter *m;* ~ *assesseur* Beisitzer *m;* ~ *de carrière* Berufsrichter *m;* ~ *civil* Zivil(prozeß)richter *m;* ~ *au tribunal de commerce* Handelsrichter *m;* ~ *conciliateur* Sühnerichter *m;* ~ *de l'enfance, des mineurs* Jugendrichter *m;* ~ *de faillite* Konkursrichter *m;* ~ *inférieur* R. (in) der untersten Instanz; ~ *d'instruction* Untersuchungsrichter *m;* ~ *laïque* Laienrichter *m;* ~ *de paix* Friedensrichter *m;* ~ *pénal, criminel* Strafrichter *m;* ~ *populaire* Volksrichter *m;* ~ *rapporteur* Berichterstatter *m;* ~ *suppléant* stellvertretende(r) R.; ~ *de touche (sport)* Linienrichter *m;* ~ *des tutelles, tutélaire* Vormundschaftsrichter *m;* ~ *unique* Einzelrichter *m;* **~é, e** abgeurteilt; *au* ~ nach freiem Ermessen; **~eable** aburteilbar; zu entscheiden(d); **~ement** *m* Urteilsfindung, Entscheidung *f;* Urteil(sspruch *m) n,* Spruch, Entscheid *m; allg* Urteil *n,* Meinung, Ansicht *f; (~ d'appréciation)* Werturteil *n;* Urteilskraft *f,* -vermögen *n,* Verstand *m,* Einsicht *f; à mon* ~ meines Erachtens; *annuler* od *infirmer, confirmer un* ~ ein Urteil auf=heben, bestätigen; *appeler d'un* ~ gegen ein U. Berufung ein=legen; *donner son* ~ *sur qc* sein U. über e-e S ab=geben; *ester en* ~ vor Gericht auf=treten; *exécuter un* ~ ein U. vollstrecken; *mettre en* ~ e-e Untersuchung ein=leiten (*qn* gegen jdn); *obtenir un* ~ ein U. erwirken; *se permettre un* ~ sich ein U. erlauben *od* an=maßen (*sur* über *acc*); *porter un* ~ *sur qc* über e-e S zu Gericht sitzen; *prononcer, rendre un* ~ ein U. fällen, ab=geben, verkünden; *réformer un* ~ ein U. ab=ändern; *revenir contre un* ~ ein U. an=fechten; *prononciation f du* ~ Urteilsverkündung *f;* ~ *d'acquittement* Freispruch *m;* ~ *arbitral* Schiedsspruch *m;* ~ *de condamnation* Verurteilung *f;* ~ *(de condamnation) par contumace, par défaut* Abwesenheits-, Versäumnisurteil *n;* ~ *déclaratif, déclaratoire* Feststellungsurteil *n; le J~ dernier, universel* das Jüngste Gericht, Weltgericht, der Jüngste Tag; ~ *disciplinaire* Ordnungsstrafverfügung *f;* ~ *interlocutoire* Vorbescheid *m;* ~ *passé en force de chose jugée, définitif* rechtskräftige(s) U.; ~ *pénal, criminel* Strafurteil *n;* ~ *de rejet, de débouté* Klageabweisung *f;* ~ *de remise de cause* aufschiebende(s) U., Vertagungsentscheid *m;* **~eote** [-ɔt] *f pop: avoir de la* ~ Köpfchen, Grips haben.

juger [ʒyʒe] *1. jur* richten, urteilen *itr; il ~e de manière impartiale* er urteilt unparteiisch (*dans une affaire* in e-r Angelegenheit); ~ *qn* über jdn zu Gericht sitzen; ~ *qc* über e-e S urteilen; ~ *un différend* einen Streit schlichten; ab=urteilen (*qn* jdn); *le tribunal a ~é* das Gericht hat gesprochen; **2.** *(donner son avis)* entscheiden (*qc* über e-e Sache); *il est difficile d'en* ~ darüber kann man schlecht entscheiden; ~ *qn* od *qc* jdn *od* e-e S beurteilen; ~ *de qc* etw schätzen; *autant qu'on puisse en* ~ soweit sich das beurteilen läßt; **3.** *(avoir une opinion)* (es) halten für; *je ~e cette tentative prématurée* ich halte den Versuch für verfrüht; meinen, glauben, der Ansicht sein (*que* daß), befinden (*bon, nécessaire,* für gut, für nötig); sich e-n Begriff, e-e Vorstellung machen *(qc* von etw), sich vor=stellen, (sich) denken; schätzen (*de qc* etw); *je le jugeais plus âgé* ich schätzte ihn älter; *jugez de ma surprise!* stellen Sie sich meine Überraschung vor!; *(Sinnesorgan)* erkennen, unterscheiden; **4.** *se* ~ zur Entscheidung, zur Aburteilung kommen; *l'affaire se ~e à l'automne* die Sache kommt im Herbst vor Gericht; **5.** *se* ~ sich selbst beurteilen, sich halten (*qc* für etw): *il se jugeait un grand personnage* er hielt sich für eine wichtige Person; **6.** *(expressions) acquérir l'autorité de la chose*

~ée Rechtskraft erlangen; *~ sur l'apparence* nach dem Äußeren, nach dem (äußeren) Schein urteilen; *~ d'autrui par soi-même* von sich auf andere schließen; *~ à propos de faire qc* es für angebracht halten, etw zu tun; *faites comme vous ~ez bon* machen Sie es, wie Sie es für richtig halten; *~ez!* denken Sie mal! stellen Sie sich vor! *vous ~ez bien ...* Sie können sich denken, ...; *~ez par vous-même!* urteilen Sie selbst! überzeugen Sie sich persönlich davon! *il en ~e comme un aveugle des couleurs* er versteht davon soviel wie die Katze vom Sonntag.

jugul|aire [ʒygylɛr] *a anat* Kehl-; *s f mil* Sturmriemen *m; serrer la ~* den Helm fester schnallen; *(veine) ~ f anat* Drosselader *f;* **~er** *(Sache)* unterbinden, *(Geschäft)* vereiteln; *(Krankheit)* unterdrücken.

juif, ive [ʒɥif, -iv] *a* jüdisch, Juden-; *J~, ive s m f* Jude *m,* Jüdin *f; petit ~ (anat fam)* Musikantenknochen *m; J~ errant* Ewige(r) Jude; *fam* Reiseonkel *m.*

juillet [ʒɥijɛ] *m* Juli *m;* **~tiste** *m f* Juliurlauber(in *f*) *m.*

juin [ʒɥɛ̃] *m* Juni *m.*

juiverie [ʒɥivri] *f péj* Judenvolk *n,* (die) Juden *m pl.*

jujub|e [ʒyʒyb] *m bot* Brustbeere *f; pharm* Brustbeersaft *m;* **~ier** *m* Judendorn, Brustbeerenbaum *m.*

juke-box [(d)ʒukbɔks] *m* Musikautomat *m.*

julep [ʒylɛp] *m* Heiltrank *m.*

Jul|es [ʒyl] *m* Julius; *j~ (arg)* Zuhälter *m;* **j~ien, ne** *a astr* julianisch; *J~ne s f* Juliane *f; j~ne (bot)* Nachtviole; Gemüsesuppe *f;* **J~iers** [-je] *f geog* Jülich *n;* **J~iette** *f* Julia *f.*

jumbo [ʒœ̃bo] *m* Jumbo *m;* **~-jet** *m* Jumbo(-Jet) *m.*

jum|eau, elle [ʒymo, -ɛl] *a* Zwillings- *a. tech,* Doppel-; *(Zimmer)* nebenea.-liegend; *s m f* Zwilling(sbruder *m,* -sschwester *f*) *m; f tech* Seitenwand, Wange; Gabel *f; mot* Gehänge *n,* Lasche; *mar (Mast)* Schale *f; f (pl)* Fernglas; *(~elle(s) de théâtre)* Theater-, Opernglas *n; (~elle(s) de campagne)* Feld-, Krimstecher *m; accoucher de ~x* mit Zwillingen nieder=kommen; *bains m pl ~x* Doppelbad *n; disposition f ~elle (tech)* Zwillingsanordnung *f; frère m ~, sœur f ~elle* Zwillingsbruder *m,* -schwester *f; lits m pl ~x* Doppel-, Ehebetten *n pl; ~x m pl monozygotes* eineiige Zwillinge *m pl; ~elles-lunettes f pl* Brillenfernglas *n; ~elle(s) f (pl) (de) marine* Marineglas *n; ~elle(s) f (pl) périscopique(s)* Scherenfernrohr *n; ~elle(s) f (pl) à prismes* Prismenglas *n,* -feldstecher *m;* **~elage** *m* (Städte-)Partnerschaft *f;* **~elé, e** mitea. verbunden, gekoppelt; Doppel-; *billet m ~ (Lotterie)* Doppellos *n; maison f ~e* Doppelhaus *n; pneus m pl ~s (mot)* Doppelreifen *m pl; ville f ~e* Partnerstadt *f;* **~eler** *(zwei gleiche Dinge)* mitea. verbinden, koppeln; *mar (Mast)* verstärken; *se ~* e-e (Städte-)Partnerschaft ein=gehen.

jument [ʒymɑ̃] *f* Stute *f; ~ poulinière* Zuchtstute *f.*

jungle [ʒɔ̃(œ̃)gl] *f* Dschungel *m* od *n* od *f.*

junior [ʒynjɔr] *a* jünger; junior; *sport* Jugend-; *chef m ~* Juniorchef *m; épreuves f pl pour ~s* Jugendwettkämpfe *m pl.*

junipérus [ʒyniperys] *m bot* Wacholder *m.*

jup|e [ʒyp] *f* (Frauen-)Rock; Rockschoß *m; ~ arrêtée au-dessus des genoux* kniefreie(r) Rock *m; ~ à bretelles* Trägerrock *m; ~ courte, mini-jupe* kurzer Rock, Minirock *m; ~ cloche, de paysanne, portefeuille* Glokken-, Dirndl-, Wickelrock *m; ~ du piston (tech)* Kolbenmantel *m;* **~on** *m* Unterrock *m; fam* Weibsbild *n; courir le ~ (fam)* den Weibern nach=laufen; **~onner** mit e-m Unterrock versehen; rockartig gestalten.

jur|assien, ne [ʒyrasjɛ̃, -ɛn] *geog* Jura-; **~assique** *a geol* Jura-; *s m* Jura(formation *f*) *m; ~ brun, supérieur* braune(r), weiße(r) Jura *m.*

jur|é, e [ʒyre] *a* be-, vereidigt; *s m jur* Geschworene(r) *m; fig: ennemi m ~* geschworene(r), erklärte(r) Feind *m;* **~ement** *m* Schwur; Fluch *m;* **~er** *tr* (be)schwören, (*par* bei), eid(esstatt)lich versichern, geloben (*de faire qc* etw zu tun), beteuern (*que* daß); *itr* e-n Eid ab=legen, schwören (*sur* auf *acc*); *~ sur l'Évangile* auf das Evangelium s., *~ sur tous ses saints* bei allen Heiligen s., fluchen, lästern; *fig* sich nicht vertragen, sich beißen (*avec* mit), nicht passen (*avec* zu); *ne ~ que par qn* auf jdn schwören, große Stücke auf jdn halten, jdm blind ergeben sein, blindlings folgen; *il ne faut ~ de rien* man soll nie zuviel versprechen; man kann nie wissen; *j'en jurerais* ich möchte darauf schwören; *je vous ~e (fam)* darauf können Sie Gift nehmen.

jur|idiction [ʒyridiksjɔ̃] *f* Gerichtsbarkeit; Zuständigkeit *f (e-s Gerichts);* Gericht(sbezirk *m*) *n; (degré m de ~)*

Instanz *f;* Rechtsprechung, Rechtspflege *f; fig* Richter *m,* Forum *n; cela n'est pas de votre ~* das geht Sie nichts an; *distraction f de ~* Verweisung *f* an ein anderes Gericht; *lieu m de ~* Gerichtsstand *m; ordre m de ~* Instanzenzug *m; ~ administrative, arbitrale, consulaire, criminelle* od *pénale, disciplinaire, gracieuse* od *non contentieuse* od *volontaire, militaire, des mineurs, du travail* Verwaltungs-, Schieds-, Konsular-, Straf-, Disziplinargerichtsbarkeit, freiwillige Gerichtsbarkeit, Militär-, Jugend-, Arbeitsgerichtsbarkeit *f; ~ de jugement* erkennende(s) Gericht *n;* **~idictionnel, le** richterlich; Gerichts(barkeits)-; **~idique** juridisch, juristisch, rechtlich, Rechts-; gerichtlich, rechtsförmig, -gültig; **~idiquement** *adv* gerichtlich; vom Standpunkt des Rechts; **~isconsulte** *m* Rechtsgelehrte(r), Jurist *m;* **~isprudence** *f* Rechtswissenschaft; Rechtsprechung *f;* **~iste** *m* Jurist *m.*

juron [ʒyrɔ̃] *m* (Lieblings-)Fluch *m.*

jury [ʒyri] *m jur* Geschworenen(-bank *f*) *m pl;* Preisgericht *n,* -richter *m pl; chef m du ~* Obmann *m* der Geschworenen; *membre m du ~* Preisrichter *m; ~ d'assises* Schwurgericht *n; ~ d'examen, d'expertise* Prüfungs-, Sachverständigenkommission *f,* -ausschuß *m.*

jus [ʒy] *m* (Frucht-, Fleisch-)Saft; *pop* (schwarzer) Kaffee *m; fam* Benzin *n; fam el* Strom; *(Buchhandel)* Waschzettel *m; jeter du ~ (pop)* (od *en jeter*) Eindruck schinden, geschniegelt und gebügelt sein; *en faire tout un ~* eine lange Brühe um die Angelegenheit machen; *ça vaut le ~ (pop)* das lohnt sich; *~ de citron, de pommes, de raisin* Zitronen-, Apfel-, Traubensaft *m; ~ d'herbes* Kräuteressenz *f,* -extrakt *m; ~ de la treille, de la vigne (poet)* Rebensaft, Wein *m.*

jusant [ʒyzɑ̃] *m* Ebbe *f; courant m de ~* Ebbstrom *m; étale m de ~* Niedrigwasser *n.*

jusée [ʒyze] *f* Loh-, Gerbbrühe *f.*

jusqu|e, *poet* **~es** [ʒysk(ə)] *prp* bis; *~'à* bis, bis nach, bis zu; bis an; sogar, selbst (noch); *~'à ce que (conj)* bis (daß) . . .; *~'au bout* bis zum (bitteren) Ende; *~'aux genoux* bis an die Knie, zu den Knien; *~'à la mort* bis zum Tode, bis in den Tod; *~'à nouvel ordre* bis auf weiteres, bis auf Widerruf; *~'à ce point* so weit; *~'à quel point* wieweit; *~'à présent* bis jetzt; *~'à quand* wie lange (noch), bis wann; *du matin ~'au soir* von früh bis spät, ununterbrochen, unaufhörlich; *~'aujourd'hui* bis heute; *~es et y compris . . .* bis einschließlich . . .; *~'à ces dernières années* noch in den letzten Jahren; *~'ici* bis hierher *a. fig;* bis jetzt; *~e là* bis da-, dorthin; *fig* so weit; *~'où* bis wohin, wie weit; *fig* wieweit; *aller ~'à faire qc* so weit gehen, etw zu tun, sogar etw tun; *être enfoncé ~'au cou dans qc (fig)* ganz in e-r S auf≈gehen; *torturer ~'au sang* bis aufs Blut peinigen; *j'en ai ~e là (fam)* es hängt mir zum Halse raus; mir langt's, reicht's.

jusqu'abou|tisme [ʒyskobutizm] *m* Kampf *m* bis zum letzten Mann; *a.* fanatischer Wille *m,* e-n Plan durchzuführen; **~tiste** *m* Unentwegte(r); Anhänger *m* des totalen Krieges.

jusquiame [ʒyskjam] *f* Bilsenkraut *n.*

justaucorps [ʒysto(ɔ)kɔr] *m hist* (enganliegender) Überrock *m;* leichte(s) Korselett *n* mit Halbrock.

jus|te [ʒyst] *a* gerecht *a. rel;* rechtlich, billig; richtig; rechtmäßig, berechtigt, begründet; angebracht, angemessen; *jur* gültig; passend *(a. Kleidung);* (zu) eng (anliegend), knapp; *(Instrument)* genau; gut; *(Uhr)* richtig-, genaugehend; *(Sinn)* scharf, *mus* (klang)rein; *adv* richtig; genau; gerade; pünktlich; *s m* Gerechte(r) *m;* (das) Rechte; *au ~* genau *adv;* im letzten Augenblick; *au plus ~* aufs Haar; *à ~ prix* nicht zu teuer, zu e-m angemessenen Preis; *à ~ titre* mit (vollem) Recht; *comme (de) ~ (fam)* wie es sich gehört; selbstverständlich; *midi ~* Punkt 12 (Uhr); *tout ~* ganz recht; mit knapper Not, (gerade) so eben (noch); *aller ~ (Kleidung)* genau passen, sitzen; *avoir ~ de quoi vivre, arriver ~* gerade sein Auskommen haben, aus≈, *fam* hin≈kommen; *être chaussé (trop) ~* (zu) enge Schuhe an≈haben; *dormir du sommeil du ~* den Schlaf des Gerechten schlafen; *ne savoir au ~* nicht recht wissen; *toucher ~* das Richtige treffen; *c'est ~* das stimmt; *~ ciel! ~ Dieu!* gerechter Himmel! großer Gott! *~ cause f, titre m* Rechtsgrund, -titel *m; m; ~-milieu m* richtige Mitte, goldene(r) Mitte(lweg *m*) *f;* **~tement** [-stə-] *adv* mit Recht; genau, gerade; gerade, (so-)eben, im Augenblick, im Moment; **~tesse** *f* Richtigkeit; Genauigkeit; *(Sinn)* Schärfe; *mus* (Klang-)Reinheit *f; avec ~* genau, gut; *de ~* mit knapper Not, (gerade) so eben (noch); *~ de pensée* folgerichtige(s), logische(s) Denken *n; ~ du tir* Treffsicherheit *f.*

just|ice [ʒystis] *f* Gerechtigkeit *f;*

Recht *n;* Rechtlichkeit, Billigkeit; Justiz, Rechtspflege *f,* -wesen; Gericht(sbarkeit, -behörde *f,* -hof *m*) *n; en* ~ vor Gericht; *agir, faire des démarches en* ~, *recourir à la* ~ gerichtlich vor=gehen (*contre qn* gegen jdn); *appeler, citer en* ~ vor Gericht laden; *avoir la* ~ *de son côté* das Recht auf s-r Seite haben; *déférer qn à la* ~, *traduire qn en* ~ jdn gerichtlich belangen, vor Gericht bringen; *demander* ~ Gerechtigkeit, sein Recht fordern; *faire* ~ ein gerechtes Urteil fällen; ein Todesurteil vollstrecken; *faire, rendre* ~ *à qn* jdm zu s-m Recht verhelfen, jdm Gerechtigkeit widerfahren lassen *a. fig; faire* ~ *de qn* jdn ab=urteilen; *faire* ~ *de qc* etw *(Fehler)* auf=decken, etw für falsch erklären; *se faire* ~ sich sein Recht nehmen, zur Selbsthilfe greifen; sich selbst richten; *mettre, poursuivre en* ~ *(Person)* vor Gericht bringen; *(Sache)* ein=klagen; *rendre* ~ *à qn* jdm Gerechtigkeit widerfahren lassen; *rendre la* ~ Recht sprechen, Gericht halten; *administration f de la* ~ Rechtspflege *f; capacité f d'ester en* ~ Prozeßfähigkeit *f; cour f de* ~ Gerichtshof *m; demande f en* ~ Klage *f,* Rechtsbegehren *n; descente f de* ~ Lokaltermin *m,* Haussuchung *f; droits m pl de* ~ Gerichtsgebühren *f pl; erreur f de* ~ Justizirrtum *m; ordonnance f de* ~ Gerichtsbeschluß *m; palais m de* ~ Justizpalast *m,* Gerichtsgebäude *n; repris m de* ~ Vorbestrafte(r) *m;* ~ *civile, criminelle* od *pénale, militaire, commerciale* Zivil-, Straf-, Militär-, Handelsgerichtsbarkeit *f;* ~ *de classe(s)* Klassenjustiz *f;* ~ *commutative* ausgleichende Gerechtigkeit *f;* ~ *divine, humaine* göttliche, menschliche Gerechtigkeit *f;* ~ *de paix* Friedensrichter(amt *n*) *m;* ~ *de ressort* Berufungsgericht *n;* **~iciable** *a: être* ~ *d'un tribunal* der Gerichtsbarkeit e-s Gerichts unterworfen sein, der Zuständigkeit e-s Gerichts unterliegen; **~icier** *m* Gerichtsherr *m;* **~ifiable** zu rechtfertigen(d); vertretbar; nachweisbar; **~ificateur, trice** *a* rechtfertigend; **~ificatif, ive** *a* beweiskräftig, rechtfertigend; Rechtfertigungs-; Beweis-, Beleg-; *mémoire m* ~ Rechtfertigungsschrift *f; moyen m* ~ Beweismittel *n; pièce f ~ificative* Beweis(-stück *n*), *bes. com* Beleg(stück *n*) *m;* **~ification** *f* Rechtfertigung *f a. rel;* Be-, Nachweis *m; typ* Satzbreite; Justierung; *(Buchhandel)* Remission *f;* ~ *de capacité* Befähigungsnachweis *m;* **~ifié, e** *a* berechtigt, begründet; **~ifier** *tr* die Unschuld be-, nach=weisen (*qn* jds); rechtfertigen, begründen; als berechtigt, begründet erweisen; recht geben (*qn, qc* jdm, e-r S *dat*); *typ* justieren, aus=gleichen; *itr* den Beweis liefern, den Nachweis erbringen (*de* für), nach=weisen (*de qc* e-e S); *(Buchhandel)* remittieren; *se* ~ *de qc devant qn* etw vor jdm verantworten; sich gegenüber jdm wegen e-r S rechtfertigen; ~ *d'une condition* e-e Bedingung erfüllen; ~ *de son identité* sich aus=weisen; *la fin ~e les moyens* der Zweck heiligt die Mittel; *les événements ont ~é son opinion* die Ereignisse haben ihm recht gegeben.

jute [ʒyt] *m bot (Textil)* Jute *f; filature f de* ~ Jutespinnerei *f.*

jut|er [ʒyte] *fam* Saft geben, saftig sein; **~eux, se** *a* saftig; *s m arg mil* Spieß *m (Hauptfeldwebel).*

juvénil|e [ʒyvenil] jugendlich; **~ité** *f* Jugendlichkeit *f.*

juxta|linéaire [ʒykstalineɛr] *a (Übersetzung)* mit Gegenüberstellung der Zeilen; **~poser** nebenea.=stellen, -setzen, -legen; **~position** *f* Nebenea.=stellen, -setzen; Anea.setzen, -reihen *n; chem geol* Anlagerung; *tech* Verbundanordnung *f.*

K

kakatoès [kakatɔɛs] *m s. cacatoès.*
kaki [kaki] **1.** *s m* Kakifeige *f;* **2.** *a inv* k(h)akifarben, erdgrau.
kaléidoscope [kaleidɔskɔp] *m* Kaleidoskop *n.*
kali [kali] *m* Salzkraut; *chem* Kali *n.*
kamikaze [kamikaze] *a* Kamikaze-; *s m* Kamikazeflieger, -fahrer *m.*
kan, khan [kɑ̃] *m* **1.** Khan *m;* **2.** Karawanserei *f;* Basar *m.*
kangourou [kɑ̃guru] *m zoo* Känguruh *n.*
kaolin [kaɔlɛ̃] *m* Porzellanerde *f,* Kaolin *n* od *m.*
kapok [kapɔk] *m* Kapok *m,* Pflanzenwolle *f;* **~ier** *m* Kapokwollbaum *m.*
karaté [karate] *m* Karate *n;* **~ka** *m f* Karatekämpfer(in *f*) *m.*
Karpates, les [karpat] *f pl geog* die Karpaten *pl.*
kayac, kajac [kajak] *m* Kajak *m* od *n.*
kébab [kebab] *m* Schaschlik *m* od *n.*
kénotron [kenɔtrɔ̃] *m radio* Gleichrichterröhre *f.*
képi [kepi] *m mil (a. Polizei, Post)* Schirmmütze *f.*
kérat|ine [keratin] *f* Keratin *n,* Hornstoff *m;* **~ite** *f* Hornhautentzündung *f;* **~oplastie** *f* Hornhautübertragung *f;* **~ose** *f* Keratom *n,* Schwiele *f.*
kermesse [kɛrmɛs] *f* Kirmes, Kirchweih *f; allg* Volksfest *n.*
kérosène [kɛrɔzɛn] *m* Petroleum, Kerosin *n.*
kidnap|per [kidnape] entführen; **~peur, se** *m f* Entführer(in *f*) *m.*
Kiel [kil] : *canal m de ~* Nord-Ostsee-Kanal *m.*
kif(-)kif [kifkif] *inv* gleich, egal, schnuppe, Wurst.
kiki [kiki] *m arg* Hals *m.*

kilo- [kilo] *(in Zssgen)* Kilo-; tausend; **~calorie** *f* Kilo(gramm)kalorie, große Kalorie *f;* **~cycle** *m radio* Kilohertz *n;* **~(gramme)** *m* Kilo(gramm) *n;* **~grammètre** *m phys* Kilogrammeter *n;* **~litre** *m* Kiloliter *m* od *n;* **~métrage** *m* Kilometerzahl, Entfernung *f* in Kilometern; *mot* Kilometerstand *m;* **~mètre** *m* Kilometer *m; ~-essieu m* Achskilometer *m; ~-heure m* Stundenkilometer *m;* **~métrer** mit Kilometersteinen versehen; **~métreur** *m* Kilometerzähler *m;* **~métrique** *a: borne f ~* Kilometerstein *m;* **~watt(-heure** *f*) [-vat(œr)] *m el* Kilowatt(stunde *f*) *n.*
kimono [kimɔno] *m* Kimono *n.*
kinescope [kinɛskɔp] *m tele* Bildröhre *f.*
kinési|thérapie [kineziterapi] *f* Massage u. Heilgymnastik *f;* **~thérapeute** [-pøt] *m f* Heilgymnastiker *m.*
kinesthésie [kinɛstezi] *f (Physiologie)* Bewegungsempfindungen *f pl.*
kiosque [kjɔsk] *m* Pavillon; Kiosk *m; tech* Häuschen *n; (U-Boot)* Turm *m; ~ de distribution (el)* Schalthäuschen *n; ~ à fleurs* Blumenkiosk, -stand *m; ~ à journaux* Zeitungskiosk, -stand *m; ~ à musique* Musikpavillon *m; ~ à rafraîchissements* Erfrischungshalle *f.*
kirsch [kirʃ] *m* Kirsch(wasser *n*) *m (Schnaps).*
klaxon [klaksɔn] *m* Hupe *f;* **~ner** hupen.
kleptoman(i)e *s. cleptoman(i)e.*
knock-out [(k)nɔkawt, knɔkut] *m (Boxen)* Knockout, Niederschlag *m; mettre qn ~* jdn k. o. schlagen.
knout [knut] *m* Knute *f.*
kola [kɔla] *m bot* Kola *f; noix f de ~* Kolanuß *f.*
kolkhoz|e [kɔlkoz] *m* Kolchos *m,* Kolchose *f;* **~ien, ne** *m f* Kolchosbauer *m,* -bäuerin *f.*
korrigan, e [kɔrigɑ̃, -an] *m f (Bretagne)* Kobold *m,* böse Fee *f.*
krach [krak] *m* (finanzieller) Zs.bruch *m, fam* Pleite *f;* Börsenkrach *m.*
kraft [kraft] *m* starke(s) Packpapier *n.*
Kremlin, le [krɛmlɛ̃] der Kreml; **k~ologue** *m f pol* Kremlforscher(in *f*) *m.*
krypton [kriptɔ̃] *m chem* Krypton *n.*
kummel [kymɛl] *m* Kümmel *m (Schnaps).*
kymrique [kimrik] *a* kymrisch, walisisch.
kyrielle [kirjɛl] *f* Litanei; *fam* lange Leier *f,* (Wort-)Schwall *m.*
kyste [kist] *m med* Zyste *f; ~ sébacé* Grützbeutel *m; ~ synovial* Überbein *n;* **~ux, se** zystenartig.

L

la [la] **1.** *s. le;* **2.** *m mus* a, A *n; donner le ~ (fig)* den Ton an=geben; *~ bémol* as, As *n; ~ normal* Kammerton *m.*

là [la] *adv* da, dort; da-, dorthin; *(zeitl.)* da, dann; *fig* dabei; (bis) dahin; darauf hinaus; darin; *interj* da (haben wir's)! *~ interj* nun, schon gut; *oh! ~!* ach was! o weh! ~ ..., ~ ... hier ..., dort ...; *à ce moment-~* in d(ies)em Augenblick; *à quelque temps de ~* einige Zeit später, darauf; *çà et ~* bald hierhin, bald dorthin; *celui-~, celle-~, ceux-~, celles-~* jene(r, s), der, die, das, *pl* die da, dort; *cet homme-~* d(ies)er Mensch da; *de ~* von dort, dorther; *(kausal)* daher; *d'ici ~, jusque-~* bis dahin; *par ~* daher, dadurch, da vorbei; *fig* damit; *par-ci par-~* bald hier(hin), bald dort(hin); hier u. da; *(zeitl.)* hin u. wieder, dann u. wann, von Zeit zu Zeit, mitunter; *~-contre, ~-dedans, ~-dessus, ~-dessous* dagegen, darin *od* hinein, darüber, -unter; *~-haut, ~-bas* da oben, da unten *od* da hinten; *être un peu ~ (pop)* gut beisammen *od* nicht bange sein; *planter ~* stehen=lassen, warten lassen, versetzen; *je n'en suis pas encore ~* ich bin noch nicht soweit; *j'en passe par ~* es bleibt mir nichts anderes übrig, ich komme nicht darum herum; *que dites-vous ~?* was sagen Sie da? *que voulez-vous dire par ~?* was wollen Sie damit sagen? *vous avez fait ~ un joli coup* da haben Sie etwas Schönes, *fam* schön was angerichtet; *qui va ~?* wer (ist) da? *restons-en-~* bleiben wir dabei!

label [labɛl] *m* Anhänger *m,* Etikett, Schild(chen) *n; ~ de garantie* Garantiezeichen *n; ~ de qualité* Gütezeichen *n.*

labeur [labœr] *m* mühsame, mühevolle Arbeit, Mühe *f; typ* Werkdruck, -satz *m; bêtes f pl de ~* Arbeitstiere *n pl.*

la|bial, e [labjal] *a anat gram* Lippen-; *s f* Lippenlaut *m; ~***bié, e** *a bot* lippenförmig; *f pl* u. *~***biacées** *f pl* Lippenblütler *m pl.*

labile [labil] *a* schwankend; *fig* schwach; *chem biol* labil.

labo [labo] *m fam* Labor(atorium) *n; ~***rantine** [-bɔ-] *f* Laborantin *f; ~***ratoire** *m* Labor(atorium) *n; essai m de ~* Labor(atoriums)versuch *m; ~ d'analyse, de recherche* Untersuchungs-, Forschungsanstalt *f; ~ de langues* Sprachlabor *n; ~ photo* Fotolabor *n,* Bildstelle *f; ~ spatial* (Welt-)Raumlabor *n; ~***rieux, se** *(Person)* arbeitsam, fleißig, rührig; *(Sache)* schwer, schwierig, mühsam, -selig, mühevoll; *(Stil)* schwerfällig.

labour [labur] *m* Bodenbearbeitung; Feldbestellung, -arbeit *f; pl* bestellte(s), Acker- *od* Gartenland *n; cheval m de ~* Ackerpferd *n, fam* -gaul *m; ~***able** *(Boden)* zu bearbeiten(d); kultivierbar; *~***age** *m* Pflügen, Umgraben, Hacken *n; allg* Ackerbau *m; ~***é, e** *(Stirn)* zerfurcht; *champ m ~* Sturzacker *m; ~***er** *tr* pflügen, um=graben, hacken; bestellen, bearbeiten; um=, auf=, zerwühlen, auf=reißen; *(Gesicht)* zerkratzen; *fig* bearbeiten; *~***eur** *m* Pflüger; Acker-, Landmann *m.*

labyrinth|e [labirɛ̃t] *m* Labyrinth *n a. fig anat;* Irrgarten *m; fig* Gewirr *n,* Wirrwarr *m,* Durcheinander *n,* Verzwicktheit *f; ~***ique** labyrinthisch, labyrinthartig.

lac [lak] *m* See *m; c'est dans le ~ (pop)* es ist im Eimer; *~ d'accumulation, de retenue* Stausee *m; ~ glaciaire* Gletschersee *m; ~ lacrymal (anat)* Tränensack *m; ~ de montagne, salé* Gebirgs-, Salzsee *m.*

laccifère [laksifɛr] *a bot* lacktragend; Lack-.

laccolit(h)e [lakɔlit] *m geol* (vulkanische) Kuppe *f.*

lacé [lase] *m* venezianische(s) Glas *n.*

lacer [lase] *tr* (ein=, ver-, zu=)schnüren.

lacé|ration [laserasjõ] *f* Zer-, Abreißen *n; ~***rer** *tr* ab=, zerreißen, zerfetzen; *jur (Schriftstück)* vernichten.

lacer|tiens, ~tiliens [lasɛrtjɛ̃, -tiljɛ̃] *m pl* Schuppensaurier *m pl.*

lacet [lasɛ] *m* Schnürband *n,* -senkel *m,* Schnur; Schlinge *f (Falle); (Straße)* Kehren, Schleifen *f pl; (Scharnier)* Stift *m.*

lâch|e [lɑʃ] *a* locker, lose *(a. Gewebe),* schlaff; *(Netz)* weit(maschig); *fig* feige; niederträchtig, schändlich, gemein; *s m* Feigling *m, fam* Memme *f; ~***er 1.** *itr (céder)* reißen, *fig* versagen; *la corde a ~é* das Seil ist gerissen; *ses nerfs ont ~é* seine Nerven versagten; **2.** *tr (diminuer la tension)* lockern; ~ *la ceinture d'un cran* den Gurt um eine Öffnung lockern; ~ *la bride, la main* die Zügel schießen lassen *a. fig* (*à qn, à qc* dat); ~ *la bride à ses passions* seinen Trieben freien Lauf lassen; los=machen, -lassen; frei laufen, fliegen, schwimmen, gehen=, fahren=lassen; *lâchez-moi!* lassen Sie mich los! ~ *des pigeons* Brieftauben auf=lassen; *faire ~ prise à qn* jdm die Beute wieder ab=jagen; ~ *un coureur (arg sport)* einen Läufer ab=hängen; *(Dampf)* ab=lassen; *(Wasser)* ab=, aus=laufen lassen; *(Hahn)* auf=drehen, *(Spund, Schleuse)* öffnen; *(Abzug)* los=lassen; **3.** *(donner) (Stoß, Tritt)* versetzen; *(Schuß)* ab=geben (*sur qn* auf jdn), verpassen *(dat)*; los=lassen, hetzen (*sur, après* auf *acc*); ~ *les chiens sur qn* auf jdn die Hunde los=lassen; **4.** *(laisser échapper) (Gegenstand)* los=, fallen lassen; *fig* los=, steigen, *(Wort)* fallen=lassen, äußern, von sich geben, in die Welt setzen, *voilà le grand mot ~é!* nun ist das große Wort gefallen! *fam* ~ *des bêtises* Unsinn verzapfen; *(Geheimnis)* preis=geben, lüften; *(Dummheit)* machen, begehen; *(Recht, Wohnung)* auf=geben, verzichten (*qc* auf e-e S); *(Geld)* her=geben, *fam* heraus=rükken; *ne pas ~ qn d'un pas* jdm auf Schritt und Tritt folgen; ~ *prise, pied* los=lassen *itr; fig* es auf=geben; **5.** *fam (abandonner)* fallen=lassen, im Stich lassen; *il a ~é sa femme* er hat seine Frau im Stich gelassen; *sa femme l'a ~é pour un autre* seine Frau ist ihm mit einem anderen durchgegangen; **~eté** *f* Feigheit *f;* feige(s) Verhalten *n;* Schändlichkeit, Niederträchtigkeit, Gemeinheit *f;* **~eur, se** *m f fam* treulose Tomate *f.*

lac|inié, e [lasinje] *bot zoo* gelappt; **~is** [-si] *m* Netz; netzartige(s) Gewebe *n.*

lacon|ique [lakɔnik] lakonisch, kurz (angebunden); *(Stil)* gedrängt, knapp; **~iquement** *adv* kurz (u. bündig); **~isme** *m* Kürze; Knappheit, Gedrängtheit *f.*

lacrym|al, e [lakrimal] *a anat* Tränen-; *canal, conduit, sac m, glande f ~(e)* Tränengang, -kanal *m,* -kanälchen *n,* -sack *m,* -drüse *f;* **~ogène** *a gaz ~ m* ~ Tränengas *n.*

lacs [lɑ] *m* (dünne) Schnur; Schlinge *(Falle); fig* Fall(strick)e *f (m pl); tendre des ~ à qn (fig vx)* jdm e-e Falle stellen.

lact|aire [laktɛr] *a* Milch-; *s m* Milchling *(Pilz) m;* **~arium** *m* Milchsammelstelle *f;* **~ate** *m* milchsaure(s) Salz *n;* **~ation** *f* Milchabsonderung *f;* **~é, e** milch(art)ig; Milch-; *blanc* ~ milch(ig)weiß; *diète f, régime m ~(e)* Milchkur *f; fièvre f ~e* Milchfieber *n; voie f ~e (astr)* Milchstraße *f;* **~escence** *f* milchige Beschaffenheit *f;* **~escent, e** milch(art)ig; *bot* milchend, mit Milchsaft; **~ifère** *anat* Milch-; *conduit m* ~ Milchdrüsenschlauch *m;* **~ique** *a chem* Milch-; *acide m* ~ Milchsäure *f;* **~o(-densi)mètre** *m* Milchmesser *m;* **~ose** *f* Milchzucker *m.*

lacun|e [lakyn] *f* Lücke *f a. fig,* Fehlende(s) *n; sans* ~ lückenlos, vollständig; *combler les ~s (Text)* ergänzen (*de qc* etw); **~eux, se** lückenhaft, unvollständig.

laçure [lasyr] *f (Mode)* Schnüren *n.*

lacustre [lakystr] *a bot zoo* See-, Teich-, Sumpf-; *cité f, habitations f pl ~(s)* Pfahldorf *n,* -bauten *m pl.*

ladre [ladr] *a (Schwein)* finnig; *fig* filzig, knauserig, geizig; *s m* Geizhals, -kragen, Knauser *m;* **~rie** [-drə-] *f med vx* Finnen *f pl; fig vx lit* Geiz *m,* Knauserei *f.*

lag|on [lagɔ̃] *m,* **~une** *f* Lagune *f.*

lai, e [lɛ] *a* Laien-; *s m f* u. *frère m, sœur f ~(e)* Laienbruder *m,* -schwester *f.*

laïc [laik] *a m s. laïque;* **~isation** [-si-] *f* Verweltlichung *f;* **~iser** *(e-e kirchl. Einrichtung)* verstaatlichen; entkirchlichen, verweltlichen; **~isme** *m,* **~ité** *f* weltliche(r) Charakter *m.*

laîche [lɛʃ] *f bot* Riedgras *n,* Segge *f.*

laid, e [lɛ, -ɛd] häßlich, garstig; *fig* abscheulich, schändlich, niederträchtig, gemein; ~ *comme un pou, une chenille* häßlich wie die Nacht, grundhäßlich; **~eron** *m* häßliche Person *f;* **~eur** *f* Häßlichkeit; *fig* Abscheulichkeit, Schändlichkeit *f.*

laie [lɛ] *f* **1.** *zoo* Bache, Wildsau; **2.** *(Wald)* Schneise *f;* **3.** Spitzer *m (d. Steinmetzen);* Schlageisen *n.*

lain|age [lɛnaʒ] *m* Vlies, Schaffell *n,* Rohwolle *f (e-s Schafes); (Tuch)* Aufrauhen, Kratzen; Wollgewebe *n,* -stoff *m; pl* Wollwaren *f pl;* **~e** *f* Wolle *f;* Wollgarn *n;* wollene Kleidung *f;* Wollhaar *n, fam* Putzwolle *f; se laisser manger la ~ sur le dos (fig)* sich das Fell über die Ohren ziehen lassen; *bêtes f pl à* ~ Wolltiere *n pl; brin m de* ~ Wollhaar *n; étoffe f, fil m de* ~ Wollstoff *m,* -garn *n; lavage m, filature, teinturerie f, tissage m de* ~ Wollwäscherei, -spinnerei, -färberei, -weberei *f; pure ~ (a)* reinwollen; ~ *artificielle, de cellulose* Kunst-, Zellwolle *f; ~ de bois* Holzwolle *f; ~ de brebis* Schafwolle *f; ~ cardée* Streichwolle, kurzstapelige W.; ~ *crue* Rohwolle *f; ~ mère* Kern-, Oberwolle *f; ~ de nettoyage* Putzwolle *f; ~ peignée* Kamm-, langfas(e)rige W.; ~ *à repriser, à tricoter* Stopf-, Strickwolle *f; ~ de toison* Schurwolle *f; ~ de verre* Glaswolle *f;* **~er** *v* auf=rauhen, kratzen; *s m* gerauhte Oberfläche *f (e-s Stoffes);* **~erie** *f* Wollfabrikation *f,* -handel *m;* Wollwaren(handlung *f*) *f pl;* **~euse** *f* Rauhmaschine *f;* **~eux, se** wollig; *bot* wollhaarig; **~ier, ère** *a* Woll-; *s m f* Wollwarenhändler(in *f*); Wollarbeiter(in *f*) *m; industrie f ~ère* Wollindustrie *f.*

laïque [laik] *a* weltlich, Laien-; *s m f* Laie *m; école f ~* staatliche Schule *f.*

laisse [lɛs] *f* **1.** (Hunde-)Leine; Koppel *f;* Hutband *n; tenir en ~ (Hund)* an der Leine, *(Menschen)* am Gängelband führen; **2.** *pl* gehobene Küste *f;* ~ *de basse, haute mer* Schorre; Grenze *f* der Überflutung.

laissées [lese] *f pl* Losung *f (des Schwarzwildes).*

laissé, e-pour-compte [lesepurkɔ̃t] *a (com)* Ausschuß-, ausgesondert; unverkauft; *fig (Mensch)* ausgestoßen; *(Sache)* ausrangiert; *s m f com* Ausschuß(ware *f*) *m;* Ladenhüter *m; fig* Außenseiter(in *f*) *m; ce sont les ~ du progrès* das sind die Leidtragenden *od* Opfer des Fortschritts.

laisser [lese] *tr* (be-, ver-, zurück=, übrig=, liegen=, stehen=)lassen; auf=geben; vergessen; verlieren; *(Ware)* ab=lassen; überlassen, -geben, an=vertrauen (*qc à qn* jdm etw); ~ *à qn à faire qc* es jdm überlassen, etw zu tun; *(Spur, Nachgeschmack, Kind, Erbschaft)* hinterlassen; zu=lassen, gestalten; unter-, *fam* sein=lassen; übergehen, verschweigen; *itr* es gut sein lassen, sich nicht darum kümmern, *fam* haben; *s m: ne pas ~ de (vx)* nicht unterlassen, nicht auf=hören zu; *se ~ aller* sich gehen=lassen; sich hinreißen l. (*à faire qc* etw zu tun); ~ *tout aller* alles (so) laufen l.; ~ *en blanc* leer, frei l.; ~ *le choix à qn* jdm die Wahl l.; ~ *pour compte (com)* wieder zur Verfügung stellen; ~ *de côté* beiseite lassen, aus dem Spiel l.; ~ *à découvert* offen, sehen l.; ~ *qc derrière soi* etw hinter sich l.; ~ *à désirer* zu wünschen übrig=lassen; *se ~ dire* sich sagen l.; ~ *dire les gens* die Leute reden l.; ~ *à la discrétion du juge* dem richterlichen Ermessen überlassen; ~ *dormir* auf sich beruhen l.; ~ *entendre* merken l.; ~ *à entendre, à comprendre* zu verstehen geben; ~ *à l'entrepôt* unter Verschluß legen; unter Zollverschluß l.; ~ *faire qn* jdn gewähren l.; *ne pas ~ de faire qc* nicht verfehlen, versäumen, etw zu tun; *se ~ tout faire* sich alles gefallen l.; ~ *à juger qc à qn* etw jds Urteil überlassen; ~ *là* im Stich lassen; ~ *qn libre de faire qc* (es) jdm anheim=stellen, etw zu tun; ~ *monter, descendre, entrer, sortir* herauf=, hinunter=, herein=, hinaus=lassen; ~ *pour mort* für tot liegen l.; ~ *en paix, en repos* in Frieden, in Ruhe l.; ~ *à part* beiseite l.; ~ *passer* vorbei=lassen; geschehen l.; *se ~ pénétrer* sich aus=horchen l.; ~ *à penser* zu denken geben; ~ *des, de ses plumes (fig fam)* Federn l.; *se ~ porter par le courant (fig)* mit dem Strom schwimmen; ~ *au pouvoir discrétionnaire de qn* es jdm anheim=stellen (*de* zu); ~ *sans provision (com)* ungedeckt lassen; ~ *à qn le soin de faire qc* jdm die Sorge überlassen, etw zu tun; ~ *tomber* fallen l.; ~ *tranquille* in Ruhe l.; ~ *sa vie, (pop) ses os, sa peau, ses bottes* sein Leben lassen müssen, ins Gras beißen müssen; ~ *voir* sehen l., zeigen; *je vous ~e (fam)* ich gehe (jetzt); *~ez (donc)!* lassen Sie (doch) (das)! *c'est à prendre ou à ~* entweder nehmen Sie es oder nicht; *cela ne ~e pas d'être dangereux* das ist trotzdem, nach wie vor, das ist u. bleibt gefährlich; *cela se ~e manger, entendre* das kann man *od* läßt sich essen, läßt sich hören; *il faut bien faire et ~ dire (prov)* tue recht u. scheue niemand.

laisser|-aller [leseale] *m inv* Sichgehenlassen *n,* Ungezwungenheit; Nachlässigkeit, Schlamperei *f;* **~-faire** *m* Wirtschaftsliberalismus *m.*

laissez-passer [lesepase] *m inv* Passierschein *m; ~ frontalier* Grenzschein *m; ~ interzones* Interzonenschein *m; ~ permanent* Dauerpassierschein *m.*

lait [lɛ] *m* Milch *f; bot* Milchsaft *m; monter comme une soupe au ~* leicht auf=brausen; *sucer avec le ~ (fig)* mit der Muttermilch ein=saugen; *il buvait du petit-lait en m'écoutant (fam fig)* er labte sich an meinen Worten; *bidon m de ~* (große) Milchkanne *f; bouteille f à ~* Milchflache *f; café, chocolat m au ~* Milchkaffee *m,* -schokolade *f; chambre f froide à ~* Milchkühlraum *n; cochon m de ~* Spanferkel *n; dent, fièvre f de ~* Milchzahn *m,* -fieber *n; frère m, sœur* *f de* ~ Milchbruder *m,* -schwester *f; petit* ~ Molke *f; pot m au* ~ Milchtopf *m;* -kanne *f; soupe f au* ~ Milchsuppe *f; vache f à* ~ Milch-, *fig* milchende Kuh *f;* ~*d'amande* Mandelmilch *f;* ~ *de beurre* Buttermilch *f;* ~ *bourru* kuhwarme Milch *f;* ~ *en bouteilles* Flaschenmilch *f;* ~ *caillé* dicke, gestandene Milch *f;* ~ *de cire* Möbelpolitur *f;* ~ *clair* Molke *f;* ~ *de chaux* Kalkmilch *f;* ~ *de coco* Kokosmilch *f;* ~ *condensé, concentré* kondensierte Milch, Kondens-, Büchsen-, Dosenmilch *f;* ~ *écrémé, entier* Mager-, Vollmilch *f;* ~ *maternel, maternisé* Mutter-, Säuglingsmilch *f;* ~ *en poudre, sec* Milchpulver *n,* Trockenmilch *f;* ~ *de poule* Eiermilch *f;* ~ *de vache, de chèvre, de brebis* Kuh-, Ziegen-, Schafmilch *f;* ~**age** *m* Milchspeisen *f pl,* -kost *f;* ~**ance,** ~**e** *f* Milch *f (d. Fische); poisson m à* ~ Milch(n)er *m;* ~ *de hareng* Heringsmilch *f;* ~**é, e**: *poisson m* ~ Milch(n)er *m;* ~**erie** *f* Molkerei; Milchwirtschaft *f,* Molkereiwesen, -fach *n;* ~*-coopérative f* Molkereigenossenschaft *f;* ~**eron** *m bot* Sau-, Gänsedistel *f;* ~**eux, se** milch(art)ig; Milch-; *blanc* ~ milch(ig)weiß; ~**ier, ère** *s m f* Milchhändler(in *f*), -mann *m,* -frau *f,* -mädchen *n; m tech* Schlacke *f; f* Milchkuh *f; a* Milch-; *brique f, ciment m de* ~ Schlackenstein, -zement *m; coulée f du* ~ Schlackenabstich *m; industrie f* ~*ère* Milchverwertung *f; produits m pl* ~*s* Molkereiprodukte *n pl; voiture f de* ~ Milchwagen *m.*

laiton [lɛtõ] *m* Messing *n,* Gelbguß *m; fil m, tôle f de* ~ Messingdraht *m,* -blech *n; fondeur m, fonderie f de* ~ Gelbgießer *m,* -gießerei *f;* ~ *rouge* Rotguß *m.*

laitue [lɛty] *f bot* Lattich *m;* ~ *cultivée, à couper, pommée, romaine* Garten-, Schnitt- *od* Stich-, Kopf-, Bindesalat *od* Römische(r) Salat *m.*

laïus [lajys] *m arg (Schule)* Rede, Ansprache *f; faire un* ~ e-e Rede schwingen *od* halten; ~**ser** *fam* schwatzen.

laize [lɛz] *f (Stoff, Papier)* Breite *f; grande, petite* ~ zusätzliche, fehlende B.

lama [lama] *m zoo* Lama *n; rel* Lama *m;* ~**ïsme** *m rel* Lamaismus *m.*

lamantin [lamɑ̃tɛ̃] *m zoo* Lamantin *m.*

lamaserie [lamazri] *f* Lamakloster *n.*

lambeau [lɑ̃bo] *m* (Stoff-, Haut-, Fleisch-)Fetzen, Lappen *m,* Stück *n; geol* Scholle *f; fig* (Bruch-)Stück *n,* Teil *m; en* ~*x* in Fetzen, zerrissen, zerfetzt, zerlumpt, zerschlissen; *s'en aller en* ~*x* zerfallen; *mettre en* ~*x* in Stücke reißen, zerreißen, zerfetzen; ~ *de couches (geol)* Schichtenfolge *f.*

lambin, e [lɑ̃bɛ̃] *s m f* Trödler(in *f*), Bummler, *fam* Bummelant(in *f*) *m; a* bumm(e)lig, langsam; ~**er** [-ine] *fam* (herum)bummeln, -trödeln.

lambrequin [lɑ̃brəkɛ̃] *m (dekorativer kurzer)* Behang *m;* Helmdecke *f.*

lambris [lɑ̃bri] *m* Decken-, Wand-, *bes.* Gipsverkleidung; Täfelung *f;* Paneel *n;* ~ *de verdure, de feuillages* Laubdach *n;* ~**sage,** ~**sement** *m* Verkleiden, Täfeln *n;* ~**ser** *(Decke, Wand)* verkleiden; täfeln; gipsen.

lam|e [lam] *f* Blech *n,* Platte, Tafel *f;* Streifen *m;* Lamelle *f,* Plättchen; *(Jalousie)* Brettchen *n;* Rolladenleiste; *(Messer)* Klinge *f; tech* Blatt, Messer *n;* Planierschar; Welle, Woge *f;* Seegang *m; c'est une bonne, fine* ~ er führt eine gute Klinge; ~ *trop effilée s'ébrèche (prov)* allzu scharf macht schartig; *bain m de* ~*s* Wellenbad *n; visage m en* ~ *de couteau* lange(s), schmale(s) Gesicht *n;* ~ *d'acier* Stahlplatte; Stahlklinge *f;* ~ *d'aiguille (loc)* Weichenzunge *f;* ~ *chargeur (mil)* Ladestreifen *m;* ~ *de couteau* Messerklinge *f;* ~ *d'épée* Degen-, Schwertklinge *f;* ~ *d'étampe* Stanzmesser *n;* ~ *de fond* Grundsee *f;* ~ *fusible (Sicherung)* Schmelzstreifen *m;* ~ *de mica, d'or* Glimmer-, Goldplättchen *n;* ~ *de parquet* Diele *f;* ~ *de rabot* Hobelmesser *n;* ~ *de rasoir* Rasierklinge *f;* ~ *de ressort* Federblatt *n;* ~ *de scie* Sägeblatt *n;* ~**é, e** *a:* ~ *d'or, d'argent* mit Gold- *od* Silberplättchen besetzt; mit Gold- *od* Silberfäden durchwirkt *od* durchzogen; ~**ellaire** blätt(e)rig; facettenartig; ~**elle** [-ɛl] *f bot zoo tech* Lamelle *f,* dünne(s) Blättchen *n;* ~ *de radiateur* Kühlerlamelle *f;* ~**ellé, e** *bot zoo* geblättert, schichtig; Blätter-; ~**elleux, se** *min* schief(e)rig, spaltbar; ~**elliforme** blättchenförmig.

lament|able [lamɑ̃tabl] beklagens-, bejammernswert, bedauerlich; kläglich, jämmerlich; *cris m pl* ~*s* Jammergeschrei *n;* ~**ation** *f* Wehgeschrei, -klagen, Jammern *n; pl rel* Klagelieder *n pl;* ~**er, se** jammern, wehklagen.

lamie [lami] *f zoo* Blauhai *m.*

lamier [lamje] *m bot* Taubnessel *f.*

lamin|age [laminaʒ] *m* (Aus-)Walzen, Strecken *n;* ~**er** (aus≈)walzen, strekken; ~ *à chaud, à froid* warm-, kaltwalzen; ~**erie** *f* Walzwerk *n;* ~**és** *m pl* Walzwerkerzeugnisse *n pl;* ~**eur**

m Walzwerkarbeiter *m;* ~**eux, se** lamellenförmig; *tissu m ~ (anat)* Zellgewebe *n;* ~**oir** *m* Walzmaschine, -anlage *f,* -werk *n; passer au ~ (fig fam) tr* in strenge Zucht nehmen; *itr* e-e harte Schule durch=machen; *cylindre m de ~* Walzzylinder *m,* Walze *f; train m de ~s* Walzenstraße *f; ~ à acier, à fer, à métaux* Stahl-, Eisen-, Metallwalzwerk *n; ~ dégrossisseur, finisseur* Vor-, Fertigwalzwerk *n; ~ à fils, à feuillards, à rails, à tubes, à lingots, à plaques, à tôles, à onduler, à profilés* Draht-, Band-, Schienen-, Röhren-, Block-, Platten-, Blech-, Wellblech-, Profilwalzwerk *n.*

lamp|adaire [lɑ̃padɛr] *m* Laternenpfahl, Lichtmast *m;* Stehlampe *f;* ~**e** *f* Lampe, Leuchte; Glühbirne *f; min* Geleucht *n; (Leuchtstoff) radio* Röhre *f; s'en flanquer, mettre plein la ~ (arg)* sich den Bauch voll=schlagen; *il n'y a plus d'huile dans la ~ (fam)* er kann nicht mehr; *détection f par ~ (radio)* Röhrenempfang *m; ~ à acétylène, à alcool* Karbid-, Spirituslampe *f; ~ d'alarme* Signallampe *f; ~ amplificatrice (radio)* Verstärkerröhre *f; ~ d'appel (tele)* Anruflampe *f; ~ d'applique* Wandlampe *f; ~ à arc (film)* Jupiterlampe *f; (tech)* Bogenlampe *f; ~ de bureau, de chevet* Schreib-, Nachttischlampe *f; ~ détectrice (radio)* Detektorröhre *f,* Audion *n; ~ à éclairs* Blinklicht *n; ~ électrique, à incandescence* Glühlampe, -birne *f; ~ d'émission (radio)* Senderöhre *f; ~ à filaments métalliques* Metallfadenlampe *f; ~ fluorescente* Leuchtstoffröhre *f; ~ grille-écran, à grille de protection (radio)* Schirmgitterröhre *f; ~ d'irradiation, radiateur* Bestrahlungslampe *f; ~ de lecture* Leselampe *f; ~ de mineur, de sûreté* Gruben-, Sicherheitslampe *f; ~ au néon* Neonröhre *f; ~ de nuit, à pied, plafonnière* Nacht-, Steh-, Deckenlampe *f; ~ de poche* Taschenlampe *f; ~ de projection* Projektionslampe *f; ~ (électrique) à quartz* Höhensonne *f; ~ redresseuse, ~-valve* Gleichrichterröhre *f; ~ de soudeur* Lötlampe *f; ~ de suspension, de table* Hänge-, Tischlampe *f; ~ de tablier* Armaturenbrettleuchte *f; ~-tempête f* Sturmlaterne *f; ~ au tungstène* Wolframglühlampe *f.*

lam|pée [lɑ̃pe] *f pop* tüchtige(r) Schluck; ~**per 1.** *pop* hinunter=kippen, saufen; **2.** *(Meer)* leuchten.

lampion [lɑ̃pjɔ̃] *m* Windlicht *n; pop* Lampion *m; arg* Auge *n;* ~**iste** *m* Lampenfabrikant, -händler, -anzünder; *fam* kleine(r) Angestellte(r) *m;* ~**isterie** *f* Lampenfabrikation *f,* -handel *bes. loc* Lampenraum *m.*

lamproie [lɑ̃prwa] *f zoo* Neunauge *n,* Lamprete *f.*

lampyre [lɑ̃pir] *m* Leuchtkäfer *m,* Glühwürmchen *n.*

lanc|e [lɑ̃s] *f* Lanze *f,* Speer *m; tech* Stochereisen *n,* Schürhaken *m; (Feuerwehr)* Spritzrohr *n,* Spritze *f; arg* Wasser *n,* Regen *m; baisser la ~ (fig vx)* nach=geben, ein=lenken, *fam* klein bei=geben; *rompre une ~, des ~s pour, en faveur de qn* für jdn e-e Lanze brechen, ein=treten; sich für jdn ein=setzen; *avec qn* sich mit jdm auseinander=setzen; *coup, fer m de ~* Lanzenstich *od* -stoß *m,* -spitze *f; ~ d'arrosage* Gartenspritze *f; ~ de drapeau* Fahnenstange *f;* ~**-bombes** *m inv aero* Bombenabwurfvorrichtung *f;* ~**-flammes,** ~**-grenades,** *m inv mil* Flammen-, Granatenwerfer *m;* ~**-fusées** *m* (Raketen-)Startgerät *n;* ~**-missiles** *m* Trägerrakete *f;* ~**-pierres** *m inv* Steinschleuder *f; roquettes m* Raketenwerfer *m; ~-satellites m* Satellitenträger *m;* ~**-torpilles** *m inv* Torpedorohr *n;* ~**ée** *f* Schwung, Anlauf *m;* Auswerfen *n; pl* stechende(r) Schmerz *m;* ~**ement** *m* Werfen, Schleudern, Stoßen *n a. sport; aero* Abwurf, Start *m; tech* Anwerfen; *mot* Anlassen *n; mar* Stapellauf; *(Rakete)* Abschuß *m; fig* Einführung; Förderung *f; campagne f, prix m de ~ (com)* Einführungsfeldzug, -preis *m; manivelle f de ~* Anwerfkurbel *f; voie f de ~* Startschiene *f; ~ de bombes, d'un message lesté* Bomben-, Meldeabwurf *m; ~ par catapulte* Katapultstart *m; ~ du disque, du javelot, du marteau* Diskus-, Speer-, Hammerwerfen *n; ~ du poids* Kugelstoßen *n.*

lanc|er [lɑ̃se] **1.** *(jeter) tr* werfen, schleudern *a. fig,* stoßen, *fam* schmettern, *pop* schmeißen; *~ des pierres à qn* jdn mit Steinen bewerfen, Steine auf jdn werfen, *(à qn qui s'éloigne)* jdm Steine nach=werfen, *(au cours d'une poursuite)* hinter jdm Steine her=werfen; *~ un regard à qn* jdm e-n Blick zu=werfen, *(à qn qui s'éloigne)* jdm e-n Blick nach=werfen; *~ qc à la tête de qn* jdm e-e S an den Kopf werfen; *fig (Beleidigungen)* entgegen=, ins Gesicht schleudern; *~ un appel à qn* e-n Appell an jdn richten; *(Vorwurf)* machen; *(Wahrheit)* entgegen=halten, *(Fluch)* aus=stoßen; *(Haftbefehl)* erlassen; *(Bannstrahl)* schleudern; **2.**

(avec divers objets) ~ *le disque, le javelot, le marteau* (den) Diskus, Speer, Hammer werfen; ~ *le poids (sport)* die Kugel stoßen; *(Pfeil)* schießen; *(Gift)* (ver)spritzen; *(Strahlen)* senden; *(Funken)* sprühen; *(Ohrfeige, Fußtritt)* geben, *fam* verpassen; *(Lied)* schmettern; *s m (Handball)* Wurf; **3.** *(mettre en mouvement, en circulation) (Wild)* auf=scheuchen, -jagen; *(Pferd)* auf Trab bringen; *mil (Truppe)* werfen *(sur, vers* auf *acc); (Maschine)* in Gang bringen, an=werfen; *(Motor)* an=lassen; *(Schiff)* vom Stapel laufen lassen; *loc* ab=stoßen; *fig (Flugblatt, Schreiben)* in Umlauf bringen, lancieren, veröffentlichen; *(~ sur le marché)* auf den Markt werfen *od* bringen; *(Mode)* auf=bringen; *(Mode, Person bes. in die Gesellschaft)* ein=führen; *(Autor, Werk)* fördern; *(Brieftauben)* auf=lassen; **4.** *se* ~ sich stürzen (*dans* in *acc*); *se* ~ *des insultes à la tête* sich Schimpfworte an den Kopf werfen; *se* ~ *à l'assaut* vorwärts=stürmen; *se* ~ *trop* sich zu weit ein=lassen (*dans* in *acc*); **~eur, se** *m f:* ~ *d'affaires* Manager *m;* ~, *~se de disque, de javelot, de marteau* Diskus-, Speer-, Hammerwerfer(in *f*) *m; ~se de modes* Vorführdame *f,* Mannequin *n;* ~ *de poids* Kugelstoßer *m.*

lanci|nant, e [lɑ̃sinɑ̃] *(Schmerz)* stechend; **~ner** *itr med* stechen, reißen; *tr pop* verrückt, wahnsinnig machen, auf die Palme bringen.

land|au [lɑ̃do] *m* Landauer *m (Wagen);* Kinderwagen *m* (mit Verdeck).

lande [lɑ̃d] *f* Heide *f,* Ödland *n.*

landier [lɑ̃dje] *m bot* (Stech-)Ginster; Feuerbock *m.*

langage [lɑ̃gaʒ] *m* Sprache; Rede; Sprech-, Rede-, Ausdrucksweise; *inform* Sprache *f; faute f de* ~ Sprachfehler *m;* ~ *clair, convenu, chiffré (tele)* offene Sprache, Code-, Geheimsprache *f;* ~ *commercial, des affaires* kaufmännische Sprache, Geschäftssprache *f;* ~ *familier* Umgangssprache *f;* ~ *des fleurs* Blumensprache *f;* ~ *formel, de programmation* Programmiersprache *f;* ~ *des marins* Seemannssprache *f;* ~ *mimique* Zeichensprache *f;* ~ *du Palais, judiciaire, juridique* Gerichts-, Rechtssprache *f;* ~ *populaire, du peuple* Volkssprache *f;* ~ *secret* Geheimsprache *f;* ~ *des sourds-muets* Taubstummensprache *f;* ~ *technique, du métier* Fachsprache *f;* ~ *des yeux* Augensprache *f.*

lange [lɑ̃ʒ] *m* Windel *f; être encore dans les ~s* noch in den Kinderschuhen, in den Anfängen stecken.

langoureux, se [lɑ̃gurø, -øz] schmachtend, sehnsüchtig, sehnsuchtsvoll, schwärmerisch.

langous|te [lɑ̃gust] *f zoo* Languste *f;* **~tier** *m,* **~tière** *f* Langustennetz *n;* **~tine** *f* große Krabbe *f.*

langu|e [lɑ̃g] *f* Zunge; Sprache *f; avaler sa* ~ den Mund halten; *avoir la* ~ *trop longue, ne pas savoir tenir sa* ~ e-n losen Mund, *pop* e-e große Schnauze haben; zuviel reden; *avoir la* ~ *liée* nicht darüber sprechen dürfen; *avoir la* ~ *bien pendue* ein gutes Mundwerk haben, zungenfertig sein; *n'avoir pas la* ~ *dans sa poche* nicht auf den Mund gefallen sein; *faire claquer sa* ~ mit der Zunge schnalzen; *délier, dénouer la* ~ *à qn* jdn zum Sprechen bringen, gesprächig machen; *donner sa* ~ *au chat* das Raten auf=geben; *être maître de sa* ~ schweigen können; *être une mauvaise, méchante* ~ e-e böse Zunge, ein loses Maul haben; *se mordre la* ~ sich auf die Zunge beißen *a. fig* (*de qc* wegen e-r S); *fig* heftig bereuen (*de qc* etw); *posséder une* ~ e-e Sprache beherrschen; *prendre* ~ Erkundigungen ein=ziehen; sich ins Benehmen setzen (*avec qn* mit jdm); *tenir sa* ~ die Zunge im Zaum, den Mund halten; *tirer la* ~ *(Tier)* die Zunge heraus=hängen lassen; *tirer la* ~ *à qn* jdm die Zunge heraus=strecken; *je l'ai sur (le bout de) la* ~ es schwebt, liegt mir auf der Zunge; *la langue m'a fourché* ich habe mich versprochen; *bout m de la* ~ Zungenspitze *f; confusion f des ~s (rel)* Sprachenverwirrung *f; connaissance f, enseignement m, étude f des ~s* Sprachkenntnis *f,* -unterricht *m,* -studium *n; embarras m de la* ~ Sprachfehler *m; maître, professeur m de ~(s)* Sprachlehrer *m; mauvaise, méchante* ~ Lästermaul *n; sens m de la* ~ Sprachgefühl *n;* ~ *chargée* belegte Zunge *f;* *~-de-chat f* Löffelbiskuit *m;* ~ *courante* allgemeine(r) Sprachgebrauch *m;* ~ *dérivée, fille* Tochtersprache *f;* ~ *étrangère* fremde Sprache, Fremdsprache *f;* ~ *littéraire, écrite* Schriftsprache *f;* ~ *maternelle* Muttersprache *f;* ~ *morte, ancienne* tote, alte Sprache *f;* ~ *nationale, du pays* Landessprache *f;* ~ *officielle* Amtssprache *f;* ~ *primitive, mère* Grundsprache *f;* ~ *de terre* Landzunge *f;* ~ *universelle* Weltsprache *f;* ~ *verte* Gaunersprache, ordinäre Sprache *f;* ~ *de vipère, de serpent, empoisonnée* Lästermaul *n; ~ vivante, moderne* lebende, neuere Sprache *f; ~ vulgaire* Volkssprache *f;* **~ette** *f* Zünglein *n (a. an d. Waage);* Zunge *(zungenförmiger Gegenstand); (Schuh)* Lasche; Brettleiste; *tech* Feder(keil *m) f,* Dorn, Knebel *m; mus* Klappe *f;* Zäckchen *n (Verzierung).*

langu|eur [lɑ̃gœr] *f* Mattigkeit, Entkräftung, Abgespanntheit, Schwäche; *fig* Mattheit, Schlaffheit, Kraftlosigkeit *(a. Stil);* Gleichgültigkeit, Uninteressiertheit, Interesselosigkeit; Tatenlosigkeit, Untätigkeit *f; vx* Schmachten *n,* Sehnsucht, Wehmut; *(Stil)* Unlebendigkeit; *com* Flaute, Lustlosigkeit *f;* **~ier** *m* geräucherte Schweinezunge *f;* **~ir** s-e Kräfte verlieren, dahin=siechen; verkümmern *a. fig;* (langsam) ein=gehen; *fig* da(r)nieder=liegen; stocken, ins Stocken geraten, ein=schlafen; sich in die Länge ziehen; schmachten; die Zeit nicht er-, *fam* ab=warten können (*de faire qc* etw zu tun); *faire ~ qn (fam)* jdn auf die Folter spannen, zappeln lassen; **~issant, e** schwächlich, kränklich; schwach, kraftlos, matt *(a. Stil),* schlaff; stockend, schleppend; gleichgültig, uninteressiert, interesselos; *(Stil)* unlebendig; *com* flau, lustlos.

lanière [lanjɛr] *f* (langer, schmaler) Riemen *m.*

lansquenet [lɑ̃skənɛ] *m hist* Landsknecht *m.*

lantern|e [lɑ̃tɛrn] *f* Laterne *a. arch,* Lampe; Straßenlaterne *f; tech* Stockgetriebe; *éclairer la ~ de qn (fig fam)* jdn über e-e S auf=klären; *faire prendre à qn des vessies pour des ~s* jdm ein X für ein U vor=machen, jdm e-n Bären auf=binden; *~ de cheminée* Schornsteinhaube *f; ~ clignotante* Blinklaterne *f; ~ d'écurie* Stallaterne *f; ~ rouge* Schlußlicht *n; ~ sourde* Blendlaterne *f; ~ vénitienne* Lampion *m; ~ de voiture* Wagenlaterne *f;* **~eau, ~on** *m arch* kleine Laterne *f;* **~er** *itr fam* (die Zeit ver)trödeln; sich lange besinnen, zögern, zaudern; *tr ~ qn* jdn hin=halten, zappeln lassen; **~erie** *f fam* Trödelei, Bummelei *f;* **~ier** *m* Laternenfabrikant, -anzünder *m; fam* Bummelant; alberne(r) Mensch *m.*

lapalissade [lapalisad] *f* Binsenwahrheit *f.*

laper [lape] *(Hund)* saufen; *allg* auf=lecken, schlabbern, schlürfen; *fam* hinter die Binde kippen.

lapereau [lapro] *m* junge(s) Kaninchen *n.*

lapid|aire [lapidɛr] *s m* Steinschneider *m; a (Stil, Worte)* lapidar, kurz u. bündig, knapp; **~ation** *f* Steinigung *f; allg* Steinwürfe *m pl;* **~er** steinigen; mit Steinen werfen (*qn, qc* nach jdm, e-r S).

lapin, e [lapɛ̃, -in] *m* Kaninchen, Karnickel *n; fam* Kerl, Schlauberger *m; f* Häsin *f; ~e f pop* Karnickel *n; poser un ~ à qn (fam)* jdn versetzen; *fameux ~ (fam)* tüchtige(r) Kerl *m; peau f de ~* Kanin(chenfell) *n; mon petit ~ (fam)* (mein) Häschen *n; ~ domestique, de chou(x)* zahme(s) Kaninchen, Hauskaninchen *n; ~ de garenne, sauvage* wilde(s) Kaninchen *n; ~ de gouttière (hum)* Dachhase *m,* Katze *f;* **~er** *(Häsin)* werfen; **~ière** *f* Kaninchenstall *m.*

lapis(-lazuli) [lapis(lazyli)] *m* Lapislazuli; Lasurstein *m.*

lapon, e [lapɔ̃, -ɔn] *a* lapp(länd)isch; *L~, e s m f* Lappe *m,* Lappin *f,* Lappländer(in *f) m;* **L~ie, la** Lappland *n.*

laps [laps] *m; ~ de temps* (gewisse) Zeitspanne *f.*

lapsus [lapsys] *m* Fehler *m,* Versehen *n,* Irrtum, Lapsus *m; commettre un ~* sich versprechen; *(calami)* sich verschreiben; *~ linguae, calami* Versprechen, Verschreiben *n (Fehler).*

laquais [lakɛ] *m* Lakai, Bediente(r) *m; fig* Bedientenseele *f.*

laqu|e [lak] *f* Lack (-harz *n) m; m* Lackarbeit *f (Gegenstand); ~ f cellulosique* Nitrolack *m; ~ f de Chine* Lackfirnis *m; ~ f colorée* Farblack, Lackfarbe *f; ~ f pour cuir* Lederlack *m; ~ f à ongles* Nagellack *m;* **~é, e** lakkiert.

laquelle [lakɛl] *s. lequel.*

laqu|er [lake] *tr* lack(ier)en; **~eur** *m* Lackierer *m.*

larbin [larbɛ̃] *m pop* Diener, Domestik *m.*

larcin [larsɛ̃] *m* (kleiner) Diebstahl; gestohlene(r) Gegenstand *m; fig* Plagiat *n,* geistige(r) Diebstahl *m.*

lard [lar] *m* Speck *m; se faire du ~ (fam)* Speck an=setzen, dick werden; *ne pas jeter son ~ aux chiens (fig fam)* jeden Pfennig um=drehen; *gros ~, ~ gras* fette(r) Sp.; *petit ~, ~ maigre* durchwachsene(r) Speck, Bauchspeck *m; pierre f de ~ (min)* Speckstein *m; tranche, flèche f de ~* Speckscheibe *f,* -streifen *m;* **~er** spikken *a. fig fam* (*de* mit); *allg* zerstechen, durchlöchern; *fig* verfolgen (*de* mit); **~on** *m* Speckstreifen *m;* Stück (-chen) *n* Speck; *pop* Balg *m,* Kind *n.*

larg|able [largabl] abwerfbar; **~age** *m aero* Abwurf *m; ~ général, de se-*

cours, en traînée Massen-, Not-, Reihenwurf *m.*

lar|ge [larʒ] *a* breit; dick; weit, geräumig, ausgedehnt, bequem; *fig* groß; *(Anteil)* bedeutend; *(Sinn)* weit(er); weitherzig; großzügig, freigebig; großartig, üppig; *(Literatur, Kunst)* breit angelegt, weit ausholend, umfassend; kühn; *s m* Breite, Weite; *fig* Bewegungsfreiheit *f,* Spielraum *m;* hohe See, offene(s) Meer *n; au sens* ~ im weiteren Sinne; *en long et en ~, de long en* ~ in die Länge u. in die Breite; hin u. her, auf u. ab; *avoir la conscience* ~ ein weites Gewissen haben; *avoir l'esprit* ~ großzügig sein; *avoir deux mètres de* ~ 2 Meter breit sein; *être au* ~ viel Platz haben (*à* an *dat, dans* in *dat*); *fig* in angenehmen Verhältnissen, im Überfluß leben; *ne pas en mener* ~ sich in e-r schwierigen Lage befinden; sich in s-r Haut nicht wohl fühlen; *prendre, gagner le* ~ aufs offene Meer hinaus=fahren; das Weite suchen, *fam* ab=hauen, türmen; *au ~!* zurück! *écran m ~ (film)* Breitwand *f; vent m du* ~ Seewind *m; vues f pl ~s* freie Ansichten *od* Anschauungen *f pl; ~ d'épaules* breitschult(e)rig; *~ d'esprit* weitherzig, großzügig; *~ de deux m ètres* 2 Meter breit; **~gement** *adv* weit(gehend, -herzig), großzügig, freigebig; aus dem *od* im vollen, üppig; reichlich, vollauf, völlig; *fam* tüchtig; *avoir ~ de quoi vivre* sein gutes Auskommen haben; *dépenser* ~ aus dem vollen wirtschaften *od* schöpfen; **~gesse** *f* Freigebigkeit *f;* großzügige(s) Geschenk *n; pl* großzügige Spenden *f pl; faire des ~s* Geld unter die Menge verteilen; **~geur** *f* Breite; Weite; *fig (~ de vues)* Weitherzigkeit, Großzügigkeit *f; ~ de la chaussée* Fahrbahnbreite *f; ~ de colonne (typ)* Spalten-, Kolumnenbreite *f; ~ du dos* Schulterbreite *f; ~ extérieure, hors-tout* Gesamtbreite *f; ~ au fort* größte Breite *f; ~ intérieure (arch)* lichte Weite *f; ~ de maille* Maschenweite *f; ~ de la voie (loc)* Spurweite *f.*

lar|gue [larg] *(Segel)* schlaff; **~guer** *tr mar (Tau)* locker, schießen lassen; *aero* ab=werfen; *(Segelflugzeug)* aus=klinken.

lari|got [larigo] *m Art* (Hirten-)Flöte *f; à tire-~ (pop)* auf Teufel komm raus; unverschämt (viel); nach Herzenslust.

larm|e [larm] *f* Träne, *poet* Zähre *f; allg bot* (*bes.* Harz-)Tropfen *m; fig fam* Tröpfchen *n; les ~s aux yeux* mit Tränen in den Augen; *avec des ~s dans la voix* mit tränenerstickter Stimme; *être tout en ~s, fondre en ~s, pleurer à chaudes ~s* ganz in Tränen aufgelöst sein, in Tränen zerfließen, sich die Augen aus=weinen, *fam* wie ein Schloßhund weinen, heulen; *faire venir les ~s aux yeux de qn, arracher des ~s à qn* jdn bis zu Tränen rühren; *rire (jusqu')aux ~s* Tränen lachen; *sécher, essuyer les ~s de qn* jdn trösten; *verser, répandre des ~s* Tränen vergießen; *j'ai les ~s aux yeux* mir steht das Weinen nahe; *ému, touché (jusqu')aux ~s* zu Tränen gerührt; *torrent m de ~s* Tränenstrom *m; vallée f de ~s* Jammertal *n; ~s de crocodile, de joie* Krokodils-, Freudentränen *f pl; ~s de plomb (Jagd)* Vogeldunst *m;* **~oiement** *m med* Tränenfluß *m;* **~oyant, e** zu Tränen gerührt; rührselig; weinerlich; *comédie f ~e (theat)* Rührstück *n;* **~oyer** *itr* (unausgesetzt) weinen, *fam* dauernd heulen; *tr* in weinerlichem Ton sagen, *theat* spielen.

larron, ~ne(sse) [larɔ̃, -ɔn(ɛs)] *m f* Spitzbube *m,* -bübin *f,* Langfinger; *(Bibel)* Schächer; *m (an e-r Kerze)* Dieb *m;* Loch *n (in e-r Kanalwand); typ* unbedruckte Stelle *f* in e-r Falte; *s'entendre comme ~s en foire* unter einer Decke stecken; *l'occasion fait le ~ (prov)* Gelegenheit macht Diebe.

larv|aire [larvɛr] *a* Larven-; **~e** *f zoo* Larve *f;* **~é, e** *med* larviert; *allg* verschleiert, verhüllt, versteckt, verborgen, heimlich.

laryn|gé, e; ~gien, ne [larɛ̃ʒe; -ʒjɛ̃, -ɛn] *a* Kehlkopf-; **~gite** *f* Kehlkopfentzündung *f;* **~gologiste, ~gologue** [-gɔ-] *m* Kehlkopfspezialist *m;* **~gophone** *m* Kehlkopfmikrophon *n;* **~goscope** *m* Kehlkopfspiegel *m;* **~gotomie** *f* Kehlkopfschnitt *m;* **~x** [-ɛ̃ks] *m* Kehlkopf *m.*

las [lɑ(s)] *interj poet* ach! **~, se** [lɑ, lɑs] müde, abgespannt, erschöpft; überdrüssig (*de qc* e-r S *gen*); *j'en suis* ~ ich habe es satt; *~ de son emploi* od *de ses fonctions, de sa profession* amts-, berufsmüde; *~ de la vie, de vivre* lebensmüde.

lascar [laskar] *m* indische(r) Matrose; *arg mil* Haudegen; *pop* alte(r) Fuchs *m; c'est un drôle de* ~ das ist ein komischer Kerl.

las|cif, ive [lasif, -iv] geil, wollüstig; unzüchtig, schlüpfrig, lasziv; **~civeté, ~civité** Geilheit; Unzüchtigkeit, Laszivität *f.*

laser [lazɛr] *m* Laser *m.*

lass|ant, e [lɑ(a)sɑ̃, -ɑ̃t] ermüdend *a. fig; fig* langweilig, auf die Nerven gehend; **~er** ermüden, müde machen;

fig langweilen; auf die Nerven gehen *od* fallen (*qn* jdm); erschöpfen, zermürben, *fam* klein=kriegen; *se ~* müde werden, ermüden (*à faire qc* etw zu tun) *itr; fig* es satt haben *od* bekommen; *se lasser de qc* e-r S *(gen)* überdrüssig werden, *fam* etw satt kriegen; **~itude** *f* Ermüdung, Müdigkeit, Mattigkeit, Erschöpfung *f; fig* Überdruß *m.*

lasso [laso] *m* Lasso *n* od *m.*

last|ex [lastɛks] *m (Textil)* Lastex *m.*

lasting [lastiŋ] *m* Lasting, Kammgarnatlas *m.*

latent, e [latɑ̃, -ɑ̃t] verborgen; *bes. med phys* latent; *phys* gebunden.

latéral, e [lateral] *a* seitlich; Seiten-; *canal m ~* Seitenkanal *m;* **~ement** *adv* seitlich, -wärts.

latérite [laterit] *m geol* Laterit *m.*

latex [lateks] *m* Latex *m,* Kautschukmilch *f.*

latifolié, e [latifɔlje] *a* breitblätt(e)rig.

latin, e [latɛ̃, -in] *a* lateinisch; Latein-; *(Volk)* romanisch; *s m* Latein *n; être au bout de son ~* mit s-r Weisheit am Ende sein, nicht mehr weiter wissen; *y perdre son ~* sich dabei vergeblich bemühen; *c'est à y perdre son ~* wie soll man daraus klug werden?; *l'Amérique f ~e* Lateinamerika *n; bas ~* Mittellatein *n; Quartier m ~ (Pariser)* Universitätsviertel *n; ~ de bréviaire* od *de sacristie, de cuisine* Mönchs-, Küchenlatein *n; ~ populaire* Vulgärlatein *n;* **~iser** latinisieren; **~isme** *m* Latinismus *m,* lateinische Spracheigentümlichkeit *f;* **~iste** *m* Latinist *m;* **~ité** *f* Latinität, lateinische Sprech- *od* Schreibweise; lateinische Zivilisation *f;* **~o-américain, e** lateinamerikanisch.

latitude [latityd] *f* (geographische) Breite; Zone *f,* Himmelsstrich *m,* Klima *n; fig* (Spiel-)Raum *m,* (Bewegungs-)Freiheit *f; de ~ boréale* od *nord, australe* od *sud* nördlicher, südlicher Breite; *sous toutes les ~s* in allen Breiten, unter allen Himmelsstrichen; *laisser toute ~ à qn* jdm alle Freiheit, völlig freie Hand lassen; *degré m de ~* Breitengrad, -kreis *m.*

latrines [latrin] *f pl* Abort *m.*

latt|e [lat] *f* Latte, Leiste *f; mil hist* Pallasch *m; pl arg* Latschen *m pl; contre-~ f* Querleiste *f; ~ blanche* Deckenleiste *f; ~ carrée, de frisage* Dach-, Gitterlatte *f; ~ de plancher* Fußbodendiele *f;* **~er** verlatten, mit Leisten versehen; **~is** [-i] *m* Lattenwerk *n,* -rost, -verschlag, -zaun *m.*

laud|anisé, e [lodanize] Opiumsaft enthaltend; **~anum** [-ɔm] *m* Opiumsaft *m,* -tinktur *f;* **~atif, ive** lobrednerisch; Lob-; **~es** *f pl rel* Laudes *pl,* Lobgesänge *m pl.*

lauréat, e [lorea, -at] *a* (preis)gekrönt; *s m f* Preisträger(in *f*), Sieger (-in *f*) *m (in e-m Wettbewerb, -kampf); équipe f ~e* Siegermannschaft *f.*

laurelle [lorɛl] *f bot* Oleander *m.*

Laurent [lorɑ̃] *m* Lorenz *m.*

lau|réole [loreɔl] *f bot* Seidelbast *m;* **~rier** *m* Lorbeer(baum); Lorbeerzweig *m; pl fig* Lorbeeren *m pl,* Ruhm *m,* Erfolge, Siege *m pl; se couvrir de ~s, cueillir, moissonner des ~s* großen Ruhm ernten; *s'endormir, se reposer sur ses ~s (fig)* auf s-n Lorbeeren ein=schlafen, aus=ruhen; *~-cerise m* Kirschlorbeer *m; ~-rose m bot* Oleander *m; ~-sauce m (Küche)* Lorbeer(blätter *n pl*) *m; ~-tin m bot* Lorbeerschneeball, Steinlorbeer *m.*

lav|able [lavabl] waschecht; *~ à l'eau bouillante* kochfest; **~abo** *m* Waschtisch *m,* -becken *n,* -raum *m;* **~age** *m* (Ab-, Aus-)Waschen *n,* Wäsche *f a. tech;* (Ab-)Spülen; Scheuern, Putzen; *chem tech* (Ab-, Aus-)Schlämmen, Schwemmen; Wässern *n a. phot; med* Spülung *f; (Wunde)* Auswaschen *n; ~ de cerveau (pol)* Gehirnwäsche *f; ~ de minerais (tech)* Erzwäsche *f.*

lavallière [lavaljɛr] *f* Künstlerschleife *f (Krawatte).*

lavande [lavɑ̃d] *f bot* Lavendel *m.*

lavandière [lavɑ̃djɛr] *f vx* Waschfrau; *orn* weiße Bachstelze *f.*

lavaret [lavarɛ] *m* Bodenrenke *f,* Sandfelchen *m (Fisch).*

lavasse [lavas] *f fam* Spülwasser *(dünne Suppe od Soße);* wäßrige(s) Getränk *n.*

lavatère [lavatɛr] *f bot* Staudenpappel *f.*

lave [lav] *f geol* Lava *f.*

lavé, e [lave] *a (Farbe)* verdünnt; *(Zeichnung)* getuscht, laviert; *trop ~* verwaschen, verwässert.

lave|-dos [lavədo] *m inv* Rückenbürste *f;* **~-glace** *m* Scheibenwaschanlage *f;* **~-mains** *m inv* Handwaschbekken *n;* **~ment** *m rel* Waschung *f; med* Klistier *n,* Einlauf *m; ~ des pieds (rel)* Fußwaschung *f.*

lav|er [lave] (ab=, aus=)waschen; (aus=) spülen; scheuern, putzen; *(Wunde)* aus=waschen; *(Magen)* aus=pumpen; *tech chem* (ab=, aus=)schlämmen, schwemmen; wässern *a. phot; (Zeichnung)* kolorieren, aquarellieren, tuschen, lavieren; *(Gewässer)* bespülen; *fig* ab=, rein=waschen; *(Sünde)* tilgen; *pop* verscheuern, versilbern, zu Geld machen; *se* ~ sich waschen; *fig* sich rein⸗waschen (*de qc* von etw); *s'en* ~ *les mains* s-e Hände in Unschuld waschen; *se* ~ *le bout du nez* Katzenwäsche machen; ~ *la tête à qn (fig)* jdm den Kopf waschen, die Leviten lesen; *je m'en* ~*e les mains* ich will nichts damit zu tun haben; *il faut* ~ *son linge sale en famille (fig)* man soll s-e schmutzige Wäsche nicht in der Öffentlichkeit waschen; *une main* ~*e l'autre (prov)* e-e Hand wäscht die andere; *eau f pour* ~ Waschwasser *n; machine f à* ~ *(la vaisselle)* Wasch(Geschirrspül)maschine *f; planche f à* ~ Waschbrett *n;* ~**erie** *f* Spülküche; (Miet-)Waschküche; Wäscherei; *tech* Waschanlage, (Erz-)Wäsche *f;* ~**ette** *f* Abwaschlappen *m,* -bürste *(für Geschirr); arg* Versager, Waschlappen *m;* ~**eur, se** *m f* Wäscher(in *f*) *m; bes. f* Waschmaschine *f;* ~, *se (automatique, mécanique)* Waschmaschine *f;* ~ *de carreaux* Fensterputzer *m;* ~*se-essoreuse* Waschmaschine *f* mit Schleuder; ~*se de linge* Waschfrau, Wäscherin; ~ *d'or* Goldwäscher *m;* ~ *de voiture* Wagenwäscher *m.*

lave-vaisselle [lavvɛsɛl] *m* Geschirrspüler *m;* Geschirrspülmaschine *f.*

lavique [lavik] *a geol* Lava-.

lavis [lavi] *m* Tuschen *n; (dessin m au* ~*)* Tuschzeichnung *f; au* ~ getuscht; laviert.

lav|oir [lavwar] *m* Waschhaus *n,* -platz *m;* Spülküche *f,* -becken *n,* -tisch; Waschraum *m, tech* -anlage; *min* Kaue *f;* (Gewehr-)Reinigungsgerät *n;* ~**ure** *f (~ de vaisselle)* Spülwasser *a. fam péj.*

lax|atif, ive [laksatif, -iv] *a* mild abführend; *s m* milde(s) Abführmittel *n;* ~**iste** lax, weitherzig; ~**ité** *f (Gewebe)* Schlaffheit; *med* Erschlaffung *f.*

lay|er [le(ɛ)je] e-e Schneise hauen (*une forêt* in e-n Wald); *(Baum)* an⸗laschen; *(Stein)* auf⸗rauhen; ~**etier** [lɛjtje] *m* Kistenmacher *m.*

layette [lɛjɛt] *f* Babywäsche, -ausstattung *f.*

layon [lɛjõ] *m* kleine Schneise, Durchhieb *m.*

laz|aret [lazarɛ] *m* Quarantänestation, -anstalt *f.*

laz|ulite [lazylit] *f s. lapis;* ~**zi(s)** [-(d)si] *m pl* Spott *m,* (derbe) Scherze *m pl.*

le, la; *(vor Vokal u. h muet)* **l';** *pl* **les** [lə, la; le(ɛ)] *(Artikel)* der, die, das; *pl* die; *prn* ihn, sie, es; *pl* sie; *dans les cent* ungefähr, etwa 100; *de la sorte* derart, auf solche *od* diese Weise; *le jour* am Tage, tagsüber; *le matin* am Morgen, morgens; *je le suis* ich bin es.

lé [le] *m (Stoff)* Breite; Stoffbahn *f;* Lein-, Treidelpfad *m.*

leader [lidœr] *m pol* (Partei-)Führer; *sport* Anführer; (Klassen-, Gruppen-) Beste(r); *(article m)* ~ Leitartikel *m;* ~**ship** [-ʃip] *m* Führerschaft, Führung *f.*

leasing [liziŋ] *m* Leasing *n; avoir en* ~ leasen.

lèche [lɛʃ] *f (Küche)* dünne Scheibe, Schnitte *f; pop* Lecken *n;* Speichelleckerei, Kriecherei *f;* ~**-bottes** *m, pop* ~**-cul** *m* Speichellecker, (*pop* Arsch-)Kriecher *m;* ~**frite** *f* Abtropfpfanne *f;* ~**-vitrine** *m: faire du* ~ e-n Schaufensterbummel machen.

léch|é, e [leʃe] geleckt; *fig (bes. Kunst)* sorgfältig (ausgearbeitet, ausgeführt); *ours m mal* ~ ungehobelte(r) Klotz, grobe(r) Kerl, unhöfliche(r) Mensch *m;* ~**er** (be-, ab⸗, aus⸗) lecken; *fig (Flammen, Wellen)* belekken; *(Literatur, Kunst)* sorgfältig aus⸗arbeiten, -führen; *s'en* ~ *les doigts* od *les babines (fig)* sich die Finger danach lecken; ~ *les pieds de qn (fig)* vor jdm kriechen; ~**ette** *f fam (Küche)* Scheibchen *n;* ~**eur, se** *m f fam* Leckermaul *n,* Schlecker; *fam* Speichellecker *m.*

leçon [ləsõ] *f* (Unterrichts-, Lehr-) Stunde *f;* Rat(schlag) *m,* Belehrung, Lehre; Warnung; Rüge *f,* Verweis, Tadel *m;* Strafe; Lesart; Version *f; pl* Unterricht *m; donner, prendre des* ~*s* Unterricht, Stunden geben *od* erteilen, nehmen; *faire la* ~ *à qn* jdm sagen, was er zu tun hat; sich jdn vor⸗nehmen; jdm die Leviten lesen; *servir de* ~ *à qn* jdm e-e Lehre, e-e Warnung sein; *tirer* ~ *de qc* aus etw e-e Lehre ziehen; *c'est une* ~*!* ich sage das nicht noch einmal! *que cela vous serve de* ~*!* lassen Sie sich das gesagt sein! lassen Sie es sich zur Lehre dienen! ~ *d'allemand, de mathématiques, de gymnastique* Deutsch-, Mathematik-, Turnstunde *f;* ~ *de choses* Anschauungsunterricht *m;* ~ *particulière* Privatstunde *f, pl* -unterricht *m.*

lect|eur, trice [lɛktœr, -tris] *m f* (Vor-)Leser(in *f*); *(Universität, Verlag) theat* Lektor *m; inform* Lesegerät *n; avis m au* ~ *(Buch)* (kurzes) Vorwort *n;* ~ *d'un journal* Zeitungsleser *m;* ~**ure** *f* (Vor-)Lesen *n;* Lektüre *f;* Lesestoff *m,* -stück *n;* Belesenheit; *theat* Leseprobe; *parl* Lesung; *jur* Verlesung; *tech* Ablesung *f; après* *simple* ~ nach einmaligem (Durch-) Lesen; *après* ~ *faite (jur)* nach der Verlesung; *en première, seconde* ~ *(parl)* in erster, zweite r Lesung; *enseigner la* ~ das Lesen lehren (*à qn* jdn); *être une* ~ *facile, difficile* leicht, schwer zu lesen sein; *faire la* ~ *de qc* etw (ver)lesen; *appareil m de* ~ *pour microfilm* Mikrofilmlesegerät *n; cabinet m de* ~ Leihbücherei, -bibliothek *f; cercle m de* ~ Lesezirkel *m*, -gesellschaft *f; comité m de* ~ *(theat)* Prüfungskommission *f; dispositif m de* ~ *(tech)* Ablesevorrichtung *f; erreur f de* ~ (Ab-)Lesefehler *m; livre m de* ~ Lesebuch *n; salle f de* ~ Lesesaal *m;* ~ *de la carte (mil)* Kartenlesen *n;* ~ *automatique de la distance* selbsttätige Abstandgebung *f;* ~ *pour la jeunesse* Jugendlektüre *f;* ~ *au son (tele)* Aufnahme *f* nach Gehör; ~ *de voyage* Reiselektüre *f.*

ledit, ladite [ledi, ladit] *a* besagte(r, s).

légal, e [legal] gesetzlich, -mäßig, legal; rechtlich, Rechts-, rechtmäßig; gerichtlich, Gerichts-; *sans motif* ~ widerrechtlich; *assassinat m* ~ Justizmord *m; définition f* ~*e* Gesetzauslegung *f; forme f* ~*e* Rechtsform *f; monnaie f* ~*e* gesetzliches Zahlungsmittel *n; protection f* ~*e* Rechtsschutz *m; réserve f* ~*e* Pflichtteil *m* od *n; situation f* ~*e* Rechtslage *f; texte m* ~ Gesetzestext *m; voie f* ~*e* Rechtsweg *m;* **~isation** *f* amtliche Beglaubigung *od* Bestätigung; rechtliche, gerichtliche Anerkennung *f;* **~iser** (amtlich) beglaubigen, bestätigen; rechtlich, gerichtlich an=erkennen; **~ité** *f* Gesetzlichkeit, Gesetz-, Rechtmäßigkeit, Rechtsgültigkeit *f.*

légat [lega] *m rel* Legat *m;* **~aire** *m jur* Legatar, Vermächtnisnehmer *m;* ~ *universel* Universalerbe *m;* **~ion** [-sjõ] *f* Gesandtschaft(spersonal, -gebäude *n*) *f.*

lège [lɛʒ] *mar* zu leicht befrachtet.

légend|aire [leʒɑ̃dɛr] sagenhaft, halbmythisch; Sagen-; legendär; **~e** *f* Legende *f*, Heiligenleben *n;* Sage; *fam* Litanei *fig; (Karte, Plan, bildl. Darstellung)* Zeichenerklärung; Beschriftung *f;* Bildtext *m; (Münze)* Auf-, Inschrift *f; cycle m de* ~*s* Sagenkreis *m.*

lég|er, ère [leʒe, -ɛr] leicht *(a. Speise, Getränk, Mahlzeit, Schlaf);* zart, dünn *(a. Schicht); (Kleidung)* duftig; schlank; anmutig; gewandt, behend(e), leichtfüßig, flink, munter, (aufge)locker(t); *(Wind)* sanft; *(Erde)* locker, lose; *(Geräusch)* leise; *fig* unbedeutend, geringfügig; leicht(fertig, -sinnig), unbesonnen; flatterhaft, oberflächlich; locker, lose, frei; *(Erzählung)* (etw) frei; *(Unterhaltung)* zwanglos; *(Stil)* flüssig; *à la* ~*ère* leicht *adv;* leichtfertig, -sinnigerweise; *d'un cœur* ~ leichten Herzens; *avoir la main* ~*ère* e-e geschickte Hand *od* ein loses Handgelenk haben; ein geschickter Taschendieb sein; *(in der Menschenführung)* e-e leichte Hand haben; *marcher d'un pas* ~ flott gehen; *prendre à la* ~*ère (fig)* auf die leichte Schulter nehmen; *blessé m* ~ Leichtverletzte(r) *m;* **~èrement** *adv* leicht; flink, behend(e), gewandt; munter, anmutig; *fig* flüchtig, oberflächlich; obenhin; leichtfertig, -sinnig, gedankenlos, unbesonnen; *fam* ein bißchen, ein wenig; ~ *vêtu* leicht gekleidet; **~èreté** *f* Leichtigkeit *a. fig; fig* Geringfügigkeit; Behendigkeit; Anmut; Zwanglosigkeit, Unbekümmertheit *f;* Leichtsinn *m*, Unbesonnenheit; *(Kunst, Literatur)* Gewandtheit; *(Stil)* Flüssigkeit *f.*

légiférer [leʒifere] Gesetze geben *od* machen.

légion [leʒjõ] *f* Legion *f a. fig; (fig) une* ~ ein Heer (*de* von); *être* ~ Legion, sehr zahlreich sein; ~ *étrangère* Fremdenlegion *f;* ~ *d'honneur* Ehrenlegion *f;* **~naire** [-ʒjɔ-] *m* Legionssoldat; Fremdenlegionär; Mitglied *n* der Ehrenlegion.

législat|eur, trice [leʒislatœr, -tris] *s m f* Gesetzgeber(in *f*) *m a. fig; a* gesetzgebend; **~if, ive** *a a. fig* gesetzgebend; *pouvoir m* ~ gesetzgebende Gewalt *f; s f pl pol* Parlamentswahlen *f pl;* **~ion** [-sjõ] *f* Gesetzgebung; Gesetz(e *n pl*) *(als Gesamtheit)*, Recht *n;* Rechtswissenschaft *f;* ~ *sur les brevets, de change* od *sur les changes, civile, commerciale, criminelle* od *pénale, fiscale, martiale, du travail* Patent-, Devisen-, Zivil-, Handels-, Straf-, Steuer-, Kriegs-, Arbeitsrecht *n;* ~ *industrielle, des métiers* Gewerbeordnung *f;* ~ *(relative à la circulation) routière* Straßenverkehrsordnung *f;* **~ure** [-tyr] *f* gesetzgebende Gewalt *od* Körperschaft; *parl* Legislatur(periode) *f.*

légiste [leʒist] *m* Rechtsgelehrte(r), -kundige(r), Jurist; Rechtsberater *m; médecin m* ~ Gerichtsarzt, -mediziner *m.*

légitim|ation [leʒitimasjõ] *f* gesetzliche, rechtliche Anerkennung; Echtheits-, Ehelichkeitserklärung *f;* Berechtigungsnachweis *m;* Beglaubigung *f;* Ausweis *m*, Legitimation *f;*

lettre f de ~ Beglaubigungsschreiben *n;* **~e** *a* recht-, gesetzmäßig, gesetzlich; *(Kind)* ehelich; *fig* berechtigt, gerecht(fertigt), recht u. billig; *s m f fam* (Ehe-)Mann *m,* Frau *f;* ~ *défense (putative)* (Putativ-)Notwehr *f;* **~é, e** für ehelich erklärt; **~ement** *adv* rechtmäßig; **~er** gesetzlich, rechtlich an=erkennen; für rechtmäßig, *(Kind)* für ehelich erklären; beglaubigen; nach=weisen; begründen; **~isme** *m pol* Legitimismus *m;* **~iste** *m* Legitimist *m;* **~ité** *f* Recht-, Gesetzmäßigkeit; Legitimität; Ehelichkeit, eheliche Geburt *f; déclaration f de* ~ Ehelichkeitserklärung *f.*

legs [lɛ(g)] *m* Legat, Vermächtnis *n a. fig; faire un* ~ ein V. aus=setzen.

léguer [lege] vermachen; hinterlassen, vererben *a. fig.*

légum|e [legym] *m* Gemüse(pflanze *f*) *n; grosse* ~ *f (pop fig)* hohe(s) Tier *n;* *~s en conserve* Gemüsekonserven *f pl,* Konservengemüse *n; ~s déshydratés* Dörrgemüse *n; ~s secs* (trokkene) Hülsenfrüchte *f pl; ~s verts, frais* frische(s) Gemüse, Frischgemüse *n;* **~ier, ère** *a* Gemüse-; *s m* Gemüseschüssel *f;* **~ineux, se** *a bot* hülsentragend; Hülsen-; **~iste** *a: jardinier m* ~ Gemüsegärtner *m.*

leitmotif [lajtmɔtif, lɛtmɔtif] *m* Leitmotiv *n.*

Léman [lemɑ̃] : *le (lac m)* ~ der Genfer See *m.*

lemniscate [lɛmniskat] *f math* Schleifenlinie, Lemniskate *f.*

lémur [lemyr] *m zoo* Maki *m;* **~iens** *m pl* Halbaffen *m pl.*

lendemain [lɑ̃dmɛ̃] *m: le* ~ der folgende, der nächste Tag; der morgige Tag; *du jour au* ~ von heute auf morgen, über Nacht; *le* ~ am folgenden Tag; *le* ~ *de son mariage* am Tage nach s-r Heirat; *le* ~ *du jour où ...* am Tage, nach dem ...; *le* ~ *matin* am folgenden, nächsten Morgen, am Morgen darauf; *sans* ~ ohne Folge; *différer, remettre (jusqu')au* ~ auf den folgenden, nächsten Tag, auf morgen verschieben; *songer, penser au* ~ an die Zukunft denken; *il n'y a pas de bonne fête sans* ~ alles hat einmal ein Ende; *triste comme un* ~ *de fête* sehr langweilig, trostlos.

léni|fiant, e [lenifjɑ̃, -ɑ̃t] lindernd, mildernd; beruhigend; **~fier** lindern, mildern; *fig* ab=schwächen, beruhigen; **~tif, ive** *a* lindernd, Linderungs-; beruhigend, Beruhigungs-; *s m* Linderungs-, Beruhigungsmittel *n.*

lent, e [lɑ̃, lɑ̃t] langsam; träge, schwerfällig *a. fig; (Krankheit, Gift)* schleichend.

lente [lɑ̃t] *f zoo* Nisse *f.*

lenteur [lɑ̃tœr] *f* Langsamkeit; Trägheit; Schwerfälligkeit *a. fig; pl* Umständlichkeit *f;* Umstände *m pl,* Hin u. Her *n; ~s de l'administration* Amtsschimmel *m;* ~ *d'esprit* geistige Trägheit *f.*

lenti|celle [lɑ̃tisɛl] *f bot* Rindenpore *f;* **~culaire; ~culé, e** [-tiky-]; **~forme** linsenförmig; Linsen-; **~cule** *f bot* Wasserlinse *f.*

lentigo [lɛ̃tigo] *m med* Leberfleck *m.*

lenti|lle [lɑ̃tij] *f bot opt anat* Linse *f;* Leberfleck *m;* ~ *de contact souple, dure* weiche, harte Kontaktlinse *f;* ~ *convergente, divergente* Sammel-, Zerstreuungslinse *f;* ~ *d'eau (bot)* Wasserlinse *f;* ~ *de pendule (Uhr)* Pendelscheibe *f;* **~llon** [-jɔ̃] *m bot* Rote Linse *f.*

lentisque [lɑ̃tisk] *m* Mastixbaum *m.*

léo|nin, e [leɔnɛ̃, -in] Löwen- *a. fig; contrat m* ~ leoninischer Vertrag *m; part f ~e* Löwenanteil *m;* **~pard** [-par] *m* Leopard, Panther *m;* **~pardé, e** mit Pantherflecken.

lépidoptères [lepidɔptɛr] *m pl* Schmetterlinge, Falter, Schuppenflügler *m pl.*

lépiote [lepjɔt] *f bot* Große(r) Schirmpilz *m.*

lépisme [lepizm] *m zoo* Zuckergast *m,* Silberfischchen *n.*

léporidés [lepɔride] *m pl* Hasen *m pl (als Familie).*

lèpre [lɛpr] *f* Lepra *f,* Aussatz *m; fig* Pest *f.*

lépr|eux, se [leprø, -øz] *a* aussätzig; *s m f* Aussätzige(r *m*), Leprakranke(r *m*) *f;* **~oserie** [-proz-] *f* Lepraheim *n.*

lequel, laquelle, *pl* **lesquels, lesquelles** [lə-, la-, le(ɛ)kɛl] *prn* welche(r, s), *pl* welche (?); der, die, das, *pl* die; wer.

les *s. le.*

lèse [lɛz] *a f (nur in Zssgen); ~-majesté f* Majestätsbeleidigung *f; crime m de* ~ Majestätsverbrechen *n.*

léser [leze] verletzen *a. fig; fig* verstoßen (*qc* gegen etw); schädigen, beeinträchtigen; beleidigen; Unrecht, Abbruch tun (*qn* jdm).

lés|inant, e [lezinɑ̃, -t] knauserig, geizig; **~ine** *f* Knauserei *f,* Geiz *m;* **~iner** knausern, knickern, geizen (*sur qc* mit etw); **~inerie** *f* Knauserei *f;* **~ineur, se** *a* knaus(e)rig, filzig, geizig; *s m* Knauser, Knicker, Geizhals, -kragen *m.*

lésion [lezjɔ̃] *f* Verletzung *a. fig; fig*

Schädigung *a. med;* Beeinträchtigung *f; ~ corporelle (grave, par négligence)* (schwere, fahrlässige) Körperverletzung *f; ~ de droit* Rechtsverletzung *f.*

lessiv|age [lɛsivaʒ] *m* Auslaugen; Einweichen; (Ab-)Waschen *n; fam s. ~e;* **~e** *f* Lauge *a. chem tech;* Einweich-, Waschbrühe; (große) Wäsche; (schmutzige) Wäsche *f; pl* Waschmittel *n pl; fam* gewaltige(r) (Geld-)Verlust, Aderlaß *m; donner à la ~* in die Wäsche geben; *faire la ~* waschen, (große) Wäsche haben; *mettre à la ~* aus=laugen; ein=weichen; *bac m à ~* Waschfaß *n,* -wanne *f; jour m de (la) ~* Waschtag *m; ~ du petit linge* kleine Wäsche *f; ~-mère f* Mutterlauge *f; ~ de potasse, de soude caustique (des savonniers)* Ätzkali-, Ätznatronlauge *f (zur Seifenherstellung); ~ de soude* Natronlauge *f; ~ toutes températures* Vollwaschmittel *n;* **~er** aus=laugen; ein=weichen; waschen; ab=waschen, -seifen; *fam* verscheuern, -silbern; *arg* ab=stauben, um einiges erleichtern; *fam* aus=booten; *être ~é (arg)* ruiniert sein; **~eur, se** *m f* Wäscher(in *f*) *m,* Waschfrau *f; m* Lumpenkocher *m (Gerät); f* Wäschetopf *m* mit Einsatz.

lest [lɛst] *m mar aero* Ballast *m a. fig; fam* Ladung, Wucht *f (Essen); sur ~ (mar)* unbefrachtet; *jeter du ~* Ballast ab=werfen *a. fig.*

leste [lɛst] flink, behend(e), gewandt; *fig* schnell entschlossen, von schnellem Entschluß; (etwas) frei, unbekümmert, ungezwungen, lose *(bes. Reden); (Sache)* leicht; *avoir la main ~* ein loses Handgelenk haben, gleich zu=schlagen; *avoir la réplique ~* nicht auf den Mund gefallen sein.

lester [lɛste] mit Ballast beladen; beschweren; voll=laden, beladen (*de* mit); *~ son estomac, se ~ l'estomac (fam)* sich den Magen voll=, überladen.

létharg|ie [letarʒi] *f* Schlafsucht *f;* tiefe(r), bleierne(r) Schlaf *m; fig* Stumpfheit, Teilnahmslosigkeit *f;* **~ique** *(Schlaf)* todähnlich, bleiern, tief; *fig* stumpf, teilnahmslos.

lett|e; ~on, (n)e [lɛt(ɔ̃, -ɔn)] *a* lettisch; *L~on, (n)e s m f* Lette *m,* Lettin *f; (le) ~on* (das) Lettisch(e); **L~onie, la** Lettland *n.*

lettr|e [lɛtr] *f* Buchstabe *a. fig;* Laut *m; typ* Letter, Type *f;* Brief *m,* Schreiben *n; pl* Briefschaften *f pl,* Post; *(belles-~s f pl)* schöne Literatur, Belletristik; Sprach- u. Literaturwissenschaft, Philologie *f; à la ~, au pied de la ~* wörtlich, wortgetreu; genau; buchstäblich; *en toutes ~s* (voll) ausgeschrieben; *(Zahl)* in Buchstaben; *fig* ohne etw aus=zulassen, zu verschweigen; *par ~(s)* brieflich; *acquitter une ~ de change* e-n Wechsel ein=lösen; *affranchir une ~* e-n Brief frankieren *od* frei=machen; *avoir des ~s* gebildet, belesen sein; *écrire en toutes ~s* (ganz) aus=schreiben; *lever les ~s* den Briefkasten leeren; *mettre une ~ à la poste* e-n Brief zur Post geben; *passer comme une ~ à la poste (fam) (Speise)* (gut) rutschen *od* durch=gehen; *cette demande est passée comme une ~ à la poste* dieser Antrag ist glatt durchgegangen; *prendre au pied de la ~* genau, wörtlich nehmen; *tirer une ~ de change* e-n Wechsel aus=stellen; *c'est ~ close* das ist ein Geheimnis; *bénéficiaire, porteur, preneur m d'une ~ de change* Wechselnehmer, -inhaber *m; classeur m de ~s* Briefordner; *(Person)* Briefsortierer *m; création, émission f d'une ~ de change* Ausstellung *f* e-s Wechsels; *docteur m ès ~s* Doktor *m* der Philosophie; *en-tête m de ~* Briefkopf *m; expédition f des ~s* Briefschalter *m; feuille f de papier à ~s* Briefbogen *m; grande, petite ~* Groß-, Kleinbuchstabe *m; homme m, femme f de ~s* Schriftsteller(in *f*), Literat *m; papier m à ~s* Briefpapier *n; payeur, tiré m d'une ~ de change* Trassat *m; secret m des ~s* Briefgeheimnis *n; tireur m d'une ~ de change* Wechselaussteller, -geber, Trassant *m; ~ d'achat* Kaufbrief *m; ~ d'adieux* Abschiedsbrief *m; ~ d'affaires, de commerce* Geschäftsbrief *m; ~ d'amour* Liebesbrief *m; ~-avion f* Luftpostbrief *m; ~ d'avis (com)* Meldezettel *m; ~s bloquées (typ)* Blockade *f; ~ boule de neige* Kettenbrief *m; ~ de change* Wechsel *m; ~ de change en blanc, à échéance fixe, d'encaissement, à l'escompte, étrangère, fictive, à vue* Blanko-, Dato-, Inkasso-, Diskont-, Auslands-, Keller-, Sichtwechsel *m; ~ chargée, assurée* Geld-, Wertbrief *m; ~ de chargement* Ladeschein; Frachtbrief *m; ~ circulaire* od *collective* Rundschreiben *n;* Umlauf; Laufzettel *m; ~ de condoléance* Beileidsschreiben *n; ~ de confirmation* Bestätigungsschreiben *n,* Nachfaßbrief *m; ~ de congédiement* Entlassungsschreiben *n; ~ de convocation* Einladungsschreiben *n (zu e-r Versammlung);* Aufforderung *f; ~ de créance* Beglaubigungsschreiben *n; ~ de crédit* Kreditbrief *m,* Akkreditiv *n*, offene(r) Wechsel *m; ~ pour voyageurs* Reisekreditbrief *m; ~ de demande (d'emploi), de sollicitation* Bewerbungsschreiben *n; ~ de démission* Rücktrittsschreiben *n; ~ distinctive* Kennbuchstabe *m; ~-enveloppe f* Versandprospekt *m (ohne Umschlag); ~ d'envoi* Begleitschreiben *n*, -brief *m; ~ d'excuse* Entschuldigungsschreiben *n; ~ par exprès* Eilbrief *m; ~ de faire-part* Familienanzeige; *~ de félicitations* Glückwunschschreiben *n; ~ de gage* Pfandbrief *m; ~ hypothécaire, d'hypothèque* Hypothekenbrief *m; ~ incendiaire* Brandbrief *m; ~ initiale* Anfangsbuchstabe *m; ~ d'introduction* Einführungsschreiben *n; ~ de licenciement* Entlassungsschreiben *n; ~ majuscule* od *capitale, minuscule* Groß-, Kleinbuchstabe *m; ~ de menaces, comminatoire* Drohbrief *m; ~ monitoire, d'avertissement, de rappel* Mahnbrief *m; ~ morte (fig)* tote(r) Buchstabe *m; ~ moulée, d'imprimerie* Druckbuchstabe *m; ~ de noblesse* Adelsbrief *m; ~ ornée* Zierbuchstabe *m; ~ particulière, privée* Privatbrief *m; ~ pastorale* Hirtenbrief *m; ~ patente* Patentschrift *f; ~ piégée* Briefbombe *f; ~ pneumatique* Rohrpostbrief *m; ~ de procuration* (schriftliche) Vollmacht *f; ~ de propagande* Werbebrief *m; ~ de protection* Schutzbrief *m; ~ de rappel* Abberufungsschreiben *n;* Mahnbrief *m; ~ de recommandation* Empfehlungsschreiben *n; ~ recommandée* eingeschriebene(r), Einschreib(e)brief *m*, Einschreiben *n; ~ de reconnaissance, de remerciement* Anerkennungs-, Dankschreiben *n; ~ retournée à l'expéditeur* unbestellbare(r) Brief *m; ~ de santé (mar)* Gesundheitspaß *m; ~ de service (mil)* Ernennungsurkunde *f; ~-télégramme f* Brieftelegramm *n; ~ de voiture* Frachtbrief; Begleitschein *m; ~ de voiture maritime* Seefrachtbrief *m;* **~é, e** *a* gebildet, belesen; *s m f* Gebildete(r *m*) *f;* **~eur** *m* Schriftzeichner *m;* **~ine** *f* Verweisung(szeichen *n*) *f;* Spaltenbuchstabe *m;* Initiale *f*, Zierbuchstabe *m*.

leu [lø] *m: à la queue ~ ~* im Gänsemarsch.

leuco|cyte [løkɔsit] *m* weiße(s) Blutkörperchen *n;* **~cythémie, leucémie** [løse-] *f med* Leukämie *f;* **~me** [-kom] *m med* weiße(r) Hornhautfleck *m;* **~rrhée** [-re] *f med* Weißfluß *m*.

leur [lœr] *prn* ihnen; ihr(e); *~s pl* ihre; *le, la ~, les ~s* der, die, das ihr(ig)e; die ihr(ig)en; *les ~s* die Ihr(ig)en; ihre Angehörigen, Freunde *od* Genossen *m pl*.

leurr|e [lœr] *m* Köder *m a. fig; fig* Lockmittel *n;* **~er** (an=, ver)locken, verleiten, verführen, ködern; *se ~* sich verlocken (verleiten, verführen) lassen (*de qc* von etw); *se ~ d'une fausse espérance, d'illusions* sich falschen Hoffnungen *(dat)*, sich Illusionen *(dat)* hin=geben, sich (selbst) *dat* etw vor=machen.

lev|age [ləvaʒ] *m* Heben; Aufrichten; *(Teig)* Aufgehen; *(Steuer)* Erheben *n; appareil m de ~* Hebevorrichtung *f*, -zeug, -werk *n; câble m de ~* Förderseil *n; course, force, vitesse f de ~* Hubweg *m*, -kraft, -geschwindigkeit *f;* **~ain** *m* Sauerteig *m;* Hefe(-teig *m*) *f; allg* Treibmittel *n; fig* Anstoß; Ausgangspunkt, Keim(zelle *f*), Herd *m; sans ~ (Brot)* ungesäuert; *~ en poudre* Backpulver *n;* **~ant, e** *a (Sonne)* aufgehend; *s m* Osten *m; le L~* die Levante, der Orient, *poet* das Morgenland; **~antin, e** *a* levantinisch, orientalisch, *poet* morgenländisch; *L~, e s m f* Levantiner(in *f*), Orientale *m*, Orientalin *f; l~e f* leichte, einfarbige Seide *f;* **~é, e** *a* aufgestanden; erhoben, hoch; *s m* (topographische) Aufnahme, Vermessung *f; au ~* stehenden Fußes, ohne sich zu besinnen, unverzüglich, sofort; *par assis et ~ (Abstimmung)* durch Erheben von den Plätzen; *tête ~e* od *front ~*fest entschlossen; mutig, furchtlos; *~ aérien* Luftvermessung *f; ~ à la planchette* Meßtischaufnahme *f; ~ de terrain* Landesaufnahme *f;* **~ée** *f* Entfernung, Ab-, Wegnahme; *(Ware)* Abholung; *(Briefkasten)* Leerung *f;* Weg-, Abholen *n;* Inempfangnahme *f;* Einsammeln; Einziehen *n; (Kartenspiel)* Stich *m; (Steuer)* Erhebung; *(Konto)* Entnahme; *(Maßnahme, Belagerung, Sitzung)* Aufhebung; *mil* Aushebung; (Volks-)Erhebung *f; (Zelt, Lager)* Abbrechen *n; tech* Hub(höhe *f*) *m; (Gasometer)* Hube *f;* Aufschüttung *f*, Damm, Deich *m; (Samen, Saat)* Aufgehen, Keimen *n; faire la ~* den Briefkasten leeren; *la ~ a été faite* der Briefkasten ist geleert worden; *il y a trois ~s par jour* es (der Briefkasten) wird dreimal täglich geleert; *~ d'écrou* Haftentlassung *f; ~ d'inventaire* Bestandsaufnahme *f; ~ en masse* Massenerhebung *f; ~ du piston* Kolbenhub *m; ~ du rationnement* Freigabe *f; ~ des scellés* Entsiegelung *f; ~ de terre* Bodenerhebung *f*.

lev|er [ləve] *v tr* (auf=, empor=, hoch=, in die Höhe, er)heben; auf=, empor=richten; *(Vorhang)* auf=, hoch=ziehen; *(Schleier)* lüften; *(Verband)* ab=nehmen; *(Anker)* lichten; *(Kind)* aus dem Bett nehmen; *(Wild)* auf=jagen, -scheuchen; *(Fleisch)* ab=schneiden; ab=, weg=nehmen, entfernen; weg=schaffen, -räumen; *(Briefkasten)* leeren; *fig (Schwierigkeiten)* aus dem Wege räumen, beseitigen; *(Zweifel)* zerstreuen; *(Geheimnis)* lüften; *(Maßnahme, Verbot, Belagerung)* auf=heben; *(Sitzung)* schließen; *(Plan)* fallen=lassen; lassen; weg=, ab=holen, ein=sammeln; ein=ziehen; *(Truppen)* aus=heben; *(topographisch)* auf=nehmen; *(Kartenspiel)* den Stich machen, stechen; *arg* klauen; *itr (Samen, Saat)* auf=gehen; keimen; *(Teig)* auf=gehen; *se ~ (Sonne)* auf=gehen; *(Tag)* an=brechen; *(Sturm)* sich erheben; *(Meer)* sich heben; *(Wetter)* sich bessern; sich auf=klären; *fig (Gedanke)* auf=tauchen; sich auf=richten; *(vom Stuhl, aus dem Bett)* auf=stehen; *fig (Volk)* sich erheben, auf=stehen (*contre* gegen); *s m (Sonne)* Aufgang; *(Tag)* Anbruch *m;* Aufstehen, Sicherheben; *theat* Aufziehen *n (des Vorhangs); ~ le camp* sein Lager, *fig* s-e Zelte ab=brechen; *~ le coude (fam)* gern e-n heben, gern trinken; *~ le doigt (Schule)* strecken, auf=zeigen; *~ les épaules* mit den Achseln zucken; *~ l'étendard (fig)* das Banner erheben; *~ le lièvre (fig)* den Stein ins Rollen bringen; *~ la main* schwören; die Hand erheben (*sur qn* gegen jdn); *~ le masque (fig)* die Maske fallen=lassen; *~ une option* eine Option auf=heben; *~ le pied (fam)* aus=reißen, türmen; durch=brennen; *~ les scellés* entsiegeln (*de qc* etw); *~ la table* die Tafel auf=heben; *~ la tête* den Kopf hoch tragen; *~ le voile (fig)* den Schleier lüften; *~ les yeux, les regards* auf=blicken, -schauen; *sur qc* nach etw trachten; *il lève la crête* ihm schwillt der Kamm; *~ de rideau* Einakter *m,* Eröffnungsspiel *n; theat* Vorhang *m;* **~eur** *m (Papierfabrikation)* Bogenleger, -fänger *m (Arbeiter);* **~ier** *m* Hebel *m; (~ de fer)* Brecheisen *n,* -stange *f; (Pumpe)* Schwengel *m; engager un ~* e-n Hebel an=setzen (*sur qc* an e-e S); *prendre les ~s de commande (pol)* ans Ruder kommen; *bras, manche m, tige f de ~* Hebelarm, -griff *m,* -stange *f; commande f de ~* Hebelantrieb *m; ~ articulé, coudé* Gelenk-, Kniehebel *m; ~ de balance* Waagebalken *m; ~ de commande* Steuer-, Kontroll-, Schalt-, *(Fahrstuhl)* Stromhebel; *aero* Steuerknüppel *m; ~ du dégagement du chariot, du papier* Wagen-, Blattauslösehebel *m; ~ de démarrage (mot)* Gashebel *m; ~ d'embrayage* Kupp(e)lungs-, Schalthebel *m; ~ de frein (à main)* (Hand-)Bremshebel *m; ~ d'interligne* Zeilenschalthebel *m; ~ de manœuvre* Bedienungshebel *m; ~ à pédale* Tret-, Tritthebel *m,* Fußbremse *f; ~ à pied* Fußhebel *m; ~ porte-caractères* Typenhebel *m; ~ de réglage* Stellhebel *m; ~ de (changement de) vitesse (mot)* (Gang-) Schalthebel *m.*

lève [lɛv] *(in Zssgen); ~-***caisses, ~-glace** *(mot),* **~-sacs** *m* Kisten-, Scheiben-, Sackheber *m;* **~-tard** *m f* Langschläfer(in *f*) *m;* **~-tôt** *m f* Frühaufsteher(in *f*) *m.*

lévite [levit] *m rel* Levit *m.*

levraut [ləvro] *m* Häschen *n.*

lèvre [lɛvr] *f* Lippe *f; allg* Rand *m; pl* Mund *m;* Wundränder *m pl; bot* Lippen *f pl; des ~s* (nur) mit dem Mund, ohne Überzeugung; *du bout des ~s* von oben herab, verächtlich; gleichgültig; *avoir qc sur le bord des ~s (fig)* etw auf der Zunge haben; *avoir le cœur sur les ~s (fig)* das Herz auf der Zunge haben; *ne pas desserrer* od *remuer les ~s* den Mund nicht auf=tun; *se mordre les ~s* sich auf die Lippen beißen; *porter aux ~s* zum Munde führen, an die Lippen setzen; *(sou)rire du bout des ~s* gezwungen lachen (lächeln); *être suspendu aux ~s de qn (fig)* an jds Lippen hängen; *j'ai le cœur sur les ~s* mir ist übel; *un sourire errait sur ses ~s* ein Lächeln spielte um s-e Lippen; *~ inférieure, supérieure* Unter-, Oberlippe *f; ~ pendante* Hängelippe *f; ~ de la vulve (anat)* Schamlippe *f.*

levr|ette [ləvrɛt] *f* Windhündin *f;* Windspiel *n;* **~etté, e** wie ein Windhund gebaut; **~etter** *(Häsin)* Junge werfen; **~on** *m* (junger) Windhund *m;* Windspiel *n.*

lév|rier [levrije] *m* Windhund *m.*

levure [ləvyr] *f* Hefe(pilz *m*), Bärme *f; ~ de bière* Bierhefe *f; ~ en poudre, chimique, alsacienne* Backpulver *n.*

lexi|cal, e [lɛksikal] lexikalisch; Wörterbuch-; **~cographe** *m* Verfasser *m* e-s Wörterbuch(e)s; **~cographie** *f* Lexikographie *f;* **~cographique** lexikographisch; **~cologie** *f* Wortkunde *f;* **~que** *m* Handwörterbuch *n;* Wortbestand, -schatz *m.*

lézard [lezar] *s m* Eidechse *f; a fam*

faul; *faire le ~, prendre un bain de ~ (fam)* sich aalen, sich sonnen.

lézard|e [lezard] *f* (Mauer-)Spalt(e *f*), Riß *m; typ* Gasse *f (Setzerei); (Polstermöbel)* Galon, Besatz *m;* **~é, e** [-de] rissig; **~er** *tr* rissig machen; *itr fam* herum=bummeln, faulenzen; *se ~ (Mauer)* rissig werden, Risse bekommen.

liage [ljaʒ] *m* Binden *n*, Bindung; Befestigung *f*.

liaison [ljɛzɔ̃] *f* (Ver-)Bindung, Zs.fügung, Vereinigung *f;* Bindemittel *n (a. Küche); arch* Verband *m; fig* Verbundensein *n*, -heit *f*, Zs.hang *m;* Verbindung; Überleitung; Beziehung; Bekanntschaft *f*, (*bes.* Liebes-)Verhältnis *n*, Liebschaft, Geliebte; *gram mus* Bindung *f; (Schrift)* Verbindungs-, Haarstrich *m; mil tele* (Nachrichten-) Verbindung *f; tele* Anschluß *m; en ~ avec* in Verbindung, in *od* im Zs.hang mit; *assurer, établir, maintenir une ~* e-e Verbindung gewährleisten, her=stellen, aufrecht=erhalten (*avec* mit); *être en ~ avec qn* mit jdm in Verbindung stehen; *faire la ~ (gram mus)* binden; *fig* den Zs.hang verstehen; *mettre en ~* mitea. verbinden; *se mettre en ~* sich in Verbindung setzen (*avec* mit); *agent, homme m de ~* Verbindungsmann *m; officier m de ~* Verbindungsoffizier *m; poste m de ~* Verbindungsstelle, Vermittlung *f; ~ aérienne* Luftverbindung *f; ~s arrières (mil)* rückwärtige Verbindungen *f pl; ~ bilatérale (tele)* Wechselverkehr *m; ~ par câble* Kabelverbindung *f; ~ de commerce* Handelsverbindung *f; ~ interurbaine (tele)* Fernanschluß *m; ~ intime (fig)* enge(r) Zs.hang *m; ~ de maçonnerie* Mauerverband *m; ~ optique (mil)* Blinkverbindung *f; ~ postale* Postverbindung *f; ~ radio(électrique)* Funkverbindung *f; ~ routière* Straßenverbindung *f; ~ par satellite* Satellitenfunk *m; ~ à sec (arch)* Trokkenverband *m; ~ sonore (radio)* verbindende Musik *f; ~ transversale* Querverbindung *f; ~ à vue* Sichtverbindung *f;* **~ner** verbandmäßig vermauern, mit Mörtel verbinden.

liane [ljan] *f* Liane, Schling- *od* Kletterpflanze *f*.

liant, e [ljɑ̃, -ɑ̃t] *a* biegsam, weich; *(Lebewesen)* geschmeidig; *fig* angenehm (im Umgang), umgänglich, gesellig, freundlich, *fam* nett; *s m* Biegsamkeit; Geschmeidigkeit *f;* Bindemittel *n; fig* Umgänglichkeit, Geselligkeit, Freundlichkeit *f; avoir du ~* ein umgänglicher, netter Mensch sein, *vx* ein leutseliges Wesen haben.

liard [ljar] *m hist* Heller *m; bot* Schwarzpappel; Korbweide *f*.

lias [ljas] *m geol* Lias(formation *f*) *m* od *f*.

liasse [ljas] *f (Papiere, Akten)* Pack (-en), Stoß *m*, Bündel *n*, Haufen *m*.

libage [libaʒ] *m* grob behauene(r) (harter) Bruchstein *m*.

Liban, le [libɑ̃] der Libanon; *l~ais, e* libanesisch.

libation [libasjõ] *f* Trankopfer; Zechgelage *n*, Zecherei *f; faire d'amples ~s* tüchtig zechen.

lib|elle [libɛl] *m* Schmäh-, Spottschrift *f*, Pasquill *n;* **~ellé, e** *a* lautend (*en* auf *acc*); *s m* Abfassung *f (e-s Schriftstückes);* Wortlaut *m; être ~ au porteur* auf den Inhaber lauten; **~eller** *(Schriftstück in der vorgeschriebenen Form)* auf=setzen, ab=fassen, aus=fertigen; *(Bescheinigung)* aus=stellen; *(Verwendungszweck e-r Summe)* bestimmen, vor=schreiben; **~elliste** *m* Verfasser e-r Schmähschrift, Pasquillant, Ehrabschneider *m*.

libellule [libɛlyl] *f zoo* Libelle, Wasserjungfer *f*.

libérable [liberabl] zu entlassen(d).

libéral, e [liberal] *a* freigebig; großzügig, -mütig; freimütig, -sinnig; frei(heitlich); *pol* liberal(istisch); *s m pol* Liberale(r) *m; les arts m pl ~aux* die freien Künste *f pl; interprétation f ~e* freie, großzügige Auslegung *f; profession f ~e* freie(r) Beruf *m;* **~isation** *f* Liberalisierung *f;* **~iser** *pol* liberalisieren, freiheitlicher gestalten; **~isme** *m* Liberalismus *m;* **~ité** *f* Freigebigkeit, Großzügigkeit; *(meist pl)* großzügige Spende *f*.

libér|ateur, trice [liberatœr, - tris] *s m f* Befreier(in *f*) *m; a* befreiend; Befreiungs-; **~ation** *f* Befreiung; Freilassung; *mil jur* Entlassung; *(Ware)* Freigabe; *(Schuld)* Tilgung; *(Hypothek)* Ablösung; *(Aktie)* Ein-, Vollzahlung *f; ~ conditionnelle, sous caution* bedingte Haftentlassung *f;* H. unter Sicherheitsstellung; **~atoire** befreiend; mit befreiender Wirkung; *avoir force ~* vollgültiges Zahlungsmittel sein; **~é, e** *a* befreit; entlassen; *phys (Energie)* frei geworden; *com* abgelöst; eingezahlt; *s m mil jur* Entlassene(r) *m; entièrement ~* voll einbezahlt; *détenu m ~* Haftentlassene(r) *m;* **~er** befreien, frei machen (*qn de qc* jdn von e-r S); *mil jur* entlassen; *com* entlasten; ab=lösen; ein=zahlen; liberalisieren; *(Schulklasse)* nach Hause schicken; *se* ~ sich befreien, sich frei machen (*de qc* von etw); *(Schuld)* ab=tragen, begleichen (*de qc* etw); *(Energie)* frei werden; ~ *de la captivité* aus der Gefangenschaft entlassen; *se* ~ *de ses dettes* s-e Schulden (be)zahlen; ~ *d'une responsabilité* e-r Verantwortung entheben; ~**ien, ne** *a* Bast-.

libériste [liberist] *m f* Drachenflieger(in *f*) *m*.

libert|aire [libɛrtɛr] *s m* Anarchist *m; a* anarchistisch; ~**é** *f* (Willens-, Handlungs-)Freiheit *f; pl* Freiheitsrechte *n pl; en* ~ frei; *en toute* ~ in voller F.; ungehindert; *accorder à qn la* ~ *de* jdm anheim=stellen zu; *donner la* ~ die F. schenken (*à qn* jdm), frei=lassen (*à qn* jdn); *laisser toute* ~ *d'action à qn* jdm völlig freie Hand lassen; *mettre en* ~ auf freien Fuß setzen, frei=lassen; *chem* frei=setzen; *prendre la* ~ *de* sich die F. nehmen zu; *prendre des* ~*s* sich F.en heraus=nehmen; *rendre à la* ~ wieder in F. setzen, wieder frei=lassen; *attentat m à la* ~ Freiheitsberaubung *f; mise f en* ~ Freilassung *f; moment m de* ~ freie(r) Augenblick *od* Moment *m; privation f de la* ~ Freiheitsberaubung *f*, -entzug *m; restriction f à la* ~ *personnelle* Beschränkung *f* der persönlichen F.; ~ *d'action* Handlungsfreiheit *f;* ~ *d'association* Vereinsfreiheit *f; (pol)* Koalitionsfreiheit *f;* ~ *du choix de la résidence, d'établissement* Freizügigkeit *f;* ~ *de commerce* Handelsfreiheit *f*, Freihandel *m;* ~ *de conscience* Gewissensfreiheit *f; les* ~*s constitutionnelles* die verfassungsmäßigen Rechte *n pl;* ~ *contractuelle, des contrats, des conventions* Vertragsfreiheit *f;* ~ *d'enseigner* Lehr-, Unterrichtsfreiheit *f;* ~ *d'esprit* Vorurteilslosigkeit; Unbefangenheit *f;* ~ *individuelle* persönliche F., F. der Person; ~ *industrielle, des professions* Gewerbefreiheit *f;* ~ *des mers* F. der Meere; ~ *des mœurs* Sittenfreiheit; ~ *de(s) mouvement(s)* Bewegungsfreiheit *f;* ~ *naturelle* Recht *n* auf F.; ~ *de négociation (pol)* Verhandlungsfreiheit *f;* ~ *d'opinion* Recht *n* der freien Meinungsäußerung; ~ *de la parole* Redefreiheit *f;* ~ *sur parole (mil)* F. auf Ehrenwort; ~ *de pensée* Gedankenfreiheit *f;* ~ *politique* Genuß *m* der politischen Rechte; *les* ~*s publiques* die politischen Rechte *n pl;* ~ *de la presse* Pressefreiheit *f;* ~ *religieuse, des cultes* Glaubensfreiheit *f;* ~ *de réunion* Versammlungsfreiheit *f; avoir une grande* ~ *de langage* kein Blatt vor den Mund nehmen; ~**in, e** *a (Mensch)* ausschweifend, liederlich, wüst; *(Sitten)* locker, frei; *s m f* Wüstling, Lebemann *m;* liederliche(s) Frauenzimmer *n;* ~**inage** *m* Liederlichkeit *f*, ausschweifende(s), wüste(s) Leben *n*.

libidineux, se [libidinø, -øz] sinnlich, wollüstig, lüstern, geil; unzüchtig, schlüpfrig.

libr|aire [librɛr] *m* Buchhändler *m;* ~ *d'assortiment* Sortiment(sbuchhändl)er *m;* ~*-éditeur m* Verlagsbuchhändler, Verleger *m;* ~**airie** *f* Buchhandel *m*, -handlung *f; (~ d'édition)* Verlag(sbuchhandel *m*, -handlung *f*) *m;* ~ *ancienne et moderne* Buchhandlung u. Antiquariat; ~ *classique* Schulbuchhandlung *f;* ~ *collégiale, universitaire* Universitätsbuchhandlung *f;* ~ *commissionnaire* Kommissionsbuchhandlung *f*, -handel *m;* ~ *d'occasion* Antiquariat(sbuchhandel *m*) *n*.

libration [librasjõ] *f astr* Schwankung; Schwingung *f*.

libre [libr] frei (*de* von); ungebunden, ohne Verpflichtung(en); *(Tätigkeit)* ungehindert; zwanglos; frei *(a. Sitten, Reden; Übersetzung);* un-, nicht besetzt *a. tele; com (Papier)* ungestempelt; *(Wechsel)* einfach; *à l'air* ~ in freier Luft; *avoir le champ, la main* ~ *(fig)* freie Hand haben; *avoir ses entrées* ~*s* freien Eintritt haben; *être* ~ frei sein, frei haben; *être* ~ *de sa personne, de son temps* Herr über sich *(acc)* (selbst), H. s-r Zeit sein; *laisser le champ* ~ *à qn* jdm freie Hand lassen; jdm das Feld räumen; *je suis* ~ *de* es steht mir frei, bleibt mir unbenommen zu; *les volontés, les opinions sont* ~*s (prov)* die Gedanken sind frei; *entrée f* ~ freie(r) Eintritt *m;* kein Kaufzwang; *union f* ~ wilde Ehe *f; ville f* ~ freie (*hist* Reichs-)Stadt; Hansestadt *f; zone f* ~ Freizone *f;* ~ *comme l'air* völlig frei; ~ *arbitre m* freie(r) Wille *m;* ~ *de dettes, d'hypothèques* schulden-, hypothekenfrei; ~*-échange m* Freihandel *m;* ~*-échangiste s m* Anhänger *m* des Freihandels; *a* freihändlerisch; Freihandels-; ~ *à l'entrée* zollfrei; ~ *penseur m* Freidenker *m;* ~*-service (com)* Selbstbedienung *f;* Selbstbedienungsladen *m;* ~ *de suite (Person)* alleinstehend, ohne Anhang; ~**ment** *adv* frei, offen, ungezwungen, ungehindert; ungeniert; beliebig, nach Belieben.

libr|ettiste [librɛtist] *m* (Opern-)Textdichter, Texter *m;* **~etto** [-brɛto] *m mus* Text(buch *n*) *m.*

lice [lis] *f* **1.** Schranken *f pl;* Turnierplatz; *fig* Kampf-, Tummelplatz *m;* **2.** Jagdhündin *f;* **3.** *(a. lisse) (Webstuhl)* Geschirr *n;* Haarlauf *m; entrer en ~ (fig)* in die Schranken treten, auf dem Plan erscheinen; *entrée f en ~* Aufmarsch *m.*

licenc|e [lisɑ̃s] *f* (besondere) Erlaubnis, Berechtigung; Genehmigung, Bewilligung, Konzession; (Patent-)Lizenz *f;* Gewerbeschein; *(Universität)* Lizentiatengrad *m;* Eigenwillig-, Eigenmächtigkeit; Unbändigkeit, Schranken-, Zwang-, Sitten-, Zügellosigkeit *f; (Schrift)* Schnörkel *m pl; se permettre certaines ~s* sich gewisse Freiheiten erlauben; *prendre des ~s avec qn* sich jdm gegenüber etw heraus=nehmen; *demande f en ~ d'importation, d'exportation* Im-, Exportlizenzantrag *m; détenteur m d'une ~* Lizenzinhaber *m; droit m de ~* Lizenzgebühr *f; porteur m de ~* Lizenzträger, -inhaber *m; ~ de fabrication* Herstellungsgenehmigung *f; ~ d'importation, d'exportation* Ein-, Ausfuhrbewilligung *f; ~ poétique* dichterische Freiheit *f; ~ de vente* Verkaufslizenz *f;* **~ié** *m* Lizentiat; Lizenznehmer, -träger, -inhaber *m;* **~iement** *m* Entlassung *f; demande f de ~* Entlassungsgesuch *n; ~ de fonctionnaires, de personnel* Beamten-, Personalabbau *m;* **~ier** entlassen (*sans préavis* fristlos); *(Beamte)* ab=bauen; **~ieux, se** zügellos, ausgelassen, unbändig; ausschweifend, liederlich; unanständig, anstößig.

licet [lisɛ] *m* Erlaubnis *f.*

lich|en [likɛn] *m bot med* Flechte *f; ~ d'Islande* Isländische(s) Moos *n;* **~éneux, se; ~énoïde** flechtenartig.

lich|er [liʃe] *a pop* (sch)lecken, schlürfen; picheln, süffeln: **~eur** [-ʃ-] *m pop* Schlecker *m,* Leckermaul *n;* Säufer *m.*

licit|ation [lisitasjɔ̃] *f* Versteigerung *f (zwecks Teilung); vendre par ~* versteigern; *~ amiable, volontaire* freiwillige Versteigerung *f; ~ judiciaire* Zwangsversteigerung *f;* **~atoire** Versteigerungs-; **~e** *a* erlaubt, statthaft, zulässig; **~er** versteigern.

licorne [likɔrn] *f* Einhorn *n; ~ de mer (zoo)* Narwal *m.*

licou [liku], **licol** [likɔl] *m* Halfter *m* od *n* (*a. f*); fam Strick *m* (zum Aufhängen); *mettre le ~ à* an=halftern *acc.*

licteur [liktœr] *m* Liktor *m; faisceau m de ~* Liktorenbündel *n.*

lie [li] *s f* (Bier- *od bes.* Wein-)Hefe *f;* (Boden-)Satz *m; boire jusqu'à la ~ (fig)* bis zur Neige aus=kosten; *boire le calice jusqu'à la ~ (fig)* den Kelch bis zur Neige leeren; *fig: la ~ du genre humain* der Abschaum der Menschheit; *la ~ du peuple* die Hefe des Volkes; *a: ~(-)de(-)vin* dunkel(wein)rot.

liège [ljɛʒ] *m bot* Kork *m (als Gewebe); (chêne-~ m)* Korkeiche *f; bouchon m (de ~)* Kork *m (als Pfropfen); plaque f de ~ (abgeschälte)* Korkplatte *f; semelle f de ~* Korksohle *f; L~ f* Lüttich *n.*

lien [ljɛ̃] *m* Band *a. tech fig; allg* Bindeglied *n,* Verbindung *f;* Zs.hang *m; arch* Kopf-, Strebeband *n; tech* Schiene *f; pl* Ketten, Fesseln *f pl, fig* Bande *n pl; briser, rompre ses ~s (fig)* s-e Fesseln sprengen; *empêchement m du ~ (du mariage)* Ehehindernis *n; ~ d'assemblage* Eisenklammer *f,* Klammerhaken *m; ~ causal* Kausalzs.hang *m; ~ conjugal* Band *n* der Ehe; *~ de droit* Rechtsverhältnis *n;* rechtliche Bindung *f; ~ de parenté* Verwandtschaftsverhältnis *n; ~ du sang* Blutsverwandtschaft *f.*

li|er [lje] **1.** *(unir, attacher qc)* (zs.=, mitea., ver-, anea.=)binden, vereinigen; *~ les mains à qn* jdm die Hände binden; *~ les gerbes de blé* Korn in Garben b.; *~ un paquet avec une ficelle* e-e Schnur um ein Paket b.; *(Küche)* binden, legieren; *~ une sauce avec de la farine* e-e Soße mit Mehl b.; *(Wörter mit Bindestrich)* koppeln; *gram mus* binden; *(Buchstaben)* (mitea.) verbinden; *~ qc à autre chose* e-e S mit e-r anderen verknüpfen; **2.** *(fig)* binden (*à* an *acc*) *a. rel,* verpflichten (*à* dat); *je suis ~é par la date* ich bin an e-n festen Termin gebunden; *il se sent lié par sa promesse* er fühlt sich durch sein Versprechen verpflichtet; *ils se sentent très ~és* sie fühlen sich sehr verbunden; **3.** *se ~* sich binden, sich verpflichten; sich zs.=schließen, sich verbinden, sich vereinigen (*à qn* mit jdm); vereinigt, verbunden sein (*à* mit); *(Farben)* inea. über=gehen, mitea. verschmelzen; *avoir partie liée avec qn* mit jdm gemeinsame Interessen haben; *être (très) lié avec qn* mit jdm (eng) befreundet sein, jdm (sehr) nahe=stehen; *~ amitié* Freundschaft schließen (*avec qn* mit jdm); *~ commerce avec qn* mit jdm in Verbindung treten; *~ conversation* ein Gespräch an=knüpfen; *~ partie avec qn* sich mit jdm zs.=tun, -schließen; *j'ai les bras, les mains lié(e)s (fig)* mir sind die Hände gebunden; *j'ai la langue liée* ich bin zum Schweigen verpflichtet.

lierne [ljɛrn] *f arch* (Gewölbe-)Rippe *f;* Rähm *m,* Querbalken *m.*

lierre [ljɛr] *m bot* Efeu *m.*

lieu [ljø] *m* Ort *m a. math astr,* Stelle *f,* Platz *m,* Stätte *f;* Raum *a. phys;* Ort *m;* Örtlichkeit *f; pl jur* Räumlichkeiten *f pl;* Tatort *m; au ~ de* anstatt zu; anstelle *od* an Stelle *gen; au ~ que* während (hingegen); *en haut ~* an höherer Stelle; höher(e)n Ort(e)s; *en maints ~x* mancherorts; *en premier, second ~* an (in) erster, zweiter Stelle (Linie); *en temps et ~* bei passender Gelegenheit; *en tous ~x* allerorts, überall; *en son ~ et place* an s-r Stelle; *sur les ~x* an Ort u. Stelle; *en ~ sûr* in Sicherheit, *fam* in Nummer Sicher; *avoir ~* statt≈finden, geschehen, sich ereignen, *fam* passieren; *n'avoir pas ~* unterbleiben, aus≈fallen; *avoir (tout) ~ de* (allen) Grund haben zu; *avoir ni feu ni ~, être sans feu ni ~* kein Dach über dem Kopf, keine Bleibe haben; *descendre sur les ~x (jur)* e-n Augenschein vor≈nehmen, e-n Lokaltermin ab≈halten; *donner ~* Veranlassung, Anlaß, Gelegenheit geben (*à* zu); *être en ~ et place de qn* jds Stelle ein≈nehmen; *tenir ~ de* die Stelle *gen* vertreten *od* ein≈nehmen; dienen als; ersetzen; *il y a ~* es liegt Veranlassung vor, besteht Grund (*de* zu); *s'il y a ~* gegebenen-, eintretendenfalls; *connaissance, mémoire f des ~x* Ortskenntnis *f,* -gedächtnis *n; descente f sur les ~x (jur)* Augenschein; Lokaltermin *m; inspection f des ~x* Augenschein *m,* Ortsbesichtigung *f; mauvais ~* verrufene(s) Haus *n; les saints ~x* die Heiligen Stätten *f pl* (im Heiligen Land); *~x (d'aisance)* Abort, Abtritt *m, fam* Lokus *m; ~ d'asile, de franchise* Zufluchtsort *m,* Freistätte *f; ~ d'assemblée* Tagungsort *m; ~ commun* Gemeinplatz *m,* Banalität, Trivialität *f; ~ de décès* Sterbeort *m; ~ de découverte* Fundort *m; ~ de départ* Abfahrtsstelle *f; de destination* Bestimmungsort *m; ~-dit, ~dit m* Flurname; (durch e-n Flurnamen bezeichneter) Ort *m; ~ d'émission (Wechsel)* Ausstellungsort *m; ~ d'emploi* Einsatzort *m;* Verarbeitungsstelle *f; ~ d'exécution (com)* Erfüllungsort *m; ~ d'expédition* Versandort *m; ~ habité* Ortschaft *f; ~ d'impression* Druckort *m; ~ d'incendie* Brandstelle *f; ~ de livraison* Lieferort *m; ~ de mouillage* Ankerplatz *m; ~ natal, d'origine* Geburts-, Heimat-, Ursprungsort; *tele* Aufgabeort *m; ~ de paiement* Zahlungs-, Erfüllungsort *m; ~ de plaisance* Vergnügungsstätte *f; ~ de production* Produktionsstätte *f; ~ public (jur)* Öffentlichkeit *f; ~ de rassemblement* Sammelplatz *m; ~ de sépulture* Begräbnisort *m; ~ du supplice* Hinrichtungsort *m;* Richtstätte *f; ~ de tourisme* Fremdenverkehrsort *m; ~ de travail* Arbeitsort *m,* -stelle *f.*

lieue [ljø] *f* Meile *(4 km);* Wegstunde *f; à cent, mille ~s de (fam)* meilenweit weg von; *fig* himmelweit davon entfernt zu; *être à cent ~s d'ici (fig fam)* ganz woanders, gar nicht bei der Sache sein; *il sent le provincial d'une ~ (fam)* man sieht ihm den Provinzler schon von weitem an; *bottes f pl de sept ~s* Siebenmeilenstiefel *m pl; long d'une ~ (fam fig)* ellenlang; *~ carrée* Quadratmeile *f.*

lieur, se [ljœr, -øz] *m f* (Garben-)Binder(in *f*) *m; f* (Garben-)Bindemaschine *f.*

lieutenant [ljœtnɑ̃] *m* Oberleutnant *m; sous-~ m* Leutnant *m; ~-colonel m* Oberstleutnant *m; ~ de vaisseau (mar)* Kapitänleutnant *m.*

lièvre [ljɛvr] *m* Hase *m; chasser, courir deux ~s à la fois (fig)* zwei Sachen zugleich betreiben, zwei Fliegen mit e-r Klappe schlagen wollen; *être poltron comme un ~* ein Hasenfuß sein; *lever le ~ (fig)* den Stein ins Rollen bringen; *c'est là que gît le ~!* da liegt der Hase im Pfeffer! *civet m de ~ (Küche)* Hasenpfeffer *m; cœur m de ~* Hasenfuß *m; mémoire f de ~* schlechte(s) Gedächtnis *n,* G. wie ein Sieb; *~ de gouttière (pop)* Dachhase *m.*

liftier, ère [liftje, -ɛr] *m f* Fahrstuhlführer(in *f*), Liftboy *m.*

lifting [liftiŋ] *m* Liften *n;* Gesichtsstraffung *f; elle s'est fait faire un ~* sie hat sich das Gesicht liften *od* straffen lassen.

liga|ment [ligamɑ̃] *m anat* Band *n;* **~eux, se** bandartig; Band-; **~ture** *f med* Abbinden *n;* Binde *f (zum Abbinden); (Gärtnerei)* Anbinden *n;* Wickel *m; mar* Tau-, Drahtverband *m; (Schrift) mus* Ligatur *f;* **~turer** *med* ab≈binden.

lige [liʒ] *hist* lehnspflichtig; hörig *a. fig.*

lignage [liɲaʒ] *m typ (a. Annonce)* Höhe; *tele* Zeilenzahl *f.*

ligne [liɲ] *f math mil allg fig* Linie *f;* Strich *m;* Zeile *(a. tele); (Verkehrsmittel)* Linie, Strecke; Richtung; Bahn; Richtschnur *a. fig; fig* Richtlinie; *(große)* Linie *f,* Zug *m,* Richtung; Reihe, Stufe *f*, Rang(stufe *f*) *m*; Ahnenreihe; Angel(schnur); *el* Leitung; *mus* Notenlinie *f*; (*~ équinoxiale*) Äquator *m*; *fam* (schlanke) Linie *f*; *à trois ~s* dreizeilig; *dans la ~ (pol)* linientreu; *en ~* in einer Reihe; *(mil)* in Linie (*sur* zu); *en ~ directe* in gerader Linie; geradlinig *adv*; *en première ~* in erster Linie, vor allem; *hors ~* ungewöhnlich, einzigartig; *aller, mettre à la ~* e-e neue Zeile an=fangen; *avoir de la ~ (fam)* schlank sein, vornehm aus=sehen, etwas vor=stellen; *débloquer la ~ (loc)* freie Fahrt geben; *écrire deux ~s à qn* jdm ein paar Zeilen schreiben; *entrer en ~ de compte* in Betracht kommen; e-e Rolle spielen; *être en ~ (mil)* an der Front stehen; *faire entrer, mettre en ~ de compte (com)* be-, an=rechnen, in Rechnung stellen, in Anschlag bringen *a. fig*; *franchir la ~ d'arrivée (sport)* durchs Ziel gehen; *garder sa ~* die schlanke Linie bewahren; *lire entre les ~s (fig)* zwischen den Zeilen lesen; *mettre en ~* in Reih u. Glied stellen; *pêcher à la ~* angeln; *perdre sa ~* die schlanke Linie verlieren; *placer sur la même ~ (fig)* auf eine Stufe stellen; *poser une ~ (tele)* e-e Leitung legen; *suivre une ~ de conduite (sans dévier)* (unbeirrt) s-n Weg gehen; *tirer à la ~ (itr)* Zeilen schinden; *tr* in die Länge ziehen; *à la ~!* neue Zeile! *aviateur m de ~* Verkehrsflieger *m*; *baptême m de ~* Äquatortaufe *f*; *éclairage m de ~ (aero)* Streckenbefeuerung *f*; *entrée f en ~ (mil)* Einsatz *m*; *ouvrier m de la ~* Streckenarbeiter *m*; *pêcheur m à la ~* Angler *m*; *réseau m de ~s (el)* Leitungsnetz *n*; *tête f de ~* Kopfstation *f*; *tracé m de la ~* Linienführung *f*; *~ d'abonné (tele)* Anschlußleitung *f*, Hausanschluß *m*; *~ aérienne (el)* Frei-, Oberleitung; *aero* Luftlinie *f*; *~ aérodynamique* Stromlinie *f*; *~ d'analyse (tele)* Bildzeile *f*; *~ d'approche (aero)* Anfluglinie *f*; *~ d'approvisionnement (mil)* rückwärtige Verbindung *f*; *~ ascendante, descendante (Genealogie)* auf-, absteigende Linie *f*; *~ d'autobus* Omnibuslinie *f*; *~ d'avants (sport)* Stürmerreihe *f*; *~ de banlieue, suburbaine (loc)* Vorortstrecke *f*; *~ de but (sport)* Torlinie *f*; *~ de ceinture (loc)* Ringbahn *f*; *~ de chemin de fer* Eisenbahnlinie *f*; *~ collatérale (Genealogie)* Seitenlinie *f*; *~ de communication, de jonction* Verbindungslinie *f*; *~ de conduite* Lebensregel; Richtlinie *f*; *~ de contact (el)* Oberleitung *f*; *~ courbe (math)* Kurve *f*; *~ en déblai, en remblai* Bahneinschnitt, -damm *m*; *~ de démarcation* Demarkationslinie *f*; *~ de départ, d'arrivée (sport)* Start-, Zielband *n*; *~ discontinue* gestrichelte Linie *f*; *~ de douanes* Zollgrenze *f*; *~ droite (math)* Gerade; *(gedachte)* Luftlinie *f*; *~ d'essai (tele)* Prüfleitung *f*; *~ de faille (geol)* Verwerfungslinie *f*; *~ de file (mar)* Kiellinie *f*; *~ de flottaison (mar)* Wasserlinie *f*; *~ de force, de flux* Kraftlinie *f*; *~ d'horizon* Horizont *m*; *~ d'intersection* Schnittlinie *f*; *~ interurbaine* Überlandleitung *f*; *~ latérale, secondaire (loc)* Nebenlinie *f*; *~ de la main* Handlinie *f*; *~ masculine* Mannesstamm *m*; *~ de mire* Visierlinie *f*; *~ de navigation* Schiffahrtslinie *f*; *~ ondulée* Wellenlinie *f*; *~ d'ordre(s), de service (tele)* Dienstleitung *f*; *~ de partage des eaux (geog)* Wasserscheide *f*; *~ de pied (typ)* Normzeile *f*; *~ pointillée* punktierte Linie *f*; *~ de postes* Postenkette *f*; *~ principale (loc)* Haupt-, Durchgangslinie *f*; *tele* Hauptanschluß *m*; Amtsleitung *f*; *~ de raccordement* Verbindungslinie *f*; *~ principale de résistance* Hauptkampflinie *f*; *~ régulière (aero)* planmäßig beflogene Strecke *f*; *~ de rivets (tech)* Nietnaht *f*; *~ séparative* Trennungslinie *f*; *~ Siegfried* Westwall *m*; *~ de soudure* Schweißnaht *f*; *~ spectrale (phys)* Spektrallinie *f*; *~ supplémentaire (tele)* Nebenanschluß *m*; *~ télégraphique, téléphonique* Telegraphen-, Fernsprechleitung *f*; *~ à haute tension* Hochspannungsleitung *f*; *~ de tête* erste Zeile *f*; Kolumnentitel *m*; *~ de tir* Schußlinie *f*; *~ de tirailleurs* Schützenkette *f*; *~ de tramways* Straßenbahnlinie *f*; *~ de transmission à longue distance* Überlandleitung *f*; *~ de transport de force, à courant fort* Starkstromleitung *f*; *~ visuelle* Sehlinie *f*; *~ à voie normale, étroite* Normal-, Schmalspurbahn *f*; *~ à double voie, à voie unique* zwei-, eingleisige Strecke *f*; *~ en zigzag* Zickzacklinie *f*.

lign|ée [liɲe] *f* Stamm *m*, Geschlecht *n*; Nachkommenschaft *f*; *~ d'ancêtres* Ahnenreihe *f*; **~er** lin(i)ieren.

lign|eux [liɲø] holzartig; holzig; **~icole** *zoo* im Holz lebend; **~ification** *f* Verholzung *f*; **~ifier, se** verholzen; **~ine** *f chem* Lignin *n*, Holzstoff *m*, -faser *f*; **~ite** *m* Braunkohle *f*; **~ocellulose** *f* Holzfaserstoff *m*.

lignomètre [liɲɔmɛtr] *m typ* Zeilenmesser *m*.

ligoter [ligɔte] binden, fesseln.

ligu|e [lig] *f* Liga *f*, Bund *m*, Bündnis *n; Verschwörung f; fig* Zs.spiel *n; ~ offensive et défensive* Schutz- u. Trutzbündnis *n;* **~er** *(zu e-m Bund)* zs.=schließen; *se ~* sich verbünden, sich zs.=schließen; sich verschwören; *tout s'est ~é contre moi (fig)* alles hat sich gegen mich verschworen.

lil|as [lila] *s m bot* Flieder *m*, Syringe *f;* Lila *n (Farbe); a inv* lila; **~iacées** *f pl* Liliengewächse *n pl;* **~ial, e** Lilien-; *fig* blütenweiß, -rein.

lilliputien, ne [lilipysjɛ̃, -ɛn] *s m f* Liliputaner(in *f*), Zwerg(in *f*) *m; ~, ne a* zwergenhaft.

lim|ace [limas] *f zoo* Ackerschnecke; *tech* Wasserschnecke, archimedische Schraube *f; pop* Hemd *n;* **~açon** *m zoo* Schnirkelschnecke; *anat* Schnekke; *tech* Wasserschnecke *f; en ~* schneckenförmig; *escalier m en ~* Wendeltreppe *f*.

limaille [limaj] *f* Feilicht *n*, Feilspäne *m pl*, -staub *m; ~ de fer* Eisenfeilicht *n*.

limande [limɑ̃d] *f* Kliesche *f (Fisch); tech* flache(s) Holzstück *n;* Setzlatte *f; mar* Scharting *n*, geteerte(r) Leinenstreifen *m*.

lim|baire [lɛ̃bɛr] *a bot* Rand-; **~be** *m bot astr* Rand; *math* Gradbogen *m; pl rel* Vorhölle *f; pl fig* Verschwommenheit, Unklarheit *f*.

lim|e [lim] *f* Feile *f a. fig; ~ d'atelier, ordinaire* Werkstattfeile *f; ~ bâtarde, douce, fraisée, grosse, obtuse, plate, ronde* Vor- *od* Bastard-, Schlicht-, Fräser-, Grob-, Stumpf-, Ansatz- *od* Flach-, Rundfeile *f; ~ à ongles* Nagelfeile *f;* **~er** (ab=, aus=, be)feilen *a. fig; fig* glätten, sorgfältig bearbeiten; **~eur, se** *a* Feil-; *s m* Feiler *m (Arbeiter); f* Feilmaschine *f*.

limier [limje] *m* Spürhund *a. fig fam; fig* Kriminalbeamte(r); Spion, Spitzel *m*.

limi|naire [liminɛr] einführend, -leitend; Vor-; **~nal, e** Schwellen-.

limit|atif, ive [limitatif, -iv] einschränkend, begrenzend; *jur (Aufzählung)* erschöpfend; **~ation** *f* Be-, Einschränkung; Begrenzung; *fig* Begrenztheit *f; com* Limitierung *f; sans ~ (de temps)* (zeitlich) unbegrenzt; *~ des armements* Rüstungsbeschränkung *f; ~ du droit de disposer* Verfügungsbeschränkung *f; ~ d'exploitation, de production* Betriebs-, Produktionseinschränkung *f; ~ de l'immigration, des naissances* Einwanderungs-, Geburtenbeschränkung *f; ~ de (la) vitesse (Verkehr)* Geschwindigkeitsbegrenzung *f*.

limite [limit] *s f* Grenze *f bes. fig; tech* Grenzwert *m*, Toleranz *f; com* Limit *n; a* Grenz-, Höchst-; *sans ~s* unbegrenzt; *être atteint par la ~ d'âge* die Altersgrenze erreicht haben; *il y a une ~ à tout* alles hat s-e Grenzen; *cas m ~* Grenzfall *m; date f ~* End-, Schlußtermin *m; prix m ~* Höchstpreis *m; ~ d'âge* Altersgrenze *f; ~ de charge* Höchstbelastung; *loc* Tragfähigkeit *f; ~ d'emploi* Anwendungsgrenze *f; ~ d'imposition* Steuer-, Freigrenze *f; ~ des neiges* Schneegrenze *f; ~ de poids (sport)* Gewichtsgrenze *f; ~ de poids d'essieu* zulässige(r) Achsdruck *m; ~ des prix* Preisgrenze *f; ~ de la rédaction (Zeitung)* Redaktionsschluß *m; ~ de remise* Einsende-, *(Zeitung)* Anzeigenschluß *m; ~ de rentabilité* Rentabilitätsgrenze *f; ~ de revenu* Einkommensgrenze *f; ~ de tolérance (tech)* Spielraumgrenze *f; ~ de vitesse* Höchstgeschwindigkeit *f; ~ de zone* Zonengrenze *f*.

limi|té, e [limite] *a* begrenzt, beschränkt; **~ter** begrenzen, be-, ein=schränken; *~ le temps de parole* die Redezeit beschränken; **~teur** *m tech* Begrenzungsvorrichtung *f; ~ de course* Anschlagschalter *m;* **~trophe** angrenzend (*de* an *acc*), benachbart (*de* dat); Grenz-; *pays m ~* Nachbarland *n*.

limoger [limɔʒe] *mil pol fam* ab=sägen, aus=booten, kalt=stellen.

limon [limɔ̃] *m* **1.** Schlamm, Schlick, Schluff *m;* Anschwemmung *f*, Schwemmland *n;* **2.** Deichselarm, Gabelbaum *m;* Treppenwange *f;* **3.** Zitrone *f; ~s de marée* Gezeitenablagerungen *f pl*.

limona|de [limɔnad] *f* (Brause-)Limonade, Brause *f*, süße(r) Sprudel *m; ~ gazeuse* Zitronensprudel *m; ~ sèche* Brausepulver *n;* **~dier, ère** *m f* Limonadeverkäufer(-in *f*) *m*.

limo|nage [limɔnaʒ] *m agr* Aufschlikkung *f;* **~neux, se** schlammig; Schlamm-; *dépôt m ~* Schlammablagerung *f*.

limo|nier [limɔnje] *m* **1.** Zitronenbaum *m;* **2.** Zugpferd *n;* **~nière** *f* Gabeldeichsel *f*.

limonite [limɔnit] *f min* Braun-, Raseneisenerz *n*.

limousin [limuzɛ̃] *m a* aus Limoges, aus der Gegend von Limoges; *s m* Maurer *m;* **~e** *f* Limousine *f;* **~er** mit Bruchsteinen mauern.

limpid|e [lɛ̃pid] klar, durchsichtig; *fig* schlicht, einfach; klar, verständlich; **~ité** *f* Durchsichtigkeit, Klarheit *a.*

fig; fig Reinheit; Schlichtheit, Einfachheit *f.*
limu|le [limyl] *m zoo* Pfeilschwanz *m;* **~re** *f* Feilung *f;* Feilicht *n.*
lin [lɛ̃] *m* Lein, Flachs *m;* Leinen, Linnen *n,* Leinwand *f; broyeur m de ~* Flachsbrecher *m,* Brake *f; fil m de ~* Flachs-, Leinengarn *n; filature f de ~* Flachsspinnerei *f; graine f de ~* Leinsamen *m,* -saat *f; huile f de ~* Leinöl *n;* **~acé, e** [li-] flachsartig; **~aire** *f* Leinkraut *n.*
linceul [lɛ̃sœl] *m* Leichentuch *n a. fig; ~ de neige* Schneedecke *f.*
liné|aire [lineɛr] *a math* linear; Linear-; ersten Grades; *bot* lang u. schmal; *dessin m ~* Linearzeichnen *n; équation f ~ (math)* Gleichung *f* 1. Grades; *mesure f ~* Längenmaß *n;* **~al, e** *a (Kunst)* Linien-, der Linien; **~ament** *m allg* Grundzug *m; (Kunst)* Umrisse *m pl;* (erste) Andeutung *f;* Entwurf *m.*
linette [linɛt] *f com* Leinsamen *m,* -saat *f.*
ling|e [lɛ̃ʒ] *m* Wäsche(stücke *n pl) f;* Stück *n* Leinen; Tuch, Laken *n; changer de ~* die Wäsche wechseln; *mettre du ~ propre* saubere, frische Wäsche an=ziehen; *il faut laver son ~ sale en famille (fig)* man soll s-e schmutzige Wäsche nicht in der Öffentlichkeit waschen; *armoire, calandre, épingle* od *pince f, sac m à ~* Wäscheschrank *m,* -mangel *od* -rolle, -klammer *f,* -beutel *m; blanc comme un ~* kreidebleich; *encre f à marquer le ~* Wäschetinte *f; liste f du ~* Waschzettel *m; ~ de corps, de cuisine, de ménage, de lit, de maison, de table* Leib- *od* Unter-, Küchen-, Haushalt(s)-, Bett-, Haus-, Tischwäsche *f; ~ damassé* Wäschedamast *m; ~ de pansement* Verbandstoff *m; ~ uni, ouvré* glatte(r), gemusterte(r) Wäschestoff *m;* **~ère** *f* Weißnäherin; Wäschebeschließerin *f;* Wäscheschrank *m;* **~erie** *f* Wäschehandel *m;* Wäsche; (*bes.* Damen-)Unterwäsche; Wäschekammer *f; magasin m de ~* Wäschegeschäft *n.*
lingo|t [lɛ̃go] *m tech* (Guß-, Roh-) Block, Barren *m; typ* (Hohl-)Steg *m; en ~ (Edelmetall)* in Barren; ungemünzt; *~ d'acier brut* Rohstahlblock *m; ~ d'or, d'argent* Gold-, Silberbarren *m;* **~tière** [-gɔ-] *f* (Hart-) Gußform, Kokille *f.*
lingu|al, e [lɛ̃gwal] *a* Zungen-; *s f* Zungenlaut *m;* **~et** [-gɛ] *m mar* Sperrhebel; *mot* Unterbrecherhebel *m;* **~iforme** [-gɥi-] zungenförmig; **~iste** [-gɥi-] *m* Sprachwissenschaftler, -forscher *m;* **~istique** *s f* Sprachwissenschaft *f,* Linguistik *f; a* sprachwissenschaftlich.
linier, ère [linje, -ɛr] *a* Flachs-, Leinen-; *s f* Flachsfeld *n; industrie f ~ère* Flachsanbau *m;* Leinenindustrie *f.*
lini|ment [linimɑ̃] *m* Liniment, Mittel *n* zum Einreiben; **~tion** *f med* Einreiben *n.*
linoléum [linɔleɔm] *m* Linoleum *n; clichage m sur ~ (typ)* Linoleumdruck *m; gravure f sur ~* Linol(eum)-schnitt *m.*
linon [linɔ̃] *m* Linon *m (feines Leinen).*
linotte [linɔt] *f orn* Hänfling *m; tête f de ~ (fig fam)* Luftikus *m.*
lino|type [linɔtip] *f typ* Zeilensetzmaschine *f;* **~typiste** *m* Linotypesetzer *m.*
linsoir [lɛ̃swar] *m* Wechsel, Querbalken *m.*
linteau [lɛ̃to] *arch* Oberschwelle *f; ~ de porte, de fenêtre* Tür-, Fenstersturz *m.*
lion [ljɔ̃] *m* Löwe *a. astr; fig* Held *m;* Genie *n; tu as bouffé du ~! (fam)* du bist aber energisch! *chasse, fosse f aux ~s* Löwenjagd, -grube *f; part f du ~ (fig)* Löwenanteil *m; ~ marin, de mer* Seelöwe *m; ~ du Pérou, d'Amérique* Puma, Kuguar *m;* **~ceau** *m* junge(r) Löwe *m;* **~ne** *f* Löwin *a. fig.*
lip|ides [lipid] *m pl* Fette *n pl;* **~oïde** fettähnlich.
lipp|e [lip] *f* dicke (Unter-)Lippe, wulstige Lippe *f; faire la, sa ~ (fam)* maulen, schmollen; **~ée** *f fam* Schmaus; Happen, Bissen *m;* **~u, e** mit dicker (Unter-)Lippe; mit wulstigen Lippen; *(Lippe)* dick, wulstig.
liqu|ater [likwate] *tech* (ab=, aus=)seigern; **~ation** *f* (Ab-, Aus-)Seigern *n.*
liqué|faction [likefaksjɔ̃] *f* Verflüssigung *f;* Schmelzen *n; ~ d'air* Luftverflüssigung *f;* **~fier** flüssig machen, verflüssigen; schmelzen; *se ~* flüssig werden; schmelzen; sich nieder=schlagen.
liquette [likɛt] *f arg* Hemd *n.*
liqueur [likœr] *f (~ spiritueuse)* Likör *m; pl* Spirituosen *pl; vin m de ~* Süß-, Dessertwein *m.*
liquida|teur [likidatœr] *m com* Liquidator, Masseverwalter *m;* **~tion** *f com* Liquidation; *(~ commerciale)* Abwicklung(sverfahren *n*); (Geschäfts-)Auflösung, Aufgabe *f;* (Total-)Ausverkauf *m;* Kostenberechnung, Ausea.setzung, Verrechnung u. Ausgleichung *f;* Abrechnen *n* (gegenseitiger Forderungen); *(Börse)* Regu-

lierung (der Differenzgeschäfte); *(Geschäft)* Erledigung; *fig* Beendigung, Liquidierung; Auflösung *f (e-s Verhältnisses); demander la ~ judiciaire* ein gerichtliches Vergleichsverfahren beantragen; *entrer en ~* in Liquidation geraten; *actif m de (début m de la) ~* Abwicklungsend(-anfangs-)vermögen *n; bureau m de ~* Abwicklungsstelle *f; caisse f de ~* Liquidationskasse *f; compte m de ~* Abwicklungskonto *n; ~ de biens* Vermögensausea.setzung *f; ~ pour cause de cessation de commerce* Ausverkauf *m* wegen Geschäftsaufgabe; *~ des dépens* Kostenfestsetzung *f; ~ de fin d'année, de fin de mois, de quinzaine* Jahres-, Ultimo-, Medioabrechnung *f; ~ forcée, volontaire* Zwangs-, freiwillige Liquidation *f; ~ générale, totale* Total-, Räumungsausverkauf *m; ~ après inventaire* Inventurausverkauf *m; ~ judiciaire* gerichtliche(s) Vergleichsverfahren *n; ~ de succession* Erbausea.setzung *f*.

liqu|ide [likid] *a* flüssig *a. com; com* verfügbar; bar, Bar-; *(Zahlung)* fällig; unbelastet, lasten-, schuldenfrei; unbestritten, klar; *s m* Flüssigkeit *f;* Getränk *n; pl* flüssige Nahrung *f; f (consonne f ~) gram* Liquida *f; argent m ~* Bargeld *n;* flüssige Mittel *n pl;* **~ider** [-ki-] *tr com* liquidieren; flüssig=machen; be-, ab=, verrechnen, aus=gleichen; fest=, ausea.=setzen; *(Schuld)* ab=lösen, tilgen, bezahlen; regeln, ab=wickeln, ab=machen; *fig (Sache)* ab=tun; erledigen; beseitigen; *fam* sich vom Halse schaffen (*qn* jdn), *pol* liquidieren; *(Geschäft)* auf=lösen, -geben; *(Ware)* aus=verkaufen; *(Lage)* klären; *itr* liquidieren; sein Geschäft auf=lösen, -geben; aus=verkaufen; *se ~* sich ausea.=setzen; s-e Schulden bezahlen; *(Sache)* sich erledigen; **~idité** *f* Flüssigkeit *f a. com,* flüssige(r) Zustand *m; com* Liquidität *f; pl* flüssige Mittel *n pl*.

liquo|reux, se [likɔrø, -z] *(Wein)* likörartig; **~riste** *m* Likörfabrikant, -händler *m*.

lire [lir] **1.** *s f com* Lira *f;* **2.** *v irr* (ab=) lesen *a. fig; ~ à qn* jdm vorlesen, *~ en qn* jdn durchschauen, jds Gedanken lesen; *mus* vom Blatt spielen; *(Lochkarte)* ab=fühlen; *(Lesegerät)* lesen, ab=tasten; *tele (Bild)* ab=tasten; *se ~* (gut) zu lesen sein, sich (gut) lesen lassen; *ne pas savoir ~ (fam)* nicht bis drei zählen können; *~ des épreuves (typ)* Korrektur lesen; *~ entre les lignes* zwischen den Zeilen lesen; *~ dans la main* die Handlinien deuten; *~ dans la pensée* Gedanken lesen; *~ au son (tele)* nach dem Gehör auf=nehmen; *~ qc sur le visage de qn* jdm etw am Gesicht ab=lesen; *se ~ sur le visage de qn (fig)* jdm im Gesicht geschrieben stehen.

lis [lis] *m bot* Lilie *f; de ~ (Teint)* milchweiß; *de ~ et de rose* wie Milch u. Blut; *fleur f de ~ (hist)* Lilienwappen, -banner *n; ~ d'eau, des étangs* (Weiße) Seerose *f; ~ de Saint-Jean* Gladiole *f*.

Lisbonne [lisbɔn] *f* Lissabon *n*.

lis|e [liz] *f* Flugsand *m;* **~éré,** *m* (schmale) Litze, Borte, Biese *f,* Paspel *f* od *m;* **~érer** mit e-r Litze, Borte ein=fassen, säumen, umranden; paspelieren; **~eron** *m bot* Winde *f; grand ~, ~ des haies* Zaunwinde *f; ~ des champs* Ackerwinde *f;* **L~ette** *f* Lieschen *n; l~ (theat)* Zofe *f,* Kammerkätzchen *n; pas de ça, L~! (fam)* denkste!

lis|eur, se [lizœr, -zøz] *m f* Leseratte *f;* Vorleser(in *f*) *m; f* Lesepult *n,* -lampe *f,* -zeichen *n;* Buchhülle *f;* Papiermesser; Bettjäckchen *n;* Sortier-, Tabelliermaschine *f;* **~ibilité** *f* Lesbarkeit *f;* **~ible** lesbar, leserlich.

lisière [lizjɛr] *f (Stoff)* Rand(streifen) *m,* Kante *f,* Saum; *(Wald)* Rand; *(Akker)* Rain *m; min* Salband *n*.

liss|age [lisaʒ] *m tech* Glätten *n;* **~e 1.** *a* glatt, eben; *mil (Lauf)* nicht gezogen; *s m* Glätte, Ebenheit *f;* **2.** *s f s. lice 3.* **3.** *a. lice s f* (Feld *n* zwischen den) Schiffsrippe(n); Pfette; Reling *f;* **~é, e** *a* glatt, geglättet; *s m* Zuckerguß; *(Stoff)* Glanz *m;* **~er** glätten, glatt=streichen, polieren; *(Straße)* walzen; *dial* plätten; **~eur, se** *m f* Glätter(in *f*) *m;* Plätterin; *f* Plätt-, Glänz-, Glättmaschine *f;* **~oir** *m* Glättholz *n,* -maschine *f*.

listage [listaʒ] *m inform* Ausdruck, Printout *m*.

list|e [list] *f* Liste *f,* Verzeichnis *n; dresser une ~* ein Verzeichnis, e-e Liste an=fertigen *od* auf=stellen; *grossir la ~ de(s)* die Zahl, die Reihen der ... vermehren; *mettre sur une ~* in e-e Liste ein=tragen; *rayer d'une ~* von e-r Liste streichen; *scrutin m de ~ (parl)* Listenwahl *f; ~ des abonnés* Bezieherliste *f; ~ d'adresses* Adressenverzeichnis *n; ~ des bâtiments, des navires* Schiffsliste *f; ~ des candidats* Kandidatenliste *f; ~ de contrôle* Kontrolliste *f; ~ détaillée* Stückliste *f; ~ électorale* Wählerliste *f; ~ des engagements, des inscriptions* Nenn-, Meldeliste *f; ~ des marchandises* Warenverzeichnis *n; ~ de* *mariage* Wunschliste *f* für Hochzeitsgeschenke; ~ *en stock* Bestandsliste *f;* ~ *des membres* Mitgliederverzeichnis *n;* ~ *noire (pol)* schwarze Liste *f;* ~ *nominative* Namensliste *f,* namentliche(s) Verzeichnis *n;* ~ *des numéros gagnants (Lotterie)* Gewinnliste *f;* ~ *des orateurs* Rednerliste *f;* ~ *des passagers* Passagierliste *f;* ~ *des pertes* Verlustliste *f;* ~ *de présence* Anwesenheitsliste *f;* ~ *des prix* Preisliste *f;* ~ *des souscripteurs* Zeichnerliste *f;* ~ *des tirages* Ziehungsliste *f;* ~ *unique (parl)* Einheitsliste *f;* ~ *d'urgence* Dringlichkeitsliste *f;* **~el, ~eau, ~on** *m arch* Leiste *f,* Stab *m,* Band *n,* Steg *m; mar* kleine Rippe, Stück *n* Rippe *f;* Riemen *m; (Münze)* Rand *m.*

lit [li] *m* Bett(stelle *f od* -gestell); *allg* Lager; (Fluß-)Bett *n; (Kanal)* Sohle; *geol* Schicht, Lage, Bank; Lagerung; *(Strömung, Wind)* Richtung; *fig* Ehe *f; au saut du* ~ beim Aufstehen; *du premier* ~ aus erster Ehe; *par ~s* schichtweise; *aller, se mettre au* ~ zu Bett gehen, schlafen gehen; *dresser, monter un* ~ ein Bett auf=schlagen, -stellen; *être au* ~ im Bett liegen; *faire son* ~ sein Bett machen; *faire* ~ *à part, deux ~s* getrennt schlafen; *garder le* ~ das Bett hüten; *mettre au* ~ *(Kind)* zu Bett bringen; *mourir dans son* ~ e-s natürlichen Todes sterben; *prendre le* ~ sich ins Bett legen; *comme on fait son ~, on se couche (prov)* wie man sich bettet, so schläft man; *camarade m de* ~ Schlafgenosse *m; chambre f à un, deux ~(s)* Einzel-, Doppelzimmer *n; ciel m de* ~ Betthimmel *m; colonne f de* ~ Bettpfosten *m; descente f de* ~ Bettvorleger *m; tête f, pied m d'un* ~ Kopf-, Fußende *n* e-s Bettes; *wagon-~ m* Schlafwagen *m; ~(-)cage m,* ~ *pliant* Klappbett *n;* ~ *de camp, militaire* Feldbett *n;* ~ *de coulée (tech)* Gießbett *n;* ~ *de décombres (min)* Abraum *m;* ~ *de dessous, de dessus* Unter-, Oberbett *n;* ~ *double, de milieu* Doppelbett *n;* ~ *d'enfant* Kinderbett(stelle *f*) *n;* ~ *de fer* Eisenbett (stelle *f*) *n; ~s-jumeaux* Ehebetten *n pl; ~s gigognes* inea.schiebbare Betten *n pl;* ~ *majeur (Fluß)* Flutbett *n;* ~ *de misère, de souffrance* Schmerzenslager *n;* ~ *de mort* Sterbe-, Totenbett *n;* ~ *nuptial* Brautbett *n;* ~ *de l'ongle (anat)* Nagelbett *n;* ~ *de plume* Federbett *n;* ~ *de pont* Brückenboden *m;* ~ *de repos* Ruhebett *n;* ~ *de sable* Sandbettung *f;* ~ *de sangle* Gurtbett *n.*

litanie [litani] *f pl rel* Litanei; *sing fig* (lange) Litanei, Leier *f; c'est toujours la même* ~ das ist die alte Leier.

liteau [lito] *m (Tischwäsche)* farbige(r) Streifen *m;* starke (Holz-)Leiste *f.*

literie [litəri] *f* Bett(zeug *n,* -wäsche *f*) *n.*

lith|arge [litarʒ] *f* Bleiglätte *f;* **~iase** *f med* Steinkrankheit *f;* ~ *biliaire, rénale, vésicale* Gallen-, Nieren-, Blasensteine *m pl;* **~ine** *f* Lithiumoxyd *n;* **~ium** [litjɔm] *m chem* Lithium *n.*

litho|chromie [litɔkrɔmi] *f* Farben(stein)druck *m,* Chromolithographie *f;* **~glyphie** *f* Steinschneidekunst *f;* **~graphe** *m* Lithograph *m;* **~graphie** *f* Lithographie *f,* Steindruck *m;* **~r** lithographieren; **~graphique** lithographisch; *pierre f* ~ Lithographie(r)stein *m;* **~logie** *f* Gesteinskunde *f;* **~sphère** *f* Erdrinde *f;* **~typographie** *f* Lithotyp(ograph)ie *f.*

Lithuanie *s. Lituanie.*

litière [litjɛr] *f agr* Streu *f;* Strohlager; *hist* Tragbett *n.*

liti|ge [litiʒ] *m* (Rechts-)Streit; Prozeß *m; pl* Streitigkeiten *f pl; en* ~ strittig; *régler un* ~ e-n Streit schlichten; *cas, objet, point m de* ~ Streitfall, -gegenstand, -punkt *m;* **~gieux, se** streitig, strittig, umstritten; *cas m* ~ Streitfall *m.*

litorne [litɔrn] *f* Wacholderdrossel *f,* Krammetsvogel *m.*

litote [litɔt] *f gram* Litotes *f.*

litr|e [litr] *m* Liter(maß *n,* -flasche *f*) *m* od *n;* **~on** *m pop* Liter *m (bes. Wein).*

litt|éraire [literɛr] literarisch, schriftstellerisch (tätig); schöngeistig; gebildet; *langue f* ~ Schriftsprache *f; monde m* ~ Welt *f* der Gebildeten; *propriété f* ~ literarische(s) Eigentum *n; soirée f* ~ Leseabend *m;* **~éral, e** wörtlich; buchstäblich; *(Sprache)* geschrieben, Schrift-; *math* Buchstaben-; **~érateur** *m* Literat, Schriftsteller *m;* **~érature** *f* Literatur *f,* Schrifttum *n;* Schriftstellerei; Sekundärliteratur *f;* leere Worte *n pl; histoire f de la* ~ Literaturgeschichte *f;* ~ *de l'enfance* Jugendliteratur *f.*

litoral, e [litɔral] *a* Küsten-, Ufer-; *s m* Küstengebiet *n;* Küsten-, Uferstreifen *m.*

Lituanie, la [litɥani] Litauen *n;* **l~n, ne** *a* litauisch; *s m f L~n, ne* Litauer(in *f*) *m.*

litur|gie [lityrʒi] *f* Liturgie *f,* Gottesdienst(ordnung *f*) *m;* **~gique** *rel* liturgisch.

livarot [livaro] *m Art* Käse *m* aus der Normandie.

livid|e [livid] bleifarben, aschgrau, leichenblaß, fahl; **~ité** *f* aschgraue, fahle Farbe *f*.

Livonie, la [livɔni] Livland *n*.

livr|able [livrabl] lieferbar; *~ à tout moment* sofort, jederzeit lieferbar; **~aison** *f* (Ab-, An-, Aus-)Lieferung *(a. Teil e-s Buches),* Anfuhr *f,* Antransport *m; à, après ~* bei, nach Lieferung; *offrir, prendre, refuser ~* die L. an≈bieten, übernehmen, verweigern; *paraître par ~s* in Lieferungen erscheinen; *prendre ~* in Empfang nehmen (*de qc* e-e S); *respecter le délai de ~* die Lieferzeit, -frist ein≈halten; *billet, bordereau, bulletin, certificat m de ~* Lieferschein *m; centre m de ~ (mil)* Ausgabestelle *f; conditions f pl, termes m pl de ~* Lieferungsbedingungen *f pl; date f de ~* Lieferungstermin *m; délai, terme m de ~* Lieferfrist, -zeit *f; lieu m de ~* Lieferungsort *m; ordre m de ~* Lieferungsauftrag *m; voiture f de ~* Lieferwagen *m; ~ de bagages (loc), des colis (Post)* Gepäck-, Paketausgabe *f; ~ à la circulation (Straße)* Verkehrsübergabe *f; ~ franco domicile, gratuite* Lieferung frei Haus, Gratislieferung *f*.

livre [livr] **1.** *m* Buch *n,* Band *m;* **2.** *f* Pfund *n (Gewicht u. Währung); à ~ ouvert* aus dem Stegreif, vom Blatt; *arrêter, balancer, clôturer les ~s (com)* die Bücher ab≈schließen; *dévorer un ~ (fig)* ein Buch verschlingen; *inscrire dans, porter sur les ~s* in die Bücher ein≈tragen, (ver)buchen; *parler comme un ~* wie ein Buch, hochtrabend reden; *sécher, pâlir sur les ~s* immer hinter den Büchern hocken; *tenir les ~s (com)* die Bücher führen; *amateur m de ~s* Bücherliebhaber *m; caisse f à ~s* Bücherkiste *f; clôture f annuelle des ~s (com)* Jahresabschluß *m; échange m de ~s* Buchtausch, Tauschverkehr *m; grand ~ (com)* Hauptbuch, Stammregister *n; industrie f du ~* Buchgewerbe *n; location f de ~s* Buchverleih, Leihbuchhandel *m; loueur m de ~s* Leihbuchhändler *m; tenue f des ~s (en partie double)* (doppelte) Buchführung *f; vérificateur m de ~s* Bücherrevisor, Buchprüfer, Steuerberater *m; ~ des achats, des ventes* Ein-, Verkaufsbuch *n; ~-album m* Bildband *m; ~s d'assortiment (Buchhandel)* Sortiment *n; ~ de balance, de bilan* Bilanzbuch *n; ~ blanc, jaune, noir (pol)* Weiß-, Gelbbuch, Schwarzbuch *n; ~ de bord (mar)* Bord-, Passagierbuch *n; ~ de caisse* Kassenbuch *n; ~ à calquer* Durchschreibbuch *n; ~ de cantiques (rel)* Gesangbuch *n; ~ de chevet* Lieblingsbuch *n; ~ de classe, classique, scolaire* Schulbuch *n; ~ des commandes* (Waren-)Bestellbuch *n; ~ de commerce* Geschäftsbuch *n; ~ de comptabilité, de compte* Rechnungsbuch *n; ~ des comptes courants* Kontokorrentbuch *n; ~s à condition (Buchhandel)* Kommissionsware *f; ~ de correspondance* Briefbuch *n; ~ de cuisine* Kochbuch *n; ~ dépareillé* Einzelband *m; ~ de dévotion* Erbauungsbuch *n; ~ élémentaire* Elementarbuch *n; ~ d'enfant* Kinderbuch *n; ~ des entrées, des sorties* Warenein-, -ausgangsbuch *n; ~ d'étrennes* Geschenkbuch *n; ~ à feuilles mobiles* Loseblattbuch *n; ~ foncier* Grundbuch *n; ~ de fonds* Verlagswerk *n; ~ d'heures (rel)* Stundenbuch *n; ~ des hôtes* Gästebuch *n; ~ hypothécaire* Hypothekenbuch *n; ~ d'images* Bilderbuch *n; ~ d'inventaire* Bestands-, Inventarbuch *n; ~ pour la jeunesse* Jugendbuch *n; ~-journal m (com)* Tagebuch, Journal *n; ~ de lecture* Lesebuch *n; ~ de loch (mar)* Logbuch *n; ~ de magasin* Lagerbuch *n; ~ modèle* Probeband *m; ~ d'occasion* antiquarische(s) Buch *n; ~ d'or* Goldene(s) Buch *n; ~ de paie* Lohnbuch *n; ~ de prières* Gebetbuch *n; ~ des recettes* od *entrées, des dépenses* Einnahmen-, Ausgabenbuch *n; ~ des réclamations* Beschwerdebuch *n; ~s en solde, soldés* Bücher *n pl* zu herabgesetzten Preisen, moderne(s) Antiquariat *n; ~ spécialisé, technique* Fachbuch *n; ~ à succès* Erfolgsbuch *n*.

livrée [livre] *f* Livree; Dienerschaft *f; fig* Kleid, Gewand; *zoo* Fell; Gefieder *n*.

livrer [livre] *tr* **1.** *(mettre au pouvoir de qn)* aus≈liefern, übergeben, verraten; *~ un coupable à la justice* e-n Schuldigen der Gerichtsbarkeit übergeben; *~ un prisonnier aux bêtes* e-n Gefangenen den Tieren vor≈werfen; *~ une ville au pillage* e-e Stadt der Plünderung preis≈geben, *une forteresse à l'ennemi* dem Feind e-e Festung übergeben; *Judas ~a Jésus* Judas verriet Jesus; **2.** *(abandonner) ~ son âme au diable* s-e Seele dem Teufel verschreiben; *~ son corps (Frau)* sich hin≈geben; *~ un secret* ein Geheimnis offenbaren; *~ au hasard* dem Zufall überlassen; *~ passage à qn* jdn vorbei≈, durch≈lassen; **3.**

(remettre) verabfolgen, verabreichen (*qc à qn* jdm e-e S) überreichen, übergeben, überantworten, überlassen; ~ *à l'impression* in Druck geben; ~ *une autoroute à la circulation* e-e Autobahn für den Verkehr frei=geben, dem Verkehr übergeben; *(Ware)* ab=, ein=liefern; ~ *à domicile* ins Haus liefern; **4.** *(engager)* ~ *bataille* e-e Schlacht liefern; **5.** *se* ~ sich aus=liefern (*à qn* jdm); sich *(dem Gericht)* stellen; *à qn* sich jdm an=vertrauen; sich verraten; sich *(dem Studium, der Kunst)* widmen, sich *(der Freude, der Hoffnung)* hin=geben; *(Frau)* sich hin=geben; *fig* sich voll u. ganz ein=setzen (*pour qn* für jdn); *se* ~ *à la critique* Kritik üben; *se* ~ *à la débauche* sich Ausschweifungen hin=geben; *fam* versumpfen; *se* ~ *à des essais, à des investigations* Versuche, Nachforschungen an=stellen; *se* ~ *à des études* Studien treiben; *se* ~ *à l'ivrognerie* sich dem Alkohol, *pop* dem Suff hin=geben; *se* ~ *à des libéralités* großzügig, *fam* nobel sein; *à la plaisanterie* Spaß machen, *se* ~ *à la spéculation* spekulieren; ~ *à la publicité* der Öffentlichkeit übergeben; *fam* publik machen, an die große Glocke hängen.

livr|esque [livrɛsk] *a* Buch-, Bücher-; *érudition f* ~ Bücherweisheit *f;* **~et** [-ɛ] *m* (kleines) Buch *(mit Vordruck für Eintragungen);* Seefahrtsbuch *n;* (Museums-, Ausstellungs-)Katalog *m; mus* Textbuch, Libretto *n;* ~ *de banque, (de caisse) d'épargne* Bank-, Spar(kassen)buch *n;* ~ *de compte* Kontobuch *n;* ~ *à coupons combinés (loc)* zs.gestellte(s) Fahrscheinheft *n;* ~ *de famille* Stammbuch *n;* ~ *individuel (mil)* Soldbuch *n;* ~ *matricule (mil)* Wehrpaß *m;* ~ *médical (mil* Gesundheitspaß *m;* ~ *scolaire* Zeugnisheft *n;* ~ *de transport* Fahrtenbuch *n.*

livreur, se [livrœr, -z] *a* Liefer-; *s m f* Lieferant(in *f*); Laufjunge *m,* -mädchen *n; f* Lieferwagen *m; garçon m* ~ Laufbursche *m.*

lixivi|ation [liksivjasjõ] *f chem geol* Auslaugen *n;* **~er** aus=laugen.

lobby [lɔbi] *m* Lobby *f.*

lob|e [lɔb] *m anat bot* Lappen; *arch* halbkreisförmige(r) Ausschnitt, Paß *m;* ~ *du cerveau, du foie, du poumon* Hirn-, Leber-, Lungenlappen *m;* ~ *frontal, occiputal, pariétal, temporal* Stirn-, Hinterhaupts-, Scheitel-, Schläfenlappen *m;* ~ *de l'oreille* Ohrläppchen *n;* **~é, e** gelappt; *c'est* ~ *(arg)* das ist pfundig; **~élie** *f bot* Lobelie *f;* **~ulaire** läppchenförmig, -artig; Läppchen-; **~ule** *m anat bot* Läppchen *n;* ~ *de l'oreille* Ohrläppchen *n;* **~ulé, e; ~uleux, se** mit Läppchen versehen, in L. geteilt.

local, e [lɔkal] *a* örtlich, lokal *a. med;* Orts-, Lokal-; Bezirks-; *s m* Lokal *n,* Raum *m; pl* Räumlichkeiten *f pl; agent m* ~ *(com)* Bezirksvertreter *m; autorités f pl ~es* Ortsbehörden *f pl; chronique f ~e (Zeitung)* Lokalnachrichten *f pl; couleur f ~e (Kunst, Literatur)* Lokalkolorit *n; édition f ~e* Orts-, Bezirksausgabe *f; journal m* ~ Lokalblatt *n;* ~ *accessoire* Nebenraum *m;* ~ *commercial, d'entreprise, d'exploitation* Geschäftsraum *m;* ~ *d'exposition* Ausstellungsraum *m;* ~ *d'habitation* Wohnraum *m;* ~ *de magasin* Ladenraum *m;* ~ *professionnel* gewerbliche(r) Raum *m;* ~ *de vente* Verkaufsraum *m;* **~isable** lokalisierbar; **~isation** *f* Lokalisierung *f;* **~iser** lokalisieren; ein=schränken, begrenzen; *(Feuer, Epidemie)* ein=dämmen; **~ité** *f* Ort *m,* Örtlichkeit, Gegend *f;* ~ *suburbaine* Vorort *m.*

locat|aire [lɔkatɛr] *m f* Mieter(in *f*); Pächter(in *f*) *m; être* ~ zur Miete wohnen; *protection f des ~s* Mieterschutz *m; sous-locataire m f* Untermieter(in *f*) *m;* ~ *de chasse* Jagdpächter *m;* ~ *principal* Hauptmieter *m;* **~if, ive** *a* Miet(s)-, Pacht-; *appartement m* ~ Mietwohnung *f; prix m* ~ Mietpreis *m; réparation f ~ive* zu Lasten des Mieters gehende Reparatur *f; valeur f ~ive* Mietwert *m;* **~ion** [-sjõ] *f* (Ver-)Mieten; (Ver-)Pachten *n;* Verleih *m;* Miete *f,* Mietpreis, -zins *m;* Pacht(höhe) *f; theat* Vorverkauf *m; (bureau m de ~)* Vorverkaufsstelle *f; en* ~ zur Miete; in Pacht; leihweise; *donner, prendre en* ~ vermieten, mieten; *contrat m de* ~ Mietvertrag *m; indemnité f de* ~ Mietentschädigung *f; prix m de* ~ Mietpreis *m;* ~ *de films* Filmverleih *m; ~-vente* Mietkauf *m.*

loch [lɔk] *m mar* Log *n; filer le* ~ das Log werfen; *ligne f, livre m de* ~ Logleine *f,* -buch *n.*

loch|e [lɔʃ] *f zoo* Schmerle; *pop* (kleine graue Acker-)Schnecke *f; pop* Faulpelz *m;* ~ *d'étang, de rivière* od *épineuse* Schlamm-, Steinbeißer *m;* ~ *franche* Bartgrundel, Schmierle *f;* **~er** *itr (Hufeisen)* lose sein *od* sitzen, klappern; *tr* schütteln.

lock-out [lɔkawt] *m inv* Aussperrung *f;* ~ *général* Massenaussperrung *f;* **~er** [-awte] aus=sperren.

loco|mobile [lɔkɔmɔbil] *a* frei beweglich; fahrbar; *s f* Lokomobile, fahrbare Dampf- *od* Kraftmaschine *f (~ à essence);* **~moteur, trice; ~motif, ive** (Fort-)Bewegungs-; *appareil m ~moteur (anat)* Muskulatur *f;* **~motile** *(Lebewesen)* frei bewegungsfähig; **~motion** *f* Fortbewegung, Ortsveränderung *f; moyen m de ~* Verkehrsmittel *n; ~ terrestre, aérienne* Fortbewegung *f* auf der Erde, in der Luft; **~motive** *f* Lokomotive, *fam* Lok *f; fig* Zugpferd *n; ~ à air comprimé, (à moteur) Diesel, électrique, à moteur, à turbines à gaz, à vapeur, à vapeur sans foyer* Druckluft-, Diesel-, elektrische, Motor-, Gasturbinen-, Dampflokomotive, feuerlose L.; *~ de chantier, de déblai, de mine* od *du fond* Bau-, Abraum-, Grubenlokomotive *f; ~ compound* Verbundlokomotive *f; ~ de manœuvre* Rangier-, Verschiebelokomotive *f;* **~tracteur** *m* (Schienen-)Zugmaschine *f,* Trecker *m.*

locu|laire; ~lé, e; ~leux, se [lɔkylɛr; -e; -ø, -øz] *bot* in kleine Fächer eingeteilt.

locuste [lɔkyst] *f zoo* Heuschrecke *f.*

locu|teur, trice [lɔkytœr, -tris] *m f: ~ (~trice) natif(ive)* Muttersprachler(in *f*) *m;* **~tion** [-sjɔ̃] *f* Redensart; Redewendung; Ausdrucksweise *f; ~ vicieuse* schlechte, fehlerhafte Sprache *f.*

loden [lɔdɛn] *m* Loden(mantel) *m.*

lœss [løs] *m geol* Löß *m; ~ marneux* Lößmergel *m.*

lof [lɔf] *m mar* Luv(seite *f*) *n; aller au ~* luven; **~er** luven.

log|arithme [lɔgaritm] *m math* Logarithmus *m; chercher, prendre le ~ de qc* etw logarithmieren; *table f de(s) ~s* Logarithmentafel *f;* **~aritmique** logarithmisch.

log|e [lɔʒ] *f* Verschlag *m;* (Portiers-, Pförtner-)Loge; *arch* Loggia; *theat* Loge *f;* Ankleideraum *m; (Freimaurerei)* Loge *f; bot* Fach *n; être aux premières ~s (fig fam)* sehr gut sitzen *od* sehen; *grande ~ (Freimaurerei)* Großloge *f; ~ d'avant-scène, de balcon (theat)* Seiten-, Mittelloge *f;* **~é, e** *a: vin m ~* Wein *m* im Faß; *~ et nourri* mit freier Station; **~eable** bewohnbar, wohnlich; **~ement** *m* Wohnung *allg;* Unterkunft; Unterbringung *f;* Wohnraum *m;* (Klein-)Wohnung *f; mil* (Privat-)Quartier *n;* Einquartierung; *mar* Kabine; *tech* Lagerung *f;* Sitz *m,* Gehäuse *n; changer de ~* die Wohnung, *fam* die Tapeten wechseln; *trouver un ~* Unterkunft finden, unter⸗kommen; *allocation f de ~* Wohnungszulage *f; billet m de ~* Quartierschein, -zettel *m; contrôle m des ~s* Wohnraumbewirtschaftung *f; crise f du ~* Wohnungsnot *f; indemnité f de ~* Wohnungsentschädigung *f; ~ de garçon* Junggesellenwohnung *f; ~ ouvrier* Arbeiterwohnung *f; ~ d'une pièce* Einzimmerwohnung *f; ~ provisoire* Notwohnung *f;* Behelfsheim *n; ~ de service* Dienstwohnung *f.*

log|er [lɔʒe] **1.** *itr* wohnen (*chez* bei); Wohnung nehmen, ab⸗steigen (*à un hôtel* in e-m Hotel); *péj hum* hausen; kampieren; *allg* sich finden, angetroffen werden; **2.** *tr* beherbergen, unter⸗bringen *(a. Tiere u. Sachen); allg* (hin⸗, hinein⸗) bringen, -setzen, -stellen, *fam* -kriegen (*dans* in *acc*); ein⸗setzen, -bauen; *fig (im Gedächtnis)* hin⸗bringen; **3.** *se ~* (ein⸗)ziehen, sich nieder⸗lassen, sich (häuslich) ein⸗richten (*dans, en* in *dat*); *fig* in Besitz nehmen (*dans qc* etw); *(Geschoß)* (ein⸗)dringen; stecken⸗bleiben; *(Gegenstand) allg* sich verirren, *fam* landen; *(Gedanke)* sich fest⸗setzen, *fam* sich ein⸗nisten; *allg* sich finden, angetroffen werden; *trouver à se ~* unter⸗kommen; *~ à qn une balle dans la tête* jdm e-e Kugel durch den Kopf jagen; *être ~é à la même enseigne (fam)* in der gleichen Lage sein; *~ à la belle étoile* unter freiem Himmel, *fam* bei Mutter Grün schlafen; *~ en garni* möbliert wohnen; *~ pour la nuit* übernachten; *se ~ en ville* in die Stadt ziehen; **~eur, se** *m f* (Zimmer-)Vermieter(in *f*), Wirt(in *f*) *m.*

logi|ciel [lɔʒisjɛl] *m inform* Software *f;* **~cien, ne** *m* Logiker(in *f*) *m;* **~que** *s f* Logik; Folgerichtigkeit; Denkweise *f; a* logisch, folgerichtig, vernunftgemäß.

logis [lɔʒi] *m* Wohnung *f,* Haus, Heim *n, fam* vier Wände *f pl,* Behausung; Unterkunft *f,* Nachtquartier *n; sans ~* obdachlos; *avoir la table et le ~* freie Station haben; *être au ~, garder le ~* zu Hause, daheim sein *od* bleiben; *la folle du ~* die Phantasie, die Einbildungskraft

logistique [lɔʒistik] *f* Logistik, mathematische Logik *f; mil* Nachschub-, Transport- u. Verpflegungswesen *n; a: base, installation f ~* Versorgungsstützpunkt *m,* -einrichtung *f.*

log|ogriphe [lɔg|grif] *m* Wort-, Buchstabenrätsel; *fig* Rätsel *n;* **~omachie** *f* Wortstreit *m,* -gefecht *n;* Streit *m* um Worte, Wortklauberei *f;* **~os** [-ɔs] *m* Weltvernunft *f;* Wort *n* Gottes; **~otype** *m typ* Mehrbuchstabenletter *f.*

loi [lwa] *f* **1.** Gesetz *a. allg; (bestimmtes)* Recht; *allg* Gebot *n;* Pflichten *f pl,* Verpflichtung; Notwendigkeit *f,* Zwang *m;* Herrschaft, Gewalt, Macht *f; la ~ (ancienne) (rel)* das (mosaische) Gesetz; **2.** *s. aloi; dans l'esprit de la ~* im Sinne des Gesetzes; *d'après la ~* nach dem Gesetz, gesetzmäßig; *de par la ~* im Namen des Gesetzes; von Rechts wegen; *abroger, adopter, présenter, promulguer, tourner* od *éluder une ~* ein Gesetz außer Kraft setzen, an=nehmen, ein=bringen, verkünden, umgehen; *avoir force de ~, faire ~* Gesetzeskraft haben, bindend sein; *n'avoir pas de ~* nach Willkür, willkürlich handeln; *n'avoir ni foi ni ~* ohne Treu u. Glauben sein; *contrevenir à une ~* ein Gesetz übertreten; *faire, dicter la ~ à qn* über jdn bestimmen, jdm s-n Willen auf=zwingen; *se faire une ~ de qc* sich etw zum Gesetz machen; *mettre hors la ~* für ungesetzlich *od* vogelfrei erklären; *passer en ~* zum Gesetz werden; *prendre ~, recevoir, subir la ~ de qn* von jdm abhängig sein; *prendre force de ~* rechtskräftig werden; *présenter, repousser un projet de ~* e-e Gesetzesvorlage ein=bringen, ab=lehnen; *la ~ dispose, a passé* das Gesetz verfügt, ist angenommen worden; *nul n'est censé ignorer la ~* Unkenntnis (des Gesetzes) schützt vor Strafe nicht; *nécessité fait ~ (prov)* Not kennt kein Gebot; *article m de ~, disposition f de la ~* Gesetzesbestimmung *f; bulletin, corps, recueil m des ~s* Gesetzblatt *n,* Gesetz(es)sammlung *f; conforme à la ~* gesetzlich, -mäßig; *contraire à la ~* gesetzwidrig, ungesetzlich; *force f de ~* Gesetzes-, Rechtskraft *f; fraude f à la ~* Gesetzesumgehung *f; homme m de ~* Rechtskundige(r), Jurist *m; hors la ~ (a)* vogelfrei; *s m* Vogelfreie(r) *m; ignorance f de la ~* Unkenntnis *f* des Gesetzes; *infraction f à la ~* Gesetzesübertretung *f; lacune f de la ~* Gesetzeslükke *f; passé en ~* rechtskräftig (geworden); *projet m de ~* Gesetzentwurf *m;* Gesetzesvorlage *f; tables f pl de la ~ (rel)* Gesetzestafeln *f pl; ~ administrative* Verwaltungsgesetz *n; ~ agraire* Agrargesetz *n; ~ d'application, d'introduction* Einführungsgesetz *n; ~ d'assurance* Versicherungsgesetz *n; ~ sur les assurances sociales* Sozialversicherungsgesetz *n; ~ bancaire* Bankgesetz *n; ~ sur le barreau* Rechtsanwaltsordnung *f; ~ sur les brevets (d'invention)* Patentgesetz *n; ~-cadre f* Rahmengesetz *n; ~ relative aux chèques* Scheckgesetz *n; ~ sur les communes* Gemeindeordnung *f; la ~ conjugale* die ehelichen Pflichten *f pl; ~ coutumière* Gewohnheitsrecht *n; ~ dérogatoire* Novelle *f; ~ douanière* Zollgesetz *n; ~ non écrite* ungeschriebene(s) Gesetz *n; ~ électorale* Wahlgesetz *n; ~ de l'État* Staatsgesetz *n; ~ d'exception, exceptionnelle, discriminatoire* Ausnahmegesetz *n; ~ d'exécution* Ausführungsgesetz *n; ~ extraordinaire* Sondergesetz *n; ~ sur les faillites* Konkursordnung *f; ~ fédérale* Bundesgesetz *n; ~ sur les finances, financière* Finanzgesetz *n; ~ fiscale* Steuergesetz *n; ~ fondamentale, constitutionnelle, organique* (Staats-)Grundgesetz *n; ~ du plus fort* Recht *n* des Stärkeren, Faustrecht *n; ~ de la gravitation (phys)* Gravitationsgesetz *n; ~s de la guerre* Kriegsrecht *n; ~ sur l'informatique* Datenschutzgesetz *n; ~ sur les lettres de change* Wechselordnung *f; ~ martiale* Standrecht *n;* Kriegsrecht *n; ~ monétaire* Währungs-, Münzgesetz *n; ~ morale* Sittengesetz *n; ~ de la nature, a. ~ naturelle* Naturgesetz *n; ~ de l'offre et de la demande* Gesetz *n* von Angebot u. Nachfrage; *~ sur l'organisation judiciaire* Gerichtsverfassungsgesetz *n; ~ pénale, criminelle, répressive* Strafgesetz *n; ~ sur la propriété littéraire* Urheberrechtsgesetz *n; ~ politique* Staatsschutzgesetz *n; ~ sur les professions* Gewerbeordnung *f; ~ prohibitive* Prohibitivgesetz, Verbot *n; ~ relative à la réglementation des devises* Devisengesetz *n; ~ sur les sociétés* Aktiengesetz *n; ~ du talion* Vergeltungsrecht *n; ~ sur le timbre* Stempelgesetz *n; ~ de transition* Übergangsgesetz *n.*

loin [lwɛ̃] *adv* weit (weg) *a. fig,* fern, weit entfernt *a. fig (de* von); *(zeitl.)* weit zurück (*dans* in); *au ~* in der Ferne, weit weg; *(zeitl.)* weit zurück; *de ~* von weitem *a. fig,* weither, aus der Ferne; schon lange; *de ~ en ~* hier u. da; von Zeit zu Zeit, ab u. zu, hin u. wieder; *du plus ~ que je me souvienne* soweit ich mich überhaupt erinnern kann; *ni de près ni de ~* durchaus nicht, ganz u. gar nicht, *fam* absolut nicht; *non ~ de* unweit, unfern *gen; plus ~* weiter(hin); *(zeitl.)* weiter zurück; *~ de (mit d. inf), ~ que (mit subj) conj* weit davon entfernt zu, statt zu, statt daß ...; *aller ~* weit gehen *a. fig;* es (noch) zu etw bringen; *aller ~ avec qc* mit etw weit kommen; *ne plus aller ~ (fam)* nicht mehr lange machen; *aller trop ~ (bes. fig)* zu weit gehen *od* führen; *être bien ~ de* gar nicht daran denken zu; *être ~ de son compte* sich sehr verrechnen, *fig* sich sehr irren; *être parents de ~* entfernt verwandt sein; *mener ~ (itr) (Vorrat)* lange reichen; *tr (Person) fig* es weit bringen; *porter ~* weit reichen; *pousser qc très ~* etw sehr, zu weit treiben; *revenir de ~ (fig)* noch mal davon=kommen; *voir ~ (a. fig)* weit sehen; *ne pas voir plus ~ que son nez (fam)* sehr kurzsichtig sein *a. fig; voir venir de ~ (a. fig)* lange kommen sehen; *il y a ~* es ist weit (*de ... à* von ... nach), *fig* ein großer Unterschied (*de ... à* zwischen ... und); *c'est ~ de ma pensée* das liegt mir fern; *~ d'ici!* weg mit dir! geh mir aus den Augen! *~ de là!* weit gefehlt! *~ de moi cette pensée!* ich denke nicht im entferntesten daran! *~ des yeux, ~ du cœur* aus den Augen, aus dem Sinn; **~tain, e** *a* (ent)fern(t), ent-, abgelegen; *(zeitl.)* weit zurückliegend; *fig* fernliegend; *(Mensch)* fernstehend; *s m* Ferne, Entfernung; zeitliche Ferne *f; (Kunst)* Hintergrund *m; dans le ~* in der Ferne, weit weg; *vue f sur le ~* Fernsicht *f,* Blick *m* in die Ferne.

loir [lwar] *m zoo* Siebenschläfer *m; dormir comme un ~* wie ein Murmeltier schlafen.

lois|ible [lwazibl] erlaubt, gestattet; *il vous est ~ de* es steht Ihnen frei zu; **~ir** *m* Muße; (freie) Zeit (*de* zu); Freizeit(gestaltung) *f; à ~* in (aller) Ruhe; *n'avoir pas le ~ de respirer* keinen Augenblick zur Ruhe kommen; *avoir le ~ de* Zeit haben, um.

lomb|ago [lɔ̃bago] *m s. lumbago;* **~aire** *a anat* Lenden-.

lombar|d, e [lɔ̃bar] *a* lombardisch; *hist* langobardisch; **L~** *s m* Lombarde, *hist* Langobarde *m;* **L~ie, la** die Lombardei.

lombes [lɔ̃b] *m pl anat* Lenden *f pl.*

lomb|ric [lɔ̃brik] *m* Regenwurm *m;* **~oïde** (regen)wurmförmig.

lond|onien, ne [lɔ̃dɔnjɛ̃, -ɛn] *a* Londoner-; *L~, ne s m f* Londoner(in *f*) *m;* **L~res** *f* London *n.*

londrès [lɔ̃drɛs] *m* Havanna *f (Zigarre).*

long, ue [lɔ̃, lɔ̃g] *a* lang (*de dix mètres* 10 m); *(Mensch)* groß; *(Aussicht, Blick)* weit; lang(wierig), lange dauernd; weitschweifig; langsam, bumm(e)lig; *(Suppe, Soße)* dünn; *tech* dehn-, streckbar; *adv* lang; (zu)viel; *s m* Länge *f; f* lange Silbe, Länge *f; à la ~ue* auf die Dauer, mit der Zeit; *à ~ terme* langfristig; *de dix mètres de ~* von 10 m Länge; *de ~ en large* auf u. ab, hin u. her; *de ~ue main (fig)* von langer Hand *(vorbereiten); en ~* in die Länge, lang; *en ~ et en large* (des) lang(en) u. breit(en); *le ~ de* längs *gen* od *dat,* (an *dat*) entlang, ... *(acc)* entlang; *(tout) au ~, tout du ~ (fig)* lang u. breit, ausführlich; *de tout son ~* der Länge nach; *tout le ~ de journée* den ganzen Tag lang; *avoir le bras ~ (fig)* e-n langen Arm, e-n weitreichenden Einfluß haben; *en dire ~* sich lang u. breit darüber aus=lassen; Bände sprechen, viel (be)sagen; *être ~* lange dauern; *être ~ à venir* (lange) auf sich warten lassen; *faire ~ feu* sich in die Länge ziehen; fehl=schlagen; *en savoir ~* (gut) Bescheid wissen (*sur* über *acc*); sich aus=kennen; *scieur m de ~* Brettschneider *m; ~-courrier a u. s m: ligne f de ~* Fernfluglinie *f; (navire m) ~* Übersee-, Ozeandampfer *m; ~-jointé (Pferd)* mit langen Fesseln; *~ comme un jour sans pain* endlos (lang); *~ métrage* Spielfilm *m;* **~animité** *f* Langmut *f.*

longe [lɔ̃ʒ] *f* **1.** Laufleine, Longe *f;* **2.** (Kalbs-)Nierenbraten *(~ de veau);* (Reh-)Ziemer, Rücken *m (~ de chevreuil).*

longer [lɔ̃ʒe] entlang=gehen, -fahren, -reiten, -fliegen (*qc* an e-r S); sich entlang=ziehen (*qc* an e-r S), sich erstrecken (*qc* längs *gen* od *dat*); **~on** *m loc mot* Längsträger; *aero* Holm; Brückenbalken, Fahrbahnträger *m; ~ inférieur de fuselage (aero)* Kielleiste *f.*

longévité [lɔ̃ʒevite] *f* Langlebigkeit; Lebensdauer *f.*

longi . . . *(in Zssgen) zoo bot* lang ...; **~métrie** *f* Längenmessung *f;* **~tude** *f* (geographische) Länge *f;* **~tudinal, e** *a* Längs-; **~tudinalement** *adv* in der Längsrichtung, der Länge nach.

longrine [lɔ̃grin] *f* Längs-, lange(r) Balken *m;* Boden-, *loc* Langschwelle *f.*

longtemps [lɔ̃tɑ̃] *adv* lange (Zeit); *depuis ~* seit langem, seit langer Zeit, schon lange; *il y a ~ que* es ist schon lange her, daß; *y a-t-il ~ que vous attendez?* warten Sie schon lange?

longue|ment [lɔ̃gmɑ̃] *adv* lange; eingehend, ausführlich, lang u. breit; **~rine** *f s. longrine.*

longue-vue [lɔ̃g(ə)vy] *f* Fernrohr *n.*

longuet, te [lɔ̃gɛ, -ɛt] *a fam* etwas (zu) lang; *s m* lange(s) Brötchen *n.*

longueur [lɔ̃gœr] *f* Länge *a. sport;*

Langsamkeit, Weitschweifigkeit *f; pl* Längen *f pl (e-s Buches); en* ~ in der Länge; der L. nach; *gagner d'une* ~ *(sport)* um e-e Länge gewinnen; *traîner, tirer en* ~ sich in die Länge ziehen; *changement m de* ~ *d'onde (radio)* Wellenwechsel *m; mesure f de* ~ Längenmaß *n; saut m en* ~ Weitsprung *m; sens m de la* ~ Längsrichtung *f;* ~ *de câble* Kabellänge *f;* ~ *d'entre-jambes (Hose)* Schrittlänge *f;* ~ *des jours* Tageslänge *f;* ~ *d'onde (radio)* Wellenlänge *f;* ~ *de pas* Schrittlänge *f;* ~ *de roulement au décollage, à l'atterrissement (aero)* Start-, Landelänge *f;* ~ *utile* Nutzlänge *f.*

looch [lɔk] *m* Hustensaft *m.*

looping [lupiŋ] *m aero* Überschlagen *n,* Looping *m.*

lopin [lɔpɛ̃] *m* Stück *n (de terre* Land); Teil; Brocken; Flicken *m.*

loqu|ace [lɔkas] geschwätzig, schwatzhaft, redselig, (sehr) gesprächig; **~acité** *f* Schwatzhaftigkeit, Geschwätzigkeit, Redseligkeit, Gesprächigkeit *f.*

loque [lɔk] *f* Fetzen, Lumpen *m;* Faulbrut *(Bienenkrankheit); fig* Jammergestalt *f; tomber en ~s* in Fetzen gehen.

loquet [kɔkɛ] *m* (Tür-)Drücker *m,* Klinke *f; fermer au* ~ *(Tür)* zu⸗schnappen; **~eau** *m (Tür)* Schnapper, kleine(r) Drücker *m.*

loqueteux, se [lɔktø, -øz] *a* zerlumpt; *s m f* zerlumpte(r) Mensch *m.*

lord [lɔr] *m* Lord *m; Chambre f des ~s (pol) (Großbritannien)* Oberhaus *n;* *~-maire m (London)* Lord-Mayor, Erste(r) Bürgermeister *m.*

lordose [lɔrdoz] *f* Rückgrat-, Wirbelsäulenverkrümmung *f.*

lorgn|er [lɔrɲe] an⸗schielen, von der Seite an⸗sehen (*qn, qc* jdn, e-e S); durchs Opernglas betrachten; *fig fam* schielen (*qc* nach etw), liebäugeln (*qc* mit etw); ein Auge werfen (*qn* auf jdn); **~ette** *f* Opernglas; *pop* Schlüsselloch *n; regarder par le petit, grand bout de la* ~ alles zu wichtig *od* zu ernst nehmen; alles bagatellisieren *od* auf die leichte Schulter nehmen; **~eur, se** *m f* Schieler(in *f*) *m;* **~on** *m opt* Klemmer, Kneifer, Zwicker *m.*

lori [lɔri] *m* **1.** *s. lorry;* **2.** *orn* Lori *m;* **~ot** [-jo] *m orn* Pirol, Pfingstvogel *m;* **~s** [-i] *m* Lori *m (Halbaffe).*

lorrain, e [lɔrɛ̃, -ɛn] *a* lothringisch; *L~, e s m f* Lothringer(in *f*) *m;* **L~e, la** Lothringen *n.*

lorry [lɔri] *m* Lore *f;* offene(r) Güterwagen *m.*

lors [lɔr] *adv: dès* ~ seitdem, seit der Zeit, von der Zeit an; demnach, -zufolge; ~ *que (conj)* da, wenn; ~ *de (prp)* anläßlich, zur Zeit, während *gen;* ~ *même que* selbst dann, wenn.

lorsque [lɔrsk(ə)] *conj* als; wenn.

losange [lɔzɑ̃ʒ] *m* Raute *f,* Rhombus *m; en* ~ rautenförmig.

lot [lo] *m* Anteil *m,* (Erb-)Teil *m* od *n;* (Lotterie-)Los *n; com* Prämienschein; Posten *m,* Partie; Parzelle; Siedlerstelle *f; fig* Los, Schicksal *n,* Bestimmung *f; gros* ~ Große(s) Los *n;* ~ *d'actions* Aktienpaket *n;* ~ *gagnant (Lotterie)* Gewinn *m;* ~ *de marchandises variées* Partiewaren *f pl;* ~ *routier* Straßenbaulos *n;* **~erie** [lɔtri] *f* Lotterie; *fig* Glückssache *f,* -spiel *n,* gewagte, *fam* riskante Sache *f; mettre en* ~ aus⸗, verlosen; *billet m de* ~ Lotterielos *n; mise f en* ~ Ver-, Auslosung *f; L~ nationale (franz.)* Staatslotterie *f.*

lotion [lɔsjɔ̃] *f* (Ab-)Waschung; *pharm* Flüssigkeit *f;* ~ *capillaire, faciale* Haar-, Gesichtswasser *n* **~ner** ab⸗, aus⸗waschen, ab⸗spülen.

lot|ir [lɔtir] *(Land, Waren)* auf⸗teilen; *(Land)* parzellieren; e-n Anteil zu⸗weisen, e-e Parzelle *od* Siedlerstelle zu⸗teilen (*qn* jdm); *être mal ~i* es schlecht (getroffen) haben; *me voilà bien ~i! (ironisch)* da habe ich Glück gehabt! **~issement** *m* Aufteilung; Parzellierung; Siedlung *f;* ~ *de jardins* Laubenkolonie *f.*

lotto [lɔto] *m* Lotto(spiel) *n.*

lotte [lɔt] *f* Quappe *f (Fisch).*

lotus [lɔtys] *m bot* Lotos(blume *f*) *m.*

lou|able [lwabl] lobens-, anerkennenswert, löblich, rühmlich; **~age** *m* Vermietung, Verpachtung *f,* Verleih *m;* Verdingung *f;* Mieten *n;* Miete *f,* Mietpreis *m; de* ~ Miet-; *voiture f de* ~ Mietwagen *m;* ~ *des choses* Sachmiete *f;* ~ *d'ouvrage, d'industrie* Werkvertrag *m;* ~ *de service* Dienst-, Arbeitsvertrag *m;* **~ange** *f* Lob *n; à la* ~ *de qn* zu jds Lob; *chanter, célébrer les ~s de qn (poet)* jds Lob singen; *fig hum* ein Loblied auf jdn singen; *être digne de* ~ Lob verdient haben; *tourner à la* ~ *de qn* jdm zur Ehre gereichen; *concert m de ~s* einstimmige(s) Lob *n;* **~anger** loben; **~angeur, se** *a* lobrednerisch; Lobes-; *s m f* Lobredner(in *f*) *m.*

loubard [lubar] *m fam* Halbstarke(r) *m.*

louch|e [luʃ] **1.** *a* trübe, unklar *a. fig; fig* zweideutig, verdächtig; *s m* Unklarheit; Zweideutigkeit *f; il y a du ~ là-dedans* das kommt mir verdächtig vor; **2.** *s f* Schöpflöffel *m,* (Suppen-)Kelle; *tech* Gießkelle; *agr* Dung-, Jauchekelle *f; tech* Spundbohrer *m; pop* Hand *f; ~ à potage, à punch, à rôti, à sauce* Suppen-, Bowlen-, Braten-, Soßenkelle *f; serrer la ~ à qn (pop)* jdm die Hand drücken; **~ement** *m,* **~erie** *f* Schielen *n;* **~er** schielen *(sur qn, qc (pop)* nach jdm, etw); *faire ~ qn (pop)* jds Blicke auf sich ziehen; jdn neidisch *od* unzufrieden machen; **~et** [-ɛ] *m* Planierschaufel *f;* **~eur, se;** *fam* **~ard, e** *s m* Schieler(in *f*) *m;* **~on, ne** *a pop* schielend; *s m* schielende(s) Kind *n; f* Mond *m.*

lou|er [lwe] **1.** loben, rühmen, heraus⸗streichen; *(Gott)* preisen, verherrlichen; *se ~ de qc* mit etw zufrieden sein; *Dieu soit ~é!* Gott sei Dank! **2.** vermieten, verpachten, verleihen; mieten; dingen; *se ~* sich verdingen; *à ~* zu vermieten; *appartement m ~é* Mietwohnung *f;* **~eur, se** *m f* Vermieter(in *f*), Verleiher(in *f*) *m; ~ de voitures* Autovermieter *m.*

louf(oqu|e) [luf(ɔk)] *a pop (Person)* übergeschnappt, verrückt; *(Sache)* skurril; *s m f* Verrückte(r *m*) *f;* **~erie** *f* Übergeschnapptheit, Verrücktheit *f;* Unsinn, Quatsch *m.*

lougre [lugr] *m mar* Logger, Lugger *m.*

Louis [lwi] *m* Ludwig *m; l~* Louisdor *m (Münze); l~-philippard, e* biedermeierlich; **~e** *f* Luise *f;* **~on** *f* Luischen *n.*

loulou [lulu] *m* Spitz *(Hunderasse); fam* Liebling, Schatz *m.*

loup [lu] *m zoo* Wolf *m;* Halbmaske; *tech* Ofensau *f; (Wollspinnerei)* Reißwolf; Nagelzieher; *fig* Wolf *m* im Schafspelz; *(Börse)* Prämienjäger *m; fam vx* Lücke *f;* Fehler *m;* verpatzte(s), mißlungene(s) Stück *n; à pas de ~* auf leisen Sohlen; auf Zehenspitzen; *entre chien et ~* in der (Abend-)Dämmerung; *être connu comme le ~ blanc, gris* bekannt sein wie ein bunter Hund; *donner la brebis à garder au ~, enfermer le ~ dans la bergerie* den Bock zum Gärtner machen; *hurler avec les ~s (fig)* mit den Wölfen heulen; *se jeter, se mettre dans la gueule du ~ (fig)* in die Höhle des Löwen gehen; *jeune ~ m* Ehrgeizling *m; tenir le ~ par les oreilles* in e-r kitzligen, heiklen Lage sein; *en fuyant le ~ il a rencontré la louve* er ist vom Regen in die Traufe gekommen; *la faim chasse le ~ du bois (prov)* Not lehrt beten; *les ~s ne se mangent pas entre eux* e-e Krähe hackt der ander(e)n nicht die Augen aus; *quand on parle du ~, on en voit la queue* wenn man vom Wolf spricht, kommt er; *enrhumé comme un ~* (ganz) heiser; *faim f de ~* Bärenhunger *m; froid m de ~* Hundekälte *f; mon ~* (mein) Liebling *m; saut m de ~* Umfassungsgraben *m; tête f de ~* Deckenbürste *f; vieux ~ (fig)* alte(r) Fuchs *m; ~ dans la bergerie (fig)* Hecht *m* im Karpfenteich; *~-cervier m* Hirschluchs *m; fig* Hyäne *f,* habgierige(r) Mensch, Wucherer *m; ~-garou m* Werwolf; *fig* alte(r) Brummbär, Kinderschreck *m; ~ habillé en berger* Wolf *m* im Schafspelz; *~ marin* Seewolf *m (Fisch); ~ de mer* Seehund; *fig* (alter) Seebär; (am Hals geschlossener) Pullover *m.*

loupe [lup] *f* Lupe *f,* Vergrößerungsglas *n; med* Grützbeutel; Knorren *m,* Beule *(an Bäumen); tech* Luppe; *regarder à la ~* mit der Lupe betrachten; *fer m en ~s* Luppeneisen *n.*

louper [lupe] *fam itr* mißlingen; *tr* versauen, verpfuschen, verpatzen.

loupiot, te [lupjo, -ɔt] *m f fam* Balg *m,* Gör, Kind *n.*

loupiote [lupjɔt] *f fam* Lämpchen *n.*

lourd, e [lur, -d] *a* schwer *(im Gewicht);* dumpf; *(Luft)* drückend, lastend, schwül; *(Himmel)* verhangen; *(Schlaf)* bleiern; *(Essen)* schwer(verdaulich); *(Mensch)* schwerfällig; unbeholfen *a. fig;* plump; *fig* schwer (-wiegend), gewichtig, erheblich, ernst(haft); *(Aufgabe, Arbeit)* schwer, anstrengend; *(finanziell)* (er)drükkend, untragbar; kostspielig; unerträglich; *(Stil)* schleppend, schwerfällig; *(Versehen)* grob; *(Börse)* flau, lustlos; *s f arg* Tür *f; avoir la main ~e* fest zu⸗schlagen; unbeholfen, ungeschickt sein; *com* zu gut wiegen; *avoir la tête ~e* e-n schweren Kopf haben; benommen sein; *ce n'est pas ~* das ist nicht viel; *artillerie f ~e* schwere Artillerie *f; ~e chute f* dumpfe(s) Aufschlagen *n; huile f ~e* Schwer-, Treib-, Dieselöl *n; industrie f ~e* Schwerindustrie *f; poids, boxeur m ~ (sport)* Schwergewicht *n,* -gewichtler *m; ~ de l'arrière (aero)* hinter-, schwanz-, hecklastig; *~ de l'avant (aero)* vorder-, kopf-, buglastig; *~ de conséquences* folgenschwer; *~ pour l'avenir* zukunftsträchtig; *~ de promesses* vielversprechend, aussichtsreich; **~aud, e** [-do, -od] *a* schwerfällig; unbeholfen, ungeschickt, tapsig; tölpelhaft; *s m f*

Klotz, Taps, Tolpatsch; Tölpel *m;* plumpe(s) Weib *n;* **~eur** *f* Schwere; *(Wetter)* Schwüle; Schwerfälligkeit, Plumpheit *a. fig (Stil); com* drückende Last; *(Börse)* Lustlosigkeit, Flauheit; *aero* Lastigkeit *f;* ~ *de tête* Benommenheit *f.*

loustic [lustik] *m* Spaßmacher, -vogel, Bruder Lustig *m.*

loutre [lutr] *f* Fischotter(fell *n*) *m;* ~ *de mer* See-, Meerotter *m.*

Louvain [luvɛ̃] *f geog* Löwen *n.*

louve [luv] *f* Wölfin; *tech* (große) Greifzange *f,* Kropfeisen *n; mar* Ruderkober *m;* **~teau** *m* junge(r) Wolf *m;* **~ter** *(Wölfin)* Junge werfen.

louvoyer [luvwaje] *itr mar* lavieren, kreuzen; *allg* im Zickzack gehen *od* fahren; *fig* Winkelzüge machen; *en ~ant (fig)* auf Umwegen.

lover [lɔve] zs.=, auf=rollen; *mar (Tau)* auf=schießen; *se* ~ sich zs.=rollen; sich kuscheln.

loxodrom|(i)e [lɔksɔdrɔm(i)] *f mar aero* Loxodrome, kursgleiche Linie *f;* **~ique** loxodrom, kursgleich.

loy|al, e [lwajal] rechtschaffen; (pflichtge)treu, willig, ehrlich, brav, anständig; *~aux coûts m pl (jur)* Nebenkosten *pl;* **~alisme** *m* (Königs-, Staats-, Gesinnungs-)Treue *f;* **~aliste** *a* u. *s m f* königs-, staats-, gesinnungstreu(er Mensch *m*); **~auté** *f* Ehrenhaftigkeit; Rechtschaffenheit, (Pflicht-)Treue, Ehrlichkeit, Anständigkeit, Redlichkeit *f.*

loyer [lwaje] *m* Miete *f,* Mietzins *m;* Pacht *f; com* Zins; *fig* Lohn *m; hausse f des ~s* Mieterhöhung *f;* ~ *arriéré* Mietrückstand *m,* rückständige Miete *f;* ~ *de magasin* Ladenmiete *f.*

lubie [lybi] *f fam* Marotte, Schrulle *f.*

lubricité [lybrisite] *f* Geilheit, Lüsternheit; Ausschweifung *f.*

lubri|fiant, e [lybrifjɑ̃, -t] *a* schmierfähig; Schmier-; zum (Ein-)Schmieren; *s m* Schmiermittel *n;* **~fication** *f* (Ab-, Ein-)Schmieren, (Ein-)Fetten, (Ein-)Ölen *n;* Schmierung *f;* **~fier** (ein=) schmieren, (ein=)fetten, (ein=)ölen.

lubrique [lybrik] *a* geil, lüstern, schlüpfrig.

Luc [lyk] *m* Lukas *m.*

lucane [lykan] *m* Hirschkäfer *m.*

lucarne [lykarn] *f* Dachluke *f,* -fenster *n.*

luci|de [lysid] *(Geist)* klar; *(Kopf)* hell; *(Verstand)* scharf; *(Sprache)* verständlich, klar; hellseherisch; *état m* ~ *(Psychologie)* Trance(zustand *m*) *f; intervalles, moments m pl ~s (med)* lichte Momente *m pl;* **~dité** *f* Klarheit, Verständlichkeit, (Verstandes-) Schärfe *f;* Hellsehen *n; avoir sa* ~ bei vollem Verstand sein; *période f de* ~ *(med)* lichte(r) Moment *m.*

lucifer [lysifɛr] *m* Luzifer *m; fig* Plagegeist *m.*

lucifuge [lysifyʒ] *zoo* lichtscheu.

luciole [lysjɔl] *f* Leuchtkäfer *m,* Glühwürmchen *n.*

lucr|atif, ive [lykratif, -iv] gewinnbringend, einträglich, lohnend, rentabel, vorteilhaft; *à but* ~ *(jur)* mit Gewinnabsicht; **~e** *m* Gewinn *m;* gute(s) Geschäft *n; amour, esprit m du* ~ Gewinnsucht *f; intention f de* ~ *(jur)* gewinnsüchtige Absicht *f.*

luette [lɥɛt] *f anat* Zäpfchen *n.*

lueur [lɥœr] *f* (Licht-)Schein, Schimmer *m; fig* Licht *n,* Funke *m; mil* Mündungsfeuer *n; jeter une (faible)* ~ (schwach) schimmern; *il me vient une* ~ *(fig)* es dämmert mir, mir geht ein Licht auf; ~ *d'espérance, d'espoir* Hoffnungsschimmer *m.*

lug|e [lyʒ] *f* Rodel(schlitten) *m; piste f de* ~ Rodelbahn *f;* **~er** rodeln; **~eur, se** *m f* Rodler(in *f*) m.

lugubre [lygybr] traurig; Trauer-; schmerzvoll; finster; trostlos, öde; schauerlich, schaurig, unheimlich; unheilvoll, -verkündend.

lui [lɥi] *prn (verbunden)* ihm, ihr; *(unverbunden)* er, ihn; sich; *~-même* er selbst.

lui|re [lɥir] *irr* leuchten *a. fig,* scheinen, glänzen, schimmern; strahlen; blinken, blitzen; *faire* ~ *un espoir* e-e Aussicht eröffnen; **~sance** *f* Leuchten *n,* Leuchtkraft *f;* Glanz *m;* **~sant, e** *a* leuchtend, glänzend, schimmernd; strahlend; Leucht-; *s m* Glanz, Schimmer *m; (Ölgemälde)* Blenden *n;* Tag *m; ver m* ~ Glühwürmchen *n,* Leuchtkäfer *m.*

lumachelle [lymaʃɛl] *f* Muschelkalk *m.*

lumbago [lɔ̃bago] *m med* Lumbago *f;* Hexenschuß *m.*

lum|ière [lymjɛr] *f* Licht *a. fig; fig* Einsicht *f;* Kenntnisse; Geistesgaben *f pl;* Leuchte, Lampe *f;* Tageslicht *n;* Öffentlichkeit *f; tech* Guck-, Licht-, Luft-, Zündloch *n;* Schlitz *m,* Öffnung *f; pl fig* Aufklärung (*sur* über *acc*); *à la* ~ bei Licht; *à la* ~ *de* in Anbetracht, angesichts *gen; à l'abri de la* ~ im Dunkeln; *être en pleine* ~ im vollen Licht stehen; *faire, allumer la* ~ Licht machen; *fermer, éteindre la* ~ das Licht ab=schalten; *mettre en* ~ deutlich machen, heraus=stellen; auf=klären; an den Tag bringen *od* legen; *mettre la* ~ *sous le boisseau* sein

Licht unter den Scheffel stellen; *bain m de ~* Lichtbad *n; échappée f de ~* Streiflicht *n; faisceau m de ~* Lichtkegel *m; jeu m de ~s* Farbenspiel *n; reflet m de ~* Lichtschein *m; résistant, sensible à la ~* lichtecht, -empfindlich; *~ d'admission (d'air)* Luft(einlaß)schlitz *m; ~ artificielle (phot)* Kunstlicht *n; ~ clignotante* Blinklicht *n; ~ d'échappement (mot)* Auspufföffnung *f; ~ électrique, du gaz* elektrische(s) Licht, Gaslicht *n; ~ froide* Kaltlicht *n; ~ à incandescence* Glühlicht *n; ~ du jour* Tageslicht *n; ~ du soleil, solaire* Sonnenlicht *n; ~ zodiacale* Nordlicht *n;* **~ignon** [-miɲɔ̃] *m* brennende(r) (Kerzen-) Docht; Kerzenstumpf *m;* **~inaire** *m rel* Kerzenbeleuchtung *f;* Beleuchtungskörper *m; fig* Licht *n;* **~inescence** *f* Nachleuchten *n;* **~inescent, e** lumineszierend; kaltes Licht ausstrahlend; **~ineux, se** leuchtend, glänzend, strahlend; *(Gebäude)* angestrahlt; *fig* einleuchtend, klar; *(Idee)* glänzend; *opt* lichtstark; Licht-, Leucht-; *affiche, enseigne f ~se* Leuchtplakat, -schild *n; aigrette f ~se* Lichtbüschel *n; appel m ~* Leuchtzeichen *n; bouée f ~se* Leuchtboje *f; cadran m ~* Leuchtzifferblatt *n; puissance ~se* Lichtstärke *f; publicité, réclame f ~se* Lichtreklame *f; rayon m ~* Lichtstrahl *m; source f ~se* Lichtquelle *f;* **~inosité** *f* Helligkeit *f,* helle(r) Glanz *m; opt* Lichtstärke *f; à faible ~* lichtschwach.

lun|aire [lynɛr] *a* Mond-; halbmondförmig; *s f bot* Mondviole *f; année f, mois, disque m ~* Mondjahr *n,* -monat *m,* -scheibe *f;* **~aison** *f* Umlaufszeit *f* des Mondes; **~atique** *a* launisch, launen-, schrullenhaft, schrullig, wunderlich; *s m f* wunderliche(r) Kauz *m,* schrullige Person *f.*

lunch [lœntʃ, lœ̃ʃ] *m* Gabelfrühstück *n;* Erfrischung *f,* kalte(s) Buffet *n (bei e-m Empfang).*

lundi [lœ̃di] *m* Montag *m; ~, L~ gras* Rosenmontag *m.*

lun|e [lyn] *f* Mond; Trabant, Satellit; *poet* Monat *m; fig* Laune, Grille, Schrulle *f; pop* Mondgesicht *n;* Hintern *m; aboyer à la ~ (fig)* sich unnütz ereifern; *aller dans la ~* zum Mond fliegen; *coucher à l'enseigne de la ~* bei Mutter Grün schlafen; *demander la ~* Unmögliches verlangen; *être dans la ~* nicht bei der Sache, ganz woanders sein; *promettre la ~* Himmel u. Hölle versprechen; *vivre dans la ~ (fig)* auf dem Monde leben; *nous sommes à la pleine, nouvelle ~, ~ (dé)croissante* wir haben Voll-, Neu-, zu-(ab)nehmenden Mond; *la ~ est dans son plein* es ist Vollmond; *changement m de ~* Mondwechsel *m; clair m de ~* Mondschein(bild *n*) *m; éclipse f de ~* Mondfinsternis *f; déclin, décours m de la ~* abnehmende(r) M.; *figure f de pleine ~ (fam)* Vollmondgesicht *n; nouvelle, pleine ~* Neu-, Vollmond *m; phases f pl de la ~* Mondphasen *f pl; poisson m ~* Mondfisch *m; premier, dernier quartier m (de la ~)* erste(s), letzte(s) (Mond-)Viertel *n; ~ (dé)croissante* zu-(ab)nehmende(r) M.; *~ d'eau (bot)* weiße Seerose *f; ~ de miel* Flitterwochen *f pl; ~ rousse* Zeit *f* der späten Nachtfröste; **~é, e** halbmondförmig; *bien, mal ~ (fam)* gut-, schlechtgelaunt.

lunetier [lyntje] *m* Brillenfabrikant, -schleifer; (Augen-)Optiker *m.*

lunette [lynɛt] *f (~ d'approche)* Fernrohr *n;* Klosettbrille *f; arch* Lichtloch *n; mil* Kaliberring *m;* Lünette *f; tech* Setzstock *m; pl (paire f de ~s)* Brille *f;* Scheuklappen *f pl; avoir mis ses ~s de travers (fig)* auf dem Holzweg sein; *regarder par le gros bout de la ~* unterschätzen; *mettez, chaussez mieux vos ~s!* passen Sie besser auf! *branche f, cercle m, châsse* od *monture f, verre m de ~s* Brillenbügel, -rand *m,* -fassung *f od* -gestell, -glas *n; étui m à ~s* Brillenetui, -futteral *n; porteur m de ~s* Brillenträger *m; serpent m à ~s* Brillenschlange *f; ~s acoustiques* Hörbrille *f (für Schwerhörige); ~ arrière (mot)* Heckscheibe *f; ~s d'automobiliste* Autobrille *f; ~ binoculaire* Scherenfernrohr *n; ~s (à monture) de corne, d'écaille* Hornbrille *f; ~s pour la lecture* Lesebrille *f; ~s de montagne* Schneebrille *f; ~s protectrices* Schutzbrille *f; ~s solaires, de soleil* Sonnenbrille *f; ~s à verres nus, à verres cerclés* randlose Brille *f,* B. mit Rand; *~ de visée* Zielfernrohr *n;* **~rie** *f* Brillenfabrikation *f,* -handel *m.*

lun|ulaire [lynylɛr] halbmondförmig; **~ule** *f* Mondsichel *f,* Halbmond *m; anat* Möndchen *n;* **~ulé, e** halbmondförmig; **~ure** *f (Holz)* Ringfäule *f.*

lupanar [lypanar] *m lit* Bordell *n.*

lupin [lypɛ̃] *s m bot* Lupine, Wolfsbohne *f.*

lupulin [lypylɛ̃] *m pharm* Hopfenmehl *n;* **~e** *f bot* Wolfs-, Hopfenklee *m,* Hopfenluzerne; Hopfenbittersäure *f.*

lupus [lypys] *m med* Lupus *m*, Hauttuberkulose *f*.
lurette [lyrɛt] *f fam: il y a belle* ~ es ist (schon) lange her.
luron, ne [lyrõ, ɔn] *m f* flotte(r), forsche(r) Kerl, tolle(r) Bursche, Draufgänger *m;* tolle(s) Weib, Blitzmädel *n; gai* ~ lustige(r) Kumpan *m*.
Lusace, la [lyzas] die Lausitz.
lusitanien, ne [lyzitanjɛ̃, -ɛn] *a lit* portugiesisch.
lustr|al, e [lystral] *rel* Reinigungs-; alle 5 Jahre stattfindend; **~ation** *f rel* Reinigung *f;* Sühnopfer *n;* **~e** *m* **1.** *tech* Glanz *m a. fig;* Glasur *f;* Stärkeglanz; Kronleuchter *m;* **2.** Lustrum, Jahrfünft *n; sans* ~ glanzlos, matt; **~é, e** glänzend, glatt; *(Kleidung)* blankgescheuert; **~er** lüstrieren, glänzend machen; polieren, glanzschleifen; kalandern, glätten; *(Kleidung)* blank reiben, blank scheuern; *(Schuhe)* blank putzen; **~erie** *f* Lampenfabrikation *f;* **~eur, se** Lüstrierer(in *f*); Polierer, Schleifer *m; f* Glanzbürste, Poliermaschine *f;* **~ine** *f* Seidendrogett; (Baumwoll-)Futterstoff *m*.
lut [lyt] *m chem tech* Kitt *m;* **~er** (ver)kitten.
luth [lyt] *m mus* Laute *f*.
luthé|ranisme [lyteranizm] *m* Lehre *f* Luthers; Luthertum *n;* **~rien, ne** *a* lutherisch; *s m f* Lutheraner(in *f*) *m*.
luth|erie [lytri] *f* Geigenbau *m;* Musikinstrumentenfabrik *f*, -geschäft *n;* **~ier** *m* Geigenbauer; Instrumentenmacher, -fabrikant, -händler *m*.
lut|in, e [lytɛ̃, -in] *a* schelmisch, schalkhaft; neckisch; *s m* Kobold; *fig* Wildfang *m;* **~iner** *tr* **1.** *vx* necken, ärgern, plagen; **2.** schäkern (*qn* mit jdm).
lutrin [lytrɛ̃] *m rel* Chorpult *n;* Kirchenchor *m (Personen)*.
lutt|e [lyt] *f* (Ring-)Kampf *m;* Ringen *n (~ gréco-romaine); fig* Streit, Kampf *m*, Ringen *n*, Wettstreit *m* (*pour* um); Bekämpfung *f; de bonne* ~ in ehrlichem Kampf; *de haute* ~ nach erbittertem Kampf; *~ contre le bruit* Lärmbekämpfung *f; ~ des classes* Klassenkampf *m; ~ électorale* Wahlkampf *m; ~ pour l'existence, pour la vie* Existenzkampf, Kampf *m* ums Dasein; *~ contre le feu* Brandbekämpfung *f; ~ finale* Endkampf *m; ~s intestines* interne Machtkämpfe *m pl; ~ libre* Freistilringen *n; ~ rapprochée* Nahkampf *m; ~ contre la vermine* Schädlingsbekämpfung *f;* **~er** ringen; kämpfen *a. fig* (*contre* gegen, *pour* um); *fig* bekämpfen (*contre qn, qc* jdn, etw); (sich) streiten (*contre* mit); wetteifern (*de* in *dat*); **~eur, se** *m f* Ringer, Ringkämpfer; *fig* Kämpfer(in *f*), Streiter(in *f*) *m*.
luxation [lyksasjõ] *f med* Verrenkung *f; ~ de la hanche* Hüftverrenkung *f*.
luxe [lyks] *m* Luxus, Aufwand *m*, Pracht *f*, Prunk *m;* Üppigkeit *f*, Überfluß *m; faire étalage de* ~ Staat machen, großen Aufwand treiben; *c'est du* ~ das ist Luxus, überflüssig; *article, objet m de* ~ Luxusartikel *m; pl* Geschenkartikel *m pl; édition f de ~ (Buch)* Pracht-, Luxusausgabe *f*.
Luxembourg, le [lyksɑ̃bur] Luxemburg *n;* **l~eois, e** *a* luxemburgisch; *L~eois, e s m f* Luxemburger(in *f*) *m*.
luxer [lykse] *med* ver-, aus=renken.
luxmètre [lyksmɛtr] *m* Helligkeitsprüfer *m*.
luxueux, se [lyksɥø, -øz] luxuriös, prachtvoll, prunkhaft; üppig, verschwenderisch.
luxure [lyksyr] *f* Hemmungslosigkeit, Sinnlichkeit; Unzucht *f; s'abandonner à la* ~ sich (hemmungslos) aus=leben.
luxu|riance [lyksyrjɑ̃s] *f* Üppigkeit *a. fig; fig* (Über-)Fülle *f;* **~riant, e** üppig, strotzend *a. fig; fig* überreich; *(Stil)* überladen; *med* wuchernd.
luxurieux, se [lyksyrjø, -øz] hemmungslos, (stark) sinnlich; unzüchtig.
luz|erne [lyzɛrn] *f bot* Luzerne *f*, Schneckenklee *m;* **~ernière** *f* Luzernenfeld *n;* **~ule** *f bot* Hainbinse *f*.
lycé|e [lise] *m* (*in Frankreich:* staatliches) Gymnasium *n;* **~en, ne** [-ɛ̃, -ɛn] *m f* Gymnasiast(in *f*) *m*.
lycopode [likɔpɔd] *m bot* Bärlapp *m*.
lymph|atique [lɛ̃fatik] *a* lymphatisch; schwammig; apathisch, träge; Lymph-; *m pl* u. *vaisseaux m pl ~s (anat)* Lymphgefäße *n pl; ganglion m ~* Lymphknoten *m, (fälschl.)* -drüse *f; tempérament m ~* Apathie *f;* **~e** *f anat* Lymphe *f; bot* Saft *m*.
lyn|chage [lɛ̃ʃaʒ] *m* Lynchen *n*, Lynchjustiz *f;* **~cher** lynchen.
lynx [lɛ̃ks] *m zoo* Luchs *m; yeux m pl de ~ (fig)* Luchsaugen *n pl*.
lyophili|sation [ljɔfilizasjõ] *f* Gefriertrocknung *f;* Gefriertrockenverfahren *n;* **~sé, e** gefriergetrocknet; **~ser** gefrier=trocknen.
lyr|e [lir] *f* Leier *f; fig* dichterische(r) Schwung *m;* Dichtkunst *f; zoo* Leierschwanz *m; ajouter une corde à sa ~ (poet)* e-n neuen Ton an=schlagen; *toute la ~ (fam)* die ganze Leier; **~ique** *a* lyrisch; begeistert, schwärmerisch; *s m* Lyriker *m;* Lyrik; Begeisterung, Schwärmerei *f;* **~isme** *m* dichterische Sprache; Begeisterung *f*, innere(r) Schwung *m*.

M

ma [ma] *prn s. mon.*
maboul [mabul] *pop* verrückt, meschugge.
macabre [makabr] grauenvoll, schauerlich; *danse f* ~ Totentanz *m; humour m* ~ Galgenhumor *m.*
macache [makaʃ] *arg* nichts; *interj pop* aus! ach, was! Quatsch! Unsinn!
macadam [makadam] *m (Straße)* Makadam-, Schotterdecke *f;* **~iser** beschottern.
macaque [makak] *m* Makak *(Affe); fig* häßliche(r) Kerl *m.*
macareux [makarø] *m orn* Larven-, *(~ commun)* Papageitaucher *m.*
macaron [makarɔ̃] *m* Makrone *(Gebäck);* Rosette; Schnecke *f (Frisur).*
macaroni [makarɔni] *m inv* Makkaroni *pl; pop* Italiener *m; ~ au fromage, au gratin* M. mit geriebenem Käse.
macchabée [makabe] *m pop* Kadaver *m, bes.* Wasserleiche *f.*
Macédo|ine, la [masedwan] Mazedonien *n; m~* gemischte(s) Gemüse *n;* Obstsalat *m; fig* Sammelsurium *n;* **m~nien, ne** [-dɔ-] *a* mazedonisch; *M~, ne s m f* Mazedonier(in *f*) *m.*
macér|ation [maserasjɔ̃] *f* Wässern, Auslaugen *n; rel* Kasteiung *f;* **~er** *tr* wässern, ein≈weichen, aus≈laugen, mazerieren; *rel* kasteien; *itr* wässern.
machaon [makaɔ̃] *m* Schwalbenschwanz *m (Schmetterling).*
mâche [maʃ] *f* Rapunzel *f,* Feldsalat *m.*
mâché, e [maʃe] *a* mit unscharfem, zerfranstem Rand; *papier m* ~ Papier-, Pappmaché *n.*
mâchefer [maʃfɛr] *m* Schlacke *f;* (Eisen-)Hammerschlag *m.*
mâcher [maʃe] (zer)kauen; *fig* vor≈kauen (*qc à qn* jdm etw); *tech* ab≈quetschen; *~ la besogne à qn* fast die ganze Arbeit für jdn machen; *ne pas ~ ses mots, paroles* kein Blatt vor den Mund nehmen.
mâchicoulis [maʃikuli] *m (Burg)* Pechnase *f.*
machiavél|ique [makjavelik] *pol* machiavellistisch; hinterhältig, -listig, falsch; **~isme** *m pol* Machiavellismus *m; allg* Falschheit, Skrupellosigkeit *f.*
machin, e [maʃɛ̃, -in] *m f fam* Dings(da) *n; M. M~* Herr Soundso.
machin|al, e [maʃinal] mechanisch, unwillkürlich; **~ateur, trice** *m f* Anstifter(in *f*); Drahtzieher *m; ~ d'intrigues* Ränkeschmied *m;* **~ation** *f* (geheimer) Anschlag *m; pl* Umtriebe *m pl,* Machenschaften *f pl.*
machine [maʃin] *f* Maschine *f a. fig;* Werkzeug *n;* Motor; Mechanismus *m,* Triebwerk *n;* Lokomotive *f;* Flugzeug; *fam* Fahrrad *n; fig* Automat *m,* (willenloses) Werkzeug; *fam* Gewohnheitstier *n;* -mensch *m; fam* Ding *n,* Sache *f; fait à la ~* maschinell hergestellt; Maschinen-; *écrire, (fam) taper à la ~* (mit der) Maschine schreiben, *fam* tippen; *faire ~ arrière (loc)* rückwärts fahren; *fig* es sich anders überlegen; *atelier m de construction de ~s* Maschinenfabrik *f; atelier m de réparation de ~s* Maschinenreparaturwerkstatt *f; bâtiment m des ~s* Maschinenhaus *n; constructeur m de ~s* Maschinenbauer *m; construction f de ~s* Maschinenbau *m; graisse, huile f de ~s* Maschinenfett, -öl *n; salle f des ~s* Maschinenhalle *f; ~ à additionner et à soustraire* Addier- u. Subtrahiermaschine *f; ~ à adresser, à affranchir* Adressier-, Frankiermaschine *f; ~s agricoles* Landmaschinen *f pl; ~ entièrement automatique* Vollautomat *m; ~ de bureau* Büromaschine *f; ~ à calcul(er) (électronique)* (Elektronen-)Rechenmaschine *f; ~ à composer* Setzmaschine *f; ~ comptable* Buchungsmaschine *f; ~ à copier* Kopiermaschine *f; ~ à coudre* Nähmaschine *f; ~ à déblayer* Räumgerät *n; ~ à dicter* Diktiermaschine *f,* -gerät *n; ~ à écrire (portative)* (Reise-)Schreibmaschine *f; ~ électrocomptable* elektrische Buchungsmaschine *f; ~ à façonner l'acier, le bois* Stahl-, Holzbearbeitungsmaschine *f; ~ à facturer* Fakturiermaschine *f; ~ à fileter* Gewindeschneidmaschine *f; ~ infernale* Höllenmaschine *f; ~ à jet de sable* Sandstrahlgebläse *n; ~ à laver* Waschmaschine *f; ~ à laver la vaisselle, ~ lave-vaisselle* Geschirrspülmaschine *f; ~ à meuler* Schleifmaschine *f; ~ motrice* Kraftmaschine *f; ~-outil f* Werkzeugmaschine *f; ~ à polycopier* Vervielfältigungsmaschine *f; ~ à refouler* Schuttramme *f; ~*

routière Straßenbaumaschine *f;* ~ *à semer* Sämaschine *f;* ~ *à sous* Spielautomat *m;* ~ *à sténographier* Stenographiermaschine *f;* ~ *à tabulateur* Tabelliermaschine *f;* ~ *à traitement de textes (inform)* Textverarbeitungsanlage *f;* ~ *à tricoter* Strickmaschine *f;* ~ *à vapeur* Dampfmaschine *f.*

machi|ner [maʃine] aus=hecken, an=stiften, -zetteln; **~nerie** *f* Maschinen *f pl,* Maschinerie *f;* Maschinenbau, -park, -raum *m;* **~nique** *a* Maschinen-; **~nisme** *m* Maschinenbau; Maschinenbetrieb *m,* maschinelle Arbeitsweise; Maschinerie *f;* Mechanismus *m;* Technik *f;* **~niste** *m theat* Maschinist; Maschinenführer, -wärter; *(Belgien)* Lokomotivführer; Straßenbahn-, Omnibusfahrer; *theat* Bühnenarbeiter *m;* ~ *de turbine* Turbinenwärter *m.*

macho [matʃo] *a* macho; *s m* Machotyp *m.*

mâch|oire [mɑ(a)ʃwar] *f* Kiefer(knochen) *m,* Kinnbacke(n *m*), -lade; *tech* Backe, Klemme *f; jouer, travailler, s'escrimer des ~s, remuer les~s, occuper ses ~s* es sich schmecken lassen, tüchtig (darauflos=)essen; ~ *de frein* Bremsbacke *f;* ~ *supérieure, inférieure* Ober-, Unterkiefer *m;* **~onnement** *m* Gekaue, Gemümmel; *fig* Gemurmel, Gebrumm(e) *n;* **~onner** (langsam *od* mühsam) kauen (*qc* an e-r S); *fig* brummen, in den Bart murmeln; **~ure** *f (Obst, Pelz)* Druckstelle *f;* **~urer** beschmutzen, -schmieren; *typ* unsauber ab=ziehen; zerdrükken.

maçon, ne [masɔ̃, -ɔn] *a (Tier)* Bauten errichtend; *s m* Maurer, Bauarbeiter; Freimaurer *m; maître, compagnon, apprenti m* ~ Maurermeister, -geselle, -lehrling *m;* **~nage** *m* Maurerarbeit *f;* Mauerwerk *n;* **~ner** (aus=, ver-, zu=)mauern; bauen; *fig grossièrement ~né* ungeschlacht; **~nerie** *f* Maurerarbeit *f;* Mauerwerk *n,* Bau *m;* Freimaurerei *f; grosse, petite* ~ Rohbau *m;* Stuck- *od* Gipserarbeiten *f pl;* ~ *en briques, en moellons* Backstein-, Bruchsteinbau *m;* **~nique** freimaurerisch; Freimaurer-.

macre [makr] *f bot* Wassernuß *f.*

macreuse [makrøz] *f* **1.** Trauerente *f;* **2.** magere(s) Schulterstück *n (Fleisch); avoir du sang de ~ (fig)* Fischblut haben.

macro|biotique [makrɔbjɔtik] *a* makrobiotisch; *s f* Makrobiotik *f;* **~céphale** großköpfig; **~cinématographie** *f* Herstellung *f* von Makrofilmen; **~cosme** [-kɔsm] *m* Makrokosmos *m,* Weltall, -gebäude *n;* **~dactyle** langfingerig; **~molécule** *f* Makromolekül *n;* **~pode** *a* langbeinig, -flossig, *bot* -stielig; *s m* Flaggenfisch *m;* **~scopique** makroskopisch, mit dem bloßen Auge sichtbar; **~structure** *f* Makrostruktur *f.*

macul|ature [makylatyr] *f* Makulatur *f,* Schmutzbogen, Fehldruck, Ausschuß(papier *n*) *m;* **~e** *f* Fleck *m a. med;* **~é, e** *typ* angeschmutzt, fleckig; **~er** *tr* fleckig machen, beschmutzen (*de* mit); *itr* u. *se* ~ fleckig, schmutzig werden.

madame [madam] *f* (gnädige) Frau; Hausherrin, Frau *f* des Hauses; Ihre Frau Gemahlin; *pl mesdames* meine Damen; *jouer à la* ~ die große Dame spielen; ~ *est servie* gnädige Frau, der Tisch ist gedeckt; ~ *votre mère* Ihre Frau Mutter; *M~ X.* Frau X.

mad|éfaction [madefaksjɔ̃] *f pharm* Anfeuchtung *f;* **~éfier** *pharm* an=feuchten.

madeleine [madlɛn] *f* frühe(r) Apfel *od* Pfirsich *m,* frühe Birne *od* Pfaume; Bärentatze *(Gebäck);* Büßerin *f; M~* Magdalena *f; pleurer comme une M~ (fam)* wie ein Schloßhund heulen.

Madelon [mədlɔ̃] *f* Lene *f,* Lenchen *n.*

mademoiselle [madmwazɛl] *f* (mein, gnädiges) Fräulein *n;* ~ *votre fille* Ihr Fräulein Tochter; *M~ X.* Fräulein X.

madère [madɛr] *m* Madeira *m (Wein);* Madeirastickerei *f.*

madone [madɔn] *f* Madonna, Muttergottes(bild *n*) *f.*

madrague [madrag] *f* Thunfischnetz *n.*

madras [madras] *m* Madras *m (Stoff);* Kopftuch; Madrasleder *n.*

madré, e [madre] *a vx* gemasert, geädert, marmoriert; *fig* pfiffig, verschmitzt, durchtrieben; *s m* Schlaukopf, Pfiffikus *m; être* ~ es faustdick hinter den Ohren haben.

madrépore [madrepɔr] *m zoo* Loch- *od* Riff-, *pop a.* Stern-, Pilzkoralle *f.*

madrier [madrije] *m* (Holz-)Bohle, Planke *f.*

madrigal [madrigal] *m poet mus* Madrigal *n.*

madrilène [madrilɛn] *a* Madrider, aus Madrid; *M~ s m f* Madrider(in) *m.*

maestria [m(a)ɛstrija] *f (Kunst)* Meisterschaft *f; avec* ~ meisterlich.

mafflu, e [mafly] *fam* pausbäckig.

magasin [magazɛ̃] *m* Geschäft *n,* Laden *m;* (Waren-)Lager *n,* Speicher *m,* Lagerhaus *n,* -raum *m,* Niederlage *f;* Magazin *n (a. theat, Gewehr, Zeit-

schrift); in Zssgen Handlung *f,* Haus; *mil* Munitions- *od* Verpflegungslager *n; fig* Sammelstätte *f,* Haufen *m; en* ~ vorrätig, auf Lager; *courir les ~s* e-n Einkaufsbummel machen; *chef m de* ~ Lagerverwalter *m; commis m, demoiselle f, employé, e m f de* ~ Verkäufer(in *f*) *m; droit m de* ~ Lagergeld *n; établissement m, fourniture, installation f d'un* ~ Ladeneinrichtung *f; garçon m, fille f de* ~ Laufbursche *m,* -mädchen *n; grand* ~, ~ *à rayons multiples* Kauf-, Warenhaus *n; livre m du* ~ Lagerbuch *n; marchandise f en* ~ Lagerbestand *m; propriétaire m d'un* ~ Geschäftsinhaber *m;* ~ *aux accessoires (fig)* Mottenkiste *f;* ~ *d'alimentation* Lebensmittelgeschäft, Feinkosthaus *n;* ~ *d'armement, d'armes* Waffenkammer *f,* -lager *n;* ~ *d'approvisionnement* Vorratsraum *m,* -lager *n;* ~ *de blanc, de fleuriste, de modes* od *de nouveautés* Wäsche-, Blumen-, Mode(waren)geschäft *n;* ~ *de blé* Getreidespeicher *m;* ~ *de détail, détaillant* Einzelhandelsgeschäft *n;* ~ *d'entrepôt* (Waren-)Niederlage *f,* Lagerhaus *n;* ~ *frigorifique* Kühlhaus *n,* -raum *m; ~s généraux* öffentliche(s) Lagerhaus *n;* ~ *de gros* Großhandlung *f;* ~ *de jouets, de musique, d'occasions* Spielwaren-, Musikalien-, Altwarenhandlung *f;* ~ *(à) libre service* Selbstbedienungsladen *m;* ~ *à prix unique(s)* Einheitspreisgeschäft *n;* ~ *spécial(isé)* Fachgeschäft *n;* ~ *de sport* Sportgeschäft *n;* ~ *des subsistances* Lebensmittellager *n;* ~ *à succursales multiples* Filialgroßbetrieb *m;* ~ *de vente (en détail)* (Klein-)Verkaufsstelle *f;* **~age** *m* (Ein-)Lagerung *f,* Einspeichern *n; (temps m de ~)* Lagerzeit, -frist *f; (droit m de ~)* Lagergeld *n,* -gebühr, -miete *f; frais m pl de* ~ Lager(ungs)kosten *pl;* **~ier** *m* Lagerverwalter; Lagerist *m; ~-comptable m* Lagerbuchhalter *m.*

magazine [magazin] *m* (illustrierte) Zeitschrift, Illustrierte *f,* Magazin *n.*

mag|e [maʒ] *m hist* Magier *m; les trois ~s* die drei Weisen aus dem Morgenlande, die Heiligen Drei Könige *m pl;* **~icien, ne** *m f* Zauberer *m,* Zaub(r)erin *f; tours m pl de* ~ Zauberkünste *f pl;* **~ie** *f* Zauberei, Zauberkunst, Magie *f; fig* Zauber *m; c'est de la* ~ *noire* das ist höhere Mathematik; **~ique** zauberisch, magisch; Zauber-; *fig* bezaubernd, zauberhaft; *baguette f* ~ Zauberstab *m.*

magistral, e [maʒistral] schulmeisterhaft, pedantisch; herrisch, gebieterisch; meisterhaft, -lich; *fam* gewaltig, tüchtig; *(Arznei)* erst anzufertigen(d).

magistr|at [maʒistra] *m* Verwaltungs-, Justizbeamte(r) *m;* ~ *(assis)* Richter *m;* ~ *de carrière, consulaire, instructeur* Berufs-, Handels-, Untersuchungsrichter *m;* ~ *debout, du parquet* Beamte(r) *m* der Staatsanwaltschaft; **~ature** *f* Staats-, Verwaltungsdienst *m;* Richteramt *n,* -stand *m;* Amtszeit *f;* Beamtenstand *m,* -schaft *f; la plus haute* ~ die höchste Gewalt, das oberste Amt; ~ *assise* Richterstand *m;* ~ *debout, du parquet* Staatsanwaltschaft *f.*

magma [magma] *m chem* zähe, klebrige, knetbare Masse *f; geol* Magma *n.*

magnan [maɲɑ̃] *m (Südfrankr.)* Seidenraupe *f;* **~erie** [-ɲa-] *f* Seidenraupenhaus *n,* -zucht *f;* **~ier, ère** *m f* Seidenraupenzüchter(in *f*) *m.*

magnani|me [maɲanim] groß-, edelmütig; großzügig; **~mité** *f* Großmut *f,* Edelmut *m;* Großzügigkeit *f.*

magnat [maɲa] *m* Magnat *m a. fig;* ~ *de la finance, de l'industrie* Finanz-, Industriemagnat *m.*

magner, se [maɲe] *pop* sich beeilen.

magn|ésie [maɲezi] *f* Magnesia, Bitter-, Talkerde *f;* **~ésien, ne** magnesiumhaltig; **~ésique** *a* Magnesium-; **~ésium** [-ɔm] *m chem* Magnesium *n;* **~étique** magnetisch; Magnet-; *fig (Blick)* hypnotisch, faszinierend; *champ m* ~ Magnetfeld *n; déclinaison f* ~ magnetische Deklination, Abweichung, Mißweisung *f; fer m (pierre f)* ~ Magneteisen(stein *m*) *n; pôle m* ~ magnetische(r) Pol *m;* **~étisable** *(Mensch)* magnetisierbar; **~étisation** *f med* Magnetisierung *f,* magnetische(r) Zustand *m;* **~étiser** *phys* magnetisch machen; *med* magnetisieren; *fig* bannen, in s-n Bann schlagen; **~étiseur** *m* Magnetiseur *m;* **~étisme** *m* Magnetismus *m,* magnetische Kraft *f;* ~ *animal, terrestre* tierische(r), Erdmagnetismus *m;* **~étite** *m* Magneteisenerz *n.*

magnéto [maɲeto] *f mot* Magnet(apparat), *(~ d'allumage)* Zündmagnet, Magnetzünder *m; m el fam* Tonbandgerät *n; ~-électrique* magnetelektrisch; **~mètre** *m* Magnetometer *n;* **~phone** *m* Magnetophon, Tonbandgerät *n;* **~scope** *m* Videogerät *n,* -recorder *m;* **~scoper** videografieren; **~scopique** Video-; **~thèque** *f* Tonband-, Kassettensammlung *f;* Tonband-, Kassettenregal *n;* Kassettenbox *f.*

magnétron [maɲetrɔ̃] *m* Magnetfeldröhre *f.*
magni|ficence [maɲifisɑ̃s] *f* Pracht *f,* Glanz, Prunk(haftigkeit *f*), Pomp *m;* Großartigkeit; *(Stil)* Brillanz; Prachtliebe; Großzügigkeit, Freigebigkeit *f; pl* Prunkgegenstände *m pl;* **~fier** rühmen, preisen; erhöhen; **~fique** glanz-, prachtvoll, prächtig, herrlich *(a. Wetter);* großartig *(a. Versprechungen),* ausgezeichnet; ruhmvoll; **~fiquement** *adv* mit vollen, offenen Händen.
magn|olia [maɲɔlja], **~olier** *m bot* Magnolie *f.*
magot [mago] *m* **1.** Berberische(r) Affe *m;* groteske (Porzellan-, Ton-)Figur *f; fig* häßliche(r) Kerl *m;* **2.** *fam* (versteckter) Schatz *m.*
magouille [maguj] *f fam* Intrigen *f pl.*
maharajah [maara(d)ʒa] *m* Maharadscha *m.*
Maho|met [maɔmɛ] *m* Mohammed *m;* **~métan, e** *m f* Mohammedaner(in *f*) *m.*
mai [mɛ] *m* Mai; Maibaum *m.*
maigr|e [mɛgr] *a* mager *(a. Ackerboden, Fleisch, Essen, fig); (Fleisch)* schier; hager, schmächtig, dürr, dünn; *allg* karg, dürftig *(a. Vegetation),* kümmerlich, elend; *fig (Partie)* schlecht; *(Grund, Schutz)* schwach; armselig; klein; belanglos, unbedeutend; *(Stil)* dürftig; *s m* magere(s), schiere(s) Fleisch *n;* fleischlose Kost *f, rel* Fastenspeisen *f pl; (Fluß)* niedrige(r) Wasserstand *m;* Untiefe, flache Stelle *f; zoo* Umberfisch *m; courir, trotter comme un chat* ~ wie ein Wiesel laufen; *devenir* ~ ab=magern (*de chagrin* vor Kummer); *faire, manger* ~ kein Fleisch essen, fasten; *c'est* ~ das ist wenig; *houille f* ~ Magerkohle *f; jour m* ~ Fasttag *m; repas m* ~ fleischlose Mahlzeit *f;* ~ *chère f* magere Kost *f;* ~ *comme un clou, un hareng (saur), un chat de gouttière, un squelette* spindeldürr; nur, nichts als Haut u. Knochen; **~elet, te** [-grə-] etwas, ein bißchen mager; **~eur** *f* Magerkeit; *fig* Dürftigkeit *(a. d. Ackerbodens, Kunst, Stil);* Armseligkeit; Belanglosigkeit *f;* **~ichon, ne** *fam;* **~iot, te** *pop* ein bißchen dünn, reichlich mager, recht schmächtig.
maigrir [mɛgrir] *itr* mager, schlank werden, ab=magern, -nehmen; *tr* abmagern lassen; hager erscheinen lassen, schlank machen; *tech* dünner machen; *arch* (sich) verjüngen (lassen); *traitement m pour* ~ Entfettungskur *f.*
mail [maj] *m* Promenade, Allee *f; min* Schlägel *m.*
mail|le [maj] **1.** *f* Masche, kleine Schlinge *f;* Kettenglied *n; (Handarbeit)* Stich *m; mar* Schake *f,* Schäkel; *anat zoo* Fleck(en) *m; à grosses, à larges ~s* grob-, weitmaschig; *à ~s serrées* engmaschig; *laisser tomber une* ~ e-e Masche fallen lassen; *bas m à* ~ *à l'envers* Linksstrumpf *m; cotte f de ~s (hist)* Panzerhemd *n; industrie f de la* ~ Strickwarenindustrie *f; largeur f de* ~ Maschenweite *f; rangée f de ~s* Maschenreihe *f;* ~ *coulée, tombée* Laufmasche *f;* **2.** *avoir* ~ *à partir avec qn* mit jdm ein Hühnchen zu rupfen haben; *n'avoir ni sou ni* ~ keinen roten Heller, keinen Pfennig Geld haben; **~lé, e** *zoo* gefleckt; *tech* maschig; *fer m* ~ Fenstergitter *n.*
maillechort [majʃɔr] *m* Neusilber *n.*
maillet [majɛ] *m* Schlegel, Holzhammer; *min* Fäustel *m.*
mailloche [majɔʃ] *s f* große(r) Holzhammer; *(Pauke)* Schlegel *m; arg* Rauferei *f.*
maillon [majɔ̃] *m* kleine Masche; Öse; Schlinge *f;* Kettenglied *n; mar* Schake *f.*
maillot [majo] *m* Windel *f; sport theat* Trikot *n;* Badeanzug *m; être encore au* ~ *(fig)* noch in den Kinderschuhen stecken; *enfant m au* ~ Wickelkind *n;* ~ *de bain (une, deux pièce(s))* (ein-, zweiteiliger) Badeanzug *m; le* ~ *jaune* das gelbe Trikot; ~ *de sport* Sporttrikot *n.*
maillure [majyr] *f zoo* Fleck(en) *m (a. im Holz).*
main [mɛ̃] *f* Hand *a. fig; fig* Handfertigkeit; Tätigkeit, Arbeit; Kraft, (Verfügungs-)Gewalt, Macht *f;* Schutz *m;* (Hand-)Schrift *f; (Falke)* Fang *m; bot* (Wickel-)Ranke *f; tech* Haken, Griff *m;* Schaufel *f; (Papier)* Buch *n; (Gewebe)* Griff *m; (Kartenspiel)* Vorhand *f;* **1.** *à la ~, en ~* in der Hand; *à* ~ *droite, gauche* rechter, linker Hand; *à deux, à pleines ~s* mit beiden, mit vollen Händen; *à deux, à quatre ~s (mus)* zwei-, vierhändig; *à* ~ *armée* mit Waffengewalt; *à* ~ *levée* freihändig; *la* ~ *dans la* ~ Hand in Hand; *de la* ~ *(gauche)* mit der (linken) Hand; *de la* ~ *de* aus, *(Kunst)* von der Hand *gen; de* ~ *en* ~ von Hand zu Hand; *de la* ~ *à la* ~ ohne (weitere) Umstände, direkt; *de bonne* ~ von (gut)unterrichteter Seite; *de* ~ *d'hommes, de maître* von Menschen-, Meisterhand; *de longue* ~ von langer Hand *(vorbereitet); de première* ~

aus erster Hand, bester Quelle; *des deux ~s* mit beiden Händen, eilig *(zu=greifen); en ~* in der *od* die Hand; *(Person)* zur Hand; *en bonnes ~s* in guten Händen; *en ~(s) propre(s)* eigenhändig; *en ~s tierces* in der *od* die Hand e-s Dritten; *en un tour de ~* im Handumdrehen; *entre les ~s de qn* in jds Händen, Gewalt; *com* zu jds Händen *gen; par ses ~s, de sa ~* mit eigener Hand; *sans ~ mettre* ohne e-n Handschlag (zu tun); *sous ~, en sous-~, par-dessous ~* unterderhand, heimlich; *sous la ~,* bei der Hand; *pas plus que sur la ~ (fam)* keine Handvoll; **2.** *ne pas y aller de ~ morte* kräftig, tüchtig drauflos=, zu=schlagen; *fig* energisch vor=gehen; übertreiben; *s'en aller les ~s vides* mit leeren Händen ab=ziehen; *avoir la ~ (Karten)* aus=spielen *od* geben; *avoir la ~ dans qc* bei etw s-e Hand im Spiel haben; *avoir la ~, n'avoir pas la ~ gourde* e-e flinke Hand haben; *avoir qn bien en ~ (fig)* jdn in der Hand haben; *avoir la ~ heureuse, sûre, légère* e-e glückliche, sichere Hand haben; geschickt *od* vorsichtig sein; *avoir le cœur sur la ~* sehr großzügig, freigebig sein; *avoir les ~s crochues* lange Finger machen; stehlen; *avoir la haute ~ sur qc* etw (fest) in Händen haben; *avoir la ~ heureuse* e-e glückliche Hand haben; *avoir la ~ leste (fig)* ein loses Handgelenk haben, gern schlagen; *avoir les ~s nettes* e-e weiße, reine Weste haben; *avoir la ~ rompue à qc* sehr geschickt in etw sein; *battre des ~s* in die Hände, Beifall klatschen; *changer de ~s (fig)* in andere Hände kommen *od* übergehen; *demander la ~ de qn* um jds Hand an=halten; *donner, prêter la ~ à qn (fig)* jdm unter die Arme greifen, jdn unterstützen; *donner, tendre la ~ à qn* jdm die Hand geben *od* reichen; *donner sa ~ à qn* jdm s-e Hand geben, jdn heiraten; *donner un coup de ~ à qn* jdm unter die Arme greifen, an die Hand gehen; *écrire à la ~* mit der Hand schreiben; *être bien à la, en ~ (Sache)* gut zur Hand sein; *se faire la ~ à* sich üben an *dat*; *faire argent de toute ~* aus allem Geld schlagen; *faire qc haut la ~* etw mühelos bewältigen; etw durch=setzen; *forcer la ~ de qn* jdn zwingen; *garder la haute ~* die Oberhand behalten; *graisser la ~ à qn (fam)* jdn schmieren, bestechen; *lâcher la ~* es auf=geben; die Zügel lockern; *laisser les ~s libres à qn* jdm freie Hand lassen; *s'en laver les ~s* s-e Hände in Unschuld waschen; *lever la ~ sur qn* die Hand gegen jdn erheben; *manger dans la ~ de qn (Tier)* jdm aus der Hand fressen *(a. fig von Menschen); mettre, porter la ~ sur qn* die Hand gegen jdn erheben; jdn in s-e Gewalt bringen; *mettre la (dernière) ~ à qc* (die letzte) Hand an e-e S legen; *mettre la ~ à l'œuvre, à l'ouvrage, à la pâte* ans Werk gehen, sich an die Arbeit machen; zu=packen; *mettre la ~ à la plume, à la poche* zur Feder, in die Tasche greifen; *passer la ~* nach=geben; *passer par les ~s de qn* durch jds Hände gehen; *prendre qc dans les ~s, en ~* etw in die Hand nehmen *a. fig; prendre qn par la ~* jdn bei der Hand nehmen; *prendre son cœur à deux ~s* sich ein Herz fassen; *prêter les ~s à qc* sich zu etw her=geben; *prêter ~-forte à qn (bes. jur)* jdm Beistand leisten; *remettre en ~(s) propre(s)* ein=händigen; *revenir les ~s vides* leer aus=gehen; *saisir à pleine(s) ~(s)* fest an=fassen; *souiller ses ~s (fig)* sich die Hände schmutzig machen; *tendre la ~* betteln; *à qn* jdm die H. reichen; *tenir qn par la ~* jdn an der Hand halten; *tenir la ~ haute à qn* jdn kurz=halten; *tomber sous la ~ de qn (fig)* jdm in die Finger fallen; *en venir aux ~s* handgemein werden; *vivre du travail de ses ~s* von s-r Hände Arbeit leben; **3.** *j'ai les ~s liées (fig)* mir sind die Hände gebunden; *j'en mettrais ma ~ au feu* dafür lege ich meine Hand ins Feuer; *la ~ sur la conscience!* Hand aufs Herz! *haut, bas les ~s!* Hände hoch, weg! **4.** *arbre m droit sur les ~s (sport)* Handstand *m; bagages m pl à ~* Handgepäck n; *cheval m à deux ~s* Reit- u. Zugpferd *n; combat m de ~* Nahkampf *m,* Handgemenge *n; coup m de ~* Handschlag, -streich *m; dos m de la ~* Handrücken *m; fabrication f à la ~, ouvrage m fait à la ~* Handarbeit *f; fait à la ~* handgemacht, -gearbeitet; *fig* abgekartet; *geste m de la ~* Handbewegung *f; grand comme la ~, qui tiendrait dans la ~ (fam)* nicht größer als meine Hand; *homme m de ~* Mann *m* der Tat; *imposition f des ~s (rel)* Handauflegung *f; miroir m à ~* Handspiegel *m; nu comme la ~* splitternackt; *ouvrage m fait à la ~* Handarbeit *f; pénurie f de ~-d'œuvre* Arbeitermangel *m,* Knappheit *f* an Arbeitskräften; *petite ~* Nähmädchen *n; poignée f de ~* Händedruck, Handschlag *m; première, seconde ~* erste, zweite (weibl. Arbeits-)Kraft, *bes.* Näherin *f; prix m de ~-d'œuvre* Arbeitskosten *pl,* Fertigungslohn *m; tissé à la ~* handgewebt; *tour m de ~* Kunstgriff *m,* Geschicklichkeit *f; vote m à ~ levée* Abstimmung *f* durch Handerheben; **5.** *~ d'aviron* Rudergriff *m; ~s de caoutchouc* Gummihandschuhe *m pl; ~ courante* (Geländer-)Handleiste *f (a. ~ coulante); loc* Einsteigegriff *m; com* Kladde *f; ~-forte f* tatkräftige Hilfe *f,* Beistand *m; ~ morte* schlaff herabhängende Hand *f; ~-d'œuvre f* (Hand-)Arbeit *f;* Arbeitslohn *m;* Arbeitskräfte *f pl;* Arbeiterschaft *f; ~ féminine, de qualité* Frauen-, Qualitätsarbeit *f; ~ spécialisée* geschulte Arbeitskräfte *f pl;* Facharbeiter *m pl; ~ temporaire* Saisonarbeit(er *m pl*) *f; ~ de papier* Buch *n* Papier *n; ~ de passe (typ)* Zuschuß, Überdruck *m;* **~levée** *f* Aufhebung *f* der gerichtlichen Beschlagnahme; *(Hypothek)* Löschung *f;* **~mise** *f* Beschlagnahme; Beherrschung *f,* maßgebliche(r) Einfluß *m;* **~morte** *f* (Recht *n* der) Tote(n) Hand *f.*

maint, e [mɛ̃, -ɛ̃t] *a* manch(er, e, es), manch, mehr als ein(e); *à ~e(s) reprise(s)* zu wiederholten Malen; *à, en ~e(s) occasion(s)* bei vielen Gelegenheiten; *~e(s) chose(s)* manches; vieles; *~e(s) fois* manches Mal, oft, häufig; *~e personne f* manch einer; *pl* manche, viele (Leute) *pl.*

maintenance [mɛ̃tənɑ̃s] *f* Wartung *f; mil* Nachschub *m; régiment m de ~ automobile* Kfz.-Instandsetzungsregiment *n; unités f pl de ~* Ersatzeinheiten *f pl.*

main|tenant *adv* jetzt, nun; heute, heutzutage, gegenwärtig; *de ~* von heute; *tu vois ~* da siehst du; *~ que (conj)* jetzt, wo; da nun; **~tenir** *irr tr* an=, fest=halten, stützen; *fig* (aufrecht=)erhalten; *(Zustand, Behauptung)* aufrecht=erhalten; *(Preis)* halten; *(Stellung)* behaupten *a. fig; fig* versichern; *(in e-r Stellung)* belassen; *itr* durch=, stand=halten; *se ~* sich halten; weiter=, fort=bestehen; sich behaupten *a. mil com; ~ par des épingles* fest=stecken, (an=)heften; *~ en bon état* instand halten; *se ~ en forme (sport)* sich in Form halten; *~ en réserve (mil)* in Reserve halten; *~ sa santé, se ~ en bonne santé* sich gesund erhalten; *ça se maintient? (pop)* geht's gut? **~tien** [-tjɛ̃] *m* (Aufrecht-)Erhaltung *f,* Halten *n (der Preise),* Wahrung *f;* Fortbestand *m;* (Körper-)Haltung; *fig* Fassung *f;* Auftreten, Benehmen *n; donner un ~ à qn* jdm e-n Halt geben; *perdre son ~* die Fassung verlieren.

mair|e [mɛr] *m* Bürgermeister; Gemeindevorsteher *m; adjoint m (au ~)* Bürgermeister-Stellvertreter *m;* **~esse** *f* Frau *f* Bürgermeister *(oft hum);* **~ie** *f* Bürgermeisteramt; Stadt-, Gemeindeverwaltung *f,* Rathaus *n.*

mais [mɛ] *conj* aber, (je)doch, ja, indes(sen); *(nach e-r Verneinung)* sondern, vielmehr; *eh ~!* ach nein! sieh mal an! *non seulement, ~ encore* nicht nur, sondern auch; *~ alors* ja dann; *~ aussi* aber auch; *~ aussi, ~ encore, ~ de plus* darüber hinaus, ferner; *~ non!* aber nein, nicht doch! *~ oui* aber ja, ja doch! *~ si* oh doch! *~ le voilà!* da ist er ja! *un si ou un ~* ein Wenn u. ein Aber.

maïs [mais] *m* Mais *m; amidon m, bouillie f, épi m, farine f de ~* Maisstärke *f,* -brei, -kolben *m,* -mehl *n.*

maison [mɛ(e)zõ] *f* Haus *n (a. Astrologie);* Haushalt, -stand *m;* Hausgemeinschaft *f;* (Haus-)Personal *n,* Dienerschaft *f; (~ de commerce)* (Handels-)Haus, Geschäft *n,* Firma *f;* Haus *n,* Dynastie *f; a* hausgemacht; *fam* ausgezeichnet; *adv* sehr; *à la ~* zu Hause; *aller à la ~* heim=gehen, nach Hause gehen; *entrer, être en ~ (Mädchen)* in Stellung gehen, sein; *être de la ~* (gewissermaßen) zum Hause gehören; *rester à la ~, garder la ~* zu Hause bleiben, das H. hüten; *tenir ~ (fig)* ein offenes Haus haben; *tenir la ~* den Haushalt führen, haushalten; *les ~s empêchent de voir la ville* man sieht den Wald vor lauter Bäumen nicht; *ami m de la ~* Hausfreund *m; bonne ~* gepflegte(s) Haus, Heim *n; fait à la ~* selbstgemacht; *gens pl de ~* Dienerschaft *f,* (Haus-)Personal *n; gens pl de la ~* Hausgenossen *m pl; îlot, pâté m, rangée f de ~s* Häuserblock *m,* -gruppe, -reihe *f; maître m, maîtresse f de la ~* Hausherr(in *f*); (Haus-)Wirt(in *f*) *m; règlement m de ~* Hausordnung *f; ~ d'accouchement* Entbindungsheim *n; ~ affiliée* Tochterunternehmen *n; ~ d'aliénés* Irrenanstalt *f,* -haus *n; ~ d'ameublement* Möbelgeschäft, -haus*n; ~ à appartements (multiples)* Etagenwohnhaus *n; ~ d'arrêt* Haftanstalt *f,* Untersuchungsgefängnis *n; ~ de banque* Bankhaus *n; ~ en bois, blindée* Holz-, Blockhaus *n; ~ de campagne* Landhaus *n; ~ scolaire* Schullandheim *n; ~ centrale, de correction, de force, de réclusion* Strafanstalt *f,* Gefängnis,

Zuchthaus *n; ~ champêtre, rustique* kleine(s) Landhaus *n; ~ de chasse* Jagdhaus *n; ~ du coin, d'angle* Eckhaus *n; ~ de commission* Kommissionsgeschäft *n; ~ de confection* Konfektionsgeschäft, Bekleidungshaus *n; ~ de convalescents* Genesungsheim *n; ~ sur cour* Hinterhaus *n; ~ de couture* Modesalon *m; ~ de Dieu, du Seigneur* Gotteshaus, Haus *n* des Herrn; *~ d'éditions* Verlag(shaus *n,* -sbuchhandlung *f*) *m; ~ d'éducation* Internat, Erziehungsheim *n; ~ d'enfants* Kinderheim *n; ~ d'expédition* Versandgeschäft, -haus *n; ~ d'exportation* Exportgeschäft *n,* -firma *f; ~ forestière* Forst-, *pop* Försterhaus *n; ~ de garde-voie* Bahnwärterhaus *n; ~ d'habitation* Wohnhaus *n; ~ d'importation* Importgeschäft *n; ~ individuelle* Eigenheim *n; ~ de jeu* Spielbank *f; ~ des jeunes et de la culture* Jugendhaus, Jugend-, Kulturzentrum *n; ~ jumelée* Doppelhaus *n; ~ de location* Mietshaus *n;* Filmverleih *m; ~ de maître* Herrschaftshaus *n; ~ mère* Stammhaus, Hauptgeschäft; *rel* Mutterhaus *n; ~ mitoyenne* Reihenhaus *n; ~ mortuaire* Trauer-, Sterbehaus *n;* Leichenhalle *f; ~ de passe* Absteigequartier *n; ~ pénitentiaire* Arbeitshaus *n; ~ portative, préfabriquée, démontable* Fertighaus *n; ~ de poupées* Puppenhaus *n; ~ de prêt* Leihhaus *n; ~ publique, de tolérance* Bordell *n; ~s en rangée* Häuserreihe *f; ~ de rapport* Mietshaus *n; ~ religieuse* Kloster *n;* Ordensschule *f; ~ de repos* Pension *f,* Fremden-, Erholungsheim *n; ~ de retraite* Altersheim *n; ~ de santé* Privatklinik *f; ~ seigneuriale* Herrenhaus *n; ~ sœur, affiliée* Zweiggeschäft, -unternehmen *n; ~ spécialisée* Fachgeschäft *n; ~ de sport* Sportgeschäft *n; ~ à succursales multiples* Filialgroßbetrieb *m,* Kettengeschäft *n; ~ de vente par correspondance* Versandhaus, -geschäft *n; ~ de ville* Stadt-, städtische(s) Haus; *(a. ~ commune)* Rathaus *n; ~ voisine* Nebenhaus *n; ~ de week-end* Wochenendhaus *n;* **~née** *f fam* Hausgemeinschaft, Familie *f;* **~nette** *f* Häuschen *n; ~ de source* Brunnenhaus *n.*

maistrance [mɛstrɑ̃s] *f* Marineunteroffiziere *m pl; école f de ~* Marine-Unteroffizierschule *f.*

maître, maîtresse [mɛtr, mɛtrɛs] *s m f* Herr(in *f*) *a. fig,* Gebieter(in *f*) *a. hum (vom Ehemann);* (Be-)Herrscher(in *f*), Machthaber; (*vx* Handwerks-, Werk-)Meister *a. mus (Kunst) fig; fig* Lehrmeister; Leiter(in *f*); *fig* Besitzer(in *f*), Eigentümer(in *f*); *mar* Obermaat; Herr *m (vor dem Namen e-s Rechtsanwalts u. Notars); s f fig* Geliebte *f; a* tüchtig, (be)fähig(t); wesentlich; Ober-, Haupt-, Erz-, Riesen-; *sans ~* herrenlos; *être ~ de qc* über e-e S Herr sein; e-e S beherrschen; *être le ~* Herr s-r Entschlüsse sein; *être ~ de faire qc* in der Lage sein, etw zu tun; *être son ~* sein eigener Herr, unabhängig sein; *être ~ chez soi* Herr im Hause sein; *être ~ de soi* sich (selbst) beherrschen; *se rendre ~ de qc* sich e-r S *gen* bemächtigen, e-e S erobern; die Führung e-r S an sich reißen; bewältigen, meistern; *trouver son ~ (fig)* s-n Meister finden; *apprenti n'est pas ~* es ist noch kein Meister vom Himmel gefallen; *nul ne peut servir deux ~s* man kann nicht zwei Herren dienen; *tel ~, tel valet* wie der Herr, so's Gescherr; *grand ~ (Freimaurerei)* Großmeister *m; idée f maîtresse* Hauptgedanke *m; pénurie f de ~s* Lehrermangel *m; premier, second ~ (mar)* Feldwebel, Maat *m; qualité f maîtresse* Haupteigenschaft *f; ~ d'armes* Fechtmeister *m; ~-autel* Hoch-, Hauptaltar *m; ~ de ballet* Ballettmeister *m; ~, maîtresse de chant, de danse, de langues, de musique, de sport* Gesang-, Tanz-, Sprach-, Musik-, Sportlehrer(in *f*) *m; ~ chanteur (hist mus)* Meistersinger; *~ de chapelle* Kirchenchorleiter *m; ~ de conférences* Dozent *m; ~ à danser* Lochzirkel, -taster *m; (fam)* Erpresser *m; ~, maîtresse d'école* Volksschullehrer(in *f*); Schulmeister *m; ~ d'étude, d'internat* Studien-, Internatsaufseher *m; ~ de forges* Schwerindustrielle(r) *m; ~ fripon* Erzgauner *m; ~ homme, maîtresse femme (fam)* Prachtkerl *m; ~ d'hôtel* Haushofmeister, Oberkellner *m; ~, maîtresse de (la) maison* Hausherr(in *f*), -wirt(in *f*) *m; ~ de manœuvre (mar)* Bootsmann *m; ~-mot m* Zauberwort *n; ~ nageur* Bademeister *m; ~ principal (mar)* Oberfeldwebel *m.*

maîtris|able [mɛ(e)trizabl] zu meistern(d); zu lenken(d), zu bändigen(d); **~e** *f fig* Meisterschaft; Beherrschung, Herrschaft (*de* über *acc*); *rel* Singschule *f; ~ de soi(-même)* Selbstbeherrschung; Herrschaft *f* über sich *acc* selbst; **~er** (be)meistern, beherrschen, -zwingen, lenken *a. fig; se ~* sich beherrschen, sich in der Gewalt haben.

majest|é [maʒɛste] *f* Majestät; *fig* Hoheit, Würde, Erhabenheit, Größe; *poet rel* Herrlichkeit *f;* **~ueux, se** [-tyø, -øz] majestätisch, königlich, erhaben, würdevoll.

majeur, e [maʒœr] *a* größer, höher; überwiegend; bedeutend(er), wichtig; *jur* mündig, volljährig; *mus* Dur-; -Dur; *s m* Mittelfinger *m;* Volljährige(r *m*) *f;* Oberbegriff *m; mus* Dur *n; f (Logik)* Obersatz *m; force f ~e* höhere Macht, *jur* Gewalt *f; le lac m M~ (geog)* der Lago Maggiore; *mode, ton m ~* Durtonart *f,* -ton *m; ordres m pl ~s (rel)* höhere Weihen *f pl; la ~e partie (de ...)* der größere Teil *gen;* die meisten (...).

majolique, maïolique [maʒɔ-, majɔlik] *f* Majolika *f, carreau m de ~* Majolikafliese *f.*

major [maʒɔr] *m* Regimentsadjutant *m; fam* Feldarzt; Erste(r) *m* bei e-r Promotion; *~ général* Oberquartiermeister *m.*

majoration [maʒɔrasjɔ̃] *f com* Heraufsetzen *n,* Erhöhung *f;* Auf-, Zuschlag *m;* Überbewertung *f; subir une ~* e-e Steigerung erfahren; *~ des droits, d'impôts, de tarif* Gebühren-, Steuer-, Tariferhöhung *f; ~ de peine* Strafverschärfung *f; ~ (de prix)* Preiserhöhung *f,* -aufschlag, Aufpreis *m; ~ de salaire* Lohnerhöhung *f.*

majordome [maʒɔrdɔm] *m* Haushofmeister; Oberkellner *m.*

majorer [maʒɔre] *(im Preise)* erhöhen, herauf=setzen, höher an=setzen; überbewerten.

majorette [maʒɔrɛt] *f* Majorette *f.*

majori|taire [maʒɔritɛr] *a* in der Mehrheit befindlich; Mehrheits-; *s m* Anhänger *m* des Mehrheitswahlsystems; **~tairement** *adv* mit absoluter Mehrheit; **~tarisme** *m pol* Mehrheitsprinzip *n;* **~té** *f* Mehrheit, -zahl; *pol* Mehrheit; *jur* Mündig-, Volljährigkeit *f; à la ~ des deux tiers* mit Zweidrittelmehrheit; *atteindre à (l'âge de) la ~* mündig, volljährig werden; *recueillir la ~ des suffrages exprimés* die Mehrheit der abgegebenen Stimmen erhalten *od* auf sich *(acc)* vereinigen; *décision f de ~ (parl)* Mehrheitsbeschluß *m; déclaration f de la ~* Volljährigkeits-, Mündigkeitserklärung *f; ~ absolue, relative, simple, des deux tiers, des voix* od *des suffrages* absolute, relative, einfache Mehrheit, Zweidrittel-, Stimmenmehrheit *f; ~ gouvernementale* Regierungsmehrheit *f; ~ matrimoniale, pénale, politique* Ehe-, Straf-, Wahlmündigkeit *f; ~ silencieuse* schweigende Mehrheit *f.*

Majorque [maʒɔrk] *f geog* Mallorca *n.*

majuscule [maʒyskyl] *a (Buchstabe)* Groß-, Anfangs-; *s f* Groß-, Anfangsbuchstabe *m; prendre une ~ (Wort)* groß geschrieben werden.

mal [mal] *adv (in Wendungen a. a)* schlecht, übel, mangelhaft, unvollkommen, ungenügend; *s m* Übel(-stand *m*), Schlechte(s), Böse(s); Unheil *n;* Schaden *m;* Leid(en) *n,* Schmerz(en *pl*) *m a. fig;* Krankheit; Mühe, Plage, Not *f; bon an ~ an* im Jahresdurchschnitt; *bon gré ~ gré* im guten oder im bösen; *de ~ en pis* immer schlimmer; *pas ~ (fam)* nicht schlecht, (so) einigermaßen; nicht (so) übel, ganz ordentlich; *pas ~ de (fam)* ziemlich viel, e-e (ganze) Menge; nicht wenig; *pas de ~ (fam)* macht nichts; *tant bien que ~* so einigermaßen; so lala; *~ à propos* zur Unzeit, ungünstig; *aller de ~ en pis* vom Regen in die Traufe kommen; *avoir ~ aux cheveux (pop)* e-n Kater, e-n Katzenjammer haben; *avoir ~ aux dents, à la tête, au ventre* Zahn-, Kopf-, Leibschmerzen haben; *choisir le moindre de deux maux* von zwei Übeln das kleinere wählen; *dire du ~ de qn* jdm etw Schlechtes nach=sagen; *se donner du ~, un ~ de chien* sich ab=rackern; sich *dat* viel Mühe machen; *être ~ avec qn* mit jdm schlecht stehen, böse sein; *être ~ vu par qn* bei jdm schlecht angeschrieben sein; *être ~ fondé (fig)* auf schwachen Füßen stehen; *être incapable de faire du ~ à une mouche* keiner Fliege etw zuleide tun können; *faire ~* weh tun; *faire du ~ à qn* jdm etw (zuleide) tun; jdm weh tun; *se faire du ~* sich weh tun; Schaden nehmen *od* leiden; *parler ~ de qn* schlecht von jdm sprechen; *se porter ~* kränkeln; *prendre ~* übel=nehmen; sich e-e Krankheit zu=ziehen, *fam* holen; *prendre, voir en ~* mißverstehen, verdrehen; *s'y prendre ~* es falsch an=fassen; *rendre le bien pour le ~* Böses mit Gutem vergelten; *tourner ~* e-e schlimme Wendung nehmen, *fam* schief=gehen, *(Person)* auf die schiefe Bahn geraten; *se trouver ~ de qc* mit etw e-e schlechte Erfahrung machen; *vouloir du ~, ~ de mort à qn* jdm etw Schlechtes, alles Schlechte wünschen; *j'ai du ~ à* es fällt mir schwer, macht mir Mühe zu; *il n'y a pas de ~* das hat nichts zu sagen, macht nichts; *il n'y a que demi-~* das ist halb, nicht so schlimm; *quel ~*

y a-t-il à (inf), où est le ~ si ...? was schadet, macht es, ist denn dabei, wenn ...? *cela ne ferait pas de ~* das könnte nicht schaden; *je me sens, je me trouve ~, j'ai ~ au cœur* mir wird übel; *je suis ~ à l'aise* mir ist unbehaglich; *je suis ~ (en point)* es geht mir schlecht, *fam* dreckig; *cela tombe ~* das paßt *(zeitlich)* schlecht; *~ acquis* unredlich erworben; *~ des aviateurs, de mer* Flieger-, Seekrankheit *f; ~ caduc, haut ~* Fallsucht, Epilepsie *f; ~ de cœur (pop)* Übelkeit *f; ~ de dents, de gorge, de reins, de tête, de ventre* Zahn-, Hals-, Hüft-, Kopf-, Leibschmerzen *m pl; ~ élevé* ungezogen; *~ d'enfant* (Geburts-)Wehen *pl; ~ de l'espace* Raumkrankheit *f; ~ fait* verschroben; *~-fondé m* mangelnde Stichhaltigkeit *f; ~ de mer* Seekrankheit *f; ~ de(s) montagne(s)* Bergkrankheit *f; ~ nécessaire* notwendige(s) Übel *n; ~ du pays* Heimweh *n; ~ placé* fehl am Platz; *~ vu (Person)* unbeliebt; *(Sache)* verpönt.

malabar [malabar] *a arg* (groß u.) stark; *s m* Hüne *m.*

malachite [malakit] *f min* Malachit *m.*

malad|e [malad] *a* krank *a. fig* (*de* vor *dat*); leidend; *(Glied)* weh, schlimm; *fig* daniederliegend, notleidend; *(Phantasie)* krankhaft; *(Sache)* in schlechtem Zustand; *(Wein, Obst)* verdorben; *s m f* Kranke(r *m*) *f,* Patient(in *f*) *m; bien ~ (ironisch)* sehr zu bedauern(d); *se faire porter ~* sich krank melden; *tomber ~* krank werden, erkranken; *chaise, chambre f de ~* Krankenstuhl *m,* -zimmer *n (im Privathaus); salle f des ~s* Krankenzimmer *n (im Krankenhaus); ~ à la chambre (mil)* revierkrank; *~ du cœur, de l'estomac, du foie* herz-, magen-, leberleidend; *~ m f mental* Geisteskranke(r *m*) *f; ~ à mourir* sterbens-, todkrank; **~ie** *f* Krankheit *f,* Leiden· *n a. fig; fig* Sucht, Leidenschaft; Erkrankung *f; pour cause de ~* krankheitshalber; *attraper, contracter, gagner, prendre une ~, être pris d'une ~* krank werden, erkranken, sich e-e Krankheit zu=ziehen; *communiquer une ~* e-e Krankheit übertragen; *faire une ~ de qc* sich über e-e S grün u. blau ärgern; *bulletin* od *certificat m, indemnité f de ~* Krankenschein *m,* -geld *n; caisse f de ~ (de l'entreprise)* (Betriebs-)Krankenkasse *f; cours m d'une ~* Krankheitsverlauf *m; ~ bilieuse* Gallenleiden *n; ~ cardiaque* Herzleiden *n; ~ carencielle* Mangelkrankheit *f; ~s de la civilisation* Zivilisationskrankheiten *f pl; ~ contagieuse* ansteckende Krankheit, Seuche *f; ~ d'enfance* od *infantile, de la femme* Kinder-, Frauenkrankheit *f; ~ héréditaire* Erbleiden *n; ~ infectieuse, mentale, du métabolisme* Infektions-, Geistes-, Stoffwechselkrankheit *f; ~ de la peau, cutanée* Hautleiden *n; ~ de la pierre* Steinfraß *m; ~s des plantes* Pflanzenkrankheiten *f pl; ~ professionnelle, du sommeil* Berufs-, Schlafkrankheit *f; ~s vénériennes* Geschlechtskrankheiten *f pl;* **~if, ive** kränklich; *fig* krankhaft; *être ~* kränkeln.

mal|adresse [maladrɛs] *f* Ungeschicktheit, Ungeschicklichkeit *f;* **~adroit, e** ungeschickt, linkisch.

mal-aimé, e [maleme] *a* ungeliebt; *s m f* ungeliebte(r) Mensch.

malaire [malɛr] *a anat* Backen-; *os m ~* Jochbein *n,* Backenknochen *m.*

malais, e [malɛ, -z] *a* malaiisch; *s m* Malaiisch(e) *n; M~, e m f* Malaie, Malaiin *f.*

malais|e [malɛz] *m* Un-, Mißbehagen; *med* Unwohlsein *n;* Notlage; finanziell, wirtschaftlich schwierige Lage; *com* Flaute *f; fig* unbehagliche(s) Gefühl *n,* (innere) Unruhe, gedrückte Stimmung *f;* **~é, e** schwierig, lästig, unbequem; unangenehm, peinlich; *(Angelegenheit)* leidig.

Malaisie, la [malɛzi] Malaya *n.*

malandrin [malɑ̃drɛ̃] *m* (Straßen-)Räuber, Strolch, Landstreicher *m.*

malappris, e [malapri, -z] *a* flegelhaft, ungehobelt, ungeschliffen; *s m* Flegel, Lümmel *m.*

mal|ard [malar], **~art** *m* (Wild-)Erpel *m.*

malaria [malarja] *f med* Malaria *f.*

malavisé, e [malavize] unklug, unbesonnen; unüberlegt, unbedacht.

mala|xer [malakse] kneten; massieren; **~xeur** *m* Misch-, Knetmaschine *f;* Rührwerk *n; ~ à béton* Betonmischmaschine *f.*

mal|bâti, e [malbati] *a* schlecht gewachsen; plump, klobig; *être ~* e-e schlechte Figur haben; **~chance** *f* Mißgeschick, Unglück, *fam* Pech *n;* **~chanceux, se** *a* vom Unglück, Pech verfolgt; *s m f* Pechvogel *m;* **~donne** *f (Kartenspiel)* falsche(s) Geben *n; il y a ~ (fam)* das ist ein Irrtum.

mâle [mɑl] *a biol* männlich *a. fig; fig* mannhaft; markig, kräftig, energisch, stark; herb, ernst, fest; *s m zoo* Männchen *n;* männliche Person *f,* Mann, männliche(s) Wesen *n; tech* Dorn, Stift, Bolzen, Stempel *m.*

malé|diction [malediksjɔ̃] *f* Fluch *m,* Verfluchung, Verwünschung *f; fig* Unsegen *m,* Unheil *n; ~!* verflucht! verdammt! verflixt! *~ sur ...!* zum Teufel mit ...! *c'est une ~* es ist wie verhext; *chargé de ~s* fluchbeladen; **~fice** *m* Be-, Verhexung; Hexerei *f;* **~fique** unheilvoll.

mal|encontreux, se [malɑ̃kɔ̃trø, -z] *(Sache)* unglücklich, ärgerlich, verflixt, dumm; unheilvoll, -verkündend; *(Person)* vom Pech verfolgt; auf die Nerven gehend; **~entendant, e** *a* schwerhörig; *s m f* Schwerhörige(r *m) f;* **~entendu** *m* Mißverständnis *n;* **~façon** *f* Fehler, Defekt *m;* mangelhafte, schlechte Ausführung; Betrügerei *f,* Unterschleif *m;* **~faisant, e** [-fə-] boshaft, bösartig; (gesundheits)schädlich; **~faiteur, trice** *m f* Übel-, Missetäter(in *f*); Verbrecher *m;* **~famé, e** [-fame] *(Sache)* in schlechtem Ruf stehend; *(Gegend)* verrufen; **~formation** *f med* Mißbildung *f.*

malgache [malgaʃ] *a* madagassisch, aus Madagaskar; *M~ s m f* Madagasse *m,* Madagassin *f.*

malgré [malgre] *prp* trotz, ungeachtet *gen; ~ soi* gegen s-n Willen; widerwillig, ungern; *~ tout* trotz alle(de)m, trotzdem; *~ vents et marées* allen Hindernissen zum Trotz; *~ que (conj)* wenn auch, obgleich (auch).

malhabile [malabil] ungeschickt; unfähig; *~ à* nicht imstande zu.

malheur [malœr] *m* Unglück; Mißgeschick *n,* Unglücksfall; Unstern *m; ~ à* wehe *dat, par ~* unglücklicherweise; *pour mon ~* zu meinem Unglück; *pour comble de ~* zu allem Unglück, obendrein; *faire le malheur de qn* jdn ins Unglück stürzen; *jouer de ~* e-e Pechsträhne haben; *porter ~* Unglück bringen; *c'est un ~* es ist ein Unglück, ein Kreuz; **~eusement** *adv* unglücklicher-, dummerweise; leider; **~eux, se** *a* unglücklich; unheilvoll, -verkündend; beklagens-, bejammernswert, bedauerlich; *péj* erbärmlich; jämmerlich; *(übertreibend)* unselig; elend; ärgerlich; ungeschickt; *fam* furchtbar, schrecklich, fürchterlich; lumpig; *s m f* Unglückliche(r *m*); Notleidende(r *m*); Elende(r *m*); Nichtswürdige(r *m*) *f,* Schuft *m; avoir la main ~se* keine glückliche Hand haben; *être ~ comme les pierres* tief-, todunglücklich sein; *c'est ~ que* es ist ein Jammer, daß; *nouvelle f ~se* Hiobspost, -botschaft *f; passion f ~se* unglückliche Liebe.

malhonnête [malɔnɛt] *a* unehrlich, unredlich; unehrenhaft; unanständig; **~té** [-ɛtte] *f* Unredlich-, Unehrlich-, Unehrenhaftigkeit; Unhöflichkeit, Grobheit, Flegelei; Unanständigkeit; *f.*

mal|ice [malis] *f* Bosheit, -haftigkeit; Böswilligkeit; Arglist, Tücke; böse(r), gemeine(r) Streich *m;* Schelmerei, Schalkhaftigkeit; Spottlust *f; sans (y entendre) ~* arglos; *ne pas entendre ~ à qc* sich bei e-r S nichts Böses denken; *faire des ~s à qn* jdm übel mit=spielen; *~ cousue de fil blanc* leicht durchschaubare(r) Trick *m;* **~icieux, se** boshaft, böswillig; *(Tier)* bösartig; schalkhaft, schelmisch.

mal|ignité [maliɲite] *f* Boshaftigkeit, Bosheit, Tücke; Schadenfreude; *med* Bösartigkeit; *(Gift)* schädliche Wirkung *f;* **~in, ~igne** [-ɛ̃, -iɲ] *a* boshaft, tückisch; *med* bösartig; unheilvoll; schlau, gerissen; geschickt, gewandt; schalkhaft; *s m f* Schlaukopf, -berger; boshafte(r) Mensch *m, fam* Giftnudel *f; (vx) le ~* der Böse, Teufel *m; ce n'est pas ~ (fam)* das ist keine Kunst; *c'est un ~* er ist mit allen Hunden gehetzt, mit allen Wassern gewaschen, hat es faustdick hinter den Ohren; *joie f ~igne* Schadenfreude *f; il est ~ comme un vieux singe* er ist ein schlauer Fuchs; *~ vouloir m* böse(r) Wille *m.*

maline [malin] *f* Springflut *f.*

Malines [malin] *f geog* Mecheln *n; m~s f* Mechelner Spitzen *f pl.*

malingre [malɛ̃gr] schwächlich, kränklich, leidend (*de* an); *fig* schlaff, weich.

malintentionné, e [malɛ̃tɑ̃sjɔne] *a* übelgesinnt; böswillig; *s m f* Übelgesinnte(r *m*) *f.*

malique [malik] *a* Apfel-; *acide m ~* Apfelsäure *f.*

malle [mal] *f* (großer) (Reise-)Koffer; *mot* Kofferraum *m (~-arrière f); défaire sa ~* (den Koffer) aus=pakken; *faire sa ~, ses ~s* (den Koffer) packen; *fig* sein Bündel schnüren; *~-armoire f* Schrankkoffer *m; ~-cabine f* Kabinenkoffer *m; ~ d'osier* Schließkorb *m.*

mall|éabilité [maleabilite] *f* Schmied-, Hämmerbarkeit; *fig (Charakter)* Biegsamkeit *f;* **~éable** schmied-, hämmer-, dehnbar; *fig* biegsam, geschmeidig.

mall|etier [maltje] *m* Koffermacher *m;* **~ette** *f* Handkoffer *m,* Köfferchen; *bot* Hirtentäschel *n; ~ pour avion* Luft(reise)koffer *m; ~-table f*

(Camping) Koffertisch *m; ~ tourne-disques* Phonokoffer *m,* Koffergrammophon *n.*

mal|mener [malməne] hart an=fassen, schlecht behandeln; *fig* hart zu=setzen (*qn* jdm); *mil* e-e Schlappe bei=bringen (*qn* jdm); **~nutrition** *f* schlechte Ernährung *f;* **~odorant, e** übelriechend.

malotru, e [malɔtry] *a* flegel-, rüpelhaft; *s m f* Rüpel, Flegel *m.*

mal|peigné, e [malpɛɲe] *m f* Struwwelpeter; Schmutz-, Schmierfink, Dreckspatz *m;* Schlampe *f;* **~poli, e** unhöflich, grob; **~propre** *a* unsauber, schmutzig; *(Arbeit)* gepfuscht, Pfusch-; *fig* anstößig, unanständig; *s m f* Schmutzfink *m,* -liese *f;* **~propreté** *f* Unsauberkeit; *fig* Unanständigkeit *f;* **~sain, e** *(Mensch)* nicht (ganz) gesund; *(Sache)* ungesund, gesundheitsschädlich; *fig* sittlichkeitsgefährdend, sittenwidrig; *fam* gefährlich; **~séant, e** unschicklich, unpassend, unanständig; **~sonnant, e** ungebührlich, unpassend; anstößig, unsittlich.

malt [malt] *m* Malz *n; extrait, cachet, sirop m, bière f, café m de ~* Malzextrakt *m,* -bonbon *m* od *n,* -sirup *m,* -bier *n,* -kaffee *m; ~ pour brasseries* Braumalz *n; ~ vert, séché à l'air, touraillé, grillé* Grün-, Luft- *od* Schwelch-, Darr- *od* Brenn-, Farbmalz *n;* **~age** *m* Mälzen *n.*

malt|ais, e [maltɛ, -z] *a* maltesisch; *M~, e s m f* Malteser(in *f*) *m;* **M~e** *f* Malta *n.*

malt|er [malte] mälzen; **~erie** *f* Mälzerei *f;* **~eur** *m* Mälzer *m.*

malthusianisme [maltyzjanizm] *m* Produktionsdrosselung *f.*

maltose [maltoz] *f* Maltose *f,* Malzzucker *m.*

maltraiter [maltrɛte] mißhandeln; *(mit Worten)* herunter=machen; verächtlich behandeln; benachteiligen, schädigen; Schaden zu=fügen (*qn* jdm) *od* an=richten (*qc* in, auf e-r S).

malus [malys] *m (Versicherung)* Malus *m.*

malvacées [malvase] *f pl* Malvengewächse *n pl.*

mal|veillance [malvɛjɑ̃s] *f* Übelwollen *n,* feindliche Gesinnung; Böswilligkeit *f,* böse(r) Wille *m;* **~veillant, e** *a* übelwollend; gehässig, mißgünstig; böswillig; *s m f* gehässige(r) mißgünstige(r) Mensch *m;* **~venant, e** *a bot* der, die, das nicht (recht) wachsen will; **~venu, e** *jur* nicht berechtigt (*à* zu); **~versation** [-vɛrsa-] *f* Untreue *f,* Amtsvergehen *n;* Unterschleif *m,* Veruntreuung, Unterschlagung *f; ~ de fonds publics* Unterschlagung *f* öffentlicher Gelder.

malvoisie [malvwazi] *f* Malvasier(wein) *m.*

malvoyant, e [malvwajɑ̃, -t] sehbehindert; *s m f* Sehbehinderte(r *m*) *f.*

maman [mamɑ̃] *f* Mama, Mutti *f.*

mam|elé, e [mamle] mit Brustdrüsen versehen; **~ellaire** [-mɛl-] *a anat* Brust-; **~elle** *f* Brust; *(Tier)* Zitze *f; enfant m à la ~* Brustkind *n; ~ pectorale* Brustdrüse *f;* **~elon** *m* Brustwarze; *geog* (Berg-)Kuppe *f,* Hügel; *tech* Knopf, Zapfen *m* Zäpfchen *n;* **~elonné, e** mit Warzen versehen; hügelig; **~elu, e** *pop* mit mächtigem Busen.

m'amie, mamie [mami] *f fam* Liebling *m,* Herzchen *n.*

mam|illaire [mamilɛr] warzen-, kuppenförmig; **~maire** *a* Brust-; *glande f ~* Brustdrüse *f; sécrétion f ~* Milchabsonderung *f;* **~malogie** *f* Säugetierkunde *f;* **~mifères** *m pl* Säugetiere *n pl;* **~mite** *f* Brustdrüsenentzündung *f.*

mammouth [mamut] *m zoo* Mammut *n.*

man [mɑ̃] *m zoo* Engerling *m.*

man|agement [manaʒmɑ̃] *m* Management *n;* **~ager** [manadʒɛr] *m* Leiter; Manager *m.*

manant [manɑ̃] *m péj* Bauernlümmel; *allg* Rüpel, Lümmel, Flegel *m.*

manch|e [mɑ̃ʃ] **1.** *m* Stiel, Griff *m; (Messer)* Heft *n; (Schirm)* Krücke; *(Hobel)* Nase *f; (Ruder)* Schaft; *(Pflug)* Sterz; *(Geige)* Hals; *(Luftballon)* Füllansatz; *branler dans le ~* wackeln; *fig* wack(e)lig stehen; nicht fest im Sattel sitzen; *jeter le ~ après la cognée* die Flinte ins Korn werfen; *se mettre du côté du ~* sich auf die Seite des Stärkeren stellen; *tirer sur le ~ (à balai) (aero)* den Steuerknüppel ziehen; *~ à balai* Besenstiel; *aero* Steuerknüppel *m; fig fam* lange Latte *f; ~ de bêche, de fouet, de hache, de marteau, de pelle* Spaten-, Peitschen-, Axt-, Hammer-, Schaufelstiel *m;* **2.** *f* Ärmel; Schlauch *m;* Rohr *n;* Schacht *m; (Spiel)* Partie, Runde *f,* Satz *m;* Meerenge *f; la M~* der (Ärmel-)Kanal; *en ~s de chemise* in Hemdsärmeln; hemdsärmelig; *sans ~s* ärmellos; *avoir qn dans sa ~ (fig)* die Hand über jdn halten; jdn hinter sich haben; *être dans la ~ de qn (vx)* jdm zur Verfügung *od* unter jds Schutz stehen; *être ~ à ~ (Spiel)* gleich=stehen; *faire la ~ (arg)* fechten, betteln (gehen); *mettre qc dans* *sa* ~ *(fig)* sich etw unter den Nagel reißen; *se faire tirer la* ~ sich (lange) nötigen lassen; *ne pas se faire tirer la* ~ sich etw nicht zweimal sagen lassen; *c'est une autre paire de* ~*s* das steht auf e-m anderen Blatt, das ist etw (ganz) anderes; *fausse* ~ Ärmelschoner *m; jambes f pl en* ~*s de veste* Säbelbeine *n pl;* ~ *à air, à vent* Lüftungsrohr *n,* Luftschacht; *aero* Windsack *m;* ~ *bouffante* Puffärmel *m;* ~ *à incendie* Feuerwehrschlauch *m;* ~ *trois-quarts* dreiviertellange(r) Ärmel *m;* **~eron** *m* Manschette *f;* Ärmelansatz; Pflugsterz *m;* **~ette** *f* Manschette *f;* (Ärmel-)Umschlag; Pulswärmer *m; typ* Randbemerkung, -bezeichnung *f;* Waschzettel *m; (Zeitung)* Schlagzeile, Überschrift *f;* Kopf *m; sous une grosse* ~ *(Zeitung)* in großer Aufmachung; *bouton m de* ~*s* Manschettenknopf *m;* **~on** *m* Muff *m; tech* Muffe, Buchse, Hülse *f;* Zylinder *m,* Walze *f; (Maschinengewehr)* Mantel *m;* **~ot, e** [-ʃo, -ɔt] *a* a einarmig, mit (nur) e-r Hand; *s m f* Einarmige(r *m*) *f; m orn* Pinguin *m; être* ~ *de la main droite* die rechte Hand verloren haben; *n'être pas* ~ geschickt sein; *fig* sich zu helfen wissen; nicht auf den Kopf gefallen sein.

mandant [mɑ̃dɑ̃] *m jur* Mandant, Vollmachtgeber; *com* Auftraggeber, Besteller *m.*

mandarin [mɑ̃darɛ̃] *m* Mandarin *m; fig* Literaturpapst *m;* **~at** [-a] *m* Mandarinenwürde; *fig péj* Willkürherrschaft *f.*

mandarin|e [mɑ̃darin] *f* Mandarine *f;* **~ier** *m* Mandarinenbaum *m.*

mandarinisme [mɑ̃darinizm] *m fig* Zeugnis-, Berechtigungsunwesen *n.*

mandat [mɑ̃da] *m* Auftrag *jur,* Befehl *m;* Vollmacht; *com* Prokura; (Zahlungs-)Anweisung, Überweisung *f; parl pol* Mandat *n;* Mandatszeit *f; par* ~ bargeldlos; *accomplir od exécuter un* ~ e-n Auftrag aus=führen *od* erledigen; *décerner, exécuter un* ~ *d'amener, d'arrêt* e-n Vorführungs-, Haftbefehl erlassen, vollziehen; *établir un* ~ e-e Anweisung aus=stellen; *livre m de* ~*s* Anweisungsbuch *n; territoire m sous* ~ Mandatsgebiet *n;* ~ *d'amener (jur)* Vorführungsbefehl *m;* ~ *d'arrêt, de dépôt* Haftbefehl *m;* ~*-carte m* Zahlkarte *f;* ~ *de comparution* Vorladung *f;* ~ *d'encaissement, de recouvrement* Inkassoauftrag *m;* ~ *d'exécution, exécutoire* Vollstreckungsbefehl *m;* ~ *général* Generalvollmacht *f;* ~ *d'impôt* Steuerkarte *f,* -zettel *m;* ~ *international* völkerrechtliche(s) Mandat *n;* Auslandspostanweisung *f (a.* ~ *sur l'étranger);* ~ *de paiement* Zahlungsanweisung *f;* ~ *postal, de poste,* ~*-poste,* ~*-carte,* ~*-lettre m* Postanweisung *f;* ~ *de recouvrement postal* Postauftrag *m;* ~ *de remboursement* Nachnahme *f;* ~ *télégraphique* telegraphische Geldüberweisung *f;* ~ *de virement* Überweisungsauftrag; Verrechnungsscheck *m;* ~ *à vue* Sichtanweisung *f;* **~aire** *m* Bevollmächtigte(r); Beauftragte(r); Vertreter; Auftragnehmer; Prokurist; *pol (puissance f* ~*)* Mandatar; Treuhänder *m;* ~ *commercial, général* Handlungs-, Generalbevollmächtigte(r) *m;* ~ *du peuple* Volksvertreter, -beauftragte(r) *m;* ~ *spécial* Sonderbeauftragte(r), -bevollmächtigte(r) *m;* **~er** e-e Zahlungsanweisung aus=stellen (*qc* über *acc*), an=weisen; beauftragen.

mandchou, e [mɑ̃dʃu] *a* mandschurisch; **M~rie, la** die Mandschurei.

mand|ement [mɑ̃dmɑ̃] *m rel* Hirtenbrief *m;* **~er** melden, berichten; (zu sich) kommen lassen, bestellen; *jur* vor=laden.

mand|ibulaire [mɑ̃dibylɛr] *a* Unterkiefer-; **~ibule** *f* Kinnlade *f,* -backen, Unterkiefer *m.*

mandoli|ne [mɑ̃dɔlin] *f* Mandoline *f;* **~niste** *m f* Mandolinenspieler(in *f*) m.

mandragore [mɑ̃dragɔr] *f bot* Alraune *f.*

mandrill [mɑ̃dril] *m zoo* Mandrill *m.*

mandrin [mɑ̃drɛ̃] *m tech* Durchschlag *m,* Locheisen *n,* Dorn *m,* Futter *n;* **~er** *tech* auf=dornen, -spannen, -weiten, -walzen.

manducation [mɑ̃dykasjɔ̃] *f biol* Essen, Fressen *n; rel* Kommunion *f.*

man|ège [manɛʒ] *m* Pferdedressur *f,* Zu-, Schulreiten *n;* Reitkunst, -schule *f,* -institut *n,* -halle, -bahn *f; tech* Göpel *m; fig* Schliche, Kniffe *m pl; cheval m de* ~ Schulpferd; ~ *de chevaux de bois, tournant* Karussell *n;* ~ *par haut* Hohe Schule *f;* **~éger** *(Pferd)* dressieren, zu=reiten.

man|eton [mantɔ̃] *m tech* Kurbelzapfen *m;* **~ette** *f* (Hand-)Griff, Hebel; *radio* Knopf *m; perdre les* ~*s (arg)* die Fassung verlieren; ~ *d'allumage, de frein* Zünd-, Bremshebel *m;* ~ *des gaz* Gashebel *m.*

mangan|ate [mɑ̃ganat] *m chem* Manganat, Mangansäuresalz *n;* **~èse** *m chem* Mangan *n; minerai m de* ~ Manganerz *n;* ~ *sulfuré* Manganblende *f;* **~ésien, ne; ~ésifère** manganhaltig; **~eux, se** Mangan-;

oxyde m ~ Mangan(mon)oxyd *n;* ~**ique** Mangan-; *oxyde m* ~ Mangan(i)oxyd; Mangandioxyd *n,* Braunstein *m;* ~**ite** *f* Manganit, Manganhydroxyd *n.*

mange|able [mɑ̃ʒabl] eß-, genießbar; ~**aille** [-aj] *f agr* (breiiges) Futter; *pop* Fressen *n,* Fraß *m;* ~**oire** *f* (Futter-)Trog *m,* Krippe *f;* Freßnapf *m;* Vogelnäpfchen; *pop* Freßlokal *n.*

mange|r [mɑ̃ʒe] (auf=)essen, speisen *(nur itr);* verspeisen, -zehren; fressen *a. fig (Ofen);* verschlingen *a. fig (Unsummen); (Motten, Rost)* zerfressen; ab=nutzen, verbrauchen; *(Vermögen)* durch=bringen, vergeuden; *(Zeit)* vertun; *(Worte)* verschlucken, undeutlich aus=sprechen; *(Befehl)* mißachten; *s m* Essen *n,* Speise *f; se* ~ sich gegenseitig auf=fressen *(fig* wollen); eßbar sein; *donner à* ~ zu essen geben (*à qn* jdm); *(Tier)* füttern; *être à* ~ zum Anbeißen sein; *trop* ~ sich überessen; zu viel essen; ~ *son blé en herbe* sein Geld im voraus verzehren; ~ *de caresses, de baisers* vor Liebe auf=fressen (wollen); ~ *la consigne* es vergessen; ~ *à sa faim* sich satt essen; ~ *la grenouille* mit der Kasse durch=brennen; ~ *dans la main à qn* jdm aus der Hand fressen; ~ *un morceau* e-n Happen, (ein bißchen, et)was essen; ~ *le morceau (arg)* verpfeifen, -raten *itr;* ~ *comme quatre* für drei (fr)essen; ~ *de tout* kein Kostverächter sein; ~ *de la vache enragée* viel entbehren müssen; ~ *des yeux* mit den Augen verschlingen; *je suis resté trois jours sans* ~ ich habe 3 Tage nichts gegessen; *l'appétit vient en ~ant* der Appetit kommt beim Essen; *les loups ne se ~nt pas entre eux (prov)* eine Krähe hackt der anderen nicht die Augen aus; *bon à* ~ zu essen(d), eß-, genießbar; *salle f à* ~ Eßzimmer; ~**rie** *f fam* Fresserei *f;* ~**-tout** *m inv* **1.** *fam* Verschwender(in *f*) *m;* **2.** grüne Bohne; Zuckererbse *f.*

mangeur, se [mɑ̃ʒœr, -øz] *m f* Esser(in *f*); Verschwender *m; grand* od *gros, petit* ~ große(r) *od* starke(r), kleine(r) Esser *m;* ~ *de kilomètres* Kilometerfresser *m.*

manglier [mɑ̃glije] *m* Mangrove((n)baum *m*) *f.*

mangouste [mɑ̃gust] *zoo* Manguste *f.*

manguier [mɑ̃gje] *m* Mangobaum *m.*

mani|abilité [manjabilite] *f* Handlichkeit; Wendigkeit; *aero* Manövrierfähigkeit *f;* ~**able** handlich, leicht zu handhaben(d); gut zu bearbeiten(d); *(Stoff)* griffig; *mot mar aero* wendig; *fig* lenk-, fügsam; umgänglich; biegsam, geschmeidig.

maniaque [manjak] *a* manisch, irre, wahnsinnig; besessen; schrullenhaft; *s m f* Wahnsinnige(r *m*), Irre(r *m*); Besessene(r *m*) *f;* Narr, komische(r) Kauz, Sonderling *m;* ~ *sexuel* Trieb-, Sexualtäter *m.*

mani|cle [manikl], ~**que** *f* Arbeitshandschuh *m;* Handleder *n.*

manie [mani] *f* Irresein *n,* Besessenheit; Manie, fixe Idee; Schrulle; Sucht *f;* ~ *de l'association* Vereinsmeierei *f;* ~ *des grandeurs, de la persécution* Größen-, Verfolgungswahn *m.*

mani|ement [manimɑ̃] *m* Handhabung *f;* Gebrauch *m (a. d. Glieder),* Umgehen *n* (*de* mit); *fig* Lenkung, Leitung, (Geschäfts-)Führung; Verwaltung *f;* Griff *m (Fettablagerung beim Mastvieh);* ~ *d'armes* (Gewehr-) Griffe *m pl;* ~**er** [-nje] handhaben, gebrauchen, hantieren (*qc* mit etw), um=gehen (*qc* mit etw *a. Geld); fig* von allen Seiten betrachten; zu gebrauchen, zu handhaben, anzuwenden, umzugehen (*qc* mit etw) wissen; in der Gewalt haben.

mani|ère [manjɛr] *f* Art, Weise, Art u. Weise; *(Kunst)* Manier, Malweise *f; pl* Umgangsformen *f pl,* Benehmen *n;* (gute) Manieren *f pl;* Komplimente *n pl;* Umstände *m pl; fam* Getue *n; à la* ~ *de* nach Art *gen; à ma* ~ auf meine Weise; *de* ~ *à (ce que)* so, daß; *de la* ~ *que* so, wie; *de la* ~ *la plus agréable* aufs angenehmste; *de* ~ *ou d'autre* auf die eine oder andere Weise, so oder so; *de la belle, bonne* ~ *(ironisch)* tüchtig, gehörig; *de cette* ~ auf diese Weise; *de la même* ~ auf gleiche Weise, ebenso; *de mille ~s* auf tausenderlei Weise; *de la* ~ *suivante* folgendermaßen; *de toute(s) ~(s)* auf jeden Fall, sowieso; *de toutes les ~s possibles* auf alle möglichen Arten; *en aucune* ~ auf keinerlei Weise; *en quelque* ~ gewissermaßen; *par* ~ *d'acquit* (nur) zum Schein; *par* ~ *de dire, de parler, de conversation* gesprächsweise, beiläufig; *une* ~ *de* e-e Art (von); *arranger qn de la belle* ~ *(ironisch)* jdn schön zu=richten; *n'avoir pas la* ~ *de faire qc* es nicht verstehen, etw zu tun; *faire des* ~ sich zieren, Umstände machen; *laisser entendre d'une* ~ *significative* zu verstehen, *fam* e-n Wink mit dem Zaunpfahl geben; *c'est une* ~ *de parler* das ist nur so e-e Redensart; das darf man nicht so wörtlich nehmen; *en voilà des ~s!* so was! *pas de ~s!* machen Sie keine Umstände! *pas de* *ces ~s-là!* so können Sie mir nicht kommen! *de quelque ~ que ce soit* wie dem auch sei; *~s affectées* Ziererei *f, fam* Getue, Gehabe *n; ~ d'agir* Handlungsweise *f,* Verhalten *n; ~ d'être* Seinsweise; Wesensart, Besonderheit *f; ~ de parler* Redensart, (Rede-)Wendung *f,* Ausdruck *m; ~ de penser* Denkart *f; ~ de travailler* Arbeitsweise *f; ~ de vivre* Lebensweise *f,* -wandel *m; ~ de voir* Ansicht, Meinung, Einstellung *f,* Standpunkt *m;* **~éré, e** geziert, affektiert; *(Stil)* geschraubt; *(Kunst)* manieriert; **~érisme** *m (Kunst)* Manierismus *m.*

manieur [manjœr] *m: ~ d'affaires* Manager *m; ~ d'argent* Spekulant *m; ~ d'hommes* Führernatur *f.*

mani|f [manif] *f fam* Demo *f fam;* **~festant, e** *m f* Kundgebungsteilnehmer(in *f*); Demonstrant(in *f*) *m; cortège m de ~s* Demonstrationszug *m;* **~festation** *f* Äußerung; *rel* Offenbarung; Kundgebung; Veranstaltung; *pol* Demonstration *f; serment m de ~ (jur)* Offenbarungseid *m; ~ artistique* künstlerische Darbietung *f; ~ mondaine* gesellschaftliche Veranstaltung *f; ~ d'opinion* Meinungsäußerung *f; ~ d'opposition* Protestkundgebung *f; ~ sportive* Sportveranstaltung *f; ~ de la volonté (jur)* Willensäußerung *f;* **~feste** *a* offen(bar), (offen-)sichtlich, sichtbar *fig,* augenscheinlich, handgreiflich; überführt, erwiesen, notorisch; *s m pol* öffentliche Erklärung *f,* Manifest; *mar* Ladungsverzeichnis *n; pour des raisons ~s* aus bekannten Gründen; *c'est ~* das liegt auf der Hand; **~fester** *tr* äußern, dar=tun, an den Tag legen; Ausdruck geben *od* verleihen (*qc* e-r S); *itr* demonstrieren; *se ~* zutage, in Erscheinung treten; *rel* sich offenbaren!

manigance [manigɑ̃s] *f fam* Intrige *f;* **~r** *fam* heimlich in die Wege leiten, an=zetteln.

manille [manij] **1.** *f* Fußring; (Ketten-)Schäkel *m;* **2.** *m* Manilazigarre *f,* (-stroh)hut, -hanf *m.*

manioc [manjɔk] *m bot* Maniok(-, Mandiokamehl *n*) *m.*

mani|pulateur, trice [manipylatœr, -tris] *m f* Laborant(in *f*) *m; tele* Taste(r *m*) *f;* **~pulation** *f* Handhabung *f,* Umgang *m* (*de qc* mit etw), Behandlung *f;* Laborieren *n; fig* Kunstgriff *m; ~s électorales* Wahlmanipulationen *f pl; ~ génétique* Genmanipulation *f;* **~pule** *m rel* Manipel *m* od *f;* Topflappen *m;* **~puler** handhaben, behandeln; hantieren, um=gehen (*qc* mit etw); *(Apparat)* bedienen; *tele* tasten, durch=geben; *fig fam* (hin=) drehen; *péj* manipulieren.

manique [manik] *f s. manicle.*

Manitou [manitu] *m* der Große Geist *(der Indianer); fam* Allgewaltige(r) *m (Person).*

mani|veau [manivo] *m com* kleine(r) flache(r) Korb *m.*

manivelle [manivɛl] *f* Kurbel *f;* Handgriff *m; démarrer à la ~* an=kurbeln; *tourner la ~* kurbeln; *arbre m de ~* Kurbelwelle *f; ~ de frein, de manœuvre, de mise en marche od de lancement* Brems-, Schalt-, Anlaß- *od* Anwurfkurbel *f; ~ de lève-fenêtre (mot)* Fensterkurbel *f.*

mann|e [man] *f* **1.** *rel* Manna *n* od *f a. fig. u. bot;* **2.** (großer) Korb, Waschkorb *m;* **~ée** *f* Korbvoll *m.*

mannequin [mankɛ̃] *m* **1.** (langer) Korb *m;* **2.** Schaufensterfigur, Mode-, Schneider-, Wachs-, Drahtpuppe; Büste *f;* Mannequin *n;* Vorführdame; *fig* Marionette *f;* willenlose(r) Mensch *m; défilé m de ~s* Modenschau *f.*

manœuvr|able [manœvrabl] *mar* manövrierfähig; *mot* wendig; **~e** *f* Handhabung, Bedienung, Betätigung; Steuerung; Schaltung *f; med* Hand-, Kunstgriff *m;* Übungsoperation *f; mar* Manövrieren; Tauwerk; *mil* Manöver *n,* Übung, *(Taktik)* Führung, Bewegung *f; fig péj* (Betrugs-) Manöver *n,* Trick *m; pl loc* Rangieren, Verschieben *n; fig* Machenschaften *f pl; m* Handlanger *a. fig, (~-balai m)* Hilfsarbeiter, ungelernte(r) Arbeiter; *allg* Handarbeiter; *loc* Rangierer; *péj* Stümper, Pfuscher *m; opérer des ~s (loc)* rangieren; *appareil m, boîte f, engrenage m de ~* Schaltapparat, -kasten *m,* -getriebe *n; cabine f de ~ (loc)* Stellwerk *n; champ m de ~s* Exerzierplatz *m; fausse ~* Fehlschaltung *f, fig* -unternehmen *n; gare f de ~* Verschiebebahnhof *m; grandes ~s, ~ f d'automne* Herbstmanöver *n; installation, locomotive f de ~* Rangieranlage *f,* -lok(omotive) *f; levier m de ~* Stell-, Steuerhebel *m; poste m de ~ (tech)* Bedienungsstand *m; loc* Stellwerk *n; ~ f de bourse, électorale* Börsen-, Wahlmanöver *n; ~ f à distance* Fernsteuerung *f; ~s f pl frauduleuses (jur)* betrügerische Handlungen *f pl; ~s f pl navales, aériennes* Flotten-, Luftmanöver *n; ~ m spécialisé* angelernte(r) Arbeiter *m;* **~er** *tr tech* in Bewegung setzen, in Gang bringen; handhaben, bedienen, betätigen; steuern, schalten; *loc* rangieren, verschieben; *(Weiche)* stellen; *mar* manövrieren; *(Segel)* auf=spannen; *fig* um=gehen (*qc* mit etw), lenken, leiten; *itr mil* manövrieren, Bewegungen ausführen (lassen); *fig* vorgehen, zu Werke gehen; Maßnahmen treffen; *facile à ~ (mot)* wendig; **~ier, ère** *a (Taktik)* geschickt; wendig; *allg* erfahren; *s m mil pol* geschickte(r) Stratege *m*.

manoir [manwar] *m* Herrensitz *m*, -haus *n;* Landsitz *m*, Gutshaus *n; hum* Bleibe, Behausung *f*, Bau *m*.

mano|mètre [manɔmɛtr] *m* Manometer *n;* **~métrique** manometrisch; Manometer-.

manoque [manɔk] *f* Docke *f* Tabak(blätter).

manuche [manyʃ] *m f arg* Zigeuner(in) *m f*.

manœuvrier, ère [manøvrije, -ɛr] *m f* Handarbeiter(in *f*); Tagelöhner(in *f*) *m*.

manqu|ant, e [mɑ̃kɑ̃, -ɑ̃t] *a* fehlend; *s m* Fehlende(r) *m;* fehlende(s) Stück; Manko *n;* **~e** *m* Mangel *m* (*de* an *dat*), Fehlen *n*, Knappheit *f;* (das) Fehlende; *(Drogen)* Entzugserscheinung *f;* Fehlbetrag *m*, Defizit, Manko *n a. fam;* Defekt, Fehler *m; (Roulette)* Zahl *f* unter 18; Fehltritt, -schuß, -stoß, -griff; *com* Abgang; Schwund *m; à la ~ (pop)* mies, schäbig, mau; kaputt; verkorkst, vermurkst; *~ de* mangels, in Ermangelung *gen; ~ d'animation (Börse)* Lustlosigkeit *f; ~ d'argent, de capitaux, de devises* Geld-, Kapital-, Devisenmangel *m; ~ d'attention* Unaufmerksamkeit, Unachtsamkeit *f; ~ de bras* Mangel *m* an Arbeitskräften; *~ en caisse* Kassenmanko *n; ~ de charbon, de logements* Kohlen-, Wohnungsnot *f; ~ de compréhension, de courage, d'égards, d'entrain, de fidélité, de respect, de suite* Verständnis-, Mut-, Rücksichts-, Schwung-, Treu-, Respekt-, Zs.hanglosigkeit *f; ~ d'esprit* Geistlosigkeit, geistige Armut *f; ~ de foi, de parole* Treu-, Wortbruch *m; ~ à gagner* verpaßte Gewinnchance *f; ~ d'oxygène* Sauerstoffmangel *m; ~ de place* Platzmangel *m; ~ de soin* Nachlässigkeit *f; ~ de travail* Arbeitsmangel *m;* Arbeits-, Erwerbslosigkeit *f; être en état de ~* Entzugserscheinungen haben; **~é, e** verfehlt, mißlungen; *(Gelegenheit)* verpaßt, versäumt; *acte m ~ (Psychologie)* Fehlleistung *f; décollage, départ m ~ (aero)* Fehlstart *m;* **~ement** *m* Mangel (*de* an *dat*); Fehler *m*, Verfehlung *f*, Verstoß *m* (*à qc* gegen etw); *~ aux devoirs* Dienstpflichtverletzung *f; ~ à une obligation* Nichterfüllung *f* e-r Verpflichtung.

manquer [mɑ̃ke] **I.** *itr* **1.** *(absolument)* fehlen; nicht vorhanden sein, nicht da=sein, aus=gehen; mißglükken, fehl=schlagen, nicht geraten; *les vivres vinrent à ~* die Lebensmittel gingen aus; *il ne ~ait plus que cela! fam* das fehlte gerade noch! *l'expérience a ~é* das Experiment hat fehlgeschlagen; **2.** *itr (être absent) (Person)* fehlen, weg=bleiben; *il a ~é à l'école une semaine* er ist e-e Woche lang von der Schule weggeblieben. **3.** *(~ de)* fehlen an *dat*; *on ~e de pain, le pain ~e* es fehlt an Brot; *nous ~ons de pain* es fehlt uns an Brot; *ne laisser qn ~ de rien* es jdm an nichts fehlen lassen; *~ d'argent, de cœur* kein Geld, kein Herz haben; *il s'en ~e de beaucoup* es fehlt noch viel daran; **4.** *(presque) j'ai ~é (de) tomber* ich wäre beinahe gefallen; **5.** *(ne pas faire)* verpassen, vergessen, versäumen; *ne pas ~ de faire qc* nicht versäumen, etw zu tun; *la nouvelle ne ~era pas de faire sensation* die Nachricht wird auf jeden Fall Aufsehen erregen; *je n'y ~erai pas!* Sie können sich auf mich verlassen; **7.** *~ à qn* jdm die schuldige Achtung versagen, jdn verletzen; *~ à son devoir* seiner Pflicht nicht nach=kommen, *~ à ses engagements* seinen Verpflichtungen nicht nach=kommen; *~ à sa parole* sein Wort brechen; *~ à l'honneur, aux convenances* den Anstand verletzen; *la voix lui ~a* s-e Stimme versagte; **8.** *(regretter l'absence de)* vermissen; *elle me ~e beaucoup* ich vermisse sie sehr; **II.** *tr* **1.** *(ne pas réussir)* verfehlen, *fam* verpatzen, verpfuschen; *il a ~é sa vie* er hat sein Leben verpfuscht; *(Kuchen)* verpatzen; **2.** *(ne pas atteindre)* verfehlen; versäumen, verpassen; *il a ~é son but* er hat sein Ziel verfehlt, er hat danebengeschossen; *(Gelegenheit)* versäumen; *(Hasen)* verfehlen; *~ la cible* daneben=schießen; *(Zug, Bus)* verpassen; *fig tu n'as rien ~é* du hast nichts verpaßt; *je vous ai ~é de peu* fast hätte ich Sie noch getroffen; *~ le coche* die Chance verpassen; *(Vorlesung, Schule)* schwänzen; **III.** *se ~ (ne pas se rencontrer)* sich verpassen; *ne se laisser ~ de rien* es sich an nichts fehlen lassen; *se ~ à soi-même (lit)* sich etw vergeben, sich herab=würdigen.

mans|arde [mɑ̃sard] *f* Dachfenster *n;* Mansarde, Dachkammer, -stube *f;*

comble, toit m en ~ Mansardendach *n;* ~**ardé, e** *a: chambre f* ~*e* Dachkammer *f; étage, logement m* ~ Dachgeschoß *n,* -wohnung *f.*
mansuétude [mɑ̃sɥetyd] *f* Milde, Sanftmut *f.*
mante [mɑ̃t] *f* **1.** *hist* weite(r) ärmellose(r) (Damen-)Mantel *m;* **2.** *zoo (~ religieuse)* Gottesanbeterin *f.*
mant|eau [mɑ̃to] *m* Umhang; Hänger; Mantel *a. fig tech; fig* Schutz(mantel); Deckmantel, Vorwand *m; sous le* ~ insgeheim, heimlich, in aller Stille, unterderhand; unter dem Deckmantel (*de* gen); ~ *cache-poussière, de caoutchouc, de fourrure, de peau, de pluie* Staub-, Gummi-, Pelz-, Leder-, Regenmantel *m;* ~ *d'homme, de femme, d'enfant* Herren-, Damen-, Kindermantel *m;* ~ *d'été, d'hiver, de demi-saison* Sommer-, Winter-, Übergangsmantel *m;* ~**elé, e** *a zoo* Mantel-; ~**elet** [-ɛ] *m* kurze(r) Umhang *m.*
mantille [mɑ̃tij] *f* Mantille *f.*
mantisse [mɑ̃tis] *f math* Mantisse *f.*

manu|cure [manykyr] *m f* Maniküre *m f,* Handpfleger(in *f*) *m; f* Maniküre *f; faire de la* ~ *à qn* jdn maniküren; ~**curer** maniküren.
manu|el, le [manɥɛl] *a* manuell; Hand-; *s m* Hand-, Lehrbuch *n,* Leitfaden *m; composition f* ~*le (typ)* Handsatz *m; éducation f* ~*le* Handfertigkeitsunterricht *m; habileté f* ~*le* Handfertigkeit *f; ouvrage, travail m* ~ Handarbeit *f;* ~**ellement** *adv* mit der, von Hand.
manu|facture [manyfaktyr] *f* Fabrik *f,* Werk *n;* Belegschaft *f;* ~ *d'armes, de draps* Waffen-, Tuchfabrik *f;* ~ *de l'État* Tabak- u. Zündholzregie *f;* ~ *de porcelaine* Porzellanmanufaktur *f;* ~**facturer** an=, verfertigen, her=stellen, verarbeiten; *produit m* ~*facturé* Fertigware *f;* ~**facturier, ère** *a* industriell, gewerbetreibend; Industrie-, Fabrik-; *s m f* Fabrikbesitzer(in *f*), Fabrikant, Hersteller *m; industrie f* ~*facturière* Großindustrie *f;* ~**scrit, e** [-skri, -it] *a* handgeschrieben, -schriftlich; *s m* Manuskript *n,* Handschrift *f; peinture f de* ~*s* Buchmalerei *f;* ~**tention** *f (Waren)* Behandlung *f;* Verladen *n; (~ militaire)* Verpflegungsamt *n;* Heeres-, Feldbäckerei; *loc* Paketbeförderung; Bereitstellung *f* der Wagen; *appareil m, installation, grue f de* ~ Verladevorrichtung, -anlage *f,* -kran *m; frais m pl de* ~ Verladekosten *pl;* ~**tentionner** handhaben, hantieren (*qc* mit etw); *(bes. Kommißbrot, Tabak)* her=stellen.
maoïs|me [maɔizm] *m pol* Maoismus *m;* ~**te** *a* maoistisch; *s m f* Maoist(in *f*) *m.*
mappemonde [mapmɔ̃d] *f* Welt-, Erdkarte *f;* ~ *céleste* Sternkarte *f.*
maqu|eraison [makrɛzɔ̃] *f* Makrelenfangzeit *f;* ~**ereau, elle 1.** *m f* Kuppler(in *f*), Zuhälter; *pol péj.* Unterhändler *m;* **2.** *m zoo* Makrele *f; groseille f à* ~ Stachelbeere *f.*
maqu|ette [makɛt] *f* Entwurf *m,* Skizze *f;* (verkleinertes) Modell *n; tech* Rohrschiene *f;* ~ *de planeur* Segelflugmodell *n;* ~**ettiste** *m* Modellschreiner, -tischler *m.*
maquignon [makiɲɔ̃] *m* Pferdehändler, *(meist) péj* Roßtäuscher; *fig* gerissene(r) Vermittler; Kuppler *m;* ~**nage** *m* Pferdehandel *m;* Roßtäuschertricks *m pl; fig* Täuschungsmanöver *n pl;* Schiebung *f,* Schwindel; Kuhhandel *m;* ~**ner** *(Pferd)* mit unerlaubten Mitteln heraus=putzen; *fig* drehen, durch Schiebung zu erreichen *od* zu beeinflussen suchen; feilschen (*qc* um etw).
maqu|illage [makijaʒ] *m* Schminken *n;* Aufmachung; *phot* Retouche *f;* ~**iller** schminken; auf=machen; *fig* verschleiern, vertuschen, ab=ändern, verfälschen; *arg (Spielkarten)* zinken; ~**illeur, se 1.** *m f theat* Schminker(in *f*) *m;* **2.** *m* Boot *n* zum Makrelenfang.
maquis [maki] *m* Busch(wald) *m (in Korsika); fig* Gestrüpp *n (d. Paragraphen),* (Schilder-)Wald *m; pol (im 2. Weltkrieg)* Busch, Maquis *m, (franz.)* Widerstandsbewegung, -gruppe *f; prendre le* ~ *(Verbrecher)* in den Busch, in die Wälder, *pol* in den Maquis gehen, sich der Widerstandsbewegung an=schließen; ~**ard** *m* Widerstandskämpfer *m.*
marabout [marabu] *m* Marabut, mohammedanische(r) Einsiedler, Heilige(r) *m;* kleine Moschee; bauchige Metall(kaffee)kanne *f; orn* Marabu *m;* Gazeband; *mil* kegelförmige(s) Zelt *n.*
maraîcher, ère [marɛʃe, -ɛr] *a* Gemüse-; *s m f* Gemüsegärtner(in *f*) *m; culture f* ~*ère* Gemüsebau *m.*
marais [marɛ] *m* Sumpf *a. fig,* Morast, Bruch *m,* Moor; Gemüseland *n; se changer en* ~ versumpfen; *fièvre f de* ~ Sumpffieber *n,* Malaria *f; gaz m des* ~ Sumpfgas, Methan *n;* ~ *salant* Meersaline *f,* Salzteich, -garten *m;* ~ *tourbeux* Torfmoor *n.*
marasme [marazm] *m med* Abzeh-

rung, Entkräftung *f,* Kräfteverfall *m;* Mattigkeit, Teilnahmslosigkeit, Gedrücktheit, Niedergeschlagenheit *f; fig* Stocken *n,* Stillstand *m;* Da(r)niederliegen *n,* Flaute *f a. com; être dans le* ~ teilnahmslos, gedrückt sein; *fig* da(r)nieder≈liegen; *tomber dans le* ~ zum Stillstand kommen, zum Erliegen kommen, erlahmen.

marasquin [maraskɛ̃] *m* Maraschino *m (Likör).*

marathon [maratɔ̃] *a inv* Dauer- *(Debatte, Tanz); course f de m* ~ Marathonlauf *m.*

marâtre [maratr] *f* Stief-, Rabenmutter *f; en* ~ stiefmütterlich *adv.*

mar|audage [marodaʒ] *m,* **~aude** *f* Plündern, Marodieren *n;* Felddiebstahl *m;* **~auder** marodieren, plündern; Felddiebstahl begehen; mausen, mopsen; *(Taxichauffeur)* Fahrgäste suchen; **~audeur, se** *m f* Plünderer, Marodeur *m;* (Feld-)Dieb(in *f*) *m.*

marbr|e [marbr] *m* Marmor *m;* Marmorplatte *f,* -sims *m,* -säule, -plastik *f,* -denkmal *n,* -bau *m;* Marmel *f (Kügelchen zum Spielen);* Reibstein; *typ* Stehsatz *m; tech* Richtplatte *f;* Gießtisch *m; de* ~ marmorn; *fig, a. froid comme un* ~ von Stein, kalt wie Stein, gefühl-, herzlos; *être, rester sur le* ~ *(typ)* gesetzt sein; im Satz stehen≈bleiben; *bloc m, dalle, plaque f de* ~ Marmorblock *m,* -fliese, -platte *od* -tafel *f; carrière f de* ~ Marmorbruch *m; polissage m de* ~ Marmorschleifen *n; tourneur m de* ~ Marmorschleifer *m;* ~ *artificiel* Kunstmarmor *m,* Marmorimitation *f;* ~ *feint, factice* Marmorierung *f;* ~ *de parement* Verblendmarmor *m;* ~ *statuaire* Bildhauermarmor *m;* **~é, e** marmoriert, geädert; *papier m* ~ Marmorpapier *n;* **~erie** [-brə-] *f* Marmorwerk *n,* -arbeit *f;* **~eur** *m* Marmorierer *m;* **~ier, ère** *a* Marmor-; *s m* Inhaber e-s Marmorwerkes; Marmorarbeiter; Grabsteinbildhauer *m; f* Marmorbruch *m; industrie f ~ière* Marmorindustrie *f;* **~ure** *f* Marmorierung *f; (Buch)* Marmorschnitt *m; (Haut)* blauunterlaufene Stelle; *(Obst)* Druckstelle *f.*

marc [mar] *m* **1.** *com hist* Mark *f; s. a. mark;* **2.** (Boden-)Satz, Grund, Rückstand *m; (Keltern, Brauen)* Treber, Trester *pl; Art* Branntwein *m;* **3.** *M*~ [mark] Markus *m; au* ~ *le franc (com)* anteilmäßig; ~ *de café* Kaffeesatz, -grund *m;* ~ *de malt, de raisins* Malz-, Weintreber, -trester *pl.*

marcassin [markasɛ̃] *m zoo* Frischling *m.*

marcassite [markasit] *f min* Markasit, Speer-, Kammkies *m.*

marceline [marsəlin] *f* Marzellin *m (Art Taft).*

mar|escence [marɛsɑ̃s] *f bot* Welken *n;* **~escent, e** welkend.

marchand, e [marʃɑ̃, -ɑ̃d] *a* kaufmännisch; handeltreibend; Handels-, Geschäfts-; handelsüblich; gehandelt; gut verkäuflich, gangbar, marktfähig; von guter Qualität, Qualitäts-; *fig péj* händlerisch, Krämer-; *s m f* Kaufmann (*pl* -leute), Geschäftsmann *m,* -frau *f,* Händler(in *f*); Verkäufer; *vx* Käufer, Abnehmer *m; de* ~ *à* ~ unter Kaufleuten; *bâtiment, navire, vaisseau m* ~ Handels-, Frachtschiff *n; marine f ~e* Handelsmarine *f; place f ~e* Handelsplatz *m; valeur f ~e* Kauf-, Handelspreis *m; ville f ~e* Handelsstadt *f;* ~ *ambulant, forain* ambulante(r) Gewerbetreibende(r) *m;* ~ *d'antiquités, de blé, de bois, de chevaux, de comestibles, de drap, d'habits, de journaux, de meubles, de musique, d'objets d'art* Antiquitäten-, Getreide-, Holz-, Pferde-, Lebensmittel-, Tuch-, Manufakturwaren-, Zeitungs-, Möbel-, Musikalien-, Kunsthändler *m;* ~ *de bric-à-brac* Trödler *m;* ~ *en gros, en* (od *au*) *détail* Großhändler *od* Grossist, Kleinhändler *m;* ~ *d'hypothèques et d'immeubles* Hypotheken- u. Grundstücksmakler *m;* ~ *interlope* Schleich-, Schwarzhändler *m;* ~ *de livres d'occasion* Antiquar *m; ~e de modes, de nouveautés* Modistin, Putzmacherin *f; ~e des quatre-saisons* Straßen-, Obst- u. Gemüsehändlerin *f;* ~ *de soupe* (*fam* od *péj*) (Gast-)Wirt; (skrupelloser) Heimleiter *m;* ~ *de vin* Schankwirt *m;* **~age** *m* Feilschen, Handeln *n; fam* Kuhhandel *m;* Weitervergebung *f* von Arbeit; **~ailler** [-aje] kleinlich feilschen, *fam* schachern; **~er** *tr* handeln, feilschen (*qc* um etw, *qn (fam)* mit jdm); *(durch Bestechung)* kaufen; ~ *qn (fam)* jdm unnötige Schwierigkeiten machen; ~ *qc à qn* jdn lange auf e-e S warten lassen; zurück≈halten, zurückhaltend sein (*qc* mit etw, *à* mit); *ne pas* ~ *qc* mit etw nicht zurück≈halten, mit etw (sehr) freigebig sein; **~ise** *f* Ware; *pl* Ware(n *pl*) *f,* Güter *n pl,* Gut *n; (déployer pour) faire valoir, étaler, vanter sa* ~ s-e Ware an≈bieten, heraus≈streichen, *fig* nicht verstecken; *ne pas farder sa* ~ die Dinge zeigen, wie sie wirklich sind; *il faut savoir faire valoir sa* ~ *(prov)* Klappern gehört zum Handwerk; *accaparement m de ~s*

Warenhortung *f; avance f par* ~ Warenkredit *m; bourse f de ~s* Produktenbörse *f; circulation f, mouvement, trafic m des ~s* Güterverkehr *m; dépôt, entrepôt m de ~s* Warenlager *n; échange m des ~s* Warenaustausch *m; entrée et sortie f des ~s* Warenein- u. -ausgang *m; état m de ~s* Lagerbestand *m; expédition f de ~s* Güterabfertigung *f; fourniture f de ~s* Warenlieferung *f; gare f de ~s* Güterbahnhof *m; hall m de réception de ~s* (Waren-)Abnahmeraum *m; livre m des ~s* Warenein- u. -ausgangsbuch *n; titre m représentatif de* ~ Warenbegleitpapier *n; train m de ~s* Güterzug *m; ~s de camionnage* Rollgut *n; ~ de (premier) choix* Qualitätsware, erstklassige Ware *f; ~s colisées, en cueillette* Stückgut *n; ~s contingentées* bewirtschaftete Waren *f pl; ~s de contrebande* Schmuggelware *f; ~s à détailler* Schnittwaren *f pl; ~s disponibles, sur place* Lokoware *f; ~ à la douzaine* Dutzendware *f; ~s sous régime de douane* Zollgut *n; ~s encombrantes* Sperrgut *n; ~s destinées à l'expédition* Speditionsgüter *n pl; ~s d'exportation, d'importation* Export-, Importware *f; ~s de groupage* Sammelgut *n; ~ de marque* Markenware *f; ~ (de qualité) moyenne* Durchschnittsware *f; ~s au delà du rationnement* freie Spitzen *f pl; ~ de rebut* Ausschuß, Ramsch *m; ~s de retour* Rückgut *n; ~s de transit* Durchgangsware *f; ~s d'usage journalier* Waren *f pl* des täglichen Bedarfs; *~s en grande, en petite vitesse* Eil-, Frachtgut *n; ~s en vrac* Massengüter *n pl;* Schüttgut *n.*

marche [marʃ] *n; f* **1.** Gang(art *f*) *m;* Gehen *n a. sport;* (Fuß-)Marsch *a. mil mus;* Weg; *tech (regelmäßiger)* Gang; *(Zeit, Gestirne)* Lauf *m; mot loc mar* Fahrt; (Wander-)Fahrt; *(Jagd)* Fährte; *(Gletscher)* Bewegung *f; fig* Gang, Verlauf, Fortgang, -schritt *m;* Handlungsweise *f;* Verhalten *n;* **2.** (Treppen-)Stufe *f,* Tritt *m;* **3.** *hist* Mark *f,* Grenzgebiet *n; en ~ (de ... vers)* auf dem Marsch (von ... nach); *en (pleine) ~* in (vollem) Gang *od* Betrieb, in (voller) Fahrt; *loc* fahrend; unterwegs; *en ordre de* ~ in Marschordnung; marsch-, betriebsbereit; *enjamber deux ~s à la fois* zwei Stufen auf einmal nehmen; *être en* ~ in Gang, in Betrieb sein, laufen; *faire ~ arrière* zurück=fahren, um=kehren; *mettre en* ~ in Gang, in Betrieb setzen; *mot* an=lassen; *se mettre en* ~ sich in Marsch setzen, ab=marschieren, aus=rücken; auf=brechen; *mot* an=fahren; *ouvrir, fermer la* ~ an der Spitze, am Schluß der Kolonne marschieren; *apte à la ~ (mil)* marschfähig; *chanson, colonne, direction f de* ~ Marschlied *n,* -kolonne, -richtung *f; discipline, formation f, fractionnement, groupement m de ~ (mil)* Marschdisziplin, -formation, -gliederung, -gruppe *f; heure f de* ~ Wegstunde *f; mise f en* ~ Abmarsch *m;* Inbetriebsetzung *f; mise f en ~ automatique (mot)* Anlasser *m; numéro m de ~ (loc)* Fahrtnummer *f; objectif m de* ~ Marschziel *n; ordre m de ~ (mil)* Marschordnung *f,* -befehl *m; rendement m d'une* ~ Marschleistung *f; rythme m, vitesse f de* ~ Marschtempo *n,* -geschwindigkeit *f; sûreté f en* ~ Marschsicherung *f; unité f de ~ (mil)* Marscheinheit *f; ~ des affaires* Geschäftsgang *m; ~ avant, arrière (mot)* Vorwärts-, Rückwärtsgang *m; ~ continue* Dauerbetrieb *m; ~ des débats* Gang *m* der Verhandlungen; *~ de départ, de palier* unterste, oberste (Treppen-)Stufe *f; ~ en écrevisse* Krebsgang *m; ~ à l'ennemi (mil)* Vormarsch *m; ~ d'escalier* Treppenstufe *f; ~ des événements* Gang *m* der Ereignisse; *~ forcée* Eilmarsch *m; ~ funèbre* Trauermarsch *m; ~ de la guérison* Heilungsprozeß *m; ~ des idées* Gedankengang *m; ~ de l'instance (jur)* Instanzenzug *m; ~ de la maladie* Krankheitsverlauf *m; ~-manœuvre f* Übungsmarsch *m; ~ de la mort* Todesmarsch *m; ~ de nuit* Nachtmarsch *m; ~ en plongée* Unterwasserfahrt *f; ~ de propagande* Propagandamarsch *m; ~ de protestation* Protestmarsch *m; ~ des rails* Längsverschiebung *f,* Wandern *n* der Schienen; *~ du service* Dienstbetrieb *m; ~ silencieuse* Schweigemarsch *m; ~ du temps* Lauf, Wandel *m* der Zeit; *~ triomphale* Triumphmarsch *m; ~ à vide (a. fig), au point mort* Leerlauf *m.*

marché [marʃe] *m* Markt(platz); (Wochen-)Markt; Einkauf(en *n*) *m;* Umschlag-, Handelsplatz; Absatz (-markt *m,* -gebiet *n*) *m;* Marktlage *f;* (Ein-, Ver-)Kauf *m;* Geschäft(sabschluß *m*) *n,* Abmachung, Vereinbarung *f,* Vertrag *m;* Auftragsbestätigung *f; (à) bon* ~ billig; mühelos; vorteilhaft; freigebig; *sur le ~ libre* nachbörslich; *par-dessus le* ~ über die Vereinbarung hinaus, *fig* darüber hinaus, obendrein; *aller au* ~ auf den Markt gehen; *conclure, faire un* ~ e-n Kauf, ein Geschäft ab=schließen *od* tätigen; *être coté sur le ~* auf dem Markt notiert werden; *en être quitte à bon ~* gut dabei weg=kommen; *faire son ~* selbst, auf dem Markt ein=kaufen; *faire bon ~ de qc* etw als unwichtig ab=tun; *jeter, mettre sur le ~* auf den Markt werfen *od* bringen; *mettre le ~ à la, en main de qn* jdm anheim=stellen, e-r Verpflichtung nach=zukommen; jdn vor die Wahl stellen; *ouvrir le ~ à qc* den Markt für etw erschließen; *refouler du ~* vom Markt verdrängen; *tenir un ~* e-n Markt ab=halten; *~ conclu!* abgemacht! *le bon ~ coûte toujours cher (prov)* nicht am falschen Ende sparen! *allure f du ~* Marktverlauf *m; analyse f du ~* Marktanalyse *f; bulletin m du ~* Marktbericht *m; cours, prix m du ~* Marktpreis *a. fig; économie f de ~* Marktwirtschaft *f; étude f des ~s* Marktforschung *f; fluctuations f pl du ~* Marktschwankungen *f pl; jour m de ~* Markttag *m; lourdeur f du ~* Gedrücktheit *f* des Marktes; *mouvement m du ~* Marktverkehr *m; prix m du ~ mondial* Weltmarktpreis *m; réglementation f du ~* Marktordnung *f; situation f du ~* Marktlage *f; taxe f, droits m pl du ~* Marktgebühr *f; ~ d'actions* Aktienmarkt *m; ~ agricole* Agrarmarkt *m; ~ animé, stagnant* lebhafte(r), stockende(r) Markt *m; ~ boursier* Börsenmarkt *m; ~ des capitaux, des changes* Kapital-, Devisenmarkt *m; ~ aux chevaux, aux poissons, aux œufs, au beurre, au blé, aux fruits et légumes* Pferde-, Fisch-, Eier-, Butter-, Getreide-, Obst- u. Gemüsemarkt *m; M~ commun* Gemeinsame(r) Markt *m; ~ de compensation* Verrechnungsgeschäft *n; ~ au comptant* Bar-, Kassageschäft *n; ~ hors cote* unnotierte(r) Markt *m;* M. der unnotierten Werte; *~ couvert* Markthalle *f; ~ de couverture* Deckungsgeschäft *n; ~ à découvert, différentiel, de différence* Differenzgeschäft *n; ~ encombré* überfüllte(r) Markt *m; ~ des emprunts, d'escompte* Anleihe-, Diskontmarkt *m; ~ étranger, extérieur* Auslandsmarkt *m; ~ d'étude et de construction* Entwurf u. Bauauftrag *m; ~ ferme* Kauf *m* auf feste Rechnung, feste(r) Abschluß *m; ~ de fournitures* Sukzessionslieferungs-, Submissionsvertrag *m; ~ de gré à gré* freihändige(r) Verkauf *m; ~ intérieur* Inlands-, Binnenmarkt *m; ~ libre* freie(r) Markt *m;* Freiverkehrs-, Vor-, Nachbörse *f; ~ à livrer* Lieferungsvertrag *m; ~ de marchandises, mondial, monétaire* Waren-, Welt-, Geldmarkt *m; ~ des matières premières* Rohstoffmarkt *m; ~ national* einheimische(r), Binnen-, Inlandsmarkt *m; ~ noir, parallèle* schwarze(r) Markt, Schleichhandel *m; ~ à option* Prämien-, Wahlkauf *m; ~ d'or* äußerst günstige(r), vorteilhafte(r) Kauf *m; ~ d'outre-mer* Überseemarkt *m; ~ à prime* Prämiengeschäft *n; ~ de produits* Produktenmarkt *m; ~ aux puces* Floh-, Trödelmarkt *m; ~ des rentes* Rentenmarkt *m; ~ à tempérament* Abzahlungsgeschäft *n; ~ à terme* Zeitkauf *m,* Termin-, Fixgeschäft *n; ~ des titres, des valeurs* Effektenmarkt *m; ~ du travail* Arbeitsmarkt *m; ~ usuraire* Wuchergeschäft *n.*

marchepied [marʃəpje] *m* Stufe *f;* Tritt(brett *n*) *m;* Tritt-, Stehleiter; Fußbank *f,* -schemel *m;* Laufplanke *f;* Leinpfad, Treidelweg *m; fig* Sprungbrett *n.*

march|er [marʃe] *itr* treten; gehen; sich (fort=)bewegen; schreiten, marschieren; laufen, sich Bewegung machen; fahren, reiten, segeln; weg=gehen, auf=brechen; los=, zu=gehen (*à* auf *acc*); *mil* vor=rücken, -gehen, -stoßen (*sur* auf *acc*); *(Sache)* verlaufen; *(Zeit)* vergehen, verrinnen; *(Arbeit, Unternehmen)* voran=kommen, Fortschritte machen; *tech* gehen, laufen, funktionieren, in Ordnung, in Betrieb sein; *(öffentl. Verkehrsmittel) (planmäßig)* fahren; *fam* darauf ein=gehen; mit=tun, -machen; darauf herein=fallen; *s m (façon f de ~)* Gang *m; faire ~* in Gang bringen, in Betrieb setzen; *mil* ein=setzen; *~ qn (fam)* jdn herum=schicken, jdn kommandieren; jdn an der Nase herumführen; *~ en arrière* zurück=fahren, -stoßen; *~ avec qn* mit jdm gehen; *fig fam* mit jdm e-r Meinung sein; *~ de conserve avec qn* mit jdm Hand in Hand gehen; *~ devant qn* jdm voran=gehen, *fig* den Weg bahnen; *~ droit* s-n geraden Weg gehen; tun, was man soll; *~ sur des épines, sur des charbons ardents (fig)* wie auf glühenden Kohlen sitzen; ein heißes Eisen an=fassen; *~ de pair (Sachen)* mitea. vereinbar sein; *les deux choses ~nt de pair* eins folgt aus dem ander(e)n; *ne pas ~* nicht mit=machen (wollen); *~ au pas* gehorchen, *fam* spuren; *~ au même pas (fig)* mitea. Schritt halten; *~ à grands pas* große Schritte machen, es eilig haben; *~ sur les pas, sur les traces de qn* in jds Fuß(s)tapfen treten; *~ sur le pied de qn* jdm auf den Fuß treten; *fig* auf jdm herum=trampeln; ~ *sur la pointe du pied* auf Zehenspitzen gehen; ~ *à quatre pattes* auf allen vieren gehen; ~ *à sa ruine* in sein Verderben rennen, sich ins Verderben stürzen; ~ *tout seul (Kind)* allein laufen; allein fertig werden; ~ *à souhait* nach Wunsch gehen, *fam* klappen; ~ *sous qn (mil)* unter jds Befehl stehen; ~ *sur qn, qc* überall auf jdn, etw stoßen; ~ *sur les talons de qn* jdm nicht von den Fersen gehen; ~ *à tâtons* umher=tappen; ~ *avec son temps (fig)* mit der Zeit gehen; ~ *dans les ténèbres (fig)* im dunkeln tappen; ~ *à vide* leer laufen; ~*e!* marsch! los! *ça* ~*e (fam)* es geht (so); *ça* ~*e mal (fam)* das geht schief; ~**eur, se** *s m f* Marschierer(in *f*); *sport* Geher(in *f*) *m; f theat* Statistin; *être bon* ~ gut zu Fuß sein.

mar|cotte [markɔt] *f bot agr* Ableger, -senker *m;* ~**cotter** ab=senken.

mardi [mardi] *m* Dienstag *m;* ~ *gras* Fastnacht *f.*

mare [mar] *f* Pfütze; Lache *f;* Pfuhl *m;* ~ *de sang* Blutlache *f; baigner dans une* ~ *de sang* in s-m Blute schwimmen.

maréca|ge [marekaʒ] *m* Sumpf, Morast *m;* ~**geux, se** sumpfig, morastig; Sumpf-; *sol, terrain m* ~ sumpfige(r, s) Boden *m od* Gelände *n.*

maréchal|l [mareʃal] *m* (Generalfeld-, Feld-)Marschall *m; bâton m de* ~ Marschallstab *m;* ~*- ferrant m* Hufschmied *m;* ~ *des logis (Kavallerie, Artillerie)* Unteroffizier *m;* ~ *des logis chef* Stabsunteroffizier *m;* ~**lat** [-a] *m* Marschallsrang *m;* ~**le** *f* Frau e-s Marschalls; Schmiedekohle *f;* ~**lerie** *f* Hufschmiede(handwerk *n*) *f.*

marée [mare] *f* Ebbe u. Flut *f;* Gezeiten *pl,* Tiden *f pl;* frische Seefische *m pl; fig* Menge *f,* Schwarm *m; contre vent et* ~ allen Hindernissen zum Trotz; *aller contre vent(s) et* ~ sich über alle Hindernisse hinweg=setzen; *arriver comme* ~ *en carême (fig)* wie gerufen kommen; *prendre la* ~ *(mar)* die Flut benutzen; *changement, courant m de* ~ Gezeitenwechsel, -strom *m; grandeur f de la* ~ Tidenhub *m; signal m de* ~ Wasserstandssignal *n;* ~ *basse, haute* Ebbe *f od* Niedrig-, Flut *f od* Hochwasser *n;* ~ *descendante, montante* Ebb-, Flutstrom *m;* ~ *de morte eau, de vive eau* Nipp-, Springflut *f;* ~ *noire* Ölpest *f;* ~ *de tempête* Sturmflut *f.*

marelle [marɛl] *f* Hüpfspiel *n,* Himmel u. Hölle *(~ à cloche-pied);* Mühlespiel *n (~ assise).*

marémoteur, trice [maremɔtœr, -tris] *a* Flutkraft-; *s m* Flutmotor *m; usine f* ~*émotrice* Flutkraftwerk *n.*

marengo [marɛ̃go] *m* Marengo *m (Wollstoff).*

maré|graphe, ~**omètre** *m* (selbstzeichnender) Pegel, Flutmesser *m.*

mare|yage [marɛjaʒ] *m* (See-)Fischhandel *m;* ~**yeur, se** (See-)Fischhändler(in *f*) *m.*

margarine [margarin] *f* Margarine *f.*

marg|e [marʒ] *f* (*bes.* Blatt-, Papier-) Rand *a. anat bot; fig* Spielraum *m; com* Spanne, Marge; Deckung *f; tech* Toleranzbereich *m; en* ~ *de* am Rande, außerhalb *gen; avoir de la* ~ Zeit, Mittel *etc* übrig haben; *mettre en* ~ *(de la société)* (sozial) scheitern lassen; *il y a de la* ~ *de ... à ...* es ist ein Unterschied zwischen ... und ...; *dessin m, note f en* ~ Randzeichnung, -notiz *od* -bemerkung *f; mention f en* ~ *(jur)* Randvermerk *m;* ~ *bénéficiaire* od *de bénéfice, déficitaire* Gewinn-, Verlustspanne *f;* ~ *commerciale, d'intérêts, de prix* Handels-, Zins-, Preisspanne *f;* ~ *d'erreur* zulässige Fehlermenge *f;* ~ *entre les prix de production et de vente* Preisschere *f;* ~ *de sûreté (chem)* Sicherheitsspanne *f;* ~**elle** *f* [-ʒɛl] Brunnenrand *m;* ~**er** *typ* an=legen; ~**eur, se** *m f typ* Anleger(in *f*); *m* Anlegeapparat *m; (Schreibmaschine)* Spaltensteller, Tabulator *m.*

marginal, e [marʒinal] *a bes. typ* Rand-; Aussteiger-; *s m f* Aussteiger(in *f*) *m; note f* ~*e* Randbemerkung *f; profession f* ~*e* Nebenberuf *m;* ~**isation** *f* Aussteigen *n;* ~**iser, se** aus=steigen.

margot [margo] *f pop* Elster.

margotin [margɔtɛ̃] *m vx* kleine(s) Reisigbündel *n.*

margot(t)er [margɔte] *(Wachtel)* rufen.

margouillis [marguji] *m fam* Schlamm, Matsch; Dreck *m; fig* Klemme, Patsche *f.*

margoulette [margulɛt] *f pop* Maul *n,* Schnauze, Fresse *f; casser la* ~ *à qn* jdm die Schnauze ein=schlagen; *fermer la* ~ *à qn* jdm das Maul stopfen.

margoulin [margulɛ̃] *m pop* Höker, Krämer, Heringsbändiger *m.*

margrave [margrav] *m f* Markgraf *m,* -gräfin *f.*

marguerite [margərit] *f* Gänseblümchen; *(Lederbearbeitung)* Krispelholz *n; M*~ Margarete *f; jeter des* ~*s aux pourceaux* die Perlen vor die Säue werfen; *grande* ~, ~ *des prés (bot)* Margerite *f; reine-*~ *f* Gartenaster *f; ~ de la Saint-Michel* Herbst-, Winteraster *f.*

marguillier [margilje] *m (kath.)* Kirchenverwalter, -vorsteher; *(prot.)* Küster *m.*

mari [mari] *m* (Ehe-)Mann, Gatte *m.*

mariage [marjaʒ] *m* Ehe(stand *m*); Heirat; *(célébration, cérémonie f du ~)* Eheschließung, Trauung; *fig* Vereinigung *f; hors ~, en dehors du ~* außer-, unehelich *adv; contracter ~* sich verheiraten (*avec qn* mit jdm), e-e Ehe schließen, sich trauen lassen; *demander qn en ~* um jds Hand an≈halten; *donner en ~* zur Frau geben; *faire un bon ~* e-e gute Partie machen; *promettre ~* die Ehe versprechen; *acte m de ~* Heiratsurkunde *f,* Trauschein *m; anneau m de ~* Ehe-, Trauring *m; annonce f, billet, faire-part m de ~* Heiratsanzeige *f; autel m des ~s* Traualtar *m; cadeau m de ~* Hochzeitsgeschenk *n; contrat m de ~* Heirats-, Ehevertrag *m; demande f en ~* Heiratsantrag *m; dissolution f du ~* Auflösung *f* der Ehe; *promesse f de ~* Verlöbnis, Eheversprechen *n; second ~* zweite Ehe *f; ~ d'amour* Liebesheirat *f; ~ blanc* od *fictif* Scheinehe *f; ~ civil* Zivilehe, standesamtliche Trauung *f; ~ consanguin* Verwandtenehe *f; ~ de convenance* standesgemäße Heirat *f; ~ d'essai* Probeehe *f; ~ mixte* Mischehe *f; ~ par procuration* Ferntrauung *f; ~ putatif* ungültige Ehe *f; ~ de raison* Vernunftehe *f; ~ religieux* kirchliche Trauung *f.*

mari|é, e [marje] *a* verheiratet; *s m f* Bräutigam *m,* Braut *f (am Hochzeitstag); (jeune ~, ~e)* junge(r) Ehemann *m,* junge Ehefrau *f; pl* Brautpaar *n;* Jungverheiratete, Neuvermählte *pl;* junge(s) Paar *n; robe f de ~e* Brautkleid *n;* **~er** trauen; verheiraten; *fig* verein(ig)en, verbinden (*à* mit); zs≈stellen, kombinieren *(a. Farben); se ~* (sich ver)heiraten; sich trauen lassen; *fig* sich verein(ig)en; zuea. passen, harmonieren.

marie-salope [marisalɔp] *f* Baggerprahm, Dampfbagger *m; fam* Schmutzliese *f.*

marieur, se [marjœr, -øz] *m f* Ehestifter(in *f*) *m.*

marihuana [marirwana] *f* Marihuana *n.*

marijuana [mariʒɥana] *f s. marihuana.*

marin, e [marɛ̃, -in] *a* See-, Meer-; Schiffs-; Matrosen-; seemännisch, -fahrend, -liebend, -tüchtig; *s m* Seemann, -fahrer, Matrose *m; avoir le pied ~* den Seemannsgang haben; *fig* nicht aus der Fassung zu bringen sein; *engager un ~* e-n Seemann heuern; *béret, col, costume m ~* Matrosenmütze *f,* -kragen, -anzug *m; carte f ~e* Seekarte *f; cheval m ~* Seepferdchen *n (Fisch); contrat m d'engagement d'un ~* Heuervertrag *m; cure f ~e* Seebadekur *f; mille m ~* Seemeile *f.*

marin|ade [marinad] *f* Marinade, Essigtunke mit Gewürzen; farcierte Mehlspeise; Salzlake, Beize *f;* Pökelfleisch, Salzgemüse *n;* **~age** *m* Pökeln, Einsalzen *n.*

marine [marin] *f* Seeschiffahrt *f,* -wesen *n;* Marine, Flotte *f;* Seestreitkräfte *f pl; (Kunst)* Seestück *n; académie f, arsenal* od *musée m de la ~* Marineakademie, -werft *f,*-museum *n; artillerie, infanterie f de ~* Marineartillerie, -infanterie *f; ministère m de la ~* Marineministerium *n; officier, ingénieur m de ~* Marineoffizier, -ingenieur *m; ~ de commerce, marchande* Handelsmarine *f; ~ de guerre, militaire* Kriegsmarine *f.*

mariner [marine] *tr* ein≈salzen, pökeln; marinieren, ein≈legen; *itr (Fleisch)* in Essig liegen; *faire ~ qn (pop)* jdn e-e Ewigkeit warten lassen.

marinier, ère [marinje, -ɛr] *a* Marine-, See-; *s m* Seemann; (Fluß-)Schiffer *m; f* (Damen-)Bluse mit Matrosenkragen; *à la ~ière* in Zwiebeltunke; *nager à la ~ière* auf der Seite schwimmen.

mariol, e [marjɔl] *pop* auf Draht, pfiffig, gewitzt; *faire le ~* großspurig auf≈treten.

marionnette [marjɔnɛt] *f* Gliederpuppe, Marionette *a. fig; fig* Puppe *f,* willenlose(s) Werkzeug *n; tech* Spule *f; pl* Puppentheater *n; joueur, théâtre m de ~s* Puppenspieler *m,* -theater *n.*

marital, e [marital] *jur* dem Ehemann zustehend; *autorisation f ~e* Zustimmung *f* des Ehemannes; *pouvoir m ~* ehemännliche Gewalt *f;* **~ement** *adv* als Ehemann; wie ein Ehemann; *vivre ~* wie Eheleute zs.≈leben.

maritime [maritim] See-, Küsten-, Schiffs-; seefahrend; an der See, am Meer, an der Küste gelegen; *agence f ~* Schiffsagentur *f; assurance f ~* Seeversicherung *f; bâtiment m ~* Seeschiff *n; code m ~* Seegesetzbuch *n; commerce m ~* Seehandel *m; division f ~* Küstenabschnitt *m; droit m ~* Seerecht *n; gare f ~* Hafenbahnhof *m; guerre f ~* Seekrieg *m; importance f ~* Seegeltung *f; législation f ~* Seegesetzgebung *f; navigation f ~* Seeschiffahrt *f; préfecture f ~* Seeamt *n; puissance f* ~ Seemacht *f; signal m* ~ See-, Schifffahrtszeichen *n; stratégie f* ~ Seekriegführung *f; suprématie f* ~ Seeherrschaft *f; territoire m* ~ *(pol)* Küstengebiet *n*, -gewässer *n pl; trafic m* ~ Schiffsverkehr *m; ville f* ~ Küstenstadt *f*.

maritorne [maritɔrn] *f fam* Trampel *m* od *n, a. f* Schlampe *f*.

mari|vaudage [marivodaʒ] *m* geschraubte(r) Ausdrucksweise *f od* Stil *m; allg* Künstelei, Geschraubtheit; (übertriebene) Galanterie *f;* **~vauder** sich sehr gewählt aus=drücken; galante Dinge sagen.

marjolaine [marʒɔlɛn] *f bot* Majoran, Meiran *m*.

mark [mark] *m com* Mark *f;* ~ *allemand* Deutsche Mark *f;* ~ *bloqué* Sperrmark *f;* ~ *occidental* od *ouest, oriental* od *est* West-, Ostmark *f;* ~*-or,* ~*-papier m* Gold-, Papiermark *f*.

marli [marli] *m (filet m de* ~*) (Teller)* innere(r) Goldrand *m*.

marlou [marlu] *m arg* Zuhälter *m*.

marmaille [marmaj] *f fam* Schwarm *m* Kinder, Kinderschar *f; allg* Kinder *n pl*.

marmelade [marməlad] *f* Mus *n*, Brei *m; en* ~ zu Mus gekocht; zerquetscht; *fig (Gesicht)* übel zugerichtet; ~ *de pommes, de prunes* Apfel-, Zwetsch(g)enmus *n*.

marm|ite [marmit] *f* (Koch-)Topf, Kessel *m; arg mil* dicke(r) Brocken *m*, Granate *f; faire bouillir, faire aller la* ~ sein(en) Teil zum Haushalt bei=tragen; *nez m en pied de* ~ Sattelnase *f;* ~ *autoclave, à pression* Schnellkochtopf *m;* ~ *glaciaire* Gletschermühle *f*, -topf *m;* ~ *norvégienne* Kochkiste *f;* **~iton** *m* Küchenjunge *m*.

marmonner [marmɔne] *fam* in den Bart murmeln, brummeln, murren.

marmoréen, ne [marmɔreɛ̃, -ɛn] marmorartig, -ähnlich; Marmor-; *fig* von Marmor; hart, kalt wie Marmor.

marmot [marmo] *m fam* Knirps *m;* kleine, groteske Figur *f; croquer le* ~ *(fig fam)* lange warten.

marmot|te [marmɔt] *f* Murmeltier *n;* Muster-, *(~ de voyage)* Einsatzkoffer *m;* über der Stirn zugebundene(s) Kopftuch *n;* **~tement** *m* Gemurmel, Gebrumm(e) *n;* **~ter** in den Bart murmeln, (undeutlich) vor sich hin reden; **~teur, se** *m f* Brummbär *m*, brummige Person *f*.

marmouset [marmuzɛ] *m fam* Knirps *m*.

marn|e [marn] *f min* Mergel *m;* ~ *alluviale, argileuse, calcaire, durcie, gypseuse, siliceuse* Geschiebe-, Ton-, Kalk-, Stein-, Gips-, Schiefermergel *m;* **~er 1.** *tr* mit Mergel düngen; *itr pop* arbeiten, schuften; **2.** *itr (Meer)* über Normalhöhe steigen; **~eur** *m* Arbeiter *m* in e-r Mergelgrube; **~eux, se** merg(e)lig; Mergel-; *sol m* ~ Mergelboden *m;* **~ière** *f* Mergelgrube *f*.

Maroc, le [marɔk] Marokko *n;* **m~ain, e** [-kɛ̃, -ɛn] *a* marokkanisch; *M~, e s m f* Marokkaner(in *f*) *m*.

marolles [marɔl] *m Art* scharfe(r), fette(r) Käse *m*.

maronner [marɔne] *fam* knurren, brummen, sich ärgern; *faire* ~ ärgern.

maroquin [marɔkɛ̃] *m* Saffian, Maroquin *m; fam* Diplomatentasche *f; pol fam* Ministerposten *m;* **~erie** *f* Saffianherstellung; (feine) Lederwaren(handel *m*, -geschäft *n*) *f pl;* **~ier** Saffianarbeiter; Lederwarenhändler *m*.

marotte [marɔt] *f* Narrenzepter *n; (Putzmacherei)* Hut-, Kopfform; *fig* Marotte, Schrulle, fixe Idee *f*.

marouflе [marufl] *f* Malerleim *m;* **~r** *(Gemälde)* auf=ziehen.

marou(et)te [marut, -rwɛt] *f bot* Hundskamille *f*.

marouette [marwɛt] *f zoo* Tüpfelsumpfhuhn *n*.

marqu|age [markaʒ] *m* Markierung, Kenn-, Bezeichnung *f; tech* Anreißen *n;* **~ant, e** markant, hervortretend, -ragend, -stechend, auffallend; *(Persönlichkeit)* bedeutend, hervorragend.

marque [mark] *f* Marke *f*, (Ab-, Kenn-)Zeichen *n;* Sorte, Markierung *f;* Stempel *m;* Merk-, Lesezeichen; Handzeichen *n;* Spuren *f pl (e-r Verletzung), (a. fig d. Seele);* Narbe *f;* (Mutter-)Mal *n;* (Leber-)Fleck *m;* (Fuß-, Rad-)Spur *f; fig* Gepräge *n*, Stempel *m;* (Kenn-)Zeichen; Zeugnis *n;* Beweis *m;* (An-)Zeichen (*de qc* für etw); *com* Waren-, Firmenzeichen *n;* Marke; Spielmarke *f; mar* Warnungszeichen *n; de* ~ *(com)* Marken-, Qualitäts-, Spitzen-; *allg* hervorragend, ausgezeichnet; *de la bonne* ~ von der besten Sorte; *à vos* ~*s! prêts! partez! (sport)* auf die Plätze, fertig, los! *article, produit m de* ~ Markenartikel *m; loi f sur les* ~*s* Markenschutzgesetz *n;* ~ *à chaud, à froid* eingebrannte(r), aufgedrückte(r) Stempel *m;* ~ *de collection* Sammlerstempel *m;* ~ *de commerce, de fabrique* Warenzeichen *n;* ~ *de correction* *(typ)* Korrekturzeichen *n; ~ déposée* eingetragene(s) Schutzmarke *f od* Warenzeichen *n; ~ distinctive* Unterscheidungsmerkmal *n; ~ de la douane* Zollvermerk *m; ~ des plus hautes eaux* Hochwassermarke *f; ~ d'éditeur* Verlagszeichen *n; ~ d'imprimeur* Druckmarke *f; ~ d'infamie* Brandmal *n;* Schandfleck *m; ~s de Judas (pop)* Sommersprossen *f pl; ~ du linge* Wäschezeichen *n; ~ marginale* Randzeichen *n; ~ mondiale (com)* Weltmarke *f; ~ de naissance* Muttermal *n; ~ d'origine* Ursprungsvermerk *m; ~ de possession* Besitzerzeichen *n,* Besitzvermerk *m; ~ de qualité* Gütezeichen *n; ~ de reconnaissance* Erkennungszeichen *n; ~ de subdivision, de zéro* Teil-, Nullstrich *m; ~ de sympathie* Beileidsbezeigung *f.*

marqué, e [marke] markiert, mit e-m Zeichen versehen, gezeichnet *a. fig;* ausgeprägt, unverkennbar, deutlich, ausgesprochen; *(Gesicht)* faltig, runz(e)lig; *être né ~* ein Muttermal haben; *prix m ~* Katalog-, Listenpreis *m; ~ de la petite vérole* blatternarbig.

marquer [marke] **I.** *itr* Spuren hinter=, zurück=lassen (*sur, dans qc* in, auf e-r S) *a. fig;* hervor=ragen, auf=fallen; *événement qui ~e* denkwürdiges, entscheidendes Ereignis; *les événements qui ont ~é sur lui* die Ereignisse, die auf ihn eine nachhaltige Wirkung hatten; *~ mal (Stempelabdruck)* undeutlich sein; *fig* keine gute Figur machen; **II.** *tr* **1.** zeichnen, mit e-m Zeichen versehen, aus=zeichnen, kennzeichnen; *(Wäsche)* zeichnen; *~ qc d'une croix* e-e S an=kreuzen; *~ le bétail au fer rouge* dem Vieh ein Mal ein=brennen; *~ qc de son empreinte* e-r S s-n Stempel auf=drücken; *~ les pages* paginieren; *~ l'itinéraire d'un bateau sur la carte* auf der Karte den Weg e-s Schiffes markieren; **2.** e-e Spur hinterlassen *(qc* auf e-r S); *avoir des traits ~és* markante Gesichtszüge haben; **3.** *(noter)* ver=, an=merken, sich notieren, auf=schreiben; **4.** *(indiquer)* (an=)zeigen, *(Zeiger)* stehen (*qc* auf e-r S); in Erscheinung treten lassen, zeigen, enthüllen, offenbaren, deutlich machen, an=geben, zu verstehen geben; *la grâce qui marque la jeunesse* die Anmut, die der Jugend eigen ist; *~ un tournant* e-n Wendepunkt bedeuten; **5.** *(fixer) (Zeitpunkt)* fest=setzen, bestimmen; *(Ziel)* setzen, stecken; *~ la mesure* den Takt schlagen; *~ le pas* auf der Stelle treten *a. fig;* **6.** *(Spiel) ~ un point* e-n Punkt machen; *(Fußball) ~ un but* ein Tor schießen.

marqu|eter [markəte] tüpfeln, sprenkeln; *(Holz)* ein=legen; **~ie** *f* Einlegearbeit, Intarsia *f; lettre f en ~ (Buch)* Initiale *f;* **~eteur** *m* Intarsienarbeiter *m.*

marqueur, se [markœr] *m f* Markierer(in *f*), Stempler(in) *f; (Schießen)* Anzeiger; Anschreiber *m;* dikke(r) Filzstift, (Text-)Marker *m.*

marquis, e [marki, -z] *m f* Marquis(e *f*), Markgraf *m,* -gräfin *f;* Fürst(in *f*); *ironisch* große(r) Herr *m,* große Dame *f; f* Markise *f;* Gartenschirm, Knicker *m;* Glas-, Wetterdach *n;* breite(r), niedrige(r) Sessel; Schmuckring *m* mit länglicher Fassung; Schorle(morle) *f (Getränk);* **~at** [-a] *m* Markgrafschaft *f.*

marquoir [markwar] *m* (Wäsche-) Stempel *m;* Buchstabenmuster *n; ~ au feu* Brennstempel *m.*

marraine [marɛn] *f* Patin *a. fig,* Patentante *f.*

marrant, e [marɑ̃, -t] *pop* heiter, lustig, zum Totlachen.

marre [mar] **1.** *f* Hacke *f;* **2.** *j'en ai ~ (arg)* es kotzt mich an, es steht mir bis oben.

marrer, se [mare] *arg* sich krumm (u. schief) lachen.

marri, e [mari] betrübt, traurig; ärgerlich; *j'en suis (bien) ~* es tut mir (sehr) leid.

marron [marɔ̃, -ɔn] *s m* (Eß-)Kastanie, Marone *f;* Mehlklümpchen *n;* Kontrollmarke *f (e-s Arbeiters); a inv* kastanienbraun; *flanquer un ~ à qn (pop)* jdm e-e knallen, kleben; *tirer les ~s du feu (fig)* die Kastanien aus dem Feuer holen; *~ glacé* kandierte Kastanie *f; ~ d'Inde* Roßkastanie *f.*

marron, ne [marɔ̃, -ɔn] *a m (Sklave)* entlaufen; *(Tier)* verwildert; *fig* heimlich; Winkel-; *pop* angeschmiert, -führt, hereingefallen; *s m* heimlich gedruckte(s) Buch *n;* Buchstabenschablone *f; avocat, courtier m ~* Winkeladvokat, -makler *m; médecin m ~* Kurpfuscher *m;* **~nage** *m* Winkeladvokatur; Kurpfuscherei *f;* **~nier** *m* Kastanien-, Maronenbaum *m;* Kontrollbrett *n (in e-m Betrieb); ~ d'Inde* Roßkastanie *f (Baum).*

marrube [maryb] *m bot* Andorn *m; (~ commun)* Berghopfen *m,* Mariennessel *f.*

mars [mars] *m* März *m; arriver, venir comme ~ en carême* todsicher *od* wie gerufen kommen; *bière f de ~* Märzenbock *m (Bier); blé m de ~*

Sommerweizen *m; champ m de ~* Exerzierplatz *m.*

Marseillaise, la [marsɛjɛz] die Marseillaise *(franz. Nationalhymne).*

marsouin [marswɛ̃] *m zoo* Tümmler; *pop* Marineinfanterist *m.*

marsupiaux [marsypjo] *m pl* Beuteltiere *n pl.*

martagon [martagɔ̃] *m bot* Türkenbund *m.*

marte [mart] *f s. martre.*

marteau [marto] *m* Hammer *a. sport mus anat;* Türklopfer; *mil* Feuerschlag; *zoo* Hammerhai *m; a inv pop* verrückt, plemplem; *entre le ~ et l'enclume* zwischen Tür u. Angel; in der Klemme; *avoir un coup de ~ (pop)* nicht alle Tassen im Schrank haben, nicht ganz bei Trost sein; *donner le dernier coup de ~ (Versteigerung)* zu=schlagen; *passer sous le ~* unter den Hammer kommen *a. fig; coup m de ~* Hammerschlag, Schlag *m* mit dem H.; *~ de forge* Schmiedehammer *m; ~ de géologue* Gesteinshammer *m; ~-pilon m à vapeur, à air comprimé, pneumatique* Dampf-, Druckluft-, Luftdruckhammer *m.*

mart|el [martɛl] *m. se mettre ~ en tête* sich Gedanken machen (*sur qc* über e-e S); **~elage** [-tə-] *m* Hämmern; *(Baum)* Anlaschen *n;* **~elé, e** gehämmert, getrieben; **~èlement** *m* Hämmern *n;* **~eler** hämmern; *(Baum)* anlaschen; *(Sense)* dengeln; *fig (Worte)* stark betonen, hervor=heben.

martial, e [marsjal] kriegerisch; Kriegs-; *cour f ~e* Kriegsgericht *n; loi f ~e* Standrecht *n.*

martien, ne [marsjɛ̃, -ɛn] *a (Astrologie)* Mars-; *s m* Marsbewohner *m.*

martin [martɛ̃] *m orn* Rosenstar *m; ~-pêcheur m* Eisvogel *m.*

martinet [martinɛ] *m* **1.** Schmiedehammer *m;* Klopfpeitsche *f;* **2.** *orn* Mauersegler *m,* Turmschwalbe *f.*

martingale [martɛ̃gal] *f (Pferd)* Sprungriemen *m; (Mantel)* Lasche *f,* Rückengurt *m; (Spiel)* Erhöhung *f* des Einsatzes; sorgfältig ausgeklügelte(s) System *n* für ein Glücksspiel.

martre [martr] *f* Marder(fell *n*) *m.*

martyr, e [martir] *s m f* Märtyrer(in *f*) *a. fig, fig* Dulder(in *f*) *m; a* Märtyrer-; *couronne, mort f de ~* Märtyrerkrone *f,* -tod *m; mine f de ~* Leidensmiene *f;* **~e** *m* Marter *f,* Martyrium *n,* Märtyrertod *m; fig* Marter *f,* Höllenqualen *f pl;* **~iser** zum Märtyrer machen; martern; *fig* furchtbar quälen, peinigen, martern, Höllenqualen aus=stehen lassen; **~ologe** *m rel* Märtyrer-, *fig* Leidensliste *f.*

marx|isme [marksism] *m* Marxismus *m;* **~iste** *a* marxistisch; *s m f* Marxist(in *f*) *m.*

maryland [marilɑ̃] *m* Virginia *m (Tabak).*

mas [mɑ(s)] *m (Südfrankreich)* Bauernhaus *n,* -hof *m.*

mascarade [maskarad] *f* Maskerade *f,* Masken(auf)zug *m; fig* Verstellung, Heuchelei *f.*

mascaret [maskarɛ] *m* Sprungwelle *f (in Flußmündungen).*

mascaron [maskarɔ̃] *m arch* Maske *f.*

mascotte [maskɔt] *f fam* Talisman, Glücksbringer, Anhänger *m;* Maskottchen *n,* Kühlerfigur *f.*

masculin, e [maskylɛ̃, -in] *a* männlich; Mannes-, Männer-; *s m gram (genre m ~)* Maskulinum, männliche(s) Geschlecht *n; confection f ~e* Herrenkonfektion *f; ligne f ~e* männliche Linie *f,* Mannesstamm *m; mode(s) f (pl) ~e(s)* Herrenmode(n) *f (pl);* **~iser** vermännlichen.

masqu|e [mask] *m* Maske *f (a. Person u. fig);* (Gesichts-)Züge *m pl,* Ausdruck; *fig* Deckmantel, äußere(r), falsche(r) Schein; *med* Gesichtsverband *m; mil* Tarnnetz *n; arracher, ôter le ~ à qn (fig)* jdm die Maske vom Gesicht reißen, jdn entlarven; *lever, jeter le ~ (fig)* die Maske fallen=lassen; *~ anesthésique* Äther-, Chloroformmaske *f; ~ antibrouillard* od *à brouillard, antipoussière* Nebel-, Staubmaske *f; ~ d'apiculteur, à domino, d'escrime, mortuaire, protecteur* Imker-, Halb-, Fecht- Toten-, Schutzmaske *f; ~ à gaz* Gasmaske *f; ~ à oxygène, respiratoire* Sauerstoffgerät *n; ~ pare-éclats* Splitterschutz *m;* **~é, e** maskiert; Masken-; *(Absicht)* versteckt; *(Verstaatlichung)* kalt; *bal m ~* Maskenball *m,* Maskerade *f;* **~er** maskieren; *(Sache)* verkleiden, ab=decken; verdecken, dem Blick entziehen; *(Aussicht)* versperren; *(Licht)* ab=schirmen; *fig* verhüllen, verbergen, verschleiern *(a. Bilanz),* tarnen, vernebeln, *pop* frisieren; *(Speise) (mit Soße, Sahne)* übergießen; *mar (Segel)* backbrassen; *se ~ (fig)* sich verstellen.

massacr|ant, e [masakrɑ̃, -ɑ̃t] *être d'humeur ~e (fam)* rabiat, bärbeißig sein; **~e** *m* Gemetzel, Blutbad *n,* Massenmord *m; fig* Zerhacken, Verschnippeln *n;* Verhunzung, Verschandelung *f; jeu m de ~* (Figuren-) Wurfspiel *n,* -bude *f; un vrai jeu de ~! (fig fam)* das reinste Gemetzel! **~er** nieder=metzeln, -machen, ein Blutbad an=richten (*qc* unter etw *dat*); hin≈morden; *fig* zerhacken, verschnippeln; verhunzen, verschandeln; **~eur, se** *m f* Menschenschlächter, Bluthund; Massenmörder; *fig* Pfuscher(in *f*) *m*.

massage [masaʒ] *m med* Massieren *n*, Massage *f*; ~ *facial, manuel, thérapeutique, vibratoire* Gesichts-, Hand-, Heil-, Vibrationsmassage *f*.

masse [mas] *f* **1.** (*meist* unförmige) Masse *a. phys;* (große) Menge *f;* Haufen, Klumpen; (Bau-)Körper; (Erd-)Ball *m;* Gesamtheit, Summe *f; (Lohn)* (Gesamtheit *f* der) Abzüge *m pl;* (Geld-)Fonds *m,* Rücklage; (gemeinsame, Betriebs-, Vereins-)Kasse; *com* bestimmte Menge, Einheit; *(Spiel)* Gewinnmasse; *geol* Schicht *f,* Flöz *n; tech* Block *m; radio* Erde; *meist pl* (Menschen-)Masse(n *pl*), Menge; große Masse *f,* große(r) Haufen *m;* **2.** (großer) (Holz-)Hammer; große(r) Schmiedehammer; *min* Schlägel, Fäustel *m* (~ *de mineur*); *(Billardqueue)* dicke(s) Ende *n; des ~s de (pop)* Massen von, e-e ganze Menge; *de toute sa* ~ mit voller Wucht; *en* ~ alle auf einmal; haufen-, scharenweise; massenhaft, in Hülle u. Fülle; im ganzen, in s-r, ihrer Gesamtheit; *mil* schwerpunktmäßig; *arriver en* ~ herbei≈strömen, sich heran≈wälzen; *mettre à la* ~ *(radio)* erden; *article m de* ~ Massenartikel *m; créance f, créancier m, dette f, débiteur m de la* ~ Masseforderung *f,* -gläubiger *m,* -schuld *f,* -schuldner *m (beim Konkurs); culture de* ~ Massenkultur *f; emploi m en* ~ Masseneinsatz *m; fabrication, production f en* ~ Massenfabrikation *f; fil m de* ~ *(radio)* Erdleitung *f; levée f en* ~ Massenaufgebot *n;* Massenaushebung *f; meurtre m en* ~ Massenmord *m; mise f à la* ~ *(radio)* Erdung *f; production de* ~ Massenproduktion *f;* ~ *active, passive (com)* Aktiva, Passiva *n pl;* ~ *atomique* Atommasse *f;* ~ *des biens* Vermögensmasse *f;* ~ *de chair (fam)* Fleischklumpen, Klotz *m (Mensch); fig* sture(r) Bock *m;* ~ *énorme* Unmasse *f;* ~ *de la faillite* Konkursmasse *f;* ~ *fiscale* Steueraufkommen *n;* ~ *fondue* Schmelzmasse *f;* ~ *héréditaire, successorale* Erbschaftsmasse *f;* ~ *isolante, mobile* Isolier-, Schwungmasse *f;* ~ *de manœuvre (mil)* Führungsreserven, operative Reserven *f pl;* ~ *minérale* Gesteinsmasse *f;* ~ *moléculaire* Molekulargewicht *n;* ~*(s) populaire(s)* Volksmasse(n *pl*) *f;* ~ *salariale* Lohnaufkommen *n;* ~ *sociale* Gesellschafts-, Gemeinschaftsvermögen *n;* ~ *subsistante (com)* Restmasse *f;* ~*s de terre* Erdmassen *f pl*.

massé [mase] *m tech* Luppe *f; (Billard)* Kopfstoß *m*.

masselotte [maslɔt] *f tech* Masselkopf, verlorene(r) Kopf *m*.

massepain [maspɛ̃] *m* Marzipan *n*.

masser [mase] **1.** *med* massieren; **2.** *tr* zs.≈drängen, -drücken; *mil (Kunst)* massieren; *se* ~ sich in Massen an≈sammeln; *mil* sich formieren, sich in geschlossener Ordnung auf≈stellen; **3.** *(Billard)* e-n Kopfstoß geben (*la bille* der Kugel).

masséter [masetɛr] *s m u. a: muscle m* ~ Kaumuskel *m*.

massette [masɛt] *f* Fäustel, (*bes.* Steinklopfer-)Hammer *m*.

masseur, se [masœr, -øz] *m f* Masseur *m,* Masseusin *f;* ~*-rééducateur* Masseur u. Heilgymnastiker *m*.

masse-médias [masmedja] *m pl* Massenmedien *n pl*.

massicot [masiko] *m* **1.** *min* Bleiglätte; **2.** Papierschneidemaschine *f*.

massif, ive [masif, -iv] *a* massiv; massig, dicht, schwer; *(Dosis)* stark; *fig* plump, schwerfällig; greifbar; *(Argument)* durchschlagend; *s m* Massiv *n;* Block *m; geol* Scholle *f;* massive(s) Mauerwerk; *(Hochofen)* Rauhgemäuer *n; arrestations f pl ~ives* Massenverhaftungen *f pl; (armes f pl de) destruction f ~ive* Massenvernichtung(swaffen *f pl*) *f; majorité f ~ive (parl)* kompakte Mehrheit *f;* ~ *d'arbres* Baumgruppe *f;* ~ *de fleurs* Blumenbeet *n;* ~ *forestier* Waldkomplex *m,* -gebiet *n;* ~ *montagneux, rocheux* Berg-, Felsmassiv *n*.

mass media [masmedja] *m pl s. masse-medias.*

massue [masy] *f* Keule *f (Waffe); (Polizei)* Knüppel *m; zoo* kolbenartige Erweiterung *f; coup m de* ~ *(fig)* schwere(r), harte(r) Schlag *m*.

mast|ic [mastik] *s m* Mastix; Kitt; *typ* Zwiebelfische *m pl; pop (Küche)* Papp; Schlamassel *m* od *n,* Durcheinander *n;* ~ *à la chaux* Porzellankitt *m; a* beige; ~ *à greffer* Baumwachs *n;* ~ *de(s) vitrier(s)* Glaser-, Fensterkitt *m;* **~age** *m* Verkitten *n*.

mastic|ateur [mastikatœr] *a anat* Kau-; *s m* Speisenzerkleinerer *m; muscle m* ~ Kaumuskel *m;* **~ation** *f* Kauen *n*.

mastiff [mastif] *m* Mastiff *m*.

mastiquer [mastike] **1.** (zs.-, ver)kitten; **2.** kauen.

mastoc [mastɔk] *s m pop* Klotz, Bulle *(Mensch); a* klotzig, klobig, plump.
mastodonte [mastɔdɔ̃t] *m zoo* Mastodon *n; fig fam* Fett-, Dickwanst *m; ~ de la route* Verkehrsungeheuer *n.*
mastoïde [mastɔid] *a anat: apophyse f ~* Warzenfortsatz *m.*
mastroquet [mastrɔkɛ] *m fam* Budiker, (Schank-)Wirt *m.*
m'as-tu-vu [matyvy] *m fam* mittelmäßige(r), eingebildete(r) Schauspieler; Wichtigtuer, Angeber *m.*
masure [mazyr] *f* Gemäuer *n;* baufällige(s) Haus *n,* alte Bude *f.*
mat, e [mat] **1.** *a* matt, stumpf, glanzlos; *(Ton)* schwach, dumpf; *(Teig, Backware)* schwer, fest; *(Meer)* träge; *(Stickerei)* schwer; **2.** *s m (Schach)* Matt *n; a inv* matt; *(Falke)* abgerichtet; *donner échec et ~ à qn, faire qn échec et ~ (fig)* jdn matt setzen, aus≈schalten.
mât [mɑ] *m* Mast(baum) *m,* Rundholz *n,* Strebe; (Zelt-, Fahnen-)Stange *f; grand ~* Großmast *m; grand, petit ~ de hune* Groß-, Vorstenge *f; sans ~ (Zelt)* stabfrei; *~ d'amarrage* Ankermast *m* (für Luftschiffe); Abspannmast *m; ~ d'antenne* Antennenmast, -turm *m; ~ d'artimon* Besanmast *m; ~ de beaupré* Bugspriet *m; ~ de charge* Ladebaum *m; ~ de cocagne* Kletterstange *f* (mit aufgehängten Preisen); *~ pour drapeau* Fahnenmast *m,* -stange *f; ~ de misaine* Fockmast *m; ~ de pavillon* Flaggenstock *m; ~ de grand, de petit perroquet, de perroquet de fougue* Großbram-, Vorbram-, Kreuzstenge *f; ~ de perruche* Kreuzbramstenge *f; ~ de rechange* Notmast *m; ~ de signalisation (mar), de signaux (loc)* Signalmast *m; ~ de tente* Zeltmast *m,* -stange *f; ~ en treillis, de T.S.F.* Gitter-, Funkmast *m.*
matador [matadɔr] *m* Matador; *fig fam* Matador, Hauptmacher *m,* Größe *f (auf e-m Gebiet); ~ de la finance* Finanzgewaltige(r) *m,* -größe *f.*
matage [mataʒ] *m tech* Verstemmen *n; tech* Bart *m.*
matamore [matamɔr] *m* Maulheld, Prahlhans *m; faire le ~* sich auf≈spielen.
match [matʃ] *m, pl* **~es** (Wett-)Spiel *n,* Kampf *m,* Treffen *n; disputer un ~* ein Spiel, e-n Kampf aus≈tragen; *(faire) ~ nul* unentschieden (spielen) (*avec* gegen); *~ aller, amical* Hin- od Auswärts-, Freundschaftsspiel *n; ~ de boxe, de lutte* Box-, Ringkampf *m; ~ de championnat, sur courts couverts, par groupes* Meisterschafts-, Hallen-, Gruppenkampf *m; ~ de charité* Benefizspiel *n; ~ décisif, d'entraînement, final* Austragungs-, Übungs-, Endspiel *n; ~ à domicile* Heimspiel *n; ~ éliminatoire, de sélection* Ausscheidungsspiel *n,* -kampf *m; ~ à l'extérieur* Auswärtsspiel *n; ~ de football, de tennis, d'échecs* Fußball-, Tennis-, Schachspiel *n; ~ interclub* Klubkampf *m; ~ international* Länderspiel *n,* -kampf *m; ~ retour* Rückspiel *n;* **~er** in e-m Wettkampf gegenüber≈treten (*qn* jdm); spielen (*qn* mit jdm).
maté [mate] *m* Mate(baum *m*) *f;* Matetee *m.*
matelas [matla] *m* Matratze *f;* Wagenpolster; *allg* Lager; *tech* Kissen, Polster *n; arg* dicke Brieftasche *f; ~ d'air, d'eau (tech)* Luft-, Wasserkissen *n; ~ de crin, à spirales, pneumatique* Roßhaar-, Sprungfeder-, Luftmatratze *f;* **~sé** [-se] *m* Pikee *m,* Stepp-, Doppelgewebe *n;* **~ser** (auf≈, aus≈)polstern; *fig* verstärken; *se ~ (fam)* sich (dick) ein≈mummeln; **~sier** *m* Polsterer *m;* **~sure** *f* Polsterung; Füllung *f,* Polstermaterial *n;* (Wand-)Verkleidung *f.*
matelot [matlo] *m* Matrose, Seemann; Matrosenanzug *m (für Knaben); bonnet m de ~* Matrosenmütze *f.*
matelote [matlɔt] *f Art* (Fisch-)Ragout *n* mit Wein u. Zwiebeln.
mater [mate] **1.** *(Schach)* matt setzen; *fig* auf≈reiben, zermürben; nieder≈werfen, -zwingen; demütigen; *rel* kasteien; **2.** *tech* verstemmen; mattieren.
mâter [mɑte] *(Schiff)* bemasten.
mâtereau [matro] *m* kleine(r) Mast *m.*
matéri|alisation [materjalizasjɔ̃] *f (Spiritismus)* Materialisation *f;* **~aliser** versinnlichen, materialisieren; verwirklichen; *(Kunst)* sinnfällig machen *od* gestalten; *(Seele)* für stofflich halten; *se ~ (Spiritismus)* sich materialisieren; *allg* sinnfällig werden; **~alisme** *m* Materialismus *m;* **~aliste** *m* Materialist *m; a* materialistisch; **~alité** *f* Stofflich-, Körperlichkeit; Körperwelt, stoffliche Welt; *jur* Tatsächlichkeit *f; ~ du fait (jur)* Tatbestand *m;* **~au** *m tech* Werk-, Baustoff *m; ~ de répandage* Streugut *n; ~ de substitution* Ersatzstoff *m;* **~aux** *m pl* Bau-, Werkstoffe *m pl;* Bedarf *m; allg* Material(ien *pl*) *n; fig* Stoff *m (zu e-m Buch);* Unter-, Grundlagen *f pl; essai, essayeur m, machine f à essayer des ~* Werkstoffprüfung *f,* -prüfer *m,* -prüfma-

schine *f; ~ bruts* Rohmaterial *n; ~ de construction de routes, de ligne aérienne, de superstructure* od *de la voie* Straßenbau-, Oberleitungs-, *(loc)* Oberbaumaterial *n; ~ dragués, mélangés* od *à mélanger, en masses* Bagger-, Misch-, Massengut *n; ~ isolants* Isoliermittel *n pl; ~ parachevés* Fertigmaterial *n;* **~el, le** *a* stofflich, körperlich; *allg* massig, schwer(fällig), plump; *fig* materiell, sinnlich; sachlich; *jur* Sach-; *s m* Materielle(s); Material *n,* Stoff *m; inform* Hardware *f; tech* Material, Gerät *n;* Ausrüstung, Einrichtung(sgegenstände *m pl*) *f;* Betriebsanlagen *f pl,* -mittel *n pl;* Maschinenpark *m; f fam: avoir la ~le assurée* sein Auskommen haben, durch=kommen; *biens m pl ~s* materielle Güter *n pl; contrôle m, réception f du ~* Materialüberprüfung, -abnahme *f; dégâts m pl ~s* Sachschaden *m; dépenses f pl, épreuve f de ~* Materialkosten *pl,* -prüfung *f; fait m ~* Sachverhalt, Tatbestand *m; vieux ~* Altmaterial *n; ~ de bureau* Büroeinrichtung *f,* -material *n,* -bedarf *m; ~ de camping* Campingausrüstung *f; ~ de décoration, d'étalage* Dekorationsmaterial *n,* Schaufenstereinrichtung *f; ~ éducatif, d'enseignement* Lehrmittel *n pl; ~ d'emballage* Verpackungsmaterial *n; ~ d'étalage de comptoir* stumme Verkäufer *m pl; ~ d'exploitation* Betriebsmittel *n pl; ~ fixe, roulant* (Eisenbahn-)Anlagen *f pl,* Betriebsmittel *n pl; ~ de fond (min)* Grubenausrüstung *f; ~ de guerre, humain, de publicité* Kriegs-, Menschen-, Werbematerial *n; ~ radar, radio* Funkmeß-, Funkgerät *n;* **~ellement** *adv* in materieller Hinsicht; *~ impossible* faktisch unmöglich.

matern|el, le [matɛrnɛl] *a* mütterlich; Mutter-; von Mutterseite; *(Verwandter)* mütterlicherseits; *s f (école f ~le)* Kindergarten *m; entourer de soins ~s* bemuttern; *amour m, assistance f, cœur, lait m, langue f ~(le)* Mutterliebe *f,* -schutz *m,* -herz *n,* -milch, -sprache *f; maison f ~le* Mütterheim *n; sentiment m ~* Mütterlichkeit *f;* **~ité** *f* Mutterschaft; Schwangerschaft *f;* Entbindungs-, Wöchnerinnenheim *n;* Hebammenschule *f.*

math [mat] *f pl arg (Schule)* Mathe (-matik) *f;* **~ématicien, ne** *m f* Mathematiker(in *f*) *m;* **~ématique** *a* mathematisch; *fig* exakt, streng; absolut, unumstößlich; *s f (fast immer) pl* Mathematik *f; hautes ~s, ~s supérieures, transcendantes* höhere M.; *~s pures, mixtes* od *appliquées* reine, angewandte M.

mathurin [matyrɛ̃] *m arg mar* Blaujacke *f,* Matrose *m.*

matière [matjɛr] *f* Stoff *m a. fig,* Materie, Substanz *f;* Werkstoff *m;* Materielle(s), Grobsinnliche(s) *n; fig* Anlaß *m,* Veranlassung, Ursache, Gelegenheit *f;* Gegenstand *m,* Thema, Objekt; (Sach-)Gebiet; *(Schule)* Fach *n; jur* Sache, Angelegenheit *f,* Fall *m; en ~ de* auf dem Gebiet, in Sachen, in betreff, betreffs, hinsichtlich *gen,* in bezug auf *acc; en pareille ~* in solchen Dingen; *en ~ civile, pénale* in Zivil-, Strafsachen; *donner ~ à qc* zu etw Anlaß geben; *entrer en ~* zur Sache kommen, auf die Sache selbst ein=gehen; *jur* in die Verhandlung ein=treten; *il n'y a pas là ~ à plaisanterie* das ist nicht, das ist kein Grund zum Lachen; *table f des ~s (Buch)* Inhaltsverzeichnis *n; ~ agglutinante* Bindemittel *n; ~s alimentaires* Nährstoffe *m pl; ~ de base* Grundstoff *m; ~ brute* Rohmaterial *n; ~ cérébrale* Gehirnmasse *f; ~ colorante* Farbstoff *m; ~ d étonante, explosive* Sprengstoff *m; ~ entremêlée* Beimischung *f; ~s étrangères* Fremdstoffe *m pl; ~s fécales* Fäkalien *f pl; ~ fibreuse* Faserstoff *m; ~ fissile (phys)* spaltbare(s) Material *n; ~s grasses* Fette u. Öle *n pl; ~ grise* graue Zellen *f pl; ~ imposable* Steuerobjekt *n; ~ inflammable* Zündstoff *m; ~ isolante* Isolierstoff *m; ~ ouvrable* Werkstoff *m; ~ pénale* Strafsache *f; ~ plastique, synthétique* Kunststoff *m,* Preßmasse *f; ~s premières* Rohstoffe *m pl; approvisionnement, besoin m, pénurie f, stock m de ~* Rohstoffversorgung *f,* -bedarf, -mangel, -vorrat *m; ~ purulente* Eiter *m; ~ réfractaire* Schamotte *f; ~ de remplacement* Ersatzstoff *m; ~ spéciale* Fachgebiet *n; ~ en suspension* Sinkstoff *m; ~ textile* Spinnstoff *m; ~ verte (bot)* Blattgrün *n; ~ vivante (biol)* lebende Substanz *f.*

matin [matɛ̃] *s m* Morgen *a. fig,* Vormittag; *adv* früh; *ce ~* heute morgen, heute vormittag; *de bon, grand ~* in aller (Herrgotts-)Frühe; *demain ~* morgen früh, morgen vormittag; *du ~ (bei d. Uhrzeit)* nachts, morgens, vormittags (von Mitternacht bis Mittag); *du ~ au soir* von morgens bis abends, von früh bis spät, den ganzen Tag über; *du soir au ~* die ganze Nacht (über); *hier ~* gestern früh, g. morgen, g. vormittag; *le ~ (de bonne heure)* (früh)morgens; am Morgen;

un (beau) ~, *un de ces* ~*s* e-s (schönen) Morgens; *être qn du* ~ *(fam)* früh auf=stehen; *vous ne vous êtes pas levé assez* ~ *pour cela* da hätten Sie früher aufstehen müssen; *à qui se lève* ~ *Dieu aide et prête la main* Morgenstund' hat Gold im Mund; *tel rit le* ~ *qui le soir pleurera* man soll den Tag nicht vor dem Abend loben; *classes f pl du* ~ Vormittagsunterricht *m; étoile f du* ~ *(poet)* Morgenstern *m; journal m, édition f du* ~ Morgenzeitung *f od* -blatt *n,* Morgenausgabe *f; office m du* ~ *(rel)* Frühmette *f;* ~**al, e** [-tinal] morgendlich; Morgen-; früh auf; *être* ~ früh auf=stehen; *étoile, heure f* ~*e* Morgenstern *m,* -stunde *f; gelée f* ~*e* Nachtfrost *m;* ~**ée** *f* Vormittag(sstunden *f pl*), Morgen *m;* Matinee, Morgen- *od* Nachmittagsveranstaltung, *theat* Nachmittagsvorstellung *f;* Morgenrock *m; dans la* ~ im Laufe des Vormittags, in den Vormittagsstunden, vormittags; *dormir, faire la grasse* ~ bis in den Tag hinein, *fam* bis in die Puppen schlafen; ~ *dansante* Tanztee *m;* ~ *d'enfants* Kindergesellschaft *f;* ~ *littéraire* literarische Morgen- *od* Nachmittagsveranstaltung *f;* ~ *musicale* musikalische Morgenunterhaltung *f;* Nachmittagskonzert *n;* ~**es** *f pl rel* Frühmette *f.*

mâtin, e [mɑtɛ̃, -in] *a fam* auf Draht, gewandt; *s m* Fleischer-, Hofhund *m, bes.* Bulldogge *f; péj* Köter; *fig* Rüpel *m; f* Megäre, Kratzbürste *f; interj* Donnerwetter! ~**é, e** [-ti-] *(Hund)* nicht reinrassig, bastardiert *a. fig,* gekreuzt (*de* mit); *fig péj* gemischt; *chien m* ~ Promenadenmischung *f;* ~**eau** *m* kleine(r) Köter *m;* ~**er** *(andersrassige Hündin)* decken.

mat|ir [matir] mattieren; ~**ité** *f* Mattheit *f,* -glanz *m; (Ton)* Dumpfheit *f.*

matois, e [matwa, -z] schlau, gewitzt, gerissen, *fam* ausgekocht; *c'est un (fin)* ~ er hat es faustdick hinter den Ohren; ~**erie** *f* Schlauheit, Gerissenheit, Durchtriebenheit; Gaunerei *f.*

matou [matu] *m* Kater *m.*

matra|quage [matrakaʒ] *m* Schlagstockeinsatz *m; fig* Beschuß *m;* ~**que** *f* Knüttel, (Gummi-)Knüppel, Schlagstock *m;* ~**quer** nieder=knüppeln.

matras [matrɑ] *m* (Glas-)Kolben *m;* ~ *à distillation* Destillierkolben *m.*

matriarcat [matriarka] *m* Matriarchat, Mutterrecht *n.*

matricaire [matrikɛr] *f bot* Kamille *f.*

matrice [matris] *s f anat* Gebärmutter *f; tech* (Stanz-, Gieß-, Papp-)Form *f;* (Unter-)Gesenk; Eichmaß *n; typ* Matrize, Mater *f,* Prägestempel *m,* Stanze; *math* Matrix; Stammrolle, Matrikel *f; a* Mutter-, Stamm-; *couleur f* ~ Grundfarbe *f;* ~ *cadastrale* Grundsteuerrolle *f;* ~ *ébaucheuse, finisseuse (tech)* Vor-, Fertiggesenk *n;* ~ *de l'ongle (anat)* Nagelbett *n;* ~ *de poil (anat)* Haarbalg *m;* ~ *du rôle des contributions* Steuer-, Heberolle *f;* ~**r** *tech* gesenkschmieden, formen, verpressen.

matricide [matrisid] *m* Muttermord, -mörder *m.*

matriciel, le [matrisjɛl] *a* Steuerlisten-.

matr|iculaire [matrikylɛr] *a* Matrikel-; ~**icule** *s f* Matrikel, Stammrolle *f,* Register, Verzeichnis *n,* Liste; Eintragung *f* in ein, Auszug *m* aus e-m Register; *a* Matrikel-, Stamm-; *s m: (numéro m) (de)* ~ Matrikel-, Stamm-, *bes.* Wehr-, Gefangenennummer *f; registre m* ~ *du recrutement* Wehrstammrolle *f.*

matrimonial, e [matrimɔnjal] ehelich; Ehe-, Heirats-; *agence f* ~*e* Heiratsvermittlung(sbüro *n*) *f;* Eheanbahnungsinstitut *n; annonce f* ~*e* Heiratsanzeige *f; capacité f* ~*e (jur)* Ehefähigkeit *f; régime m* ~ (ehelicher) Güterstand *m.*

matrone [matrɔn] *f* Matrone, ältere Frau *f.*

matte [mat] *f tech* Lech *m* od *n,* Rohmetall *n.*

Matthieu [matjø] *m* Matthäus *m.*

matthiole [matjɔl*f bot* Levkoje *f.*

matur|ation [matyrasjɔ̃] *f* Reif(werd)en *n a. med;* Reifungsprozeß *m;* ~**ité** *f* Reife *a. med fig; fig* Reifung, Vollendung *f; amener, venir à* ~ zur Reife bringen *od* kommen; ~ *absolue, d'esprit* Vollreife, geistige Reife *f;* ~ *précoce* Frühreife *f;* ~ *sexuelle* Geschlechtsreife, Pubertät *f.*

mâture [mɑtyr] *f* Masten *m pl (e-s Schiffes); aero* Streben *f pl.*

matutinal, e [matytinal] *a rel: office m* ~ Frühmette *f.*

maudi|re [modir] *irr* verfluchen, verwünschen; ~**ssable** verdammenswert, fluchwürdig; ~**t, e** [-di, -it] verflucht (*de, par* von); *a* verflucht, verdammt, *pop* Mist-, *vulg* Scheiß-; *s m* Ausgestoßene(r); Teufel *m.*

maugréer [mogree] fluchen, schimpfen, wettern (*contre qn* gegen jdn).

Maur|e, More [mɔr] *s m* Maure *m; m*~ *a* maurisch; **m~esque, moresque** *(bes. Kunst)* maurisch; *s f* Maurin; Hose *f* (d. Orientalen).

Maurice [moris] *m* Moritz *m.*

mausolée [mozɔle] *m* Mausoleum, (prächtiges) Grabmal *n.*
maussad|e [mosad] verdrießlich, mürrisch; mißgestimmt, schlechtgelaunt; *allg* unfreundlich *(a. Wetter),* unangenehm, häßlich; **~erie** *f* mürrische(s), abstoßende(s) Wesen *n;* schlechte Laune *f.*

mauvais, e [mɔ(o)vɛ, -ɛz] *a* schlecht; von geringer Qualität, minderwertig; mangelhaft, unzureichend, ungenügend, schwach; schlimm, übel, böse; gefährlich, schädlich, nachteilig, ungünstig; ungesund; unangenehm; boshaft, mißgünstig, neidisch, klatschsüchtig; frech; falsch, nicht passend; *(See)* bewegt, unruhig, stürmisch; *s m* Böse(r, s); (das) *od* (der) Böse *(Teufel); adv* übel (*nur in: sentir* ~ übel riechen); *en ~e compagnie* in schlechter Gesellschaft; *en ~ état* in schlechtem Zustand; *pas ~* nicht schlecht, (gar) nicht (so) übel; *avoir ~e bouche* e-n unangenehmen Geschmack im Munde haben; *avoir ~e haleine* aus dem Mund(e) riechen, e-n übelriechenden Atem haben; *avoir ~e mine* nicht gut aus=sehen; *avoir ~e tête* dickköpfig, eigensinnig sein; *prendre qc en ~e part* etw übel=nehmen, *fam* in den falschen Hals kriegen; *trouver ~* schlecht finden; mißbilligen; *il fait ~* es ist schlechtes Wetter; *ne le prenez pas en ~e part!* nehmen Sie es mir nicht übel! *~e herbe croît toujours (prov)* wie schnell die Kinder doch wachsen; *assurance f ~ temps villégiature* Reisewetterversicherung *f; femme f de ~e vie* Dirne, Prostituierte *f; ~e administration, gérance f* Mißwirtschaft *f; ~ esprit m* unklare(r) Kopf; Schwarzseher; Quertreiber *m; ~e étoile f* Unstern *m; ~e foi f* Treulosigkeit *f; ~e fortune f* Mißgeschick *n; ~ garnement m* Galgenstrick; Lausejunge, Lausbub *m; ~e graisse f(med)* überflüssige(s) Fett *n; ~e herbe f* Unkraut *n; ~e langue f* böse Zunge *f; ~ livres m pl* Schmutz- u. Schundliteratur *f; ~ marché m* schlechte(s) Geschäft *n; ~ œil m* böse(r) Blick *m; ~e plaisanterie f* schlechte(r) Scherz *m; ~e récolte f* Mißernte *f; ~e santé f* schwache Gesundheit *f,* schlechte(r) Gesundheitszustand *m; ~ sujet m* Taugenichts, Strolch *m; ~e tête* Dickkopf, Eigensinn; Querkopf *m; ~e tête et bon cœur m* weiche(s) Herz *n* in rauher Schale; *~ traitement m* Mißhandlung *f; ~ vouloir m* böse(r) Wille *m; ~e vue f* schlechte Augen *n pl.*

mauve [mov] *s f bot* Malve *f; m* Mauve *n (Farbe); a* mauve.
mauviette [movjɛt] *f com* fette Lerche *f; fig fam* Spatz *m,* schwächliche Person *f; manger comme une ~* wie ein Spatz essen.
mauvis [movi] *m orn* Singdrossel *f.*
maxillaire [maksilɛr] *a anat* Kiefer-; *s m* Kiefer *m; os m ~* Kieferknochen *m; ~ supérieur, inférieur* Ober-, Unterkiefer *m.*
maximal, e [maksimal] maximal; Maximal-, Höchst-.
maxime [maksim] *f* Grundsatz *m,* Lebensregel *f; ~ de droit, juridique* Rechts(grund)satz *m.*
max|imum [maksimɔm], *pl* **~ima** *od* **~imums** *s m math* Maximum *n;* Höchstmaß *n,* -preis *m,* -strafe *f; a* maximal; Maximal-, Höchst-; höchste(r, s), größte(r, s); *au ~* im Höchstfall, höchstens; *faire le ~ (theat)* ein ausverkauftes Haus haben; *charge f, effet* od *rendement m, enchère f, montant, poids, prix, salaire m, valeur, vitesse f ~* Höchstbelastung, -leistung *f,* -gebot *n,* -betrag *m,* -gewicht *n,* -preis, -lohn, -wert *m,* -geschwindigkeit *f; montant m ~ de l'assurance* Höchstversicherungssumme *f; tarif m ~* Maximaltarif *m; thermomètre m à ~ima et minima* Maximum-Minimum-Thermometer *n; ~ de la peine* Höchstmaß *n* der Strafe.
Mayence [majɑ̃s] *f* Mainz *n.*
mayonnaise [majɔnɛz] *f (Küche)* Mayonnaise *f; ~ de homard* Hummermayonnaise *f.*
mazagran [mazagrɑ̃] *m* kalte(r) Kaffee *m (im Glas).*
mazette [mazɛt] *s f* Schindmähre *f,* Klepper; *fam* Waschlappen, Schlappschwanz; Stümper *m; interj* Donnerwetter! alle Achtung!
mazout [mazut] *m* Masut *n (Heizöl).*
me [mə] *prn* mir, mich; *~ voici* da bin ich!
mea-culpa [meakylpa] *m inv* Schuldbekenntnis *n; dire, faire son ~* s-e Schuld ein=gestehen *od* bekennen, sich schuldig bekennen, sich für schuldig erklären.
méandr|e [meɑ̃dr] *m (Fluß)* Schleife, Schlinge *f, meist pl* Windungen *f pl; pl fig* Umwege, Umschweife; Winkelzüge *m pl; décrire des ~s* sich winden, sich schlängeln; **~ique** gewunden, verschlungen.
méat [mea] *m anat* Gang, Kanal *m; ~ auditif, nasal* Gehör-, Nasengang *m.*
mec [mɛk] *m arg* Zuhälter; *allg* Typ, Kerl *m.*
mécan|icien, ne [mekanisjɛ̃, -ɛn] *s m*

Mechaniker, Maschinenschlosser, -meister, Maschinist; Lokomotivführer *m; f* (Maschinen-)Näherin *f; a* Maschinen-; *cabine f, poste m de* ~ Führerstand *m; ingénieur m* ~ Maschinenbauer *m;* ~ *automobile* Autoschlosser *m;* ~ *(de bord)* Schiffsmaschinist; *aero* Bordmechaniker, -wart *m;* ~ *dentiste* Zahntechniker *m;* ~ *de précision* Feinmechaniker *m;* **~ique** *a* mechanisch *a. fig;* maschinell; technisch; automatisch; *fig* gewohnheitsmäßig; unbewußt; *s f* Mechanik *f;* Maschinenbau; Mechanismus *m,* Getriebe *n a. fig;* Ein-, Vorrichtung, Maschinerie; Maschine *f; fig* Intrigen(-spiel *n*) *f pl; pop* Dings(da) *n; en raison d'ennuis ~s* infolge technischer Störungen; *atelier m de (construction)* ~ mechanische Werkstatt *f; composition f* ~ *(typ)* Maschinensatz *m; escalier m* ~ Rolltreppe *f;* ~ *céleste, ondulatoire* Himmels-, Wellenmechanik *f;* ~ *de précision* Feinmechanik *f;* **~isation** *f* Mechanisierung *f;* **~iser** mechanisieren; **~isme** *m* Mechanismus *m,* Vorrichtung *f,* Apparat *allg; fig* Bau *m,* Gefüge *n,* Einrichtung *f,* Zs.hang; Ablauf *m;* Funktionieren; Getriebe, Triebwerk *n;* ~ *de commande, d'entraînement, moteur, de transmission* Antriebsmechanismus *m,* Triebwerk *n;* ~ *de comptage* Zählwerk *n;* ~ *de contrôle, de couplage, de débrayage, de déclenchement, enregistreur, de réglage* Kontroll-, Schalt-, Ausrück-, Ausklink-, Registrier-, Stellvorrichtung *f;* ~ *différentiel (mot)* Differentialgetriebe *n;* ~ *d'horlogerie (Zeitzünder)* Uhrwerk *n;* ~ *de manœuvre à engrenage* Schaltgetriebe *n.*

mécano [mekano] *m s. mécanicien.*

mécano|graphe [mekanɔgraf] *m* Vervielfältiger; Maschinenbuchhalter *m;* **~graphie** *f* Büromaschinenindustrie; Benutzung *f* von Schreibmaschinen u. Vervielfältigungsapparaten; *machine f de ~graphie* Lochkartenmaschine *f; ~graphie comptable* Maschinenbuchhaltung *f;* **~graphique** *a* Schreibmaschinen-, Vervielfältigungs-; **~thérapie** *f med* Mechanotherapie *f.*

méc|énat [mesena] *m* Mäzenatentum *n;* **~ène** *m* Mäzen *m.*

méchan|ceté [meʃɑ̃ste] *f* Boshaftigkeit, Bosheit *f;* Bubenstreich, böse(r), üble(r) Streich *m;* boshafte, bissige Bemerkung *f; sans* ~ harmlos; *faire une* ~ *à qn* jdm e-n üblen Streich spielen; ~ *gratuite* reine Bosheit *f;* **~t, e** *a, adv:* **méchamment** [-ʃamɑ̃] gemein, bösartig, boshaft, böse, bissig *fig; (Kind)* unartig; ungezogen; übel, schlimm, schlecht; schäbig, erbärmlich; wert-, belanglos; dumm, blöde, ärgerlich; *s m* Bösewicht *m; faire le* ~ *(pop)* toben, wüten; auf=begehren; *il a trouvé plus* ~ *que lui* er hat s-n Meister gefunden; *~e langue f* Lästerzunge *f,* Schandmaul *n;* ~ *ouvrage m* Machwerk *n.*

mèche [mɛʃ] *f* Docht *m;* Zündschnur, Lunte *f;* Strang *m,* Strähne; *(Peitsche)* Schmicke, Schmitze *f; tech* Bohreinsatz *m,* Bohrer(spitze *f*) *m; être de* ~ *avec qn* mit jdm unter e-r Decke stecken; *éventer, découvrir la* ~ Lunte riechen, dahinter=kommen *fam; vendre la* ~ *(fam)* das Geheimnis verraten; *il n'y a pas* ~ *(fam)* es geht nicht, es ist ausgeschlossen, unmöglich; ~ *de cheveux* Haarsträhne *f.*

méch|er [meʃe] *(Faß)* (aus=)schwefeln; **~eux, se** *(Rohwolle)* strähnig.

mécompte [mekɔ̃t] *m* Rechenfehler *m,* Versehen *n,* Irrtum; *com* Fehlbetrag *m; fig* falsche Hoffnung, Enttäuschung *f;* ~ *budgétaire* Haushaltsfehlbetrag *m.*

méconium [mekɔnjɔm] *m (Physiologie)* Kindspech *n.*

mécon|naissable [mekɔnɛsabl] unkenntlich; **~naître** *irr* nicht kennen (wollen), verleugnen; *(Fähigkeit, Leistung)* verkennen, nicht an=erkennen (wollen); *qu'on ne peut* ~ unverkennbar; **~nu, e** verkannt.

mécontent, e [mekɔ̃tɑ̃, -t] *a* unzufrieden (*de qc* mit etw), unbefriedigt (*de qc* von etw), ungehalten (*de qc* über e-e S); *s m* Unzufriedene(r) *m;* **~ement** *m* Unzufriedenheit, Mißstimmung *f; pl* Äußerungen *f pl* der Unzufriedenheit; **~er** Anlaß zur Unzufriedenheit geben (*qn* jdm); verdrießlich machen.

Mecque, La [mɛk] *geog* Mekka *n.*

mécréant, e [mekreɑ̃, -ɑ̃t] *s m f rel* Ungläubige(r *m*) *f; m fam* ungläubige(r) Thomas *m; a bes. rel* ungläubig, skeptisch.

médaill|e [medaj] *f* Medaille, Denk-, Schaumünze; Plakette; antike Münze; Auszeichnung *f,* (~ *d'honneur)* Ehrenzeichen; (Berufs-)Abzeichen *n; toute* ~ *a son revers (prov)* es hat alles zwei Seiten; *cabinet m, collection f de ~s* Münzkabinett *n,* -sammlung *f; revers m de la* ~ *(fig)* Kehr-, Schattenseite *f;* ~ *commémorative* Gedenkmedaille *f;* ~ *militaire* Kriegsauszeichnung *f;* ~ *d'or, d'argent, de bronze* goldene, silberne, bronzene M.; ~ *de sauvetage* Rettungsmedaille *f;* **~é, e** *s m f* Ordensinhaber(in *f*) *m;* **~er** e-e Auszeichnung, ein Ehrenzeichen verleihen (*qn* jdm); **~eur** *m* Stempelschneider *m;* **~ier** *m* Münzschrank *m,* -sammlung *f;* **~iste** *m* Münzsammler, -kenner *m; a* Münz-, Medaillen-; *graveur m ~* Stempelschneider *m;* **~on** *m* große Denkmünze *f;* Medaillon *n a. arch.*

médecin [me(ɛ)tsɛ̃] *m* Arzt; Mediziner; *pop* Doktor *m; de ~* ärztlich; *certificat m du ~* ärztliche(s) Attest *n; Conseil m de l'Ordre des ~s* Ärztekammer *f; libre choix m du ~* freie Arztwahl *f; femme f ~* Ärztin *f; frais m pl de ~* Arztkosten *pl; ~ accoucheur* Geburtshelfer *m; ~ adjoint, assistant, auxiliaire* Assistenzarzt *m; ~ administratif* Amts-, Kreisarzt *m; ~ des bains, des eaux* Badearzt *m; ~ du bord* Schiffsarzt *m; ~ de campagne* Landarzt *m; ~ (chargé de l'inspection) des écoles, scolaire* Schularzt *m; ~ en chef, ~-chef m* leitende(r), Chef-, Oberarzt *m; ~ colonel* Generalarzt *m; ~ de confiance, ~-conseil m* Vertrauensarzt *m; ~ consultant* beratende(r), hinzugezogene(r) A.; *~ contractuel* Vertragsarzt *m; ~ conventionné* Kassenarzt *m; ~ diplômé* approbierte(r) A.; *~ de l'établissement, de la prison* Anstalts-, Gefängnisarzt *m; ~ habituel, de famille* Hausarzt *m; ~ des hôpitaux* Krankenhausarzt *m; ~ inspecteur* Generalstabsarzt *m; ~ légiste* Gerichtsmediziner *m; ~-major (mil)* Oberarzt *m; ~ militaire, de la marine* Militär-, Marinearzt *m; ~ praticien, général* praktische(r) A.; *~ spécialiste* Facharzt *m; ~ traitant* behandelnde(r) A.; **~e** [-sin] *f* Medizin, Heilkunde; *vx allg* Medizin *f,* Heilmittel *n; avaler la ~ (fig vx)* die bittere Pille schlucken, in den sauren Apfel beißen; *docteur m en ~* Doktor *m* der Medizin (Dr. med.); *étudiant m en ~* Medizinstudent *m; faculté f de ~* medizinische Fakultät *f; ~ de cheval (fam)* Roßkur *f; ~ clinique* klinische M.; *~ infantile* Kinderheilkunde *f; ~ interne* innere M.; *~ légale* Gerichtsmedizin *f; ~ opératoire* Chirurgie *f; ~ vétérinaire* Tierheilkunde *f.*

médi|al, e [medjal] *a gram* Mittel-; *s f* Mittelbuchstabe *m;* **~an, e** *a* mittlere(r, s); Mittel-; *s f math* Seitenhalbierende *f;* **~te** *f mus* Mittelton *m.*

médiat, e [medja, -t] mittelbar, indirekt; **~eur, trice** *a* vermittelnd; *s m f* Vermittler(in *f*); Schiedsrichter; Mittelsmann *m,* -person *f; bes. rel* Mittler *m; servir de ~* vermitteln; **~ion** [-sjɔ̃] *f* Vermitt(e)lung *f.*

médi|cal, e [medikal] ärztlich; medizinisch; Sanitäts-, Heil-; *cantine f ~e* Sanitätskasten *m; corps m ~ (mil)* Sanitätskorps *n; gymnastique f ~e* Heilgymnastik *f; profession f ~e* Arztberuf *m; rapport m ~, expertise f ~e* ärztliche(s) Gutachten *n; science f ~e* Heilkunde *f; soins m pl ~caux* ärztliche Behandlung *f od* Bemühungen *f pl; vertu f ~e* Heilkraft *f;* **~cament** *m* Heilmittel, Medikament *n,* Arznei, Medizin *f;* **~camentaire** pharmazeutisch; **~camenteux, se** arzneilich; heilkräftig; Heil-; *gaze, ouate f ~euse* Verbandstoff *m,* -watte *f;* **~castre** *m* Quacksalber, Kurpfuscher, Scharlatan *m;* **~cation** *f* Heilverfahren *n,* -methode; ärztliche Behandlung; Verordnung; Anwendung; *(Arznei)* Verabreichung, -folgung *f;* **~cinal, e** [-si-] Heil-, Arznei-; *fig* heilsam; *plantes, herbes f pl ~es* Heilkräuter *n pl;* **~cine-ball** [medisinbol] *m* Medizinball *m;* **~cinier** *m bot* Brechnuß *f;* **~co-légal, e** gerichtsärztlich.

medi|éval, e [medjeval] mittelalterlich; **~éviste** *m* Erforscher *m* des Mittelalters.

médi|ocre [medjɔkr] (mittel)mäßig, gewöhnlich; *péj* schlecht, dürftig, armselig; mangelhaft, minderwertig; **~ocrité** *f* (Mittel-)Mäßigkeit *f,* Mittelmaß *n,* rechte(s) Mitte *f od* Maß *n;* mittlere Lage; *péj* Dürftig-, Armselig-, Mangelhaftig-, Minderwertigkeit *f; ~ d'esprit* Beschränktheit *f.*

médi|re [medir] *irr* Übles nach=reden (*de qn* jdm), verleumden (*de qn* jdn), schlecht=machen; **~sance** [-zɑ̃s] *f* üble Nachrede, Verleumdung *f;* Verleumder *m pl;* **~sant, e** *a* verleumderisch; *s m f* Verleumder(in *f*), Lästerer *m,* Lästerzunge *f.*

médi|tatif, ive [meditatif, -iv] *a* nachdenklich, grüblerisch; *s m* Grübler *m;* **~tation** *f* Nachdenken, -sinnen *n;* Betrachtung; Versunkenheit; *rel* Andacht *f,* stille(s) Gebet *n; plongé dans la ~* in Gedanken versunken; **~ter** *tr itr* nach=denken, -sinnen (*qc, sur qc* über e-e S); *tr* überdenken, -legen; vor-, im Sinne haben, erwägen, denken (*qc* an e-e S, *de* zu); *(e-n Philosophen)* studieren; *itr* Betrachtungen an=stellen (*sur qc* über e-e S); Andacht halten.

méditerrané, e [mediteranε] *a* mittelländisch; Binnen-; *s f* Binnenmeer *n; (mer) M~e f* Mittelländische(s),

Mittelmeer *n;* **~en, ne** mittelländisch; Mittelmeer-.
médium [medjɔm] *m fig* mittlere Linie; *mus* Mittellage *f; (Spiritismus)* Medium *n.*
médius [medjys] *m* Mittelfinger *m.*
médoc [medɔk] *m* Medoc *m (Wein).*
méd|ullaire [medylɛr] *a* (Rücken-) Mark-; *os m* ~ Markknochen *m;* **~ulleux, se** *a bot* markig.
méduse [medyz] *f zoo* Meduse, Qualle *f; tête f de* ~ Medusenhaupt *n;* **~r** *fam* e-n Schrecken ein⸗jagen (*qn* jdm); verblüffen (*qn* jdn).
meeting [mi(ɛ)tiŋ] *m* (Volks-)Versammlung; Tagung *f,* Treffen *n;* (Sport-)Veranstaltung *f;* ~ *d'aviation* Flugtag *m.*
méfait *m* [mefɛ] Missetat *f,* Frevel *m; pl* böse, üble, schlimme Folgen *f pl;* (angerichteter) Schaden *m.*
méfi|ance [mefjɑ̃s] *f* Mißtrauen *n,* Argwohn *m;* ~ *est mère de sûreté* Vorsicht ist die Mutter der Weisheit, *hum* der Porzellankiste; **~ant, e** mißtrauisch, argwöhnisch; **~er, se** mißtrauen, nicht trauen (*de qn* jdm); sich hüten, sich in acht nehmen (*de* vor *dat*); *se ~ des imitations! (com)* vor Nachahmungen wird gewarnt!
méga [mega] *in Zssgen* eine Million; Mega-, Groß-; **~curie** *m (Maßeinheit)* Megacurie *n;* **~cycle** *m radio* Megahertz *n;* **~lithe** [-lit] *m* Megalith *m;* (vorgeschichtliches) Steindenkmal *n;* **~lithique** megalithisch; Megalith-; **~locéphale** großköpfig; **~lomane** größenwahnsinnig; **~lomanie** *f* Größenwahn *m;* **~phone** *m* Megaphon, Sprachrohr *n.*
mégarde [megard] *f: par* ~ aus Versehen.
méga|thérium [megaterjɔm] *m (fossiles)* Riesenfaultier *n;* **~tonne** *f* Megatonne *f;* **~watt** *m* Megawatt *n.*
mégère [meʒɛr] *f fig* Megäre, Furie *f.*
még|i(sse)r [meʒir, -ise] weiß⸗gerben; **~isserie** *f* Weißgerberei *f;* **~issier** *m* Weißgerber *m.*
mégohm [megom] *m el* Meg(a)ohm *n.*
mégot [mego] *m pop* Zigarren- *od* Zigarettenstummel *m,* Kippe *f.*

meilleur, e [mɛjœr] *a (Komparativ von bon)* besser; *le ~, la ~e* der, die, das beste; *s m* das Beste; *de ~e heure* früher, eher; *devenir* ~ sich bessern, besser werden; *prendre le* ~ übertreffen (*sur qn* jdn); *rendre* ~ besser machen, bessern; *il fait* ~ es ist besser; es ist besseres Wetter; *le plus tôt sera le* ~ je eher, je besser; *mes* od *nos ~s remerciements!* besten Dank! *la ~e part* der Hauptteil.
Mein, le [mɛ̃] *m* der Main.
mélanco|lie [-lɑ̃kɔ-] *f* Schwermut *f,* Trüb-, Tiefsinn *m,* Melancholie; Wehmut *f;* **~lique** *a* melancholisch, schwermütig, trüb-, tiefsinnig; wehmütig; *s m* Melancholiker *m;* Melancholische(s) *n.*
Mélanésie, la [melanezi] Melanesien *n.*
mélan|ge [melɑ̃ʒ] *m* Mischung *f,* Gemisch; Mischen, Mengen *n,* Vermengung *f;* Durcheinander *n;* (Rassen-) Kreuzung *f;* Mischgewebe *n; fig* Beimischung *f,* Einschlag *m; chem* Mischung *f,* Gemenge *n; (Katalog)* Verschiedene(s), Diverse(s); *(Karten)* Mischen; Mischgetränk *n; (Erz)* Gattierung; *tele* Leitungsberührung *f; pl* Vermischte(s) *n,* Miszellen; vermischte Schriften *f pl; sans* ~ unge-, unvermischt; rein *a. fig; fig (Freude)* ungemischt; *(Glück)* ungetrübt; *faire un ~ de qc* etw (ver)mischen; *bac, récipient m de* ~ (offenes, geschlossenes) Mischgefäß *n; proportions f du* ~ Mischungsverhältnis *n;* ~ *d'acide* Säuregemisch *n;* ~ *d'air et de gaz* Gas-Luft-Gemisch *n;* ~ *de conversation (tele)* Übersprechen *n;* ~ *explosif* Explosionsgemisch *n;* ~ *frigorifique, réfrigérant* Kältemischung *f;* ~ *de grains* Mischfutter *n;* ~ *d'huile et d'essence* Benzin-Öl-Gemisch *n;* ~ *sec* Trockengemisch *n;* ~ *tonnant* Knallgas *n;* **~gé, e** gemischt; Misch-; *café, thé m* ~ Kaffee-, Teemischung *f; race f ~e* Mischrasse *f;* **~ger** (ver)mischen, (ver)mengen; versetzen (*de qc* mit etw); durchea.⸗bringen, -würfeln; *(Teig)* durch⸗rühren; *fig* durchsetzen (*de* mit); *(Erz)* gattieren; *machine f à* ~ Mischmaschine *f;* **~geur, se** *m f* Mischmaschine *f,* -apparat, Mischer *m,* Rührwerk *n;* Mischbecher *m;* ~ *à béton* Betonmischmaschine *f.*
mélasse [melas] *f* Melasse *f; pop* Pech *n fig; tomber dans la* ~ Pech haben, sich in die Tinte setzen, in die Patsche geraten.
mêl|é, e [me(ɛ)le] gemischt; *monde m, société f ~(e)* gemischte Gesellschaft *f;* **~ée** *f* Handgemenge; Getümmel *n;* Schlägerei; *fig* Ausea.setzung *f,* Konflikt, (Wider-)Streit *m; agr* Gemisch *n* von Heu u. Stroh; **~er** (ver)mischen, (ver)mengen (*avec* mit); durchea.⸗bringen, in Unordnung bringen; *(Wein)* verschneiden; *fig* verbinden (*à* mit); vereinigen; hinein⸗ziehen, -bringen, verwickeln (*dans qc* in e-e

S); *se* ~ sich (ver) mischen, sich verwirren, durchea.≈geraten; sich vereinigen; *(Rassen)* sich kreuzen; sich mischen (*à, dans* unter *acc*); teil≈nehmen, sich beteiligen (*à* an *dat*); sich kümmern (*de qc* um etw), sorgen (*de qc* für etw); *péj* s-e Nase stecken (*de qc* in e-e S); sich beschäftigen, sich befassen, sich ab≈geben (*de qc* mit etw); ~ *les cartes* die Karten mischen; *fig* Verwirrung stiften; *se* ~ *à la danse* mit≈tanzen; *s'en* ~ dabei im Spiel sein; *se* ~ *à la foule* in der Menge, Masse unter≈tauchen; *ne pas se* ~ *de qc* die Hände von etw lassen, sich von etw fern≈halten, e-r S fern≈bleiben; *je ne m'en* ~*e pas* darum kümmere ich mich nicht, da lasse ich die Hände davon; *de quoi vous* ~*ez-vous?* was geht Sie (denn) das an? ~*ez-vous de vos affaires!* kümmern Sie sich (doch) um Ihre Angelegenheiten, *pop* um Ihren Dreck! *il se* ~*e de tout* er steckt s-e Nase in alles, er kümmert sich um jeden Dreck; *le diable s'en* ~*e* das geht nicht mit rechten Dingen zu.

mélèze [melɛz] *m bot* Lärche *f.*

méli-mélo [melimelo] *m fam* Tohuwabohu, Durcheinander *n,* Wirrwarr *m.*

mélique [melik] *f bot* Perlgras *n.*

mél|isse [melis] *f bot* Melisse *f; eau f de* ~ *(pharm)* Melissengeist *m;* ~**itte** *f bot* wilde Melisse *f.*

melli|fère [mɛlifɛr] honigtragend; ~**fication** *f* Honigbereitung *f;* ~**fique** honigbereitend; ~**te** *m pharm* Honigsirup *m.*

mélo [melo] *m s. mélodrame.*

mélo|die [melɔdi] *f* Melodie, Weise *f;* Wohlklang *m;* ~ *en vogue* Schlagermelodie *f;* ~**dieux, se** melodienreich; melodisch, klangvoll; wohllautend; ~**dique** *a* Melodien-.

mélo|dramatique [melɔdramatik] volksstückhaft; rührselig; ~**dramatiser** rührselig machen; ~**drame** *m theat* Volks-, Rührstück *n; héros m de* ~ *(fam)* Poseur, Schauspieler *m fig.*

méloé [melɔe] *m zoo* Maiwurm, Ölkäfer *m.*

mélomane [melɔman] *s m f* Musikliebhaber(in *f*), Musiknarr *m,* -närrin *f; a* in die Musik vernarrt.

mélopée [melɔpe] *f Art* Rezitativ *n; péj* Singsang *m.*

melon [məlɔ̃] *m bot* Melone *f (a. Hut); chapeau m* ~ Melone *f (Hut);* ~ *brodé, d'eau* Netz-, Wassermelone *f;* ~ *de mer (zoo)* Seeigel *m;* ~**né, e** [-lɔne] *a* melonenartig; *s f* Melonenkürbis *m;* ~**nière** *f* Melonenbeet *n.*

membr|ane [mɑ̃bran] *f anat* Häutchen *n,* Membran(e) *f a. tele;* ~ *cellulaire* Zellwand *f;* ~ *amniotique, celluleuse, fibreuse, hyaloïde* od *vitrée, muqueuse, musculaire, nictitante, ovulaire, vitelline* Embryonal-, Bindegewebs-, Faser-, Glas-, Schleim-, Muskel-, Nick-, Ei-, Dotterhaut *f;* ~ *nucléaire* Zellkernhülle *f;* ~**aneux, se** häutig.

membr|e [mɑ̃br] *m* (Mit-)Glied; *anat* Glied *n; math* Seite *(e-r Gleichung);* (Schiffs-)Rippe *f; pl* Gliedmaßen *pl; carte f de* ~ Mitgliedskarte *f; qualité f de* ~ Mitgliedschaft *f;* ~*s antérieurs, postérieurs (zoo)* Vorder-, hintere Gliedmaßen *pl;* ~ *artificiel* künstliche(s) Glied *n,* Prothese *f;* ~ *d'une association, d'une fédération* od *d'un groupement, d'un parti, d'un syndicat* Vereins-, Verbands-, Partei-, Gewerkschaftsmitglied *n;* ~ *bienfaiteur* fördernde(s) Mitglied *n;* ~ *du comité central (pol)* Mitglied *n* des Zentralkomitees; *(de direction)* Ausschuß-(Vorstands-)Mitglied *n;* ~ *du conseil d'administration, de surveillance* Verwaltungs-, Aufsichtsratsmitglied *n;* ~ *creux (arch)* Hohlkehle *f;* ~ *honoraire* Ehrenmitglied *n;* ~ *(de phrase)* Satzglied *n,* -teil *m;* ~ *sortant* ausscheidende(s) Mitglied *n;* ~**é, e:** *bien, mal* ~ mit gut, schlecht proportionierten Gliedmaßen; ~**ure** *f* Gliederbau *m;* Gliederung *f; (Fahrzeug, Schiff)* Gerippe *n; arch* Gurt(ung *f*) *m.*

même [mɛm] *a* selbst; *le, la* ~ der-, die-, dasselbe; der, die das gleiche; *adv* selbst, sogar; *moi-*~ ich selbst; *à* ~ *de* imstande zu; *à* ~ *qc* direkt, gleich in, aus, dicht an etw; *à* ~ *la peau* auf der nackten Haut; *aujourd'hui* ~ heute noch; schon heute; *avant* ~ *que* noch bevor, ehe; *la bonté* ~ die Güte selbst; *la* ~ *chose* dasselbe, das gleiche; *de* ~ *(que)* ebenso (wie); *du* ~ *âge, de la* ~ *couleur, du* ~ *nom* gleichaltrig, -farbig, -namig; *par cela* ~ gerade dadurch; *pas* ~ nicht einmal; *quand* ~ selbst wenn, sogar wenn; trotzdem; *pour la* ~ *raison* aus dem gleichen Grunde; *une seule et* ~ *chose, personne* ein u. das-, der-, dieselbe; *en* ~ *temps* zu gleicher Zeit, gleichzeitig, zugleich; *au* ~ *titre* mit gleichem Recht; *tout de* ~ trotzdem; *boire à* ~ *la bouteille* (gleich) aus der Flasche trinken; *être, rester soi-*~ sich gleich, sich (selbst) treu bleiben; *faire de* ~ es ebenso machen; *jeter dans le ~ moule (fig)* in einen Topf werfen; *mettre qn à ~ de* jdn in den Stand setzen zu; *payer de ~ monnaie* mit gleicher Münze bezahlen, Gleiches mit Gleichem vergelten; *revenir au ~* aufs gleiche, auf eins hinaus=laufen; *c'est cela ~* das ist es (ja) gerade; *c'est la ~ chose* das ist gleich, dasselbe, einerlei, *fam* egal; *je me trouve dans le ~ cas* es geht mir ebenso; *ne t'attends qu'à toi-~ (prov)* selbst ist der Mann; *les ~s choses produisent toujours les ~s effets* gleiche Ursachen, gleiche Wirkungen; *~ droit pour tous!* gleiches Recht für alle!

mémé [meme] *f (Kindersprache)* Oma, Omi *f.*

mémento [memɛ̃to] *m* Merkzeichen; Notizbuch; Repetitorium *n,* Abriß, Auszug *m (Buch); rel* Fürbitte *f.*

mémère [memɛr] *f fam* Oma *f;* Muttchen *n.*

mém|oire [memwar] **1.** *f* Gedächtnis *n;* Erinnerung *f,* An-, Gedenken *n* (*de qc* an e-e S); *inform* Speicher *m; à la ~ de qn* zur Erinnerung an jdn; *de ~* aus dem Gedächtnis, aus d. Kopf; *de ~ d'homme* seit Menschengedenken; *en ~ de qc* in Erinnerung an e-e S; *pour ~ (com)* zum Vermerk; *avoir qc en ~* etw präsent haben; *avoir la ~ toute fraîche, récente de qc* etw (noch) in frischer, guter Erinnerung haben; *conserver la ~ de qn, qc* jdn, etw in Erinnerung behalten; *dire de ~ (Gedicht)* auf=sagen; *garder qc en ~* etw in Erinnerung, im Gedächtnis behalten; *rafraîchir la ~ de qc, remettre qc en ~ à qn* jdm etw ins Gedächtnis zurück=rufen; *si j'ai bonne ~* wenn ich mich recht erinnere, wenn ich mich nicht irre; *cela m'est sorti de la ~* das ist mir entfallen; *empreint dans la ~* im Gedächtnis haftend; *~ artificielle* Gedächtnisstütze, *fam* Eselsbrücke *f; ~ centrale tech* Hauptspeicher *m; ~ des dates* Zahlengedächtnis *n; ~ image* Bildspeicher *m; ~ des lieux* Ortsgedächtnis *n; une ~ de lièvre* ein Gedächtnis wie ein Sieb; **2.** *m* Denkschrift *f,* Memorandum *n,* Bericht *m; jur* Gutachten *n;* Abhandlung *f,* Aufsatz *m;* Eingabe *f,* Gesuch; Verzeichnis *n,* Aufstellung, (Be-)Rechnung *f; m~s pl* Denkwürdigkeiten *f pl,* Memoiren *pl; arrêter, régler un ~* e-e Rechnung auf=stellen, begleichen; *~ de frais* Kostenrechnung *f;* **~orable** denkwürdig; **~orandum** [-ɔm] *m pol* Note, Denkschrift *f,* Memorandum *n;* Notiz(buch *n*) *f;* **~orial** *m pol* Denkschrift, Instruktion *f;* Erinnerungsbuch; *com* Tage-, Vormerkbuch *n,* Kladde *f; ~ administratif* Aktensammlung *f;* **~orialiste** *m* Memoirenschreiber *m;* **~orisation** *f inform* (Ein-)Speicherung *f;* **~oriser** *inform* (ein=)speichern.

mena|çant, e [mənasɑ̃, -ɑ̃t] drohend *(a. Wetter);* bedrohlich; unheilverkündend; *propos m ~* Drohrede *f;* **~ce** [-nas] *f* (Be-, An-)Drohung *f;* drohende(s) Anzeichen *n; sous la ~ de* in Gefahr zu; *proférer des ~s* Drohungen aus=stoßen; *lettre f de ~s* Drohbrief *m; ~ aérienne, de guerre* Luft-, Kriegsgefahr *f; ~ en l'air* leere Drohung *f; ~ de subversion (pol)* Umsturzgefahr *f;* **~cer 1.** *itr (absolument)* drohen; *la pluie ~ce* es droht zu regnen; *tel ~ce qui tremble (prov)* der Schwache greift zu Drohungen. **2.** *tr* (be)drohen, an=drohen; *~ qn d'une correction* jdm Prügel *(acc)* an=drohen; *~ qn de mort* jdm mit dem Tode drohen; *~ qn avec une arme* jdm mit e-r Waffe drohen, *(im Nahkampf)* jdn mit e-r Waffe bedrohen; *il ~ce de sauter par la fenêtre* er droht (damit), aus dem Fenster zu springen; *(faillir) il ~ce d'étouffer* er droht zu ersticken; *~ ruine (Haus)* baufällig sein, einzustürzen drohen, zusammenzubrechen drohen; *être ~cé* bedroht, gefährdet sein, in Gefahr schweben; *ses jours sont ~cés* sein Leben ist bedroht; *il est ~cé de faillite* er steht kurz vor dem Konkurs.

ménade [menad] *f* Mänade, Bacchantin; *fig* Furie, Rasende *f.*

ména|ge [menaʒ] *m* Haushalt(ung *f*) *m;* Hausarbeit *f,* -wesen *n,* -stand *m,* -wirtschaft; eheliche Gemeinschaft, Ehe(paar *n*) *f;* (zu einem) Haushalt *m* (gehörige Personen *f pl*), Wohngemeinschaft, -partei; Wohnungseinrichtung *f,* Hausrat *m; de ~* selbstgemacht, selbst gebacken; *faire le ~ de qn* bei jdm sauber=machen; *faire bon, mauvais ~* sich gut, schlecht vertragen; *se mettre en ~* (sich ver)heiraten, sich häuslich ein=richten; mit jdm zs.ziehen, e-n gemeinsamen Haushalt gründen; *monter son ~* sich ein=richten; *argent m de ~* Wirtschaftsgeld *n; articles m pl de ~ (com)* Haushaltwaren *f pl; chef m de ~* Haushaltungsvorstand *m; femme f de ~* Stunden-, Aufwartefrau, Aufwartung *f; jeune ~* junge(s) Ehe(paar *n*) *f; travaux m pl du ~* Hausarbeit *f; ~ commun* gemeinsame(r) Haushalt *m; ~ désagrégé* zerrüttete Ehe *f; ~ de garçon* Junggesellenwirtschaft *f.*

ména|gement [menaʒmɑ̃] *m* Schonung, Rücksicht *f; pl* schonende Behandlung, Behutsamkeit *f; avec ~* schonend, rücksichtsvoll *adv; sans ~* schonungs-, rücksichtslos *adv; absence f de ~* Rücksichtslosigkeit *f; plein de ~s* rücksichtsvoll, behutsam *a;* **~ger** schonen *(a. Person);* schonend, vorsichtig behandeln; haushälterisch, sparsam *od* sorgfältig, behutsam umgehen (*qc* mit etw); *(Person)* rücksichtsvoll behandeln, Rücksicht nehmen (*qn* auf jdn), *fam* mit seidenen Handschuhen an=fassen, wie ein rohes Ei behandeln; mit Nachsicht, Güte behandeln; bewerkstelligen, zustande bringen; *(Gelegenheit, Zs.treffen)* herbei=führen; *(Überraschung)* bereiten; *(Interesse)* wahr=nehmen; zuteil werden lassen, zu=kommen lassen, zu=spielen; Vorteil(e) ziehen (*qc* aus etw), Gebrauch machen (*qc* von etw); *(gut, geschickt)* verwenden, ein=, verteilen, an=ordnen; *(Gegenstand)* an=bringen, -legen; *tech* aus=sparen; *se ~* sich schonen; sich in acht, auf sich (selbst) Rücksicht nehmen; *(Rivalen)* sich schonend, rücksichtsvoll behandeln; sich respektieren, sich achten; *se ~ qc* sich etw auf=sparen, sichern, vor=behalten, verschaffen; *~ la chèvre et le chou* es mit niemandem verderben wollen; *ne ~ aucun effort pour* keine Mühe scheuen, um zu; *ne pas ~ ses éloges* mit dem Lob nicht zurück=halten; *~ ses expressions* sich im Ausdruck mäßigen; *~ ses paroles* wenig sprechen; *ne pas ~ ses paroles* nicht mit Worten sparen; *ne pas ~ sa peine, la fatigue* keine Mühe scheuen, es sich sauer werden lassen; *se ~ une porte de sortie (fig)* sich e-e Hintertür offen=lassen.

ménager, ère [menaʒe, -ɛr] *a* Haushalts-; *s f* Hausfrau, -hälterin, *hum* bessere Hälfte; Menage *f;* Besteckkasten *m; art m ~* Hauswirtschaft u. Heimgestaltung *f; école f ~ère, centre m d'enseignement ~* Haushaltungsschule *f.*

ménagerie [menaʒri] *f* Menagerie *f;* Tierpark *m,* -schau *f; gardien m de ~* Tier(park)wärter *m.*

mend|iant, e [mɑ̃djɑ̃, -ɑ̃t] *a* bettelnd, Bettel-; *s m f* Bettler(in *f*) *m; moine, ordre m ~* Bettelmönch, -orden *m;* **~icité** *f* Betteln *n,* Bettelei *f;* Bettlertum, -(un)wesen *n; réduire à la ~* an den Bettelstab bringen; **~ier** [-dje] betteln *a. allg* (*qc* um etw); *~ auprès de qn* jdn an=betteln; **~igot, e** [-go, -gɔt] *m f fam* Schnorrer *m,* Bettelweib *n;* **~igoter** *fam* schnorren.

meneau [məno] *m* Fensterpfosten *m; pl* Fensterkreuz *n.*

men|ée [məne] *f (Jagd)* Fluchtweg *m* des Hirsches; *fig meist pl* Intrigen *f pl,* Schliche *pl; pol* Umtriebe *m pl,* Wühlarbeit *f; découvrir les ~s de qn* hinter jds Schliche kommen; *mettre fin aux ~s de qn* jdm das Handwerk legen; **~er** *tr (Menschen)* führen, (ge)leiten, begleiten, bringen; ein=führen (*dans qc* in etw, *chez qn* bei jdm); *(Truppe)* an=führen; *(Häftling)* ab=führen; behandeln; *(Vieh)* treiben; *(Wagen)* fahren, lenken, steuern; *(Sachen)* bringen, schaffen, fahren, transportieren; *(Linie)* ziehen, legen; *fig* her=führen, kommen lassen; leiten, lenken; führen *(a. Leben, Ehe, Haushalt); (Geschäft)* (be)treiben; *(Sache)* regeln; *itr (Weg, Strecke, Verkehrsmittel)* führen (*à* nach); *fig* führen (*à* zu), hinaus=laufen (*à* auf *acc*); *sport* führen, die Führung haben, an der Spitze liegen; *~ qn à la baguette* jdn herum=kommandieren; *~ la barque (fig)* das Heft in der Hand haben; *~ en barque* hinters Licht führen, herein=legen; *~ jusqu'au bout* zum Ziel führen; *~ le branle, la danse (fig)* den Reigen eröffnen, der Leithammel sein; *~ beau* od *grand bruit* e-n Heiden- *od* Höllenlärm machen; *~ à bonne fin, à bien* zum guten Ende, durch=führen; *~ de front* gleichzeitig, zugleich führen *od* betreiben; *~ en laisse, à la lisière (fig)* am Gängelband führen; *n'en pas ~ large (fam)* klein bei=geben; *~ loin (Vorrat)* lange reichen; *fig* (weitreichende) Folgen, Konsequenzen haben; *~ par la main* an der Hand führen; *~ à mal* zu e-m bösen Ende führen; *~ par le (bout du) nez* an der Nase herum=führen; *ne ~ à rien* zu nichts führen, keinen Zweck haben, sinnlos sein; *~ un train d'enfer (sport)* ein tolles Tempo, e-n Zahn drauf=haben; *~ grand train* auf großem Fuß leben; *l'argent mène le monde (prov)* Geld regiert die Welt; *tous les chemins mènent à Rome* alle Wege führen nach Rom; **~eur, se** *m f* Führer(in *f*); *m pol* An-, Rädelsführer, Drahtzieher, (Haupt-)Macher, Aufwiegler, Wühler *m; ~ de bande, de grève, d'hommes* Banden-, Streik-, Volksführer *m; ~ d'ours* Bärenführer; *fig* Rauhbein *n;* Klotz *m.*

mén|estrel [menɛstrɛl] *m hist* fahrende(r) Sänger, Spielmann *m;* **~étrier**

m (herumziehender) Geiger, Dorfmusikant *m.*
menhir [mɛnir] *m (Archäologie)* Menhir, aufgerichtete(r) Stein *m.*
mén|inge [menɛ̃ʒ] *f* Hirnhaut *f; se fatiguer les ~s (fam)* s-n Grips an=strengen; **~ingite** *f* Hirnhautentzündung *f; ~ cérébro-spinale* Genickstarre *f.*
ménisque [menisk] *m phys anat* Meniskus *m; opt* Punktalglas *n.*
ménopause [menɔpoz] *f biol* Klimakterium *n,* Wechseljahre *n pl.*
menotte [mənɔt] *f (Kindersprache)* (Patsch-)Händchen *n; tech (Kurbel)* Griff *m; (Feder)* Lasche *f; pl* Handschellen *f pl; mettre les ~s à qn (fig)* jdm die Hände binden; **~r** Handschellen an=legen (*qn* jdm).
mense [mɑ̃s] *f vx rel* Pfründe *f.*
mensonge [mɑ̃sɔ̃ʒ] *m* Lüge, Unwahrheit; Illusion, Einbildung, Täuschung *f,* Wahn; Lug u. Trug, Schwindel *m; convaincre qn de ~* jdn Lügen strafen; *dire un ~ à qn* jdn an=, belügen; jdm etw vor=lügen; *tout songe est ~* Träume sind Schäume; *goût du* od *penchant m au ~* Lügenhaftigkeit, Verlogenheit *f (e-r Person); pieux ~, ~ officieux* Notlüge *od* fromme Lüge *f; tissu m de ~s* Lügennetz, -gewebe *n;* **~r, ère** *(Reden)* lügnerisch, lügenhaft, verlogen; *(Behauptung)* unwahr, falsch; *allg* trügerisch, enttäuschend; *caractère m ~* Lügenhaftigkeit, Verlogenheit *f (e-r Äußerung).*
mens|truation [mɑ̃stryasjɔ̃] *f,* **~trues** [-try] *f pl* Menstruation, Regel *f.*
mens|ualité [mɑ̃sɥalite] *f* monatliche Zahlung, Monatsrate *f,* -geld *n,* -betrag *m; par ~s* in Monatsraten; **~uel, le** [-sɥɛl] *a* monatlich; Monats-; *s m* Monatslohnempfänger *m; s m* u. *revue f ~le* Monatsschrift *f; appointements m pl ~s* Monatsgehalt *n; rapport, relevé m ~* Monatsbericht *m.*
mensura|ble [mɑ̃syrabl] meßbar; **~tion** *f* (Körper-)Messung *f.*
mental, e [mɑ̃tal] *a* geistig; Geistes-; gedanklich, innerlich; *(Gebet)* still; *soumettre qn à un examen ~* jdn auf s-n Geisteszustand untersuchen; *calcul m ~* Kopfrechnen *n; engourdissement m ~* Dämmerzustand *m,* Bewußtseinstrübung *f; état m ~* Geisteszustand *m; maladie f ~e* Geisteskrankheit *f,* Gemütsleiden *n; restriction f ~e* geheime(r) Vorbehalt *m; trouble m ~* Geistesgestörtheit *f;* **~ement** *adv* in Gedanken; **~ité** *f* (Geistes-, Denk-)Art *f,* geistige(s) Wesen *n,* Geistes-, innere Haltung, Mentalität *f.*
ment|erie [mɑ̃tri] *f fam vx* Schwindel *m,* Lüge *f;* **~eur, se** *a (Mensch)* lügenhaft, verlogen; trügerisch, Schein-; unwahr, falsch; *s m f* Lügner(in *f*), Schwindler(in *f*) *m; f arg* Zunge *f.*
menthe [mɑ̃t] *f bot* Minze *f; (~ poivrée)* Pfefferminz(likör) *m; (pastille, tablette f de ~)* Pfefferminz(-plätzchen) *n; feuilles f pl de ~ (pharm)* Pfefferminztee *m; infusion, tisane f de ~ (aufgebrühter)* Pfefferminztee *m; ~ poivrée, anglaise* Pfefferminze *f.*
mention [mɑ̃sjɔ̃] *f* Erwähnung; Angabe *f;* Vermerk *m; avec ~ de* unter Hinweis auf *acc; faire ~ (expresse) de* (ausdrücklich) erwähnen; *ne pas faire ~ de* übergehen (*qc* e-e S); *biffer, rayer les ~s inutiles!* Nichtzutreffendes streichen! *~ de blocage, d'enregistrement* Sperr-, Eintragungsvermerk *m; ~ honorable* Auszeichnung, ehrenvolle Erwähnung *f;* **~ner** [-sjɔ-] erwähnen; an=führen; vermerken.
mentir [mɑ̃tir] *irr (Person)* lügen, die Unwahrheit sagen, schwindeln; *à qn* jdn an=, belügen, jdm etw vor=lügen, jdn an=, beschwindeln; *il m'a ~i en me disant que ...* er hat mir vorgelogen, daß; *(Sache)* trügen, täuschen; *sans ~* offen gesagt; *fam* ungelogen; *faire ~ qn* jdn Lügen strafen; *~ comme un arracheur de dents* wie gedruckt lügen; lügen, daß sich die Balken biegen; *~ à sa conscience, à sa conviction* gegen s-e Überzeugung sprechen; *il, elle en a ~i* das ist gelogen.
menton [mɑ̃tɔ̃] *m* Kinn *n; double ~, ~ à double étage* Doppelkinn *n; ~ carré, pointu, saillant, fuyant* breite(s), spitze(s), vorspringende(s), fliehende(s) Kinn *n; ~ en galoche* Nußknackergesicht *n;* **~net** [-ɛ] *m tech* Nocken, Mitnehmer, Daumen; Flansch; Schließhaken *m;* **~nière** *f* Kinnband *n, med* -binde *f; mil* Sturmriemen *m.*
mentor [mɛ̃tɔr] *m* Mentor, (weiser) Ratgeber, Führer *m.*
menu, e [məny] *a* klein, dünn, fein; schmächtig; gering, belanglos, unbedeutend; Klein-; *adv* klein, fein; in kleine Stücke; *s m* Menü *n,* Speisenfolge *f; dru et ~* in dichter Folge, Schlag auf Schlag, sehr heftig; *conter par le ~* haarklein erzählen; *dresser le ~* das Menü zs.=stellen; *tomber dru et ~* (herab=)prasseln; *taille f ~e* zierliche Figur *f; ~ bétail m* Kleinvieh *n; ~ (charbon) m* Kohlengrus *m,* -klein *n; ~s frais m pl* Nebenausgaben *f pl;*

~e monnaie f Kleingeld *n; ~ peuple m* kleine Leute *pl; ~ plomb m (Jagd)* Vogeldunst *m; ~s propos m pl* Gewäsch *n.*

menuet [mənɥɛ] *m* Menuett *n (Tanz).*

menui|ser [mənɥize] *tr (Holz)* behauen, teilen, schneiden; *itr* tischlern, schreinern; **~serie** *f* Schreinerei, Tischlerei, Tischler-, Schreinerarbeit, -werkstatt *f; ~ en bâtiments, en meubles, en modèles* Bau-, Möbel-, Modelltischlerei, -schreinerei *f;* **~sier** *m (en bâtiments, en meubles)* (Bau-, Möbel-)Schreiner, Tischler *m.*

méphistophélique [mefistɔfelik] mephistophelisch, satanisch, teuflisch.

méphitique [mefitik] *(Luft, Gas)* übelriechend, verpestet; ungesund.

méplat, e [mepla, -at] *a (Brett)* von ungleicher Stärke; *(Linie)* vom Vorder- in den Hintergrund verlaufend; abgeflacht; *s m* Abflachung *f;* abgeflachte(r) Teil *m.*

méprendre, se [meprɑ̃dr] *irr* sich irren, sich täuschen (*à* in *dat, sur* hinsichtlich *gen*); mißverstehen, falsch verstehen (*sur qn, qc* jdn, etw); *se ressembler à s'y ~* sich zum Verwechseln ähnlich sehen; *vous vous ~enez sur mes paroles, sur ce que je dis* Sie verstehen mich falsch, Sie mißverstehen mich.

mépris [mepri] *m* Ver-, Mißachtung; Geringschätzung *f; au ~ de* ohne Rücksicht auf *(acc);* entgegen, zum Trotz, zum Hohn *dat;* ungeachtet *gen; au ~ de la vie* mit Todesverachtung; *avec ~* verächtlich, mit Verachtung; *avoir, tenir en ~* verachten; *tomber dans le ~ (général)* der (allgemeinen) Verachtung anheim=fallen; **~able** [-zabl] verächtlich; geringfügig; erbärmlich; **~ant, e** geringschätzig, herablassend; *(Ton, Lächeln)* verächtlich.

méprise [mepriz] *f* Irrtum *m,* Versehen; Mißverständnis *n;* Verwechs(e)lung *f; par ~* aus Versehen, versehentlich, irrtümlich.

mépriser [meprize] ver-, mißachten; gering=schätzen.

mer [mɛr] *f* Meer *n a. fig,* See *f,* Ozean; Seegang *m;* (große) Wasserfläche *f; fam* See *m (große Menge e-r ausgelaufenen Flüssigkeit); en, sur ~* auf See; *en état de prendre la ~* seetüchtig; *par ~* zur See, auf dem Seewege, mit dem, *fam* per Schiff; *par forte, grosse ~* bei hohem Seegang; *sur terre et sur ~* zu Wasser u. zu Lande; *apporter de l'eau à la ~ (fig)* Wasser auf die Mühle gießen, *chercher par terre et ~* wie e-e Stecknadel suchen; *prendre la ~ (Schiff)* aus=laufen; *tenir la ~* die See beherrschen; *la ~ se brise, se lève, moutonne, tombe* die See brandet, wird unruhig, kräuselt sich, beruhigt sich; *c'est une goutte d'eau dans la ~* das ist ein Tropfen auf den, e-n heißen Stein; *c'est la ~ à boire (fam)* das ist e-e langwierige Geschichte *od* Sache; da ist kein Ende abzusehen; *ce n'est pas la ~ à boire* das ist halb so schlimm; *homme à la ~!* Mann über Bord! *(Notschrei); air m de la ~* Seeluft *f; anémone f de ~ (zoo)* Seeanemone, Aktinie *f; bain m de ~* Seebad *n; bras m de ~* Meeresarm *m; coup m de ~* Wellenschlag *m; eau f de (la) ~* Seewasser *n; écume f de ~ (min)* Meerschaum *m; écumeur m de ~* Seeräuber, Pirat *m; empire m, maîtrise f des ~s* Seeherrschaft *f; fond m de la ~* Meeresboden *m; forte, grosse ~* hohe(r) Seegang *m; haute, pleine ~* hohe, offene See *f; jur* offene(s), freie(s) Meer *n; loup m de ~ (fig)* Seebär *m; mal m de ~* Seekrankheit *f; oiseaux m pl de ~* Seevögel *m pl; paquet m de ~* Sturzwelle *f; pleine ~* Flut; hohe See *f; port m de ~* Seehafen *m; surface f de la ~* Meeresspiegel *m; transport m par ~* Seetransport *m; vert de ~* seegrün; *voyage m par, en ~* Seereise, -fahrt *f; ~ agitée* (mäßig) bewegte See *f; la ~ Baltique, du Nord* die Ost-, Nordsee *f; ~ basse* Ebbe; Untiefe *f; ~ belle* schwach bewegte See *f; ~ calme* ruhige, glatte See *f; ~ contraire* Kreuzsee *f; ~ courte, creuse* hohle See *f; ~ de glace* Eismeer *n; ~ très grosse* sehr hohe See *f; ~ houleuse* hohle See *f; ~ d'huile* spiegelglatte See *f; la ~ Noire, Rouge* das Schwarze, Rote Meer *n; ~ orageuse* stürmische See *f; ~ de sable* Sandwüste *f; ~s de sang* Ströme *m pl* von Blut; *~ territoriale, littorale* Hoheits-, Küstengewässer *n pl.*

merc|anti [mɛrkɑ̃ti] *m péj* Schieber; Kriegsgewinnler *m;* **~antile** *a* Krämer-; *esprit m ~* Krämergeist *m,* -seele *f;* **~antilisme** *m* Merkantilsystem *n,* Merkantilismus *m.*

merc|enaire [mɛrsənɛr] *a* gegen Lohn arbeitend; *(Arbeit)* bezahlt; Lohn-; *fig* gewinnsüchtig; käuflich, bestechlich; *s m (ouvrier ~)* Lohnarbeiter; *mil* Söldner *m;* **~erie** [-rsə-] *f* Kurzwaren(handel *m,* -handlung *f*) *f pl;* **~eriser** *(Textil)* merzerisieren; **~eriseuse** *f* Merzerisiermaschine *f.*

merci [mɛrsi] **1.** *m* Danke *n* (*de, pour* für); *interj* danke (schön, sehr)! *a. ironisch; Dieu ~!* Gott sei Dank! *grand*

~! vielen, besten Dank! *mille ~s!* tausend, heißen, vielen herzlichen Dank! ~ *beaucoup, bien!* vielen, besten Dank! **2.** *f* Gnade, Barmherzigkeit *f*, Erbarmen *n; à la ~* preisgegeben, ausgeliefert (*de qn, qc* jdm, e-r S); *sans ~* erbarmungs-, schonungslos *adv; abandonner, laisser, mettre à la ~ de qn* jds Willkür überlassen; *demander, implorer ~* um Gnade bitten *od* flehen; *se livrer à la ~ de qn, se rendre à ~* sich (jdm) auf Gnade u. Ungnade ergeben.

mercier, ère [mɛrsje, -ɛr] *m f* Kurzwarenhändler(in *f*) *m*.

mercredi [mɛrkrədi] *m* Mittwoch *m; ~ des cendres* Aschermittwoch *m*.

mercu|re [mɛrkyr] *m* Quecksilber *n;* **~reux, se** *chem* Merkuro-; *oxyde m ~* Merkurooxyd, Quecksilberoxydul *n;* **~riale** *f* **1.** Verweis, Tadel *m*, Rüge *f;* **2.** Marktbericht *m;* **3.** *bot* Bingelkraut *n;* **~riaux** *m pl pharm* Quecksilberpräparate *n pl;* **~riel, le; ~rifère** quecksilberhaltig; **~rique** *a chem* Merkuri-; *oxyde m ~* Merkuri-, Quecksilberoxyd *n*.

merd|e [mɛrd] *s f vulg* Scheiße *f;* (Scheiß-)Dreck *m; interj (~ alors!)* Scheiße! **~eux, se** *a vulg* beschissen; dreckig, schmutzig; *s m* Scheiß-, Dreckskerl; Dreckspatz; Fatzke, Affe *m;* **~ier** *m: quel ~! (fam)* so ein Durcheinander!

mère [mɛr] *f* Mutter *a. rel fig; jur* Kindesmutter *f;* Muttertier *n; fig* Mutterboden; Ursprung *m*, Ursache, Quelle *f; a* Mutter-, Ur-; Haupt-; *l'oisiveté est la ~ de tous les vices* Müßiggang ist aller Laster Anfang; *belle-~ f* Schwieger- *od* Stiefmutter *f; conte m de ma ~ l'oie* Ammenmärchen; dumme(s) Geschwätz *n; eau f ~ (chem)* Mutterlauge *f; fête f des ~s* Muttertag *m; grand-~ f* Großmutter *f; idée f ~* Leitgedanke *m (e-s Buches); maison f ~* Mutter-, Stammhaus *n; montagne f ~* Gebirgsstock *m; première ~* Stammutter *f; reine f ~* Königinmutter *f; sein m de la ~* Mutterleib *m; ~ (abeille)* (Bienen-)Königin *f; ~ d'accueil* Leih-, Ammenmutter *f; ~ adoptive* Adoptivmutter *f; branche f ~* Hauptast *m; ~ célibataire* ledige Mutter *f; ~ de douleur (rel)* Schmerzensmutter *f; ~ de famille* Hausmutter *f; ~ nourrice* Pflege-, Ziehmutter *f; ~ patrie* Mutterland *n; la ~ X.* Mutter X.

méridi|en, ne [meridjɛ̃, -ɛn] *a astr* Mittags-; Süd-; Meridian-; *s m (cercle m ~)* Meridian(kreis), Längenkreis *m; f (ligne f ~ne)* Mittagslinie *f; fam* Mittagsschlaf *m*, -ruhe *f; hauteur f ~ne (astr)* Mittagshöhe *f; ~ origine* Nullmeridian *m;* **~onal, e** [-djɔ-] *a* südlich; Süd-; *M~, e s m f* Südfranzose *m*, -französin *f*.

mérinos [merinos] *s m* Merino(schaf *n*, -wolle *f*) *m (Stoff)*.

meringue [mərɛ̃g] *f* Meringe *f*, Baiser *n*.

mer|ise [məriz] *f* Süß-, Vogelkirsche *f (Frucht);* **~isier** *m* Süß-, Vogel-, Holz-, Waldkirsche(nbaum *m*) *f*, Zwiesel *m*.

mérit|ant, e [meritɑ̃, -ɑ̃t] *(Person)* verdienstvoll, verdient; **~e** *m* Verdienst *n;* Wert; Vorzug *m a. pl;* Tüchtigkeit *f;* Talent *n;* Fähigkeiten *f pl; de ~ (Person)* verdienstlich, verdient; *(Sache)* verdienstvoll; von Wert, wertvoll; *être traité selon ses ~s* s-n verdienten Lohn erhalten; *(se) faire un ~ de qc* (sich) etw als Verdienst an=rechnen; **~é, e:** *(bien) ~ de* (wohl)verdient um; *non ~* unverdient, unverschuldet; **~er** *tr (Belohnung, Lob; Strafe, Tadel)* verdienen (*de* zu); ein Anrecht haben (*qc* auf e-e S, *de* zu); *(Person)* würdig sein (*qn* jds, *de* zu), *(Sache)* wert sein (*de* zu); bedürfen (*qc* e-r S *gen*); ein=bringen, verschaffen *fig; itr bien ~* sich verdient machen (*de* um); *sans l'avoir ~é* unverdientermaßen; unverschuldeterweise; *~ confirmation* e-r Bestätigung bedürfen; *il a ce qu'il ~e* das geschieht ihm (ganz) recht (so); **~oire** *(Sache)* verdienstlich, schätzenswert, löblich.

merlan [mɛrlɑ̃] *m* Wittling, Merlan *(Fisch); arg* Friseur *m; faire des yeux de ~ frit (fam)* die Augen verdrehen.

merl|e [mɛrl] *m orn* Amsel, Schwarzdrossel *f; jaser comme un ~* dauernd reden; *faute de grives on mange des ~s (prov)* in der Not frißt der Teufel Fliegen; *fin ~* schlaue(r) Fuchs *m; vilain, (ironisch) beau ~* häßliche(r), widerliche(r) Mensch *m*, Scheusal *n; ~ blanc (fig)* weiße(r) Rabe *m;* **~eau** *m* junge Amsel *f*.

merlin [mɛrlɛ̃] *m* **1.** Hammer *m (zum Betäuben der Rinder);* Axt *f;* **2.** *mar* Marleine *f*.

merlon [mɛrlɔ̃] *m arch hist* Zinne *f*.

merluche [mɛrlyʃ] *f* Meer-, Seehecht; *com* (ungesalzener) Stockfisch *m*.

mérovingien, ne [merɔvɛ̃ʒjɛ̃, -ɛn] *a hist* merowingisch; *s m pl* Merowinger *m pl*.

merveill|e [mɛrvɛj] *f* (wahres) Wunder; Wunderwerk; Wunderbare(s); Großartige(s), Gewaltige(s), Herrliche(s) *n; à ~ (oft ironisch)* ausgezeichnet, vortrefflich; großartig, wunderbar, herrlich; *attendre ~ (fam)* wunder was denken; *dire ~(s) de qc* etw in den Himmel heben; *faire ~ (fam)* Wunder wirken; *faire (des) ~(s)* Hervorragendes, Außerordentliches, Gewaltiges leisten; Wunder wirken; *promettre monts et ~s* goldene Berge versprechen; *c'est ~ de vous voir!* es ist ein Vergnügen, Sie (bei der Arbeit) zu sehen; *vous verrez des ~s* Sie werden (noch) Ihr blaues Wunder erleben; *voilà une belle ~!* das ist kein Wunder! *pays m des ~s* Wunderland *n; plein de ~s* voller Wunder; *~ du monde* Weltwunder *n;* **~eux, se** *a* wunderbar, -voll, -schön; erstaunlich, staunenswert; Wunder-; *(ironisch) (Person)* komisch, drollig; *(Sache)* sonderbar, ausgefallen, auffällig; *s m* Wunderbare(s); Erstaunliche(s), Außerordentliche(s) *n.*

mes [mɛ(e)] *pl prn* meine.

més|alliance [mezaljɑ̃s] *f* Mißheirat *f;* **~allier (se)** (sich) unter s-m Stande verheiraten.

mésange [mezɑ̃ʒ] *f orn* Meise *f; ~ bleue, grande charbonnière, petite ch., huppée, à longue queue* Blau-, Kohl-, Tannen-, Hauben-, Schwanzmeise *f.*

mésaventure [mezavɑ̃tyr] *f* Mißgeschick; unangenehme(s) Erlebnis *n.*

mes|dames, ~demoiselles [mɛ(e-)dam, -dmwazɛl] *f pl* meine Damen; *~dames et messieurs* meine Damen u. Herren.

mésentente [mezɑ̃tɑ̃t] *f* Mißhelligkeit, Unstimmigkeit; mangelnde(s) Einsicht *f od* Verständnis *n;* Uneinigkeit *f.*

més|entère [mezɑ̃tɛr] *m anat* Gekröse *n;* **~entérique** *a* Gekröse-.

mésestime [mezɛstim] *m* Miß-, Verachtung, Geringschätzung *f;* **~r** zu niedrig ein=schätzen, unterschätzen; gering=schätzen, mißachten.

mésintelligence [mezɛ̃teliʒɑ̃s] *f* Mißstimmigkeit *f,* mangelnde(s) Einverständnis *n,* Uneinigkeit *f.*

méso|carpe [mezɔkarp] *m bot* mittlere Schicht *f* der Fruchtwand; **~derme** *m anat* mittlere(s) Keimblatt *n;* **~lithique** *m* mittlere Steinzeit *f,* Mesolithikum *n;* **~logie** *f biol* Umweltlehre *f;* **~(tro)n** *m phys* Meso(tro)n *n;* **~phyte** [-fit] *m bot* Stammknospe *f.*

Mésopotamie, la [mezɔpɔtami] *geog* Mesopotamien *n;* **m~n, ne** mesopotamisch.

méso|thorax [mezɔtɔraks] *m zoo* Mittelbrust *f;* **~zoïque** *m* Mesozoikum, Erdmittelalter *n.*

mesquin, e [mɛskɛ̃, -in] arm(selig), dürftig, schäbig, *fam* lumpig, power; knaus(e)rig, knick(e)rig; *fig* kleinlich, eng(herzig, -stirnig); **~erie** *f* Armut, Armselig-, Dürftig-, Schäbigkeit; Knauserei, Knickerei, Knaus(e)rig-, Knick(e)rigkeit; Enge, Engherzig-, -stirnigkeit *f.*

mess [mɛs] *m* Offiziers- *od* Unteroffiziersmesse *f.*

messa|ge [mɛsaʒ] *m* Auftrag *m,* Bestellung; Nachricht, Mitteilung, Meldung, Botschaft; *tele radio* Durchsage *f; recevoir un ~* e-n Funkspruch auf=nehmen; *carnet m de ~s* Meldeblock *m; ~ d'arrivée, de départ* eingehende(r), abgehende(r) Spruch *m; ~ de déplacement, de détresse, d'exploitation, lesté (aero)* Standort-, Not-, Betriebs-, Abwurfmeldung *f; ~ personnel* Reiseruf *m; ~ radio(phonique, -diffusé)* Funkspruch *m; ~ de service* Dienstmeldung *f; ~ télégraphique* Telegramm *n; ~ téléphonique* fernmündliche Nachricht *f; ~ d'urgence* dringende Meldung *f;* **~ger, ère** *m f* Bote *m,* Botenfrau *f;* Kurier *m; fig* Künder(in *f*), Vorbote *m,* Botin *f; par ~* durch Boten; *~ des dieux* Götterbote *m;* **~geries** *f pl* Fuhrunternehmen *n; mar loc* Gütereilverkehr; Eiltransport *m.*

messe [mɛs] *f rel mus* Messe *f; dire, célébrer la ~* die M. lesen; *fonder une ~* e-e M. stiften; *grand-~, ~ solennelle, haute* Hochamt *n; livre m de ~* Meßbuch, Missale *n; première ~* Primiz *f; ~ basse, de minuit* stille Messe, Mitternachtsmesse *f; ~ des morts, des trépassés, de requiem* Seelenmesse *f,* Requiem *n; ~ pontificale* Pontifikalamt *n.*

messianique [mɛsjanik] messianisch.

Messie, le [mɛsi] der Messias.

messieurs [mɛsjø] *m pl* meine Herren.

messin, e [mɛsɛ̃, -in] *a* aus Metz; *M~, e s m f* Metzer(in *f*) *m.*

mesur|able [məzyrabl] meßbar; **~age** *m* (Ab-, Aus-, Be-, Ver-, Feld-, Land-) Messung *f.*

mesure [məzyr] *f* Maß(einheit *f*) *n;* Messung *f; fig* Maß(stab *m*); Maßhalten *n,* Mäßigkeit, Zurückhaltung; Anordnung, Vorkehrung (*de* für), Maßnahme, -regel *f, pl* Anstalten *f pl* (*de* zu); *mus* Takt *m;* Versmaß *n; (Fechten)* Mensur *f; (au fur et) à ~* nach u. nach, gleichmäßig verteilt *adv; au fur et à ~ de* je nach, entsprechend *(dat); au fur et à ~ des livraisons* je nach Eintreffen der Lieferung; *à ~ que* in dem Maße wie; *avec ~* maßvoll, mit Maß u. Ziel; *dans la ~* nach Maßgabe, im Rahmen (*de* gen); *dans la ~ où* in dem Maße wie, insoweit (als); *dans une certaine ~* bis zu e-m gewissen Grade; einigermaßen; *dans une large ~* in hohem Maße, in großem Umfang; *dans la ~ de nos moyens* nach besten Kräften; *au delà de toute ~* maßlos; *poet* über alle Maßen; *par ~ de* aus Gründen *gen; sans, outre ~* maßlos, ohne Maß u. Ziel; *sur ~* nach Maß; *avoir deux poids et deux ~s* mit zweierlei Maß messen, parteiisch sein; *battre la ~ (mus)* den Takt schlagen; *dépasser la ~* über das Maß hinaus=gehen; *donner (toute) sa ~ (fig)* zeigen, was man kann; *être en ~ de faire qc* imstande sein, etw zu tun; *garder la ~* maß(zu)halten (wissen); *mus* den Takt halten, im Takt bleiben; *manquer de ~* kein Maß kennen, maßlos sein; *marquer la ~* den Takt an=geben (*de* mit); *perdre toute ~* jedes Maß verlieren, weit über das Ziel hinaus=schießen; *prendre les ~s (Schneider)* Maß nehmen (*de qc* zu etw, *de qn* an jdm); *(Kunde)* sich an=messen lassen (*de qc* etw); *prendre les ~s de qc* etw aus=messen; *prendre des ~s* Maßnahmen ergreifen; *la ~ est comble (fig)* das Maß ist voll; *appareil m de ~* Meßgerät *n,* -apparat *m; barre f, b âton m de ~ (mus)* Taktstrich *m,* -stock *m; demi-~* halbe Maßnahme *f; travail m sur ~* Maßarbeit *f; ~ d'attente, provisoire* vorläufige Maßnahme *f; ~ d'austérité* Notmaßnahme *f; ~ de capacité* Hohlmaß *n; ~ de coercition, coercitive, de contrainte, oppressive, de rétorsion* Zwangsmaßnahme *f; ~ conservatoire, de sécurité, de sûreté* Sicherheitsmaßnahme, -vorkehrung *f; ~ de contrôle* Kontrollmaßnahme *f; ~ d'économie, de compression budgétaire* Sparmaßnahme *f; ~s d'exécution* Ausführungsbestimmungen *f pl; ~ de grâce* Gnadenbeweis *m; ~ immédiate* Sofortmaßnahme *f; ~ industrielle* Maßkonfektion *f; ~ de longueur* Längenmaß *n; ~ maximale* od *maximum, minimale* od *minimum* Höchst-, Mindestmaß *n; ~ d'ordre* Verhaltungsmaßregel *f; ~ de précaution, préventive* Vorsichts-, Vorbeugungsmaßnahme *f; ~ de protection, de sauvegarde* Schutzmaßnahme *f; ~ punitive* Strafmaßnahme *f; ~ de représailles* Gegen-, Vergeltungsmaßnahme *f; ~s de rigueur* strenge Maßnahmen *f pl; ~ à ruban* Bandmaß *n; ~ de superficie* Flächenmaß *n; ~ à trois, quatre temps* Drei-, Viervierteltakt *m; ~ transitoire* Übergangsmaßnahme *f; ~ de volume* Raummaß *n; ~ à vue d'œil* Augenmaß *n.*

mesu|ré, e [məzyre] *fig* (ab)gemessen; gemäßigt; vorsichtig; **~rer** (ab=, aus=, be-, ver-, zu=)messen (*de* mit); messen, groß sein (*1 m 70* 1,70 m); *fig* ab=schätzen, -wägen, beurteilen (*par* nach); regeln; ein=, zu=teilen; den Maßstab ab=geben (*qc* für etw); an=passen (*à* an *acc*); *se ~* sich messen (*avec qn* mit jdm); *~ ses expressions* sich vorsichtig aus=drücken; sich in s-n Ausdrücken mäßigen; *~ ses forces avec qn* s-e Kräfte mit jdm messen; *~ au pas* ab=schreiten; *~ qn du regard, des yeux* jdn von oben bis unten an=sehen; *se ~ des yeux* sich mit den Blicken messen; **~reur** *s m* (Ab-, Ver-)Messer *(Mensch);* Meßgerät *n,* -apparat; *(in Zssgen)* -messer *m; a* Meß-; *~ de courant, de pression* Zähler, (Gas-)Druckmesser *m.*

méta|bolisme [metabɔlism] *m (Physiologie)* Stoffwechsel *m; ~ basal* Grundumsatz *m;* **~carpe** *m anat* Mittelhand *f;* **~gramme** *m gram* Änderung *f* e-s Buchstabens *(in e-m Wort).*

métairie [mete(ɛ)ri] *f* Halbpacht-, *allg* Bauernhof *m.*

métal [metal] *m* Metall *n; (Glas)* Schmelze *f; fig* Stoff *m,* (Wesens-)Art *f; je sais de quel ~ il est* ich weiß, wes Geistes Kind, aus welchem Holz er geschnitzt ist; *laminoir m à ~* Metallwalzwerk *n; liaison f de métaux* metallische Verbindung *f; non-~* Nichtmetall *n; ramassage m des métaux* Metallsammlung *f; ~ alcalin, anglais, antifriction* Alkali-, Britannia-, Lagermetall *n; ~ blanc, brut* od *cru* Weiß-, Rohmetall *n; ~ à (fondre des) caractères, à lettres (typ)* Schrift-, Letternmetall, (Schrift-)Zeug *n; ~ de cloche* Glockenmetall, -gut *n;* -speise *f; ~ coulé* Metallguß *m; ~ non ferreux* Nichteisenmetall *n; ~ léger* Leichtmetall *n; ~ précieux, de soudure* Edel-, Lötmetall *n;* **~lifère** metall-, erzhaltig; *gîte, gisement m ~ (min)* (Erz-)Lagerstätte *f;* **~lin, e** metallisch glänzend; **~lique** metallisch *a. fig (Klang, Stimme);* Metall-; *com* in Metall auszahlbar; *boîte, caisse f, fût m ~* Blechdose *f;* -kasten *m,* -faß *n; câble, grillage, tissu m* od *toile f ~* Drahtseil, -gitter, -netz *n; carcasse, charpente f ~* Stahlskelett *n,* -konstruktion *f; enseigne f* ~ Metallschild *n; fil m* ~ Draht *m; mobilier m* ~ Stahlmöbel *n pl; réserve f* ~ *(com)* Metallreserve *f;* ~**liser** mit Metall überziehen, metallisieren; Metallglanz geben (*qc* e-r S).

métallo [metalo] *m fam* Metallarbeiter *m.*

métalo|chromie [metalɔkrɔmi] *f (galvanische)* Metallfärbung *f;* **-graphie** *f* Metallkunde *f; typ* Metalldruck *m.*

métal|loïde [metalɔid] *m* Metalloid, Nichtmetall *n;* ~**lurgie** *f* Metallurgie, Hüttenkunde; Metallgewinnung, Verhüttung; Schwerindustrie *f;* ~ *du fer* Eisenindustrie *f;* ~**lurgique** metallurgisch, hüttenkundlich; metallverarbeitend; Hütten-; Metall-; *industrie f* ~ Schwerindustrie *f; usine f* ~ Hütte(nwerk *n*) *f;* ~**lurgiste** *a* Hütten-; *s m* Metallurg; Hütteningenieur; *(industriel m* ~*)* Hüttenbesitzer, Schwerindustrielle(r); *(ouvrier m* ~*)* Metallarbeiter *m.*

méta|mérie [metameri] *f chem* Metamerie *f;* ~**morphose** *f* Verwandlung, Umgestaltung *f;* ~**morphoser** ver-, um=wandeln, um=gestalten, (völlig) verändern; machen (*en* zu); *la sorcière* ~*e le lion en souris* die Hexe verwandelt den Löwen in e-e Maus; ~**phore** *f* Metapher *f,* Bild *n,* bildliche(r) Ausdruck *m; ce n'est pas une* ~ das ist die nackte Wahrheit; ~**phorique** bildlich; *(Stil)* bilderreich; ~**physicien** *m* Metaphysiker *m;* ~**physique** *s f* Metaphysik *f; a* metaphysisch.

métastase [metastaz] *f med* Metastase, Tochtergeschwulst *f.*

méta|tarse [metatars] *m anat* Mittelfuß *m;* ~**thèse** *f gram* Umstellung *f* von Buchstaben; ~**zoaire** [-zɔɛr] *a biol* vielzellig; *s m pl* Vielzeller *m pl.*

mét|ayage [metɛjaʒ] *m agr* (Halb-) Pacht *f;* ~**ayer, ère** *m f* Pächter(in *f*) *m.*

méteil [metej] *m* Mengkorn *n (Weizen u. Roggen).*

métempsychose [metɑ̃psikoz] *f rel* Seelenwanderung *f.*

météo [meteo] *f fam* Wettervorhersage *f;* ~**re** [-ɔr] *m* Himmels-, Lufterscheinung *f; astr* Meteor *m* od *n a. fig; fig* Tagesgröße *f;* ~**rique** meteorisch; Meteor-; *pierre f, fer m* ~ Meteorstein *m,* -eisen *n;* ~**risé, e** *med* aufgebläht, aufgetrieben; ~**rite** *f* Meteor(stein) *m;* ~**rologie** *f* Meteorologie, Wetterkunde *f; service m de* ~ *aéronautique* Flugwetterdienst *m;* ~**rologique** meteorologisch; Wetter-; *bulletin m, information f, service m, station f* ~ Wetterbericht *m,* -meldung *f,* -dienst *m,* -warte *f; conditions, observations, prévisions f pl* ~*s* Wetterlage *f,* -beobachtungen *f pl,* -vorhersage *f;* ~**rologiste,** ~**rologue** *m* Meteorologe; *fam* Wetterfrosch *m.*

métèque [metɛk] *m* **1.** Metöke *m;* **2.** *fig péj* mißliebige(r) Ausländer *m (in Frankreich).*

méthane [metan] *m chem* Methan, Gruben-, Sumpfgas *n.*

méthod|e [metɔd] *f* Methode *f,* Verfahren(sweise *f*) *n,* Weg, Plan *m; (Buch)* Anlage *f; bes. bot* System, Einteilungsprinzip *n;* Unterrichtsmethode; Anleitung, -weisung *f* (*de* zu); Lehrgang, Leitfaden *m (Buch); avec* ~ methodisch, planmäßig, systematisch; kunstgerecht *adv; sans* ~ planlos, unsystematisch *adv;* ~ *d'analyse* Untersuchungsmethode *f;* ~ *d'approximation* Annäherungsverfahren *n;* ~ *de comparaison* Vergleichsmethode *f;* ~ *de comptabilité* Buch(führ)ungssystem *n;* ~ *de construction, d'exploitation, de production, de travail* Bau-, Betriebs-, Produktions-, Arbeitsweise *f;* ~ *différentielle (el)* Differentialschaltung *f;* ~ *de financement autonome* freie Finanzierungsmethode *f;* ~ *de fabrication* Fabrikationsmethode *f;* ~ *globale* Ganzheitsmethode *f;* ~ *d'imposition* Steuersystem *n;* ~ *de piano* Klavierschule *f (Buch);* ~ *de préparation (tech)* Darstellungsverfahren *n;* ~ *rapide* Schnellverfahren *n;* ~ *de vente* Verkaufs-, Absatzmethode *f;* ~**ique** methodisch, planmäßig; ~**isme** *m rel* Methodismus *m;* ~**iste** *m f* Methodist(in *f*) *m;* ~**ologie** *f* Methodologie; Methodik *f.*

méthyl|e [metil] *m chem* Methyl *n; chlorure m de* ~ Methylchlorid *n;* ~**ène** *m com* (unreiner) Methylalkohol, Holzgeist *m.*

méticul|eux, se [metikylø, -øz] übertrieben furchtsam, ängstlich; gewissenhaft; peinlich genau; kleinlich, pedantisch; *exactitude f* ~*euse* peinliche Genauigkeit *f;* ~**osité** *f* übertriebene Furchtsamkeit, Ängstlichkeit; Gewissenhaftigkeit, peinliche Sorgfalt; Kleinlichkeit, Pedanterie *f.*

métier [metje] *m* Handwerk, Gewerbe; Fach *n,* Beruf *m;* Tätigkeit, Beschäftigung *f;* Geschäft *n;* Funktion *f; (Kunst)* (das) Handwerkliche, Handwerksmäßige; Wirkmaschine *f; (~ à tisser)* Webstuhl; *(~ à broder)* (Stick-)Rahmen *m; de* ~ gewerbsmäßig, von Beruf; Berufs-; *de son ~* von Beruf, s-s Zeichens; *avoir sur le ~* (gerade) in Arbeit haben; *être du ~* vom Fach sein; etw von der Sache verstehen; *être rompu au ~* in s-m Fach, auf s-m Gebiet (sehr) beschlagen sein; *exercer un ~* ein Handwerk, Gewerbe betreiben, e-n Beruf aus≈üben; *faire ~ de qc* sich etw zur Gewohnheit machen; *gâter le ~* das Geschäft verderben, die Preise drücken; *parler ~* fachsimpeln; *savoir son ~* s-e Sache verstehen; *chacun son ~!* Schuster, bleib bei deinem Leisten! *armée f, soldat m de ~* Berufsheer *n*, -soldat *m; arts et ~s m pl* Gewerbe *n; chambre f des ~s* Handwerkskammer *f; homme m de ~* Handwerker *m; homme m du ~* Fachmann, Sachverständige(r) *m; jalousie f de ~* Konkurrenz-, Brotneid *m; manie f de parler ~* Fachsimpelei *f; terme m de ~* Fachausdruck *m; ~ de banque* Bankgewerbe *n; ~ à bas* Strumpfwirkmaschine *f; ~ de boulanger, de forgeron, de tailleur* Bäcker-, Schmiede-, Schneiderhandwerk *n; ~ à bras* Handwebstuhl *m; ~ à filer* Spinnstuhl *m*, Spinnereimaschine *f*, *~ manuel, artisanal* handwerkliche(r) Beruf *m; ~ à retordre* Zwirnmaschine *f; ~ à tricoter* Strickmaschine *f*, -automat *m*.

métis, se [metis] *s m f* Mestize *m*, Mestizin *f; allg* Mischling, Bastard; Mischtyp *m; m* Mischgewebe; *f* Halbleinen *n; a* Bastard-, Mischlings-; *bot* durch Kreuzung entstanden; *allg* gemischt; **~sage** *m* Bastardierung, Kreuzung, Mischung *f;* **~ser** *(Rassen)* kreuzen, mischen, bastardieren.

métonymie [metɔnimi] *f gram* Bedeutungsübertragung *f*.

métope [metɔp] *f arch* Metope *f*, Zwischenfeld *n*.

métrage [metraʒ] *m* (Ver-)Messung *f* nach Metern; Metermaß *n*, -zahl; *(Filmstreifen)* Länge *f; long, court ~* Spiel-, Kurzfilm *m*.

mètre [mɛtr] *m* Meter *m* od *n;* Metermaß *n;* Vers(maß *n*, -fuß) *m; mus* Tonmaß *n; ~ carré, cube* Quadrat-, Kubikmeter *m* od *n; ~ courant* laufende(s) M.; *par ~* je M.; *~ droit* Maßstab *m (Gerät); ~-kilogramme m* Meterkilogramm *n; ~ pliant* Zollstock, Gelenkmaßstab *m; ~ à ruban* Bandmaß *n*.

métr|er [metre] nach Metern messen; **~eur** *m arch* Vermesser; Feldmesser *m;* **~ique** *a* metrisch *a. poet; s f* Metrik, Verslehre *f; quintal m ~* Doppelzentner *m; système m ~* metrische(s) System, Dezimalsystem *n*.

métrite [metrit] *f* Gebärmutterentzündung *f*.

métro [metro] *m* Metro *f; ~, boulot, dodo* stumpfsinnige(r) Trott *m*.

métro|logie [metrɔlɔʒi] *f* Maß- u. Gewichtskunde *f;* **~logiste, ~logue** *m* Maß- u. Gewichtskundige(r) *m;* **~mane** *m* Reimschmied *m;* **~manie** *f* Reimsucht *f;* **~nome** *m mus* Metronom *n*, Taktmesser *m;* **~pole** *f* Mutterland *n;* Metropole *f*, Mittelpunkt *m*, Hauptstadt *f;* Sitz *m* e-s Erzbischofs; **~politain, e** *a* hauptstädtisch; mutterstaatlich; erzbischöflich; *s m* Erzbischof *m;* Untergrund-(u. Hoch-)bahn *f;* **~polite** *m rel* Metropolit *m*.

mets [mɛ] *m* Gericht, Essen *n*, Speise *f; ~ favori* Leib- u. (Magen)gericht *n*, Lieblingsspeise *f*, -essen *n; ~ gras (rel)* Fleischspeise *f*.

mett|able [mɛtabl] *(Kleidung)* (noch) brauchbar; *le veston est encore ~* man kann die Jacke noch an≈ziehen *od* tragen; **~eur** *m tech* Zurichter *m; ~ en film* (Film-)Regisseur, Aufnahmeleiter *m; ~ en forme (typ)* Formenausschießer *m; ~ en œuvre* Bearbeiter *m; ~ en pages (typ)* Metteur *m; ~ de rails* Schienenleger *m; ~ en scène (theat)* Intendant *m; (Film)* Regisseur *m*.

mettre [mɛtr] *irr* legen, setzen, stellen; (hinein≈)stecken, (hinein≈, hinzu≈)tun; werfen; gießen; bringen, schaffen; *(Menschen)* schicken, geben, tun; *(Verhältnisse)* (herbei≈)führen, *(Zustände)* ver-, aus≈breiten; *(in e-n Zustand)* versetzen (*à* in *acc*); (über)schreiben, übertragen, um≈setzen; versehen (*qc à qc* etw mit e-r S); an≈nähen (*à* an); *(Kleidung)* an≈ziehen, tragen; *(Tuch)* um≈werfen; *(Schal)* um≈tun; *(Krawatte)* um≈binden; *(Gürtel)* um≈schnallen; *(Hut)* auf≈setzen; *(Schmuck)* an≈legen; *(Ring)* an≈stecken; *(Tischtuch, Gedeck)* auf≈legen; *(Speise)* auf≈tragen, auf den Tisch bringen, auf≈tischen; *(Butter, Wurst)* auf≈streichen (*sur* auf *acc*); *(zum Kochen)* auf≈setzen, -stellen; *mot (Gang) radio* ein≈schalten; *fig (Sorgfalt)* verwenden (*à* auf *acc*), an≈wenden; *(Mäßigung)* üben; *(Eifer)* zeigen; *(Können)* ein≈setzen; *(Überredungskunst)* (ge)brauchen (*dans* bei); *(Hoffnung)* setzen (*dans* auf *acc*); *(Geld)* an≈legen, *(beim Spiel)* setzen, *(Geld, Zeit)* brauchen, benötigen; *(Menschen)* ein≈weihen, hinein≈ziehen, verwickeln (*dans* in *acc*); hinzu=ziehen (*de* zu), beteiligen (*de* an *dat*);); betrauen, beauftragen (*à* mit); *fam* an=nehmen, den Fall setzen (*que* daß); *se* ~ sich legen; sich setzen; sich stellen; treten, gehen; sich werfen, sich stürzen; *fig* sich machen, sich begeben (*à* an *acc*); sich stellen, treten (*à* an *acc, avec qn* auf jds Seite); sich (ver)legen (*à* auf *acc*); beginnen sich zu beschäftigen *od* sich zu befassen (*à* mit); sich verlegen (*à* auf *acc*); sich gewöhnen, sich an=passen (*à* an *acc*); sich an=schließen, teilnehmen (*de* an *dat*); zs. leben (*avec* mit); angezogen, getragen werden; *en ~ un coup (pop)* tüchtig ran=gehen; *les ~ (arg)* ab=hauen, türmen, stiften=gehen; *y ~* daran=setzen; *s'y ~* sich ins Zeug legen; *n'avoir rien à se ~* nichts anzuziehen haben; *sous la dent* nichts zu beißen haben; *ne savoir où se ~* nicht wissen, wo man bleiben soll; *se ~ à l'abri* in Deckung gehen; sich schützen (*de* vor *dat*); *se ~ d'accord* sich einigen; *se ~ à l'aise* es sich bequem machen; *~ une annonce dans un journal* e-e Anzeige in e-e Zeitung setzen lassen; ein Inserat auf=geben; *~ en apprentissage* in die Lehre geben; *~ aux arrêts* fest=nehmen, verhaften; *~ en arrière, en avant* zurück=, vor=stellen, -setzen, -rücken; *se ~ en avant* sich vor=drängen; *~ au ban (fig)* in Acht u. Bann tun; *~ à la banque* auf die Bank geben *od* bringen; *~ bas (Kleidung)* aus=ziehen, ab=legen; *(die Waffen)* nieder=legen; *(Tier) (Junge)* werfen; *(Hirsch) (Geweih)* ab=werfen; *~ à bas* ein=reißen, (um=)stürzen; *fig* herunter=machen; *~ des bâtons dans les roues à qn* jdm Knüppel zwischen die Beine werfen; *se ~ au beau (Wetter)* schön werden; *se ~ à la besogne* sich an die Arbeit machen; *se ~ bien* nicht schlecht leben; *~ en boîte (fam)* necken; *~ à bout* zum Äußersten treiben; *~ en bouteilles* auf Flaschen ziehen, ab=füllen; *~ en branle* in Bewegung setzen; *se ~ en campagne (fam)* los=ziehen; *~ en cause* in e-n Prozeß hinein= *od* ein=beziehen; *fig* in Frage stellen, beschuldigen (*qn* jdn); *~ qn hors de cause* das Verfahren gegen jdn ein=stellen; *~ à la charge de qn* jdm zur Last legen; *~ la charrue devant les bœufs* das Pferd am Schwanz auf=zäumen; *se ~ en chemise* sich bis aufs Hemd aus=ziehen; *~ en, hors circuit* ein=, aus=schalten; *~ au clair* ins reine bringen; *~ en code (mot)* ab=blenden; *se ~ en colère* in Zorn geraten, auf=brausen; *~ le comble à qc* e-r S die Krone auf=setzen; *~ en communication (tele)* verbinden; *~ au concours (Stelle)* aus=schreiben; *~ à contribution* zur Steuer heran=ziehen; in Anspruch nehmen; *~ de côté* beiseite legen; sparen; *~ au courant, à couvert* aufs laufende, in Sicherheit bringen; *se ~ au courant d'un travail* sich in e-e S ein=arbeiten; *~ sur cric (mot)* auf=bocken; *~ en danger* in Gefahr bringen; *~ dedans (fam)* herein=legen, übers Ohr hauen; *~ qn dehors* jdn vor die Tür setzen; *~ en dépôt* in Verwahrung geben; *~ au désespoir* zur Verzweiflung bringen; *se ~ devant* vor=treten; *se ~ en devoir de faire qc* sich an=schicken etwas zu tun; *se ~ au diapason de qc* sich in etw ein=fühlen; *~ à la disposition de qn* jdm zur Verfügung stellen; *~ le doigt dessus* den Nagel auf den Kopf treffen; *~ qc sur le dos de qn* jdm etw auf=halsen *od* in die Schuhe schieben; *se ~ à l'eau* ins Wasser gehen; *~ à l'école* zur Schule schicken, ein=schulen; *se ~ à l'écoute (radio)* (hin=)hören; *~ par écrit* zu Papier bringen; *~ dans l'embarras* in Verwirrung bringen; *~ en émoi* in Erregung versetzen; *~ à l'enchère, aux enchères* versteigern; *se ~ dans tous ses états* ganz aus dem Häuschen geraten; *~ en évidence* betonen, heraus=stellen; *~ en exploitation (Land)* erschließen; *~ au fait* in Kenntnis setzen, unterrichten (*de* von); *se ~ au fait de qc* sich mit etw vertraut machen; *~ en faveur* in Aufnahme bringen; *~ le feu* e-n Brand verursachen; Feuer legen (*à* an *acc*); *~ fin à qc* mit etw Schluß machen; *~ à flot* flott=machen; machen; *se ~ en frais* sich in Unkosten stürzen; *~ un frein à qc* etw ab=bremsen; *~ en fuite* in die Flucht schlagen; *~ en fûts* in Fässer füllen; *~ en gage* verpfänden; *~ en garde contre* warnen vor *dat; se ~ en garde* auf=passen, sich in acht nehmen, sich hüten (*contre* vor *dat*); *se ~ en grève* in den Streik treten; *~ haut (fig)* in den Himmel heben; *~ à l'heure (Uhr)* stellen; *~ deux heures à faire qc* zwei Stunden brauchen, um etw zu tun; *~ qn hors de lui, de ses gonds* jdn auf die Palme bringen; *~ en jeu* ins Spiel bringen *a. sport; (Fußball)* ein=werfen; *~ à jour* aufs laufende bringen, auf=arbeiten; *~ au jour* an den Tag, ans Licht, zum Vorschein bringen; *~ en jugement, en justice* vor Gericht laden, stellen *od* bringen; *~ en liberté* in Freiheit setzen, frei=

lassen; ~ *en ligne (mil)* ein=setzen; ~ *en ligne de compte (com)* in Anschlag bringen; ~ *du linge à sécher*, ~ *sécher du linge* Wäsche zum Trocknen auf=hängen; *se* ~ *au lit* sich ins Bett legen; ~ *la main sur qc* e-e S entdecken, ausfindig machen; sich e-r S bemächtigen; ~ *la dernière main à qc* die letzte Hand an e-e S legen; ~ *la main au feu* s-e Hand ins Feuer legen (*pour* für); ~ *la main à la pâte* (selbst) Hand an=legen, zu=packen; ~ *la main à la plume* zur Feder greifen; ~ *en marche, en mouvement* in Gang bringen; *mot* an(laufen)lassen; *se* ~ *en marche, en mouvement* sich in Bewegung setzen, an=fahren *a. loc mot;* ~ *à même* in die Lage versetzen (*de* zu); ~ *à la mer (Schiff)* aus=laufen lassen, *(Boot)* aus=setzen; *se* ~ *en mesure* Vorkehrungen treffen; ~ *dans la misère* ins Elend bringen; ~ *à la mode* in Mode bringen; ~ *qn de moitié (com)* jdn zur Hälfte beteiligen; ~ *au monde* zur Welt bringen; ~ *à mort* ums Leben bringen; ~ *au mur* an die Wand stellen, erschießen; ~ *qn au pied du mur* jdm keinen Ausweg lassen, jdn fest=nageln; *y* ~ *du mystère* geheimnisvoll tun; ~ *à néant (jur)* für nichtig erklären, auf=heben; verwerfen; ab=, zurück=weisen; ~ *au net* ins reine schreiben; ~ *à neuf* neu her=, ein=richten; ~ *dans le noir* ins Schwarze treffen; *se* ~ *en noir* in Schwarz gehen; ~ *à nu* bloß=legen, -stellen; ~ *tous les œufs dans un panier* alles auf eine Karte setzen; ~ *en œuvre* gebrauchen, be-, aus=nutzen; *(Erz)* verhütten; ~ *tout en œuvre* alles daran=setzen; *se* ~ *à l'œuvre* an die Arbeit gehen; ~ *en ordre*, ~ *(bon) ordre à qc* etw in Ordnung bringen; ~ *en pages (typ)* um=brechen; ~ *sur la paille* an den Bettelstab bringen; ~ *en parenthèses* in Klammern setzen, ein=klammern; ~ *à part* beiseite, zur Seite legen, aus=sondern; ~ *de la partie* teilnehmen lassen; *se* ~ *de la partie* mit=machen; beginnen, e-e Rolle zu spielen; ~ *au pas (Pferd)* Schritt gehen lassen; ~ *au pas qn (fig fam)* jdn auf Vordermann bringen; ~ *sur le pavé (Arbeitnehmer)* auf die Straße setzen; *(se)* ~ *en peine* (sich) Umstände machen, (sich) bemühen (*de* um); ~ *en pension* in Pension geben; ~ *en perce (Faß)* an=zapfen; *(Bier)* an=stechen; ~ *en pièces détachées* zerlegen; ~ *à pied* ab=setzen, s-s Amtes entheben, entlassen; ~ *sur pied* auf=stellen; auf die Beine bringen; ~ *au pilon (Bücher)* ein=stampfen; ~ *sur une fausse piste* auf e-e falsche Fährte locken; ~ *en place (Buch im Regal)* ein=stellen; *se* ~ *à la place de qn* sich an jds Stelle, in jds Lage versetzen; ~ *dans sa poche* in die Tasche stecken; ~ *au point (Gerät)* ein=stellen *a. phot; (Sache)* in Ordnung bringen, klar=stellen; aus=richten, orientieren; ~ *à la porte (Menschen)* hinaus=werfen; *se* ~ *à la portée de qn* sich auf jdn ein=stellen; ~ *à la poste (Brief)* auf=geben; ~ *en pratique* in die Praxis um=setzen; ~ *en prison* ein=sperren; ~ *à prix* e-n Preis an=setzen (*qc* für etw); *se* ~ *sur son quant à soi* sehr reserviert sein; sehr wichtig tun; *se* ~ *en quatre* alles tun (*pour* für); ~ *en question* in Frage stellen; *se* ~ *en quête* sich auf die Suche machen, auf die S. gehen; ~ *à la raison* zur Vernunft bringen; *se* ~ *en rapport, en communication* sich in Verbindung setzen, in V. treten, V. auf=nehmen (*avec* mit); ~ *au rebut* aus=rangieren; *se* ~ *en règle avec qn* sich mit jdm vergleichen, aus=söhnen; ~ *en réserve* zurück=stellen; ~ *à la retraite* in den Ruhestand versetzen; *se* ~ *en route* sich auf den Weg, *fam* auf die Socken machen; ~ *à, dans la rue (Mieter)* auf die Straße setzen; ~ *(un satellite) sur orbite (cosm)* (e-n Satelliten) in die Umlaufbahn bringen; ~ *sous scellés* versiegeln; ~ *en scène* inszenieren; *se* ~ *en scène* sich in Positur werfen, die Blicke auf sich lenken; *se* ~ *sur son séant* sich *(im Bett)* auf=richten; ~ *à sec* trocken=legen; aus=schöpfen *a. fig; se* ~ *à sec (fig fam)* sein ganzes Geld aus=geben; ~ *sur la sellette* ins Gebet nehmen; ~ *des semelles* besohlen (*à qc* etw); ~ *sens dessus dessous* (alles) durchea.=bringen; ~ *en serrage* ein=spannen; ~ *en service* in Betrieb nehmen; ~ *hors de service* aus=rangieren; *(y)* ~ *du sien* sein(en) Teil bei=tragen; *se* ~ *sur qc* sich an e-e S begeben *od* machen; ~ *qc sur soi (Kleidung, Schmuck)* sich etw an=hängen; ~ *la table, le couvert* den Tisch dekken; ~ *sur la table* auf den Tisch bringen, auf=tischen, auf=tragen; *se* ~ *à table* sich zum Essen setzen; *arg* gestehen; denunzieren; ~ *sur le tapis* aufs Tapet, vor=bringen; ~ *un terme à qc* mit etw Schluß machen, e-r S Einhalt gebieten; ~ *à terre* auf den Boden *od* auf die Erde legen *od* stellen; *mar* an Land setzen; *el radio* erden; *se* ~ *à la tête* sich an die Spitze stellen, an die Spitze treten (*de qc* e-r S); *se* ~ *qc en tête, en fantaisie* sich etw in den Kopf setzen; ~ *le tout pour le tout* aufs Ganze gehen; *se ~ en train (loc)* ein= steigen; *se ~ au travail* sich an die Arbeit machen *od* begeben; *se ~ sur son trente-et-un (fam)* sich in Schale schmeißen; ~ *sous tutelle* entmündigen; ~ *l'un sur l'autre* aufea.=legen; ~ *hors d'usage* ab=legen, nicht mehr gebrauchen; unbrauchbar machen; ~ *en valeur* zur Geltung bringen, ins rechte Licht setzen; ver-, aus=werten; *(Baugelände)* erschließen; ~ *en vedette* zur Schau stellen; *typ* aus=zeichnen; ~ *en vente* zum Verkauf anbieten; ~ *en vigueur* in Kraft setzen; ~ *en vogue* lancieren; ~ *sur la voie* auf die Sprünge helfen (*qn* jdm); ~ *de la bonne volonté* guten Willen zeigen; ~ *sous les yeux* vor Augen stellen, unterbreiten; *mettons que* nehmen wir (einmal) an, daß; tun wir, als ob; *je mets cela au-dessus de tout* das geht mir über alles; *j'en mettrais la main au feu* dafür lege ich meine Hand ins Feuer; darauf möchte ich Gift nehmen.

meubl|ant, e [mœblɑ̃, -ɑ̃t] wohnlich, mit guter Raumwirkung; Möbel-; *meubles m pl ~s (jur)* Hausrat *m;* **~e** *a (Gegenstand)* beweglich; *(Erdboden)* locker, lose; *s m* Möbel(-stück), (Haus-)Gerät; Mobiliar *n,* Hausrat *m,* Wohnungseinrichtung; *allg* Ausstattung *f; fam fig* (altes) Möbel, gute(s) Stück *n; être dans ses ~s* eigene Möbel, e-e eigene Wohnung haben; *(se) mettre dans ses ~s* (sich) e-e Wohnung ein=richten; *rendre ~* locker machen, auf=lockern; *biens m pl ~s* bewegliche Güter *n pl; petits ~s* Kleinmöbel *n pl; vieux ~s* (altes) Gerümpel *n; ~s en acier* od *métalliques, par éléments, d'époque, de jardin, de rangement* Stahl-, Anbau-, echte Stil-, Garten-, Kastenmöbel *n pl; ~s de bureau, de cuisine* Büro-, Küchenmöbel *n pl; ~ de radio* Musiktruhe *f,* -schrank *m; ~s de rotin, en jonc* Rohrmöbel *n pl;* **~é, e** *a* möbliert; *s m* möblierte(s) Wohnung *od* Zimmer *n; avoir la tête bien ~e* über ein großes Wissen, über ausgebreitete Kenntnisse verfügen; *habiter, vivre en ~* möbliert wohnen; **~er** *tr* möblieren, ein=richten, aus=statten; wohnlich machen *od* gestalten; an=füllen, versehen (*de* mit); *itr* wohnlich sein *od* machen; *se ~* sich Möbel an= schaffen; *(Raum)* sich möblieren, sich ein=richten lassen; *fig fam* sich füllen (*de* mit); ~ *ses loisirs* s-e Freizeit aus= füllen; **~ier** *m* Innenausstatter *m.*

meugler [møgle] *s. beugler.*

meul|age [mølaʒ] *m* Schleifen *n,* Schliff *m;* **~e** [møl] *f* Mühlstein *(~ à moudre, à broyer);* Schleifstein *m a. fig, tech* -scheibe *f (~ à aiguiser);* Läufer; *(~ à charbon)* (Kohlen-) Meiler; Heuhaufen *m;* Heu-, Strohdieme *f; (~ de fromage)* (großer, runder) Laib Käse; *pop* Zahn *m;* **~er** schleifen; **~eur** *m* Schleifer *m;* **~euse** *f* Schleifmaschine *f;* **~ier, ère** *a* Mühlstein-; *s m* Mühl-, Schleifsteinschleifer *m; f* Mühlsteinbruch *m; pierre f ~ière* Mühlsandstein *m;* **~on** *m* kleine(r) Heu-, Strohhaufen; Salzhaufen *m.*

meun|erie [mønri] *f* Müllerei *f;* **~ier, ère** *s m f* Müller(in *f*) *m; m* Schimmel *(Blattbefall); f pop* Schwanzmeise *f; garçon m ~* Müllergeselle *m.*

meurt-de-faim [mœrdəfɛ̃] *m inv* Hungerleider *m.*

meurtr|e [mœrtr] *m* Mord(tat *f*) *m; crier au ~* Zeter u. Mord(io) schreien; *au ~!* (Hilfe,) Mörder! *c'est un ~ (fam)* es ist ewig schade, ein Jammer; ~ *d'un enfant, aux fins de voler, avec guet-apens, judiciaire, avec viol* Kindes-, Raub-, Meuchel-, Justiz-, Lustmord *m; ~ prémédité* od *avec préméditation* vorsätzliche Tötung *f;* **~ier, ère** [-trije, -ɛr] *a* mörderisch *(a. Klima); fig* tödlich; Mord-; *poet* verheerend; *s m f* Mörder(in *f*), Totschläger *m; f* Schieß-scharte *f; arme f ~ière* Mordwaffe *f;* **~ir** (zer)quetschen; wund reiben, wund scheuern; *fig* (tödlich) verletzen, beleidigen; *se ~ (Obst)* fleckig werden; *avoir les pieds ~is (à force de marcher)* sich die Füße wund gelaufen haben; ~ *de coups* braun u. blau schlagen; **~issure** *f* Quetschung *f;* Fleck *m (am Obst).*

Meuse, la [møz] *geog* die Maas.

meute [møt] *f (Jagd)* Meute *a. fig,* Koppel; *fig* Bande *f,* Haufen, Schwarm *m; chef m de ~* Banden-, Anführer *m.*

méven|dre [mevɑ̃dr] mit Verlust verkaufen; verschleudern; **~te** *f* Verlustgeschäft *n;* Absatzstockung, -flaute *f.*

mexi|cain, e [mɛksikɛ̃, -ɛn] *a* mexikanisch; *M~, e s m f* Mexikaner(in *f*) *m;* **M~que, le** Mexiko *n.*

mezzanine [mɛdzanin] *f* Zwischengeschoß *n,* -stock *m; fenêtre f ~* Zwischengeschoßfenster *n.*

mi [mi] **1.** *m mus* e, E *n; ~ bémol* es, Es *n;* **2.** *(in Zssgen)* halb-, Halb-; *(vor Monatsnamen)* Mitte ...; *(s'arrêter) à ~-chemin (a. fig)* auf halbem Wege (stehen=bleiben); *à ~-corps* bis an die Hüften; *à ~-côte, à ~-hauteur* auf halber Höhe; *à ~-distance* in halber Entfernung, auf halbe E.; *à ~-jambe(s)* bis an die Waden; *(à la) ~-janvier* Mitte, *com* medio Januar; *à la ~-mois (com)* per Medio; *à ~-voix* halblaut; *~-bas m* Kniestrumpf *m; ~-carême f* Mittfasten *pl; ~-clos, e* halbgeschlossen; *~-coton m* Halbbaumwolle *f; ~-fil m* Halbleinen *n; ~-fin* halbfein; *~-fruit m* Halbpacht *f; ~-laine (a inv)* halbwollen; *s f* Halbwollstoff *m; ~-mort, e* halbtot; *~-parti, e* (in zwei gleiche Teile) geteilt, halbiert; *(Körperschaft)* gemischt; *~-soie (inv) a* halbseiden; *s f* Halbseide *f; ~-temps s f (sport)* Halbzeit *f; adv: travail à ~-temps* Teilzeitarbeit *f; il travaille à ~-temps* er arbeitet halbtags.

miaou [mjau] *interj* miau!

miasme [mjasm] *m* Miasma *n,* giftige Ausdünstung *f.*

miau|lement [mjolmɑ̃] *m* Miauen; *fam péj* Gewimmer *n;* **~ler** miauen.

mica [mika] *m min* Glimmer *m;* **~cé, e** [-se] glimmerhaltig, -artig; **~schiste** [-ʃist] *m* Glimmerschiefer *m.*

miche [miʃ] *f* Laib (Brot); *pop* Mond; Hintern *m.*

Michel [miʃɛl] *m* Mich(a)el *m.*

micheline [miʃlin] *f loc* Schnelltriebwagen.

micmac [mikmak] *m fam* Intrige *f,* Umtriebe *m pl; fam* Schlamassel *m* od *n.*

mi|crobe [mikrɔb] *m* Mikrobe *f;* (Krankheits-)Keim *m;* **~crobicide** keimtötend; **~crobien, ne** Mikroben-; *med* durch Kleinlebewesen verursacht; **~crobiologie** *f* Mikrobiologie *f;* **~crobiologiste** *m f* Mikrobiologe *m.*

micro|- [mikrɔ] *(in Zssgen)* Klein-, Mikro- *(vor Maßeinheiten = 1 Millionstel);* [-o] *s m fam* Mikrophon *n;* **~-capteur** *a: cadre m ~* Ultrakurzwellenbereich *m;* **~céphale** kleinköpfig; **~céphalie** *f* Kleinköpfigkeit *f,* angeborene(r) Schwachsinn *m;* **~chimie** *f* Mikrochemie *f;* **~chirurgie** *f* Mikrochirurgie *f;* **~cinématographie** *f* Herstellung *f* von Mikrokopien; **~coque, ~coccus** [-ys] *m biol* Mikrokokkus *m;* **~cosme** *m* Mikrokosmos *m,* Welt im kleinen; *fig* Welt *f* für sich; **~-électronique** *a* mikroelektronisch; *s f* Mikroelektronik *f;* **~faune** *f* Mikrofauna *f;* **~film** *m* Mikrofilm *m,* -kopie *f; appareil m de lecture pour ~s* Mikrofilmlesegerät *n;* **~filmer** auf Mikrofilm auf=nehmen, e-e Mikrokopie machen (*qc* von etw); **~fiche** *f* Mikrofiche *m* od *n;* **~flore** *f* Mikroflora *f;* **~mètre** *m* Mikrometer *n,* Feinmesser *m;* **~métrique** *a* Mikrometer-; *vis f ~* Mikrometerschraube *f.*

micron [mikrɔ̃] *m* Mikron, My *n* (1/1000 *mm*).

micro|-onde [mikrɔɔ̃d] *f* Ultrakurzwelle *f;* **~-ordinateur** *m* Mikrocomputer *m;* **~-organisme** *m biol* Mikroorganismus *m;* **~peseuse** *f* chemische, Analysenwaage *f;* **~phone** *m* Mikrophon *n; ~ de larynx* Kehlkopfmikrophon *n;* **~photographie** *f* Mikrophotographie *f;* **~physique** *f* Mikro-, Atom-, Kernphysik *f;* **~processeur** *m* Mikroprozessor *m;* **~scope** *m* Mikroskop *n; ~ électronique* Elektronenmikroskop *n; ~ d'études* Studienmikroskop *n; ~ de mise au point* Einstellmikroskop *n; ~ à réflecteur* Spiegelmikroskop *n;* **~scopie** *f* mikroskopische Untersuchung *f;* **~scopique** mikroskopisch; winzig klein; **~sillon** [-sijɔ̃] *m* u. *disque m ~* Langspielplatte *f;* **~structure** *f* Mikrostruktur *f;* **~viseur** *m* magische(s) Auge *n (in der Haus- od Wohnungstür);* **~zoaire** [-zɔɛr] *m* Kleinlebewesen *n.*

miction [miksjɔ̃] *f* Harnen, Urinieren *n.*

midi [midi] *m* Mittag(szeit *f*) *m;* 12 Uhr (mittags); Süd(en) *m;* Südseite *f;* südliche Länder *n pl; le M~* Südfrankreich *n; à ~* um 12 Uhr (mittags); *à ~ précis, juste* Punkt 12 Uhr; *au ~* im Süden, südlich; *en plein ~* am hellen Mittag; *vers ~, sur le coup de ~ (fam)* gegen Mittag; *vers le ~* nach Süden, südwärts, in südlicher Richtung; *chercher ~ à quatorze heures* Schwierigkeiten sehen, wo keine sind; *~ est sonné* es hat 12 geschlagen; *il est ~ (sonné) (pop)* nichts mehr zu machen! Schluß damit! das glaube ich nicht; *édition f de ~ (Zeitung)* Mittagsausgabe *f; fruits m pl du ~* Südfrüchte *f pl; ~ de la vie* Höhe *f* des Lebens, Lebensmitte *f.*

midinette [midinɛt] *f fam* Nähmädchen *n,* junge Modistin *f (in Paris).*

mie [mi] *f* **1.** (Brot-)Krume *f;* **2.** *fam* Freundin *f,* Liebchen *n;* Liebling *m,* Herzchen, Püppchen *n.*

miel [mjɛl] *m* Honig *m; fig* Süße *f,* Reiz *m; de ~ (fig)* süß; *doux comme (le) ~* zuckersüß; *lune f de ~* Flitterwochen *f pl; mouche f à ~* (Honig-) Biene *f; rayon* od *gâteau m de ~* Honigscheibe *od* -wabe *f; ~ d'abeille(s), artificiel, de bruyère, d'extracteur* od *coulé, en rayons, sauvage* Bienen-,

Kunst-, Heide-, Schleuder-, Scheiben-, Waldhonig *m; ~ vierge* Honigseim *m;* **~lé, e** mit Honig (gesüßt); Honig-; *couleur, odeur f ~e* Honigfarbe *f,* -geruch *m;* **~lée, ~lure** *f bot* Honigtau *m;* **~leux, se** honigartig; *péj fig* süßlich; *fig* katzenfreundlich, heuchlerisch.

mien, ne [mjɛ̃, -ɛn] *a* mein; (der, die, das) meinige; *le ~s m* das Mein(ig)e; *les ~s* die Meinen, meine Angehörigen *pl; le tien et le ~* mein u. dein.

miette [mjɛt] *f* Krümel, Brösel *m; une ~ de... (fam)* ein ganz klein bißchen *od* wenig ...; *mettre, réduire en ~s* kurz u. klein, in tausend Stücke schlagen.

mieux [mjø] *(Komparativ von bien) adv* besser; mehr; eher, lieber; *(vor a)* best-; *le ~* am besten; *a* besser; schöner, hübscher; passender; *s m (ohne Artikel)* etwas Besseres; mehr; *le ~* das Bessere; das Beste *od* beste; *med* Besserung *f; au ~, le ~ du monde* aufs beste, *fam* (aller)bestens; *au ~ de* zum Besten *gen; de son ~* so gut man kann; *faire de son ~* sein Bestes tun; *de ~ en ~* immer besser; *du ~ possible, qu'on peut* so gut man (irgend) kann; *en ~* zum Besseren; *faute de ~* in Ermangelung e-s Besseren; *en mettant les choses au ~* im günstigsten Falle, günstigstenfalls; *~ que personne* besser als irgend jemand sonst; *le ~ possible* so gut wie möglich, so gut es (irgend) geht; *à qui ~* um die Wette; *pour ~ dire* besser, richtiger gesagt; *tant ~* um so besser; *aimer ~* lieber haben, vor=ziehen; *aller ~* sich besser befinden; *(Geschäfte)* besser=gehen; *changer en ~* sich zu s-m Vorteil verändern; *être au ~ avec qn* mit jdm sehr gut stehen; *faire ~* besser (daran) tun; *faire de son ~* sein Bestes *od* möglichstes tun; *valoir ~* mehr wert, besser sein; *il y a du ~* es geht *od* steht (schon) besser; *il y a ~ que cela* mehr als das! *je ne demande pas ~* ich wüßte nicht, was ich lieber täte (*que de* als zu), von Herzen, herzlich gern; *ça va on ne peut ~ (fam)* es geht ausgezeichnet, prima; *espérons que tout ira pour le ~* hoffen wir das Beste! *je suis ~* es geht mir besser; *le plus tôt sera le ~* je eher, je besser; *tout est pour le ~* es ist alles in Ordnung; *~ vaudrait (aller)* es wäre besser (zu gehen); *encore ~! (ironisch)* das wäre noch schöner! *le ~ est l'ennemi du bien (prov)* das Bessere ist der Feind des Guten; *~ vaut tard que jamais* besser spät als nie; *~-être m* bessere(s) Befinden *n;* materielle(r) Fortschritt *m; le, la ~ habillé, e* der, die Bestangezogene, -gekleidete.

mièvre [mjɛvr] geziert, gekünstelt; hager, schmächtig; **~rie** [-vrə-] *f* Geziertheit, Künstelei *f.*

mign|ard, e [miɲar, -ard] *a* geziert, affektiert; **~ardise** *f* Affektiertheit *f;* affektierte(s) Benehmen *n; bot* gefüllte Nelke *f; pl* Schmeicheleien, Liebkosungen *f pl;* **~on, ne** *a* niedlich, allerliebst, reizend, nett; Lieblings-; *s f* Herzchen, Püppchen *n,* Liebling *m; typ* Kolonel, Mignon; *bot* Scharlachbirne; längliche, gelbe Pflaume *f; péché m ~* (kleine) Lieblingssünde *f.*

mignonnette [miɲɔnɛt] *f* feine (Zwirn-)Spitze *f;* grob gemahlene(r) Pfeffer *m; bot* kleine Nelke; kleine, wilde Zichorie *f;* feine(r) Kies *m.*

migr|aine [migrɛn] *f* Migräne *f;* Kopfschmerzen *m pl;* **~aineux, se** *a* Migräne-; *s m f* (häufig) an Migräne Leidende(r *m*) *f.*

migra|teur, trice [migratœr, -tris] wandernd; Wander-; *oiseau m ~ (a. fig)* Zugvogel *m;* **~tion** *f* Wanderung *f; (Vögel)* Ziehen *n,* Zug *m; ~ intérieure, ouvrière* Binnen-, Arbeiterwanderung *f; ~ des peuples* Völkerwanderung *f;* **~toire** *a* Wander-.

mijaurée [miʒore] *f* Zierpuppe *f (Frau).*

mijoter [miʒɔte] *tr* bei schwacher Hitze kochen lassen; *fig* von langer Hand vor=bereiten, langsam reifen lassen; *itr* u. *se ~* bei schwacher Hitze kochen; *fig* langsam heran=reifen; *~ qc* Böses im Sinne haben; *(fam) qu'est-ce que vous ~tez?* was führt ihr im Schilde?

mil 1. [mil] *(in Jahreszahlen)* tausend; **2.** [mie, mij] *s m* Hirse *f;* **3.** [-l] *m sport* Keule *f; ~ à grappes* Rispengras *n; ~ d'Inde* od *d'Afrique* od *à épis* Mohrenhirse *f,* Sorgho *n.*

milan [milɑ̃] *m orn* Gabelweih *m.*

Milan [milɑ̃] *f* Mailand *n.*

mildiou [mildju] *m bot* Mehltau *m;* **~sé, e** vom Mehltau befallen.

mili|ce [milis] *f* Miliz, Bürgerwehr *f;* Volksheer *n; la ~ céleste* die himmlischen Heerscharen *f pl;* **~cien** *m* Milizsoldat *m.*

milieu [miljø] *m* Mitte(lpunkt *m*) *f;* Milieu *n,* Umwelt *f,* Wirkungskreis *m,* (geistige) Atmosphäre; *fig* Mitte, mittlere Linie *f;* Bindeglied *n;* Übergang; Mittelweg *m,* Kompromiß *m* od *n; arg* Unterwelt *f; au ~ de* mitten in, auf, unter; inmitten *gen; au beau, en plein ~ de* mitten in; *au ~ de tout* bei alledem; *dans mon ~* in meiner gewohnten Umgebung, in meinen Kreisen; *dans les ~x informés* in unterrichteten Kreisen; *par le ~* mittendurch; *tenir le ~* die Mitte ein=nehmen, in der Mitte liegen; *il n'y a pas de ~* da gibt es nur eins: entweder — oder; *conditions f pl du ~ (biol)* Umweltbedingungen *f pl; doigt m, ligne f, morceau, parti m du ~* Mittelfinger *m*, -linie *f*, -stück *n*, -partei *f; juste ~ (pol)* gute, goldene Mitte *f; langue f du ~* Gaunersprache *f; théorie f des ~x (biol)* Umwelttheorie *f; ~x commerciaux* Geschäftswelt *f; ~x de culture (biol)* Nährlösung *f; ~x économiques, financiers, informés, officiels* Wirtschafts-, Finanzkreise, unterrichtete, amtliche Kreise *m pl; ~x de l'œil* Augenflüssigkeit *f*.

milit|aire [militɛr] *a* militärisch, soldatisch, kriegerisch; Militär-, Soldaten-, Kriegs-, Wehr-; *s m* Militär(person *f*), Soldat *m;* Militär *n*, *fam* Kommiß, Barras *m; dans le ~* beim Kommiß; *administration f ~* Militärverwaltung *f; autorités f pl ~s* Militärbehörden *f pl; cercle m ~* Kasino *n; circonscription f ~* Wehrbezirk *m; code m (pénal) ~* Militär(straf)gesetzbuch *n; école f ~* Kadettenanstalt *f; état m ~* Wehrstand *m; exécution f ~* standrechtliche Erschießung *f; fonctionnaire m ~* Militärbeamte(r) *m; heure f ~* militärische Pünktlichkeit *f; honneurs m pl ~s* militärische Ehren *f pl; instruction f ~ (préparatoire)* (vor)militärische Ausbildung *f; juridiction f (pénale) ~* Militär(straf)gerichtsbarkeit *f; marine f ~* Kriegsmarine *f; médaille f ~* Kriegsauszeichnung *f; port m ~* Kriegshafen *m; préparation f ~* Wehrertüchtigung *f; ser-vice m ~* Wehrdienst *m; tribunal m ~* Militärgericht *n; ~ de carrière* Berufssoldat *m;* **~airement** *adv* mit militärischer Strenge *od* Pünktlichkeit; *exécuter ~* standrechtlich erschießen; *occuper ~* militärisch besetzen; **~ant, e** *a* streitbar, kämpferisch *a. fig; fig* militant; *s m fig* Streiter, Kämpfer, (eifriger) Verfechter; *pol* Aktivist *m;* **~ariser** militärisch organisieren; militarisieren *a. fig;* **~arisme** *m* Militarismus *m;* **~ariste** *m* Militarist *m;* **~er** kämpfen, streiten; *fig (Grund)* sprechen (*en faveur de, contre* für, gegen).

mill|e [mil] *inv* tausend; *s m inv* Tausend(er *m*); *com* Mille *n; s m* Meile *f; ~ fois* tausendmal; immer wieder; *être à ~ lieues (fig)* weit davon entfernt sein (*de* zu); *mettre dans le ~ (pop)* ins Schwarze treffen; *~ choses à X (Brief)* viele Grüße an X; grüße(n Sie) bitte X! *~ mercis, remerciements!* tausend, heißen, vielen (herzlichen) Dank! *~ tonnerres!* Donnerwetter! *période f de ~ ans* Jahrtausend *n; ~ carré, marin* Quadrat-, Seemeile *f; des ~ et des cents* Tausende u. aber Tausende; *~-feuille f bot* Schafgarbe *f; m* Blätterteig *m; ~-fleurs f* Tausendblümchenwasser *n (Parfüm); les M~ et une Nuits* (die Märchen *n pl* aus) Tausendundeine(r) Nacht *f; ~-pattes, ~-pieds m inv zoo* Tausendfüß(l)er *m;* **~énaire** *a* tausendjährig; *s m* Jahrtausend *n; (fête f du ~)* Tausendjahrfeier *f; (nombre ~) math* Tausender *m; règne m ~ (rel)* Tausendjährige(s) Reich *n;* **~énarisme** *m rel* Chiliasmus *m*.

millepertuis [milǝpɛrtɥi] *m bot* Hartheu; *(~ commun)* Johanniskraut *n*.

millépore [milepɔr] *m zoo* Punktkoralle *f*.

millésime [milezim] *m* Jahreszahl *f (bes. auf Münzen)*.

millet [mijɛ] *m bot* Hirse *f; med* Friesel *m* od *n;* Hirsekorn *n (am Auge)*.

milli- [mili] *(in Zssgen)* Milli- (= 1/1000).

mill|iaire [miljɛr] *s m* u. *a: borne, pierre f ~* Meilenstein *m;* **~iard** *m* Milliarde *f;* **~iardaire** *m* Milliardär *m;* **~ième** *a* tausendste(r, s); *s m* Tausendstel *n;* **~ier** *m* Tausend *n; pl* Tausende *n pl; par ~s* zu Tausenden.

milligramme [miligram] *m* Milligramm *n;* **~mètre** *m* Millimeter *m* od *n*.

mill|ion [miljɔ̃] *m* Million *f; pl* Millionen (u. aber Millionen), Unmengen *f pl*, Unzahl *f; par ~s* zu Millionen, in Unmassen, *fam* in rauhen Mengen; *riche à ~s* millionenschwer; **~ionième** *a* millionste(r, s); *s m* Millionstel *n;* **~ionnaire** *m* Millionär *m*.

milord [milɔr] *m* Mylord *(Anrede); fam* Lord; *pop* Krösus *m*.

milouin [milwɛ̃] *m orn* Tafelente *f*.

mim|e [mim] *m* Pantomimenspieler; Nachahmungskünstler *m;* **~er** pantomimisch dar=stellen; *(Menschen)* nach=ahmen, -machen, -äffen; **~étisme** *m biol* Mimikry; Schutzfärbung, Anpassung *f*.

mimeux, se [mimø, -z] *bot* berührungsempfindlich.

mimi [mimi] *s m (Kindersprache)* Miez, Mieze(katze) *f; fam* Mäuschen *n; a fam* niedlich, süß; *faire ~ à qn* jdn küssen.

mimines [mimin] *f pl arg* Hände *f pl*.

mimique [mimik] *a* mimisch; Gebärden-; *f* Mimik *f*, Mienenspiel *n; langage m* ~ Gebärdensprache *f*.

mimo|drame [melɔdram] *m theat* Pantomime *f;* **~graphe** *m* Pantomimendichter *m;* **~logie** *f* Nachahmungskunst *f*.

mimosa [mimoza] *m bot* Mimose *f*.

minable [minabl] unterminierbar; *fig fam (Person)* jämmerlich, erbärmlich; *(Sache)* schäbig, dürftig, ärmlich.

minaret [minarɛ] *m arch rel* Minarett *n*.

minau|der [minode] sich zieren, sich affektiert benehmen; **~derie** *f* Ziererei, Affektiertheit *f, fam* Getue *n;* **~dier, ère** *a* affektiert, *fam* affig; *s m f* Zierbengel *m*, -puppe *f*.

minc|e [mɛ̃s] *a* dünn, fein; (mit) schlank(er Taille); *fig* klein, winzig; schwach, dürftig, nichtig, belanglos; unbedeutend; *interj (~ alors!) pop* Donnerwetter! alle Achtung! allerhand! *(verärgert)* Mist! ~ *de ... (pop)* was für ein ... ! ~ *comme un échalas* dünn wie e-e Hopfenstange; **~er** *(Küche)* klein=schneiden, in kleine Stücke schneiden; **~eur** *f* Dünn-, Schmal-, Schlankheit *f*.

mine [min] *f* **1.** Aussehen *n;* Miene *f*, Gesichtsausdruck *m; pl* Mienenspiel *n*, Augensprache *f;* ermunternde, verständnisinnige Blicke *m pl; de belle* ~ gutaussehend; *sur sa bonne* ~ auf sein ehrliches Gesicht hin; *avoir la* ~ *de qn qui* (ganz) so aus=sehen als ob *subjonctif;* aus=sehen wie einer, der ...; *avoir bonne* ~ gut, *(Speise)* lekker aus=sehen; e-n guten *od* vertrauenerweckenden Eindruck machen; *avoir une* ~ *effrayée, étonnée* ein erschrockenes, erstauntes Gesicht machen; *avoir une* ~ *d'enterrement, déconfite* ein Gesicht wie sieben Tage Regenwetter machen; *avoir une* ~ *joyeuse* über das ganze Gesicht strahlen; *avoir la* ~ *longue* ein langes Gesicht machen; *avoir mauvaise* ~ schlecht aus=sehen; *faire triste* ~ ein böses *od* schiefes Gesicht machen, das Gesicht verziehen; *faire grise* ~ *à qn* jdn unfreundlich behandeln; *faire des* ~*s* kokettieren; *faire des* ~*s à qn* jdn ermunternd, auffordernd an=sehen; jdm ein Gesicht machen; *faire* ~ *de* Miene machen zu; so tun, als ob; *ne faire* ~ *de* nicht daran denken zu; *faire bonne* ~ *à qn* freundlich, nett zu jdm sein; *faire bonne* ~ *à mauvais jeu* gute Miene zum bösen Spiel machen; *faire grise* ~ ein schiefes *od* finsteres Gesicht machen; *faire mauvaise, grise, froide, triste* ~ *à qn* jdm gegenüber unfreundlich, abweisend sein; *juger sur la* ~ nach dem Äußeren beurteilen; ~ *patibulaire* Galgengesicht *n;* **2.** Bergwerk *n*, Grube, *(Kohlen)* Zeche *f*, *(Kali)* Schacht *m; fig* Fundgrube; *mil* Mine *f a. fig; descendre dans la* ~ in den Schacht ein=fahren; *éventer la* ~ *(fig)* Lunte riechen, dahinter=kommen; *marcher sur une* ~ auf e-e Mine treten; *poser des* ~*s* Minen legen; *administration f des* ~*s* Bergbehörden *f pl*, -amt *n; barrage m de* ~*s* Minensperre *f; bois m de* ~ Grubenholz *n; cage f de* ~ Förderkorb *m; chambre f, fourneau m de* ~ Sprengkammer *f; champ m de* ~*s* Minenfeld *n; conseiller m des* ~*s* Bergrat *m; demande f de concession d'une* ~ Mutung *f; droit m des* ~*s* Bergrecht *n; école f (supérieure) des* ~*s* Bergbauschule (Bergakademie) *f; exploitation f des* ~*s* Bergbau *m; feu m de* ~ Grubenbrand *m; galerie f de* ~ Stollen *m; ingénieur, inspecteur m des* ~*s* Bergingenieur, -meister *m; lampe f de* ~ Grubenlampe *f; part, action f de* ~ Kux, Bergwerksanteil *m; police f des* ~*s* Bergpolizei *f; puits m de* ~ Grubenschacht *m; trou m de* ~ Minengang *m; voie f de* ~ Grubenbahn *f;* ~ *aérienne, antichar, automatique, défensive, dérivante* od *flottante, à personnel, sous-marine* Luft-, Panzer-, Kontakt-, Gegen-, Treib-, Tret-, Seemine *f;* ~ *d'argent, de charbon* od *de houille, de cuivre, de diamants, d'étain, de fer, de lignite, d'or, de plomb, de sel gemme* Silber-, Kohlen-, Kupfer-, Diamanten-, Zinn-, Eisen-, Braunkohlen-, Gold- *a. fig*, Blei-, Salzgrube *f*, -bergwerk *n;* ~ *à ciel ouvert* Tagebau(betrieb) *m;* ~*s et métallurgie* Montanindustrie *f;* ~ *de plomb* Graphit *m;* (Bleistift-)Mine *f;* ~ *de potasse* Kalibergwerk *n*, -schacht *m;* ~ *de rechange, de réserve* Ersatzblei *n*, -mine *f;* ~ *souterraine* Untertagebau *m;* **3.** (halber) Scheffel *m (Hohlmaß)*.

miner [mine] (unter=)minieren, untergraben *a. fig*, -wühlen, -höhlen, -spülen; ab=nutzen; *mil* verminen, Minen legen (*qc* in, auf e-e S); *fig* zerrütten, zermürben, auf=reiben, zehren (*qc* an e-r S); *être miné (von e-r Leidenschaft)* verzehrt werden; *être miné par la maladie* dahin=siechen.

minerai [minrɛ] *m* Erz *n; broyer, extraire, traiter du* ~ Erz zerkleinern, fördern, auf=bereiten *od* verhütten; *concasseur, dépôt* od *parc, essai m* od *prise, préparation f* od *traitement m, production f de* ~ Erzbrecher, -lagerplatz *m*, -probe, -aufbereitung *od*

-verhüttung, -förderung *f; richesse f en ~* Erzreichtum *m; ~ d'alluvion, de lavage* Seifen-, Wascherz *n; ~ de cuivre, de fer, de plomb* Kupfer-, Eisen-, Bleierz *n; ~ payant* abbauwürdige(s) Erz *n.*

minéral, e [mineral] *a* mineralisch; Mineral-; anorganisch; *s m* anorganische(r) Stoff *m; pl minéraux* Mineralien, Gesteine *n pl; chimie f ~e* anorganische Chemie *f; collection f de minéraux* Mineralien-, Gesteinssammlung *f; eau, source f ~e* Mineralwasser *n,* -quelle *f; règne m ~* Mineralreich *n;* **~iser** vererzen; Mineralien zu=setzen (*qc* e-r S); **~ogie** *f* Mineralogie, Gesteinskunde *f;* **~ogique** mineralogisch; Gesteins-; **~ogiste** *m* Mineraloge *m.*

minerve [minɛrv] *f med* Halskrause *f.*

minet, te [minɛ, -ɛt] *m f fam* Miez, Mieze(katze) *f; fig fam* Mäuschen, Schätzchen, Herzchen *n; (iron)* Muttersöhnchen *n; f min* Minette *f.*

mineur [minœr] *s m* u. *a: ouvrier m ~* Bergarbeiter, -mann, Häuer, Kumpel; *mil* Pionier *m; corps m des ~s* Knappschaft *f; maître-~ m* Steiger *m; travail m des ~s* Bergarbeit *f.*

mineur [minœr] *a* klein(er), geringer; *jur* minderjährig, unmündig; *mus* Moll-; -Moll; *s m f* Minderjährige(r *m*) *f; f (Logik)* Untersatz *m; en ~* in Moll; *l'Asie f M~e* Kleinasien *n; avocat, juge, office, tribunal m des ~s* Jugendanwalt, -richter *m,* -amt, -gericht *n; capital m de ~* Mündelgeld *n; frère m ~* Minorit, Franziskaner *m; mode m ~ (mus)* Molltonart *f; ordres m pl ~s (rel)* niedere Weihen *f pl; tierce f ~e (mus)* kleine Terz *f; ~ de dix-sept ans* Minderjährige(r) von 17 Jahren; *~ délinquant* jugendliche(r) Verbrecher *m.*

miniatu|re [minjatyr] *f* Zierbuchstabe *m,* Initiale; Miniatur; Miniatur-, Buchmalerei *f;* Miniaturgemälde; *fig* kleine(s) Kunstwerk; zierliche(s) Persönchen *n; en ~* im kleinen, in Miniatur; Miniatur-; *portrait m en ~* Miniaturbildnis *n;* **~riste** *m* Buch-, Miniaturenmaler *m.*

minibus [minibys] *m* Minibus *m.*

minicassette [minikasɛt] *f* Minikasette; *m* Kassettenrekorder *m.*

minier, ère [minje, -ɛr] *a* Berg(bau-, -werks), Montan-, Gruben-; *s f geol* Gangart *f;* (kleiner) Tagebau; Steinbruch *m; champ m ~* Grubenfeld *n; industrie f ~ière* Montanindustrie *f; région f ~ière* Bergbaugebiet *n; richesses f pl ~ières* Bodenreichtum *m,* -schätze *m pl.*

mini-jupe [miniʒyp] *f* Minirock *m.*

minim|a [minima]: *appel m à ~ (jur)* Berufung *f* der Staatsanwaltschaft wegen zu niedrigen Strafmaßes; **~al, e** minimal; Mindest-; **~e** *a* gering(fügig); *s m rel* Paulaner *m;* **~iser** auf ein Minimum herab=setzen *od* beschränken; bagatellisieren; **~um** [-ɔm] *(pl ~ums* u. *~a) s m* Minimum *n,* Mindestgröße *f,* -gewicht, -maß *n,* -satz, -betrag, -preis *m,* -strafe *f; a: sg* u. *pl ~a (beide inv mit gleicher Bedeutung)* Mindest-; *au ~* mindestens, wenigstens; *descendre au-dessous du ~ de la peine (jur)* unter die Mindeststrafe (hinab=)gehen; *salaire m ~, ~a* Mindestlohn *m; ~ de parcours, de perception, de poids* Mindestentfernung, -gebühr *f,* -gewicht *n; ~ vital* Existenzminimum *n.*

miniski [miniski] *m* Kurzski *m.*

minist|ère [ministɛr] *m* Dienst *m;* Amt *n;* Dienste *m pl,* Dienstleistungen *f pl;* Mitwirkung, Vermitt(e)lung *f; bes. pol* Ministerium *(a. Gebäude);* Amt(szeit *f*) e-s Ministers; Kabinett *n,* Regierung *f; par le ~ de ...* durch Vermittlung *gen; le ~ public entendu* nach Anhörung der Staatsanwaltschaft; *former un ~* e-e Regierung bilden; *offrir son ~* s-e Dienste an=bieten; *changement m de ~* Ministerwechsel *m; saint ~, ~ des autels* Priesteramt *n; ~ des affaires étrangères* Außenministerium *n,* M. des Äußeren, für Auswärtige Angelegenheiten; *~ de l'agriculture* M. für Landwirtschaft; *~ du commerce, des communications, des cultes, de l'économie, des finances, de la guerre* od *de la défense nationale, de la justice, des postes, de la santé publique, du travail* Handels-, Verkehrs-, Kult(us)-, Wirtschafts-, Finanz-, Kriegs- *od* Verteidigungs-, Justiz-, Post-, Gesundheits-, Arbeitsministerium *n; ~ de l'instruction publique et des beaux arts* M. für Wissenschaft, Kunst u. Volksbildung; *~ de l'intérieur* Innenministerium *n,* M. des Innern; *~ public* Staatsanwaltschaft *f,* Anklagevertreter *m; ~ spirituel* geistliche(s) Amt *n;* **~ériel, le** *a* ministeriell; amtlich; regierungstreu, -freundlich; Minister-, Amts-, Regierungs-; *s m* Regierungsanhänger *m; arrêté, décret m ~* ministerielle Verfügung *f,* Ministerialerlaß *m; autorité f ~le* Regierungsgewalt *f; conférence f ~le* Ministerkonferenz *f; crise f ~le* Kabinetts- *od* Regierungskrise *f; déclaration f ~le* Regierungserklärung *f; fonctionnaire m ~* Ministerialbeamte(r) *m; officier m ~ (jur)* Amtsperson *f; responsabilité f ~le* Ministerverantwortlichkeit *f;* **~rable** *a fam* zum Minister geeignet; *il est ~* er kommt für e-n Ministerposten in Frage; *s m* Kandidat *m* für ein Ministerium; **~re** *m pol* Minister *m; fig poet* Werkzeug *n; (~ plénipotentiaire)* Gesandte(r); *(~ de l'Évangile)* (evang.) Pastor, Pfarrer *m; banc, conseil m des ~s* Ministerbank *f,* -rat *m; papier m ~* Kanzleipapier *n; premier ~ (britischer)* Premier(minister) *m; ~ des affaires étrangères, des finances, de l'intérieur, de la justice* Außen-, Finanz-, Innen-, Justizminister *m; ~ (pour les questions) atomique(s)* Atomminister *m,* M. für Atomfragen; *~ de Dieu, du Seigneur, de Jésus-Christ, de la religion, des autels* Diener *m* Gottes, der Kirche; *~ de l'État* Staatsminister *m; ~ sans portefeuille* M. ohne Geschäftsbereich.

minium [minjɔm] *m* Mennige *f.*

minois [minwa] *m* (niedliches) Gesichtchen; *frais ~* hübsche(s) Ding *n (Mädchen).*

minoratif, ive [minɔratif, -iv] *a pharm* leicht abführend; *s m* milde(s) Abführmittel *n.*

min|oration [minɔrasjɔ̃] *f com* Unterbewertung *f;* **~orer** unterbewerten.

minori|taire [minɔritɛr] in der Minderheit befindlich; Minderheits-; **~té** *f* Minderheit, Minorität; Minderjährigkeit; Unmündigkeit *f a. fig; être en ~* in der Minderheit sein, sich in der Minderheit befinden; *mettre en ~* überstimmen; *droit m, protection f des ~s* Minderheitenrecht *n,* -schutz *m; ~s ethniques, nationales* völkische, nationale Minderheiten *f pl.*

Minorque [minɔrk] *f geog* Minorka *n.*

minot [mino] *m hist* halbe(r) Scheffel *m;* **~oterie** [-nɔtri] *f* Mühle(nbetrieb *m) f;* Mehlhandel *m;* **~otier** *m* Mühlenbesitzer; Mehl(groß)händler *m.*

minuit [minɥi] *m, a. f* Mitternacht *f;* zwölf Uhr (nachts); *à ~* um Mitternacht; *vers ~, sur le coup de ~* gegen M.; *~ et demi* halb ein Uhr nachts, nachts um halb eins; *messe f de ~ (rel)* Mitternachtsmesse *f.*

minuscule [minyskyl] winzig, verschwindend klein; *s f* u. *a: lettre f ~* kleine(r) Buchstabe *m; hist* Minuskel *f.*

minut|aire [minytɛr] *a: acte m ~* Original(urkunde *f) n;* **~e** *f* Minute *f a. math arch (Kunst);* Augenblick, Moment *m;* Urschrift *f,* Original(urkunde *f) n; interj fam* sachte! langsam! halt, Moment mal! *à la ~ (fam)* auf die Minute (genau); *dans la* od *une ~ (fam)* im Augenblick, sofort, gleich; *une ~!* einen Augenblick! *tours m pl par ~* Umdrehungen *f pl* in der Minute, *mot* Tourenzahl *f; ~ d'arc (math)* Bogenminute *f; ~ comptable* od *taxée, de conversation (tele)* Gebühren-, Gesprächsminute *f; ~ de jugement* Urteilsurschrift *f;* **~er** *tr (Urkunde)* ab=fassen, auf=setzen; die zeitliche Dauer fest=legen (*qc* gen); genau ein=richten; **~erie** *f* Uhrwerk; *el* Zählwerk *n; (~ pour éclairage temporaire)* Schaltuhr *f* (für Treppenhaus-, Nachtbeleuchtung); *interrupteur m à ~* Zeitschalter *m.*

minu|tie [minysi] *f* Kleinigkeit, Lappalie, Bagatelle; Genauigkeit, Gründlichkeit, Sorgfalt.

~tieux, se [-sjø, -øz] (peinlich) genau, sorgfältig, gründlich, *fam* pingelig.

miocène [mjɔsɛn] *m geol* Miozän *n.*

mioche [mjɔʃ] *m f fam* Knirps *m,* Balg *m* od *n; pauvre ~* arme(r) Wurm *n.*

mir|abelle [mirabɛl] *f* Mirabelle *f;* **~abellier** [-e(ɛ)lje] *m* Mirabellenbaum *m.*

mira|cle [mirakl] *m* (übernatürliches) Wunder *n a. fig; par ~* wie durch ein Wunder; *un miracle de ...* ein Wunder an *(dat); crier (au) ~* sich nicht genug wundern können; *faire des ~s (fig)* Wunder tun *od* wirken; *tenir du ~* an ein Wunder grenzen; *il n'y a pas de quoi crier ~ (fam)* das ist keine Kunst; *c'est ~ s'il n'a pas été tué* er ist wie durch ein Wunder dem Tod entgangen; *croyance f aux ~s* Wunderglaube *m; ~ économique* Wirtschaftswunder *n;* **~culeux, se** [-ak-] wunderbar; übernatürlich; wundertätig; Wunder-.

mirage [miraʒ] *m* Luftspiegelung, Fata Morgana; *mar* Kimmung *f; fig* Trugbild *n,* Wahn(vorstellung *f) m;* Einbildung, Täuschung *f; ~ des œufs* Eierprüfung *f.*

mir|e [mir] *f* Meßlatte *f,* Fluchtstab *m; (~ parlante)* Nivelierlatte *f; tele* Testbild *n; il était le point de ~ de tous* aller Augen waren auf ihn gerichtet; *cran m de ~ (mil)* Kimme *f; ligne f de ~* Visierlinie *f; point m de ~ (mil)* Richtpunkt; *fig* Blickpunkt, -fang *m;* **~er** *(Ei)* prüfen; *arg* betrachten; *se ~* sich (selbstgefällig) im Spiegel betrachten; *fig* sich bespiegeln, sich selbst bewundern; *lampe f à ~, ~e-œufs m* Eierprüflampe *f;* **~ette** *f arg* Auge *n;* **~ifique** *fam* großartig, phantastisch.

mirliflore [mirliflɔr] *m fam* Stutzer, Geck *m.*
mirliton [mirlitɔ̃] *m* Rohrflöte; *loc* Bake *f.*
mirmidon [mirmidɔ̃] *m s. myrmidon.*
miro [miro] *fam* mies; *arg* kurzsichtig.
mirobolant, e [mirɔbɔlɑ̃, -t] *s. mirifique.*
mir|oir [mirwar] *m* Spiegel *m a. arch zoo, bes. fig;* (spiegelglatte) Fläche; Lasche *f (am Baum); poli comme un ~* spiegelblank, -glatt; *carpe f à ~* Spiegelkarpfen *m; écriture f en ~* Spiegelschrift *f; œuf m au ~* Spiegelei *n; ~ ardent* Brennspiegel *m; ~ à barbe* Rasierspiegel *m; ~ concave, convexe* Konkav- *od* Hohl-, Konvexspiegel *m; ~ déformateur* Vexier-, Zerrspiegel *m; ~ dentaire, laryngien* Zahn-, Kehlkopfspiegel *m; ~ d'eau* viereckige(s) Wasserbecken *n; ~ grossisseur* Vergrößerungsspiegel *m; ~ à main, de poche* Hand-, Taschenspiegel *m; ~ parabolique, plan* Parabol-, Planspiegel *m; ~ réflecteur* Reflektor *m; ~ rétroviseur (mot)* Rückspiegel *m;* **~oitant, e** spiegelnd; schillernd; *fig* verlockend; **~oitement** *m* Spiegeln *n; fig* Glanz *m,* Verlockung *f;* **~oiter** spiegeln; schillern; *fig* verführerisch, verlockend aus=sehen; *faire ~ (fig)* in glänzenden Farben, schildern, verlockend aus=malen, vor=gaukeln (*qc aux yeux de qn* jdm etw); **~oiterie** *f* Spiegelfabrik, -fabrikation *f,* -handel *m;* **~oitier** [-tje] *m* Spiegelfabrikant, -händler *m.*
mironton [mirɔ̃tɔ̃] *m arg* Bursche *m.*
miroton [mirɔtɔ̃] *m (~ de bœuf)* (gekochtes) Rindfleisch *n* mit Zwiebeln.
misaine [mizɛn] *f: (mât m de ~) (mar)* Fockmast *m; (voile f de ~)* Focksegel *n.*
misan|thrope [mizɑ̃trɔp] *s m* Menschenfeind; Griesgram *m; a* menschenfeindlich, -scheu; **~thropie** *f* Menschenhaß *m* -scheu *f;* **~thropique** menschenfeindlich, -scheu; griesgrämig, mürrisch.
miscible [misibl] mischbar.
mise [miz] *f* (Hin-)Legen, Setzen, Stellen; Aufstellen; Versetzen *n (in e-n Zustand); (~ de fonds) com* Einlage *f; (Versteigerung)* Gebot *n; (Spiel)* Einsatz *m;* Art, sich zu kleiden, Kleidung, Tracht *f; de ~* üblich, gang u. gäbe; zeitgemäß, modern; angebracht, passend; statthaft, zulässig; gültig *(a. Geld); être de ~* sich ziemen, am Platze *od* Mode sein; *faire une ~* ein Gebot ab=geben; *ce n'est pas de ~* das sagt *od* trägt man nicht; das schickt sich nicht, paßt sich nicht; *cela exige une ~ au point* das bedarf e-r Richtigstellung; *~ en accusation* Versetzung *f* in den Anklagezustand; *~ en action* Ausführung, Verwirklichung *f; ~ en activité* Inbetriebnahme *f; ~ hors d'activité* Außerbetriebsetzung, Stillegung *f; ~ en application* Anwendung, Durchführung *f; ~ à l'arrêt (Hahn)* Abstellen *n; ~ bas (Muttertier)* Werfen *n; ~ en bière* Einsargung *f; ~ en boîte (fam)* Nekkerei *f; ~ en bouteilles* Abziehen, -füllen *n (auf, in Flaschen); ~ sur cale (mar)* Kiellegung *f; ~ en cause (jur)* Vorladung *f; allg* Beschuldigung *f; ~ sur chais (Wein)* Einkellern *n; ~ en chantier* Baubeginn *m; mar* Kiellegung *f; ~ en, hors circuit (el)* Ein-, Ausschalten *n; ~ en circulation* Inumlaufsetzen *n,* Inkurssetzung *f;* Vertrieb *m; ~ en code (mot)* Abblenden *n; ~ hors de combat (sport)* Knockout *m; ~ en commun* Zs.legung *f; ~ au concours* Preisausschreiben *n;* Ausschreibung *f* e-s Wettbewerbs; *~ en coupe* Anhieb, -schnitt *m; ~ au courant* Unterrichtung *f; ~ sous courant (el)* Einschalten *n; ~ hors de cours* Außerkurssetzung *f; ~ en court circuit (el)* Kurzschließen *n; ~ en culture* Urbarmachung *f,* Anbau *m; ~ à découvert* Freilegung *f;* Abräumen; Aufschließen *n; ~ en délibéré (jur)* Ansetzen *n* e-r Beratung; *~ en demeure* (Zahlungs-)Aufforderung, Mahnung *f; ~ en dépôt* Aufbewahrung *f; ~ en disponibilité* Beurlaubung *f; ~ à la disposition* Bereitstellung *f; ~ à l'eau* Stapellauf *m; ~ sous écran (tele)* Abschirmung *f; ~ aux enchères* Versteigerung *f; ~ en état* Instandsetzung *f; ~ de siège* Verhängung *f* des Belagerungszustandes; *~ à l'étude* Unterbreitung *f; ~ en évidence* Hervorhebung *f; ~ en exécution* Vollstreckung *f; ~ en exploitation* Inbetriebnahme; *(Land)* Erschließung *f; ~ en fabrication* Produktionsaufnahme *f; ~en faillite* Konkurserklärung *f; ~ à feu (cosm)* Zündung *f; ~ en, hors feu (Hochofen)* An-, Ausblasen *n; ~ fictive (Versteigerung)* Scheingebot *n; ~ en fûts* Abfüllen *n* in Fässer; *~ en gage* Verpfändung *f; ~ en garde* Warnung *f; ~ en harmonie* Anpassung, Abstimmung *f; ~ à l'heure* Stellen *n* der Zeiger; *~ à l'impression, sous presse* Drucklegung *f; ~ en jeu* Verwendung *f;* Einsatz; *(Ball)* Einwurf *m; ~ en joue (mil)* Anschlag *m; ~ à jour* Aktualisierung *f; ~ au jour* Freilegung *f*

(bei Ausgrabungen); ~ en jugement Aburteilung; Überweisung *f* ans Gericht; *~ en liberté* Freilassung *f; ~ en ligne (mil)* Einsatz *m; ~ au lit* Zubettbringen *n; ~ hors la loi* Ächtung *f; ~ en loterie* Auslosung *f; ~ en lumière (Nachricht)* Herausstellen *n; ~ en magasin* Einlagerung, Magazinierung *f; ~ en marche, en mouvement (mot)* Anlassen *n; allg* Inbetriebsetzung *f; ~ de trains* Einlegen *n* von Zügen; *~ à la masse (el)* Erdung *f; ~ au mat* Mattieren *n; ~ en mémoire (des données) (inform)* (Daten-)Speicherung *f; ~ au monde* Geburt *f; ~ au niveau* waagerechte Einstellung *f; ~ à nu* Freilegung *f; min* Anfahren, Aufschließen *n; ~ en œuvre* Verwertung, Verarbeitung; Inangriffnahme; Durch-, Ausführung; Verhüttung *f; ~ en ondes* Rundfunkbearbeitung *f; ~ en page(s) (typ)* Umbruch *m; ~ au pas* Gleichschaltung *f; ~ au pas de l'hélice (aero)* richtige Einstellung *f* der Luftschraube; *~ en paiement* Zahlung *f; ~ en perce (Faß)* Anstechen *n; ~ à pied* (vorübergehende) Amtsenthebung; Kaltstellung *f;* Berufs-, Betätigungs-, Fahrverbot *n; ~ sur pied* Aufgebot *n; ~ sur pied de guerre* Mobilmachung *f; ~ en place (mil)* Bereitstellung *f; ~ en plis* Legen *n* von Wasserwellen; *~ au point (tech phot)* Einstellung; *fig* Entwicklung *f; ~ en possession* Einsetzung, Einweisung *f* in den Besitz; *~ hors de poursuite (jur)* Einstellen *n* der Verfolgung; *~ en pratique* Anwendung; Inangriffnahme *f; ~ à prix* Preisfestsetzung *f;* Kaufanschlag; *(Versteigerung)* Taxpreis *m;* Anfangsgebot *n; ~ au remblai, en tas* Aufschütten *n; ~ en réserve* Zurückstellung *f,* -legen *n; ~ à la retraite* Versetzung in den Ruhestand, Pensionierung *f; ~ en route* Aufbruch *m;* Ingangsetzen; *mot* Anlassen *n; ~ en scène (theat)* Inszenierung; Regie *f; ~ à sec* Trockenlegung *f; ~ en sécurité* Sicher(stell)ung; Verwahrung *f; ~ sous séquestre* Beschlagnahme; Anordnung *f* der Zwangsverwaltung; *~ en série (el)* Reihenschaltung *f; ~ en serrage* Einspannen *n; ~ en, hors de service* Inbetriebnahme, Außerbetriebsetzung *f; ~ sociale (com)* Einlage *f* (in ein Gesellschaftsvermögen); *~ sous tension (el)* Einschaltung *f; ~ à la terre (el)* Erdung *f,* Erdanschluß *m; ~ au tombeau (Kunst)* Grablegung *f; ~ en train* Ingangbringen *n;* Einarbeitung; *typ* Zurichtung *f (des Satzes); ~ sous tutelle* Stellung unter Vormundschaft; Bevormundung *f; ~ hors d'usage* Außerbetriebsetzung *f; ~ en valeur* Auswertung; Geltend-, Nutzbarmachung; *(Baugelände)* Erschließung; *fig* wirkungsvolle Darstellung *f; ~ en vente en librairie (Buch)* Erscheinen *n; ~ en vigueur* Inkraftsetzen, -treten *n; ~ de voix (mus)* Halten *n* des Tones; *~ en wagons (loc)* Verladung *f.*

miser [mize] *(Spiel)* setzen (*sur* auf *acc*); *~ sur le mauvais cheval fig fam* auf das falsche Pferd setzen; *(Versteigerung)* bieten; wetten.

mis|érable [mizerabl] *a* bedauerns-, beklagens-, bejammernswert; notleidend, bedürftig; elend, erbärmlich, jämmerlich, miserabel, kümmerlich; *(Geld)* lumpig; beschämend, (tief) bedauerlich; *s m* Elende(r); Schurke, Schuft *m;* **~ère** *f* Elend, Unglück, Leiden *n,* Trübsal; Not(lage), bejammernswerte Lage *f; fam* Jammer *m,* Kreuz *n;* Kleinigkeit, Lappalie *f,* Dreck *m; fig* Unfähigkeit, Unzulänglichkeit *f; pl* Leiden *n pl;* Mühen, Plagen *f pl,* Beschwerlichkeit *f; pleurer ~* Trübsal blasen; *crier ~ (fam)* mächtig klagen; erbärmlich aus=sehen; *être dans la ~* Not leiden; *être dans une ~ noire (fam)* ganz auf den Hund gekommen sein; *se fâcher pour des ~s (fam)* sich über jede Kleinigkeit auf=regen; *faire des ~s à qn fam* jdn ärgern, quälen, schikanieren; jdm Steine in den Weg legen *fig; tomber dans la ~* in Not geraten; *traîner sa ~* sein Leben kümmerlich fristen; *c'est une ~ que, que de* es ist ein Elend *od* Jammer, daß, zu; *collier m de ~* Sisyphusarbeit, Strafe *f fig; lit m de ~* Schmerzenslager *n; vallée f de ~ (rel)* Jammertal *n; ~ physiologique, mal m de ~ (med)* Entkräftung, völlige Erschöpfung *f;* **~éréré, ~erere** [-erere] *m rel* Miserere *n; chanter le ~* Klagelieder singen; **~éreux, se** *a* arm, bedürftig, notleidend; *s m* Arme(r) *m;* **~éricorde** *s f* Barmherzigkeit *f,* Erbarmen *n,* Gnade *f; interj* Gnade! *(Dieu de ~!)* barmherziger Gott!; *demander, crier ~* um Gnade bitten *od* flehen; *préférer ~ à justice* Gnade vor Recht ergehen lassen; *cela rime comme hallebarde et ~* das paßt wie die Faust aufs Auge; *à tout péché ~* es ist alles verzeihlich; *œuvres f pl de ~ (rel)* Werke *n pl* der Barmherzigkeit; *sœur f de la ~* Barmherzige Schwester *f;* **~éricordieux, se** barmherzig (*envers* gegen).

miso|game [mizɔgam] *a* ehescheu; *s m* eingefleischte(r) Junggeselle *m;*

~gamie *f* Ehescheu *f;* **~gyne** [-ʒin] *a* frauenfeindlich; *s m* Weiberfeind *m;* **~gynie** *f* Weiberfeindschaft *f.*

mispickel [mispikɛl] *m min* Arsenopyrit, Arsenkies *m.*

missel [misɛl] *m rel* Meßbuch *n.*

missile [misil] *m* Flugkörper *m,* Rakete *f;* ~ *intercontinental* Interkontinentalrakete *f;* ~ *de portée intermédiaire* Mittelstreckenrakete *f.*

miss|ologie [misɔlɔʒi] *f rel* Missionskunde *f;* **~ion** *f* Auftrag *m,* Sendung; Mission; *fig* Aufgabe *f,* Zweck *m;* Abordnung, Delegation *f; rel* Missionshaus *n,* -anstalt; *pl rel* Mission *f*· *avoir* ~ *de, pour qc* zu etw beauftragt, berufen sein; *faire, prêcher la* ~ missionieren; *prêcher sans* ~ *(fam)* von sich aus sprechen, eigenmächtig, auf eigene Verantwortung handeln; *chef m de* ~ Missions-, Delegationschef, Führer *m* der Abordnung; *société f des* ~*s (rel)* Missionsgesellschaft *f;* ~ *commerciale* Handelsmission *f;* ~ *diplomatique* diplomatische(r) Auftrag *m,* Botschaft *f;* ~*s étrangères (rel)* äußere Mission *f;* ~ *permanente* ständige Vertretung *f;* ~ *spatiale* Raumflug *m;* ~ *spéciale* Sonderauftrag, besondere(r) Auftrag *m;* ~*-suicide f* Kamikazeeinsatz *m;* **~ionnaire** *m* Missionar; *fig* (Ver-) Künder *m;* **~ionnarisme** *m* Missionswesen *n;* Bekehrungseifer *m.*

missive [misiv] *s f* u. *a: lettre f* ~ Handschreiben *n.*

mistelle [mistɛl] *f* unvollständig gegorene(r) Traubenmost *m* mit Alkoholzusatz.

mistigri [mistigri] *m fam* Mieze(katze) *f.*

mistoufle [mistufl] *f arg* Pleite *f,* Unglück *n;* Schinderei *f.*

mistral [mistral] *m* Mistral *m (kalter Nordwestwind in der Provence).*

mitaine [mitɛn] *f* Fausthandschuh; Handschuh *m* ohne Finger.

mit|e [mit] *f* Motte, Milbe *f; trou m de* ~ Mottenloch *n;* ~ *des étoffes* Kleidermotte *f;* ~ *du fromage* Käsemilbe *f;* **~é, e** mottenzerfressen; **~eux, se** *fam* arm(selig); ärmlich, schäbig.

mit|igatif, ive; ~igeant, e [mitigatif, -iv; -ʒɑ̃, -ɑ̃t] mildernd; **~igé, e** gemildert; erleichtert, gelockert; **~iger** *(Strafe)* mildern, herab=setzen; (er)mäßigen; ab=schwächen.

miton [mitɔ̃] *m vx* Pulswärmer *m;* **~ner** *itr* bei schwacher Hitze kochen; *(Brot)* in der heißen Suppe liegen; *tr fig* von langer Hand vor=bereiten, geschickt in die Wege leiten.

mitose [mitoz] *f biol* Mitose, mitotische Zellteilung *f.*

mitoyen, ne [mitwajɛ̃, -ɛn] mittlere(r, s); gemeinsam, -schaftlich; Mittel-, Zwischen-; *fossé m* ~ Grenzgraben *m; mur m* ~ Brandmauer *f;* **~neté** [-twajɛnte] *f jur* Grenzgemeinschaft *f.*

mitr|aillade [mitrajad] *f mil* Salve *f;* **~aille** *f* Alteisen *n,* Schrott *m;* ~ *de fer, de fonte* Eisen-, Gußschrott *m;* **~ailler** mit MG-Feuer belegen; **~aillette** *f* Maschinenpistole *f;* **~ailleur** *m* Maschinengewehr-, MG-Schütze; *(~ de bord) aero* Bordschütze *m; fusil m* ~ leichte(s) Maschinengewehr, LMG *n; pistolet m* ~ Maschinenpistole *f;* ~ *avant, de nacelle centrale, arrière (aero)* Kanzel-, Wannen-, Heckschütze *m;* **~ailleuse** *f* (schweres) Maschinengewehr, (S)MG *n; emplacement m, fente f, nid, poste mTde* ~ Maschinengewehrstellung *f,* -schlitz *m,* -nest *n,* -stand *m.*

mitre [mitr] *f* Mitra, Inful, Bischofsmütze *f; (~ de cheminée)* Kaminaufsatz *m.*

mitron [mitrɔ̃] **1.** Bäckerjunge; Bäkker-, Konditorgeselle; **2.** *arch* Kappenziegel; Kaminkopf *m.*

mixage [miksaʒ] *m film* Tonmischung *f; salle, table f de* ~ Mischraum *m,* -pult *n.*

mixt|e [mikst] gemischt; Misch-; *cargo m* ~ *(mar)* Frachter *m* mit Passagierkabinen; *commission f* ~ gemischte Kommission *f; école f* ~ Gemeinschaftsschule *f; éducation f* ~ Koedukation, gemeinsame Erziehung *f* beider Geschlechter; *mariage m* ~ *(rel)* Mischehe *f; train m* ~ Güterzug *m* mit Personenwagen; **~ion** [-kstjɔ̃] *f* Mischung; Mixtur *f;* **~ure** [-tyr] *f* Mixtur *f; péj* Gemisch *n.*

mnémo|nique [mnemɔnik] *a* Gedächtnis-; das Gedächtnis unterstützend; *s f,* **~nie, ~techni(qu)e** [-kn-] *f* Gedächtniskunst *f;* **~technique** *a* mnemotechnisch; *moyen m* ~ Gedächtnisstütze, *fam* Eselsbrücke *f; vers m* ~ Merkvers *m.*

mob|ile [mɔbil] *a* beweglich; in Bewegung; fließend; *fig* unbeständig, wandelbar, wechsel-, flatterhaft; *tech* dreh-, verstell-, verschieb-, ausschwenkbar; dünnflüssig; *(Kragen)* lose; *(Futter)* ausknöpfbar; *s m* in Bewegung befindliche(r) Körper *m;* Triebkraft *f; fig* Beweggrund, Antrieb *m,* Triebfeder *f; caractères m pl* ~*s (typ)* bewegliche Lettern *f pl; échelle f* ~ *des salaires* gleitende Lohnskala *f; fête f* ~ bewegliche(s)

Fest *n; groupe m* ~ *(mil)* schnelle Abteilung *f; roue f* ~ Laufrad *n;* **~ilier, ère** *a jur* beweglich; Mobiliar-, Möbel-; *s m* Mobiliar *n;* (Wohnungs-)Einrichtung *f,* Hausrat *m; assurance f ~ère* Hausratversicherung *f; biens m pl ~s* bewegliche Habe *f; valeurs f pl ~ères* Effekten *m pl; vente f, enchères f pl ~ère(s)* Mobiliar-, *jur* Fahrnisversteigerung *f;* ~ *de bureau, de ménage* Büro-, Wohnungseinrichtung *f;* **~ilisable** einsatzfähig, -bereit; wehrpflichtig; **~ilisation** *f* Mobilisierung; Aufbringung; Verfügbarmachung; Bereitstellung; *mil* Mobilmachung *f;* ~ *de capital* Kapitalaufbringung *f;* ~ *de capitaux* Flüssigmachung *f* von Kapitalien; ~ *de fonds* Geldbeschaffung *f;* ~ *des moyens* Aufbringung *f* der Mittel; **~ilisé, e:** *non* ~ *(mil)* unabkömmlich; **~iliser** beweglich machen; auf die Beine bringen, mobilisieren, bereit=stellen; *com* flüssig=machen; *(Geld)* auf=bringen; *mil* mobil machen; *se* ~ *(fam)* sich in Bewegung setzen; **~ilité** *f* Beweglichkeit *a. fig; fig* Regsamkeit; Unbeständigkeit; Wandelbarkeit, Veränderlichkeit *f.*

mobylette [mɔbilɛt] *f* Mofa *n.*

mocassin [mɔkasɛ̃] *m* Mokassin (-slipper) *m.*

moche [mɔʃ] *fam* mies, mau, dämlich, blöd, schlecht; häßlich, kitschig, verkorkst, -pfuscht.

mod|al, e [mɔdal] *(Philosophie) gram* modal; Modal-; **~alité** *f (Philosophie)* Modalität; *mus* Tonart *f; pl allg* Einzelheiten *f pl,* nähere Umstände *m pl; ~s d'application* Durchführungsbestimmungen *f pl; ~s de paiement* Zahlungsbedingungen *f pl.*

mode [mɔd] **1.** *s f* (persönliche) Art, Weise; Gewohnheit; Mode; Sitte *f,* Brauch *m; pl* Putz(waren *f pl*) *m; a* Mode-; *à la* ~ nach der (neuesten) Mode, modisch, modern; *à la* ~ *de* nach Art *gen; à la* ~ *de Bretagne (Verwandtschaft)* zweiten Grades; *à la* ~ *ancienne* altmodisch; *à la* ~ *nouvelle, à la dernière* ~ neumodisch, nach der neuesten Mode; *passé de* ~ aus der Mode, unmodern, altmodisch, veraltet; *devenir la* ~ Mode, modern werden; *lancer la* ~ *(fig)* den Ton an=geben; *mettre à la* ~ auf=bringen, in Mode bringen; *se mettre à la* ~, *suivre la* ~ die Mode mit=machen, sich nach der Mode kleiden; *c'est la* ~ *(ainsi)* das ist (nun mal) so Mode; *il est de* ~ *de porter* ... es ist Mode, ... zu tragen; man trägt ...; *chaque pays a sa* ~ *(prov)* andere Länder, andere Sitten; *articles m pl de* ~ Putz-, Modewaren *f pl; bœuf m à la* ~ Rindfleisch *n* in Gemüse; *coloris m* ~ Modefarbe *f; journal m de ~s* Modezeitung *f; lanceur m de* ~ Tonangeber *m; magasin m de ~s* Modewarengeschäft *n;* Hutsalon *m; marchande f de ~s* Inhaberin e-s Modewarengeschäftes, Putzmacherin *f;* ~ *capillaire* Haarmode *f;* ~ *féminine, masculine* Damen-, Herrenmode *f;* ~ *du jour* augenblickliche, gegenwärtige Mode *f;* **2.** *m* Art, Weise; Form *f;* Mittel *n,* Weg *m,* Möglichkeit, Methode *f,* Verfahren *n; bes. gram* Modus *m; mus* Tonart *f;* ~ *d'action, de construction* Wirkungs-, Bauweise *f;* ~ *d'alimentation* Ernährungsweise *f;* ~ *d'emploi* Gebrauchsanweisung *f;* ~ *d'envoi, d'expédition* Versandart *f;* ~ *d'existence* Lebensform *f;* ~ *de fabrication* Herstellungsverfahren *n,* Fabrikationsweise; Machart *f;* ~ *de fonctionnement* Wirkungsweise *f;* ~ *de gouvernement* Regierungsform *f;* ~ *majeur, mineur* Dur-, Molltonart *f;* ~ *opératoire, de travail* Arbeitsweise *f,* Verfahren *n;* ~ *de paiement* Zahlungsweise *f,* -modus *m;* ~ *de procédure* Verfahrensweise *f;* ~ *de scrutin* Wahlsystem, Abstimmungsverfahren *n;* ~ *de transport* Beförderungsart *f.*

modelage [mɔdlaʒ] *m (Kunst)* Modellieren *n; tech* Anfertigung, Herstellung *f* von Modellen; *atelier m de* ~ Modelltischlerei, -schreinerei *f.*

modèle [mɔdɛl] *s m* Muster; Modell *(a. Person);* Modell(kleid) *n; (Kunst)* Vorlage; Schaupackung, Attrappe *f; fig* Vorbild, (Muster-)Beispiel *n; a* Modell-, Muster- *a. fig; fig* mustergültig, -haft, vorbildlich; *tous* ~ *(com)* aller Art; *être un* ~ *de* ein typischer, mustergültiger ... sein, ein Muster an ... *(dat)* sein; *donner qn en* ~ *à qn* jdm jdn als Vorbild hin=stellen; *faire le métier de* ~ *(Kunst)* Modell stehen; *prendre qn pour* ~, *prendre* ~ *sur qn* sich an jdm ein Beispiel nehmen, sich jdn zum Vorbild nehmen; *servir de* ~ als Muster, Vorlage dienen; *collection f de ~s* Muster-, *(Mode)* Modellkollektion *f; enfant, écolier* od *élève m* ~ Musterknabe, -schüler *m; entreprise f, État m* ~ Musterbetrieb, -staat *m; protection f des ~s déposés* Gebrauchsmusterschutz *m;* ~ *d'avion, en cire, de démonstration, de fabrication, mécanique, de navire, en plâtre, sportif* od *de sport* Flugzeug-, Wachs-, Vorführungs-, Fabrikations-,

Arbeits-, Schiffs-, Gips-, Sportmodell *n; ~ de couture, découpé* Schnittmuster *n; ~ déposé, d'utilité (com)* Gebrauchsmuster *n; ~ de dessin* Zeichenvorlage *f; ~ de luxe* Luxusausführung *f; ~ de tricot* Strickmuster *n.*

mod|elé [mɔdle] *m (Kunst)* Formgebung, Gestaltung *f; (Gesicht)* Züge *m pl;* **~eler** Form, Gestalt geben (*qc* e-r S); formen, gestalten *a. fig* (*sur* nach); *(Kunst)* modellieren; im Modell dar=stellen *od* aus=führen; ein Modell an=fertigen (*qc* gen); *se ~ sur qn* sich jdn zum Vorbild nehmen, jdm nach=eifern; *cire, terre f à ~* Modellierwachs *n,* -ton *m;* **~eleur** *m* Modellierer, Modelleur, (Muster-)Former; Modellschreiner, -tischler *m;* **~éliste** [-e(ɛ)l-] *m f* Modellzeichner(in *f*), -schneider(in *f*) *m.*

modem [mɔdɛm] *m inform* Modem *m.*

mod|érantisme [mɔderɑ̃tism] *m pol* gemäßigte Einstellung *od* Haltung *f;* **~érantiste** *s m pol* Gemäßigte(r) *m; a* gemäßigt; **~érateur, trice** *s m* Befürworter *m* des Maßhaltens, der Mäßigkeit, der Zurückhaltung; Element *n* der Mäßigung; *tech* Regulator *m;* Drosselklappe *f; a* mäßigend, steuernd; *~ de son* Schalldämpfer *m;* **~ération** *f* Mäßigung; Mäßigkeit; Abschwächung; Verminderung, Einschränkung; *com* Ermäßigung *f,* Nachlaß *m; tech* Dämpfung; *(Strafe)* Herabsetzung, Milderung *f; (jur) ~ de droit* Gebühren-, Steuerermäßigung *f,* -nachlaß *m;* **~éré, e** *a* mäßig, schwach; bescheiden, zurückhaltend; *bes. pol* gemäßigt; *s m pol* Gemäßigte(r) *m;* **~érer** mäßigen, mildern, ab=schwächen, herab=setzen *(a. Strafe);* be-, ein=schränken; *tech* drosseln; *(Leidenschaft)* zügeln; im Zaum, in Schranken halten; *se ~* schwächer werden, sich ab=schwächen, nach=lassen; sich mäßigen, sich bescheiden, sich im Zaum halten, sich beherrschen.

mod|ern [mɔdɛrn]: *~ style* [mɔdɛrnstil] *s m* Jugendstil *m; a* im Jugendstil; **~erne** [-ɛrn] *a* modern, heutig, neuzeitlich; zeitgemäß; *s m (Kunst)* Moderne *f; les ~s* die Neueren; *(Kunst)* die Modernen *m pl; histoire f ~* Neuere Geschichte *f; langues f pl ~s* neuere Sprachen *f pl; temps m pl ~s* neuere Zeiten *f pl;* Neuzeit *f;* **~ernisation** *f* Modernisierung *f;* **~erniser** modernisieren, zeitgemäß um=gestalten; **~ernisme** *m* moderne Art *f;* moderne(r) Geschmack; *rel* Modernismus *m;* **~ernité** *f* moderne(r) Charakter *m (e-s Bauwerks).*

mod|este [mɔdɛst] bescheiden, anspruchslos; einfach, schlicht; (mittel)mäßig; **~estie** [-ti] *f* Bescheidenheit, Anspruchslosigkeit; Schlichtheit, Einfachheit *f.*

modicité [mɔdisite] *f* Geringfügigkeit, Kleinheit; geringe Größe, Höhe; *(Preis)* Niedrigkeit *f; ~ du prix* Preiswürdigkeit *f.*

modi|fiable [mɔdifjabl] abänderungsfähig, modifizierbar; **~ficabilité** *f* Modifizierbarkeit *f;* **~ficateur, trice** *a* modifizierend, abwandelnd; *s m* Einfluß *m (auf e-n Organismus);* **~ficatif, ive** *a gram* näher bestimmend; **~fication** *f* (Ab-, Um-, Ver-) Änderung *f; gram* Bestimmungswort *n; sans ~* ohne (jede) Änderung, unverändert; *apporter, faire des ~s à qc* Änderungen an e-r S vor=nehmen; *faire des ~s dans le mobilier* die Möbel um=stellen; *~ de dimensions, à la loi, aux statuts* Maß-, Gesetzes-, Satzungsänderung *f;* **~fier** (ab=, um=, ver)ändern, modifizieren.

modillon [mɔdijɔ̃] *m arch* Konsole *f;* Sparrenkopf *m.*

modique [mɔdik] gering(fügig), unbedeutend, belanglos; mäßig, schwach, klein; *(Preis)* niedrig.

modiste [mɔdist] *f* Putzmacherin *f.*

mod|ulateur [mɔdylatœr] *m tele radio* Modulator *m;* **~ulation** *f mus tele radio* Modulation *f;* **~ule** *m math phys tech arch* Modul *m,* Verhältniszahl *f; ~ lunaire* Mondlandefähre *f;* **~uler** modulieren; *itr* in e-e andere Tonart über=gehen.

moell|e [mwal] *f anat bot* Mark *n a. fig; fig* wesentliche (Bestand-)Teile *m pl,* Kern *m; jusqu'à la ~* durch Mark u. Bein, durch u. durch; im Innersten; *sucer qn jusqu'à la ~, tirer à qn la ~ des os (fam)* jdn bis aufs Blut aus=saugen; *os m à ~* Markknochen *m; ~ allongée* verlängerte(s) Rückenmark, Nachhirn *n; ~ épinière, vertébrale* Rückenmark *n; ~ osseuse* Knochenmark *n;* **~eux, se** markhaltig; Mark-; weich, zart, sanft; *(Stoff)* weich u. füllig; *(Stimme, Wein)* weich u. voll *(Gesang)* schmelzend.

moellon [mwalɔ̃] *m* Bruchstein *m.*

mœurs [mœr, *fam:* -s] *f pl* Sitten *f pl;* Gebräuche *m pl,* Lebensgewohnheiten; Umgangsformen *f pl; (bes. Tiere)* Lebensweise; Sittenpolizei, *pop* Sitte *f; sans ~* sittenlos; *avoir des, n'avoir point de ~* sich gut führen, sich schlecht auf=führen; *offenser les ~* gegen die guten Sitten verstoßen;

autres temps, autres ~ (prov) andere Zeiten, andere Sitten; *attentat m aux ~* Sittlichkeitsvergehen, -verbrechen *n; austérité f des ~* Sittenstrenge *f; bonnes ~* gute Sitten *f pl,* Sittlichkeit, Zucht *f; contraire aux ~* sittenwidrig, unsittlich; *corruption, décadence, dépravation f des ~* Sittenverderbnis *f,* -verfall *m; danger m pour les ~* Gefährdung *f* der Sittlichkeit; *femme f de mauvaises ~* Dirne *f; histoire f des ~* Sittengeschichte *f; mauvaises ~* schlechte Sitten *f pl;* schlechte(r) Lebenswandel *m; police f des ~* Sittenpolizei *f; roman m de ~* Sittenroman *m; vie f et ~* Lebenswandel *m; ~ du pays* Landessitten *f pl; ~ spéciales* Homosexualität *f.*

moi [mwa] *prn (unverbunden)* ich *(betont); (nach nicht verneintem Imperativ)* mir, mich; *s m inv* Ich, Selbst *n;* Ichsucht *f,* Egoismus *m; à cause de ~* meinetwegen; *à part ~* persönlich *adv; de vous à ~* unter uns; *quant à ~* was mich betrifft *od* angeht; *selon, d'après ~* meines Erachtens, nach meiner Ansicht; *à ~!* Hilfe! *je n'ai point d'argent sur ~* ich habe kein Geld bei mir; *après ~ le déluge* nach mir die Sintflut; *c'est ~* ich bin's; *c'est ~ qui* ich *(betont); c'est à ~* das gehört mir; ich bin an der Reihe; *c'est comme ~* ich bin in der gleichen Lage; genau wie bei mir; *ni ~ non plus* ich auch nicht; *un ami à ~* ein Freund von mir; *~-même* ich selbst.

moignon [mwaɲɔ̃] *m* Stumpf, Stummel *m.*

moindre [mwɛ̃dr] geringer, kleiner; *(Preis)* niedriger; *pop* geringwertiger, schlechter; *le ~* das mindeste; *au ~ bruit* beim leisesten Geräusch; *jusque dans les ~s détails* bis in die kleinsten Einzelheiten; *c'est le ~ de mes soucis (fam)* darum lasse ich mir keine grauen Haare wachsen; *le ~ mal* das kleinere Übel; *le ~ d'entre nous* der Geringste unter uns; **~ment** *adv lit: pas le ~* nicht im geringsten.

moine [mwan] *m* Mönch *m; typ* nicht ausgedruckte Stelle *f; se faire ~* ins Kloster gehen; *~ mendiant* Bettelmönch *m.*

moineau [mwano] *m* Sperling, Spatz; *pop* Schlingel *m; jeter l'argent aux ~x* das Geld zum Fenster hinaus=werfen; *tirer, brûler sa poudre aux ~x* sein Geld verplempern; *joli ~ (ironisch)* nette(s) Früchtchen *n; vilain ~* widerliche(r), gräßliche(r) Kerl *m.*

moinillon [mwanijɔ̃] *m* Mönchlein *n.*

moins [mwɛ̃] *adv* weniger *a. math,* minder; *math* minus; *com* abzüglich; *s m math (signe m ~)* Minuszeichen *n; le ~ (allg)* das Mindeste, das Geringste; *à ~* zu e-m niedrigeren Preis; *à ~ de* für weniger als; *à ~ de* od *que* ausgenommen, außer daß, wenn; es sei denn, daß; wenn nicht; *au ~, pour le ~* wenigstens, mindestens; *dans, en ~ de (zeitl.)* in weniger als; *d'autant ~* um so weniger; *de ~ (nach e-r Zahl)* weniger; zu wenig; *de ~ en ~* immer weniger; *du ~* wenigstens, mindestens, zumindest; *en ~ de rien* im Nu; *le ~* am wenigsten; *midi ~ le quart* drei Viertel zwölf; *~ que rien* absolut nichts; *n'en (inf) pas ~* nichtsdestoweniger; trotzdem, dennoch; *ni plus ni ~* nicht mehr u. nicht weniger; *non ~* ebenso; *pas le ~ du monde* nicht im geringsten; *plus ou ~* mehr oder weniger; *rien (de) ~ que* nichts weniger, alles andere als; *rien de ~ que* voll u. ganz, durchaus; *tout au ~, à tout le ~, pour le ~* zum mindesten; wenig gerechnet; *~ que jamais* weniger denn je; *~-perçu m* geringere Einnahme *f,* Ausfall *m; ~-value f* Wertminderung *f;* Fehlbetrag; Verlust, Ausfall *m.*

moir|age [mwaraʒ] *m (Textil)* Wässerung *f;* Wasserglanz *m;* **~e** *f (Textil)* Moiré *m* od *s;* **~é, e** *a* moiriert, geflammt; *s m* Moirierung *f,* Wasserglanz *m;* **~er** wässern, flammen *(a. Weißblech od Zink),* moirieren.

mois [mwa] *m* Monat *m;* Monatsgehalt, -geld *n; au ~* monatlich, monatsweise; *au ~ de janvier* im Januar; *dans un, dans un délai d'un ~* in Monatsfrist; *du ~ courant, présent, de ce ~* des laufenden, dieses Monats; *par ~* monatlich; *tous les ~* alle Monat(e); *elle est dans son neuvième ~* sie ist im neunten Monat *(ihrer Schwangerschaft); trois ~* Vierteljahr *n; six ~* halbe(s) Jahr *n; dix -huit ~* anderthalb Jahre; *~ précédent* Vormonat *m.*

mois|e [mwaz] *f (Zimmerei)* Band *n,* Strebe; Zange *f;* **~er** durch Bänder verbinden.

Moïs|e [mɔiz] *m* Moses *m; m ~* Kinderkörbchen *n;* **m~iaque** mosaisch.

mois|i, e [mwazi] *a* schimm(e)lig, verschimmelt *a. fig; (Flüssigkeit)* kahmig; *fig* (ver)alt(et); *s m* Schimmel, Kahm *m; sentir le ~* dumpfig, muffig riechen; *goût m de ~ (Wein)* muffige(r) Geschmack *m; odeur f de ~* Modergeruch *m;* **~ir** *tr* schimm(e)lig machen; *itr* u. *se ~* schimm(e)lig werden; *je ne vais pas ~ ici (fig fam)* hier werde ich nicht alt, hier bleibe ich nicht lange; ~**issure** *f* Schimmel, Kahm *m*.

moissine [mwasin] *f* Weintraube *f* mit Rankenende.

moisson [mwasõ] *f* Ernte(zeit) *a. fig; fig* (Aus-)Beute *f; faire la* ~ ernten; *rentrer la* ~ die Ernte ein=bringen; ~**onnage** *m* Ernten *n*, Ernte *f;* ~**onner** (ab=)ernten *a. fig; fig* ein=streichen, ein=heimsen; nieder=mähen, dahin=raffen; *comme tu sèmeras, tu ~as (prov)* wie die Saat, so die Ernte; ~**onneur, se** *m f* Erntearbeiter(in *f*), Schnitter *m; f* Mähmaschine *f; ~onneuse-batteuse f* Mähdrescher *m; ~onneuse-javeleuse f* Mähmaschine *f* mit Ablegevorrichtung; *~onneuse-lieuse f* Bindemäher *m*.

moit|e [mwat] *(Haut)* (etwas) feucht; feuchtkalt; ~**eur** *f* (leichte) Feuchtigkeit *f;* leichte(r, s) Schweiß *m od* Schwitzen *n*.

moitié [mwatje] *s f* Hälfte; *fam* bessere Hälfte *f (Frau); adv* halb, zur Hälfte; ~ …, ~ … halb …, halb …; *à* ~ zur Hälfte, halb; *à ~ chemin* auf halbem Wege, mitten auf dem Wege; *à ~ plein* halbvoll; *à ~ prix* zum halben Preis; *la ~ de* … halb …; *~ chair, ~ poisson* weder Fisch noch Fleisch; *être de ~ dans qc (com)* zur Hälfte an e-r S beteiligt sein; *fig* bei etw e-e Rolle spielen; *partager, couper par la* ~ in zwei gleiche Teile teilen *od* zerlegen; halbieren; *partager qc par* ~ sich in e-e S teilen; *être trompé d'outre ~ du juste prix (jur)* mehr als den doppelten Preis *(für etw)* bezahlen; *il faut en rabattre la* od *de ~ (fig)* davon muß man die Hälfte streichen *od* ab=ziehen, das ist völlig übertrieben.

moka [mɔka] *m* Mokka *m;* Mokkatörtchen, -schnittchen *n; crème f de* ~ Mokkalikör *m*.

mol, le [mɔl] *s. mou.*

molaire [mɔlɛr] *a* u. *s f: (dent f)* ~ Back(en)zahn *m*.

molard [mɔlar] *m pop* Auswurf *m*, Auster *f*.

molasse [mɔlas] *s. mollasse.*

môle [mol] **1.** *f* Mondfisch *m;* **2.** *m* Mole *f*, Hafendamm *m;* **3.** *f med* Mole *f*, Mondkalb, Windei *n*.

mol|éculaire [mɔlekylɛr] *a phys* Molekular-; *poids m* ~ Molekulargewicht *n;* ~**écule** *f phys* Molekül *n; ~ géante* Makromolekül *n*.

molène [mɔlɛn] *f bot* Königskerze *f*.

mol|eskine [mɔlɛskin], ~**esquine** [-lɛskin] *f* Moleskin *m* od *n*, Englischleder *(Stoff);* Kunstleder *n*.

moles|tation [mɔlɛstasjõ] *f* Belästigung, Schikane *f;* ~**ter** belästigen, lästig fallen (*qn* jdm), schikanieren.

mol|eté, e [mɔlte] geriffelt; ~**eter** rändeln, kordeln.

molette [mɔlɛt] *f* (Sporn-, Lauf-)Rädchen *n*, Rolle, Walze; Rändel-, Falzscheibe *f*.

mollah [mɔl(l)a] *m* Mullah, Molla *m (islamischer Kleriker od Jurist).*

mollard [mɔlar] *m arg* Spucke *f*.

moll|asse [mɔlas] *f a* (zu) weichlich, verweichlicht; zu schlaff; *s m (a.* ~**asson** *m)* Weichling, *fam* Waschlappen *m; f geol* Molasse *f*.

moll|ement [mɔlmã] *adv* weich, sanft; lässig, ungezwungen; *fig* lasch, flau; weichlich; ~**esse** *f* Weichheit, Sanftheit *a. fig; (Klima)* Milde; Schlaffheit *a. fig; fig* Mattheit; Schwäche; Willenlosigkeit; Nachgiebigkeit, Nachsichtigkeit, Milde; Weichlichkeit, Verweichlichung *f*.

mollet [mɔlɛ] *m* Wade *f*.

mollet, te [mɔlɛ, -t] (dick u.) weich, flaumig; *avoir les pieds ~s* schwach auf den Beinen sein; *œufs m pl ~s* weichgekochte Eier *n pl; pain m ~* Art feine(s) Brötchen *n*.

molletière [mɔltjɛr] *s f* u. *a: bande f ~* Wickelgamasche *f*.

molleton [mɔltõ] *m* Molton, Moll *m (Stoff).*

mollir [mɔlir] *itr* weich, schlaff, kraftlos werden; s-e Kraft verlieren; *(Wind)* nach=lassen; *(Meer)* sich beruhigen; *(Börse)* ab=flauen; *fig mil* nach=geben, zurück=gehen; *tr mar (Tau)* lokkern.

mollusque [mɔlysk] *m zoo* Weichtier *n; pop* Schlappschwanz *m*.

moloch [mɔlɔk] *m zoo* Moloch, Dornteufel *m*.

molosse [mɔlɔs] *m* Fleischerhund *m*.

molybdène [mɔlibdɛn] *m chem* Molybdän *n*.

môme [mom] *m pop* Balg *m*, Kind *n;* Bengel *m;* Range *f; f* Mädchen *n;* Geliebte *f*.

moment [mɔmã] *m* Augenblick, Moment; Zeitpunkt; *(bon ~)* richtige(r) Moment *m*, (gute) Gelegenheit *f; math phys el* Moment *n; à ce* ~ in diesem Augenblick, da; *au ~ de (inf.)* im Augenblick, als …; *(substantif)* zur Zeit *gen; au dernier* ~ im letzten Moment *od* Augenblick; *au ~ où, que (conj)* in dem Augenblick, zu dem Zeitpunkt, als; *à tout (tous) ~(s)* stets, jederzeit, alle Augenblicke, (an)dauernd, *fam* alle nase(n)lang; *dans un* ~ im Augenblick, gleich; *d'un ~ à l'autre* von einem Augenblick zum ander(e)n, jeden Augenblick; *dès ce* ~

von diesem Augenblick *an,* von jetzt an; *du ~* gegenwärtig; *du ~ que, où (conj)* von dem Augenblick, der Zeit, dem Zeitpunkt an, wo; *en un ~* im Nu; *en ce ~* im Augenblick, im Moment, gegenwärtig, zur Zeit; *par ~s* zeitweilig, mitunter; *pour le ~* für den Augenblick; vorerst; *sur le ~ (fam)* damals, in dem Augenblick; *avoir de bons ~s* hin u. wieder recht nett *od* vernünftig sein; *n'avoir pas un ~ à soi* keinen Augenblick für sich selbst haben; *saisir le ~ favorable* die Gelegenheit beim Schopf ergreifen; *un ~, s'il vous plaît!* einen Augenblick, bitte! *derniers ~s* letzte(s) Stündlein *n; mauvais ~* ungünstige(r) Augenblick *m; ~ de couple* od *de torsion, d'inertie (phys)* Dreh-, Trägheitsmoment *n; ~ psychologique* psychologische(s) Moment *n;* **~ané, e** [-ta-] vorübergehend, momentan, kurz(-fristig); **~anément** *adv* vorübergehend, momentan, im Augenblick.

momerie [mɔmri] *f* Getue *n,* Verstellung *f, am* faule(r) Zauber *m,* Affentheater *n.*

mom|ie [mɔmi] *f* Mumie *f; fig* Skelett *n,* Haut *f* u. Knochen *m pl;* Schlafmütze *f;* rückständige(r) Mensch *m;* **~ification** *f* Mumifizierung *f;* **~ifier** mumifizieren; *se ~ (fig) (körperlich* od *geistig)* ein≈rosten; ab≈magern.

momordique [mɔmɔrdik] *f bot* Balsamapfel *m,* -gurke *f.*

mon, ma, *pl* **mes** [mõ, ma, mɛ(e)] *prn* mein; *j'ai ma migraine* ich habe Kopfschmerzen, -weh.

mon|acal, e [mɔnakal] mönchisch; Mönchs-, Kloster-; **~achisme** [-ki-, -ʃi-] *m* Mönch(s)tum; Klosterleben *n.*

monar|chie [mɔnarʃi] *f* Monarchie *f; ~ absolue, constitutionnelle, héréditaire, élective* absolute, konstitutionelle, Erb-, Wahlmonarchie *f;* **~chique** [-ʃ-] monarchisch; **~chiste** [-ʃ-] *s m f* Monarchist(in *f*) *m; a* monarchistisch; **~que** *m* Monarch, Alleinherrscher; *pop (Karten)* (Trumpf-) König *m.*

monas|tère [mɔnastɛr] *m* Kloster *n;* **~tique** klösterlich; Kloster-, Mönchs-; *ordre m ~* Mönchsorden *m.*

monceau [mõso] *m* Haufen *m a. fig; fig* Menge *f* (*d'argent* Geld).

mond|ain, e [mõdɛ̃, -ɛn] *a* weltlich; Welt-; (den Freuden) der Welt zugewandt; weltgewandt, mondän; gesellschaftlich; *s m f* Weltmann *m;* Dame *f* von Welt; **~anité** *f* weltliche(r) Charakter *m;* weltliche Gesinnung *f;* weltliche Genüsse *m pl;* Weltgewandtheit; Geselligkeit *f.*

monde [mõd] **1.** *s m* Welt *f a. fig,* Weltall *n;* Erde; bewohnte Welt *f;* Weltleben *n;* Menschheit *f;* Menschen *m pl,* Leute *pl;* Besuch *m,* Gäste *m pl;* Leute *pl,* Familie *f,* Angehörige *m pl,* Freundes-, Bekanntenkreis *m,* Angestellte, Untergebene *m pl;* Umwelt *f;* **2.** *a rel* rein, koscher; *de ce ~* irdisch; *(jusqu')au bout du ~* am (bis ans) Ende der Welt; *depuis que le ~ est ~* solange die Welt (be)steht, von jeher; *le mieux du ~* so gut es irgend geht; *pas le moins du ~* nicht im geringsten, bestimmt nicht; *de par le ~* irgendwo, in der weiten Welt; *pour rien au ~, pas pour tout l'or, pour tous les trésors du ~* nicht um alles in der Welt, um keinen Preis; *aux yeux de tout le ~* vor aller Welt; *un ~ de ...* e-e Menge *gen; avoir du ~* Besuch haben; *connaître son ~* Weltkenntnis haben; *courir le ~* dauernd auf Reisen sein; *disperser aux quatre coins du ~* in alle Winde zerstreuen; *(n')être (plus) de ce ~* (nicht mehr) am Leben sein, leben; *faire tout au ~* sich die erdenklichste Mühe geben; *se faire un ~ de qc* viel Aufhebens um etw machen; *mettre, venir au ~* zur Welt bringen, kommen; *il y a du ~* es ist Besuch, jemand, *fam* wer da; *c'est le ~ renversé* die Welt steht kopf! *c'est un ~* das ist unerhört! *ainsi va le ~* das ist der Lauf der Welt; *l'ancien ~, le ~ des Anciens* die Alte Welt; *l'autre ~* das Jenseits; *demi-~ m* Halbwelt *f; la fin du ~* das Weltende; *les quatre fins du ~ (rel)* die Letzten Dinge; *le Nouveau M~* die Neue Welt; *partie f du ~* Erdteil *m; le petit ~* die Kinder *n pl; tout le ~* alle Leute *pl,* jeder(mann); *vieux comme le ~* ur-, steinalt; *~ commercial, financier* Geschäfts-, Finanzwelt *f; le ~ entier* die ganze Welt; *~ idéal* Idealwelt *f; ~ intellectuel, des idées* geistige, Ideenwelt *f; ~ intérieur, extérieur* Innen-, Außenwelt *f; ~ invisible, des esprits* Geisterwelt *f; le ~ libre (pol)* die freie Welt *f; ~ moral* sittliche Welt *f; ~ physique, sensible, visible* materielle, sinnliche Welt, Körperwelt *f; ~ primitif* Urwelt *f; ~ savant, lettré* Gelehrtenwelt *f; ~ technique* Fachwelt *f.*

monder [mõde] enthülsen, schälen; entkernen, entsteinen; *(Baum)* aus≈putzen; *orge m ~é* Graupen *f pl.*

mond|ial, e [mõdjal] weltweit; Welt-; *de réputation ~e* mit Weltruf; *congrès m, économie, exposition f, marché m, organisation, politique,* *puissance f ~(e)* Weltkongreß *m,* -wirtschaft, -ausstellung *f,* -markt *m,* organisation, -politik, -macht *f; la Première, Seconde Guerre ~e* der Erste, Zweite Weltkrieg; *prix m pl ~iaux* Weltmarktpreise *m pl;* **~ialement** *adv* welt-; *~ connu* weltbekannt, -berühmt.

mondovision [mɔ̃dɔvisjɔ̃] *f* Satellitenfernsehen *n.*

monégasque [mɔnegask] *a* monegassisch, aus Monako; *M~ s m f* Monegasse *m,* Monegassin *f.*

monét|aire [mɔnetɛr] Münz-, Währungs-, Geld-; *atelier m ~* Münzanstalt, -stätte *f; circulation f, marché m ~* Geldumlauf, -markt *m; fluctuations f pl ~s* Währungsschwankungen *f pl; presse f ~* Münzpresse *f; question, unité, zone f ~* Währungsproblem *n,* -einheit *f,* -gebiet *n;* **~isation** *f* Münzprägung *f;* **~iser** *(Metall)* aus≈münzen, -prägen.

mongol, e [mɔ̃gɔl] *a* mongolisch; *M~, e s m f* Mongole *m,* Mongolin *f;* **M~ie, la** die Mongolei; **~ique** mongolisch.

monit|eur, trice [mɔnitœr, -tris] *m f typ* Anzeiger; *(Schule)* Repetent, Assistent; *mil* Ausbilder; Vorturner; Sport-, Schwimm-, *(~ de ski)* Schi-, *mot* Fahr-, *aero* Fluglehrer *m;* **~ion** [-sjɔ̃] *f rel* Mahnung *f.*

monn|aie [mɔnɛ] *f* Münze *f,* Geld (-stück); Hartgeld; (Klein-, Wechsel-) Geld; Zahlungsmittel *n,* Währung; *fig* klingende Münze *f, pl* Geldsorten *f pl; M~* Münze *f,* Münzamt *n; en belle et bonne ~* mit gutem Gelde; *en même ~* mit gleicher Münze *n'avoir point de ~* kein Kleingeld bei sich haben; *battre ~* Geld prägen; *donner la ~ de qc* auf e-e S heraus≈geben; *faire de la ~* wechseln; *payer en ~ de singe* aus≈lachen (,statt zu zahlen), mit leeren Worten ab≈speisen (*qn* jdn); *rendre la ~* heraus≈geben; *rendre, donner à qn la ~ de sa pièce* jdm mit gleicher Münze heim≈zahlen, *circulation f de la ~* Geldumlauf *m; fausse ~* Falschgeld *n; frappe f des ~s* Münzprägung *f; imitation f des ~s* Münzfälschung *f; menue, petite (a. fig) ~* Kleingeld *n; pièce f de ~* Geldstück *n; ~ d'appoint, auxiliaire, blanche* Wechsel-, Not-, Silbergeld *n; ~ étrangère* fremde, ausländische Währung *f; ~ légale* gesetzliche(s) Zahlungsmittel *n; ~ métallique* Metall-, Hartgeld *n; ~ d'or, d'argent, de cuivre* Gold-, Silber-, Kupfermünze *f; ~ de papier, ~-papier m* Papiergeld *n;* **~ayable** [-ɛjabl] in Geld umsetzbar; **~ayage** *m* (Aus-)Münzen, Prägen; Münzwesen *n; faux ~* Falschmünzerei *f;* **~ayer** *tr (Metall)* aus≈münzen, -prägen; *(Geld)* prägen; zu Geld machen; *fig* unter die Leute bringen; *itr* Münzen schlagen *od* prägen; **~ayeur** *m* Münzer; *fig* Verbreiter *m; faux ~ (a. fig)* Falschmünzer *m.*

mono . . . [mɔnɔ] *in Zssgen* Allein-, Ein-, ein-; **~bloc** *a* aus einem Stück; *s m* Zylinderblock *m;* **~chrome** [-krom] *(Kunst)* monochrom, einfarbig; **~cle** *m opt* Monokel *n;* **~coque** *a; construction f ~ (aero)* Schalenbauweise *f;* **~corde** *a mus* mit einer Saite; *fig* eintönig; *s m* Monochord *n;* **~cotylédone** [-ɔn] *a* u. *s f pl bot* einsamenlappig(e Pflanzen *f pl*); **~culture** *f agr* Monokultur *f,* Monokulturen *f pl;* **~cylindrique** *mot* einzylindrig; **~die** *f* Einzelgesang *m* (mit Instrumentalbegleitung); **~gamie** *f* Einehe *f;* **~gam(iqu)e** monogam(isch); **~gramme** *m* Monogramm; *(Kunst)* Signum, Handzeichen *n;* **~graphie** *f* Monographie, Einzeldarstellung *f;* **~graphique** monographisch; **~ïque** *bot* einhäusig; **~kini** *m* Monokini *m;* **~lingue** einsprachig; **~lithe** *a* monolithisch, aus einem Stein(block); *s m* Monolith *m;* **~lithique** *fig* kompakt; *pol* straff organisiert; **~lithisme** *m* Kompaktheit; *pol* straffe Zs.fassung *f;* **~logue** *m* Monolog *m,* Selbstgespräch *n;* **~loguer** Selbstgespräche führen; **~man(iaqu)e** *a* monoman(isch); *s m f* Monomane(r *m*) *f;* **~manie** *f* Monomanie, fixe Idee *f.*

monôme [mɔnom] *m math* Monom *n; (Studenten)* lärmende Kundgebung *f.*

mono|métallisme [mɔnɔmetalism] *m* Monometallismus *m,* einfache Währung *f;* **~moteur** *a m aero* einmotorig; *s m* einmotorige(s) Flugzeug *n;* **~parti** *a inv: gouvernement m ~* Einparteienregierung *f;* **~phasé, e** *el* einphasig; **~phonie** *f* Monophonie *f;* **~phonique** monophon; **~place** *a aero* einsitzig; *s m* Einsitzer *m;* **~plan** *m aero* Eindecker *m;* **~pole** *m* Monopol; Alleinverkaufs-, -vertriebsrecht *n; situation f de ~* Monopolstellung *f; ~ de l'alcool, du tabac, des allumettes* Branntwein-, Tabak-, Zündholzmonopol *n; ~ de l'État* Staatsmonopol *n; ~ de fabrication, de vente* Herstellungs-, Verkaufsmonopol *n;* **~poliser** monopolisieren; *fig* (für sich) in Anspruch nehmen; **~poliste** monopolistisch; *capitalisme ~ d'État* Stamokap (Staatsmonopolkapitalismus) *m;* **~rail** [-raj] *a loc* einschienig; *s m* Einschienenbahn *f;* **~réglage** *m* Einknopfbedienung *f;* **~rime** *a* mit (nur) einem Reim; **~roue** einrädrig; **~ski** *m (sport)* Monoschi *m;* **~syllabe** [-silab] *m* einsilbige(s) Wort *n;* **~syllab(iqu)e** *a* einsilbig; **~théique** monotheistisch; **~théisme** *m* Monotheismus *m;* **~théiste** *s m f* Monotheist(in *f*) *m; a* monotheistisch; **~tone** [-tɔn] eintönig, monoton, gleichförmig; **~tonie** *f* Monotonie, Eintönig-, Gleichförmigkeit *f;* **~trace** *a tech* einspurig; **~trèmes** *m pl* Kloakentiere *n pl;* **~type** *f* Monotype *f;* **~valent, e** *chem* einwertig; **~xyde** *m: ~ de carbone* Kohlenmonoxid *n;* **~zygote** *(Zwillinge)* eineiig.

mons|eigneur [mɔ̃sɛɲœr] *m, pl messeigneurs* u. *nosseigneurs* gnädiger Herr, Euer Gnaden; (Se.) Durchlaucht; (Se.) Hochwürden; Monsignore *m; s m* u. *a: pince f ~* Brecheisen *n;* **~ieur** [m(ə)sjø] *m, pl messieurs* [mesjø] *(mein) Herr; (Brief)* sehr geehrter Herr; (Ehe-)Mann *m; M~ X.* Herr X.; *beau ~* feine(r) Herr, Mann *m; joli ~* nette(s) Früchtchen *n; mon petit ~ (péj)* mein lieber Mann; *vilain ~* üble(r) Bursche, gemeine(r) Kerl *m; ~ et madame* Herr u. Frau; die Herrschaften *f pl; ~ le maire* der Herr Bürgermeister; *~ votre père* Ihr Herr Vater.

monstr|e [mɔ̃str] *m* Ungeheuer, Monstrum *n,* Mißgeburt, -gestalt *f;* Ungetüm; Ungeheuerliche(s) *n;* Ungeheuerlichkeit *f; fam* Scheusal *n; a fam* ungeheuer; Monster-; *se faire un ~ de qc* sich etw zu schlimm ausmalen; *concert, dîner, procès m ~* Monsterkonzert, -essen *n,* -prozeß *m; succès m ~* ungeheure(r), Bombenerfolg *m;* **~ueux, se** [-tryø, -øz] mißgestaltet, monströs; ungeheuer (groß); scheußlich, entsetzlich, gräßlich *a. fig; fig* ungeheuerlich; **~uosité** *f* Mißbildung; Monstrosität; *fig* Ungeheuerlichkeit; Scheußlichkeit *f.*

mont [mɔ̃] *m (bes. in Namen)* Berg *a. fig; fig* Gipfel *m; chercher par ~s et par vaux* hinten u. vorn, überall suchen; *promettre ~s et merveilles* goldene Berge versprechen; *~s d'or (fig)* goldene Berge *m pl; ~-de-piété m* Leihamt *n,* Pfandleihe *f; ~ de Vénus (anat)* Venusberg *m.*

montage [mɔ̃taʒ] *m* Hinaufschaffen, Heben, Hebegeld; Aufsteigen, Hochkommen; *tech* Montage *f,* Montieren, Aufstellen *n,* Auf-, Ein-, Zs.bau *m; el* Schaltung *f; (schéma m de ~)* Schaltplan *m,* -skizze *f; film* Schnitt *m* u. Zs.stellung *f; (Ärmel)* Einsetzen *n;* Schaufensterdekoration *f; atelier m* od *halle f, échafaudage m de ~* Montagewerkstatt, -halle *f,* -gerüst *n; équipe f de ~* Bautrupp *m; ~ en parallèle, en série* Parallel-, Serien- *od* Reihenschaltung *f; ~ photographique* Photomontage *f.*

mont|agnard, e [mɔ̃taɲar, -d] *a* Berg-; *s m f* Bergbewohner(in *f*) *m;* **~agne** *f* Berg *m a. fig;* Gebirge *n; se faire une ~ de qc (fam)* aus e-r Mükke e-n Elefanten machen; *chaîne f de ~s* Bergkette *f; haute ~* Hochgebirge *n; mal m des ~s* Berg-, Höhenkrankheit *f; pays m de ~s* Bergland *n; Sermon m sur la M~* Bergpredigt *f; système m de ~s* Gebirgszug *m; village m de ~* Berg-, Gebirgsdorf *n; ~ moyenne, de nappe, de plissement* Mittel-, Decken-, Faltengebirge *n; ~s russes* Berg-und-Tal-Bahn *f;* **~agneux, se** gebirgig, bergig.

mont|aison [mɔ̃tɛzɔ̃] *f* Steigen *n (der Lachse);* **~ant, e** *a* (auf-, an)steigend; hinaufgehend, -fahrend; *(Wache)* aufziehend; *(Fuge)* senkrecht; *(Kleid)* hochgeschlossen; *(Strumpf)* lang; *s m* (Tür-, Fenster-, Gitter-)Pfosten; Ständer *m; tech* Strebe *f;* Leiterbaum *m; min* Steigende(s) n; *(Baum)* Stamm; *com* Betrag *m,* Summe *f;* kräftige(r) *od* würzige(r) Geschmack; Sex-Appeal *m; d'un ~ de* im Betrage, in Höhe von; *col m ~* Stehkragen *m; marée f ~e* Flut *f; train m ~* vom Heimatbahnhof wegfahrende(r) Zug *m; ~ d'achat, de l'assurance, d'un effet* Anschaffungs-, Versicherungs-, Wechselsumme *f; ~ brut, de compensation, de facture, de l'impôt* od *des impôts* Roh-, Ausgleichs-, Rechnungs-, Steuerbetrag *m; ~-échelle, indice m de l'impôt* Steuermeßbetrag *m,* -zahl *f; ~ entier* volle(r) Betrag *m; ~ exonéré (Steuer)* Freibetrag *m; ~ global* od *total, partiel* Gesamt-, Teilbetrag *m; ~ à transférer* Ablieferungssoll *n;* **~e** *f (Pferd)* Besteigen, Aufsitzen; *agr* Decken, Beschälen; *(Seidenraupe)* Steigen *n; ~-charge m inv* Lastenaufzug *m; ~-pentes m inv* Schilift *m; ~-plats m inv* Speisenaufzug *m;* **~é, e** *a* aufgezogen (*sur* nach); eingestellt, abgestimmt *a. mus* (*sur* auf *acc*); versehen, versorgt, ausgerüstet (*en* mit); hoch, aufgebracht, wütend (*contre* über *acc*), zornig; beritten, zu Pferd(e) *a. mil; (Edelstein)* gefaßt; *(Schneiderei)* an-, eingesetzt; unterlegt; *(Seidenfaden)* gewunden; *(Gemüse)* aufgeschossen; *theat* aufgezogen; ausgestattet; *s m* Klischee *n* (mit Holz- *od* Bleifuß); *collet m* ~ steife(r), (sitten)strenge(r) Mensch *m; coup m* ~ abgekartete Sache *f;* ~ *en couleur* farbkräftig; **~ée** *f* Aufstieg *m;* (Ein-)Steigen *n (a. Aale, Preise);* Bergfahrt *f; aero* Steigflug *m; (Straße)* Steigung; Rampe, Auffahrt; *arch* Höhe *f; tech* Sichwerfen *n;* Durchhang *m; (Milch)* Sichabsetzen *n (des Rahmes); temps m de* ~ *(aero)* Steigzeit *f.*

monter [mɔ̃te] **I.** *itr* **1.** *(se déplacer)* (hinauf=, auf=, an=, ein=)steigen; ~ *sur une échelle* e-e Leiter hinauf=klettern; ~ *dans le train* in den Zug steigen, ein=steigen; *il n'est jamais ~é en avion* er ist nie geflogen; *il n'est jamais ~é dans un avion* er hat nie ein Flugzeug bestiegen; *(in der Hierarchie)* auf=steigen, *(in der Reihe)* auf=rücken; ~ *en grade* befördert werden; *~ez donc chez nous!* kommen Sie doch herauf! ~ *vers le Nord* nach Norden fahren; ~ *au front* an die Front ziehen; **2.** *(Sache) (Weg)* an=steigen; *(Nebel)* steigen; *le bruit ~e de la rue* der Lärm steigt von der Straße herauf; *le vin ~e à la tête* der Wein steigt zu Kopf; *(Gewitter)* auf=ziehen, im Anzug sein; *(Flammen)* empor=lodern; **3.** *(augmenter)* steigen, zu=nehmen; *(Stimme, Preise)* steigen; *les frais ~ent à* die (Un-)Kosten belaufen sich auf *(acc);* **4.** *(beim Kartenspiel)* überbieten; **II.** *tr* **1.** hinauf=fahren, hinauf=steigen, besteigen; ~ *l'escalier* die Treppe hinauf=steigen; ~ *une côte (Zug)* e-n Berg hinauf=fahren; *(Berg)* besteigen; *(Felsen)* erklimmen; **2.** *(~ qc à qn)* ~ *qc à qn dans sa chambre* jdm e-e S aufs Zimmer hinauf=bringen; ~ *à qn sa valise* jdm den Koffer hinauf=tragen, ~ *les bagages* das Gepäck hinauf=schaffen; **3.** *(installer) (Bett, Zelt)* auf=schlagen; *(Mast)* setzen; *(Ärmel)* ein=setzen; *(bes. Maschine)* auf=stellen, montieren, ein=bauen; *(Bauernhof)* ein=richten; *(Bild)* ein=rahmen; **4.** *(agr) (Hund)* decken; *(Pferd)* beschälen; **III. 1.** *se* ~ sich versehen, s. versorgen, s. aus=rüsten, s. ein=dekken (*en* mit); *se* ~ *en livres* sich mit Büchern ein=decken; *se* ~ *une garde-robe* sich ein=kleiden; **2.** *(Pferd)* sich besteigen lassen; *ce rocher se ~e facilement* dieser Fels ist leicht zu erklimmen; *(tech)* sich montieren lassen, aufzustellen sein; **3.** ~ *à ... (com)* sich belaufen auf *(acc);* betragen, aus=machen, die Summe von ... erreichen; *les frais se ~ent à cent marks* die Kosten machen hundert Mark aus; **4.** *fig (Gemüter)* sich erhitzen, in Schwung, in Fahrt kommen; *faire* ~ *à l'arbre (pop)* auf die Palme bringen, hoch=bringen; ~ *en l'air (arg)* ein=brechen; ~ *en amazone* im Damensitz reiten; ~ *une attaque* e-n Angriff vor=bereiten; ~ *en auto, en avion, en chemin de fer, à bicyclette, à cheval* ins Auto, ins Flugzeug, in den Zug, aufs Fahrrad, aufs Pferd steigen; ~ *un bateau à qn (pop)* jdm e-n Bären auf=binden; ~ *en chaire* die Kanzel besteigen; ~ *sur ses grands chevaux (fig)* auf=brausen; ~ *le coup à qn (pop)* jdn hinters Licht führen; *se* ~ *le coup, (fam) la tête* sich selbst etw vor=machen; ~ *en croupe* mit auf=sitzen *(auf e-m Pferd);* ~ *sur ses échasses, sur ses ergots* sich in Ekstase, in Wut reden; ~ *en épingle* besonders heraus=stellen; ~ *en flèche (fig)* steil an=steigen, empor=schnellen; ~ *en parallèle, en série (el)* nebenea. *od* parallel, hinterea. *od* in Reihe schalten; ~ *la tête, l'imagination à qn (fam)* jdn (auf=) reizen; ~ *sur le théâtre, sur les planches* zum Theater gehen; ~ *au ton de* ab=stimmen auf *(acc);* ~ *à la tribune* sich auf die Rednertribüne begeben; *les prix ~ent* die Preise ziehen an.

monteur, se [mɔ̃tœr, -øz] *m f* Monteur; Installateur; *film* Schnittmeister(in *f*) *m;* ~ *d'affaires* Geschäftemacher *m;* ~ *de coups (pop)* Aufschneider, Angeber *m; ~-dépanneur m* Autoschlosser *m.*

mont|icole [mɔ̃tikɔl] *zoo bot* auf Bergen lebend *od* wachsend; Berg-; **~icule** *m* kleine(r) Berg *m,* (flache) Erhebung *f,* Hügel *m.*

montr|able [mɔ̃trabl] das Anschauen wert; **~e** *f* **1.** Auslage *f;* Schaukasten *m; n'être que pour la* ~ nur zum Schein (da)sein; *faire* ~ *de qc* etw zur Schau stellen, zeigen; **2.** Taschen- *od* Armbanduhr *f; contre la* ~ gegen die Uhr; *~-bracelet f* Armbanduhr *f;* ~ *de contrôle, de dame, de déclic, marine, de précision* Kontroll-, Damen-, Stopp-, Schiffs-, Präzisionsuhr *f;* ~ *de plongée* Taucheruhr *f;* ~ *à quartz* Quarzuhr *f;* ~ *à réveil* Taschenwekker *m.*

montr|er [mɔ̃tre] zeigen (*qc à qn* jdm e-e S); ausstellen, zur Schau stellen; *(Weg)* weisen; *(Richtung)* an=geben; *(Uhr)* die Zeit an=geben; *(Talent)* an den Tag legen, zur Geltung bringen; *(Irrtum)* auf=zeigen; *(Gefühle)* offenbaren; ~ *à qn à faire qc* jdm zeigen, wie man e-e S macht; ~ *à qn à jouer* *du piano* jdm Klavier bei=bringen; ~ *son affection à qn* jdm s-e Zuneigung bezeugen; ~ *le chemin, la porte à qn* jdm den Weg, die Tür weisen; ~ *la clé du mystère* das Geheimnis auf=decken, enthüllen; ~ *la corde (fig)* fadenscheinig sein; *(Theater)* ~ *des danses populaires* Volkstänze dar=bieten; ~ *les dents à qn* jdm die Zähne zeigen; ~ *qn du doigt* mit dem Finger auf jdn zeigen; ~ *son éloquence* s-e Redegewandtheit zur Schau stellen; ~ *l'exemple* mit gutem Beispiel voran=gehen; ~ *de l'humour* Humor beweisen; ~ *les talons à qn* jdm Fersengeld zahlen; aus=reißen *itr;* ~ *un visage serein* Heiterkeit zur Schau tragen; *Jésus tel que le montre la Bible* Jesus, wie er in der Bibel dargestellt wird; *elle ~e sa nouvelle robe* sie trägt ihr neues Kleid zur Schau; *se* ~ sich zeigen; sich sehen *od* blicken lassen; *il s'est ~é incapable de ...* er hat sich als unfähig erwiesen, zu ...; auf=treten, vor das Publikum treten; *il se ~e très sûr de lui* er tritt sehr selbstbewußt auf; **~eur, se** *m f* Schausteller(in *f*) *m;* ~ *d'ours* Bärenführer *m.*

montueux, se [mɔ̃tɥø, -øz] bergig, hüg(e)lig; uneben.

monture [mɔ̃tyr] *f* Reittier, -pferd *n; mar* Bemannung u. Ausrüstung *f; tech* Aufstellen, Montieren, Einbauen; Ausrüstung *f,* Zubehör; Gestell *n,* Rahmen *m,* Chassis *n,* Bügel *m; (Edelstein, Brille)* Fassung; *(Schi)* Bindung *f.*

monument [mɔnymɑ̃] *m* (*bes.* Bau-) Denkmal *a. fig,* Monument, Bauwerk *n;* ~ *funèbre, funéraire* Grabmal *n;* ~ *historique* unter Denkmalschutz stehende(s) Gebäude *n;* ~ *public* (geschütztes) Baudenkmal, -werk *n;* **~al, e** monumental, eindrucksvoll; riesig, gewaltig; *fam* erstaunlich, wunderbar.

moque [mɔk] *f* (blecherner) Meßbecher; (irdener) Trinkbecher *m; mar* Talje *f.*

moqu|er, se [mɔke] verspotten; ver-, aus=lachen; zum Narren, zum besten haben (*de qn* jdn), sich lustig machen (*de qn, qc* über jdn, über e-e S); sich nichts machen (*de qc* aus etw), sich hinweg=setzen (*de qc* über e-e S), in den Wind schlagen (*de qc* etw), *fam* pfeifen (*de qc* auf e-e S); an der Nase herum=führen (*de qn* jdn); nicht daran denken (*de faire qc* etw zu tun); scherzen, Spaß machen, es nicht ernst meinen; *je ne m'en ~e pas mal* das ist mir schnuppe, Wurst, völlig egal; **~erie** *f* Spott, Hohn *m.*

moqu|ette [mɔkɛt] *f* Teppichboden; Moquette *m (Teppich- u. Möbelplüsch);* **~etter** mit Teppichboden aus=legen.

moqueur, se [mɔkœr, -øz] *a* spottlustig, -süchtig; spöttisch, höhnisch; *s m f* Spötter(in *f*) *m; m orn* Spottdrossel *f.*

moraillon [mɔrajɔ̃] *m tech* Überfall *m.*

moraine [mɔrɛn] *f geol* Moräne *f;* ~ *de fond, frontale* od *terminale* Grund-, Endmoräne *f.*

moral, e [mɔral] *a* moralisch, sittlich (einwandfrei, gut), pflichtbewußt; die Sittlichkeit hebend; ethisch; geistig; *s m* Sittliche(s) *n;* geistige Fähigkeiten *f pl;* geistige Verfassung, Stimmung *f* (*bes. der Truppe); s f* Moral, Ethik, Sittenlehre; Lehre, Nutzanwendung; *fam* Strafpredigt *f; avoir bon* ~ optimistisch sein; *faire la ~e à qn* jdm die Leviten lesen; *remonter, saper le* ~ die Stimmung heben, zu drücken suchen; *certitude f ~e* innere Gewißheit *f; conscience f ~e* sittliche(s) Bewußtsein *n; loi f ~e* Sittengesetz *n; personne f ~e* juristische Person *f;* **~ement** *adv* (in) sittlich(er) Hinsicht); innerlich, persönlich; ~ *sûr de qc* persönlich überzeugt von etw; **~isateur, trice** auf sittliche Besserung hinwirkend, sittliche Besserung bewirkend; **~isation** *f* Hebung der Sittlichkeit; sittliche Besserung *f;* **~iser** *tr* sittlich heben; *fam* Vorhaltungen machen (*qn* jdm); *itr* moralisieren, moralische Betrachtungen an=stellen (*sur qc* über e-e S); **~iseur, se** *m f fam* Moralprediger(in *f*) *m;* **~iste** *m (Literatur)* Moralist *m;* **~ité** *f* sittliche(r) Wert *m,* Sittlichkeit; Moral, Lehre, Nutzanwendung; *(Literatur)* Moralität *f; certificat m de* ~ Sittenzeugnis *n.*

morasse [mɔras] *f typ* Bürstenabzug *m.*

moratoire [mɔratwar] *a jur* aufschiebend; *com* Verzugs-; *s m s. ~atorium; accord m* ~ Stillhalteabkommen *n; intérêts m pl ~s* Verzugszinsen *m pl.*

moratorium [mɔratɔrjɔm] *m com* Moratorium *n.*

morb|ide [mɔrbid] *a* krankhaft; Krankheits-; *(Kunst)* zart, weich; *symptôme m* ~ Krankheitszeichen *n;* **~idesse** *f (Kunst)* Zartheit, Weichheit des Fleisches; *poet* entsagende Anmut *f;* **~idité** *f* Krankhaftigkeit; gesundheitsschädliche Wirkung; Krankheitshäufigkeit *f.*

morbifique [mɔrbifik] *a: agent, virus m* ~ Krankheitserreger *m.*
morbleu [mɔrblø] *interj* verdammt! zum Kuckuck!
morc|eau [mɔrso] *m* (abgetrenntes) Stück *n;* Teil; *(Speise)* Bissen, Happen; *fig* Abschnitt *m,* Bruchstück *n; (Buch)* Stelle *f;* (Architektur-, Musik-)Stück *n; pour un* ~ *de pain* für ein Butterbrot, spottbillig; *aimer les bons* ~*x* e-n guten Happen lieben; *être fait de pièces et de* ~*x* zs.gestükkelt sein; *manger le* ~ *(arg)* aus≈pakken, Enthüllungen machen; *s'ôter les* ~*x de la bouche* es sich vom Munde ab≈sparen; ~*x choisis (Literatur)* Auswahl *f* (*de* aus); ~ *friand (fig)* Leckerbissen, leckere(r) Happen *m;* ~**eler** [-sə-] zerstückeln; zerschneiden; auf≈teilen; ~**ellement** [-sɛl-] *m* Zerstückelung; Aufteilung *f.*
mordache [mɔrdaʃ] *f tech* (Klemm-)Backe, Spannkluppe *f.*
mordant, e [mɔrdɑ̃, -t] *a* ätzend, beißend, scharf *a. fig; (Stimme)* schneidend; *fig* scharf (geschliffen); *tech* Beiz-; *s m fig* Schärfe, Bissigkeit *f;* Schwung, Schneid *m; tech* Beize *f;* Ätzwasser *n.*
mordelle [mɔrdɛl] *f* Stachelkäfer *m.*
mordicant, e [mɔrdikɑ̃, -t] (leicht)ätzend; *fig* bissig.
mordicus [mɔrdikys] *adv fam* steif u. fest, hartnäckig.
mordiller [mɔrdije] knabbern, nagen (*qc* an e-r S).
mordoré, e [mɔrdɔre] goldbraun.
mordre [mɔrdr] *tr* (an≈)beißen; *(Insekt)* stechen; ritzen; be-, an≈nagen; *chem* ätzen, an≈greifen; beizen; ein≈dringen (*qc* in etw); *itr* beißen (*à* od *dans, sur qc* in, auf e-e S) *a. fig;* ätzen (*sur qc* etw); an≈beißen (*à qc* an etw, *bes. Fisch*); *fig* herein≈fallen (*à* auf *acc*); sich hin≈geben, sich verschreiben (*à qc* e-r S *dat*); sich ein≈arbeiten (*à qc* in e-e S), begreifen (*à qc* etw); an≈greifen (*sur qc* etw); Eindruck machen, wirken (*sur qc* auf *acc*); s-n Ärger aus≈lassen (*sur* an *dat*); über≈greifen (*sur* auf *acc*); *tech* an≈greifen, fassen; *tech* die Farbe an≈nehmen; *se faire* ~ sich erwischen, schnappen lassen, herein≈fallen; *s'en* ~ *les doigts (fam)* (etw) schwer bereuen; ~ *à l'hameçon* an≈beißen; sich täuschen lassen, herein≈fallen; *se* ~ *la langue* sich in die Zunge beißen; *ça ne* ~ *pas* das verfängt nicht; da müssen Sie früher auf≈stehen; *je ne sais quel chien l'a* ~*u* ich weiß nicht, was ihm (ihr) über die Leber gelaufen, gekrochen ist; *chien qui aboie ne* ~ *pas* Hunde, die bellen, beißen nicht.
mordu, e [mɔrdy] *a fam* begeistert (*pour* von).
mor|e, ~esque [mɔr] *s. maur-.*
moreau, elle [mɔro, -ɛl] *a (Pferd)* schwarz; *s m* Rappe *m.*
morelle [mɔrɛl] *f bot* Nachtschatten *m.*
morfil [mɔrfil] *m* (Messer-)Grat *m.*
morfler [mɔrfle] *itr arg* aus≈stehen, ein≈stecken (müssen).
morf|ondre, se [mɔrfɔ̃dr] *fig* sich *(beim Warten)* zu Tode langweilen; vor Ungeduld vergehen; ~**ondu, e** *(Mensch)* durchgefroren.
morganatique [mɔrganatik] *(Ehe)* morganatisch, zur linken Hand.
morgeline [mɔrʒəlin] *f bot* Gauchheil *m.*
morgue [mɔrg] *f* **1.** Hochmut, Dünkel *m;* **2.** Leichenschauhaus *n.*
moribond, e [mɔribɔ̃, -ɔ̃d] *a* im Sterben liegend; *s m f* Sterbende(r *m*) *f.*
moricaud, e [mɔriko, -d] *a* dunkel(häutig); *s m f* Dunkelhäutige(r *m*) *f,* dunkle(r) Typ; *fam* Mulatte, Neger *m.*
morigéner [mɔriʒene] tadeln, schelten, ab≈kanzeln.
morille [mɔrij] *f bot* Morchel *f.*
morillon [mɔrijɔ̃] *m* **1.** *s.* ~*e;* **2.** *Art* (dunkel)rote Weintrauben *f pl;* Reiherente *f; pl* Smaragdsplitter *m pl.*
morio [mɔrjo] *m zoo* Trauermantel *m.*
morion [mɔrjɔ̃] *m hist* Sturmhaube *f.*
mormon, e [mɔrmɔ̃, -ɔn] *m f rel* Mormone *m,* Mormonin *f;* ~**isme** *m* Mormonentum *n.*
morne [mɔrn] trübselig, -sinnig, (tief-)traurig; trübe, düster; eintönig; *(Farbe)* stumpf, matt.
mornifle [mɔrnifl] *f pop* Maulschelle, Backpfeife, Ohrfeige *f; arg* Geld *n.*
moros|e [mɔroz] mürrisch, griesgrämig; ~**ité** *f* mürrische(s), griesgrämige(s) Wesen *n,* Mißmut *m.*
morph|ine [mɔrfin] *f pharm* Morphium *n; piqûre f de* ~ Morphiuminjektion, *fam* -spritze *f;* ~**inisme** *m* Morphiumvergiftung *f;* ~**inomane** *s* morphiumsüchtig; *s m f* Morphiumsüchtige(r *m*) *f;* ~**inomanie** *f* Morphiumsucht *f.*
morpholo|gie [mɔrfɔlɔʒi] *f biol* Morphologie, Gestaltlehre; *gram* Formenlehre *f;* ~**gique** morphologisch.
morpion [mɔrpjɔ̃] *m pop* Filzlaus *f; pop* Lausbub, Lausejunge *m.*
mors [mɔr] *m (Zaum)* Gebiß *n; tech* (Klemm-, Spann-)Backe, Spannklaue *f,* -kloben *m; prendre le* ~ *aux dents (Pferd)* scheuen, durch≈gehen; *fig*

fam auf=brausen; über die Stränge schlagen; (plötzlich) los=legen.

morse [mɔrs] *m* **1.** *zoo* Walroß; **2.** Morsealphabet *n;* -zeichen *n pl.*

morsure [mɔrsyr] *f* Biß(wunde *f*) *m; fig* verheerende Wirkung *f.*

mort [mɔr] *f* Tod(esfall) *m,* Ableben, Ende *a. fig; fig* Aufhören *n,* Untergang *m,* Vernichtung *f;* Todeskeim *m; à* ~ tödlich, zu Tode; tod-; *à la vie et à la* ~ auf Leben u. Tod, fürs Leben, für immer; *avoir la* ~ *dans l'âme* tiefbekümmert sein; *condamner à* ~ zum Tode verurteilen; *être à la* ~ im Sterben liegen; *être entre la vie et la* ~ zwischen Leben u. Tod schweben; *mettre à* ~ um=bringen; *mourir de sa belle* ~ e-s natürlichen Todes sterben; *souffrir mille* ~*s* Höllenqualen aus=stehen; *voir la* ~ *de près* dem Tod ins Angesicht schauen; *en vouloir à mort à qn* jdm die Pest an den Hals wünschen; *il n'y a pas eu* ~ *d'homme* es ist kein Menschenleben zu beklagen; *arrêt m, sentence f de* ~ Todesurteil *n; cri m de* ~ Todesschrei *m; guerre f à* ~ Krieg *m* bis aufs Messer; *lit m de* ~ Totenbett *n; pâle comme la* ~, *plus pâle que la* ~ totenbleich, leichenblaß; *peine f de* ~ Todesstrafe *f; silence m de* ~ Totenstille *f;* ~ *de l'âme, éternelle (rel)* ewige Verdammnis *f;* ~ *civile* Verlust *m* d. bürgerlichen Ehrenrechte; ~*-aux-rats f* Rattengift *n a. fig;* ~ *volontaire* Freitod *m.*

mort, e [mɔr, mɔrt] *a* gestorben; tot *a. fig; fig* wie tot; *(Stadt)* (wie) ausgestorben; leblos; regungs-, bewegungslos; (toten)still; *com* still, flau; *(Körperteil)* abgestorben; unempfindlich; *(Holz, Laub)* trocken, dürr; *(Farbe)* matt, glanzlos; *(Zeitung)* eingegangen; *s m f* Verstorbene(r *m*), Tote(r *m*); Leiche *f; fig* Strohmann *m; être* ~ *de fatigue* todmüde sein; *ne pas y aller de main* ~*e* tüchtig zu=schlagen; nichts halb tun; *être* ~ *pour qn* für jdn nicht mehr existieren; *être plus* ~ *que vif (vor Schreck)* mehr tot als lebendig sein; *faire le* ~ sich tot=stellen; keinen Ton sagen; *tomber (raide)* ~ tot um=fallen; ~*e la bête,* ~ *le venin (prov)* ein toter Hund beißt nicht mehr; *angle, espace m* ~ *(mil)* tote(r) Winkel *od* Raum *m; eau f* ~*e* stehende(s) Wasser *n; Fête f, Jour m des* ~*s (kath.)* Allerseelen *n; (prot.)* Totensonntag *m; ivre* ~ völlig betrunken; *la mer M*~*e* das Tote Meer; *messe f des* ~*s (rel)* Seelenmesse *f; nature f* ~*e (Kunst)* Stilleben *n; point m* ~ *(tech fig)* tote(r) Punkt *m; temps m* ~ Sendepause, Funkstille *f; tête f de* ~ Totenkopf *m;* ~*-bois m* minderwertige(s) Holz *n;* ~*e-eau f (mar)* Nipptide *f;* ~*-gage m* Nutzungspfand *n;* ~*-né, e a* totgeboren *a. fig; s m f* totgeborene(s) Kind *n;* ~*e-saison f com* Sauregurkenzeit *f.*

mortadelle [mɔrtadɛl] *f* Mortadella *f (Wurst).*

mort|aisage [mɔrtɛzaʒ] *m tech* Aussparung, -kerbung *f;* ~**aise** *f* Zapfenloch *n,* Nute; Einkerbung, Aussparung *f;* ~**aiser** ein Zapfenloch aus=stemmen (*qc* in e-r S), nuten; aus=kerben, stoßen; ~**aiseuse** *f* Schlitz-, Zapfenloch-, Stoßmaschine *f.*

mort|alité [mɔrtalite] *f* Sterblichkeit(sziffer) *f;* ~ *infantile, maternelle* Kinder-, Müttersterblichkeit *f;* ~**el, le** *a* sterblich; *fig* menschlich, Menschen-; *(Schlag, Krankheit)* tödlich *a. fig (Langeweile, Haß); (Schmerz)* furchtbar; Tod(es)-; tod-, sterbens- *(langweilig); s m f* Sterbliche(r *m*) *f; la dépouille f* ~*le* die sterblichen Überreste *m pl; ennemi m* ~ Todfeind *m; péché m* ~ Todsünde *f.*

mortier [mɔrtje] *m* Mörtel, Speis *m;* Bindemittel *n; allg* zähe(r) Brei, Teig *m; fam* Pampe *f (Suppe); (Küche) pharm mil* Mörser; Granatwerfer *m; jur* Barett *n.*

mort|ifiant, e [mɔrtifjɑ̃, -t] *rel* Buß-; *fig* demütigend, kränkend; ~**ification** *f rel* Abtötung, Kasteiung; *fig* Demütigung, Erniedrigung *f;* ~**ifier** *rel* ab=töten, kasteien; *(Küche)* mürbe machen; *med* brandig werden lassen; *fig* demütigen, schwer kränken.

mortinatalité [mɔrtinatalite] *f* Zahl *f* der Totgeburten.

mortuaire [mɔrtyɛr] *a* Sterbe-, Toten-, Leichen-, Trauer-, Begräbnis-; *acte m* ~ Sterbeurkunde *f; chambre f* ~ Sterbezimmer *n; couronne f* ~ Totenkranz *m; dépôt m* ~ Leichenhalle *f; domicile m, maison f* ~ Trauerhaus *n; drap m* ~ Leichen- *od* Bahrtuch *n; droits m pl* ~*s* Begräbniskosten *pl; extrait m* ~ Totenschein *m; lettre f* ~ (briefliche) Traueranzeige *f; registre m* ~ Sterberegister *n.*

moru|e [mɔry] *f zoo* Kabeljau, Dorsch *m; huile f de foie de* ~ Lebertran *m;* ~ *noire* Schellfisch *m;* ~ *sèche* Stockfisch *m;* ~ *verte* Laberdan *m;* ~**tier,** ~**yer** *s m* u. *a: bateau m* ~ Kabeljaufänger *(Schiff); m* Kabeljaufischer *m.*

morv|e [mɔrv] *f* Nasenschleim, Rotz *m (a. Pferdekrankheit);* ~**eux, se** *a (Kind od Pferd)* rotzig; *s m f* Rotznase *f (Kind).*

mosaï|que [mɔzaik] *a* **1.** *rel* mosaisch;

2. Mosaik-; *s f* Mosaik(arbeit *f*) *n a. fig; fig* bunte(s) Durcheinander *n; ~ contrôlée, sommaire (phot aero)* Bildplan *m*, -skizze *f*; **~quer** mit Mosaiken aus=statten; **~sme** *m* mosaische(s) Gesetz *n*; **~ste** *s m* u. *a: artiste m ~* Mosaikkünstler *m*.

Mosc|ou [mɔsku] *f* Moskau *n*; **m~ovite** *a* Moskauer; *M~ s m f* Moskauer(in *f*) *m*.

mosell|an, e [mɔzɛlɑ̃, -an] *a* Mosel-; **M~e, la** die Mosel; *m~ m* Mosel(wein) *m*.

mosquée [mɔske] *f rel arch* Moschee *f*.

mot [mo] *m* Wort *n*; Ausspruch *m; (Rätsel)* Lösung *f; com* Gebot *n*; Preis *m; un ~* ein paar Worte *n pl*, Zeilen *f pl*, ein kurzer Brief *m; à ce(s) ~(s)* auf diese Worte (hin); *à demi-~* auf e-e (bloße) Andeutung hin; durch die Blume; *au bas ~* mindestens; *au premier ~* ohne Zögern, sofort; *en un (deux, quatre) ~(s)* mit einem Wort, kurz; *en d'autres ~s* mit anderen Worten; *en peu de ~s* (mit) kurz(en Worten); *sans ~ dire* ohne ein Wort zu sagen, wortlos; *~ à ~* [mɔtamo], *~ pour ~* Wort für Wort, wörtlich *adv; avoir le dernier ~* das letzte W. haben; *avoir son ~ à dire* ein Wörtchen mitzureden haben; *avoir des ~s* e-n Wortwechsel haben; *compter, peser ses ~s* s-e Worte ab=wägen; *dire un ~, deux, quatre ~s à qn* mit jdm ein ernstes W. reden; *dire un, deux, quatre ~s à qc* e-r S *(Speise, Getränk)* gut zu=sprechen; *ne dire, sonner ~, ne souffler (le) ~* keinen Ton sagen; *n'entendre pas un ~ de qc* keine Ahnung, *fam* keinen blassen Schimmer von etw haben; *prendre au ~* beim W. nehmen; *trancher le ~* es ganz offen, offen heraus sagen; *ce ne sont que des ~s* das sind nur bloße Worte; *pas un ~ de plus!* kein W. mehr! basta! ich will nichts mehr hören!; *qui ne dit ~ consent (prov)* wer schweigt, gibt *od* stimmt zu; *(bon) ~* Witz; Geistesblitz; Scherz *m; amateur m de ~s croisés* Kreuzworträtselfreund *m; demi-~ m* Andeutung *f; espèce f de ~ (gram)* Wortart *f; (fin) ~* Pointe *f*, geheime(r) Sinn *m*; Absicht *f*; Sachverhalt *m; grand ~* Schlagwort *n; pl* große, hochtrabende Worte *n pl; gros ~* Fluch *m*; Grobheit *f*; Schimpfwort *n; jeu m de ~s* Wortspiel *n; premier ~* Anfangsgründe *m pl; ignorer le premier ~ de qc* von e-r S nichts verstehen, *fam* keine blasse Ahnung haben; *~s carrés* magische(s) Quadrat *n (Rätsel); ~ -clé (Katalog)* Schlag-, Stichwort *n; ~ conventionnel (mil)* Tarnbezeichnung *f; ~s croisés* Kreuzworträtsel *n; ~ étranger, d'emprunt* Fremd-, Lehnwort *n; le fin ~ de l'affaire fig fam* des Pudels Kern; *~ de la fin* Knalleffekt *m; ~ d'ordre, de passe (mil)* Kennwort *n*, Parole *f; ~ pour rire* Witz, Scherz *m; ~ à double sens* od *entente* zweideutige(s) W.; *~-vedette m (Katalogkarte, Artikel)* Kopf *m*.

motard [mɔtar] *m fam* Motorradfahrer *m*.

motel [mɔtɛl] *m* Motel *n*.

moteur, trice [mɔtœr, -tris] *a phys* bewegend, treibend *a. fig; anat* motorisch, Bewegungs-; *s m* Motor *m*, Kraftmaschine *f*, Triebwerk *n; fig* treibende Kraft, Seele *f (e-s Unternehmens); s f* Motorwagen *m; faire chauffer le ~* den M. warm werden lassen; *lancer le ~, mettre le ~ en marche* den M. an=werfen, -lassen; *le ~ part* der M. springt an; *carcasse, enveloppe f de ~* Motorgehäuse *n; construction f de ~s* Motorenbau *m; force f motrice (fig)* treibende Kraft; *huile f pour ~* Motorenöl *n; nerfs m pl ~s* motorische Nerven, Bewegungsnerven *m pl; premier ~ (Philosophie)* erste Ursache *f; servo-~ m* Servo-, Stütz-, Hilfsmotor *m; toutes roues f pl motrices* Allradantrieb *m; ~ à l'arrière* Heckmotor *m; ~ autonome* Eigenmotor *m; ~ auxiliaire* Hilfs-, Servo-, *(Fahrrad)* Einbaumotor *m; ~ d'avion* Flug(zeug)motor *m; ~ à carburateur* Vergasermotor *m; ~ à combustion interne* Verbrennungsmotor *m; ~ de commande* Antriebsmotor *m; ~ à compresseur* Kompressor-, Gebläsemotor *m; ~ à courant alternatif, continu* Wechsel-, Gleichstrommotor *m; ~ Diesel* Dieselmotor *m; ~ électrique* Elektromotor *m; ~ à essence, à pétrole* Benzinmotor *m; ~ à explosion* Explosionsmotor *m; ~ hors-bord, ~ godille* Außenbordmotor *m; ~ à huile lourde* Schwer-, Rohölmotor *m; ~ hydraulique* Wasserkraftmaschine *f*, -motor *m; ~ jumelé* Zwillingsmotor *m*, Zwillings-, Doppeltriebwerk *n; ~ mono-, polycylindrique* Ein-, Vielzylindermotor *m; ~ nucléaire* Atommotor *m; ~ à pistons* Kolbenmotor *m; ~ à pistons rotatifs* Wankelmotor *m; ~ plat* Kurzhuber *m; ~ à réaction, réacteur* Rückstoß-, Strahl-, Turbotriebwerk *n; ~ à deux, quatre temps* Zwei-, Viertaktmotor *m*.

moti|f [mɔtif] *m* (Beweg-)Grund *m*, Motiv *n*; Veranlassung, Ursache *f*;

Antrieb *m,* Triebfeder; Absicht *f; (Kunst)* Motiv *n,* Gegenstand, Vorwurf; *(Literatur)* Leitgedanke *m,* tragende Idee *f; mus* Motiv, Thema *n; pour quel ~?* aus welchem Grunde? in welcher Absicht? *sans ~* ohne Veranlassung, grund-, absichtslos; *défense d'entrer sans ~ de service* Unbefugten ist der Zutritt verboten.

motion [mosjɔ̃] *f parl* Antrag *m; adopter, appuyer, déposer, présenter, rejeter* od *repousser, retirer une ~* e-n Antrag an=nehmen, unterstützen, stellen, ein=bringen, ab=lehnen, zurück=ziehen; *~ de censure* Mißtrauensantrag *m; ~ de confiance* Vertrauensvotum *n; ~ d'ordre* Antrag *m* zur Geschäftsordnung; *~ de procédure* Verfahrensantrag *m.*

moti|vation [mɔtivasjɔ̃] *f* Motivierung, Begründung; Motivation *f;* **~vé, e** motiviert; **~ver** motivieren, begründen; als Anlaß dienen; den Grund ab=geben (*qc* für etw); rechtfertigen.

moto [mɔto] *f fam* Motorrad *n; faire de la ~* Motorrad fahren; **~batteuse** [mɔtɔ-] *f* Motordrescher *m;* **~-cross** *m* Moto-Cross *m;* **~culteur** *m* (Boden-, Garten-)Fräse *f;* **~culture** *f* motorisierte Landwirtschaft *f;* **~cyclette** *f (à remorque latérale)* Motorrad *n* (mit Beiwagen); **~cyclisme** *m* Motorradsport *m;* **~cycliste** *s m* Motorradfahrer *m; a: agent m de liaison ~ (mil)* Kradmelder *m; course f ~* Motorradrennen *n;* **~faucheuse** *f* Motormäher *m;* **~godille** [-ij] *f* Außenbordmotor *m;* **~nautique** *a* Motorwasser-; **~neige** *f* Motorschlitten *m;* **~planeur** *m* kombinierte(s) Motor- u. Segelflugzeug *n;* **~pompe** *f* Motorpumpe *f;* **~propulseur** *m* Antriebsmotor *m; groupe m ~* Triebwerk *n;* **~risation** *f* Motorisierung *f;* **~risé, e** motorisiert; *entièrement ~ (mil)* vollmotorisiert; **~riser** mit e-m Motor versehen, e-n M. ein=bauen (*qc* in *acc*); motorisieren; auf Lastkraftwagen verladen; **~riste** *m* Kraftfahrzeughändler *m;* **~r-ship** [mɔtɔrʃip] *m* Motorschiff *n;* **~-solo** *m* Solokrad *n;* **~tracteur** *m* Traktor *m.*

mott|e [mɔt] *f* (Erd-)Scholle *f,* Klumpen *m (a. Butter); (~ à brûler)* (Torf-)Sode *f;* **~eux** *m orn* Weißkehlchen *n,* -schwanz, Steinsänger *m.*

motus [mɔtys] *interj fam* still! pst!

mou, mol, molle [mu, mɔl] *a* weich *a. fig;* sanft; *(Wetter)* feuchtwarm; schlaff, kraft-, energie-, *fig* willenlos; nachgiebig; matt, schwach; weichlich; *s m* Weiche(s) *n; (Fleischerei)* Lunge *f; fig pol* Gemäßigte(r) *m; avoir du ~ (Seil, Kette, Riemen)* (zu) locker sein; *donner du ~ (Seil)* lockern; *fromage m ~* Weichkäse *m; parties f pl molles (anat)* Weichteile *pl; pâte, cire f molle (fig)* willenlose(r) Mensch *m.*

mouchard, e [muʃar, -rd] *m f* Spion (-in *f*); Denunziant(in *f*) *m;* Kontrollgerät *n;* **~er** *itr* spionieren; *tr* aus=horchen, bespitzeln.

mouche [muʃ] *f* Fliege *f; (chiure f de ~)* Fliegendreck; kleine(r) dunkle(r) Schmutzfleck, (Dreck-)Spritzer *m; hist* Schönheitspflästerchen; Kinnbärtchen; Pünktchen *n,* Tüpfel *m* od *n (Stoffmuster); (Zielscheibe)* Schwarze *n; (Florett)* Lederknopf; Flußdampfer *m; faire ~* ins Schwarze treffen; *faire la ~ du coche* sich wichtig machen, Hansdampf in allen Gassen sein; *gober des~s* in die Luft gucken; Maulaffen feil=halten; *prendre la ~* auf=brausen; ein=schnappen; *quelle ~ vous pique?* was ist denn mit Ihnen los? was ist Ihnen in die Krone gefahren? *on prend plus de ~s avec du miel qu'avec du vinaigre* mit Speck fängt man Mäuse; *fine ~* Schlauberger *m,* schlaue, gerissene Person *f; pattes f pl de ~* Gekritzel *n; ~ cantharide, espagnole (zoo pharm)* Spanische Fliege *f; ~ des chevaux, à bœufs* Pferde-, Rinderbremse *f; ~ commune* Stubenfliege *f; ~ éphémère* Eintagsfliege *f; ~ à miel* (Honig-)Biene *f; ~ à viande* Blaue Schmeiß-, Fleischfliege *f, fam* Brummer *m.*

moucher [muʃe] die Nase putzen (*qn* jdm); *pop* herunter=putzen, -machen, ab=kanzeln; *ne pas se ~ du coude, du pied (fam)* sehr anspruchsvoll sein; *~e ton nez! (fam)* kümmere dich um deinen Dreck! kehre vor deiner Tür!

mouch|eron [muʃrɔ̃] *m* Mücke *f; pop* Knirps *m,* Kerlchen *n;* **~eté, e** *zoo* gesprenkelt, gefleckt *(Florett)* mit Lederknopf versehen; **~eter** tüpfeln, sprenkeln; (mit Dreck) bespritzen; *(Florettspitze)* mit e-m Lederknopf versehen.

mouchette [muʃɛt] *f arch* Simskante *f;* Kehlhobel *m; pl* Licht(putz)schere *f.*

moucheture [muʃtyr] *f zoo* Fleck *m; bot (Textil)* Tüpfel *m* od *n.*

mouch|oir [muʃwar] *m* Taschen-, Hals-, Kopftuch *n* (*~ de poche, de cou, de tête*); *faire un nœud à son ~* sich e-n Knoten ins Taschentuch machen; *~ pour dame, pour homme* Damen-, Herrentaschentuch *n; ~ fantai-*

sie Ziertüchlein *n;* **~ure** *f* Nasenschleim, Rotz *m.*
moudre [mudr] *irr* mahlen; *(~ de coups) fig fam* verbleuen, verdreschen.
moue [mu] *f* Maul, schiefe(s) Gesicht *n; faire la ~* ein Maul machen, ein schiefes Gesicht ziehen; maulen, schmollen.
mouette [mwɛt] *f* Möwe *f.*
mouffette [mufɛt] *f* Skunk *m,* Stinktier *n.*
moufle [mufl] **1.** *f* Fausthandschuh *m;* **2.** *f* Flaschenzug *m;* Mauereisen *n;* **3.** *m tech* Muffel *f.*
mouflet [muflɛ] *m fam* Kind *n,* Balg *m.*
mouflon [muflɔ̃] *m zoo* Mufflon *m.*
mouill|age [mujaʒ] *m* An-, Befeuchten; Verdünnen *n; mar* Ankerplatz, -grund *m;* Ankern, Vorankergehen *n; être au ~* vor Anker liegen; **~e** *f* Rieselquelle; *(Fluß)* tiefste Stelle *f; mar com* Wasserschaden *m; ~-doigts, ~-étiquettes m* Briefmarkenanfeuchter *m;* **~é, e** *a* angefeuchtet; durchnäßt; *(Wein)* verdünnt; *gram* mouilliert; *s m* feuchte(s) Wetter *n;* feuchte(r) Boden *m,* feuchte Stelle *f; poule f ~e (fam)* Angsthase *m;* **~ement** *m* An-, Befeuchten; *(Küche)* Begießen; Kochwasser; *gram* Mouillieren *n;* **~er** *tr* feucht machen, an=, befeuchten; benetzen; durchnässen; naß machen; *(Wäsche)* ein=weichen; bespülen; *(mit Wasser)* verdünnen; *(Küche)* Wasser *od* Wein zu=geben (*qc* e-r S); *gram* mouillieren; *(Anker)* werfen; *(Minen)* legen; *mar* vor Anker gehen, ankern; *se ~* sich benetzen; naß, feucht werden; mouilliert ausgesprochen werden; *fam* s-n Ruf aufs Spiel setzen, sich kompromittieren; *~ de larmes* mit Tränen benetzen; *mes yeux se ~èrent de larmes* mir traten Tränen in die Augen; **~ère** *f* feuchte Stelle *f (in e-r Wiese);* **~ette** *f* Stück *od* Brot *n* zum Eintunken; **~eur** *m* Briefmarkenbefeuchter *m; ~ de câbles, de mines (mar)* Kabel-, Minenleger *m;* **~eux, se** *(Gelände)* feucht; **~oir** *m* Gefäß *n* zum An-, Befeuchten; **~ure** *f* Wasserfleck *m.*
mouise [mwiz] *f pop* Not *f,* Elend *n; il est dans la ~* es geht ihm dreckig.
moul|age [mulaʒ] *m* **1.** Formen *n;* (Guß-)Form *f;* Gießen *n,* Guß(ware *f,* -stück *n*); *(~ en plâtre)* Gipsabguß *m;* **2.** Mahlen; Mühlwerk *n; atelier m de ~* Formerei; Gießerei *f; ~ en coquille, matricé* Schalen- *od* Kokillen-, Preßguß *m; ~ facial* Gesichtsbildung *f;* **~ant, e** *(Kleid)* enganliegend.
moule [mul] **1.** *m* (Guß-) Form; *~ à pâtisserie, à crème, à beurre* Back- *od* Kuchen-, Pudding-, Butterform *f; avoir été jetés dans le même ~* wie ein Ei dem ander(e)n gleichen; *être fait au ~* e-e tadellose Figur haben; *~ externe, interne (geol)* Abdruck *m;* Versteinerung *f; ~ à sable* Sandform *f (Spielzeug);* **2.** *f* Miesmuschel *f; fam fig* Dummkopf, Waschlappen *m;* **~é, e** *a* gegossen; *(Mensch) bien ~é (fam)* gutgebaut; *(Schrift)* (wie) gestochen; *s m* Gedruckte(s) *n; lettre f ~e* Druck- *od (in Druckschrift)* gemalte(r) Buchstabe *m;* **~er** *tech* gießen; (ab=)formen; *(Kleidung)* eng an=liegen (*qc* an *dat*); *fig* bilden (*sur* nach); *se ~ (Kleidung)* knapp, sehr eng sein, eng an=liegen (*à* an *dat*); die Form betonen; **~erie** *f* Gießerei; Formerei *f;* **~eur** *s m* u. *a: ouvrier m ~* Gießer; Former *m;* **~ière** *s f* Muschelzüchterei *f.*
moulin [mulɛ̃] *m* Mühle *f; pop* Motor *m; jeter son bonnet au-dessus des ~s* sich nicht um das Gerede der Menschen kümmern; *faire venir l'eau à son ~* in seine Tasche arbeiten; *faire venir l'eau au ~ de qn* jdm alles zu=schanzen; *on ne peut être à la fois au four et au ~* man kann nicht auf zwei Hochzeiten tanzen; *~ à eau, à vent* Wasser-, Windmühle *f; ~ à café, à huile, à papier, à poivre* Kaffee-, Öl-, Papier-, Pfeffermühle *f; ~ à légumes* Gemüsezerkleinerer *m; ~ à paroles (fam)* Plappermaul *n; ~ à prières* Gebetsmühle *f; ~ à viande* Fleischwolf *m;* **~age** *m (Seide)* Zwirnen *n;* **~er** *(Seide)* zwirnen; *(Holzwurm)* zerfressen; **~et** [-ɛ] *m* Quirl *m;* Drehkreuz; Flügelrad *n; aero* Bremsluftschraube; *(Angel)* Rolle; (Wind-)Mühle *f (Spielzeug); faire des ~s avec qc* etw um sich herum=wirbeln; **~eur, se; ~ier, ère** *m f* (Seiden-)Zwirner(in *f*) *m.*
moulu, e [muly] *a* gemahlen; *fam* ganz kaputt, wie zerschlagen, wie gerädert, völlig erschöpft; *or m ~* Goldstaub *m;* **~re** *f* Mahlen; Gesims *n,* Sims *m* od *n;* (Zier-)Leiste *f.*
mour|ant, e [murɑ̃, -ɑ̃t] *a* sterbend, im Sterben liegend; *(Augen, Stimme)* gebrochen; *fig* schwindend; verlöschend; verklingend; *(Farbe)* matt, blaß; *(Blick)* schmachtend; *(Hang)* sanft abfallend; *s m f* Sterbende(r *m*) *f;* **~ir** *irr* sterben (*de* an *dat,* vor *dat*); *(übertreibend)* um=kommen, vergehen (*de* vor *dat*), verschmachten; *(Tier, Pflanze)* ein=gehen; *(Feuer)* aus=gehen, erlöschen; *allg* zum Still-

stand, zur Ruhe kommen; *fig* dahin⸗schwinden; zu Ende, ver-, unter⸗gehen, sich verlieren; ersterben; *se* ~ im Sterben, in den letzten Zügen liegen; *fig* vergehen, schwinden, versinken; *(übertreibend)* sterben; *à* ~ unsäglich, furchtbar, entsetzlich *adv;* sterbens-; *faire* ~ *qn* jdn um⸗bringen; jdn sehr ungeduldig *od* besorgt machen; *faire mourir à petit feu (fig)* jdn auf die Folter spannen; *sous le bâton* jdn (halb) tot⸗schlagen; ~ *d'envie de ...* vor Sehnsucht nach ... vergehen; ~ *de honte, de peur* sich zu Tode schämen, ängstigen; ~ *de sa belle mort* e-s natürlichen Todes sterben; ~ *à la peine* in den Sielen sterben; darüber hin⸗sterben; ~ *tout en vie (vx)* mitten aus dem Leben gerissen werden; *c'est à* ~ *de rire* das ist zum Totlachen; *il a pensé* ~ er wäre beinahe gestorben, er war dem Tod nahe; *il est mort dans un accident de la route* er ist auf der Straße tödlich verunglückt; *je veux* ~ *si ...* mich soll der Schlag treffen, wenn ...; *les paroles lui* ~*urent dans la bouche* das Wort erstarb ihm im Munde.

mouron [murɔ̃] *m bot* Sternkraut *n,* -miere *f;* ~ *des oiseaux* Vogelmiere *f.*

mousquet [muskɛ] *m mil hist* Muskete *f;* ~**aire** [-kət-] *m* Musketier *m;* ~**on** *m* Karabiner; Karabinerhaken *m.*

moussaillon [musajõ] *m péj* kleine(r) Schiffsjunge *m.*

mousse [mus] **1.** *m* Schiffsjunge *m;* **2.** *f bot* Moos *n;* Schaum *m; Art* Schlagsahne *f; fig* (das) Prickelnde; *faire de la* ~ *(pop fig)* Schaum schlagen; *se faire de la* ~ *(pop)* sich Gedanken machen, Sorgen haben; *caoutchouc m* ~ Schaumgummi *n* od *m; couvert de* ~ moosig, bemoost; ~ *d'Islande* Isländische(s) Moos *n;* ~ *de nylon* Kräuselperlon *n,* -krepp *m;* ~ *à raser* Rasierschaum *m.*

mousseline [muslin] *f* Musselin *m (Stoff); a inv: crème f* ~ holländische Soße *f* mit Schlagsahne; *gâteau m* ~ Mürbegebäck *n; (verre m)* ~ *f* hauchdünne(s) *od* gemusterte(s), mattpolierte(s) Glas *n;* ~ *à beurre* Nessel *m;* ~ *fine* Mull *m.*

mousser [muse] schäumen; *(Wein)* perlen; *(Sekt)* moussieren; *fig pop* vor Wut schäumen; *faire* ~ *qn* jdn auf die Palme bringen, rasend machen; *faire* ~ *qn, qc* jdn heraus⸗streichen, etw in ein günstiges Licht stellen; *il se fait* ~ er tut sich hervor.

mousseron [musrɔ̃] *m* Ritterling *m (Pilz).*

mousseux, se [musø, -z] *a* schäumend; Schaum-; *bot* Moos-; *s m* Schaumwein *m.*

moussoir [muswar] *m (Küche)* Schneebesen *m.*

mousson [musɔ̃] *f* Monsun *m.*

moussu, e [musy] moosig, bemoost; *rose f* ~*e* Moosrose *f.*

moust|ache [mustaʃ] *f* Schnurrbart *m; zoo* Schnurrhaare *n pl;* ~**achu, e** *a* mit (e-m) Schnurrbart.

moust|iquaire [mustikɛr] *f* Moskitonetz *n;* ~**ique** *m* Stechmücke *f,* Moskito *m.*

moût [mu] *m* Traubensaft *m; (~ de bière)* Bierwürze *f.*

moutard [mutar] *m pop* Bengel, Junge *m.*

mout|arde [mutard] *f* Senf, Mostrich *m; la* ~ *lui monte au nez (fam)* er ist eingeschnappt; *gaz m* ~ Senfgas *n;* ~**ardier** *m* Senftopf; Senffabrikant, -händler *m; se croire le premier* ~ *du pape (fam)* sehr von sich eingenommen, sehr eingebildet sein.

mout|on [mutɔ̃] *m* Schaf *n (als Gattung);* Hammel, Schöps *m;* Hammelfleisch; Schafleder; *fig* Schaf *n;* leichtgläubige(r) *od* gutmütige(r) Mensch *m;* Schwiele *f; arg* als Spitzel tätige(r) Mitgefangene(r); *tech* Rammbär *m,* Ramme *f; pl (Wellen)* Schaumkronen; Staubflocken *f pl; revenons à nos* ~*s* kommen wir wieder zur Sache! *saute-*~, *saut m de* ~ Bockspringen *n (Spiel);* ~**onné, e** gekräuselt, kraus; *nuages m pl* ~*s* Schäfchen(wolken *f pl*) *n pl;* ~**onnement** *m* Kräuseln; Schäumen *n;* ~**onner** *tr* kräuseln; *itr* sich kräuseln, schäumen; *se* ~ *(Himmel)* sich mit Schäfchenwolken beziehen; ~**onnerie** *f* Herdentrieb *m;* Einfalt *f;* ~**onneux, se** *(Meer)* schäumend; ~**onnier, ère** *a* Schafs-; *avoir l'esprit* ~ ein Herdenmensch sein.

mouture [mutyr] *f* Mahlen; Mahlgeld; Mengkorn *n (Roggen, Weizen, Gerste); fig* Aufguß *m; tirer d'un sac deux* ~*s* doppelten Gewinn haben.

mouv|ant, e [muvɑ̃, -ɑ̃t] bewegend, treibend *a. fig;* sich bewegend, in Bewegung (befindlich); *(Boden)* nachgebend, unsicher; schwankend; locker; *force f* ~*e vx* treibende Kraft *f a. fig; sables m pl* ~*s* Treib-, Flugsand *m; tableau m* ~ Bild *n* mit beweglichen Figuren; ~**ement** *m* Bewegung *f a. phys astr mus mil;* Verkehr *m,* Kommen u. Gehen, Leben u. Treiben *n;* (Ver-)Änderung(en), Verschiebung(en); Verlagerung *f (pl); bes.*

com Schwankungen *f pl; com* Umlauf; Umschlag; Umsatz *m; fig* (Volks-)Bewegung *f;* Wandel, Wechsel, Fortschritt *m;* (Er-)Regung, Gemütsbewegung; Anwandlung *f,* Anfall; Antrieb *m,* Initiative; Eingebung *f;* Leidenschaften *f pl;* Gären *n fig; (Stil)* Lebendigkeit, Lebhaftigkeit *f; (Kunst)* Leben *n;* Haltung *f;* Fluß *(der Linien),* (Falten-)Wurf *m; mus* Tempo; *tech* Getriebe, Triebwerk, (*bes.* Uhr-)Werk *n; loc* Fahrdienst, Betrieb *m; mil* Bewegung *f;* Marsch *m;* Stoßkraft *f; de son propre ~* aus eigenem Antrieb, aus eigener Initiative; *sans ~* bewegungs-, regungs-, leblos; *se donner du ~* unermüdlich tätig sein, sehr rührig sein; Geschäftigkeit an den Tag legen; *être dans le ~ (fam)* mit der Zeit gehen, auf der Höhe der Zeit sein; *être en ~* in Bewegung, auf den Beinen, in Tätigkeit sein; *faire ~* marschieren (*sur, vers* auf *acc* zu); *(se) mettre en ~* (sich) in Bewegung setzen; *presser, ralentir le ~* die Bewegung beschleunigen, verlangsamen; *le premier ~ est toujours le meilleur (prov)* man soll immer der ersten Eingebung folgen; *bureau m du (des) ~(s)* Personalbüro *n,* -abteilung *f; chef m du ~ (loc)* Fahrdienstleiter *m; guerre f de ~* Bewegungskrieg *m; ordre m de ~* Marschbefehl *m; prêt à faire ~ (mil)* marsch-, *mot* fahrbereit; *~ (uniformément) accéléré, retardé (phys)* (gleichförmig) beschleunigte, verzögerte B.; *~ des affaires* Geschäftsverkehr *m; ~ vers l'arrière, vers l'avant* Rückwärts-, Vorwärtsbewegung *f; ~ ascensionnel (fig)* Aufwärtsbewegung *f,* Auftrieb *m; ~ de caisse* Kassenverkehr, -umsatz *m; ~ de(s) capitaux* Kapitalumsatz, -verkehr *m; ~ des chèques* Scheckverkehr *m; ~ commercial* Umsatz; Handelsverkehr *m; ~ des cours* Kursschwankungen *f pl; ~ dérapant (mot)* Schleuderbewegung *f; ~ diplomatique* Diplomatenschub *m; ~ enveloppant (mil)* Umfassungsbewegung *f; ~ de fonds* Geldumsatz *m; ~ de grève* Streikbewegung *f; ~ de jeunesse* Jugendbewegung *f; ~ de libération de la femme* Frauenrechtsbewegung *f; ~ de(s) marchandises* Waren-, Güterverkehr *m; ~ maritime* Schiffsverkehr *m; ~ de la mer* Seegang *m; ~ monétaire, financier, de fonds* Geldbewegung *f; ~ ondulatoire* Wellenbewegung *f; ~ ouvrier, travailliste* Arbeiterbewegung *f; ~ pacifiste* Friedensbewegung *f; ~ des paiements internationaux* internationale(r) Zahlungsverkehr *m; ~ perpétuel* ständige B.; Perpetuum mobile; *fam (Kind)* Quecksilber *n; ~ (du personnel)* Personalwechsel *m; ~ des personnes* Personenverkehr *m; ~ (de la population)* Bevölkerungsbewegung *f; ~ précis, rapide (tech)* Fein-, Eilgang *m; ~ des prix* Preisbewegung, -gestaltung, -entwicklung *f; ~ rétrograde* Rückwärts-, *fig* rückläufige B., Rückgang *m; ~ de rotation* Rotations-, Drehbewegung, rotierende Bewegung *f; ~ des salaires* Lohnbewegung *f; ~ sismique* Erdbeben *n,* -stoß *m; ~ du sol* Bodenwelle, *pl* -form *f; ~ syndical* Gewerkschaftsbewegung *f; ~ tournant (mil)* Umgehung(sbewegung *f,* -smarsch *m*) *f; ~ de translation (phys)* fortschreitende B.; *loc* Verschiebung *f; ~ de troupes* Truppenbewegung *f; ~ uniforme (varié) (phys)* (un)gleichförmige B.; *~ des valeurs* Wertbewegung *f; ~ vibratoire* Schwingbewegung *f;* **~é, e** bewegt, abwechslungsreich, erregt, lebhaft; *(Boden)* uneben.

mouvette [muvɛt] *f* (hölzerner) Kochlöffel *m.*

mouvoir [muvwar] *irr* bewegen *a. fig,* in Bewegung setzen; *fig* (an=)treiben (*à* zu); *se ~* sich bewegen, in Bewegung sein; *faire ~* in Bewegung setzen *a. mil,* sich bewegen lassen.

moyen, ne [mwajɛ̃, -ɛn] *a* mittlere(r, s), die Mitte haltend, vermittelnd; mittelmäßig, gewöhnlich; durchschnittlich; Durchschnitts-, Mittel-; *s m* (Hilfs-)Mittel *n; (voies et ~s)* Mittel u. Wege *pl;* (Aus-)Weg *m,* Möglichkeit *f; pl* Mittel *n pl,* Vermögen *n; fig* Fähigkeiten *f pl;* Begabung, Veranlagung *f (de* zu); *jur* Beweisgründe *m pl; s f* Durchschnitt *m,* Mittel *n a. math;* Durchschnitts-, Mittelwert *m;* Durchschnittsgeschwindigkeit *f; au, par ~ de* (ver)mittels, mit Hilfe *gen; en ~ne, en terme ~* im Durchschnitt, im Mittel, durchschnittlich *adv; sans ~s de subsistance* ohne Unterhalt, völlig mittellos; *avoir les ~s* sich leisten können (*de qc* e-e S), imstande sein (*de* zu); *avoir des ~s* vermögend, begütert sein; *disposer d'amples ~s* über reichliche Mittel verfügen; *établir la ~ne* den Durchschnitt ermitteln (*de* gen); *faire une ~ne* e-n Durchschnitt erreichen; *prendre un ~ terme* e-n Mittelweg ein=schlagen; *il en a les ~s* er kann es sich leisten; *il n'y a pas ~* es geht nicht, es ist unmöglich; *le ~? quel ~?* und wie (ist das möglich)? *la fin justifie les ~s* der Zweck heiligt die Mittel; *âge m ~* mittlere(s) *od* Durchschnittsalter *n; classe f ~ne* Mittelstand *m; Français m ~* Durchschnittsfranzose *m; qualité f ~ne* Durchschnittsqualität *f; température f ~ne* Durchschnittstemperatur *f,* Temperaturmittel *n; ~ d'action* Hilfsmittel *n; ~ âge m* Mittelalter *n; ~ de coercition* Druckmittel *n; ~s de communication, de couverture, d'enseignement, d'exploitation, de paiement, de production, de publicité, de subsistance* Verkehrs-, Deckungs-, Lehr-, Betriebs-, Zahlungs-, Produktions-, Werbe-, Existenzmittel *n pl; ~ de déplacement* Fortbewegungsmittel *n; ~ d'échange* Tauschmittel *n; ~s étrangers, propres* Fremd-, Eigenkapital *n; ~ de fortune* Behelf(smittel *n*) *m; ~ne horaire, à l'heure (mot)* mittlere Stundengeschwindigkeit *f; ~ne journalière, mensuelle* Tages-, Monatsmittel *n,* -durchschnitt *m; M~-Orient m* Mittlere(r) Osten, Vordere(r) Orient *m; ~ terme m* Mittelweg *fig; (Logik)* Mittelbegriff *m; ~s de transport* Beförderungsmittel, Transportmittel *n pl.*

moyen|âgeux, se [mwajɛnaʒø, -øz] *fam* mittelalterlich; **~nant** *prp* (ver)mittels, mit Hilfe (*qc* gen); durch; *~ que (conj) lit fig* unter der Bedingung, daß; *~ quoi* wodurch; **~nement** *adv* mäßig; durchschnittlich.

moyeu [mwajø] *m* **1.** (Rad-)Nabe *f;* **2.** Eigelb *n;* Dotter *m* od *n; Art* eingemachte Pflaume *f.*

muc|ilage [mysilaʒ] *m* Pflanzenschleim *m;* Gummilösung *f;* **~ilagineux, se** *bot pharm* schleimig.

mucosité [mykɔzite] *f (Physiologie)* Schleim *m; ~s nasales* Nasenschleim *m.*

mucus [mykys] *m (Physiologie)* Schleim *m.*

mu|e [my] *f* Mauser(ung); Häutung; abgeworfene(s) Haut *f od* Geweih *n; (~ de la voix)* Stimmwechsel; Zuchtkäfig *(für Feldhühner),* Kücken-, Mastkäfig *m; être en ~* in der Mauser sein, sich mausern; **~er** [mɥe] *itr* sich mausern; sich häuten; sich haaren, das Geweih ab=werfen; Stimmwechsel haben; *se ~* sich verwandeln (*en* in *acc*).

muet, te [mɥɛ, -ɛt] stumm *a. fig gram;* sprachlos; ohne Worte; still, laut-, geräuschlos; *(Münze, Medaille)* ohne Umschrift; *s m f* Stumme(r *m*) *f; f* Jagdhaus *n,* -hütte *f; à la ~te* schweigend, ohne ein Wort (zu sagen), ohne e-n Laut von sich zu geben; *être ~ (Bestimmung, Gesetz)* nichts sagen (*sur* über *acc*); *être ~ comme une carpe* schweigen wie ein Grab; *n'être pas ~* nicht auf den Mund gefallen sein; *carte f ~te* Umrißkarte, stumme Karte *f; film m ~* Stummfilm *m; jeu m ~ (theat)* Mienen-, Gebärdenspiel *n; rôle, personnage m ~ (theat)* stumme Rolle *f; sourd-~, sourde-~te* staubstumm.

mufl|e [myfl] *m* Schnauze *f,* Maul *n; pop* Fratze, Fresse *f; f;* Flegel, Lümmel; gemeine(r) Kerl *m;* **~erie** [-flə-] *f* Grobheit, Flegelei; Gemeinheit *f.*

muflier [myflije] *m bot* Löwenmaul *n.*

muge [myʒ] *m zoo* Meeräsche *f.*

mugi|r [myʒir] *(Rind)* brüllen; *fig (Meer)* toben; *(Sturm)* heulen; *(vor Wut)* schnauben; **~issement** *m* Brüllen, Gebrüll; Tosen, Toben, Heulen *n.*

muguet [mygɛ] *m bot* Maiglöckchen *n,* -blume *f; med* Schwämmchen *n.*

mulard [mylar] *m* Bastardente *f.*

mul|asserie [mylasri] *f* Maultierzucht *f;* **~assier, ère** *a* Maultier-.

mulâtre [mylatr] *a* Mulatten-; *s m* Mulatte *m; f (meist)* **~sse** Mulattin *f.*

mul|e [myl] *f* **1.** weibl. Maultier *n;* Mauleselin *f; fig fam* Dickschädel, -kopf *m;* **2.** Pantoffel *m;* **~et** [-ɛ] *m* **1.** *(grand ~)* Maultier *n;* **2.** *pop s. muge; chargé comme un ~* beladen wie ein Packesel; *petit ~* Maulesel *m;* **~etier, ère** *a* Maultier-; *s m* Maultiertreiber *m.*

mulle [myl] *m zoo* See-, Meerbarbe *f.*

mulon [mylɔ̃] *m* (Sand-, Salz-)Haufen *m.*

mulot [mylo] *m* Waldmaus *f.*

mulsion [mylsjɔ̃] *f* Melken *n.*

multi|cellulaire [myltise(ɛ)lylɛr] *biol* vielzellig; **~colore** vielfarbig; **~focal, e** *opt* mit mehreren Brennpunkten; **~forme** *a* vielgestaltig; **~latéral, e** *pol* mehrseitig; **~lingue** mehrsprachig; **~millionnaire** [-lj-] *m f* Multimillionär(in *f*) *m;* **~moteur** *a m aero* mehrmotorig; **~national, e** multinational; **~place** *s m* u. *a.: avion m ~ (aero)* Mehrsitzer *m;* **~plage** *m tele* Vielfachschaltung *f;* **~plan** *s m* u. *a.: avion m ~ (aero)* Mehrdecker *m;* **~ple** *a* viel-, mehr-, mannigfach; vielfältig, verschieden(artig); vielschichtig, kompliziert; zs.gesetzt; *gram* mehrglied(e)rig; *s m bes. math* Vielfache(s) *n; tele* (*a.* **~plex** [-plɛks]) Vielfachumschalter *m;* **~pliable** *math* multiplizierbar; **~pliant, e** vervielfältigend; Multiplizier-; *machine f ~e* Multipliziermaschine *f;* **~plicande** [-kɑ̃d] *m math* Multiplikand *m;* **~plicateur, trice** *a* Vervielfältigungs-; *s m math* Multiplikator; *tele* Vervielfacher *m;* **~plicatif, ive** vervielfachend, komplizierend; **~plication** *f* Vermehrung, Vervielfältigung; *math* Multiplikation *f; biol* ungeschlechtliche Fortpflanzung *(durch Ableger od Knospung); (Fahrrad)* Übersetzung *f; table f de ~* Einmaleins *n; ~ par engrenage* Zahnradübersetzung *f; ~ des pains (rel)* wunderbare Brotvermehrung; **~plicité** *f* Vielfalt, Mannigfaltigkeit; Vielzahl *f;* **~plier** *tr* vermehren, vervielfältigen, -fachen; *math* multiplizieren, mitea. malnehmen; *tele* vielfach=schalten; *itr* u. *se ~* sich (ver)mehren; *se ~ (fig) (Mensch)* sich teilen, überall sein; *~ les trains (loc)* die Zugfolge verdichten; **~polaire** *el* mehrpolig; **~racial, e** gemischtrassig; **~séculaire** jahrhundertealt; **~tude** *f* große Zahl, Menge; (Volks-)Menge, Masse; große(r) Masse *f od* Haufen *m.*

municipal, e [mynisipal] städtisch; Stadt-; Gemeinde-; *conseil m ~* Stadtverordnetenversammlung *f,* Gemeinde-, Stadtrat *m; conseiller m ~* Stadtratsmitglied *n; garde f ~e (Paris)* städtische Polizei *f; organisation f ~e* Städteordnung *f; président m du conseil ~* (Ober-)Bürgermeister *m;* **~ité** *f* Stadtverwaltung *f;* die städtischen Beamten *m pl;* Rathaus *n.*

muni|ficence [mynifisɑ̃s] *f* große Freigebigkeit *f;* **~ficent, e** sehr freigebig.

munir [mynir] aus=statten, versehen (*de* mit); *se ~ de* sich versehen mit; *se ~ de patience* sich mit Geduld wappnen.

munition [mynisjɔ̃] *f meist pl* Munition *f; n'avoir plus de ~ (fam)* blank sein, kein Geld mehr haben; *épuiser ses ~s* s-e Munition verschießen; *pain m de ~* Kommißbrot *n; caisse f, dépôt m de ~* Munitionskiste *f,* -lager *n; ravitaillement m en ~* Munitionsnachschub *m; ~ explosive, incendiaire, traçante* Spreng-, Brand-, Leuchtspurmunition *f;* **~naire** *a: officier m ~* Waffen- u. Geräteoffizier *m.*

muqueux, se [mykø, -øz] *a (Physiologie)* Schleim-; *s f* u. *membrane f muqueuse* Schleimhaut *f; glande f muqueuse* Schleimdrüse *f.*

mur [myr] *m* Mauer; Wand *f; (~ d'une couche) geol* Liegende(s) *n; min* Versatzmauer *f; dans nos ~s* in unseren Mauern, in der Stadt, hier; *au pied du ~ (fig)* in der Sackgasse; *coller, mettre qn au ~* jdn an die Wand stellen, erschießen; *(se) donner de la tête contre un ~ (fig)* mit dem Kopf durch die Wand gehen; *ne laisser que les quatre ~s à qn* jdm nur die nackten Wände lassen; *mettre qn au pied du ~ (fig)* jdn in die Enge treiben; *passer, franchir le ~ du son* die Schallmauer durch=brechen; *~ antibruit* Lärmschutzwand *f; ~ d'appui, de parapet* Brustwehr *f; ~ d'assaut (sport)* Kletterwand *f; ~ de barrage* Staumauer *f; ~ de cloison* Zwischenwand *f; ~ de clôture* Umfassungsmauer *f; ~ d'enceinte* Stadt-, Ringmauer *f; ~ extérieur, gros ~* Außenwand, -mauer *f; ~ de face* (Gebäude-) Front *f; ~ de fondation, de soubassement* Grundmauer *f; M~ des Lamentations* Klagemauer *f; ~ mitoyen, coupe-feu* Brandmauer *f; ~ de nuages* Wolkenwand *f; ~ orbe* blinde Wand *f; ~ de planches* Bretterwand *f,* -zaun *m; ~ de refend* Innenwand *f; ~ de séparation* Trennwand, -mauer *f; ~ du son* Schallmauer *f; ~ de soutènement, de terrasse, de revêtement* Stützmauer *f.*

mûr, e [myr] reif *a. med (Geschwür), fig* (*pour* für); *fam (Kleidung)* alt, abgetragen; *pop* besoffen; *après ~e délibération* nach reiflicher Überlegung; *d'un âge ~* reiferen Alters; *la poire est ~e (fig)* die Sache ist spruchreif, fällig, soweit; *l'âge m ~* das reifere Alter *n; esprit m ~* gesetzte(s) Wesen *n; ~ pour le mariage* heiratsfähig.

murage [myraʒ] *m* (Ein-, Zu-, Ver-) Mauern *n;* Mauer(werk *n*) *f.*

mûraie [myrɛ] *f* Maulbeerplantage *f.*

mur|aille [myraj] *f* (Stadt-, Festungs-, Burg-, Kirchen-)Mauer *f;* Gemäuer *n;* Schiffswand *f; la Grande M~, la M~ de Chine* die Große, die Chinesische Mauer; **~aillement** *m* Vermauerung, Absteifung *f;* **~ailler** vermauern, ab=steifen; **~al, e** *a* Mauer-, Wand-; *carte, peinture f ~e* Wandkarte, -malerei *f; plante f ~e* Mauerpflanze *f.*

mûre [myr] *f* Maulbeere *f; ~ sauvage* Brombeere *f;* **~ment** *adv: réfléchir ~ à qc* sich etw reiflich überlegen.

murène [myrɛn] *f* Muräne *f (Fisch).*

murer [myre] um-, ver-, zu=, ein=mauern; *fig* ein=schließen (*dans* in *acc*), gefangen=halten (*dans* in *dat*).

murex [myrɛks] *m zoo* Stachelschnecke *f.*

mûrier [myrje] *m* Maulbeerbaum *m.*

mûr|ir [myrir] *tr* reifen lassen, zur Reife bringen; *itr* reif werden, (aus=)reifen *a. fig; fig* reifer werden; *laisser ~ (fig)* spruchreif werden lassen; **~issant, e** reifend.

murmur|ant, e [myrmyrɑ̃, -ɑ̃t] murmelnd; plätschernd; säuselnd; **~e** *m* Murmeln, Gemurmel; *(Wasser)* Plätschern; *(Wind)* Säuseln *n; pl* Murren, *hum* Volksgemurmel *n;* ~ *respiratoire* Atemgeräusch *n;* **~er** itr brummen; *fig* murren; plätschern; säuseln; *tr* murmeln; aus=plaudern; ~ *entre ses dents* in den Bart brummen.

mûron [myrɔ̃] *m* Brombeere *f;* Waldhimbeerstrauch *m.*

mus|araigne [myzarɛɲ] *f* Spitzmaus *f; petite* ~ Zwergspitzmaus *f.*

musard, e [myzar, -d] *a (Kind)* verspielt; *s m f* Trödler(in *f*), Eckensteher *m;* **~er** herum=trödeln; **~erie, ~ise** *f* Trödelei *f.*

musc [mysk] *m* Moschustier *n;* Moschus *m.*

muscade [myskad] *f, noix f (de)* ~ Muskatnuß *f; passez* ~*!* Hokuspokus, verschwindibus!.

muscadet [myskadɛ] *m Art* Loirewein *m.*

muscadier [myskadje] *m* Muskatnußbaum *m.*

muscardin [myskardɛ̃] *m* Haselmaus *f.*

muscat [myska] *s m* u. *a: raisin m* ~ Muskatellertraube *f; vin m* ~ Muskateller *m.*

musc|le [myskl] *m* Muskel *m; avoir du* ~ *(pop)* Muskeln, Kraft haben; **~lé, e** muskulös; **~ulaire** Muskel-; *force f* ~ Muskelkraft *f; système m* ~, **~ulature** *f* Muskulatur *f;* **~uleux, se** *a* muskulös; Muskel-; *s f* u. *membrane f ~uleuse* Muskelhaut *f.*

muse [myz] *f* Muse, Kunst *f,* Genie *n; les ~s* die Dichtkunst; *M~* Muse *f (Göttin).*

museau [myzo] *m* Schnauze *a. pop; pop* Fresse *f.*

musée [myze] *m* Museum *n;* ~ *de peinture* Bildergalerie *f;* ~ *roulant* Wanderschau *f.*

mus|eler [myzle] e-n Maulkorb auf=setzen (*un chien* e-m Hund); *fig pol* mundtot machen; **~elière** [-zə-] *f* Maulkorb *m a. fig; fig pol* Maulkorbgesetz *n.*

muséobus [myzeɔbys] *m* Wanderschau *f.*

muser [myze] bummeln, (herum=)trödeln.

muserolle [myzrɔl] *f (Zaum)* Nasenriemen *m.*

musette [myzɛt] *f* Dudelsack *m;* Musette *f (Tanz); (Pferd)* Futtersack *m;* Schultasche *f; mil* Brotbeutel *m;* (Werkzeug-)Tasche *f; bal m* ~ *(ländl.)* populäres Tanzfest *n.*

muséum [myzeɔm] *(bes.* Naturkunde-)Museum *n.*

music|al, e [myzikal] musikalisch; Musik-; *art m* ~ Tonkunst *f; soirée f ~e* Musikabend *m;* **~alité** *f radio* Klangreinheit *f;* **~-hall** [myzikol] *m* Varieté(theater) *n;* **~ien, ne** *m f* Musiker(in *f*); Musikant; Komponist; *typ fam* schlechte(r) Setzer *m; m pl mil* Spielleute *m pl.*

musico|graphe [myzikɔgraf] *m* Musikschriftsteller *m;* **~logie** *f* Musikwissenschaft *f;* **~logue** *m* Musikwissenschaftler *m;* **~mane** *m f* Musiknarr *m.*

musique *f* Musik *a. fig,* Tonkunst *f;* Musikalien, Noten *f pl; mil* Musik-, Spielmannszug; *typ* Probeabzug *m* mit vielen Korrekturen; *connaître la* ~ *(pop)* wissen, wie der Hase läuft; *faire de la* ~ Musik machen, musizieren; *lire la* ~ Noten lesen; *mettre en* ~ in Musik setzen, vertonen, komponieren; *c'est une autre* ~ *(fam)* das ist etwas anderes; *il est réglé comme du papier à* ~ bei ihm geht alles (genau) nach der Uhr; *boîte f à* ~ Spieluhr *f; chef m de* ~ Musik-, Konzertmeister *m; instrument m de* ~ Musikinstrument *n; livre, cahier, papier m de* ~ Notenbuch, -heft, -papier *n; magasin, marchand m de* ~ Musikalienhandlung *f,* -händler *m;* ~ *de chambre, d'église* Kammer-, Kirchenmusik *f;* ~ *de danse, de jazz, militaire* Tanz-, Jazz-, Marschmusik *f;* ~ *électroacoustique* elektronische Musik *f;* ~ *enregistrée* Schallplatten; Bandaufnahmen *f pl;* ~ *mécanique, électronique* mechanische, elektronische M.; ~ *à programme, descriptive* Programmmusik *f;* ~ *de sauvages (fam)* Katzenmusik *f;* ~ *scénique* Begleitmusik, Tonuntermalung *f;* ~ *vocale, instrumentale* Vokal-, Instrumentalmusik *f;* **~tte** *f* leichte Musik *f.*

mussif, ive [mysif, -iv] *a: or m* ~ unechte(s), Musivgold *n.*

mustang [mystɑ̃g] *m* Mustang *m.*

mustélidés [mystelide] *m pl* Marder *m pl (als Familie).*

musulman, e [myzylmɑ̃, -an] mohammedanisch, islamisch; *s m f* Mohammedaner(in *f*) *m.*

mut|abilité [mytabilite] *f* Veränderlichkeit, Unbeständigkeit *f;* **~age** *m* Unterbrechung *f* der alkoholischen Gärung; **~ation** *f* Veränderung *f;* (*bes.* Personal-, Beamten-)Wechsel *m,* (Stellen-)Neu-, Umbesetzung; Versetzung; *biol* Mutation *f;* ~ *de propriété* Eigentumswechsel *m,* -übertragung *f;* **~er 1.** die (alkoholische) Gärung unterbrechen (*qc* bei etw); **2.** *tr (Beam-*

ten, Soldat) versetzen; *itr biol* mutieren.

mut|ilation [mytilasjɔ̃] *f* Verstümm(e)lung *a. fig; fig* Entstellung *f;* ~ *volontaire* Selbstverstümm(e)lung *f;* **~ilé, e** *a* verstümmelt; *fig* entstellt; unvollständig; *s m:* ~ *de guerre* Kriegsbeschädigte(r) *m; grand* ~ *de guerre* Schwerkriegsbeschädigte(r) *m;* **~iler** verstümmeln *a. fig; fig* verhunzen, entstellen.

mut|in, e [mytɛ̃, -in] *a fig* lebhaft, quicklebendig; ausgelassen, schalkhaft; *s m f* Rebell, Aufrührer, Meuterer; Trotzkopf *m;* **~iner, se** meutern, sich empören, aufsässig werden; **~inerie** *f* Meuterei *f,* Aufruhr *m; fig* Widerspenstigkeit *f.*

mut|isme [mytizm] *m* Stummheit *f a. gram;* Schweigen *n;* **~ité** *f* Stummheit *f.*

mut|ualité [mytɥalite] *f* Gegen-, Wechselseitigkeit; Solidarität; Versicherung *f* auf Gegenseitigkeit; **~uel, le** [-tɥɛl] *a* gegen-, wechselseitig; *s f* u. *assurance ~le, société f de secours ~s* Versicherung(sgesellschaft) *f* auf Gegenseitigkeit; *enseignement m* ~ Arbeitsunterricht *m; M~le des étudiants* studentische Krankenversicherung *f.*

mutule [mytyl] *f arch* Dielenkopf *m.*

mycélium [miseljɔm] *m* (Pilz-)Myzel *n,* Pilzmutter *f.*

myco|derme [mikɔdɛrm] Kahmpilz *m;* **~logie** *f* Pilzkunde *f;* **~se** [-oz] *f* Pilzkrankheit *f.*

myélite [mjelit] Rückenmarksentzündung *f.*

mygale [migal] *f* Vogelspinne *f.*

myocarde [mjokard] *m* Herzmuskel *m.*

myo|pe [mjɔp] kurzsichtig; **~pie** *f* Kurzsichtigkeit *f a. fig.*

myosotis [mjɔzɔtis] *m bot* Vergißmeinnicht *n.*

myr|iade [mirjad] *f* Myriade, Unzahl *f,* ungezählte Mengen *f pl;* **~iamètre** [-ia-] *m* 10 Kilometer; **~iapode** *m* Tausendfüß(l)er *m.*

myrica [mirika] *m bot* Licht-, Wachsmyrte *f.*

mirmidon [mirmidɔ̃] *m* Knirps, Zwerg; *fig* (elender) Wicht *m.*

myrrhe [mir] *f* Myrrhe(nharz *n) f.*

myrte [mirt] *m bot* Myrte *f.*

myrtille *f* [mirtij] *f* Heidelbeere *f.*

myst|ère [mistɛr] *m rel* Mysterium *n;* Geheimlehre *f; allg* Geheimnis, Rätsel; *theat hist* Mysterienspiel *n; avec* ~ geheimnisvoll *adv; sans* ~ (ganz) offen *adv; faire* ~ *de qc* aus etw ein Geheimnis machen; *cet homme est un* ~ dieser Mensch ist ein Rätsel; **~érieux, se** geheimnisvoll, rätselhaft, mysteriös.

myst|icisme [mistisizm] *m rel* Mystik *f;* **~icité** *f* Mystizismus *m;* **~ificateur, trice** *m f* Spaßvogel *m;* **~ification** *f* Täuschung, Irreführung *f;* Trugbild *n;* **~ifier** täuschen, hinters Licht, irre=, nasführen; verulken; **~ique** *a* mystisch; verborgen, geheim; *s m f* Mystiker(in *f*) *m; f* Mystik *f;* Mystizismus *m.*

myth|e [mit] *m* Mythus *m,* Mythe, Götter-, Heldensage; *fig* Sage *f,* Sagenhafte(s) *n;* **~ique** mythisch; mythen-, sagenhaft; **~ologie** *f* Mythologie *f;* **~ologique** mythologisch; **~omane** *m f* Phantast(in *f*) *m.*

mytil|icole [mitilikɔl] *a* Muschel(zucht)-; **~iculture** *f* Muschelzucht *f.*

myx|œdème [miksedɛm] *m med* Myxödem *n;* **~omatose** [-oz] *f* Myxomatose *f (Kaninchenseuche);* **~omycètes** *m pl* Schleimpilze *m pl.*

N

nabab [nabab] *m* Nabob; *allg* Krösus, reiche(r) Mann *m*.
nabot, e [nabo, -ɔt] *a* zwergenhaft; *s m f* Knirps *m*, Puppe *f fig*.
nacarat [nakara] *a* hellrot.
nacelle [nasɛl] *f* (kleines) Boot *n*, Nachen *m; aero (a. Schwebebahn)* Gondel *f; aero mil (~ de tir)* MG-Hängestand *m*.
nacr|e [nakr] *f* Perlmutt(er *f*) *n;* **~é, e** perlmutterartig; **~er** Perlmutterglanz geben (*qc* e-r S).
nadir [nadir] *m astr* Nadir *m*.
naevus [nevys] *m (pl naevi)* Muttermal *n*.
nag|e [naʒ] *f* Schwimmen; *mar* Rudern *n; à la ~* schwimmend; *en ~* wie in Schweiß gebadet; *se jeter à la ~* ins Wasser springen; *banc de ~ (mar)* Ruderbank *f; ~ à la brasse, sur le dos, libre* Brust-, Rücken-, Freistilschwimmen *n;* **~eoire** *f* Flosse *f a. arg; arg* Arm *m;* Schwimmblase *f*, -gürtel; *aero* (Flossen-)Stummel *m; ~ caudale, dorsale* Schwanz-, Rückenflosse *f;* **~er** schwimmen; verschwimmen; Spielraum haben; *mar* rudern; *fam fig* in der Luft hängen; verlegen sein; nicht kapieren; *~ comme un chien de plomb* wie e-e bleierne Ente schwimmen; *~ le crawl* kraulen; *~ dans les eaux de qn (fig)* sich in jds Schlepptau befinden; *~ entre deux eaux* unter Wasser schwimmen; *fig* sich durch=lavieren; *~ dans le sang (fig)* im Blut waten; *il ~e dans ses habits* s-e Kleider schlottern ihm um den Leib; *il sait ~ (fig)* er weiß sich zu helfen; **~eur, se** *s m f* Schwimmer(in *f*) *a. tech; mar* Ruderer *m*, Rud(r)erin *f; a* schwimmend.
naguère [nagɛr] *lit* neulich, unlängst, kürzlich, vor kurzem; *(fälschlicherweise gebraucht)* einst.
naïade [najad] *f* Quell-, Flußnymphe *f*.
naïf, ïve [naif, -iv] naiv, unbefangen, kindlich; einfältig, kindisch.
nain, e [nɛ̃, nɛn] *s m f* Zwerg(in *f*) *m; a* zwergenhaft; Zwerg-.
naissain [nɛsɛ̃] *m* junge Auster *od* Muschel *f*.
naiss|ance [nɛsɑ̃s] *f* Geburt; (vornehme) Herkunft, Abstammung *f;* Anfangs-, Ausgangspunkt, Ansatz *m;* Quelle *f;* Ursprung, Anfang *m*, Entstehung *f; arch* Widerlager *n;* Kämpfer *m; de ~* von Geburt an; (an)geboren; *devoir sa ~ à ...* (der) Sohn, (die Tochter) sein *gen; donner ~ à qc* etw ins Leben rufen; verursachen; *prendre ~* geboren werden; entstehen; *(Fluß)* entspringen; *prime f à la ~* Geburtenprämie *f; réglementation f, contrôle m des ~s* Geburtenkontrolle *f; ~ du jour* Tagesanbruch *m; ~ prématurée* Frühgeburt *f;* **~ant, e** entstehend, beginnend, erwachend *fig; (Tag)* an-brechend; heranwachsend; sich ent-faltend, sich entwikkelnd; *chem* frei werdend.
naître [nɛtr] *irr* geboren werden, zur Welt kommen; *fig* entstehen, hervor=gehen, beginnen; sich entfalten, sich entwickeln; keimen; zutage treten, auf=tauchen; *(Pflanzen)* sprießen; *(Fluß)* entspringen; *faire ~* hervor=bringen, ins Leben rufen; veranlassen; an=stiften; *(Zweifel)* erwecken, auf=kommen lassen; *ne faire encore que (de) ~* noch in den Kinderschuhen, in den Anfängen stecken; *innocent comme l'enfant qui vient de ~* unschuldig wie ein Lamm; *son pareil est à ~* er hat nicht, sucht seinesgleichen; *je l'ai vu ~* ich kenne ihn von klein auf; *le jour commence à ~* der Tag bricht an.
naïveté [naivte] *f* Unbefangenheit, Naivität, Kindlichkeit, Einfalt; Albernheit *f*.
naja [naʒa] *m zoo* Brillenschlange *f*.
nana [nana] *f fam* Tussi, Biene, Tante *f*.
nanan [nanɑ̃] *m (Kindersprache)* Lekkerei *f*, leckere(r) Happen *m; fig* Feine(s), Gute(s) *n*.
nan|iser [nanize] *agr* in der Entwicklung hemmen; **~isme** *m biol* Zwergwuchs *m;* Zwerg(en)haftigkeit *f*.
nant|ir [nɑ̃tir] ein Pfand, e-e Sicherheit geben (*qn* jdm); *(Wechsel)* lombardieren; versehen, versorgen (*de* mit); *se ~* sich sicher=stellen; sich (ein=) decken, sich versorgen (*de qc* mit etw); *être bien ~i (fig)* sein Schäfchen im trock(e)nen haben; **~issement** *m* Verpfändung, Hinterlegung *f;* Pfandvertrag, -schein *m;* Pfand(sache *f*) *n*, Sicherheit, Deckung *f; sur ~* gegen Pfand; gegen Hinterlegung (*de*

von); *donner, remettre en* ~ verpfänden; *prêt m sur* ~ Lombarddarlehen *n.*

napalm [napalm] *m* Napalm *n; bombe f au* ~ Napalmbombe *f; éclaboussures f pl de* ~ Napalmspritzer *m pl;* **~iser** mit Napalmbomben belegen.

napht|alène [naftalɛn] *m,* **~aline** *f* Naphthalin *n;* **~e** *m* β-Naphtha, (Roh-)Erdöl *n;* **~ol** *m chem* Naphthol *n.*

Naples [napl] *f* Neapel *n.*

napp|age [napaʒ] *m* Tischwäsche *f;* **~e** *f* Tischtuch *n; math* Mantel *m; phys geol* Schicht *f; (Weberei)* Pelz *m,* Vlies *n; fig* Fläche *f; (Licht)* Strom *m; mettre la* ~ ein Tischtuch auf⸗legen; *trouver la* ~ *mise (fig)* sich an den gedeckten Tisch setzen, sich ins gemachte Bett legen; ~ *de brouillard* Nebelbank, -decke *f;* ~ *d'eau* (glatte) Wasserfläche *f;* Grundwasserspiegel *m;* ~ *de pétrole* Ölteppich *m;* ~ *souterraine, phréatique* Grundwasserspiegel *m;* **~eron** *m* Deckchen *n.*

narciss|e [narsis] *m bot* Narzisse *f; (Psychologie)* Narziß *m;* **~isme** *m* Narzißmus *m.*

narco|se [narkoz] *f* Narkose, Betäubung *f;* **~tine** [-kɔ-] *f pharm* Narkotin *n;* **~tique** *a* narkotisch, betäubend; *fig* langweilig; *s m* Narkotikum, Betäubungsmittel *n;* **~tiser** narkotisieren, betäuben.

nard [nar] *m* Narde *f (Parfüm);* Borstengras *n.*

narguer [narge] mit Verachtung entgegen⸗treten; die Stirn bieten (*qn* jdm); heraus⸗fordern; hänseln.

narine [narin] *f* Nasenloch *n,* -flügel *m; (Pferd)* Nüster *f; pl (Pumpe)* Saugstück *n.*

narquois, e [narkwa, -z] schalkhaft, verschmitzt, spöttisch.

narr|ateur, trice [naratœr, -tris] *m f* Erzähler(in *f*) *m;* **~atif, ive** erzählend; die Einzelheiten darlegend; **~ation** *f* Erzählung, Darlegung *f* (der Tatsachen), Bericht; (Schul-)Aufsatz *m;* **~er** erzählen, dar⸗legen, berichten.

narval [narval] *m zoo* Narwal *m.*

nas|al, e [nazal] *a anat* Nasen-; *gram* nasal, Nasal-; *s f* Nasallaut *m; fosse f* ~*e* Nasenhöhle *f; os m* ~ Nasenbein *n;* **~alisation, ~alité** *f* Nasalierung *f;* **~aliser** nasalieren; **~arde** *f* Nasenstüber; *fig fam* Rüffel *m,* Ohrfeige *f,* Schlag *m;* **~eau** *m zoo* Nüster *f;* **~illant, e; ~illard, e** [-j-] *a* näselnd; **~illement** *m (Ente)* Schnattern *n;* **~iller, ~onner** näseln; **~ique** *m* Nasenaffe *m.*

nasse [nas] *f (Fischerei)* Reuse; *fig* Falle; Klemme *f.*

natal, e [natal] *a* Geburts-, Heimat-; *maison f* ~*e* Geburtshaus *n; pays m* ~ Heimatland *n;* **~iste** *a* geburtenfreundlich, -fördernd; **~ité** *f* Geburtenziffer *f;* ~ *(il)légitime* Zahl *f* der (un)ehelichen Geburten.

natat|ion [natasjɔ̃] *f* Schwimmen *n,* Schwimmsport *m; ceinture f de* ~ Schwimmgürtel *m;* **~oire** *a* Schwimm-; *vessie f* ~ *(zoo)* Schwimmblase *f.*

natif, ive [natif, -iv] *a* gebürtig (*de* aus), von Geburt; angeboren, natürlich; *min* gediegen; *s m f* Eingeborene(r *m*) *f.*

nation [nasjɔ̃] *f* Volk *n,* Nation *f; pl rel* Heiden *m pl; les N~s unies* die Vereinten Nationen; *~-pilote f* führende(s) Land *n;* **~al, e** [-sjɔ-] *a* national; National-, Staats-, Volks-; staatlich; inländisch, einheimisch; *m pl* Staatsangehörige *pl;* **~alisation** *f* Verstaatlichung *f;* **~aliser** verstaatlichen; **~alisme** *m* Nationalismus *m;* **~aliste** *a* nationalistisch; *s m f* Nationalist(in *f*) *m;* **~alité** *f* Volkstum *n,* -charakter *m;* Volk *n;* Staatsangehörigkeit *f; sans* ~ staatenlos; *principe m des ~s* Nationalitätenprinzip *n.*

nativité [nativite] *f rel* Geburt (Christi); *vx (Astrologie)* Nativität *f.*

natron, natrum [natrɔ̃, -trɔm] *m* Natron, doppeltkohlensaure(s) Natrium *n.*

natt|e [nat] *f* Matte *f,* Geflecht *n; (Haar)* Zopf *m;* ~ *(en fibres) de coco* Kokosmatte *f;* **~er** flechten; e-n Zopf flechten (*qn* jdm); **~ier, ère** *m f* Mattenflechter(in *f*); Mattenhändler(in *f*) *m.*

natur|alisation [natyralizasjɔ̃] *f* Naturalisierung, Einbürgerung *f a. fig;* **~aliser** naturalisieren, ein⸗bürgern *a. fig; (Tier, Pflanze)* akklimatisieren, einheimisch werden lassen; *(Balg)* aus⸗stopfen; *(Pflanze)* konservieren; **~alisme** *m* Natürlichkeit *f;* Naturalismus *m;* **~aliste** *s m* Naturforscher; Präparator, Naturalist *m; a* naturalistisch.

natur|e [natyr] *f* Natur *f;* Wesen *n,* (Eigen-)Art, Beschaffenheit *f,* Naturell *n;* Anlage, Veranlagung *f;* Naturzustand *m; fam* Genie *n,* tolle(r) Bursche *m; a* natürlich; *(Küche)* naturell, einfach (zubereitet); *d'après* ~ *(Kunst)* nach der Natur; *contre* ~ widernatürlich; *de* ~ angeboren; *de* ~ *à ... (inf)* so beschaffen, daß ...; *de par sa* ~ s-m

Wesen nach; *en* ~ in natura; *forcer la* ~ sich über=nehmen; *état m de (pure)* ~ Naturzustand *m; grandeur f* ~ *(Kunst)* Lebensgröße *f; loi f de la* ~ Naturgesetz *n;* ~ *de chef* Führernatur *f;* ~ *médiatrice* natürliche Heilkraft *f;* ~ *morte* Stilleben *n;* ~ *végétale, animale* Pflanzen-, Tierreich *n;* ~**el, le** *a* natürlich; Natur-; angeboren, wesensmäßig; schlicht, einfach, ungezwungen; *(Kind)* unehelich; *(Wein)* naturrein; *s m* Natur *f,* Wesen *n,* Art *f;* Naturell *n,* Charakter *m;* Natürlichkeit, Einfach-, Ungezwungenheit *f;* Eingeborene(r) *m; au* ~ naturgetreu; *(Küche)* naturell; *loi f* ~*le* Naturgesetz *n; parties f pl* ~*les* Geschlechtsteile *m pl; sciences f pl* ~*les* Naturwissenschaften *f pl;* ~**ellement** *adv* auf natürliche Weise; von Natur (aus); natürlich, selbstverständlich; von selbst, ohne weiteres; ~**isme** *m* Nackt-, Freikörperkultur; natürliche Lebensweise *f;* ~**iste** *a* Nacktkultur-; *s m f* Anhänger(in *f*) *m* der Nackt-, Freikörperkultur.

naufrag|e [nofraʒ] *m* Schiffbruch; *fig* Untergang *m; faire* ~ Schiffbruch erleiden *a. fig; fig* scheitern; zugrunde gehen; ~**é, e** schiffbrüchig; *fig* gescheitert; ~**eur, se** *m f* Strandräuber; *fig pol* Totengräber *m.*

nauséabond, e [nozeabɔ̃, -ɔ̃d] ekelerregend, -haft, widerlich; ~**e** *f* Übelkeit *f,* Brechreiz *m,* Würgen *n (im Halse); fig* Ekel *m;* ~**eux, se** Übelkeit, Brechreiz erregend.

naut|ile, ~ilus [notil(ys)] *m zoo* Nautilus; Schwimmgürtel, Rettungsring *m;* ~**ique** nautisch; See-, Schiffahrts-; Wasser-; *sport m* ~ Wassersport *m;* ~**isme** *m* Wassersport *m;* ~**onier** *m poet* Fährmann *m.*

naval, e [naval] *a* Marine-, See-; *combat m* ~ Seeschlacht *f; École f* ~*e* Marineschule *f (für Offiziere, in Brest); École f de Santé* ~*e* Schule *f* für Marineärzte *(in Bordeaux); forces f pl* ~*es* Seestreitkräfte *f pl.*

navarin [navarɛ̃] *m* Hammelragout *n* mit Rüben (u. Kartoffeln).

navet [navɛ] *m* (weiße) Rübe *f; fam* Schinken *(Gemälde);* kitschige(r) Film; Schmarren *m (Buch).*

navette [navɛt] *f* **1.** Netznadel *f; (Weberei)* Schützen *m; (Nähmaschine)* Schiffchen; *rel* Weihrauchgefäß *n; (train m)* ~ Pendelzug *m;* Hin u. Her *n; cosm* Raumfähre *f,* -transporter *m;* **2.** *agr* Rübsamen, Rübsen *m; faire la* ~ (dauernd) hin- u. hergehen *od* -reisen, (zwischen zwei Orten) pendeln; *faire faire la* ~ *à qn* jdn hin- u. herschicken; *huile f de* ~ Rüböl *n; service m de* ~ Pendelverkehr *m.*

navig|abilité [navigabilite] *f* Schiffbarkeit; See-, Flugtüchtigkeit *f;* ~**able** schiffbar; see-, flugtüchtig; ~**ant, e** auf, zur See fahrend; *personnel m* ~, ~*s m pl* fliegende(s) Personal *n; personnel m non* ~ Bodenpersonal *n;* ~**ateur, trice** *s m* Seemann, -fahrer; *aero* Pilot; Orter *m; a* seefahrend, Seefahrt treibend; ~**ation** *f* Schiffahrt(skunde), Seefahrt; *aero* Navigation, Ortung *f; compagnie f de* ~ Schiffahrtsgesellschaft; *compagnie f de* ~ *aérienne* Luftfahrtgesellschaft *f; ligne f de* ~ Schiffahrts-, Fluglinie *f; route f de* ~ Schiffahrtsweg *m;* ~ *aérienne* Luftfahrt; Luftnavigation, -ortung *f;* ~ *astronautique* (Welt-)Raumfahrt *f;* ~ *civile* zivile Luftfahrt *f;* ~ *commerciale* Handelsschiffahrt *f;* ~ *au long cours, hauturière* Hochseeschiffahrt; große Fahrt *f;* ~ *côtière* Küstenschiffahrt *f;* ~ *intérieure, fluviale* Binnen-, Flußschiffahrt *f;* ~ *de plaisance (sport)* Segeln *n;* ~ *spatiale (cosm)* Raumfahrt *f;* ~**uer** [-ge] zur See, mit dem Schiff fahren; segeln; *mar* steuern; *aero* orten; fliegen; *(Schiff)* fahren.

navire [navir] *m* (See-)Schiff *n;* ~*-citerne,* ~ *pétrolier* Tanker *m;* ~ *de commerce, marchand* Handelsschiff *n;* ~*-école m* Schulschiff *n;* ~ *de guerre* Kriegsschiff *n;* ~*-hôpital m* Lazarettschiff *n;* ~*-jumeau m* Schwesterschiff *n;* ~*-major m* Flaggschiff *n;* ~ *porte-avions* Flugzeugträger *m;* ~ *de transport d'avions* Flugzeugträger *m;* ~ *stationnaire météorologique* Wettersammelschiff *n;* ~ *à voiles* Segelschiff *n.*

navr|ant, e [navrɑ̃, -ɑ̃t] herzzerreißend, traurig; *c'est* ~ das geht e-m nahe, *fam* das ist jammerschade; ~**é, e:** *j'en suis* ~ es tut mir sehr leid; ich bedauere sehr; *j'en ai le cœur* ~ das Herz blutet mir dabei.

nazi, e [nazi] *a* Nazi-, nazistisch; *s m f* Nazi *m;* ~**sme** *m* Nazismus *m.*

ne [nə] nicht; ~ ... *guère* kaum; ~ ... *jamais* nie(mals); ~ ... *jamais que* immer nur; ~ ... *pas* nicht; ~ ... *personne* niemand(en); *personne, nul* ... ~ niemand; ~ ... *plus* nicht mehr; ~ ... *plus de* kein ... mehr; ~ ... *point* gar nicht, durchaus nicht; ~ ... *que* nur; *il* ~ *fait que commencer* er fängt eben erst an; ~*-m'oubliez-pas m* Vergißmeinnicht *n.*

né, e [ne] *pp* geboren; *ne pas être* ~ *de la dernière pluie (fam)* nicht von gestern sein; *bien* ~ aus gutem Hause; *bien (mal)* ~ gut (schlecht) veranlagt; ~ *Français* Franzose *m* von Geburt; ~*e X* geborene X.

néanmoins [neɑ̃mwɛ̃] nichtsdestoweniger, trotzdem, gleichwohl, dennoch, jedoch.

néant [neɑ̃] *s m* Nichts, Nichtsein, -seiende *n;* Nichtigkeit, Wertlosigkeit; Leere *f; adv* nichts; *(auf Fragebogen)* keine, 0, Fehlanzeige *f; mettre à* ~ *(jur)* für nichtig erklären, auf=heben; ab=weisen, verwerfen; *réduire à* ~ vernichten, zerstören; ~**iser** *(Philosophie)* nichten; *fam* fertig=machen.

nébul|eux, se [nebylø, -øz] *a* wolkig, neb(e)lig, trübe; getrübt; *fig* dunkel, düster; trostlos; ungewiß; unklar; *(Stirn)* umwölkt; *s f astr* Nebel(fleck, -stern) *m;* ~**osité** *f* (schwacher) Nebel *m;* Nebelbildung; Bewölkung; *fig* Unklarheit, Dunkelheit *f.*

nécess|aire [nese(ɛ)sɛr] *a* nötig, notwendig, erforderlich; unersetzlich, -läßlich; unabwendbar; *s m* Notwendige(s); (notwendiges) Gerät; (Kaffee-, Tee-)Geschirr *n;* Picknickkoffer *m;* Campinggeschirr; *(~ de voyage)* (Reise-)Necessaire; *(~ de couture)* Nähzeug *n; faire le* ~ das Nötige besorgen; sich wichtig machen; *cela n'est pas* ~ es geht auch ohne das; *il est* ~ *de* ... *(inf), que* ... man, ich *etc* muß ...; *il n'est pas* ~ *de, que* ... man braucht, ich brauche *etc* nicht zu ...; ~ *de toilette* Toilettennecessaire *n;* ~ *de nettoyage et de raccommodage* Putz- u. Flickzeug *n;* ~**airement** *adv* notgedrungen, unfehlbar; ~**ité** *f* Notwendigkeit; Not(lage) *f,* Mangel *m; en cas de* ~ im Notfall; *de première* ~ unentbehrlich; *de (toute), par* ~ notgedrungen; *sans* ~ ohne Not; *faire de* ~ *vertu* aus der Not e-e Tugend machen; *réduire qn à la* ~, *mettre qn dans la* ~ jdn in die Zwangslage versetzen, jdn zwingen (*de* zu); *se trouver dans la* ~ in die Notwendigkeit versetzt sein; ~ *n'a point de loi* Not kennt kein Gebot; ~ *est mère d'industrie* Not macht erfinderisch; ~ *vitale* Lebensnotwendigkeit *f;* ~**iter** notwendig, erforderlich machen; erfordern, bedingen; ~**iteux, se** (be-)dürftig, notleidend.

nécro|loge [nekrɔlɔʒ] *m* Totenliste *f;* ~**logie** *f* Nachruf *m; (Zeitung)* Todesanzeigen *f pl;* ~**logue** *m* Nachrufschreiber *m;* ~**mancie** *f* Toten-, Geisterbeschwörung *f;* ~**mancien, ne** *s m f* Geisterbeschwörer(in *f*) *m;* ~**phage** *a zoo* aasfressend; *s m* Aasfresser *m;* ~**phore** *m* Aaskäfer *m;* ~**pole** *f* Totenstadt *f;* groß(städtisch)er Friedhof *m;* ~**se** *f med* Brand *m;* ~ *osseuse* Knochenfraß *m;* ~**ser, se** *med* ab=sterben.

nect|aire [nɛktɛr] *m bot* Honigdrüse *f;* ~**ar** *m* Nektar, *poet* Göttertrank; *bot* Honigsaft *m.*

néerlandais, e [neɛrlɑ̃dɛ, -ɛz] *a* niederländisch, holländisch; *s m* Niederländisch, Holländisch *n; N~, e s m f* Holländer(in *f*) *m.*

nef [nɛf] *f* (Kirchen-)Schiff *n;* ~ *centrale* od *principale, (col)latérale* Mittel-, Seitenschiff *n.*

néfaste [nefast] unheilvoll, unselig; *jour m* ~ Unglückstag *m.*

nèfle [nɛfl] *f bot* Mispel *f; des* ~*s! (fam)* das wäre noch schöner! Unsinn! kommt gar nicht in Frage! *je ne l'ai pas eu pour des* ~*s* das hat mich ganz schön viel gekostet.

néflier [neflije] *m* Mispel(strauch, -baum *m*) *f.*

négat|eur, trice [negatœr, -tris] *a* stets widersprechend; *s m f* Widerspruchsgeist; Leugner(in *f*) *m;* ~**if, ive** *a* negativ; verneinend; *gram* Verneinungs-; *s m u. épreuve f* ~*ive (phot)* Negativ *n; s f* Negative; Verneinung *f;* abschlägige(r) Bescheid *m,* Weigerung *f; se tenir sur la* ~*ive* sich beharrlich weigern; ~**ion** [-sjɔ̃] *f* Verneinung; Weigerung; *gram* Negation *f.*

néglig|é, e [negliʒe] *a* nachlässig; verwahrlost; *tech* ausbesserungsbedürftig; *fam* salopp, schlud(e)rig; *s m* Negligé, Hauskleid *n,* Morgenrock *m;* ~**eable** unwesentlich, belanglos; nicht zu berücksichtigen(d); *quantité f* ~ Belanglosigkeit *f;* ~**ence** *f* Nach-, Fahrlässigkeit, Gleichgültigkeit; Vernachlässigung *f; par* ~ aus Versehen; ~**ent, e** nach-, fahrlässig, gleichgültig, unachtsam; ~**er** vernachlässigen; verkümmern lassen; außer acht, links liegen=lassen; *(Gelegenheit)* verpassen, versäumen; *math* nicht berücksichtigen; *se* ~ sich gehen=lassen.

négoc|e [negɔs] *m* (Groß-)Handel *m;* Geschäft, Gewerbe; Geschäftsleben *n; faire du* ~ Handel treiben; ~**iable** [-sjabl] verkäuflich; umsetz-, übertragbar; begebbar; marktfähig, gängig; ~**iant, e** *m f* (Groß-)Händler(in *f*); Kaufmann *m;* ~*-exportateur m* Exportkaufmann *m;* ~ *en vins* Weinhändler *m;* ~**iateur, trice** *m f* Unterhändler, Vermittler(in *f*) *m;* ~**iation** *f* Ver-, Unterhandlung *f; com* (Ab-)Schluß, Verkauf *m; (Wechsel)* Begebung *f; entamer des* ~*s* in Verhandlungen treten; ~*s commerciales* Wirtschaftsverhandlungen *f pl;* ~*s de* *paix* Friedensverhandlungen *f pl; ~s tarifaires* Tarifverhandlungen *f pl; ~ à terme* Termingeschäft *n;* **~ier** *tr itr* unter-, verhandeln (*qc* über e-e S); *(Vertrag)* ab=schließen; vermitteln; zustande bringen; Handel treiben, handeln; um=setzen, verkaufen *(Wechsel)* begeben; *(Anleihe)* unter=bringen.

nègre [nɛgr] *m* Neger: *fig* Sklave *m;* jdm, der für e-n andern schreibt; *parler petit ~* kauderwelschen; *traiter comme un ~* wie e-n Hund behandeln; *travailler comme un ~* wie ein Pferd arbeiten; ochsen; *traite f des ~s* Sklavenhandel *m.*

négr|esse [negrɛs] *f* Negerin *f;* **~ier** *m* Sklavenhändler *m,* -schiff *n;* **~ille** [-ij] *m* Pygmäe *m;* **~illon, ne** *m f* Negerlein *n;* **~itude** *f* Zugehörigkeit *f* zur schwarzen Rasse, Negersein *m;* **~oïde** [-ɔid] negroid, negritisch.

neig|e [nɛʒ] *f* Schnee *m; arg* Schnee *m,* Kokain *n; pl* Schneemassen *f pl; (TV)* Schnee *m; de ~* schneeweiß; *sans ~* schneefrei; *arrêté, bloqué par les ~s* eingeschneit; *aveuglé par la ~* schneeblind; *blanc comme ~* schneeweiß; *fig* mit weißer Weste, ganz unschuldig; *couvert de ~* schneebedeckt, verschneit; *battre en ~* zu Schaum, Schnee schlagen; *faire boule de ~ (fig)* lawinenartig an=wachsen; *amas m de ~* Schneeverwehung *f; bonhomme m, boule, chute, couche f, flocon m, tempête f de ~* Schneemann, -ball, -fall *m,* -decke, -flocke *f,* -sturm *m; chasse-neige m* Schneepflug *m; limite, fonte f des ~s* Schneegrenze, -schmelze *f; œufs m pl à la ~* Eierschaum, -schnee *m; rafale f, tourbillon m, tourmente f de ~* Schneegestöber *n; ~ ancienne, nouvelle, mouillée, pulvérulente* od *poudreuse* Alt-, Neu-, Papp-, Pulverschnee *m; ~ damée, tôlée* verharschte(r) Schnee, Harsch *m; ~s éternelles, perpétuelles* Firn(schnee), ewige(r) Schnee *m;* **~er** schneien; *pp* verschneit; **~eux, se** schneebedeckt, verschneit; schneeig.

némat|helminthes [nematɛlmɛ̃t] *m pl* Rundwürmer *m pl;* **~odes** *m pl* Fadenwürmer *m pl;* **~oïde** fadenförmig.

nénuphar [nenyfar] *m* Seerose *f.*

néo|- [neɔ] *in Zssgen:* Neu-, neu-; **~-clacissisme** *m* Neoklassizismus *m;* **~-colonialisme** *m* Neokolonialismus *m;* **~-fascisme** [-fas(ʃ)ism] *m* Neofaschismus *m;* **~formation** *f biol* Neubildung *f;* **~-gothique** *a* neugotisch; *s m* Neugotik *f;* **~graphie** *f* neue Orthographie *f;* **~-grec, -grecque** neugriechisch; **~-latin, e** neulateinisch; **~lithique** *a* neolithisch, jungsteinzeitlich; *s m* Neolithikum *n,* Jungsteinzeit *f;* **~logisme** *m* sprachliche Neubildung *f;* neue(r) Sprachgebrauch *m.*

néon [neõ] *m chem tech* Neon *n; tube m de ~* Neonröhre *f.*

néo|-nazisme [neɔnazism] *m* Neonazismus *m;* **~phyte** *s m* u. *f rel* Neubekehrte(r *m*) *f; allg* Neuling *m;* **~plasme** *m med* Gewebsneubildung *f;* **~-réalisme** *m (Kunst)* neue Sachlichkeit *f;* **~-zélandais, e** neuseeländisch; **~zoïque** *m* Känozoikum *n.*

nèpe [nɛp] *f* Wasserskorpion *m.*

néphr|algie [nefralʒi] *f* Nierenschmerzen *m pl;* **~étique** *a* Nieren-; *s m f* Nierenkranke(r *m*) *f; vx m* Mittel *n* gegen Nierenkolik; **~ite** *f* Nierenentzündung *f.*

népotisme [nepɔtism] *m* Vetternwirtschaft *f.*

neptunium [nɛptynjɔm] *m* Neptunium *n.*

nerf [nɛr] *m* Nerv *m; fam* Sehne; *fig a.* [nɛrf] Kraft, Stärke; Triebfeder, Seele; *arch* Rippe *f; (Buch)* Bund *n; min* Zwischenschicht *f; avoir du ~* energisch sein; *avoir ses ~s* nervös sein; *donner, taper sur les ~s à qn* jdm auf die Nerven gehen *od* fallen, jdn nervös machen; *attaque f de ~s* Nervenkrise *f; ~ de bœuf* [nɛrdəbœf] Ochsenziemer *m; ~ moteur, optique, sciatique, sensitif* od *sensoriel* Bewegungs-, Seh-, Ischias-, Empfindungsnerv *m.*

nerv|al, e [nɛrval] *a* Nerven-, nervlich; **~ation** *f bot* Anordnung *f* der Adern; **~er** *(Buch)* mit Bünden versehen; **~eux, se** *a* Nerven-; nervös, nervenleidend; lebhaft; *fig* kraftvoll; *système m ~* Nervensystem *n;* **~in, e** *a pharm* nervenstärkend; **~osité** *f* Reizbarkeit, Nervosität *f;* **~ure** *f zoo bot* Nerven *m pl,* Adern *f pl; arch (Buch)* Rippe; Schnur, Tresse *f; aero* Steg *m,* Rippe, Leiste *f; ~ de bord d'attaque (aero)* Nasenrippe *f; ~ transversale, de voûte* Quer-, Gewölberippe *f;* **~urer** paspeln.

net, te [nɛt] *a* sauber, rein, fleckenlos; glatt; klar, deutlich, durchsichtig; *(Auge) phot* scharf; leer, frei, aufgeräumt; *fig* verständlich, faßlich; offen; einwandfrei, untadelig; *com* netto, ohne Abzüge; Rein-; einfach; *radio* klangrein; *adv* netto; offen, deutlich; geradezu; freiheraus; *tout ~* rundweg; ohne Umschweife; *avoir la conscience ~te* ein reines Gewissen haben; *faire* *table ~te (fig)* reinen Tisch machen; *mettre au ~* ins reine schreiben; *refuser ~* rundweg ab=lehnen; *mise f au ~* Reinschrift *f; bénéfice, produit m ~* Reingewinn, -ertrag *m; montant, prix m ~* Nettobetrag, -preis *m; poids m ~* Nettogewicht *n;* **~teté** [nɛtte] *f* Sauberkeit, Reinheit; Reinlichkeit; Klarheit, Deutlichkeit; *radio* Klangreinheit; *phot* (Bild-)Schärfe *f;* **~toiement** *m* Reinigung *f,* Saubermachen *n; agr* Unkrautvernichtung *f; (Wald)* (Aus-)Lichten *n;* **~toyage** *m* Reinigung *f,* Reinemachen, Säubern *n,* Putz(en *n*) *m; mil* Säuberung *f; faire le ~ par le vide (iron)* alles weg=werfen; *~ des greniers* Entrümpelung *f; ~ à sec* chemische Reinigung *f;* **~toyer** reinigen, säubern, sauber=machen, putzen; ab=spritzen; *(Schornstein)* fegen; *(Stall)* aus=misten; *fig* frei machen, befreien; ins reine bringen; rein machen; *fam (Schüssel, Kanne)* leeren; aus=räumen, -misten; ruinieren; *arg* um=legen, ab=murksen (*qn* jdn); *se ~* sich schön=machen; *(Wetter)* schön werden; *~ à sec* chemisch reinigen; **~toyeur, se** *m f* Putzer *m; f* Reinigungsmaschine *f,* -gerät *n;* **~toyure** *f* Kehricht, Müll *m.*

neuf [nœf] neun; *s m* Neun(er *m*) *f; (Tag, Fürst)* der Neunte.

neuf, neuve [nœf, nœv] neu(wertig), ungebraucht, frisch; neuartig; kindlich, rein; *tout (battant, flambant) ~* (funkel)nagelneu; *de ~* neu *adv; remettre à ~* wieder neu her=richten; *quoi de ~?* was (gibt's) Neues?

neur|asthénie [nørasteni] *f* Neurasthenie, Nervenschwäche *f;* **~asthénique** *a* neurasthenisch; *m f* Neurastheniker(in *f*) *m;* **~ochirurgie** *f* Neurochirurgie *f;* **~ochirurgien** *m* Neurochirurg *m;* **~ologie** *f* Neurologie, Nervenheilkunde *f;* **~ologue, ~ologiste** *m* Nervenarzt, Neurologe *m;* **~one** [-rɔ(o)n] *m anat* Neuron *n;* **~opsychiatrie** *f* Neuropsychiatrie *f.*

neutr|al, e [nøtral] *(franz. Schweiz)* neutral; **~alement** *adv gram* im, als Neutrum; intransitiv; **~alisation** *f* Neutralisierung *f;* **~aliser** *pol* für neutral erklären; *chem* neutralisieren; *fig* ab=schwächen, unwirksam machen; *(feindliche Kräfte)* binden; *se ~* sich (gegenseitig) auf=heben; **~aliste** *a* neutralistisch; *s m f* Anhänger *m* der Neutralität; **~alité** *f* Neutralität *a. chem;* Unparteilichkeit *f;* **~e** *a* neutral *a. chem,* parteilos, unparteiisch; *biol* geschlechtslos; *gram* sächlich; *s m gram* Neutrum *n; pol* Neutrale(r), neutrale(r) Staat; *tech* Nulleiter *m;* **~odyne** *m radio* Neutro-Empfänger *m;* **~on** *m phys* Neutron *n.*

neuv|aine [nœvɛn] *f rel* Novene, neuntägige Andachtsübung *f;* **~ième** *a* neunte(r, s) *s m* Neuntel *n;* **~ièmement** neuntens.

névé [neve] *m* Firn(schnee) *m.*

neveu [nəvø] *m* Neffe *m.*

névr|algie [nevralʒi] *f* Nervenschmerz *m,* Neuralgie *f;* **~algique** neuralgisch; *point m ~* neuralgische(r), wunde(r) Punkt *m;* **~ite** *f* Neuritis, Nervenentzündung *f;* **~ome** *m* Neurom *n,* Nervengeschwulst *f;* **~opathe** nervenleidend; **~optères** *m pl zoo* Netzflügler *m pl;* **~ose** *f* Neurose *f; ~ d'angoisse, d'obsession, tachycardique* Angst-, Zwangs-, Herzneurose *f;* **~osé, e** *a* neurotisch; *s m f* Neurotiker(in *f*) *m;* **~otique** *a* neurotisch; Neurose-.

nez [ne] *m* Nase *f;* Geruchs-, Spürsinn *m; fam* Visage *f,* Gesicht *n; (Gewehr)* Kolbenspitze *f; mar aero* Bug; Schnabel; *(Brille)* Steg *m; tech* Nase *f,* Kopf, Einsatz *m; ~ à ~* Auge in Auge; *au ~ de qn* unter jds Augen; *à vue de ~ (fam)* nach Augenmaß; *le ~ levé* mit erhobenem Haupt; *allonger le ~, avoir le ~ long, (fam) faire un ~* ein langes Gesicht machen; *avoir du ~, bon ~, le ~ creux* e-e feine Nase haben; *avoir qn dans le ~ (fam)* jdn nicht riechen können, jdn gefressen haben; *avoir toujours le ~ sur qc, ne pas lever le ~ de dessus qc* dauernd mit etw beschäftigt sein; *se casser le ~ (fig fam)* vor verschlossene Türen kommen; sich die Finger verbrennen; *faire un pied de ~ à qn* jdm e-e Nase drehen, jdn verspotten; *fermer la porte au ~ de qn* jdm die Tür vor der Nase zu=machen; *jeter à qn qc au ~* jdm etw ins Gesicht werfen *od* schleudern, unter die Nase reiben; *se manger, (fam) se bouffer le ~* sich in den Haaren liegen; *mener qn par le (bout du) ~* jdm auf der Nase herum=tanzen; mit jdm machen, was man will; *mettre, fourrer son* od *le ~ dans qc* s-e Nase in e-e S stecken; *mettre à qn le ~ sur qc* jdn mit der Nase auf e-e S stoßen; *parler du ~* durch die Nase sprechen; *se piquer le ~ (fam)* sich die Nase begießen, einen heben; *prendre, monter au ~* in die Nase steigen; *prendre son ~ pour ses fesses (fam)* sich schwer irren; *rire au ~ de qn* jdm ins Gesicht lachen; *tirer les vers du ~ à qn* jdm die Würmer aus der Nase ziehen, jdm sein Geheimnis entlocken; *ne pas voir plus loin que (le bout de) son* ~ nicht weiter sehen, als die Nase reicht; *ce n'est pas pour ton* ~ das ist nicht um deinetwillen; *ça te pend au* ~ *(pop)* das steht dir bevor; *prenez-vous par le bout du* ~ fassen Sie sich an die eigene Nase; *la moutarde me monte au* ~ *(fig fam)* ich kriege die Wut; *bout m du* ~ Nasenspitze *f; je saigne du* ~ mir blutet die Nase; ~ *aquilin, de betterave, busqué, camard* od *camus, retroussé* Adler-, Kartoffel-, Haken-, Sattel-, Stupsnase *f;* ~ *en carton* Pappnase *f;* ~ *du fuselage (aero)* Rumpfbug *m,* Kanzel *f;* ~ *vitré (aero)* Vollsichtkanzel *f.*

ni [ni] *conj* auch nicht; *(ne) ...* ~ *...* ~ weder ... noch, nicht ... (und) auch nicht; *ne ... pas ...* ~ weder ... noch; *ne ...* ~ *ne* und ... nicht; ~ *... non plus ...* auch nicht; *sans ...* ~ ohne ... und ohne; ~ *plus* ~ *moins* nicht mehr und nicht weniger.

niable [njabl] *a* zu leugnen(d).

niais, e [njɛ, -ɛz] *a* dumm, unerfahren; *fam* grün, doof; *s m fam* Dummkopf, Trottel *m; il n'est pas* ~ er ist nicht bange, dumm; *il n'est pas si* ~ *qu'il en a l'air* er ist nicht so dumm, wie er aussieht; **~erie** [njɛzri] Dummheit; Albernheit *f.*

Nice [nis] *f* Nizza *n.*

niçois, e [niswa, -z] aus Nizza.

nich|e [niʃ] *f* **1.** *arch* Nische *f; fam* kleine Wohnung; *(~ à chien)* Hundehütte *f;* **2.** *fam* Schabernack, Streich *m; faire une* ~ *à qn* jdm e-n Streich spielen; **~ée** *f* Nestvoll *n,* Brut *f;* Wurf *m;* **~er** *itr* (s)ein Nest bauen; nisten; *fig fam* in s-m Nest hocken; hausen, wohnen; *tr* unter=bringen; *se* ~ (sich ein=)nisten; *fig* sich fest=setzen; **~et** [-ɛ] *m* Nestei *n;* **~eur, se** *a zoo* nestbauend; **~oir** *m* Heckbauer *n* od *m; agr* Nest (zum Brüten) *n;* Nistkasten *m;* **~on** *m* Titte *f.*

nichrome [nikrom] *m tech* Chromnickelstahl *m.*

nickel [nikɛl] *m chem* Nickel *n; a fam* blitzblank, -sauber; **~age** *m* Vernick(e)lung *f;* **~er** vernickeln; **~ure** *f* Vernickeln *n;* vernickelte Arbeit *f.*

nicodème [nikɔdɛm] *m fam* Einfaltspinsel *m.*

nicotin|e [nikɔtin] *f chem* Nikotin *n;* **~eux, se** nikotinhaltig; **~ique** *a* Nikotin-; **~isme** *m* Nikotinvergiftung *f.*

nict|(it)ation [nikt(it)asjɔ] *f med* Blinzeln *n;* **~itant, e** *a* blinzelnd; *paupière f* ~*e (zoo)* Nick-, Blinzhaut *f.*

nid [ni] *m* Nest; Nestvoll *n;* Horst; Unterschlupf *m;* Wohnung *f; mot* Kühlerblock *m; écraser au* ~ im Keim ersticken; *ne pas sortir de son* ~ *(fam)* nicht aus s-m Bau gehen; *trouver la pie au* ~ es glücklich treffen; *petit à petit l'oiseau fait son* ~ *(prov)* steter Tropfen höhlt den Stein; *bon* ~ *(fig)* warme(s) Nest *n;* ~*s d'abeille* Waben-, Waffelmuster *n;* ~ *de brigands* Räubernest *n,* -höhle *f;* ~ *d'hirondelle, d'oiseau* Schwalben-, Vogelnest *n;* ~ *de mitrailleuse, de résistance, de tirailleurs* MG-, Widerstands-, Schützennest *n;* ~ *de poule (Straße)* Schlagloch *n;* ~ *à rats (fig)* Rattenloch *n;* **~ification** [-di-] *f* Nestbau *m;* **~ifier** sein Nest bauen.

nièce [njɛs] *f* Nichte *f.*

niell|e [njɛl] **1.** *m tech* Niello *n,* Schwarzschmelz *m;* **2.** *f bot* Kornrade *f;* **3.** *f* (Getreide-)Brand *m;* **~er 1.** *tech* niellieren, mit Niello aus=legen; **2.** *se* ~ *(bot)* brandig werden; **~ure** *f* **1.** *tech* Niellieren; Niello(arbeit *f*) *n;* **2.** (Getreide-) Brand *m.*

nier [nje] verneinen; (ver)leugnen, ab=, bestreiten, in Abrede stellen (*de* od *reiner Infinitiv* zu).

nigaud, e [nigo, -od] *a* dumm, einfältig, tölpelhaft; *s m* Dummkopf, Tropf *m;* **~erie** *f* Dummheit *f,* dumme(r) Streich *m.*

nimb|e [nɛ̃b] *m* Nimbus, Heiligenschein *m;* **~er** mit e-m Heiligenschein umgeben; **~us** [-ys] *m* Nimbus-, Regenwolke *f.*

nipp|es [nip] *f pl fam* (alte) Kleidungs-, Wäschestücke *n pl,* Sachen, Klamotten *f pl;* **~é, e:** *être bien* ~ *(Pop)* gut in Schale sein.

nippon, (n)e [nipɔ̃, -ɔn] *a* japanisch; *N~, ne s m f* Japaner(in *f*) *m.*

nique [nik] *f: faire la* ~ *à qn jdn* aus=lachen, verspotten; jdm trotzen; **~douille** *m* Dummkopf, Tölpel *m.*

nitouche [nituʃ] *f: (fam) sainte* ~ Scheinheilige *f.*

nitr|ate [nitrat] *m chem* Nitrat, salpetersaure(s) Salz *n;* ~ *de potassium* Kaliumnitrat *n,* Kalisalpeter *m;* ~ *de sodium* Natronsalpeter *m;* **~até, e** salpetersauer; nitrathaltig; **~ater** mit Silbernitrat bräunen; **~e** *m* (Kali-) Salpeter *m;* **~é, e; ~eux, se** salpeterhaltig; **~er** nitrieren; **~ière** *f* Salpetergrube *f;* **~ification** *f* Salpeterbildung *f;* Salpeter-, Mauerfraß *m;* Nitrierung *f;* **~ifier, se** Salpeter aus=scheiden; **~ique** salpetersauer; stickstoffhaltig; *acide m* ~ Salpetersäure *f;* **~ite** *m* Nitrit, salpetrigsaure(s) Salz *n.*

nitro|benzène [nitrɔbɛ̃zɛn] *m,* **~benzine** [-ɔbɛ̃zin] *f* Nitrobenzol *n;* **~cel-**

lulose *f* Schießbaumwolle *f;* **~gène** *m* Stickstoff *m;* **~glycérine** *f* Nitroglyzerin *n.*

nitr|uration [nitryrasjɔ̃] *f tech* Nitrierhärtung *f;* **~ure** *m* Nitrid *n,* Stickstoffverbindung *f.*

niveau [nivo] *m* Libelle, *(~ à bulle d'air)* Wasserwaage *f;* Niveau *n;* (waagerechte) Fläche, (gleiche) Höhe *f,* Stand *m;* Stufe, Ebene *f;* Wasserstand, -spiegel *m; min* Sohle *f;* Pegel *m; fig* Niveau *n;* Ausgleich *n; de ~* waagerecht; *de ~ avec, au ~ de* auf gleicher Höhe, Ebene mit, wie; *caler, centrer le ~* die Libelle sich einspielen lassen; *être au ~ de qn* mit jdm auf gleicher Stufe stehen; *mettre de, au ~* nivellieren; *le plus bas ~ (com)* der Tiefstand; *cote f de ~* Höhenzahl *f; courbe f de ~* Höhen(schicht)linie, Isohypse *f; état m des ~x* Bestandsmeldung *f; différence f de ~* Höhenunterschied *m; indicateur m de ~ d'eau* Wasserstandzeiger *m; passage m à ~* schienengleiche(r) Bahnübergang *m; ~ des approvisionnements* Verpflegungsbestand *m; ~ à bulle (d'air)* Wasserwaage *f; ~ d'eau* Wasserspiegel *m;* Wasserwaage *f; ~ d'eau souterraine* Grundwasserspiegel *m; ~ le plus élevé (pol)* höchste Ebene *f; com* Höchststand *m; ~ d'essence, d'huile (mot)* Benzin-, Ölstand *m; ~ d'un fleuve* (Fluß-)Pegelstand *m; ~ de maçon, à perpendicule* Lot *n,* Setzwaage *f; ~ maximum (com)* Höchststand *m; ~ de la mer* Meeresspiegel *m; ~ moyen de la mer* mittlere Meereshöhe *f; ~ de perturbation (radio)* Störspiegel *m; ~ des prix (com)* Preisstand *m,* -niveau *n; ~ de la production* Produktionsstand *m; ~ (de réception) radio* (Empfangs-)Lautstärke *f; ~ des salaires* Lohnniveau *n; ~ de sensation auditive* Hörschwelle *f; ~ du son, sonore* Schallpegel *m; ~ de vie* Lebensstandard *m.*

nivel|er [nivle] nivellieren; eben machen, ein=ebnen, mit der Wasserwaage prüfen; *fig* gleich=machen, nivellieren, aus=gleichen; **~ette** *f* Nivellierkreuz *n;* **~eur, se** *a* gleichmachend, ausgleichend; *s m* Planiergerät *n,* Planierraupe *f;* Vermesser; *fig pol* Gleichmacher *m;* **~lement** [-vɛl-] *m* Nivellieren *n;* Einebnen *n; fig* Nivellierung *f,* Ausgleich *m; mire f, repère m de ~* Nivellierlatte; Höhenmarke *f; ~ général* Landvermessung *f.*

nivôse [nivoz] *m* 4. Monat des Revolutionskalenders (21. 12.–20. 1., Schneemonat).

Nobel [nɔbɛl] : *prix m ~* Nobelpreis (-träger) *m.*

nobiliaire [nɔbiljɛr] *a* Adels-; ad(e)lig; *s m* Adelsmatrikel *f,* Adelsbuch, -register *n; orgueil m ~* Adelsstolz *m; particule f ~* Adelsprädikat *n.*

nobl|e [nɔbl] *a* ad(e)lig; Adels-; vornehm, würdig, würdevoll; edel(mütig), erhaben; *min* reich; *s m f* Ad(e)-lige(r *m) f; ~-épine f (bot)* Weißdorn *m;* **~esse** *f* Adel *m;* Würde, Hoheit *f; ~ oblige (prov)* Adel verpflichtet; *~ d'ancienne roche* alte(r) Adel *m; ~ de robe* Amtsadel *m ~ d'épée* Schwertadel *m.*

noc|e(s *pl*) [nɔs] *f* Hochzeit(sfest *n,* -gesellschaft) *f; (en) premières, secondes ~s* (in) erste(r), zweite(r) Ehe; *n'être pas à la ~* in e-r unangenehmen, mißlichen Lage sein; *faire la ~ (fam)* feiern; ein lockeres Leben führen; in Saus und Braus leben; *cadeau, repas m de ~* Hochzeitsgeschenk, -essen *n; ~s d'argent, d'or, de diamant* silberne, goldene, diamantene H.; **~er** *(pop)* feiern; **~eur** *m fam* Lebemann; Saufbruder *m.*

nocher [nɔʃe] *m poet* Fährmann *m*

noc|if, ive [nɔsif, -iv] schädlich; **~ivité** *f* Schädlichkeit *f.*

noct|ambule [nɔktɑ̃byl] *m f vx* Nachtwandler(in *f*); *fam* Nachtschwärmer *m;* **~ambulisme** *m med* Nachtwandeln *n; fam* Nachtschwärmerei *f;* **~iflore** *a bot* nachts blühend; **~uelle** [-tɥɛl] *f* Nachtfalter *m;* **~urne** [-tyrn] *a* nächtlich; Nacht-; *bot* nachts blühend; *zoo* nachts auf Beute gehend; *s m mus* Notturno *n; m pl orn* Eulen *f pl.*

nod|al, e [nɔdal] *a phys* Knoten-; **~osité** *f bot med* (Behaftetsein *n* mit) Knoten *m pl;* Verhärtung *f;* **~ulaire; ~uleux, se** knotig; **~ule** *m* Knötchen *n;* **~us** [-ys] *m med* Knoten *m.*

Noé [nɔe] *m* Noah *m; arche f de ~* Arche *f* Noah.

Noël [nɔɛl] *m* Weihnachten *f pl,* Weihnachtsfest *n; n~ m* Weihnachtslied *n; à (la) ~* Weihnachten; *arbre m de ~* Weihnachtsbaum *m; père m ~* Weihnachtsmann *m; (petit) n~ m fam* Weihnachtsgeschenk *n* (für Kinder); *veille f de ~* Heilige(r) Abend, Weihnachtsabend *m.*

nœud [nø] *m* Knoten *m a. mar theat;* Schleife; Schlinge *f; anat* Knöchel *m,* (Finger-)Glied *n; zoo* Schwanzwirbel; *math* Doppelpunkt; *phys* Schwingungsknoten; *(Holz)* Ast *m; fig* Band *n,* Bindung; Fessel *f;* Haken *m,* Schwierigkeit *f; sans ~(s) (Holz)* astfrei; *faire un* ~ e-n Knoten, e-e Schleife binden; ~ *coulant* Schleife *f;* ~ *d'assemblage, de communication* Knotenpunkt *m;* ~ *de câblage (tele)* Abzweigstelle *f;* ~ *de drisse, de batelier* Schifferknoten *m;* ~ *ferroviaire* Eisenbahnknotenpunkt *m;* ~ *de la gorge (anat vx)* Adamsapfel *m;* ~ *papillon* Querbinder *m;* ~ *routier* Straßenknotenpunkt *m.*

noir, e [nwar] schwarz; schwarzbraun, -blau; dunkel, finster; schmutzig; *fig* düster, trüb(e), traurig, unheilvoll; bösartig, schlecht, treulos, teuflisch; *(Verrat)* schnöde; *arg* blau, besoffen; *s m f* Schwarze(r *m*) *f,* Neger(-in *f*); dunkelhäutige(r) Mensch *m; m* Schwarz *n,* schwarze Farbe; schwarze Kleidung *f; med* blaue(r) Fleck *m; (Zielscheibe)* (das) Schwarze; *(Kunst)* Schattenpartie; *tech* Schwärze *f,* Ruß; *fam* schwarze(r) Kaffee *m; f mus* Viertelnote *f; broyer du* ~ schwarzen Gedanken nach=hängen; *mettre dans le* ~ ins Schwarze treffen; *pousser au* ~ *(fig)* noch schwärzer malen; in noch ungünstigerem Lichte sehen; *voir tout en* ~ alles schwarz sehen; *tendu de* ~ schwarz behangen *od* ausgeschlagen; *il y a des points* ~*s à l'horizon* es steht nichts Gutes bevor; *il fait* ~ es ist Nacht, dunkel; *l'Afrique N*~*e* Schwarzafrika *n; beurre m* ~ braune Butter *f; blé m* ~ Buchweizen *m; chambre f* ~*e (phot)* Dunkelkammer *f; liste f* ~*e* schwarze Liste *f; marché m* ~ schwarze(r) Markt *m; la mer N*~*e* das Schwarze Meer *n; œil m au beurre* ~ *(fam)* blaue(s) Auge *n; point m* ~ *(pop)* Mitesser *m; série f* ~*e* Pechsträhne *f travail m* ~ Schwarzarbeit *f;* ~ *animal, d'os* Tier-, Knochenschwarz *n;* ~ *comme un four* kohlrabenschwarz; **~âtre** schwärzlich; **~aud, e** *a* dunkel(haarig, -häutig); *s m f* dunkle(r) Typ *m;* **~ceur** *f* Schwärze, schwarze Farbe *f;* schwarze(r) Fleck *m;* Verworfenheit, Bosheit *f;* **~cir** *tr* schwarz färben *od* machen, schwärzen; *fig* an=schwärzen, verleumden; in düsteren Farben malen; *itr* od *se* ~ schwarz, dunkel werden, bräunen; *se* ~ *(fig)* sich in ein schlechtes Licht stellen; sich (gegenseitig) an=schwärzen, verleumden; *arg* sich besaufen; **~cissement** *m* Schwärzen; Schwarzwerden *n;* **~cissure** *f* schwarze(r) Fleck *m.*

noise [nwaz] *f: chercher* ~ *à qn* mit jdm Streit suchen *od* an=fangen.

nois|eraie [nwazrɛ] *f* Haselstrauchpflanzung *f;* Haselgebüsch *n;* **~etier** *m* Hasel(nuß)strauch *m;* **~ette** *f* Haselnuß *f; pl* Nußkohlen *f pl; a* nußbraun.

noix [nwa] *f* (Wal-)Nuß; *(~ de veau)* (Kalbs-)Nuß; Nußkohle; *tech* Hahnküken *n;* Wirtel, Anschlag *m; adv* ein bißchen; *à la* ~ *(de coco) (fam)* wertlos, lachhaft; *vieille* ~ *(pop)* doofe Nuß *f;* ~ *de coco, muscade* Kokos-, Muskatnuß *f;* ~ *de galle* Gallapfel *m.*

noli me tangere [nɔlimetɑ̃ʒere] *m bot* Rührmichnichtan, Springkraut *n.*

nolis [nɔli] *m mar* Charterung; Fracht *f;* **~(at)eur** [-z(at)œr] *m* Charterer *m;* **~er** [-ze] chartern; **~ement** *m mar* Befrachtung *f.*

nom [nɔ̃] *m* Name; Ruf; Rang *m;* Familie *f,* Geschlecht *n;* Person, Persönlichkeit; Eigenschaft; Bezeichnung *f;* Beiname *m; gram* Nomen, Substantiv *n; au* ~ *de* im Namen, Auftrag *gen; de* ~ (nur) dem Namen nach; *en mon* ~ *personnel* in meinem Namen; *sans* ~ *(fig)* unerhört, unglaublich; *sous un* ~ *d'emprunt* unter e-m angenommenen Namen; *apposer son* ~ s-n Namen setzen (*sous* unter *acc*); *avoir* ~ heißen; *décliner son* ~ s-n Namen nennen; *lire les* ~*s par ordre alphabétique* die Namen in alphabetischer Reihenfolge verlesen; *mettre, placer les* ~*s sur les visages* die Leute mit Namen kennen; *nommer les choses par leur* ~ die Dinge beim (rechten) Namen nennen; *prêter son* ~ s-n Namen her=geben; *il vaut mieux que son* ~ er ist besser als sein Ruf; ~ *d'un chien, d'une pipe!* verdammt! verflixt u. zugenäht! *changement m de* ~ Namensänderung *f; petit* ~ Vor-, Rufname *m;* ~ *abstrait (gram)* Abstraktum *n;* ~ *de baptême* Taufname *m;* ~ *collectif, commun* Gattungsbegriff *m;* ~ *commercial, social* Firma, Firmenbezeichnung *f;* ~ *d'emprunt* angenommene(r) Name *m;* ~ *de famille, patronymique* Familienname *m;* ~ *de jeune fille* Mädchenname *m;* ~ *de guerre* Bühnen-, Künstler-, Deckname *m,* Pseudonym *n;* ~ *de lieu* Ortsname *m;* ~ *de plume (Schriftsteller)* Deckname *m,* Pseudonym *n;* ~ *propre* Eigenname *m.*

nomad|e [nɔmad] *a* nomadisch, nomadenhaft; *s m f* Nomade *m;* **~isme** *m* Nomadentum *n.*

nombr|e [nɔ̃br] *m* (An-)Zahl, *fam* Menge; Mehrzahl, -heit *f; gram* Numerus; *(Sprache)* Wohllaut, -klang *m;* Maß *n; au* ~ *de, du* ~ *de* unter *dat,* zu; *au* ~ *de mille* 1000 an der Zahl; *dans le* ~ darunter; *(bon)* ~ *de* ein großer Teil *gen; en (grand)* ~ zahlreich; in großer Zahl; *en ~s ronds* in runden Zahlen; *sans* ~ zahllos; *être du* ~ dazugehören; dabei, darunter sein; *n'être pas en* ~ *(parl)* nicht beschlußfähig sein; *faire* ~ die Zahl vergrößern; *fixer le* ~ *des membres à* ... die Zahl der Mitglieder auf ... fest=setzen *mettre au* ~ *de* zu *dat* rechnen; *le livre des N~s (rel)* das 4. Buch Mose; *le plus grand* ~ die Mehrheit; die große Masse *f;* ~ *atomique (chem)* Ordnungszahl *f;* ~ *d'avions abattus (mil)* Abschußzahl *f;* ~ *cardinal, carré, cube, décimal, fractionnaire, ordinal, premier* Grund-, Quadrat-, Kubik-, Dezimal-, Bruch-, Ordnungs-, Primzahl *f;* ~ *(im)pair* (un)gerade Zahl *f;* ~ *index* Indexziffer, Meßzahl *f;* ~ *des pièces* Stückzahl *f;* ~ *pur (Statistik)* dimensionslose Verhältniszahl *f;* ~ *total* Gesamtzahl *f;* ~ *de tours (mot)* Drehzahl *f;* **~eux, se** zahlreich; *famille f ~-se* kinderreiche Familie *f.*

nombril [nɔ̃bril] *m* (Bauch-)Nabel *m.*

nomenclature [nɔmɑ̃klatyr] *f* Nomenklatur *f,* Fachausdrücke *m pl,* -sprache, Terminologie; *(wissensch.)* Einteilung u. Benennung *f; allg* lange Aufzählung, Liste *f,* Verzeichnis *n,* Katalog *m.*

nomin|al, e [nɔminal] namentlich, Namens-; nominell, Schein-; *gram* nominal; *appel m* ~ namentliche(r) Aufruf, Namensaufruf *m; valeur f ~e (com)* Nennwert *m;* **~alement** *adv* namentlich; (nur) dem Namen nach; **~atif, ive** *a* namentlich, Namens-; *com* auf den Namen lautend; *s m gram* Nominativ, erster Fall *m; action, liste f ~ative* Namensaktie, -liste *f;* **~ation** *f* Ernennung *f* (*de* zu).

nomm|é, e [nɔme] *a* ge-, be-, ernannt; designiert; *(Tag)* festgesetzt; *jur fam* besagt, erwähnt; *un(e)* ~, *e* ein, e-e gewisse(r); *à point* ~ gerade recht, wie gerufen; **~ément** *adv* namentlich, ausdrücklich; **~er** (be-, er-) nennen (*qc* zu etw, *qn à qc* jdn zu etw); an=geben, -zeigen; ein=setzen (*qc* als etw), bestellen (*qc* zu etw); *se* ~ s-n Namen sagen *od* nennen; heißen; ~ *son héritier* zum Erben bestimmen; ~ *d'office* von Amts wegen bestellen; ~ *à la présidence, à titre personnel, à vie* zum Vorsitzenden, persönlich, auf Lebenszeit ernennen.

non [nɔ̃, *in Zssgen vor Vokal a.* nɔn] *adv* nein; (und) nicht; Nicht-; un-; *s m inv* Nein *n;* ~? nicht wahr? oder? ~ *pas* aber nicht, zwar nicht (kein); ~ *plus* auch nicht; ~ *plus que* so wenig als *od* wie; nicht als ob; ~ *(pas) que (conj)* nicht (etwa) daß; ~ *seulement* nicht nur; *que* ~! aber nein! *~-acceptation f* Nichtannahme *f; ~-accomplissement m* Nichterfüllung *f; ~-actif, -ive* nicht berufstätig; *~-activité f (Beamter, bes. Offizier)* Disposition *f; ~-admission f* Nichtzulassung *f;* ~ *affranchi* unfrankiert; *~-agression f: pacte m de* ~ Nichtangriffspakt *m; ~-aligné, e* blockfrei; *~-alignement m* Blockfreiheit *f; ~-application f* Nichtanwendung *f; ~-assistance f: ~-assistance à personne en danger (jur)* unterlassene Hilfeleistung *f;* ~ *assuré, e* unversichert; ~ *avenu, e (jur)* nichtig; *~-belligérance f* Status *m* e-r nichtkriegführenden Macht; ~ *bio-dégradable* nicht verrottbar, nicht zersetzbar; *~-combattant m* Nichtkämpfende(r) *m; ~-conducteur, trice a (el)* nichtleitend; *m* Nichtleiter *m;* ~ *confirmé, e* unbestätigt; *~-conformisme m* Nonkonformismus *m; ~-conformiste a* nonkonformistisch, nicht angepaßt; *s m f* Nonkonformist *m; ~-conformité f* Nichtübereinstimmung *f; ~-convenance f: en cas de* ~ bei Nichtgefallen *n;* ~ *coté* unnotiert; *~-corrosif, ive* rostfrei; ~ *coupable* nicht schuldig; ~ *daté, e* undatiert; *~-déductibilité f* Nichtabzugsfähigkeit *f; ~-discrimination f* Nichtdiskriminierung *f; ~-disponibilité f (mil)* Unabkömmlichkeit *f; ~-dissémination f; ~-dissémination des armes nucléaires (mil)* Nichtverbreitung *f* von Kernwaffen; ~-éclaté: obus m ~ Blindgänger *m;* ~ *emballé, e* unverpackt; ~ *endommagé, e* unbeschädigt; *~-être m* Nichtsein *n; ~-exécution f* Nichtausführung; *jur* Nichtvollstreckung *f; ~-fumeur m* Nichtraucher *m; ~-ingérence f* Nichteinmischung *f; ~-intervention f* Nichteinmischung *f; ~-lieu m (Prozeß)* Niederschlagung, Urteilsaussetzung *f; ~-nageur m* Nichtschwimmer *m; ~-négociabilité f* Nichtübertragbarkeit *f; ~-observation f* Nichtbeachtung *f; ~-ouvré, e (tech)* unbearbeitet; ungemustert; *~-paiement m* Nichtbezahlung *f;* ~ *payé, e* unbezahlt; *~-polluant, e* umweltfreundlich; *~-présence f* Nichtanwesenheit *f; ~-prolifération f (mil)* Nichtweitergabe *f; ~-rechargeable (Feuerzeug)* Wegwerf-; ~ réclamé, e unaufgefordert; *(Brief)* nicht abgeholt; *fin f de ~-recevoir* abschlägige Antwort *f; ~-reconnaissance f (pol)* Nichtanerkennung *f; ~-recouvrement m* Nichteinziehung, Nichtbeitreibung *f (von Steuern);*

~-remise f Nichtzustellung *f; ~-rentabilité f* Unwirtschaftlichkeit *f; ~-résident m* Devisenausländer *m; ~-retour m: atteindre le point de ~-retour* den Punkt erreichen, von dem aus es kein Zurück gibt; *~-sens* [-sɑ̃s] *m* Unsinn *m;* Sinnlosigkeit *f; ~ signé, e* ohne Unterschrift; *~-solvable* zahlungsunfähig; *~-stop* nonstop; *vol ~-stop* Nonstopflug *m; ~-usage m* Nichtgebrauch *m; ~-valeur f* nicht einzutreibende Forderung; unverkäufliche Ware *f;* entwertete(s) (Wert-)Papier *n; ~-vente f* Nichtverkauf *m; ~-violence f* Gewaltlosigkeit *f; ~-violent, e* gewaltlos; *~-voyant, e a* blind; *s m f* Blinde(r) *m f.*

non|agénaire [nɔnaʒenɛr] neunzigjährig; **~ante** *(Belgien, franz. Schweiz)* neunzig.

nonce [nɔ̃s] *m rel* Nuntius *m.*

non|chalance [nɔ̃ʃalɑ̃s] *f* Nachlässigkeit, Gleichgültigkeit *f;* Sichgehenlassen *n;* Saumseligkeit, Sorglosigkeit *f;* **~chalant, e** gleichgültig, (nach-)lässig; gelassen, sorglos; gemächlich, bequem.

nonciature [nɔ̃sjatyr] *f rel* Nuntiatur *f.*

non|ne [nɔn] *f fam* Nonne *f;* **~nette** *f* junge Nonne; Pfeffernuß *f.*

nonobstant [nɔnɔpstɑ̃] *prp* trotz, ungeachtet; *adv vx* trotzdem, nichtsdestoweniger.

nonpareil, le [nɔ̃parɛj] *a* unvergleichlich; *s m typ* Nonpareille *f (6 Punkt).*

nord [nɔr] *s m* Nord(en); Nordteil *m,* -seite, nördliche Richtung *f,* Norden *(e-s Landes);* Nord(wind) *m; N~* (Länder *n pl,* Bewohner *m pl* des) Norden(s); *a* nördlich, Nord-; *du N~* Nord-; *être exposé au ~* nach Norden liegen; *faire le ~ (mar)* nordwärts steuern; *perdre le ~ (mar)* die Richtung, *fam fig* den Kopf verlieren; *cap m N~* Nordkap *n; étoile f du N~* Polarstern *m; mer f du N ~* Nordsee *f; (de) latitude f ~* nördliche(r) Breite *f; pôle m ~ Nordpol m; vent du m ~* Nordwind *m; ~ géographique, magnétique* recht-, mißweisende(r) Nord *m; ~-africain, e* [nɔrafrikɛ̃] nordafrikanisch; *~-coréen, ne* nordkoreanisch; *~-est* [nɔrɛst] *s m* Nordost(en); Nordost(-wind) *m; a inv* nordöstlich; *~-ouest* [nɔrwɛst] *s m* Nordwesten; Nordwest(wind) *m; a inv* nordwestlich; *~-vietnamien, ne* nordvietnamesisch; **~ique** [-dik] nordisch; **~ir** *(Wind)* nach Norden drehen; **N~iste** *m fam a. sport* Nordfranzose *m;* Anhänger der Nordstaaten im am. Sezessionskrieg.

noria [nɔrja] *f tech* Pasternoster-, Becherwerk *n,* Elevator *m.*

normal, e [nɔrmal] *a* normal, regulär, regelmäßig; üblich; *math* senkrecht; *tech* genormt; Einheits-, Normal-; *s f math* Senkrechte *f,* Lot *n;* **~ien, ne** *s m f* Schüler(in *f*), Student(in) *m* e-r *École normale;* **~isation** *f* Normalisierung; Normung *f;* **~iser** normalisieren; *tech* normen, standardisieren, vereinheitlichen.

normand, e [nɔrmɑ̃, -ɑ̃d] *a* normannisch; *fig* gerissen, gerieben; *N~, e s m f* Normanne *m,* Normannin *f; réconciliation f ~e* Scheinversöhnung *f; réponse f ~e, de N~* zweideutige Antwort *f.*

norme [nɔrm] *f* Regel, Norm *f,* Muster *n,* Typ *m; ~s de fabrication, de production* Produktionsnormen *f pl.*

nor|(r)ois, e [nɔrwa, -az] *a* aus dem Nordwesten; altnordisch; *s m* Altnordisch *n;* **~oît** *m mar (Bretagne)* Nordwestwind *m.*

Norv|ège, la [nɔrvɛʒ] *f* Norwegen *n;* **n~égien, ne** *a* norwegisch; *N~, ne s m f* Norweger(in *f*) *m; n~ m* (das) Norwegisch(e).

nos [no] *s. notre.*

nosologie [nozɔlɔʒi] *f* Lehre *f* von den Krankheiten.

nost|algie [nɔstalʒi] *f* Heimweh *n;* **~algique** an Heimweh leidend; trübsinnig, schwermütig.

nota [nɔta] *m* An-, Bemerkung; Fußnote *f.*

not|abilité [nɔtabilite] *f* Bedeutung *f,* Ansehen *n;* angesehene Persönlichkeit *f; pl* Honoratioren *pl;* **~able** *a* bemerkens-, beachtenswert; beachtlich, beträchtlich; *(Person)* bedeutend, angesehen, von Rang; *s m* angesehene Persönlichkeit *f; pl* Honoratioren *pl; hist* Notabeln *pl;* **~aire** *m* Notar *m; dressé par devant ~* notariell beurkundet; *étude f de ~* Notariat *n.*

notamment [nɔtamɑ̃] *adv* besonders, insbesondere, namentlich, vor allem.

not|arial, e [nɔtarjal] notariell; Notars-; **~ariat** [-a] *m* Notariat *n;* **~arié, e** notariell beglaubigt.

notation [nɔtasjɔ̃] *f* Zeichenschrift, Umschriftung; Notierung; *math chem* Formel *f; ~ musicale* Notenschrift *f.*

not|e [nɔt] *f* Note *f a. mus;* (Kenn-)Zeichen *n;* Notiz; An-, Bemerkung, Fußnote *f,* Vermerk *m;* Aufstellung; Aufzeichnung *f;* Schreiben *n; com* Rechnung; *(Schule)* Note, Zensur *f;* Prädikat; Zeugnis *n; pl* Notizbuch *n; avoir de bonnes ~s* gut angeschrieben sein; *changer de ~, chanter sur,* *entonner une autre* ~ *(fig)* e-n andern Ton an=schlagen, andere Saiten auf=ziehen; *chanter la* ~ *(mus)* solfeggieren; *donner la* ~ den Ton an=geben; *être dans la* ~ zs.=passen, überein=stimmen; *forcer la* ~ zu weit gehe n, übertreiben; *prendre* ~ *de qc* etw notieren; *com* etw buchen; etw vor=merken; *prendre des* ~*s* sich Notizen machen; *c'est toujours la m ême* ~ es ist immer das alte Lied; *échange m de* ~*s (pol)* Notenwechsel *m;* ~ *(des changes) (com)* Kurszettel *m;* ~ *de crédit, de débit* Gutschrifts-, Belastungsanzeige *f;* ~ *éditoriale* Verlagsanzeige *f,* -hinweis *m;* ~ *d'ensemble (Schule)* Gesamtnote *f,* -prädikat *n;* ~ *d'envoi (pol)* Mantelnote *f;* ~ *de frais* Spesenrechnung *f;* ~ *marginale* Randbemerkung, Glosse *f;* ~ *de protestation* Protestnote *f;* ~ *de service* Dienstanweisung *f;* ~*s signalétiques* Qualifikation *f* (e-s Beamten); ~ *verbale* Verbalnote *f;* **~é, e:** *bien, mal* ~ *(fig)* gut, schlecht angeschrieben; **~er** bezeichnen; notieren, an=, ver-, vormerken; auf=, verzeichnen; sich merken; zensieren; beurteilen; *mus* in Noten setzen; *com* buchen; *(Preis)* fest=setzen, bestimmen; ~*ez bien cela* merken Sie sich das (gut).

noti|ce [nɔtis] *f* Vermerk *m,* Notiz *f;* kurze(r) Bericht, Abriß *m; (Buch)* (biographische) Einleitung; Nachricht; Eintragung *(in e-n Katalog);* Aufnahme *f;* ~ *biographique* Lebensabriß *m;* ~ *descriptive* Baubeschreibung *f;* ~*-matière f (Katalog)* Schlagworteintragung *f;* ~ *nécrologique* Nachruf *m;* **~ficatif, ive** *a* Mitteilungs-, Benachrichtigungs-; **~fication** *f* Bekanntgabe, -machung; (amtl.) Mitteilung, Zustellung; Anzeige; *pol* Notifizierung *f; donner* ~ *de qc* von etw Kenntnis geben; ~ *de la taxe* Gebührenansage *f;* **~fier** bekannt=geben, -machen; Kenntnis geben (*qc* von etw); (amtl.) mit=teilen, an=zeigen; zu=stellen.

notion [nosjɔ̃] *f* Kenntnis; Vorstellung *f,* Begriff *m;* Ahnung *f.*

not|oire [nɔtwar] notorisch, allgemein bekannt, offenkundig; **~oriété** *f* allgemeine Bekanntheit, Offenkundigkeit; bekannte Persönlichkeit *f; de* ~ *(publique)* offenkundig; ~ *de droit* Urkundenbeweis *m;* ~ *de fait* Zeugenbeweis *m.*

notre [nɔtr] , *pl* **nos** [no, *vor Vokal* noz] unser; *N~-Dame f (rel)* Unsere Liebe Frau *f;* Marienbild *n;* Liebfrauen-, Marienkirche *f.*

nôtre [notr] : *le, la* ~ der, die das unsere, unsrige; *s m* das Unsrige, Unsere; *s m pl* die Unsern, Unsrigen; *y mettre du* ~ das Unsrige dazu beitragen; *serez-vous des* ~*s?* kommen Sie zu uns? machen Sie bei uns mit?

notule [nɔtyl] *f* kurze Note, Notiz *f.*

nouage [nwaʒ] *m (Weberei)* Andrehen, Anknoten *n* der Ketten.

nouba [nuba] *f* franz.-arabische Militärmusik; *fam* Saufgelage *n,* Schmaus *m.*

nou|e [nu] *f* **1.** *agr* Marschboden *m;* **2.** *arch* Dachkehle *f;* Kehlziegel *m;* **~é, e** [nwe] rachitisch; *fig* zurückgeblieben; *bot* befruchtet; **~er** zs.-, (ver)binden, (ver)knoten, (ver)schnüren; *(Weberei)* knüpfen; *fig (Beziehungen)* (an=)knüpfen; *vx (Pläne)* schmieden; *itr (Früchte)* an=setzen; *se* ~ sich an=schließen (*à* an *acc*); *fig* sich an=bahnen, in Gang kommen; *med* Gichtknoten *od* Rachitis bekommen; *(Darm)* sich verschlingen; ~ *une cravate* e-e Krawatte binden; ~ *l'intrigue (theat)* den Knoten schürzen; **~et** [-ɛ] *m pharm (Küche)* Säckchen *n;* **~eux, se** [nu(w)ø, -øz] verknotet, knotig; knorrig.

nougat [nuga] *m* Nougat *n,* Nuß-, Mandelmasse *f; fig pop* etw Gutes; *du* ~ e-e Kleinigkeit.

nouille [nuj] *f, meist pl* Nudeln *f pl; fam* Schlappschwanz *m,* Transuse *f.*

nounou [nunu] *f (Kindersprache)* Amme *f.*

nourrain [nurɛ̃] *m* Fischbrut *f.*

nourr|i, e [nuri] *a* dick, stark, voll(saftig); dicht; *fig* kraftvoll; reich; *(Ton)* voll; *(Farbe)* stark aufgetragen; stark gewürzt, überladen (*de* mit); *applaudissements m pl* ~*s* (lang)anhaltende(r) Beifall *m; bien* ~ wohlgenährt; *logé et* ~ bei freier Station, freie Kost und Logis; **~ice** *s f* Amme; *fig* Nährmutter *f,* -boden *m; mot* Reservetank *m; a: mère f* ~ stillende Mutter *f;* ~ *à essence* Benzinkanister *m;* **~icerie** *f vx* Krippe *(für Kinder);* Viehmästerei; Seidenraupenzucht *f;* **~icier, ère** *a* (er)nährend; Nahrung bietend; Nähr-, Pflege-; *s m f* Ernährer(in *f*) *m a. fig; père m, mère f* ~*, ère* Pflegevater *m,* -mutter *f;* **~ir** *tr* (er)nähren *a. fig,* beköstigen, speisen, füttern (*de* mit); *(Kind)* stillen; *(Tier)* füttern; auf=, groß=ziehen; *(Tiere)* züchten; gedeihen lassen; beherbergen *fig; fig* bilden, unterrichten; *fig* Nahrung geben *dat,* unterhalten, *allg* erhalten; *(Hoffnung)* hegen; *(Farbe)* dick auf=tragen; betonen; *(Farbbad)* verstärken, vervollständigen; *itr* Nährwert haben, nahrhaft sein, nähren; *se ~ de* sich (er)nähren von; *fig* genährt, gestärkt werden durch; *se ~ de vains espoirs* sich trügerischen Hoffnungen hin=geben; *~ un serpent dans son sein (fig)* e-e Schlange an s-m Busen nähren; **~issage** *m* Stillen *n;* Tier-, Viehzucht *f;* **~issant, e** nahrhaft; **~issement** *m (Bienen)* Fütterung *f;* **~isseur** *m* (Tier-, Vieh-)Züchter *m;* **~isson** *m* Säugling *m;* Pflegekind *n;* **~iture** *f* Nahrung *a. fig,* Speise, Kost; Verpflegung *f;* (Lebens-)Unterhalt *m; (Feuer)* Unterhaltung *f; tech* Brenn-, Kraftstoff *m; agr* Futter *n,* (Vieh-)Mast; *fig* geistige Nahrung, Kost *f;* Stillen, Nähren *n; avoir le logement et la ~* Unterkunft u. Verpflegung (frei) haben.

nous [nu] wir; uns.

nouure [nuyr] *f* Ansetzen *n* der Früchte; *med* Rachitis *f.*

nouv|eau, el, le [nuvo, -vɛl] *a* neu, andere(r, s); Neu-; neu-, andersartig; unerfahren, fremd; jung; frisch; *s m f* Neuling *m; m* Neue(s) *n; adv* neu, kürzlich; *à ~* aufs neue; *com* auf neue Rechnung; *de ~* aufs neue; von neuem, wieder; *pour une ~elle période de 3 mois* auf weitere 3 Monate; *de ~elle date* neueren, jüngeren Datums, neuer; *jusqu'à ~el ordre* bis auf weiteres; *être ~ dans qc* Anfänger in etw sein; *à ~elles affaires, ~x conseils (prov)* kommt Zeit, kommt Rat; *report m à ~ de l'exercice précédent* Saldoübertrag *m* aus dem vorhergehenden Geschäftsjahr; *~el an m* Neujahr(stag *m*) *n; ~el homme m* neue(r), andere(r) Mensch; *~elle lune f* Neumond *m; ~x mariés m pl* Neu-, Jungvermählte *pl; le N~ Monde* die Neue Welt *(Amerika); ~-né, e a* neugeboren; *s m f* Neugeborene(s) *n; ~ riche* Neureich(er) *m; N~ Testament m (rel)* Neue(s) Testament *n; ~ venu m* Ankömmling, neu Hinzugekommene(r) *m;* **~eauté** *f* Neuheit *f,* Neue(s) *n,* Neuerung; *(Buch)* Neuerscheinung; Neuerwerbung *f,* -eingang *m; pl* Modewaren *f pl; haute ~* neueste Mode *f; magasin m de ~s* Modegeschäft *n; marchand m de ~s* Modewarenhändler *m;* **~elle** *f* Nachricht, Meldung, Neuigkeit; Novelle *f; pl* (Rundfunk-)Nachrichten *f pl; avoir ~ de qc* die Nachricht von etw erhalten; *donner de ses ~s* von sich hören lassen; *prendre des ~s de qn* sich nach jdm erkundigen; *pouvoir en dire des ~s* ein Lied davon singen können; *vous aurez de mes ~s!* Sie werden noch von mir hören! *perdu sans ~s* vermißt; *première ~* das ist (mir) ganz neu; *~s du jour* Neue(s) *n* vom Tage; *~s (de presse)* Zeitungs-, Pressenotiz *f; ~s sportives* Sportnachrichten *f pl.*

Nouvelle|-Angleterre, la [nuvɛlɑ̃glətɛr] Neuengland(staaten *m pl*) *n;* **~-Guinée, la** Neuguinea *n;* **n~ellement** *adv* neuerdings; kürzlich, neulich; **~-Zélande, la** Neuseeland *n.*

nouvelliste [nuvelist] *s m f* Novellist(in *f*) *m.*

nov|ateur, trice [nɔvatœr, -tris] *s m f* Neuerer *m; a* neuerungssüchtig; **~ation** *f* Schuldumwandlung *f.*

novelisation [nɔvɛlizasjɔ̃] *f (Film)* Romanbearbeitung *f;* Roman *m* zum Film.

novembre [nɔvɑ̃br] *m* November *m.*

nov|ice [nɔvis] *s m f rel* Novize *m f; allg* Anfänger(in *f*), Neuling *m; a* unerfahren, ungeübt; **~iciat** [-a] *m rel* Noviziat *n; allg* Lehre; Probezeit *f.*

noy|ade [nwajad] *f* Ertränken, Ertrinken *n;* **~age** *m tech* Unterwassersetzen *n.*

noyau [nwajo] *m bot* Stein, Kern; *fig* Kern, Kern-, Ausgangspunkt; *biol* Zellkern; *phys* (Atom-)Kern; *tech* (Form-)Kern *-m; charge f du ~ (phys)* Kernladung *f; fruits m pl à ~* Steinobst *n; ~ actif (mil)* Stammeinheit *f; ~ atomique* Atomkern *m; ~ de bobine (el)* Spulenkern *m; ~ dirigeant* Führungsgremium *n; ~ d'(électro-)aimant* (Elektro-)Magnetkern *m; ~ d'escalier* Treppenspindel *f; ~ d'induit (el)* Ankerkern *m; ~ d'ombre* Kernschatten *m; ~ urbain* Stadtkern *m;* **~tage** *m pol* Zellenbildung, Gruppenbildung *f;* **~ter** *pol* Zellen bilden (in ...); (mit Zellen) durchsetzen; unterwandern.

noy|é, e [nwaje] *a* überströmt (*de* von), getaucht (*de* in *acc*); *fig* versunken (*dans* in *acc*); aufgelöst; *tech* versenkt; *s m f* Ertrunkene(r *m*) *f; être ~ de dettes* bis über die Ohren in Schulden stecken; *~ de larmes* tränenüberströmt; **~er 1.** *s m* (Wal-)Nußbaum *m;* **2.** *v* ertränken, ersäufen; versenken; überschwemmen; übergießen; durchnässen; *vx (Getränk, Speise)* (zu) stark verdünnen; *(Farben, Konturen)* zerfließen lassen; *(Kummer)* weg=spülen; *(Verstand)* versaufen; überschütten (*de* mit); versenken, sich verlieren lassen; verwässern; *tech* versenken, ein=lassen; aus=fräsen; *se ~* ertrinken; *fig* sich ganz hin=geben; sich verlieren; die Fassung verlieren;

se ~ dans des détails sich in Einzelheiten verlieren; *se ~ dans les larmes* viele Tränen vergießen; *se ~ dans un verre d'eau* gleich den Kopf verlieren.

nu, e [ny] *a* nackt, nackend, bloß, unbekleidet; (not)dürftig bekleidet; schlecht gekleidet; *(Gegend)* kahl; *(Feuer)* offen; *(Draht)* blank; *com* unverpackt; *(Wein)* offen; *(Haus)* leer; *fig* schmucklos; nackt, bloß, ungeschminkt; *(Wahrheit)* rein, ungeschminkt; *s m (Kunst)* Akt *m; à ~* nackt; unverhüllt; ungeschützt, freiliegend; *(Pferd)* ungesattelt; *l'épée ~e* mit blanker Waffe, mit bloßem Schwert; *à l'œil ~* mit bloßem Auge; *mettre à ~* entblößen, frei=legen, *qn* jdm alles weg=nehmen; *~ comme un ver* od *la main* splitter(faser)nackt; *fig* völlig mittellos; *~ m de mur* glatte Mauerfläche *f; ~-pieds* barfuß; *~-tête* barhäuptig.

nuag|e [ny(ɥ)aʒ] *m* Wolke *f; fig* Schatten *m,* Ungewißheit; Trübung *a. med; pl* Bewölkung *f;* Gewölk *n;* Nebel *m; couvert de ~s* bewölkt; *sans ~* wolkenlos; *envelopper de ~s* umwölken; *être dans les ~s (fig)* in höheren Regionen schweben; zerstreut sein; *bouts m pl de ~s* Wolkenfetzen *m pl; couche f continue, plafond m de ~s* geschlossene Wolkendecke *f; formation f des ~s* Wolkenbildung *f; limite f supérieure des ~s* obere Wolkengrenze *f; ~ artificiel (cosm)* künstliche Wolke *f; ~s d'incendie* Rauchschwaden *m (pl); ~ de poussière, de fumée* Staub-, Rauchwolke *f;* **~eux, se** wolkig, bewölkt, verhangen; *fig* vage; dunkel, trübe; unklar, nebelhaft.

nuanc|e [ny(ɥ)ɑ̃s] *f* Nuance, Schattierung *f,* (Farb-)Ton *m;* Schattierung, Abstufung *f,* Übergang, feine(r) Unterschied *m,* Feinheit *f; ~ de* Stich *m* ins *acc; ~ de fond* Grundton *m;* **~er** nuancieren, (ab=)tönen, schattieren; ab=stufen; in allen Feinheiten dar=stellen.

nubil|e [nybil] *a* heiratsfähig, mannbar; **~ité** *f* Heiratsfähigkeit *f.*

nucléaire [nykleɛr] *a biol phys* Kern-, Atom-; *attaque f ~* Angriff *m* mit Atomwaffen; *édifice m ~* Aufbau *m* des Atomkerns; *explosion f ~* Atomexplosion *f; industrie f ~* Atomindustrie *f; physique f ~* Kernphysik *f; propulsion f ~* Atomantrieb *m; puissance f ~* Atomkraft *f; radiation f ~* Kernstrahlung *f; recherche f ~* Kernforschung *f; science f ~* Kernphysik, -forschung *f;* **~arisation** *f* Umstellung *f* auf Kernkraft; **~ariser** auf Kernkraft um=stellen; **~on** *m phys* Kernteilchen *n.*

nud|isme [nydism] *m* Nacktkultur, Freikörperkultur (FKK) *f;* **~iste** *m f* Anhänger(in *f*) *m* der Nacktkultur; **~ité** *f* Nacktheit; Blöße *f; (Kunst)* nackte(r) Körper *m;* Ärmlichkeit, Dürftigkeit; Kahlheit, Schlichtheit *f.*

nu|e [ny] *f (meist pl)* Wolke *f; pl* Himmel *m; se perdre dans les ~s (fig)* sich versteigen; über die Köpfe weg reden; *porter aux ~s* in den Himmel heben; *tomber des ~s* aus allen Wolken fallen; überraschend, unverhofft kommen; wildfremd sein; **~ée** [nɥe] *f* (Regen-, Wetter-, Aschen-)Wolke *f; (Heuschrecken, Menschen)* Schwarm; Haufen *m,* Unmenge; *fig* drohende Wolke *f; ~ stellaire* Sternhaufen *m.*

nui|re [nɥir] *irr* schaden, schädigen (*à qn* jdn); beeinträchtigen, (be)hindern (*à qn* jdn), Abbruch tun; **~sance** *f* Umweltbeeinträchtigung *f;* **~sible** schädlich.

nuit [nɥi] *f* Nacht; Dunkelheit, Finsternis; Übernachtung *f; à la ~ tombante* bei Einbruch der Nacht *od* Dunkelheit; *bien avant dans la ~* tief in der Nacht; *de ~, la ~* nachts; *en pleine ~* mitten in der Nacht; *~ et jour* Tag u. Nacht, dauernd; *ni jour ni ~* nie(mals); *être de ~* Nachtschicht haben; *faire de la ~ le jour et du jour la ~* die Nacht zum Tage machen; *passer la ~* die ganze Nacht auf=bleiben *od* auf den Beinen sein; *la ~ tombe* es wird dunkel; die Nacht bricht herein; *la ~ porte conseil (prov)* guter Rat kommt über Nacht; *chemise, table f, vase m de ~* Nachthemd *n,* -tisch *m;* -geschirr *n; ~ blanche* schlaflose, durchwachte Nacht; *~ noire* stockfinstere Nacht; *la ~ des temps* die graue Vorzeit *f;* **~amment** [-ta-] *lit* nachts, bei Nacht; **~ée** [-te] *f vx* Nacht; Übernachtung *f.*

nul, le [nyl] *a* nichtig, ungültig; wertlos, unbedeutend; *sport* unentschieden; *zoo bot* fehlend; *prn: ~ ne ...* niemand, keiner; *s m fig* Null; Bedeutungslosigkeit *f; sans ~ ...* ohne (irgend)ein(e, en); *sans ~ doute* ganz zweifellos; *être ~* völlig unfähig sein; *être ~ en ...* in ... nichts können; *faire match ~* unentschieden spielen; *~ et non avenu (jur)* null u. nichtig; *~le part* nirgends, nirgendwo; **~lement** *adv: ne ... ~* keineswegs, in keiner Weise; **~lité** *f* Nichtig-, Ungültigkeit; Bedeutungs-, Wertlosigkeit; Null *f fig; être d'une ~ complète* völlig bedeutungslos sein; *demande f en* ~ Nichtigkeitsklage *f;* ~ *de fond, de forme* materielle, formelle Nichtigkeit *f;* ~ *relative* Anfechtbarkeit *f.*

nûment [nymɑ̃] *adv fig* unverhüllt, offen.

numér|aire [nymerɛr] *m* gemünzte(s) Geld; Bargeld *n;* Notenumlauf *m; en* ~ in bar; **~al, e** *a* Zahl-; *adjectif m* ~ *(gram)* Zahlwort *n;* **~ateur** *m math* Zähler *m;* **~ation** *f* Zählung *f;* Zahlensystem *n;* ~ *décimale* Dezimalsystem *n;* **~ique** *math* numerisch, mit Zahlen; zahlenmäßig; Zahlen-.

numéro [nymero] *m* Nummer; Zahl; Größe *f;* (Lotterie-)Los *n;* (Person mit e-r) Nummer *f; com* Preiszeichen *n;* Güte; Größe *(e-r Ware); (Anzeige)* Chiffre; *(Varieté)* Nummer *f; fam* komische(r) Kerl *m,* Type, Marke *f; avoir un bon* ~ e-e gute Nummer haben, gut angeschrieben sein; *composer le* ~ *(tele)* die Nummer wählen; *connaître le* ~ *de qn (vx)* wissen, was mit jdm los ist; *plaque f de* ~ Nummernschild *n;* ~ *d'appel* Ruf-, Fernschreibnummer *f;* ~ *atomique (chem)* Atomzahl *f;* ~ *collectif* Sammelnummer *f;* ~ *de commande (com)* Bestellnummer *f;* ~ *de contrôle* Kontrollnummer *f;* ~ *courant, d'ordre, de série, suivi* laufende Nummer *f;* ~ *du dossier* Aktenzeichen *n;* ~ *d'entrée* Eingangsnummer *f;* ~ *d'enregistrement* Buchungsnummer *f;* ~ *de fabrication* Fabrikationsnummer *f;* ~ *gagnant* Treffer *m;* ~ *d'habitation* Hausnummer *f;* ~ *d'immatriculation* Zulassungs-, Autonummer *f;* ~ *indicatif* Kennummer *f;* ~ *justificatif* Belegnummer *f;* ~ *(de) matricule* Matrikel-, Stammrollennummer *f;* ~ *de la page* Seitenzahl *f;* ~ *de poste* Durchwahlnummer *f;* ~ *de référence, de renvoi* Verweisungsnummer *f;* ~ *spécial* Sondernummer *f (e-r Zeitschrift);* ~*-spécimen m* Probenummer *f;* ~ *supplémentaire* Ergänzungsheft *n;* ~ *de téléphone* Telefon-, Fernsprech-, Rufnummer *f;* ~ *de train* Zugnummer *f;* **~tage** [-rɔ-] *m* Numerierung, Zählung; Bezifferung; *tech* Feinheitsbezeichnung; *typ* Paginierung *f;* **~ter** numerieren, nummern, beziffern; ~ *en continu* fortlaufend numerieren; ~ *les pages (typ)* paginieren; **~teur** *m* Nummern-, Paginierstempel *m.*

numerus clausus [nymerysklozys] *m* Numerus clausus *m.*

numismat|e [nymismat] *m* Numismatiker, Münzsammler *m;* **~ique** *a* numismatisch; Münz- (u. Medaillen-); *s f* Münzkunde *f.*

nuptial, e [nypsjal] *a* Hochzeits-, Braut-; Ehe-; *bénédiction f* ~*e* kirchliche Trauung *f; robe f* ~*e* Brautkleid; *orn* Hochzeitskleid *n; vol m* ~ *(Bienen)* Hochzeitsflug *m;* **~ité** *f (Statistik)* Zahl *f* der Eheschließungen.

nuque [nyk] *f* Nacken *m,* Genick *n.*

Nuremberg [nyrɑ̃(ɛ̃)bɛr] *f* Nürnberg *n.*

nurse [nœrs] *f* Kindermädchen *n.*

nutation [nytasjɔ̃] *f astr* Nutation; *bot* Drehung *f; med* Nicken *od* Wackeln *n* mit dem Kopf; *(Geschoß)* Flattern *n.*

nutri|cier, ère [nytrisje, -ɛr] *a* Nähr-; **~ment** *m* Nährstoff *m;* **~tif, ive** nahrhaft; Nähr-; *valeur f* ~*tive* Nährwert *m;* **~tion** *f biol* Ernährung *f; maladie f de la* ~ Stoffwechselkrankheit *f;* **~tionnel, le** *a biol* Ernährungs-; **~tionniste** *m* Ernährungsphysiologe *m;* **~tivité** *f* Nährwert *m.*

nyctalop|e [niktalɔp] tagblind; **~ie** *f* Tagblindheit *f.*

nylon [nilɔ̃] *m* Nylon *n; bas m de* od *en* ~ Nylonstrumpf *m; mousse f de* ~ Kräuselkrepp *m.*

nymph|e [nɛ̃f] *f rel* Nymphe; *fig* Grazie, *fam* Puppe, Fee; *anat* kleine Schamlippe; *zoo* Puppe *f;* ~ *potagère (fam)* Küchenfee *f;* **~ette** *f* Nymphchen *n;* **~omane** [-fɔ-] mannstoll.

O

ô [o] *interj* o(h)!
oasis [ɔazis] *f* Oase *f a. fig.*
obédience [ɔbedjɑ̃s] *f rel* Gehorsam *m; fig* Richtung, Schule; Abhängigkeit *f.*
obé|ir [ɔbeir] gehorchen (*à qn* jdm); sich fügen, sich beugen, nach=geben; *(Tier)* hören (*à qn* auf jdn); unterstehen; *(Kartenspiel)* bedienen; *tech* an=sprechen; *se faire ~* sich Gehorsam verschaffen; *~ au doigt et à l'œil* aufs Wort gehorchen; **~issance** *f* Gehorsam *m;* Fügsamkeit, Lenksamkeit; Unterordnung; Herrschaft, (Befehls-) Gewalt, Botmäßigkeit *f; refus m d'~ (mil)* Befehlsverweigerung *f; ~ passive* Kadavergehorsam *m;* **~issant, e** gehorsam; *(Kind)* folgsam; lenkbar.
obélisque [ɔbelisk] *m* Obelisk *m.*
obérer [ɔbere] mit Schulden überladen, überschulden (*~ de dettes*), *s'~* sich in Schulden stürzen.
ob|èse [ɔbɛz] fettleibig; **~ésité** *f* Fettleibigkeit *f.*
obier [ɔbje] *m bot* Wasserahorn, -holder *m.*
obit [ɔbit] *m rel* Seelenmesse *f,* Jahrgedächtnis *n;* **~uaire** [-tɥɛr] *m rel* Totenregister; Leichenhaus *n,* -halle *f.*
object|er [ɔbʒɛkte] ein=wenden, entgegen=halten; vor=werfen, -halten; **~eur** *m: ~ de conscience* Wehrdienstverweigerer *m.*
object|if, ive [ɔbʒɛktif-, -iv] *a* objektiv, sachlich; *s m* Ziel *n a. mil,* Zweck *m; opt phot* Objetiv *n; avoir pour ~* zum Ziel haben; *désigner, repérer, saisir l'~ (mil)* das Ziel beschreiben, erkennen, erfassen; *désignation f de l'~* Zielansprache *f; ~ aérien, d'attaque, de marche, ponctuel, terrestre* Luft-, Angriffs-, Marsch-, Einzel-, Bodenziel *n; ~ grand-angulaire* Weitwinkelobjektiv *n;* **~ion** [-ksjɔ̃] *f* Einwand *m,* -wendung *f,* -wurf *m;* Hindernis *n;* Vorwurf *m,* -haltung *f; jur* Einspruch *m; soulever, réfuter, écarter une ~* e-n Einwand erheben, widerlegen, beiseite schieben; *il n'y a pas d'~ à cela* dagegen ist nichts einzuwenden; *~ de conscience* Wehrdienstverweigerung *f;* **~ivation** *f* Objektivierung, Vergegenständlichung *f;* **~iver** objektivieren, vergegenständlichen; **~ivité** *f* Objektivität, Sachlichkeit, Vorurteilslosigkeit *f.*
objet [ɔbʒɛ] *m* Objekt *n,* Gegenstand *m;* Sache *f,* Ding, Stück *n;* Aufgabe *f,* Zweck *m,* Ziel *n; gram* Ergänzung *f; fig* Inhalt, Stoff *m; com* Ware *f,* Artikel *m,* Fabrikat, Erzeugnis *n;* O~ *(im Brief)* Betrifft:, Bezug:; *sans ~* gegenstandslos; *avoir pour ~* zum Ziel haben; *être, faire l'~ de l'accusation* den Gegenstand der Anklage bilden; *il a pour ~ ...* sein Zweck u. Ziel ist ...; *~ d'art, de contrat* Kunst-, Vertragsgegenstand *m; ~ de curiosité* Rarität *f; ~ de (la) délibération* Gegenstand *m* der Beratung; *~ d'échange* Tauschobjekt *n; ~ exposé, hérité, inventorié* Ausstellungs-, Erb-, Inventarstück *n; ~ du litige, litigieux* Streitobjekt *n,* -sache *f; ~s de première nécessité* Gegenstände *m pl* des lebenswichtigen Bedarfs; *~ de toilette* Toilettenartikel *m; ~ trouvé* Fundsache *f; ~ d'usage* Gebrauchsgegenstand *m; ~ de valeur* Wertsache *f,* -gegenstand *m; ~ volant non-identifié* unbekannte(s) Flug-Objekt, Ufo *n.*
objurgation [ɔbʒyrgasjɔ̃] *f* Rüge *f,* Tadel, (scharfer) Verweis *m.*
oblat, e [ɔbla, -at] *s m f rel* Laienbruder *m,* -schwester *f;* **~ion** [-sjɔ̃] *f rel* Darbringung *f;* (Meß-)Opfer *n.*
obligat|aire [ɔbligatɛr] *s m com* Obligationeninhaber *m; a* Obligationen-; **~ion** [-sjɔ̃] *f* Verpflichtung, Pflicht; Notwendigkeit *f,* Zwang *m; jur com* Schuld(verhältnis *n*), Verbindlichkeit, Obligation *f;* Schuldschein *m,* -verschreibung *f; sans ~* unverbindlich, freibleibend *adv; s'acquitter d'une, remplir une, satisfaire à une ~* e-r Verpflichtung nach=kommen, e-e Verbindlichkeit erfüllen; *assumer, contracter une ~* e-e Verbindlichkeit ein=gehen; *émettre, rembourser des ~s* Obligationen aus=geben, ein=lösen; *être dans l'~ de* gezwungen sein zu, müssen; *imposer une ~* e-e Verpflichtung auf=erlegen; *aucune ~ d'achat!* kein Kaufzwang! *il m'incombe l'~* ich bin verpflichtet (*de* zu); *~ alimentaire, d'entretien* Unterhaltspflicht *f; ~ d'assurance, à assurer* Versicherungspflicht *f; ~ cautionnée*

staatlich gesicherte Schuldverschreibung *f;* ~ *de change* Wechselschuld *f;* ~ *commerciale, contractuelle* Geschäfts-, Vertragsverbindlichkeit *f;* ~ *convertible* Wandelobligation *f;* ~*s courantes* laufende Verpflichtungen *f pl;* ~ *de déclaration, de déclarer* (An-)Meldepflicht *f;* ~ *de dommages-intérêts* Schadenersatzverpflichtung *f;* ~ *à l'étranger (com)* Auslandsverpflichtung *f;* ~ *fiscale, à l'impôt* Steuer-, Abgabepflicht *f;* ~*s de fonds public (com)* Staatspapiere *n pl;* ~ *de fournir des renseignements* Auskunftspflicht *f;* ~ *hypothécaire, foncière* (Hypotheken-) Pfandbrief *m,* Pfandverschreibung *f;* ~ *d'indemniser* Ersatzpflicht *f;* ~ *industrielle, nominative, au porteur* Industrie-, Namens-, Inhaberobligation *f;* ~ *de livrer* Lieferpflicht *f;* ~*s nationales* Staatsobligationen *f pl;* ~ *de paiement, de payer* Zahlungsverbindlichkeit, -pflicht *f;* ~ *postscolaire* Berufsschulpflicht *f;* ~*s de préférence* Prioritätsobligationen *f pl;* ~ *professionnelle* Berufspflicht *f;* ~ *de rachat, de rembourser, de rendre* Einlösungs-, Rückerstattungs-, Rückgabepflicht *f;* ~ *scolaire, de service (de guerre)* Schul-, (Kriegs-)Dienstpflicht *f;* ~ *de la succession* Nachlaßverbindlichkeit *f;* ~ *de surveillance* Überwachungs-, Aufsichtspflicht *f;* ~ *de témoigner* Zeugnispflicht *f;* ~ *de transporter* Beförderungspflicht *f;* ~ *de travail* Arbeitszwang *m;* ~**oire** obligatorisch, Pflicht-; verbindlich, verpflichtend; zwangsläufig; *enseignement m, instruction f* ~ Schulpflicht *f; service m (militaire)* ~ (Militär-)Dienstpflicht, (allgemeine) Wehrpflicht *f; service m du travail* ~ Arbeitsdienst *m;* ~**oirement** *adv* zwangsläufig, gezwungenermaßen.

oblig|é, e [ɔbliʒe] *a* verpflichtet, verbunden (*de* für); genötigt; notwendig, zwangsläufig; *s m com* Verpflichtete(r *m*) *f,* Schuldner *m; être* ~ *de ...* müssen; *principal* ~ Hauptschuldner *m;* ~**eance** [-ʒɑ̃s] *f* Gefälligkeit; Verbindlichkeit *f; ayez l'*~ seien Sie so freundlich! ~**eant, e** gefällig, zuvorkommend; ~**er** verpflichten (*de* zu); nötigen, zwingen (*à* zu); e-e Gefälligkeit erweisen (*qn* jdm); *s'*~ e-e Verpflichtung ein=gehen (*à* zu); (sich ver)bürgen (*pour* für).

obliqu|e [ɔblik] *a* schräg, schief; *fig* versteckt, unaufrichtig, hinterhältig; *gram* abhängig; *s m* Bewegung *f* halb seitwärts; *f* schräge Linie *f; voies f pl* ~*s (fig)* krumme Wege *m pl, fam* krumme Touren *f pl;* ~**ement** *adv fig* indirekt; ~**er** (seitwärts) ab=biegen (*à* nach); *fig* ab=schwenken *(vers* zu); ~**ité** [-kɥite] *f* schräge Richtung; Neigung; *astr* Schiefe; *tech* Schräglage, Verschwenkung *f.*

oblitér|ateur [ɔbliteratœr] *m* Entwertungsstempel *m;* ~**ation** *f* Unleserlich-, Unkenntlichwerden; Verwittern; *(Post)* Entwerten, Abstempeln *n; med (Gefäß)* Verstopfung; *biol* Schrumpfung, Verödung *f;* ~**er** verwischen, unkenntlich, unleserlich machen *od* werden lassen; *(Post)* entwerten, ab=stempeln; *med (Gefäß)* verstopfen.

oblong, ue [ɔblɔ̃, -ɔ̃g] länglich.

obnubil|ation [ɔbnybilasjɔ̃] *f med* Benommenheit *f;* ~**é, e** benommen; verfinstert; benebelt; getrübt; geblendet (*par* von).

obole [ɔbɔl] *f fig* Obolus *m,* Scherflein *n; apporter son obole à qc* sein Scherflein zu etwas bei=tragen; *je n'en donnerais pas une* ~ *vx* dafür gäbe ich keinen Pfennig.

obreptice [ɔbrɛptis] (durch Verschweigung) erschlichen.

obsc|ène [ɔpsɛn] obszön, zotig, schlüpfrig, unanständig; ~**énité** *f* Obszönität, Schlüpfrig-, Unanständigkeit; Zote *f.*

obscur, e [ɔpskyr] dunkel, finster; *(Farbe)* trübe, schmutzig; *fig* unklar, undeutlich, verschwommen; heimlich, versteckt, verborgen; ~**ant,** ~**antin,** ~**antiste** *m* Dunkelmann *m;* ~**antisme** *m* (systematische Massen-)Verdummung *f;* ~**ation** *f astr* Verfinsterung *f;* ~**cir** verdunkeln, verfinstern; trüben; *fig* unverständlich machen, trüben; verschleiern; *s'*~ sich verdunkeln, verfinstern; dunkel werden; *fig* schwächer werden, nach=lassen; ~**cissement** *m* Dunkelwerden *n,* Trübung *f a. fig;* ~**ité** *f* Dunkelheit, Finsternis *f;* Dunkel, Dämmerlicht *n; fig* Unklarheit, Undeutlichkeit; Ungewißheit; Verborgenheit; Niedrigkeit *f* (der Abstammung).

obséder [ɔpsede] belästigen, verfolgen; *fig* nicht aus dem Sinn gehen (*qn* jdm).

obsèques [ɔpsɛk] *f pl* Leichenbegängnis *n,* Beisetzung *f;* ~ *nationales* Staatsbegräbnis *n.*

obséqui|eux, se [ɔpsekjø, -øz] übertrieben höflich, unterwürfig *f;* ~**osité** [-kjɔ-] *f* übertriebene Höflichkeit, Unterwürfigkeit *f.*

observ|able [ɔpsɛrvabl] wahrnehmbar; ~**ance** *f* Befolgung *(e-r Anweisung, Vorschrift); rel* Observanz, Regel *f;* **~ateur, trice** *s m f* Beobachter(in *f*); Späher; *aero* Orter, *arg* Franz *m; a* beobachtend; **~ation** *f* Befolgung, Einhaltung; *(Geheimnis)* Wahrung; Beobachtung; An-, Bemerkung *f;* Einwand *m;* Mahnung; *med* Krankengeschichte *f; (Statistik)* Beobachtungswert *m; être, se tenir en ~ (mil)* auf der Lauer liegen; *être en ~ (med)* unter ärztlicher Beobachtung stehen; *esprit m d'~* Beobachtungsgabe *f; poste m d'~* Beobachtungsposten *m; ~ météorologique* Wetterbeobachtung *f;* **~atoire** *m* Observatorium *n,* Sternwarte *f; mil* Beobachtungsstand *m; ~ aéronautique* Luftwarte *f; ~ météorologique* Wetterwarte *f;* **~er** befolgen, ein≈halten; beobachten, studieren, genau betrachten; wahr≈nehmen, die Wahrnehmung machen; fest≈stellen; *(Vertrag)* erfüllen, nach≈kommen (*qc* e-r S *dat*); *s'~* sich in acht nehmen; *faire ~* darauf aufmerksam machen (*à qn* jdn); *~ les distances (mil)* Abstand halten; *fig* Distanz wahren.

obsession [ɔpsɛsjɔ̃] *f* (dauernde) Belästigung, Verfolgung; Zudringlichkeit *f,* quälende(r) Gedanke *m; med* Zwangsvorstellung, fixe Idee; *theol* Besessenheit *f.*

obsidienne [ɔpsidjɛn] *f min* Obsidian *m.*

obsolète [ɔpsɔlɛt] *(Sprachgebrauch)* veraltet.

obstacle [ɔpstakl] *m* Hindernis *n a. sport,* Behinderung *f; faire, mettre ~* (be)hindern (*à qn* jdn), entgegen≈arbeiten (*à qn* jdm); *franchir un ~* ein Hindernis überwinden; *se heurter à des ~s* auf Schwierigkeiten stoßen; *lever, écarter un ~* ein Hindernis beseitigen; *mettre des ~s à qn* jdm Hindernisse in den Weg legen; *course f d'~s* Hindernisrennen *n,* -lauf *m; ~ antichar* Panzersperre *f; ~ à la circulation* Verkehrshindernis *n; ~ du terrain, au sol* Bodenhindernis *n.*

obstétrique [ɔpstetrik] *s f* Geburtshilfe *f; a* Entbindungs-.

obstin|ation [ɔpstinasjɔ̃] *f* Eigensinn *m,* Halsstarrigkeit; Hartnäckigkeit *f;* **~é, e** eigensinnig, halsstarrig; hartnäckig; **~er, s'** sich fest≈, sich verbeißen, sich versteifen, sich fest≈fahren (hartnäckig), bestehen (*à, dans, en* auf *dat*).

obstruct|if, ive [ɔpstryktif, -iv] *med* verstopfend; **~ion** [-sjɔ̃] *f parl* Obstruktion *f,* Verschleppungsmanöver *n;* **~ionnisme** *m* Verschleppungstaktik, -politik *f;* **~ionniste** *s m* Verschleppungstaktiker, -politiker *m; a* Verschleppungs-.

obstruer [ɔpstrye] verstopfen, versperren, blockieren.

obtempérer [ɔptɑ̃pere] gehorchen, sich fügen; *jur* Folge leisten, nach≈kommen.

obten|ir [ɔptənir] *irr* erhalten, erlangen, erreichen, bekommen, erzielen, *fam* kriegen; beschaffen (*qc à qn* jdm etw); *jur* erwirken; *chem* erhalten; *~ par ruse, frauduleusement* erschleichen, -schwindeln; **~tion** [-ɑ̃sjɔ̃] *f* Erlangung, Erhaltung *f,* Erwerb *m,* Erreichung *f; jur* Erwirkung *f; chem* Entstehen *n; ~ frauduleuse* Erschleichung *f.*

obtur|ant, e [ɔptyrɑ̃, -ɑ̃t] verschließend; Verschluß-; **~ateur, trice** *a* verschließend; Verschluß-; *s m tech phot* Verschluß *m, mil* -stück *n,* -vorrichtung *f;* Absperrhahn *m,* -ventil *n; ~ à clapet, à rideau (phot)* Schlitzverschluß *m; ~-écran m de couleur (phot)* Farbfilter *m; ~ instantané, pour pose (phot)* Moment-, Zeitverschluß *m;* **~ation** *f* Verstopfen, Verschließen, Abdichten; Abschirmen; *(Zahn)* Plombieren; *tech (Dampf)* Absperren; *(Kabel)* Ausgießen *n; phot* Überblendung *f; (Fuge)* Verguß *m;* **~er** verstopfen, verschließen, ab≈dichten; ab≈schirmen.

obtus, e [ɔpty, -yz] stumpf *a. fig;* abgestumpft, stumpfsinnig; **~angle** *math* stumpfwink(e)lig.

obus [ɔby] *m* Granate *f; éclat m d'~* Granatsplitter *m; ~ asphyxiant, brisant, explosif, fumigène, incendiaire, percutant, perforant* Kampfstoff-, Brisanz-, Spreng-, Nebel-, Brand-, Aufschlag-, Panzergranate *f; ~ à balles* Schrapnell *n; ~ non éclaté* Blindgänger *m;* **~ier** [-zje] *m* Haubitze *f.*

obvenir [ɔbvənir] *irr jur* an den Staat fallen.

obvers [ɔbvɛr] *m vx (Münze)* Kopfseite *f.*

obvier [ɔbvje] aus dem Weg räumen (*à qc* etw); begegnen, zuvor≈kommen (*à qc* e-r S).

oc [ɔk] *la langue d'~* die alte Sprache Südfrankreichs.

ocarina [ɔkarina] *m mus* Okarina *f.*

occas|e [ɔkɑz] *f astr* Abendweite; *arg* Gelegenheit *f;* **~ion** [-az-] *f* Gelegenheit *f,* Umstand; Anlaß *m,* Veranlassung *f, com* Gelegenheitskauf *m; d'~ (com)* alt, gebraucht, Gelegenheits-; aus zweiter Hand; *à l'~* bei Gelegenheit, gelegentlich; *à, en cette ~* bei dieser Gelegenheit; *à l'~ de* aus Anlaß *gen; à la première ~ (venue)* bei der ersten (besten) Gelegenheit; *en toute ~* bei jeder Gelegenheit; *par ~* zufällig; *manquer, laisser échapper l'~* die Gelegenheit verpassen; *saisir l'~ aux cheveux* die Gelegenheit beim Schopf ergreifen *od* fassen; *l'~ fait le larron (prov)* Gelegenheit macht Diebe; *librairie f d'~* Antiquariat *n; livre m d'~* antiquarische(s) Buch *n; majorité f d'~ (parl)* Zufallsmehrheit *f; voiture f d'~* Gebraucht-, Altwagen *m;* **~ionnel, le** *a* veranlassend; gelegentlich; **~ionellement** *adv* gelegentlich; **~ionner** veranlassen, verursachen; zustande bringen, herbei=führen.

occident [ɔksidɑ̃] *m* Westen *m; l'O~* das Abendland; *pol* der Westen; **~al, e** [-tal] *a* westlich; West-; abendländisch; *s m pl* Völker *n pl od* Menschen *m pl* des Abendlandes; *pol* Westmächte *f pl.*

occip|ital, e [ɔksipital] *a* Hinterhaupt-; **~ut** [-yt] *m* Hinterkopf *m.*

occlu|re [ɔklyr] *irr med* verschließen; **~sif, ive** *a med gram* Verschluß-; *s f* u. *consonne f ~ive* Verschlußlaut *m;* **~sion** *f med* Okklusion *f,* Verschließen *n,* Verschluß *m; ~ dentaire (anat)* Zahnstellung *f; ~ intestinale* Darmverschluß, Ileus *m.*

occult|ation [ɔkyltasjɔ̃] *f astr* Bedekkung *f; ~ des lumières (Belgien)* Verdunk(e)lung *f;* **~e** geheim, verborgen; okkult; **~er** *astr* bedecken; *(Belgien)* verdunkeln; **~isme** *m* Geheimwissenschaft *f.*

occup|ant, e [ɔkypɑ̃, -ɑ̃t] *a* besitzend; *(Rechtsanwalt)* beauftragt; *s m jur* Besitznehmer, Besitzende(r); Bewohner; *mot aero* Insasse; *mot* Beifahrer *m; autorité, puissance f ~e* Besatzungsbehörde, -macht *f;* **~ation** *f* Beschäftigung, Tätigkeit; Stelle *f,* Arbeitsplatz *m; pol mil* Besetzung; Besatzung(szeit); *jur* Besitzergreifung, -nahme *f;* Bewohnen *n; ~ accessoire, principale* Neben-, Hauptbeschäftigung *f; armée, autorité f, frais m pl, statut m, zone f d'~* Besatzungsarmee, -behörde *f,* -kosten *pl,* -statut *n,* -zone *f;* **~é, e** besetzt *a. tele;* **~er** *tr* in Besitz nehmen, besetzen; *(Raum, Land)* ein=nehmen; *(Haus)* bewohnen; *(Zeit)* aus=füllen, dauern; *(Stellung)* bekleiden, ein=nehmen; beschäftigen (*à* mit), verwenden, in Anspruch nehmen; *itr (Rechtsanwalt)* vor Gericht auf=treten; *s'~ de* sich befassen, sich beschäftigen mit; sich angelegen sein lassen; denken an *acc; s'~ à* arbeiten an *dat,* beschäftigt sein mit.

occurren|ce [ɔkyrɑ̃s] *f* (Zu-, Vor-)Fall *m,* Begegnung, Gelegenheit *f;* Vorkommen *n; dans l'~* eintretendenfalls; *en cette ~* bei dieser Gelegenheit; *en l'~* in dem Fall; *par ~* bei Gelegenheit, zufällig; **~t, e** vor=kommend, eintretend; *rel (Feste)* auf e-n Tag fallend.

océan [ɔseɑ̃] *m* Ozean *m,* (Welt-) Meer *n;* ungeheure Menge *f; ~ Glacial* Eismeer *n;* **~aute** *m f* Meeresforscher(in *f*) *m;* **O~ie, l'** *f* Ozeanien *n;* **~ien, ne** *a* ozeanisch, aus Ozeanien; *O~ne s m f* Ozeanier(in *f*) *m;* **~ique** ozeanisch, Meeres-; **~ographe** *m* Meereskundler, Ozeanograph *m;* **~ographie** *f* Meereskunde, Ozeanographie *f;* **~ographique** ozeanographisch.

ocel|lation [ɔsɛlasjɔ̃] *f zoo* Ozellar-(augenähnlicher Farb)fleck *m;* **~le** *f zoo* Punktauge *n;* Ozellarfleck *m,* Auge *n.*

ocelot [ɔslo] *m* Ozelot *m.*

ocr|e [ɔkr] *f min* Ocker *m;* **~er** mit Ocker färben; **~eux, se** ockerartig; ockergelb.

oct|acorde [ɔktakɔrd] *a mus* mit acht Saiten; **~aèdre** *m math* Oktaeder *n,* Achtflächner *m; a* u. **~aédrique, ~aédriforme** oktaedrisch, achtflächig; **~ane** *m: indice m d'~ (chem)* Oktanzahl *f;* **~ant** *m math astr mar* Oktant *m;* **~ante** *(Belgien, Schweiz)* achtzig; **~antième** *a* achtzigste(r, s); *s m* Achtzigstel *n;* **~ave** *f rel poet mus* Oktave *f;* **~avier** *mus* e-e Oktave höher spielen *od* singen; **~et** *m inform* Byte *n;* **~obre** [-tɔbr] *m* Oktober *m;* **~ogénaire** achtzigjährig; **~ogonal, e** achteckig; **~ogone** *s m* Achteck *n; a* achteckig; **~omoteur** *(aero)* achtmotorig; **~oréacteur** *aero* mit acht Triebwerken; **~osyllab(iqu)e** achtsilbig; **~upler** verachtfachen.

octr|oi [ɔktrwa] *m* Bewilligung, Verleihung *f; vx* städtische(r) Eingangszoll *m; vx* städtische(s) Zollbehörde *f,* -amt *n;* **~oyer** bewilligen, verleihen, gewähren; zu=billigen, -gestehen; gönnen; *s'~ qc* sich e-e S gönnen.

ocul|aire [ɔkylɛr] *a* Augen-; *s m opt phot* Okular *n; globe m ~* Augapfel *m; témoin m ~* Augenzeuge *m;* **~ariste** *m* Hersteller *m* von Glasaugen; **~iste** *m* Augenarzt *m;* **~istique** *a med* Augen-; *s f* Augenheilkunde *f; clinique f ~* Augenklinik *f.*

odalisque [ɔdalisk] *f* Odaliske *f.*

ode [ɔd] *f poet* Ode *f;* **~lette** *f* kleine Ode *f.*

odéon [ɔdeɔ̃] *m* Odeon *n.*

odeur [ɔdœr] *f* Geruch, Duft *m; fig* Fluidum *n;* Ruf *m; pl* Wohlgerüche *m pl; être en ~ de sainteté* im Geruch der Heiligkeit stehen; *ne pas être en ~ de sainteté auprès de qn* bei jdm schlecht angeschrieben sein.

odieux, se [ɔdjø, -øz] verabscheuenswürdig, hassenswert; widerwärtig, widerlich, häßlich.

odomètre [ɔdɔmɛtr] *m* Schrittmesser *m.*

odont|algie [ɔdɔ̃talʒi] *f* Zahnschmerzen *m pl,* -weh *n;* **~algique** *a* Zahnschmerz-, -weh-; (gut) gegen Zahnweh; *s m* Mittel *n* gegen Zahnschmerzen; **~ologie** *f* Zahnheilkunde *f.*

odor|ant, e [ɔdɔrɑ̃, -ɑ̃t] (wohl)riechend; **~at** [-a] *m* Geruch(ssinn) *m;* **~iférant, e** wohlriechend, duftend.

odyssée [ɔdise] *f* Irrfahrt *f;* abenteuerliche Erlebnisse *n pl.*

œcu|ménée [økymene] *f* Ökumene *f;* **~ménique** ökumenisch; **~ménisme** *m* ökumenische Bewegung *f.*

œd|émateux, se [edematø, -øz] *med* ödematös; **~ème** *m* Ödem *n; ~ d'alimentation, de carence, de dénutrition, épidémique, de guerre* Hungerödem *n.*

œil [œj] *m, pl* **yeux** [jø] (*mar* **œils**) Auge *n;* Blick *m; (Käse, Brot)* Loch; *(Suppe)* Fettauge; *bot* Auge *n,* kleine Knospe, Knospenstelle *f; arch* Nabel (öffnung *f*) *m; tech* (Bohr-, Naben-) Loch *n,* Öffnung; Nabe; *typ* Krone *f,* Bild *n (der Letter); mar* Schlinge *f; (Nadel)* Öhr *n,* Öse *f;* Sinn *m,* Gefühl, Herz *n; pl fam* Brille *f; à l'~* umsonst; auf Pump; *à l'~ nu* mit bloßem Auge; *à vue d'~* zusehends; mit den Augen *(schätzen); aux, sous les, devant les yeux* vor Augen; *aux yeux de (fig)* in den Augen *gen; aux yeux de qn* nach jds Ansicht; *en un clin d'~* im Nu; *d'un coup d'~* mit e-m schnellen Blick; *de ses (propres) yeux* mit eigenen Augen; *entre quatre yeux (fam)* [*fam:* -tzjø] unter vier Augen; *les yeux fermés* mit geschlossenen Augen; *fig* unbesehen; *bon pied, bon ~* rüstig; *par les yeux de qn (fig)* mit jds Augen; *pour les beaux yeux de qn* jdm zuliebe; *aimer comme la prunelle de ses yeux* über alles lieben; *se manger l(e blanc d)es yeux* sich in den Haaren liegen; *avoir l'~ (fam)* helle, nicht auf den Kopf gefallen sein; *avoir des yeux (fig)* Augen im Kopfe haben, nicht blind sein; *avoir un bandeau sur les yeux (fig)* e-e Binde vor den Augen haben, blind sein; *avoir les yeux bouchés (fig)* ein Brett vor dem Kopf haben; *avoir des yeux aux bouts des doigts* Fingerspitzengefühl, geschickte Hände haben; *avoir les yeux cernés* Ringe um die Augen haben; *avoir le compas dans l'~* ein gutes Augenmaß haben; *ne pas avoir froid aux yeux* keine Angst haben; *caresser, manger, dévorer des yeux* mit den Augen verschlingen; *conserver comme la prunelle de l'~, de ses yeux* wie s-n Augapfel hüten; *coûter les yeux de la tête* ein Heidengeld kosten; *couver des yeux* zärtlich betrachten; *ne pas en croire ses yeux* s-n Augen nicht trauen; *donner dans l'~ à qn* auf jdn e-n großen Eindruck machen; *donner dans les yeux de, à qn (fig)* jdm in die Augen stechen; *ne dormir que d'un ~* nur leicht schlafen; *faire de l'~* zu=zwinkern (*à qn* jdm), liebäugeln (*à qn* mit jdm); *faire les doux yeux, les yeux doux à qn* jdm verliebte Blicke zu=werfen; *faire les gros yeux* tadelnd, strafend an=sehen; *fermer les yeux à qc (fig)* vor e-r S die Augen verschließen; *ne pas fermer l'~, ne pouvoir fermer les yeux* kein Auge zu=tun, nicht schlafen (können); *fermer les yeux sur qc* so tun, als ob man etw nicht sähe; *se fourrer le doigt dans l'~ (fam)* sich gewaltig in den Finger schneiden; *jeter de la poudre aux yeux (fig)* Sand in die Augen streuen (*de qn* jdm); *jeter les yeux sur ...* die Augen werfen auf *acc; lever les yeux* die Augen auf=schlagen, s-n Blick richten (*sur* auf *acc*); *se mettre le doigt dans l'~ (fam)* sich irren; *ouvrir l'~ (fig)* die Augen offen haben; *(faire) ouvrir, dessiller les yeux à qn sur qc* jdm die Augen über e-e S öffnen; *ouvrir de grands yeux* große Augen machen; *regarder qn dans les, entre (les) deux yeux* jdn fest, starr an=blicken; *taper de l'~ (fam)* pennen, schlafen; *tourner de l'~ (fam)* ohnmächtig werden, sterben; *ne voir que d'un ~* nur flüchtig hin=sehen; *je m'en bats l'~ (fam)* das ist mir schnuppe; *il a les yeux plus grands que le ventre* od *la panse* s-e Augen sind größer als sein Magen; *loin des yeux, loin du cœur (prov)* aus den Augen, aus dem Sinn; *j'ai qc devant les yeux* mir schwebt etw vor; *mon ~ (fam)* das machst du mir nicht weis; *mauvais ~* Malocchio *m;* böser Blick *m; regarder dans le blanc de l'~* scharf an=sehen; *j'en ai jusqu'aux yeux* ich habe es satt; *ça a de l'~ (fam)* das sieht gut aus; *cela saute aux, crève les yeux* das springt in die Augen; *je le vois d'un ~ sec* es läßt mich kalt; *les yeux lui sortent de la tête* ihm treten die Augen aus dem Kopf; er macht Stielaugen; *coup m d'~* Anblick, rasche(r) Blick *m; yeux de braise* feurige, lebhafte Augen *n pl; yeux gros* verweinte, geschwollene Augen *n pl; ~ au beurre noir* blaues Auge; *yeux pochés, en compote* unterlaufene *od* entzündete Augen *n pl; ~ artificiel, de verre* Glasauge *n; ~-de-bœuf m arch* Bullauge *n; bot* Färberkamille *f;* Astloch; *med* Glotzauge *n; ~-de-chat m min* Katzenauge *n; ~ électronique (el)* Elektronenauge *n; ~ magique* magische(s) Auge *n; ~-de-perdrix m med* Hühnerauge; *bot* Vergißmeinnicht *n;* **~lade** *f* verstohlene(r), liebevolle(r) Blick *m;* **~lère** *s f* Scheuklappe *a. fig;* Wanne *f* für Augenbäder; *a (dent) ~ f* Augen-, obere(r) Eckzahn *m;* **~let** [-ɛ] *m* Schnürloch *n; tech* Öse *f,* Öhr, Auge; *mar* (Reff-)Gatt *n; bot* Nelke *f;* **~leton** [œjtɔ̃] *m bot* Schößling, Sproß *m;* Visier *n;* **~lette** *f* Gartenmohn *m;* Mohnöl *n.*

œn|ologie [enɔlɔʒi] *f* Wein(bau)kunde *f;* **~omètre** *m* Weinwaage *f;* **~ophile** *m* Freund *m* e-s guten Tropfens (Wein); **~otechnie, ~otechnique** [-ɔtəkni(k)] *f* Weinbereitung *f.*

œsophag|e [ezɔfaʒ] *m* Speiseröhre *f;* **~ien, ne** Speiseröhren-; **~isme** *m* Speiseröhrenkrampf *m;* **~ite** *f* Speiseröhrenentzündung *f.*

œstrogène [østrɔʒɛn] *m* Östrogen *n.*

œuf [œf, *pl* ø] *m* Ei *n; (Fisch)* Rogen *m;* Stopfei *n; avoir l'air de marcher sur des ~s* wie auf Eiern gehen; *donner un ~ pour avoir un bœuf* mit der Wurst nach der Speckseite werfen; *écraser qc dans l'~* etw im Keime ersticken; *être plein comme un ~* zum Platzen, Bersten voll, *fam* vollgefressen sein; *mettre tous ses ~s dans le même panier* alles auf eine Karte setzen; *tondre, chercher des poils sur un ~* es vom Lebendigen nehmen; knickern; *ne savoir pas tourner un ~* sich ungeschickt an=stellen; *blanc, jaune m d'~* Eiweiß, -gelb *n; ~s brouillés* Rührei(er *n pl*) *n; ~ à la coque, mollet* weichgekochte(s) Ei *n; ~ du diable (bot)* Stinkmorchel *f; ~ dur* hartgekochte(s) Ei *n; ~s frits* gebackene Eier *n pl; ~s au gratin* überbackene Eier *n pl; ~s à la neige* Eierschnee *m; ~ de Pâques* Osterei *n; ~ sur le plat* Spiegelei *n; ~s pochés* verlorene Eier *n pl; ~ à repriser* Stopfei *n; ~s à la russe* russische Eier *n pl;* **~rier** [œfrije] *m* Eierkocher; Behälter *m* für Eierbecher.

œuvé, e [œve] *a (Fisch)* mit Rogen.

œu|vre [œvr] *f* Werk *n;* Kirchenvorstand *m,* -kasse; Feld-, Garten-, Winzerarbeit *f; f pl* Werke *n pl (e-s Dichters, Schriftstellers);* Wohltätigkeitsvereinigung *f; m* Werk; Gesamtwerk *(e-s Künstlers); mus* Opus *n; arch* Bau(werk *n,* -körper) *m; à l'~, en ~* bei der Arbeit; *dans l'~* im Baukörper, innerhalb des Bauwerks; *hors d'~* außerhalb des Baukörpers; *à pied d'~* unmittelbar am *od* an den Bauplatz; *faire ~ de ses dix doigts (fig)* die Hände rühren; *mettre en ~* Gebrauch machen (*qc* von etw); aus=führen, ins Werk setzen, an=wenden; in Angriff nehmen; *mettre tout en ~, mettre en ~ toutes ses batteries* alle Hebel in Bewegung setzen; *se mettre à l'~* sich an die Arbeit machen; *à l'~ on connaît l'artisan* das Werk lobt den Meister; *bois m d'~* Nutz-, Bauholz *n; bonnes ~s f (rel)* gute Werke *n pl; grand ~ m (Alchimie)* Stein *m* der Weisen; *gros ~ m (arch)* Rohbau *m; exécuteur m des hautes ~s* Scharfrichter *m; ~ f de bienfaisance* Wohltätigkeitseinrichtung *f; ~s f en faveur des étudiants* Studentenwerk *n; ~ f féminine, de jeunesse* Frauen-, Jugendwerk *n; ~s f mortes, vives* Schiff *n* über, unter der Wasserlinie; *~ f de basse qualité* Machwerk *n,* Kitsch *m; ~ f sociale, de secours* Hilfswerk *n; ~s universitaires pl* Studentenwerk *n;* **~vrer** arbeiten.

offens|ant, e [ɔfɑ̃sɑ̃, -ɑ̃t] beleidigend, kränkend, verletzend; **~e** *f* Beleidigung, Kränkung; *rel* Sünde *f;* **~er** beleidigen, kränken, weh tun (*qn* jdm), verletzen; Anstoß erregen (*qn* bei jdm); *rel* sündigen (*qc* gegen etw); *s'~* sich beleidigt fühlen; übel=nehmen (*de qc* etw); Anstoß nehmen (*de* an *dat*); **~eur** *m* Beleidiger; Angreifer *m;* **~if, ive** *a mil* Angriffs-; *s f* Offensive *f;* Angriff *m; prendre l'~ive* zum Angriff über=gehen; *armes f pl ~ives* Angriffswaffen *f pl; guerre f ~ive* Angriffskrieg *m; retour m ~* Gegenstoß *m; ~ive de diversion* Entlastungsoffensive *f.*

offertoire [ɔfɛrtwar] *m rel* Offertorium *n.*

offic|e [ɔfis] *m* Amt *n;* Dienst *m* Obliegenheit, Gefälligkeit *f;* Büro *n,* Dienst-, Geschäftsstelle *f;* Gottesdienst *m,* Messe *f,* tägliche(s) Gebet *n; f* Office *n;* Anrichte, Bedienten-, Vorratsraum *m; d'~* von Amts wegen; amtlich; eingesetzt; *fam* eigenmächtig; ohne weiteres; *avocat m commis d'~* (vom Gericht gestellter)

Pflichtverteidiger; *grâce aux bons ~s de* durch Vermittlung *gen; n'avoir ni ~ ni bénéfice (fam)* kein gesichertes Einkommen haben; *dire son ~* s-e täglichen Gebete verrichten; *faire ~ de ...* dienen als ...; *faire son ~* s-e Pflicht erfüllen; *offrir ses bons ~s (pol)* s-e guten Dienste an≈bieten; *rendre de bons, mauvais ~s à qn* jdm gute, schlechte Dienste leisten; *livre m d'~* Gebetbuch *n; ~ d'arpentage* Vermessungsamt *n; ~ d'assistance sociale, publique* Fürsorgeamt *n; ~ des brevets (d'invention)* Patentamt *n; ~ du cadastre* Katasteramt *n; ~ de cartographie* Amt *n* für Landesaufnahme; *~ des changes* Devisenbewirtschaftungsstelle *f; ~ des chèques postaux* Postscheckamt *n; ~ du commerce extérieur* Außenhandelszentralamt *n; ~ de compensation* Verrechnungsstelle *f; ~ de consultation maternelle* Mütterberatungsstelle *f; ~ de contrôle des films* Filmprüfstelle *f; ~ de contrôle des prix* Preisüberwachungsstelle *f; ~ divin* Gottesdienst *m; ~ de l'enfance, de jeunesse, des mineurs* Jugendamt *n; ~ d'études universitaires* Hochschulamt *n; ~ de la foire* Messeamt *n; ~ de formation des prix* Preisbildungsstelle *f; ~ d'hygiène, de santé* Gesundheitsamt *n; ~ d'inspection du travail* Gewerbeaufsichtsamt *n; ~ de liquidation* Abwicklungsstelle *f; ~ du logement* Wohnungsamt *n; ~ météorologique* Wetteramt *n; ~ des morts* Fürbitte *f* für die Verstorbenen; *~ d'orientation professionnelle* Berufsberatungsstelle *f; ~ des passeports* Paßstelle *f; ~ de placement* Arbeitsnachweis *m*, Stellenvermittlung(samt *n*) *f; ~ de publicité* Annoncenbüro *n; ~ de statistique* statistische(s) Amt *n; ~ de surveillance (des banques)* (Bank-) Aufsichtsamt *n; ~ du trafic, du tourisme* Verkehrsamt *n; ~ du travail* Arbeitsamt *n*; **~iant** *m* Offiziant, Messe lesende(r) Priester *m; a* Messe lesend; **~iel, le** offiziell, amtlich, behördlich; anerkannt, gültig; Regierungs-, Staats-, Amts-, Dienst-; *de source f ~le* von amtlicher Seite *f; cachet m ~* Dienstsiegel *n; gazette f ~le* Amtsblatt *n; journal m ~* Staatsanzeiger *m*, Regierungsblatt *n; service m ~* Dienstbetrieb *m*.

offic|ier [ɔfisje] **1.** *v rel* Messe lesen; **2.** *m* Offizier; Beamte(r) *m; ~ adjoint* Ordonnanzoffizier; Adjutant *m; aspirant-~* Offiziersanwärter *m; ~ d'aviation* Luftwaffen-, Fliegeroffizier *m; ~ de cantonnement* Quartiermacher *m; ~ de carrière* Berufsoffizier *m; ~ civil* Staats-, Verwaltungsbeamte(r) *m; ~ en disponibilité* zur Verfügung gestellter Offizier *~ de l'état civil* Standesbeamte(r) *m; ~ d'état-major* Generalstabsoffizier *m; ~ de garde* Wachoffizier *m; ~ de l'intendance, d'administration (mil)* Verwaltungsbeamte(r) *m; ~-interprète m* Dolmetschoffizier *m; ~ de la justice militaire* Gerichtsoffizier *m; ~ de liaison* Verbindungsoffizier *m; ~ municipal* Gemeindebeamte(r) *m; ~ de paix* Polizeibeamte(r) *m; ~ payeur* Zahlmeister *m; ~ de police* Polizeioffizier *m; ~ public, ministériel* Notar, Gerichtsbeamte(r) *m; ~ de renseignement* Aufklärungsoffizier m; *~ de réserve* Reserveoffizier *m; ~ du service de santé militaire* Sanitätsoffizier *m; ~ de sécurité* Abwehroffizier *m; ~ de semaine, de permanence* Offizier *m* vom Dienst, O.v.D.; *~ supérieur* Stabsoffizier *m; ~ de tir* Batterieoffizier *m; ~ de transmissions* Nachrichtenoffizier *m; ~ de troupe* Truppenoffizier *m*; **~ière** *f* ein Amt ausübende Klosterschwester *f;* weiblicher Offizier *m (d. Heilsarmee);* Beamtin *f*; **~ieux, se** offiziös, halbamtlich; *mensonge m ~ (vx)* Gesellschaftslüge *f*.

offic|inal, e [ɔfisinal] offizinal, offizinell; Arznei-; *plante f ~e* Heilpflanze *f, pl* Heilkräuter *n pl*; **~ine** *f* Apotheke, Offizin *f;* Laboratorium *n; fig* Brutstätte *f*.

offr|ande [ɔfrɑ̃d] *f rel* Opfer(gabe *f*), Weihgeschenk *n; allg* Gabe *f*, Geschenk *n*; **~ant** *a com* bietend; *s m* Bieter *m; le plus ~* der Meistbietende; *au plus ~ et dernier enchérisseur* meistbietend *adv*; **~e** *f* Angebot *n*, Offerte *f;* Anerbieten *n; faire, décliner une ~* ein Angebot machen, ab≈lehnen; *~ d'aide* Hilfsangebot *n; ~ et demande* Angebot *n* und Nachfrage *f; ~ avec échantillons* bemusterte Offerte *f; ~s d'emploi* Stellenangebote *n pl, (Zeitung)* offene Stellen *f pl; ~ ferme, par écrit, sans engagement* bindende(s) *od* feste(s), schriftliche(s), freibleibende(s) Angebot *n; ~ maximum, la plus élevée* Höchstgebot *n; ~ de médiation* Vermittlungsvorschlag *m; ~ minimum* Mindestgebot *n; ~ de primes, de service, spéciale* Gratis-, Dienst-, Sonderangebot *n*.

offrir [ɔfrir] *irr* **1.** *(donner en cadeau)* schenken; *~ qc à qn (pour son anniversaire)* jdm (zum Geburstag) e-e S schenken; an≈bieten (*qc à qn* jdm e-e S); *~ à boire à qn* jdn zu trinken an≈

bieten; ~ *à qn sa maison* jdm sein Haus zur Verfügung stellen; **2.** ~ *à qn de faire qc* jdm vor=schlagen, e-e S zu tun; ~ *à qn de l'aider* jdm s-e Hilfe an=tragen; ~ *le mariage à une fille* e-m Mädchen die Ehe an=tragen; *com* offerieren (*de* zu); bieten; *cette solution ~e beaucoup d'avantages* diese Lösung bietet viele Vorteile; *il m'en a offert cent marks* er hat mir hundert DM dafür geboten; ~ *sans engagement* freibleibend offerieren, ~ *en paiement* in Zahlung geben; **3.** *(expressions)* ~ *un sacrifice à la divinité* der Gottheit ein Opfer (dar=)bringen; ~ *un aspect désolé* e-n traurigen Anblick bieten; ~ *le flanc à la critique* sich der Kritik aus=setzen; ~ *des difficultés (Sache)* Schwierigkeiten machen; ~ *une réception* e-n Empfang geben; **4.** *s'~* sich erbieten (*à* zu); *une bonne occasion s'offrait à lui* es bot sich ihm e-e günstige Gelegenheit; *un magnifique panorama s'offrait à nous* ein herrlicher Anblick bot sich uns dar; *s'~ un bon repas* sich ein schönes Essen leisten; *je ne peux pas me l'offrir* ich kann es mir nicht leisten; *s'~ mutuellement des cadeaux* sich gegenseitig Geschenke machen; *s'~ la tête de qn (fam)* sich über jdn lustig machen; *s'~ à qn* jdm s-e Dienste an=bieten; *(Frau)* sich jdm hin=geben; *s'~ à l'esprit (Sache)* in den Sinn kommen; *s'~ en spectacle (Person)* sich zur Schau stellen; *il s'~e une difficulté* es ergibt sich e-e Schwierigkeit.

offusquer [ɔfyske] *vx* blenden; *fig* ärgern, reizen; ein Dorn im Auge sein, mißfallen (*qn* jdm); ~ *qn* jdn (sittlich) entrüsten; *s'~ de qc* sich über e-e S ärgern; an e-r S Anstoß nehmen.

oflag [ɔflag] *m mil* Offiziers(gefangenen)lager *n.*

ogiv|al, e [ɔʒival] *arch* spitzbogig; **~e** *f arch* Spitzbogen; *(Rakete)* Kopf *m;* ~ *nucléaire (mil)* Spreng-, Gefechtskopf *m.*

ognette [ɔɲɛt] *f* Meißel *m* (des Bildhauers).

ogre, esse [ɔgr, -ɛs] *s m f (Märchen)* Menschenfresser; *fig* Menschenschlächter; Wüterich; *fam* Fresser; *f* Frau e-s Menschenfressers; *arg* in schlechtem Ruf stehende Vermieterin; *manger comme un ~* wie ein Scheunendrescher fressen.

oh! [o] *interj* oh! *mar* ahoi! ~ *là là!* hoho! **~é!** *interj fam* he(da)!

ohm [om] *m el* Ohm *n;* **~mètre** *m* Ohmmeter *n.*

oie [wa] *f* Gans; *fam* (dumme) Gans *f;* *une petite ~ blanche* die Unschuld vom Lande; ~ *rôtie* Gänsebraten *m;* ~ *de la Saint-Martin, de Noël* Martins-, Weihnachtsgans *f;* ~ *sauvage* Wildgans *f.*

oignon [ɔɲɔ̃] *m* Zwiebel; (Blumen-) Zwiebel; *péj* Taschenuhr, Zwiebel *f; med* Ballen *m (am Fuß); (Pferd)* Piephacke *f; aux petits ~s* grob; großartig, fabelhaft; *en rang d'~s* in einer Reihe; *s'occuper de ses ~s* s-r Wege gehen; *occupez-vous de vos ~s!* kehren Sie vor Ihrer Tür! *ce n'est pas mes ~s* das ist nicht mein Bier; *omelette f aux ~s* Zwiebeleierkuchen *m; vin m couleur pelure d'~* Bleichert, Schillerwein *m; soupe f à l'~* Zwiebelsuppe *f;* ~ *de tulipe* Tulpenzwiebel *f;* **~ade** *f* Zwiebelgericht *n;* **~ière** *f* Zwiebelbeet, -feld *n.*

oïl [ojl] *la langue d'~* die alte Sprache Nordfrankreichs.

oin|dre [wɛ̃dr] *irr* salben, ein=reiben; ~ *avec de l'huile, de la matière grasse* ein=ölen, -fetten; **~g** [wɛ̃] *m* Schmiere *f;* **~t** *m rel* Gesalbte(r) *m.*

oiseau [wazo] *m* Vogel *m;* Mörteltrage *f; à vol d'~* in der Luftlinie; *à vue, à vol d'~* aus der Vogelschau, -perspektive; *être comme l'~ sur la branche* keine sichere Stellung haben; ein unstetes Leben führen; *l'~ n'y est plus, s'est envolé (fig)* der Vogel ist ausgeflogen; *petit à petit l'~ fait son nid* steter Tropfen höhlt den Stein; *vilain ~ (fig)* häßliche(r) Vogel *m;* ~ *d'agrément* Stubenvogel *m;* **~x** *aquatiques* Wasservögel *m pl;* ~ *de bonne (mauvaise) augure (fig)* (Un-) Glücksvogel *m;* ~ *chanteur* Singvogel *m;* ~ *coureur* Laufvogel *m;* ~*x de mer* Seevögel *m pl;* ~ *migrateur* Zugvogel *m;* ~*-mouche m orn* Kolibri *m;* ~ *nocturne, de nuit* Nachtvogel *m; de paradis* Paradiesvogel *m;* ~ *de passage* Strichvogel *m;* ~ *de proie* Raubvogel *m.*

oisel|er [wazle] *tr (Falken)* zur Beize ab=richten; *(Vögel)* fangen; *itr* Netze spannen; Leimruten aus=legen; **~et** [-lɛ] *m* Vöglein, Vögelchen *n;* **~eur** *m* Vogelfänger, -steller *m;* **~ier** [-zəlje] *m* Vogelhändler, -züchter *m;* **~lerie** [-ɛlri] *f* Vogelfang *m,* -zucht, -handlung *f.*

ois|eux, se [wazø, -øz] unnütz, überflüssig; **~if, ive** müßig, untätig; *(Geld)* ungenutzt; *(Kapital)* tot.

oisillon [wazijɔ̃] *m* Vögelchen, Vöglein *n.*

oisiveté [wazivte] *f* Nichtstun *n,* Untätigkeit *f; l'~ est (la) mère de tous* *les vices* Müßiggang ist aller Laster Anfang.

oison [wazɔ̃] *m* Gössel, Gänschen *n.*

olé|acées [ɔlease] *f pl* Ölpflanzen *f pl;* **~agineux, se** ölig; ölhaltig; Öl-; **~iculture** *f* Öl(frucht)bau *m;* **~iforme** ölig; **~ine** *f chem* Olein *n;* **~ique** *a: acide m* ~ Öl-, Olein-, Elainsäure *f;* **~oduc** *m* Pipeline, Erdölleitung *f;* **~omètre** *m* Ölwaage *f;* **~onaphte** [-naft] *m* Teeröl *n;* **~um** [-ɔm] *m* rauchende Schwefelsäure *f.*

olfact|if, ive [ɔlfaktif, -iv] *a* Geruchs-; *nerf m* ~ Geruchsnerv *m;* **~ion** [-ksjɔ̃] *f* Riechen *n.*

olibrius [ɔlibrijys] *m fam* Prahlhans *m, vx* exzentrisches Original *n.*

olig|archie [ɔligarʃi] *f* Oligarchie *f;* **~archique** oligarchisch; **~arque** *m pol* Oligarch *m.*

olig|iste [ɔliʒist] *m min* Roteisenstein *m;* **~ocène** [-gɔ-] *m geol* Oligozän *n;* **~o-élément** *m chem* Spurenelement *n.*

oliv|acé, e [ɔlivase] olivgrün; **~aie** *f* Olivenhain *m;* **~aire** olivenförmig; **~aison** *f* (Zeit der) Olivenernte *f;* **~âtre** grünlich, (asch)fahl; **~e** *f* Olive *f; (Tür)* Drehknopf *m; (couleur f d')~* olivgrün; *huile f d'~* Olivenöl *n;* **~erie** *f* Ölmühle *f;* **~ette** *f* Olivenhain *m; Art* Weintraube *f; pl* Olivenerntetanz *m;* **~ier** *m* Ölbaum; Ölzweig *m; mont m des O~s (rel)* Ölberg *m.*

olographe [ɔlɔgraf] *(Testament)* eigenhändig (geschrieben), Privat-.

Olymp|e, l' [ɔlɛ̃p] *m geog* der Olymp; **o~ien, ne** *a* olympisch; *fig* majestätisch; *s m f* Olympier *m;* **o~ique** *a: jeux m pl O~s (d'été, d'hiver)* Olympische (Sommer-, Winter-)Spiele *n pl; s m f sport* Olympiasieger(in *f*) *m.*

ombell|e [ɔ̃bɛl] *f bot* Dolde *f;* **~é, e; ~iforme** doldenförmig; **~ifère** *a* doldentragend; *s f pl* Umbelliferen *f pl,* Doldengewächse *n pl;* **~ule** *f* Döldchen *n.*

ombilic [ɔ̃bilik] *m anat bot* Nabel; *fig* Mittelpunkt *m;* **~al, e** *a* Nabel-; *cordon m* ~ Nabelschnur *f,* -strang *m.*

omble [ɔ̃bl] *m,* ~ *chevalier (zoo)* Saibling *m.*

ombon [ɔ̃bɔ̃] *m* Schildbuckel *m.*

ombr|age [ɔ̃braʒ] *m* schattige(s) Laubwerk *n,* Schatten *m; porter, faire, donner* ~ Argwohn, Mißtrauen, Eifersucht erregen (*à qn* bei jdm); *prendre* ~ Verdacht schöpfen (*de qc* wegen e-r S); übel=nehmen (*de qc* e-e S); **~agé, e** schattig; **~ageant, e** schattenspendend; **~ager** beschatten; *fig* verhüllen; **~ageux, se** *(Pferd)* scheu; *fig* argwöhnisch, mißtrauisch.

ombr|e [ɔ̃br] **1.** *f* Schatten *m a. fig;* leise Andeutung, Spur *f,* (An-)Schein *m;* Dunkel(heit *f*) *n,* Finsternis *f;* Schutz; Deckmantel *m;* Zurückgezogenheit *f;* **2.** *f, terre f d'~* Umbra *f (Farbstoff);* **3.** *m zoo* Äsche *f; à l'~ (fig)* im Schatten, Schutz (*de* gen); *fam* hinter schwedischen Gardinen; *dans l'~* im Schatten; *fig* in der Verborgenheit, zurückgezogen; *pas l'~* nicht die leiseste Spur (*de* gen); *pas l'~ d'un doute* nicht der geringste *od* leiseste Zweifel; *sous (l')~ (vx)* unter dem Vorwand (*de* gen); *avoir peur de son* ~ Angst vor der eigenen Courage haben; *courir après une* ~ e-m Phantom nach=jagen; *être, rester dans l'~* im Schatten, im Hintergrund stehen, bleiben; e-e Nebenrolle spielen; *faire* ~ Schatten werfen (*à* auf *acc*); *fig* in den Schatten stellen; *laisser dans l'~ (fig)* im unklaren lassen; *passer comme l'~* schnell vorüber=gehen; *suivre qn comme son* ~ jdm nicht von der Seite gehen *od* weichen; *c'est l'~ et le corps* sie sind unzertrennlich; *dégradation, distribution f des ~s* Schattierung *f; le royaume des ~s* die Schattenwelt; *~s chinoises (theat)* Schattenspiel *n;* ~ *portée, pure, de la terre* Schlag-, Kern-, Erdschatten *m;* **~elle** *f (kleiner)* Sonnenschirm *m;* **~er** *(Kunst)* schattieren; dunkel tönen, färben; **~eux, se** schattig; *bot* Schatten-.

Ombrie, l' [ɔ̃bri] *f* Umbrien *n.*

oméga [ɔmega] *m: l'alpha et l'~* das A und O.

omelette [ɔmlɛt] *f* Omelett(e *f*) *n,* Eierkuchen *m; fam fig* Rührei *n; tant de bruit pour une* ~ viel Lärm um nichts; *on ne peut pas faire une ~ sans casser des œufs* wo gehobelt wird, fallen Späne; ~ *aux champignons, aux confitures, aux fines herbes, au jambon, Parmentier* Omelett *n* mit Pilzen, mit Marmelade, mit feinen Kräutern, mit Schinken, mit Kartoffeln.

omettre [ɔmɛtr] *irr* aus=, weg=lassen; unterlassen, versäumen (*de* zu).

omission [ɔmisjɔ̃] *f* Aus-, Unterlassung *f; péché m d'~* Unterlassungssünde *f.*

omni|bus [ɔmnibys] *s m* Omnibus *m; a* für alle; *ligne f ~ (tele)* Omnibusleitung *f; (train m)* ~ Personenzug *m;* **~potence** *f rel* Allmacht; *allg* Allgewalt; *pol* absolute Macht *f;* **~potent, e** [-pɔtɑ̃, -ɑ̃t] *rel* allmächtig; *allg* allgewaltig; *pol* absolut; **~présence** *f*

Allgegenwart *f;* ~**présent, e** allgegenwärtig; ~**science** *f* Allwissenheit *f;* ~**scient, e** allwissend; ~**um** [-jɔm] *m com* Anlage-, Holdinggesellschaft *f; sport* Rennen *n* aller Teilnehmer; ~**vore** *a zoo* allesfressend; *s m* Allesfresser *m.*

omoplate [ɔmɔplat] *f anat* Schulterblatt *n.*

on [ɔ̃] *pron, (nach et, ou, où, si) l'*~ man; ~ *sonne, frappe* es klingelt *od* läutet, klopft; ~ *y va!* gehen wir! ~*-dit m inv* Gerücht, Gerede *n.*

onagre [ɔnagr] *m* Wildesel *m.*

onanisme [ɔnanism] *m* Onanie *f.*

once [ɔ̃s] *f* **1.** Unze *f (Gewicht); fig* ein bißchen; **2.** *zoo* Schneeleopard *m.*

onciale [ɔ̃sjal] *f* Unziale *f (Schriftart).*

oncle [ɔ̃kl] *m* Onkel *m;* ~ *à héritage* Erbonkel *m.*

onct|ion [ɔ̃ksjɔ̃] *f* Einreibung *f;* Einfetten, Ölen *n; rel fig* Salbung *f; extrême-*~ *f* Letzte Ölung *f;* ~**ueux, se** [-tɥø, -øz] ölig, fettig; *fig* salbungsvoll; ~**uosité** [-tɥo-] *f* Fettigkeit, Öligkeit *f.*

ondatra [ɔ̃datra] *m* Bisamratte *f.*

ond|e [ɔ̃d] *f* Welle, Woge *f;* Wogen *n;* Wellenlinie *f; en* ~ wellenförmig; *par la voie des* ~*s* durch den Rundfunk; *mettre en* ~*s* senden; für den Rundfunk bearbeiten; *gamme f d'*~*s* Wellenbereich *m; grandes* ~*s,* ~*s longues* Langwelle(n *pl*) *f; guerre f des* ~*s* Wellen-, Ätherkrieg *m; longueur f d'*~ Wellenlänge *f; mise f en* ~*s* Funkbearbeitung *f;* ~ *d'appel, auxiliaire* Ruf-, Ausweichwelle *f;* ~ *de chaleur, de froid* Hitze-, Kältewelle *f;* ~ *de choc* Geschoßknall *m; tele* Stoßwelle *f;* ~ *de compression* Druck-, Stoßwelle *f;* ~*s courtes (radio)* Kurzwelle(n *pl*) *f;* ~ *de détresse* Notwelle *f;* ~*s directes, terrestres, de sol, de surface* Bodenwellen *f pl;* ~*s dirigées* Richtwellen *f pl;* ~*s entretenues* ungedämpfte Wellen *f pl;* ~*s d'espace, spatiales* Raumwellen *f pl;* ~*s hertziennes, électromagnétiques* elektromagnetische Wellen *f pl;* ~*s longitudinales (phys)* Longitudinalwellen *f pl;* ~*s lumineuses* Lichtwellen *f pl;* ~*s moyennes (radio)* Mittelwelle(n *pl*) *f;* ~ *porteuse* Trägerwelle *f;* ~ *sismique* Erdbebenwelle *f;* ~*s sonores* Schallwellen *f pl;* ~*s transversales (phys)* Transversalwellen *f pl;* ~*s ultracourtes* Ultrakurzwelle(n *pl*) *f;* ~**é, e** wellig, gewellt; *(Stoff)* moiriert, geflammt.

ondée [ɔ̃de] *f* Regenschauer, Platzregen *m.*

ond|emètre [ɔ̃dmɛtr] *m radio* Wellenmesser *m;* ~**in, e** *m f* (Wasser-)Nix(e *f*) *m.*

ond|oiement [ɔ̃dwamɑ̃] *m* Wogen, Wallen, Flattern *n;* Nottaufe *f;* ~**oyant, e** wehend; *fig* schwankend, unbeständig; ~**oyer** *itr* wogen, wallen, flattern; *(Weg, Straße)* sich schlängeln; *tr* not=taufen.

ond|ulateur [ɔ̃dylatœr] *m tele* Wechselrichter *m;* ~**ulation** *f* Wellenbewegung, -linie *f;* Wogen *n;* schlängelnde Bewegung; *(~ du terrain)* Bodenwelle; *(Straße)* Welligkeit *f; (Haar)* Ondulieren *n,* Ondulation *f;* ~ *permanente, à l'eau* Dauer-, Wasserwelle *f;* ~**ulatoire** wellenförmig; Wellen-; *mécanique f* ~ *(phys)* Wellenmechanik *f; mouvement m* ~ Wellenbewegung *f;* ~**ulé, e** gewellt, wellig; *tôle f* ~*e* Wellblech *n;* ~**uler** *itr* wogen; sich schlängeln; *tr (Haar)* ondulieren, wellen; ~**uleux, se** wellenförmig; Wellen-.

onéreux, se [ɔnerø, -øz] Kosten verursachend; kostspielig; *fig* lästig, beschwerlich, drückend; *à titre* ~ *(jur)* gegen Entgelt; mit Auflage.

ongl|e [ɔ̃gl] *m* (Finger-)Nagel *m; zoo* Kralle, Klaue *f,* Huf *m; jusqu'au bout des* ~*s* vom Scheitel bis zur Sohle, von Kopf bis Fuß, durch und durch; *avoir les* ~*s crochus (fig)* aufs Geld aus=sein; *donner à qn sur les* ~*s (fig)* jdm auf die Finger klopfen; *faire ses* ~*s* sich die Nägel schneiden, feilen, putzen etc; *rogner, couper les* ~*s à qn (fig)* jdm die Flügel beschneiden *od* stutzen; *payer rubis sur l'*~ auf Heller und Pfennig bezahlen; *savoir sur le bout des* ~*s* an den Fingern her=zählen (können); aus dem Effeff verstehen; ~*s en deuil* Fingernägel *m pl* mit Trauerrand; ~**é, e** *anat zoo* mit Nägeln, Krallen versehen; ~**ée** *f* Erstarren *n* der Fingerspitzen; ~**et** [-glɛ] *m* Einschnitt *m,* Kerbe *f; (Buch)* Ansetzfalz *m; (Tischlerei)* Gehrung *f; Art* Grabstichel; (kleiner) Fingerhut; *math* Ausschnitt; *(Kartothek)* Reiter *m;* ~**ier** [-glije] *m* Nagelpflegenecessaire, Manikürbesteck *n; pl* Nagelschere *f.*

onguent [ɔ̃gɑ̃] *m* Salbe *f.*

onguicu|le [ɔ̃g(ɥ)ikyl] *m zoo* kleine Kralle *f;* ~**lé, e** *anat zoo* mit Nägeln, Krallen versehen.

onglé, e [ɔ̃gle] *anat* nagelförmig; *zoo* mit Krallen *od* Hufen versehen.

onir|ique [ɔnirik] traumhaft; Traum-; ~**omancie** *f* Traumdeutung *f;* ~**omancien, ne** *m f* Traumdeuter(in *f*) *m.*

onoma|stique [ɔnɔmastik] *a*

Namens-; *s f* Namenskunde *f; index m* ~ Namensregister *n;* **~tologie** *f* Namenkunde *f;* **~topée** *f* lautnachahmende(s), Schallwort *n.*

onto|génèse, ~génie [ɔ̃tɔʒenɛz, -ʒeni] *f biol* Ontogenese *f;* **~logie** *f* Ontologie *f;* **~logique** ontologisch.

onyx [ɔniks] *m min* Onyx *m.*

onze [ɔ̃z] elf; *s m* Elf(er *m*) *f;* der Elfte; (Fußball-)Elf *f;* **~ième** *a* elfte(r, s); *s m* Elftel *n.*

oolithe [ɔɔlit] *m min* Oolith *m.*

opaci|fier [ɔpasifje] undurchsichtig machen; **~té** *f* Undurchsichtigkeit; Trübheit; Trübung *f.*

opal|e [ɔpal] *f min* Opal *m;* Opalfarbe *f,* -glas *n;* **~escence** [-lɛsɑ̃s] *f* Opaleszenz *f;* Opalisieren *n;* **~escent, e** *a* opalisierend; **~in, e** *a* opalartig; *s f* Opalin *n;* **~iser** opalisieren.

opaque [ɔpak] undurchsichtig; *phot* lichtdicht; *papier m* ~ Verdunkelungspapier *n.*

opér|a [ɔpera] *m* Oper *f; O~* Opernhaus *n;* ~ *bouffe* komische Oper *f;* ~*-comique m* Singspiel *n;* ~ *radiodiffusé (radio)* Opernübertragung *f.*

opér|able [ɔperabl] *med* operierbar; **~ant, e** wirksam; **~ateur, trice** *m f* Operationsarzt; *phot film* Operateur, Kameramann; Filmvorführer(in *f*) *m; tele* Telefonistin, *(Post)* Platzbeamtin *f; radio mar aero* (Bord-)Funker (~ *radio*); *inform* Operator *m; typ* Maschinensetzer *m;* **~ation** *f* Operation; Wirkung(sweise) *f,* Wirken *n;* Aktion *f a. pol;* Unternehmen, Verfahren *n;* Maßnahme; Verrichtung *f;* Arbeits(vor)gang; *med* (operativer) Eingriff *m; math* (Grund-)Rechnungsart *f; chem* Vorgang *m; mil* Truppenbewegung, Kampfhandlung *f; pl* (Geschäfts-)Verkehr *m; faire une* ~ *(med)* e-e Operation vor≈nehmen; *subir une* ~ sich e-r Operation unterziehen; *base f d'*~ *(mil)* Operationsbasis *f; ligne f d'*~ Kampfrichtung *f; salle, table f d'*~ Operationsraum, -tisch *m; théâtre m d'*~*s* Kriegsschauplatz *m;* ~ *administrative* Amtshandlung *f;* ~ *arithmétique* Rechenoperation *f;* ~*s d'assurances* Versicherungstätigkeit *f;* ~*s bancaires* Bankverkehr *m;* ~ *de banque* Bankgeschäft *n;* ~ *de bourse* Börsenspekulation *f;* ~*s de caisse et de virements* Zahlungs- u. Überweisungsverkehr *m;* ~ *de change* Wechsel-, Valutageschäft *m; pl* Devisenabschlüsse *m pl;* ~ *commerciale* Handelsgeschäft *n;* ~ *de compensation* Kompensationsgeschäft *n;* ~ *corrective (phot)* Retusche *f;* ~ *de crédit, d'échange* Kredit-, Tauschgeschäft *n;* ~*s effectuées à titre privé* Privatgeschäfte *n pl;* ~*s d'épargne, d'espèces* Spar-, Bargeldverkehr *m;* ~ *financière, d'argent* Geldgeschäft *n;* ~ *fictive* Scheingeschäft *n;* ~ *interne* Eigengeschäft; ~ *juridique* Rechtsgeschäft *n;* ~ *de nettoyage (mil)* Säuberungsaktion *f;* ~ *à perte* Verlustgeschäft; ~ *de police* Polizeiaktion *f;* ~*s de recettes et dépenses* Zahlungsverkehr *m;* ~ *à terme* Termingeschäft *n;* ~ *d'usinage (tech)* Bearbeitung *f;* ~ *de virement* Giroverkehr *m;* ~ *à vue* Sichtgeschäft *n;* **~ationnel, le** [-sjɔ-] *mil* operativ; einsatzfähig; **~atoire** *med* Operations-; *médecine f* ~ Chirurgie *f;* **~er** *tr* bewirken, bewerkstelligen, aus≈, herbei≈führen; aus≈, durch≈führen; *med* operieren; *itr* wirken (*sur* auf *acc*); verfahren, vor≈gehen; handeln; rechnen; *s'*~ ein≈treten, sich ereignen, sich vollziehen; ~ *des miracles* Wunder tun *od* wirken.

opérette [ɔperɛt] *f* Operette *f.*

opercule [ɔpɛrkyl] *m anat* Deckel *m.*

ophidien, ne [ɔfidjɛ̃, -ɛn] *a* Schlangen-; *s m pl* Schlangen *f pl (als Ordnung).*

ophtalm|ie [ɔftalmi] *f* Augenentzündung *f;* ~ *des neiges* Schneeblindheit *f;* **~ique** *a anat med* Augen-; **~ologie** *f* Augenheilkunde *f;* **~ologiste, ~ologue** *m* Augenarzt *m;* **~oscope** *m med* Augenspiegel *m.*

opia|cé, e [ɔpjase] *a* opiumhaltig; *s m pharm* Opiat *n;* **~cer** mit Opium versetzen.

opime [ɔpim] *a: dépouilles f pl* ~*s (fig)* reiche Beute *f.*

opin|ant [ɔpinɑ̃] *m* Abstimmende(r) *m;* **~er** *vx dial* s-e Meinung sagen; (ab≈) stimmen; ~ *du bonnet (fam)* zu allem ja und amen sagen.

opin|iâtre [ɔpinjatr] eigensinnig, unbelehrbar, halsstarrig, verbissen; hartnäckig, zäh; **~iâtrer, s'** *vx* hartnäckig bestehen, sich versteifen (*à* auf *acc*), sich fest≈beißen (*à* an *dat*); **~iâtreté** *f* Halsstarrigkeit *f,* Eigensinn *m,* Unbelehrbarkeit; Zähigkeit, Hartnäckigkeit *f.*

opinion [ɔpinjɔ̃] *f* Meinung, Ansicht *f,* Dafürhalten *n,* Überzeugung; Lehrmeinung, Lehre *f; pl* Weltanschauung *f; avoir le courage de ses* ~*s* für s-e Meinung ein≈treten; *avoir bonne* ~ *de soi-même* von sich selbst sehr eingenommen sein; *donner son* ~ s-e Meinung, Ansicht äußern; *donner bonne* ~ *de qc* über e-e S ein gutes Urteil ab≈geben; *se faire une* ~ sich e-e Meinung bilden; *affaire f d'*~ Ansichtssache *f; sondage m d'~* Meinungsforschung *f; ~ populaire* Volksmeinung *f; ~ (publique)* öffentliche Meinung *f.*

opi|omane [ɔpjɔman] *a* opiumsüchtig; *s m f* Opiumsüchtige(r *m*) *f;* **~omanie** *f* Opiumsucht *f;* **~um** [-ɔm] *m* Opium *n.*

oponce [ɔpɔ̃s] *m bot* Opuntie, Feigendistel *f.*

opossum [ɔpɔsɔm] *m zoo* Opossum *n.*

opothérapie [ɔpɔterapi] *f med* Hormontherapie *f.*

opportun, e [ɔpɔrtœ̃, -yn] gelegen, günstig, richtig; passend, angebracht, zweckmäßig; rechtzeitig; *en temps ~* zu gelegener Zeit; **~isme** [-yn-] *m pol* Opportunismus *m;* **~iste** *a* opportunistisch; *s m* Opportunist *m;* **~ité** *f* Zweckmäßigkeit; (günstige) Gelegenheit *f.*

oppos|able [ɔpozabl] gegenüberstellbar; entgegenzustellen(d), -halten(d); **~ant, e** *a* gegnerisch; Gegen-; *s m f* Opponent, Gegner(in *f*) *m; parti m ~* Gegenpartei *f;* **~é, e** *a* gegenüberliegend, -gestellt; entgegengesetzt; *s m* Gegenteil *n,* -satz *m; à l'~* im Gegenteil; *à l'~ de ...* im Gegensatz zu ...; **~er** ea. gegenüber=legen, -setzen, auf=stellen, -hängen; gegenüber=, entgegen=stellen; kontrastieren; entgegen=bringen; dagegen an=führen, entgegen=halten, ein=wenden; *s'~* sich entgegen=stellen, sich widersetzen (*à ce que* daß); sich vonea. ab=heben, ab=stechen (*à* von); **~ite** *m vx à l'~* gegenüber (*de* dat); *fig vx* im Gegenteil; **~ition** *f* Gegenüberstellung *f;* Gegensatz *m;* Opposition *f a. pol astr;* Widerstand; Widerspruch, Einwand *m;* Hindernis *n;* Widerwille; *(Kunst)* Kontrast; *jur* Einspruch *m; pol* Oppositionspartei *f; mot* Gegentakt *m; frappé d'~ (Konto)* gesperrt; *faire, débouter une ~ (jur)* e-n Einspruch erheben, verwerfen.

oppr|esser [ɔpre(ɛ)se] den Atem nehmen (*qn* jdm); *fig* bedrücken, beklemmen; **~esseur** *s m* Bedrücker *m; a* schwer lastend; **~essif, ive** be-, unterdrückend; Zwangs-; *mesures f pl ~ives* Zwangsmaßnahmen *f pl;* **~ession** *f* Unter-, Bedrückung; bedrückte Lage *f,* Druck *m; med* Beklemmung *f;* **~imer** [ɔprime] be-, unterdrücken.

opprobre [ɔprɔbr] *m* Schande *f,* Schandfleck *m.*

opt|atif, ive [ɔptatif, -iv] *a* Wunsch-; **~er** wählen (*pour qc* etw), sich entscheiden, optieren (*pour* für).

opti|cien [ɔptisjɛ̃] *m* Optiker *m; ~ lunetier* Augenoptiker *m;* **~cité** *f* (gute) optische Wirkung *f.*

opti|misme [ɔptimizm] *m* Optimismus *m;* **~miste** *s m f* Optimist(in *f*) *m; a* optimistisch; **~mum** [-imɔm] *m* Bestwert *m;* Optimum *n.*

option [ɔpsjɔ̃] *f* (schwierige) Wahl, (schwerwiegende) Entscheidung, Option *f; com* Vorkaufsrecht; Stellgeschäft *n; marché m à ~* Prämienmarkt *m; matières f pl à ~ (Schule)* Wahlfächer *n pl; ~ de change alternative* Währungsklausel *f; ~ zéro (mil)* Nullösung *f;* **~naire** [-ɔn-] *m com* Optionsgeber *m.*

opt|ique [ɔptik] *a* optisch; Gesichts-; Seh-; *s f* Optik; Perspektive; *fig* Meinung *f,* Standpunkt *m; angle m ~* Gesichtswinkel *m; illusion f d'~* optische Täuschung *f; instruments m pl d'~* optische Instrumente *n pl; nerf m ~* Sehnerv *m;* **~omètre** *m* Optometer *n,* Sehschärfenmesser *m.*

opulen|ce [ɔpylɑ̃s] *f* große(r) Reichtum, Überfluß *m;* Fülle, Üppigkeit *f;* **~t, e** (stein)reich; üppig; stattlich.

opuntia [ɔpɔ̃sja] *m s. oponce.*

opuscule [ɔpyskyl] *m* kleine(s) Werk *n,* kleine Schrift *f.*

or [ɔr] **1.** *conj* nun; also, folglich; *~ ça* nun, so ... doch; **2.** *s m* Gold *n; d'~* golden, von Gold; Gold-; *fig* kostbar; *pas pour tout l'~ du monde, ni pour ~ ni pour argent* nicht für alle Schätze der Welt, nicht für Geld und gute Worte; *acheter, vendre au poids de l'~ (fig)* mit Gold auf=wiegen, teuer verkaufen; *dire, parler d'~* das Passende sagen; sehr verständig reden; *jeter l'~ à pleines mains (fig)* das Geld zum Fenster hinaus=werfen; *promettre des monts d'~ (fig)* goldene Berge versprechen; *rouler sur, dans l'~, être tout cousu d'~* im Geld schwimmen, Geld wie Heu haben; *c'est de l'~ en barre (fig)* das ist (so gut wie) bares Geld; *cela vaut son pesant d'~ (fig)* das ist Gold wert, nicht mit Gold aufzuwiegen; *tout ce qui brille* od *reluit n'est pas ~ (prov)* es ist nicht alles Gold, was glänzt; *afflux m d'~* Goldzugang *m; clause f ~* Goldklausel *f; couverture f ~* Golddeckung *f; eau, liqueur f d'~* (Danziger) Goldwasser *n; étalon m ~* Goldstandard *m; fond m d'~* Goldgrund *m; lettres f pl d'~* Goldbuchstaben *m pl; mine f d'~* Goldgrube *f a. fig; pont m d'~ (fig)* goldene Brücke *f; réserve f ~* Goldbestand, -vorrat *m; sortie f de l'~* Goldabfluß *m; titre m de l'~* Goldgehalt *m; valeur f ~*

Goldwert *m; versement m en ~* Goldzahlung *f; ~ en barres* Barrengold *n; ~ battu, fin, mat* Blatt-, Fein-, Mattgold *n; ~ filé* Goldfaden *m.*

oracle [ɔrɑkl] *m* Orakel(spruch *m*) *n.*

orag|e [ɔraʒ] *m* Gewitter *n; fig* Sturm *m,* Wirren *pl,* Unheil *n; un ~ s'abat, éclate* ein Gewitter geht nieder (*sur* über *dat*), bricht los; *il y a de l'~ dans l'air (fig)* es liegt etw in der Luft; *~ de grêle* Hagelwetter *n,* -schauer *m;* **~eux, se** gewitt(e)rig; stürmisch *a. fig.*

oraison [ɔrɛzɔ̃] *f* (liturgisches) Gebet *n; ~ dominicale* Vaterunser *n; ~ funèbre* Grabrede *f; ~ mentale* stille(s) Gebet *n.*

oral, e [ɔral] *a* mündlich; *anat* Mund-; *l'~ s m (Prüfung)* das Mündliche; *cavité f ~e* Mundhöhle *f.*

orang|e [ɔrɑ̃ʒ] *f* Apfelsine, Orange *f; m* Orange *n (Farbe); a inv* orange (-farben); *O~ (f hist)* Oranien *n; (eau f de) fleur f d'~* Pomeranzenblüte(nessenz) *f; ~ amère* Pomeranze *f; ~ sanguine* Blutorange *f;* **~é, e** *a* orange(farben); **~eade** [-ʒad] *f* Orangeade *f;* **~eat** [-ʒa] *m* Orangeat *n,* eingezuckerte Apfelsinenschale *f;* **~er** *m* Orangenbaum *m; fleur f d'~* Orangenblüte *f; ~ amer* Pomeranzenbaum *m;* **~erie** *f* Orangenhain *m;* Orangerie *f;* **~ette** *f* kleine, unreife Orange *f.*

orang-outan(g) [ɔrɑ̃utɑ̃] *m zoo* Orang-Utan *m.*

orat|eur, trice [ɔratœr, -tris] *m* (guter) Redner(in *f*); Sprecher, Wortführer *m; ~ sacré* Kanzelredner *m;* **~oire** *a* rednerisch; Rede-; *s m* Betzimmer *n; O~ (rel)* Oratorium *n; art m ~* Redekunst *f.*

oratorio [ɔratɔrjo] *m mus* Oratorium *n.*

orb|e [ɔrb] **1.** *a: coup m ~* Prellschuß *m; mur m ~* geschlossene Wand *f;* **2.** *s m* Planeten-, Kometenbahn *f (Fläche); fig* Umkreis *m;* **~icole** *zoo bot* kosmopolitisch, über die ganze Erde verbreitet; **~iculaire** kreisförmig; *muscle m ~* Schließmuskel *m;* **~itaire** *a* Augenhöhlen-; **~ital, e** *astr* Kreisbahn-; **~ite** *f anat* Augenhöhle; *astr* Umlaufbahn *f; fig* Kreis, Bereich *m; ~ lunaire* Mondumlaufbahn *f; ~ terrestre* Erdumlaufbahn *f.*

orchestr|al, e [ɔrkɛstral] *a* Orchester-; orchestermäßig; **~ation** *f* Instrumentierung, Orchestrierung; **~e** *m* Orchester(raum *m*) *n,* Kapelle *f; theat* Parkett; *fig* Konzert *n; chef m d'~* Kapellmeister *m; fauteuil m d'~ (theat)* Orchestersessel *m; ~ à cordes, à cuivres* Streich-, Blasorchester *n; ~ de jazz* Jazzkapelle *f;* **~er** orchestrieren, für Orchestermusik ein=richten; *fig* an=stimmen; *fig* heraus=stellen; inszenieren, an=stiften; Propaganda machen (*qc* für etw).

orchidée [ɔrkide] *f* Orchidee *f.*

orchis [ɔrkis] *m* Knabenkraut *n.*

orchite [ɔrkit] *f* Hodenentzündung *f.*

ordinaire [ɔrdinɛr] *a* gewöhnlich, alltäglich; üblich, normal; Alltags-; ordnungs-, regelmäßig, ordentlich *bes. jur;* mittelmäßig; *s m* (das) Gewöhnliche; gewöhnliche(s) Maß *n;* Gewohnheit; (Alltags-)Kost *f;* Stammessen, -gericht *n;* Tagesration; *mil* Mannschaft(sverpflegung) *f; (comme) à l'~* (wie) gewöhnlich; *contre l'~* gegen die Gewohnheit *vx; d'~, pour l'~* im allgemeinen, meist; *sortir de l'~* aus dem Rahmen fallen; *action f ~ (com)* Stammaktie; *f; juges m pl ~s* ständige Richter *m pl; nourriture f ~* Hausmannskost *f; prix m ~* Ladenpreis *m; vin m ~* Tischwein *m.*

ordinal, e [ɔrdinal] *a gram: adjectifs m pl numéraux ~aux* Ordnungszahlen *f pl.*

ordin|and [ɔrdinɑ̃] *m* zu ordinieren de(r) Priester *m;* **~ant** *m* ordinierende(r) Bischof *m.*

ordinateur [ɔrdinatœr] *m tech* Elektronenrechner, Computer *m,* elektronische Rechenanlage, Datenverarbeitungsanlage *f.*

ordination [ɔrdinasjɔ̃] *f* Priesterweihe *f.*

ordo [ɔrdo] *m rel* Meßordnung *f.*

ordonnance [ɔrdɔnɑ̃s] *f* (An-)Ordnung; Anweisung, Vorschrift, Verordnung, Verfügung *f,* Erlaß; *jur* Beschluß *m; med* Rezept *n; arch* Säulenordnung *f; a. m mil* Ordonnanz *f,* (Offiziers-)Bursche *m; rendre une ~* e-e Verordnung, Verfügung erlassen; *costume m d'~* Dienstanzug *m; officier m d'~* Adjutant *m; ~ de classement* Einstellungsverfügung *f (durch den Staatsanwalt); ~ de devises* Devisenverordnung *f; ~s d'exécution, d'application* Ausführungsbestimmungen *f pl; ~ d'exécution, d'exequatur (jur)* Vollstreckungsbefehl *m; ~ de non-lieu* Einstellungsbeschluß *m (durch d. Untersuchungsrichter); ~ de paiement* Zahlungsbefehl *m; ~ pénale* Strafbefehl *m; ~ de prise de corps, de séquestre* Haftbefehl *m; ~ provisoire* einstweilige Verfügung *f.*

ordonn|ancement [ɔrdɔnɑ̃smɑ̃] *m* Zahlungsanweisung *f;* **~ancer** zur Zahlung anweisen; **~ateur, trice** *s m f* (An-)Ordner; zu Zahlungsanweisungen Berechtigte(r *m*) *f; a* anordnend, anweisend.

ordonn|é, e [ɔrdɔne] *a* (wohl)geordnet; ordnungsliebend; *s f math* Ordinate *f;* **~er** *tr* **1.** *(arranger)* ordnen, ein=richten, regeln, in Ordnung bringen; *(Fest)* die Festordnung bestimmen; **2.** *(donner un ordre)* befehlen, den Befehl geben (*de* zu); an=ordnen, verfügen; *~ à qn de faire qc* jdm befehlen, etw zu tun; *c'est lui qui me l'a ~é* den Befehl habe ich von ihm erhalten; *il lui ~a de se taire* er befahl (*od vx* bedeutete) ihm, zu schweigen; *le ministre a ~é la construction d'un barrage* der Minister hat den Bau e-er Talsperre verfügt; *le directeur a ~é que désormais ...* auf Anordnung (*od* Geheiß) des Direktors soll(en) (von) nun (an) ...; *le juge a ~é le huis-clos* der Richter hat den Ausschluß der Öffentlichkeit angeordnet; **3.** *(med)* verordnen, verschreiben (*qc à qn* jdm e-e S); **4.** *(rel)* ordinieren, zum Priester weihen; **5.** *s'~* e-e gewisse Ordnung auf=weisen, sich gruppieren *(selon* nach); *mil* sich auf=stellen.

ordre [ɔrdr] *m* (An-)Ordnung *f;* Ordnungs-, Wirtschaftssinn *m;* Einrichtung, Disposition, Reihenfolge, Stellung; Klasse *f,* Rang, Grad; *vx* Stand; Befehl, Auftrag *m,* Vorschrift, Anweisung, -ordnung *f; rel hist* Orden *m;* (Priester-)Weihe; *arch* (Säulen-)Ordnung *f; mil* Befehl(sausgabe *f,* -empfang) *m;* Gliederung, Ordnung; *com* Order, Bestellung *f;* Auftrag *m;* Zahlungsanweisung *f; à l'~ du jour (fig)* an der Tagesordnung; *à l'~ d'un tiers (com)* an fremde Order; *à vos ~s!* zu Befehl! *conformément aux ~s reçus* befehlsgemäß; *dans l'~* in der Ordnung; *dans cet ~ d'idées* in diesem Zs.hang; *de l'~ de ...* in e-r Größenordnung von ..., *d'~ et pour compte de* im Auftrag u. für Rechnung *gen; de premier ~* ersten Ranges; *en bon ~* in guter Ordnung; richtig; *en ~ de marche* betriebsfähig; *jusqu'à nouvel ~* bis auf weiteres; *par ~* auf Befehl; *par ~ de* im Auftrage *gen; par ~ alphabétique, chronologique* in alphabetischer, chronologischer Reihenfolge; *pour le bon ~* der Ordnung halber; *sous les ~s de* unter dem Befehl *gen; sur ~ de* auf Anordnung, Befehl *gen; annuler, exécuter, noter, passer un ~* e-n Auftrag zurück=nehmen, erledigen, buchen, erteilen; *donner l'~* den Befehl erteilen (*de* zu); *être sous les ~s de qn* jdm unterstehen; *manquer d'~* unordentlich, ein schlechter Haushalter, Wirtschafter sein; *mettre en ~* in Ordnung bringen; *se mettre aux ~s de qn* sich jdm zur Verfügung stellen; *mettre bon ~* Ordnung schaffen; *placer sous les ~s* unterstellen (*de qn* jdm); *rappeler à l'~* zur Ordnung rufen; *remettre en ~* wieder in Ordnung bringen; *mil* neu=gliedern; *l'~ règne* es herrscht Ordnung; *billet m à ~* Eigenwechsel *m; cahier m d'~* Befehlsbuch *n; diffusion f des ~s* Befehlsausgabe *f; donneur m d'~* Auftraggeber *m; mot m d'~* Kennwort *n,* Parole *f; numéro m d'~* laufende Nummer, Rangnummer *f; papiers m pl à ~* Orderpapiere *n pl; rappel m à l'~* Ordnungsruf *m; services m pl d'~* Ordnungsdienste *m pl; transmission f des ~s* Befehlsübermitt(e)lung *f; ~ d'allumage* Zündfolge *f; ~ d'appel de convocation, de route (mil)* Stellungsbefehl *m; ~ d'attaque* Angriffsbefehl *m; ~ des auditions, des émissions (radio)* Hör-, Sendefolge *f; ~ de banque, de bourse* Bank-, Börsenauftrag *m; ~ de bataille* Truppen-, Kriegsgliederung; Schlachtordnung *f; ~ de chevalerie* Ritterorden *m; ~ de circulation* Fahrbefehl *m; ~ au comptant* Kassaauftrag *m; ~ économique* Wirtschaftsordnung *f; ~ d'écrou (mil)* Arrestbefehl *m; ~ d'élargissement (mil)* Freilassungsbefehl *m; ~ de grandeur* Größenordnung *f; ~ judiciaire* richterliche Gewalt *f; ~ de justice* gerichtliche Anordnung *f; ~ de marche* Marschordnung *f; ~ mendiant (rel)* Bettelorden *m; les ~s mineurs, majeurs (rel)* die niederen, höheren Weihen *f pl; ~ de mission (aero)* Flugauftrag *m; ~ de mouvement, de transport (mil)* Marschbefehl *m; ~ de paiement* Zahlungsauftrag *m; ~ permanent* Dauerauftrag *m; ~ de préséance* Rangordnung *f; ~ religieux, monastique* religiöser O., Mönchsorden *m; ~ de service* Dienstvorschrift *f;* dienstliche(r) Befehl *m; ~ social* Gesellschaftsordnung *f; ~ de succession* Erbfolge *f; ~ supplémentaire (com)* Nachbestellung *f; ~ à terme fixe (com)* Fixauftrag *m; ~ des travaux* Geschäftsgang *m; ~ universel* Weltordnung *f; ~ d'urgence* Dringlichkeitsfolge *f; ~ de vente, de virement* Verkaufs-, Überweisungsauftrag *m; ~* **du jour** *(parl pol)* Tagesordnung *f, mil* -befehl *m; citer à l'~* öffentlich belobigen; *établir, élaborer, dresser l'~* die Tagesordnung auf=stellen; *inscrire à l'~* auf die T. setzen; *passer à l'~* zur T. über=gehen; *rayer, retirer de l'~* von der T. ab=setzen; *surcharger, adopter l'~* die T. überladen, an=nehmen; *à l'~ figure* ... auf der T. steht ...; *adoption f de l'~* Annahme *f* der T.; *commission f de l'~* Tagesordnungsausschuß *m; demande f d'inscription à l'~* Antrag *m* auf Aufnahme in die T.; *établissement m de l'~* Aufstellung *f* der T.; *point m figurant à l'~* Punkt *m* (auf) der Tagesordnung; *le premier point à l'~* Punkt 1 der T.; *projet m d'~* Tagesordnungsentwurf *m.*

ordur|e [ɔrdyr] *f* Schmutz, Dreck; Kot, Unrat *m;* Stäubchen *n,* Fussel *f; typ* Defektbuchstabe *m; fig* Zote; Gemeinheit *f; fam* Schandweib *n; pl* Kehricht *n,* Müll *m; boîte f aux* od *à ~s* Mülleimer, -kasten *m; ~s ménagères* Haushaltsmüll *m;* **~ier, ère** [-rje, -ɛr] *a* schmutzig, unanständig; häßlich, gemein.

orée [ɔre] *f* Waldrand *m.*

oreill|ard, e [ɔrɛjar, -rd] *a* langohrig; mit Hängeohren; *s m* Ohrenfledermaus *f; fam* Langohr *n (Esel);* **~e** [-ɛj] *f* Ohr *n; (Hase)* Löffel *m;* Gehör *n,* Aufmerksamkeit *f;* Henkel *m; (Schuh)* Lasche *f;* Zipfel *m; (e-s Ohrensessels); (Pflug)* Streichbrett *n;* Flügel *m (e-r Schraube); tech* Ohr, Öhr *n,* Öse *f; d'~ (mus)* nach Gehör; *jusqu'aux ~s* bis über die Ohren; *par-dessus les ~s* über die Hutschnur; *à écorcher les ~s* ohrenbetäubend; *avoir l'~ dure* schwerhörig sein; *avoir les ~s (re)battues* die Ohren voll haben (*de* von); *baisser l'~, porter bas l'~, avoir l'~ basse (fig)* die Ohren hängen=lassen; *casser les ~s à qn* jdm in den Ohren liegen; *dire qc à l'~ de qn* jdm etw ins Ohr flüstern; *dire deux mots à l'~ de qn* jdm ins Gewissen reden; *donner sur les ~s à qn* jdm einen, eins hinter die Löffel geben; *dresser, tendre l'~ (fig)* die Ohren spitzen; *échauffer les ~s de qn* jdm den Kopf heiß machen, *fam* auf die Nerven fallen, jdn zur Weißglut bringen; *écouter de toutes ses ~s, être tout ~s* ganz Ohr sein; *n'écouter que d'une ~* nur mit halbem Ohr hin= *od* zu=hören; *entrer par une ~ et sortir par l'autre* zu e-m Ohr hinein= und zum andern wieder hinaus=gehen; *faire la sourde ~, se boucher les ~s* sich taub stellen; *fermer l'~ à* nichts wissen wollen von; *frotter les ~s à qn (fig)* jdm den Kopf waschen; *se gratter l'~* sich (verlegen) hinterm Ohr kratzen; *laisser passer le bout de l'~* sich verraten; s-e wahre Natur zeigen; *mettre la puce à l'~ de qn (fig)* jdm e-n Floh ins Ohr setzen; *ouvrir, prêter l'~* Gehör schenken; *prêter l'~* hin=hören (*à* auf *acc*); *recevoir sur les ~s (fam)* einen an die Löffel kriegen; *souffler qc à l'~ de qn* jdm etw ein=flüstern; *tirer les ~s à qn* jdm die Ohren lang=ziehen; *se faire tirer l'~* sich lange nötigen lassen; *venir aux ~s* zu Ohren kommen (*de qn* jdm); *ventre affamé n'a point d'~s* einem leeren Magen ist schlecht predigen; *~s décollées* abstehende Ohren; *fam* Segelohren *n pl; ~ externe, interne* äußere(s), innere(s) Ohr *n; ~ moyenne* Mittelohr *n; ~-d'ours f bot* Aurikel *f; ~-de-souris f* Vergißmeinnicht *n.*

oreiller [ɔrɛje] *m* Kopfkissen *n; arch* Polstergurt *m; prendre conseil de son ~* e-e Sache überschlafen; *une conscience pure est un bon ~ (prov)* ein gutes Gewissen ist ein sanftes Ruhekissen.

oreillette [ɔrɛjɛt] *f anat* Herzvorhof *m; (Mütze)* Ohrenklappe *f,* -schützer *m.*

oreillons [ɔrɛjɔ̃] *m pl med* Mumps, Ziegenpeter *m;* Abfalleder *n; arch* (Ver-)Kröpfung *f.*

orémus [ɔremys] *m* Gebet *n.*

ores *adv: d'~ et déjà* [dɔrzedeʒa] von nun, jetzt an.

orf|èvre [ɔrfɛvr] *m* Goldschmied *m; ~ bijoutier* Juwelier *m; il est ~ en la matière* er ist vom Bau; davon kann er ein Lied singen; **~èvrerie** [-vrə-] *f* Goldschmiedekunst *f;* Goldwaren *f pl;* **~évré, e** *(Edelmetalle)* bearbeitet.

orfraie [ɔrfrɛ] *f* Seeadler *m.*

organdi [ɔrgɑ̃di] *m* Organdy *m (Stoff).*

organe [ɔrgan] *m anat* Organ *n;* Stimme *f; fig* Werkzeug, Instrument *n;* Vertreter *m,* Stimme *f;* (ausführendes) Organ *n;* Zeitung, Zeitschrift *f; tech* (Maschinen-)Teil *n,* Vorrichtung *f; par l'~ de* durch Vermittlung *gen; ~s de commande* Triebwerk, Getriebe *n; ~ de connexion, de raccordement (tech)* Verbindungsorgan *n; ~ de distribution (tech)* Steuerorgan *n; ~s génitaux* Geschlechtsorgane *n pl; ~ des sens* Sinnesorgan *n.*

organeau [ɔrgano] *m mar* Eisenring *(zum Vertäuen);* Ankerring *m.*

organicien [ɔrganisjɛ̃] *m chem* Organiker *m.*

organigramme [ɔrganigram] *m inform* Flußdiagramm *n;* Organisationsplan *m,* Flußdiagramm *n.*

organique [ɔrganik] organisch; Organ-; gegliedert; *chimie f ~* organische Chemie *f; loi f ~ (jur)* Grundgesetz *n; maladie f* ~ Organerkrankung *f.*

organ|isateur, trice [ɔrganizatœr, -tris] *a* organisatorisch; ordnend, gestaltend; *s m f* Organisator; Manager *m;* ~ *de concerts* Konzertbüro *n;* **~isation** *f* Organisation, Struktur *f;* Aufbau *m,* Gliederung; Konstitution, Beschaffenheit; Einrichtung, Anordnung; Anlage *f,* Bau *m;* ~ *des banques, du crédit* Bank-, Kreditwesen *n;* ~ *centrale* Spitzenorganisation *f;* ~ *commerciale* Handelsorganisation *f;* ~*s défensives, fortifiées, simulées* Verteidigungs-, Befestigungs-, Scheinanlagen *f pl;* ~ *des entreprises* Betriebsorganisation *f;* ~ *professionnelle* Berufsverband *m;* ~ *des salariés, des entrepreneurs* Arbeitnehmer-, Arbeitgeberorganisation *f;* ~ *au sol (aero)* Bodenorganisation *f;* ~ *du terrain* Geländeverstärkung *f;* ~ *du travail* Arbeitsplanung *f;* **~isé, e** veranlagt; *bien* ~ ausgeglichen; **~iser** organisieren, ein=richten, (an=)ordnen, gestalten, bilden, zs.=stellen; auf=, aus=bauen; gliedern; *s'*~ sich ein=richten; in Ordnung, zustande kommen; zu e-r festen Regel werden; **~isme** *m* Organisation; Dienststelle, Abteilung *f; biol fig* Organismus *m;* ~ *superétatique* überstaatliche Organisation *f.*

organiste [ɔrganist] *m mus* Organist *m.*

organométallique [ɔrganɔmetalik] *a: composé m* ~ Organometall *n.*

organsin [ɔrgɑ̃sɛ̃] *m* Organsin *m* od *s (Stoff).*

orgasme [ɔrgasm] *m* Orgasmus *m.*

org|e [ɔrʒ] *f* Gerste *f; grain m d'*~ *(med)* Gerstenkorn *n;* ~ *m mondé* Graupen *pl;* (Gersten-)Graupenschleim *m;* ~ *m perlé* Perlgraupen *pl;* Graupenschleim *m;* **~eat** [-a] *m* Mandelmilch *f;* **~elet** [-əlɛ] *m med* Gerstenkorn *n.*

org|ia(sti)que [ɔrʒjastik] orgiastisch; Orgien-; **~ie** [-ʒi] *f* Orgie *f;* Gelage *n;* Schlemmerei; Ausschweifung; Verschwendung, verschwenderische Fülle *f.*

orgue [ɔrg] *m,* **~s** *f a. m pl mus* Orgel; *mar* Ablaufrinne *f; buffet m d'*~ Orgelgehäuse *n; facteur m d'*~ Orgelbauer; *joueur m d'*~ Leierkastenmann *m; point m d'*~ *mus* Fermate *f; tuyau m d'*~ Orgelpfeife *f;* ~ *de Barbarie* Drehorgel *f,* Leierkasten *m.*

orgueil [ɔrgœj] *m* Stolz (*de* auf *acc*); Hochmut, Dünkel *m,* Hoffart *f; faire, être l'*~ *de* der Stolz *gen* sein; *mettre son* ~ s-n Stolz darein=legen (*à* zu); **~leux, se** stolz (*de* auf *acc*); hochmütig, dünkelhaft, hoffärtig.

orient [ɔrjɑ̃] *m* Osten *m; l'O*~ der Orient, der Osten, das Morgenland; *l'Église f d'O*~ die Ostkirche; *l'Empire m d'O*~ *(hist)* das Oströmische Reich; *l'Extrême-O*~ der Ferne Osten; *le Proche-O*~ der Vordere Orient.

orientable [ɔrjɑ̃tabl] *tech* einstellbar; dreh-, schwenkbar.

orienta|l, e [ɔrjɑ̃tal] *a* östlich, orientalisch; *(Stil)* bilderreich; *O*~ *s m* Orientale *m;* **~liser** orientalisieren, ein orientalisches Gepräge geben (*qc* e-r S); **~lisme** *m* Orientalistik *f;* **~liste** *m* Orientalist *m; a* oriental(ist)isch.

orient|ation [ɔrjɑ̃tasjɔ̃] *f* Orientierung; Richtung; *fig pol* Ausrichtung *f,* Kurs *m;* Tendenz, Stimmung *f; mar* Stellen *n (der Segel);* Ortung, Orts-, Lagebestimmung *f;* Kurs *m; sens m de l'*~ *(zoo)* Orientierungssinn *m; table f d'*~ Richtungstafel *f (auf e-m Aussichtsturm);* ~ *professionnelle* Berufsberatung *f;* **~ement** *m* Orientierung *f (e-s Gebäudes); mar* Stellen *n od* Stellung *f (der Segel); (Geschütz)* Kurswinkel *m;* **~er** die Himmelsrichtung bestimmen (*qc* gen); orientieren, nach den Himmelsgegenden ein=richten, -stellen; orten; die Richtung weisen (*qn* jdm); *fig* aus=richten (*vers* auf *acc*); *(Wirtschaft)* lenken; beraten (*qn* jdn); *mar (Segel)* stellen; *s'*~ die Himmelsrichtung(en) fest=stellen; *fig* sich orientieren, sich zurecht=finden, s-n Weg finden; sich richten (*vers* nach); **~eur, trice** *m f* Berufsberater(in *f*) *m.*

orifice [ɔrifis] *m* Öffnung, Mündung *f; mot* Kanal *m;* ~ *d'admission (mot)* Einlaßkanal *m;* ~ *d'échappement* Auspuff(kanal) *m;* ~ *de remplissage (mot)* Einfüllstutzen *m.*

oriflamme [ɔriflam] *f hist* Lilienbanner *n.*

origan [ɔrigɑ̃] *m bot* Majoran, Meiran *m.*

origin|aire [ɔriʒinɛr] *a* (her)stammend, gebürtig (*de* von, aus); Anfangs-; **~airement** *adv* ursprünglich, von Haus aus; **~al, e** *a* ursprünglich, original; Original-, Ur-; originell, eigenartig, -tümlich, sonderbar; *s m* Original *n,* Urschrift *f,* Originaltext *m;* Urbild; Original *n,* Sonderling, komische(r) Kauz *m; en* ~ im Original, urschriftlich; *édition f* ~*e (Buch)* Erstausgabe *f;* **~alité** *f* Originalität, Ursprünglichkeit; Eigentümlichkeit, Eigenheit, Sonderbarkeit *f;* **~e** *f* Anfang, Ursprung *m,* Herkunft, Abstammung *f;*

Ausgangs-, Nullpunkt; Ansatz(punkt) *m; à, dans l'~* am Anfang, ursprünglich; *d'~* der Herkunft nach, von Geburt, ursprünglich; Heimat-; *com* mit Herkunftsnachweis; *dès l'~* von Anfang an; *avoir son ~ dans, tirer son ~ de* s-n Ausgang nehmen, her=stammen von; *certificat m, marque f, pays, port m d'~* Herkunftsnachweis *m,* -zeichen, -land *n,* -hafen *m; emballage m d'~* Originalpackung *f; ~ de propriété* Eigentumsnachweis *m;* **~el, le** ursprünglich; *péché m ~ (rel)* Erbsünde *f; péché m ~ (fig)* Erbfehler *m.*

oripeau [ɔripo] *m* Rausch-, Flittergold *n;* Flitter, Tand *m.*

orle [ɔrl] *m arch* Rand(streifen) *m,* Profilleiste *f; geol* Kraterrand *m.*

orm|aie, ~oie [ɔrmɛ, -wa] *f* Ulmenwäldchen *n,* -pflanzung *f;* **~e** *m bot* Ulme, Rüster *f; attendez-moi sous l'~! (fam)* da können Sie lange auf mich warten! **~eau** *m* (junge) Ulme *f;* **~ille** [-ij] *f* kleine Ulme; Ulmenschonung *f.*

orne [ɔrn] *m* **1.** Manna-, Blumenesche *f;* **2.** Rille *f (zwischen zwei Rebenreihen).*

orn|ement [ɔrnəmɑ̃] *m* Schmuck *m,* Verzierung *f,* Zierat *m; fig* Zierde *f; (Kunst)* Ornament *n;* Buchschmuck *m; (stilistische)* Ausschmückung *f; pl rel* Meßgewand *n,* (Amts-)Tracht *f;* **~emental, e** ornamental; Schmuck-, Zier-; *plante f ~e* Zierpflanze *f;* **~ementation** *f* Ornamentik; Dekorationsmalerei; Stuckarbeit *f;* **~ementer** (mit e-m Ornament) verzieren; **~er** (aus=)schmücken, verzieren (*de* mit); aus=statten; *fig* bereichern; *(stilistisch)* aus=schmücken.

ornière [ɔrnjɛr] *f* Rad-, Wagenspur *f; sortir de l'~ (fig)* alte Gewohnheiten ab=legen; *~ (de la routine) fig* Schlendrian *m.*

ornitho|gale [ɔrnitɔgal] *m bot* Vogelmilch *f;* **~logie** *f* Ornithologie, Vogelkunde *f;* **~logiste, ~logue** *m* Ornithologe *m;* **~rynque** [-rɛ̃k] *m* Schnabeltier *n;* **~ptère** *m* Schlagflügel-, Schwingenflugzeug *n.*

oro|banche [ɔrɔbɑ̃ʃ] *f bot* Sommerwurz *f;* **~génèse, ~génie** *f* Gebirgsbildung *f;* **~graphie** *f* Gebirgsbeschreibung *f;* **~graphique** orographisch; Gebirgs-.

oronge [ɔrɔ̃ʒ] *f* Blätterpilz *m; fausse ~* Fliegenpilz *m; ~ vineuse* Knollenblätterpilz *m; ~ vraie* Kaiserschwamm *m.*

orpaill|age [ɔrpajaʒ] *m* Goldwäscherei *f;* **~eur** *m* Goldwäscher *m.*

orph|elin, e [ɔrfəlɛ̃, -in] *s m f* Waise *f,* Waisenkind *n; arg* Zigarrenstummel *m; a* verwaist; *être ~ de père, de mère* keinen Vater, keine Mutter mehr haben; *~ de père et de mère* Vollwaise *f; ~s de père ou de mère* Halbwaisen *f pl;* **~elinat** [-na] *m* Waisenhaus *n.*

orphéon [ɔrfeɔ̃] *m* (Männer-)Gesangverein, Musikverein *m,* Liedertafel *f; concours m d'~s* Sängerfest *n;* **~ique** *a* (Chor-)Gesang-.

orphie [ɔrfi] *f zoo* Hornhecht *m.*

orphisme [ɔrfizm] *m* Orphik *f.*

orpiment [ɔrpimɑ̃] *m min* Auripigment *n.*

orpin [ɔrpɛ̃] *m bot* Fetthenne *f.*

orque [ɔrk] *m zoo* Schwertwal, Butzkopf *m.*

orseille [ɔrsɛj] *f* Färber-, Lackmusflechte *f; sel m d'~* Kleesalz *n.*

orteil [ɔrtɛj] *m* Zehe; *gros ~* große Zehe *f.*

ortho|centre [ɔrtɔsɑ̃tr] *m math* Höhenschnittpunkt *m;* **~chromatique** *phot* orthochromatisch; **~chromatisme** *m* Farbempfindlichkeit *f;* **~doxe** [-dɔks] orthodox, rechtgläubig; *allg* geltend; *fam* richtig, echt, rein; **~doxie** *f* Rechtgläubigkeit *f;* **~dromie** *f geog* Orthodrome *f;* **~génie** *f* Familienplanung *f;* **~gonal, e** *math* rechtwinklig, senkrecht; **~graphe** *f* Orthographie, Rechtschreibung; Schreibweise, Schreibung *f; savoir l'~* richtig schreiben (können); *faute f d'~* Rechtschreibfehler *m;* **~graphie** *f arch* Aufriß *m; math* senkrechte Projektion *f;* **~graphier** (richtig) schreiben; **~graphique** orthographisch; Rechtschreibungs-; *projection f ~ (math)* senkrechte Projektion *f;* **~pédie** *f med* Orthopädie, Heilgymnastik *f;* **~ pédique** orthopädisch; **~pédiste** *s m* Orthopäde *m; a* orthopädisch; **~phonie** *f* Logopädie *f;* **~phoniste** *m* Logopäde *m;* **~ptères** *m pl zoo* Geradflügler *m pl;* **~scopique** *phot* orthoskopisch.

ortie [ɔrti] *f* Brennessel *f (~ brûlante); jeter le froc aux ~s* die Kutte aus=ziehen; *~ blanche, rouge* Taubnessel *f.*

ortolan [ɔrtɔlɑ̃] *m orn* Fettammer *f.*

orvale [ɔrval] *f bot* Salbei *m* od *f.*

orvet [ɔrvɛ] *m zoo* Blindschleiche *f.*

orviétan [ɔrvjetɑ̃] *m* Allheilmittel *n; marchand m d'~* Quacksalber *m.*

os [ɔs, *pl* o, *bei der Bindung:* oz] *m* Knochen *m,* Bein *n (Werkstoff); pl* Gebeine *n pl; arg* Haken; *en chair et en ~* leibhaftig; *jusqu'à la moelle des ~* durch Mark u. Bein; *trempé jusqu'aux ~* bis auf die Haut durchnäßt;

n'avoir que les ~ et la peau nichts wie Haut u. Knochen sein; *donner, jeter un, des ~ à qn* jdm e-n Knüppel zwischen die Beine werfen; *extraire la moelle de l'~* die Rosinen aus dem Kuchen picken; *ne pas faire de vieux ~* nicht alt werden *a. fig; jeter, donner un ~ à ronger à qn* jdn mit einer geringen Vergütung ab=speisen; *y laisser ses ~* sein Leben dabei lassen *od* her=geben; *ronger qn jusqu'aux ~* jdn bis aufs Mark aus=saugen; *c'est un ~ bien dur* das ist e-e harte Nuß; *les ~ lui percent la peau, on compterait ses ~* man kann ihm die Rippen zählen; *il y a un ~ (arg)* das hat e-n Haken, da hapert's; *huile f d'~* Knochenöl *n; poudre, cendre f d'~* Knochenmehl *n; ~ de baleine* Fischbein *n; ~ frontal, malaire, nasal, occipital, pariétal, temporal* Stirn-, Joch-, Nasen-, Hinterhaupt-, Scheitel-, Schläfenbein *n; ~ iliaque, long* Hüft-, Röhrenknochen *m; ~ à moelle* Markknochen; *fig* fette(r) Happen *m.*

oscill|ateur [ɔsilatœr] *m el* Oszillator, Schwingungserzeuger; Zerhacker; *tele* Summer *m;* **~ation** [-sjɔ̃] *f* Schwingung, Pendelbewegung *f; (Instrument)* Ausschlag *m; fig* Schwankung *f; nombre m d'~s* Schwingungszahl *f; ~ propre* Eigenschwingung *f;* **~atoire** *a* Schwingungs-; **~er** schwingen, vibrieren, pendeln; *fig* schwanken; **~ographe** *m el* Oszillograph *m; ~ (à rayons) cathodique(s)*Braunsche Röhre *f;* **~omètre** *m* Blutdruckmesser, Tonometer *m.*

oseille [ozɛj] *f bot* Sauerampfer *m; arg* Moos, Geld *n.*

oser [oze] wagen; sich erlauben, den Mut haben (*faire qc* etw zu tun); *pp* gewagt, *fam* riskant; wagemutig, kühn; *ne pas ~* sich nicht (ge)trauen; *osé-je?* darrf ich? *si j'ose ainsi m'exprimer* wenn ich so sagen darf.

oseraie [ozrɛ] *f* Weidengebüsch *n.*

osier [ozje] *m* Weidenrute; Korbweide *f;* Weidengeflecht; *pliant, souple comme de l'~* sehr nachgiebig, anpassungsfähig.

osmium [ɔsmjɔm] *m chem* Osmium *n.*

osmonde [ɔsmɔ̃d] *f, ~ royale (bot)* Königsfarn *m.*

osm|ose [ɔsmoz] *f phys biol* Osmose *f;* **~otique** osmotisch.

oss|ature [ɔsatyr] *f* Knochengerüst, Gerippe; *fig* Gerüst *n,* Bau *m;* **~elet** [ɔslɛ] *m* Knöchelchen *n;* **~ements** *m pl* Gebeine *n pl;* **~eux, se** knochig; Knochen-; *consolidation, lésion f ~se* Knochenbildung, -verletzung *f;* **~ification** *f* Knochenbildung *f;* **~ifier** verknöchern; **~u, e** (grob)knochig; **~uaire** [-sɥɛr] *m* Knochenhaufen *m;* Beinhaus *n.*

osten|sible [ɔstɑ̃sibl] offenkundig; ostentativ; **~soir** *m rel* Monstranz *f;* **~tation** [-sjɔ̃] *f* Prahlen; Zurschaustellen, -tragen *n; faire ~* prunken, prahlen (*de* mit); **~tatoire** großtuerisch; ostentativ.

ostéo|logie [ɔsteɔlɔʒi] *f* Knochenlehre *f;* **~malacie** *f med* Knochenerweichung *f;* **~myélite** [-mje-] *f* Knochenmarkentzündung *f;* **~plastie** *f med* Osteoplastik *f;* **~tomie** *f* Knochendurchmeißelung *f.*

ostracé, e [ɔstrase] *a* muschelartig, -förmig; *s m pl* Austern *f pl (als Familie).*

ostracisme [ɔstrasizm] *m hist* Ostrazismus; Ausschluß *m,* Verfemung *f.*

ostr|éiculteur [ɔstreikyltœr] *m* Austernzüchter *m;* **~éiculture** *f* Austernzucht *f.*

Ostrogot(h), e [ɔstrɔgo, -ɔt] *s m f* Ostgote *m,* Ostgotin *f; fig* Barbar, Grobian *m.*

otage [ɔtaʒ] *m* Geisel *f a. m; fig* Bürgschaft *f,* Unterpfand *n.*

otalgie [ɔtalʒi] *f* Ohrenschmerzen *m pl.*

otarie [ɔtari] *f zoo* Ohrenrobbe *f; ~ à crinière* Seelöwe *m.*

ôter [ote] *tr* **1.** *(enlever)* (ab=, weg=) nehmen; *(Vase, Blumen)* weg=setzen, weg=stellen; weg=, hinaus=schaffen; *~ des livres de sur une table* Bücher von einem Tisch (herunter=)nehmen; *~ les mains de ses poches* die Hände aus den Taschen nehmen; *(Fieber)* vertreiben; *(Flecken)* entfernen; *~ les taches d'un vêtement* Flecken aus e-m Kleidungsstück entfernen; *fig ~ le pain de la bouche à qn* jdm das Brot vom Munde weg=nehmen; **2.** *(enlever un vêtement)* aus=ziehen, ab=legen, ab=nehmen; *~ son manteau* den Mantel ab=legen; *(Jacke, Hose, Strümpfe)* aus=ziehen; *(Hut)* ab=nehmen; **3.** *(priver) fig* rauben, entreißen (*qc à qn* jdm e-e S); *~ un enfant à sa mère* ein Kind s-r Mutter entreißen; *~ à qn ses forces* jdn s-r Kräfte berauben; *~ à qn son appui* jdm s-e Hilfe entziehen; *on lui a ôté plumes et encre* man hat ihm Feder und Tinte weggenommen; *~ qc de l'esprit, de la tête à qn* jdm e-e S aus=reden; *~ l'honneur à qn* jdm die Ehre ab=schneiden; **4.** *s'~ de* sich entfernen, weg=gehen; sich entledigen, entäußern (*de* gen); *s'~ le pain de la bouche* sich (e-e S) vom Munde ab=sparen; *je ne puis m'~ cela de la tête* ich werde diesen Gedanken nicht los; *ôte-toi de là! fam* weg da! *fam* mach dich bloß weg! hau ab! *ôte-toi de mon soleil! fam* geh mir aus der Sonne!

otite [ɔtit] *f* Ohrenentzündung *f.*

oto-rhino-laryngolog|ie [ɔtɔrinɔ larɛ̃gɔlɔʒi] *f* Hals-, Nasen- u. Ohrenheilkunde *f;* **~ique** *a: affections f pl ~s* Hals-, Nasen- u. Ohrenkrankheiten *f pl;* **~iste** *m* Facharzt für Hals-, Nasen- u. Ohrenkrankheiten, Hals-Nasen-Ohren-Arzt *m.*

ottoman, e [ɔtɔmɑ̃, -an] osmanisch.

ou [u] *conj* oder; *~ ... ~* entweder ... oder; *~ alors ...* sonst ...; *~ bien* oder auch.

où [u] *adv* wo; wohin; worin, -an, -auf, wozu; *d'~* woher, wovon; woraus; daher; *par ~* wo ... (hin)durch, auf welchem Wege; *là ~* dort, wo; *~ que* wo(hin) auch (immer); *~ est le mal?* was ist (schon) dabei? *~ en êtes-vous de ...?* wie weit sind Sie mit ...?

ouaille [waj] *f, meist pl rel* Schäfchen *n pl,* Herde *f,* Pfarrkinder *n pl.*

ouais [wɛ] *interj* ei! sieh da! schau (mal) an!

ouat|e [wat] *f* Watte *f; doubler d'~* (aus=)wattieren; *tampon m d'~* Wattebausch *m; ~ hydrophile* od *de pansement, de rembourrage, de verre* Verband-, Polster-, Glaswatte *f;* **~er** wattieren; **~eux, se** watteweich, -artig; wattiert; **~ine** *f* Wattefutterstoff *m;* **~iner** wattieren.

oubli [ubli] *m* Vergessen(heit *f*) *n;* Unterlassung, Nachlässigkeit *f; par ~* aus Unachtsamkeit; *tirer de l'~* der Vergessenheit entreißen; *tomber en ~, dans l'~* in Vergessenheit *(acc)* geraten; *moment m d'~* unbedachte(r) Augenblick *m; ~ de soi* Selbstverleugnung *f;* **~er** [-ublije] vergessen; verlernen; aus=lassen, außer acht lassen, übersehen, -gehen; vernachlässigen; *(Pflicht)* versäumen; *(Anspruch)* verzichten (*qc* auf e-e S); sich hinweg=setzen (*qc* über e-e S); ab=sehen (*qc* von etw); verkennen; unbeachtet lassen, *fam* links liegen=lassen; *s'~* die Zeit vergessen; sich vergessen; sich vergehen; in Vergessenheit geraten; seine Notdurft (an unangemessenem Ort) verrichten; *faire ~* in den Schatten stellen; *n'~ez pas,* denken Sie daran (*de* zu).

oubliette(s) [ublijɛt] *f (pl)* (Burg-)Verlies *n; mettre, jeter aux ~s (fig fam)* zum alten Eisen werfen.

oublieux, se [ublijø, -z] vergeßlich.

oued [wɛd] *m geog* Wadi *n.*

ouest [wɛst] *s m* West(en) *m; a* westlich; *~-* west-; *d'~* West-; *à l'~* im Westen; in westlicher Richtung; westlich (*de* von); *vent m d'~* Westwind *m;* **~-africain, e** westafrikanisch; **~-européen, ne** westeuropäisch; **~-allemand, e** westdeutsch.

ouf [uf] *interj* uff! Gott sei Dank!

oui [wi] *adv* ja; *s m inv* Ja(wort) *n; mais ~, ~-da (fam)* aber ja, ja doch, ja freilich; *pour un ~, pour un non* um ein Nichts; ohne rechten Grund; *dire (que) ~* ja sagen.

ouï-dire [widir] *m inv: par ~* vom Hörensagen; *des ~* Gerüchte *n pl.*

ouï|e [wi] *f* Gehör; *mus arch* Schallloch *n; pl zoo* Kiemen *pl; je suis tout ~* ich bin ganz Ohr; **~r** *irr vx* (an=) hören; *jur* verhören, -nehmen.

ouistiti [wistiti] *m zoo* Pinseläffchen *n.*

ouragan [uragɑ̃] *m* Wirbelsturm; Orkan; *fig* Sturm *m.*

ourd|ir [urdir] *(Weberei)* (an=)scheren, -zetteln; *(Stroh, Weidenruten)* flechten; *mar* an=scheren; *fig* an=zetteln, -stiften; *(Plan)* schmieden; **~issage** *m (Weberei)* Anzetteln, -scheren *n;* **~isseur, se** *s m f* Anzettler(in *f*) *m; f* (Ketten-)Scher-, Zettelmaschine *f;* **~issoir** *m (Weberei)* (Ketten-)Scherrahmen *m.*

ourl|er [urle] säumen *a. fig,* ein=fassen; **~et** [-lɛ] *m* Saum; *fig* Rand *m; tech* Rundkante *f,* -falz *m; faux ~* Stoßband *n; ~ à jour, piqué* Hohl-, Steppsaum *m.*

ours [urs] *m* Bär; *fig* Brummbär; *il ne faut pas vendre la peau de l'~ avant de l'avoir tué* man soll das Fell nicht verkaufen, ehe man den Bären hat; *montreur m d'~* Bärenführer *m; pavé m de l'~* Bärendienst; *~ blanc, danseur, en peluche* Eis-, Tanz-, Teddybär *m; ~ mal léché (fig)* grobe(r) Klotz *m;* **~e** Bärin *f; la Grande O~ (astr)* der Große Bär, Wagen; *la Petite O~* der Kleine Bär; **~in** *m zoo* Seeigel *m; com vx* Bärenfell *n,* -mütze *f;* **~on** *m* junge(r) Bär; Teddyplüsch *m.*

oust(e) [ust] *interj pop* hau ab! raus! los!

outarde [utard] *f orn* Trappe *f.*

outil [uti] *m* Werkzeug *n a. fig; pop vx* Tölpel; Dussel, Depp *m; pl* Handwerkszeug, -gerät *n; acier m à ~* Werkzeugstahl *m; boîte f d'~s* Werkzeugkasten m; *~s de labourage, de jardinage* Acker-, Gartengerät *n; ~s à nettoyer* Reinigungsgerät *n; ~s (de pionnier) (mil)* Schanzzeug *n; ~ de tour (tech)* Drehstahl *m;* **~lage** [-jaʒ] *m* (gesamtes) Werkzeug, Gerät *n;* Ausrüstung *f,* Apparat(ur *f*) *m;* **~ler** mit Werkzeug(en) versehen *od* aus=rüsten; *fig* aus=rüsten, ein=richten;

être bien ~é (fig) mit allem versehen sein; **~lerie** [-jri] *f* Werkzeugfabrikation *f*, -handel *m;* **~leur** *m* Werkzeugmacher, Geräteausgeber *m min.*

outrag|e [utraʒ] *m* (schwere) Beleidigung, Beschimpfung, Verhöhnung, Verletzung *f;* Verstoß *m; faire ~ à qn* jdn (schwer) beleidigen; *~ aux bonnes mœurs (jur)* Verstoß *m* gegen die guten Sitten; *~ public à la pudeur* Erregung *f* öffentlichen Ärgernisses; *~s du temps* Zahn *m* der Zeit; **~eant, e** beleidigend, verletzend; **~er** beleidigen, beschimpfen, verhöhnen, verletzen; *(Frau)* schänden; verstoßen (*qc* gegen etw), hohn=sprechen, ins Gesicht schlagen *(der Vernunft, Wahrheit); poet (Zeit)* nagen (*qc* an e-r S); **~eusement** *adv* in verletzender Form; maßlos, bodenlos; *fam* gewaltig, schrecklich.

outranc|e [utrɑ̃s] *f* Übertreibung, Überspitztheit *f; à ~* aufs äußerste, schranken-, maßlos; bis zum letzten; **~ier, ère** [-sje, -ɛr] *a* maßlos, zum Äußersten fähig.

outre [utr] **1.** *s f* (Leder-)Schlauch *m;* **2.** *prp adv* außer *dat*, über ... hinaus *acc;* jenseits *gen;* weiter; *d'~ en ~ vx* durch und durch; *en ~* außerdem, überdies, darüber hinaus; *~ cela* außerdem; *~ mesure* über die Maßen, maßlos, übermäßig; *~ que (conj)* außer daß; abgesehen davon, daß; *passer ~* darüber hinaus=gehen; übergehen (*à qc* etw); **~-Atlantique** jenseits des Atlantiks; **~-Manche** jenseits des (Ärmel-)Kanals; **~-mer** *adv* in Übersee; *d'~* überseeisch, Übersee-; *commerce m d'~* Überseehandel *m;* **~-Rhin** *adv* jenseits des Rheins; **~-tombe:** *d'~* von jenseits des Grabes, nachgelassen.

outre|cuidance [utrəkɥidɑ̃s] *f* Überheblichkeit, Anmaßung, Vermessenheit, Unverschämtheit *f;* **~cuidant, e** überheblich, anmaßend, vermessen, unverschämt; **~mer** [-mɛr] *m* Ultramarin *m (Stein u. Farbe);* **~passer** überragen; *fig (Befugnis)* überschreiten; *pp: arc m ~é (arch)* Hufeisenbogen *m.*

outrer [utre] übertreiben, -spannen, -spitzen, auf die Spitze treiben, zu weit treiben; auf=bringen, zum Äußersten treiben; *pp* ergriffen, gepackt *fig;* entrüstet, empört, außer sich (*de colère* vor Wut).

outsider [awtsajdœr, utsidɛr] *m* Außenseiter *m.*

ouvert, e [uvɛr, -rt] offen *a. fig;* weit geöffnet; frei, zugänglich (*à* für, dat) *a. fig; fig* freimütig, offenherzig; aufgeschlossen, vielseitig; *à bras ~s (fig)* mit offenen Armen; *à bureau, guichet ~ (com)* gegen Vorlage; *à circuit ~ (el)* stromlos; *à cœur ~* offen, freimütig; *à livre ~ (mus)* vom Blatt; *avoir l'œil (l'oreille) ouvert(e) (fig)* die Augen (Ohren) offen haben; *tenir table ~e* offene Tafel halten; *compte m ~* laufende Rechnung; *crédit m ~* laufende(r) Kredit *m; esprit m ~* helle(r) Kopf *m; lettre f ~e* offene(r) Brief *m; port m ~* Freihafen *m; ville f ~e (mil)* offene Stadt *f; ~ toute l'année* ganzjährig geöffnet; **~ure** *f* Öffnung *f;* Loch *n*, Schlitz *m;* Eingang *m*, -fahrt *f;* Öffnen *n; (Straße)* Durchbruch; *(Tunnel)* Durchstich *m; fig* Offenheit; Eröffnung; Erschließung; Anlegung *f (e-s Grundbuchblattes);* erste(r) Schritt *m;* Vorverhandlung; *(Fallschirm)* Auslösung; *anat* Sektion; *arch* (Tür-, Fenster-)Öffnung *f*, Spalt *m; (Brücke)* Spannweite, lichte Weite; *math (Winkel)* Öffnung, Größe; Breite; *mus* Ouvertüre *f; tech* Maul(-weite *f*) *n;* Bohrung; *min* Flözmächtigkeit *f;* Auffahren; *(Stollen)* Mundloch *n; opt* Apertur; *phot* Blende(nöffnung) *f; el* Unterbrechen *n (des Stromkreises); loc* Stoßlücke *f* (der Schienen); *bilan, cours m d'~* Eröffnungsbilanz *f*, -kurs *m; heures f pl d'~ des guichets* Kassen-, Schalterstunden *f pl; ~ automatique (Fallschirm)* Zwangsauslösung *f; ~ de la bourse* Börsenbeginn *m; ~ de la chasse* (Er-)Öffnung *f* der Jagd; *~ de la chauffe (tech)* Schür-, Feuerloch *n; ~ commandée* Handauslösung *f; ~ de crédit* Krediteröffnung *f; ~ des débats (pol)* Verhandlungsbeginn *m; ~ d'enquête (jur)* Einleitung *f* der Untersuchung; *~ de la faillite* Konkurseröffnung *f; ~ en fondu* Aufblenden *n; ~ des hostilités (mil)* Eröffnung *f* der Feindseligkeiten; *~ pour lettres* Briefeinwurf *m; ~ du magasin, de l'entreprise* Geschäftseröffnung *f; ~ du parlement* Parlamentseröffnung *f; ~ du testament* Testamentseröffnung *f; ~ de visite (tech)* Mannloch *n; ~ du vote* Eröffnung *f* der Abstimmung.

ouvrable [uvrabl] ver-, bearbeitbar; *jour m ~* Werk-, Wochentag *m.*

ouvra|ge [uvraʒ] *m* Arbeit; Bearbeitung *f;* Werk *a. fig;* Werkstück; Bauwerk *n; min* Abbau *m*, Grubenarbeit *f; mil* Befestigungs-, Verteidigungsanlagen *f pl;* Bunker *m; avoir (du) cœur à l'~* mit Lust u. Liebe arbeiten; *laisser l'~* die Arbeit liegen=lassen; *se* *mettre à l'~* sich an die Arbeit machen; *boîte f, panier m, table f à ~* Nähkasten, -korb, -tisch *m; gros ~s (arch)* Rohbau *m; menus ~s (arch)* Ausbau *m; ~s d'art* Ingenieur-, Kunstbauten *m pl; ~ capital (wissenschaftl.)* Standardwerk *n; ~ à ciel ouvert (min)* Tagebau *m; ~s de dames* Handarbeiten *f pl; ~ en fonte (tech)* Guß(stück *n*) *m; ~ de forge* Schmiedearbeit *f; ~ gâché, méchant ~* Machwerk *n; ~s d'imagination* Unterhaltungsliteratur *f; ~ incomplet* Stückwerk *n; ~ de maçonnerie* Mauerwerk *n; ~ manuel, à la machine* Hand-, Maschinenarbeit *f; ~ de pilotis* Pfahlwerk *n,* -rost *m; ~ de référence* Nachschlagewerk *n; ~ de série(s)* Serienarbeit *f; ~ de ville (typ)* Akzidenzarbeit *f;* **~ger** sorgfältig aus=, bearbeiten; verzieren; *pp* gemustert.

ouvr|ant, e [uvrɑ̃, -t] *a* zu öffnen(d); *s m (Tür)* Blatt *n,* Flügel *m; toit m ~ (mot)* Schiebedach *n;* **~eau** *m tech* Arbeits-, Guckloch *n.*

ouvre-boîtes [uvrəbwat] *m inv* Büchsen-, Dosenöffner *m;* **~-gants** *m inv* Handschuhweiter *m;* **~-huître(s)** *m inv* Austernöffner *m;* **~-lettres** *m inv* Brieföffner *m.*

ouvr|er [uvre] (be-, ver)arbeiten; *(Papier)* schöpfen; *pp (Textil)* gewirkt; gemustert; durchbrochen; **~eur, se** *m f* Öffner(in *f*); *tech* Fertigmacher, *(Papierfabr.)* Schöpfer; *(Textil)* Zwirner *m; ~, ~euse (de loges) (theat)* Logenschließer(in *f*), *(Kino)* Platzanweiser(in *f*) *m;* **~ier, ère** [-vrije, -ɛr] *s m f* Arbeiter(in *f*) *m;* Arbeitskraft *f;* Handwerker; *fig* Schöpfer(in *f*), Urheber(in *f*) *m; a* Arbeiter-; Werk-; *fig* schaffend; *abeille f ~ère* Arbeitsbiene *f; cité f ~ère* Arbeitersiedlung *f; classe f ~ère* Arbeiterklasse *f; compagnie f d'~s (mil)* Arbeitskompanie *f; logements m ~s* Arbeiterwohnungen *f pl; parti m ~* Arbeiterpartei *f; ~ d'administration (mil)* Zivilangestellte(r) *m; ~ agricole* Landarbeiter *m; ~ du (en) bâtiment(s)* Bauarbeiter *m; ~ des chemins de fer* Bahnarbeiter *m; ~ à façon* Heimarbeiter *m; ~ forestier* Waldarbeiter *m; ~ immigré* Gastarbeiter; *~ en métaux* Metallarbeiter *m; ~ non-qualifié* ungelernte(r) Arbeiter *m; ~ aux pièces* Stükkarbeiter *m; ~ qualifié* Facharbeiter *m; ~ saisonnier* Saisonarbeiter *m; ~ spécialisé (OS)* angelernter Arbeiter; *~ à la tâche* Akkordarbeiter *m; ~ du textile* Textilarbeiter *m; ~ des transports* Transportarbeiter *m;* **~ir** *irr tr* öffnen, auf=machen; frei=geben; frei=legen, -machen; auf=stoßen, -stechen, -reißen, -ziehen; *(Buch)* auf=schlagen; *(Schirm)* auf=spannen; *(Hahn)* auf=drehen; *(Handschuhe)* weiten; an=schneiden; *(Tier)* aus=nehmen; *(Straße dem Verkehr)* übergeben; *fig* eröffnen, beginnen (*par* mit); *(den Appetit)* an=regen; *(den Geist)* wekken; *com* erschließen; *jur (Untersuchung)* ein=leiten; *tech* strecken; *el (Stromkreis)* unterbrechen; *(das Feuer)* eröffnen; *itr (Geschäft, Museum)* geöffnet sein; *(Sitzung)* eröffnet werden, an=fangen, beginnen; *(Fenster)* hinaus=gehen, -führen (*sur* auf *acc*); *s'~* sich öffnen; auf=gehen; auf=, offen=stehen; *(Tür)* hinaus=gehen, -führen *(sur* auf *acc); fig* offen=stehen; sich entfalten; sich aus=sprechen (*à* gegenüber); *côté à ~* hier öffnen! *~ un abîme* Unheil an=richten *od* stiften; *~ un compte* ein Konto eröffnen (*à* bei); *~ son cœur, son âme à qn* jdm sein Herz aus=schütten; *~ un débouché* e-n Absatzmarkt erschließen; *~ à l'exploitation* in Betrieb nehmen; *~ les gaz à fond (mot)* Vollgas geben, den Gashebel durch=treten; *~ une discussion* e-e Aussprache eröffnen (*sur* über *acc*); *~ sa maison à qn* jdn bei sich auf=nehmen; *~ une parenthèse (gram)* e-e Klammer auf=machen; *fig* ab=schweifen; *~ son sein à qn* jdn mit offenen Armen empfangen; *~ la voie à qc* etw an=bahnen; *~ le vote* die Abstimmung eröffnen.

ovaire [ɔvɛr] *m anat* Eierstock; *bot* Fruchtknoten *m.*

ov|alaire [ɔvalɛr] *a* oval; **~ale** *a* oval; *s m* Oval *n;* **~aliser (,s')** *(Reifen)* (sich) unrund laufen.

ov|arien, ne [ɔvarjɛ̃, -ɛn] *anat* Eierstock-; **~arite** *f* Eierstockentzündung *f.*

ovation [ɔvasjɔ̃] *f* Ovation *f;* **~ner** e-e Ovation bringen, zu=jubeln (*qn* jdm).

ov|e [ɔv] *m* ovale, eiförmige Verzierung *f; pl* Eierstab *m;* **~é, e** eiförmig.

ovibos [ɔvibɔs] *m zoo* Moschus-, Bisamochse *m.*

ov|icule [ɔvikyl] *m* kleine(r) ovale(r), eiförmige(r) Zierat *m;* **~iducte** *m anat* Eileiter *m;* **~iforme** *a* eiförmig.

ovin, e [ɔvɛ̃, -in] *a* Schaf-; *s m pl* Schafbestand *m.*

ov|ipare [ɔvipar] *a zoo* eierlegend; **~iscapte** *m zoo* Legeröhre *f.*

ovni [ɔvni] *m* Ufo *n.*

ov|oïde [ɔvɔid] eiförmig; **~oscope** *m* Eierprüfer *m (Gerät);* **~ulaire** *a biol* eiartig; Eizellen-; **~ulation** *f biol* Ovulation *f,* Austritt *m* der Eizelle aus dem Follikel; **~ule** *m zoo* Eizelle; *bot* Samenknospe, -anlage *f.*

oxal|ate [ɔksalat] *m chem* kleesaure(s) Salz *n;* **~ide** *f,* ~ *acide (bot)* Sauerklee *m;* **~ique** *a: acide m* ~ Oxalsäure *f.*

oxhydrique [ɔksidrik] *a chem: gaz m* ~ Knallgas *n; chalumeau m* ~ Knallgasgebläse *n.*

oxy|dable [ɔksidabl] *a chem* oxydierbar; **~dation** *f* Oxydation, Oxydierung *f;* **~de** *m* Oxyd *n;* **~der, s'** oxydieren; **~gène** *m* Sauerstoff *m; appareil à l'~, inhalateur m d'~* Sauerstoffgerät *n; bouteille f à ~* Sauerstoffflasche *f; manque m d'~* Sauerstoffmangel *m; teneur f en ~* Sauerstoffgehalt *m;* **~géné, e** *a* sauerstoffhaltig; *eau f ~e* Wasserstoff(su)peroxyd *n;* **~géner** *chem (bes. Metalloide)* mit Sauerstoff an=reichern; *(Haar)* mit Wasserstoffsuperoxyd bleichen.

oxyure [ɔksjyr] *m zoo* Spulwurm *m.*

oyant [ɔjɑ̃] : ~ *compte m (jur)* derjenige, dem Rechenschaft abgelegt wird.

ozon|ateur [ɔzɔnatœr] *m* Ozondesinfektor *m;* **~e** *m chem* Ozon *m;* **~é, e;** **~isé, e** ozonhaltig; **~iser** ozonisieren; **~iseur** *m* Ozonisierungsapparat *m;* **~ométrie** *f* Bestimmung *f* des Ozongehaltes.

P

pac|age [pakaʒ] *m* (Vieh-)Weide *f;* Weiden *n; droit m de* ~ Weiderecht *n;* ~ *alpestre* Alm *f;* ~**ager** *itr (Vieh)* weiden; *tr* weiden lassen.

pac|ane [pakan] *f* Pekannuß *f;* ~**anier** *m bot* Hickorynuß(baum *m*) *f.*

pacha [paʃa] *m* Pascha *m.*

pachyderme [paʃidɛrm] *m zoo* Dickhäuter *m.*

pacif|icateur, trice [pasifikatœr, -tris] *a* friedenstiftend; *s m f* Friedensstifter(in *f*) *m; tentative f* ~*trice* Vermittlungsversuch *m;* ~**ication** *f* Wiederherstellung *f* des Friedens (*de* zwischen); Befriedung *f;* ~**ier** [-fje] den Frieden wiederher=stellen (*les partis* zwischen den Parteien); befrieden, beruhigen; ~**ique** [-fik] *a* friedlich, -liebend, -fertig, verträglich; Friedens-; *P*~ *s m, océan m P*~ Stille(r) Ozean, Pazifik *m;* ~**isme** *m pol* Pazifismus *m;* ~**iste** *a* pazifistisch; Friedens-; *s m f* Pazifist(in *f*) *m.*

pack [pak] *m geog* Packeis *n.*

pacotille [pakɔtij] *f mar* Beifracht, -last *f,* Freigepäck *n; allg* (Waren-) Posten *m;* Bündel *n; fam* Ausschußware *f,* Ramsch, Schund *m; de* ~ wertlos.

pacquer [pake] *(Fische)* in Fässer (ver)packen.

pact|e [pakt] *m* Pakt, Vertrag *m;* Bündnis *n;* Abmachung, Übereinkunft *f,* Abkommen *n; faire un* ~ e-n Vertrag (ab=)schließen; ~ *commissoire (jur)* Verfall(s)klausel *f;* ~ *de non--agression* Nichtangriffspakt *m;* ~ *de réserve de propriété* Eigentumsvorbehalt *m;* ~**iser** e-n Vertrag (ab=) schließen; sich ein=lassen; unter e-r Decke stecken; sich vergleichen, sich ab=finden (*avec* mit).

pactole [paktɔl] *m* Quelle *f* des Reichtums.

paddock [padɔk] *m* Pferdekoppel *f; arg* Bett *n,* Falle *f.*

paf [paf] *interj* paff! bums! *a inv pop* besoffen.

pagaie [pagɛ] *f* Paddel *n;* ~ *simple, double* Stech-, Doppelpaddel *n.*

pag|aïe [pagaj], ~**aille,** ~**aye** [-aj] *f fam* Unordnung *f,* Durcheinander *n,* Wirrwarr *m; en* ~ durcheinander; *pop* in Masse(n).

paganisme [paganizm] *m* Heidentum *n.*

pagayer [pagɛje] paddeln.

pag|e [paʒ] **1.** *f* (Buch-)Seite; *fig* Seite *f,* Blatt *n; en* ~ *3* auf Seite 3; *commencer une (belle)* ~ mit e-r neuen Seite, e-m neuen Blatt beginnen; *être à la* ~ *(fam fig) (geistig)* folgen (können); auf dem laufenden, im Bilde, auf der Höhe (der Zeit) sein; *n'être pas à la* ~ nicht mit=kommen; *mettre en* ~*s (typ)* umbrechen; *tourner la* ~ *fig* zu etw anderem über=gehen; *mise f en* ~*s (typ)* Umbruch *m; première* ~ Titelseite *f; quatrième* ~, ~ *d'annonces, de publicité (Zeitung)* Anzeigenteil *m;* ~ *blanche, vierge* unbedruckte, unbeschriebene, leere, freie Seite; Schmutzseite *f;* ~ *de couverture, intérieure, specimen, mobile, rédactionnelle, sportive, de titre* Umschlag-, Innen-, Probe-, Stopf-, Text-, Sport-, Titelseite *f;* ~ *de droite, impaire* ungerade numerierte S.; ~ *en marge perdue* druckangeschnittene S.; **2.** *m* Page; *hist* Knappe *m; a (Textil)* Knaben-; ~**eot, pajot** [-ʒo] *m arg mil* Falle *f,* Bett *n;* ~**ination** *f* Paginierung *f;* ~**iner** paginieren.

pagne [paɲ] *m* (Lenden-)Schurz *m.*

pagode [pagɔd] *f* Pagode *f; a: manche f* ~ Pagodenärmel *m.*

paie, ~**ment** *s. paye, payement;* ~**rie** [pɛri] *f* Finanzkasse *f.*

païen, ne [pajɛ̃, -ɛn] *a* heidnisch; *s m f* Heide *m,* Heidin *f a. fig; jurer comme un* ~ wie ein Kutscher fluchen.

paill|ard, e [pajar, -ard] *s m f fam* Wüstling, geile(r) Bock *m; a* geil; ~**ardise** *f* Geilheit; Ausschweifung, Unzucht *f; pl* Zoten *f pl.*

paill|asse [pajas] *f* Strohsack *m;* Herdmauer *f;* Labortisch *m; pop* Soldatenliebchen *n; m* Hanswurst, dumme(r) August *m; fam pol* Wetterfahne *f;* ~**asson** *m* (Stroh-, Binsen-) Matte *f;* (Fuß-)Abtreter *m;* Strohgeflecht *n;* Paillassonhut *m; fam* Flittchen, lose(s) Mädchen *n;* ~**assonner** mit Stroh-, Binsenmatten bedecken.

paill|e [pɑːj] *f* Stroh(halm *m*) *n; com* Bund *n* Stroh; Strohhut *m; fig* Spreu *f;* Splitter *m* im Auge des Nächsten; *tech* Fehler, Sprung, Riß; Fleck *m* im Diamant; *m* Strohfarbe *f; a inv* strohfarben; *sur la* ~ im äußersten Elend; *mettre sur la* ~ an den Bettelstab bringen; *tirer à la courte* ~ Hälmchen ziehen, auslosen; *botte f, chapeau, feu, homme m de* ~ Strohbündel *n*, -hut *m*, -feuer *n a. fig*, -mann *m a. fig;* ~ *d'acier* Stahlspäne *m pl;* ~ *comprimée, fourrageuse* Preß-, Futterstroh *n;* ~ *hachée* Häcksel *n* od *m;* **~é, e** *a* strohfarben; *tech* rissig, brüchig; *(Diamant)* fleckig; *s m* frische(r), Stallmist *m;* **~er 1.** *s m* Strohhaufen *m*, -dieme *f*, -schuppen; Misthaufen *m;* **2.** *v agr* mit Stroh abdekken, umhüllen, aus⸗stopfen; *(Stuhl)* mit Stroh (aus⸗)flechten; **~et** [-ε] *s m, a: vin m* ~ Bleichert *m; mar* (Schutz-) Matte *f*.

paill|eté, e [pajte] mit Pailletten besetzt; *fig* übersät (*de* mit); **~eter** mit Pailletten besetzen; *(Sonne)* glitzern, funkeln lassen; **~eteur** *m* Goldwäscher *m;* **~ette** *f* Flitter *m*, Paillette *f;* Goldkörnchen *n (im Flußsand);* Fleck *m* (im Diamant); *savon m en* ~*s* (Seifen-)Flocken *f pl*.

paill|eur, se [pajœr, -øz] *s m* Strohhändler *m; f pop* Seegras *n;* **~eux, se** *a* aus Stroh; Stroh-; *(Metall)* rissig, brüchig; *(Dünger)* unvollständig; *toile f* ~*se* grobe Packleinwand *f;* **~is** [-i] *m* Streu *f (auf Gartenbeeten);* **~on** *m* Strohwisch *m;* Stroh-, Binsenhülse *(für Flaschen); (Kettchen)* Masche; *tech* plattierte Kupferfolie *f;* (Stroh-, Weiden-)Korb *m;* **~ot** [-o] *m* kleine(r) Strohsack *m;* **~ote** *f* Strohhütte *f*.

pain [pε̃] *m* Brot *n a. fig;* Lebensunterhalt *m; (Seife, Butter)* Stück *n, (Seife)* Block, Riegel *m; (Eis)* Stange *f;* Trester *pl;* Kuchen; Klumpen *m; Art* Pastete *f (aus Bröseln); au* ~ *et à l'eau* bei Wasser u. Brot; *avoir son* ~ *cuit* sein Brot haben, *du* ~ *sur la planche* viel zu tun haben; *demander, mendier son* ~ von Almosen leben; *manger son* ~ *blanc le premier* das Gute vorweg genießen; *s'enlever comme des petits* ~*s* wie warme Semmeln abgehen; *s'ôter le* ~ *de la bouche* sich das Brot vom Munde absparen; *faire passer, perdre le goût du* ~ *à qn* jdn umkommen lassen; *promettre plus de beurre que de* ~ das Blaue vom Himmel versprechen; *petit* ~ Brötchen *n*, Semmel *f;* ~ *azyme* Matze(n *m*) *f;* ~ *bénit* geweihte(s) Brot *n; fig* wohlverdiente(r) Lohn *m;* ~ *bis* Misch-, Graubrot *n;* ~ *blanc* Weißbrot *n;* ~ *à café* Doppelbrötchen *n;* ~ *chapelé* knusprige(s) B.; ~ *complet* Vollkornbrot *n;* ~ *d'épice(s)* Leb-, Honigkuchen *m;* ~ *grillé* Röstbrot *n*, Toast *m;* ~ *long* Stange *f* B.; ~ *de ménage, de cuisson* Land-, Bauernbrot *n;* ~ *de mie* Brot *n* mit wenig Kruste; ~ *mollet, à la reine* Milchbrötchen *n;* ~ *de munition* Kommißbrot *n;* ~ *noir* Schwarzbrot *n;* ~ *perdu (Art)* arme Ritter *m pl;* ~ *rassis* alt(backen)e(s) Brot *n;* ~ *de régime* Diätbrot *n;* ~ *de rive, riche, de fantaisie* mit Eigelb bestrichene(s), feine(s) Weißbrot *n;* ~ *de sucre* Zuckerhut *m;* ~ *de trouille* Ölkuchen *m;* ~ *viennois* Milchweißbrot *n*.

pair, e [pεr] *a (Zahl)* gerade; *zoo bot* paarig; *s m com* Pari(tät *f*) *n*, gleiche(r) Wert *m; hist* Pair, *(engl.)* Peer *m; f* Paar; *(Pferde)* Gespann; *(Ochsen)* Joch *n; au* ~ für Kost und Logis *(arbeiten); com* al pari, zum Nennwert; *de* ~ auf gleicher Stufe; ebenbürtig; *hors (de)* ~ unerreicht, konkurrenzlos; *sans* ~ einzigartig, unvergleichlich; *son, ses* ~*(s)* seines-, ihresgleichen; *aller de* ~ *(à compagnon [vx])* auf gleichem Fuß stehen (*avec qn* mit jdm); *(Sache)* gleichzeitig auf⸗treten; sich gegenseitig bedingen; *faire la* ~*e* ein Paar sein; zs.⸗passen; *se faire la* ~*e (fam)* das Weite suchen, aus⸗rücken; *cours m du* ~ Parikurs *m;* ~*e d'amis* Freundespaar *n;* ~*e de ciseaux* Schere *f;* ~*e de lunettes* Brille *f;* **~esse** *f* Frau *f* e-s Pair *od* Peer; **~ie** *f* Pairs-, Peerswürde *f*.

paisible [pe(ε)zibl] friedlich, -fertig; ruhig, still; *jur* ungestört, unangefochten.

paiss|ant, e [pεsɑ̃, -ɑ̃t] *a* weidend; **~on** *f vx* (Vieh-, *bes.* Schweine-)Weide(n *n*) *f; tech* Streckeisen *n*.

paître [pεtr] *irr tr itr* weiden, äsen, (ab⸗)grasen; *envoyer* ~ *(fam)* zum Teufel jagen; *faire* ~ atzen, füttern.

paix [pε] *f* Friede(n) *m;* Eintracht, Ruhe (u. Ordnung); (Seelen-)Ruhe; (ewige) Seligkeit; Stille *f*, Schweigen *n; en* ~ in Ruhe, Frieden; *en temps de* ~ in Friedenszeiten; *pour avoir la* ~ um des lieben Friedens willen; *ne donner ni* ~ *ni trêve à qn* jdn nicht in, jdm keine Ruhe lassen; *faire la* ~ *avec qn* jdn, sich mit jdm aus⸗söhnen; *ficher (fam), foutre (vulg) la* ~, *laisser en* ~ in Ruhe lassen; ~ *à ses cendres!* Friede seiner Asche! ~ *(donc)!* Ruhe! still! *la* ~ *amasse, la guerre dissipe* Friede ernährt, Unfriede verzehrt; *ange m de* ~ *(fig)* Friedensengel *m; conclusion f de la* ~ Friedensschluß *m; conditions, négociations f pl de* ~ Friedensbedingungen, -verhandlungen *f pl;* ~ *armée* bewaffnete(r) Frieden *m;*

~ *de Dieu (hist)* Gottesfrieden *m;* ~ *fourrée* Scheinfrieden *m;* ~ *mondiale, du monde* Weltfrieden *m;* ~ *séparée* Separatfrieden *m.*
Pakistan, le [pakistɑ̃] Pakistan *n;* **p~ais, e** pakistanisch; *P~, e* Pakistani *m f.*
pal [pal] *m* Pfahl *m.*
pala|bre [palabr] *f u. m* Palaver; Geschwätz *n;* **brer** *fam* schwatzen.
palace [palas] *m* Luxushotel *n.*
paladin [paladɛ̃] *m hist* Paladin; *fam fig vx* Gentleman *m.*
palais [palɛ] *m* **1.** Palast *m,* Palais; Gericht(sgebäude) *n;* (Rechts-)Anwaltsberuf; **2.** *anat* Gaumen; *fig* Geschmack *m; jour m de* ~ Gerichts-, Sitzungstag *m; style m du* ~ Gerichtsstil *m,* Juristensprache *f;* ~ *artificiel (med)* Gaumenplatte *f;* ~ *de justice* Justizpalast *m,* Gerichtsgebäude *n;* ~ *des sports* Sportpalast *m.*
palan [palɑ̃] *m* Zugwinde *f,* Flaschenzug *m; mar* Takel *n,* Talje *f;* ~ *roulant* Laufkatze *f;* **~che** *f* Tragejoch *n (für Eimer);* **~çons** *m pl arch* Stakung *f.*
palan|que [palɑ̃k] *f mil* Palisadenwand *f;* **~quer** *itr mar* auf=ziehen; *tr* mit Palisaden befestigen.
palastre [palastr], **~âtre** *m tech* Schloßkasten *m.*
palatal, e [palatal] *a anat gram* Gaumen-; *s f* Gaumenlaut *m.*
palatin, e [palatɛ̃, -in] *1. anat* Gaumen-; **2.** Palast-; *hist* Pfalz-; *geog* pfälzisch; **P~at, le** [-na] *geog* die Pfalz *f.*
pale [pal] *f* **1.** *tech* Blatt *n,* Schaufel *f,* Flügel; **2.** *rel* Kelchdeckel *m;* ~ *d'aviron, d'hélice* Ruder-, Propellerblatt *n.*
pâle [pɑl] blaß, bleich, fahl; glanzlos, matt, trübe; schwach; *(Stil)* farb-, ausdruckslos; *arg mil* krank; *visage m* ~ Bleichgesicht *n;* ~*s couleurs f pl med* Bleichsucht *f.*
palée [pale] *f* Pfahlwerk *n;* ~ *de pont* Brückenjoch *n.*
palefrenier [palfrənje] *m* Stall-, Reitknecht *m.*
palémon [palemɔ̃] *m* Garnele, Krabbe *f.*
palé|ographe [paleɔgraf] *m* Paläograph *m;* **~ographie** *f* Paläographie *f;* **~ographique** paläographisch; **~olithique** *a* paläolithisch, altsteinzeitlich; *s m* Paläolithikum *n,* ältere Steinzeit *f;* **~ontologie** *f* Paläontologie *f;* **~ontologique** paläontologisch; **~ontologiste, ~ontologue** *m* Paläontologe *m;* **~ozoïque** *a* paläozoisch; *s m* Paläozoikum, Erdaltertum *n.*
paleron [palrɔ̃] *m (Ochse, Pferd)* Schulterstück *n,* Bug *m.*
Palesti|ne, la [palɛstin] Palästina *n;* **~nien, ne** *a* palästinensisch; *s m f P~* Palästinenser(in *f*) *m.*
palet [palɛ] *m* Wurf-, Eishockeyscheibe *f,* Puck *m.*
paletot [palto] *m* Paletot, Überzieher; dreiviertellange(r) (Damen-)Mantel *m.*
palette [palɛt] *f* Palette *a. fig; tech* Schaufel *f,* Flügel *m;* (Aufzieh-)Brett *n; el* Anker *m;* Ladepritsche *f; (Schwein, Hammel)* Schulterstück, Blatt *n; (Damhirsch)* Schaufel *f; fam anat* Schulterblatt *n;* Kniescheibe; *arg* Hand *f; roue f à* ~*s* Schaufelrad *n;* ~ *de marchepied (loc)* Trittbrett *n.*
palétuvier [paletyvje] *m* Mangrove(nbaum *m*) *f.*
pâl|eur [pɑlœr] *f* Blässe; bleiche, fahle Farbe *f;* **~ichon, ne** *fam* etwas blaß.
pal|ier [palje] *m* Treppenabsatz, -flur *m,* Podest *n; loc mot* horizontale Strecke *f; tech* Lager *n; fig* Stufe *f,* Niveau *n; par* ~*s (fig)* stufenweise; *position f de vol en* ~ Normalfluglage *f;* ~ *d'application* Richtlinien *f pl;* ~ *(articulé) à billes* Kugel(gelenk)lager *n;* ~ *de vilebrequin, de manivelle* Kurbelwellenlager *n;* **~ière** *s f* u. *a: marche f* ~ oberste (Treppen-)Stufe *f.*
pal|ification [palifikasjɔ̃] *f arch* Pfahlgründung *f;* **~ifier** [-fje] auf Pfähle gründen.
palimpseste [palɛ̃psɛst] *m* Palimpsest *m* od *n.*
palingénésie [palɛ̃ʒenezi] *f rel* Wiedergeburt *f.*
palinodie [palinɔdi] *f* Zurücknahme *f (des Gesagten),* Widerruf *m; chanter la* ~ *vx* das Gesagte zurück=nehmen.
pâlir [pɑlir] *itr* blaß, bleich werden, erblassen (*de* vor *dat*); *(Licht)* schwächer werden, nach=lassen; *(Farbe)* verblassen *a. fig; tr* blaß machen; (aus=)bleichen; *faire* ~ *(fig)* in den Schatten stellen; *son étoile pâlit (fig)* sein Stern ist im Sinken.
palis [pali] *m* (Zaun-, Schanz-)Pfahl; (Pfahl-)Zaun *m;* **~sade** [-sad] *f* (Pfahl-)Zaun *m; mil* Palisade *f; en* ~ *(Hecke, Alleebäume)* wandartig beschnitten; **~sader** ein=, umzäunen; *(Hecke)* wandartig beschneiden.
palissage [palisaʒ] *m agr* Anspalieren; Spalier *n.*
palissandre [palisɑ̃dr] *m* Palisander(holz *n*) *m.*
palisser [palise] *agr* an=spalieren.
palisson [palisɔ̃] *m (Gerberei)* Stollen *m;* **~ner** *(Gerberei)* aus=stollen.

palli|atif [paljatif] *s m* Linderungsmittel *n;* Notbehelf *m;* **~er** bemänteln, vertuschen, verschleiern; *med* (vorübergehend) lindern, erleichtern; *allg (Mangel)* ab=stellen, beheben.

palm|aire [palmɛr] *a med* (Hohl-) Hand-; Innen-; **~arès** [-arɛs] *m* Hitliste *f; sport* Preis *m;* **~arium** [-arjɔm] *m* Palmenhaus *n;* **~e** *f* Palm(en)zweig *m; sport* Schwimmflosse *f; fig* (Sieges-)Palme *f; remporter la ~* den Sieg davon=tragen; *à vous la ~!* Sie sind der Beste! **~é, e** *zoo* mit Schwimmhaut versehen; *bot* handnervig; *pied m (patte f) ~(e)* Schwimmfuß *m;* **~er 1.** *v (Nadelköpfe)* ab=platten; **2.** [-ɛr] *s m* Mikrometer *n;* **~eraie** [-mə-] *f* Palmenhain *m;* **~ette** *f* Palmette *f;* **~ier** [-mje] *m* Palme *f,* Palmbaum *m;* Schweinsohr *n (Gebäck); ~ nain* Zwergpalme *f;* **~ipèdes** *m pl* Schwimmvögel *m pl;* **~iste** *m* Palmenkohl *m;* **~ite** *m* Palmenmark *n;* **~ure** *f zoo* Schwimmhaut *f (zwischen den Zehen).*

palombe [palɔ̃b] *f* Ringeltaube *f.*

palonnier [palɔnje] *m (Wagen)* Ortscheit *n; mot* Bremsausgleich; *aero* Steuerhebel *m,* -pedal *n.*

palourde [palurd] *f Art* (eßbare) Muschel *f.*

pâlot, te [palo, -ɔt] etwas blaß, bläßlich.

palp|able [palpabl(ə)] greifbar, berührbar; *fig* handgreiflich, mit Händen zu greifen(d); **~ation** *f med* Abfühlen, -tasten *n;* **~e** *m zoo* Palpe *f,* Taster *m;* **~ébral, e** *a anat* Augenlid-; **~er** be-, ab=fühlen, -tasten; *fam (Geld)* ausbezahlt bekommen; **~eur** *m tech* Abtastkopf *m.*

palp|itant, e [palpitɑ̃, -t] *a* zuckend, zitternd; *fig* ergreifend, fesselnd, brennend; **~itation** *f* Zucken, Zittern *n; fig* Erregung *f; pl* Herzklopfen *n;* **~iter** zucken, zittern (*de joie* vor Freude); *(Herz)* klopfen, pochen; Herzklopfen haben; *(Busen)* wogen; *fig* Leben haben.

palplanche [palplɑ̃ʃ] *f arch tech* Spundbohle *f.*

paltoquet [paltɔkɛ] *m fam vx* Lümmel; Taugenichts, Tagedieb *m.*

paluche [palyʃ] *f arg* Hand *f.*

pal|udéen, ne [palydeɛ̃, -ɛn] *a* Sumpf-; *fièvre f ~ne,* **~udisme** *m* Sumpffieber *n,* Malaria *f;* **~udier** [-dje] *m* Arbeiter *m* an den Meersalinen; **~ustre** *a bot zoo* Sumpf-.

pâm|er [pame] , *se ~* ohnmächtig werden; *fig* außer sich sein (*de* vor *dat*); *(se) ~ de joie* vor Freude außer sich, *fam* aus dem Häuschen sein; *(se) ~ de rire* sich vor Lachen nicht halten können, sich kranklachen, tot=lachen (wollen); **~oison** *f* Ohnmacht *f.*

pamphl|et [pɑ̃flɛ] *m* Pamphlet *n,* Flug-, Streit-, Schmähschrift *f;* **~étaire** *m* Pamphletist *m.*

pamplemousse [pɑ̃pləmus] *m* od *f* Pampelmuse *f,* Grapefruit *f.*

pampre [pɑ̃pr] *m* Weinranke *a. arch;* Rebe *f.*

pan [pɑ̃] **1.** *interj.* bum(s)! pardauz! **2.** *s m* (großes) Stück *n (Stoff),* Bahn *f,* Schoß *m;* (Mauer-, Wand-)Fläche, Füllung *f;* Feld, Fach; Fassadenelement *n;* Kalbslende *f (mit Keule); clé f, écrou m à quatre ~s* Vierkantschlüssel *m,* -mutter *f; ~ de bois (arch)* Fachwerk *n; ~ de comble* Dachschräge *f; ~ coupé* abgeschrägte Kante, Schrägkante *f; ~ d'habit* Frackschoß *m; ~ de pignon* Giebelwand *f.*

panacée [panase] *f* Allheil-, Universalmittel *n.*

panachage [panaʃaʒ] *m parl* Panaschiersystem, Panaschieren *n.*

panache [panaʃ] *m* Helm-, Federbusch *m;* (Rauch-)Fahne; *fam fig* Pracht; wirkungsvolle Aufmachung *f;* glanzvolle(s) Auftreten *n;* glänzende Begabung *f; bot* andersfarbige(r) Streifen *od* Fleck *m.*

panach|é, e [panaʃe] *a fam fig* bunt, gemischt; wirr; *(Küche)* gemischt; *bot* buntgestreift, gefleckt; *glace f ~e* gemischte(s) (Speise-)Eis *n; haricots m pl ~s* gemischte (weiße u. grüne) Bohnen *f pl; salade f ~e* gemischte(r) Salat m; *s m* Mischung *f* von Bier und Limonade; **~er** *tr* mit e-m Helm-, Federbusch verzieren; bunt heraus=putzen; mischen; *itr* bunt werden; **~ure** *f* bunte(r) Fleck *od* Streifen; Kontraststreifen *m.*

panade [panad] *s f* Brotsuppe *f; être dans la ~ (fig fam)* in der Tinte sitzen.

panais [panɛ] *m bot* Pastinake *f.*

panama [panama] *m* Panama(hut) *m.*

Paname [panam] *m arg* Paris *n.*

panard [panard] *m pop* Fuß *m.*

panaris [panari] *m* Nagelgeschwür *n,* Umlauf *m.*

pancarte [pɑ̃kart] *f* Plakat *n,* Anschlag *m;* Schild *n.*

panchromatique [pɑ̃krɔmatik] *phot* panchromatisch.

pan|créas [pɑ̃kreas] *m* Bauchspeicheldrüse *f;* **~créatique** *a* Bauchspeicheldrüsen-.

panda [pɑ̃da] *m* Panda, Katzenbär *m.*

pandémonium [pɑ̃demɔnjɔm] *m fig vx péj* Stätte *f* des Lasters.

pandore [pɑ̃dɔr] *m fam* Schupo *m.*
pandour [pɑ̃dur] *m fig vx* Rohling, brutale(r) Mensch *m.*
pan|égyrique [paneʒirik] *m* Lobrede *f;* **~égyriste** *m* Lobredner *m.*
paner [pane] *(Küche)* panieren.
pan|eterie [pantri] *f* Brotkammer, -ausgabestelle *f;* **~etier** [-tje] *m* Brotverwalter; *mar* Bordbäcker *m;* **~etière** *f* Brotbeutel *m;* Brottrommel, -büchse, -kapsel *f;* **~eton** *m* (Brot-)Teigkorb *m.*
Pan|europe, la [panørɔp] Paneuropa *n;* **~germaniste** *a* alldeutsch.
panic [panik] *m* Hirse *f.*
panicaut [paniko] *m bot* Mannstreu *f.*
pan|icule [panikyl] *f bot* Rispe *f;* **~iculé, e** rispenförmig.
panier [panje] *m* Korb; Bienenkorb; Reifrock *m; sot comme un ~* bodenlos dumm; *faire danser l'anse du ~* Schmu machen; in die eigene Tasche arbeiten; *jeter au ~* in den Papierkorb werfen; *mettre dans le même ~* über e-n Kamm scheren; *mettre tous ses œufs dans le même ~* alles auf eine Karte setzen; *antenne f en ~* Korbantenne *f; le dessus du ~* das Beste, das Feinste; *fond m du ~* Ausschuß *m; robe f à ~s* Reifrock; *~ à argenterie, à bouteilles, à linge, aux ordures, d'osier, à ouvrage, à pain, à papier(s), à provisions* (Silber-)Besteck-, Flaschen-, Wäsche-, Abfall-, Weiden-, Näh-, Brot-, Papier-, Einkaufskorb *m; ~ de bonde* (Fisch-) Reuse *f; ~ de crabes (fig)* Wespennest *n; ~ percé (fig)* Verschwender *m; ~ à salade* Salatkorb *m; pop* grüne Minna *f.*
pan|ifiable [panifjabl] *a: céréales f pl ~s* Brotgetreide *n;* **~ification** *f* Brotbereitung *f;* **~ifier** [-fje] zu Brot verarbeiten.
pani|que [panik] panisch; *terreur f ~* panische(r) Schrecken *m; s f* Panik *f;* **~qué, e** *fam* durchgedreht, in Panik; *j'étais complètement ~* Ich habe völlig durchgedreht; **~quer** *fam tr* in Panik versetzen; *itr* in Panik geraten, durch=drehen; *se~ (fam)* in Panik geraten, durch=drehen.
pann|e [pan] *f* **1.** *vx* Felbel *m (Stoff);* Segel *n pl (e-s Schiffes);* **2.** *mot* Schaden, Defekt *m,* (Betriebs-)Störung, Panne; **3.** *theat arg* schlechte Rolle; **4.** (Dach-)Pfette; **5.** (Hammer-) Finne; **6.** *(Schwein)* Finne *f; avoir une ~* e-e Panne haben; aus=fallen; *être dans la ~ (pop)* auf dem trockenen sitzen, in Not sein; *être en ~ de qc (fam)* etw vermissen, um etw verlegen sein; *mettre en ~ (mar)* bei=drehen; *rester en ~ (mar)* still=liegen *mot* e-e Panne haben; liegen=, *fig* stecken=bleiben; *tomber en ~* e-e Panne haben; *allg* kaputt=gehen; *~ de courant* Stromunterbrechung *f,* -ausfall *m; ~ d'essence, sèche (mot)* Benzinmangel *m; ~ de moteur* Motorstörung *f; ~ de nuages* Wolkenstreifen *m;* **~é, e** *a fam* in Not, ohne e-n Pfennig.
pann|eau [pano] *m* **1.** Füllung, Fläche, Seite *f,* Feld *n;* Platte *f;* Sattelkissen *n; tech* Lehre, (Profil-)Schablone, (Schalt-)Tafel *f;* Lichtsignal, Schaltfeld *n;* **2.** (Fang-)Netz, Garn *n;* **3.** *(Textil)* Bahn *f,* Blatt; *aero* Fliegertuch *n;* (Vorhang-)Store; **4.** *min* Abbauabschnitt *m; tomber, donner dans le ~ (fig)* ins Garn, auf den Leim gehen, sich an=führen lassen; *~ d'affichage* Anschlagtafel *f,* -brett; Plakat *n; ~ avant* Stirnplatte *f; ~-cible m* Zielscheibe *f; ~ de compteurs, de fusibles (el)* Zähler-, Sicherungstafel *f; ~ de contre-plaqué* Sperrholzplatte *f; ~ de déchirure (aero)* Reißbahn *f; ~ dur* Hartfaserplatte *f; ~ de fibres de bois isolant* Holzfaserplatte *f; ~ illuminé* Leuchtfläche *f; ~ métallique* Blechschild *n; ~ mural* Wandschild *n; ~ parafoudre* Blitzschutztafel *f; ~ publicitaire, ~-réclame m* Reklametafel *f; ~ routier* Reklame-, Werbeschild *n* an der Straße; *~ de signalisation* Verkehrsschild *n;* Winkerkelle *f;* **~eauter** mit Netzen fangen.
pannequet [pankɛ] *m (Art)* Pfannkuchen *m.*
pann|er [pane] *tech* finnen; **~eresse** *f arch* Läufer, Strecker *m (Stein).*
panneton [pantɔ̃] *m* (Schlüssel-)Bart *m.*
pannicule [panikyl] *m med* Hornhautpannus *m; ~ graisseux, adipeux (anat)* Fettpolster *n.*
panonceau [panɔ̃so] *m* (Notariats-) Schild *n.*
panoplie [panɔpli] *f* (vollständige) Ritterrüstung *f;* Sortiment *n,* Satz, Karton *m* Spiel-, Werkzeug; Waffensammlung *f.*
panora|ma [panɔrama] *m* Panorama *n,* Rundblick *m;* **~mique** mit schöner Aussicht.
pansage [pɑ̃saʒ] *m (Pferd)* Putzen *n.*
panse [pɑ̃s] *f zoo* Pansen; *fam* Wanst; *(Flasche)* Bauch *m; (Buchstabe)* Rundung; *(Glocke)* Wölbung *f; crever la ~* tot=schlagen *(à qn* jdn); *il a les yeux plus grands que la ~* s-e Augen sind größer als sein Magen.
pans|ement [pɑ̃smɑ̃] *m med* Verband *m; appliquer, mettre un ~* e-n Ver-

band an=legen; *boîte f à ~, trousse f de ~* Verbandskasten *m*, -zeug *n; premier ~, ~ provisoire, d'urgence* Notverband *m; ~ de fortune* behelfsmäßige(r) Verband *m; ~ protecteur* Schutzverband *m;* **~er** *(Wunde, Kranken)* verbinden; *(Pferd)* putzen, striegeln; **~u, e** *a* dickbäuchig: *(Flasche)* bauchig; *s m f* Dick-, Fettwanst *m.*

pant|alon [pɑ̃talɔ̃] *m* (lange) Hose *f; ~ à bavette, à bretelles, corsaire, en flanelle, fuseau, d'homme, de sport* Latz-, Träger-, Dreiviertel-, Flanell-, Keil-, Herren-, Sporthose *f; ~ collant* enganliegende H.; *~ de dame* Slacks *pl;* **~alonnade** [-lɔ-] *f* Schwank *m*, Posse; faule Ausrede; Finte *f.*

pante [pɑ̃t] *m arg* Gimpel, dumme(r) Kerl *m.*

pantelant [pɑ̃təlɑ̃, -t] *a* keuchend; zuckend.

panthéist(iqu)e [pɑ̃teist(ik)] *a* pantheistisch.

panthère [pɑ̃tɛr] *f* Panther *m; fam* Ehefrau *f; ~ des neiges* Schneeleopard *m.*

pantière [pɑ̃tjɛr] *f* (großes) Vogelnetz *n;* Schlinge; Jagdtasche *f.*

pantin [pɑ̃tɛ̃] *m* Hampelmann *m a. fig.*

pantographe [pɑ̃tɔgraf] *m* Storchschnabel; Scherenstromabnehmer *m.*

pantois [pɑ̃twa] *a* verdutzt, verblüfft.

pantomime [pɑ̃tɔmim] *f* Pantomime *f*, Gebärdenspiel *n;* Pantomimik *f.*

pant|ouflard, e [pɑ̃tuflar, -d] *s m* Stubenhocker; *a* spießig; **~oufle** *f* Hausschuh *m; ~ en feutre* Filzpantoffel *m;* **~oufler** *fam* den Staatsdienst quittieren, um in ein Privatunternehmen zu gehen.

panure [panyr] *f* Paniermehl *n.*

paon [pɑ̃] *m orn* Pfau *m;* Pfauenauge *n (Schmetterling); fig* eitle(r), aufgeblasene(r) Mensch *m; se parer des plumes du ~ (fig)* sich mit fremden Federn schmücken; **~ne** [pan] *f* Pfauhenne *f;* **~neau** *m* Pfauküken *n.*

papa [papa] *m* Papa, Pappi, Vati *m; à la ~ (fam)* ganz gemütlich; schlicht (u. einfach), ohne Umstände; überholt, veraltet.

papal, e [papal] *a* päpstlich.

papas [papas] *m* Pope *m (im Orient).*

papauté [papote] *f* Papstwürde *f*, -tum *n.*

papavéracées [papaverəse] *f pl* Mohnpflanzen *f pl.*

pape [pap] *m* Papst *m.*

pap|elard [paplar] *s m f* Stück *n* Papier, Wisch *m (fam);* Heuchler(in *f*) *m;* Scheinheilige(r *m*); *m arg* Zeitung *f; a* heuchlerisch, scheinheilig; **~elardise** *f* Heuchelei, Scheinheiligkeit *f;* **~erasse** *f* Wisch, Fetzen *m* (Papier), Makulatur *f;* **~erasser** *vx* in alten Papieren (herum=)kramen; Papier verschmieren; **~erasserie** *f* Papierwust, Berg *m* Papier; Papierkrieg *m;* **~erassier, ère** *a* gern in Papieren wühlend; dummes Zeug schreibend; *sm* Federfuchser *m. fam* Bürohengst *m.*

papesse [papɛs] *f* Päpstin *f.*

pap|eterie [papɛtri] *f* Papierfabrik, -fabrikation *f*, -handel *m*, -geschäft *n*, Schreibwaren(handlung *f*) *f pl;* **~etier, ère** [-p(ə)-] *s m f* Papierfabrikant; Schreibwarenhändler(in *f*) *m.*

papier [papje] *m* Papier; Schreiben, Schriftstück *n;* (Zeitungs-)Artikel; *com* Wechsel *m; pl* (Ausweis-)Papiere *n pl; à grand (petit) ~ (Buch)* breit- (schmal-)randig; *sur le ~ (fig)* auf dem Papier; *être dans les petits ~s, bien (mal) dans les ~s de qn* bei jdm gut (schlecht) angeschrieben sein; *être (écrit) sur les ~s de qn* bei jdm in Kreide stehen, Schulden haben; *jeter, mettre, coucher sur le ~* zu Papier bringen; *rayez, ôtez cela de vos ~s* damit können Sie nicht rechnen; *le ~ souffre tout (prov)* Papier ist geduldig; *cours m ~* Briefkurs *m; vieux ~s* Altpapier *n*, Makulatur *f; ~s d'affaires* Geschäftspapiere *n pl; ~ d'aluminium* Silberpapier *n;* Alu(minium)folie *f; ~ autographique* Wachsmatrize *f; ~s de bord* Schiffspapiere *n pl; ~ brouillon* Konzeptpapier *n; ~ buvard,* Löschpapier *n; ~-cadeau m* Geschenkpapier *n; ~ calandré, teinté* satinierte(s), getönte(s) P.; *~ carbone* Kohle-, Durchschreibpapier *n; ~ de chiffons* Hadernpapier *n; ~ de Chine, du Japon* China-, Japanpapier *n; ~ à cigarettes* Zigarettenpapier *n; ~ de circonstance (Zeitung)* gelegentliche(r) Beitrag *m; ~ couché, chromo* Kunstdruckpapier *n; ~ (à) copie* Manuskriptpapier *n; ~ crêpé* Kreppapier *n; ~ à dessin* Zeichenpapier *n; ~ écolier, à écrire* Schreibpapier *n; ~ écu, ministre* Kanzleipapier *n; ~ d'emballage* Packpapier *n; ~ émeri* Schmirgelpapier *n; ~s de famille* Familienpapiere *n pl; ~-filtre* Filterpapier *n; ~ de garde (Buch)* Vorsatzpapier *n; ~ de Hollande* holländische(s) Büttenpapier *n; ~ hygiénique* Toiletten-, Klosettpapier *n; ~ d'impression* Druckpapier *n; ~ indien, bible* Dünndruckpapier *n; ~ à journaux, journal* Zeitungspapier *n; ~ à lettre(s)* Briefpapier *n; ~ libre, ordinaire* ungestempelte(s) Papier *n; ~ mâché* Papier-, Pappmaché *n; ~ (à) machine* Schreibmaschinenpapier *n; ~ à la main, à la cuve* Bütten(papier) *n; ~-monnaie m* Papiergeld *n; ~ à mouches* Fliegenpapier *n,* -fänger *m; ~ (à) musique* Notenpapier *n; ~ pâte* Schrankpapier *n; ~ de pâte de bois* Holzschliffpapier *n; ~ peint, de tapisserie, ~-tenture m* Tapete *f; ~ pelure* Luftpost-, Durchschlagpapier *n; ~ de physionomie* Stimmungsbericht *m; ~s publics vx* Zeitungen *f pl; ~ réglé* lini(i)erte(s) Papier *n; ~ sensible (phot)* lichtempfindliche(s) Papier *n; ~ à sucre* Einwickelpapier *n; ~ sulfurisé, parchemin* Butterbrot-, Pergamentpapier *n; ~ timbré* Stempelpapier *n; ~ de tournesol* Lackmuspapier *n; ~s valeurs* Wertpapiere *n pl; ~ végétal, gélatine, translucide, à calquer* Pauspapier *n; ~ vélin* Federleichtpapier *n; ~ vergé* drahtige(s) P.; *~ de verre, verré* Glas-, Sandpapier *n; ~ volant* lose(s) Blatt *n.*

papilionacées [papiljɔnase] *f pl bot* Schmetterlingsblütler *m pl.*

papill|aire [papilɛr], **~iforme** [-lifɔrm] *anat* warzenförmig; **~e** [-ij] *f anat* Papille *f,* Wärzchen *n;* **~é, e; ~eux, se** [-ij-] mit Wärzchen behaftet; **~ome** [-lom] *m med* Warzengeschwulst *f.*

papill|on [papijɔ̃] *m* Schmetterling; Hand-, Anschlagzettel; Aufkleber *m; fam* Strafzettel *m;* Querbinder *m,* Fliege *f; (Haube)* Flügel *m; (Schraube)* Flügelmutter; Drosselklappe *f; (Gas)* Flach-, Schlitzbrenner *m; geog* Nebenkarte *f; fig* flatterhafte(r) Mensch *m; brasse f ~ (Sport)* Schmetterlings-, Delphinschwimmen; *~ nocturne* Nachtfalter *m; nœud m ~* Querbinder, Fliege; *~s noirs* traurige Gedanken *m pl;* **~on, ne** flatterhaft; **~onner** [-jɔ-] *fam* umher⸗flattern, -geistern.

papill|otage [papijɔtaʒ] *m* Blinzeln, Geblendetsein; *(Stil)* Feuer-, Blendwerk *n; typ* unscharfe(r) Druck *m;* **~otant, e** blendend, flimmernd; **~ote** *f* Lockenwickel; eingewickelte(r) Bonbon; *(Küche)* Papierwickel *m; n'être bon qu'à faire des ~s (Buch)* nur zum Feueranmachen taugen; **~oter** *tr* (auf⸗, ein⸗)wickeln; *typ* d(o)ublieren; *itr* blinzeln; flimmern; blenden *(a. Stil); typ* schmitzen.

pap|otage [papɔtaʒ] *m fam* Geplapper; Geschwätz *n;* lose Reden *f pl;* **~oter** plappern; schwatzen.

papou, e [papu] *geog* papuanisch; **P~asie, la** [-pwazi] Neuguinea *n.*

pap|ule [papyl] *f med* Hitzblatter *f; bot* Bläschen *n;* **~uleux, se** hitzblattrig.

papy|rologie [papirɔlɔʒi] *f* Papyruskunde *f;* **~rus** [-irys] *m bot* Papyrusstaude *f;* Papyrus *m.*

pâque [pɑk] *f rel* Passah(fest) *n; P~s m* Ostern *n* od *pl; à P~s* zu Ostern; *à P~s ou à la Trinité* am Nimmerleinstag; *faire ses p~s* in der Osterzeit zur Kommunion gehen; *c'est long comme d'ici à P~s* das ist (noch) lange hin; *P~s f pl fleuries* Palmsonntag *m; l'île de P~s* die Osterinsel *f; semaine f de P~s* Osterwoche, Woche *f* nach Ostern.

pâquerette [pakrɛt] *f* Gänseblümchen, Maßlieb(chen) *n; ~ double* Tausendschön *n.*

paquebot [pakbo] *m* Passagierdampfer *m; ~ géant* Riesendampfer *m; ~-poste m* Postdampfer *m,* -schiff *n; ~ transatlantique* Ozeandampfer *m.*

paquet [pakɛ] *m* Paket, Bündel *n typ;* Beischluß *m,* Kolumne *f; par petits ~s* ratenweise; *donner à qn son ~ (vx)* jdm sein Fett *od* den Laufpaß geben; *faire son ~ (fig)* sein Bündel schnüren; *hasarder, risquer son ~ (fig)* ein Risiko ein⸗gehen, auf sich nehmen, alles aufs Spiel setzen; *mettre le ~ (fam)* sich dahinter⸗klemmen; *recevoir son ~ (fig)* e-e Zigarre (verpaßt) bekommen; *voilà ton ~!* da hast du's! *~s de brouillard* Nebelfetzen *m pl; ~ de mer* Sturzsee *f; ~ de nerfs* Nervenbündel *n; ~ de pansement* Verband(s)zeug *n; ~ de vent* Windstoß *m;* **~age** [-ktaʒ] *m* (Ein-)Packen *n; typ* Paketsatz *m; mil* Gepäck *n,* Ausrüstung *f; ~ de route* Marschgepäck *n;* **~eur, se** *s m f* Packer(in *f*) *m;* **~ier** *m typ* Paketsetzer *m.*

par [par] *prp* durch, über; von; an, bei; mit; während; wegen, infolge, aus; durch ... hindurch; um ... willen; über ... hin; zu ... hinaus; *de ~* über ... hin; auf Befehl *gen;* im Namen *gen; jour ~ jour* Tag für Tag; *~ an* jährlich; *~ bonheur* glücklicherweise; *~ ce que* aus, nach dem, was; *~-ci, ~-là* hier u. da; hin u. wieder; *~ le côté* von der Seite; *~ douzaines* zu Dutzenden, dutzendweise; *~ grandes enjambées* mit großen Schritten; *~ homme* pro Mann; *~ la main* an, bei der Hand; *~ mer calme* bei ruhiger See; *~ moitié* zur Hälfte; *~ Molière (Werk)* von Molière; *~ monts et ~ vaux* über Berg und Tal; *~ tout ce qu'il y a de plus sacré* bei allem, was heilig ist; *~ soi-même* von sich aus; *~ sottise* aus Dummheit; *~ tous les* *temps* zu allen Zeiten; ~ *toute la terre* über die ganze Erde (hin); ~ *trop* gar zu (sehr); allzu; ~ *300 voix contre 100 (parl)* mit 300 gegen 100 Stimmen; ~ *2 à 1 (sport)* 2 zu 1; ~ *28 degrés* bei 28 Grad; ~ *20 degrés de latitude (mar)* unter dem 20. Breitengrad; *commencer (finir)* ~ *dire* anfangs (zuletzt, schließlich) sagen; *mener qn* ~ *le bout du nez (fig)* jdn an der Nase herum=führen; *passer* ~ *Paris* über Paris fahren; *prouver* ~ *des exemples* durch, mit Hilfe, an Hand von Beispielen beweisen; *tomber* ~ *terre* zu Boden fallen; *venir* ~ *auto* im Auto kommen; *vol m* ~ *le pôle* Flug *m* über den Pol; **~-dessous** [pardəsu] *prp* unter ... her, durch; *adv* unten; *traiter qn* ~ *la jambe (fig)* jdn verächtlich behandeln; **~-dessus** über *acc* (hinaus); ~ *le marché* darüber hinaus, obendrein; **~-devant** vor, in Gegenwart von; **~-devers** auf der Seite *gen;* vor *dat; fig* in Händen.

para [para] *m arg mil* Fallschirmjäger *m.*

para|bole [parabɔl] *f rel* Gleichnis *n; math* Parabel; *phys aero* Flugbahn *f;* **~bolique** gleichnishaft, in Gleichnissen; *math* parabelartig; *phys* Parabel-; **~boloïde** *m math* Paraboloid *n.*

parach|èvement [paraʃɛvmɑ̃] *m* Vollendung *f;* **~ever** [-ʃ(ə)-] (ganz) fertig=stellen, vollenden.

parachronisme [parakrɔnism] *m* Zeitrechnungsfehler *m.*

para|chutage [paraʃytaʒ] *(Menschen)* Absprung *m; (Gegenstände)* Abwurf *m;* **~chutisme** *m* Fallschirmspringen *n;* **~chute** *m* Fallschirm *m; sauter en* ~ mit dem Fallschirm ab=springen; *arrivée f au sol, atterrissage m en* ~, *prise f de sol en* ~ Fallschirmlandung *f; calotte, cloche f du* ~ Fallschirmhülle *f; ceinture f de* ~ Fallschirmgurt *m; descente f en* ~ Fallschirmabsprung *m; suspentes f pl de* ~ Fallschirmtragleinen *f pl; tour f de lancement de* ~ Fallschirmsprungturm *m;* ~ *dorsal, à étages, extracteur, de freinage, ventral* Rücken-, Stufen-, Auszieh-, Brems-, Schoß(kissen)fallschirm *m;* **~chuter** mit dem Fallschirm ab=werfen, ab=springen lassen; *troupes f pl ~chutées* Fallschirmtruppen *f pl;* **~chutiste** *m* Fallschirmspringer, -jäger *m; déposer, larguer des ~s* F. ab=setzen.

parad|e [parad] *f* **1.** Parade, Heerschau; Schau *f,* Gepränge *n,* Staat *m,* Zurschaustellen *n;* bloße(r) Schein *m; theat* Werbeschau *f (am Theatereingang);* Stehenbleiben *n* (des Pferdes); **2.** *(Fechten)* Parieren *n; faire* ~ zur Schau tragen (*de* acc), prunken (*de* mit); **~er** paradieren *a. fig; faire* ~ vor=führen.

paradigme [paradigm] *m* Beispiel *n; gram* Paradigma *n.*

para|dis [paradi] *m* Paradies *n; theat* Olymp *m; se recommander à tous les saints du* ~ alle Hebel in Bewegung setzen; *vous ne l'emporterez pas en* ~ das werden Sie mir heim=zahlen! *oiseau m de* ~, **~disier** *m orn* Paradiesvogel *m;* **~disiaque** paradiesisch, himmlisch.

parados [parado] *m mil* Rückendekkung *f.*

para|doxal, e [paradɔksal] paradox; widersinnig; seltsam; **~doxe** *m* Paradox(on) *n.*

paraf|e, ~er [paraf, -e] *s. paraph|e, ~er.*

paraffine [parafin] *f* Paraffin *n;* **~r** mit Paraffin überziehen.

parafoudre [parafudr] *m* Blitzableiter, *el* Überspannungsableiter; *radio* Blitzschutz-, Antennenschalter *m.*

parages [paraʒ] *m* **1.** *meist pl* Gewässer *n pl; fam* Gegend *f;* **2.** *tech* Schlichten, Zurichten *n;* vorwinterliche Arbeit *f* im Weinberg.

paragraphe [paragraf] *m* Paragraph, Abschnitt, -satz *m.*

paragrêle [paragrɛl] *a: canon m* ~ Hagelschutzkanone *f; fusée f* ~ Hagel(schutz)rakete *f.*

paraison [parɛzɔ̃] *f* (Rollen *n* der) Glasmasse *f;* Glasblasen *n.*

paraître [parɛtr] *irr v* erscheinen, sich zeigen, auf=treten; *fig* sichtbar werden, deutlich werden; zum Vorschein kommen, zutage treten; (er)scheinen, den Anschein haben, Eindruck erwekken, aus=sehen (wie); Eindruck machen, *fam* schinden, glänzen, bluffen; zur Welt kommen; *(Buch)* erscheinen, veröffentlicht werden; *(Tag)* an=brechen; *s m* (An-)Schein *m; faire* ~ *(Buch)* erscheinen lassen, heraus=geben, veröffentlichen; *vient de* ~ *(Buch)* soeben erschienen; *il ne paraît pas son âge* man sieht ihm sein Alter nicht an; *il paraît que* es scheint (so), hat den Anschein, man sagt, daß; es soll; *il y paraît* das sieht man.

parall|actique [paralaktik] *a astr* parallaktisch; **~axe** *f astr* Parallaxe *f;* **~èle** *a* parallel (*à* zu, mit); *fig* gleichlaufend, -gerichtet; *(Polizei, Markt, Kurs)* nicht offiziell, inoffiziell; *s f math* Parallele *f; el* Parallellauf; *min*

Begleitort *m; s m* Vergleich *m,* Gegenüberstellung; Parallele *f; geol* Breitenkreis *m; faire, tracer le ~* e-n Vergleich ziehen (*de* zu); *barres f pl ~s (sport)* Barren *m; montage m ~ (el)* Parallelschaltung *f;* **~élépipède** *m math* Parallelepiped *n,* Parallelflächner *m;* **~élisme** *m* Parallelität *f; fig* Parallelismus, Gleichlauf *m;* **~élogramme** *m math* Parallelogramm *n.*

paralogisme [paralɔʒism] *m* Trug-, Fehlschluß *m.*

para|lysation *f fig* Lähmung *f;* **~lyser** lähmen *a. fig;* lahm≈legen; **~lysie** *f med* Lähmung *a. fig,* Paralyse *f; ~ (spinale) infantile* (spinale) Kinderlähmung *f;* **~lytique** gelähmt, lahm; *fig* schlaff, kraftlos, matt; *devenir ~* erschlaffen, verkümmern.

paramédical, e [paramedikal] *a (Gebiet)* paramedizinisch; *profession ~e* medizinische(r) Dienstleistungsberuf *m; s m* Paramedizin *f.*

para|mètre [paramɛtr] *m math* Parameter *m;* **~métrique** parametrisch.

paramilitaire [paramilitɛr] paramilitärisch, militärähnlich.

parangon [parɑ̃gɔ̃] *m* fleckenlose Perle *f,* reine(r) Diamant *m;* Muster *n,* Ausbund *m.*

parapet [parapɛ] *m arch* Brüstung *f,* Geländer *n; mil* Brustwehr *f.*

paraph|e [paraf] *m* Handzeichen *n;* Paraphe *f;* **~er** signieren, mit s-m Handzeichen versehen, paraphieren.

para|phernal, e [parafɛrnal] *a: biens m pl ~aux (jur)* Paraphernal-, Sondergut *n* der Ehefrau; **~phrase** *f* Umschreibung *f; sans ~* ohne Umschweife; **~phraser** um≈schreiben; kommentieren; **~phraseur, se** *s m f* Kommentator; *fam* Schwätzer(in *f*) *m;* **~phrastique** *a* umschreibend; **~plégie** *f med* Querschnittslähmung *f;* **~plégique** *a* querschnittsgelähmt; *s m f* Querschnittsgelähmte(r *m*) *f.*

parapluie [paraplɥi] *m* Regenschirm *m; ~-canne m* Stockschirm *m; ~ tom-pouce* Taschenschirm *m.*

parapsychologie [parapsikɔlɔʒi] *f* Parapsychologie *f.*

para|sitage [parazitaʒ] *m biol* Befall *m* durch Parasiten; *radio* Störung *f;* **~sitaire** [-zi-] *med* parasitär, parasitisch; **~site** *s m allg* u. *biol* Parasit, Schmarotzer; *biol* Schädling; *allg* Freischlucker, *fam* Nassauer; *radio* Schwarzhörer *m; radio* Störwelle *f; pl* Störgeräusche *n pl; a* parasitisch, schmarotzend; *(Literatur, Kunst)* überflüssig; *bruit m ~ (radio)* Neben-, Störgeräusch *n,* Störung *f; chasseur m de ~s* Kammerjäger *m; destruction f des ~s* Schädlingsvernichtung *f; ~s locaux (radio)* örtliche Störungen *f pl;* **~sitique** parasitisch, parasitenhaft; Parasiten-; **~sitisme** *m biol* Parasitismus *m; allg* Schmarotzertum, -leben *n.*

para|sol [parasɔl] *m* Sonnenschirm; *allg* Schirm *m; bot* Dolde; Sonnenblende *f; ~ pour jardins* Gartenschirm *m;* **~soleil** *m phot* Sonnenblende *f;* **~solerie** *f* (Sonnen-) Schirmfabrikation *f,* -handel *m;* **~tonnerre** *m* Blitzableiter *m;* **~vent** *m* Wandschirm *m,* spanische Wand *f.*

parbleu! [parblø] *interj* bei Gott! wahrhaftig! weiß Gott! natürlich!

parc [park] *m* Park; *agr* Pferch *m,* Einhegung *f; (Fischerei)* Sperrnetz *n,* Fischzaun *m;* Naturschutzgebiet *n;* Kraftwagenbestand, Fuhrpark *m; ~ d'attractions* Vergnügungspark, Rummelplatz *m; ~ à bébé* Laufställchen *n; ~ de camions* LKW-Park, -Bestand *m; ~ à charbon* Kohlenlagerplatz *m; ~ giboyeux* Wildpark *m; ~ à huîtres* Austernpark *m; ~ à jeux* Spielwiese *f; ~ de matériel* Gerätebestand *m; ~ national (geog)* Nationalpark *m; ~ naturel* Naturschutzgebiet *n; ~ nucléaire* Nuklearpark *m; ~ de stationnement (mot)* Parkplatz *m; ~ de véhicules, de voitures* Fahrzeugbestand; Wagenpark *m;* **~age** *m (Schafe)* Einpferchen; *(Austern)* Einsetzen; *mot* Parken; *fig* Zs.pferchen *n; ~ autorisé* Parken gestattet; **~(o)mètre** *m* Parkuhr *f.*

parcell|aire [parsɛlɛr] *a* Parzellen-, Grundstücks-; *s m u. cadastre, registre m ~* Grundbuch *n; remaniement m ~* Flurbereinigung, Verkoppelung *f;* **~e** *f* Parzelle *f,* Grundstück *n,* Bauplatz *m; fig* Stückchen *n; ~ de terrain* Stück *n* Land; **~ement** *m* Parzellierung, Aufteilung *f (von Land);* **~er** *(Land)* auf≈teilen, parzellieren.

parce que [pars(ə)kə] *conj* weil; *fam* darum, drum.

parchemin [parʃəmɛ̃] *m* Pergament *n;* Urkunde *f; pl* Adelsbrief *m;* **~é, e** [-mi-] pergamentartig; *(Gesicht)* ledern.

parcimoni|e [parsimɔni] *f* (übertriebene) Sparsamkeit, Knaus(e)rigkeit, Knick(e)rigkeit *f;* **~eux, se** [-njø, -øz] knaus(e)rig, knick(e)rig.

parc(o)mètre [park(ɔ)mɛtr] *m* Parkuhr *f.*

parcour|ir [parkurir] *irr* durchziehen, -reisen, -fahren, -laufen, -eilen; überfliegen, flüchtig lesen; überblicken, -schauen; an s-m geistigen Auge vorüberziehen lassen; **~s** [-kur] *m* Durchfahrt, -reise *f,* -zug *m;* (Fahr-, Flug-)Strecke, Bahn *f;* Laufweg *m;* Entfernung; Fahrtdauer *f;* (Ver-)Lauf *m; couvrir un ~* e-e Strecke zurück=legen; *~ (de course)* Rennstrecke *f; ~ de freinage* Bremsweg *m; ~ gelé, glissant* vereiste, glatte Strecke *f; ~ maritime* Seeweg *m.*

pardessus [pardəsy] *m* Überzieher, Mantel *m; ~ court* Stutzer *m.*

pardi, ~eu! [pardi, -jø] *interj fam* gewiß! kein Wunder!

pardon [pardõ] *m* Verzeihung; Wallfahrt *f (in der Bretagne); ~?* wie bitte? *(je vous demande) ~! mille ~s!* (ich bitte um) Verzeihung! **~nable** [-dɔ-] *a (Person)* entschuldbar; *(Handlung)* verzeihlich; **~ner** *tr* verzeihen, vergeben, hin=, durch=gehen lassen (*qc à qn* jdm etw); gönnen (*qc à qn* jdm etw); begnadigen; *itr* verzeihen; (ver)schonen (*à qn* jdn); *~nez-moi!* verzeihen Sie (mir)!

pare|-balles [parbal] *m inv* Kugelfang *m;* **~-boue** *m inv mot* Kotblech *n;* Schutzblech *n;* **~-brise** *m inv mot* Windschutzscheibe *f;* **~-chocs** *m inv mot* Stoßstange *f;* **~-éclats** *m inv mil* Splitterfang *m;* **~-étincelles** *m inv* Kamin-, Ofenschirm; *tech loc* Funkenfänger; *el* Funkenlöscher *m;* **~-feu** *m inv* Feuerlöschgerät *n;* Brandmauer *f;* Feuerschutz *m;* **~-flamme** *m inv tech* Flammenschutz *m;* **~-fumée** *m inv loc* Rauchschutz *m;* **~-gel** *m inv* Entfroster *m;* **~-goutte** *m inv* Tropfenfänger *m;* **~-huile** *m inv tech* Ölschutzblech *n;* **~-main** *m inv* Handschutz *m;* **~-neige** *m inv* Schneezaun *m;* **~-poussière** *m inv* Staubmantel; Staubschutz *m;* **~-soleil** *m inv mot* Blendschutzscheibe; Sonnenblende *f.*

pareil, le [parɛj] *a* gleich(wertig), entsprechend; ähnlich; solch; derartig; *sans ~* ohnegleichen; *mon, son ~* meines-, seinesgleichen; *toutes choses ~les* unter den gleichen Umständen; *rendre à qn la ~le* jdm mit gleicher Münze heim=zahlen; **~lement** *adv* in gleicher Weise, ebenso; gleich-, ebenfalls, auch.

parélie [pareli] *m s. parhélie.*

parelle [parɛl] *f bot* Parelleflechte *f.*

paremen|t [parmɑ̃] *m* Ärmelaufschlag *m;* Besetzen *n; arch* (sichtbare) Außenfläche, -seite, Verblendung, Blendsteinverkleidung *f;* (Ver-)Putz *m;* Altardecke *f;* **~ter** *arch* verblenden; verputzen.

parenchyme [parɑ̃ʃim] *m anat* Zellgewebe *n.*

parent, e [parɑ̃, -ɑ̃t] *s m f* Verwandte(r *m*) *f a. fig; pl* Eltern *pl; proches ~s* nahe(n) Verwandte(n) *pl; ~s éloignés* entfernte(n) Verwandte(n) *pl; ~s spirituels* Pate *m* u. Patin *f;* **~al, e** elterlich; **~é** *f* Verwandtschaft(sverhältnis *n*) *f a. fig;* Verwandte *m pl; lien m de ~* Verwandtschaftsgrad *m,* -verhältnis *n.*

parenthèse [parɑ̃tɛz] *f gram* Einschiebsel *n;* runde Klammer; Abschweifung *f; entre ~s* in Klammern; *par ~, entre ~s* beiläufig, nebenbei; *ouvrir (fermer) la ~* die Klammer auf- (zu=)machen.

parer [pare] **1.** schmücken (*de* mit), (ver-)zieren; heraus=putzen, aus=staffieren; *(Gemüse)* putzen; *(Pferdehuf)* aus=schneiden; *(Fleisch)* aus=lösen; *arch* behauen; *tech* zu=richten, -bereiten; *(Weberei) (Kette)* schlichten; *mar* klar=machen; **2.** *tr (Schlag)* parieren, vermeiden, aus=weichen *dat; fig* begegnen *dat; itr* ab=wenden (*à qc* etw), sich schützen (*à* gegen); vor=beugen (*à qc* e-r S); **3.** *(Pferd)* an=halten; stehen=bleiben; *pp mar* klar; *(mar) ~ un cap* ein Vorgebirge umsegeln; *~ au plus pressé* dem Dringendsten ab=helfen; *on ne saurait ~ à tout* man kann nicht an alles denken.

paress|e [parɛs] *f* Faulheit, Trägheit; Langsamkeit *f;* **~er** *fam* bummeln, faulenzen; **~eux, se** *a* faul, träge; arbeitsscheu; schwerfällig; *med* zu langsam arbeitend *od* funktionierend; *tech (Feder)* schlaff; *s m f* Faulenzer(in *f*), Faulpelz *m; m zoo* Faultier *n.*

parfai|re [parfɛr] *irr* vollenden, vervollkommnen, vervollständigen, ergänzen; **~t, e** [-fɛ, -ɛt] *a* vollkommen, vollendet; vollständig; untadelig, tadellos; *s m Art* Eisbombe *f; gram* Perfekt; *allg* Vollkommene(s) *n;* **~tement** *adv* vollkommen; (ganz) gewiß!

parfil|age [parfilaʒ] *m,* **~ure** *f* ausgezupfte Gold- *od* Silberfäden *m pl;* Zupfseide *f;* **~er** *(Gold- od Silberfäden)* aus=zupfen; *fig* haarklein ausea.=setzen *od* erzählen.

parfois [parfwa] manchmal, bisweilen, mitunter, ab u. zu.

parfum [parfœ̃] *m* Duft, Wohlgeruch *m;* Parfüm *n;* Riechstoff *m; pop mettre au ~* einweihen; **~é, e** [-fy-] *a* parfümiert; *~ à la violette* mit Veilchenduft; *~ à la cerise* mit Kirschgeschmack; **~er** parfümieren; **~erie** *f* Parfümfabrik(ation) *f,* -handel *m;*

Parfümerie(waren *f pl*) *f;* **~eur, se** *s m f* Parfümfabrikant, -händler *m.*
parhélie [pareli] *m (Meteorologie)* Sonnenring *m.*
pari [pari] *m* Wette *f;* Wettpreis *m,* -summe *f;* Einsatz *m; engager, faire un ~* e-e Wette ein=gehen, ab=schließen, machen; *~s de football* (Fußball-)Toto *m; coupon m de ~s de football* Totoschein *m; ~ mutuel (Pferderennen)* Totalisator *m.*
paria [parja] *m* Paria *m a. fig.*
pariade [parjad] *f orn* Paarung(szeit) *f.*
parian [parjɑ̃] *m* Elfenbeinporzellan, parische(s) Porzellan *n.*
parier [parje] wetten (*pour, sur* auf *acc*); *il y a (gros, beaucoup, mille, tout) à ~, il y a cent à ~ contre un* ich wette hundert gegen eins.
pariétaire [parjetɛr] *f* Glaskraut *n.*
pariétal, e [parjetal] *a anat bot* Wand-; *s m* u. *os ~ (anat)* Scheitelbein *n; art m ~* Felsmalerei *f.*
parieur, se [parjœr, -øz] *s m f* Wetter(in *f*) *m.*
parigot, e [parigo, -ɔt] *a vulg* parisisch, Pariser.
Paris [pari] *m* Paris *n.*
parisette [parizɛt] *f bot* Ein-, Fuchsbeere *f.*
parisien, ne [parizjɛ̃, -ɛn] *a* parisisch, Pariser; *P~, ne s m f* Pariser(in *f*) *m; le Bassin ~* das Pariser Becken.
parisyllab(iqu)e [parisi(l)labik] gleichsilbig.
pari|taire [paritɛr] paritätisch; **~té** *f* (völlige) Gleichheit, Gleichartigkeit; *com* Parität *f; ~ monétaire, du change* Währungsparität *f; ~ de l'or, ~-or f* Goldparität *f; ~ de(s) voix (pol)* Stimmengleichheit *f.*
parjur|e [parʒyr] *s m* Meineid; Eidbruch; Meineidige(r) *m; a* meineidig; eidbrüchig; **~er, se** e-n Meineid schwören, meineidig werden.
parking [parkiŋ] *m mot* Parkplatz *m; (Gebäude)* Parkhaus *n; ~ souterrain* Tiefgarage *f.*
parlant, e [parlɑ̃, -ɑ̃t] *a* redend, sprechend, mit Sprache begabt; *fam* gesprächig; *fig* sprechend, ausdrucksvoll; eindeutig; sprechend ähnlich; *généralement ~* allgemein gesprochen; *film m ~* Sprechfilm *m; horloge f ~e (radio)* Zeitansage *f; machine f ~e* Sprechmaschine *f.*
parlemen|t [parləmɑ̃] *m* Parlament *n;* **~taire** *a* parlamentarisch; Parlaments-; Parlamentär-; *s m* Parlamentarier *m;* Parlamentsmitglied *n,* Abgeordnete(r); *mil* Parlamentär, Unterhändler *m;* **~tarisme** *m* Parlamentarismus *m;* **~ter** *mil* ver-, unterhandeln; *allg* sich in Güte zu einigen suchen.
parl|é, e [parle] gesprochen; *journal ~ (radio)* Nachrichten(dienst *m*) *f pl;* **~er** *v* **I.** *itr* **1.** *(Mensch)* sprechen, reden; sich unterhalten; *(Kind) commencer à ~* zu sprechen an=fangen; *~ distinctement* deutlich reden; *~ d'abondance* aus dem Stegreif sprechen; *~ à bâtons rompus* zwanglos plaudern; *~ en l'air* ins Blaue hinein reden; *~ haut* von oben herab reden, *~ en maître* das große Wort führen, *~ à cœur ouvert* ganz offen sprechen, *~ du nez* durch die Nase sprechen; *tu en ~es à ton aise* du hast gut reden; *~ d'or* das Richtige sagen; *s'écouter ~* sich gern reden hören; *si j'ose ~ ainsi* wenn ich so sagen darf; *trouver à qui ~ (fig)* an den Rechten kommen; *nous avons longuement ~é* wir haben uns lange unterhalten; **2.** *(avouer)* sprechen, aus=sagen; *la police saura bien le faire ~* die Polizei wird ihn schon zum Sprechen bringen; **3.** *(Sache) fig* sprechend, vielsagend sein, Bände sprechen; *~ de soi-même* für sich selbst sprechen; *~ au cœur de qn* jdm zu Herzen gehen; *son passé ~e pour lui* s-e Vergangenheit spricht für ihn; **4.** *(Mensch) ~ à qn, avec qn* mit jdm reden, sich mit jdm unterhalten; *~ avec qn de qc* sich mit jdm über e-e S unterhalten *od* e-e S besprechen; *il faut que je lui ~e* ich muß ihn sprechen; *il faut que je lui en ~e* ich muß die Sache mit ihm besprechen; *je n'ai pas osé lui ~* ich habe nicht gewagt, ihn anzusprechen; *à qui croyez-vous ~?* mit wem sprechen Sie überhaupt? *les événements dont on ~e* die Ereignisse, von denen man spricht; *je ~ai en votre faveur* ich werde für Sie ein gutes Wort ein=legen; *faire ~ la poudre (fig)* das Gewehr sprechen lassen; *sans parler de* abgesehen von; *~ à un sourd, à un mur, aux rochers* tauben Ohren predigen; *(Sache)* handeln (*de* von); *cela ne vaut pas la peine d'en ~* das ist nicht der Rede wert; *tu ~es!* und wie! was du nicht sagst! *ne m'en ~e(z) pas!* ich weiß schon; *n'en ~ons plus!* lassen wir das! **II.** *tr ~ une langue* e-e Sprache sprechen; *~ français (fig)* deutsch reden; *~ grec, hébreu, bas-breton* kauderwelschen; *~ métier, service, travail, boutique (fam)* fachsimpeln; *~ politique, affaires* von Politik, Geschäften sprechen; *~ chiffons* tratschen; *l'anglais se ~e partout* Englisch wird überall gespro-

chen; ~**eur, se** *s m f* Sprecher(in *f*); Schwätzer(in *f*); *m tele* Klopfer *m; a* gern redend; *haut-~* Lautsprecher *m;* ~**oir** *m* Sprechzimmer *n;* ~**ot(t)e** *f* Debattierklub *(junger Rechtsanwälte); fam* Tratsch *m.*

parmesan [parməzɑ̃] *m* Parmesankäse *m.*

parmi [parmi] *prp* (mitten) unter.

parod|ie [parɔdi] *f* Parodie *f;* ~**ier** [-dje] parodieren; nach=ahmen, -machen; ~**iste** *m* Parodist *m.*

paroi [parwa] *f* (Zimmer-)Wand; Wandung, Innen-, Zwischen-, Seitenwand; *tech* (Kessel-, Zylinder-, Rohr-) Wand *f; min* Stoß *m; à ~ épaisse, mince* dick-, dünnwandig; *~ avant, arrière (tech)* Vorder-, Rückwand *f; ~ de l'estomac* Magenwand *f; ~ du piston* Kolbenwand *f; ~ rocheuse* Fels(en)wand *f.*

paroir [parwar] *m (Gerberei)* Streichbrett *n; (Böttcherei)* Setz-, Flachhammer *m; tech* Schlicht-, Schabeisen; *(Schmiede)* Wirkeisen, -messer; *(Buchbinderei)* Schärfemesser *n.*

parois|se [parwas] *f* Pfarrkirche, -gemeinde *f; n'être pas de la ~* anderswoher, fremd sein; *fig* andere Anschauungen haben; ~**sial, e** *a* Pfarr-; *église f ~e* Pfarrkirche *f;* ~**sien, ne** *m f* Pfarrkind; *m* Gebet-, Meßbuch *n; drôle m de ~ (fig)* komische(r) Kauz *m.*

parol|e [parɔl] *f* Wort *n;* Rede, Sprache; Stimme *f,* Ton; Ausspruch *m;* Redekunst *f; pl* leere Worte *n pl;* Stichelreden *f pl;* Text *m (e-s Liedes); sur ~* aufs Wort; auf Ehrenwort; *adresser la ~ à qn* jdn an=reden, -sprechen; *avoir la ~ (parl)* das Wort haben; *avoir la ~ facile* redegewandt sein; *n'avoir qu'une ~* bei s-m Wort bleiben; *avoir deux ~s* unzuverlässig sein; *couper la ~ à qn* jdn unterbrechen; *ne pas être court de ~s* um ein Wort nicht verlegen sein; *dégager sa ~* sein Wort zurück=nehmen; *demander la ~ (parl)* ums Wort bitten; *donner la ~ à qn* jdm das Wort erteilen; *fausser ~* sein Wort brechen; *payer de ~s (tr)* mit Worten ab=speisen; *itr* an=geben, groß=tun; *perdre la ~* die Sprache verlieren, sprachlos sein; *prendre la ~* das Wort ergreifen; *rentrer les ~s* das Gesagte zurück=nehmen; *retirer la ~ (parl)* das Wort entziehen; *la ~ est à M....* das Wort hat Herr ...; *sa ~ vaut de l'or* auf ihn kann man sich verlassen; *la ~ est d'argent, le silence est d'or* Reden ist Silber, Schweigen ist Gold; *belles ~s* schöne Worte *n pl,* leere Phrasen *f pl; bonnes (mauvaises) ~s* (un)freundliche Worte; *temps m de ~ (parl)* Redezeit *f; ~ d'honneur* Ehrenwort *n; ~ facile* Redegewandtheit *f; ~s magiques* Zauberformel *f;* ~**i** *m vx* Verdoppelung *f* des Einsatzes; *faire ~ à qn* jdn übertrumpfen; ~**ier** [-lje] *m mus* Text(dicht)er *m.*

paro|tide [parɔtid] *f* Ohrspeicheldrüse *f;* ~**tidite** *f med* Ziegenpeter, Mumps *m.*

paroxysme [parɔksizm] *m med* Höhepunkt *a. fig.*

parpaillot, e [parpajo, -ɔt] *m f fam* franz. Protestant, Hugenotte *m;* Gottlose(r *m*) *f.*

parpaing [parpɛ̃] *m arch* Binder *m (Stein),* Streckstein, Betonstein *m.*

Parque [park] *f* Parze, Schicksalsgöttin *f.*

parquer [parke] ein=, zs.=pferchen; ein=schließen; *mot* parken; *défense de ~!* Parken verboten!

parqu|et [parkɛ] *m arch jur (Börse)* Parkett *n; jur* Staatsanwaltschaft *f;* ~**etage** [-kə-] *m arch* Parkettlegen *n;* Parkett(fuß)boden *m;* ~**eter** *arch* das Parkett legen (*qc* in e-e(r *dat*) *acc* S); ~**eterie** [-kə(ɛ)-] *f* Parkettlegen *n;* ~**eteur** [-kə-] *m* Parkettleger *m.*

parrain [parɛ̃] *m* Pate *m.*

parricide [parisid] *s m* Vater-, Muttermörder; Vater-, Muttermord *m; a* vater-, muttermörderisch.

parsemer [parsəme] besäen, bestreuen (*de* mit); verstreut sein (*qc* über e-e S); *fig* (hin u. wieder) aus=schmükken.

part [par] **1.** *f* (An-)Teil *m;* Seite; Rolle *f;* **2.** *m jur* (neugeborenes) Kind; *agr* Werfen *n (der Tiere); à ~ (a)* besondere(r, s), getrennt; *adv* besonders, extra; beiseite *a. theat; prp* abgesehen von, außer, bis auf; *à ~ moi* für mich, bei mir; *à ~ cela* sonst, davon abgesehen; *à ~s égales* zu gleichen Teilen; *à ~ entière* voll und ganz; *autre ~* anderswo(hin); *de ma ~* meinerseits, von mir aus; *de la ~ de ...* von seiten *gen;* im Auftrag *gen; de ~ en ~* durch u. durch, vollkommen; *des deux ~s, de ~ et d'autre* beiderseits; von, auf beiden Seiten; *nulle ~* nirgends, nirgendwo; *pour ma ~* meinerseits, was mich betrifft; *pour une ~* teilweise; *quelque ~* irgendwo(hin); *(de) quelque ~ que ...* wo(her) auch immer ...; *de toute(s) ~(s)* überallhin, in allen Richtungen; nach allen Seiten; *d'une, d'autre ~* einer-, and(e)rerseits; *~ à deux* halbpart; *avoir ~ au gâteau (fam)* am Gewinn beteiligt sein; *en avoir sa bonne* ~ s-n vollen Anteil haben; *faire* ~ *de qc à qn* jdn an etw teil=nehmen lassen; jdm etw mit=teilen; *faire la* ~ *de qn* jds Anteil bestimmen, *faire la* ~ *de qc* etw berücksichtigen, auf e-e S Rücksicht nehmen; *faire lit à* ~ *(Eheleute)* getrennt schlafen; *mettre à* ~ beiseite legen; *prendre* ~ *à* teil=haben an *dat; prendre en bonne, mauvaise* ~ gut, schlecht auf=nehmen *fig; exposition, substitution, supposition f de* ~ Kindesaussetzung, -vertauschung, -unterschiebung *f; lettre f de faire-*~ Familienanzeige *f;* ~ *contributive* Steueranteil *m;* ~ *héréditaire* Erbteil *m* od *n;* ~ *minière, de mine* Bergwerksanteil, Kux *m;* ~ *sociale* Gesellschaftsanteil *m,* Einlage *f;* ~**age** *m* (Ver-, Aus-, Auf-)Teilung; (Meinungs-) Spaltung; *(~ de voix) parl* Stimmengleichheit *f; en* ~ *égal des voix* bei Stimmengleichheit; *ligne f de* ~ *des eaux* Wasserscheide *f;* ~ *successoral* Erbteilung *f;* ~**ageable** (auf)teilbar; ~**ageant** *m jur* Anteilberechtigte(r) *m;* ~**ager** *tr* (ver-, auf=, aus=, ein=)teilen *a. fig* (*entre* unter *acc, en morceaux* in Stücke); trennen, entzweien, (in zwei Lager) scheiden; bedenken, aus=statten; teil=nehmen (*qc* an e-r S); *se* ~ geteilt sein; sich verteilen (*entre* auf *acc*); *mal* ~*é par la nature* von der Natur stiefmütterlich behandelt; ~ *en deux* halbieren; ~ *le gâteau (fig fam)* den Gewinn teilen; ~ *dans une succession* erbberechtigt sein.

part|ance [partɑ̃s] *f mar* Abfahrbereitschaft *f; en* ~ abfahr-, startbereit; ~**ant** *adv* folglich, infolgedessen, demgemäß; *s m* Abreisende(r), -fahrende(r); *sport* Startende(r), Teilnehmer *m.*

partenaire [partənɛr] *s m f* Partner(in *f*).

parterre [partɛr] *m* Blumengarten *m,* -beete *n pl; theat* Parterre, Parkett *n; fig* Zuschauer *m pl;* Fußbodenbelag; *(Wald)* Kahlschlag *m;* ~ *d'eau* Wasserbecken *n pl (im Garten).*

parti [parti] *m* Entschluß *m,* Entscheidung *f;* Nutzen, Vorteil *m;* Behandlung; Partie, Heirat(smöglichkeit); *pol allg* Partei; *arch* Gestaltung, Planung *f; de* ~ *pris* voreingenommen; *être, se ranger du* ~ *de qn* für jdn ein=treten, sich für jdn ein=setzen; *faire un mauvais* ~ *à qn* jdm übel mit=spielen; *prendre* ~ Partei ergreifen (*pour* für, *contre* gegen); *prendre un* ~ e-n Entschluß fassen; *prendre son* ~ *de qc* sich mit etw ab=finden; *prendre le* ~ *de qn,* ~ *pour (contre) qn* jds, für (gegen) jdn Partei ergreifen; *tirer* ~ *de* Nutzen ziehen aus; *c'est un bon* ~ er, sie ist e-e gute Partie; *esprit m de* ~ Parteigeist *m; homme m de* ~ (engstirniger) Parteimann *m; seul* ~ *à prendre* einzige(r) Ausweg *m;* ~ *pris* vorgefaßte Meinung *f;* ~ *unique* Einheitspartei *f;* ~**aire** [parsjɛr] *a jur* Teil-; ~**al, e** [-sjal] parteiisch, voreingenommen; ~**alité** [-sjalite] Parteilichkeit, Voreingenommenheit *f.*

particip|ant, e [partisipɑ̃, -ɑ̃t] *s m f* Teilnehmer(in *f*) *m; a* teilnehmend (*à* an *dat*); ~**ation** *f* (An-)Teilnahme, Beteiligung (*à* an *dat*); Beitrag *m,* Mitwirkung; Mitbeteiligung; Mitbestimmung *f; en* ~ auf gemeinsame Rechnung; *sans ma* ~ ohne mein Zutun; ~ *aux bénéfices (com)* Gewinnbeteiligung *f;* ~ *électorale, au vote* Wahlbeteiligung *f;* ~**e** *m gram* Partizip, Mittelwort *n;* ~ *présent, passé* Mittelwort *n* der Gegenwart, der Vergangenheit; ~**er** teil=nehmen, -haben, sich beteiligen (*à* an *dat*); mit=wirken (*à* bei, an *dat*), bei=tragen (*à* zu); etwas, die Eigenschaft(en) haben (*de* von *gen*).

particul|arisation [partikylarizasjɔ̃] *f* ausführliche Darlegung *f;* ~**ariser** genau an=geben, ausführlich dar=legen, spezifizieren; *jur* auf einen Fall beschränken; *se* ~ sich ab=sondern; ~**arisme** *m* Partikularismus *m;* ~**ariste** *s m pol* Partikularist *m; a* partikularistisch; ~**arité** *f* Eigentümlichkeit, Besonderheit *f; les* ~*s* die einzelnen, näheren Umstände *m pl.*

particule [partikyl] *f* Teilchen *n; gram* Partikel *f;* ~ *nobiliaire* Adelsprädikat *n;* ~ *nucléaire* Kernteilchen *n.*

particul|ier, ère [partikylje] *a* (ganz) besondere(r, s), eigentümlich, -artig, sonderbar; Sonder-; einzeln; für sich; privat; Privat-; *s m* Privatmann (*pl* -leute *pl*), Private(r) *m; le* ~ das Besondere; *en* ~ besonders, für sich; *parler en* ~ unter vier Augen reden; *quel est ce* ~*? (fam)* was ist denn das für einer? *leçons f pl* ~*ères* Privat-, Nachhilfestunden *f pl,* -unterricht *m;* ~**ièrement** *adv* im einzelnen; genau; besonders.

partie [parti] *f* Teil *m;* Fach *n,* Sparte; Eigenschaft; Rolle *f a. theat,* Unternehmen *n; com mus tech* Partie *f;* Ausflug *m;* Spiel *n; mus* Stimme; *jur mil* Partei; *com* Buchführung *f; pl* Geschlechtsteile *n pl; en* ~ zum Teil; *(en)* ~ ..., *(en)* ~ teils ..., teils; *en grande* ~ großenteils; *pour la plus grande* ~ größenteils; *en deux, plu-*

sieurs ~s zwei-, mehrteilig; *avoir à faire à forte ~* es mit e-m starken Gegner zu tun haben; *être de la ~* dabeisein; *fig* ein Wörtchen mitzureden haben; *faire ~ de* dabei sein bei; gehören zu; *prendre à ~* in Angriff nehmen; gerichtlich belangen; an=greifen; *quitter, abandonner la ~* das Spiel auf=geben *a. fig; tenir la ~* das Spiel nicht auf=geben; *il vous donne la ~ belle* er kommt Ihnen sehr entgegen; *tenue f de livres en ~ simple, double* einfache, doppelte Buchführung *f; ~ adverse (jur)* Gegenpartei *f; ~ arrière, devant, inférieure, supérieure* Hinter-, Vorder-, Unter-, Oberteil *n; ~s belligérantes* kriegführende Mächte *f pl; ~ buccale* Mundpartie *f; ~ carrée* Partie *f* zu zwei Paaren; *~ centrale* Mittelstück *n; ~ civile* Privatkläger *m,* Nebenpartei *f; ~ constituante* Bestandteil *m; ~ constitutive, intégrante* wesentliche(r) Bestandteil *m; ~ contractante* Vertragschließende(r), Kontrahent *m; ~ essentielle* Kernstück *n; ~ intéressée* Beteiligte(r) *m; ~s molles (anat)* Weichteile *m pl; ~ d'oraison, du discours (gram)* Satz-, Redeteil *m; ~ de piano* Klavierauszug *m; ~ plaidante, au procès* Prozeßpartei *f; ~ prenante* Empfänger, Abnehmer *m; ~ publique* Staatsanwalt *m; ~ de revanche* Revanchespiel *n; ~ simultanée (Schach)* Simultanspiel *n.*

partiel, le [parsjɛl] *a* Teil-, partiell *a. astr;* anteilig; *élection ~le (pol)* Nach-, Ersatzwahl *f; paiement m ~* Teil-, Ratenzahlung *f; résultat m ~ (Wahl)* Teilergebnis *f;* **~lement** *adv* teilweise, zum Teil; in Raten.

partir [partir] *irr* auf=brechen, weg=, fort=, aus=gehen, ab=reisen, -fahren (*pour, à* nach); starten; an=fahren; ab=fliegen; *fig* verschwinden, sich verflüchtigen; *(Fleck)* heraus=gehen; *fig* los=brechen, hervor=schießen, empor=schnellen; *(Gewehr)* los=gehen; *mot* an=springen; *mus* ein=setzen; *(Fluß)* entspringen; her=rühren, (her=)kommen, s-n Ausgang nehmen, aus=gehen (*de* von); beginnen; *(Kartenspiel)* ab=werfen; *mar* (zer)reißen, abhanden kommen; *pp fam* eingeschlafen; angeheitert, angesäuselt; *à ~ de* von ... an; anhand *gen,* auf der Grundlage von, im wesentlichen aus; *à ~ d'aujourd'hui* ab heute; *être prêt à ~* reisefertig sein; *faire ~ un cerf--volant* e-n Drachen steigen lassen; *~ d'un éclat de rire* laut los=lachen; *~ en voyage* auf die Reise *od* auf Reisen gehen; *le mot est parti* das Wort ist gefallen *od* heraus.

partisan, e [partizɑ̃, -an] *m* Anhänger, Parteigänger; *mil* Partisan *m.*

partitif, ive [partitif, -iv] *a gram* Teilungs-; *article m ~* Teilungsartikel *m.*

partition [partisjɔ̃] *f mus* Partitur *f.*

partouse [partuz] *f fam* Sexparty, Sexorgie *f.*

partout [partu] *adv* überall; *s m (Dominospiel)* Pasch *m; de ~* von überallher; *un peu ~* bald da, bald dort.

parturiente [partyrjɑ̃t] *f* Gebärende *f;* **~ition** *f* Gebären *n.*

parure [paryr] *f* (Gold-)Schmuck *m; fig* Zierde *f;* (Haut-, Fett-)Abfall *m; ~ pour homme (vx)* Herrengarnitur *f (Manschettenknöpfe u. Krawattenhalter); ~ de lingerie pour dame* Damengarnitur *f (Unterwäsche); ~ nuptiale* Brautschmuck *m.*

parution [parysjɔ̃] *f (Buch)* Erscheinen *n.*

parvenir [parvənir] *irr* gelangen (*à* zu), (an=)kommen; *(Brief)* zu=kommen, -gehen; empor=kommen, sein Glück machen; *~ à (inf)* erreichen, es dahin bringen, daß; *je parviens à* es gelingt mir zu; **~u, e** *s m f* Emporkömmling, Parvenu *m.*

parvis [parvi] *m (Kirche, Tempel)* Vorplatz, -hof *m,* Paradies *n.*

pas [pɑ(a)] **1.** *s m* Schritt *a. fig;* Tritt *m;* Stufe, Schwelle *f; vx fig* Vortritt (*sur* vor *dat*); *fam* Katzensprung; Engpaß *m,* Meerenge, Straße *f;* Durch-, Übergang; *mus* Tanz(schritt); *arch tech* Ein-, Ausschnitt *m,* Kerbe *f,* Loch *n; tech* Gewinde(gang *m,* -steigung *f*) *n;* Ganghöhe; (Zahn)Teilung *f; (Drehbank)* Fußtritt *m; (Textil)* Fach *n,* Sprung *m;* (Fuß)Spur *f; à chaque ~* auf Schritt u. Tritt; *à deux ~* ganz in der Nähe; *~ à ~* Schritt für Schritt, bedächtig; *de ce ~* unmittelbar, sofort; *aller à ~ de loup* auf leisen Sohlen gehen; *aller à ~ mesurés (fig)* wohlüberlegt vor=gehen; *allonger le ~* schneller gehen *s'attacher, être attaché aux ~ de qn* jdm auf Schritt u. Tritt folgen; *changer le ~* den Schritt wechseln; *doubler le ~* s-e Schritte verdoppeln; *emboîter le ~ à qn* jdm auf den Fersen folgen; *fig* sich ganz nach jdm richten; *en être au premier ~ (fig)* nicht weitergekommen sein; noch in den Anfängen stecken; *faire un grand ~, de grands ~* e-n großen Schritt vorwärts tun; *ne pas faire un ~* nicht vorwärts=, voran=kommen; *faire les cent ~* hin- u. her=gehen; *marcher à ~ comptés* gemessen schreiten; *mar-*

cher à ~ de géant Riesen(fort)schritte machen; *marcher sur les ~ de qn* jdm auf dem Fuß(e) folgen; *fig* in jds Fuß(s)tapfen treten; *marquer le ~* auf der Stelle treten *a. fig; mettre au ~ (fig pol)* gleich≈schalten; *fam* auf Vordermann bringen; *se mettre au ~* mit der Zeit gehen; *mesurer au ~ (Entfernung)* ab≈schreiten; *passer, sauter, franchir le ~* sich endlich entscheiden, *a* in den sauren Apfel beißen (müssen); *prendre le ~ sur qn* jdn in den Hintergrund drängen; *précipiter ses ~* sich beeilen; *ne pas quitter qn d'un ~* jdm nicht von den Fersen weichen; *(re)mettre au ~* wieder zur Ordnung, Vernunft bringen; *retourner, revenir sur ses ~* um≈kehren; *fig* um≈lenken; *voilà un grand ~ de fait* wir sind ein gutes Stück vorangekommen; *il n'y a que le premier ~ qui coûte* aller Anfang ist schwer; *faux ~* Fehltritt *m a. fig; longueur f de ~* Schrittlänge *f; mauvais ~ (fig)* Klemme *f; mise f au ~ (fig pol)* Gleichschaltung *f; salle f des ~ perdus* Vor-, Wandelhalle *f; ~-d'âne m bot* Huflattich *m; ~ cadencé, accéléré (mil)* Gleich-, Geschwindschritt *m; P~ de Calais (geog)* Straße *f* von Dover; *~ de charge (mil)* Sturmschritt *m; ~ de clerc* Unvorsichtigkeit, Ungeschicklichkeit *f; ~ de course (mil)* Laufschritt *m; ~ de géant (sport)* Rundlauf *m; ~ (de) gymnastique (sport)* Laufschritt *m; ~ de l'oie* (deutscher) Parade-, Stechschritt *m; ~ de porte* Recht *n* auf Fortführung der Firma; *~ de rayure (mil)* Drall *m; ~ de route (mil)* Marschtritt *m; ~ de vis* Schraubengewinde *n;* **2.** *adv: ne ... ~, (fam) ~* nicht; *(ne ...) pas de ...* kein ...; *ne... ~ non plus* auch nicht; *non ~* durchaus nicht, wirklich nicht; *(ne ...) pas un, e* nicht ein(er, e, s), kein(er, e, s); *~ vrai? (fam), ~? (fam)* nicht wahr? *~ grand-chose m* Taugenichts *m; ~ libre (tele)* besetzt; *~ mal (fam)* viel; *interj* nicht schlecht!

pascal, e [paskal] österlich; Oster-; Passah-.

passable [pasabl] ausreichend, genügend; erträglich; einigermaßen gut, passabel; **~ment** *adv* leidlich, einigermaßen.

passade [pasad] *f* Laune, flüchtige Neigung *f;* kurze(s) Untertauchen *n.*

passag|e [pasaʒ] *m* Durchgang, -marsch, -zug *m,* -reise *f;* Übergang *m,* -fahrt *f* (*de* über *acc*), -queren *n;* Durch-, Übergangsstelle *f;* Vorbei-, Vorübergehen, -fahren, -ziehen *n; arch* (Durch-)Gang *m;* Passage *f;* Zugang *m;* Gäßchen *n,* Weg *m,* Straße *f; fig* Übergang *m; mar* (Über-)Fahrt *f;* Schiffsplatz *m;* Fahr-, Fähr-, Brükkengeld *n; astr* Durchgang *m; orn* Ziehen, Streichen *n;* Zug *m; (Schule)* Versetzung; *(Buch)* Stelle *f; loc* Bahnübergang, Wechsel *m; de ~* auf der Durchreise; *donner, livrer ~ à qc* etw durch≈lassen; *se faire (un) ~* sich e-n Weg bahnen; *carnet m de ~ (mot)* Zollbürgschein *m; examen m de ~* Versetzungsexamen *n; ~ clouté* Überweg *m* für Fußgänger; *~ d'une étincelle* Funkenüberschlag *m; ~ de la frontière* Grenzübertritt *m; ~ inférieur, en dessous (loc)* Unterführung *f; ~ à niveau* schienengleiche(r) Bahnübergang *m; ~ supérieur, en dessus* Überführung *f; ~ souterrain* Tunnel *m,* Unterführung *f (im Bahnhof); ~***er, ère** *a* durchreisend; vorübergehend, vergänglich; flüchtig, von kurzer Dauer; *s m f* (Durch-)Reisende(r *m*) *f;* Fahr-, Fluggast; *mar* Passagier; *(Fahrzeug)* Insasse *m; ~ clandestin* blinde(r) Passagier *m.*

passant, e [pasɑ̃, -ɑ̃t] *a (Weg, Straße)* öffentlich; belebt, viel begangen; *s m* Passant, Vorübergehende(r) *m; tech* Schlaufe *f; en ~* im Vorbei-, Vorübergehen.

passation [pasasjɔ̃] *f (Urkunde)* Ausfertigung, Ausstellung *f; ~ d'écritures en compte, sur les livres* Buchung *f; ~ d'ordre(s)* Auftragserteilung *f; ~ de service* Dienstübergabe *f.*

passavant [pasavɑ̃] *m mar* Laufplanken *f pl; (Zoll)* Passierschein; Zollfreischein *m.*

passe [pas] *s f orn* Vorüberziehen *n,* Zug; Passierschein *m;* Liebesabenteuer *n; (Spiel)* Einsatz *m; (Fechten)* Passade *f,* Ausfall *m; med* (Be-)Streichen *n* mit den Händen; *com* Aufgeld *n,* Zuschuß; *loc* Freifahrschein *m; mar* Fahrtrinne *f; typ* Zuschuß; *tech* Arbeitsgang *m, el* Windung, Schnittstärke; *(Fußball)* Abgabe *f; être en ~ de* im Begriff, in der Lage sein zu, gute Aussicht haben auf *acc; bonne (mauvaise) ~* (un)günstige Lage *f; maison f de ~* Absteigequartier *n a.* Bordell *n; mot m de ~* Kennwort *n,* Losung *f; volume m de ~ (Buch)* Zuschußexemplar *n;* **~-bouillon** *m (Küche)* Durchschlag *m;* **~-boule(s)** *m inv* groteske Zielfigur *f* mit offenem Mund *(Spielzeug);* **~-bretelles** *m inv* Hosenträgerschlaufe *f;* **~-carreau** *m* (Schneider-)Bügelbrett *n;* **~-ceinture** *m* Gürtelschlaufe *f;* **~-debout** *m inv com* Transitschein *m;* ~-**droit** *m* ungerechte Bevorzugung *od* Zurücksetzung; *fam* Schiebung *f;* ~-**fleur** *m bot* Küchenschelle *f;* ~-**lacet** *m* Schnürnadel *f;* Durchziehstift *m;* ~-**lait** *m* Milchseiher *m;* ~-**main** *m* Tragschlaufe *f;* ~-**montagne** *m* Pelz-, Pudelmütze *f;* ~-**parole** *m mil* Durchgabebefehl *m;* ~-**partout** *s m inv* Nachschlüssel; Wechselrahmen *m;* (Schrot-, Baum-) Säge; *Art* Bürste *f; a* für alle Gelegenheiten (passend); *tour m de* ~ Taschenspielerkunststück *n; fig* geschickte(r) Betrug *m;* ~-**purée** *m inv (Küche)* Kartoffelquetsche *f;* ~-**temps** *m inv* Zeitvertreib *m;* ~-**thé** *m inv* Teesieb *n.*

passé, e [pase] *a* vergangen; vorbei, -über; *fam* hin; *(Farbe)* verschossen; *s m* Vergangene(s) *n,* Vergangenheit *a. gram;* Doppelstickerei *f; prp* nach; *s f* Streichen *(der Schnepfen);* (Schnepfen-)Garn *n,* Jagd *f;* Wildpfad *m,* Fährte *f; tech* Schuß; *min* Flözstreifen *m; deux heures* ~*es* zwei Uhr vorbei; ~ *de mode* aus der Mode (gekommen); ~**isme** *m* Rückständigkeit *f;* ~**iste** *a* rückständig; *s m f* rückständige(r) Mensch *m.*

passemen|t [pasmɑ̃] *m* Borte *f,* Besatz *m; pl* Posamenten *n pl;* ~**ter** mit Borten besetzen; ~**terie** *f* Posamentenfabrik *f,* -handel *m,* -arbeit *f;* Posamenten *n pl,* Posamentierwaren *f pl;* ~**tier** *m* Posamentierer *m.*

passe|poil [paspwal] *m* Paspel *f, a m,* Vorstoß *m;* ~**port** *m* (Reise-)Paß *m;* ~ *diplomatique* Diplomatenpaß, -ausweis; ~ *sanitaire* Gesundheitspaß *m.*

passer [pase] **1.** *itr* (vorbei=, vorüber=, hinüber=, hin=, durch=, weiter=)gehen; durch=reisen, -kommen; vor=sprechen (*chez* bei); kommen, gelangen; (befördert) werden (*qc* zu etw); (hinweg=)gleiten, fahren über; (durch=)dringen, durchqueren, überschreiten (*par* acc); vorbei=fließen *(par* an *dat);* über=, vor=, vergehen; an-, aufgenommen werden; *(Gesetz)* durch=gehen; *(Zeit)* vergehen, -fließen; *(Blume)* verblühen; *(Farbe)* verschießen; durch=machen, über sich ergehen lassen, sich unterziehen *dat; (zum Feinde)* über=treten, -gehen; *(Spiel)* passen, nicht spielen; *(Karte)* durch=gehen; *theat film* gespielt werden; *theat* über die Bretter gehen; *film* laufen; *(Schule)* versetzt werden; werden (*en* zu); angesehen werden, gelten (*pour* als); über=schlagen, -gehen (*sur qc* e-e S); hinweg=gehen (*sur qc* über e-e S); verzeihen (*sur qc* etw); **2.** *tr* durch-, überqueren, durchmessen; vorbei=gehen (*qc* an *dat*), hinaus=gehen (*qc* über e-e S), übertreffen, -steigen; *(Fähre)* über=setzen; *(Reisende)* befördern; übertragen *(à* auf *acc*), um=schreiben; herein=bringen, -schaffen; (hinüber=) reichen; *(Geld)* in Umlauf bringen *od* setzen; hinein=stecken; *(Faden)* durch=, ein=schlagen; *(Band)* ein=ziehen; *(Kleidung)* über=, an=ziehen; durch=seihen; *(Zeit)* verbringen; überschlagen, aus=lassen; *(Laune)* befriedigen; *(Prüfung)* bestehen; hin=gehen lassen; in Anschlag bringen, veranschlagen; *(Geschäft, Vertrag)* ab=schließen; *(Bestellung)* auf=geben; *(Auftrag)* erteilen; *(Wechsel)* begeben, indossieren; *tech* überziehen (*en* mit); *mar (Tau)* ein=scheren; *sport (Ball)* zu=spielen; **3.** *se* ~ *(Zeit)* ver-, vorüber=gehen; (vonstatten) gehen, ab=, verlaufen, vor=gehen, sich ab=spielen, geschehen, sich ereignen; nach=lassen, schwächer werden; sich enthalten (*de* gen), verzichten (*de* auf *acc*), ab=sehen (*de* von), entbehren können (*de qc* etw); sich gestatten (*qc* etw); **4.** *(Ausdrücke) faire* ~ zu=kommen lassen; *film* vor=führen; *(Befehl)* durch=geben, -sagen; *faire* ~ *qn par où l'on veut* mit jdm machen, was man will; *faire* ~ *en justice* vor Gericht stellen; *laisser* ~ *(a. fig)* durch=gehen lassen; *phys* durch=lassen; *pouvoir* ~ annehmbar sein, an=, hin=gehen können, mögen; *savoir se* ~ *de* fertig werden *od* aus=kommen können ohne; *y* ~ es auf sich nehmen, sich gefallen lassen; drauf=gehen; ~ *par les armes* erschießen; ~ *à l'as (fam)* aus=bleiben; *fig* drauf=gehen, unter den Tisch fallen; ~ *avant, après* über-, unterlegen sein; ~ *aux aveux* ein Geständnis ab=legen; ~ *du blanc au noir* von einem Extrem ins andere fallen; ~ *au bleu* (Wäsche) bläuen; *fam* verschwinden lassen; ~ *de bouche en bouche* sich herum=sprechen; ~ *son chemin* weiter=gehen; ~ *par chez qn* bei jdm vorbei=, durch=kommen; ~ *commande de* ... in Auftrag geben; ~ *en compte (com)* (ver-) buchen, verrechnen, in Rechnung stellen, in Anrechnung bringen; ~ *condamnation* sein Unrecht zu=geben; ~ *sur le corps à qn* über jdn hinweg=gehen, -schreiten *a. fig;* ~ *du côté de* ... über=treten zu ...; begleiten; ~ *en couleur* an=streichen; ~ *au crédit (com)* gut=schreiben, -bringen; ~ *au crible, au tamis* sieben; ~ *debout (Ware)* durch=gehen; e-n geringen Eindruck hinterlassen; ~ *en dépense (com)* zur Last schreiben; ~ *par écrit* schriftlich nieder=legen; ~ *écriture de, dans les livres (com)* verbuchen; ~ *à l'encre (Zeichnung)* aus=ziehen; ~ *à l'ennemi* zum Feind über=gehen; ~ *l'éponge sur qc* etw verzeihen; ~ *à l'état de* ... in den Geruch e-s (e-r) ... kommen; ~ *un fer sur qc* etw plätten, bügeln; ~ *dans les feu pour qn* für jdn durchs Feuer gehen; ~ *en force de chose jugée (Urteil)* rechtskräftig werden; ~ *en force de loi* Gesetzeskraft erlangen; ~ *en fraude* ein=schmuggeln; ~ *sa fureur sur qn* s-e Wut an jdm aus=lassen; ~ *la main (pol)* sich zurück=ziehen; ~ *sa main sur qc* mit der Hand über e-e S fahren; ~ *haut la main (parl)* glatt durch=gehen; ~ *par les mains de qn* durch jds Hände gehen; auf jdn angewiesen sein; ~ *de main en main* von Hand zu Hand gehen; ~ *un marché* e-n Kauf ab=schließen; ~ *la mesure (fig)* den Bogen überspannen; ~ *de mode* aus der Mode kommen, unmodern werden; ~ *la nuit* die Nacht durch=wachen *od* verbringen; ~ *à l'ordre du jour* zur Tagesordnung über=gehen; ~ *outre* sich über alles hinweg=setzen; ~ *outre à* übergehen; ~ *outre, plus avant* darüber hinaus=gehen; 17 *par qc* etw durch=machen (müssen); *en* ~ *par* sich bereit=finden zu; ~ *par-dessus qc* über *acc* e-e S klettern; *fig* sich über e-e S hinweg=setzen; ~ *le pas (fig)* in den sauren Apfel *od* ins Gras beißen; ~ *en proverbe* zu e-m Sprichwort, sprichwörtlich werden; ~ *en revue (mil)* mustern; *allg* kontrollieren; ~ *sous silence* mit Stillschweigen übergehen; ~ *à tabac (arg)* (ver)prügeln; ~ *en tan (chamois, mégie)* (sämisch, weiß) gerben; ~ *à l'ordre d'un tiers (Wechsel)* girieren; ~ *une vitesse* e-n Gang ein=schalten; *passe!* nun gut! meinetwegen; *passe pour* ... mag es hingehen, sein Bewenden haben mit ... ; *passons!* lassen wir das! *passez d'abord* gehen Sie voran! *cela ne se ~a pas ainsi* das kann nicht so hin=gehen; *cela passe mes forces* das geht über, übersteigt meine Kräfte; *cela passe l'imagination* das ist unvorstellbar; *l'envie m'en a passé* die Lust dazu ist mir vergangen; *il me passe par la tête* es fällt mir gerade ein, kommt mir in den Sinn; *il ~a par mes mains (fam)* ich werde ihn schon kriegen; *il faut en* ~ *par là* wir müssen in den sauren Apfel beißen; *on ne passe pas* kein Zu-, Durchgang; *ça lui ~a* er kommt darüber hinweg; *défense de* ~ Durchgang verboten.

passerage [pasraʒ] *f bot* Kresse *f.*

passereau [pasro] *m orn* Sperling *m.*

passerelle [pasrɛl] *f* Fußgängerbrükke *f,* Steg *m; mar* Kommandobrücke *f; tech* Laufsteg *m,* -bühne *f;* ~ *embarcadère (mar)* Landesteg *m.*

passerose [pasroz] *f bot* Stockrose *f.*

passette [pasɛt] *f (Küche)* kleine(r) Durchschlag; *(Weberei)* Einziehhaken *m.*

passeur, se [pasœr, -øz] *s m f* Fährmann; *tech* Schnapper *m;* ~ *d'armes* Waffenschmuggler *m.*

passi|bilité [pasibilite] *f* Empfindungsfähigkeit *f;* **~ble** empfindungsfähig; *jur* zu bestrafen(d) (*de* mit); verpflichtet (*de* zu); *être* ~ *d'une loi* unter ein Gesetz fallen; *être* ~ *d'une peine* sich strafbar machen; ~ *d'un droit* gebührenpflichtig; ~ *d'impôts* steuerpflichtig; ~ *d'une peine* strafbar, -fällig.

passif, ive [pasif, -iv] *a* passiv, leidend; untätig; *com* Passiv-; *s m gram* Passiv *n,* Leideform *f; com* Passiva *n pl,* Schulden, Verbindlichkeiten *f pl;* Schuldenmasse *f; obéissance f ~ive* Kadavergehorsam *m; résistance f ~ive* passive(r) Widerstand *m; voix f ~ive* passive(s) Wahlrecht *n;* ~ *exigible* laufende Verbindlichkeiten *f pl.*

passiflore [pasiflɔr] *f bot* Passionsblume *f.*

passivité [pasivite] [pasivite] *f* Passivität, Untätig-, Tatenlosigkeit *f.*

passion [pasjɔ̃] *f* Leidenschaft, (heftige) Liebe, Sucht, Vorliebe; Erregung; Wärme, Glut *f (des Gefühls);* Leiden *n* (Christi), Passion; Leidensgeschichte; Passionspredigt *f; aimer à la* ~ leidenschaftlich lieben; *juger sans* ~ sachlich (be)urteilen; *se laisser aller* od *emporter à sa* ~ sich von s-r Leidenschaft fort=reißen lassen; *se prendre de* ~ *pour qn* sich (leidenschaftlich) in jdn verlieben; **~nant, e** [-sjɔ-] *a* er-, aufregend, spannend, fesselnd; **~né, e** *a* leidenschaftlich; glühend, heiß *fig;* begeistert, hingerissen; eingenommen (*de* für); *s m* leidenschaftlich Liebende(r); Begeisterte(r) *m;* **~nel, le** *a* den Leidenschaften unterworfen; leidenschaftlich; Gefühls-, Liebes-; im Affekt begangen; *élément m* ~ Gefühlsmoment *n;* **~nément** *adv* leidenschaftlich, heftig; **~ner** leidenschaftlich erregen; begeistern, hin=reißen; an sich *(acc)* ziehen, fesseln, sehr interessieren; *se* ~ sich begeistern, schwärmen; sich leidenschaftlich verlieben, schwärmen (*pour* für); leidenschaftlich werden, sich erregen, sich erhitzen.

passoire [paswar] *f (Küche)* Sieb *n*, Durchschlag *m;* ~ *à thé* Teesieb *n.*

pastel [pastɛl] *m* **1.** Pastellstift *m*, -farbe, -malerei *f;* **2.** *bot tech* (Färber-)Waid *m; dessiner au* ~ in Pastell malen; *crayon m (de)* ~ Pastell-, Farbstift *m; dessin m au* ~ Pastellgemälde, -bild *n;* **~liste** *m* Pastellmaler *m.*

pastèque [pastɛk] *f bot* Wassermelone *f.*

pasteur [pastœr] *m* Hirt; *(bes. evang.)* Pastor, Pfarrer *m; a* Hirten-; **~isateur** *m* Pasteurisierapparat *m;* **~isation** *f* Pasteurisieren *n;* **~iser** pasteurisieren.

pasti|che [pastiʃ] *m* Nachahmung *f; (Kunst)* Pasticcio *n;* Flickoper *f;* **~cher** nach=ahmen *(acc);* **~cheur, se** *s m f* Nachahmer(in *f*) *m.*

past|illage [pastijaʒ] *m* Nachbildung *f* in Zuckerguß; **~ille** [-ij] *f* Pastille, Tablette *f;* Plätzchen *n;* Bonbon *m* od *n; mot* Pilz *m;* Räucherkerzchen *n;* ~ *incendiaire* Brandplättchen *n.*

pastoral, e [pastɔral] *a* Hirten-, Schäfer-; Land-; *rel* pastoral; *s f theat* Schäferspiel; Hirtengedicht *n; (Kunst)* Hirtenszene *f; mandement m* ~ *(rel)* Hirtenbrief *m.*

pat [pat] *a (Schach)* patt; *s m* Patt *n.*

patache [pataʃ] *f fam* Klapperkasten *m.*

patachon [pataʃɔ̃] *m: mener une vie de* ~ *(fam)* ein liederliches Leben führen.

patafioler [patafjɔle] : *que le bon Dieu, le diable te ~fiole! (pop)* hol dich der Teufel!.

patapouf [patapuf] *s m fam* Plumpsack; Bums *m; interj* bums! plumps! bauz! pardauz!

pataquès [patakɛs] *m gram* Bindungsfehler; *allg* Schnitzer *m;* Entgleisung *f.*

patate [patat] *f bot* Batate; *fam* Kartoffel *f; en avoir gros sur la* ~ *(pop)* bedrückt, betrübt sein; etw auf dem Herzen haben.

patati-patata [patatipatata] papperlapapp!

patatras [patatra] *interj* bauz! pardauz!

pat|aud, e [pato, -d] *s m f* junge(r) Hund *m,* junge Hündin *f;* Tolpatsch *m; a* tolpatschig; plump; **~auger** (herum=)pan(t)schen, waten; *fam* sich (beim Reden) verwirren, verhaspeln.

patchouli [patʃuli] *m bot* Patschuli *n (Parfüm).*

pât|e [pɑt] *f* Teig *m;* Paste, Pasta; *tech* Masse; *geol* Grundmasse *f; fig* Stoff *m; fam* Konstitution, Veranlagung *f,* Naturell *n; (Ölmalerei)* Farbe *f;* Weichkäse *m; mettre la main à la* ~ in der Küche helfen; *fig* selbst Hand an=legen; *peindre dans la ~, en pleine* ~ *(Malerei)* dick auf=tragen, pastos malen; *tomber en* ~ *(typ)* durchea.=fallen; *~s alimentaires, d'Italie* Teigwaren *f pl;* ~ *de bois* Zellulose *f,* Holzfaserstoff, -schliff, -zement *m;* ~ *à coller* Kleister *m;* ~ *dentifrice* Zahnpasta *f;* ~ *feuilletée* Blätterteig *m;* ~ *de fruits, d'amandes* Frucht-, Mandelpaste *f;* ~ *d'homme (fam)* goldige(r) Kerl *m;* ~ *à modeler* Plastilin *n; fig* ~ *molle* charakterlose, beeinflußbare Person; ~ *(à papier)* Papiermasse *f,* -brei, Pulp(e *f*) *m;* ~ *de plâtre* Gipsbrei *m;* ~ *de rempl(iss)age* Füllmasse *f;* **~é** *m* Pastete *f;* Fleisch-, Leberkäse; Häuserblock; (Tinten-)Klecks; *typ* Zwiebelfisch *m; com* Gruppe *f* zs. zu verkaufender Gegenstände; Klumpen *m;* ~ *de foie gras* Gänseleberpastete *f;* **~ée** *f* (Hunde-, Geflügel-)Futter *n; fam* Pampe *f;* Fraß *m;* Dresche, Keile *f.*

patelin, e [patlɛ̃, -in] *a* einschmeichelnd; *s m f* Schmeichler(in *f*), Heuchler *m; m pop* Kaff, Nest *n,* Heimat(dorf *n*) *f;* **~age** *m,* **~erie** *f* Schmeichelei, Heuchelei *f;* **~er** *itr* schmeicheln *(dat); tr* umschmeicheln, beschwatzen; *(Sache)* drehen, deichseln.

patelle [patɛl] *f zoo* Schüssel-, Napfschnecke *f.*

patène [patɛn] *f rel* Patene *f.*

patenôtre [patnotr] *f rel vx* Paternoster; *fam* Gebet; Gefasel, Gemurmel *n; pop* Rosenkranz *m; tech* Eimer-, Ketten-, Paternosterwerk *n; diseur, mangeur m de ~s (vx)* Scheinheilige(r) *m;* ~ *du singe (vx)* Gebrumm(e), Brummen *n.*

patent, e [patɑ̃, -ɑ̃t] offenkundig, -sichtlich, -bar; **~able** gewerbesteuerpflichtig; **~e** *f* Gewerbeschein *m;* Gewerbesteuer(bescheinigung) *f;* ~ *générale, principale (com)* Vollkonzession *f;* ~ *de santé (mar)* Gesundheitspaß *m;* **~é, e** *fig* anerkannt; **~er** der Gewerbesteuer unterwerfen.

pater [patɛr] *m* große Kugel *f (am Rosenkranz); P~* Paternoster, Vaterunser *n; savoir comme son* ~ *(fam)* wie am Schnürchen können; *ne pas savoir son* ~ keine Ahnung, keinen blassen Schimmer haben.

patère [patɛr] *f* Kleider-, Garderobenhaken; Gardinenhalter *m.*

patern|alisme [patɛrnalism] *m pol*

(Politik *f* der) Bevormundung *f;* **~aliste** patriarchalisch; **~e** süßlich wohlwollend; katzenfreundlich; **~el, le** *a* väterlich(erseits), Vater-; *s m fam* Vater, alte(r) Herr *m;* **~ellement** *adv* wie ein Vater; **~ité** *f* Vater-, Urheberschaft *f.*

pâteux, se [pɑtø, -øz] teigig, pappig; (zu) dick(flüssig), trübe; *(Boden, Weg)* aufgeweicht, klitschig, matschig; *(Birne)* mehlig, teigig; *(Diamant)* trübe; *(Malerei)* pastos; weich; *(Stil)* schwerfällig; *(Zunge)* belegt; *avoir la bouche, la langue pâteuse* e-e belegte Zunge *od* e-n Frosch im Halse haben.

pathétique [patetik] pathetisch, leidenschaftlich erregend; rührend; feierlich.

patho|gène [patɔʒɛn] *a* pathogen, krankheitserregend; *agent m* ~ (Krankheits-)Erreger *m; germe m* ~ Krankheitskeim *m;* **~génie** *f med* Pathogenese *f;* **~logie** *f med* Pathologie *f;* **~logique** pathologisch; **~logiste** *m* Pathologe *m.*

pathos [patɔs] *m* Schwulst, Unsinn *m.*

patibulaire [patibylɛr] *a* Galgen-; *fourches f* ~*s* Galgen *m; mine, face f, air m* ~ Galgengesicht *n.*

patien|ce [pasjɑ̃s] *f* **1.** Geduld; Ausdauer, Beharrlichkeit; Patience(spiel *n*) *f;* **2.** *bot* Geduld-, Gartenampfer *m; prendre* ~ sich gedulden; *prendre en* ~ mit Geduld (er)tragen; *la* ~ *m'échappe, je suis à bout de* ~ mir reißt die (der) Geduld(sfaden); *la* ~ *vient à bout de tout,* ~ *passe science (prov)* steter Tropfen höhlt den Stein; *jeu m de* ~ Geduldsspiel *n; ouvrage m de* ~ langwierige Arbeit *f;* **~t, e** *a* geduldig, ruhig, beharrlich; *s m* (zu operierender) Patient *m;* **~ter** sich gedulden.

patin [patɛ̃] *m (~ à glace)* Schlittschuh *m; tech* (Schlitten-)Kufe *f,* Schuh *m,* Sohle; *arch* Heft-, Spannlatte *f;* Rost; *arg* Schmatzer; *loc* Schienenfuß *m; mil* Ketten-, Raupenglied *n;* ~ *d'atterrissage (aero)* Lande-, Gleitkufe *f;* ~ *de béquille (aero)* Schleifsporn *m;* ~ *de frein (mot)* Bremsklotz, -schuh *m;* ~ *d'escalier* Treppensohle *f;* ~ *de pédale (mot)* Pedal-, Fußhebelauflage *f;* ~ *de ressort (mot)* Federsattel, -sitz *m;* ~ *à roulettes* Rollschuh *m;* ~ *de secours (aero)* Notsporn *m;* **~age** [-ti-] *m* Schlittschuh-, Eislauf *m; tech mot* Schleudern, Gleiten, Rutschen *n;* ~ *artistique* Eiskunstlauf *m;* ~ *à roulettes* Rollschuhlaufen *n;* ~ *de vitesse* Eisschnellauf *m;* **~e** *f* Patina *f;* **~er 1.** *itr* Schlittschuh laufen; *tech mot* gleiten, schleifen, rutschen, nicht fassen; *(Rad)* sich auf der Stelle drehen; **2.** *tr vx* tasten, *fam* befummeln; **3.** *tr* mit Patina überziehen; *se* ~ *(fam vx)* sich tummeln, sich beeilen; ~ *à roulettes* Rollschuh laufen; **~ette** *f* Roller *m (Spielzeug);* **~eur, se 1.** *s m f* Schlittschuh-, Eisläufer(in *f*) *m;* **2.** *fam* Fummler *m;* ~, ~*se à roulettes* Rollschuhläufer(in *f*) *m;* **~oire** *f* Eisbahn *f.*

pâtir [pɑtir] leiden (*de* unter *dat*); büßen (müssen); Mangel leiden; *fig* im argen liegen.

pâtis [pɑti] *m agr* Weide(land *n*) *f.*

pâtis|serie [pɑtisri] *f* (feine) Backwaren *f pl,* Backwerk, Gebäck *n,* Kuchen *m (pl);* Konditorei; *fig fam* kitschige Verzierungen *f pl,* Zuckerbäckerstil *m;* **~sier, ère** *s m f* Konditor *m; a* Konditor-; **~soire** *f* Backtisch *m.*

pat|ois [patwa] *s m* Mundart *f; a:* ~, *e* mundartlich; **~oiser** Dialekt sprechen.

pâton [pɑtɔ̃] *m agr* Stopfnudel *f;* Teigklumpen; Knoten *(im Papier); fam* Knubbel, kleine(r), dicke(r) Mensch *m.*

patouill|e [patuj] *f* Matsch *m;* **~er** *itr* im Schlamm (herum=)pan(t)schen; *tr fam* begrapschen; ungeschickt an=fassen; **~et** [-jɛ] *m min* Läutertrommel *f.*

patraque [patrak] *s f fam vx (Maschine, Mensch)* (altes) Wrack *n;* Klapperkasten *m,* Mühle *f,* Schlitten *m; a (Mensch)* kaputt; piepsig, kränklich.

pâtre [pɑtr] *m* Hirt *m.*

patri|arcal, e [patrijarkal] patriarchalisch; *rel* Patriarchen-; **~arcat** [-ka] *m rel* Patriarchat *n;* **~arche** [-arʃ] *m rel allg* Patriarch *m.*

patricien, ne [patrsjɛ̃, -ɛn] *s m f hist* Patrizier(in *f*) *m; a* patrizisch; *allg* aristokratisch.

patri|e [patri] *f* Vaterland *n;* Heimat *f,* Geburtsort *m; fig* Wiege *f; mère f* ~ Mutterland *n;* **~moine** *m* Erbe; Erb-, Stammgut; *fig* Erbteil; *rel* Patrimonium *n;* ~ *héréditaire (biol)* Erbgut *n;* ~ *social, d'affectation* Gesellschaftsvermögen *n;* **~monial, e** *a* Erb-, Stamm-; *hist rel* Patrimonial-; **~otard, e** [-trijɔ-] *a* hurrapatriotisch; *s m f* Hurrapatriot(in *f*) *m;* **~ote** *s m f* Patriot(in *f*) *m; a* patriotisch; **~otique** patriotisch, vaterländisch, Vaterlands-; **~otisme** *m* Vaterlandsliebe *f.*

patristique [patristik] *a rel* patristisch; *s f u.* **patrologie** *f* Patristik *f.*

patron, ne [patrɔ̃, -ɔn] **1.** *s m f* Schutz-, Patronats-, Schirmherr *m;* Schutzheilige(r *m*) *f,* -patron(in *f*); Gönner(in *f*); Arbeitgeber, Betriebsleiter; Chef(in *f*), Meister(in *f*); Inhaber; Hausherr; *mar* Kapitän *m;* **2.** *m tech* Modell *n,* Form; Schablone *f;* Schnittmuster *n; (Unterwäsche)* größte Herrengröße *f;* ~ *de la barque (fig fam)* Chef *m* vom Ganzen; **~age** *m* Patronat(srecht) *n;* Schutz-, Schirmherrschaft *f,* Schutz; Wohltätigkeitsverein *m;* Schablonenmalerei *f;* ~ *scolaire (Art)* Jugendhilfswerk *n;* **~al, e** *a* Schutzheiligen-; Arbeitgeber-; *cotisation f* ~*e* Arbeitgeberanteil *m; fête f* ~*e* Kirchweih, Kirmes *f; organisation f, syndicat m* ~*(e)* Arbeitgeberverband *m;* **~at** [-na] *m* Unternehmertum *n,* Arbeitgeber(schaft *f*) *m pl;* **~ner** beschützen, protegieren; ein=treten (*qn* für jdn); in die Gesellschaft ein=führen; *(Preis)* verleihen; *(Bewerber)* empfehlen, unterstützen (*a.* **~iser**); *tech* (aus=)stanzen; *(Schneiderei)* (nach e-m Schnittmuster) zu=schneiden; **~nesse** *(Wohltätigkeitsverein, -veranstaltung)* Vorstands-, Ehrendame *f.*

patronymique [patrɔnimik] *a: nom m* ~ Familienname *m.*

patrouill|age [patrujaʒ] *m pop vx dial* Manscherei *f;* Gemansch(e) *n;* Mischmasch *m;* **~e** *f mil* Spähtrupp *m,* Streife; *(vx)* ~ *de police* Polizeistreife *f;* **~er** *itr pop vx* (herum=) pan(t)schen, -waten; planschen, manschen; *mil* auf Späh-, Streiftrupp gehen; *tr pop* unsauber um=gehen (*qc* mit etw); **~eur** *m mil* Späher *m;* Wachboot *n; aero* Aufklärer *m;* **~is** [-ji] *m pop* Dreckloch *n,* Morast *m.*

patte [pat] *f zoo* Pfote, Tatze, Pranke, Pratze, Klaue; *(Krebs)* Schere; *fam (Mensch)* Pfote, Flosse *f; (Trinkglas)* Fuß *m;* Klappe; *(Schneiderei)* Patte, Klappe, Blende *f;* Aufschlag *m; tech* Bankeisen *n;* Krampe, Klammer, Lasche *f;* Halter *m,* Stütze *f;* Anker(splint) *m; à quatre* ~*s* auf allen vieren; *être entre les* ~*s de qn* in jds Klauen, Hand, Gewalt sein; *faire* ~ *de velours* katzbuckeln; *graisser la* ~ *à qn* jdn bestechen; *mettre la* ~ *sur* die Hand legen auf *acc,* mißhandeln; *montrer* ~ *blanche (fam)* sich aus=weisen; *ne pouvoir remuer ni pied ni* ~ kein Glied rühren können; *retomber sur ses* ~*s (fig)* auf die Beine fallen; *sortir, se tirer des* ~ *de qn* sich aus jds Gewalt befreien; *tenir qn sous sa* ~ jdn in der Gewalt haben; *tomber sous la* ~ *de qn* in jds Klauen, Gewalt geraten; *bas les* ~*s!* Hände weg! ~ *blanche!* heraus mit der Sprache! ~ *d'araignée (tech)* Öl-, Schmiernut *f;* ~ *d'astrakan* Persianerklaue *f;* ~ *de boutonnage* Knopflochleiste *f;* ~ *pour ceinture* Gürtelriegel *m;* ~ *d'épaule (mil)* Schulterklappe *f;* ~*-fiche f* Bankeisen *n,* Krampe *f;* ~*s de mouche* Gekritzel *n;* ~ *natatoire (zoo)* Schwimm-, Ruderfuß *m;* ~*-d'oie f* Weg-, Straßenkreuzung *f,* Knotenpunkt *m,* Wegespinne *f;* Krähenfüße *m pl (im Gesicht);* Handlinien *f pl; Art* Balkengerüst *n;* ~ *de velours (Katze)* Samtpfötchen *n; fig* Katzenfreundlichkeit *f.*

pattemouille [patmuj] *f* (feuchtes) Bügeltuch *n.*

pattu, e [paty] mit großen Pfoten; *orn* federfüßig.

pâtur|able [pɑtyrabl] *a* weidefähig; **~age** *m* Weide(land *n*) *f;* Weiden *n;* **~e** *f* Weiden, Grasen; Grünfutter *n;* Weide(platz *m*); *(Mensch)* Nahrung(smittel *n*) *f a. fig;* **~er** *itr* weiden, grasen; *tr* ab=weiden, -grasen (lassen); **~in** *m bot* Rispen-, Viehgras *n.*

paturon [patyrɔ̃] *m (Pferd)* Fessel *f; pl arg* Beine *n pl.*

paum|e [pom] *f* innere Handfläche, flache *od* hohle Hand; Handbreit *f (Maß); Art* Ballspiel *n;* **~é** *fam* völlig durcheinander; **~ée** *f vx* Schlag *m* mit der flachen Hand; **~elle** *f* Türband; *tech* Handleder *n; agr* (zweizeilige) Sommergerste *f;* **~er** *tr arg* verlegen, verlieren; *être complètement* ~*é fig* völlig verloren sein; *(se* ~*er) mar* sich (an e-m Tau) hoch=ziehen; *arg* sich verlaufen; **~oyer** *mar (Tau)* hoch=ziehen; *(Sattler)* (mit dem Handleder) nähen; **~ure** *f (Hirschgeweih)* Krone *f.*

paupérisme [poperism] *m* Massenelend *n.*

paupière [popjɛr] *f* (Augen-)Lid *n; battre des* ~*s* mit den Augen klimpern; *fermer la* ~ die Augen zu=tun, für immer schließen; *fermer la, les* ~*(s) à qn* jdm die Augen zu=drücken; *ouvrir la* ~ die Augen auf=schlagen; das Licht der Welt erblicken.

paus|e [poz] *f* Pause *f;* (zeitweiliger) Aufschub *m; mus* ganze Pause *f; faire la* ~ Pause machen; an=halten; ~*-café* Kaffeepause *f;* ~*-pipi* Pinkelpause *f;* **~er** *mus* pausieren, inne=halten.

pauvr|e [povr] *a* arm (*de, en* an *dat*); *(vorgestellt)* arm(selig), ärmlich, schäbig; unzureichend, unzulänglich; bedauerns-, bejammernswert; *(nachgestellt)* wenig ergiebig, unergiebig, unfruchtbar; *(~ en minerai)* gehaltlos; schwach, dürftig, mager, elend, schlecht; *(Haar)* dünn, schütter; *s m* Arme(r) *m; ~ diable, hère* arme(r) Teufel, Schlucker *m; les ~s d'esprit* die Armen im Geiste; *~ comme Job* arm wie eine Kirchenmaus; **~ement** [-vrə-] *adv* unzureichend; **~esse** *f* arme Frau; Bettlerin *f;* **~et, te** *s m f* arme(r) Junge *m,* arme(s) Ding *n;* **~eté** [-vrə-] *f* Armut; Dürftigkeit; Armseligkeit *f; pl* Albern-, Plattheiten *f pl; ~ n'est pas vice* Armut schändet nicht.

pavage [pavaʒ] *m* Pflaster(n) *n,* Pflasterung *f; ~ en blocage* Kopfsteinpflaster(ung *f*) *n.*

pavaner, se [pavane] sich brüsten; sich auf≈plustern *fam;* umher≈stolzieren.

pav|é [pave] *m* Pflaster(stein *m*) *n;* Straßendecke; *fig fam* Straße *f; à petits ~s (Stoff)* gewürfelt; *battre le ~* herum≈bummeln; *mettre sur le ~ (fig)* auf die Straße setzen; *tenir le haut du ~* e-e große Rolle spielen; *il est sur le ~* er liegt auf der Straße, hat keine Arbeit; *batteur m de ~* Pflastertreter *m; ~ en asphalte, en béton* Asphalt-, Betondecke *f; ~ (de pain d'épice)* Pfefferkuchen *m; ~ en pierre, en bois* Stein-, Holzpflaster *n;* **~ement** *m* Pflastern *n;* Plattenbelag *m; ~ industriel* Fabrikfußboden *m;* **~er** pflastern; mit Platten be-, aus≈legen; *fig* bedecken; *les rues en sont ~ées (fig)* damit kann man die Straße pflastern; **~eur** *m* Steinsetzer, Pflasterer *m.*

pavillon [pavijɔ̃] *m* Pavillon *m;* Häuschen, Gartenhaus *n;* Flachbau *m;* überdeckte Terrasse *f;* Vor-, Anbau *m; hist* Zelt *n;* Schalltrichter *m,* -öffnung; Hörmuschel *f; mot* Verdeck *n; bes. mar* Flagge; Standarte, Fahne *f,* Wimpel *m;* Flotte *f (e-s Landes); baisser ~ (fig fam)* nach≈geben; *battre ~ français* unter französischer Flagge segeln; *mettre bas le ~ devant qn (fig)* vor jdm die Segel streichen; *naviguer sous ~ étranger* unter fremder Flagge segeln; *~ amiral* Admiralsflagge *f; ~ de chasse* Jagdhütte *f; ~ d'écoute (aero)* Horchtrichter *m; ~ aux machines* Maschinenhaus *n; ~ marchand* Handelsflagge *f; ~ national* Nationalflagge *f; ~ de l'oreille (anat)* Ohrmuschel *f; ~ de signaux* Signalflagge *f.*

pavois [pavwa] *m* (Lang-)Schild *m;* Beflaggung *f (e-s Schiffes); élever sur le ~* auf den Schild, *fig* in den Himmel heben; **~er** [-ze] *tr* beflaggen; *itr fig fam* vor Freude aus dem Häuschen sein.

pavot [pavo] *m bot* Mohn *m; tête f de ~* Mohnkapsel *f; ~ des moissons* Klatschmohn *m.*

pay|able [pɛjabl] zahlbar; *~ au porteur* zahlbar an den Überbringer; *~ à vue* zahlbar bei Sicht; **~ant, e** *a* zahlend; zu bezahlen(d); bezahlt; *s m* Zahler *m; être ~* sich bezahlt machen; *prix m ~* lohnende(r) Preis *m; stationnement ~* bewachte(r) Parkplatz *m;* **~e, paie** [pɛj, pɛ] *f* Lohn(aus)zahlung; Löhnung *f,* (Wochen-)Lohn; *mil* (Wehr-)Sold; *fam* Zahler *m; une ~ (pop)* e-e Ewigkeit, lange *adv; bulletin m, enveloppe, feuille f, jour, office m de ~* Lohnzettel *m,* -tüte, -liste *f,* -tag *m,* -büro *n; haute ~ (mil)* (Front-)Zulage *f; ~ à la pièce* Stücklohn *m;* **~ement, paiement** [pɛjmɑ̃, pɛmɑ̃] *m* (Be-, Aus-)Zahlung; Einlösung *f a. fig; au lieu de ~* an Zahlungs Statt; *contre ~, moyennant ~ de* gegen Zahlung *gen; cesser, suspendre les ~s* die Zahlungen ein≈stellen; *faire, effectuer un ~* e-e Zahlung leisten; *cessation f des ~s* Zahlungseinstellung *f; conditions, difficultés, facilités f pl, instrument m* od *moyens m pl, mandat m, sommation f, sursis, terme m de ~* Zahlungsbedingungen, -schwierigkeiten, -erleichterungen *f pl,* -mittel *n (pl),* -anweisung, -aufforderung *f,* -aufschub *m,* -frist *f; jour m de ~* Zahltag *m; (mouvement, service m des) ~s* Zahlungsverkehr *m; ~ par acomptes* Ratenzahlung *f; ~ anticipé, d'avance* Vorauszahlung *f; ~ au comptant* Barzahlung *f; ~ partiel* Teilzahlung *f; ~ du solde* Restzahlung *f; ~ à tempérament* Ratenzahlung *f.*

pay|er [pe(ɛ)je] **1.** *itr* (be-)zahlen; *fam* blechen; *fig (Sache)* sich lohnen, e-e S ein≈bringen; *(fam) ça ne paie pas* es macht sich nicht bezahlt; **2.** *tr* (be-, aus≈)zahlen, *(Beitrag, Schuld)* entrichten, *(Rechnung)* begleichen, *(Kosten)* bestreiten, *(Schuld)* ab≈tragen *od* tilgen, *(Wechsel)* honorieren; vergelten; *tu me le paieras!* das sollst du mir büßen! das zahle ich dir heim! (*pour* für); *~ qc à qn* jdm e-e S kaufen, jdn zu etw ein≈laden; *~ qn de qc* jdn für etw be-, entlohnen; *être ~é pour le savoir* e-e S am eigenen Leibe erfahren haben; *se ~ (fam)* sich kaufen; bezahlt werden (müssen); sich zufrieden≈geben, sich ab≈finden (*de* mit); *(fam) se ~ qc* sich e-e S leisten; ~ *par acomptes, par traites* ab=(be)zahlen, in Raten, auf Abschlag (be)zahlen; ~ *après, postérieurement, ultérieurement* nachträglich bezahlen, nach=zahlen; ~ *d'avance, par avance, par anticipation* voraus=(be)zahlen; *se ~ de chansons, de mots* sich ab=speisen lassen; ~ *(au) comptant* bar (be)zahlen; ~ *la douane, les droits de douane pour qc* e-e S verzollen; ~ *les pots cassés (fig)* die S aus=baden; ~ *des impôts pour qc* e-e S versteuern; ~ *qn d'ingratitude* sich jdm gegenüber undankbar erweisen; ~ *des intérêts pour qc* e-e S verzinsen; ~ *de belles paroles* mit schönen Worten ab=speisen; ~ *de sa personne* dafür ein=stehen; sich dafür ein=setzen; ~ *un pot m, une tournée f* eine Runde geben; *se ~ de raisons* sich überzeugen lassen; ~ *de retour (Liebe)* erwidern; ~ *de retour qn* es jdm (mit gleicher Münze) heim=zahlen; ~ *rubis sur l'ongle* auf Heller u. Pfennig bezahlen; ~ *en supplément* zu=zahlen; ~ *les violons* die Kosten tragen; *il ne paye pas de mine* man sieht es ihm nicht an; **~eur, se** *s m f* Zahler(in *f*) *m; s m* u. *a: officier m ~* Zahlmeister *m.*

pays [pe(ɛ)i] Land; Vaterland *n;* Gau, Landstrich *m,* Gegend; Heimat *f;* Gebiet *n,* Bereich *m* od *n; fam* Landsmann *m; du ~* (ein)heimisch; *arriver de son ~* ein Neuling, Anfänger sein; *battre le ~* dauernd unterwegs sein; *voir du, courir les ~* weit herum=kommen; *de quel ~ venez-vous?* Sie kommen wohl vom Mond? *nul n'est prophète en son ~* der Prophet gilt nichts in seinem Vaterland; *être en ~ de connaissance* sich wie zu Hause fühlen; *les P~-Bas* die Niederlande *n pl; les ~ de l'Est, les ~s socialistes* die Ostblockländer *n pl; ~ créditeur, débiteur* Gläubiger-, Schuldnerland *n; ~ de destination, exportateur, importateur, industriel, d'origine, de provenance* Bestimmungs-, Ausfuhr-, Einfuhr-, Industrie-, Ursprungs-, Herkunftsland *n; ~ exportateur de pétrole* Erdöl exportierende(s) Land *n; ~ pétrolier* (Erd-)Ölland *n; ~ producteur de pétrole* Ölförderland *n; ~ en voie de développement* Entwicklungsland *n;* **~age** *m* Landschaft; *(Kunst)* Landschaft(sbild *n*) *f; ~ urbain* Stadtbild *n;* **~agiste** *m* Landschaftsmaler *m; architecte, jardinier m ~* Gartengestalter, Landschaftsgärtner *m;* **~an, ne** *s m f* Bauer *m,* Bäuerin *f;* Landwirt *m,* -frau *f; f* Ländler *m (Tanz); a* bäu(e)risch, ländlich; **~annerie** *f* Bauernstand *m;* Dorfroman *m; theat* Bauernstück *n.*

péag|e [peaʒ] *m: droit m de ~* Autobahngebühr, (Straßen-)Benutzungsgebühr *f;* Brückengeld *n,* -zoll *m;* **~iste** *m f* Person *f,* die Autobahngebühren einnimmt.

peau [po] *f* Haut *f (a. auf der Milch);* Fell *n,* Balg *m;* Leder *n; bot* Schale, Hülse *f; fig fam* Leben *n; vulg vx* Nutte *f; en ~ de lapin* naiv, einfältig; *avoir qn dans la ~ (fam)* in jdn verschossen sein; *n'avoir que la ~ et les os* nur (noch) Haut u. Knochen sein; *crever dans sa ~ (fam)* aus allen Knopflöchern platzen; (vor Ärger) platzen, aus der Haut fahren (können); *faire bon marché de sa ~* s-e Haut zu Markte tragen; *faire la ~ à qn* jdn um=bringen; *faire ~ neuve* sich häuten, die Kleider wechseln; s-e Meinung, Haltung ändern; ein (ganz) anderer Mensch werden; *saisir, prendre par la ~ du cou* am Schlafittchen packen; *ne pas tenir dans sa ~* es nicht aus=halten können; *se trouver bien dans sa ~* sich in s-r Haut wohl=fühlen; *vendre cher sa ~* sich s-r Haut wehren, sein Leben teuer verkaufen; *j'ai cela dans la ~ (fam)* das steckt mir im Blut; *je ne voudrais pas être dans sa ~* ich möchte nicht in s-r Haut stecken; *maladie f de la ~* Hautkrankheit *f,* -leiden *n; ~ d'agneau, de lapin, de tambour* Lamm-, Kaninchen-, Trommelfell *n mus; ~ d'âne (fam)* Diplom *n; conte m de P~-d'Âne* Kindermärchen *n; ~ de chamois* od *chamoisée, lavable, de chèvre, de daim, plastique, de porc* Fenster-, Wasch-, Ziegen-, Wild-, Kunst-, Schweinsleder *n; P~-Rouge m* Rothaut *f; ~ de vache (pop)* Schweinehund, Schuft *m;* **~cier** *m* Hautmuskel *m;* **~sserie** *f* Leder(waren)fabrikation *f,* -handel *m,* -waren *f pl;* Feinleder *n;* **~ssier** *m* Lederarbeiter; Leder(waren)fabrikant, -händler; *fam* Hautarzt *m.*

pec [pɛk] *a: hareng m ~* Salzhering *m.*

pécari [pekari] *m* Nabelschwein *n.*

pecc|able [pekabl(ə)] sündig, sündhaft; **~adille** [-ij] *f* kleine Sünde *f;* **~avi** *m* (Sünden-, *allg* Schuld-)Bekenntnis *n.*

pechblende [pɛʃblɛ̃d] *f min* Pechblende *f.*

pêch|e [pɛʃ] *f* **1.** Pfirsich *m;* **2.** Fischfang *m;* Fischerei(recht *n*) *f;* Fang *m; aller à la ~* fischen gehen; *bateau m de ~* Fischerboot *n; ~ à la baleine* Walfang *m; ~ aux écrevisses, du hareng, des perles* Krebs-, Herings-,

Perlenfischerei *f;* ~ *hauturière* Hochseefischerei *f;* ~ *à la ligne (flottante)* Angeln *n;* ~**er 1.** *s m* Pfirsichbaum *m;* **2.** *v* fischen, angeln; fangen; aus dem Wasser ziehen; *(Teich)* aus=fischen; *fam* auf=gabeln, auf=schnappen; ~ *en eau trouble (fig)* im trüben fischen; ~ *à la ligne* angeln; ~**erie** *f* Fischereigebiet *n,* -bezirk *m;* ~**ette** *f* Krebsnetz *n;* ~**eur, se** *s m f* Fischer(in *f*) *m; a* Fisch(erei)-; ~ *à la ligne* Angler *m;* ~ *de perles* Perlenfischer *m.*

péch|é [peʃe] *m* Sünde *f;* ~ *mortel, d'omission, originel, véniel* Tod-, Unterlassungs-, Erbsünde, läßliche Sünde *f;* ~ *mignon (fam)* Schwäche *f fig;* ~**er** sündigen; *allg* verstoßen, sich vergehen, *fig* sich versündigen (*contre* an *dat*); leiden, kranken *fig* (*par* an *dat*); ~ *par excès* übertreiben; ~**eur, eresse** *s m f* Sünder(in *f*) *m; a* sündig; ~ *endurci, repentant* hartgesottene(r), reu(müt)ige(r) Sünder *m.*

pécore [pekɔr] *f fig fam* dumme Gans, Pute *f; m arg* Bauer *m.*

pectoral, e [pɛktɔral] *a* Brust-; *s m pharm* Brustmittel *n;* Brustmuskel; Brustschild *m,* -tuch *n; gonfler ses pectoraux (fam)* sich in die Brust werfen.

pécu|lat [pekyla] *m* Amtsunterschlagung *f;* ~**le** *m* Rücklage, Sparsumme *f,* Notgroschen *m;* ~**niaire** [-njɛr] *a* geldlich, finanziell; Geld-; *embarras m pl* ~*s* Geldverlegenheit *f.*

péd|agogie [pedagɔʒi] *f* Pädagogik, Erziehungswissenschaft *f;* ~ *thérapeutique* Heilpädagogik *f;* ~**agogique** pädagogisch; Erziehungs-; ~**agogue** *m* Erzieher *m.*

péd|ale [pedal] *f* Pedal *n,* Fußhebel *m; pop* Schwuler; *el* Schienenkontakt *m; loc* Druckschiene *f,* Gleisanschlag *m;* ~ *d'accélérateur (mot)* Gashebel *m;* ~ *d'embrayage, de frein (mot)* Kupp(e) lungs-, Bremspedal *n;* ~**aler** radeln, rad=fahren; ~**aleur, se** *s m f* Radler (-in *f*), Radfahrer(in *f*) *m;* ~**alier** *m (Fahrrad)* Kurbellager *n;* ~**alo** *m* Wassertretrad *n.*

pédant, e [pedɑ̃, -t] *a* besserwisserisch, überheblich, *s m f* Besserwisser(in *f*) *m;* ~**erie** *f* Pedanterie, Kleinigkeitskrämerei *f;* ~**esque** pedantisch, steif; ~**isme** *m* pedantische(s), steife(s) Wesen *n;* Pedanterie *f.*

pédé [pede] *fam* schwul; ~**raste** *m* Päderast *m;* ~**rastie** *f* Päderastie *f.*

pédestre [pedɛstr] *a* Fuß-; *tourisme m* ~ Wandern *n.*

péd|iatre [pedjatr] *m* Kinderarzt *m;* ~**iatrie** *f* Kinderheilkunde *f.*

pédicelle [pedisɛl] *m bot* Stielchen *n.*

péd|iculaire [pedikylɛr] *a* Läuse-; *s f* Läusekraut *n; maladie f* ~ Läusekrankheit *f;* ~**icule** *m bot zoo med* Stiel *m;* ~**iculé, e** gestielt.

péd|icure [pedikyr] *s m f* Fußpfleger(in *f*), Hühneraugenoperateur *m;* ~**ieux, se** *a anat* Fuß-; ~**igree** [-igri] *m (Hund, Pferd)* Stammbaum *m;* ~**ologie** *f* Wissenschaft vom Kinde; *agr* Bodenforschung *f;* ~**omètre** *m s. podomètre;* ~**onculaire** *a bot zoo* Stiel-; ~**oncule** *m bot zoo* Stiel; *anat* Stiel, Schenkel *m.*

pègre [pɛgr] *f arg* Unterwelt *f.*

peign|age [pɛɲaʒ] *m tech* Kämmen; Hecheln *n;* ~**e** *m* Kamm *m; tech* Hechel *f;* Web(e)blatt *n;* (Gewinde-) Schneidbacke, Gewindebacke *f,* -stahl, -strähler *m; zoo* Kammuschel; *med zoo* Mauke *f; donner un coup de* ~ *à qc* etw (schnell) überkämmen; *(Sache)* etw in Ordnung bringen, erledigen; *être sale comme un* ~ vor Dreck starren; ~ *de coiffure, fin, de poche* Einsteck-, Staub-, Taschenkamm *m;* ~**é, e** *s m* Kammgarn *n; a: mal* ~ ungepflegt; *s m* Struwwelpeter *m;* ~**ée** *f* Kammvoll *m* Wolle; *fam* Tracht *f* Prügel; ~**er** (aus=)kämmen; *se* ~ *fam* sich verdreschen, -prügeln; *tech (Wolle)* kämmen, krempeln; *(Flachs)* hecheln; strählen; *(Tau)* aus=schrappen; ~**erie** *f* Kammgarnspinnerei *f;* ~**eur, se** *m f* (Woll-) Kämmer(in *f*) *m; f* Kämm-Maschine *f;* ~**oir** *m:* ~ *(de bain)* Bademantel *m;* ~ *(d'appartement)* Morgenrock *m;* ~**ures** *f pl* ausgekämmte Haare *n pl.*

peinard, e [pɛnar, -rd] *a u. s m arg (Sache)* gemütlich *fam; (Mensch) être* ~ die Ruhe weg=haben; e-e ruhige Kugel schieben.

peindre [pɛ̃dr] *irr* (be-, an=, aus=)malen (*de* mit); ab=bilden; an=streichen; *fig* schildern, wieder=geben, zum Ausdruck bringen; *se* ~ sich färben; sich an=malen, sich schminken; *fig* sich dar=stellen; sich lebhaft vor=stellen; ~ *en rose fig* schön=färben; ~ *en gris* grau an=malen; ~ *le paysage* Landschaft malen; ~ *au pistolet* spritzen.

pein|e [pɛn] *f* Strafe, Bestrafung, Züchtigung *f;* Leiden *n,* Schmerz; Kummer *m,* Sorge; Not, Schwierigkeit, Verlegenheit; Mühe, Anstrengung *f;* Widerwille *m,* -streben *n; à* ~ kaum, mit Mühe (und Not); *à grand-*~ mit großer Mühe, mit Mühe und Not; mit (großem) Bedauern; *sans* ~ mühelos, spielend; *sous* ~ *(de)* bei Strafe *(gen); avoir de la* ~ Kummer haben; *avoir de la* ~ *à faire qc* etw nur mit Mühe tun können; *se donner de la* ~ sich Mühe geben (*de* zu); *encourir une* ~ e-e Strafe verwirken; *être en* ~ *de qn* um jdn in Sorge sein, sich *dat* um jdn Gedanken machen; *faire* ~ leid, weh tun; *faire de la* ~ Kummer machen *od* bereiten; *frapper d'une* ~ mit e-r Strafe belegen; *perdre sa (ses)* ~*(s)* sich umsonst (be)mühen; *prononcer, infliger une* ~ e-e Strafe verhängen; *purger une* ~ e-e Strafe verbüßen; *valoir la* ~ der Mühe wert sein; *ne valoir pas la* ~ *d'en parler* nicht der Rede wert sein; *j'ai* ~ *à ...* es kostet mich Überwindung, widerstrebt mir zu ...; *à chaque jour suffit sa* ~ jeder Tag hat seine Plage; *nul bien sans* ~ *(prov)* ohne Fleiß kein Preis; *toute* ~ *mérite salaire* jede Arbeit ist ihres Lohnes wert; *homme m de* ~ Handlanger *m;* ~ *antécédente* Vorstrafe *f;* ~ *capitale, de mort* Todesstrafe *f;* ~ *collective, d'ensemble* Gesamtstrafe *f;* ~ *comminatoire* Verwarnung; Strafandrohung *f;* ~ *contractuelle, conventionnelle* Vertrags-, Konventionalstrafe *f;* ~ *corporelle* körperliche Züchtigung, Prügelstrafe *f;* ~ *disciplinaire, réglementaire* Disziplinar-, Ordnungsstrafe *f;* ~ *maximum* Höchststrafe *f;* ~ *pécuniaire, d'amende* Geldstrafe *f;* ~ *privative de liberté* Freiheitsstrafe *f;* **~é, e** bekümmert, betrübt; **~er** *tr* Kummer bereiten *od* machen (*qn* jdm); ermüden; *itr* Unlust, Widerwillen empfinden; müde sein; *arch* überbelastet sein; *se* ~ *vx* sich ab=mühen, sich plagen; schwer tragen (*de* an *dat*).

peint|re [pɛ̃tr] *m* Maler(in *f*); *fig* Schilderer *m; femme f* ~ Malerin *f;* ~ *en bâtiments* Anstreicher *m;* ~ *décorateur* Dekorationsmaler *m;* ~ *de paysages, de portraits* Landschafts-, Porträtmaler *m;* **~ure** *f* Malerei *f;* Gemälde *n;* Anstrich *m,* Farbe; *fig* Schilderung, Darstellung *f; je ne peux pas le voir en* ~ *(fam)* ich kann ihn nicht ausstehen; *prenez garde à la* ~, ~ *fraîche* (Vorsicht,) frisch gestrichen; ~ *d'affichage, de chevalet, à la détrempe, à la fresque, à l'huile, murale* Plakat-, Tafel-, Tempera-, Fresko-, Öl-, Wandmalerei *f;* ~ *antirouille, de camouflage* Rostschutz-, Tarnanstrich *m;* ~ *à la colle, d'émulsion, laquée, lumineuse* Leim-, Binder-, Lack-, Leuchtfarbe *f;* ~ *de fond* Grundierung *f;* ~*s rupestres* Felsbilder *n pl;* **~urer** anstreichen, bemalen; beschmieren; **~urlurage** *m,* **~urlure** *f* Gekleckse, Geschmier(e) *n;* **~urlurer** *itr* pinseln, klecksen, schmieren; *tr* grell an=streichen.

péjoratif, ive [peʒɔratif, -iv] *gram* herabsetzend, verächtlich; *mot m* ~ Schimpfwort *n.*

pékin [pekɛ̃] *m P*~ Peking *n;* Pekingseide *f;* **~é, e** [-ki-] *(Stoff)* gleichmäßig längsgestreift; **~ois, e** *a* Pekinger-; *s m f P~(e)* Einwohner(in *f*) *m* von Peking; *m* Pekinese *m (Hund).*

pel|ade [pəlad] *f med* kreisförmige(r) Haarausfall *m;* **~age** *m zoo* Haarkleid, Fell *n;* Haarfarbe *f;* Enthaaren *n;* **~é, e** *a* kahl *a. fig;* enthaart, enthäutet; *(Obst, Kartoffeln)* geschält; *(Gegend)* öde; *s m fam* Kahl-, Glatzkopf; *fam* arme(r) Schlucker *m;* **~er** *tr* enthaaren; schälen; *fam* rupfen, bestehlen; *itr* sich häuten; sich ab=schuppen; *se* ~ sich schälen lassen; die Haare verlieren; **pèle-fruits** [pɛlfrɥi] *m* Obstmesser *n.*

pél|agien, ne [pelaʒjɛ̃, -ɛn] *a* (Hoch-) See-, Meer-; **~agique** Meer(es)-.

pélargonium [pelargɔnjɔm] *m bot* Pelargonie, *fam* Geranie *f.*

pêle-mêle [pɛlmɛl] *adv* durcheinander; *s m* Durcheinander *n,* Wirrwarr *m.*

pèlerin, e [pɛlrɛ̃, -in] *m f* Pilger(in *f*), Wallfahrer(in *f*); *fam* Wanderer, Reisende(r); Kerl *m; zoo* Riesenhai; *orn* Wanderfalke *m; f* Pelerine *f,* Umhang *m;* **~age** *m* Pilger-, Wallfahrt *f;* Wallfahrtsort *m;* **~er** *fam* pilgern, wallfahren.

pélican [pelikɑ̃] *m orn* Pelikan *m; tech* Schraubzwinge *f.*

pelisse [pəlis] *f* pelzgefütterte(r) Mantel; Gehpelz *m.*

pell|e [pɛl] *f* Schaufel, Schippe *f;* (Löffel-)Bagger *m; ramasser une* ~ *(fam)* hin=fallen; straucheln, scheitern; *remuer l'argent à la* ~ *(fig)* im Gelde wühlen; ~ *bêche* (kurzer) Spaten *m;* ~ *à charbon, (tech) à feu, à* od *de four* Kohlenschaufel *f;* ~ *(automatique) de chargement (tech)* (Selbst-)Greifer *m;* ~ *à gâteau* Tortenheber *m;* ~ *mécanique, à godet* Löffelbagger *m;* ~ *à neige* Schneeschippe *f;* ~ *à poussière, à ordures* Kehrichtschaufel *f;* **~etage** *m* Laden *n;* Löffelbaggerung; *min* Wegfüllarbeit *f;* **~etée** *f* Schaufelvoll *f;* **~eter** schaufeln.

pelleterie [pɛl(ɛ)tri] *f* Kürschnerei *f;* Pelzwerk *n,* Rauchwaren(handel *m*) *f pl.*

pell|eteur, se [pɛltœr, -øz] *m* Hochlöffelbagger; Baggerführer; Schipper *m; f* ~*se (mécanique)* Schaufellader *m;* **~etier, ère** *s m f* Kürschner; Pelz-, Rauchwarenhändler *m.*

pell|iculaire [pɛlikylɛr] hautartig; **~icule** *f* Häutchen *n; med* Schuppe *f; phot* Film *m; ~ en bobines, en rouleaux* Rollfilm *m; ~ de film* Filmband *n; ~ isolante* Isolierüberzug *m; ~ de lubrifiant* Schmierfilm *m; ~ rigide* Filmpack *m; ~ vierge* Rohfilm *m;* **~iculeux, se** *med* schuppig.

pellucide [pɛlysid] durchsichtig; lichtdurchlässig.

pelot|age [p(ə)lɔtaʒ] *m (Garn)* Aufwickeln; *fig pop* Knutschen, Streicheln *n;* **~e** *f* Knäuel *m* od *s; (Pferd)* Blesse *f;* baskische(s) Ballspiel *n; faire sa ~ (fig fam)* sein Schäfchen ins trockene bringen; *~ digitale (zoo)* Zehenballen *m; ~ (à épingles)* Nadelkissen *n; ~ d'épingles (fig fam)* borstiger Mensch; **~er** *tr (Garn)* auf=wickeln; *pop* (ab=)knutschen, streicheln; schmeicheln (*qn* jdm), ein=wickeln; *itr vx* (vor Spielbeginn) mit dem Ball spielen; **~eur, se** *pop* kriecherisch; *s m f* Schmeichler(in *f*), Kriecher *m;* **~on** *m* Garn-, Bindfadenrolle *f,* Knäuel *m* od *n; mil* Gruppe, Rotte, Schar *f,* Zug *m; ~ d'exécution* Erschießungskommando *n; (sport) le gros ~* das (Haupt-)Feld; *se mettre en ~ (fam)* sich zs.=kauern; *~ de graisse (fam fig)* Dickerchen *n; ~ de punition (mil)* Strafabteilung *f; ~ de tête (sport)* Spitzenmannschaft, -gruppe *f;* **~onner** *(Garn)* auf=wickeln; *se ~* sich zs.=kauern, -rollen, -stellen; *zoo* sich auf=rollen; sich zs.=knäueln, ein Knäuel bilden; *fig* sich an=schmiegen.

pelouse [p(ə)luz] *s f* Rasen(platz) *m; a* grasgrün.

pel|uche [p(ə)lyʃ] *f* Plüsch *m;* **~uché, e** *(Stoff)* plüschartig; zerschlissen, ausgefranst; *bot* samtartig; **~ucher, se** fasern, fusseln; **~ucheux, se** fusselig, faserig; *bot* samtartig.

pelure [pəlyr] *f (Obst, Kartoffeln)* Schale; Hülse, Haut; *pop* Kleidung, Kluft; Gerberwolle *f; papier m ~* dünne(s) Durchschlagpapier *n; ~ d'oignon* Zwiebelschale *f.*

pelv|ien, ne [pɛlvjɛ̃, -ɛn] *a anat* Becken-; **~is** [-is] *m* Becken *n.*

pén|al, e [penal] *a jur* Straf-; *instruction f ~e (jur)* Ermittlungsverfahren *n;* **~alisation** *f sport* Strafpunkt(e *pl*) *m;* **~aliser** mit e-m Strafpunkt belegen; in Strafe nehmen; **~alité** *f* Strafbarkeit, -bestimmung; Geldstrafe *f.*

penalty [penalti] *m (Fußball)* Elfmeter, Strafstoß *m.*

penaud, e [pəno, -d] verdutzt, verblüfft, verwirrt, beschämt.

pench|ant, e [pɑ̃ʃɑ̃, -ɑ̃t] *a* schief, geneigt; *fig* (sch)wankend, untergehend; (hin)geneigt (*à* zu); *s m geog vx* (Ab-)Hang *m,* Neigung, Halde *f; fig* Hang *m,* Neigung *f* (*pour* zu); *être sur le ~ de sa ruine (fig) vx* am Rande des Abgrunds stehen, dem Untergang entgegen=gehen; **~é, e** geneigt, schräg, schief; **~er** *tr* neigen, senken, nieder=beugen; schräg, schief halten, -stellen; *itr* geneigt, schräg, schief sein *od* stehen; *fig* (hin=)neigen (*à, pour* zu); *se ~* sich herab=neigen sich nieder=beugen; *fig* sich mühen (*sur* um); *faire ~ la balance (fig)* den Ausschlag geben; *se ~ en dehors (loc)* sich hinaus=lehnen.

pend|able [pɑ̃dabl] wert, aufgehängt zu werden; *fam* übel, böse; **~aison** *f* Erhängen *n;* **~ant, e** *a* (herab)hängend; Hänge-; *fig* schwebend, in der Schwebe; *jur* anhängig; *s m* Gegen-, Seitenstück *n; prp* während; *~ que (conj)* während *(zeitl.); faire ~ à ...* das Gegenstück bilden zu ...; gehören, passen zu ...; *~ (d'oreille)* Ohrgehänge *n,* -ring *m;* **~ard, e** *m f fam* Galgenstrick *m;* **~eloque** *f* Ohr-, Leuchtergehänge *n; fam* herabhängende(r) Fetzen *m;* **~entif** *m arch* Gewölbzwickel; Anhänger *m (Schmuck);* **~erie** *f* Kleiderablage *f;* Trockenschuppen *m (für Häute);* **~iller** [-ije] baumeln.

pend|re [pɑ̃dr] *tr* (auf=)hängen, henken; *itr* (herab=)hängen; *(Kleid)* schleppen; *fig* schweben, in der Schwebe sein; *jur* anhängig sein; *avoir la langue bien ~ue* ein loses Mundwerk haben; *dire pis que ~ de qn* keinen guten Faden an jdm lassen; *être toujours ~u aux basques, à la ceinture de qn* jdm nicht von der Seite, *fam* Pelle gehen; jdm fortwährend in den Ohren liegen; *~ la crémaillère (fam)* Einstand feiern; *~ au croc (fig)* an den Nagel hängen, auf=geben; *il n'y a pas de quoi se ~* darum lasse ich mir keine grauen Haare wachsen; *se ~ à la sonnette* dauernd klingeln; **~u** *m* Gehenkte(r) *m;* **~ulaire** *a* Pendel-; *mouvement m ~* Pendelbewegung *f;* **~ule** *m* Pendel *n; f* Pendel-, Stutzuhr *f; ~ f de pointage* Stechuhr *f.*

pêne [pɛn] *m (Schloß)* Riegel *m.*

pénétr|abilité [penetrabilite] *f* Durchlässigkeit *f;* **~able** durchlässig; *(Wald)* nicht undurchdringlich; *fig* zugänglich, erkennbar; **~ant, e** *a* durchdringend; *(Geruch)* penetrant, aufdringlich; *(Kälte)* schneidend; *fig* wirkungsvoll; scharf(blickend, -sinnig); *s f mil* Anmarschstraße *f;* **~ation** *f* Durch-, Eindringen *n;* Zutritt; *mil* Einbruch *m; fig* geistige Durchdringung, Verstandesschärfe *f; force f de ~* Durchschlagskraft *f; ligne f de ~* Einfallstraße *f;* **~é, e** *a* durchdrungen; *fig* tief beeindruckt, überzeugt (*de* von); **~er** *tr* durch-, ein=dringen (*qc* durch, in e-e S); *fig* durchdringen, ergründen, durchschauen; ergreifen, mit=reißen; erfüllen (*de* mit); sich ein=schleichen; *itr* gelangen (*jusqu'à* bis zu); hinein=fahren (*dans* in *acc*); *(Farbe, Leim)* durch=schlagen; *se ~ de qc* sich etw ganz zu eigen machen; sich *(dat)* e-e S sehr zu Herzen nehmen.

pénible [penibl] mühsam, anstrengend, schwierig; stockend, gequält; peinlich, hart.

péniche [peniʃ] *f mar* Pinasse *f;* Schleppkahn *m; pl arg* Latschen *m* od *f pl.*

pén|icillé, e [penisile] *zoo bot* pinselförmig; **~icilline** *f med* Penizillin *n;* **~icillinothérapie** *f* Heilbehandlung *f* mit Penizillin.

pénil [penil] *m anat* Schamberg, -hügel *m.*

pén|insulaire [penɛ̃sylɛr] *a* Halbinsel-; **~insule** *f* Halbinsel *f; la ~ Ibérique* die Iberische Halbinsel.

pénis [penis] *m anat* Penis *m.*

péniten|ce [penitɑ̃s] *f* Bußfertigkeit, Reue; Buße; *fig* Strafe *f;* Pfand *n; pour ~* zur Strafe; *faire ~* Buße tun; *mettre en ~* (be)strafen; **~cier** *m* Strafanstalt *f;* **~t, e** *a* bußfertig; *s m f* Beichtkind *n;* **~tiaire** [-sjɛr] *a* Straf-, Besserungs-; **~tiaux;** *psaumes m pl ~* Bußpsalmen *m pl;* **~tiel, le** *a rel* Buß-.

penn|age [pɛnaʒ] *m* Gefieder *n (bes. der Raubvögel);* **~e** *f orn* Kontur-, Schwung-, Schwanzfeder; *arch hist* Zinne *f;* **~é, e** *bot* gefiedert; **~on** *m* Wimpel; Wappenschild *m.*

pénombre [penɔ̃br] *f* Halbschatten *m,* -dunkel *n.*

pens|ant, e [pɑ̃sɑ̃, -ɑ̃t] *a* denkend; *bien ~ a* wohlmeinend; staats-, kirchentreu; *s m* Staats-, Kirchen treue(r) *m;* **~ée** *f* Gedanke *m,* Denken (*à, de* an *acc*); Denkvermögen *n;* Gedankentiefe; Ansicht, Auffassung, Meinung, Überzeugung; Absicht; Betrachtung *f; bot* Stiefmütterchen *n; la seule ~* der bloße Gedanke, schon der Gedanke *m; entrer dans la ~ de qn* jdn (vollkommen) verstehen; *venir à la ~* in den Sinn kommen, ein=fallen; *la ~ est libre (prov)* die Gedanken sind (zoll)frei; *~ de derrière la tête* Hintergedanke *m;* **~er** denken (*à* an *acc*); nach=denken, überlegen, urteilen; halten (*de* von); aus=, erdenken, ersinnen; beabsichtigen, vor=haben (*(à) faire* zu tun); meinen, glauben; hoffen; *s m poet* Gedanke(n *pl*) *m; sans y ~* unabsichtlich; *faire ~ qn à qc* jdn an e-e S erinnern; *à ce que je ~e* nach meiner Meinung, meines Erachtens; *ah, j'y ~e!* eh' ich's vergesse; *~ez donc!* denken Sie mal! *~ez vous!* ach was! *y ~ez vous?* wo denken Sie hin! was fällt Ihnen ein! *vous n'y ~ez pas!* das ist doch nicht Ihr Ernst! *façon f de ~* Denkweise *f; liberté f de ~* Meinungsfreiheit *f;* **~eur, se** *m f* Denker(in *f*) *m; libre ~* Freidenker *m;* **~if, ive** nachdenklich, gedankenvoll, in Gedanken versunken.

pension [pɑ̃sjɔ̃] *f* Pension *f,* Ruhegehalt *n;* (private) Rente *f;* Kostgeld *n;* Pension *f,* (kleines) Internat, Fremdenheim *n; en ~* in (voller) Pension *(Verpflegung u. Unterkunft); mettre en ~* in Pension geben; *caisse f de ~* Pensionskasse *f; droit m à ~* Pensionsberechtigung *f;* Anspruch *m* auf Ruhegehalt; *versements m pl pour la ~* Pensionsbeiträge *m pl; ~ alimentaire* Alimente *n pl,* Unterhaltsrente *f; ~ sur l'État, d'ancienneté de services* staatliche Pension *f;* Ruhegehalt *n, ~ de survie* Hinterbliebenenrente *f; ~ de veuve, d'orphelin* Witwen-, Waisengeld *n; ~ viagère* Leibrente *f; ~ de vieillesse* od *de retraite, d'invalidité* Alters-, Invalidenrente *f;* **~naire** *m f* Pensions-, Ruhegehaltsempfänger(in *f*); Pensionsgast *m;* Pensionsschüler(in *f*) *m,* Interne(r *m*) *f;* Kostgänger *m;* **~nat** [-a] *m* Pensionat, Schüler(innen)heim *n;* **~ner** pensionieren; in den Ruhestand versetzen.

pensum [pɛ̃sɔm] *m (Schule)* Strafarbeit *f.*

pent|acle [pɛ̃takl] *m* Pentagramm *n,* Drudenfuß *m;* **~adactyle** fünffing(e)rig; **~aèdre** *m math* Pentaeder *n,* Fünfflächner *m; a* fünfflächig; **~agonal, e** fünfeckig; **~agone** *m* Pentagon, Fünfeck *n; le P~ (pol)* das Pentagon; **~amètre** *m poet* Pentameter *m;* **~ateuque** [-tøk] *m rel* Pentateuch *m,* fünf Bücher *n pl* Mosis; **~athlon** [-tlɔ̃] *m sport* Fünfkampf *m.*

pent|e [pɑ̃t] *f* (Ab-)Hang *m;* Neigung *f,* Gefälle *n;* Böschung; *arch* Abdachung *f; fig* Gefälle *n,* schiefe Ebene *f; ~ douce, escarpée* Flach-, Steilhang

m; ~ d'un plan (math) Neigungswinkel *m.*
Pentecôte [pɑ̃tkot] *f* Pfingsten *n* od *pl.*
penture [pɑ̃tyr] *f* Tür-, Fensterband *n.*
pénultième [penyltjɛm] *f* vorletzte Silbe *f.*
pénurie [penyri] *f* (großer) Mangel *m,* Knappheit, Verknappung (*de* an *dat*); Armut, Not *f,* Elend *n; ~ d'argent, de charbon, de matières premières* Geld-, Kohlen-, Rohstoffknappheit *f; ~ de capitaux, de devises, d'eau, de maîtres* Kapital-, Devisen-, Wasser-, Lehrermangel *m; ~ de travailleurs, de main-d'œuvre* Mangel *m* an Arbeitskräften.
pépée [pepe] *f (Kindersprache)* Püppchen *n; arg* Puppe, Biene *f.*
pépère [pepɛr] *s m (Kindersprache)* Pappi, Vati *m; fam* Papa; Opa; *a fam* ruhig, behäbig; gemütlich; prima, in Ordnung.
pépètes [pepɛt] *f pl arg* Moos *n,* Pinkepinke *f,* Moneten *pl.*
pépie [pepi] *f med orn* Pips *m; avoir la ~ (fam)* e-e trockene Kehle haben.
pép|iement [pepimɑ̃] *m orn* Piepen *n;* **~ier** [-pje] *orn* piepen.
pép|in [pepɛ̃] *m bot* Kern; *fig* Haken *m,* Schwierigkeit *f; pop* Regen-, Fallschirm *m; avoir un ~ pour qn (fam vx)* an jdm e-n Narren gefressen haben; *fruits m pl à ~s* Kernobst *n;* **~inière** *f* Baum-, *fig* Pflanzschule *f.*
pépite [pepit] *f min* (Metall-, *bes.* Gold-)Klumpen *m.*
pépon [pepɔ̃] *m* Kürbisfrucht *f.*
pep|sine [pɛpsin] *f chem biol* Pepsin *n;* **~tone** *f pharm* Pepton *n.*
perç|age [pɛrsaʒ] *m tech* (Durch-)Bohren, Lochen, Durchstechen *n,* -stich; Abstich *m;* **~ant, e** bohrend; *(Stimme)* schrill; *fig* schneidend; durchbohrend, -dringend *(a. Kälte),* stechend, scharf; gellend; scharfsinnig.
percal|e [pɛrkal] *f* Perkal *m (Baumwollstoff);* **~ine** *f* Perkalin *n (glänzendes Buchbinderleinen).*
perc|e [pɛrs] *f* Bohrer *m; mus* Blaseloch *n; mettre en ~ (Bier)* an≈stechen; *mise f en ~* Anstechen *n,* Anstich *m; ~-bois m* Holzwurm *m; ~-crâne m* Schädelbohrer *m,* Perforatorium *n; ~-muraille f bot* Glaskraut *n; ~-neige m* od *f inv* Schneeglöckchen *n; ~-oreille m* Ohrwurm *m; ~-pierre f bot* Steinbrech; Meerfenchel *m;* **~é, e** *a* durchbohrt, -brochen, -löchert; *s f, a. m* Durchbruch, Durchstich *m; (Wald)* Schneise *f;* Eindringen *n (in ein Land); arch* (Fenster-)Öffnung; *tech* (Durch-)Bohrung *f,* Bohr-, Stichloch *n;* Abstich *m; tentative f de ~e (mil)* Durchbruchsversuch *m;* **~ement** *m tech* (Durch-, An-, Aus-)Bohrung *f;* Durchstechen *n,* -stich; Durchbruch *m,* -führung *f;* Lochen *n; min* Vortrieb *(e-s Stollens); el* Durchschlag *m.*
percept|eur, trice [pɛrsɛptœr, -tris] *a* aufnehmend; Aufnahme-; *s m* Steuereinnehmer *m;* **~ibilité** *f* Wahrnehmbarkeit *f;* **~ible** wahrnehmbar; merklich; *(Steuer)* einziehbar; **~if, ive** *a* Wahrnehmungs-, Erfahrungs-; **~ion** [-sjɔ̃] *f (Philosophie)* Wahrnehmung, Erfahrung; *(Steuer)* Erhebung, Einziehung; Steuerkasse *f.*
perc|er [pɛrse] *tr itr* durchbohren, -brechen, -stechen, -löchern; ein≈dringen (*qc* in e-e S); *vx* sich drängen, zwängen (*qc* durch etw); *(Zahn)* durch≈kommen (*à qn* bei jdm); *(Geschwür)* auf≈gehen, -stechen; *(Faß)* an≈stechen, -zapfen; *(Papier)* durchschlagen; *tech* (durch-, an≈)bohren; lochen; durch-, ab≈stechen; *el* durchschlagen; *min* auf≈fahren, (vor≈)treiben; *(Panzerschrank)* knacken; *fig* bewegen, treffen, erschüttern; *(Herz)* zerreißen; durchschauen, ergründen, entschleiern, lüften; sich durch≈setzen; in Erscheinung treten, zum Durchbruch, ans Licht kommen, zutage treten, sich Bahn brechen; *à ~ les oreilles, l'air* ohrenbetäubend, gellend; *laisser ~* durchblicken *~ ses dents* Zähne bekommen; *machine f à ~* Bohrmaschine *f,* Bohrer *m;* **~eur, se** *s m f* Bohrer *m (Arbeiter); f* Bohrmaschine *f,* Bohrer *m (Werkzeug); ~ à air comprimé, pneumatique* Preßluftbohrer *m.*
perc|evable [pɛrsəvabl] *(Steuer)* einzieh-, eintreibbar; **~evoir** *irr* wahr≈nehmen; erfassen; *(Steuer)* erheben, ein≈ziehen, *(Geld)* ein≈nehmen, in Abzug bringen.
perch|e [pɛrʃ] *f* **1.** *zoo* Barsch *m* **2.** Stange; Angelrute *f; sport* Stab *m,* Rute *(Maß);* Meßstange *f,* Fluchtstab *m; arch* (Kreuz-)Rippe *f; tech* Pol(stange *f*) *m; tendre la ~ à qn* jdm aus der Patsche, Verlegenheit helfen; *grande ~ (fig fam)* Hopfenstange *f; saut m à la ~* Stabhochsprung *m; ~ à aviron, à rame* Ruderstange *f; ~ d'échafaudage* Gerüststange *f; ~ à houblon* Hopfenstange *f a. fig; ~ du trolley (el)* Stromabnehmerstange *f;* **~er,** *a. se ~* sich setzen; *être ~é* sitzen *(von Vögeln); fam* wohnen; *tr* (hoch hinauf≈)stellen (*sur* auf *acc*); **~eur, se** *a: oiseaux ~s u. s m pl*

Baumvögel *m pl;* ~**is** [-ʃi] *m* Stangenwald, -zaun *m;* ~**iste** *m* Mikrophonträger *m;* ~**oir** *m* Vogel-, *bes* Hühnerstange(n *pl*) *f.*

perchlorate [pɛrklɔrat] *m chem* Perchlorat *n.*

perclus, e [pɛrkly, -z] *med* lahm, gelähmt; *fig* schwerfällig.

perçoir [pɛrswar] *m* Bohrer *m;* Ahle *f tech* Locheisen *n,* -scheibe; Stichlochstange *f.*

percolateur [pɛrkɔlatœr] *m* Kaffeemaschine *f.*

per|cussion [pɛrkysjɔ̃] *f* Schlag, Stoß *m,* Erschütterung; *med* Perkussion *f,* Beklopfen *n;* ~**cutant, e** *a mil* Perkussions-; *fig* durchschlagend, eindringlich; *force f* ~*e (fig)* Durchschlagskraft, Eindringlichkeit *f;* ~**cuter** *tr* (an=)stoßen, erschüttern; *med* perkutieren, beklopfen; *itr* stoßen, *mot* fahren (*contre* gegen, an *acc*); ~**cuteur** *m mil* Schlagbolzen *m.*

perd|ant, e [pɛrdɑ̃, -ɑ̃t] *a* verlierend; *s m f* Verlierer(in *f*) *m; billet, numéro m* ~ Niete *f;* ~**ition** *f* Verderben *n,* Untergang *m; rel* Verdammnis *f; en* ~ *(mar)* in Seenot; ~**re** *tr* zugrunde richten *vx;* ins Verderben stürzen, ruinieren *vx;* irre=führen; *(Schiff)* unter=gehen, sinken lassen; schweren Schaden zu=fügen (*de* an *dat*), stark beeinträchtigen; verlieren, verlustig gehen *gen;* ein=büßen, versäumen, verpassen; unnütz, umsonst aus=geben, verschwenden, vergeuden; *(Gewohnheit)* ab=legen; *itr* (an Wert) verlieren; e-n Verlust erleiden (*sur une marchandise* an e-r Ware); *(Gefäß)* undicht sein, lecken; nach=lassen, schlechter werden; *mar* langsamer fahren, zurück=bleiben (*sur* hinter *dat*); *se* ~ sich verlieren, verschwinden; abhanden kommen; ab=kommen; unter=gehen, zugrunde gehen; sich zugrunde richten; sich verzetteln; *mar u. fig* scheitern; verloren=gehen; sich verirren, sich verlaufen; aus=sterben; *(Brauch)* ab=kommen; *n'avoir rien à* ~ nichts zu verlieren haben; *se* ~ *en conjectures* sich in Vermutungen ergehen; ~ *contenance* die Fassung, Haltung verlieren, ängstlich werden; ~ *courage* den Mut sinken lassen; ~ *le fil (fig)* den roten Faden verlieren; ~ *(l')haleine* außer Atem kommen; *se* ~ *dans les nues* od *nuages* unverständlich werden; ~ *patience* die Geduld verlieren; ~ *pied, terre* den Grund *(im Wasser), fig* den Halt verlieren; ~ *du terrain (fig)* an Boden verlieren, zurück=gehen; ~ *de vue* aus den Augen verlieren; *je* ~*s qc* es entgeht mir etw; *je m'y* ~*s (fig)* da komme ich nicht mehr mit; *vous ne* ~*ez rien pour attendre* es wird Ihnen nichts entgehen *od* erspart bleiben.

perdreau [pɛrdro] *m* junge(s) Rebhuhn *n;* ~ *des neiges* Schneehuhn *n.*

perdu, e [pɛrdy] *a* verloren, nicht mehr zu retten(d); *(in Gedanken)* versunken; abgelegen, einsam; ausgestorben; verschwunden; *mil* vorgeschoben; *com* einschließlich; *à corps* ~ heftig, ungestüm, blindlings; *à coup* ~ aufs Geratewohl; *ce qui est différé n'est pas* ~ aufgeschoben ist nicht aufgehoben; *peine f* ~*e* vergebliche Mühe *f; reprise f* ~*e* Kunststopfen *n; temps m, moments m pl, heures f pl* ~*(s, es)* Mußezeit *f,* -stunden *f pl; verre m* ~ Einwegflasche *f.*

père [pɛr] *m* Vater *a. rel u. fig;* Stammvater; Ursprung *m; de* ~ *en fils* vom Vater auf den Sohn; *tel* ~ *tel fils* der Apfel fällt nicht weit vom Stamm; *gros* ~ *(fam)* Dickmops *m; placement m de* ~ *de famille* mündelsichere Anlage *f;* ~ *adoptif, de famille, nourricier* Adoptiv-, Familien-, Pflegevater *m.*

pérégrination [peregrinasjɔ̃] *f* (weite) Reise; *zoo* Wanderung *f,* Zug, Flug *m.*

péremp|tion [perɑ̃psjɔ̃] *f jur* Verjährung, Verwirkung *f,* Ungültig-, Hinfälligwerden *n;* ~**toire** *a jur* verwirkend, verjährend; ausschließend, ungültig machend; entscheidend, unwiderruflich, unwiderlegbar; *fig* keinen Widerspruch duldend.

péren|niser [perenize] verewigen; ~**nité** *f* unbeschränkte *od* sehr lange Dauer *f;* Fortbestand *m.*

per|équation [perekwasjɔ̃] *f* gleichmäßige Verteilung *f,* Ausgleich *m; faire la* ~ aus=gleichen (*de qc* etw); *fonds m de* ~ Ausgleichsfonds *m;* ~ *des charges* Lastenausgleich *m;* ~ *des impôts* Steuerausgleich *m;* ~**équer** aus=gleichen.

per|fectibilité [pɛrfɛktibilite] *f* Vervollkommnungsfähigkeit *f;* ~**fectible** vervollkommnungsfähig; ~**fection** [-sjɔ̃] *f* Vollendung, Vervollkommnung; Vollkommenheit *f; dans* od *à la* ~ vollkommen, vollendet, tadellos *adv;* ~**fectionnement** [-sjɔ-] *m* Vervollkommnung, Verbesserung; Fortbildung *f;* ~**fectionner** vervollkommnen, verbessern; aus=bilden.

per|fide [pɛrfid] treulos, verräterisch, falsch; heimtückisch; ~**fidie** *f* Treulosigkeit, Falschheit, Heimtücke *f.*

per|forage [pɛrfɔraʒ] *m* (Durch-)Bohren *n;* ~**forateur, trice** *a* Bohr-; *s m*

Bohrer; *(Büro)* Locher; *tele* Handlocher *m; s f* Bohrer *m;* Bohrmaschine *f;* **~foration** *f tech* Durchbohren, (Durch-)Lochen *n;* Perforierung *f; (Geschoß)* Durchschlag *m a. el;* **~forer** durchbohren, lochen; perforieren; durchschlagen; *machine f à ~* Perforiermaschine *f.*

perfor|mance [pɛrfɔrmɑ̃s] *f bes. sport* (gute) Leistung *f;* **~mant, e** leistungsfähig.

pergola [pɛrgɔla] *f arch* Pergola *f.*

péri|carde [perikard] *m anat* Herzbeutel *m;* **~cardite** *f* Herzbeutelentzündung *f;* **~carpe** *m bot* Fruchthülle *f,* Samengehäuse *n;* **~chondre** [-kɔ̃-] *m* Knorpelhaut *f.*

péricliter [periklite] in Gefahr, bedroht sein; dem Untergang entgegen=gehen; *l'affaire ~e* die Sache steht schlecht.

péridot [perido] *m min* Chrysolith *m.*

périgée [periʒe] *m astr* Perigäum *n,* Erdnähe *f.*

périhélie [perieli] *m astr* Perihel(ium) *n,* Sonnennähe *f.*

péril [peril] *m* Gefahr *f; au(x) ~(s) de ...* unter Einsatz *gen; à ses risques et ~s* auf eigene Gefahr; *en ~* in Seenot; *(se) mettre en ~* (sich) in Gefahr bringen (begeben); *il y a ~ en la demeure* Gefahr liegt im Verzuge; **~leux, se** [-ijø, -øz] gefährlich; *saut m ~* Salto mortale *m; fig* (sehr) gewagte Sache *f.*

périmer, se [perime] *jur* verfallen, ungültig werden, ab=laufen, verjähren, erlöschen.

périmètre [perimɛtr] *m bes. math* Umfang *m; ~ défensif (mil)* Verteidigungsgürtel *m.*

péri|néal, e [perineal] *a anat* Damm-; **~née** *m anat* Damm *m.*

péri|ode [perjɔd] *f* Periode *f a. gram;* Zeitabschnitt, -raum *m; astr* Umlaufszeit *f; med* Stadium *n; pour la ~ allant jusqu'à* für die Zeit bis zu; *~ d'activité* Amtszeit *f; ~ d'assiette* Veranlagungsperiode *f,* -zeitraum *m; ~ de construction* Bauabschnitt *m; ~ correspondante* Vergleichszeit *f; ~ creuse* Flaute *f; ~ de démarrage* Anlaufzeit *f; ~ d'essai* Versuchsstadium *n,* Probezeit *f; ~ d'exercice (mil)* Dauer *f* e-r Übung; *~ fiscale* Steuerperiode *f; ~ d'incubation* Inkubationszeit *f; ~ d'instruction* Reserveübung *f; ~ interglaciaire* Zwischeneiszeit *f; ~ de mise en marche* Anlaufperiode *f; ~ de pointe* Spitzen-, Stoßzeit *f; ~ (radioactive)* Halbwert(s)zeit *f; ~ par seconde (el)* Hertz *n; ~ transitoire* Übergangszeit *f;* **~odicité** *f* Periodizität *f;* Kreislauf *m;* **~odique** *a* periodisch, regelmäßig wiederkehrend; *s m* Zeitschrift *f; ~ féminin, pour la jeunesse, professionnel, de propagande* Frauen-, Jugend-, Fach-, Werbezeitschrift *f.*

péri|oste [perjɔst] *m anat* Knochenhaut *f;* **~ostite** *f* Knochenhautentzündung *f.*

péripétie [peripesi] *f* plötzliche(r) Umschwung *m,* Schicksalswende *f; allg* Höhepunkt *m;* große(s) Ereignis *n; theat* Lösung *f* des Knotens.

péri|phérie [periferi] *f math* Umfang *m;* Oberfläche *f;* **~phérique** *a math* Umfangs-; Oberflächen-; *les quartiers ~s d'une ville* die Außenbezirke e-r Stadt; *s m* Ringstraße *f;* **~phrase** *f* Umschreibung *f;* **~phraser** um=schreiben; **~phrastique** umschreibend.

périple [peripl] *m* Rundfahrt, -reise *f; hum* Rundgang, Bummel *m.*

pér|ir [perir] zugrunde gehen, unter=gehen, um=kommen; zerstört, vernichtet werden; verfallen, vergehen, ein Ende nehmen, enden; verblühen *fig; ~ carbonisé* verbrennen; *~ corps et biens* mit Mann u. Maus unter=gehen; *~ d'ennui (fig)* vor Lange(r)weile sterben, sich zu Tode langweilen; **~issable** *(Lebensmittel)* (leicht) verderblich; vergänglich.

périssodactyles [perisɔdaktil] *m pl zoo* Unpaarhufer *m pl.*

périssoire [periswar] *f* (langes, schmales) Paddelboot *n,* Einer *m.*

péri|scope [periskɔp] *m mar mil* Periskop, Sehrohr *n;* **~staltique** *a* peristaltisch; **~style** *m* Säulenumgang *m,* -reihe *f;* **~toine** *m anat* Bauchfell *n;* **~tonite** *f* Bauchfellentzündung *f.*

perl|e [pɛrl] *f* Perle *a. fig; typ* Perl(schrift); Pille, Kapsel *f; fig* grobe(r) Schnitzer *m; pl arch* Perlstab *m; en filer des ~s (fig)* die Zeit vertrödeln; *jeter des ~s aux pourceaux* Perlen vor die Säue werfen; *la ~ de ...* der, die, das beste ...; *nacre f de ~* Perlmutt(er *f*) *n; semence f de ~s* Saatperlen *f pl; ~ de culture* Zuchtperle *f; ~ fine* echte Perle *f;* **~é, e** *a (Zähne)* wie Perlen; perlfarbig; geperlt; *fig* sauber ausgeführt, vollendet; *(Suppe)* mit Fettaugen; *grève f ~e* Bummelstreik *m; orge m ~* Perlgraupen *f pl;* **~er** *tr* sauber aus=arbeiten, -führen, *bes.* sticken; den letzten Schliff geben (*qc* e-r S); *Graupen, Reis)* zu Perlgraupen, -reis, *(Zuckerguß)* zu Perlen verarbeiten; *(Bonbons)* mit bunten Zuckerperlen bestreuen; *itr* perlen; **~ier, ère** *a* Perl(en)-.

perlimpinpin [pɛlɛ̃pɛ̃pɛ̃] *poudre f de ~ (fam) (unwirksames)* Wunderpulver; wertlose(s) Zeug *n.*
perlot [pɛrlo] *m* kleine Auster *f; arg* Tabak *m.*
per|manence [pɛrmanɑ̃s] *f* (Fort-)Dauer; Stetigkeit, Beständigkeit; Haltbarkeit; *pol* Dauersitzung; Zentralstelle *f;* Informationsbüro *n; ... de ~* Dauer-; *en ~* dauernd; auf die Dauer; *être de ~* Bereitschaft(sdienst) haben; *officier m de ~* Offizier *m* vom Dienst; *service m de ~* Bereitschaftsdienst *m; ~ exploitation (loc)* Zugleitung *f; ~ médicale* ärztliche(r) Bereitschaftsdienst *m;* **~manent, e** *a* (be)ständig, dauerhaft, anhaltend, durchgehend, von Dauer; Dauer-; *(Stellung)* unkündbar; *(Beamter)* planmäßig; *(Heer)* stehend; *s m* Tageskino *n;* Gewerkschafts-, Parteifunktionär *m; s f* Dauerwelle(n *pl*) *f; ~e à froid* Kaltwelle *f.*
per|manganate [pɛrmɑ̃ganat] *m chem* Permanganat, übermangansaure(s) Salz *n; ~ de potassium* Kaliumpermanganat *n;* **~manganique** *a: acide m ~* Übermangansäure *f.*
perme [pɛrm] *f arg mil* Urlaub *m.*
per|méabilité [pɛrmeabilite] *f phys* Durchlässigkeit *f; ~ à l'eau* Wasserdurchlässigkeit *f;* **~méable** durchlässig; undicht; *fig* verständlich; aufgeschlossen.
permettre [pɛrmɛtr] *irr* erlauben, gestatten (*de* zu); zu=lassen, geschehen lassen; nichts haben gegen, dulden; *se ~* sich erlauben, *fam* sich heraus=nehmen; *si Dieu le ~met* wenn *od* so Gott will; *si vous voulez bien me le ~* wenn Sie nichts dagegen haben; *s'il (m')est ~mis* wenn es (mir) erlaubt, gestattet ist; wenn ich darf; *il n'est pas ~mis à tout le monde* es kann nicht jeder (*de faire* tun).
permien [pɛrmjɛ̃] *m geol* Perm *n.*
per|mis [pɛrmi] *m* (Erlaubnis-)Schein *m;* Genehmigung, Bewilligung *f; ~ d'admission* Zulassungsschein *m; ~ de chasse* Jagdschein *m; ~ de circulation* Zulassung *f* (e-s Kraftfahrzeuges); *loc* Freifahrschein *m; ~ de conduire* Führerschein *m; ~ de construire* Baugenehmigung *f; ~ de douane* Zollbewilligung *f; ~ d'entrée* Einreise-, Einfuhrbewilligung *f; ~ d'exportation, d'importation* Aus-, Einfuhrbewilligung *f; ~ d'inhumer* Totenschein *m; ~ de libre parcours* (Dauer-)Freifahrschein *m; ~ de pêche* Angelschein *m; ~ de forain* Wandergewerbeschein *m; ~ de résidence temporaire* Aufenthaltsgenehmigung *f; ~ de séjour* Einreiseerlaubnis; Aufenthaltsgenehmigung *f; ~ de travail* Arbeitserlaubnis *f;* **~missif, ive** freizügig, permissiv; **~mission** *f* Erlaubnis *f; mil* Urlaub *m; avec votre ~* mit Ihrer Erlaubnis, mit Verlaub; *en ~* auf, in Urlaub; *~ de convalescence, de détente* Genesungs-, Erholungsurlaub *m;* **~missionnaire** *m* Inhaber *m* e-s Erlaubnisscheines; *mil* Urlauber *m.*
permutabilité [pɛrmytabilite] *f* Vertauschbarkeit *f;* **~mutable** aus-, vertauschbar, auswechselbar; **~mutant** *m* (Stellen-, Wohnungs-)Tauschende(r) *m;* **~mutation** *f* (Aus-)Tausch *m;* Umstellung, -setzung *f; (Beamte)* Stellentausch *m; math* Permutation *f;* **~mutatrice** *f el* Kommutator, Stromwender, Gleichrichter *m;* **~muter** (aus=)tauschen; um=stellen, -setzen; **~muteur** *m* Tauschende(r) *m.*
per|nicieux, se [pɛrnisjø, -z] verderblich, (sehr) schlecht; schädlich; *med* bösartig; **~niciosité** *f* Schädlich-, *med* Bösartigkeit *f.*
péroné [perɔne] *m anat* Wadenbein *n.*
péronnelle [perɔnɛl] *f fam* dumme(s), schwatzhafte(s) Weib *n.*
pér|oraison [perɔrɛzɔ̃] *f* Schluß *m* e-r Rede; **~orer** anmaßend u. weitschweifig reden, salbadern; **~oreur, se** *m f* Salbaderer *m.*
Pér|ou, le [peru] *geog* Peru *n;* **~uvien, ne** *m f* Peruaner(in *f*) *m; a p~* peruanisch.
peroxyde [pɛrɔksid] *m chem* Peroxyd *n.*
perpendiculaire [pɛrpɑ̃dikylɛr] *a* senk-, lotrecht (*à* zu); *s f u. ligne f ~ (math)* Senkrechte *f,* Lot *n; tirer, élever, baisser une ~ (math)* e-e Senkrechte ziehen, ein Lot fällen (*sur* auf *acc*); *style m ~* Perpendikularstil *m,* englische Gotik *f.*
per|pétration [pɛrpetrasjɔ̃] *f jur* Verübung, Begehung *f;* **~pétrer** verüben, begehen; **~pette:** *à ~ (fam)* auf die Dauer; **~pétuation** [-tɥa-] *f* Fortbestehen(lassen) *n;* Fortpflanzung *f;* **~pétuel, le** fortwährend, -dauernd, (be)ständig; *(Schnee)* ewig; *jur* lebensjänglich; auf Lebensdauer, -zeit; *bot* immerblühend; **~pétuer** fortbestehen lassen, fort=pflanzen, verewigen; *se ~* an=dauern, fort=bestehen, sich halten; **~pétuité** *f* Fortdauer, Beständigkeit *f; à ~* für immer; auf Lebenszeit, lebenslänglich.
per|plexe [pɛrplɛks] verlegen, ratlos, unschlüssig; *(Sache)* schwierig, kompliziert, verwickelt; **~plexité** *f* Verle-

genheit, Ratlosigkeit, Unschlüssigkeit, Verwirrung *f.*

perquisition [pɛrkizisjɔ̃] *f jur* Durchsuchung *f; mandat m de* ~ Haussuchungsbefehl *m;* ~ *domiciliaire, à domicile* Haussuchung *f;* **~ner** *itr* e-e Durchsuchung, e-e Haussuchung vor=nehmen; *tr (Haus)* durchsuchen.

perr|é [pɛre] *m arch* Steinpackung *f;* **~ière** *f mil hist* Steinschleuder *f.*

perron [pɛrɔ̃] *m arch* Freitreppe *f.*

perr|oquet [pɛrɔkɛ] *m orn* Papagei *m a. fig; mar* Bramsegel *n; parler comme un* ~ (gedankenlos) nach=plappern; **~uche** *f* Papageienweibchen *n;* Sittich *m; mar* Kreuzbramsegel *n; fig fam* dumme Gans *f;* ~ *ondulée* Wellensittich *m.*

perruque [pɛryk] *f* Perücke *f; fam* altmodische(r) Mensch *m;* ~ *carrée (hist)* Allongeperücke *f; vieille* ~*, tête f à* ~ verkalkte(r), verknöcherte(r) Mensch *m.*

pers, e [pɛr, pɛrs] blaugrün.

pers|an, e [pɛrsɑ̃, -ən] *a* persisch; *P~, e s m f* Perser(in *f*) *m;* **~e** *a* (alt)persisch; *les P~s s m pl* die (alten) Perser *m pl; la P~* Persien *n.*

per|sécutant, e [pɛrsekytɑ̃, -ɑ̃t] *a* verfolgend; lästig; **~sécuter** (grausam) verfolgen; *fig* (hart) zu=setzen, lästig sein (*qn* jdm), belästigen; **~sécuteur, trice** *m f* Verfolger(in *f*); Quälgeist *m;* **~sécution** *f* (*bes.* Christen-)Verfolgung; Belästigung, Quälerei *f; délire m de la* ~ *(med)* Verfolgungswahn *m.*

per|sévérance [pɛrseverɑ̃s] *f* Ausdauer, Beharrlichkeit; Fortdauer, Beständigkeit *f;* **~sévérant, e** beharrlich, ausdauernd; beständig, anhaltend; **~sévérer** aus=dauern, beharren (*à* in *dat*); an=halten; aus=, fest=halten (*dans qc* an e-r S).

per|sicaire [pɛrsikɛr] *f* Flöhkraut *n;* **~sicot** [-ko] *m* Persiko *m (Likör).*

persienne [pɛrsjɛn] *f* feste Jalousie *f.*

per|siflage [pɛrsiflaʒ] *m* Verspottung *f,* Spott *m;* **~sifler** *tr* verspotten, lächerlich machen, sich lustig machen (*qn* über jdn); *fam* durch den Kakao ziehen; *itr* spotten, spötteln; **~sifleur, se** *s m f* Spötter(-in *f*) *m; a* spottlustig.

per|sil [pɛrsi] *m bot* Petersilie *f; vulg* Haare *n pl;* **~sillade** [-sijad] *f* Petersiliensoße *f;* kalte(s) Rindfleisch *n* mit Petersilie, Essig u. Öl; **~sillé, e** *a* grün gesprenkelt; *(Fleisch, mit Fett)* durchwachsen.

persique [pɛrsik] (alt)persisch; *golfe m P~ (geog)* Persische(r) Golf *m.*

per|sistance [pɛrsistɑ̃s] *f* Fortdauer *f,* Anhalten *n;* Beständig-, Beharrlichkeit *f;* **~sistant, e** *a* beharrlich; anhaltend, fortdauernd; *à feuilles ~es (bot)* immergrün; **~sister** be-, verharren (*dans qc* auf, in e-r S); fort=dauern, an=halten; dabei=bleiben (*à* zu).

personn|age [pɛrsɔnaʒ] *m* (bedeutende) Persönlichkeit; Person *(a. Kunst, Literatur, theat);* Rolle; *(Kunst, theat)* Figur *f; faire le* ~ *de* ... die Rolle e-s, e-r ... spielen; **~aliser** personifizieren; **~alité** *f* Persönlichkeit, Person; *(~ civile)* Rechtspersönlichkeit; *vx (verletzende)* persönliche Anspielung *f; culte m de la* ~ *(pol)* Personenkult *m.*

personn|e [pɛrsɔn] **1.** *s f* Person, Persönlichkeit *f,* Mensch; Mann *m;* Frau; *fig* Gestalt, Figur *f;* **2.** *prn* jemand *(nur in negativem Zs.hang);* ~*, ne* ... ~*,* ~ ... *ne* niemand; *en* ~ persönlich, selbst; *sans acception de ~(s)* ohne Ansehen der Person; *s'assurer de la* ~ *de qn* jdn fest=nehmen, verhaften; *être bien fait de sa* ~ gut gebaut sein; *être bonne* ~ gutmütig sein; *payer de sa* ~ sich persönlich ein=setzen; *répondre de la* ~ *de qn* für jdn gerade=stehen; *répondre sur sa* ~ persönlich haften; *il n'y a plus* ~ *(au logis) (fam)* er hat den Kopf verloren; *content de sa* ~ selbstgefällig; *grande* ~ Große(r), Erwachsene(r) *m; jeune* ~ junge(s) Mädchen *n;* ~ *civile, morale, juridique* juristische, Rechtsperson *f;* ~ *déplacée* Verschleppte(r *m*) *f;* ~ *physique* natürliche Person *f;* ~ *publique* Mann *m* des öffentlichen Lebens; **~el, le** *a* persönlich; egoistisch, egozentrisch; Personal-; *s m* Personal *n;* Belegschaft *f,* Beamte *(e-r Behörde);* Mitarbeiter(stab *m*) *m pl;* Mannschaft; *aero* Besatzung *f; faire partie du* ~ beschäftigt sein (*de* bei); *manquer de* ~ an Personalmangel leiden; *chef, effectif, service m du* ~ Personalchef, -bestand *m,* -abteilung *f; contribution, taxe, cote f ~le* Kopfsteuer *f; diminution f, manque m de* ~ Personalabbau, -mangel *m; fortune f ~le* Privatvermögen *n; membre m du* ~ Belegschaftsmitglied *n;* ~ *administratif, de bureau* Verwaltungs-, Büropersonal *n;* ~ *stable* Stammpersonal *n;* ~ *enseignant* Lehrkörper *m,* -personen *f pl;* ~ *exploitant* Bedienungspersonal *n;* ~ *d'exploitation* Betriebsangehörige(n) *m pl;* ~ *de maison* (Haus-)Personal *n;* ~ *d'une mine (min)* Knappschaft *f;* ~ *navigant, volant* fliegende(s) Personal *n;* ~ *non-navigant, au sol (aero)* Bodenpersonal *n;* ~ *ouvrier* Arbeiter(schaft *f*) *m pl;* ~ *qualifié* geschulte(s) P.; ~ *de surveillance* Aufsichtspersonal *n;* **~ellement** *adv* persönlich, in Person; **~ification** *f* Personifizierung, Verkörperung, Versinnbildlichung *f;* **~ifier** personifizieren, verkörpern, versinnbildlichen.

perspectif, ive [pɛrspɛktif, -iv] *a* perspektivisch; *s f math, (Kunst)* Perspektive *f;* Ausblick *m,* Fernsicht; Aussicht *f a. fig; fig* Abstand *m; en ~spective* in der Entfernung; *fig* in Aussicht; *~spective aérienne, cavalière, linéaire* Vogel-, Kavaliers-, Linearperspektive *f; ~spective réjouissante* Lichtblick *m.*

per|spicace [pɛrspikas] scharfblikkend, -sinnig; **~spicacité** *f* Scharfblick, -sinn *m.*

perspiration [pɛrspirasjɔ̃] *f biol* Ausdünstung *f;* ~ *cutanée* Hautatmung *f.*

per|suadant, e [pɛrsɥadɑ̃, -t] *a* überzeugend; **~suader** überreden (*de* zu), -zeugen (*qn de qc* jdn von etw); **~suasif, ive** [-zif, -iv] überzeugend; **~suasion** *f* Überedung; Überzeugung *f.*

perte [pɛrt] *f* Untergang, Zs.bruch, Ruin *m,* Verderben *n;* Verlust *m,* Einbuße *f,* Schaden, Ausfall, Abgang *m,* -nahme *f,* Schwund; Abfluß *m;* Leck *n; (Fluß)* Sickerstelle *f; com* Defizit *n,* Passivsaldo *m; à ~ (com)* mit Verlust; *à ~ de vue* soweit das Auge reicht; *fig* ins Blaue hinein; endlos; *en pure ~* in den Wind, völlig umsonst, vergeblich; *combler, couvrir une ~* e-n Verlust decken; *courir à sa ~* s-m Untergang entgegen=gehen; *entraîner une ~* Verlust bringen; *se mettre en ~ de vitesse (mot)* ab=bremsen; *réparer une ~* e-n Verlust ersetzen; *subir, essuyer une (grosse)* e-n (schweren) Verlust erleiden; *~ d'argent, en capitaux, de chaleur, au* od *sur le change, de courant, de fortune, d'intérêts, de poids, de temps* Geld-, Kapital-, Wärme-, Kurs-, Strom-, Vermögens-, Zins-, Gewichts-, Zeitverlust *m; ~ des droits civiques* Verlust *m* der bürgerlichen Ehrenrechte; *~ par incendie* Brandschaden *m; ~ partielle, totale* Teil-, Gesamtverlust, -schaden *m; ~ de profit* Gewinnausfall *m; ~ de sang* Blutverlust *m;* Blutung *f; ~ sèche (com)* reine(r) Verlust *m; ~ à la terre (el)* Erdschluß *m; ~ en valeur* Werteinbuße *f; ~ de la vue* Erblindung *f.*

per|tinence [pɛrtinɑ̃s] *f* Sachdienlichkeit, Triftigkeit; *jur* Erheblichkeit *f;* Stellenwert *m; gram* Relevanz *f;* **~tinent, e** passend, (zu)treffend, sachdienlich, zur Sache gehörig; triftig; *gram* relevant; rechtserheblich; **~tinemment** [-na-] *adv* in Kenntnis der Sache.

pertuis [pɛrtɥi] *m* Meerenge *f;* (Eng-)Paß *m; (Fluß)* Verengung *f;* Siel *n,* Wehröffnung, Durchfahrt; *tech* Zieheisenbohrung *f.*

pertuisane [pɛrtɥizan] *f* Partisane *f (alte Waffe).*

per|turbateur, trice [pɛrtyrbatœr, -tris] *s m f* Störenfried, Unruhestifter(in *f*) *m; a* Unruhe stiftend; **~turbation** *f* Störung *a. astr. Wetter, radio;* Unruhe *f; ~ atmosphérique* atmosphärische Störung *f; ~ fonctionnelle (med)* Funktionsstörung *f;* **~turbé, e** verstört, (verhaltens-)gestört.

pervenche [pɛrvɑ̃ʃ] *s f bot* Immergrün *n; a* hellblau.

per|vers, e [pɛrvɛr, -s] entartet, verdorben, verkommen, lasterhaft; widernatürlich; **~version** *f* Entartung, Verderbnis; *med* Verirrung, Perversion *f;* **~versité** *f* Verderbt-, Verkommenheit, Lasterhaftigkeit *f;* **~vertir** verderben; *(Ordnung)* um=kehren; *(Sinn)* entstellen, verfälschen; *se ~* entarten, verkommen; **~vertissement** *m* Verderbnis ; Verdorbenheit *f;* sittlicher Verfall *m;* **~vertisseur, euse** *s m f* Verderber(in *f*), Verführer(in *f*) *m; a* sittenverderbend; *~ du peuple* Volksverführer *m.*

pes|age [pəzaʒ] *m* Wiegen *n; sport* Wiegeplatz *m;* **~ant, e** *a* schwer, drückend *a. fig; fig* schwerfällig, steif, plump; *s m* Gewicht *n; se sentir la tête ~e* e-n schweren Kopf haben; *valoir son ~ d'or (fig)* nicht mit Gold aufzuwiegen sein; *avoir la main ~e (vx)* eine schwere Hand haben, derb schlagen; **~anteur** *f* Schwere, Schwerkraft *f;* (spezifisches) Gewicht *n; fig* Schwerfälligkeit; Last *f; med* Beschwerden *f pl;* **~ée** *f* (Ab-) Wiegen; Abgewogene(s) *n;* (Hebel-)Druck *m,* Drücken *n;* **~er** *tr* (ab=)wiegen; *fig* (gegenea.) ab=wägen, vergleichen; reiflich überlegen; *mus* aus=halten; *itr* wiegen, schwer sein, Gewicht haben; *fig* (be)drücken, e-e Last sein, lasten; drücken (*sur* auf *acc*); Nachdruck legen (*sur* auf *acc*), hervor=heben (*sur qc* etw); *(Verantwortung, Verdacht)* ruhen; *com* vollwichtig sein; *~ sur les bras (fig)* zur Last fallen; *~ sur la conscience* das Gewissen belasten; *~ sur le cœur à qn* jdn bedrücken, betrüben, kränken; ~

sur l'estomac schwer im Magen liegen; ~ *le poids (pol)* den nötigen Einfluß haben; ~ *le pour et le contre* das Für und (das) Wider ab≈wägen; *tout bien ~é* alles wohl erwogen; *sa présence me pèse* seine Gegenwart ist mir zur Last, geht, fällt mir auf die Nerven; *le temps me pèse* das Warten fällt mir schwer; **~ette** *f* Goldwaage *f;* **~eur, se** *m f* Wieger(-in *f*); Waagemeister; gewissenhafte(r) Prüfer *m;* **~on** *m* Schnellwaage *f;* ~ *à ressort* Federwaage *f.*

pèse [pɛz] *m arg* Moos, Geld *n;* *~-acide m chem* Säuremesser *m;* *~-alcool m inv* Alkoholmesser *m;* *~-bébé m* Säuglingswaage *f;* *~-lait m inv* Milchwaage *f;* *~-lettre(s) m* Briefwaage *f;* *~-personne m* Personenwaage *f.*

pessaire [pɛsɛr] *m* Pessar *n.*

pessimis|me [pɛsimism] Pessimismus *m;* **~te** *s m f* Pessimist(in *f*), Schwarzseher *m; a* pessimistisch.

pest|e [pɛst] *f med* Pest *a. fig; fig* Geißel *f;* Verderben *n; fam* kleine(r) Teufel *m,* kleine Hexe *f; interj* Donnerwetter! *que la ~ soit de lui* der Teufel soll ihn holen; ~ *bovine, bubonique, porcine* Rinder-, Beulen-, Schweinepest *f;* **~er** fluchen, schimpfen (*contre* auf *acc*); **~eux, se** *a* Pest-; *bacille m* ~ Pestbazillus *m;* **~icide** *m* Schädlingsbekämpfungsmittel, Pestizid *n;* **~iféré, e** pestkrank; **~ilent, e** pestartig, ansteckkend; *fig* vergiftend; **~ilentiel, le** [-sjɛl] pestartig; verpestet; verpestend, übelriechend; *fig* unheilschwanger.

pet [pɛ] *m vulg* Furz, Wind *m; faire, lâcher un ~* e-n Furz lassen, einen gehen lassen; *il va y avoir du ~* es wird Stunk, Krach geben; ~ *en l'air (fam)* Hausjacke *f.*

pétale [petal] *m* Blüten-, Blumenblatt *n.*

pétanque [petɑ̃k] *f Art* Kugelspiel *n (in Südfrankreich).*

pét|arade [petarad] *f* Geknatter, Geknalle *n;* **~arader** rattern, knattern *a. mot;* **~ard** *m mil hist* Petarde, Sprengbüchse *f;* Knallfrosch, Revolver *m; loc* Knallsignal *n; min* Sprengschuß; *fam* Skandal, Krach; Radau; *vulg* Hintern *m;* **~arder** sprengen; *fam* lärmen; **~ardier** *m pop* Krakeeler *m;* **~audière** [-to-] *f fig fam* lärmende(r) Haufen *m;* **~er** furzen, pupen; *fam* explodieren, platzen; knistern, knattern; lärmen; ~ *dans la main (fam)* schief≈gehen; kneifen *fig;* ~ *plus haut que son cul (vulg)* sich übernehmen; (zu) hoch hinaus≈wollen; **~eux, se** *m f fig vulg* Hosenscheißer, Angsthase *m.*

pét|illant, e [petijɑ̃, -t] *a* knisternd, prasselnd; *(Wein)* prickelnd, spritzig; *(Augen)* funkelnd; ~ *d'esprit* geistsprühend; **~illement** *m* Knistern, Prasseln, Knattern; Sprühen; Prikkeln; Funkeln *n;* **~iller** knistern, prasseln; funkeln; *(Wein)* moussieren, schäumen, prickeln; sprühen.

pét|iole [pesjɔl] *m bot* Blattstiel *m;* **~iolé, e** *a* gestielt.

pète-sec [pɛtsɛk] *a u. s m f* kurz angebunden(er Mensch *m*).

petit, e [pəti, -it] *a* klein, gering; leicht, leise; schwach, zart; jung; belanglos, unbedeutend; gemein, von niedriger Gesinnung, unedel; kleinlich; *fig fam* lieb; *s m f* Kleine(r, s) *m f n (Kind); m* kleine(r) Mensch, *fig* Mann *m;* Junge(s) *n (Tier);* ~ *à* ~ nach u. nach, allmählich; *au ~ pied* im kleinen; *au ~ jour* bei Tagesanbruch; *chercher la ~e bête (fam)* sich um Kleinigkeiten (herum≈)streiten; *~e amie f* Freundin *f;* *~-beurre m* Butterkeks *m;* ~ *blanc m* einfache(r) Weißwein *m;* *~(e)-bourgeois(e) m (f)* Kleinbürger(in *f*) *m; les ~es classes f pl* die unteren Schulklassen *f pl;* ~ *commerçant m* Kleinhändler *m;* *~-déjeuner m* Frühstück *n;* *~s-enfants m pl* Enkel *pl;* *~e exploitation f* Kleinbetrieb *m;* *~-fils m,* *~e-fille f* Enkel(in *f*) *m;* *~-gris m* Graue(s), Sibirische(s) Eichhörnchen, Feh *n;* ~ *jardin m* Schrebergarten *m;* *~-lait m* Molke *f;* *~e-main f* Näherin *f (in e-m Modehaus);* *~-maître m* Stutzer *m;* *~es marchandises f pl* Stückgut *n;* ~ *monde m,* *~es gens f pl* kleine Leute *pl;* *~-nègre m* gebrochene(s) Französisch *n;* *~-neveu m,* *~e-nièce f* Großneffe *m,* Großnichte *f;* ~ *nom m* Vorname *m;* ~ *pavé m* Kleinpflasterstein *m;* ~ *rentier m* Kleinrentner *m;* *~-salé m* Pökelfleisch *n;* *~e santé f* schwache Gesundheit *f;* *~s soins m pl* Aufmerksamkeiten *f pl;* *~e vitesse* Frachtgut *n;* **~ement** *adv* in kleinen Mengen, in geringer Menge, mäßig; eng, beengt; kleinlich, ärmlich; gemein; **~esse** *f* Kleinheit; Geringfügigkeit, Unerheblichkeit; Niedrigkeit; Gemeinheit, niedrige Gesinnung; Kleinlichkeit *f.*

pétition [petisjɔ̃] *f* Bittschrift *f,* Gesuch *n,* Eingabe; *jur* Klage *f; droit m de ~* Petitionsrecht *n;* **~naire** [-sjɔ-] *m f* Bittsteller(in *f*) *m;* **~ner** e-e Bittschrift, ein Gesuch ein≈reichen, e-e Eingabe machen.

pétoche [petɔʃ] *f pop* Schiß *m.*
peton [pətõ] *m fam* Füßchen *n.*
pétoncle [petõkl] *m zoo* Archenkammuschel *f.*
pétrel [petrɛl] *m orn* Sturmvogel *m.*
pétri, e [petri] *a fig* durchdrungen, voll (*de* von), voller (*de* ...).
pétr|ification [petrifikasjõ] *f geol* Versteinerung *f;* **~ifier** [-fje] versteinern; *fig* erstarren lassen, starr machen; *tech* steinhart werden lassen; *pp* starr *(vor Schreck).*
pétr|in [petrɛ̃] *m* Backtrog *m; être dans le ~ (fam)* in der Patsche, *pop* im Eimer sein, in der Tinte sitzen; *mettre dans le ~ (fam)* in (die) Verlegenheit bringen; *~ mécanique* (Teig-)Knetmaschine *f;* **~ir** kneten; massieren; *fig* formen, gestalten, bilden; *machine f à ~* Knetmaschine *f;* **~issage** *m* Kneten, Massieren *n;* **~isseur, se** *m f* (Teig-)Kneter(in *f*) *m; f* Knetmaschine *f.*
pétro|chimie [petrɔʃimi] *f* Erdöl-, Petrochemie *f;* **~dollar** *m* Petrodollar *m;* **~graphie** *f* Gesteinskunde *f.*
pétr|ole [petrɔl] *m* Petroleum, Erdöl *n; arg* Branntwein *m; raffinerie f de ~* Erdölraffinerie *f; ~ brut* Rohöl *n; ~ combustible* Heizöl *n; ~ lampant* Leuchtpetroleum *n;* **~oler** mit Petroleum ein≈reiben; mit P. übergießen u. in Brand stecken; **~olette** *fam* kleine(s) Auto; Moped *n;* **~olier, ère** *a* (Erd-)Öl-; *s m* (Öl-)Tankschiff *n,* -dampfer, Tanker *m; flotte f ~ère* Tankerflotte *f; produit m ~* Mineralölerzeugnis *n;* **~olifère** *a* (erd)ölhaltig; *s f* Erdölaktie *f; champ m, concession f ~ (com)* Ölfeld *n,* -konzession *f; région f ~* Erdölgebiet *n.*
pét|ulance [petylɑ̃s] *f* Ungestüm *n,* Unbändigkeit, Ausgelassenheit *f;* **~ulant, e** ungestüm, unbändig, ausgelassen; mutwillig.
pétunia [petynja] *m bot* Petunie *f.*
peu [pø] *adv* wenig; kurz(e Zeit), nicht lange; *s m* Wenig(e), bißchen *n; ~ de* wenige; *le ~ de bonheur* das bißchen, bescheidene Glück; *le ~ de gens* die wenigen Leute; *un ~ (de ...)* etwas, ein bißchen (...); *fam* ja; mal; *un petit ~* ein klein wenig, ein kleines bißchen; *~ à ~* nach u. nach; *~ après* bald darauf, danach; *un ~ beaucoup (fam)* reichlich; *~ de chose* nichts Besonderes, nicht viel, e-e Kleinigkeit; *comme il y en a ~* wie es nur wenige gibt; *dans ~ (de temps); sous, avant (qu'il soit) ~* in kurzem, in Kürze; bald; *depuis ~* seit kurzem; *en ~ de mots* mit wenigen Worten, kurz; *c'est ~ (que) de ...* es genügt nicht zu ...; *~ s'en faut, il s'en faut de ~ (que)* (es wäre) beinahe ...; *~ ou point, ni ~ ni point* wenig oder gar nicht, durchaus nicht; *pour ~ que* wenn ... nur; *pour un ~* bald, fast; *à ~ (de chose) près* annähernd, beinahe, fast, nahezu; *~ ou prou, ni ~ ni prou* wenig oder viel, nicht wenig und nicht viel; *quelque ~* etwas, einigermaßen; *si ~ que rien* so gut wie nichts; *si ~ ... que (conj)* so wenig ... auch, wenn auch im geringsten ...; *(un) tant soit ~* ein ganz klein wenig; *très ~ pour moi! (fam)* ohne mich! *homme m de ~* Mensch *m* von niedriger Herkunft.
peuh! [pø] *interj* pah! bah! ach wo! ach was!
peupl|ade [pœplad] *f* (Volks-)Stamm *m;* **~e** *m* Volk *n,* Nation; *(Stadt)* Bevölkerung; Menge *f; du ~* aus dem Volk(e); *le ~ élu, de Dieu* das auserwählte Volk, das Volk Gottes; *le petit, menu, bas ~* die kleinen Leute; **~ement** *m* Besiedlung; Bevölkerung *f; zoo bot* Bestand *m; ~ forestier* Baumbestand *m;* **~er** *tr* besiedeln; bewohnen; bevölkern; *(mit Tieren)* besetzen; bepflanzen; *(Wald)* auf≈forsten; *fig* er-, aus≈füllen; *itr* sich vermehren, sich aus≈breiten.
peupl|eraie [pøplərɛ] *f* Pappelwald *m;* **~ier** [-plije] *m bot* Pappel *f; ~ blanc* od *argenté, noir, pyramidal, tremble* Silber-, Schwarz-, Pyramiden-, Zitterpappel *f.*
peur [pœr] *f* Angst, Furcht *f* (*de* vor *dat*); Schreck(en) *m,* Grauen *n; de ~ (de [inf], que)* ... damit nicht ...; *à faire ~* entsetzlich, fürchterlich; *avoir ~* Angst haben, sich fürchten (*de* vor *dat*); *faire ~* bange machen (*à qn* jdm), Schrecken ein≈jagen (*à qn* jdm); *mourir de ~* vor Angst vergehen; *en être quitte pour la ~* mit dem Schrecken davon≈kommen; *~ bleue* Heidenangst *f;* **~eux, se** furchtsam, ängstlich, bange; scheu, schüchtern.
peut-être [pøtɛtr] *adv* vielleicht, etwa, *fam* eventuell.
pèze *s. pèse.*
pezize [pəziz] *f* Becherpilz *m.*
phal|ange [falɑ̃ʒ] *f mil hist* Phalanx *f; allg* Heer(schar *f*); *anat* Finger-, Zehenglied *n; (Spanien)* Falange *f;* **~angette** *f* Nagelglied *n;* **~angine** *f* mittlere(s) Fingerglied *n.*
phalène [falɛn] *f, poet a. m* Spanner *(Schmetterling);* Nachtfalter *m.*
phallo|crate [falɔkrat] *m* Chauvi(e) *m,* Phallokrat *m;* **~cratie** *f* männliche(r) Chauvinismus *m.*

phallus [falys] *m* Phallus *m*, männliches Glied *n*.
phanérogame [fanerɔgam] *a bot* phanerogam; *s f* Blütenpflanze *f*.
phantasme [fɑ̃tasm] *m* Trugbild *n*.
pharamineux, se [faraminø, -øz] *fam* verblüffend, wunderbar.
phar|aon [faraɔ̃] *m* Pharao *m*; **~aonique** [-ɔ-] pharaonisch; Pharaonen-.
phare [far] *m* Leuchtturm *m*, -feuer *n*; *fig* Leitstern *m*, Leuchte *f*; *mot* Scheinwerfer *m*; *~ d'aéroport* Flughafenbake *f*; *~ anti-brouillard* Nebelscheinwerfer *m*; *~-chercheur m*, *~orientable* Suchscheinwerfer *m*; *~ code* Abblendlicht *n*; *~ à longue distance* Fernlicht *n*; *~ à éclat* Blinkfeuer *n*; *~ flottant* Feuerschiff *n*; *~ lumineux principal (aero)* Hauptstrekkenfeuer *n*; *~ de recul* Rückwärtsscheinwerfer *m*.
phar|isaïque [farizaik] pharisäisch, heuchlerisch, selbstgerecht; **~isaïsme** *m* Pharisäertum *n*; Heuchelei; Selbstgerechtigkeit *f*; **~isien** *m rel* Pharisäer; *fig* Splitterrichter, Heuchler *m*.
pharmac|eutique [farmasøtik] *a* pharmazeutisch; *s f* Pharmazeutik *f*; **~ie** [-si] *f* Pharmazie *f*; Apothekerberuf *m*; Apotheke *f*; *~ de famille* Hausapotheke *f*; *~ de poche, portative* Taschenapotheke *f*; **~ien, ne** *m f* Apotheker(in *f*) *m*; **~ognosie** [-kɔgnozi] *f* Drogenkunde *f*; **~ologie** *f* Pharmakologie, Arzneikunde, -mittellehre *f*; **~ologique** pharmakologisch; **~opée** *f* Arzneibuch *n*.
pharyn|gien, ne [farɛ̃ʒjɛ̃, -ɛn] *a anat* Rachen-; **~gite** *f* Rachen(schleimhaut)entzündung *f*, Rachenkatarrh *m*; **~golaryngite** [-gɔ-] *f* Rachen- u. Kehlkopfentzündung *f*; **~goscope** *m med* Kehlkopf-, Rachenspiegel *m*; **~x** [-ks] *m anat* Kehlkopf, Rachen, Schlundkopf *m*.
phas|e [fɑz] *f astr phys el chem fig* Phase; (Entwicklungs-)Stufe *f*, Stadium *n*; Abschnitt, Stand; *tech* Arbeitstakt *m*, -spiel *n*; *concordance f*, *décalage m de ~s* Phasenübereinstimmung, -verschiebung *f*; *~ d'étude* Entwurfsstadium *n*; *~ de la lune* Mondphase *f*; *~ de travail* Arbeitsgang *m*; **~emètre** *m* Phasenmesser *m*.
phasianidés [fasjanide] *m pl* Fasanvögel *m pl*.
Phén|icie, la [fenisi] Phönizien *n*; **p~icien, ne** *a* phönizisch; P~, *ne s m f* Phönizier(in *f*) *m*.
phén|ique [fenik] *a: acide m ~*, **~ol** *m chem* Karbolsäure *f*, Phenol *n*.
phénix [feniks] *m* Phönix *m*; *allg* Wunder(ding), Phänomen *n*.
phéno|ménal, e [fenɔmenal] *a (Philosophie)* Erscheinungs-; *fam* phänomenal, verblüffend, wunderbar; **~mène** *m* Phänomen *n*, (Natur-)Erscheinung *f*; *fam* Wunder(ding) *n*, *fam* Kanone *f*; Sonderling, komische(r) Kauz *m*; *~ marginal* Randerscheinung *f*; *~ vital* Lebenserscheinung *f*; **~ménisme** *m (Philosophie)* Phänomenalismus *m*; **~ménologie** *f (Philosophie)* Phänomenologie *f*.
phényle [fenil] *m chem* Phenyl *n*.
phil|anthrope [filɑ̃trɔp] *m* Philanthrop, Menschenfreund *m*; **~anthropie** *f* Philanthropie, Menschenliebe *f*; **~anthropique** philanthropisch, menschenfreundlich; **~atélie** *f* Philatelie, Briefmarkenkunde *f*; **~atélique** *a* philatelistisch; Briefmarken-; **~atéliste** *m* Philatelist, Briefmarkensammler *m*; **~harmonie** *f* Musikliebe *f*; **~harmonique** *a* musikliebend; *société f ~* Philharmonie, Musikverein *m*.
philippin, e [filipɛ̃, -in] *a geog* philippinisch; *P~ s m* Filipino *m*; *p~e f* Vielliebchen *n (Spiel)*; *les P~es f pl* die Philippinen *pl*.
philippique [filipik] *f* Philippika, Strafrede *f*.
philistin [filistɛ̃] *m* Philister, Spießbürg(er *m*; **~isme** *m* Philistertum *n*.
phil|ologie [filɔlɔʒi] *f* Philologie, Sprach(- u. Literatur)wissenschaft *f*; **~ologique** philologisch, sprachwissenschaftlich; **~ologue** *m* Philologe *m*; **~osophale** *a: pierre f ~* Stein *m* der Weisen; **~osophe** *m* Philosoph *m*; *a* weise; **~osopher** philosophieren; Betrachtungen an=stellen (*sur* über *acc*), grübeln; **~osophie** *f* Philosophie; (Lebens-)Weisheit; Gelassenheit, Abgeklärtheit *f*, Gleichmut *m*; Oberprima *f*; *faire sa ~* in der Oberprima sein; *~ de l'histoire* Geschichtsphilosophie *f*; **~osophique** philosophisch.
philtre [filtr] *m* Liebestrank *m*.
phlébite [flebit] *f* Venenentzündung *f*.
phlegm|asie [flɛgmazi] *f med vx* (innere) Entzündung *f*; **~on** *m med* Phlegmone, Zellgewebsentzündung *f*.
phlox [flɔks] *m bot* Phlox *f*.
phobie [fɔbi] *f med* krankhafte Angst *f*; *fig* Abscheu *m*.
phon|alité [fɔnalite] *f gram* Lautcharakter *m*; **~asthénie** *f med* Stimmschwäche *f*; **~ateur, trice** *a* stimmbildend; **~ation** *f* Stimmbildung *f*; **~e** *m* Phon *n (Lautstärkeeinheit)*; **~ème**

m gram Phonem *n;* **~éticien** *m* Phonetiker *m;* **~étique** *a* phonetisch; *s f* Lautstand *m (e-r Sprache);* Phonetik, Lautlehre *f; écriture f* ~ Lautschrift *f;* **~évision** *f* Bildtelephonie *f;* **~ie** *f* Sprechfunk *m; prendre contact en ~ avec qn* mit jdm in Sprechfunkverbindung treten; **~ique** *a* stimmlich; Laut-; *signe m* ~ Lautzeichen *n;* **~ocapteur** *m* Schalldose *f,* Tonabnehmer *m; bras m de* ~ Tonarm *m;* **~ogramme** *m* Tonaufnahme *f;* **~o(graphe)** *m* Grammophon *n;* Sprechmaschine *f;* Plattenspieler *m;* ~ *portatif* Koffer-, Reisegrammophon *n;* Phonokoffer *m;* **~ographie** *f* Lautschrift *f;* **~ologie** *f* Phonologie; **~omètre** *m* Phonometer *n,* Lautstärkemesser *m;* **~othèque** *f* Schallarchiv *n.*

phoque [fɔk] *m* Seehund *m; (Kürschnerei)* Seal *m* od *n.*

phos|gène [fɔsʒɛn] *m chem* Phosgen *n;* **~phate** *m chem* Phosphat, phosphorsaure(s) Salz *n;* **~phaté, e** phosphathaltig; **~phore** *m* Phosphor *m;* **~phoré, e** *a* phosphorhaltig; **~phorescence** *f* Phosphoreszenz *f;* Nachleuchten *n* im Dunkeln; **~phorescent, e** *a* phosphoreszierend; Leucht-; **~phoreux** *a: acide m* ~ phosphorige Säure *f;* **~phorique** *a* Phosphor-; *acide m* ~ Phosphorsäure *f;* **~phorisme** *m* Phosphorvergiftung *f.*

photo [fɔto] *f fam* Foto *n,* Photographie *f;* ~ *couleur* Farbfoto *n;* ~ *instantanée* Sofortbild *n;* **~bactérie** [-tɔ-] *f* Leuchtbakterie *f,* -pilz *m;* **~calque** *m* Lichtpause *f;* **~cellule** *f* photoelektrische Zelle *f;* **~chimie** *f* Photochemie *f;* **~chimique** photochemisch; **~chromie** *f* (photomechanischer) Farb(en)druck *m;* **~collographie** *f, s. ~typie f;* **~composition** *f typ* Film-, Lichtsatz *m;* **~copie** *f* Photokopie *f;* **~copieur** *m* Photokopierer *m,* Photokopiergerät *n;* **~copier** photokopieren; **~-électrique** lichtelektrisch; **~gène** photogen, lichterzeugend; **~génie** *f allg,* **~genèse** *f biol* Lichterzeugung *f;* **~génique** die chemische Wirkung des Lichtes betreffend; gut zu photographieren(d), photogen; ~ *à la télévision* telegen; **~gramme** *m* Photogramm *n, (photograph.)* Abzug *m;* **~grammétrie** *f* Luftbildmessung *f;* **~graphe** *m* Photograph, Lichtbildner *m; atelier m de* ~ photographisches Atelier, Fotoatelier *n;* ~ *amateur* Amateur-, Liebhaberphotograph *m;* **~graphie** *f* Photographie, Lichtbildkunst; Lichtbild, Foto *n,* Aufnahme *f;* ~*(~) aérienne* Luftbild *n;* ~*(~) d'artiste* Filmpostkarte *f;* ~ *des couleurs* Farbenphotographie *f;* ~*(~) en couleurs* Farbfoto *n;* ~*(~) instantanée* Momentaufnahme *f, fam* Schnappschuß *m;* ~*(~) en gros plan* Nahaufnahme *f;* **~graphier** photographieren, (photographisch) auf⸗nehmen, *fam* knipsen; *fig* naturgetreu, lebenswahr schildern; **~graphique** photographisch; Photo-; *appareil m* ~ Photoapparat *m; centre m d'exploitation, section f d'interprétation* ~ *(mil)* Auswertestelle *f; épreuve f* ~ Abzug *m; laboratoire m* ~ Photolabor *n,* Bildstelle *f; papier m* ~ Photopapier *n; reconnaissance f* ~ Bilderkundung *f; truquage m* ~ Trickaufnahme; **~gravure** *f* Phototypie *f;* **~lithographie** *f* Photolithographie *f;* **~mécanique** photomechanisch; *procédé m* ~ *(typ)* photomechanische(s) (Druck-)Verfahren *n;* **~mètre** *m* Photometer *n,* Licht(stärke)messer *m;* **~métrie** *f* Photometrie, Lichtmessung *f;* **~métrique** photometrisch; **~montage** *m* Photomontage *f.*

photon [fɔtɔ̃] *m phys* Photon *n.*

photo|phobie [fɔtɔfɔbi] *f med* Lichtscheu *f;* **~phone** *m* Photophon *n;* **~phore** *m* Lämpchen *(im Mikroskop);* Windlicht *n; mar* Leuchtboje *f;* **~sensible** lichtempfindlich; **~sensibilité** *f* Lichtempfindlichkeit *f;* **~synthèse** *f* Photosynthese *f;* **~télégramme** *m* Bildtelegramm *n;* **~télégraphie** *f* Bildtelegraphie *f;* **~thèque** *f* Lichtbildersammlung *f;* **~thérapie** *f med* Lichtbehandlung *f;* **~typie** *f* Lichtdruck *m.*

phras|e [frɑ(a)z] *f gram mus* Satz *m, fam* Phrase *f; sans* ~ ohne Umschweife; *faire des ~s* Phrasen machen, *fam* dreschen; *faiseur m de ~s* Phrasendrescher *m;* ~ *(toute) faite* Redewendung, allgemeine Redensart *f;* **~éologie** *f* Ausdrucksweise; Phraseologie; Phrasenhaftigkeit *f;* **~er** *vx* Sätze bilden; Phrasen machen; *mus* ausdrucksvoll spielen; **~eur, se** *s m f* Phrasenmacher, -drescher(in *f*) *m.*

phrén|ique [frenik] *a anat* Zwerchfell-; **~ologie** *f* Schädellehre *f;* **~ologiste, ~ologue** *m* Phrenologe *m.*

phrygane [frigan] *f zoo* Köcherfliege *f.*

phrygien, ne [friʒjɛ̃, -ɛn] *a* phrygisch; *bonnet m* ~ phrygische Mütze, Jakobinermütze *f.*

phtis|ie [ftizi] *f* Schwindsucht, (Lungen-)Tuberkulose *f;* **~ique** *a* schwindsüchtig, tuberkulös, tuberkulosekrank; *s m f* Schwindsüchtige(r *m*), (Lungen-)Tuberkulosekranke(r *m*) *f*.

phyll|ie [fili] *f zoo* wandelnde(s) Blatt *n;* **~ite** *f* fossile(s) Blatt *n;* Blattabdruck; *min* Phyllit *m;* **~opodes** *m pl* Blattfüßer *m pl (Krebse);* **~otaxis** [-ɔtaksis] *f bot* Blattstellung *f;* **~oxéra** [-ɔksera] *m zoo* Reblaus *f;* **~oxéré, e** *a* von der Reblaus befallen.

phys|icien, ne [fizisjɛ̃, -ɛn] *s m f* Physiker(in *f*) *m;* ~ *atomiste* Atomphysiker *m;* **~iognomonie** [-gnɔmɔni] *f* Physiognomik *f;* **~iognomonique** physiognomisch; **~iologie** *f* Physiologie *f;* ~ *végétale* Pflanzenphysiologie *f;* **~iologique** physiologisch; **~iologiste** *m* Physiologe *m;* **~ionomie** *f* Physiognomie *f*, (charakteristische) Gesichtszüge *m pl*, Gesichtsausdruck *m;* Charakter(istische *n*) *m;* eigene(s) Gepräge *n; jeux m pl de ~ (theat)* Mimik *f;* ~ *d'une ville* Gesicht *n* e-r Stadt; **~ionomique** *a* Gesichts-; *expression f* ~ Gesichtsausdruck *m;* **~ionomiste** *m* (praktischer) Menschenkenner *m;* **~iothérapie** *f* Naturheilkunde *f;* **~ique** *a* körperlich, physisch; *(Gesetze)* physikalisch; *s f* Physik *f; m* Erscheinung *f*, Aussehen *n; au* ~ vom Äußeren her; *éducation* ~ Leibeserziehung *f; forme* ~ Fitneß *f;* ~ *nucléaire* Atom-, Kernphysik *f*.

phyto|biologie [fitɔbjɔlɔʒi] *f* Pflanzenbiologie *f;* **~gène** phytogen, aus Pflanzen entstanden; **~graphie** *f* Pflanzenbeschreibung *f;* **~logie** *f* Botanik, Pflanzenkunde *f;* **~pathologie** *f* Lehre *f* von den Pflanzenkrankheiten; **~phage** *a zoo* pflanzenfressend; *s m pl* Pflanzenfresser *m pl;* **~sanitaire** pflanzengesundheitlich; **~thérapie** *f* Pflanzenheilkunde *f;* **~tomie** *f* Pflanzenmorphologie *f;* **~zoaire** *m* Zoophyt *m*, Pflanzentier *n*.

piaf [pjaf] *m pop* Vogel; Spatz *m*.

piaf|fement [pjafmɑ̃] *m* Stampfen *n;* **~fer** *(Pferd)* stampfen, auf der Stelle treten; ~ *(d'impatience)* ungeduldig hin und her gehen; *fam vx* an≈geben.

piaill|ard, e [pjajar, -rd] *s m f* Schreihals, Plärrer *m; a (Kind)* schreiend; **~er** *(Vogel)* piepen; *(Kind)* schreien, kreischen; **~erie** *f fam* Gepiep(s)e; Geschrei; Gekreisch *n;* **~eur, se** *m f fam* Schreier, Schreihals *m*.

pian|e-piane [pjanpjan] *fam* immer mit der Ruhe! **~iste** *m f* Klavierspieler(in *f*), Pianist(in *f*) *m;* ~ *virtuose* Klaviervirtuose *m;* **~o** *m:* ~ *droit* Klavier *n; jouer, toucher du* ~ Klavier spielen; ~ *de concert, grande queue* Konzertflügel *m;* ~ *à queue* Flügel *m;* **~otage** *m* Geklimper *n;* **~oter** *fam* klimpern; klopfen.

piaule [pjol] *f arg* Bude *f*, Zimmer *n*.

piaul|ement [pjolmɑ̃] *m (Küken)* Piep(s)en; *(Kind)* Schreien, Weinen; *med* Pfeifen *n;* **~er** piep(s)en; schreien, weinen, wimmern; **~eur, se** *m f* Schreihals *m*.

pic [pik] *m* **1.** *orn* Specht *m;* **2.** (Spitz-)Hacke, Picke, Haue *f;* Steinschlaghammer *m; min* Keilhaue; *mar* Gaffel, Segelstange *f; geog* Horn *n*, Bergspitze *f; à* ~ senkrecht; *fam fig* gerade (zur) recht(en Zeit), wie gerufen; ~ *cendré, rouge* Grau-, Buntspecht *m*.

picaillons [pikajɔ̃] *m pl pop* Geld *n*.

picard, e [pikar, -d] pikardisch.

picardan [pikardɑ̃] *m* weiße(r) *(südfranz.)* Muskatwein *m*.

picaresque [pikarɛsk] *a: roman m* ~ Schelmenroman *m*.

pichenette [piʃnɛt] *f fam* Klaps *m*.

pichet [piʃɛ] *m* kleine(r) Krug *m*, Kanne *f*.

picholine [pikɔlin] *f* frische Olive *f (als Vorspeise)*.

pick|pocket [pikpɔkɛt] *m* Taschendieb *m; prenez garde aux ~s!* vor Taschendieben wird gewarnt! **~-up** [-œp] *m inv radio* Tonabnehmer *m*.

pico|ler [pikɔle] *arg* bechern, saufen; **~leur** *m arg* Säufer *m*.

picorer [pikɔre] *itr (Vögel)* (herum≈) picken, Nahrung suchen; *tr fam* ein bißchen essen (*qc* von etw).

picot [piko] *m* Span, Splitter *m;* Spitze *f;* Spitzhammer; *tech min* Keil *m; Art* Fischnetz; Picotstroh *n (für Hüte);* **~é, e** [-kɔte] zerstochen; siebartig durchlöchert; gesprenkelt; **~ement** *m med* Stechen, Prickeln *n;* **~er** *(leicht, aber wiederholt)* stechen; prickeln; *(Rauch)* beißen; *fig* sticheln (*qn* auf jdn), necken; *(Vögel)* heraus≈, auf≈, an≈picken; *tech* verkeilen; **~erie** *f fig* Stichelei *f*.

picotin [pikɔtɛ̃] *m* Metze *f* (Hafer).

pic|rate [pikrat] *m pop* schlechter Rotwein; **~rique** [pikrik] *a: acide m* ~ Pikrinsäure *f*.

pictogramme [piktɔgram] Symbol *n*.

pictural, e [piktyral] bildmäßig; Bild-, Mal-.

picvert [pivɛr] *m s. pivert.*

pie [pi] **1.** *s f orn* Elster *f;* Schwätzer(in *f*) *m; a inv* scheckig; **2.** *a: œuvre f* ~ fromme(s) Werk *n; P~ m* Pius *m;*

jaser, bavarder comme une ~ ununterbrochen reden; *trouver la* ~ *au nid* e-n glücklichen Fund machen; *être voleur comme une* ~ wie ein Rabe stehlen; *cheval m* ~ Schecke *f;* ~*-grièche f orn* Neuntöter, Würger *m; fam* Xanthippe *f;* ~*-mère f anat* weiche Hirnhaut *f.*

pièce [pjɛs] *f* Stück; (Einzel-)Teil, Bruchstück *n,* Bestandteil; *(Zeug)* Einsatz, Flicken, *fig* (böser) Streich; Kerl *m;* (Zeit-)Dauer *f;* Geldstück; Trinkgeld; Zimmer; *mil* Geschütz *n; mil* Trupp; *(Brettspiel)* Stein *m,* (Schach-)Figur *f; (liter.)* Werk; *mus theat* Stück; Schrift-, Aktenstück *n,* Urkunde *f,* Dokument *n,* Akte, Unterlage *f;* (Stück *n*) Acker *m,* Feld *n;* Stückfaß *n; à la* ~ stückweise, im Akkord; ~ *à* ~ Stück für Stück; . . . *en deux* ~*s* zweiteilig; *fait de* ~*s et de morceaux* zs.gestückelt, -geflickt; *tout d'une* ~ aus einem Stück; schwerfällig, steif; ohne Unterbrechung; *de toutes* ~*s* vollständig; *armé de toutes* ~*s (fig fam)* auf alles eingerichtet *od* gefaßt; *être aux* ~*s* im Akkord arbeiten; *fig* es eilig haben; *faire* ~ *à qn* jdm Widerstand leisten; *mettre en* ~*s* zerbrechen, -schlagen, -reißen; *fig* herunter=machen, -putzen, kein gutes Haar lassen (*qc* an *dat*); *mettre sur* ~ *(mil)* auf=stellen; *tailler en* ~*s (mil)* vernichten, zerschlagen; *travailler à la* ~ im Stücklohn arbeiten; *maillot m une* ~ einteilige(r) Badeanzug *m; petite* ~ Einakter *m;* ~ *anatomique (anat)* Präparat *n;* ~ *à l'appui* Unterlage *f;* ~ *de blé* Kornfeld *n;* ~ *de cabinet* Kabinettstück *n;* ~ *de caisse* Kassenbeleg *m;* ~ *de circonstance (theat)* Zeitstück *n;* ~ *comptable* Buchungsbeleg *m;* ~ *de construction (tech)* Konstruktionsteil *n;* ~ *de, à conviction (jur)* Beweisstück *n;* ~ *coulée, en fonte (tech)* Guß(stück *n*) *m;* ~ *détachée* Einzel-, Bauteil, Ersatzteil *n;* ~ *d'eau* Wasserbassin, -becken *n,* Teich *m;* ~ *emboutie* Preßstück *n;* ~ *d'équipement* Einrichtungsgegenstand *m;* ~ *d'espacement, intercalaire* Zwischen-, Einsatz-, Verbindungsstück *n;* ~ *essentielle* Kernstück *n;* ~ *de gibier, de volaille* Stück *n* Wild, Geflügel; ~ *d'identité* Personalausweis *m;* ~ *jointe (Brief)* Anlage *f;* ~ *justificative* Beleg-, Beweisstück *n;* (Rechnungs-)Beleg *m;* ~ *manquée (tech)* Ausschuß(stück *n*), Fehlguß *m;* ~ *de monnaie, d'or* Geld-, Goldstück *n;* ~ *montée* Baumkuchen *m;* ~ *de musique* Musikstück *n;* ~ *officielle* amtliche(s) Schriftstück *n,* amtliche Urkunde *f;* ~ *d'ouvrage, à usiner* Werkstück *n;* ~ *de raccord* Verbindungsstück *n;* ~ *radiophonique* Hörspiel *n;* ~ *de rechange (tech)* Ersatzteil *n;* ~ *de séjour* Wohnzimmer(möbel *n pl*) *n;* ~ *à sensation (theat)* Sensationsstück *n;* ~*s de service* Nebenräume *m pl;* ~ *de théâtre* Theaterstück *n;* ~ *à tir rapide* Schnellfeuergeschütz *n.*

piécette [pjesɛt] *f* kleine Münze *f.*

pied [pje] *m* Fuß, untere(r) Teil *m;* Fußspur; dicke Schicht *f; bot* Stamm, Stengel *m;* Staude *f,* Halm, Kopf, Stock *m;* (Tisch-)Bein *n,* Bettpfosten *m;* Neigung, Schräge, Abschrägung *f;* untere(s) Ende *n,* Fußpunkt; (Vers-) Fuß; Münzfuß *m; phot* Stativ *n; com* Basis, Grundlage *f; tech* Gestell *n,* Ständer, Untersatz; *fam* Tolpatsch *m; à* ~ zu Fuß; ~ *à* ~ [pjetapje] Schritt für Schritt; *au* ~ *de la lettre* buchstäblich, wörtlich; *au* ~ *levé* auf der Stelle, ohne Vorbereitung, aus dem Stegreif; *au petit* ~ im kleinen, in kleinem Maßstab; *à* ~ *sec* trockenen Fußes; *de* ~ *ferme* auf der Stelle; standhaft; aus dem Stand; *de la tête aux* ~*s, des* ~*s à la tête, de* ~ *en cap* [-tɑ̃kap] von Kopf bis Fuß; *en* ~ *(Malerei)* in ganzer Figur; *sur* ~ (wieder) auf den Beinen, auf, bereit; *agr* auf dem Halm *etc; (Holz)* ungeschlagen, *(Vieh)* lebend; *sur le* ~ *de* . . . wie . . .; zum Preise von . . .; auf dem Stand der Dinge; *sur le* ~ *de guerre* auf (dem) Kriegsfuß; *sur la pointe du* ~, *des* ~*s* auf (den) Zehenspitzen; *sur un grand* ~ auf großem Fuße; *avoir bon* ~ gut zu Fuß sein; *avoir bon* ~ *bon œil* rüstig sein, *fig* auf dem Posten sein; *avoir les* ~*s chauds (fig)* im warmen Nest sitzen; *avoir toujours un* ~ *en l'air* immer auf den Beinen sein; *avoir un* ~ *quelque part* (irgend)wo dabeisein, die Hand im Spiel haben; *être à* ~ *d'œuvre* am Werk sein; in Angriff genommen sein; *faire le* ~ *de grue (fam)* sich die Beine in den Bauch stehen; *faire des* ~*s et des mains* sich ab=rackern, sich viel Mühe geben; *lever le* ~ *(fig)* durch=brennen; *marcher sur les* ~*s de qn (fig)* jdm auf den Schlips treten; *mettre* ~ *à terre* ab=, aus=steigen; *mettre les* ~*s dans le plat* Anstoß erregen; ins Fettnäpfchen treten; *mettre à* ~ entlassen; *mettre au* ~ *du mur* in die Enge treiben; *mettre sur* ~ auf=stellen; zustande bringen, zs.=bringen; auf die Beine bringen; *(se) mettre sur le* ~ *de* (sich) erheben zu; sich an=gewöhnen zu; *perdre* ~ *(im Wasser)* keinen

Grund mehr haben; *fig* den Halt, den Boden unter den Füßen verlieren; *ne pouvoir mettre un ~ devant l'autre* keinen Fuß vor den anderen setzen können, nicht mehr, schlecht laufen können; *ne pouvoir remuer ni ~ ni patte* sich nicht rühren, nicht einen Schritt gehen können; *prendre ~* Fuß fassen; *prendre qn au ~ levé* jdn gerade noch an=treffen; von jdm e-e unmittelbare Entscheidung verlangen; *remettre qn sur ses ~s* jdm wieder auf die Beine helfen *a. fig; remettre sur ~ (e-n Kranken)* wieder auf die Beine bringen; *(re)tomber sur ses ~s* (immer wieder) auf die Beine fallen *a. fig; ne savoir sur quel ~ danser* nicht wissen, was man machen soll; *sécher sur ~* vor Lang(er)weile sterben; *souhaiter d'être à cent ~s sous terre (vor Scham)* in die Erde versinken mögen; *se tirer des ~s (fam)* sich drücken; *sur quel ~ êtes-vous?* wie stehen Sie mitea.? *ça te fera les ~s! pop* das geschieht dir recht! *j'ai ~s et poings liés (fig)* mir sind Hände u. Füße gebunden, ich bin machtlos; *~ à terre! (mil)* abgesessen! *bête comme ses ~s (fam)* saudumm; *coup m de ~* Fußtritt *m; ~ d'alouette m bot* Rittersporn *m; ~-à-terre m inv* Zweitwohnung *f; ~-de-biche m tech* Geißfuß, Nagelzieher, Klauenhammer *m; ~ de bielle* Kolbenbolzen *m; ~ bot, plat, à voûte affaissée* Klump-, Platt-, Senkfuß *m; ~-de-chèvre m* Brechmeißel *m;* Lagerholz *n; ~ à coulisse* Schublehre *f; ~ de derrière, de devant* Hinter-, Vorderfuß *m; ~-droit m* (Widerlags-)Pfeiler *m; ~-de-lion m bot* Edelweiß *n; ~-noir m f in Algerien geborene(r) Franzose; ~-nu m* Sandalette *f; ~s nus* barfuß; *~-de-poule m* Hahnentritt(muster *n*) *m; ~-de-veau m bot* Aronstab *m.*

piédestal [pjedɛstal] *m* Sockel *m,* Postament *n.*

piège [pjɛʒ] *m* Falle *a. fig;* Schlinge *f; fig* Köder *m,* Lockmittel *n;* Schlingen *f pl; donner dans un ~* in e-e Falle geraten; *tendre un ~* e-e Falle stellen; *qui tend un ~ aux autres y tombe lui-même* wer andern eine Grube gräbt, fällt selbst hinein; *~ à cons (fam)* Idiotenfalle *f; ~ à sous-marin(s)* U-Boot-Falle *f;* **piégeage** *m* Fallenstellen *n;* **piéger** mit e-r Falle fangen; *~ un terrain (mil)* ein Gelände verminen.

piéride [pjerid] *f zoo* Weißling *m; ~ du chou* Kohlweißling *m.*

pier|raille [pjɛraj] *f* Geröll *n,* Steinschlag, Schotter *m;* **~re** *f* Stein *m a. med;* Gestein *n; P~* Peter, Petrus; *pl min* Berge *m pl; ~ à od par ~* Stein für Stein; *de ~* steinern, aus Stein; *dur comme ~ (fig)* hart wie Stein; *malheureux comme les ~s* todunglücklich; *être comme une ~, changé en ~ (fig)* wie eine Bildsäule da=stehen; *faire d'une ~ deux coups* zwei Fliegen mit einer Klappe schlagen; *jeter la ~ à qn* über jdn den Stab brechen; jdn tadeln; *ne pas laisser ~ sur ~* keinen Stein auf dem ander(e)n lassen; *poser la première ~* den Grundstein legen; *trouver des ~s en son chemin (fig)* auf Schwierigkeiten *(acc)* stoßen; *il gèle à ~ fendre* es friert Stein und Bein; *c'est une ~ dans mon jardin* das gilt mir, ist auf mich gemünzt, ein Hieb auf mich; *âge m de ~ (hist)* Steinzeit *f; chute f de ~s* Steinschlag *m; tailleur m de ~s* Steinmetz *m; ~ d'achoppement* Stein *m* des Anstoßes; Schwierigkeit *f,* Hindernis *n; ~ à aiguiser* Wetz-, Schleifstein *m; ~ d'aimant* Magneteisenstein *m; ~ angulaire* Eckstein *m; ~ artificielle* synthetische(r) (Edel-)Stein *m; ~ à bâtir* Baustein *m; ~ de bordure* Bordstein *m; ~ branlante* Wackelstein *m; ~ calcaire* Kalkstein *m; ~ commémorative* Denkstein *m; ~s concassées* Splitt, Schotter *m; ~ demi-précieuse* Halbedelstein *m; ~ fausse* falsche(r) (Edel-)Stein *m; ~ à feu, à fusil, à briquet* Feuerstein *m; ~ fine* echte(r), Edelstein *m; ~ fondamentale (fig)* Grundlage *f,* -stein *m; ~ funéraire* Grabstein *m; ~ gravée* Gemme *f; ~ de grès* Sandstein *m; ~ hématite, rouge* Roteisenstein, Rötel *m; ~ infernale (pharm)* Höllenstein *m; ~ de lard (min)* Speckstein *m; ~ levée* Menhir *m; ~ lithographique* lithographische(r) Schiefer *m; ~ de lune (min)* Mondstein *m; ~ météorique* Meteorstein *m; ~ milliaire* Meilenstein *m; ~ de parement (arch)* Blendstein *m; ~ à paver* Pflasterstein *m; ~ philosophale* Stein *m* der Weisen; *~ à plâtre* Gipsstein *m; ~ ponce* Bimsstein *m; ~ précieuse* Edelstein *m; ~ de savon* Seifenstein *m; ~ (sépulcrale, tombale)* Grabplatte *f,* -stein *m; ~ de taille* Bruch-, Quaderstein *m; ~ de touche (tech u. fig)* Prüfstein *m;* **~rée** *f arch* Steinpackung, -rinne *f;* Sickerkanal *m;* **~reries** [-rri] *f pl* Edelsteine *m pl,* Juwelen *n pl,* Geschmeide *n;* **~reux, se** *a* steinig; *med* steinartig; *s m f* Steinleidende(r *m*) *f; f vx vulg* Nutte, Straßendirne *f.*

Pierrot [pjɛro] *m* Peterchen *n; p~*

Pierrot *(Kostüm);* Clown; *fam* dumme(r) August; Kerl; Spatz, Sperling *m.*

piété [pjete] *f* Frömmigkeit, Gottesfurcht; Pietät *f;* ~ *filiale* kindliche Liebe *f.*

piéter [pjete] *itr (Spiel)* Mal halten; *(Vogel)* laufen; *tr (Färberei)* grundieren; *(Wolle)* krempeln; *(Rasen)* scheren, kurz schneiden; *se* ~ Widerstand leisten.

piét|inement [pjetinmɑ̃] *m* Tritt *m,* Trampeln, Stampfen; *fig* Niedertrampeln; Kurztreten, Auf-der-Stelle-Treten *n; fig* Leerlauf *m;* **~iner** *tr* herum≈trampeln, -treten (*qc* auf etw *dat*); *fig* mit Füßen treten; *itr (vor Ungeduld)* mit den Füßen stampfen; ~ *(sur place)* auf der Stelle treten; *fig* nicht vorwärts≈, nicht voran≈kommen; *terrain m ~é (fig)* abgegraste(s) Gebiet *n.*

piét|isme [pjezizm] *m rel* Pietismus *m;* **~iste** *m* Pietist *m.*

piéton, ne [pjetɔ̃, -ɔn] *m* Fußgänger *m;* **~nier, ère** Fußgänger-.

piètre [pjɛtr] ärmlich, armselig, *fam* power, schofel; erbärmlich; *avoir une ~ idée de qc* von etw keine gute Meinung haben.

pieu [pjø] *m* Pfahl *m; pop* Falle *f,* Bett *n; planter un* ~ e-n Pfahl ein≈rammen; **~ter, se** *pop* sich in die Falle hauen.

pieuvre [pjœvr] *f* Tintenfisch; Krake; *fig fam* raffgierige Person.

pieux, se [pjø, -øz] fromm, gottesfürchtig; pietätvoll.

pif [pif] **1.** *m pop* (große) Nase *f;* **2.** *interj* paff! ~, *paf!* piff, paff(, puff)! **~fer** *arg* riechen; **~omètre** *m (fam): juger au* ~ über den Daumen peilen.

pige [piʒ] *f* Stundenlohn *m;* Zeilenhonorar; *typ* Pensum *n* e-s Setzers; *arg* Jahr; *tech* Maßstab *m; faire la ~ à qn (fam)* es besser machen als jem.

pigeon [piʒɔ̃] *m* Taube *f; fig* Gimpel *m; plumer un* ~ e-n Gimpel rupfen; *gorge-de-~* taubenblau; ins Violette spielend; ~ *boulant, capucin, paon, ramier, voyageur* Kropf-, Perücken-, Pfauen-, Ringel-, Brieftaube *f;* ~ *mâle* Tauber, Täuberich *m;* **~ne** *f (weibl.)* Taube *f; fam fig* Täubchen *n;* **~neau** *m* junge Taube *f; fig* junge(r) Gimpel *m;* **~ner** *fam* an≈schmieren, -führen; **~nier** *m* Taubenhaus *n,* -schlag *m; fam* Dachwohnung *f.*

piger [piʒe] *pop* an≈gucken; kriegen, schnappen, erwischen; *fam* begreifen.

pigment [pigmɑ̃] *m biol* Pigment *n; tech* (unlöslicher) Farbstoff *m;* **~ation** [-ta-] *f biol* Pigmentierung *f.*

pigne [piɲ] *f* Tannen-, Kiefern-, Pinienzapfen, -samen *m.*

pignocher [piɲɔʃe] *fam* ohne Appetit essen; pinselig malen.

pignon [piɲɔ̃] *m* **1.** Giebel *m; tech mot* (kleines) Getrieberad, Ritzel, Kammrad *n,* -waage *f;* **2.** Piniennuß *f; avoir ~ sur rue* ein eigenes Haus haben; wohlhabend sein; ~ *libre (Fahrrad)* Freilauf *m.*

pignoratif, ive [piɲɔratif, -iv] *a com jur* Pfand-; *contrat m* ~ Pfandvertrag *m.*

pignouf [piɲuf] *m pop* Lümmel, Flegel; Filz *m.*

pilage [pilaʒ] *m* Zerstoßen; Stampfen *n.*

pilastre [pilastr] *m* Pilaster, Wandpfeiler; Pfosten *m.*

pile [pil] *f* **1.** Haufen, Stoß, Stapel; Brückenpfeiler; *tech* Trog; *(Papierfabr.)* Holländerkasten *m; el* Batterie, Zelle *f,* Element *n;* Reaktor *m; pop* Tracht *f* Schläge *od* Prügel; *fig* Schlappe *f;* **2.** *(Münze)* Revers *m; s'arrêter ~ (pop)* plötzlich stehen≈bleiben; *mettre en* ~ auf≈stapeln; ~ *atomique* Atommeiler *m;* ~ *sèche* Trockenbatterie *f;* ~ *solaire* Solarzelle *f.*

piler [pile] zerstoßen, -stampfen; *fig fam* fertig≈machen, besiegen.

pileux, se [pilø, -z] haarig; Haar-.

pilier [pilje] *m arch* Pfeiler *m; fig* Stütze, Säule *f; pl fam* dicke Beine *n pl;* ~ *d'angle, butant, de la croisée, en faisceau* Eck-, Strebe-, Vierungs-, Bündelpfeiler *m;* ~ *de cabaret (fam)* Stammgast, Zechbruder *m.*

pilifère [pilifɛr] *a* behaart; Haar-.

pill|age [pijaʒ] *m* Plünderung *f;* Unterschleif *m;* Ausbeutung *f;* geistige(r) Diebstahl *m; mettre au* ~ plündern, aus≈kaufen; **~ard, e** *a* plündernd; räuberisch; *s m* Plünderer; *fig vx* Plagiator *m;* **~er** (aus≈)plündern, aus≈beuten; plagiieren; **~eur** *m* Plünderer *m.*

pilon [pilɔ̃] *m* Stößel *m; tech* Stampfe(r *m*) *f;* (Poch-, Präge-, Preß-)Stempel *m; fam* Geflügelkeule *f;* Holzbein *n; mettre au ~ (Buch)* ein≈stampfen; ~ *à béton* Betonstampfer *m;* **~nage** *m* Feststampfen *(von Erde); mil* Trommelfeuer *n;* **~ner** (fest≈, ein≈) stampfen; *mil* mit Trommelfeuer belegen.

pilo|ri [pilɔri] *m* Schandpfahl, Pranger *m; clouer au ~, mettre au ~ (fig)* an≈prangern; **~rier** *vx* an den Pranger stellen *a. fig.*

pilot [pilo] *m* (Grund-, Dalben-)Pfahl; (kegelförmiger) Salzhaufen *m; (Papierfabrikation)* Hadern, Lumpen *m pl.*

pil|otage [pilɔtaʒ] *m* **1.** *arch* Pfahlrostbau *m;* Rammarbeit; **2.** Steuerung *f* (e-s Schiffes); Lotsendienst *m,* -gebühren *f pl;* Flugzeugführung *f;* Zugstabsystem *n;* ~ *au manche (aero)* Knüppelsteuerung *f;* ~ *sans visibilité* Blindflug *m;* **~ote** *s m* Steuermann; Lotse, Pilot, Führer *a. fig;* Flieger, Flugzeugführer; *zoo* Lotsenfisch *m; a* tragend, führend; Muster- *(Dorf, Betrieb etc);* Probe-; Prüf-; *bateau m* ~ Lotsenboot *n; bâton m* ~ *(loc)* Zugstab *m; étage m* ~ *(aero)* Steuerstufe *f; fil m* ~ Prüfdraht *m; installation f* ~ Versuchsanlage *f; lampe f* ~ Kontrollampe *f; siège m du* ~ *(aero)* Führersitz *m;* ~ *d'aérodyne, d'avion* Flugzeugführer *m;* ~ *automatique (aero)* Selbststeuergerät *n;* ~ *de chasse, civil, d'essai, de ligne, réceptionnaire, sportif* Jagd-, Zivil-, Ein-, Verkehrs-, Abnahme-, Sportflieger *m;* ~ *de dirigeable, d'aérostat* Ballonführer *m;* ~ *d'engin téléguidé* Raketenschütze *m;* ~ *lamaneur* Hafenlotse *m;* **~oter 1.** steuern; *mar* (aus=, ein=)lotsen; *aero (e-e Maschine)* fliegen; *fam* führen; **2.** *tr (Gelände)* verpfählen; *itr* Pfähle ein=rammen; **~otin** *m* Offiziersanwärter *m* der Handelsmarine.

pilotis [pilɔti] *m* Pfahlwerk *n,* -rost *m.*

pilou [pilu] *m* moltonartige(r) Baumwollstoff *m.*

pil|ulaire [pilylɛr] *a pharm* Pillen-; **~ule** *f pharm* Pille *f; avaler la* ~ *(fig fam)* in den sauren Apfel beißen, die Pille schlucken; *dorer la* ~ die (bittere) Pille versüßen; ~ *amère, difficile à avaler (fig)* bittere Pille *f;* ~ *(anticonceptionnelle)* (Anti-Baby-)Pille *f;* ~ *pour maigrir* Abmagerungspille *f.*

pimbêche [pɛ̃bɛʃ] *f* hochnäsige(s) Frauenzimmer *n.*

piment [pimɑ̃] *m bot* Pimentbaum *m;* Piment *m* od *n,* Nelkenpfeffer *m,* englische(s) Gewürz *n; fig* Würze *f;* **~é, e** [-te] *fig* gesalzen, gepfeffert; **~er** mit Piment würzen.

pimpant, e [pɛ̃pɑ̃, -ɑ̃t] piekfein, (hoch)elegant, schick, fesch; verlokkend, verführerisch.

pimple [pɛ̃pl] *m zoo* Schlupfwespe *f.*

pimprenelle [pɛ̃prənɛl] *f bot pharm* Pimpernell *m.*

pin [pɛ̃] *m bot* Kiefer *f; pomme f de* ~ Tannenzapfen *m;* ~ *maritime* Meerstrand-, Seekiefer *f;* ~ *nain* Zwerg-, Bergkiefer, Latsche *f;* ~ *noir* Schwarzkiefer *f;* ~ *pignon, parasol* Pinie *f;* ~ *sylvestre* Gemeine Kiefer, Föhre *f.*

pinacle [pinakl] *m arch* Pinakel *n,* Fiale, Spitzsäule; Zinne *f; fig* Gipfel *m; mettre sur le, porter au* ~ *(fig)* in den Himmel heben.

pinacothèque [pinakɔtɛk] *f* Pinakothek *f.*

pinailleur [pinajœr] *m fam* Kleinigkeitskrämer *m.*

pinard [pinar] *m arg* Wein *m.*

pinasse [pinas] *f mar* Pinasse *f.*

pinastre [pinastr] *m* Seekiefer *f.*

pinc|e [pɛ̃s] *f* Kneifen *n,* (Zu-)Griff *m; pop* Flosse, Hand; Zange *allg;* Pinzette, Haarzange; Klammer, Klemme *bes. el;* Hufeisenspitze *f; (Textil)* Ein-, Abnäher *m; (Huftiere)* Klaue *f,* Schneidezahn *m;* Krebsschere *f; pl arg* Handschellen *f pl; à* ~*s (pop)* zu Fuß; ~ *de bureau* Büroklammer *f;* ~ *de carrier* Stemmeisen *n;* ~ *à charbon, coupante, à dents, à épiler, à poinçonner, plate* od *serrante, à sucre, universelle* Kohlen-, Beiß-, Zahn-, Haar-, Loch-, Flach-, Zucker-, Kombizange *f;* ~ *à cheveux* Haarklammer *f;* ~ *à linge* Wäscheklammer *f;* ~ *monseigneur* Brechstange *f;* ~*-nez m inv* Kneifer, Klemmer *m;* ~*-notes m* Zettelklemme *f;* ~*-oreille m* Ohrklipp *m;* ~ *à rails* Gleisheber *m;* ~*-sans-rire m inv* jem, der trockene Witze macht; **~é, e** *a* kalt, hochmütig, verächtlich; geschraubt, gezwungen; *s m mus* Pizzikato *n; s f* Prise *f.*

pinceau [pɛ̃so] *m* Pinsel *m;* Malweise *f;* Maler *m; fig* Feder *f; el opt* Büschel, Bündel *n; pop* Fuß; Besen *m; coup m de* ~ Pinselstrich *m;* ~ *lumineux* Lichtkegel *m.*

pinc|ement [pɛ̃smɑ̃] *m* Kneifen; *agr* Abkneifen *(der Zweigspitzen); mus* Zupfen *n;* **~er** *tr* zs.=, ab=kneifen; zwicken, klemmen; *(Kleidung)* drükken, zu eng an=liegen; ab=nähen; mit der Zange fassen *od* halten; *fam fig* ertappen, ergreifen, fest=nehmen; tadeln, verspotten; *(Geige)* zupfen (*sur* auf *dat*); *agr (Zweigspitzen)* ab=kneifen; *itr fig* beißen, schneiden, stechen; *(Kälte)* fühlbar werden; *mus (Zupfinstrument)* spielen (*de* acc); *en* ~ *pour qc (pop)* auf e-e S scharf sein; *en* ~ *pour qn* in jdn verknallt sein; *se faire* ~ *(fam)* herein=fallen; sich ertappen, erwischen, schnappen lassen; ~ *le bec (pop)* den Mund verziehen; **~ette** *f* Pinzette *f; pl* Feuerzange *f; pas à prendre avec des* ~*s* mit spitzen Fingern anzufassen(d); sehr schmutzig;

verachtenswert; kratzbürstig, schlechtgelaunt.

pinç|on [pɛ̃sɔ̃] *m* blaue(r) Fleck *m (vom Kneifen);* **~oter** [-sɔ-] zwikken; **~ure** *f* Kneifen *n.*

pinéal, e [pineal] *a: glande f ~e (anat)* Zirbeldrüse, Epiphyse *f.*

pineau [pino] *m* Likörwein *(Charentes).*

pinot [pino] *m bes.* burgundische Rebenart *f.*

pinède [pinɛd], **~eraie, ~ière** *f* Kiefernwald *m.*

pingouin [pɛ̃gwɛ̃] *m orn* Pinguin *m.*

ping-pong [piŋpɔ̃g] *m* Tischtennis *n.*

pingre [pɛ̃gr] *a fam* knaus(e)rig, filzig; *s m f* Knauser(in *f*) *m;* **~rie** [-grə-] *f* Knauserei *f.*

pinne [pin] *f: ~ marine* Steckmuschel *f.*

pinnipèdes [pinipɛd] *m pl zoo* Flossenfüßer *m pl;* Robben *f pl.*

pinnule [pinyl] *f* Diopter *n (Visiergerät).*

pinson [pɛ̃sɔ̃] *m orn* Buchfink *m; gai comme un ~ (fam)* quietschvergnügt, kreuzfidel.

pintade [pɛ̃tad] *f orn* Perlhuhn *n.*

pinte [pɛ̃t] *f* Schoppen *m; se faire une ~ de bon sang (fam)* sich köstlich amüsieren; **~er** *pop* sich besaufen, betrinken.

pioch|age [pjɔʃaʒ] *m* Aufhacken *n;* (Straßen-)Aufbruch *m; fig fam* Pauken, Büffeln, Schuften *n;* **~e** *f* Kreuzhacke *f;* **~er** *tr* (auf=)hacken; durchstöbern *(Straße)* auf=brechen; *itr fig fam* pauken, ochsen, büffeln, schuften; **~eur, se** *s m f* Hacker(in *f*); *min* Hauer *m; fig fam* Arbeitstier *n,* -biene *f; s f* Aufreißer *m (Gerät).*

piolet [pjɔlɛ] *m (Bergsport)* Eispickel *m.*

pion [pjɔ̃] *s m* Stein; *(Schach)* Bauer; *fam vx* arme(r) Schlucker, Teufel; *arg (Schule)* Aufseher, Repetent *m; damer le ~ à qn* jdm den Rang ab=laufen.

pioncer [pjɔ̃se] *pop* pennen, schlafen.

pionner [pjɔne] *(Schach, Dame)* auf gegenseitigen Verlust spielen.

pionnier, ère [pjɔnje, -ɛr] *m f mil fig* Pionier; *fig* Bahnbrecher *m.*

pioupiou [pjupju] *m pop* Landser *m.*

pip|e [pip] *f* (Tabak-)Pfeife *f; pop* Zigarette *f;* große(s) Branntweinfaß *n; par tête de ~* pro Person; *allumer sa ~* sich die Pfeife an=stecken *od* an=zünden; *casser sa ~ (pop)* ab=kratzen, ins Gras beißen; *tête f de ~* Pfeifenkopf *m; fig fam* lächerliche Schießbudenfigur *f; ~ de bois, à réservoir d'eau, en écume de mer, hollandaise, à opium, en porcelaine* Holz-, Wasser-, Meerschaum-, Ton-, Opium-, Porzellanpfeife *f;* **~eau** *m mus* (Hirten-)Pfeife, Schalmei; Lockpfeife; Leimrute *f; pl* Kniffe *m pl;* **~ée** *f* Vogelfang *m* mit Lockpfeife u. Leimrute; **~elet, te** *m f fam* Portier(frau *f*) *m.*

pipe-line, pipeline [pajplajn, piplin] *m* Ölleitung *f.*

pip|er [pipe] *tr (Vögel)* mit der Lockpfeife fangen; *(Würfel, Karten)* fälschen; *fam vx* stibitzen; *ne pas ~ (pop)* keinen Ton sagen; **~erie** *f vx* Falschspielen *n; allg* Betrügerei *f.*

pipette [pipɛt] *f chem* Pipette *f,* Saugheber *m.*

pipeur, se [pipœr, -z] *m f* Vogelfänger; *fig vx* Falschspieler, Betrüger(in *f*) *m.*

pipi [pipi] *m (Kindersprache): faire ~* Pipi machen, pinkeln.

pipi(t) [pipi(t)] *m orn* Pieper *m.*

piqu|age [pikaʒ] *m* Maschinennähen; Steppen *n;* Maschinennaht *f; tech* Abmeißeln, Aufhauen *n;* **~ant, e** *a* Stich-; stechend, *(Kälte)* schneidend, *(Rauch)* beißend; *fig* verletzend, anzüglich; unangenehm; prickelnd, anregend, angenehm, pikant; geistreich; *s m* Reiz *m;* Pikante(s) *n; bot* Stachel, Dorn *m;* **~e** *f* Pike *f,* Spieß *m; m (Kartenspiel)* Pik *n; ~-assiette m inv* Schmarotzer *m; ~-feu m inv* Schüreisen *n; ~-fleurs m inv* Einsteckvase *f; ~-nique m* Picknick *n; ~-niquer* picknicken; *~-notes m inv* Zettelstecher *m;* **~é, e** *a* wurmstichig; stock-, schimmelfleckig; gesprenkelt, besät; *fig* gereizt, verärgert; *(Wein)* sauer; *(Buch)* geheftet; *fig* pikiert, beleidigt; *mus* stakkato; *fam* übergeschnappt, wunderlich; *s m* Pikee *(Baumwollstoff);* Steppstich *m; (Metall)* Körnung *f; aero* Sturzflug *m; pas ~ des vers, des hannetons (fam)* nicht von Pappe, nicht von schlechten Eltern; *bombardier m en ~* Sturzbomber *m; ~ en vrille* Sturzflug *m* in Spirale, *fam* Korkenzieher *m.*

piquer [pike] *tr* stechen, stecken; auf=spießen, durchbohren; an=picken, an=, zerfressen; besetzen, übersäen, beißen, schneiden; *fig* reizen, verärgern, verletzen; auf=stacheln, an=feuern, an=spornen; *fam* erwischen; klauen, stibitzen; *arg* mit dem Messer, Dolch stechen; *mus tr* staccato spielen; *(Fleisch)* spicken; *(Spielkarte)* markieren; sortieren; *(Muster)* vor=stechen, punktieren; (ab=)steppen; pikieren; *(Stein)* bossieren, rauh behauen; *tech* den Kesselstein entfernen (*qc* aus etw); *(Leitung)* an=zapfen; *(Buch)* heften; *chem* an=fressen; *itr aero* e-n Sturzflug machen; *aero* Kurs nehmen (*vers* auf *acc*); *(Rauch)* beißen; *se* ~ sich stechen; *fig* sich etw ein=bilden, Anspruch erheben *od* machen (*de* auf *acc*); böse sein, sich gekränkt fühlen; *(Wein)* e-n Stich bekommen, sauer werden; fleckig, wurmstichig werden; ~ *des deux (fig)* sich beeilen; *se ~ le doigt* sich in den Finger stechen; *se ~ (au jeu)* nicht auf=geben wollen; eigensinnig weiter=machen; *se ~ le nez (fam)* sich besaufen; ~ *un soleil, un fard (arg)* rot werden *od* an=laufen; ~ *une tête* e-n Kopfsprung *(ins Wasser)* machen; kopfüber springen; *quelle mouche la ~é?* was ist ihm über die Leber gekrochen?

piquet [pikɛ] *m* (Zelt-)Pflock, Hering; Fluchtstab *m*, Meßstange; *(Polizei)* Bereitschaft *f; droit, planté comme un ~* steif wie ein Stock; *être de ~* Bereitschaftsdienst haben; ~ *de grève* Streikposten *m;* ~ *d'incendie* Brandwache *f;* **~age** *m* Abstecken *n;* **~er** (mit Pflöcken) ab=stecken; Pflöcke ein=rammen (*qc* in *acc*); sprenkeln, tüpfeln.

piquette [pikɛt] *f* Nachwein; schlechte(r), saure(r) Wein *m.*

piqueur, se [pikœr, -øz] *m f* Stepper(in *f*); *min* Hauer; Aufseher, Vorarbeiter; Pikör; Bereiter; Vorreiter *m; f* Steppmaschine *f;* ~ *de vin* Weinschmecker *m.*

piqûre [pikyr] *f* Stich; Biß *m; fig* Verletzung, Wunde *f;* Wurmloch *n;* Stockfleck *m;* Steppnaht *f*, -muster *n*, Biese; *typ* Broschüre; *med* Einspritzung, Spritze, Impfung *f.*

pirate [pirat] *m* Pirat, Seeräuber; *allg* (Aus-)Plünderer *m;* ~ *de l'air* Luftpirat, Flugzeugentführer *m;* **~r** Seeräuberei treiben; stehlen, plagiieren; **~rie** *f* Seeräuberei; *allg* Erpressung, Ausplünderung *f*, Raub *m;* Plagiat *n;* ~ *aérienne* Flugzeugentführungen *f pl.*

pire [pir] *a (Komparativ von mauvais)* schlimmer, ärger; *s m* (der, das) schlimmste;*au ~* schlimmstenfalls; *il n'est ~ eau que l'eau qui dort (prov)* stille Wasser sind tief; *le remède est ~ que le mal* das hieße, den Teufel mit Beelzebub austreiben.

piriforme [pirifɔrm] birnenförmig.

pirogue [pirɔg] *f mar* Piroge *f*, Einbaum *m;* Kanu *n.*

pirouet|te [pirwɛt] *f* Mühle *(Spielzeug); (Tanz)* Pirouette; *fig* (plötzliche) Meinungs-, Gesinnungsänderung *f; répondre par des ~s (fam)* mit Scherzen ausweichend antworten; **~ter** sich (auf einem Fuß) drehen.

pis [pi] *m* **1.** Euter *n;* **2.** *adv (Komparativ von mal)* schlimmer, ärger; schlechter; *s: le ~* das Schlimmste; *au ~ aller* schlimmstenfalls; *de mal en ~, de ~ en ~* immer schlimmer; *faire du ~ qu'on peut* es so schlecht wie möglich machen; *prendre, mettre les choses au ~* das Schlimmste an=nehmen, aufs Schlimmste gefaßt sein; *qui ~ est* was noch schlimmer ist; *~(-)aller m (inv)* Notbehelf *m*, -lösung *f.*

pisci|cole [pisikɔl] *a* Fischzucht-; **~culteur** *m* Fischzüchter *m;* **~culture** *f* Fischzucht *f.*

piscine [pisin] *f* Schwimm-, Hallenbad; *(~ à ciel ouvert)* Freibad *n;* ~ *couverte* Hallenbad *n;* ~ *de refroidissement* Kühlbecken *n.*

piscivore [pisivɔr] *a* fischfressend.

pis|é [pize] *m* Stampfbau *m;* **~er** in Pisee bauen, wellern.

piss|at [pisa] *m*, **~e** *f vulg* Pisse, Schiffe *f*, Urin *m; ~e-froid m pop* Griesgram *m; ~e-vinaigre m pop* Griesgram; Geizhals *m.*

pissenlit [pisɑ̃li] *m bot* Löwenzahn; *fam* Bettnässer *m; manger les ~s par la racine (pop)* die Kartoffeln von unten besehen.

piss|er [pise] *vulg* pissen, pinkeln, urinieren; *(Gefäß)* lecken, undicht sein; *pop (Blut)* rinnen; **~eur, se** *m f* Pisser *m;* **~eux, se** *a* verpißt, mit Urinflecken; Piß-; schmutziggelb; *s f vulg* kleine(s) Mädchen *n;* **~oter** *fam* oft u. wenig pinkeln; unregelmäßig fließen; **~otière** *f fam* Bedürfnisanstalt, Pinkelbude *f.*

pist|ache [pistaʃ] *f bot* Pistazie(nnuß) *f;* **~achier** *m* Pistazie *f*, Terpentinbaum *m.*

pist|ard [pistar] *m sport* Bahnfahrer *m;* **~e** *f* (Fuß-)Spur, Fährte *f;* Trampelpfad *m; sport* (Renn-, Fahr-, Rodel-)Bahn; (Schi-)Spur; *aero* Piste, Bahn *f; film* Tonstreifen *m; être sur la ~ de qn* jdm auf der Spur sein; *suivre à la ~ (fig)* nach=streben, -eifern (*qn* jdm); *cédez la ~!* Bahn frei! ~ *d'atterrissage (aero)* Landebahn *f;* ~ *cavalière* Reitweg *m;* ~ *cendrée, couverte* Aschen-, Hallenbahn *f;* ~ *cyclable* Radfahrweg *m;* ~ *cycliste* Radrennbahn *f;* ~ *de décollage, de départ* od *d'élan, d'envol, extérieure* Start-, Anlauf-, Abflug-, Außenbahn *f;* ~ *d'essai* Versuchsstrecke *f;* ~ *de luge* Rodelbahn *f;* ~ *d'obstacles* Hindernisbahn *f;* ~ *de roulement (aero)*

Rollbahn *f;* ~ *routière* (Straßen-)Rennstrecke *f;* ~ *sonore* Tonspur *f;* **~er** *fam* die Spur verfolgen (*qn* jds); auf=lauern (*qn* jdm).

pistil [pistil] *m bot* Fruchtknoten, Stempel *m.*

pistolet [pistɔlɛ] *m* Pistole *f (Waffe);* Kurvenlineal *n;* Spritzpistole *f (der Maler); min* Meißelbohrer *m; (Belgien)* Milchbrötchen *n; mettre à qn le ~ sur, sous la gorge (fig)* jdm die Pistole, das Messer auf die Brust setzen; *drôle m de ~* komische(r) Kauz *m; ~ éclairant, lance-fusée* Leuchtpistole *f; ~-mitrailleur m* Maschinenpistole *f; ~ à vent* Luftpistole *f.*

piston [pistɔ̃] *m tech* Kolben, Stempel, Bolzen *m;* Rohrpostbüchse *f; mus (cornet m à ~s)* Klapphorn *n; fam* gute Beziehungen *f pl; axe m, course f, segment m de ~* Kolbenbolzen, -hub, -ring *m; jeu m du ~* Kolbenspiel *n; moteur m à ~* Kolbenmotor *m; ~ d'alimentation* Förderkolben *m;* **~ner** *fam* protegieren, empfehlen.

pitance [pitɑ̃s] *f* (tägliche) Ration *f;* tägliche(s) Brot *n; maigre ~* schmale Kost.

pitchpin [pitʃpɛ̃] *m* Pitschpine(holz *n*), amerikanische Pechkiefer *f.*

piteux, se [pitø, -øz] erbärmlich, jämmerlich; *faire ~euse mine* ein Gesicht wie sieben Tage Regenwetter machen.

pitié [pitje] *f* Mitleid *n;* Barmherzigkeit *f,* Erbarmen *n; à faire ~* erbärmlich, jämmerlich; *avoir ~ de qn* mit jdm Mitleid haben; *rel* sich jds erbarmen; *faire ~* Mitleid erregen *od* erwecken; *je le prends en ~* er tut mir leid; *c'est (une) ~* es ist ein Jammer.

piton [pitɔ̃] *m* Ringschraube; Bergspitze *f.*

pitoyable [pitwajabl] bemitleidens-, bejammernswert; erbärmlich, jämmerlich.

pitre [pitr] *m* Hanswurst *m;* **~rie** *f* närrische(r), alberne(r) Streich *m.*

pittoresque [pitɔrɛsk] malerisch, romantisch; *(Stil)* bilderreich.

pituit|aire [pitɥitɛr] *a* schleimig; Schleim-; *glande f ~* Hypophyse *f,* Hirnanhang *m; membrane f ~* Nasenschleimhaut *f;* **~e** *f med* (Nasen-, Rachen-, Magen-)Schleim *m;* **~er** *pop* schimpfen, lästern; **~eux, se** schleimig; verschleimt.

pivert [pivɛr] *m orn* Grünspecht *m.*

pivoine [pivwan] *f bot* Pfingstrose *f; m orn* Dompfaff, Gimpel *m.*

pivo|t [pivo] *m* (Tür-)Angel *f; tech* (Dreh-)Zapfen *m;* Achse; *bot* Pfahlwurzel *f; fig* Angelpunkt; Beweggrund *m;* Grundlage *f; mil* Flügelmann *m; dent f à ~* Stiftzahn *m; ~ de l'essieu avant* Achsschenkelbolzen *m;* **~tant, e** [-vɔ-] drehbar, schwenkbar; *racine f ~e* Pfahlwurzel *f;* **~ter** sich um e-n Zapfen, die eigene Achse drehen; *fig* sich drehen (*sur, autour de* um); *mil* schwenken; *bot* e-e Pfahlwurzel treiben; *(Wurzel)* senkrecht in die Tiefe gehen.

piz|za [pidza] *f* Pizza *f;* **~zeria** [-dzerija] *f* Pizzeria *f.*

placage [plakaʒ] *m* Sperr-, Furnierholz *n;* Einlegearbeit *f;* Belag *m;* Verblendung; *(Metall)* Plattierung *f; fig* zs.geflickte(s), gestoppelte(s) Werk *od* Buch; Einschiebsel *n.*

placard [plakar] *m* Wandschrank; Anschlag(zettel) *m;* Plakat *n;* mittlere Anzeige; *typ* Fahne(nabzug *m*) *f; mar* Flicken *m (auf e-m Segel); fam* dicke Schicht *f;* **~er** *(Zettel)* an=schlagen; *fig* diffamieren, herunter=machen; *typ* die Fahnenabzüge machen (*qc* von e-r S).

place [plas] *f* Platz *m,* Stelle *f,* Ort, Raum *m; fig* Stellung, Beschäftigung, Versorgung *f;* Amt *n,* Würde *f,* Rang; *com* Markt *m,* Börse; *mil* Festung; *mil* Ortsunterkunft *f;* Ort *m,* Stadt *f; à la ~ de ...* an Stelle *gen; faute de ~* wegen Platzmangels; *sur ~* an Ort u. Stelle; *avoir une large ~ dans l'estime de qn* hoch in jds Achtung stehen; *céder la ~ à qn* jdm Platz machen, vor jdm zurück=treten; *demeurer sur la ~ (vx)* auf der Strecke bleiben; *être à sa ~* an der richtigen Stelle sein; in s-r Lage sein, in s-r Haut stecken; *faire la ~ (com)* e-e Ortsvertretung haben; *faire ~ nette* räumen; auf=lösen; *laisser, faire ~ à* Platz lassen, machen für; *se mettre à la ~ de qn* sich in jdn hinein=denken, in jds Lage versetzen; *prendre la ~ de qn* jds Platz, Stelle ein=nehmen; *remettre qn à sa ~ (fig)* jdn an s-n Platz verweisen; *retenir une ~* e-n Platz belegen; *tenir une grande ~* e-n breiten Raum ein=nehmen, viel Zeit erfordern; *ne pas tenir, rester en ~* nicht still=sitzen können, unruhig sein; gern reisen; *~!* Platz da! Platz gemacht! *en ~!* auf die Plätze! *bureau m de la ~* Ortskommandantur *f; deux ~s, quatre ~s f* Zwei-, Viersitzer *m; effet, papier m sur ~* Platzwechsel *m; jour m de ~* Börsentag *m; mise f en ~* Einbau *m; voiture, automobile f de ~* Taxe *f; ~ d'armes* Exerzier-, Paradeplatz *m; ~ assise, debout* Sitz-, Stehplatz *m; ~ de confiance* Vertrauensstellung *f;* ~ *marchande, de commerce* Handelsplatz *m;* ~ *de stationnement* Parkplatz *m;* ~ *de transbordement (com)* Umschlagplatz *m.*

placebo [plasebo] *m* Placebo *n.*

placement [plasmɑ̃] *m* Aufstellung; Unterbringung; Anstellung *f; com* Absatz, Vertrieb, Verkauf *m;* (Geld-) Anlage, Investition *f; pl* Anlagedispositionen *f pl; être d'un* ~ *facile* guten Absatz finden; *faire un* ~ Geld an=legen; *bureau m de* ~ Stellenvermittlungsbüro *n,* Arbeitsnachweis *m; office m public de* ~ Arbeitsamt *n; valeurs f pl de* ~ Anlagepapiere *n pl,* -werte *m pl;* ~ *d'argent, de capitaux* Geld-, Kapitalanlage *f;* ~ *de père de famille* mündelsichere Anlage *f.*

placenta [plasɛ̃ta] *m anat* Mutterkuchen *m; bot* Samenleiste *f.*

placer [plase] **1.** *v* stellen *a. fig,* setzen, legen; an=, hin=bringen; *fam (Gepäck)* verstauen; placieren, unter=bringen, an=stellen; e-n Platz an=weisen (*qn* jdm); ein=ordnen, auf eine Stufe stellen (*parmi* mit); *(Ware)* ab=setzen, verkaufen, *fam* an den Mann bringen; *(Geld)* an=legen, investieren; im rechten Augenblick sagen, vor=bringen; *se* ~ sich stellen; sich setzen, Platz nehmen; e-e Anstellung finden; in Dienst treten (*chez qn* bei jdm); *com* Absatz finden; *gram* stehen; *sport* sich plazieren; *avoir le cœur bien ~é* das Herz auf dem rechten Fleck haben; *être bien, mal ~é* e-n guten, schlechten Platz haben; es (nicht) leicht haben (*à* zu); ~ *qn sur écoutes (téléphoniques)* jdn ab=hören; ~ *sur orbite (cosm)* in die Umlaufbahn ein=schießen; ~ *un emprunt, un ordre* e-e Anleihe unter=bringen, e-n Auftrag placieren; **2.** [plasɛr] *s m geol* Seife *f.*

placet [plasɛ] *m jur* Bittschrift, Eingabe *f.*

placeur, se [plasœr] *m f* Platzanweiser(in *f*); Stellenvermittler(in *f*) *m.*

plac|ide [plasid] sanft(mütig), ruhig; **~idité** *f* Sanftmut; innere Ruhe *f.*

placier, ère [plasje, -ɛr] *m f* Vertreter(in *f*); Platzanweiser(in *f*); Stellenvermittler(in *f*); Marktmeister *m.*

plafon|d [plafɔ̃] *m* (Zimmer-)Decke *f;* Deckengemälde; Kuchenblech; *fig* Maximum *n;* Grenzwert *m,* Limit *n;* Höchstgrenze, -geschwindigkeit; *aero* Gipfel-, Steighöhe; Wolkenhöhe *f; min* Dach *n; fam* Schädel *m,* Hirn *n; avoir une araignée dans le* ~ *(fam)* e-n Klaps haben; *crever le* ~ die Höchstgrenze überschreiten; *être bas du* ~ *(fam)* wenig Grips haben; *faux* ~ eingezogene Decke *f; prix m* ~ Höchstpreis *m;* ~ *d'air (theat)* Bühnenhimmel *m;* ~ *marouflé* Deckenbespannung *f;* ~ *nuageux, de nuages* (geschlossene) Wolkendecke *f;* ~ *en poutres de bois, suspendu* Holzbalken-, Hängedecke *f;* **~nage, ~nement** [-fɔ-] *m* Einziehen *n* der (Zimmer-)Decke; Deckenschalung; Froschperspektive *f;* **~ner** *tr* e-e Decke ein=ziehen (*qc* in e-e S); die Decke verputzen (*qc* gen); *(für ein Deckengemälde)* verkürzt dar=stellen; *itr* e-n Höhepunkt nicht überschreiten; stagnieren; *mot* mit Höchstgeschwindigkeit fahren; *aero* in Gipfelhöhe fliegen; **~nier** *m* Dekkenleuchte *f.*

plage [plaʒ] *f* Strand *m;* Strandbad *n;* Badeort *m;* Flachküste *f; poet* Himmelsstrich *m; aero* Landedeck *n;* ~ *avant, arrière (mar)* Vordeck, Achterdeck *n;* ~ *de silence* Pause *f.*

plag|iaire [plaʒjɛr] *m* Plagiator *m;* **~iat** [-ʒja] *m* Plagiat *n;* **~ier** plagiieren, ab=schreiben.

plaid [plɛd] *m* Plaid *m* od *s,* Schottenumhang *m;* Reisedecke *f.*

plaid|er [plɛde] *itr* gerichtlich vor=gehen (*contre qn* gegen jdn); plädieren; sprechen (*pour qn* für jdn); *tr* verteidigen; geltend machen, vor=bringen, behaupten; ~ *une cause* e-n Prozeß führen; ~ *coupable* sich schuldig bekennen; ~ *en séparation* auf Scheidung klagen; **~eur, se** *m f* Prozeßführer(in *f*); Prozeßhansel *m;* **~oirie** *f* Verteidigung(srede) *f,* Plädoyer *n;* **~oyer** *m* Verteidungsrede *f.*

plaie [plɛ] *f* Wunde *a. fig;* Geißel, (Land-)Plage *f; mettre le doigt sur la* ~ *(bes. fig)* den wunden Punkt auf=decken; *ne rêver que ~s et bosses* sehr streitsüchtig sein; *rouvrir une* ~ *(fig)* e-e alte Wunde auf=reißen; ~ *d'argent* Geldverlust *m;* ~ *contuse* Quetschwunde, Quetschung *f.*

plaignant, e [plɛɲɑ̃, -ɑ̃t] *a jur* klagend; *s m f* Kläger(in*f*) *m.*

plain, e [plɛ̃, -ɛn] : **~-chant** *m rel* Gregorianische(r) Gesang *m;* **~-pied:** *de* ~ auf gleicher Höhe, Ebene (*de* mit) *fig* glatt, ohne Schwierigkeiten.

plaindre [plɛ̃dr] *irr* beklagen, bedauern (*de* wegen); *se* ~ sich beklagen (*de* über *acc*), verklagen (*de qn* jdn); sich beschweren, *fam* stöhnen (*de* über *acc*); *(Wind)* ächzen; *avoir à se* ~ Grund zur Klage haben; *être à* ~ zu bedauern sein; *ne pas* ~ *sa peine* keine Mühe scheuen, sich keine Mühe verdrießen lassen.

plaine [plɛn] *f* Ebene, *f,* Flachland *n;* Fläche *f.*

plaint|e [plɛ̃t] *f* Klage(laut *m*) *f;* Ächzen *n;* Beschwerde; *jur* Klage(schrift) *f;* Strafantrag *m; déposer (une), porter* ~ e-n Strafantrag stellen; Klage ein=reichen; ~ *en divorce* Scheidungsklage *f;* **~if, ive** kläglich; klagend, jammernd; ächzend, stöhnend.

plaire [plɛr] *irr* gefallen, angenehm sein; belieben; *se* ~ *(Pflanzen, Tiere)* gedeihen, fort=kommen; *(Ort)* lieben, bevorzugen (*dans qc* etw), Gefallen, Freude finden (*à* an e-r S); ~ *à être avec qn* gern mit jdm zs. sein; *je me plais à la campagne* es gefällt mir, ich bin gern auf dem Lande; *comme il vous plaira* wie Sie wollen; *plaise, plût à Dieu!* wollte Gott! *à Dieu ne plaise!* Gott bewahre! Gott behüte! *il plaît* es beliebt; *plaît-il?* wie bitte? *s'il vous plaît* bitte.

plaisamment [plɛzamɑ̃] *adv* angenehm; scherzhaft, humoristisch, drollig; lächerlich.

plais|ance [plɛzɑ̃s] *f: de* ~ Lust-, Vergnügungs-; *bateau m de* ~ Vergnügungsdampfer *m;* **~ancier, ère** *m f* Segler(in *f*) *m;* **~ant, e** *a* lustig, heiter, kurzweilig; *(vor s)* drollig, komisch, zum Lachen; *s m* Spaßmacher, -vogel, Witzbold *m;* spaßige Seite *f (de qc* e-r S *gen);* **~anter** *itr* scherzen, Spaß machen; *tr* sich lustig machen (*qn* über jdn); necken; *pour* ~ zum Spaß; *ne pas* ~ keinen Spaß verstehen (*là-dessus* darin, *sur qc* in etw); *ah ça, ~ez-vous?* Sie scherzen wohl? **~anterie** [plɛzɑ̃tri] *f* Scherz, Spaß, Ulk; Spott *m;* Kleinigkeit *f,* Kinderspiel *n; par* ~ im Scherz, aus Spaß; *entendre la* ~ Spaß verstehen; *tourner en* ~ lächerlich machen, ins Lächerliche ziehen; *cela passe la* ~ das geht über den Spaß hinaus, zu weit; *c'est une (simple)* ~ das ist nur Spaß; ~ *à part!* Scherz beiseite! ohne Scherz! *~s de corps de garde* saftige Scherze *m pl;* ~ *de mauvais goût* schlechte(r) Spaß *m;* **~antin** *m péj* Witzling *m.*

plaisir [ple(ɛ)zir] *m* Vergnügen *n,* Freude, Lust *f,* Spaß *m,* Belustigung *f; (bon ~)* Belieben *n,* Wunsch *m;* Waffeltüte *f (für Eis); à* ~ nach Herzenslust; mit Absicht; ohne Grund *od* Ursache; *au ~!* auf Wiedersehen! *avec* ~ mit Vergnügen, gern; *par* ~ zum Vergnügen; probe-, spaßeshalber; *pour le, son* ~ (nur) zum, zum bloßen Vergnügen, (bloß) aus Spaß; *pour vous faire* ~ um Ihnen entgegenzukommen; *faire* ~ Spaß, Freude machen; *se faire un* ~ *de* sich ein Vergnügen daraus machen zu; *gâcher son* ~ *à qn* jdm den Spaß verderben; *goûter un vif* ~ viel Freude haben (*à qc* an e-r S); *prendre, avoir* ~ *à qc* an e-r S Gefallen finden, haben; *pas de* ~ *sans peine (prov)* keine Rose ohne Dornen.

plan, e [plɑ̃, -an] *a* flach, glatt, eben; *s m* Plan *m;* Anlage, Anordnung; Karte *f,* (Grund-)Riß; Entwurf *m; math pol* Ebene; Fläche *f;* Niveau; Gebiet *n; film* Aufnahme; *aero* Tragfläche *f,* Flügel *m,* Flosse *f; au premier* ~ im Vordergrund; *sur le* ~ *de* auf der Ebene *gen; dresser, établir, faire un* ~ e-n Plan entwerfen; *être, rester en* ~ *(fam)* in der Schwebe sein, bleiben; *laisser en* ~ im Stich, liegen- u. stehen=lassen; *lever un* ~ e-n Grundriß auf=nehmen; *rien n'y est à son* ~ es ist alles durchea.; *établissement m des ~s* Planung *f; gros* ~ *(film)* Großaufnahme *f; personnage m de premier* ~ Hauptperson *f; premier, second, troisième* ~ Vorder-, Mittel-, Hintergrund *m; vue f en* ~ Grundriß *m;* ~ *d'alignement* Baufluchtplan *m;* ~ *(général) d'aménagement* (Gesamt-)Bebauungsplan *m;* ~ *d'amortissement* Tilgungsplan *m;* ~ *de campagne* Feldzugsplan *a. fig;* ~ *comptable* Kontenplan *m;* ~ *de construction* Bauplan *m,* -zeichnung, Konstruktionszeichnung *f;* ~ *directeur* Meßtischblatt *n;* ~ *d'eau* Wasserfläche *f,* -spiegel *m;* ~ *d'économie* Wirtschaftsplan *m;* ~ *d'ensemble* Gesamt(anlage)plan *m,* Gesamtübersicht *f;* ~ *fixe de stabilisation (aero)* Stabilisierungsflosse *f;* ~ *horizontal* Grundriß *m;* Horizontalebene, -projektion *f;* ~ *incliné* schiefe Ebene *f, min* Bremsberg *m;* ~ *logistique (mil)* Versorgungsplan *m;* ~ *longitudinal* Längsschnitt *m;* ~ *de masse* Lage-, Übersichtsplan *m;* ~ *de mise sur pied (mil)* Aufstellungsplan *m;* ~ *de montage* Montage-, Schaltplan *m;* ~ *de paiement* Zahlungsplan *m;* ~ *de quatre, cinq ans* od *quadriennal, quinquennal* Vier-, Fünfjahresplan *m;* ~ *en relief* Reliefkarte *f;* ~ *de répartition, de distribution* Verteilungsplan *m;* ~ *(de répartition) des ondes (radio)* Wellen(-verteilungs)plan *m;* ~ *de situation* Lageplan *m;* ~ *de sustentation, sustentateur (aero)* Tragfläche *f;* ~ *de tirage* Ziehungsplan *m;* ~ *transversal* Querschnitt *m;* ~ *de travail* Arbeitsplan *m;* Arbeitsfläche *f;* ~ *vertical* Aufriß *m;* ~ *de ville* Stadtplan *m;* ~ *de zoning* Flächenaufteilungsplan *m;* ~**age** *m* Planieren *n,* Planierungsarbeiten *f pl.*

planche [plɑ̃ʃ] *f* Brett *n,* Planke, Bohle, Diele; Speckseite *f;* längliche(s) (Garten-)Beet *n; tech* Platte *f;* (Kupfer-) Stich; Holzschnitt; Bretter *n pl; (Schule)* (Wand-)Tafel *f; (sport)* Windsurfen *n; pop* Brett *n,* Frau *f* ohne Figur; *pl theat* Bretter *n pl,* Bühne *f; avoir du pain sur la ~ (fig)* noch viel zu tun haben; *faire la ~ (Schwimmen)* den toten Mann machen; *baraque f en ~s* Holzbaracke *f; jours m pl de ~ (mar)* Liege-, Arbeitstage *m pl; ~ d'appui* Fensterbrett *n; ~ à billets* Banknotenpresse *f; ~ de débarquement (mar)* Gangway *m; ~ à dessin* Reißbrett *n; ~ à laver* Waschbrett *n; ~ en plâtre* Gipsdiele *f; ~ de marchepied* Trittbrett *n; ~ à repasser* Plättbrett *n; ~ de salut (fig)* letzte Rettung *f; ~ à roulettes* Skateboard, Rollbrett *n; ~ de la table* Tischplatte *f; ~ tablier, de bord (mot)* Armaturenbrett *n; ~ à voile* Windsurfbrett *n; faire de la ~ à voile* windsurfen.

planch|éiage [plɑ̃ʃejaʒ] *m* Dielen, Verschalen *n,* Verschalung *f;* ~**éier** dielen, verschalen; ~**er** *m* (Fuß-)Boden *m,* Diele; Balkenlage *f; (Brücke)* Belag *m; tech* Bühne *f; mot* Fußbrett *n; loc* Führerstand *m; fig* Mindestgrenze *f; faire sauter qn au ~ (fam) vx* jdn hoch=, auf 180 bringen; *poser, relever le ~* den Fußboden legen, auf=reißen; *~ mobile (tech)* Schwenk-, Hebebühne *f; ~ en mosaïque* Mosaikfußboden *m; ~ en parquet, en pl anches* Parkett-, Bretter(fuß)boden *m; ~ roulant* Schiebebühne *f; ~ des vaches (fam)* feste(s) Land *n;* ~**ette** *f* Brettchen *n,* Leiste *f;* Meßtisch *m;* Korsettstange *f; feuille f de ~* Meßtischblatt *n; ~ à clefs* Schlüsselbrett *n; ~ de raccordement (tele)* Anschlußklemmenbrett *n,* Klemmenleiste *f.*

plancton [plɑ̃ktɔ̃] *m zoo* Plankton *n.*

plan|e [plan] *f* Schnitz-, Zugmesser *n;* Schichtmeißel *m;* Fläche *f (Werkzeug);* ~**er** *tr* ebnen, glätten, schlichten; *(Häute)* enthaaren; planen; *itr* schweben *a. fig;* gleiten; *(Blick)* schweifen; weit blicken *(sur* auf, über *acc*); *vol m ~é (Raubvogel)* Schweben *n; aero* Gleitflug *m.*

plan|étaire [planetər] *a astr* planetarisch; Planeten-; *s m* Planetarium; *tech* Planetengetriebe *n;* ~**étarium** *m* Planetarium *n;* ~**ète** *f astr* Planet *m.*

planeur [planœr] *m tech* Schlichter *m; aero* Gleit-, Segelflugzeug *n,* Segler *m;* Flugwerk *n,* Zelle *f; ~ à moteur auxiliaire* Motorsegler *m; ~ de transport, ~-cargo m* Lastensegler *m.*

plan|ification [planifikasjɔ̃] *f* Planung *f;* ~**ifier** [-fje] planen; *économie f ~ée,* ~**isme** *m* Planwirtschaft *f;* ~**imètre** *m* Planimeter *n;* ~**imétrie** *f* Planimetrie *f;* ~**isphère** *m: ~ céleste* Sternkarte *f; ~ terrestre* Erd-, Weltkarte *f;* ~**iste** *m* Planwirtschaftler *m;* ~**ning** [-iɲ] *m* (industrielle) Planung, Produktionsplanung *f; ~ familial* Familienplanung *f.*

planqu|e [plɑ̃k] *f arg* Versteck *n,* Deckadresse *f; fam* Druckposten *m;* ~**er** *arg* weg=legen, verstecken; im Stich lassen, auf=geben; *se ~* sich drücken; unter=tauchen *fig.*

plant [plɑ̃] *m agr* (junge) Pflanze *f,* Pflänzchen *n;* Setzling *m;* (An-)Pflanzung *f;* ~**age** *m* Pflanzen *n.*

plantain [plɑ̃tɛ̃] *m bot* Wegerich *m.*

plantaire [plɑ̃tɛr] *a anat* Sohlen-.

plan|tation [plɑ̃tasjɔ̃] *f* (An-)Pflanzen *n;* (An-, Be-)Pflanzung; Plantage *f; jeune ~ (Wald)* Schonung *f; ~ expérimentale* Versuchsfeld *n; ~ fruitière* Obstplantage *f;* ~**te** *f* Pflanze *f;* Kraut, Gewächs *n; (anat) ~ du pied* Fußsohle *f; jardin m des ~s* botanische(r) Garten *m; ~ aquatique, économique, fourragère, d'ornement, potagère* Wasser-, Nutz-, Futter-, Zier-, Gemüse- *od* Gewürzpflanze *f; ~s médicinales* Heilkräuter *n pl;* ~**ter** (an=, be)pflanzen, stecken, setzen; auf=, hin=stellen, auf=richten, -pflanzen; *(Nagel)* ein=schlagen; *(Zelt)* auf=stellen; *(Bau)* ab=stecken; *~ là qn (fig)* jdn stehen=, sitzen=lassen, im Stich lassen; *qc* etw auf=geben; *~ son regard dans les yeux de qn* jdn durchdringend an=sehen; ~**teur** *m* Pflanzer *m;* ~**tigrade** *m zoo* Sohlengänger *m;* ~**toir** *m agr* Pflanzholz *n (Gerät).*

planton [plɑ̃tɔ̃] *m mil* Ordonnanz *f;* Melder *m.*

plantule [plɑ̃tyl] *f bot* Keim *m.*

plantureux, se [plɑ̃tyrø, -z] reichlich; üppig; fruchtbar; *fam* beleibt, dick.

plaqu|e [plak] *f* Platte, Scheibe, Tafel *f;* Schild *n,* Plakette *f;* Ordensstern; Deckel(platte *f*) *m;* Nivellierscheibe; Auflage, Verstärkung; *el* Anode; Rasentafel *f; mettre à côté de la ~ (fam)* daneben=schießen; *~ d'amiante, d'asbeste* Asbestplatte *f; ~ d'avertissement* Warnungstafel *f; ~ de blindage (mar)* Panzerplatte *f; ~ chauffante* Heizplatte *f; ~ de cheminée* Kamin-, Ofenplatte *f; ~ commémo-*

rative Gedenktafel *f;* ~ *de contrôle* Kontrollmarke *f;* ~ *dentée (med)* Gaumenplatte *f;* ~ *émaillée* Email(le)schild *n;* ~ *de fermeture, d'obturation* Verschlußplatte *f;* ~ *en fibre dure* Hartfaserplatte *f;* ~ *d'identité (mil)* Erkennungsmarke *f; mot* Kennzeichenschild *n;* ~ *incendiaire* Brandplättchen *n;* ~ *indicatrice* Straßen-, Firmenschild *n,* Wegweiser *m; loc* Laufschild *n;* ~ *isolante, d'isolation* Isolierplatte *f;* ~ *de nationalité (mot)* Nationalitätskennzeichen *n;* ~ *de police, d'immatriculation, minéralogique (mot)* Nummernschild *n;* ~ *de porte* Türschild *n;* ~ *de rue* Straßenschild *n;* ~ *de signalisation routière* Verkehrszeichen, -schild *n;* ~ *tournante* Drehscheibe *f;* ~ *de verglas* Eisplatte *f;* ~ *de verre* Glasplatte *f;* **~é, e** *a* plattiert: *(Tasche)* aufgesetzt; *s m* Plattierung *f;* Doublé *n;* **~er** *(Metall)* plattieren; *(Holz)* furnieren, mit e-r Einlegearbeit versehen; überziehen, auf=, belegen; flach legen *od* bürsten; *sport* auf die Bretter schicken; *mus (Akkord)* an=schlagen; *(Tasche)* auf=setzen; *fig fam* sitzen=, stehen=lassen; *se* ~ *au sol* sich auf den Boden werfen; **~ette** *f* Broschüre; Plakette *f;* Plättchen *n; (Schallplatte)* (bedruckter) Umschlag *m;* **~eur** *m* Plattierer, Furnierer *m.*

plasma [plasma] *m anat* (Blut-, Lymph-)Plasma *n;* ~ *sanguin* Blutplasma *n.*

plastic [plastik] *m* Plastiksprengstoff *m.*

plasti|cage, ~quage [-kaʒ] *m* Anschlag mit Plastiksprengstoff.

plast|icité [plastisite] *f* Formbarkeit; Bildsamkeit; Nachgiebigkeit *f;* **~ifier** *tr* mit Kunststoff verarbeiten, belegen; *parquet ~é* Polyvinylchloridfußbodenbelag *m,* PVC-Belag *m;* **~igel** *m Art* wärmehärtende(r) Kunststoff *m;* **~ique** *a* plastisch; gestaltend, formend, bildend; bildsam, formbar; *s m* u. *matière f* ~ Kunststoff *m,* -harz *n; s f* Plastik, Bildhauerkunst *f; arts m pl ~s* bildende Künste *f pl;* **~iquer** e-n Sprengstoffanschlag verüben (auf); **~iqueur, euse** Plastikattentäter(in *f*) *m;* **~iline** *f* Plastilin *n,* Knetmasse *f.*

plastron [plastrɔ̃] *m* Brustharnisch; *(Fechten)* Paukschurz *m,* Brustleder *n;* Lederschürze *f; (Kleidung)* (Brust-)Einsatz *m;* Vorhemd *n,* Hemdbrust *f; mil* markierte(r) Feind; *fig* Schutz *m;* **~ner** *fig* sich brüsten.

plat, e [pla, -at] *a* flach, platt, eben, glatt; *mil* offen, unbefestigt; *fig* platt, flach, fade, seicht, geistlos; *(Gesicht)* ausdruckslos; *(Getränk)* schal; *(Börse)* leer; *fig* unterwürfig; *s m* (flache) Schüssel, Schale, Platte; Fläche, flache Seite; *tech* Bahn *f;* Gericht *n (Speise); (~ de la balance)* Waagschale *f; (tout) à* ~ flach (auf dem *od* den Boden), der Länge nach; erschöpft; *(Batterie)* leer; *(Reifen)* platt; *avoir le ventre* ~ e-n leeren Magen haben; *faire du* ~ *(fam)* schmeicheln; poussieren (*à qn* jdn); *mettre les petits ~s dans les grands* alles auf=bieten; *mettre les pieds dans le* ~ *(fam)* ins Fettnäpfchen treten; *ramper à* ~ *ventre (fig)* im Staub kriechen (*devant* vor *dat*); *tomber à* ~ *(theat)* völlig durch=fallen; *assiette f ~e* flache(r) Teller *m; calme m* ~ *(mar com)* Flaute *f; pays m* ~ Flachland *n; pied m* ~ Plattfuß *m; souliers m pl ~s* Schuhe *m pl* ohne Absatz; ~ *de l'aviron* Ruderblatt *n;* ~ *à barbe* Rasierbecken *n; ~-bord m mar* Dollbord *m;* ~ *de côtes* (Platt-)Rippenstück *n;* ~ *du jour* Tagesgericht *n (Speise);* ~ *de la main* Handfläche, flache Hand *f;* ~ *national* Nationalgericht *n;* ~ *aux œufs* Eierspeise *f.*

plat|anaie [platanɛ] *f* Platanenwald *m;* **~ane** *m bot* Platane *f.*

plateau [plato] *m* Tablett *n;* Waagschale; *tech* Platte, Scheibe *f,* Bett *n; mot* Ladefläche *f; geog* Tafelland *n,* Hochebene; *theat* Bühne *f;* ~ *gradué* Richtkreis *m;* ~ *d'embrayage* Kupplungsscheibe *f; ~-réchaud m* Kochplatte *f.*

plate-bande [platbɑ̃d] *f (pl plates-bandes)* Rabatte, Einfassung *f (e-s Gartenstücks);* Randstreifen; *arch* Sturz *m,* Oberschwelle; Gurtplatte *f; marcher sur les ~s-~s de qn (fig fam)* jdm ins Gehege kommen.

platée [plate] *f* Schüsselvoll *f.*

plate-forme [platfɔrm] *f (pl plates-formes)* Flach-, Terrassendach *n;* Plattform; Mauerplatte; *tech* Schwelle; (Arbeits-, Werk-)Bühne *f;* offene(r) Güterwagen *m; loc* Planum *n,* Unterbaukrone *f; sport* Sprungturm *m; mil* Geschützbettung; *fig pol* Plattform *f,* Wahlprogramm *n;* ~ *aérienne* Luftstützpunkt *m;* ~ *de chargement (loc)* Laderampe *f;* ~ *de commande (tech)* Steuerstand *m;* ~ *d'élévation* Hebebühne *f;* ~ *d'essais (tech)* Prüfstand *m;* ~ *de forage* Bohrinsel *f;* ~ *de lancement (Rakete)* Starttisch *m;* ~ *tournante (loc)* Drehscheibe *f:* ~ *de la voie ferrée* Bahnkörper *m.*

plathelminthes [platɛlmɛ̃t] *m pl zoo* Plattwürmer *m pl.*

plat|ine [platin] **1.** *f tech* Platte, Scheibe *f,* Tisch *m,* Platine *f; (von Plattenspieler)* Plattenteller *m;* Schloßblech; Einbaulaufwerk; *mil* Schloß; *typ* Formstück *n;* Tiegel *m;* **2.** *m* Platin *n;* ~ *des moteurs* Laufwerkplatte *f;* **~iner** platinieren; *(Haare)* bleichen, blondieren; **~inifère** platinhaltig.

platitude [platityd] *f* Platt-, Flachheit; Seichtheit *f;* fade(r) Geschmack *m;* glatte(s) Stoffteil *n.*

platonique [platɔnik] platonisch.

plâtr|age [plɑtraʒ] *m* Gipsarbeit *f;* (Ver-)Gipsen *n; fig fam* Pfuscherei *f;* **~as** [-tra] *m* (Gips-)Schutt *m;* **~e** *m* (gebrannter) Gips *m;* Gipsarbeit *f,* -abguß *m,* -figur; *fam* weiße Schminke *f; vulg* Geld *n; pl* Stuck, Putz *m; de ~ (fig)* tönern, hohl, schwach; *battre comme ~* windelweich schlagen; *essuyer les ~s* als erste(r) in e-m Neubau wohnen, trocken=wohnen; *mettre sous ~ (med)* in Gips legen; **~er** (ver-)gipsen; **~erie** [-trə-] *f* Gipsarbeit *f;* **~eux, se** gipshaltig; **~ier** [-trije] *m* Gipser *m;* **~ière** *f* Gipsbruch *m,* -brennerei, -putzkelle *f.*

plausible [plozibl] annehmbar, glaubhaft.

play|-back [plɛbak] *m* Playback *n;* **~-boy** [plɛbɔj] *m (pl plays-boys)* Playboy *m.*

plèbe [plɛb] *f* Plebs *f,* niedere(s) Volk *n,* Pöbel *m.*

plébéien, ne [plebejɛ̃, -ɛn] *a* plebejisch; Volks-; *s m f* Plebejer(in *f*) *m;* **~iscitaire** *a* Volksentscheid-; **~iscite** [-bisit] *m* Volksabstimmung *f,* -entscheid *m;* **~r** durch e-e Volksabstimmung entscheiden.

pléiade [plejad] *f astr* Plejaden *f pl,* Siebengestirn *n a. fig.*

plein, e [plɛ̃, vor Vokal plɛn] *a* voll, gefüllt (*de* mit); *fig* völlig, vollständig, ganz; *(Wald)* dicht; *(Blume)* gefüllt; *(Gesicht)* voll, rund; *(Stimme)* voll; *(Tier)* trächtig, tragend; *fam* voll; satt; betrunken; *s m* Fülle *f,* volle(r), *phys* erfüllte(r) Raum; *(Schrift)* Grundstrich *m; mar* hohe Flut *f; (Versicherung)* Höchstbetrag; *fig* Höhepunkt *m; ~ de* voll(er) *acc; à ~e(s) main(s)* mit vollen Händen, reichlich; *à ~ régime, rendement* auf vollen Touren *od* Hochtouren; *à ~es voiles* mit vollen Segeln; *de ~ air* Freiluft-; *de ~ gré* aus freiem Antrieb, aus freien Stücken, von selbst; *en ~* mitten (*dans* in; *sur* auf); *adv* voll, ganz, völlig; *en ~ air* im Freien, unter freiem Himmel; *en ~ champ* auf freiem, offenem Felde; *en ~e déroute* in wilder Flucht; *en ~ hiver* mitten im Winter; *en ~ jour* am hellichten Tage; *en ~e mer* auf hoher See; *en ~e rue* auf offener Straße; *en ~e saison* in der Hochsaison; *en ~ soleil* in der prallen Sonne; *tout ~ (fam)* mächtig, sehr; *tout ~ de ...* e-e (ganze) Menge, ein(en) Haufen ...; *avoir le ventre ~* e-n vollen Magen haben; *battre son ~* in vollem Gange sein; auf vollen Touren, auf Hochtouren laufen; *être ~ aux as* (stink-, stein)reich sein; *faire son ~ (d'essence) (mot)* (voll=)tanken; *mettre en ~ dans le mille* ins Schwarze treffen; *mettre ~ gaz (mot fam)* Vollgas geben; *tailler en ~ drap (fig)* ins volle greifen; *il a le cœur ~* sein Herz ist voll; *cinéma m en ~ air pour automobilistes* Freilichtkino *n* für Autofahrer; *~ air m* Turnspiele *n pl,* Spielturnen *n; ~ à craquer* brechend voll; *~ emploi* Vollbeschäftigung *f; ~ jeu (mus)* Mixtur *f; ~es lumières f pl* Schlaglichter *n pl; ~e lune f* Vollmond *m; ~ comme un œuf* gepfropft voll; *~e peau f* Ganzleder *n; ~(s) pouvoir(s) m (pl)* Vollmacht *f; ~ réglme m (mot)* Vollgas *n; ~e saison* Hochsaison *f; ~ de soi-même* eingebildet, selbstgefällig, *fam* von sich selbst überzogen; *~-temps* Vollzeit-; *~e toile f* Ganzleinen *n;* **~ement** *adv* völlig, ganz, vollkommen.

pléistocène [pleistɔsɛn] *m geol* Pleistozän *n.*

plén|ier, ère [plenje, -ɛr] völlig, vollständig; vollkommen; *pol* Voll-, Plenar-; *assemblée f ~ère* Vollversammlung *f,* Plenum *n; session f ~ère* Plenarsitzung *f;* **~ipotentiaire** [-tɑ̃sjɛr] *a pol* bevollmächtigt; *s m* Bevollmächtigte(r) *m;* **~itude** *f* Fülle *f;* Überfluß *m; dans la ~ de* im Vollbesitz *gen.*

plé|onasme [pleɔnasm] *m gram* Pleonasmus *m;* **~onastique** pleonastisch.

plésiosaure [plezjɔzɔr] *m zoo* Plesiosaurus *m.*

pléthor|e [pletɔr] *f med* Vollblütigkeit; *fig* Überfülle *f;* Überfluß *m;* **~ique** *med* vollblütig; *fig* überfüllt.

pleur [plœr] *m, meist pl* Tränen *f pl; (tout) en ~s, noyé de, dans les ~s* in Tränen aufgelöst; *fondre en ~s* in Tränen zerfließen.

pleural, e [plørɑl] *a anat* Brust-, Rippenfell-.

pleur|ard, e [plœrar, -d] weinerlich; **~e-misère** *m f vx* Jammerer *m,* Klageweib *n;* **~er** *itr* weinen (*sur* über *acc,* *de* vor *dat*); *(Augen)* tränen; *tr* beweinen, -trauern; *n'avoir plus que les yeux pour* ~ buchstäblich nichts mehr besitzen; ~ *à chaudes larmes* heiße Tränen vergießen; ~ *comme un veau (fam)* wie ein Schloßhund heulen.

pleurésie [pløʀezi] *f* Brust-, Rippenfellentzündung *f*.

pleur|eur, se [plœʀœʀ, -øz] *s f* Klageweib *n; a* weinerlich; *bot* Trauer-; *saule m* ~ Trauerweide *f;* ~**nichard, e** weinerlich; ~**nicher** weinerlich tun; flennen; **nicherie** *f* Flennerei *f,* Heulen *n;* ~**nicheur, se** *s m f* Flenner(in *f*) *m;* Heulsuse *f; a* flennend, weinerlich.

pleurodynie [plœʀɔdini] *f* Brustschmerzen *m pl*.

pleur|onecte [plœʀɔnɛkt] *m zoo* Scholle *f;* ~**onectidés** *m pl* Plattfische *m pl*.

pleuropneumonie [plœʀɔpnømɔni] *f* Lungen- u. Rippenfellentzündung *f*.

pleutre [pløtʀ] *m* Memme *f;* Feigling *m;* ~**rie** *f* Feigheit *f*.

pleuvoir [plœvwaʀ] *irr* regnen *a. fig; fig* hageln; *comme s'il en pleuvait* in großen, *fam* rauhen Mengen, reichlich; *il pleut à verse, à seaux* es gießt in Strömen, wie aus Kübeln.

plèvre [plɛvʀ] *f anat* Brust-, Rippenfell *n*.

plexiglas [plɛksiglas] *m (Warenzeichen)* Plexiglas *n (Warenzeichen)*.

plexus [plɛksys] *m anat* Geflecht *n*.

pli [pli] *m* Falte *f,* Knick, Bruch, Kniff; Brief(umschlag) *m;* Biegung; Runzel; *(~ du terrain)* Geländefalte *f; tech* Falz *m;* Schicht, Zwischenlage *f; (Kartenspiel)* Stich *m;* (An-)Gewohnheit *f; sous ce* ~ als Anlage; *sous* ~ *recommandé* eingeschrieben; *faire des* ~*s* Falten werfen, sich in Falten legen; *ne pas faire un* ~ *(Kleidung)* tadellos, wie angegossen sitzen; *fig* glatt=gehen; kein Problem sein; *prendre un* ~ e-e Falte bekommen; *fig* e-e schlechte Gewohnheit an=nehmen; *jupe f à* ~*s* Faltenrock *m; mise f en* ~*s* Wasserwelle *f;* ~ *d'ajustage, de diminution* Abnäher *m;* ~ *anticlinal (geol)* Sattel *m;* ~ *du bras* Armbeuge *f;* ~ *chargé* Wertbrief *m;* ~ *couché (Kleid)* Legfalte; *geol* liegende Falte *f;* ~ *nervure* Biese *f;* ~ *de pantalon* Bügelfalte *f;* ~ *plat* Quetschfalte *f;* ~ *synclinal (geol)* Mulde *f;* ~**able** [plijabl] faltbar, zs.klappbar, zs.legbar; biegsam; *fig* schmiegsam, lenksam; Falt-; ~**age** *m* Falten, Zs.legen *n;* Biegung, Krümmung *f; (Buch)* Falzen; *(Kleid)* Fälteln *n;* ~**ant, e** *a* biegsam; zs.legbar, zs.klappbar; *s m* u. *siège m* ~ Klappstuhl *m; canot m* ~ Faltboot *n; table f* ~*e* Klapptisch *m*.

plie [pli] *f zoo* Scholle *f*.

pli|er [plije] *tr* (zs.=)falten, zs.=legen; knicken; *(Buch)* falzen; biegen, beugen, krümmen; *fig* gewöhnen (*à* an *acc*); *(Zelt)* ab=brechen; *itr* sich biegen; sich an=passen; nach=geben; sich senken, sich neigen, fast zs.=brechen; *mil* wanken, zurück=weichen *(devant* vor *dat); se* ~ nach=geben, sich unterwerfen, sich schicken (*à* in *acc*); sich biegen, sich beugen; ~ *bagage* s-e Sachen packen; sein Bündel schnüren; *mil* sich zurück=ziehen (*en* aus), verlassen (*en qc* etw); *allg* s-e Abfahrt, -reise vor=bereiten; *ne pas* ~*!* nicht knicken! ~**eur, se** *m f (Buchbinderei)* Falzer(in *f*) *m; f* Falz-, Abkantmaschine *f*.

pliocène [pliɔsɛn] *m geol* Pliozän *n*.

pli|oir [plijwaʀ] *m* Falzmesser, -bein *n;* ~**ure** *f (Buch)* Falzen *n*.

plinthe [plɛ̃t] *f arch* Plinthe, Säulenplatte; Fuß-, Scheuerleiste *f*.

pliss|age [plisaʒ] *m (Wäsche, Kleider)* Plissieren, Fälteln *n;* ~**é, e** *a* plissiert, gefältelt; Plissee-; *s m* Plissee *n,* Fältelung *f;* ~**ement** *m geol* Faltung *f;* ~**er** plissieren, fälteln; *se* ~ Falten werfen.

plomb [plɔ̃] *m* Blei *n;* (Blei-)Kugel *f;* Schrot *n;* Plombe *f (*~**er** plissieren, fälteln; *se* ~ Falten werfen.

plomb [plɔ̃] *m* Blei *n;* (Blei-)Kugel *f;* Schrot *n;* Plombe *f (am Gepäck); (~ de sonde)* Lot *n; (~ fusible) el* Sicherung; *typ* Letter *f; à* ~ lot-, senkrecht; unmittelbar; gerade recht; *de* ~ *(fig)* bleiern *(bes. Schlaf); avoir du* ~ *dans l'aile* übel d(a)ran sein; *n'avoir pas de* ~ *dans la tête* (zu) leichtsinnig sein; *c'est un* ~ *sur l'estomac* das liegt wie Blei im Magen; *c'est du* ~ das ist schwer wie Blei; *gaine f, sel, soldat m de* ~ Bleimantel *m,* -salz *n,* -soldat *m; menu* ~ Dunst *m; mine f de* ~ Graphit *m,* Bleistiftmine *f; soleil m de* ~ drückende Sonnenhitze *f;* ~ *de chasse* (Flinten-)Schrot *m* od *n;* ~**age** [-baʒ] *m* Plombieren *n; med* Füllung, Plombe *f; agr* Walzen *n; com* Plombenverschluß *m;* ~**agine** *f min* Graphit *m;* ~**e** *f arg* Stunde *f;* ~**é, e** *a* plombiert; mit Blei beschwert; bleifarben; *pop* syphilitisch; ~**er** *(Gepäck, Zahn)* plombieren; mit Blei beschweren *od* belegen; *arch* loten; *agr* walzen, fest=stampfen; *tech* glasieren, verbleien; *(se)* ~ *(Himmel)* bleigrau, fahl werden; ~**erie** *f* Bleiverarbeitung; Bleihütte; Gas-, Wasserleitungsinstallation *f;* Installationsgeschäft *n;* **~ier** [-bje] *(~-zingueur) m* Installateur; Spengler, Flaschner, Klempner (u. Rohrleger) *m;* **~ières** *f pl* Eis *n* mit Früchten; **~ifère** bleihaltig.

plong|e [plɔ̃ʒ] *f fam* (Geschirr-)Spülen *n,* Abwasch(en *n*) *m;* **~eant, e** *a* tauchend; von oben nach unten gerichtet; *(Kleidung)* tiefgezogen; **~ée** *f* Tauchen, Tauchmanöver *n;* Blick *m od phot film* Aufnahme *f* steil nach unten; Steilabfall *m* (Un-)Tiefe *(des Meeresbodens);* Abdachung *f; ~ profonde* Tieftauchen *n;* **~ement** *m* Eintauchen; *min* Einfallen *n;* **~eoir** *m (Schwimmsport)* Sprungturm *m;* **~eon** *m sport* Kopfsprung; *orn* Steißfuß, Taucher *m; faire, piquer un ~* e-n Kopfsprung machen; *faire le ~ (fig)* unter=tauchen, verschwinden; in Not geraten; *~ de départ* Startsprung *m; ~s du tremplin, de haut vol* Kunst-, Turmspringen *n;* **~er** *tr* u. *itr* (ein=, unter=)tauchen; (sich) stürzen; (ver)senken, stoßen, stecken (*dans* in *acc*); *itr* abwärts gerichtet sein; *(Schwimmen)* springen; *min* ein=fallen; *se ~ (fig)* sich versenken, sich stürzen (*dans* in *acc*); *se ~ dans la douleur* sich ganz dem Schmerz hin=geben; *~ ses regards dans ...* s-e Blicke heften auf *acc,* hinab=schweifen lassen in *acc; être ~é dans le sommeil* in tiefen Schlaf versunken sein; **~eur** *s m* Taucher; *sport* Springer; Geschirrspüler, Tellerwäscher *m; pl orn* Steißfüße *m pl; a* Tauch(er)-; *cloche f de ~* Taucherglocke *f.*

plot [plo] *m tele* Kontakt *m,* Klemme; Stellung, Stufe *f.*

plouf [pluf] *interj* plumps.

ploutocrat|e [plutɔkrat] *m* Plutokrat *m;* **~ie** [-si] *f* Plutokratie *f;* **~ique** [-tik] plutokratisch.

ploy|able [plwajabl] biegsam; **~er** *tr* biegen, beugen; *fig* zum Nachgeben zwingen; *itr* sich biegen, nach=geben; *se ~* sich biegen, sich beugen; *fig* nach=geben; sich schicken, sich fügen (*à* in *acc*).

pluche *s. peluche.*

pluie [plɥi] *f* Regen *a. fig; fig* Hagel *m; faire la ~ et le beau temps* tonangebend sein; *parler de la ~ et du beau temps* von diesem und jenem sprechen; *être à couvert de la ~ (fig)* in gesicherter Position sein; *le jour a commencé sous la ~* der Tag hat mit Regen angefangen; *le temps est à la ~* es sieht nach Regen aus; *craint la ~!* vor Nässe zu schützen! *après la ~ le beau temps* auf Regen folgt Sonnenschein; *averse f, eaux f pl, goutte f, grain, jour, nuage, temps m de ~* Regenschauer *m,* -wasser *n,* -tropfen *m,* -bö *f,* -tag *m,* -wolke *f,* -wetter *n; ennuyeux comme la ~* todlangweilig; *saison f des ~s* Regenzeit *f; ~ acide* saure(r) Regen *m; ~ annuelle* jährliche Regenmenge *f; ~ battante, de cendres, de convection* od *partielle, fine, générale, d'orage* Platz-, Aschen-, Strich-, Sprüh-, Land-, Gewitterregen *m; ~s éparses et passagères* strichweise Regen; *~ de sable* Sandsturm *m; ~ tombée* Regenmenge *f; ~ torrentielle* Wolkenbruch *m; ~ verglaçante* Eisregen *m.*

plum|age [plymaʒ] *m* Gefieder; *fig* Äußere(s) *n,* Schein *m;* **~ail** [-aj] *m* Federbusch *m;* Hutfeder *f;* **~ard** *m fam* Bett *n;* **~asserie** *f* Schmuckfedern *f pl;* **~e** *f* Feder *f;* Gefieder *n;* Bettfedern *f pl;* (Schreib-)Feder; (Hand-)Schrift *f;* Stil; Verfasser, Schriftsteller *m; pl pop* Haare *n pl; écrire au courant de la ~* schreiben, was e-m gerade einfällt; *laisser des ~s, de ses ~s (fig)* Federn, Haare lassen; *se parer des ~s du paon* sich mit fremden Federn schmücken, *prendre la ~, mettre la main à la ~* zur Feder greifen; *la plus belle ~ de son aile* od *chapeau (fig)* sein bestes Pferd im Stall; *dessin m à la ~* Federzeichnung *f; homme m de ~* Schriftsteller *m; léger comme une ~* federleicht; *lit m de ~(s)* Federbett, *fig* weiche(s) Bett *n; longues ~s des ailes* Schwungfedern *f pl; nom m de ~* Schriftstellername *m; trait m de ~* Federstrich, -zug *m; ~ d'acier, d'autruche, de coq, de héron, de paon, de parure* Stahl-, Straußen-, Hahnen-, Reiher-, Pfauen-, Schmuckfeder *f;* **~er** rupfen; *fig* das Geld aus der Tasche ziehen (*qn* jdm); *se ~ (pop)* sich in die Falle hauen, zu Bett gehen; **~et** [-mɛ] *m* Hutfeder *f,* Federbusch; **~etis** [-ti] *m* Federstickerei *f;* leichte(s) Gewebe *n* mit Federstickerei; **~eux, se** federartig; gefiedert; Feder-; **~ier** [-mje] *m* Federkasten *m;* Schreibetui *n;* **~itif** *m jur* Sitzungsprotokoll *n; fam* Federfuchser *m;* **~on** *m* Federdeckbett *n.*

plupart [plypar] : *la ~ des* die meisten; *la ~ du temps* meist(ens); *pour la ~* meistens-, größtenteils, meist(ens).

plur|al, e [plyral] *a* mehrfach; *vote m ~* Plural-, Mehrstimmenwahlrecht *n;* **~aliser** *gram* in den Plural setzen; **~alisme** *m* Pluralismus *m;* **~aliste** *(Gesellschaft)* pluralistisch; **~alité** *f* Vielheit, -zahl *f; à la ~ des voix* *(parl)* mit Stimmenmehrheit; **~articulé, e** *zoo* mehrglied(e)rig; **~idisciplinaire** mehrfäch(e)rig; **~iel** [-rjɛl] *m gram* Plural *m*, Mehrzahl *f*; **~ipartite** *bot* mehrteilig.

plus [ply(s)] *adv* mehr; dazu, noch, ferner, außerdem; *com* zuzüglich; *s m* (das) Höchste; Meiste; Mehr *n*; *math* [plys] Plus(zeichen) *n*; *au ~ tôt* so bald wie möglich; *(tout) au ~* höchstens; *d'autant ~ que ...* um so mehr, um so eher, als ...; *bien ~, qui ~ est* ja, noch mehr; darüber hinaus, obendrein; *de ~ en ~* immer mehr; *des ~ grands* unter, zu den größten; *ne ... pas des ~ grands* keine(r) der größten; *en ~ (de)* (noch) dazu (zu); *le ~* am meisten; *le ~ vite possible* so schnell wie möglich; *moins ..., ~ ...* je weniger ..., desto ...; *ne ... ~* nicht mehr; *ne ... ~ que* nur noch; *ni ~ ni moins* nicht mehr u. nicht weniger; nicht anders; *ni ~ ni moins que* genau(soviel) wie; *(ni ...) non ~* auch nicht; *non ~ que* nicht mehr als ...; *on ne peut ~* äußerst, reichlich; *pour ~ de sécurité* zu größerer Sicherheit; *qui ~ est* was noch mehr ist; *qui ~ qui moins* die einen mehr, die ander(e)n eniger; *rien de ~* weiter nichts; *sans ~* ohne mehr, ohne noch; nichts weiter; *tant et ~* viel(e); sehr; mehr als nötig, reichlich; *ne ... pas ~ tôt ... que* kaum ..., als; *~ ... ~* je (mehr) ..., desto (mehr); *~ de* mehr; kein ... mehr; *~ ou moins* mehr oder weniger; *~ que cela (de ...) (fam)* e-e ganze Menge (...); *il y a ~* es geht noch weiter, kommt noch schöner; *~-offrant, e m f com* Meistbietende(r *m*) *f*; *~-pétition f com* Überforderung *f*; *~-que-parfait m gram* Plusquamperfekt *n*; *~-value f* Mehrwert; Wertzuwachs *m*; **~ieurs** [-zjœr] *a prn inv* mehrere, verschiedene; *à ~ reprises* (zu) wiederholt(en Malen); *~ fois* mehrmals.

plutonium *m* [plytɔnjɔm] Plutonium *n*.

plutôt [plyto] *adv* eher, lieber, vielmehr; recht, sehr; *voyez ~!* sehen Sie nur zu!

pluvi|al, e [plyvjal] *a* Regen-; *eau ~e* Regenwasser *n*; **~er** *m orn* Regenpfeifer *m*; **~eux, se** regnerisch; Regen-; **~omètre** *m* Regenmesser *m*; **~osité** *f* Niederschlag(smenge *f*) *m*.

pneu [pnø] *m mot* Reifen *m*; Decke *f*, Mantel; *fam* Rohrpostbrief *m*; *~-ballon m* Ballonreifen *m*; *~ sans chambre à air* schlauchlose(r) Reifen *m*; *~s cloutés* Spikes *m pl*; *~s-neige m pl* Winterreifen *m pl*; *~ à plat (mot)* Plattfuß *m*; *~ de réserve, de rechange* Ersatzreifen *m*; **~matique** *a* pneumatisch, Luft-; *tech* Preß-, Druckluft-; Rohrpost-; *s m* (Gummi-)Reifen *m*, Bereifung *f*; Rohrpostbrief *m*; *f* Mechanik *f* der Gase; *bandages m pl ~s* Bereifung *f*; *lettre f ~* Rohrpostbrief *m*; *marteau m ~* Preßlufthammer *m*.

pneumo|coniose [pnømɔkɔnjoz] *f med* Staublunge *f*; **~nie** *f* Lungenentzündung *f*; **~thorax** *m* Pneumothorax *m*.

pochade [pɔʃad] *f* flüchtige Skizze *f*, flüchtig geschriebenes Werk.

pochard, e [pɔʃar, -d] *m f fam* Säufer(in *f*) *m*; **~er, se** *pop* sich besaufen.

poch|e [pɔʃ] *f* Tasche *f (an d. Kleidung)*; (Getreide-)Sack *m*; *Art* (Fang-)Netz *n*; Reusenkammer *f*; Tränensack; Kropf *m (e-s Vogels)*; Backentasche *f*; Beutel *(der Beuteltiere)*; Eitersack; Schnörkel *m (an Buchstaben)*; *(Mappe)* Fach *n*; Teigspritze; *tech* Pfanne *f*, Löffel *m*, Delle *f*; *mil* Einbruch *m*; Frontlücke *f*; *les mains dans ses ~s* mit den Händen in den (Hosen-)Taschen; *acheter chat en ~* die Katze im Sack kaufen; *n'avoir pas sa langue dans sa ~* nicht auf den Mund gefallen sein; *n'avoir pas les yeux dans sa ~ fig* die Augen auf=machen, auf alles achten; *colmater, nettoyer, verrouiller une ~ (mil)* e-e Frontlücke schließen, bereinigen, ab=riegeln; *connaître comme sa ~* wie s-e Westentasche, in- u. auswendig kennen; *en être de sa ~ (fam)* Geld verlieren; *faire une ~ (mil)* ein=brechen; *mettre son drapeau dans sa ~* mit s-r Meinung hinter dem Berge halten; *se remplir les ~s fig* sich bereichern; *tenir dans sa ~, avoir en ~* in der Tasche, sicher haben; *je le mettrai dans ma ~ (fig)* den stecke ich in die Tasche; *c'est dans la ~ (pop)* das ist todsicher; *argent, livre m de ~* Taschengeld *n*, -buch *n*; *thé âtre m de ~* Zimmertheater *n*; *~ de côté, de gilet, de pantalon, de pardessus, de poitrine, revolver, de veston* Seiten-, Westen-, Hosen-, Mantel-, Brust-, Gesäß-, Sakkotasche *f*; **~é, e:** *œil m ~* blaue(s) Auge *n*; *œufs m pl ~s* verlorene Eier *n pl*; **~ée** *f vx* Taschevoll *f*; **~er** *(Auge)* blau schlagen; *~ des œufs* verlorene Eier kochen; **~etée** *f pop* dummer Kerl *m*; **~ette** *f* kleine Tasche *f*; Handtäschchen, Ziertüchlein *n*, Tüte *f*; *(Jagd) Art* Schlinge *f*; *Art* Fischnetz *n*; *(~ de compas)* Zirkelkasten *m,* Reißzeugetui *n; ~ de disque* Plattenhülle *f.*

pochoir [pɔʃwar] *m* Schablone *f.*

pochon [pɔʃɔ̃] *m* Suppenkelle *f;* Tintenklecks; *fam* Schlag *m* aufs Auge.

podagre [pɔdagr] *s m med* Podagra *n,* (Fuß-)Gicht *f,* Zipperlein *n; a* gichtkrank.

podium [pɔdjɔm] *m arch* Sockel *m,* Podium *n.*

podiomètre [pɔdjɔmɛtr] *m* Schrittzähler *m.*

poêl|e [pwal] **1.** *m* (Zimmer-)Ofen *m;* **2.** *f* (Brat-)Pfanne; *tech* Gradierpfanne *f;* **3.** *m* Bahrtuch *n; tenir la queue de la ~ (fig fam)* das Heft in der Hand haben; *~ m à charbon, cylindrique en fonte, en faïence, à gaz* Kohlen-, Kanonen-, Kachel-, Gasofen *m; ~ f à frire* Bratpfanne *f;* **~ée** *f* Pfannevoll *f;* **~ier** *m* Ofensetzer, -fabrikant *m;* **~on** *m* kleine Pfanne; Kasserolle *f,* Tiegel, Stieltopf *m; ~ à colle* Leim-, Kleistertopf *m.*

po|ème [pɔɛm] *m (größeres)* Gedicht *n;* Operntext *m; ~ épique* Epos, Heldengedicht *n;* **~ésie** *f* Poesie, Dichtkunst; Dichtung *f; (kleineres)* Gedicht *n;* **~ète** *m* Dichter(in *f*) *m; a: femme f ~* Dichterin *f;* **~étesse** *f* Dichterin *f;* **~étique** *a* poetisch, dichterisch; stimmungsvoll; *s f* Poetik *f;* **~étiser** dichterisch gestalten, aus⸗schmücken.

pognon [pɔɲɔ̃] *m arg* Moos *n,* Zaster *m,* Geld *n.*

poids [pwa] *m* Gewicht *n (a. an der Uhr);* Last *a. fig; fig* Bedeutung, Wichtigkeit *f;* Druck *m;* Maß *n; sport* Kugel *f; au ~ (com)* nach Gewicht; *de ~ (Geld)* vollwichtig; *fig* schwerwiegend, gewichtig; *de peu de ~* belanglos, unerheblich; *de tout son ~* mit voller Wucht; *attacher du ~ à qc* e-r S Gewicht bei⸗messen; *faire bon ~* gut wiegen; *fig* großzügig sein; *faire le ~* auf⸗wiegen; *fam* hin⸗hauen, reichen; *jeter le ~ (sport)* die Kugel stoßen; *déclaration, perte f de ~* Gewichtsangabe *f,* -verlust *m; excédent, manque m de ~* Über-, Untergewicht *n; faire (ne pas faire) le ~* der Sache (nicht) gewachsen sein; *~* abattu, atomique, brut, de chargement, moléculaire, net, propre od *mort, à vide, vif* od *vivant* Schlacht-, Atom-, Brutto-, Lade-, Molekular-, Netto-, Eigen-, Leer-, Lebendgewicht *n; ~ et haltères* Gewichtheben *n;* Schwerathletik *f; ~ lourd* Last(kraft-)wagen *m; ~ mouche, coq, plume, léger, mi-moyen, moyen, (mi-)lourd (Boxen)* Fliegen-, Bantam-, Feder-, Leicht-, Welter-, Mittel-, (Halb-)Schwergewicht *n; ~ public* Eichamt *n; ~ utile* Nutzlast *f.*

poignant, e [pwaɲɑ̃, -ɑ̃t] *a fig* stechend; herzzerreißend; packend.

poignard [pwaɲar] *m* Dolch *m; mettre à qn le ~ sur la gorge (fig)* jdm das Messer auf die Brust setzen; *coup m de ~* Dolchstoß *m a. fig; ~ scout* Fahrtenmesser *n;* **~er** erdolchen; *fig* tief schmerzen.

poign|e [pwaɲ] *f fam* Energie *f,* Schneid, Mumm *m; homme m à ~ (fam)* Draufgänger *m;* **~ée** *f* Handvoll *f a. fig;* (Hand-)Griff *m,* Heft *n;* Stiel; (Tür-)Drücker; (Schwert-)Knauf *m; à ~* mit vollen Händen *a. fig; ~ de main* Händedruck *m; ~ de maintien* Haltegriff *m;* **~et** [-pɛ] *m* Handgelenk *n;* Manschette *f.*

poil [pwal] *m* (Körper-, Bart-)Haar *n a. zoo bot; fam poet* Haare *n pl; (Pferd)* Haarfarbe; *(Tuch)* Haardekke *f,* Rauhflor *m; à ~ (pop)* nackt; ohne Sattel *(reiten); à ~! (pop)* nieder! *à ~s courts, longs* kurz-, langhaarig; *au ~ (fam)* genau; ausgezeichnet; *de tout ~* aller Art; *avoir un ~ dans la main (fam)* keine Lust zur Arbeit haben; *ne pas avoir un ~ de sec* keinen trockenen Faden am Leib(e) haben; *fam* Blut u. Wasser geschwitzt haben; *coucher le ~* das Fell glatt⸗bürsten; *être de mauvais ~* schlechte Laune haben; *reprendre du ~ de la bête* nicht locker⸗lassen; wieder hoch⸗kommen; *tomber sur le ~ à qn* über jdn her⸗fallen; *c'est au ~! (fam)* das haut hin! das ist prima! *brave m à trois, quatre ~s (fam)* Draufgänger *m; ~ de chameau* Kamelhaar(flausch *m*) *n; ~ de chèvre* Angora- *od* Mohairwolle *f; ~ follet* Flaum *m.*

poiler, se [pwale] *arg* sich tot⸗lachen.

poilu, e [pwaly] *a* behaart, haarig; *s m* franz. Frontsoldat *m (1914–18).*

poinçon [pwɛ̃sɔ̃] *m* Pfriem; Grabstichel *m,* Punze *f;* Stempel *m; typ* Patrize *f; (Dachstuhl)* Ständer *m;* **~nage, ~nement** [-sɔ-] *m* Stanzen, Lochen *n;* **~ner** lochen, stanzen; eichen *(Gold)* stempeln; *(Fahrkarte)* knipsen, lochen; **~neur** *m* Stanzer *m;* **~neuse** *f* Lochstanze, Stanzmaschine; Stanzerin *f.*

poindre [pwɛ̃dr] *irr bot* sprießen, sprossen; hervor⸗, *(Tag)* an⸗brechen.

poing [pwɛ̃] *m* Faust *f; pieds et ~s liés (fig)* an Händen u. Füßen gefesselt; *dormir à ~s fermés* wie ein Murmeltier schlafen; *se ronger les ~ (fig)* verrückt werden; *serrer le ~* e-e

Faust machen; *coup m de ~* Faustschlag *m.*

point [pwɛ̃] **1.** *s m* Punkt *m;* Stelle *f,* Ort, Platz; Gegenstand; Grad; Zustand *m,* Lage *f;* Stich *m;* Spitze, Stikkerei; Masche *f;* I-Punkt *m; (Würfel)* Auge *n; (Schule)* Note, Zensur *f; mil mar* Standort *m; à ~* gerade recht, zur rechten Zeit, gelegen; *(Küche)* durchgebraten, gar; *fig* fertig; *à ce ~* in dem Maße; *à quel ~* (in)wieweit; *à tel ~ que* so sehr, daß; *au dernier ~* äußerst; *au ~ où nous sommes* wie die Dinge nun einmal liegen; *à ~ nommé* zur festgesetzten Zeit; (gerade) im rechten Augenblick; *de ~ en ~* genau, in allen Einzelheiten; Punkt für Punkt, Schritt für Schritt; *de, en tout ~* in jeder Hinsicht, gänzlich; *jusqu'à un certain ~* bis zu e-m gewissen Grade; *battre aux ~s (sport)* nach Punkten schlagen; *être au ~ (tech)* gut funktionieren; *theat* eingespielt sein; *être mal en ~* gesundheitlich nicht auf der Höhe sein; *être sur le ~ de ...* im Begriff sein zu ...; *être au ~ mort* auf dem toten Punkt (angekommen) sein; *faire le ~ (mar)* das Besteck machen; *aero* orten; *faire le ~ de, sur qc* den Stand von etw ermitteln; *faire venir qn à son ~* jdn dahin bringen, wohin man ihn haben will; *marquer un ~* e-n Punkt markieren; *mettre au ~* aus=arbeiten, bearbeiten; entwickeln; *(Gerät)* ein=stellen; *(Sache)* in Ordnung bringen, regeln, klar=stellen; *mettre les ~s sur les i* alles klar=machen; *ne paraître que comme un ~* gerade so eben sichtbar sein; *rendre des ~s à qn* jdm überlegen sein; *il y a des ~s noirs à l'horizon* ich sehe schwarz; *c'est un bon ~ en sa faveur (fig)* das ist ein Plus für ihn; *un ~, c'est tout* und damit basta; *détermination f du ~* Standortbestimmung *f; deux ~s* Doppelpunkt *m; mauvais ~ (sport)* Strafpunkt; *(Schule)* Tadel *m; mise f au ~ (Gerät)* Einstellung, Regulierung; *fig* Klarstellung *f; victoire f aux ~s (sport)* Punktsieg *m; ~ d'allumage (mot aero)* Zündzeitpunkt *m; ~ d'application des forces (mil)* Schwerpunkt *m; ~ d'appui* feste(r), Ansatzpunkt *m; fig* Stütze *f; mil* Stützpunkt *m; ~ d'appui de la flotte* Flottenstützpunkt *m; ~ d'arrêt* Halte-, Endpunkt *m; ~ facultatif* Bedarfshaltestelle *f; ~ arrière (Stickerei)* Steppstich *m; ~ d'arrivée* Endpunkt *m,* Ziel n; *~ cardinal* Himmelsrichtung *f; ~ central* Mittelpunkt *m; ~ de chaînette (Stickerei)* Kettenstich *m; ~ chaud, névralgique* Krisengebiet *n,* -herd *m; ~ de chute (mil)* Einschlag-, *aero* Absturzstelle *f;* Unterkunftsmöglichkeit, Bleibe *f; ~ de condensation, de rosée (Meteorologie)* Taupunkt *m; ~ de congélation* Gefrierpunkt *m; ~ des connaissances actuelles* gegenwärtige(r) Stand *m* des Wissens; *~ de contact* Berührungspunkt *m; ~ de contrôle (routier, ferroviaire)* (Straßen-, Eisenbahn-)Kontrollpunkt *m; ~ de controverse (jur)* Streitfall *m; ~ de côté (med)* (Seiten-)Stechen *n; ~ de croix (Stickerei)* Kreuzstich *m; ~ de décollage (Rakete)* Startplatz *m; ~ de départ* Ausgangs-, Ansatzpunkt; *com* Abgangsort *m; ~ de destination* Bestimmungsort *m; mil* Marschziel *n; ~ de dispersion (opt)* Strahlungspunkt *m; ~ d'eau* Wasserstelle *f; ~ d'eau* Wasserstelle *f; ~ d'ébullition* Siedepunkt *m; ~ d'exclamation* Ausrufezeichen *n; ~ fixe, de repère* feste(r), Bezugspunkt *m; ~ frontière* Grenzübergang(sstelle *f*) *m; ~ de fuite* Fluchtpunkt *m; ~ de fusion* Schmelzpunkt *m; ~ futur (aero)* Vorhaltepunkt *m; ~ de graissage (tech)* Schmierstelle *f; ~ d'honneur* Ehrensache *f; ~ d'impact (mil)* Aufschlag *m; tech* Stoßstelle *f; ~ d'inflammation, ~-éclair m (tech)* Flammpunkt *m; ~ d'inflexion (math)* Wendepunkt *m; ~ interrogatif, d'interrogation* Fragezeichen *n; ~ d'intersection (math)* Schnittpunkt *m; ~ de jonction, de raccordement* Verbindungsstelle *f,* Knotenpunkt *m; ~ de lancement* Abschußbasis *f (für ferngelenkte Geschosse); ~ lumineux (phys)* Brennpunkt *m; ~ de mire (mil)* Richtungspunkt *m; ~ mort (phys)* tote(r) Punkt *m; ~ de mouvement (phys)* Drehpunkt *m; ~ noir (med fam)* Mitesser *m; (Verkehr)* Stau; tote(r) Punkt *m; ~ de passage* Übergangsstelle *f; ~s de pénalisation, perte f de ~s (sport)* Strafpunkte *m pl; ~ de pénétration* Durchgangspunkt *m (im Verkehr); ~ de ralliement* Sammelstelle *f; ~ de rassemblement (des blessés) (mil)* (Verwundeten-)Sammelstelle *f; ~ de repos* Ruhepunkt *m; ~ de rupture* Bruchstelle *f; ~ de saturation (com)* Sättigungspunkt *m; ~s de suspension* Unterbrechungspunkte *m pl; ~ de vente* Verkaufsstelle *f; ~ vernal (astr)* Frühlingspunkt *m; ~-virgule m* Semikolon *n,* Strichpunkt *m; ~ de visée (mil)* Haltepunkt *m; ~ de vue* Aussichts-, *fig* Gesichtspunkt *m; ~ zéro*

Nullpunkt *m;* Abschußzeit *f;* **2.** *adv* nein; ~ *de* kein(e); *(beim v): ne ... ~* gar, durchaus nicht; ~ *du tout* keineswegs, durchaus nicht.

pointage [pwɛ̃taʒ] *m (Liste)* Abhaken; Kontrolluhrsystem *n;* Kontrolle *f; (Geschütz)* Richten; Einweisen; *(Spielkarten)* Markieren *n; sport* (Punkt-)Wertung; *pol* Stimmenzählung *f.*

pointe [pwɛ̃t] *f* Spitze *f,* Stachel; Stift *m,* Zwecke *f;* Zipfel, Keil *m,* dreieckige(s) Kopf-, Halstuch *n;* Bergnase; *(~ sèche)* Radiernadel *f;* Pappmesser *n; typ* Spieß; Spitzengang, -tanz *m; mil* Spitze *f; fig* Stachel *m;* Stichelei *f;* Witz *m,* Pointe, Würze *f;* Anflug; *fam* Hochbetrieb *m; à la ~ de l'épée* mit dem Schwert, mit (Waffen-)Gewalt; *de ~* Spitzen-; *en ~* spitzig; *une ~ de ...* etwas, ein wenig ..., ein bißchen ..., e-e Messerspitze ...; *finir en ~* spitz zu=laufen; *pousser une ~ (fig)* e-n Abstecher machen; *(mil)* vorstoßen, e-e Angriffsspitze vor=treiben; *heure, période de ~* Hauptgeschäfts-, -verkehrszeit *f,* Stoßzeit *f; saison f de ~* Hauptverkaufssaison *f; (soulier m à) ~s (sport)* Rennschuh *m; ~ d'aiguille, d'épingle* Nadelspitze *f; ~ d'asperge* Spargelkopf *m; ~ avant* Vorderende *n; ~ Bic (Warenzeichen)* Kugelschreiber *m; ~ blindée* Panzerspitze *f; ~ de charge* Belastungsspitze *f; ~ de consommation (el, Gas)* Verbrauchsspitze *f; ~ de contact (mot)* Unterbrecherspitze *f; ~ du jour* Tagesanbruch *m; ~ de Paris* Drahtstift *m; ~ du pied* Fuß-, Zehenspitze(n *pl*) *f; ~ de trafic* Verkehrsspitze *f; ~ (de terre)* Landzunge *f.*

pointeau [pwɛ̃to] *m tech* Körner; *(Fabrik)* Pförtner *m; ~ de carburateur (mot)* Schwimmernadel *f.*

point|er [pwɛ̃te] **1.** *v tr (Liste),* ab=haken; kontrollieren; *opt mil* ein=stellen, richten; zielen; *tech mus (Malerei)* punktieren; *tech* pricken; lochen; (ab=)stechen; *(Pfahl)* zu=spitzen; *(Ohren)* spitzen; *sport* werten; *pol (Stimmen)* zählen; *itr (Vogel)* (auf=) steigen; in den Himmel ragen; *(Pferd)* sich bäumen; *(Tag)* an=brechen; *(Arbeitsloser)* stempeln gehen; *bot* keimen; *fig* sich zeigen; *mil* vor=stoßen (*sur* auf *acc*); *~ la carte (mar)* das Besteck ab=setzen; *~ du doigt vers qc* mit dem Finger auf e-e S zeigen; **2.** [-œr] *s m* Pointer, Vorstehhund *m;* **~eur** *m tech* Punktierer, Markierer; *mil* Richtkanonier; Zugabfertiger *m.*

point|illage [pwɛ̃tijaʒ] *m* Punktierung *f;* **~ille** *m* punktierte Arbeit, Linie, Zeichnung, Gravüre *f;* **~iller** *tr itr* punktieren; mit Punkten dar=stellen; *vx fam* sich um Nichtigkeiten streiten; sticheln.

pointilleux, se [pwɛ̃tijø, -z] rechthaberisch; kleinlich, empfindlich, *pop* pingelig.

pointu, e [pwɛ̃ty] spitz, zugespitzt; *fig* stechend, scharf; spitz(findig).

pointure [pwɛ̃tyr] *f* (Schuh-, Hut-) Nummer, Größe; *typ* Punktur *f; quelle ~ faites-vous? fam* welche Größe, Nummer haben Sie?

poir|e [pwar] *f* Birne *f; (~ en caoutchouc)* Gummiball; *pop* Kopf *m,* Gesicht *n;* Dummkopf, Trottel *m; en ~* birn(en)förmig; *entre la ~ et le fromage* beim Nachtisch; *garder une ~ pour la soif* sich e-n Notpfennig zurück=legen; *la ~ est mûre (vx)* die Sache ist spruchreif; **~é** *m* Birnenmost *m.*

poir|eau [pwaro] *m* Porree, Lauch *m; fam* Warze *f; faire le ~ (fam)* lange warten; **~eauter, ~oter** [pwarote] lange warten.

poirée [pware] *f* Mangold *m.*

poirier [pwarje] *m* Birnbaum *m.*

pois [pwa(ɑ)] *m* Erbse *f; à ~* getüpfelt; *petits ~* junge Erbsen *f pl; ~ chiche* Kichererbse *f; ~ de senteur* Wicke *f.*

poison [pwazɔ̃] *m* Gift *n a. fig;* Plagegeist *m.*

poiss|ard, e [pwasar, -rd] *a* pöbelhaft, vulgär; *s f* Fischweib *n;* Marktfrau *f;* **~e** *f pop* Pech, Unglück *n; m arg* Zuhälter *m;* **~er** *tr* aus=, verpichen; beschmieren, -sudeln, -schmutzen; *pop* stibitzen, fest=nehmen; *itr* klebrig sein; **~eux, se** schmierig, schmutzig; *(Haare)* strähnig.

poisson [pwasɔ̃] *m* Fisch; *ni chair ni ~* weder Fisch noch Fleisch, unbestimmt, unentschieden, unentschlossen; *comme le ~ dans l'eau* (munter) wie ein Fisch im Wasser, in s-m Element; *faire un ~ d'avril à qn* jdn in den April schicken; *finir en queue de ~* wie das Hornberger Schießen aus=gehen; *banc m de ~* Fischschwarm *m; service m à ~* Fischbesteck *n; ~ d'avril* Aprilscherz *m; ~ blanc, doré* od *rouge, d'eau douce, -épée m, de mer, de rivière* Weiß-, Gold-, Süßwasser-, Schwert-, See-, Flußfisch *m; ~-chat m* Wels *m; ~ fumé* Räucherfisch *m; ~ plat* Scholle *f; ~ trembleur* Zitterrochen *m; ~ volant* fliegende(r) Fisch *m;* **~naille** [-aj] *f fam* kleine Fische *m pl;* **~nerie** *f* Fischmarkt *m,* -handlung *f,* -geschäft *n;* **~neux, se** fischreich; **~nier, ère** *m f* Fischhändler(in *f*) *m; f* Fischpfanne; *(Zuckerfabrik)* Klärpfanne *f.*

poitevin, e [pwatvɛ̃, -in] *a* aus dem, des Poitou *(franz. Provinz).*

poitr|ail [pwatraj] *m (Pferd)* Bug *m,* Vorbrust *f;* Brustriemen; *arch* Träger *m;* **~inaire** schwindsüchtig; **~ine** *f* Brust *f;* Busen *m;* Lunge *f; se frapper la ~* sich an die Brust schlagen; *maladie f de ~* Lungenkrankheit *f; tour m de ~* Brustumfang *m; voix f de ~* Bruststimme *f.*

poivr|ade [pwavrad] *f* Pfeffer-, Salatsoße *f;* **~e** *m* Pfeffer(korn *n*) *m; fig* (das) Scharfe; *arg vx* Schnaps *m;* Gift *n; vx* Geschlechtskrankheit *f; grain m de ~* Pfefferkorn *n; ~ long, de muraille* Nelken-, Mauerpfeffer *m; ~ et sel* Pfeffer und Salz, graumeliert; **~é, e** *a fig* gepfeffert, gesalzen; grob, obszön; **~er** pfeffern; übervorteilen, übers Ohr hauen (*qn* jdn); *fig* salzen, pfeffern; *pop* an=stecken; *se ~* sich besaufen; **~ier** [-vrije] *m* Pfefferstrauch *m;* Pfefferdose *f;* **~ière** *f* Pfefferplantage; Pfefferdose *f;* Wachttürmchen *n (an Burgen).*

poivrot [pwavro] *m pop* Säufer *m.*

poix [pwa] *f* Pech *n; noir comme ~* pechschwarz; *avoir de la ~ aux mains (fig)* Dreck am Stecken haben; *tenir comme ~* wie Pech kleben; *qui touche de la ~ souille ses mains* wer Pech angreift, besudelt sich; *~ minérale* Erdpech *n,* Asphalt *m; ~ noire* Schusterpech *n; ~-résine f* Pechharz *n.*

poker [pɔkɛr] *m* Schüreisen *n,* -haken *m;* Poker(spiel) *n.*

pol|aire [pɔlɛr] *a astr geog* Polar-; *phys el* Pol-; *cercle m ~* Polarkreis *m; étoile f ~* Polarstern *m; mer f ~* Eismeer *n;* **~arimètre** *m chem* Polarimeter *n;* **~arisation** *f phys* Polarisation *f;* **~ariser** *opt el* polarisieren; *~ l'attention sur soi* die Aufmerkamkeit auf sich ziehen; **~arité** *f phys* Polarität *f.*

polaroïd [pɔlarɔid] *m (Warenzeichen)* Polaroid-, Sofortbildkamera *f.*

pôle [pol] *m geog astr phys math* Pol; *fig* diametrale(r) Gegensatz *m,* entgegengesetzte Seite *f; ~ d'attraction* Anziehungspunkt *m; ~ magnétique* magnetische(r) Pol *m; ~ nord, boréal, arctique* Nordpol *m; ~ positif, négatif (phys)* Plus-, Minuspol *m; ~ sud, austral, antarctique* Südpol *m.*

pol|émique [pɔlemik] *a* polemisch; *s f* Polemik *f;* **~émiquer, -émiser** polemisieren; **~émiste** *m* Polemiker *m.*

poli, e [pɔli] **1.** *a* glatt, glänzend, blank; *fig* höflich, artig; gefeilt, geglättet, formvollendet; **2.** *s m* Politur *f; Glanz; tech* Schliff *m.*

police [pɔlis] *f* **1.** Polizei(verwaltung); Regelung, Ordnung *f;* **2.** *(~ d'assurance)* (Versicherungs-)Police *f; faire la ~* für Ordnung sorgen; *péj* schulmeistern; *agent m de ~* Polizist, Schutzmann *m; bonnet m de ~ (mil)* Feldmütze *f; règlement m de ~* Polizeiverordnung *f; salle f de ~ (mil)* Arrestlokal *n; tribunal m de ~* Polizeigericht *n; ~ aérienne, des constructions, judiciaire, militaire, des mœurs, populaire, des ports, de la route* od *des transports, sanitaire* Luft-, Bau-, Kriminal-, Militär-, Sitten-, Volks-, Hafen-, Verkehrs-, Gesundheitspolizei *f; ~ de chargement (mar)* Konnossement *n,* Seefrachtbrief *m; ~-secours f* Überfallkommando *n.*

polichinelle [pɔliʃinɛl] *m* dumme(r) August; Hanswurst *m;* Hampelmann *m; voix f de ~* schrille, meckernde Stimme *f; c'est un secret de P~* das ist ein offenes Geheimnis.

policier, ère [pɔlisje, -ɛr] *a* polizeilich; Polizei-; *s m f* Polizist(in *f*) *m; roman, film m ~* Kriminalroman, -film *m.*

policlinique [pɔliklinik] *f* Poliklinik *f.*

poliomyélite [-ljɔmje-] (spinale) Kinderlähmung *f.*

pol|ir [pɔlir] polieren, schleifen, glätten; Glanz geben *od* verleihen (*qc* e-r S *dat*); *fig* verfeinern, (aus=)bilden; glätten, feilen; *se ~* sich ab=schleifen, sich verfeinern; *~ à reflets* auf Hochglanz polieren; **~issage** *m* (Glanz-) Schleifen, Polieren *n;* **~isseur, se** *m f* Schleifer, Polierer *m; f* Polier-, Schleifmaschine *f;* **~issoir** *m tech* Polierscheibe *f,* -stahl *m;* Messerputzmaschine *f;* Nagelpolierer *m;* **~issoire** *f* Glanzbürste *f.*

polisson, ne [pɔlisɔ̃, -ɔn] *m f* Straßenjunge, Bengel *m,* Range *f,* Lausejunge; (kleiner) Schelm; Lebemann, Lüstling *m;* liederliche(s) Frauenzimmer *n; a* frei, schlüpfrig, anzüglich, unanständig, schmutzig; ungezogen; schelmisch; **~ner** sich herum=treiben; *vx* anzügliche Reden führen; sich unanständig benehmen; **~nerie** *f* Bubenstreich *m;* Ungezogenheit *f;* lose Reden *f pl;* unanständige(s) Benehmen *n.*

polissure [pɔlisyr] *f* Polieren *n;* Politur *f.*

poliste [pɔlist] *m* od *f* Französische Papierwespe *f.*

politesse [pɔlitɛs] *f* Höflichkeit, Zuvorkommenheit, Artigkeit *f; brûler* *la* ~ sich (auf) französisch empfehlen; e-e Verabredung versäumen; *faire une* ~ *à qn* jdm e-e Höflichkeit erweisen.

pol|iticien, ne [pɔlitisjɛ̃, -ɛn] *m f* Politik(ast)er *m;* **~itique** *a* politisch, staatsmännisch; Staats-; *s m* Politiker; Staatsmann *m; f* Politik, Staatskunst *f,* -geschäfte *n pl;* Handlungsweise *f;* Absichten *f pl; ne pas changer de* ~, *conserver la même* ~ immer die gleiche P. verfolgen; *mener, poursuivre une* ~ e-e P. verfolgen; ~ *d'affaires (com)* Geschäftsgebaren *n;* ~ *agraire* Agrarpolitik *f;* ~ *d'alliance* Bündnispolitik *f;* ~ *de base* allgemeine Richtlinien *f pl;* ~ *de la canonnière* Politik *f* der Stärke; ~ *commerciale* Handelspolitik *f;* ~ *économique* Wirtschaftspolitik *f;* ~ *de plein emploi* Vollbeschäftigungspolitik *f;* ~ *d'entente* Verständigungspolitik *f;* ~ *extérieure, étrangère* Außenpolitik *f;* ~ *financière, des finances, budgétaire* Finanzpolitik *f;* ~ *fiscale* Steuerpolitik *f;* ~ *foncière* Bodenpolitik *f;* ~ *de force* Machtpolitik *f;* ~ *intérieure* Innenpolitik *f;* ~ *mondiale* Weltpolitik *f;* ~ *de la porte ouverte* Politik *f* der offenen Tür; ~ *des prix* Preispolitik *f;* ~ *des salaires* Lohnpolitik *f;* **~itisation** *f* Politisierung *f;* **~itiser** politisieren, e-n politischen Charakter geben (*qc* e-r S *dat*); *se* ~ sich politisieren; **~itologie** *f* Politologie *f;* **~itologue** *m f* Politologe *m.*

pollen [pɔlɛn] *m* Pollen, Blütenstaub *m.*

pollicitation [pɔlisitasjɔ̃] *f com* Vertragsangebot, einseitige(s) Versprechen *n.*

pollinisation [pɔlinizasjɔ̃] *f bot* Bestäubung *f.*

pollu|ant, e [pɔlɥɑ̃, -t] *a* umweltschädlich, -verschmutzend; *s m* Schadstoff *m;* **~er** verschmutzen; *(radioaktiv)* verseuchen; **~eur,** *a* umweltverschmutzend; *s m* (Umwelt-)Verschmutzer *m;* **~tion** *f* Verschmutzung *f;* Verseuchung *f;* ~ *(de l'environnement)* Umweltverschmutzung *f;* ~ *nocturne* nächtliche(r) Samenerguß *m;* ~ *nucléaire* radioaktive Verseuchung *f;* ~ *sonore* Lärmbelästigung *f.*

polo [pɔlo] *m* Polo(spiel) *n;* Polomütze; *chemise f de* ~ Polohemd *n.*

polochon [pɔlɔʃɔ̃] *m fam* Kopfkissen *n,* -rolle *f.*

Pol|ogne, la [pɔlɔɲ] Polen *n;* **~onais, e** *a* polnisch; *P~, e s m f* Pole *m,* Polin *f; le p~* das Polnische; *f mus* Polonäse *f.*

poltron, ne [pɔltrɔ̃, -ɔn] *a* feige; *m f* Feigling, Hasenfuß *m;* **~nerie** *f* Feigheit *f.*

poly|andrie [pɔliɑ̃dri] *f* Vielmännerei *f;* **~carburant** *m mot* (Treibstoff-)Gemisch *n;* **~chrome** [-krom] polychrom, vielfarbig, bunt; **~chromie** [-krɔ-] *f* Vielfarbigkeit, Buntheit *f;* **~copiage** *m,* **~copie** *f* Vervielfältigung *f;* **~copié** *m* Skriptum *n;* **~copier** vervielfältigen; **~culture** *f* Anbau *m* verschiedener landwirtschaftlicher Erzeugnisse; Allgemeinbildung *f;* **~èdre** *a math* polyedrisch, vielflächig; *s m* Polyeder *n,* Vielflächner *m;* **~ester** [pɔljɛstɛr] *m* Polyester *m;* **~éthylène** *m* Polyäthylen *n;* **~game** *a* polygam; *s m* Polygamist *m;* **~gamie** *f* Vielweiberei; Mehrehe *f;* **~glotte** *a* mehrsprachig; Fremdsprachen-; *s m f* Sprachkundige(r *m*) *f;* **~gone** *m* Vieleck *n;* Artillerieschießplatz *m;* **~graphique** *a: industrie f* ~ graphische(s) Gewerbe *n;* **~mère** *a chem* polymer; **~mérie** *f* Polymerie *f;* **~mérisation** *f chem* Polymerisation *f;* **~morphe** *a* vielgestaltig; **~morphisme** *m* Polymorphismus *m.*

Poly|nésie, la [pɔlinezi] Polynesien *n;* **~nésien, ne** *a* polynesisch; *P~, ne s m f* Polynesier(in *f*) *m.*

polynôme [pɔlinom] *m math* Polynom *n,* vielgliedrige Größe *f.*

polype [pɔlip] *m zoo med* Polyp *m; med* Polypen *m pl.*

poly|phage [pɔlifaʒ] *a zoo* allesfressend; *m f* Vielfraß *m (Mensch);* **~phagie** *f* Freßsucht *f;* **~phasé, e** *a el* mehrphasig; **~phonie** *f (Buchstabe)* Verschiedenheit *f* der Aussprache; *mus* Polyphonie, Vielstimmigkeit *f.*

polypier [pɔlipje] *m zoo* Polypenstock *m.*

poly|pode [pɔlipɔd] *m bot* Tüpfelfarn *m;* **~sémie** *f* Polysemie, Mehrdeutigkeit *f;* **~sémique** polysem; **~styrène** *m: ~expansé (Warenzeichen)* Styropor *n;* **~syllab(iqu)e** *a* mehrsilbig; *s m* mehrsilbige(s) Wort *n;* **~technicien** [-tɛk-] *m* Schüler *m* der École polytechnique; **~technique** polytechnisch; **~théisme** *m rel* Polytheismus *m,* Vielgötterei *f;* **~théiste** *a* polytheistisch; **~valent, e** *a chem* mehrwertig; *med* mehrfach; *fig* vielseitig; *s m* Steuerprüfer *m; lycée* ~ Polytechnikum *n.*

pomm|ade [pɔmad] *f* Pomade, (Haar-)Salbe *f; être dans la* ~ *(fam fig)* in der Tinte, Patsche sitzen; *passer de la* ~ *à qn (fam)* jdm Honig ums Maul schmieren, schmeicheln; **~ader** mit Pomade ein=schmieren.

pommard [pɔmar] *m Art* gute(r) Burgunder(wein) *m*.

pomm|e [pɔm] *f* Apfel; (kugeliger) Knopf, Knauf; *(Kohl, Salat)* Kopf *m; aux ~s (pop)* piekfein, tipptopp; *vx envoyer des ~s cuites à qn (fig)* jdn aus=pfeifen, -zischen; *tomber dans les ~s (pop)* in Ohnmacht fallen; *ma ~ (pop)* ich; *~ d'Adam (anat)* Adamsapfel *m; ~ d'arrosoir* Brause(kopf *m*) *f; ~s blanchies* Salzkartoffeln *f pl; ~ à cidre, à couteau, d'été, d'hiver* Most-, Tafel-, Früh-, Winterapfel *m; ~ de discorde* Zankapfel *m; ~s frites* Pommes frites *f pl; ~s mousseline, neige* Kartoffelpüree *n*, -brei *m*, Quetschkartoffeln *f pl; ~ de pin* Tannenzapfen *m; ~s sautées* Brat-, Röst-, Schwenkkartoffeln *f pl; ~ de terre* Kartoffel *f; ~s de terre fourragères, à consommation animale* Futterkartoffeln *f pl; ~s de terre potagères* Speisekartoffeln *f pl; ~s de terre primeurs* Frühkartoffeln *f pl; ~s de terre en robe de chambre* Pellkartoffeln *f pl;* **~é, e** *a vx* Kopf-; Erz-; *s m* Art Apfelkuchen *m; chou m, laitue f ~(e)* Kopfkohl, -salat *m*.

pommeau [pɔmo] *m* (runder) Knopf; Knauf *m*.

pomm|elé, e [pɔmle] *(Himmel)* mit Schäfchenwolken bezogen; *cheval m blanc ~* Apfelschimmel *m (Pferd);* **~eler, se** sich mit Schäfchenwolken beziehen.

pommelle [pɔmɛl] *f* Seiher *m*.

pommer [pɔme] *(Kohl, Salat)* Köpfe an=setzen.

pommette [pɔmɛt] *f* kleiner (runder) Knopf; Backenknochen *m*.

pommier [pɔmje] Apfelbaum *m*.

pomologie [pɔmɔlɔʒi] *f* Obst(bau-)kunde *f*.

pomp|e [pɔ̃p] *f* **1.** Pomp, Prunk *m*, Pracht *f*, Gepränge *n;* **2.** Pumpe; Zapfstelle *f;* Vogelnäpfchen *n; pop* Schuh, Stiefel *m; arg (Schule)* Abschreiben *n; à toutes ~s (arg)* in rasender Eile; *avoir le coup de ~ (sport)* erschöpft sein; *~ à air, (à) pneumatique* Luftpumpe *f; ~ aspirante et foulante* Saug- u. Druckpumpe *f; ~ à bicyclette* Fahrradpumpe *f; ~ à chaleur* Wärmepumpe *f; ~ à essence* Benzinpumpe, Tank-, Zapfstelle *f; ~s funèbres* Beerdigungsinstitut *n; ~ à incendie* Feuerspritze *f;* **~é, e** *fam* ausgepumpt, erschöpft; **~er** *tr* (aus=)pumpen; *fig* an sich ziehen; ab=schreiben.

pompette [pɔ̃pɛt] *a fam* beschwipst.

pompeux, se [pɔ̃pø, -z] pomphaft, prunkvoll, pompös; *(Stil)* geschwollen, schwülstig.

pompier, ère [pɔ̃pje, -ɛr] *a (Kunst, Literatur) fam* schwülstig; *s m* Feuerwehrmann; Pumpenfabrikant; *pl* Feuerwehr *f*.

pompiste [pɔ̃pist] *m* Tankwart; Tankstellenbesitzer *m*.

pompon [pɔ̃pɔ̃] *m* Pompon *m*, Troddel *f; pop* Kopf *m; avoir le ~ (fam fig)* den Vogel ab=schießen; *avoir son ~ (pop)* blau, betrunken sein; *à lui le ~! (fam)* er hat den Vogel abgeschossen; **~ner** (mit Troddeln) verzieren.

ponçage [pɔ̃saʒ] *m* Abbimsen, -schleifen *n*.

ponce [pɔ̃s] *f (pierre f ~)* Bimsstein *m*.

ponceau [pɔ̃so] **1.** *s m* Klatschmohn *m; a inv* hochrot; **2.** *m* Durchlaß; Abzugskanal *m*.

poncer [pɔ̃se] ab=bimsen, -schleifen, poncieren; durch=pausen; **~eux, se** *a* bimssteinartig; *s f* Bandschleifmaschine *f*.

ponc|if [pɔ̃sif], **~is** [-si] *m* Schablone *f; fig* Abklatsch *m;* abgedroschene Redensart *f;* **~if, ive** *a* schablonenhaft; abgedroschen.

ponction [pɔ̃ksjɔ̃] *f med* Punktur *f*, Einstich *m; fig* Entnahme *f;* **~ner** [-sjɔ-] punktieren, e-n Einstich machen (*qc* in etw).

ponct|ualité [pɔ̃ktɥalite] *f* Pünktlichkeit *f;* **~uation** *f gram* Interpunktion, Zeichensetzung *f;* **~uel, le** pünktlich; Punkt-; **~uer** *gram* mit Satzzeichen versehen; *fig* markieren, unterstreichen.

pondaison [pɔ̃dɛzɔ̃] *f* Eierlegen *n;* Legezeit *f*.

pond|érabilité [pɔ̃derabilite] *f* Wägbarkeit *f;* **~érable** wägbar; **~éral, e** *a* Gewichts-; **~érateur, trice** *a* ausgleichend; mäßigend; **~ération** *f* Gleichgewicht *n fig;* Ausgeglichenheit, Ausgewogenheit, Harmonie; *(Statistik)* Gewichtung *f;* **~éré, e** *a* ausgeglichen, ausgewogen, harmonisch; gemäßigt; **~érer** ab=wägen; bewerten; aus=gleichen, gerecht verteilen; mäßigen; **~éreux, se** schwer *(von Lasten)*.

pon|deur, se [pɔ̃dœr, -øz] *a* eierlegend; *s m fig pop (~ de prose)* Vielschreiber *m; f* Legehenne *f*, -huhn *n; fam* Gebärmaschine *f;* **~doir** *m* (Hühner-)Nest *n;* Brüterei *f;* **~dre** (Eier) legen; (Kind) kriegen; *fig* verfassen.

poney [pɔne] *m* Pony *n*.

pongiste *m f* Tischtennisspieler(in *f*) *m*.

pont [pɔ̃] *m* Brücke *f; mar* Deck *n;* (Hosen-)Latz *m*, Klappe *f; constituer, créer une tête de* ~ e-n Brückenkopf bilden; *couper tous les ~s (fig)* alle Brücken ab=brechen; *couper dans le ~ (fig pop)* sich übers Ohr hauen lassen; *faire le* ~ an e-m Werktag zwischen zwei Feiertagen nicht arbeiten; *faire le ~ à qn* sich für jdn ins Zeug legen; *faire un ~ d'or à qn* jdn mit Geld zum Annehmen eines Postens reizen, jdm e-n finanziellen Anreiz bieten; *jeter, lancer un ~ (a. fig)* e-e Brücke schlagen; *replier un* ~ e-e Brücke ab=brechen; *servir de* ~ als Übergang *od* Vermittler dienen; *bataillon m d'équipage de ~s (mil)* Brückenbataillon *n;* ~ *aérien* Luftbrücke *f;* ~ *aux ânes (fig)* Eselsbrükke *f; c'est le ~ aux ânes* das kann (doch) jeder; ~-aqueduc, ~-canal m Aquädukt *m;* ~ *en arc* Bogen-, Stützbrücke *f;* ~ *arrière (mot)* Hinterachse *f; mar* Achterdeck *n;* ~ *d'atterrissage (Flugzeugträger)* Landungsbrücke *f;* ~ *d'autoroute* Autobahnbrücke *f;* ~ *(à moteur) avant (mot)* Vorderradantrieb *m;* ~ *basculant, à bascule* Schaukel-, Klapp-, Faltbrücke *f;* ~ *à bascule* Brückenwaage *f;* ~ *de bateaux, de pontons* Schiffs-, Pontonbrükke *f;* ~ *en béton (armé, précontraint)* (Stahl-, Spann-)Betonbrücke *f;* ~ *cantilever, à consoles* Pfeilerbrücke *f;* ~ *en chaînes* Kettenbrücke *f;* ~ *de chargement* Verladebrücke *f;* ~*s et chaussées* Straßenbauamt *n;* ~ *de chemin de fer* Eisenbahnbrücke *f;* ~ *de circonstance* Behelfsbrücke *f;* ~ *de décharge (tech)* Sturzbühne *f;* ~ *dormant* Durchlaß *m (einbogige Brücke);* ~ *élévateur (mot)* Hebebühne *f;* ~ *d'embarquement* Schiffsverladebrücke *f;* ~ *d'envol (Flugzeugträger)* Startbahn *f;* ~ *en fer et en acier, métallique* Eisenbrücke *f;* ~*-levis m hist* Zugbrücke *f;* ~ *en maçonnerie* Steinbrücke *f;* ~ *roulant* Laufkran *m;* ~*-route m* Straßenbrücke *f;* ~ *suspendu* Hängebrücke *f;* ~ *de terre (geog)* Landbrücke *f;* ~ *tournant* Drehbrücke, *loc* -scheibe *f;* ~ *transbordeur* Schiebebrücke, Verschiebebühne *f;* **~age** [-taʒ] *m* Brückenbau *m*.

ponte [pɔ̃t] **1.** *m* Gegenspieler *m; fam* hohe(s) Tier *n;* **2.** *f* (Eier-)Legen *n;* Legezeit *f;* gelegte Eier *n pl;* Gelege *n*.

ponter [pɔ̃te] **1.** *(Schiff)* mit e-m Deck versehen; **2.** *(Geld)* setzen.

pontet [pɔ̃tɛ] *m (Gewehr)* Abzugsbügel *m*.

pont|ife [pɔ̃tif] *m* (Hohe(r)-)Priester; Kirchenfürst; *fig fam* (Literatur-) Papst *m; souverain* ~ Papst *m;* **~ifical, e** *a* bischöflich; päpstlich; pontifikal; Pontifikal-; **~ificat** [-ka] *m* Papstwürde *f;* Pontifikat *n;* **~ifier** [-fje] *rel* ein Pontifikalamt halten; *fam fig* feierlich reden; würdevoll auf=treten.

ponton [pɔ̃tɔ̃] *m* Ponton-, Schiffsbrükke *f;* **~age** *m* Brücken-, Fährgeld *n;* **~nier** [-je] *m* Brückenzolleinnehmer; *mil* Pionier *m*.

pool [pul] *m* Pool *m*, Geschäftsgemeinschaft *f;* ~ *agricole, charbon-acier* Landwirtschafts-, Montanunion *f;* ~ *dactylographique* Schreibsaal *m*.

pop [pɔp] *a inv* Pop-; *s m* Pop *m*.

pope [pɔp] *m rel* Pope *m*.

popeline [pɔplin] *f* Popelin(e *f*) *m (Stoff)*.

poplité, e [pɔplite] *a anat* Kniekehl-; *creux m* ~ Kniekehle *f*.

popote [pɔpɔt] *f pop* Suppe; *fam* Küche *f*, Haushalt *m;* Gemeinschaftstafel, -küche *f; mil* Kasino *n; a* häuslich, gemütlich; *faire* ~ *ensemble* e-n gemeinsamen Haushalt führen.

pop|ulace [pɔpylas] *f* Pöbel *m;* **~ulacier, ère** pöbelhaft; Pöbel-; **~ulaire** *a* Volks-; volkstümlich; populär, beliebt; *s m* niedrige(s) Volk *n; f (Stadion, Rennbahn)* billige(r) Platz *m; la Chine* ~ Volkschina *n; gouvernement, État m* ~ Volksregierung *f*, -staat *m; république f* ~ Volksrepublik *f;* **~ularisation** *f* Popularisierung; weite Verbreitung *f* im Volk; **~ulariser** popularisieren; volkstümlich, gemeinverständlich machen, unters Volk bringen; **~ularité** *f* Beliebtheit, Volkstümlichkeit, Popularität *f;* **~ulation** *f* Bevölkerung; Einwohnerzahl; ~ *de* ... Zahl *f* der ...; *accroissement m de la* ~ Bevölkerungszunahme *f; excédent m de* ~ Bevölkerungsüberschuß *m; recensement m (de la ~)* Volkszählung *f;* ~ *active, à charge* erwerbstätige, zu ernährende B.; ~ *autochtone* Urbevölkerung *f;* ~ *de la campagne, des villes* od *urbaine* Land-, Stadtbevölkerung *f;* ~ *scolaire* Schülerzahl *f;* **~uleux, se** dichtbevölkert; **~uliste** *a: parti m* ~ u. *s m pl* Volkspartei *f;* **~ulo** *m fam* Pöbel, Mob *m;* Menge *f*.

porc [pɔr] *m* Schwein(efleisch) *n a. fig;* ~*-épic* [pɔrkepik] *m zoo* Stachelschwein *n*.

porc|elaine [pɔrsəlɛn] *f* Porzellan(geschirr) *n;* **~elainier, ère** *a* Porzellan-; *s m* Porzellanarbeiter, -fabrikant, -händler *m.*

porc|elet [pɔrsəlɛ] *m* Ferkel *n;* **~in, e** [-sɛ̃, -in] *a* Schweine-; *s m pl com* Schweine(bestand *m*) *n pl; race f ~e* Schweinerasse *f.*

porchaison [pɔrʃɛzɔ̃] *f* Feistzeit *f* d. Wildschweine.

porche [pɔrʃ] *m* Portalvorbau *m,* Vorhalle *f.*

porch|er, ère [pɔrʃe, -ɛr] *s m f* Schweine-, Sauhirt(in *f*) *m;* **~erie** [-ʃə-] *f* Schweinestall *m a. fig.*

pore [pɔr] *m anat* Pore *f;* **~eux, se** porös, löcherig; *min* luckig.

porion [pɔrjɔ̃] *m min* Steiger *m.*

porosité [pɔrɔzite] *f* Porosität, Durchlässigkeit *f.*

porno [pɔrno] *fam a* Porno-, pornographisch; *s m* Porno *m;* **~graphie** *f,* Pornographie *f;* **~graphique** pornographisch.

porphyr|e [pɔrfir] *m min* Porphyr *m;* **~ique** porphyrartig, -haltig.

por|racé, e [pɔrase] grasgrün; **~eau** *m s. poireau.*

port [pɔr] *m* **1.** Hafen(stadt *f*); *fig* Hafen, Zufluchtsort *m;* **2.** Tragen *n;* Porto *n;* Fracht *f,* Fuhrlohn; *bot* Wuchs *m; mar* Tragfähigkeit *f,* Stauvermögen *n; arriver à bon ~ (fig)* im sicheren Hafen landen; sein Ziel erreichen; *entrer au ~* in den Hafen ein=laufen; *faire escale dans un ~* e-n Hafen an=laufen; *faire naufrage au, échouer en vue du ~ (fig)* kurz vor dem Ziel scheitern; *quitter le ~* aus dem Hafen aus=laufen; *autorités f pl, règlements m pl du ~* Hafenbehörden *f pl,* -ordnung *f; frais pl de ~* Portospesen *pl,* -auslagen *f pl; franc de ~* portofrei; *lettre f officielle en ~ dû* portopflichtige Dienstsache *f; droits m pl, police f de ~* Hafengebühren *f pl,* -polizei *f; ~ aérien* Flughafen *m; ~ d'armes* Waffentragen *n; (permis m de ~)* Waffenschein *m;* Schultern *n* des Gewehres; *~ d'attache, d'enregistrement* Heimathafen *m; ~ de départ, de destination* Ausgangs-, Bestimmungshafen *m; ~ douanier, franc* Zoll-, Freihafen *m; ~ dû* unfrankiert, portopflichtig; *~ fluvial* Binnenhafen *m; ~ en lourd* Ladungsfähigkeit *f; ~ de guerre, marchand* od *de commerce, de mer, de pêche* Kriegs-, Handels-, See-, Fischereihafen *m; ~ obligatoire de la ceinture de sécurité* Anschnallpflicht *f; ~ de tête* Kopfhaltung *f; ~ de transbordement* Umschlaghafen *m; ~ de voix (mus)* Portament *n.*

portable [pɔrtabl] *a* zu tragen(d); *dette f ~* Bringschuld *f.*

portage [pɔrtaʒ] *m* Tragen *n;* Lieferung *f.*

portail [pɔrtaj] *m arch* Portal *n.*

portance [pɔrtɑ̃s] *f aero* Auftrieb *m.*

port|ant, e [pɔrtɑ̃, -t] *a tech* tragend; *s m* (Koffer-)Griff; Träger *m,* Stütze *f; (Magnet)* Anker *m; à bout ~* in nächster, ganz aus der Nähe; *être bien (mal) ~* (nicht) gesund, wohlauf sein; *~ de soi-même* selbsttragend; **~atif, ive** (leicht) zu tragen, beweglich; *(Buch)* in Taschenformat, Taschen-; Trag(e)-; *force f ~ive* Tragfähigkeit, -kraft *f.*

porte [pɔrt] *f* Tür *f,* Tor *n,* Pforte *f;* Eingang *m;* Stadttor; *fig* Tor *n* (*de* zu); *meist pl geog* (Eng-)Paß *m,* Schlucht *f; à la ~* an, vor der Tür; *à la ~, aux ~s de ...* dicht, nahe bei, an *dat; ~ à ~* ganz in der Nähe; *à ~ close* insgeheim, heimlich; *de ~ à ~ (com)* von Haus zu Haus; *de ~ en ~* von Haus zu Haus *(gehen); en ~ à ~* freitragend; *sur le pas* od *sur le seuil de la ~* auf der Türschwelle; *n'avoir fait qu'apercevoir qn entre deux ~s* jdn nur flüchtig gesehen haben; *enfoncer une ~ ouverte (fig)* offene Türen ein=rennen; *fermer la ~ sur qn* die Tür hinter jdm zu=machen; *fermer à qn la ~ au nez* jdm die Tür vor der Nase zu=machen, -schlagen; *fermer, (faire) refuser, défendre sa ~ à qn* jdm das Haus verbieten; *forcer la ~ de qn* sich bei jdm Zugang verschaffen; *frapper à la ~ de qn (fig)* bei jdm an=klopfen, anfragen; *gagner, prendre la ~* das Weite suchen; *habiter ~ à ~* nebeneinander wohnen; *journée ~s ouvertes* Tag *m* der offenen Tür; *mettre, jeter qn à la ~* jdn hinaus=werfen; *mettre la clef sous la ~* heimlich (ohne zu zahlen) aus=ziehen, verschwinden; *ouvrir, fermer une ~* e-e Tür öffnen *od* auf=machen, schließen *od* zu=machen; *se présenter à la ~ de qn* sich bei jdm sehen lassen, bei jdm vor=sprechen; *trouver ~ close (fig)* vor verschlossene Türen kommen; *à la ~!* hinaus (mit ihm)! *toutes les ~s lui sont ouvertes (fig)* ihm stehen alle Türen offen; *baie f, battant, panneau m, poignée f, seuil m de ~* Türöffnung *f,* -flügel *m,* -füllung *f,* -griff *m,* -schwelle *f; système m de la ~ ouverte* Politik *f* der offenen Tür; *veine f ~ (anat)* Pfortader *f; ~ en accordéon, à soufflet* Harmonikatür *f; ~ d'appartement* Wohnungs-, Korridortür *f; ~ de balcon* Balkontür *f; ~ basculante* Klapptor *n; ~ à deux* *battants* Flügeltür *f;* ~ *blindée, cuirassée* Panzertür *f;* ~ *de cave* Kellertür *f;* ~ *de chambre* Zimmertür *f;* ~ *à claire-voie* Lattentür *f;* ~ *cochère* Toreinfahrt *f;* ~ *à coulisse, coulissante, à glissière, glissante, roulante* Schiebetür *f;* ~ *de derrière* Hintertür *f a. fig;* ~ *descendante* Falltür *f;* ~ *d'écluse* Schleusentor *n;* ~ *d'entrée* Eingangstür *f;* ~*-fenêtre f,* ~ *vitrée* Glastür *n;* ~ *de garage* Garagentor *n;* ~ *de glacier* Gletschertor *n;* ~ *de grille* Gittertür *f,* -tor *n;* ~ *tournante, pivotante* Drehtür *f;* ~ *monumentale* Triumphbogen *m; la (sublime) P*~ die (Hohe) Pforte *(hist).*

porte|-affiches [pɔrtafiʃ] *m inv* Anschlagtafel *f,* Schwarzes Brett *n;* **~-aéronefs** *m inv* Flugzeugträger *m;* **~-aiguilles** *m inv* Nadelbüchse *f,* -kissen *n;* **~-assiette** *m inv* Telleruntersatz *m;* **~-avions** *m inv* Flugzeugträger *m;* **~-bagages** *m inv (Auto)* Kuli *m; (Fahrrad)* Gepäckträger *m;* **~-bât** *m* Lasttier *n (mit Packsattel); fig* Packesel *m;* **~-bébé** *m* Babytrage *f;* **~-billets** *m inv* (kleine) Brieftasche *f;* **~-bonheur** *m inv* Glücksbringer, Talisman *m,* Amulett *n;* **~-bouquet** *m* (kleine) Blumenvase *f;* **~-bouteilles** *m inv* Flaschenuntersatz; Flaschenschrank *m,* -gestell *n;* **~-cadenas** *m inv* Überfall *m (an e-r Tür);* **~-cartes** *m inv* Kartentasche; Ausweishülle *f;* Visitenkarteetui *n;* **~-cigar(ett)e** *m* Zigarren-(Zigaretten-)Spitze *f;* ~*s m inv* Zigarren-(Zigaretten-)Etui *n;* **~-clefs** *m inv* Schlüsselbund *m* od *n,* -ring; Gefangenenwärter *m;* **~-copie** *m inv* Manuskript-, Stenogrammhalter *m;* **~-couteau** *m inv* Messerbänkchen *n;* **~-crayon** *m inv* Bleistifthalter *m;* **~-documents** *m inv* Kollegmappe *f;* **~-drapeau** *m inv* Fahnenträger *m a. fig;* **~-étiquettes** *m inv* Zettelhalter *m;* **~-fard** *m inv* Puderdose *f;* **~-à-faux** [pɔrtafo] *m inv* Überkragung *f; en* ~ freitragend; *fig* in e-r heiklen Lage; **~-filière** *m inv tech* Schneidkluppe *f;* **~-flambeau** *m inv* Fackelträger *m;* **~-gâteau** *m inv* Kuchenständer *m;* **~-jarretelles** *m inv* Strumpfhaltergürtel *m;* **~-journaux** *m inv* Zeitungsspanner *m;* **~-malheur** *m inv* Unglücksbote *m;* **~-mine** *m inv* Füllbleistift *m;* ~ *à quatre couleurs* Vierfarbenstift *m;* ~ *à répétition* Druckstift *m;* ~ *à vis* Drehbleistift *m;* **~-monnaie** *m inv* Geldbeutel *n;* **~-mousqueton** *m inv* Karabinerhaken *m;* **~-musique** *m inv* Notenmappe *f;* **~-outil** *m inv* Werkzeughalter *m;* **~-parapluies** *m inv* Schirmständer *m;* **~-parole** *m inv* Wortführer; Fürsprecher *m;* Pressesprecher *m;* ~ *du gouvernement* Regierungssprecher *m;* **~-plante** *m inv* Blumenständer *m;* **~-plat** *m inv* Schüsseluntersatz *m;* **~-plume** *m inv* Federhalter; ~ *(à) réservoir* Füllfederhalter *m;* **~-savon** *m inv* Seifenschale, -dose *f;* **~-scie** *m inv* Sägebock *m;* **~-serviettes** *m inv* Handtuchhalter *m;* **~ski** *m* Schiständer *m;* **~-toast** *m* Toastständer *m;* **~-vent** *m inv* Windfang *m; (Orgel)* Windlade *f;* **~-vêtements** *m inv* Kleiderbügel, -haken *m;* **~-voix** *m inv* Sprachrohr *n.*

port|é, e [pɔrte] *a* geneigt, aufgelegt (*à* zu); *mil* aufgesessen; *s m (Kleidung)* Sitz *m,* Paßform *f; être* ~ *sur* ... e-e große Vorliebe haben für ...; *ombre f* ~*e* Schlagschatten *m.*

portée [pɔrte] *f zoo* Tracht *f,* Wurf *m;* Trächtigkeitsdauer; Schuß-, Reichweite *f; fig* Bereich *m;* Tragweite, Bedeutung *f;* Verstand *m,* Fassungskraft *f,* Horizont *m;* (Leistungs-)Fähigkeit *f;* (pekuniäre) Verhältnisse *n pl; mus* Notensystem *n,* -linien *f pl; mar* Tragfähigkeit; *radio* Reichweite; *el tele* Standweite *(der Masten); tech* Spann-, Stützweite; Kernmarke *f;* Lager *n; (Zylinder)* Lauffläche; *arch* Spannweite; Innenweite *f (e-s Raumes); à* ~ *(de)* in Reich-, Schuß-, Sehweite; nah; *à (la)* ~ *de* ... verständlich, faßlich für ...; *à grande* ~ *(Geschütz)* weittragend; *à* ~ *libre* freitragend; *à* ~ *de la main* greifbar, zur Hand; *sans* ~ *(Grund)* unzureichend; *allg* ohne Bedeutung, belanglos; *être à* ~ *du regard, de la vue* sich in Sehweite befinden; *se mettre à la* ~ *de qn* sich für jdn verständlich aus=drükken; *c'est à ma* ~ das habe ich bei der Hand; das kann ich mir leisten; das verstehe ich; *c'est hors de ma* ~ das ist mir zu hoch, geht über meinen Horizont; ~ *d'émission (radio)* Sende-, Strahlungsbereich *m;* ~ *de main* Reichweite *f;* ~ *de mesure* Meßbereich *m;* ~ *des ondes (radio)* Wellenbereich *m;* ~ *d'ouïe* Hörweite *f;* ~ *de radar (aero)* Rückstrahlweite *f;* ~ *de voix* Rufweite *f;* ~ *de vue* Sehweite *f.*

porte|faix [pɔrtəfɛ] *m* Gepäck-, Lastträger; *fig* Grobian *m;* **~feuille** *m* Brieftasche *f,* Portefeuille *n* (Akten-)Mappe *f; com* Wertpapiere *n pl;* Wechselbestand; *pol* Geschäftsbereich *m; ordres m pl* ~ vorliegende Aufträge *m pl; jupe f* ~ Wickelrock *m; ~-chèques, ~-devises m,* Scheck-, Devisenbestand *m;* **~manteau** *m* Garderobe *f;* Garderobenständer *m;* (Reise-)Koffer; *mar* Davit, Schiffskran *m;* **~ment** *m:* ~ *de croix (Kunst)* Kreuztragung *f.*

port|er [pɔrte] *tr* tragen; *(Kleidungsstück)* an=haben, tragen; *(Eigenschaft)* haben; bringen, (hin=)schaffen; überbringen, -mitteln; führen, treiben; bringen, verleiten (*à* zu); *(Augen)* richten; *(Aufmerksamkeit)* lenken; aus=dehnen, sich erstrecken lassen; verlegen (*de ... à* von *dat ...* auf *acc*); zurück=führen (*jusqu'à* (bis) auf *acc*); (hinein=)stecken; *(Schlag)* versetzen; *(Anschuldigung)* erheben; ein=richten, schaffen, heraus=bringen; verfügen, erlassen; *(schriftl.)* auf=führen; setzen (*à* in *acc,* auf *acc*); an=setzen, schätzen (*à* auf *acc*); an=geben mit; ein=schätzen, werten; erhöhen (*à* auf *acc*); aus=gleichen, aus=machen, betragen; führen (*à* zu), nach sich ziehen; (be)sagen, lauten; erklären; *com* ein=tragen, buchen, gut=schreiben; *tech* reiben; erwärmen (*à* bis zu); *itr arch* ruhen, auf=liegen, auf=sitzen (*sur* auf *dat*); *(weit)* reichen, sich erstrecken, tragen; Wirkung, Klang haben, wirken; beeindrucken (*sur qn* jdn); *(Grund)* aus=reichen, stichhaltig sein; tragen, halten; *(Tiere)* tragen, trächtig sein; berühren, stoßen (*sur* gegen); sich erstrecken (*sur* auf *acc*); hin=führen, hinaus=laufen (*à* auf *acc*); sich belaufen (*sur* auf *acc*); im Wappen führen (*de qc* etw); *(Ziel)* treffen (*sur qc* etw); *mar* gehen (*à* in Richtung); *(Segel)* sich blähen; *s m (Kleidung)* Tragen *n; se* ~ sich befinden; sich begeben, gehen (*vers* zu, nach); sich zu=wenden (*sur qn* jdm), sich hin=geben (*à, vers* dat); strömen (*à* zu, nach); *fig* sich hin=reißen, verleiten lassen (*à* zu); auf=treten; sich aus=geben (*qc* als *acc*); *l'un ~ant l'autre, le fort ~ant le faible* mit gegenseitiger Unterstützung; *se faire ~ malade* sich krank melden; *pouvoir ~ haut la tête (fig)* e-e reine Weste, ein reines Gewissen haben; ~ *à l'actif (com)* gut=schreiben; *fig* zugute halten; ~ *amitié à qn* Freundschaft für jdn hegen; ~ *l'appel devant ... (jur)* Berufung ein=legen bei ...; ~ *les armes* unter den Waffen stehen; Soldat, im Krieg sein; ~ *atteinte à qc* etw beeinträchtigen; ~ *en avant (mil)* vor=verlegen; *se ~ en avant* vor=rücken, vor=stoßen; ~ *à l'avoir, au crédit (com)* gut=bringen, -schreiben; ~ *bateau* schiffbar sein; ~ *à blanc* in Weißglut bringen; ~ *bonheur, malheur* Glück, Unglück bringen; *se ~ candidat* kandidieren; ~ *qn dans son cœur* jdn in sein Herz geschlossen haben; ~ *en compte* in Rechnung stellen; ~ *à compte nouveau* auf neue Rechnung vor=tragen; ~ *condamnation* e-e Verurteilung aus=sprechen; ~ *à la connaissance de qn* jdm zur Kenntnis geben; ~ *un coup à qn* jdm e-n Schlag versetzen; ~ *sa croix (fig)* s-e Last tragen; ~ *la culotte (Frau)* die Hosen an=haben; ~ *le deuil* Trauer(kleidung) tragen; ~ *disparu* als vermißt melden; ~ *à domicile* ins Haus liefern; ~ *à l'écran* verfilmen; *se ~ à une élection* sich als Wahlkandidat auf=stellen lassen; ~ *envie à qn* jdn beneiden; ~ *à faux* schräg, schief stehen; *arch* vor=springen; *fig* nicht stichhaltig, abwegig sein; ~ *à fond* senkrecht auf s-m Fundament stehen; *se ~ fort, garant pour qn, de qc* für jdn, für etw bürgen; ~ *intérêt* Zinsen bringen; ~ *intérêt à qn* jdm Interesse entgegen=bringen; ~ *un jugement* ein Urteil fällen; ~ *aux livres* buchen; ~ *la main sur qn* gegen jdn die Hand erheben; ~ *la mention* den Vermerk tragen; ~ *sur les nerfs* auf die Nerven gehen; ~ *une nouvelle* e-e Nachricht bringen; ~ *aux nues* in den Himmel heben; ~ *à l'ordre du jour* auf die Tagesordnung setzen; ~ *ses pas* s-e Schritte lenken; ~ *pavillon de ... (mar)* unter der ... Flagge segeln; ~ *la peine de* büßen für; ~ *plainte contre qn* jdn verklagen; ~ *plainte pénale* Strafantrag stellen; ~ *préjudice à qn* jdm Schaden zu=fügen, für jdn nachteilig sein; *(se) ~ à la rencontre de (aero)* entgegen=fliegen *dat;* ~ *à la réserve* in Reserve stellen; ~ *respect à qn* jdm Achtung entgegen=bringen; ~ *la robe, la soutane* Beamter, Geistlicher sein; ~ *la santé de qn* auf jds Gesundheit trinken; ~ *une signature* e-e Unterschrift tragen; ~ *sur soi* bei sich haben; *min* führen; ~ *témoignage* Zeugnis ab=legen; ~ *en terre* zu Grabe tragen; ~ *à la tête (Wein)* zu Kopf steigen; ~ *la tête haute* den Kopf in den Nacken werfen, hoch tragen; ~ *un toast* e-n Toast aus=bringen; ~ *à valoir sur* in Zahlung geben für; ~ *ses vues bien haut* s-e Ziele recht hoch stecken; *il ~e bien son âge* er ist für sein Alter noch frisch, rüstig; man sieht ihm sein Alter nicht an; *je me ~e bien, mal* es geht mir (gesundheitlich) gut, schlecht; *le choix s'est ~é sur lui* die Wahl ist auf ihn gefallen;

cela ~e au cœur dabei wird e-m übel; *sur quoi ~e votre critique?* worauf bezieht sich Ihre Kritik? *la nuit ~e conseil (prov)* guter Rat kommt über Nacht; **~eur, se** *s m f* (Last-)Träger; Dienstmann; Überbringer, Inhaber(in *f*) *m (a. e-s Ausweises); par ~* durch Boten; *être au ~* auf den Inhaber lauten; *chèque m au ~* Inhaberscheck *m; payable au ~* zahlbar an den Inhaber; *~ aménagé (loc)* pa-Großbehälter *m; ~ de télégrammes* Telegraphenbote *m.*

port|ier, ère [pɔrtje, -ɛr] *s m f* Portier(frau *f*); Hausmeister *m; f* (Wagen-)Tür *f;* Kutschenschlag *m;* Portiere *f,* Türvorhang *m; a f agr* zuchtfähig; **~illon** [-jɔ̃-] *m* Türchen *n; loc* kleine Gittertür *f; ça se bouscule au ~ (pop)* er (sie) stottert.

portion [pɔrsjɔ̃] *f* Teil *m;* Ration, (Essens-)Portion *f; ~ héréditaire (jur)* Erbteil *n; ~ légitimaire (jur)* Pflichtteil *m od s;* **~naire** [-sjɔ-] *m* Erbberechtigte(r) *m.*

portique [pɔrtik] *m* Säulengang *m,* -halle; Bahnsteighalle *f; sport* Balkengerüst *n.*

portland [pɔrtlɑ̃d] *m* Portlandzement *m.*

porto [pɔrto] *m* Portwein *m.*

portrait [pɔtrɛ] *m* Porträt, Bild(nis); *fig* Ebenbild; Abbild *n;* (getreue) Wiedergabe *f;* (Charakter-)Bild *n;* Schilderung; *vulg* Fresse, Schnauze *f; endommager le ~ de qn (vulg)* jdm die Schnauze ein=schlagen; *il est le ~ de son père* er ist s-m Vater wie aus dem Gesicht geschnitten; *~-charge m* Zerrbild *n,* Karikatur *f; ~ de famille* Ahnenbild *n; ~ en pied* Bildnis *n* in ganzer Figur; *~-robot m* Phantombild *n;* **~iste** [-tist] *m* Porträtmaler *m;* **~urer** porträtieren.

portuaire [pɔrtɥɛr] *a* Hafen-; *contrôle, service, ouvrier m ~* Hafenüberwachung, -behörde *f,* -arbeiter *m.*

portug|ais, e [pɔrtygɛ, -ɛz] *a* portugiesisch; *le ~* (das) Portugiesisch(e); *P~, e s m f* Portugiese *m,* Portugiesin *f;* **P~al, le** Portugal *n.*

pos|e [poz] *f* Legen, Setzen, Stellen *n;* Aufstellung, Anbringung *f;* (Plakat-) Anschlag *m; (Kabel)* Verlegen; *(Knopf)* Annähen *n;* Pose, (Körper-) Haltung, Stellung; Affektiertheit, Geziertheit, Effekthascherei *f;* Dünkel *m;* Sitzung *f (beim Maler); mil* Postenstehen *n; phot* (Zeit-)Aufnahme; Belichtung(szeit) *f; indicateur m de temps de ~ (phot)* Belichtungstabelle *f; ~ des enduits (Bau)* Verputzen *n; ~e-mines m* Minenleger *m; ~ de la première pierre* (feierl.) Grundsteinlegung *f; ~ de tuyaux* Rohrverlegung *f;* **~é, e** *a fig* gesetzt, ernst, ruhig, bedächtig; *(Frage)* gut überlegt; *voix f ~e* feste Stimme *f;* **~emètre** *m* Belichtungsmesser *m;* **~er** *tr* legen, setzen, stellen; nieder=, ab=legen; *(Hörer)* auf=legen; *(Scheibe)* ein=setzen; ab=, weg=, auf=stellen; an=ordnen, (her=)richten, arrangieren, an=bringen, befestigen; *el* verlegen; (nieder=) schreiben; fest=setzen, bestimmen; *(Knopf)* an=nähen; *(Person)* etablieren, in den Vordergrund rücken, Ansehen verschaffen (*qn* jdm); *fig* (den Fall) setzen, an=nehmen, die Annahme machen; (auf=)stellen; *(Ziel)* stekken; *phot* belichten; *(aero)* auf=setzen; *itr* (be)ruhen (*sur* auf *dat*); *(Kunst)* posieren, sitzen; Modell stehen; *fig* sich affektiert benehmen, nach Effekt haschen; wichtig tun; *fig fam* warten; *se ~ (fig)* auf=treten, sich aus=geben, sich auf=spielen (*en* als); *(Blick)* fallen; *aero* landen, nieder=gehen; *faire ~ (fam)* warten lassen; hinters Licht führen; *~ des affiches* Plakate, Zettel an=schlagen; *~ les armes* die Waffen nieder=legen, sich ergeben; *~ sa candidature* kandidieren; *~ les fondements* den Grundstein legen; *~ un lapin à qn (fam)* jdn versetzen; *~ le masque (fig)* die Maske fallen=lassen; *~ une question* e-e Frage stellen; *~ des rideaux* Gardinen auf=hängen; *se ~ train rentré (aero)* e-e Bauchlandung machen; **~eur, se** *s m f* Bruchsteinmaurer; *loc* Schienenleger; *fig* Angeber(in *f*), Wichtigtuer *m; a fam* angeberisch; *~ de parquet* Parkettleger *m; ~ de bombes* Bombenleger *m.*

positif, ive [pɔzitif, -iv] *a* positiv *a. math gram el;* bejahend; sicher, bestimmt, feststehend; auf Tatsachen beruhend; bestehend, geltend *(bes. Recht);* tatsächlich, wirklich; zuverlässig; *(Person)* realistisch, nüchtern; praktisch; *s m* (das) Wirkliche, Tatsächliche; *phot* Positiv *n; (degré m) ~ (gram)* Positiv *m; épreuve f ~ive (phot)* Abzug *m; ~ sur verre* Dia(positiv) *n.*

position [pozisjɔ̃] *f* Lage; Stellung *a. mil,* Position; *math* Setzung *f; (~ du tireur)* Anschlag; *aero* Standort *m; aller occuper une ~ (mil)* e-e Stellung beziehen; *être en ~ de* in der Lage sein zu; *être dans une ~ intéressante (fam)* in anderen Umständen sein; *prendre ~* Stellung nehmen *od* beziehen (*pour, contre* für, gegen); *signaler la ~ (aero)* den Standort an=

geben; *changement m, guerre f de ~ (mil)* Stellungswechsel, -krieg *m; détermination f de la ~* Standortbestimmung *f; feux m pl de ~ (mar)* Positionslaternen *f pl; mot* Standlicht *n; prise f de ~* Stellungnahme *f; ~ aménagée, organisée* ausgebaute Stellung *f; ~ arrière* rückwärtige Stellung *f; ~ d'attente, en bretelle* Bereitschafts-, Riegelstellung *f; ~(-)clé f* Schlüsselstellung *f; ~ de confiance* Vertrauensstellung *f; ~ défensive* Verteidigungsstellung *f; ~ de départ, initiale* Ausgangsstellung *f; ~ dirigeante* leitende, führende Stellung *f; ~ de longue durée* Dauerstellung *f; ~ d'équilibre* Gleichgewichtslage *f; ~ en flèche* Spitzenstellung *f; ~ de monopole (com)* Monopolstellung *f; ~ permanente* Lebensstellung *f; ~ de place* Markt-, Börsenlage *f; ~ principale* Hauptkampfgebiet *n; ~ de repos* Ruhestellung *f; ~ sociale* gesellschaftliche Stellung *f; ~ spéciale* Sonderstellung *f; ~ de tir* Feuerstellung *f; ~ du tireur couché, à genou, debout (mil)* Anschlag liegend, kniend, stehend; *~ de vol* Fluglage *f.*

positi|visme [pozitivizm] *m (Philosophie)* Positivismus *m;* **~viste** *a* positivistisch; *s m f* Positivist(in *f*) *m.*

posit(r)on [pozit(r)ɔ̃] *m phys* Positron *n.*

poss|édé, e [pɔsede] *a* besessen, beherrscht (*de* von); *s m f* Besessene(r *m*), Verrückte(r *m*) *f;* **~éder** besitzen, in Besitz haben; *fam (Menschen)* bei sich haben; *fig* inne=haben; *(Sprache)* beherrschen; *(Gebiet)* gründlich kennen; Besitz ergriffen haben (*qc* von etw); *fam* hinters Licht führen, hintergehen, täuschen; *se ~ (fig)* sich beherrschen, sich zs.=nehmen, sich fassen; *~ de bonne foi (jur)* gutgläubig besitzen; *~ le cœur, les bonnes grâces de qn* jds Herz, Zuneigung besitzen, bei jdm gut angeschrieben sein; *ne pas se ~ de joie* vor Freude außer sich sein; **~esseur** *m* Besitzer, Inhaber *m; ~ (il)légitime* (un-)rechtmäßige(r) Besitzer *m; ~ de voiture* Wagenbesitzer *m;* **~essif, ive** *a gram* besitzanzeigend, Possessiv-; *s m* Possessivpronomen *n;* **~ession** *f* Besitz(ung *f*) *m,* Besitztum *n;* Genuß *m; rel* Besessensein *n; entrer en ~* in den Besitz gelangen; *être en ~* im Besitz sein (*de qc* e-r S); genießen (*de qc* e-e S); *mettre en ~ de qc* in den Besitz e-r S setzen; *prendre ~ de* Besitz ergreifen von; *envoi m en ~* Besitzeinweisung *f; état m, prise f de ~* Besitzstand *m,* -ergreifung *f; ~ de choses* Sachbesitz *m; ~ exclusive* Alleinbesitz *m; ~ de fait* tatsächliche(r) Besitz *m; ~ foncière* Grundbesitz *m; ~ (im)médiate* (un)mittelbare(r) Besitz *m; ~ légitime (injuste)* (un)rechtmäßige(r) Besitz *m;* **~essionnel, le** Besitzrecht anzeigend; **~essoire** *a* Besitz-; *s m* Besitzrecht *n; action f ~* Besitzklage *f.*

poss|ibilité [pɔsibilite] *f* Möglichkeit; *(Maschine)* Kapazität *f; être dans la ~ de* in der Lage sein zu; *~ d'accueil* Aufnahmefähigkeit *f (e-r Schule); ~ d'écoulement, de placement, de vente* Absatzmöglichkeit *f; ~ d'emploi, d'utilisation* Verwendungsmöglichkeit *f;* **~ible** *a* möglich; *s m* (das) Mögliche; *au ~* äußerst; *le plus ~, autant que ~* so viel wie möglich; *le moins de fautes ~* so wenig Fehler wie möglich, möglichst wenig Fehler; *dans la mesure du ~* im Rahmen des Möglichen; *le mieux ~* so gut wie möglich; *le plus souvent ~* möglichst oft; *le plus tôt ~, aussitôt que ~* sobald wie möglich, möglichst bald; *le plus vite ~* so schnell wie möglich; *être du domaine du ~* im Bereich des Möglichen liegen; *faire son ~* sein möglichstes tun; *pas ~!* ach was! nicht möglich!

post|able [pɔstabl] für den Postversand geeignet; **~age** *m (Post)* Aufgeben, Besorgen *n;* Kurierdienst *m;* **~al, e** postalisch; Post-; *abonnement m ~ (Zeitung)* Postbezug *m; avion m ~* Postflugzeug *n; boîte f ~e* Post-, Schließfach *n; caisse f d'épargne ~e* Postsparkasse *f; carte f ~e (illustrée)* (Ansichts-)Postkarte *f; colis m ~* Postpaket *n; franchise f ~e* Postgebührenfreiheit *f; récépissé m ~* Posteinlieferungsschein *m; services m pl ~aux* Postdienst *m; service m ~ aérien* Luftpost *f; taxe f ~e* Postgebühr *f; Union f ~e universelle* Weltpostverein *m; virement m ~* Postüberweisung *f; voiture f ~e, fourgon m ~* Postauto *n.*

post|cure [pɔstkyr] *f med* Nachbehandlung *f; centre m de ~ féminine* Müttergenesungsheim *n;* **~date** *f* spätere(s) Datum *n;* **~dater** nach=datieren.

poste [pɔst] **1.** *f* Post(-amt *n*) *f; par ~* durch die Post, brieflich; *~ restante (bureau central)* (haupt)postlagernd; *mettre une lettre à la ~* e-n Brief auf die Post geben; *passer comme une lettre à la ~ (fam)* glatt durch=gehen; glatt=gehen; *administration f générale des ~s* Oberpostdirektion *f; bon m de ~* Postanweisung *f; bureau* *m de* ~ Postamt *n; bureau m de* ~ *central,* ~ *centrale, (fam) grande* ~ Hauptpost(amt *n*) *f; date f de la* ~ Datum *n* des Poststempels; *mandat-*~ *m* Postanweisung *f;* ~ *aérienne, avion* Luftpost *f;* ~ *ambulante* Bahnpost *f;* ~ *aux armées, militaire* Feldpost *f;* ~ *automobile* Kraftpost *f;* ~ *par pigeons* (Brief-)Taubenpost *f;* ~ *pneumatique tubulaire* Rohrpost *f;* **2.** *m mil* (Wacht-)Posten *m;* Wache *f;* Gefechtsstand; Platz; *allg* Posten *m,* Stelle, Stellung, Funktion *f,* Amt *n,* Dienst *m; min* Schicht; *fig* Aufgabe *f;* (Führer-)Stand; Telefonapparat, Fernsprecher; (Rundfunk-)Sender *m;* Rundfunkgerät, Radio(apparat *m*) *n,* Empfänger *m; mar* Unterkunft *f; com* (Rechnungs-, Buchungs-)Posten *m; être à son* ~ s-n Posten, Platz aus⸗füllen, s-n Mann stehen; *relever un* ~ *(mil)* e-n Posten ab⸗lösen; ~ *sur accu (radio)* Batteriegerät *n;* ~ *d'abonné* Fernsprechanschluß *m;* ~ *actif (com)* Aktivposten *m;* ~ *d'affaires (tele)* Geschäftsanschluß *m;* ~ *d'aiguillage (loc)* Stellwerk *n;* ~ *à antenne dirigée* Richtstrahler *m;* ~ *d'argent* Geldposten *m;* ~ *d'arrivée, de départ* Bestimmungs-, Aufgabestelle *f;* ~ *avancé (mil)* Vorposten *m;* ~ *de bilan* Bilanzposten *m;* ~ *de circulation* Verkehrsposten *m;* ~*-clé m* Schlüsselstellung *f;* ~ *de combat, de commandement* Gefechtsstand *m;* ~ *de commande* Leitstelle *f;* Bedienungsstand *m;* ~ *commutateur de télétype* Fernschreibvermittlungsstelle *f;* ~ *de compensation (com)* Ausgleichsposten *m;* ~ *de conduite, d'équipage (loc)* Führerstand; Fahrer-, Mannschaftsraum *m;* ~ *de confiance* Vertrauensposten *m,* -stelle *f;* ~ *de contrôle* Abhör-, Kontrollstelle *f;* ~ *de contrôle des douanes* Zollaufsichtsbehörde *f;* ~ *créditeur* (Gut-) Haben-, Kreditposten *m,* Gutschrift *f;* ~ *débiteur* Soll-, Debet-, Schuldposten *m;* Lastschrift *f;* ~ *de dépannage* Autohilfsdienst *m;* ~ *directeur* Funkleitstelle *f;* ~ *à grandes distances, grand* ~ *radiotélégraphique* (Groß-) Funkstation *f;* ~ *d'eau* Zapf-, Wasserstelle *f;* ~ *d'écoute (mil)* Horchposten *m; radio* Abhörstelle *f;* ~ *émetteur, d'émission* (Rundfunk, Fernseh-) Sender *m,* Funkstation *f, automatique* Maschinensender *m;* ~ *d'essai* Prüfstand *m,* Versuchsstelle *f;* ~ *d'essence* Tankstelle *f;* ~*-frontière m* Grenzposten *m;* ~ *honorifique* Ehrenamt *n;* ~ *d'incendie, d'eau* (Feuer-)Löschstelle *f;* ~ *de jour, de nuit* *(min)* Tag-, Nachtschicht *f;* ~ *à lampes (radio)* Röhrengerät *n;* ~ *local (radio)* Ortssender *m;* ~ *météorologique* Wetterwarte *f;* ~ *de mitrailleur (mil)* MG-Stand *m;* ~ *mobile, mural (tele)* Tisch-, Wandapparat *m;* ~ *d'observateur, de navigateur (aero)* Orterraum *m;* ~ *d'observation (mil)* Beobachtungsstand *m;* ~ *à ondes courtes, moyennes* Kurz-, Mittelwellensender *m;* ~ *optique* Blinkstelle *f;* ~ *de passager* Fluggastraum *m;* ~ *du pilote, de pilotage (aero)* Führerstand *m,* -kabine *f;* ~ *de police* Polizeiwache *f,* -revier *n;* ~ *portatif* Kofferradio, -gerät *n;* ~ *privé, de résidence (tele)* Hausanschluß *m;* ~ *public* öffentliche Fernsprechstelle *f;* ~ *de radio* Radioapparat *m;* ~ *(radio)goniométrique* (Funk-)Peilstation *f;* ~ *radio-sac* Tornisterfunkgerät *n;* ~ *radio à terre* Bodenfunkstelle *f;* ~ *radio(télé)phonique, de radiodiffusion, de T.S.F.* (Rundfunk-)Sender *m,* Funkstation *f;* ~ *du radiotélégraphiste (aero)* Funkerraum *m;* ~ *récepteur* (Rundfunk-)Empfänger *m;* ~ *de repérage par le son* Schallmeßstelle *f;* ~ *répétiteur* Verstarkeramt *n;* ~ *de secours* Unfallstation; *tech* Notanlage *f; mil* Verband(s)platz *m;* ~*sur secteur* Netz(anschluß)gerät *n;* ~ *supplémentaire (tele)* Nebenstelle *f,* -anschluß *m;* ~ *téléphonique* Fernsprechanlage, -stelle *f; automatique* Selbstwählapparat *m;* ~ *télétype, télex* Fernschreibstelle *f;* ~ *de télévision* Fernsehempfänger *m,* -gerät *n,* Fernseher *m;* ~ *de tir (mil aero)* Schützenstand *m;* ~ *de transformation (el)* Transformator *m;* Umspannwerk *n;* ~ *de travail* Arbeitsplatz *m;* ~ 27 *(tele)* App. 27; ~**é, e** *a: travail* ~ Schichtarbeit *f; s m f* Schichtarbeiter(in *f*) *m;* ~**er 1.** auf die Post geben, auf⸗geben; **2.** postieren, auf⸗stellen.

poster [pɔstɛr] *m* Poster, Plakat *n.*

post|érieur, e [pɔsterjœr] *a* spätere(r, s); hintere(r, s); jünger (*à* als); *s m fam* Hintere, Hintern *m;* ~**ériorité** [-rjɔ-] *f* Spätersein; Nachstehen *n* (im Amt); ~ *de date* spätere(s) Datum *n.*

postérité [pɔsterite] *f* Nachkommen(schaft *f*) *m pl;* Nachwelt *f.*

post|face [pɔstfas] *f (Buch)* Nachwort *n;* ~**facer** mit e-m Nachwort versehen, ein Nachwort schreiben (*qc* zu etw).

posthume [pɔstym] posthum, nachgeboren; *(Werk)* nachgelassen, hinterlassen; *à titre* ~ nach s-m Tode.

postiche [pɔstiʃ] *a* nachträglich angefertigt u. hinzugefügt; nachgemacht;

unecht, falsch; *s m* falsche(r) Bart *m;* Perücke *f,* Haarteil *m.*

postier, ère [pɔstje, -ɛr] *s m f fam* Postbediensteter, Postler *m,* -beamtin *f.*

post|illon [pɔstijɔ̃] *m hist* Postillion *m; fam* Spucke *f; envoyer des ~s,* **~illonner** *fam* e-e feuchte Aussprache haben.

postindustriel, le [pɔstɛ̃dystriɛl] nachindustriell.

post|opératoire [pɔstɔperatwar] *med* postoperativ; **~scolaire** *a* Fortbildungs-; *instruction f ~* Fortbildungsunterricht *m;* **~-scriptum** [-skriptɔm] *m* Postskript(um) *n,* Nachschrift *f.*

postu|lant, e [pɔstylɑ̃, -t] *s m f* Bewerber(in *f*) *m;* **~lat** [-la] *m (Philosophie)* Postulat *n a. math,* Forderung *f;* **~lation** *f* Prozeßvertretung *f;* **~ler** *tr* sich bewerben, nach≈suchen (*qc* um etw); *itr* vor Gericht vertreten, e-n Prozeß vertretungsweise führen.

posture [pɔstyr] *f (Körper(-teil))* Haltung, Stellung, Positur; Lage; *fig* Lage, Situation *f,* Verhältnisse *n pl.*

pot [po] *m* Topf, Hafen *m;* Kanne *f,* Krug; *tech* Tiegel; *fam* Trunk *m;* Einsatz *m (Poker); avoir du ~ (pop)* Schwein haben; *découvrir le ~ aux roses* hinter die Schliche kommen; *être à ~ et à rôt (vx)* wie Kletten anea. hängen; *faire le ~ à deux anses* die Arme in die Seiten stemmen; an jedem Arm e-e Frau haben; *faire bouillir le ~* den Schornstein rauchen lassen; *faire ~ à part* niemanden in s-e Karten gucken lassen; *manger à la fortune du ~* essen, was gerade auf den Tisch kommt; *mettre les petits ~s dans les grands (vx)* große Umstände *(fürs Essen)* machen; *payer les ~s cassés* für alles gerade≈stehen, für den Schaden auf≈kommen; *tourner autour du ~* darauf *(acc)* lauern; wie die Katze um den heißen Brei gehen; *bête, sourd comme un ~* stockdumm, -taub; *voix f de ~ cassé* od *fêlé* heisere Stimme *f; ~-bouille f (fam vx)* Hausmannskost *f; ~ de chambre* [podʃɑ̃br] Nachttopf *m; ~ à colle* Leimtopf, -tiegel *m; ~ à eau* [pɔtao] Wasserkanne *f,* -krug *m; ~ d'échappement (mot)* Auspufftopf *m; ~-au-feu* [pɔtofø] *s m inv* Rindfleischsuppe *f;* Suppenfleisch *n;* Suppentopf; *fam* Haushalt; *fig* Kleinkram; Spieß(bürg)er *m; a* häuslich, spießbürgerlich, spießig; *~ à fleurs* [poaflœr] Blumentopf *m; ~ à fumée (aero)* Rauchofen *m; ~ de glacier* Gletschertopf *m; ~ à lait* [poalɛ] Milchtopf *m; ~ au lait* [pɔtolɛ] Milchkanne *f; ~ au noir* [poonwar] *(fam)* gefährliche Sache; zweifelhafte Angelegenheit *f; ~-pourri m* Ragout *n* aus verschiedenen Fleisch- u. Gemüsesorten; *fig* Mischmasch *m;* Durcheinander; *mus* Potpourri *n; silencieux m de ~ (mot) (Auspuff)* Schalldämpfer *m; ~ à tabac* [poataba] *(fam)* kleine(r) Dick-, Fettmops *m; ~-de-vin m* Bestechungs-, Schmiergelder *n pl.*

potable [pɔtabl] trink-, genießbar; *fam (Getränk u. fig)* leidlich (gut), erträglich, annehmbar; *eau f ~* Trinkwasser *n.*

potache [pɔtaʃ] *m pop* Pennäler, Gymnasiast *m.*

pot|age [pɔtaʒ] *m* Suppe *f; pour tout ~ (vx)* alles in allem, nur noch; *~ à l'asperge, au chouf-fleur* Spargel-, Blumenkohlsuppe *f; ~ aveugle, gras* magere, fette Suppe *f; ~ à la crème (de)* (mit ...) legierte Suppe *f; ~ aux légumes, à la Julienne, julienne f* Gemüsesuppe *f; ~ aux nouilles, au vermicelle* Nudelsuppe *f; ~ aux pois, aux haricots, aux lentilles* Erbsen-, Bohnen-, Linsensuppe *f; ~ printanier* Frühlingssuppe *f; ~ à la queue de bœuf* Ochsenschwanzsuppe *f; ~ au riz, à la semoule, au tapioca* Reiß-, Grieß-, Sagosuppe *f; ~ aux tomates* Tomatensuppe *f; ~ à la tortue* Schildkrötensuppe *f; ~ à la fausse tortue* Mockturtlesuppe *f;* **~ager, ère** *a* Küchen-, Gemüse-; *s m* u. *jardin m ~* Gemüsegarten *m; plante f ~ère* Gemüsepflanze *f.*

potard [pɔtar] *m fam vx* Pillendreher, Apotheker *m.*

pot|asse [pɔtas] *f chem* Pottasche *f;* Kali *n; ~ caustique* Ätzkali *n;* **~asser** *fam* pauken, ochsen, büffeln; **~assique** *a* Kali-; *engrais m ~* Kali-, Kalkdünger *m; sels m pl ~s* Kalisalze *n pl;* **~assium** [-sjɔm] *m chem* Kalium *n; chlorate m de ~* Kaliumchlorat, chlorsaure(s) Kalium *n; chlorure m de ~* Kaliumchlorid, Chlorkalium *n.*

pote [pɔt] *a: m pop* Kumpel *m.*

poteau [pɔto] *m* Pfosten, Pfahl *m,* Stange *f;* Mast; *sport* Torpfosten *m; (Pferderennen)* Ziel *n; arg* Kumpel, Kamerad *m; ~-frontière m* Grenzpfahl *m; ~ indicateur* Wegweiser *m; ~ de rappel* Abspannmast *m; ~x de saut (sport)* Hochsprungständer *m pl; ~ de sémaphore* Signalmast *m; ~ télégraphique* Telegrafenmast, -pfahl *m; ~ de torture(s)* Marterpfahl *m; ~ en treillis* Gittermast *m.*

potée [pɔte] *f* Topfvoll; *fam* Haufen *m,* Masse *f; Art* Gemüseeintopf *m; tech* Formerde *f.*
potelé, e [pɔtle] rundlich, prall, drall, mollig.
potelet [pɔtlɛ] *m* kleine(r) Pfahl, Pfosten *m.*
potence [pɔtɑ̃s] *f* Galgen(strafe *f*); Träger, Arm; Stützbalken; *mar* Ladebaum *m; en* ~ T-förmig.
potentat [pɔtɑ̃ta] *m* Machthaber; Fürst; *fam* Wichtigtuer *m.*
poten|tialité [pɔtɑ̃sjalite] *f* Potentialität, Möglichkeit *f;* **~tiel, le** *a* potentiell, potential, möglich; *gram* bedingend; *s m phys, bes. el* Potential *n,* Leistungs-, Wirkungsfähigkeit; Spannung *f; gram* Potentialis *m,* Möglichkeitsform *f; chute f de* ~ Spannungsabfall *m;* ~ *combatif* Kampfkraft *f;* ~ *de grille* Gitterspannung *f.*
potentiomètre [pɔtɑ̃sjɔmɛtr] *m el* Potentiometer *n.*
pot|erie [pɔtri] *f* irdene(s), Tongeschirr *n,* Töpferware; Töpferei *f (Werkstatt u. Kunst); arch* Abzugsrohre *n pl;* ~ *d'étain* Zinngeschirr *n;* ~ *de grès* Steinzeug *n;* **~iche** *f* chinesische *od* japanische Porzellanvase *f;* **~ier** [-tje] *m* Töpfer *m;* ~ *d'étain* Zinngießer *m.*
pot|in [pɔtɛ̃] *m* **1.** Tombak *m (Metalllegierung);* **2.** *fam* Klatsch(erei *f*) *m,* Geschwätz *n;* Lärm *m;* **~iner** *fam* klatschen, tratschen; **~inier, ère** *a* klatschhaft, -süchtig; *s m f* Klatschmaul *n; f* Klatschlokal *n,* -ecke *f,* -nest *n.*
potion [posjɔ̃] *f* (Arznei-)Trank *m;* ~ *magique* Zaubertrank *m.*
potiron [pɔtirɔ̃] *m* Riesenkürbis.
pou [pu] *m* Laus *f; laid comme un* ~ abgrundhäßlich, häßlich wie die Nacht; *chercher à qn des ~x dans la tête* mit jdm Streit an⸗fangen; *se laisser manger par les ~x* vor Dreck stinken; *savoir trouver des ~x à la tête d'un chauve* an allem etw auszusetzen haben.
pouah [pwa] *interj* pfui!
poubelle [pubɛl] *f* Müll-, Kehrichteimer *m.*
pouc|e [pus] *m* Daumen *m;* große Zehe *f;* Zoll *m (Maß); et le* ~ *(fam)* und noch mehr; *pas un* ~ *de terrain* od *terre* kein Zollbreit *m* Landes; *donner le coup de* ~ *à* ... die letzte Hand legen an *(acc); donner un coup de* ~ jdn begünstigen *(Karriere); lire au* ~ *(typ)* die erste Korrektur lesen; *lire du* ~ überfliegen, durchblättern; *manger sur le* ~ im Stehen essen; *mettre les ~s (fig)* die Waffen strekken, nach⸗geben; *se mordre les ~s* (etw) bereuen, sich die Haare raufen; *serrer les ~s à qn* jdm die Daumenschrauben an⸗setzen; *fig* jdn unter Zwang setzen; *sucer son* ~ *(fig)* am Daumen lutschen; *se tourner les ~s* die Daumen drehen, die Hände in den Schoß legen; **~et** [-sɛ] *m tech* Hebedaumen *m; le petit P~* der Däumling *(Märchenfigur);* **~ettes** *f pl* Daumenschrauben *f pl;* **~ier** [-sje] *m* Däumling; (Tür-)Drücker *m.*
pouding [pudiɲ] *m* (Plum-)Pudding *m.*
poudr|e [pudr] *f* (Schieß-)Pulver *n;* (Gesichts-, Körper-)Puder *m; s'en aller en* ~ vergehen, dahin⸗schwinden; *être vif comme la* ~ leicht auf⸗brausen; *jeter de la* ~ *aux yeux (de qn* jdm*) (fig)* Sand in die Augen streuen, blauen Dunst vor⸗machen; *mettre de la* ~ sich pudern, Puder auf⸗legen; *mettre, réduire en* ~ *(fig)* zertrümmern, zermalmen; *tirer, user sa* ~ *aux moineaux* mit Kanonen nach Spatzen schießen; *le feu prend aux ~s (fig)* die Bombe ist geplatzt; *il n'a pas inventé la* ~ *(fig)* er hat (auch) das Pulver nicht erfunden; *café m en* ~ gemahlene(r) Kaffee *m, sucre m en* ~ Puder-, Staubzucker *m;* ~ *effervescente, à gratter, de savon, sternutatoire* Brause-, Juck-, Seifen-, Niespulver *n;* ~ *de perlimpinpin* Wunderpulver; wertlose(s) Zeug *n;* ~ *à polir* Putzmittel *n;* ~ *de riz* Gesichtspuder *m;* **~er** pudern; **~erie** [-drə-] *f* Pulver-, Munitionsfabrik *f;* **~eux, se** *a* staubig, verstaubt; *s f Art* Zerstäuber; Frisiertisch; *neige f ~se* Pulverschnee *m;* **~ier** [-drije] *m* Puderdose *f;* **~ière** *f* Pulvermagazin; *fig* Pulverfaß *n;* **~oiement** *m* Stauben; Aufwirbeln *n;* **~oyer** *itr* staubig sein *od* aus⸗sehen; stauben; *(Staub, Sand, Schnee)* hoch⸗wirbeln; *tr* mit Staub bedecken; *le soleil ~oie* die Sonnenstäubchen tanzen.
pouf [puf] **1.** *s m* gepolsterte(r) Hokker *m;* (orientalisches) Sitzkissen *n;* **2.** *interj* plumps! **~fer:** ~ *de rire* laut auf⸗lachen, in schallendes Gelächter aus⸗brechen.
pouh! [pu] *interj* pah! bah!
pouill|ard [pujar] *m* junge(s) Rebhuhn *n;* junge(r) Fasan *m;* **~er** lausen; aus⸗schimpfen; **~erie** *f* äußerste Armut *f;* schmutzige(r) Geiz; Dreck-, Schweinestall *m;* **~eux, se** *a* verlaust; sehr arm; *(Holz)* schimmelfleckig; *fam* schmutzig; *s m* Lausekerl; arme(r) Schlucker *m;* **~ot** [-o] *m orn* Laubsänger *m.*
poulailler [pulaje] *m* Hühnerstall;

Hühnerwagen; Geflügelhändler; *theat* Olymp *m.*

poulain [pulɛ̃] *m* Fohlen, Füllen *n; med fam* Leistengeschwulst; *tech* Schrotleiter *f; (Radsport)* Nachwuchsrennfahrer; *allg* Favorit *m;* **~aine** *f mar* Galion *n; souliers m pl à la ~ (hist)* Schnabelschuhe *m pl.*

poul|arde [pulard] *f* junge(s) Masthuhn *n;* **~e** *f* Huhn *n,* Henne *f; fam* Täubchen, Mäuschen, Liebchen *n;* Frau; Geliebte; Dirne *f; sport* Spiel *n,* Gang, Satz *m,* Runde *f; (Spiel)* Einsatz *m; faire la bouche en cul de ~* den Mund verziehen, ein Maul machen; *chair f de ~* Gänsehaut *f; ~ de bruyère* Auerhenne *f; petite ~ de bruyère* Birkhuhn *n; ~ d'eau* Wasser-, Bläßhuhn *n; ~ d'élevage* Zuchthenne *f; ~ d'essai* Proberennen *n* der dreijährigen Pferde; *~ faisane* Fasanenhenne *f; ~ finale (sport)* Finale, Endspiel *n,* -runde *f; ~ grasse (bot)* Fetthenne *f; ~ d'Inde* Pute *f; ~ mouillée, cœur m de ~* Hasenfuß *m,* Memme *f; ~ de neige* Schneehuhn *n; ~ sauvage* Perlhuhn *n;* **~et** [-lɛ] *m* Küken; Hühnchen; Hähnchen *n; n;* Liebling; (Liebes-)Brief; *arg* Polizist *m;* **~ette** *f* junge(s) Huhn; *fam* junge(s) Mädchen *n,* junge Frau *f; à la ~* in e-r Soße aus Eigelb, Butter u. Essig.

pouliche [puliʃ] *f* Stutfohlen *n.*

poul|ie [puli] *f* (Block-)Rolle, Riemenscheibe *f;* Block *m;* **~iner** fohlen; **~inière** *s f* u. *a: jument f ~* Zuchtstute *f.*

pouliot [puljo] *m bot* Polei(minze *f*) *m f.*

poulot, te [pulo, -ɔt] *m f fam* Liebling *m.*

poulpe [pulp] *m* Tintenfisch, Polyp *m.*

pouls [pu] *m* Puls (-schlag) *m; tâter le ~* den Puls fühlen (*à qn* jdm), *fig* aus=horchen (*à qn* jdn).

poumon [pumɔ̃] *m* Lunge(nflügel *m*); *pl* Lunge *f; fig (Umwelt)* grüne Lunge *f; à plein ~* aus vollem Halse; *avoir du ~, de bons ~s* e-e starke Lunge, e-e kräftige Stimme haben; *s'user les ~s* sich die Lunge aus dem Leibe schreien; *~ d'acier* eiserne Lunge *f.*

poupard, e [pupar, -rd] *s m f* Wickelkind *n;* Pausback *m;* Wickelpuppe *f; a* pausbäckig.

poupe [pup] *f mar* Heck *n; avoir le vent en ~* Rückenwind, *fig* Glück, günstige Aussichten haben.

poup|ée [pupe] *f* Puppe; Schießbudenfigur *f;* (Finger-)Verband *m; fig* Püppchen *n;* Liebling *m; tech* Docke, Rolle *f;* Spindel-, Reitstock *m; cuisine, chambre, voiture f de ~* Puppenküche, -stube *f,* -wagen *m; ~ articulée, en celluloïd, en étoffe* Glieder-, Zelluloid-, Stoffpuppe *f; ~ de tailleur* Schneiderbüste *f;* **~in, e** *a* pausbäckig; puppenhaft; **~on, ne** *m f* Baby, Kind *n;* Pausback *m;* **~onner** hätscheln; **~onnière** *f* Abteilung *f* für die Kleinkinder *(im Kindergarten);* Laufstall *m,* -ställchen *n.*

poupoule [pupul] *f fam* Täubchen *n,* Liebling *m.*

pour [pur] *prp* für, zugunsten, ... zuliebe; (an)statt, anstelle (von); *(tauschen, Abneigung, gut)* gegen; *(haben)* als, zum, zur; *(gelten)* als; im Namen *gen; (Ehrfurcht)* vor; zu *(a. zeitl.);* wegen, um ... willen; was ... betrifft; *(zeitl.)* für, auf; *(beim Infinitiv)* um zu; im Begriff zu; weil; dafür daß; obwohl, obgleich; *s m* (das) Für; *c'est ~ cela que* deshalb; *mot ~ mot* Wort für Wort; *œil ~ œil* Auge um Auge; *~ affaires* geschäftlich *adv; ~ ainsi parler* od *dire* sozusagen, gewissermaßen; *~ ton bien* zu deinem Besten; *~ de bon?* im Ernst? *~ ce qui me concerne* was mich betrifft; *~ lors* damals; in diesem Fall; *~ moi* was mich betrifft, ich meinerseits; *~ le moins* wenigstens; *~ le moment* im Augenblick; *~ Noël* zu Weihnachten; *~ peu que* so wenig auch, wenn nur im geringsten; *~ le plaisir* zum Vergnügen, zum Spaß; *~ que (conj)* damit, auf daß; *~ ... que* so ... auch; *~ cette raison* aus diesem Grund(e); *~ toute réponse* statt jeder Antwort; *~ la vie* auf Lebenszeit; *en être ~ qc* etw verloren haben; etw los sein; *être ~ beaucoup (peu, rien) dans* e-e große (geringe, keine) Rolle spielen bei, wesentlich (wenig, nichts) bei=tragen zu; großen (geringen, keinen) Anteil haben an *(dat); partir ~* (ab=)reisen, auf=brechen nach; *passer ~* gelten als; *prendre ~* halten für; *je n'y suis ~ rien* das ist nicht meine Schuld; *c'est bon ~ (mit inf)* das ist zum ...; *le ~ et le contre* das Für und (das) Wider.

pourboire [purbwar] *m* Trinkgeld *n;* Bedienung(sgeld *n*) *f.*

pourceau [purso] *m* Schwein *n a. fig; jeter des perles aux ~x* Perlen vor die Säue werfen; *étable f à ~x (fig)* Schweine-, Saustall *m.*

pour cent [pursɑ̃] *m inv* Prozent(satz *m*) *n;* Zinsfuß, -satz *m; de dix ~* zehnprozentig; *à quel ~?* zu wieviel Prozent? *en ~* in Prozenten.

pourcentage [pursɑ̃taʒ] *m* Prozentsatz *m; ~ en, d'alcool* Alkoholgehalt *m; ~ sur les bénéfices* Gewinnanteil *m.*

pour|chasser [purʃase] eifrig u. beharrlich verfolgen, jagen; **~chasseur** *m* Verfolger *m.*
pour|fendeur [purfɑ̃dœr] *m vx: ~ (de géants)* Maulheld, Bramarbas *m;* **~fendre** mit e-m Hieb spalten *vx;* kurz u. klein schlagen; *fig* herunter=machen.
pourlécher [purleʃe] (rundherum) ab=lecken; *se ~ (les babines) (fam)* sich den Mund lecken.
pourparlers [purparle] *m pl* Besprechungen *f pl; entrer en ~s* B. aufnehmen.
pourpier [purpje] *m bot pharm* Portulak *m.*
pourpoint [purpwɛ̃] *m hist* Wams *n.*
pour|pre [purpr] *f* Purpur(farbe *f*) *(Farbstoff);* Purpur *m (Stoff); fig* Kardinalswürde; Röte *f; m* Purpur(farbe *f,* -rot *n*) *m; a* u. **~pré, e** purpurfarben, -rot, purpurn; *fièvre f ~e* Nesselfieber *n.*
pourquoi [purkwa] *conj* warum, weshalb; *s m inv* Ursache *f,* Grund *m;* Frage *f; c'est, voilà ~* deshalb, darum; *demandez- moi ~* da fragen Sie mich zuviel; *~ pas?* warum nicht?
pour|ri, e [puri] *a* (ver) faul(t), verwest, verdorben, verrottet, mod(e)rig, *fig* korrupt *a. fig; s m (Obst)* faule Stelle *f;* Moder *m; été m ~* verregnete(r) Sommer *m; planche f ~e (fig)* unsicherere(r) Kantonist *m; ~ de fric (fam)* steinreich; **~rir** *tr* (ver)faulen lassen; *fig* verderben; *itr u. se ~* (ver)faulen, verwesen; *fig* verderben; verkommen; *~ en prison* im Gefängnis verkommen; *il ne ~a pas dans cet emploi* er wird auf diesem Posten nicht alt; **~riture** *f* Fäulnis, Fäule, Verwesung *f;* Moder *m; (Obst)* faule Stelle *f; fig* Verderbt-, Verdorbenheit *f; pop* Schuft *m.*
pour|suite [pursɥit] *f* Verfolgung *f; fig* Streben *n* (*de* nach); Betreibung *f;* Nachstellungen *f pl;* Bewerbung; *jur* (Straf-)Verfolgung *f; arrêter les ~s* die Strafverfolgung ein=stellen; *intenter des ~s contre qn (jur)* jdn gerichtlich belangen; *abandon m, annulation f de la ~, des ~s* Einstellung *f* des Verfahrens; *~ judiciaire, pénale* Strafverfolgung *f;* **~suivant, e** *m f* Verfolgende(r); Kläger(in *f*) *m;* **~suivre** *irr tr* verfolgen *a. fig,* nach=setzen (*qn* jdm); *fig* quälen, plagen (*de qc* mit etw); an=, erstreben; sinnen (*qc* auf e-e S); weiter=verfolgen, fort=setzen; nach=stellen (*qn* jdm), nach=jagen (*qc* e-r S); sich bewerben (*qc* um etw); *jur* verfolgen, belangen; betreiben; *itr* fort=fahren; *se ~* s-n Gang gehen, laufen; *~ criminellement* strafrechtlich verfolgen; *~ son droit* sein Recht geltend machen.
pourtant [purtɑ̃] *adv* dennoch, trotzdem, doch.
pourtour [purtur] *m* Umkreis, Umfang; *arch* Umgang *m.*
pour|voi [purvwa] *m jur* Einspruch *m* Berufung *f; ~ en cassation, en nullité* Nichtigkeitsklage *f; ~ en grâce* Gnadengesuch *n; ~ contre un mandat d'arrêt* Haftbeschwerde *f; ~ en révision* Revision *f;* **~voir** *irr itr* (vor=) sorgen, Sorge tragen (*à* für); *tr* versehen, aus=statten (*de* mit); verschaffen (*qn de qc* jdm e-e S); versorgen, verheiraten; *se ~ en appel, en revision (jur)* Berufung, Revision ein=legen; *se ~ en cassation, en nullité* Nichtigkeitsbeschwerde ein=legen; *se ~ en grâce* ein Gnadengesuch ein=reichen; *se ~ en justice* gerichtlich vor=gehen; *~ à un poste* e-e Stelle besetzen; *il n'a qu'à se ~ ailleurs* er kann ja woanders hin=gehen; **~voyeur, se** *m f* Lieferant(in *f*); Kuppler(in *f*); Munitionskanonier *m.*
pourvu que [purvykə] *conj* wenn nur, vorausgesetzt daß, sofern.
pouss|ah [pusa] *m* Stehaufmännchen *n; fig* Fettsack *m;* **~e** *f* Aufbrechen, -gehen, Sprießen, Wachsen; *(Zahn)* Kommen *n;* (junger) Trieb, Sproß *m; (Wein)* Umschlagen *n; med* (neuer) (Haut-)Ausschlag *m; (Pferd)* Dämpfigkeit, Herzschlächtigkeit *f; ~-café m inv* Schnaps *m* nach dem Kaffee; *~-cailloux m inv fam vx* Fußlatscher *m; ~-~ m inv* Rikscha *f;* **~é, e** *fig* hochgezüchtet, -entwickelt; hochgradig; **~ée** *f* Stoß, Schub, Druck; Drang *m; fig* Welle *f;* Stoßgeschäft *n,* -betrieb; *arch (Rakete)* Schub; *phys* Auftrieb; *med* Ausbruch; *mil* Durchstoß; *min* Gebirgsschlag *m; puissance f de ~* Schubleistung *f; ~ au banc, de décollage, en vol (Rakete)* Stand-, Start-, Flugschub *m;* **~er** *tr* stoßen, schieben; drücken, drängen, *fam* schubsen; *(Tür)* auf=, zu=stoßen; werfen; (an=, vorwärts=)treiben; aus=dehnen; *(Nagel)* ein=schlagen; *(Schrei, Seufzer)* aus=stoßen; *fig* voran=treiben, vorwärts=bringen, fördern, anspornen, nach=, fort=helfen (*qn* jdm); *(Kandidatur)* unterstützen; Nachdruck legen (*qc* auf e-e S); *(Feuer)* schüren; führen; hin=ziehen (*vers* zu); *(Versteigerung)* hoch=treiben; verlängern, aus=dehnen, weiter=führen, fort=setzen; hervor=bringen, treiben; *fam* sagen, äußern; *(Kunst)* sorgfältig aus=arbeiten; *min (Strek-*

ke) vor=treiben; *(Profil)* ein=schneiden; *itr* drücken; vor=stoßen, weiter=machen, -gehen, -fahren, -reisen (*jusqu'à* bis); los=gehen (*à* auf *acc*); auf=gehen, aus=schlagen, auf=brechen; sprießen, wachsen; *(Zahn)* durch=brechen; *(Wein)* gären; *(Baum)* aus=schlagen; *se* ~ sich durch=drängen, sich e-n Weg bahnen; *fig* sich schieben, nach oben *od* vorn drängen, sich vorwärts=bringen; so weit gehen (*à* bis zu); ~ *son bidet, son cheval* s-e Geschäfte mit Eifer betreiben; ~ *qc à bout* etw auf die Spitze treiben; ~ *qn à bout* jdn auf=, hoch=bringen, *fam* auf die Palme bringen; ~ *à bout la patience de qn* jds Geduld erschöpfen; ~ *sa chance* s-n Vorteil wahr=nehmen; ~ *du coude, du genou* mit d. Ellbogen, Knie (an=)stoßen; ~ *dehors* hinaus=stoßen, -schieben; ~ *à fond (mot)* Vollgas geben; ~ *qc au noir* bei etw schwarz=malen, -sehen; ~ *la porte au nez de qn* jdm die Tür vor der Nase zu=schlagen; ~ *des racines* Wurzeln, *fig* Wurzel schlagen; ~ *la raillerie trop loin* den Scherz zu weit treiben; *se* ~ *au premier rang* sich in die vorderste Reihe spielen; ~ *à la roue (fig)* tüchtig mit=helfen; ~*ez! (Tür)* drücken! *(mus)* Aufstrich! *il va comme on le* ~*e* er hat keinen eigenen Willen; *il m'y* ~*e* er treibt mich dazu; ~**ette** *f* Sportwagen *(für Kinder);* Handwagen *m;* ~**ier** [-sje] *m* (Kohlen-)Staub *m;* Feinkohle *f;* ~ *de mottes* Torfmull *m.*

pouss|ière [pusjɛr] *f* Staub *m; fig* Asche *f,* sterbliche(n) Reste *m pl;* Elend *n,* Not; große Menge *f; faire de la* ~ *(fig)* Staub auf=wirbeln; *mordre la* ~ *(fam)* ins Gras beißen müssen; *secouer la* ~ *de ses pieds fig* den Staub von den Füßen schütteln; *nuage, tourbillon m de* ~ Staubwolke *f;* ~ *de charbon* Kohlenstaub *m;* ~ *fécondante, des fleurs* Blütenstaub *m;... et des* ~*s (fam)...* und ein paar Pfennige; ~**iéreux, se** staubig.

poussif, ive [pusif, -iv] *(Pferd)* dämpfig, herzschlächtig; *(Mensch)* kurzatmig.

pouss|in [pusɛ̃] *m* Küken, Küchlein; *fig* (kleines) Kind *n; vouloir la poule et les* ~*s* alles für sich haben wollen; *petit* ~ Nesthäkchen *n;* ~**inière** *f* Kükenkäfig *m;* Schirmglucke *f.*

poussoir [puswar] *m* Drücker, Knopf; *(Ventil)* Stößel; *mot* Tipper *m.*

poutr|age *m,* ~**aison** *f* [putraʒ, -ɛzɔ̃] Gebälk *n,* Balkenlage *f;* ~**e** *f* Balken; (Eisen-)Träger *m; traverser une* ~ e-n Balken ein=ziehen; ~ *en béton armé, en bois, en fer, en treillis* Eisenbeton-, Holz-, Eisen-, Gitterträger *m;* ~**elle** *f* kleine(r) Balken kleine(r) (Eisen-)Träger *m.*

pouvoir [puvwar] *v irr* können, vermögen, imstande sein zu; dürfen; *(Sache) se* ~ möglich sein; *s m* Können, Vermögen *n;* Macht, Herrschaft; (Vertretungs-)Vollmacht; (Amts-)Befugnis; (Staats-)Gewalt; Kraft *a. phys,* Stärke; Fähigkeit *f;* Ansehen *n;* Einfluß *m* (*sur* auf *acc*); *au* ~ *(pol)* an der Macht; *de son plein* ~ aus eigener Machtbefugnis; *en mon* ~ in meiner Gewalt; *être on ne peut plus* unüberbietbar, äußerst *adv* (vor *a*) sein, so ... sein wie nur möglich; *n'en* ~ *mais* nichts dafür können; *n'en* ~ *plus* nicht mehr können, *(mit s-n Kräften)* am Ende sein; *fam (Kleider, Schuhe)* ausgedient haben; heruntergewirtschaftet sein; *avoir en son* ~ in s-r Gewalt haben; *être en, au* ~ *de qn* in jds Hand sein; *excéder, outrepasser ses* ~*s* s-e Vollmachten überschreiten; *munir de* ~*s* mit Vollmacht aus=statten; *tomber au* ~ *de qn* in jds Hände fallen; *puis-je?* darf, dürfte ich? *puisse* möge, möchte doch; *puissé-je* möchte ich doch; *cela se peut bien* das ist wohl, durchaus möglich; *cela peut être* das kann sein, ist möglich; *abus m de* ~ Amts-, Gewaltmißbrauch *m; arrivée f au* ~, *prise f de* ~ Machtergreifung *f; excès m de* ~ Überschreitung *f* der Machtbefugnisse; *fondé m de* ~ Bevollmächtigte(r); Prokurist *m; homme m au* ~ Machthaber *m; homme m du* ~ Regierungsanhänger *m; plein* ~ (Blanko-) Vollmacht; *pol* Ermächtigung *f; séparation f des* ~*s (pol)* Gewaltenteilung *f;* ~ *d'achat* Kaufkraft *f;* ~ *anti- détonant (mot)* Klopffestigkeit *f;* ~ *d'attraction* Anziehungskraft *f;* ~ *calorifique* Heizwert *m;* ~ *des clés (jur)* Schlüsselgewalt *f (der Ehefrau);* ~ *collant* Klebekraft *f;* ~ *commercial* Handelsvollmacht *f;* ~ *conducteur (el)* Leitfähigkeit *f;* ~ *constituant, législatif, exécutif* verfassunggebende, gesetzgebende, vollziehende Gewalt *f;* ~ *défensif (med)* Abwehrfähigkeit *f;* ~ *discrétionnaire (jur)* freie(s) Ermessen *n;* ~ *de disposer* Verfügungsrecht *n;* ~ *de disposition* Verfügungsgewalt *f;* ~ *d'ester en justice* Prozeßvollmacht *f;* ~ *d'État* Staatsgewalt *f;* ~ *isolant* Isolierfähigkeit *f;* ~ *judiciaire, de juridiction* richterliche Gewalt *f;* ~ *par-devant notaire* notarielle Vollmacht *f;* ~ *d'observation* Beobachtungsgabe *f;* ~

paternel väterliche, elterliche Gewalt *f; ~ de police* Polizeigewalt *f; les ~s publics* die Staatsgewalt, die Behörden; *~ de punir* Strafgewalt *f; ~ séparateur (tech)* Trennungs-, Auflösungsvermögen *n; ~ spécial (pol)* Sondervollmacht *f.*
pragmat|ique [pragmatik] *a* pragmatisch; auf (den) Tatsachen fußend; **~isme** *m* Pragmatismus *m.*
Prague [prag] *f* Prag *n.*
prairie [prɛri] *f* Wiese; *la P~* die Prärie *f; ~ verger* Baumwiese *f.*
pralin [pralɛ̃] *m agr* Düngererde *f.*
praline *f* gebrannte Mandel *f;* **~é** *m* Bonbon *m* aus Schokolade und gestoßenen, gebrannten Mandeln; **~er** in Zucker ein=brennen.
prati|cabilité [pratikabilite] *f* Durchführbar-, Anwendbar-, Gangbarkeit *f;* **~cable** *a* aus-, durchführbar, anwendbar, gangbar; *(Weg)* benutzbar, befahrbar; *s m* Durchlaß *m; theat* Versatzstück *n.*
praticien, ne [pratisjɛ̃, -ɛn] *s m f* Praktiker(in *f*), Mann (Frau) der Praxis; praktische(r) Arzt (Ärztin *f*) *m.*
praticulture [pratikyltyr] *f* Wiesenbau *m.*
pratiquant, e [pratikɑ̃, -t] *a* strenggläubig; *s m f* (eifrige) Kirchgänger(in *f*) *m.*
prati|que [pratik] *a* praktisch; zweckmäßig, brauchbar; anwendbar, ausführbar; *s f* Praxis; Anwendung, Ausführung, -übung *f;* Verfahren *n;* praktische Erfahrung, Übung, Vertrautheit (*de* mit), Kenntnis, Routine; Berufsausübung, *vx* Gerichtspraxis; *(Kunst)* Fertigkeit; Handlungsweise *f,* Benehmen *n,* Brauch *m,* Sitte *f;* Umgang, Verkehr *m* (*de* mit); *rel* Teilnahme *f* (*de* an *dat*); *pl rel* Übungen *f pl; mettre en ~* in die Praxis um=setzen, praktisch durch=führen; *c'est de ~ courante* das ist so üblich; *~ de construction, professionnelle* Bau-, Berufspraxis *f;* **~qué, e** *(Preis)* üblich; *(Kurs)* gehandelt; **~quement** praktisch; **~quer** *tr* aus=, durch=führen, an=wenden; *(bes. Beruf)* aus= üben, betreiben; an=bringen, -legen; sich verschaffen; um=gehen, verkehren (*qn* mit jdm, *qc* in e-r S); *itr* am religiösen, am kirchlichen Leben Anteil nehmen; (eifrig) zur Kirche gehen; *se ~* üblich sein.

pré [pre] *m* (Stück *n*) Wiese *f; aller sur le ~* sich duellieren; *faire son ~ carré* s-n Besitz ab=runden; *~ marécageux* Sumpfwiese *f.*
préalable [prealabl] vorher-, voraufgehend; *question f ~* Vorfrage *f; au ~,* **~ment** *adv* vorher, zuvor.
préambule [preɑ̃byl] *m* Präambel, Vorrede, Einleitung *f; (Telegramm)* Kopf *m; pl fam* Gerede *n.*
préau [preo] *m* Kloster-, Gefängnis-, (*a.* überdachter) Schul-, Krankenhaushof *m.*
préavis [preavi] *m* vorherige Benachrichtigung, Voranzeige, -warnung; Kündigung *f;* Vorgutachten *n; tele* Voranmeldung *f; sans ~* fristlos; auf Abruf; *délai m de ~* Kündigungsfrist *f;* **~er** *tr* vorher benachrichtigen; *itr* ein Vorgutachten ab=geben.
prébende [prebɑ̃d] *f* Pfründe *f.*
pré|caire [prekɛr] *a jur* widerruflich; *fig* prekär, unsicher, ungewiß, heikel; *s f* u. *possession f ~* widerrufliche(r) Besitz *m;* **~carité** *f jur* Widerruflichkeit; *fig* Unsicherheit *f.*
précaution [prekosjɔ̃] *f* Vorsicht(smaßnahme), Behutsamkeit *f; avec ~* vorsichtig *adv; par ~* aus Vorsicht, vorsichtshalber; *prendre ses ~s* Vorsichtsmaßnahmen treffen; *user de ~s* vorsichtig zu Werke gehen; **~ner** warnen (*contre* vor *dat*); *se ~* sich vor=sehen (*contre* vor *dat*); **~neux, se** vor-, umsichtig, behutsam.
pré|cédemment [presedamɑ̃] *adv* vorher, zuvor; **~cédent, e** *a* vorhergehend, vorig, früher; *s m* Präzedenzfall *m; sans ~* noch nie dagewesen, erstmalig, beispiellos; *créer, établir un ~* e-n Präzedenzfall schaffen; **~céder** *tr* voran=, -auf=, -aus=gehen, -reiten, -fahren (*qn* jdm); her=gehen, -reiten, -fahren (*qn* vor jdm); stehen, sich befinden, kommen, statt=finden (*qc* vor e-r S); *itr* früher (da)gewesen sein (*qc* als etw), (da)gewesen sein (*qc* vor e-r S); den Vorrang haben (*qc* vor etw).
pré|cepte [presɛpt] *m* Vorschrift *f;* Gebot *n;* Regel *f;* **~cepteur, trice** *m f* Erzieher (in *f*), Hauslehrer(in *f*) *m;* **~ceptoral, e** *a* Erzieher-, Hauslehrer-; **~ceptorat** [-a] *m* Erzieher-, Hauslehrerstelle *f.*
prêch|e [prɛʃ] *m* (protestantische) Predigt *f; (ironisch)* Sermon *m;* **~er** predigen, *(das Wort Gottes)* verkünd(ig)en (*qn* jdm); (er)mahnen; überzeugen; *fam* preisen; aus=posaunen; *~ dans le désert* tauben Ohren predigen; *~ d'exemple* mit gutem Beispiel voran=gehen; *~ pour son saint* in eigener Sache sprechen; **~eur, se** *s m f* Sitten-, Moralprediger(in *f*); Nörgler(in *f*) *m; a: frère m ~* Dominikaner *m;* **~i-prêcha** *m pop* Gewäsch *n.*

préci|eux, se [presjø, -øz] *a* kostbar, wertvoll; *fig* köstlich; affektiert, geziert, affig; gesucht; *(Kunst)* von vollendete(r) Zartheit *od* Feinheit; *s m* Affektiert-, Geziertheit, Affigkeit *f; s f* Zierpuppe *f; faire la ~euse* sich zieren; *métal m ~* Edelmetall *n; pierre f ~euse* Edelstein *m;* **~osité** *f* Affektiert-, Geziertheit *f.*

préci|pice [presipis] *m* Abgrund *m,* tiefe Schlucht *f; fig* Ruin, Untergang *m; sur le bord du ~* am Rande des Abgrunds; **~pitamment** *adv* Hals über Kopf, überstürzt; **~pitant** *m chem* Fällungsmittel *n;* **~pitation** *f* Überstürzung, -eilung; *chem* Fällung *f,* Fällen *n,* Niederschlag *m; pl (Meteorologie)* Niederschläge *m pl;* **~pité** *m chem* Niederschlag *m;* **~piter** *tr* herab=stürzen (*de* von); nieder=stoßen, werfen *a. fig,* stürzen; überstürzen, -eilen, übers Knie brechen; beschleunigen; *chem* nieder=schlagen, kondensieren, fällen; *itr* u. *se ~* sich ab=setzen, -sondern; *(Ereignisse)* sich überstürzen; *se ~ sur* los=stürzen auf *(acc); se ~ sur les pas de qn* jdm nach=stürzen, -eilen; *se ~ dans les bras l'un de l'autre* sich in die Arme fallen.

préciput [presipy] *m jur* Vorwegnahme *f,* Voraus *m.*

préci|s, e [presi, -z] *a* genau; klar, deutlich; bestimmt; *(Stil)* knapp, gedrängt, (kurz u.) bündig; exakt; sach(dien)lich; *s m* kurze Zs.fassung; Übersicht *f; (Buch)* Abriß *m;* **~sément** *adv fam* genau, gerade; ganz recht, so ist es, jawohl; *pas ~* das gerade nicht; *pas ~ beau* nicht gerade schön; **~ser** bestimmen, fest=legen; genau an=geben; deutlich, klar aus=drücken; *se ~* deutlich, klar werden; *sans rien ~* ohne Genaueres anzugeben; **~sion** *f* Genauigkeit, Exaktheit; Klarheit, Deutlichkeit, Bestimmtheit; *tech* Präzision *f; pl* genauere Angaben *f pl; avec ~* genau *adv; s'exprimer avec ~* sich klar u. deutlich aus=drücken; *instrument, outil, travail m de ~* Präzisionsinstrument, -werkzeug *n,* -arbeit *f; mécanicien m, mécanique f de ~* Feinmechaniker *m,* Feinmechanik *f; ~ de l'accord* Abstimmschärfe *f; ~ de tir* Treffsicherheit *f.*

précité, e [presite] *bes. jur* vorerwähnt.

préclinique [preklinik] vorklinisch.

pré|coce [prekɔs] frühreif; früh, vorzeitig; *fruits m ~s* Frühobst *n;* **~cocité** *f* frühe Entwicklung *od* Reife; *(Kind)* Frühreife *f.*

précombustion [prekɔ̃bystjɔ̃] *f* Vorverbrennung *f; chambre f de ~ (Dieselmotor)* Vorkammer *f.*

précompte [prekɔ̃t] *m* im voraus abgerechnete(r), einbehaltene(r) Betrag *m;* **~compter** im voraus ab=, an=rechnen.

pré|conception [prekɔ̃sɛpsjɔ̃] *f* vorgefaßte Meinung *f,* Vorurteil *n;* **~concevoir** *irr* ohne weiteres an=nehmen; **~conçu, e** *(Meinung)* vorgefaßt.

pré|conisation [prekɔnizasjɔ̃] *f* Empfehlung, Befürwortung, Propagierung *f;* **~coniser** an=preisen; empfehlen, befürworten; propagieren.

précontraint, e [prekɔ̃trɛ̃, -t] *béton m ~* Spannbeton *m.*

précurseur [prekyrsœr] *m* Vorläufer; Wegbereiter, Bahnbrecher; Vorbote *m; a: détachement m ~ (mil)* Quartiermacher *m pl; signe m ~* Vorzeichen *n; le P~* Johannes *m* der Täufer.

prédateur [predatœr] *s m biol* Verfolger, Feind *m; a* Raub-.

prédécesseur [predesɛsœr] *m* Vorgänger *m; pl vx* frühere Generationen *f pl,* Vorfahren *m pl.*

prédelle [predɛl] *f rel (Kunst)* Predella *f.*

pré|destination [predɛstinasjɔ̃] *f rel* Prädestination; Vorherbestimmung; Gnadenwahl *f;* **~destiner** *rel allg* prädestinieren; auserwählen, vor(her)=bestimmen (*à* zu); vor=behalten.

pré|dicable [predikabl] *(logisch, sprachlich)* beziehbar (*à* auf *acc*); **~dicant** *m* (prot.) Geistliche(r); *péj* Prediger *m;* **~dicat** [-ka] *m* Attribut *n,* Eigenschaft *f,* Merkmal; *gram* Prädikatsnomen *n.*

prédica|teur, trice [predikatœr, -tris] *m f* Kanzelredner, Prediger; Verkünder(in *f*); *fam péj* Moralprediger *m;* **~tion** *f* Predigen *n;* Predigt; Ermahnung *f.*

prédiction [prediksjɔ̃] *f* Wahrsagen *n;* Weissagung, Prophezeiung; Vorhersage *f.*

prédilection [predilɛksjɔ̃] *f* Vorliebe *f; ... de ~* Lieblings-; *avoir une ~ pour* e-e Vorliebe, Schwäche haben für; *plat m de ~* Leib(- u. Magen)gericht *n.*

prédire [predir] *irr* wahr=, weis=sagen, prophezeien; vorher=, voraus=sagen.

pré|disposer [predispoze] *med* empfänglich, geeignet machen (*à* für); vor=bereiten; **~disposition** *f* Anlage, Veranlagung; Geneigtheit, *med* Empfänglichkeit *f* (*à* für).

pré|dominance [predɛ̃minɑ̃s] *f* Vorherrschen, Überwiegen, Dominieren; Übergewicht *n;* Vorherrschaft *f;* **~dominant, e** *a* vorherrschend, dominierend, überwiegend; **~dominer** *itr* vor=herrschen, dominieren, überwiegen; *tr* beherrschen.

pré|éminence [preeminɑ̃s] *f* Vorrang *m,* höhere Würde *f;* Vorrecht *n,* Vorteil *m;* **~éminent, e** *(am meisten)* hervorragend, höher.

préemption [preɑ̃psjɔ̃] *f* Vorkauf *m; droit m de ~* Vorkaufsrecht *n.*

pré|établi, e [preetabli] vorherbestimmt; *harmonie f ~e (Philosophie)* prästabilierte Harmonie *f;* **~établir** vorher=bestimmen, vorher fest=setzen.

pré|excellence [preɛksɛlɑ̃s] *f* hervorragende Qualität, Überlegenheit *f.*

pré|existant, e [preɛgzistɑ̃, -t] *a* vorher bestehend; **~existence** *f rel* Präexistenz *f;* **~exister** vorher bestehen; bestehen (*à* vor *dat*).

pré|fabrication [prefabrikasjɔ̃] *f* Vorfertigung *f;* **~fabriqué, e** *a* vorgefertigt; *péj* nur auf dem Papier; *s m* Fertigware *f,* -fabrikat *n; maison f ~e* Fertighaus *n;* **~fabriquer** vor=fertigen.

pré|face [prefas] *f (Buch)* Vorrede, Einleitung *f* (*de* zu); Geleitwort *n; fig* Auftakt *m* (*à, de* zu); *point de ~, au fait! (fam)* keine lange Vorrede, zur Sache! **~facer** e-e Vorrede, ein Geleitwort schreiben (*qc* zu etw); **~facier** *m* Verfasser *m* des Geleitwortes.

préfec|toral, e [prefɛktɔral] *a* Präfektur-; des Präfekten; **~ture** *f* Präfektur *f (Gebiet u. Gebäude),* (Verwaltungs-)Bezirk *m,* Departement *n;* Stelle *f,* Amt(sdauer *f*) *n* e-s Präfekten; *(Stadt)* Sitz *m* e-s Präfekten; *~ maritime* Marinepräfektur *f; ~ de police* Polizeipräfektur *f,* -präsidium *n (in Paris).*

pré|férable [preferabl] *a* vorzuziehen(d) (*à qc* e-r S); **~férablement** *adv* vorzugsweise; **~féré, e** *s m f* Liebling *m; a* Lieblings-; **~férence** *f* Bevorzugung *f;* Vorzug; besondere(r) Wunsch *m,* Vorliebe *f* (*pour* für); *jur* Vorrang *m,* Priorität *f; pl* Auszeichnungen *f pl; de, par ~* vorzugsweise, mit Vorliebe, (ganz) besonders; *accorder, donner la ~ à qn* jdm den Vorzug geben, jdn bevorzugen; *avoir la ~ sur qn* vor jdm den Vorzug haben; *action f, droit m de ~* Vorzugsaktie *f,* -recht *n;* **~férentiel, le** *a com* Vorzugs-; **~férer** vor=ziehen (*de* u. *inf* od *nur inf* zu), bevorzugen; lieber haben *od* sehen.

préfet [prefɛ] *m* Präfekt *m; ~ des études* Studienaufseher *m; ~ de police* Polizeipräfekt, -präsident *m (in Paris).*

préfigurer [prefigyre] an=deuten, ahnen lassen.

préfinancement [prefinɑ̃smɑ̃] *m* Vorfinanzierung *f.*

pré|fix, e [prefiks] (vorher, im voraus) festgelegt *od* bestimmt; anberaumt; *délai m ~(jur)* Ausschlußfrist *f; jour m ~* Stichtag *m;* **~fixe** *m gram* Präfix *n,* Vorsilbe *f;* **~fixer** vorher=bestimmen, vorher, im voraus fest=legen; an=beraumen.

préglaciaire [preglasjɛr] *geol* voreiszeitlich.

préhen|seur [preɑ̃sœr], **~sile** Greif-; **~sion** *f biol* Greifen *n.*

pré|histoire [preistwar] *f* Vor-, Urgeschichte *f;* **~historien** *m* Prähistoriker *m;* **~historique** vor-, urgeschichtlich, prähistorisch; **~industriel, le** vorindustriell.

pré|judice [preʒydis] *m* Nachteil, Schaden *m; au ~ de* zum Nachteil, zuungunsten *gen; sans ~ de* unbeschadet *gen; porter, causer ~ à qn* jdm Schaden zu=fügen, Nachteil bringen, nachteilig, von Nachteil für jdn (*à qc* für etw) sein; jdn beeinträchtigen; *réparation f du ~* Schadenersatz *m,* Entschädigung *f;* **~judiciable** nachteilig (*à* für); **~judiciaux** *a m pl: frais pl ~* Gerichtskostenvorauszahlung *f;* **~judiciel, le** *jur* vorher zu entscheiden(d); *décision f ~le* Vorentscheidung *f,* -bescheid *m; question f ~le* Vorfrage *f;* **~judicier** schaden (*à qn* jdm), nachteilig sein (*à* für).

pré|jugé [preʒyʒe] *m* vorgefaßte Meinung *f,* Vorurteil *n; jur* Präzedenzfall *m; plein de ~s* voreingenommen; *sans, exempt de ~s* vorurteilsfrei, -los; **~juger** vermuten, mutmaßen, voraus=sehen; *jur* vorweg entscheiden; e-n Vorentscheid treffen, e-n Vorbescheid geben; e-e vorgefaßte Meinung haben (*qc* von etw); e-e voreilige, -schnelle Entscheidung treffen (*qc, de qc* in etw).

prélasser, se [prelase] es sich bequem machen; *vx* sich in die Brust werfen.

prélat [[prela] *m* Prälat *m.*

prèle [prɛl] *f bot* Schachtelhalm *m.*

pré|legs [prelɛ] *m* Vorausvermächtnis *n;* **~léguer** im voraus vermachen.

pré|lèvement [prelɛvmɑ̃] *m* Ent-, Vorwegnahme; Abhebung *(von Geld);* Ausscheidung *f (von Reserven);* Ent-, Vorweggenommene(s) *n;* Abzug *m;* Umlage *f; med* Abstrich *m; ~ du bénéfice* Gewinnabschöpfung *f;*

~ *sur le capital* Kapitalsteuer *f;* ~ *de dividende* Dividendenerhebung *f;* ~ *d'échantillons* Entnahme *f* von Proben; ~ *sur la fortune* Vermögensabgabe *f;* ~ *d'impôts, à la source* Steuerabzug *m;* ~ *privé, personnel (com)* Privatentnahme *f;* ~ *sur le salaire* Lohnabzug *m;* ~ *sanguin, de sang* Blutentnahme, -probe *f;* **~lever** ent- *(a. Blut),* vorweg=nehmen; *(Geld)* ab=heben; *(Reserven)* aus=scheiden; *(Provision)* berechnen.

pré|liminaire [preliminɛr] *a* vorangehend, einleitend; vorläufig; Vor-, Präliminar-; *s m* Einleitung; *pl* Vorverhandlung; vorläufige Abmachung *f; (sexuell)* Vorspiel *n; paix f* ~ Präliminar-, Vorfriede(n) *m; remarque f* ~ Vorbemerkung *f;* ~*s de conciliation (jur)* Einigungsversuch *m,* Sühneverfahren *n;* ~*s des débats (jur)* Vorbereitung *f* der Hauptverhandlung; ~*s de paix* Friedensvorverhandlungen *f pl,* -präliminarien *pl;* **~liminairement** *adv* vorweg, im voraus.

prélu|de [prelyd] *m mus* Präludium, Vorspiel *n; fig* Vorbote; Auftakt, Anfang *m;* **~der** *mus* präludieren; improvisieren, phantasieren; *fig* an=fangen, beginnen (*à qc par qc* etw mit e-r S); ein Vorspiel bilden (*à* zu).

pré|maturé, e [prematyre] *a* frühreif; früh-, vorzeitig; (zu) früh, verfrüht; *s m* Frühgeburt *f;* **~maturité** *f* Frühreife; Frühzeitigkeit *f.*

pré|méditation [premeditasjɔ̃] *f* Vorbedacht, -satz *m;* Überlegung *f; avec* ~ vorsätzlich, mit Vorbedacht, mit Überlegung; **~méditer** vorher bedenken; überlegen.

prémentionné, e [premɑ̃sjɔne] vorerwähnt, -genannt.

prémesure [preməsyr] *f* Maßkonfektion *f.*

prémices [premis] *f pl* Erstlinge *m pl; fig vx lit* erste Versuche; Anfänge *m pl.*

premi|er, ère [prəmje, -ɛr] *a* erste(r, s); vor(her)ig; ursprünglich; Ur-; Mindest-; höchste(r, s), oberste(r, s), vornehmste(r, s); wichtigste(r, s), bedeutendste(r, s), wesentlichste(r, s); Haupt-; Ober-; erstere(r, s); *s m* erste(r) Stock *m od* Etage *f;* (Monats-) Erste(r); Primus *m; s f* Fahrkarte 1. Klasse; *(Schule)* Oberprima; *(Damenschneiderei, Näherei)* Direktrice; *theat* Erst-, Uraufführung, Premiere *f;* erste(r) Rang *m,* Loge; *typ* erste, Fahnenkorrektur *f; mot* erste(r) Gang *m; (Schuh)* Brandsohle *f; tout* ~ allererste(r, s); *dès le* ~ *jour* vom ersten Tage an; *en* ~ *lieu* in erster Linie, vor allem; *de* ~*ère main* aus erster Hand; *la tête la* ~*ère* kopfüber; *arriver le* ~ als erster an=kommen; *jeune* ~*,* ~*ère (theat)* jugendliche(r) Liebhaber(in *f*) *m; matière f* ~*ère* Urstoff; *com* Rohstoff *m; nombre m* ~ *(math)* Primzahl *f;* ~ *de l'an* Neujahrstag *m;* ~ *(de change)* Primawechsel *m;* ~ *coût m* Einkaufs-, Selbstkostenpreis *m;* ~*ère épreuve f* Rohabzug *m;* ~ *(ministre) (britischer)* Premier(minister) *m;* ~*-né s m* Erstgeborene(r) *m; a* erstgeboren; ~*ère page f* Titelseite *f;* ~ *plan m* Vordergrund *m; le* ~ *venu* der erste beste; ~ *vol m (aero)* Einfliegen *n;* **~èrement** *adv* erstens, zuerst; vor allem, in erster Linie.

pré|militaire [premilitɛr] vormilitärisch.

prémisse [premis] *f (Logik)* Prämisse *f,* Vordersatz *m; pl allg* Voraussetzung, Vorbedingung *f.*

prémolaire *f* Lückzahn *m.*

prémonition [premɔnisjɔ̃] *f* Vorgefühl *n,* Ahnung *f;* **~monitoire** warnend; *med* prämonitorisch, prädromal.

prémontré, e [premɔ̃tre] *m f* Prämonstratenser(in *f*) *m.*

prémunir (, se) [premynir] (sich) schützen, sichern (*contre* gegen, vor *dat*); **~munition** *f* Schutz(maßnahme *f*) *m.*

prénatal, e [prenatal] vorgeburtlich; für werdende Mütter; *consultation f* ~*e* Beratung *f* für werdende Mütter; *costume m* ~ Umstandskleid *n.*

pren|able [prənabl] *(Stadt)* einnehmbar; genießbar; *(Person)* zu gewinnen(d), zu verführen(d); **~ant, e** *a* haftend, klebend; *fig* ergreifend, packend, mitreißend; *fam* zeitraubend; anstrengend; *partie f* ~*e (com)* Empfänger *m; queue f* ~*e* Wickelschwanz *m.*

prendre [prɑ̃dr] *irr tr* (an=, her=, hin=, ab=, weg=, auf=, mit=, ein=, ent=, über=, entgegen=, gefangen=)nehmen; (auf=, er)greifen, (an=)fassen, (fest=)halten, packen; fest=nehmen, verhaften; an=greifen, überfallen; fangen; ertappen; überraschen; *fig* erfassen, verstehen; wahr=nehmen; halten, an=sehen (*pour* für); be-, auf=suchen; *(Weg, Richtung)* ein=schlagen; (für sich) gewinnen; *(Krankheit)* bekommen, sich zu=ziehen; *(Gewohnheit)* an=nehmen; sich versehen (*qc* mit etw), sich beschaffen, sich besorgen; *(Ware)* beziehen; *(Fahrschein)* lösen; (ab=)holen; sich an=eignen; stehlen, entwenden; *fam* bekommen, kriegen;

(com) ab=heben (*sur* von); (aus=) wählen; sich zu=legen; benutzen; *(Preis)* fordern; genießen, zu sich nehmen, essen, ein=nehmen, trinken; an=nehmen, den Fall setzen, glauben; (ab=)schneiden; *fig* an=fassen; *mar* an Bord nehmen; *(Mörtel)* ab=binden; *phot* auf= nehmen, *fam* knipsen; *itr* wurzeln, *fig* Wurzel schlagen, Fuß fassen; in Gang kommen; *(Feuer)* aus=brechen; in Brand geraten; halten; haften *a. fig;* hängen, fest=sitzen; zünden; gerinnen; ge-, zu=frieren; Anklang finden (*sur* bei); Gewalt haben (*sur* über *acc*); in Angriff nehmen; überfallen (*à qc* etw); s-n Weg nehmen; *(List)* gelingen; *(Anker)* in den Grund ein= greifen; *fig* ein= schlagen, Erfolg haben; wirken (*qc* auf e-e S); *se* ~ *(à)* an=greifen; beginnen, an=fangen (zu); mit Geschick an=fassen; sich halten (an *dat*) klammern (an *acc*); sich (gegenseitig) fassen, ergreifen, sich halten, packen (an *acc*); sich verfangen, hängen=bleiben (an *dat*); *fig* Feuer fangen; zu=frieren; *(Himmel)* sich beziehen; zu verstehen sein; verantwortlich machen (*à qn de qc* jdn für etw), sich (wegen e-r S *(gen)* an jdn) halten; **1.** *à le bien* ~ bei ruhiger Überlegung; *à tout* ~ alles in allem (genommen); *aller* ~ *qn* jdn ab=holen; *en* ~ *son parti* sich damit ab=finden; *en* ~ *et en laisser* es nicht so ernst nehmen; *s'en* ~ *à qn de qc* jdm die Schuld an e-r S bei=messen; jdm etw vor=werfen; *le* ~ es auf= fassen; *en venir au fait et au* ~ im entscheidenden Augenblick kommen; *s'y* ~ sich daran=machen; *s'y* ~ *bien (mal)* sich geschickt (dumm) dabei an=stellen; *savoir s'y* ~ *avec qn* mit jdm umzugehen verstehen; **2.** ~ *acte de qc* etw zu Protokoll nehmen; ~ *de l'âge* alt werden; ~ *l'air* spazieren= gehen, *fam* Luft schnappen; *aero* ab= fliegen; ~ *de l'altitude (aero)* steigen; *se* ~ *d'amitié avec qn* sich mit jdm an= freunden; ~ *les armes* zu den Waffen greifen; ~ *un arrangement (com)* e-n Vergleich schließen; ~ *une attitude* e-e Haltung ein=nehmen; ~ *qc en aversion* gegen etw e-e Abneigung fassen; ~ *les avis de qn* jds Rat ein= holen; ~ *un bain* ein Bad nehmen; ~ *la balle au bond* die Gelegenheit beim Schopf ergreifen; ~ *pour base* zugrunde legen; ~ *à bord* an Bord nehmen; *fam (im Auto)* mitfahren lassen; *se* ~ *aux cheveux (a. fig)* sich in den Haaren liegen; ~ *qn chez soi* jdn bei sich auf=nehmen; ~ *à cœur* sich zu Herzen nehmen; sich angelegen sein lassen; ~ *une commande (com)* e-n Auftrag ein=holen; ~ *congé de qn* sich von jdm verabschieden; ~ *connaissance de* Kenntnis nehmen von; ~ *en considération* in Erwägung, in Betracht ziehen; ~ *couleur* Farbe bekommen, ansehnlich werden; ~ *coup (arch)* sich setzen, sich senken; ~ *courage* Mut fassen; ~ *cours à partir de (com)* laufen von; ~ *par le plus court* den kürzesten Weg gehen; ~ *en dépôt* in Verwahrung nehmen; ~ *qn au dépourvu* jdn völlig überraschen, unvorbereitet finden; ~ *le deuil* Trauerkleidung an=legen; ~ *des dispositions* Vorkehrungen treffen; ~ *de la distraction, du repos* sich zerstreuen, sich erholen; ~ *de l'eau* undicht sein; ~ *effet* wirksam werden; in Kraft treten; an=laufen; ~ *de l'embonpoint, du ventre* Bauch an= setzen; ~ *un engagement* e-e Verpflichtung ein=gehen; ~ *par l'escalier* die Treppe benutzen; ~ *son essor, son vol* ab=fliegen; ~ *exemple sur qn* sich an jdm ein Beispiel nehmen; ~ *femme* sich verheiraten; ~ *pour femme (tr)* heiraten, zur Frau nehmen; ~ *une femme de force* vergewaltigen; ~ *feu* Feuer fangen; *fig* Feuer u. Flamme sein; ~ *sous le feu* beschießen; ~ *fin* zu Ende gehen; ~ *ses fonctions* sein Amt an=treten; ~ *des forces* an Kräften zu=nehmen; ~ *froid* sich erkälten; ~ *la fuite* die Flucht ergreifen; ~ *(du) goût à …* Geschmack finden an *(dat); le* ~ *de haut* von oben herab, -unter (stolz) sein *od* tun; ~ *une hypothèque* e-e Hypothek auf=nehmen; ~ *l'initiative* die Initiative ergreifen; ~ *(de l')intérêt à …* Interesse bekommen *od* nehmen an *(dat);* ~ *les intérêts de qn* jds Interessen vertreten; ~ *à intérêt* gegen Zinsen entleihen; ~ *un intérêt dans …* sich (finanziell) beteiligen an *(dat);* ~ *le large (mar)* auf die hohe See hinaus=fahren; *fig* das Weite suchen; ~ *à la lettre* wörtlich verstehen *od* auf=fassen; ~ *la liberté* sich die Freiheit nehmen, sich erlauben; ~ *des libertés avec qn* sich jdm gegenüber Freiheiten erlauben *od* heraus=nehmen; ~ *livraison de qc* etw in Empfang nehmen; ~ *à louage* mieten; ~ *qn la main dans le sac* jdn auf frischer Tat ertappen; ~ *une affaire en main* e-e Sache in die Hand nehmen; ~ *la haute main* die Macht ergreifen; den größten Einfluß gewinnen; ~ *à pleines mains (fig)* mit vollen Händen zu=greifen; ~ *à même (Textil)* an=schneiden; ~ *la mer* in

See stechen; ~ *des mesures* Maßnahmen ergreifen; ~ *les mesures de qc* zu etw Maß nehmen; ~ *au mot* sofort zu=greifen; beim Wort nehmen (*qn* jdn); ~ *naissance* entstehen; ~ *au nez* in die Nase ziehen; ~ *note* an=, vor=merken (*de qc* etw); ~ *sur sa nourriture, sur son sommeil* sich am Munde ab=sparen, am Schlaf ab=ziehen; ~ *ombrage* mißtrauisch werden; Anstoß nehmen; ~ *la parole* das Wort ergreifen; *se ~ de parole, (fam) de bec* sich herum=streiten; ~ *part à ...* teil=nehmen an *(dat)*; ~ *à part* beiseite nehmen; ~ *en mauvaise part* übel=nehmen; ~ *un parti* e-n Entschluß fassen; ~ *le parti de qn* jds Partei ergreifen; ~ *son parti* verzichten; ~ *à partie* an=greifen; in Angriff nehmen; ~ *le pas sur qn* jdm voran=gehen, *fig* zuvor=kommen; *se ~ de passion pour ...* leidenschaftlich begeistert sein für ...; ~ *peur* Angst bekommen, *fam* (es mit der) Angst kriegen; ~ *une photo* e-e Aufnahme machen; ~ *pied* festen Fuß fassen; ~ *plaisir à* Vergnügen finden an *dat*; ~ *position* Stellung beziehen (*à l'égard de* in bezug auf *acc*); ~ *position dans ...* Fuß fassen in *dat*; ~ *possession de* Besitz ergreifen von; ~ *le pouls* den Puls fühlen; ~ *des précautions* Vorsichtsmaßnahmen ergreifen; ~ *la présidence* den Vorsitz übernehmen; ~ *sous sa protection* in s-n Schutz nehmen; ~ *rang (tele)* vor=merken, ~ *rang après* im Rang folgen; ~ *réception de qc* etw in Empfang nehmen; ~ *le relèvement de (radio)* ein=peilen auf *(acc)*; ~ *en remorque* ab=schleppen; ~ *des renseignements* Erkundigungen ein=ziehen; ~ *une résolution, un parti* e-n Entschluß fassen, sich entschließen, sich entscheiden; ~ *sa retraite* in den Ruhestand treten; ~ *en riant* mit Humor hin=nehmen; ~ *un rôle* e-e Rolle übernehmen; ~ *au sérieux, au tragique* ernst, tragisch nehmen; ~ *soin de* Sorge tragen für, achten auf *(acc)*; ~ *des soins* sich Mühe machen *od* geben; ~ *sa source (Fluß)* entspringen; ~ *une station (fam)* e-n Sender herein= bekommen; ~ *sur soi* sich beherrschen, die Verantwortung übernehmen (*qc, de* für etw, daß); ~ *à tâche de* sich bemühen, zu; ~ *à témoin* zum Zeugen nehmen; ~ *du temps* Zeit kosten; ~ *son temps* sich Zeit lassen; ~ *terre* landen, an=legen; ~ *une meilleure tournure* sich zum Besseren wenden; ~ *(le vent) (Segel)* sich im Winde blähen; ~ *un verre sur le zinc* ein Gläschen an der Theke trinken; *se ~ de vin* sich (mit Wein) betrinken; ~ *qn de vitesse* jdn überrunden; **3.** *ça ne prend pas avec moi* das geht, verfängt, *fam* zieht bei mir nicht; *bien lui prit de (inf)* es war sein Glück, daß; *bien m'en a pris* ich habe wohl daran getan; *l'envie lui prit, il lui prit envie de* er bekam Lust zu; *c'est à ~ ou à laisser* entweder — oder; ja oder nein; *une maladie se prend facilement* e-e Krankheit zieht man sich leicht zu, *fam* hat man schnell weg; *d'où avez-vous pris cela?* wo haben Sie das her? *on ne sait par où, par quel bout le ~* mit ihm ist kein Auskommen; *je le prends en pitié* er tut mir leid, kann mir leid tun; *je viendrai vous ~* ich hole Sie ab; *il prenait sur ses nuits* er hat die Nächte benutzt; *on ne m'y prendra plus* das passiert mir nicht noch einmal; *qu'est-ce qui lui prend?* was fällt ihm denn (überhaupt) ein? *pour qui me prenez-vous?* wofür halten Sie mich (denn) eigentlich, überhaupt?

prénégociation [prenegɔsjasjɔ̃] *f* Vorverhandlung *f*.

preneur, se [prənœr, -øz] *m f* Pächter(in *f*), Mieter(in *f*); *com* Abnehmer(in *f*), Käufer(in *f*); *tech* Greifer *m*; *trouver ~* e-n Käufer finden; ~ *d'assurance, d'effet* Versicherungs-, Wechselnehmer(in *f*) *m*.

pré|nom [prenɔ̃] *m* Vorname *m*; **~nommé, e** *a* (vor)benannt, besagt; *fam* mit Vornamen; *s m f* (Vor-)Benannte(r *m*), Besagte(r *m*) *f*; **~nommer** e-n Vornamen geben (*qn* jdm); ~ *du nom de qn* nach jdm nennen; *se ~* (mit Vornamen) heißen.

pré|notation [prenɔtasjɔ̃] *f* Vormerkung *f*; **~noter** vor=merken.

pré|notion [prenɔsjɔ̃] *f* erste, oberflächliche Vorstellung *od* Kenntnis; *(Philosophie)* angeborene Vorstellung *f*; Begriff *m*.

prénuptial, e [prenypsjal] *a* vor der Eheschließung; *certificat m ~* Ehetauglichkeitsbescheinigung *f*.

pré|occupant, e [preɔkypɑ̃, -t] besorgniserregend; **~occupation** *f* Unruhe, Besorgnis; Sorge *f* (*de* für); Bedenken *n*; **~occupé, e** *a* in Gedanken (versunken); besorgt; **~occuper** stark beschäftigen; beunruhigen, mit Besorgnis erfüllen; *se ~* sich Gedanken machen (*de* über *acc od* um).

pré|parateur, trice [preparatœr, -tris] *m f* Vor-, Zubereiter(in *f*); *phys chem* Laborgehilfe; Repetitor *m*; **~paratif** *m, meist pl* Vorbereitung *f* (*de* zu); *faire ses ~s* s-e Vorbereitungen treffen; *~s de guerre* Kriegsvorbereitungen *f pl;* **~paration** *f* Vorbereitung (*à* auf *acc*); Auf-, Zubereitung; *tech* Appretierung *f;* Präparat; *(Pelz)* Zurichten *n; sans ~* unvorbereitet; *tirs m pl de ~ (mil)* Feuervorbereitung *f; ~ d'artillerie* Artillerievorbereitung *f; ~ militaire* vormilitärische Ausbildung *f;* **~paratoire** vorbereitend; *commandement m ~* Ankündigungskommando *n; cours m ~* Vorbereitungskurs *m;* 1. Schulklasse *f; tir m ~ (mil)* Vorbereitungsfeuer *n; travail m ~* Vorarbeit *f;* **~paré, e** vorbereitet, gefaßt (*à* auf *acc*); *sans être ~* unvorbereitet; **~parer** vor=, zu=bereiten; in die Wege leiten; ein=, zu=richten; *se ~* sich vor=bereiten (*à* auf *acc*), sich rüsten (*à* zu); im Anzug sein, bevor=stehen; *~ un examen* sich auf e-e Prüfung vor=bereiten; *~ qn à une mauvaise nouvelle* jdn auf e-e schlechte Nachricht vor=bereiten; *~ les voies (fig)* die Wege ebnen.

pré|pondérance [prepɔ̃derɑ̃s] *f* Übergewicht *n fig; pol* Vormachtstellung, Übermacht, Vorherrschaft *f;* **~pondérant, e** vorherrschend; gewichtiger, stärker, einflußreicher; ausschlaggebend.

pré|posé, e *s m f* Aufseher, Inspektor; Vorsteher, Verwalter *m; a* beauftragt (*à* mit); **~poser** die Aufsicht, die Verwaltung übertragen (*qn* jdm); beauftragen (*à* mit); an die Spitze stellen (*sur* gen); **~positif, ive** *gram* vorgestellt; präpositional; *locution f ~ive* präpositionale(r) Ausdruck *m;* **~position** *f* Präposition *f,* Verhältniswort *n;* **~positionnel, le** präpositional.

prépuce *m anat* Vorhaut *f.*

pré|retraite [prerətrɛt] *f* vorgezogene(r), vorzeitige(r) Ruhestand *m;* **~retraité, e** *m f* Frührentner(in *f*) *m.*

prérogative [prerɔgativ] *f* Vorrecht *n.*

près [prɛ] *adv* nah(e), nahebei, dicht dabei; in der Nähe; *prp* bei, in der Nähe von; *à ... ~* bis auf ...; von ... abgesehen; *à beaucoup ~* bei weitem nicht, alles andere; weit gefehlt; *à cela ~* davon abgesehen; *à peu ~* ungefähr, etwa; *à peu (de chose) ~* beinahe, fast; es hätte wenig daran gefehlt; *au plus ~* auf dem kürzesten Wege; *de ~* aus, in der Nähe; *fig* unmittelbar; genau; aufmerksam; *(Haare)* kurz *(schneiden); ni de ~ ni de loin (fig)* auf keinen Fall; *de très ~* ganz aus der Nähe; *de trop ~* aus zu großer Nähe; *~ de* (nahe) bei, in der Nähe *gen; fig* nahe; gegen, nahezu, fast, beinahe; im Vergleich mit; *tout ~* ganz nahe, ganz in der Nähe; *avoir la tête ~ du bonnet* leicht auf=brausen, ein Hitzkopf sein; *être ~ de* im Begriff, nahe daran sein zu; *ne pas y regarder de si ~* nicht so genau hin=sehen; es nicht so genau nehmen; *serrer qn de ~* jdm hart auf den Fersen sein; *fig* jdm hart zu=setzen; *surveiller de ~* scharf überwachen; *cela me touche de ~* das liegt mir sehr am Herzen.

présa|ge [prezaʒ] *m* Vorzeichen *n;* Vorbedeutung; Ahnung *f;* **~ger** *(durch ein Zeichen)* an=kündigen, bedeuten; voraus=sehen, ahnen.

pré|-salé [presale], **~salé** *m* Schaf, das auf Salzwiesen geweidet hat; Fleisch *n* von e-m solchen.

presbyte [prɛsbit] *med* weitsichtig.

pres|bytéral, e [prɛsbiteral] priesterlich; Priester-; *maison f ~e* u. **~bytère** *m* Pfarrhaus *n;* **~bytérien, ne** *a rel* presbyterianisch; *s m f* Presbyterianer(in *f*) *m.*

presbytie [prɛsbisi] *f med* Weitsichtigkeit *f.*

prescience [presjɑ̃s] *f* Vorherwissen *n.*

pres|criptibilité [prɛskriptibilite] *f* Verjährbarkeit *f;* **~criptible** verjährbar; **~cription** *f* Vorschrift; Ver-, Anordnung, Bestimmung *f; med* Rezept *n; jur* Verjährung *f; suivant les ~s* den Vorschriften entsprechend; *conforme aux ~s* vorschriftsmäßig; *se conformer aux ~s* sich nach den Vorschriften richten; *délai m de ~* Verjährungsfrist *f; frappé de ~* verjährt; *~ (d'acquisition) (jur)* Ersitzung *f; ~ additionnelle* Zusatzbestimmung *f; ~ administrative* Verwaltungsvorschrift *f; ~ d'application, d'exécution* Durchführungs-, Ausführungsbestimmung *f; ~ de police* Polizeivorschrift *f; ~ de prévention des accidents* Unfallverhütungsvorschrift *f; ~ de procédure* Verfahrensvorschrift *f; ~s transitoires* Übergangsbestimmungen *f pl;* **~crire** *irr* vor=schreiben, bestimmen; verschreiben, verordnen; *jur* ersitzen; *se ~* verjähren; *à la date ~crite* am festgesetzten Tag; *être ~crit* verjährt sein.

préséance [preseɑ̃s] *f fig* Vorsitz; *allg* Vorrang *m; avoir la ~ sur* den Vortritt, Vorrang haben vor *dat.*

présélection [preselɛksjɔ̃] *f tele* Vorwahl *f.*

pré|sence [prezɑ̃s] *f* Anwesenheit, Gegenwart *f,* Vorhandensein *n;* Aktualität *f;* Fluidum *n; (Schauspieler)* Ausstrahlung *f; en ~ de* in Gegenwart, angesichts, im Angesicht *gen;*

être en ~ sich gegenüber=stehen; *faire acte de* ~ sich (kurz) sehen lassen; *feuille, liste f de* ~ Anwesenheitsliste *f; jetons m pl de* ~ Diäten *pl;* ~ *d'esprit* Geistesgegenwart *f; la* ~ *française en Afrique* die militärische Präsenz Frankreichs in Afrika; **~sent, e** *a* anwesend, zugegen; vorhanden, gegenwärtig, vorliegend; da; aktuell; *s m* Gegenwart *f a. gram,* Präsens; Geschenk *n; pl* Anwesende *pl; s f* vorliegende(s) Schreiben, Gegenwärtige(s) *n; à, (jur) de* ~ gegenwärtig, zur Zeit, jetzt; *à* ~ *que* jetzt, wo; *dans le cas* ~ im vorliegenden Fall; *dans la situation ~e* in der gegenwärtigen Lage; *jusqu'à* ~ bis jetzt; *par la ~e* hierdurch, -mit; *pour le* ~ für den Augenblick, vorläufig; *~s tous les intéressés* in Gegenwart aller Beteiligten; *être* ~ *(à tout et) partout* überall zugleich sein; *être* ~ *en personne* persönlich zugegen sein; *faire* ~ *de qc à qn* jdm etw schenken; *recevoir en* ~ zum Geschenk erhalten; *être tenu* ~ als anwesend geführt werden; *~!* hier! *les petits ~s entretiennent l'amitié* kleine Geschenke erhalten die Freundschaft; ~ *de noce, de fiançailles* Hochzeits-, Verlobungsgeschenk *n.*

présen|table [prezɑ̃tabl] mit dem, der man sich sehen lassen kann; gutaussehend; **~tateur, trice** *m f* Vorzeiger *(e-s Wechsels);* Ansager, Conférencier *m;* **~tation** *f* Vorlage; Über-, Einreichung, Eingabe; Anmeldung; Geltendmachung; *(Wechsel)* Vorzeigung; Vorstellung, -führung; Einführung *f;* Vorschlag(srecht *n) m;* Ausführung, Aufmachung; Verpackung; *(Buch)* Ausstattung *f; phot* Passepartout *n; theat* Inszenierung; *(Mensch)* äußere Erscheinung *f; aero* (Ziel-)Anflug *m; à* ~ *(Wechsel)* bei Sicht; *payable à, sur* ~ zahlbar bei Vorkommen; ~ *de(s) candidats* Vorschlagsliste *f;* ~ *de collection (de modes)* Mode(n)schau *f;* ~ *factice* Schaupackung, Attrappe *f;* ~ *d'une facture* Rechnungsvorlage *f;* ~ *pathologique (med)* Fehllage *f;* ~ *personnelle* persönliche Vorstellung *f.*

présentement [prezɑ̃tmɑ̃] *adv* gegenwärtig, zur Zeit, jetzt.

présen|ter [prezɑ̃te] *tr (offrir)* ~ *qc à qn* jdm e-e S vor=setzen, an=bieten; *(montrer)* vor=legen, vor=zeigen; *(Antrag, Gesuch, Unterlagen)* ein=reichen; *(Anspruch, Teilnahme, Patent)* an=melden; geltend machen; ~ *une requête à une administration* bei e-r Behörde ein Gesuch ein=reichen; *(Ausweis)* vor=weisen, vor=zeigen; *(introduire qn)* vor=stellen, ein=führen; ~ *qn à qn* jdm jdn vor=stellen; ~ *qn dans un cercle* jdn in e-n Kreis ein=führen; *(recommander)* empfehlen; ~ *qn à* od *pour un emploi* jdn für e-e Beschäftigung empfehlen; *(Gegenstand, Kunststück)* vor=führen; *(mettre à disposition)* dar=bringen, -reichen, gewähren, (ent)bieten, zur Verfügung stellen; *(öffentlich)* vor=bringen, zum Ausdruck bringen, äußern, dar=legen, -stellen; *(Plan, Lösung)* vor=schlagen; *(Vorschlag)* unterbreiten (*à qn* jdm); *(Wechsel)* vor=zeigen, -legen, präsentieren; *(Telegramm)* auf=geben; *itr* sich (gut) benehmen; *se* ~ sich bewerben (*pour* um); sich melden; sich aus=setzen (*à* dat); sich zeigen (*de* von); auf=treten; erscheinen; vor=kommen; ~ *à l'acceptation* zur Annahme vor=legen; ~ *un amendement* e-n Abänderungsantrag stellen; ~ *un aspect* e-n Anblick bieten; ~ *des avantages* Vorteile bringen; ~ *sa candidature* kandidieren (*à* für); ~ *une collection* e-e Kollektion vor=führen *od* zeigen; ~ *une demande, motion* e-n Antrag stellen; ~ *sa démission* s-e Entlassung ein=reichen; ~ *des difficultés* Schwierigkeiten bieten; ~ *le dos à qn* jdm den Rücken zu=kehren, -wenden; ~ *ses excuses* sich entschuldigen; ~ *sous un jour favorable* in günstigem Licht zeigen *od* dar=stellen; ~ *le miroir à qn* jdm den Spiegel vor=halten; ~ *ses regrets* sein Bedauern äußern *od* zum Ausdruck bringen; ~ *un solde* e-n Saldo auf=weisen; *~ez arme!* präsentiert das Gewehr! *il ~e bien* er stellt etw vor; *il se ~e une occasion* es bietet sich e-e Gelegenheit; **~toir** *m* Büstenhalter *m (mit großem Dekolleté);* ~ *à cigarettes* Zigarettenschale *f.*

préser|vateur, trice [prezɛrvatœr, -tris] *a* vorbeugend; schützend (*de* vor *dat,* gegen); Vorbeugungs-, Schutz-, Verhütungs-; *s m* Schutzmittel *n;* **~vatif, ive** *a* schützend; *s m med* Schutzmittel *n,* Kondom *m;* **~vation** *f* Schutz *m,* Rettung *f;* Bewahren *n;* **~ver** schützen, bewahren, hüten (*de* vor *dat*).

pré|sidence [prezidɑ̃s] *f* Präsidium *n,* Vorsitz; Amtssitz *m,* -räume *m pl* des Präsidenten, Präsidentenpalais *n; sous la* ~ unter der Leitung, dem Vorsitz (*de* gen); *assurer la* ~ *de* den Vorsitz führen über *acc; être nommé* *à la* ~ zum Vorsitzenden gewählt werden; *prendre la* ~ den Vorsitz übernehmen; ~ *par roulement* turnusmäßig wechselnde(r) Vorsitz *m;* **~sident, e** *s m f* Präsident(in *f*) *m;* Vorsitzende(r *m*) *f,* Vorsitzer; *(Versammlung)* Leiter *m;* Frau *f* e-s Präsidenten; ~ *d'âge* Alterspräsident *m;* ~ *du Conseil* Ministerpräsident *m;* ~ *(de la République) fédéral(e)* Bundespräsident *m;* ~ *de la République* Staatspräsident *m;* **~sidentiel, le** *a* Präsidenten-; *s f pl* die Präsidentschaftswahlen; **~sider** *tr* den Vorsitz führen (*qc* über etw *acc,* bei etw); präsidieren *dat; itr* leiten (*à qc* etw).

pré|somptif, ive [prezɔ̃ptif, -iv] präsumtiv, mutmaßlich, wahrscheinlich; **~somption** *f* Vermutung *a. jur,* Mutmaßung; Annahme; Anmaßung *f;* Dünkel *m;* ~ *de fuite* Fluchtverdacht *m;* **~somptueux, se** [-tɥø, -øz] anmaßend, dünkelhaft.

presqu|e [prɛsk(ə)] *adv* fast, beinahe, nahezu, annähernd; **~'île** *f* Halbinsel *f.*

press|age [prɛsaʒ] *m* Pressen *n;* Druck *m;* **~ant, e** dringend, eilig; eindringlich; unabweislich; auf-, zudringlich; heftig; **~e** [prɛs] *f vx* Gedränge *n,* Andrang *m;* Eile *f,* Drang *m* (der Geschäfte); *fam* Klemme; *tech* Presse, *bes.* (Drucker-)Presse *f a. fig; sous* ~ *(Buch)* im Druck; *avoir une bonne, mauvaise* ~ e-e gute, schlechte Presse haben; *être du genre* ~ *du cœur* zu der Gattung gehören, die auf die Tränendrüse drückt; *sortir de* ~ frisch aus der Druckerpresse kommen; *mettre sous* ~ drucken lassen; *se tirer de la* ~ sich aus der Affäre ziehen; *il n'y a pas de* ~ es eilt nicht; *campagne f de* ~ Pressekampagne *f; liberté f de la* ~Pressefreiheit *f; mise f sous* ~ Drucklegung *f; nouvelles f pl de* ~ Pressenachrichten *f pl; service m de* ~ Pressedienst *m;* ~ *à ail* Knoblauchpresse *f;* ~ *à billets de banque* Notenpresse *f;* ~ *à bras, à plat* Hand-, Flachdruckpresse *f;* ~ *à briquettes (à boulets)* (Eiform-)Brikettpresse *f;* *~-citron(s) m inv* Zitronenpresse *f;* ~ *à copier* Kopierpresse *f;* ~ *à estamper* Stanze *f;* *~-étoupe m inv tech* Stopfbuchse *f;* ~ *filmée* Wochenschau *f;* ~ *à forger* Schmiedepresse *f;* *~-fruits m inv* Fruchtpresse *f;* ~ *à huile* Ölpresse *f;* ~ *d'opinion, d'opposition* Partei-, Oppositionspresse *f;* *~-papiers m inv* Briefbeschwerer *m;* ~ *périodique* Tagespresse *f;* ~ *professionnelle, spécialisée* Fachpresse *f;* *~-purée m inv* Kartoffel-, Gemüsequetsche *f;* ~ *quotidienne* Tagespresse *f;* ~ *parlée, radiophonique* Rundfunknachrichten *f pl;* *~-raquette m* Spanner *m;* ~ *à sensation, à scandale* Sensations-, Skandalpresse *f;* **~é, e** ausgedrückt; *fig* gedrängt, knapp; eilig; (hart) bedrängt, geplagt (*de* von, durch); *aller au plus* ~ das Wichtigste zuerst erledigen; *être* ~ es eilig haben, keine Zeit haben; ~ *d'argent* in Geldnöten.

press|entiment [presɑ̃timɑ̃] *m* Vorgefühl *n,* Ahnung *f;* **~entir** *irr* ahnen; aus=forschen, -horchen; sondieren, vor=fühlen (*qn pour qc* bei jdm wegen e-r S).

press|er [prɛse] *tr* (aus=)pressen, -drücken, -quetschen; keltern; drücken (*qc* auf e-e S); (zs.=)drängen, verdichten; *tech* klemmen; beschleunigen, vor=verlegen, (zur Eile) an=treiben; dringen (*qn* in jdn), bedrängen, -stürmen (*de questions* mit Fragen); *itr* drängen, eilen, keinen Aufschub dulden; *se* ~ sich überstürzen, -schlagen; sich beeilen; sich drängen; *trop* ~ es zu weit treiben, übertreiben, es zu genau nehmen (*qc* mit e-r S); ~ *dans ses bras* in die Arme schließen; ~ *contre son cœur* an sein Herz drücken; ~ *l'ennemi* dem Feind nach=drängen; *rien ne ~e* es hat keine Eile; **~ier** [-sje] *m typ* (Zeitungs-) Drucker *m;* **~ing** [prɛsiŋ] Dampfbügeln *n;* Schnellreinigung *f;* **~ion** *f* Drücken, Pressen *n;* Druck *a. fig,* Zwang; Druckknopf; *tech* (Kessel-) Druck *m;* Spannung *f; basse* ~ *(tech)* Niederdruck *m; (Wetter)* Tief *n;* ~ *atmosphérique, d'air barométrique* Luftdruck; Barometerstand *m;* ~ *fiscale* Steuerdruck *m;* ~ *des gaz (phys)* Gasdruck *m;* ~ *de gonflage (mot)* Reifendruck *m;* ~ *d'huile (mot)* Öldruck *m;* ~ *vasculaire, artérielle* Blutdruck *m;* **~oir** *m* Kelter *f;* **~urage** *m* Keltern, (Aus-)Pressen *n;* **~urer** keltern, (aus=)pressen, -drükken; *fig* aus=saugen, erpressen; **~urisation** *f* Luftdruckregulierung; *aero* (Kabinen-)Aufladung *f;* **~urisé, e** *a tech* mit Druckausgleich.

prestance [prɛstɑ̃s] *f* Stattlichkeit, stattliche Erscheinung *f.*

presta|taire [prɛstatɛr] *m f* Empfänger(in *f*) *m;* ~ *de l'aide sociale* Sozialhilfeempfänger(in *f*) *m;* **~tion** *f com* Leistung; Abgabe, Lieferung *f;* ~ *d'assurance* Versicherungsleistung *f;* ~ *de(s) capitaux* Kapitalleistung *f;* ~ *en espèces, en argent* Barleistung *f; mil* Bar-, Geldbezüge *m pl;* ~ *familiale* Familienbeihilfe *f,* -zulage *f;* ~

d'impôt Steuerleistung *f; ~ de maladie* Krankengeld *n; ~ en nature* Natural-, Sachleistung *f; ~ à titre de réparation* Reparationsleistung *f; ~ de serment* Eidesleistung *f; ~ de services* Dienstleistungen *f pl; ~ (de sécurité) sociale* Sozialleistung *f.*

prest|e [prɛst] flink, behend(e), lebhaft, fix; **~esse** *f* Behendigkeit, Fixigkeit, Gewandtheit; Lebhaftigkeit *f.*

prestidigi|tateur [prɛstidiʒitatœr] *m* Taschenspieler, Zauberkünstler *m;* **~tation** *f* Taschenspielerkunst *f.*

presti|ge [prestiʒ] *m* Zauber, Reiz; Nimbus *m;* Prestige, Ansehen *n,* Einfluß *m;* **~gieux, se** [-ʒjø, -øz] *a* Wunder-, Zauber-; zauberhaft, wunderbar.

presto [prɛsto] *adv fam* geschwind; in Eile.

présu|mable [prezymabl] vermutlich, mutmaßlich; **~mer** *tr* vermuten, mutmaßen; an=nehmen; halten für, gelten lassen als *acc; itr* halten, denken (*de* von *dat*); *~ trop de ...* e-e zu hohe, zu gute Meinung haben von ..., überschätzen.

présupposer [presypoze] voraus=setzen.

présure [prezyr] *f* (Kälber-)Lab *n,* Renne *f.*

prêt [prɛ] *m* (Aus-, Ver-)Leihen; Darlehen *n,* Anleihe *f a. fig;* Vorschuß; *mil* Sold *m,* Löhnung *f; pl* Darlehensschulden *f pl; à titre de ~* leihweise; *accorder, consentir un ~* ein Darlehen gewähren; *contracter un ~* ein Darlehen auf=nehmen; *bibliothèque f de ~* Leihbücherei *f; bulletin, certificat m de ~* Leihschein *m; caisse f de ~s* Darleh(e)nskasse *f; contrat m de ~* Darleh(e)nsvertrag *m; loi f ~ et bail* Pacht- u. Leihgesetz *n; maison f de ~* Leihhaus, -amt *n; salle f de ~* Ausleihe, Leihstelle, (Bücher-)Ausgabe *f; service m de ~(s) de livres* Bücherleihverkehr *m; taux m de ~* Lombardzinsfuß *m; ~ de bibliothèque à bibliothèque* auswärtige(r) Leihverkehr *m; ~ à la construction* Baudarlehen *n; ~ à consommation* Gebrauchsdarlehen *n; ~ à domicile (Bücher)* Ausleihe *f; ~ sur gage, sur nantissement* Lombardgeschäft, -darlehen *n; ~ à la grosse (aventure)* Bodmereigeld *n,* -vertrag *m; ~ à intérêt (gratuit)* (un-)verzinsliche(s) Darlehen *n; ~ au jour le jour* Tagesgeld *n; ~ à la petite semaine, usuraire* Wucherdarlehen *n.*

prêt, e [prɛ, -t] *a* fertig, bereit; entschlossen; *s m* [prɛtapɔrte] Konfektionskleidung *f; tenir ~* bereit=halten; *~ à combattre* gefechtsbereit; *~ à démarrer (mot), au départ (sport)* startbereit; *~ à entrer en ligne (mil)* einsatzbereit; *~ à être expédié* versandbereit; *~ à fonctionner, à marcher* betriebsbereit; *~ à marcher (mil)* marschbereit; *~ à partir* reisefertig; *~ au pire* auf das Schlimmste gefaßt; *~ à servir, à l'usage* gebrauchsfertig.

prêt|able [prɛtabl] verleihbar; **~e-nom** *m* Strohmann *m;* **~é** *m: ~ rendu* gerechte Strafe *f; c'est un ~ pour un rendu* Wurst wider Wurst.

prétend|ant, e [pretɑ̃dɑ̃, -ɑ̃t] *m f* (Kron-)Prätendent(in *f*); *m* Bewerber (*à* für); Freier *m;* **~re** *tr* behaupten; wollen, die Absicht haben; *itr* streben (*à* nach), sich bemühen, (sich be)werben (*à* um); **~u, e** *a* an-, vorgeblich, sogenannt; *(Schwiegersohn)* zukünftig, angehend, in spe; *s m f dial* Verlobte(r *m*) *f,* Bräutigam *m,* Braut *f.*

prétentaine, pretantaine [pre-, prətɑ̃tɛn] *f; courir la ~ (fam)* herum=bummeln, auf Liebesabenteuer aus=gehen.

prétenti|eux, se [pretɑ̃sjø, -øz] anspruchsvoll; anmaßend; eingebildet, eitel; affektiert, geziert; *(Stil)* gesucht, geschraubt; **~on** *f* Behauptung *f;* Anspruch *m,* Forderung; (ehrgeizige) Absicht; Anmaßung; Einbildung, Eitelkeit *f; pl* Gehaltsansprüche m pl.

prêter [pre(ɛ)te] *v* **I.** *itr (Gewebe, Leder)* nach=geben, sich verziehen, sich weiten, sich dehnen; (viel) her=geben; **II.** *tr* **1.** *(mettre à disposition)* (aus=, ver)leihen (*qc à qn* jdm e-e S); *cette bibliothèque prête des livres* diese Bibliothek leiht Bücher aus; *il n'aime pas ~ ses livres* er verleiht s-e Bücher nicht gern; *(Kostüme, Autos)* verleihen; *(Geld)* vor=schießen, -strecken; dar=, an=bieten, zur Verfügung stellen, gewähren; *(s-n Namen)* her=geben (*à qc* für etw); **2.** *(attribuer)* zu=schreiben, unterstellen; *~ à qn des intentions qu'il n'a pas* jdm Absichten unterstellen; *~ une signification à qc* e-r S e-e Bedeutung bei=messen; **3.** *(donner l'occasion de)* Anlaß geben, sich eignen (*à* zu); *~ à la critique* zur Kritik Stoff geben; **4.** *se ~ (Sache)* sich eignen, geeignet sein (*à* für); *(Mensch)* nach=geben, sich fügen, sich schicken (*à* in *acc*); sich an=passen (*à* an *acc*); *il se prêta à tout ce qu'on voulut* er fand sich zu allem bereit; sich einverstanden erklären (*à* mit); sich her=geben (*à* zu); sich gefallen lassen (*à qc* e-e S); *il s'est prêté à un examen* er hat sich e-r Prüfung unterzogen; **5.** *(expressions) ~ assis-*

tance, son appui, son concours Beistand leisten (*à qn* jdm); ~ *son attention* auf=merken, -passen (*à* auf *acc*); ~ *le collet à qn* jdm die Stirn bieten; ~ *à controverse* Widerspruch heraus=fordern; ~ *le flanc à qn* sich jdm gegenüber e-e Blöße geben; ~ *sur gage* gegen Pfand aus=leihen, lombardieren; ~ *à la grosse (aventure) (com)* bodmen; ~ *à intérêts* auf Zinsen aus=leihen; ~ *la main* Hand an=legen, ~ *l'épaule* behilflich sein (*à qn* jdm); ~ *l'oreille à qn* jdm Gehör schenken; ~ *à la petite semaine, à usure* zu Wucherzinsen leihen; ~ *serment* schwören; ~ *sa voix à qn* für jdn sprechen.

prétérit [preterit] *m gram* Vergangenheit *f*, Präteritum *n*; **~ion** [-sjɔ̃] Übergehung, Auslassung *f*.

prêteur, se [prɛtœr, -øz] *a: n'être pas* ~ nicht gern (ver)leihen; *s m* Verleiher; Darlehensgeber *m*; ~ *sur gage, sur nantissement* Pfandleiher *m*; ~ *sur hypothèque* Hypothekengläubiger *m*.

prét|exte [pretɛkst] *m* Vorwand *m*; *sous* ~ *(de, que)* unter dem Vorwand (*gen*, daß); *prendre* ~ *de qc* etw zum Vorwand nehmen; **~exter** vor=schützen, -geben; vor=täuschen.

prétoire [pretwar] *m* Gericht(ssaal *m*) *n*.

prêtr|e [prɛtr] *m* Priester *m*; *grand* ~ Ober-, Hohe(r)priester *m*; *~-ouvrier m* Arbeiterpriester *m*; *~-roi m* Priesterkönig *m*; **~esse** *f* Priesterin *f*; **~ise** *f* Priesterweihe *f*; Priestertum *n*, -stand *m*, -würde *f*.

preuve [prœv] *f* Beweis(stück, -mittel *n*); Beleg *m*, Unterlage *f*; Nachweis *m*; Zeugnis, Zeichen *n*; *math* Probe; Alkoholprobe *f*; *comme* ~ als, zum Beweis (*de* für); *jusqu'à ~ du contraire* bis zum Beweis des Gegenteils; *faire ~ de qc* etw an den Tag legen; *faire la ~ de qc* etw beweisen; *fournir des ~s* Beweise liefern; *produire, apporter des ~s (jur)* Beweise bei=bringen; *rassembler des ~s* Beweismaterial sammeln; *la ~ incombe* die Beweislast ruht (*à* auf *dat*); *clôture f de l'administration des ~s* Schluß *m* der Beweisaufnahme; *fardeau m de la* ~ Beweislast *f*; *instrument m de la* ~ Beweismittel *n*; *ordre m de* ~ Beweisantrag *m*; ~ *contraire* Gegenbeweis *m*; ~ *de culpabilité* Schuldbeweis *m*; ~ *de disculpation, à décharge, libératoire* Entlastungsbeweis *m*; ~ *par indices* Indizienbeweis *m*; ~ *testimoniale* Zeugenbeweis *m*; ~ *de la vérité* Wahrheitsbeweis *m*.

preux [prø] *a vx* tapfer, wacker; *s m* Held, Recke *m*.

prévaloir [prevalwar] *irr* sich durch=setzen; die Oberhand gewinnen, haben, behalten (*sur, contre* über *acc*); vor=herrschen; *se ~ de* ... sich zunutze machen, Nutzen ziehen aus ...; sich berufen auf *acc*; für sich geltend machen; sich zugute halten, sich etw ein=bilden auf *acc*; *il se prévaut de la loi* er beruft sich auf das Gesetz.

prévari|cateur, trice [prevarikatœr, -tris] *a* pflichtvergessen, untreu; *s m f* Pflichtvergessene(r), untreue(r) Beamte(r) *m*; Beamtin *f*; **~cation** *f* Pflichtvergessenheit, -verletzung, Untreue *f* (im Amt); *affaire f de* ~ Bestechungsaffäre *f*; **~quer** s-e Pflicht verletzen, pflicht-, amtswidrig handeln.

pré|venance [prevnɑ̃s] *f* einnehmende(s) Wesen *n*; Zuvorkommenheit *f*; **~venant, e** zuvorkommend; (für sich) einnehmend, gewinnend, angenehm; **~venir** *irr* zuvor=kommen (*qn* jdm); vor=beugen (*qc* e-r S *dat*); (rechtzeitig) unterbinden, vereiteln, verhüten; *vx* vorher ein=nehmen (*en faveur de* für, *contre* gegen); vorher benachrichtigen, in Kenntnis setzen, warnen (*de* vor *dat*); (von vornherein) in e-r bestimmten Richtung fest=legen; *mieux vaut ~ que guérir* Vorsicht ist besser als Nachsicht; **~ventif, ive** vorbeugend; Vorbeugungs-, Verhütungs-; *détention f ~ive* Untersuchungshaft *f*; *guerre f ~ive* Präventivkrieg *m*; *mesure f ~ive* Vorbeugungsmaßnahme *f*; **~vention** *f* Vorurteil *n*, Voreingenommenheit; Vorbeugung, Verhütung *f*; *jur* Verdacht(sgründe *m pl*) *m*; Anklage(zustand *m*); Untersuchungshaft *f*; *en* ~ in Untersuchungshaft; *sans* ~ unvoreingenommen *adv*; ~ *des accidents (du travail)* Unfallverhütung *f*; ~ *de la criminalité* Verbrechensbekämpfung *f*; ~ *routière* Maßnahmen *f pl* zur Bekämpfung von Verkehrsunfällen; **~ventivement** *adv* zur Vorbeugung, vorsichtshalber; *détenu m* ~ Untersuchungsgefangene(r) *m*; **~ventorium** [-vɑ̃tɔrjɔm] *m* Erholungsheim, Sanatorium *n*; **~venu, e** *a* eingenommen (*en faveur de qn, contre qn* für, gegen jdn); voreingenommen; gewarnt; *jur* beschuldigt, angeklagt, unter Anklage (*de* gen); *s m f* Angeklagte(r *m*) *f*; *banc m des ~s* Anklagebank *f*.

pré|visible [previzibl] vorhersehbar; **~vision** *f* Voraussehung, Vorhersage; Vermutung, Mutmaßung *f; com* Voranschlag *m; contre toute ~* entgegen allen Erwartungen; *en ~ de ...* um ... vorzubeugen; *selon toute ~* aller Wahrscheinlichkeit nach; *mes ~s se sont réalisées* meine Vermutungen haben sich bestätigt; *~s budgétaires* Haushaltsvoranschlag *m; ~s de caisse* Zahlungsanforderungen *f pl; ~ des effectifs du personnel* Stellenplan *m; ~ d'exploitation* Betriebsbudget *n; ~s de récolte* Ernteaussichten *f pl; ~ des salaires* Lohnetat *m; ~ du temps, ~s météorologiques* Wettervorhersage *f;* **~visionnel, le** vorsorglich; veranschlagt; **~voir** *irr* vorher=, voraus=sehen, -sagen, -berechnen; vor=sorgen; Vorsorge, Vorsichtsmaßnahmen treffen; *se ~* sich vorher=sehen, voraussagen lassen; *dépenses f pl à ~* damit verbundene Ausgaben.

pré|vôt [prevo] *m hist* Vogt; Profoß; *rel* (Dom-, Stifts-)Probst; *mil* oberste(r) Feldrichter *m;* **~vôté** *f* Feldgendarmerie *f.*

pré|voyance [prevwajɑ̃s] *f* Voraussicht, Vorhersage; Vor-, Fürsorge *f; caisse f de ~* Vorsorge *f; fonds m pl de ~* Reserve *f* für unvorhergesehene Ausgaben; *société f de ~* Wohltätigkeitsverein *m; ~ contre les accidents* Unfallverhütung *f; ~ pour chômeurs, enfantine* Arbeitslosen-, Kinderfürsorge *f; ~ sociale* soziale Fürsorge, Wohlfahrt *f; ~ de vieillesse* Altersversorgung *f;* **~voyant, e** vorausschauend; vorsorgend; vorsorglich.

pri|é, e [prije] *a vx* eingeladen; *(Veranstaltung)* nur mit geladenen Gästen; **~e-Dieu** *m inv* Betstuhl *m; zoo* Gottesanbeterin *f;* **~er** *itr* beten (*à* zu); *tr* (inständig) bitten (*qn de qc* jdn um etw), (an=)flehen; ein=laden (*à* zu); sich ein=setzen, ein=treten (*pour qn* für jdn); *~ Dieu* zu Gott beten; *ne pas se faire ~* sich nicht (lange) bitten, nötigen lassen; *je vous (en) ~e* bitte (schön); gefälligst, wenn ich bitten darf; ich möchte (doch) sehr *od* darum bitten, ich bitte (es) mir aus; **~ère** *f* Gebet *n;* (inständige) Bitte *f; à la ~ de ...* auf die Bitte *gen; faire ses ~s* sein Gebet verrichten; *~ de ne pas fumer* (bitte) nicht rauchen! Rauchen verboten! **~eur, e** *s m f rel* Prior(in *f*) *m,* Oberin *f;* **~eural, e** *a* Prioren-, Priorats-; Priorei-; **~euré** *m* Priorei *f (Kloster);* Priorat, Amt *n od* Würde *f* e-s Priors, e-r Oberin.

primaire [primɛr] *a* Primär-, Erst-, Anfangs-, Ur-; Volks-, Grundschul-; *fam* ungebildet; *s m el* Primarseite *f; école f ~ (supérieure)* Volks- (Mittel-)Schule *f; enseignement m, instruction f ~* Volksschulunterricht *m; ère f ~* Erdaltertum, Paläozoikum *n; instituteur m ~* Volksschullehrer *m.*

primat [prima] *m rel* Primas *m.*

primates [primat] *m pl zoo* Primaten *m pl.*

primauté [primote] *f* Vorrang *m; rel* Oberhoheit *f.*

prim|e [prim] **1.** *s f rel, (Fechten)* Prim; *com* feinste Wolle *f; a: a ~ (math)* a Strich (a'); *de ~ abord* von Anfang an; gleich anfangs; *de ~ face* auf den ersten Blick; *de ~ saut* gleich, unvermittelt; **2.** *s f com* Prämie; Zugabe, Zulage, Gratifikation *f;* Aufgeld, Agio; Reugeld *n; (taux m de la ~)* Prämiensatz *m; faire ~ (fig)* sehr gesucht sein; *marché m à ~* Prämiengeschäft *n; négociation, opération f à ~ (com)* Dontgeschäft *n; ~ d'accouchement* Wochengeld *n; ~ d'allaitement* Stillgeld *n; ~ d'ancienneté* (Dienst-)Alterszulage *f; ~ annuelle* Jahresprämie *f; ~ d'assurance* Versicherungsprämie *f,* -beitrag *m; ~ de change (com)* Wechselagio *n; ~ de compensation* Ausgleichsprämie *f; ~ de courtage* Maklergebühr *f; ~ d'encouragement* Prämie, Zulage, Gratifikation *f; ~ d'engagement* Handgeld *n; ~ d'exportation, d'importation* Aus-, Einfuhrprämie *f; ~ de fin d'année* Jahresabschlußprämie *f; ~ à l'hectare* Anbauprämie *f; ~ de productivité, de rendement* Leistungsprämie, -zulage *f; ~ de rideau* Umzugsvergütung *f; ~ de risque* Risikoprämie *f; ~ de transport* Fahrgeldzuschuß *m; ~ de vacances* Urlaubsgratifikation *f;* **~er 1.** präm(i)ieren; **2.** den Vorrang haben (*qc* vor e-r S); übertreffen, zuvor=kommen (*qn* jdm), vor=gehen (*qc* e-r S); *agr* zum erstenmal jäten.

primerose [primroz] *f bot* Stockrose *f.*

primesautier, ère [primsotje, -ɛr] von schnellem Entschluß, der ersten Eingebung folgend.

primeur [primœr] *f* Anfänge *m pl;* Neuheit, erste Blüte, erste Reife *f; pl* Frühobst, -gemüse *n; de ~ (agr)* Früh-; *avoir la ~ de qc* etw als erste(r) genießen; als erste(r) von etw benachrichtigt werden; **~iste** *m* (Früh-)Gemüsegärtner *m.*

primevère [primvɛr] *f* Schlüsselblume *f,* Himmel(s)schlüssel *m;* Primel *f.*

primipare [primipar] zum erstenmal gebärend *od* werfend.

prim|itif, ive [primitif, -iv] ursprünglich; primitiv, urtümlich, einfach; Ur-; *gram* Stamm-, Grund-; *s m gram*

Stamm-, Grundwort *n; pl (Kunst, Völker)* Primitive *m pl; couleur f ~ive* Grundfarbe *f; état m ~* Urzustand *m; gothique m ~* Frühgotik *f; langue f ~ive* Ursprache *f;* **~itivement** *adv* ursprünglich, anfangs.

primo [primo] *adv* erstens.

primogéniture [primɔʒenityr] *f* Erstgeburt *f.*

prim|ordial, e [primɔrdjal] ursprünglich; wesentlich; **~ordialité** *f* Ursprünglichkeit *f.*

prince [prɛ̃s] *m* Fürst; Prinz *m; fig* Haupt *n; être bon ~ (fam)* großzügig sein; *~(s) des Apôtres* Apostelfürst(en *pl*) *m,* Petrus (u. Paulus); *~ charmant* Märchenprinz *m; ~ consort* Prinzgemahl *m; ~ de l'Église* Kirchenfürst *m; ~-évêque m* Fürstbischof *m; ~ héritier* Erbprinz *m; ~ impérial, royal* Kronprinz *m; ~-régent m* Prinzregent *m.*

princeps [prɛ̃sɛps] *a: édition f ~ (Buch)* Erstausgabe *f.*

princ|esse [prɛ̃sɛs] *s f* Fürstin; Prinzessin *f; aux frais de la ~ (fig fam)* auf Regimentskosten, auf Staatskosten *pl; faire sa ~* sich zieren; *a: haricots m pl ~* Prinzeßbohnen *f pl; robe f ~* Prinzeßkleid *n; ~ royale* od *impériale, héritière* Kron-, Erbprinzessin *f;* **~ier, ère** fürstlich; Fürsten-; Prinzen-; *fig* prunkvoll; luxuriös.

principal, e [prɛ̃sipal] *a* Haupt-; wichtigste(r, s); hauptsächlich; *s m* Hauptsache *f,* -punkt; Direktor *m* (e-s städtischen Gymnasiums); *com* Kapital *n; fam* Prinzipal, Chef *m; pl* Honoratioren; führende Köpfe *m pl; au ~* in der Hauptsache; *ingénieur m ~* Oberingenieur *m; ligne f ~e (loc)* Hauptlinie *f; point m ~* Blickpunkt *m; proposition f ~e (gram)* Hauptsatz *m; ~ (clerc m)* Bürovorsteher *m; ~ créancier, débiteur* od *obligé* Hauptgläubiger, -schuldner *m; ~ locataire m* Hauptmieter *m;* **~ement** *adv* hauptsächlich, vor allem, insbesondere.

princi|pat [prɛ̃sipa] *m* Fürstenwürde *f; hist* Prinzipat *n;* **~pauté** *f* Fürstentum *n.*

principe [prɛ̃sip] *m* Anfang; Ursprung *m;* Quelle *f;* Grund(lage *f*) *m;* Element; Prinzip *n;* Grundsatz *m,* -ursache, -wahrheit *f;* (Natur-)Gesetz *n; chem* (Grund-)Bestandteil *m; pl* Prinzipien *n pl,* Grundsätze *m pl,* Lebensregeln; Richtlinien *f pl; dans le ~* anfänglich, ursprünglich; grundsätzlich; *dès le ~* von Anfang an, gleich zu Anfang; *en ~* im Prinzip, prinzipiell, grundsätzlich; *sans ~s* grundsatz-, gewissenlos; *avoir pour ~* als Grundsatz haben; *être à cheval sur les ~s* ein Prinzipienreiter sein; *poser qc en ~* etw zum Grundsatz machen; etw als Grundlage nehmen; *~ autoritaire, totalitaire* Autoritäts-, Totalitätsprinzip *n; ~ d'erreurs* Fehlerquelle *f; ~ d'imposition* Steuerrichtlinien *f pl; ~ des nationalités* Nationalitätenprinzip *n; ~ pollueur-payeur* Verursacherprinzip *m; ~ vital* Lebensprinzip *n.*

print|anier, ère [prɛ̃tanje, -ɛr] *a* Frühlings-, -jahrs-; *fig* jugendlich; *robe f ~anière* Frühjahrskleid *n;* **~emps** [-tɑ̃] *m* Frühling *m,* -jahr *n; poet* Lenz *m.*

prio|ritaire [prijɔritɛr] bevorrechtet; *voie f ~* Straße *f* mit Vorfahrtsrecht; **~rité** *f* Priorität *f;* Vorrang, -zug *m,* -recht *n; ~ (aux croisements)* Vorfahrt(srecht *n*) *f; avoir ~* Vorfahrt haben; *avoir un droit de ~ sur* den Vorzug haben vor *dat; donner la ~ à qc* e-r S den Vorzug geben, etw vor=ziehen; *~ à droite* das von rechts kommende Fahrzeug hat Vorfahrt; *la ~ me revient* ich habe Vorfahrt; *actions f pl de ~* Vorzugsaktien *f pl; route f à ~* bevorrechtigte Straße *f.*

pris, e [pri, -iz] entnommen, entlehnt; ergriffen; befallen; (zu)gefroren; *lait m ~* saure Milch *f; voile f ~e* geblähte(s) Segel *n; ~ en couture* angesetzt; ein-, festgenäht; *~ pour dupe* an der Nase herumgeführt; *~ dans les glaces* eingefroren; *~ à même (Kleid)* angeschnitten; *~ à l'usine, à l'entrepôt* ab Werk, Lager; *~ de vin, de boisson* betrunken; *(d'une taille) bien ~(e) (Mensch)* gut gewachsen, gebaut, proportioniert.

pris|e [priz] *f* Nehmen, Ergreifen *n;* Entnahme *f;* Eingriff *m;* Einnahme, Eroberung; Gefangennahme *f;* Fang *m,* Beute, Prise *f;* Aufbringen *n* (e-s Schiffes); *phys tech* Abzweigung *f,* Anschluß *m; phot* Aufnahme *f; (Maurerei)* Abbinden; Gefrieren; Gerinnen *n; (Ringkampf)* Griff; *fig* Eindruck *m* (*sur* auf *acc*); Gewalt *f* (*sur* über *acc*); *avoir ~ sur qn;* jdm etw anhaben können; *décerner une ordonnance de ~ contre qn* Haftbefehl gegen jdn erlassen; *donner ~ à* Anlaß geben zu; *donner ~ sur soi* sich *dat* e-e Blöße geben; *être aux ~s* sich in den Haaren liegen, kämpfen, ringen (*avec* mit); *faire ~* gefrieren; gerinnen; hart, fest werden; *lâcher ~* los=, fahren=lassen, auf=geben; nach=geben; *passer en ~ directe (mot)* den großen Gang ein=schalten; *en venir* *aux ~s* handgemein werden, sich in die Haare geraten; *on n'a pas de ~ sur lui* man kann ihm nichts an=haben; man kann auf ihn keinen Eindruck machen; *fiche f de ~ (el)* Stekker *m; frais m pl de ~ à domicile* Abholgebühr *f; service m de remise et ~ à domicile* Rollfuhrdienst *m; ~ d'air* Luftzufuhr *f; aero* Luftstutzen *m,* -zuführungsleitung *f; ~ d'armes* Parade *f (mit Waffen); ~ de bec (fig fam)* Wortwechsel *m; ~ à bord* Übernahme *f* an Bord; *~ en charge (de frais)* (Kosten-)Übernahme *f; ~ de conscience* Bewußtwerden, geistige(s) Erwachen *n; ~ en considération* Berücksichtigung *f; ~ de contact* Fühlungnahme *f; ~ de corps* Verhaftung *f;* Haftbefehl *m; ~ de courant* Stromentnahme *f;* Steckkontakt *m,* -dose *f; ~ de courant bi-, tripolaire* Doppel-, Dreifachstecker *m; ~ en dépôt* Verwahrung *f; ~ (directe) (mot)* direkte(r), große(r) Gang *m; ~ d'eau* Wasserableitung, -entnahme *f;* Hydrant; Wasserhahn *m; tech* Zapfstelle *f; ~ d'échantillon* Probeentnahme *f; ~ femelle* Steckdose *f; ~ d'incendie* Feuerlöschgerät *n; ~ instantanée (phot)* Momentaufnahme *f; ~ de judo* Judogriff *m; ~ au magnésium* Blitzlichtaufnahme *f; ~ mâle* Stecker *m; ~ des mesures* Maßnehmen *n; ~ multiple (el)* Mehrfach-, Sammelstecker *m; ~ d'otage* Geiselnahme *f; ~ pick-up* Tonabnehmeranschluß *m; ~ de position* Stellungnahme *f; ~ de possession* Besitzergreifung *f; ~ en procès-verbal* Protokollierung *f; ~ de sang* Blutentnahme *f; ~ de secteur (radio)* Netzanschlußstecker *m; ~ de sol en parachute* Fallschirmlandung *f; ~ de son* Tonaufnahme *f; ~ de sténo(gramme)* Stenogrammaufnahme *f; ~ téléphonique* Telephonanschluß *m; ~ de télévision* Fernsehaufnahme *f; ~ de terrain (aero)* Bodenberührung *f; ~ de terre (radio)* Erdung *f; ~ de vues et de son (en extérieur, en intérieur) (film)* (Außen-, Atelier-)Aufnahme *f;* **~ée** *f com* Schätzung *f,* Anschlag *m,* Taxe *f;* **~er 1.** (hoch=)schätzen, Wert legen (*qc* auf e-e S), zu würdigen wissen; **2.** *(Tabak)* schnupfen; **~eur, se** *m f* **1.** *(commissaire-~ m)* Taxator *m;* **2.** Tabakschnupfer(in *f*) *m.*

pris|matique [prismatik] prismatisch; **~me** [-sm] *m math phys* Prisma *n; à travers le ~ de . . . (fig)* durch die Brille, mit den Augen *gen.*

pris|on [prizõ] *f* Gefängnis *n;* Haft *f; mil* Arrestlokal *n; fig* Kerker *m; condamner à six mois de ~* zu sechs Monaten Gefängnis verurteilen; *faire de la ~ (fam)* sitzen; *mettre en ~* ins Gefängnis stecken; *~ préventive* Untersuchungsgefängnis *n,* -haft *f;* **~onnier, ère** [-zɔ-] *s m f* Gefangene(r *m*) *f; m* Schraubenbolzen *m; a* gefangen; *fig* gebunden; *se constituer ~* sich (zur Verhaftung) stellen; *mil* sich ergeben; *faire ~* gefangen=nehmen; *camp m de ~s de guerre* Kriegsgefangenenlager *n; ~ de guerre* Kriegsgefange(r) *m; ~ de guerre rapatrié* Heimkehrer *m.*

priv|atif, ive [privatif, -iv] *a jur* ausschließend; *gram* verneinend, Verneinungs-; *s m* Verneinungspartikel *f; peine f ~ive de liberté* Freiheitsstrafe *f;* **~ation** *f* Entziehung *f,* Entzug *m,* Aufhebung *f,* Verlust *m;* Entbehrung *f;* Fehlen *n,* Mangel *m; pl* Bedürftigkeit *f; ~ des droits civils* Aberkennung *f* der bürgerlichen Ehrenrechte; *~ de la liberté* Freiheitsentzug *m,* -beraubung *f; ~ de sortie* Haus-, Stubenarrest *m; ~ volontaire* Verzicht *m* (*de* auf *acc); ~***atisation** Privatisierung *f;* **~atiser** privatisieren.

priv|auté [privote] *f* plumpe Vertraulichkeit *f; prendre des ~s avec qn* sich jdm gegenüber zuviel heraus=nehmen *od* erlauben; **~é, e** *a* privat, außerdienstlich; *s m* Privatleben *n; d'autorité ~e* aus eigener Machtvollkommenheit; *en son propre et ~ nom* in eigener Sache; *chemin m, voie f ~(e)* Privatweg *m; droit m ~* Privatrecht *n; entreprise f ~e* Privatunternehmen *n; homme m ~* Privatmann *m; propriété f ~e* Privateigentum *n; vie f ~e* Privatleben *n.*

priver [prive]: *~ qn de qc* jdm e-e S entziehen, jdn e-r S berauben; jdn um etw bringen; *se ~ de qc* sich *dat* e-e S versagen, sich *acc* e-r S *gen* enthalten; *être ~é de qc* etw nicht haben *od* bekommen; *~ de ses droits* entrechten; *~ de sa liberté* der Freiheit berauben.

priv|ilège [privilɛʒ] *m* Privileg, Vor(zugs)-, Sonderrecht *n,* Vorzug *m;* Vergünstigung, Freiheit *f; accorder, concéder un ~* ein Vorrecht bewilligen, einräumen; *jouir d'un ~* ein V. genießen; **~ilégié, e** bevorrechtigt, bevorrechtet, privilegiert; *être ~* ein Vorrecht, Vorrechte haben; *action f ~e* Vorzugsaktie f; **~ilégier** ein Vorrecht, Vorrechte ein=räumen (*qn* jdm), bevorzugen.

prix [pri] *m* Preis *m a. fig;* Kosten *pl;* Wert *m,* Bedeutung *f;* Verdienst *n;*

Lohn *m;* Strafe *f;* Preisträger(in *f*) *m;* **1.** *à ~ d'argent* für Geld; *au ~ de* zum Wert von; auf Kosten *gen,* mit Hilfe *gen;* verglichen mit, im Vergleich zu; *à aucun ~* um keinen Preis, auf keinen Fall; *au ~ où est le beurre (fam)* wie die Dinge nun einmal liegen; *à moitié ~* zum halben Preis; *à ~ d'or* sehr teuer *adv; à tout ~* um jeden Preis; auf jeden Fall; *à vil ~* zu e-m Spottpreis, spottbillig *adv; de ~* hochwertig, (sehr) wertvoll, von großem Wert; *de peu de ~* von geringem Wert; *même au ~ de la vie* und sollte es das Leben kosten; *hors de ~* unerschwinglich; **2.** *attacher grand ~ à* großen Wert legen auf *acc,* bei=messen *dat; augmenter de ~* im Preise steigen; *augmenter les ~* die Preise erhöhen (*de* um); *n'avoir point de ~, être sans ~* unbezahlbar sein; *convenir d'un ~* e-n Preis aus=machen *od* vereinbaren; *décerner un ~* e-n Preis zu=erkennen; *demander un ~* e-n Preis fordern; *demander le ~* nach dem Preis fragen; *diminuer, baisser les ~* die Preise herab=setzen *od* ermäßigen, mit den Preisen herunter=gehen; *disputer un ~* sich um e-n Preis bewerben; *établir, fixer un ~* e-n Preis fest=setzen; *faire monter les ~* die Preise hinauf=treiben; *marquer les ~* die Preise an=geben; *mettre la tête de qn à ~* e-n Preis auf jds Kopf aus=setzen; *obtenir, offrir un ~* e-n Preis erzielen, bieten; *partager le ~* den Preis teilen; *rabattre du ~* vom Preis nach=lassen; *remporter le ~* den Preis erringen; *allg* der, die Erste sein; *vaincre au ~ de sa vie* s-n Sieg mit dem Leben bezahlen; *valoir, avoir son ~* s-n Preis wert sein, haben; *ce n'est pas dans mes ~* das ist mir zu teuer; *cela vaut toujours son ~* das behält immer s-n Wert; **3.** *affichage m des ~* Preisaushang *m; augmentation, baisse f, blocage, calcul m, chute f, contrôle m des ~* Preiserhöhung *f,* -rückgang, -stopp *m,* -berechnung *f,* -sturz *m,* -kontrolle *f; consolidation f des ~* Festigung *f* der Preise; *(tout) dernier ~,* äußerste(r) Preis *m; différence f, écart m de ~* Preisunterschied *m; diminution, réduction f des ~* Preisabbau, -nachlaß, -abschlag *m; distribution f des ~* Preisverteilung *f; fluctuation f de ~* Preisschwankung *f; formation, hausse f des ~* Preisbildung, -steigerung *f; Grand ~ (de) (sport)* Große(r) Preis (von); *juste ~, ~ équitable* angemessene(r) Preis *m; indice m des ~ de gros* Großhandelsindex *m; liste f des ~* Preisliste *f; magasin m à ~ unique* Einheitspreisgeschäft *n; objets m pl de ~* Wertsachen *f pl; office m de contrôle des ~* Preisüberwachungsstelle *f; offre m de ~* Preisangebot *n; rabaissement, rajustement m des ~* Preissenkung, -angleichung *f; réglementation f des ~* Preisregelung *f; stabilisation, stabilité f des ~* Festigung *f* der Preise; Preisstabilität *f; vil ~* Spottpreis *m;* **4.** *~ d'achat* Kaufpreis *m; ~ pl alimentaires* Lebensmittelpreise *m pl; ~ d'amateur* Liebhaberpreis *m; ~ d'après-guerre, d'avant-guerre* Nachkriegs-, Vorkriegspreis *m; ~ du bail* Miet-, Pachtzins *m; ~ de catalogue* Katalog-, Listenpreis *m; ~ coté à la bourse* Börsenpreis *m; ~ de choc* Stoßpreis *m; ~ au comptant* Barpreis *m; ~ de consolation* Trostpreis *m; ~-consommateur m: ~ fixe* Verbraucherfestpreis *m; ~-courant m* Preisliste *f,* -verzeichnis *n; ~ courant* Marktpreis, -wert *m; ~ coûtant* Selbstkosten-, Einstandspreis *m; ~ de départ (Auktion)* Einsatzpreis *m; ~ dérisoire* Spottpreis *m; ~ d'estimation, de taxation* Schatzwert; Taxpreis *m; ~ de détail* Kleinhandels-, Stückpreis *m; ~ exceptionnel, d'occasion* Ausnahmepreis *m; ~ excessif, exorbitant* übermäßige(r) Preis *m; ~ de fabrique* Fabrik-, Herstellungspreis *m; ~ fait, convenu* vereinbarte(r) Preis *m; ~ de faveur* Vorzugspreis *m; ~ fixe* feste(r), Festpreis *m; ~ global, forfaitaire* Pauschalpreis *m; ~ de gros* Großhandelspreis *m; ~ imposé* vorgeschriebene(r) Preis *m; ~ inabordable* unerschwingliche(r) Preis *m; ~ indicatif, recommandé m* Richtpreis *m; ~ de lancement* Einführungspreis *m; ~ libre* nachbörsliche(r) Preis *m; ~ de main-d'œuvre* Arbeitskosten *pl; ~ maximum, minimum* Höchst-, Mindestpreis *m; ~ modéré, modique* mäßige(r) Preis *m; ~ mondial* Weltmarktpreis *m; ~ moyen* Durchschnittspreis *m; ~ net, brut* Netto-, Bruttopreis *m; ~ normal* Richtpreis *m; ~ d'ordre, de compensation* Verrechnungspreis *m; ~ du pain* Brotpreis *m; ~-plafond m* Höchstpreis *m; ~-plancher m* Mindestpreis *m; ~ à la production* Erzeugerpreis *m; ~ de rachat* Rückkaufswert *m; ~-réclame m, ~ publicitaire* Reklame-, Werbepreis *m; ~ réel* Effektivpreis *m; ~ à la revente* Händlerpreis *m; ~ de revient* Selbstkostenpreis *m; ~ sacrifié* Schleuderpreis *m; ~ serré à l'extrême* äußerst knappe(r)

Preis *m; ~ de souscription* Subskriptionspreis *m; ~ tarif* Katalogpreis *m; ~ du terrain* Bodenpreis *m; ~ unique, unitaire* Einheitspreis *m; ~ usuraire* Wucherpreis *m; ~ de vente* Verkaufs-, Ladenpreis *m; ~ de voyage* Fahrpreis *m*, -geld *n*.

prob|abilité [prɔbabilite] *f* Wahrscheinlichkeit *f; selon toutes ~s* aller Wahrscheinlichkeit nach; *calcul m des ~s* Wahrscheinlichkeitsrechnung *f; ~ du tir* Treffsicherheit *f;* **~able** wahrscheinlich; mußmaßlich; **~ablement** *adv* wahrscheinlich; vermutlich.

prob|ant, e [prɔbɑ̃, -t] beweiskräftig; Beweis-; *en forme ~e* in rechtsgültiger Form; *force, pièce, raison f ~e* Beweiskraft *f*, -stück *n*, -grund *m;* **~ation** *f rel* Probezeit *f;* Noviziat *n; jur* Strafaussetzung *f* (auf Bewährung); **~ationnaire** *m f* auf Bewährung Entlassene(r *m*) *f;* **~atoire** beweiskräftig, überzeugend; Probe-; *acte m ~ (Univ.)* Befähigungsnachweis; *année f ~* Probejahr *n*.

prob|e [prɔb] rechtschaffen, redlich; gewissenhaft; **~ité** *f* Rechtschaffenheit, Redlichkeit; Gewissenhaftigkeit *f*.

pro|blématique [prɔblematik] problematisch, fraglich, zweifelhaft; bestreitbar; fragwürdig, verdächtig; *(Philosophie)* möglich; **~blème** *m* Problem *n*, Frage *f;* Rätsel *n; math* Aufgabe *f; pl* Problematik *f; ~ actuel, de l'heure* aktuelle(s), Gegenwartsproblem *n; ~ du chômage* Arbeitslosenproblem *n; ~ colonial, du désarmement, du logement, des minorités* Kolonial-, Abrüstungs-, Wohnungs-, Minderheitenfrage *f; ~ de scolarisation* Schulproblem *n*.

proboscidiens [prɔbɔsidjɛ̃] *m pl* Rüsseltiere *n pl*.

procéd|é [prɔsede] *m* Vorgehen; Verfahren *n*, Methode *f; chem* Prozeß, Vorgang *m; oft pl* Benehmen, Betragen; Verhalten *n; ~ d'affinage, d'amélioration, de finissage, de perfectionnement* Vered(e)lungsverfahren *n; ~ d'exploitation (min)* Abbauverfahren *n; ~ de fabrication* Herstellungsverfahren *n; ~ héliographique* Lichtpausverfahren *n; ~ en matière de faillite* Konkursverfahren *n; ~ industriel* industrielle(s) Verfahren *n; ~ de production* Produktionsvorgang *m; ~ de reproduction (typ)* Reproduktionsverfahren *n; ~ de transformation* Art *f* der Verarbeitung; *~ de travail* Arbeitsprozeß *m;* **~er** schreiten (*à* zu), vor=nehmen, vollziehen (*à qc* etw); vor=gehen, verfahren, zu Werke gehen; sich vollziehen, ab=, verlaufen, sich ab=wickeln; prozessieren, gerichtlich vor=gehen, ein=schreiten (*contre* gegen); hervor=gehen, her=rühren (*de* aus), kommen (*de* von); *~ à une arrestation, à l'élection* zu e-r Verhaftung, zur Wahl schreiten; *~ à une enquête* e-e Untersuchung vor=nehmen; *~ à un vote* ab=stimmen (*sur* über *acc*); **~ure** *f* (gerichtliche(s), Gerichts-) Verfahren *n*, Rechtsgang, -weg; Prozeß(führung, -ordnung *f*, -vorschriften *f pl*, -recht *n*) *m;* Prozeßakten *f pl; engager une ~* ein Verfahren, e-n Prozeß ein=leiten; *acte m de ~* Prozeßhandlung *f; code m de ~* Prozeßordnung *f; disposition, prescription f de ~* Verfahrensvorschrift *f; émolument m de ~* Gerichtsgebühr *f; frais m pl de ~* Gerichts-, Prozeßkosten *pl; ouverture f de la ~* Eröffnung, Einleitung *f* des Verfahrens; *vice m de ~* Formfehler *m; ~ d'accueil* Aufnahmeverfahren *n; ~ d'administration des preuves* Beweisaufnahmeverfahren *n; ~ arbitrale* Schieds(gerichts)verfahren *n; ~ d'avertissement, de sommation* Mahnverfahren *n; ~ de change, sur billets à ordre, sur effets, sur titre de commerce* Wechselprozeß *m; ~ de conciliation* Güte-, Sühne-, Einigungsverfahren *n; ~ (de contrainte, de litige) administrative* Verwaltungs(zwangs-, streit-)verfahren *n; ~ criminelle* Strafverfahren *n*, -prozeß *m; ~ par défaut* Säumnisverfahren *n; ~ éléctorale* Wahlverfahren *n; ~ d'épuration (pol)* Säuberungsaktion *f; ~ d'exécution* Zwangsvollstreckung *f; ~ de faillite* Konkursverfahren *n; ~ d'interdiction* Entmündigungsverfahren *n; ~ judiciaire* Gerichtsverfahren *n*, Rechtsweg *m; ~ de liquidation* Abwicklungsverfahren *n; ~ de liquidation des dépens* Kostenfestsetzungsverfahren *n; ~ de liquidation judiciaire* Vergleichsverfahren *n; ~ de partage* Teilungsverfahren *n; ~ pénale* Strafprozeß(ordnung *f*, -vorschriften *f pl*) *m; ~ principale* Hauptverfahren *n; ~ probatoire* Beweisaufnahme *f; ~ de radiation* Löschungsverfahren *n; ~ de rectification* Berichtigungsverfahren *n; ~ de recours* Beschwerdeverfahren *n; ~ de reprise (inform)* Fehlerkorrektur *f; ~ de requête civile, de révision* Wiederaufnahme-, Revisionsverfahren *n; ~ de saisie* Pfändungsverfahren *n; ~ sommaire* Schnellverfahren *n; ~ d'urgence* Dringlichkeitsverfahren *n;*

~urier, ère *a* prozeßkundig, -gewandt; prozeßsüchtig; *s m f* Prozeßkundige(r); Querulant(in *f*) *m*.

procès [prɔsɛ] *m* Prozeß, Rechtsstreit *m;* Prozeßakten *f pl; anat* Fortsatz *m; sans (autre) forme de ~* ohne weiteres, kurzerhand; *accommoder, arranger un ~* e-n P. schlichten; *avoir, conduire, poursuivre un ~* e-n P. führen; *entamer, entreprendre, intenter un ~* e-n P. an=strengen; *faire un ~ à qn* mit jdm prozessieren; *faire le ~ à qn* jdm den P. machen *a. fig; gagner (perdre) son ~ (fig)* Erfolg haben (scheitern); *instruire un ~* e-n P. (ein=)leiten; *mettre les parties hors de cour et de ~* das Verfahren ein=stellen; *réveiller un ~* e-n P. wiederauf=nehmen; *un mauvais arrangement vaut mieux qu'un bon, que le meilleur ~* ein magerer Vergleich ist besser als ein fetter P.; *communication f du ~* Einsichtnahme *f* in die Prozeßakten; *droit m de ~* Prozeßgebühr *f; ~ civil* Zivilprozeß *m; ~ criminel, pénal* Strafprozeß *m; ~ en divorce* (Ehe-)Scheidungsprozeß *m; ~ par écrit* schriftliche(s) Verfahren *n; ~ d'intention* Unterstellung *f; ~ lié, pendant* anhängige(r) Prozeß *m; ~ en recherche de paternité* Vaterschaftsprozeß *m; ~ à sensation, simulacre de ~* Schauprozeß *m*.

procès-verbal [prɔsɛvɛrbal] *m* Protokoll *n*, (Verhandlungs-)Niederschrift *f;* Strafzettel *m;* (Sitzungs-)Bericht *m; dresser, établir un ~* ein P. auf=nehmen, errichten; *dresser ~, rédiger, tenir le ~* (das) P. führen; *faire dresser ~ (que)* zu P. geben (daß); *faire mention au ~ de qc, inscrire* od *insérer qc au ~* etw im P. vermerken; *rédacteur m du ~* Protokollführer *m; rédaction, rectification f du ~* Abfassung, Berichtigung *f* des P.; *~ de constat(ation)* Tatbestandsaufnahme *f; ~ de contravention* Strafbefehl *m*.

processif, ive [prɔsɛsif, -iv] *vx* prozeßsüchtig; Prozeß-, prozessual(isch).

procession [prɔsɛsjɔ̃] *f* Prozession *f*, Umzug; Umgang *m; fig fam* lange Reihe *f*, lange(r) Zug *m (Menschen); on ne peut pas sonner et aller à ~ (prov)* man kann nicht auf zwei Hochzeiten tanzen; **~naire** *s f u. a: chenille f ~* Prozessionsspinnerraupe *f;* **~nel, le** Prozessions-; feierlich; **~ner** e-e Prozession, e-n Umzug veranstalten *od* machen.

processus [prɔsɛsys] Prozeß, (Vor-)Gang *m*, Entwicklung *f; med* Krankheitsverlauf; *anat* Fortsatz *m; ~ cérébelleux* Gehirnfortsatz *m*.

prochain, e [prɔʃɛ̃, -ɛn] *a (räuml. u. zeitl.)* nah(e); nächste(r, s), kommende(r, s); *le ~ s m* der Nächste *(Mitmensch); la ~e fois* das nächste Mal; *à la ~e occasion* bei der nächsten Gelegenheit; *la semaine ~e* nächste Woche; *au village ~* im nächsten Dorf; *fin ~* Ende nächsten Monats; *par le ~ courrier* mit nächster Post; **~ement** *adv* nächstens, bald, in Kürze.

proche [prɔʃ] *a* nah(e); nahe, dicht, bevorstehend; nahe daran; *s m pl: les ~s* die Verwandten *pl; adv* nahe (dabei), nahebei, in der Nähe; *~ parent* nahe(r) Verwandte(r *m*) *f; le P~-Orient* der Nahe Osten, Nahost, der Vordere Orient *m*.

pro|clamation [prɔklamasjɔ̃] *f* Proklamierung, Ausrufung; Proklamation, Verkündung *f;* Aufruf *m* (*à* an *acc*); **~clamer** proklamieren, aus=rufen (*qn qc* jdn als, zu etw); feierlich bekannt=machen, verkünden.

pro|créateur, trice [prɔkreat[œr, -tris] *a* (er)zeugend; Zeugungs-; *s m* Erzeuger *m; puissance f ~trice* Zeugungskraft *f;* **~création** *f* (Er-)Zeugung *f;* **~créer** (er)zeugen.

pro|curation [prɔkyrasjɔ̃] *f* Vollmacht; *com* Prokura *f; par ~* als Bevollmächtigter; per Prokura; *donner ~ à qn, fonder qn de ~* jdm e-e Vollmacht, P. erteilen; *fondé m de ~* Prokurist *m; ~ de banque, (de) bourse* Bank-, Börsenvollmacht *f; ~ en blanc* Blankovollmacht *f; ~ collective* Gesamtprokura *f; ~ générale* Generalvollmacht, -prokura *f; ~ individuelle* Einzelprokura *f; ~ pour plaider* Prozeßvollmacht *f;* **~curatrice** *f* Bevollmächtigte *f;* **~curer** besorgen, be-, verschaffen; *fig* verursachen, veranlassen, bewirken; *fig* geben, verschaffen; *se ~* sich verschaffen; auf=treiben, -bringen; *impossible à se ~* nicht aufzutreiben(d); **~cureur** *m* Bevollmächtigte(r); Verwalter *m (e-s Klosters); ~ général* Generalstaatsanwalt *m; ~ de la République* (Ober-)Staatsanwalt m.

prodigalité [prɔdigalite] *f* Verschwendung(ssucht) *f; pl* übermäßige Ausgaben *f pl*.

pro|dige [prɔdiʒ] *m rel* Wunder *n; fig* Ausbund *m, fam* Kanone *f;* Wunderwerk *n; cela tient du ~* das grenzt ans Wunderbare; *enfant m ~* Wunderkind *n;* **~digieux, se** wunderbar; erstaunlich, un-, außergewöhnlich; ungeheuer, gewaltig.

pro|digue [prɔdig] *a* verschwenderisch (*de* mit); freigebig; *s m f* Verschwender(in *f*) *m; l'enfant m ~ (rel)* der verlorene Sohn; ~**diguer** verschwenden, vergeuden; verausgaben, nicht sparen, nicht schonen; überhäufen (*qc à qn* jdn mit etw); ~ *ses soins à qn* jdn hegen und pflegen; ~ *sa vie* sein Leben in die Schanze schlagen.

prodrome [prɔdrom] *m lit* Einleitung *f; fig* Vorspiel *n*, -läufer; *med* Vorbote *m*.

pro|ducteur, trice [prɔdyktœr, -tris] *s m f* Produzent *a. film*, Erzeuger, Hersteller; *radio* Sendeleiter *m; a* schöpferisch; schaffend, hervorbringend, erzeugend (*de* acc); Erzeugungs-, Herstellungs-; *centre m ~* Produktionsstätte *f; entreprise f ~ductrice* Erzeugerbetrieb *m; pays m ~* Herstellungsland *n; prix m ~ (maximum)* Erzeuger(höchst)preis *m;* ~**ductif, ive** ergiebig; ertragreich; leistungsfähig; einträglich, gewinnbringend; fruchtbar; *(Kapital)* arbeitend; ~ *de qc* etw erzeugend, (hervor-, ein)bringend; ~ *d'intérêts* Zinsen bringend *od* tragend; verzinslich, -bar; ~**duction** *f* Produktion, Erzeugung, Herstellung, Fertigung, Gewinnung; *jur* Beibringung, Vorlage; Anmeldung *f (e-s Anspruchs);* Ertrag *m;* Leistung, Produktionsziffer *f;* Produkt, Erzeugnis *n; sur ~ de* unter Vorlage *gen; augmentation, baisse f de la ~* Produktionszunahme *f*, -rückgang *m; cadence f de ~* Produktionstempo *n; capacité f de ~* Leistungsfähigkeit *f; coût m, frais m pl de ~* Produktionskosten *pl; excédent m de ~* Produktionsüberschuß *m; indice m de la ~* Produktionsindex *m; moyens m pl, perte, restriction f de ~* Produktionsmittel *n pl*, -ausfall *m*, -einschränkung *f; prix m de ~* Herstellungspreis *m; ~ de l'acier* Stahlerzeugung *f; ~ agricole* Ackerbau *m; ~ animale* Viehzucht *f; ~ aurifère* Goldgewinnung *f; ~ automobile* Automobilproduktion *f; ~ à la chaîne* Fließbandproduktion *f; ~ de chaleur* Wärmebildung; ~ *charbonnière, houillère* Kohlenförderung *f; ~ d'eau chaude* Warmwasserbereitung *f; ~ énergétique* Energieerzeugung *f; ~ excédentaire* Produktionsüberschuß *m; ~en grand, en série* Massen-, Serienproduktion *f; ~ industrielle* Industrieproduktion *f; ~ journalière, annuelle* Tages-, Jahresproduktion *f; ~ mondiale* Welterzeugung *f; ~ de mousse* Schaumbildung *f; ~ première* Rohstoffgewinnung *f; ~ en surplus* Überproduktion *f;* ~**ductivité** *f* Produktivität; Ergiebigkeit, Ertrags-, Leistungsfähigkeit; Einträglichkeit; Fruchtbarkeit; schöpferische Kraft *f; accroissement m de la ~* Steigerung *f* der Produktivität; ~ *financière* Rentabilität f.

pro|duire [prɔdɥir] *irr tr* produzieren, erzeugen, (hervor=)bringen, her=stellen, gewinnen, fertigen; bekannt=machen, vor=, ein=führen; bei=, erbringen, vor=legen, -weisen, -zeigen; *(Gründe)* an=führen; *(Anspruch)* an=melden; *(Beweise)* liefern; *(Früchte)* tragen; schaffen; hervor=rufen; herbei=führen, verursachen, veranlassen; *(Geld)* ein=bringen, ab=werfen; *itr* Junge werfen; *se ~* sich vollziehen, vor sich gehen, sich ereignen; entstehen; auf=, ein=treten *(a. Stille);* sich zeigen, sich sehen lassen; vor=kommen; *theat* sich produzieren; ~ *son plein effet* sich voll aus=wirken; ~ *une impression favorable* e-n günstigen Eindruck machen; ~ *des intérêts* Zinsen bringen *od* tragen; ~**duit** [-dɥi] *m* Produkt *a. math chem;* Erzeugnis, Fabrikat *n*, Artikel; Ausstoß, Ertrag *m*, Ausbeute *f*, Gewinn, Erlös *m;* Mittel *n; pl* Einkünfte *pl; agr* Ertrag *m; acte m de ~ (jur)* Hinterlegungsschein *m; fabrique f de ~s chimiques* chemische Fabrik *f; ~ accessoire* Nebenprodukt *n; ~ agricole* landwirtschaftliche(s) Erzeugnis *n; ~ alimentaire* Nahrungsmittel *n; pl* Lebensmittel *n pl; ~ amaigrissant* Abmagerungsmittel *n; ~ antigel* Frostschutzmittel *n; ~ artificiel, synthétique* Kunststoff *m; ~ de base* Grundstoff *m; ~ de beauté* Schönheitsmittel *n; ~ de blanchiment* Bleichmittel *n; ~ brut* Roherzeugnis *n;* Roh-, Bruttoertrag *m; ~ du capital* Kapitalertrag m; ~ *carné, laitier* Fleisch-, Milchprodukt *n; ~ de céréales* Getreideprodukt *n; ~ chimique* Chemikalie *f; ~s coloniaux* Kolonialwaren *f pl; ~ de combustion* Verbrennungsprodukt *n; ~ de conservation* Konservierungsmittel *n; ~s de consommation* Verbrauchsgüter *n pl; ~ de décomposition* Zersetzungs-, Abbauprodukt *n; ~ de dédoublement* Spaltprodukt *n; ~ définitif* Enderzeugnis *n; ~ demi-, mi-, semi-fini* od *-ouvré* Halbfabrikat *n; ~ dérivé* Derivat *n; ~ fabriqué, industriel, manufacturé* Industrieerzeugnis *n* gewerbliche(s) Erzeugnis; ~ *final* Endprodukt *n; ~s financiers* Erträge *m pl; ~ fini, ouvré* Fertigfabrikat *n; ~ de fission (chem)* Spaltprodukt *n; ~s de fourrage* Futtermittel *n pl; ~s fumés* Räucherware(n *pl*) *f; ~ générique* markenlose(r)

Artikel *m; ~ de graissage* Schmiermittel *n; ~ des impôts* Steueraufkommen *n; ~ d'imprégnation* Imprägnierungsmittel *n; ~s industriels* Industrieprodukte *n pl; ~ d'intérêts* Zinsertrag *m; ~ intermédiaire* Zwischenprodukt *n; ~ laitier* Molkereierzeugnis *n; ~ laminé* Walzwerkerzeugnis *n; ~ de luxe* Luxusartikel *m; ~ manufacturé* Fabrikat *n; ~s maraîchers* Gartenbauerzeugnisse *n pl; ~ de marque* Markenartikel *m; ~ du métabolisme* Stoffwechselprodukt *n; ~ moyen* Durchschnittsgewinn *m; ~ national brut* Bruttosozialprodukt *n; ~s de première nécessité* lebenswichtige Güter *n pl; ~ net* Reinerlös, -ertrag, -gewinn *m; ~ nominal, réel* Nominal-, Realeinkommen *n; ~ oxydant (chem)* Oxydationsprodukt *n; ~ du pays* Landesprodukte *n; ~ pétrolier* Erdölprodukt *n; ~ pharmaceutique* Arzneimittel *n; ~ de la presse* Druckerzeugnis *n; ~ protecteur* Schutzmittel *n; ~ protectif pour plantes* Pflanzenschutzmittel *n; ~ de (haute) qualité* Qualitätserzeugnis *n; ~ de remplacement* Ersatzprodukt *n; ~ sidérurgique* Eisenindustrieprodukt *n; ~ social* Sozialprodukt *n; ~ solaire* Sonnenschutzmittel *n; ~ tinctorial* Farbstoff *m; ~ total* Gesamtertrag *m; ~ toxique* Giftstoff *m; ~ des transactions* Umsatzerlös *m; ~ du travail* Arbeitsertrag *m; ~s utilitaires* Gebrauchsgüter *n pl.*

pro|éminence [prɔeminɑ̃s] *f* Hervorragen, Vorspringen *n;* Vorsprung; Buckel *m;* (Boden-)Erhebung, Anhöhe *f;* **~éminent, e** vorspringend, hervorragend, sich erhebend.

prof [prɔf] *m fam* Lehrer *m.*

pro|fanateur, trice [prɔfanatœr, -tris] *s m f* (Tempel-)Schänder(in *f*) *m; a* entweihend, ruchlos; **~fanation** *f* Schändung, Entweihung; *fig* Entwürdigung, Herabsetzung *f;* **~fane** *a* profan; weltlich (gesinnt), Welt-; *s m f* Laie *m a. allg;* Weltkind *n;* Außenstehende(r) *m;* **~faner** entweihen, schänden; entwürdigen, herab=setzen, -würdigen; beschmutzen.

proférer [prɔfere] hervor=, heraus=bringen, aus=stoßen; aus=sprechen, äußern.

pro|fès, fesse [prɔfɛ, -fɛs] *s m f rel* Profeß *m;* Eingeweihte(r *m*) *f; allg* Fachmann, Kenner *m;* **~fesser** (sich) offen bekennen (*qc* zu etw); *(Beruf, Tätigkeit)* aus=üben; (öffentlich) lehren, unterrichten; **~fesseur** *m* (Univ.-)Professor; Studienrat *m; ~ adjoint d'enseignement, remplaçant* Hilfslehrer *m; ~ agrégé* Studienrat *m; ~ sans chaire* außerordentliche(r) Professor *m; ~ de faculté* Universitätsprofessor *m; ~ de français, de chant, de sport, de ski* Französisch-, Gesang-, Sport-, Schilehrer *m; ~ de lycée, de collège* Gymnasiallehrer *m; ~ titulaire* ordentliche(r) Professor *m;* **~fession** *f* Beruf; Stand *m;* Ablegen *n* des (Orden-)Gelübdes; *de ~* Berufs-; Fach-; Gewohnheits-; s-s Zeichens; *exercer une ~* e-n Beruf aus=üben; *~ accessoire* Nebenberuf *m; ~ de foi* Glaubensbekenntnis; *pol* Wahlprogramm *n; les ~s libérales* die freien Berufe *m pl;* **~fessionnel, le** *a* beruflich, Berufs-; fachlich, Fach-; gewerbsmäßig; Gewerbe-; *s m* Fachmann, -arbeiter; Berufssportler, -spieler, -fahrer *m; école f ~le* Berufs-, Fachschule *f; enseignement m ~* Berufsschul-, Fachunterricht *m; formation, orientation f ~le* Berufsausbildung, -beratung *f;* **~fessoral, e** professoral; schulmeisterlich; *corps m ~* Lehrkörper *m;* **~fessorat** [-a] *m* Professur *f;* höhere(s) Lehramt *n;* Studienratsstelle *f.*

pro|fil [prɔfil] *m* Profil *n,* Seitenansicht *f;* Quer-, Längsschnitt, Aufriß *m; de ~* im Profil, von der Seite; *fig* unvollkommen; *~ aérodynamique* Stromlinienprofil *n; ~ d'aile* Tragflächen-, Flügelprofil *n; ~ de libre passage* Umgrenzung *f* des lichten Raumes; *~ de rail, de pneu* Schienen-, Reifenprofil *n;* **~filage** *m* Profilierung *f; atelier m de ~* Formdreherei *f; outil m de ~* Formstahl *m (Werkzeug);* **~filé, e** *s m* Formstahl *m;* -eisen(barren *m*); *aero* Profilblech *n; pl* Profil-, Formstahl *m,* -eisen *n; a* stromlinienförmig; **~filer** im Profil dar=stellen; *tech* profilieren, aus=kehlen; (durch=, aus=)formen; *se ~* sich im Profil, profilartig ab=heben (*sur* von).

pro|fit [prɔfi] *m* Gewinn, Profit; Verdienst; Vorteil, Nutzen *m; à ~* vorteilhaft; *au ~ de* zugunsten *gen; sans ~* umsonst, vergeblich; *(fam) faire du ~* Nutzen bringen, nutzbringend, von Nutzen sein; *faire son, tirer ~ de* Nutzen ziehen aus; *mettre à ~* nutzbringend verwenden, (aus=)nutzen; *rendre un ~, rapporter des ~s* Gewinn bringen *od* abwerfen; *c'est tout ~* das ist äußerst vorteilhaft, sehr günstig; *compte m des ~s et pertes* Gewinn-und-Verlustkonto *n; part f de ~* Gewinnanteil *m; ~ de l'entrepreneur* Unternehmergewinn *m; ~ de guerre, de conjoncture, de spéculation* Kriegs-, Konjunktur-, Spekulationsgewinn *m;* **~fitable** nutz-, gewinnbringend; einträglich; vorteilhaft, nützlich; **~fitant, e** *pop* vorteilhaft, günstig; **~fiter** profitieren, Nutzen haben (*de* von), N. ziehen (*de* aus); gewinnen, profitieren (*de, sur* an *dat*); (aus=)nutzen (*de qc* e-e S); gedeihen, fort=kommen; dicker werden; (etw) ein=bringen; nützlich sein; zugute kommen; Vorteile bringen (*à qn* jdm); *faire ~ (Geld)* nutz-, gewinnbringend an=legen; *~ d'une occasion* e-e Gelegenheit wahr=nehmen; *~ à plein* voll aus=nutzen; *bien mal acquis ne ~fite point* unrecht Gut gedeihet nicht.

profiterole [prɔfitrɔl] *f* Aschenkuchen; Mohrenkopf *m.*

profiteur, se [prɔfitœr, -øz] *m f* gewinnsüchtige(r), profitgierige(r) Mensch; Nutznießer, Ausbeuter *m; ~ de guerre, d'inflation* Kriegs-, Inflationsgewinnler *m.*

profon|d, e [prɔfɔ̃, -d] *a* tief; tiefdringend; innere(r, s); *fig* tief(sinnig, -gründig, -schürfend); (uner-)gründlich; tiefgreifend; groß, tief; vollständig, absolut; kraß; *anat* tiefliegend; *s m* Tiefe *f,* Innerste(s) *n; bleu ~* tiefblau; **~dément** *adv* tief; gründlich; äußerst; **~deur** *f* Tiefe *f a. math;* Innere(s) *n;* Weite; *fig* (Gedanken-)Tiefe *f;* Tiefsinn *m,* -gründigkeit; (Uner-)Gründlichkeit; *min* Teufe *f; gouvernail m de ~ (aero)* Höhen-, Tiefenruder, Höhensteuer *n; ~ de champ (phot)* Tiefenschärfe *f; ~ d'immersion* Eintauch-, *mar* Tauchtiefe *f; ~ de puits (min)* Fördertiefe *f; ~ de la zone à reconnaître (aero)* Aufklärungstiefe *f.*

profu|s, e [prɔfy, -z] *med* reichlich, stark; *sueurs f pl ~es* starke Schweißabsonderung *f;* **~sément** *adv* reichlich, verschwenderisch; **~sion** *f* Überfülle *f,* -fluß *m;* Verschwendung(ssucht) *f; com* Überangebot *n; à ~* in Hülle u. Fülle; in reichem Maße, in verschwenderischer Fülle.

progéniture [prɔʒenityr] *f* Nachkommen(schaft *f*) *m pl; fam* Sohn *m,* Tochter *f,* Kinder *n pl.*

prognathe [prɔɲat] *a* mit vorspringendem Oberkiefer.

program|mable [prɔgramabl] *a* in ein Programm aufzunehmen(d); **~mateur** *m radio* Programmgestalter *m; inform* Programmierer(in *f*) *m;* **~mation** *f radio* Programmgestaltung *f; inform* Programmierung *f;* **~matique** programmatisch; **~me** *m* Programm *n a. pol u. inform (~ scolaire)* Studien-, Lehrplan, (Prüfungs-) Stoff *m; (~ des cours)* Vorlesungsverzeichnis *n; fig* Plan *m;* Vorhaben *n,* Absicht *f;* Ziel *n; ~ de construction* Bauplan *m; ~ d'enseignement* Lehrprogramm *n; ~ de formation* Ausbildungsprogramm *n; hors ~* außerplanmäßig, nicht im Programm vorgesehen; *~ immédiat, d'aide* Sofort-, Hilfsprogramm *n; ~ (de parti)* Parteiprogramm *n; ~ de production* Fertigungsprogramm *n; ~ radiophonique, (des émissions) de T.S.F.* Rundfunkprogramm *n; ~ spatial* Raumfahrtprogramm *n; ~ de télévision (enregistré sur film)* (gefilmtes) Fernsehprogramm *n; ~ de travail* Arbeitsprogramm *n; ~ de grands travaux publics* Arbeitsbeschaffungsprogramm *n;* **~mer** *radio* das Programm gestalten; *tech inform* programmieren; **~meur, se** *tech* Programmierer(in *f*) *m.*

pro|grès [prɔgrɛ] *m* Fortschreiten *n,* -gang *m;* Steigen *n,* Zunahme *f;* Vorwärts-, Vorankommen *n;* Fortschritt *m; faire des ~* Fortschritte machen; **~gresser** [-grɛse] fort=schreiten, Fortschritte machen; vorwärts=kommen; *mil* vor=rücken, vor=marschieren; sich vor=arbeiten; **~gressif, ive** nach vorn (gerichtet); vorwärtsschreitend; steigend, zunehmend; *fig* fortschreitend *a. med;* fortschrittlich (gesinnt); *(Steuer)* gestaffelt, progressiv; **~gression** *f* stetige(s) Fortschreiten *n,* (allmähliche) Zunahme *f; mil* Vormarsch *m,* Vorrücken *n;* Vorstoß *m; math* Reihe *f; en ~ de ... vers* auf dem Marsch von ... nach; *être en ~* im Wachsen sein; **~gressisme** *m* fortschrittliche Gesinnung f; **~gressiste** *a* fortschrittlich (gesinnt); *s m f* fortschrittliche(r) Mensch *m;* **~gressivité** *f (Steuer)* Staffelung *f; mot* glatte(r) Übergang *m.*

prohi|ber [prɔibe] verbieten, untersagen; *temps m, chasse f ~é(e)* Schonzeit *f;* **~bitif, ive** prohibitiv; ausschließend; Prohibitiv-, Hinderungs-, Sperr-; *droit m ~* Schutzzoll *m; prix m ~* unerschwingliche(r) Preis *m;* **~bition** *f* Verbot *n;* Sperre *f;* Sperrmaßnahmen *f pl;* Alkoholverbot *n; ~ commerciale* Handelssperre *f; ~ d'importation, d'exportation* Ein-, Ausfuhrsperre *f,* -verbot *n;* **~bitionnisme** *m* Schutzzollsystem n; **~bitionniste** *s m* Prohibitionist, Anhänger *m* des Schutzzollsystems *od* des Alkoholverbots; *a* Prohibitiv-, Sperr-.

proie [prwa] *f* Beute *f,* Raub *m,* Opfer

n a. fig; en ~ à ... ausgesetzt, -geliefert, preisgegeben *dat; devenir la ~ des flammes* ein Raum der Flammen werden; *oiseau m de ~* Raubvogel; raubgierige(r) Mensch *m.*

project|eur [prɔʒɛktœr] *m* Scheinwerfer *m;* Projektionsgerät *n,* Bildwerfer *m; ~ (de piste) d'atterrissage (aero)* Landescheinwerfer *m* (Landebahnleuchte *f*); *~ ciné* Filmprojektor *m; ~ à flots de lumière* Flutlichtlampe *f; ~ d'orientation (mot)* Sucher *m; ~ antibrouillard (mot)* Nebellampe *f; ~ portatif* Leuchtstab *m; ~ route, code (mot)* Scheinwerfer mit Fern-, mit abgeblendetem Licht; *~ sonore (film)* Tonprojektor *m;* **~ile** *m* Geschoß *n;* Munition *f; a* Wurf-; *~ de D.C.A.* Flakgeschoß *n; ~ empenné, propulsé (aero)* Abwurfmunition *f; ~ à explosion* Explosivgeschoß *n; ~ en fonte dure, perforant, perce-cuirasse, de rupture* Panzergeschoß *n; ~ fumigène, à gaz, incendiaire* Nebel-, Gas-, Brandgeschoß *n; ~-fusée m* Raketengeschoß *n; ~ téléguidé* ferngelenkte(s), -gesteuerte(s) Geschoß *n; ~ traceur* Leucht-, Rauchspurmunition *f;* **~ion** [-sjɔ̃] *f* (Ab-) Wurf *m;* Schleudern; Spritzen *n;* (Karten-)Projektion *f;* Aufriß *m; mil* Sprengstück *n; film* Vorführung *f; appareil m de ~* Projektionsapparat, Bildwerfer *m; cabine f de ~ (film)* Vorführraum *m; conférence f avec ~s* Lichtbildervortrag *m; ligne f de ~* Wurflinie *f; ~ conforme* winkeltreue Projektion; *~ conique* Kegelprojektion *f; ~ de napalm* Napalmspritzer *m pl;* **~ionniste** *m* Vorführer *m.*

projecture [prɔʒɛktyr] *f arch* Vorsprung *m.*

projet [prɔʒe] *m* Plan *m,* Vorhaben, Projekt *n;* Entwurf; Bauplan *m; en ~* im Entwurf, im Konzept; *avoir des ~s* (Heirats-)Absichten haben (*sur* auf *acc*); *être en ~* im Stadium der Planung sein; *faire des ~s* Pläne schmieden; *former* od *concevoir, abandonner un ~* e-n Plan entwerfen, auf=geben; *traverser les ~s de qn* jdm e-n Strich durch die Rechnung machen; *conception f d'un ~* Planung *f; ~s d'avenir, de voyage, de vacances* Zukunfts-, Reise-, Ferienpläne *m pl; ~ de construction* Bauvorhaben *n,* -entwurf *m; ~ de loi, de contrat* od *de convention, de texte* Gesetz-, Vertrags-, Textentwurf *m; ~ d'ordre du jour* Entwurf *m* der Tagesordnung; *~ de travaux* Bauvorhaben *n;* **~er** [prɔʒte] werfen, schleudern; spritzen; projizieren *a. fig;* projektieren, planen, entwerfen; vor=haben, sich vor=nehmen; *se ~* sich erstrecken; *arch* aus=kragen; *~ son ombre* seinen Schatten werfen.

prolégomènes [prɔlegɔmɛn] *m pl (Buch)* Einführung *f;* Grundlagen *f pl (e-r Wissenschaft).*

prolé|taire [prɔletɛr] *s m f* Proletarier(in *f*) *m; a* u. **~tarien, ne** proletarisch; **~tariat** [-a] *m* Proletariat *n;* **~tarisation** *f* Proletarisierung *f;* **~tariser** proletarisieren.

proli|fération [prɔliferasjɔ̃] *f: ~ (cellulaire)* Vermehrung durch Zellteilung; *med* Wucherung; *(von Kernwaffen)* Verbreitung *f; fig* schnelle Zunahme *f;* **~fère** sich vermehrend; **~férer** sich (schnell) vermehren *a. fig; med* wuchern; **~fique** *a* sich schnell vermehrend; fruchtbar; kinderreich; vielschreibend; *s m* u. *remède m (vx) ~* Hormonpräparat *n.*

proli|xe [prɔliks] weitschweifig; **~xité** Weitschweifigkeit *f.*

prolo [prɔlo] *f fam* Prolet *m.*

prologue [prɔlɔg] *m theat* Prolog *m; mus* u. *fig fam* Vorspiel *n.*

pro|longation [prɔlɔ̃gasjɔ̃] *f* (zeitliche) Verlängerung, Ausdehnung *f;* Aufschub *m; ~ de congé* Urlaubsverlängerung f; *~ de* od *d'un délai* Frist-, Terminverlängerung *f;* **~longe** *f loc* Zugseil *n; mil* Protze *f (Artillerie);* **~longeable** *(Wechsel)* verlängerungsfähig; **~longement** *m* (räuml.) Verlängerung(sstück *n*) *f;* Fortsatz *m; fig* Fortsetzung *f; ~ de parcours (loc)* Weiterlösen *n;* **~longer** verlängern, aus=dehnen; hinaus=schieben; *(Wechsel)* prolongieren; *se ~ (fig)* sich fort=setzen, weiter=gehen; (in s-n Kindern) fort=, weiter=leben.

pro|menade [prɔmnad] *f* Spaziergang *m,* -fahrt *f,* -ritt *m;* Promenade *f,* Spazierweg *m;* Allee *f; fig* Katzensprung *m; dans de longues ~s* auf weiten Spaziergängen; *~ en auto, en voiture* Autofahrt, -tour *f; ~ à cheval* Spazierritt *m; ~ sur l'eau* Kahnfahrt, -partie *f; ~ en mer* Seefahrt *f; ~ en traîneau* Schlittenfahrt, -partie *f;* **~mener** spazieren=, aus=, herum=führen; hin- u. her=schicken; *fig* führen, richten; gehen, *(Blick)* gleiten, schweifen lassen; *se ~* spazieren=gehen, -reiten, -fahren (*à bicyclette, en auto* mit dem Rad, mit dem Wagen); *fig* umher=schweifen, -irren; *envoyer ~ (fam)* zum Teufel jagen; *faire ~* spazieren=, aus=führen; **~meneur, se** *s m f* Spaziergänger(in *f*); bloße(r) Schwätzer *m; f* Frau *f,* die Kinder spazierenführt; **~menoir** *m* Wandelgang *m*, -halle *f*.

pro|messe [prɔmɛs] *f* Versprechen *n*, Zusage *f*; Schuldschein *m*, -verschreibung *f*; *pl* Versprechungen; *fig* Verheißungen *f pl*; *tenir (manquer à) sa ~* sein Versprechen (nicht) halten; *il n'en est pas à une ~ près* er verspricht leicht; *plein de ~s* verheißungsvoll; vielversprechend; *~ d'actions* Aktienbezugschein *m*; *~ de dette, de paiement* Schuld-, Zahlungsversprechen *n*; *~ de donation, de donner* Schenkungsversprechen *n*; *~ formelle* bindende(s) Versprechen *n*; *~ de garantie, de porte-fort* Garantieversprechen *n*; *~ de mariage* Heiratsversprechen *n*; *~ de récompense* Auslobung *f*; *~ simple* eigene(r), trokkene(r) Wechsel, W. *m* auf den Aussteller; *~ solennelle* Gelöbnis *n*; **~metteur, se** *a fig* vielversprechend; *le temps est ~* das Wetter verspricht gut zu werden; **~mettre** *irr tr* versprechen, zu=sagen (*de faire* zu tun); *fig* verheißen, an=künd(ig)en, schließen lassen (*qc* auf e-e S); versichern (*qc à qn* jdm e-e S); *itr* Hoffnungen erwecken; sich gut an=lassen *a. iron.*; *se ~* erhoffen, erwarten, hoffen (*qc* auf e-e S); rechnen (*qc* mit etw); sich (fest) vor=nehmen; sich verloben; *~ monts et merveilles* goldene Berge versprechen; **~mis, e** [-mi, -iz] *a* versprochen; verlobt; *s m f* Verlobte(r *m*) *f*; *la Terre ~e (rel)* das Gelobte Land; *fig* das Paradies.

promiscuité [prɔmiskɥite] *f* (buntes) Durcheinander *n*; (unanständige) Vermischung der Geschlechter, Promiskuität *f*.

promission [prɔmisjɔ̃] *f rel* Verheißung *f*; *la Terre de ~* das Gelobte Land.

promontoire [prɔmɔ̃twar] *m* Vorgebirge, Kap *n*.

pro|moteur, trice [prɔmɔtœr, -tris] *s m f* Initiator; Urheber(in *f*); Anstifter(in *f*); Vorkämpfer(-in *f*) *m*; *~ immobilier* Immobilienmakler *m*; **~motion** *f* Promotion, Ernennung, Beförderung *f*; Werbung *f*; gleichzeitig Beförderte *od* (in e-e Schule) Eingetretene *m pl*; *en ~* im Sonderangebot sein; *nous sommes de la même ~* wir sind zs. befördert worden *od* eingetreten; **~motionnel, le** *a*: *ventes f pl ~s* Werbeverkauf *m*; **~mouvoir** befördern; ernennen (*qc* zu etw); *fig* durch=führen; ins Leben rufen.

prompt, e [prɔ̃, -ɔ̃t] schnell, rasch, flink, behend(e), *fam* fix; schnell bereit (*à* zu), schnell bei der Hand (*à* mit), voreilig; *(Geist, Verstand)* lebhaft, beweglich; *(Vorgang)* kurz, flüchtig, vorübergehend; *avoir l'esprit ~* e-e schnelle Auffassungsgabe haben, schnell begreifen; *~ à croire* leichtgläubig; *~ à se décider* von schnellem Entschluß; *~ à oublier* vergeßlich; *~ à la repartie* schlagfertig, um e-e Antwort nie verlegen; **~itude** *f* Schnelligkeit, Geschwindigkeit; Behendigkeit, *fam* Fixigkeit; schnelle Auffassungsgabe; Lebhaftigkeit; Bereitschaft *f* (*à* zu).

promulg|ation [prɔmylgasjɔ̃] *f jur* Verkündung *f*; **~uer** *(Gesetz)* verkünden.

prôn|e [pron] *m (kath.)* Predigt *f*; **~er** preisen, loben, heraus=streichen.

pro|nom [prɔnɔ̃] *m* Pronomen, Fürwort *n*; **~nominal, e** pronominal, Fürwort-; *verbe m ~* reflexive(s) Verbum n.

pronon|çable [prɔnɔ̃sabl] aussprechbar, auszusprechen(d); **~cé, e** *a* hervortretend, stark ausgeprägt, scharf profiliert, markant; ausgesprochen, ausdrücklich, bestimmt; *s m jur* (Urteils-)Spruch *m*; Entscheidung; Verfügung; Verkündung *f*; *faire le ~ d'un jugement* ein Urteil fällen *od* verkünden; *rendre un ~* e-n Entscheid treffen; *~ d'adjudication* Zuschlag *m*; *~ administratif* Verfügung *f* der Verwaltungsbehörde; *~ judiciaire* Richterspruch *m*; **~cer** *tr* aus=sprechen; vor=tragen; *(Rede)* halten; entscheiden, erkennen (*qc* auf e-e S); *(Urteil)* fällen, verkünden, verlesen; *(Strafe)* verhängen; verfügen; *(Gelübde)* ab=legen; *itr jur* entscheiden; *se ~* sich bemerkbar machen, hervor=treten; aus sich heraus=gehen; (klar, deutlich) s-e Meinung sagen; sich entscheiden, sich äußern; *~ un hors de cour, un non-lieu* das Verfahren ein=stellen; *~ soi-même sa condamnation* sein eigenes Urteil sprechen; **~ciation** *f* Aussprache *f*.

pronos|tic [prɔnɔstik] *m* Voraus-, Vorhersage *f*; An-, Vorzeichen *n*; *med* Prognose *f*; *(Toto)* Tip *m*; *jeu m des ~s sur le football* (Fußball-)Toto *m*; **~tiquer** voraus=, vorher=sagen; an=kündigen, schließen lassen (*qc* auf e-e S); **~tiqueur, se** *s m f (Toto)* Tipper, Wettende(r) *m*; *pol sport* jem, der Voraussagen macht.

propa|gande [prɔpagɑ̃d] *f* Propaganda, Werbetätigkeit, Werbung, Reklame *f*; *faire de la ~* Propaganda machen, Anhänger werben; *brochure f, département, film m de ~* Werbeschrift, -abteilung *f*, -film *m*; *opéra-*

tion f de ~ Propagandafeldzug *m;* ~ *aérienne* Luftreklame f; ~ *clandestine, mensongère* Flüster-, Lügenpropaganda *f;* ~ *cinématographique* Filmwerbung; Kinoreklame *f;* ~ *radiophonique* Funkwerbung *f;* ~ *touristique* Verkehrswerbung *f;* ~**gandiste** *m f* Propagandist, Werber *m.*

propa|gateur, trice [prɔpagatœr, -tris] *s m f* Verbreiter, Vermehrer *m; a* Vermehrung erzielend, Verbreitung bewirkend; *zèle m* ~ Bekehrungseifer *m;* ~**gation** *f* Ver-, Ausbreitung; Vermehrung, Fortpflanzung *f;* ~**ger** [-ʒe] ver-, aus≈breiten, propagieren; vermehren, fort≈pflanzen.

pro|pane [prɔpan], ~**pagaz** [-pagaz] *m* Propan(gas) *n.*

propédeutique [prɔpedøtik] *f* Vorbereitungskurs *m* für die Licence; Schlußexamen *n* dieses Kurses.

propension [prɔpɑ̃sjɔ̃] *f* Hinneigung; *fig* Neigung *f,* Hang *m* (*à zu).*

pro|phète, ~**phétesse** [prɔfɛt, -etɛs] *m f* Prophet(in *f*); Seher; (Ver-)Künder *m; nul n'est* ~ *dans son pays* der P. gilt nichts in s-m Vaterland; ~**phétie** [-fesi] *f* Prophezeiung, Weissagung; Voraussage f; ~**phétique** prophetisch; *fig* vorausschauend; ~**phétiser** prophezeien; voraus≈, vorher≈sagen, die Zukunft sagen.

prophy|lactique [prɔfilaktik] prophylaktisch, vorbeugend, verhütend; ~**laxie** *f* Prophylaxe, Krankheitsverhütung, Vorbeugung *f.*

propi|ce [prɔpis] *(Mensch)* gnädig; *(Wetter, Gelegenheit)* günstig; ~**tiation** [-sjasjɔ̃] *f rel* Versöhnung *f; sacrifice m de* ~ Sühneopfer *n;* ~**tiatoire** versöhnend, sühnend; Sühn-.

propolis [prɔpɔlis] *f* Bienenharz, Stopfwachs *n.*

proportion [prɔpɔrsjɔ̃] *f* Proportion *f a. math;* Verhältnis *n,* Beziehung *f; pl* Proportionen *f pl,* Verhältnisse *n pl;* Dimensionen *f pl,* Ausmaß(e *pl*) *n,* Maßstab *m; à, en* ~ verhältnismäßig; im Verhältnis (*de* zu); *toute* ~ *gardée* den Verhältnissen entsprechend; *être à* ~ *de, en* ~ *de, à, avec* ... im (in e-m bestimmten) Verhältnis stehen zu ...; *prendre des* ~*s considérables* beträchtliche Ausmaße an≈nehmen; ~ *du mélange* Mischungsverhältnis *n;* ~**né, e** entsprechend (*à* dat); anteilig; *(bien)* ~ gut proportioniert, ausgeglichen, ausgewogen, harmonisch; ~**nel, le** *a* proportional, im Verhältnis (*à* zu); *représentation f* ~*le* Verhältniswahlsystem *n;* ~**nellement** *adv* verhältnismäßig; ~ *à* im Verhältnis zu, entsprechend *dat;* ~**ner** an≈gleichen, -passen, in ein passendes, vernünftiges Verhältnis setzen *od* bringen (*à* zu); ab≈stimmen (*à auf acc*).

propos [prɔpo] *m* (Gesprächs-)Thema *n,* Gegenstand *m;* Vorsatz, Entschluß *m,* Absicht *f; meist pl* Rede *f;* Worte *n pl,* Äußerung(en *pl*) *f;* Gerede *n; à* ~ bei passender Gelegenheit; im passenden, rechten Augenblick; bei dieser Gelegenheit; bei G., aus Anlaß (*de* gen); *à ce* ~ in diesem Zs.hang; *à* ~ *de rien, (fam) de bottes* um nichts u. wieder nichts; *à quel* ~, *à* ~ *de quoi* aus welchem Anlaß *od* Grund; *à tout* ~ bei jeder (passenden) Gelegenheit; *de* ~ *délibéré* absichtlich, mit Absicht; *hors de* ~, *mal à* ~ unpassend, ungelegen; nicht zur Sache gehörig; *arriver, venir à* ~ gerade recht, wie gerufen kommen; *attribuer des* ~ *à qn* jdm Worte in den Mund legen; *changer de* ~ das Thema wechseln; *juger à* ~ *de* ... es für passend, angebracht halten zu ...; ~ *en l'air* leere(s) Geschwätz *n;* ~ *de table* Tischreden *f pl;* ~**able** vorschlagbar; ~**er** vor≈schlagen, unterbreiten; ~ *qc à qn* jdm e-e S vor≈schlagen, e-n Vorschlag unterbreiten; ~ *à qn de faire qc* jdm vor≈schlagen, den Vorschlag machen, etw zu tun; *je* ~*e que nous rentrions* ich schlage vor, wir gehen heim; *(Gesetzentwurf)* vor≈bringen, -legen; *jur* beantragen; *(offrir)* an≈bieten; *on lui à* ~*é un million de ce tableau* für dieses Bild hat er ein Angebot von einer Million bekommen; *(Preis)* aus≈setzen; *(Preisfrage)* stellen; *(Thema)* geben; *se* ~ sich vor≈nehmen, den Entschluß fassen, beabsichtigen (*de* zu); *il se* ~*e de cesser de fumer* er hat sich vorgenommen, mit dem Rauchen aufzuhören; sich zum Ziel setzen; *(être candidat)* sich bewerben (*pour* um, *comme* als), sich (freiwillig) melden (zu); ~ *en exemple* als Vorbild hin≈stellen; *l'homme* ~*e et Dieu dispose (prov)* der Mensch denkt, Gott lenkt; ~**ition** *f* Vorschlag, Antrag *m;* Angebot *n; gram* Satz *m; (Logik)* Urteil *n; math* Aufgabe; *fig* Behauptung *f;* ~ *additionnelle (parl)* Zusatzantrag *m;* ~ *d'amendement* Abänderungsantrag *m;* ~ *d'assurance* Versicherungsantrag *m;* ~ *de mariage* Heiratsantrag *m;* ~ *de paix* Friedensangebot *n;* ~ *principale, subordonnée* Haupt-, Nebensatz *m;* ~ *de scrutin (parl)* Wahlvorschlag *m.*

propr|e [prɔpr] *a* eigen; besondere(r,

s); eigentlich; charakteristisch (*à* für), eigentümlich *dat;* der-, die-, dasselbe; geeignet, brauchbar (*à* zu), passend (*à* für); *(Wort, Ausdruck)* passend, treffend; sauber, rein(lich) *a. fig;* gepflegt, tadellos; anständig; *s m* Eigenart, Eigentümlichkeit, Besonderheit *f; les ~s (jur)* die Güter *m pl;* das Eigentum *n; de sa ~ main* mit eigener Hand, eigenhändig; *en ~* als Eigentum, zu eigen; *pour son ~ compte* auf eigene Rechnung; *avoir vu de ses ~s yeux* mit eigenen Augen gesehen haben; *remettre en main ~* eigenhändig übergeben; *c'est du ~! (fam iron.)* das ist mir was Rechtes! *il est ~! fam* er hat sich schön in die Nesseln gesetzt! *nom m ~* Eigenname *m; sens m ~* ursprüngliche(r), eigentliche(r) Sinn *m; ~ à rien m* Nichtsnutz, Taugenichts *m;* **~ement** *adv* genau(genommen), eigentlich, an und für sich; *gram* im eigentlichen, ursprünglichen Sinn; sauber; *fig* (ganz) ordentlich, recht gut; buchstäblich; *à ~ parler* strenggenommen, eigentlich; *~ dit* eigentlich, im engeren Sinn; **~eté** [-prə-] *f* Sauberkeit, Reinlichkeit *f.*

propri|étaire [prɔprietɛr] *s m f* Eigentümer(in *f*), Hauseigentümer(in *f*), -besitzer(in *f*); -wirt(in*f*); (Geschäfts-)Inhaber(in *f*); (Schiffs-) Eigner *m; changement m de ~* Besitzwechsel *m; grand ~* Großgrundbesitzer *m; petit ~* Kleinbauer *m; ~ foncier, terrien* Grundbesitzer *m; ~ immobilier* Haus- u. Grundbesitzer m; **~été** *f* (charakteristische, besondere) Eigenschaft; Eigentümlichkeit, Besonderheit, Eigenart; *gram* Exaktheit *f (des Ausdrucks);* Eigentum *n,* Besitz(ung *f*) *m;* (Land-)Gut; Vermögen *n; droit m de ~* Eigentumsrecht *n; grande ~* Großgrundbesitz *m; petite ~* Kleinbesitz *m; réserve f de ~* Eigentumsvorbehalt *m; restriction f de la ~* Eigentumsbeschränkung *f; transfert m, transmission f de la ~* Eigentumsübertragung, Übereignung *f; ~ antidérapante (Straße)* Griffigkeit *f; ~ (non) bâtie* (un)bebaute(s) Grundstück *n; ~ commerciale* Recht *n* auf Kündigungsentschädigung; *~ commune, indivise* Gesamteigentum *n; ~ d'* od *sur étages* Stockwerks-, Etageneigentum *n; ~ à l'étranger* Auslandsbesitz *m; ~ foncière* od *immobilière, mobilière* Grund-, Mobiliarbesitz *m; ~ industrielle* gewerbliche(s) Eigentum *n; ~ intellectuelle* od *littéraire et artistique* od *sur les œuvres de l'intelligence* geistige(s) Eigentum, Urheberrecht *n; ~ privée, publique* Privat-, Staatseigentum *n;* **~o** *m arg* Hauswirt, -eigentümer *m.*

pro|pulser [prɔpylse] *tech* an=treiben; **~pulseur** *m* Propeller *m;* Triebwerk *n,* Antrieb, Motor; *(Fahrrad)* Einbaumotor *m; ~ à acide* Säuretriebwerk *n; ~ atomique d'avion (aero)* Triebwerk *n* mit Atomkraft; *~ à hélice* Schiffs-, Luftschraubentriebwerk *n; ~ à réaction* Raketentriebwerk *n,* -motor *m;* Düsentriebwerk *n; ~ par réaction* Luftstrahltriebwerk *n,* -antrieb *m; ~ à turbine* Turbinen-, Turbotriebwerk *n; a u.* **~pulsif, ive** antreibend; **~pulsion** *f tech* Antrieb *m; ~ à quatre roues* Vierradantrieb *m; ~ par réaction* (Luft-)Strahl-, Rückstoßantrieb *m; ~ par statoréacteur* Staustrahlantrieb *m.*

prorata [prɔrata] *m inv* Anteil *m; au ~ de* im Verhältnis zu, nach Maßgabe *gen.*

proro|gatif, ive [prɔrɔgatif, -iv] aufschiebend; **~gation** *f* Aufschub *m;* Frist; Verlängerung; Vertagung *f; ~ de délai* Fristverlängerung f; **~ger** auf=schieben; verlängern, vertagen; stunden; erweitern.

pros|aïque [prozaik] prosaisch, nüchtern; phantasie-, schwunglos; **~aïsme** *m* Nüchternheit; Phantasie-, Schwunglosigkeit *f;* **~ateur** *m* Prosaiker, Prosaschriftsteller m.

pros|cription [prɔskripsjɔ̃] *f* Ächtung, Verbannung; *fig* Abschaffung *f;* **~crire** [-skrir] *irr* ächten, verbannen (*de* aus) *a. fig; fig* unterdrücken, verfolgen; verbieten, ab=schaffen; **~crit, e** [-kri, -it] *m f* Geächtete(r *m*) *f.*

prose [proz] *f* Prosa *f.*

prosély|te [prɔzelit] *m* Neubekehrte(r) *m;* **~tisme** *m* Bekehrungseifer *m.*

prosimiens [prɔsimjɛ̃] *m pl* Halbaffen *m pl.*

prosodie [prɔzɔdi] *f gram* Prosodie *f.*

prospec|t [prɔspɛ] *m vx* (An-)Blick *m;* **~ter** [-pɛkte] *min* schürfen (*qc* nach etw); sorgfältig prüfen; *com* werben, Kundenwerbung treiben; **~teur** *m* Schürfer; *com* Kundenwerber *m;* **~tion** [-sjɔ̃] *f min* Schürfung; *com* (Kunden-)Werbung, Werbetätigkeit; Forschung, Ausgrabung *f;* **~tus** [-spɛktys] *m* Prospekt *m,* Werbeschrift *f; distribuer, lancer un ~* e-n P. verteilen, heraus=bringen.

pros|père [prɔspɛr] erfolgreich, (auf)blühend, glücklich; **~pérer** gedeihen, fort=kommen *a. biol;* vorwärts=kommen, Erfolg, Glück haben; (auf=)blühen; *(Geschäft)* gut=gehen; *faire ~* in Schwung bringen; voran=

bringen; ~**périté** *f* Gedeihen *n;* Wohlstand *m,* Glück *n;* Blüte *f fig; avoir un visage de ~ (fam)* wie das blühende Leben aus=sehen; *~ illusoire* Scheinblüte *f.*

prostate [prɔstat] *f anat* Vorsteherdrüse *f.*

proster|nation [prɔstɛrnasjɔ̃] *f* Niederwerfung *f,* Fußball *m;* Demütigung; Demut *f;* ~**ner, se** sich nieder=werfen (*devant qn* vor jdm), sich zu Füßen werfen (*devant qn* jdm); *fig* sich demütigen.

prosti|tuée [prɔstitɥe] *f* Prostituierte, (Straßen-)Dirne *f;* ~**tuer** der Unzucht preis=geben, verkaufen; *fig* in entehrender, entwürdigender Weise her=geben (*à* für); *se ~* sich her=geben, sich weg=werfen; ~**tution** *f* gewerbsmäßige Unzucht, Prostitution; *fig* Entwürdigung *f.*

pros|tration [prɔstrasjɔ̃] *f med* (völlige) Entkräftung *f,* Kräfteverfall *m; fig* tiefe Niedergeschlagenheit *f;* ~**tré, e** (völlig) erschöpft, kraftlos.

prot|- [prɔt-] = *proto-;* ~**agoniste** *m theat* Hauptdarsteller; *fig* Vorkämpfer, Pionier; Urheber *m.*

prote [prɔt] *m typ* Faktor *m.*

pro|tecteur, trice [prɔtɛktœr, -tris] *s m f* Beschützer(in *f*), Gönner(in *f*); Schutz-, Schirmherr; *pol* Protektor; *tech* Schutz(vorrichtung *f*) *m,* Sicherung *f;* Schoner *m; a* schützend; Schutz-; gönnerhaft; *air, ton m ~* Gönnermiene *f; droit m ~* Schutzzoll *m; gant m ~* Schutzhandschuh *n; lunettes f pl ~trices* Schutzbrille *f; système m ~* Schutzzollsystem *n; ~ antidérapant* Gleitschutzdecke *f; ~ (de pneu) (mot)* Reifenschutz *m,* Deckblech *n;* ~**tection** [-sjɔ̃] *f* Schutz; Beistand *m,* Unterstützung, Hilfe; Protektion *f;* Beschützer, Gönner; Zollschutz *m; tech* Sicherung; *mil* Deckung, Abschirmung *f;* Feuerschutz *m;* Verschleierung *f; prendre qn sous, en sa ~* jds Schutz übernehmen; *air m de ~* gönnerhafte Miene *f; appareil, dispositif m de ~* Schutzgerät *n,* -vorrichtung *f; enduit m de ~* Schutzanstrich *m; système m de ~* Schutzzollsystem *n; vêtement m de ~ (min)* Schutzanzug *m; ~ contre les accidents* Unfallschutz *m; ~ (anti)aérienne (civile)* (ziviler) Luftschutz *m; ~ des animaux* Tierschutz *m; ~ de brevets* Patentschutz *m; ~ antichar* Panzerdeckung *f; ~ des données* Datenschutz *m; ~ de l'enfance, de la jeunesse* Kinder-, Jugendschutz *m; ~ de l'environnement* Umweltschutz *m; ~ contre l'incendie, la foudre, les intempéries, le gaz* Feuer-, Blitz-, Wetter-, Gasschutz *m; ~ judiciaire* Rechtsschutz *m; ~ des locataires* Mieterschutz *m; ~ de marques déposées* Warenzeichenschutz *m; ~ de la maternité* Mutterschutz *m; ~ des minorités (pol)* Minderheitenschutz *m; ~ des modèles* Musterschutz *m; ~ des monuments, de la nature, des paysages* Denkmals-, Natur-, Landschaftsschutz *m; ~ contre les perturbations (radio)* Störschutz *m; ~ contre les radiations, le rayonnement* Strahlungsschutz *m; ~ radioaéronautique* flugfunktechnische Betreuung *f; ~ radiologique* Strahlenschutz *m; ~ contre la rouille* Rostschutz *m; ~ du travail* Arbeitsschutz *m;* ~**tectionnisme** *m* Schutzzollpolitik *f;* ~**tectionniste** *a* Schutzzoll-; *s m* Anhänger *m* der Schutzzollpolitik; ~**tectorat** [-ra] *m* Protektorat *n,* Schutzherrschaft *f,* -gebiet n.

protée [prɔte] *m* Proteus, wetterwendische(r) Mensch; *zoo* Olm *m.*

pro|tégé, e [prɔteʒe] *m f* Schützling *m;* ~**tège-:** -schutz, -schützer, -schoner *m; ~-cahier, ~-livre m (inv)* (Heft-, Buch-)Umschlag *m; ~-documents m (inv)* Klarsichthülle *f; ~-main m (inv)* Handschutz *m (am Gewehr); ~-mine, ~-pointe m (inv)* Bleistifthülse *f; ~-oreilles m (inv)* Ohrenschützer *m; ~-radiateur m (mot inv)* Kühlerverkleidung *f;* ~**téger** (be)schützen, (be)schirmen *(de* vor *dat);* fördern, unterstützen; protegieren; bei=stehen *dat,* helfen *dat; tech* sichern.

proté|ide [prɔteid] *f* Proteid *n,* zs.gesetzte(r) Eiweißkörper *m;* ~**iforme** von wechselnder Gestalt; ~**ine** *f* Protein *n; pl u. matières f pl* ~**iques** Eiweißkörper, -stoffe *m pl;* ~**olyse** *f chem* Eiweißabbau *m.*

pro|testable [prɔtɛstabl] *com (Wechsel)* protestierbar; ~**testant, e** *s m f rel* Protestant(in *f*) *m; a* protestantisch; ~**testantisme** *m* Protestantismus *m;* ~**testataire** *s m f* Protestierende(r *m*) *f;* Widerspruchsgeist *m; a* zu Widerspruch neigend; ~**testation** *f* feierliche Versicherung, Beteuerung *f;* Protest(anzeige, -aktion *f*), Widerspruch; *jur* Einspruch *m,* Verwahrung *f* (*contre* gegen); *faire une ~* Verwahrung ein=legen, Einspruch erheben; *note f de ~* Protestnote *f; ~s d'amitié* Freundschaftsbeteuerungen *f pl;* ~**tester** *itr* beteuern, versichern (*de qc* e-e S); formell erklären; protestieren, Protest, Wider-, Einspruch erheben, sich verwahren, vorstellig werden, sich erklären (*contre* gegen); *com (Wechsel)* protestieren.

protêt [prɔtɛ] *m* (Wechsel-)Protest *m;* ~ *faute d'acceptation, de paiement* P. mangels Annahme, Zahlung.

prothèse [prɔtɛz] *f med* Prothese *f;* ~ *dentaire* Zahnersatz *m.*

protocolaire [prɔtɔkɔlɛr] protokollarisch; dem Protokoll, der Etikette entsprechend; **~cole** *m* (diplomatisches) Protokoll *n;* Etikette *f; allg* gute(r) Ton *m;* ~ *final* Schlußprotokoll *n.*

proto|historique [prɔtɔistɔrik] frühgeschichtlich.

proton [prɔtɔ̃] *m phys* Proton *n.*

proto|plasma [prɔtɔplasma], **~plasme** *m biol* Protoplasma *n.*

prototype [prɔtɔtip] *m* Muster, Modell, Vorbild; *fig* Urbild *n,* Prototyp *m.*

protoxyde [prɔtɔksid] *m chem* Oxydul *n.*

protozoaire [prɔtɔzɔɛr] *m* Protozoon, Urtier *n,* Einzeller *m.*

protubéran|ce [prɔtyberɑ̃s] *f* Höcker, Buckel *m,* Ausbeulung *f;* Vorsprung *m; astr* Protuberanz *f;* **~t, e** vorspringend, -gewölbt.

prou [pru] *adv: ni peu ni* ~ auf keinen Fall, durchaus nicht; *peu ou* ~ mehr oder weniger.

proue [pru] *f mar* Bug *m.*

prouesse [pruɛs] *f* Heldentat *f a. iron.; fam* Erfolg *m.*

prouv|able [pruvabl] beweisbar; **~er** be-, nach⸗, erweisen; belegen; dar⸗legen, -tun, zeigen; ~ *par A + B* klipp und klar beweisen; *offre f de* ~ *(jur)* Beweisantrag *m.*

pro|venance [prɔvnɑ̃s] *f* Herkunft *f,* Ursprung *m,* Quelle *f;* Erzeugnis *n,* Ware *f; en* ~ *de (loc)* aus Richtung; *de* ~ *directe* vom Erzeuger; *de la même* ~ aus derselben Quelle; **~venant, e** herrührend, -stammend.

provençal, e [prɔvɑ̃sal] *a* provenzalisch; *s m* (das) Provenzalisch(e) *n; P~, e m f* Provenzale *m,* Provenzalin *f.*

provende [prɔvɑ̃d] *f* Mischfutter *n.*

provenir [prɔvənir] *irr* her⸗kommen, -stammen, -rühren; hervor⸗gehen, stammen (*de* aus).

prover|be [prɔvɛrb] *m* Sprichwort *n; passer en* ~ *(fig)* sprichwörtlich werden; *P~s de Salomon* Sprüche *m pl* Salomos; **~bial, e** sprichwörtlich.

provi|dence [prɔvidɑ̃s] *f* Vorsehung *f; fig* Schutzengel *m; coup m de la P~* Fügung *f* Gottes; **~dentiel, le** von der Vorsehung gesandt *od* bestimmt.

pro|vignage [prɔviɲaʒ], **~vignement** *m (Weinstock)* Absenken *n;* **~vigner** *tr* ab⸗senken; *itr* sich durch Absenker vermehren; **~vin** *m agr* Absenker, Ableger *m.*

provin|ce [prɔvɛ̃s] *f* Provinz *f a. fig; fig* Land *n;* Gegend *f;* ~ *frontière* Grenzprovinz *f;* **~cial, e** *a* provinziell; Provinz(ial)-; provinzlerisch, kleinstädtisch; *s m f* Provinzler(in *f*), Kleinstädter(in *f*) *m; m rel* (Ordens-) Provinzial *m;* **~cialisme** *m* Provinzialismus; mundartliche(r) Ausdruck *m;* kleinstädtische(s) Wesen *n.*

proviseur [prɔvizœr] *m* Direktor *m (e-s staatlichen Gymnasiums).*

provision [prɔvisjɔ̃] *f* Vorratsbeschaffung, Verproviantierung *f;* Vorrat *m; com* Provision, Vermittlungs-, Kommissionsgebühr; Deckung *f;* Betrag; (Kosten-)Vorschuß *m;* Rückstellung, -lage *f; en* ~ vorrätig; *par* ~ vorläufig, einstweilig; inzwischen, unterdessen, einstweilen; vorsichtshalber; *sans* ~ ungedeckt; *faire* ~ *de qc* (sich) etw beschaffen, besorgen; *faire une* ~ *de charbon* sich e-n Kohlenvorrat an⸗, zu⸗legen; *faire* ~ *de patience* sich in Geduld fassen; *faire ses ~s, aller aux ~s* s-e Einkäufe tätigen *od* machen; *fonds m de* ~ Rücklagefonds *m; sac m à* ~ Einkaufstasche *f;* ~ *alimentaire* Unterhaltsbeitrag *m; ~s de bouche* Mundvorrat *m;* ~ *de courtage* Maklergebühr *f;* ~ *en dépôt, en magasin* Lagervorrat *m;* ~ *pour impôts, pour risques* Steuer-, Risikorückstellung *f;* **~nel, le** *jur* vorläufig, einstweilig; provisorisch.

provisoire [prɔvizwar] *a* provisorisch, behelfsmäßig; vorläufig, einstweilig; *s m* Provisorium *n;* Notbehelf *m; jur* vorläufige(s) Urteil *n;* einstweilige Verfügung *f.*

provisorat [prɔvizɔra] *m* Stelle *f,* Amt(szeit *f*) *n* e-s (Studien-)Direktors.

provo|cant, e [prɔvɔkɑ̃, -ɑ̃t] provozierend, herausfordernd; **~cateur, trice** *a* herausfordernd, provozierend, aufreizend; aufwiegelnd, hetzerisch; *s m f* u. *agent m* ~ Lockspitzel; Aufwiegler, Hetzer *m;* **~cation** *f* Herausforderung, Provokation *f; med* Reiz(ung *f*) *m;* **~quer** provozieren, heraus⸗, auf⸗fordern; auf⸗reizen; *(Blicke)* an⸗ziehen; an⸗reizen; an⸗stiften (*à* zu); hervor⸗rufen, bewirken, aus⸗lösen.

prox|énète [prɔksenɛt] *m f* Kuppler-(in *f*) *m,* Zuhälter *m;* **~énétisme** *m* Kuppelei *f.*

proximité [prɔksimite] *f* Nähe *f; à* ~ *de* nahe bei; in der Nähe *gen.*

proyer [prwaje] *m orn* Grauammer *f.*

prude [pryd] *a* prüde; *fig* geziert, affektiert; *s f* prüde Person *f.*

prud|emment [prydamɑ̃] *adv* überlegt, um-, vorsichtig; **~ence** *f* (Lebens-)Klugheit; Vor-, Umsicht *f;* Behutsamkeit *f;* Überlegtheit *f; avoir la ~ du serpent* es faustdick hinter den Ohren haben; *~ est mère de sûreté* Vorsicht ist die Mutter der Weisheit, *fam* der Porzellankiste; **~ent, e** klug, verständig; um-, vorsichtig, vorausschauend.

pruderie [prydri] *f* Prüderie, geheuchelte Sittsamkeit *f.*

prud|'homal, e [prydɔmal] schiedsgerichtlich; Schiedsgerichts-; **~'homme** *m: conseil m des ~s* (gewerbliches) Schiedsgericht, Arbeits-, Gewerbegericht *n;* **~hommesque** spießbürgerlich, spießig, philisterhaft.

pruin|e [prɥin] *f* Reif, Beschlag *m (auf Früchten);* **~é, e; ~eux, se** *bot* bereift.

prun|e [pryn] *f* Pflaume, Zwetsch(g)e; *fam* blaue Bohne *f; pour des ~s* für nichts u. wieder nichts, umsonst; ohne Grund; *compote f de ~s* Pflaumenkompott *n; confiture f de ~s* Pflaumenmarmelade *f;* Pflaumen-, Zwetsch(g)enmus *n; eau-de-vie f de ~s* Zwetsch(g)enwasser *n;* **~eau** *m* Backpflaume; gedörrte Pflaume; *pop* blaue Bohne *f;* Priem(chen *n*) *m (Kautabak); pl fam* schwarze, lebhafte *od* feurige Augen *n pl;* **~elaie** *f* Pflaumenplantage *f;* Schlehengebüsch *n;* **~elée** *dial f* Pflaumen-, Zwetsch(g)enmus *n;* **~elle** *f* Schlehe *f (Frucht);* Schlehenlikör *m;* Pupille *f;* Auge *n; bot* Br(a)unelle *f; comme la ~ de ses yeux (fig fam)* wie s-n Augapfel; *jouer de la ~* mit den Augen sprechen; liebäugeln; **~ellier** [-nə(ɛ)-] *m* Schwarzdorn *m,* Schlehe *f;* **~ier** *m* Pflaumen-, Zwetsch(g)enbaum *m.*

pruri|gineux, se [pryriʒinø, -øz] *med* juckend; **~go** *m med* Juckflechte *f;* **~t** [~(t)] *m* (Haut-)Jucken *n;* Juckreiz; *fig* Reiz *m.*

Pruss|e, la [prys] *f* Preußen *n; pour le roi de ~ (fam)* für nichts und wieder nichts, für die Katz; *bleu m de ~* Preußischblau, Berliner Blau *n; la ~-Occidentale* Westpreußen *n; la ~-Orientale* Ostpreußen *n; la ~-Rhénane f* die Rheinprovinz; **p~iate** *m* blausaure(s) Salz, Zyanid *n;* **p~ien, ne** *a* preußisch; *P~, ne s m f* Preuße *m,* Preußin *f;* **p~ique** *a: acide m ~* Blausäure *f.*

psalm|ique [psalmik] *a* Psalm(en)-; **~iste** *m* Psalmendichter *m; le P~* der Psalmist *(König David);* **~odie** *f* Psalmensingen; *fig* Her(unter)leiern, Geleier *n;* Litanei *f;* **~odier** psalmodieren, Psalmen singen; *fig* her(unter=)leiern.

psau|me [psom] *m* Psalm *m;* **~tier** *m* Psalter *m (Buch).*

pseudo|- [psødɔ] Pseudo-, falsch; Schein-; **~nyme** [-nim] *a* pseudonym, unter e-m Decknamen; *s m* Pseudonym *n,* Deckname *m.*

psitt, pst [ps(i)t] *interj* (p)st! paß mal auf! **~acidés** *m pl* (Edel-)Papageien *m pl;* **~acisme** *m* Nachplappern *n;* **~acose** *f* Papageienkrankheit *f.*

pso|as [psɔas] *m* große(r) Lendenmuskel *m.*

pso|riasis [psɔrjazis] *m med* Schuppenflechte *f;* **~rique** krätzig; Krätz-.

psych|agogie [psikagɔʒi] *f* Geister-, Schattenbeschwörung *f;* **~analyse** *f* Psychoanalyse *f;* **~analyste** *m f* Psychoanalytiker(in *f*) *m;* **~é** [psiʃe] *f* große(r) Drehspiegel *m;* **~iatre** [-kja-] *m* Psychiater, Irrenarzt *m;* **~iatrie** *f* Psychiatrie *f;* **~iatrique** psychiatrisch; **~ique** [psiʃik] psychisch, seelisch; **~isme** [-ʃ-] *m* seelische Struktur *f; ~ conscient, supérieur* bewußte(s) Seelenleben *n; ~ inférieur* unbewußte(s) Seelenleben *n; ~ instinctif* Triebleben *n;* **~ogène** [-kɔ-] *med* psychogen, seelisch bedingt; **~ologie** *f* Psychologie, Seelenkunde *f; fig* Einfühlungsvermögen *n; ~ animale* Tierpsychologie *f; ~ appliquée, comparée* angewandte, vergleichende P.; *~ de l'enfant, de l'adolescent* Kinder-, Jugendpsychologie *f; ~ des foules, des peuples* Massen-, Völkerpsychologie *f; ~ des profondeurs* Tiefenpsychologie *f;* **~ologique** psychologisch; *moment m ~* kritische(r) Moment, entscheidende(r) Augenblick *m;* **~ologue** *m f* Psychologe; Menschenkenner *m;* **~omoteur, trice** *a anat* psychomotorisch; **~onévrose** *f* Psychoneurose *f;* **~opathe** [-pat] *m f vx* Psychopath(in *f*) *m;* **~ose** *f* Psychose *f; ~ de guerre* Kriegspsychose *f;* **~osomatique** *a* psychosomatisch; *s f* Psychosomatik *f;* **~otechnique** *f* Eignungskunde *f;* **~othérapeute** *m f* Psychotherapeut(in *f*) *m;* **~othérapeutique** psychotherapeutisch; **~othérapie** *f* Psychotherapie *f.*

psychromètre [psikrɔmɛtr] *m* Feuchtigkeitsmesser *m.*

ptéro|dactyle [pterɔdaktil] *m zoo* Pterodaktylus *m;* **~podes** *m pl* Flossenfüßer *m pl,* Flügelschnecken *f pl;* **~sauriens** *m pl* Flugeidechsen *f pl.*

ptyalisme [ptjalism] *m med* Speichelfluß *m.*

puant, e [py(ɥ)ɑ̃, -ɑ̃t] *a* stinkend; *fig* schändlich, gemein, häßlich; widerlich *s m f* widerliche(r), unerträgliche(r) Mensch *m; boule f ~e* Stinkbombe *f;* **~eur** *f* Gestank *m.*

pub|ère [pybɛr] herangewachsen, mannbar; heiratsfähig; **~erté** *f* Pubertät(szeit *f,* -alter *n*) *f;* **~escent, e** flaumhaarig; **~is** [-is] *m anat* Schamberg *m;* Schambein *n.*

publi|c, ique [pyblik] *a* öffentlich, allgemein; staatlich, Staats-; offen(kundig), publik, allgemein bekannt; *s m* Allgemeinheit, Öffentlichkeit *f;* Publikum *n,* Zuschauer *m pl;* Zielgruppe *f; en ~* in der Öffentlichkeit; *ouvert au ~* der Allgemeinheit zugänglich; *rendre ~* bekannt=machen, publik machen, verbreiten; *affaires f pl ~ques* Staatsgeschäfte *n pl; autorité f ~que* Staatsgewalt *f; avis m au ~* öffentliche Bekanntmachung *f; bien m ~* Gemeinwohl *n; charges f pl ~ques* öffentliche Lasten *f pl,* Steueraufkommen *n; chose f ~que* Staat *m;* Regierung *f;* öffentliche(s) Interesse *n; dette f ~que* Staatsschuld *f; droit m ~* Staatsrecht *n; école f ~que* Volksschule *f; emprunt m ~* Staatsanleihe *f; ennemi ~ numéro un* Staatsfeind Nummer eins; *fonction, charge f ~que* öffentliche(s) Amt *n; fonds m pl ~s* Staatsgelder, -papiere *n pl; homme m ~* Mann *m* des öffentlichen Lebens; *intérêt m ~* öffentliche(s) Interesse *n; maison f ~que* Bordell, Freudenhaus *n; opinion f ~que* öffentliche Meinung *f; ordre m ~* öffentliche Ordnung *f; outrage m ~ à la pudeur* Erregung *f* öffentlichen Ärgernisses; *partie f ~que* Staatsanwalt *m; personne f ~que* Amtsperson *f; pouvoirs m pl ~s* Behörden *f pl; réunion f ~que* öffentliche Versammlung *f; revenus m pl ~s* Staatseinkommen *n; séance f ~que* öffentliche Sitzung *f; trésor m ~* Staatskasse *f; vie f ~que* öffentliche(s) Leben *n; voix, clameur f ~que, bruit, cri m ~* Volksstimme *f; ~-relation m* Werbeleiter *m;* **~cain** *m bibl* Zöllner; *fam* Geschäftemacher *m;* **~cation** *f* Veröffentlichung, Herausgabe; Publikation; Verlagserscheinung *f; ~ (des bans) de mariage* Aufgebot *n; ~ mensuelle* Monatsschrift *f; ~ périodique* Zeitschrift *f;* **~ciste** [-sist] *m* Journalist, Publizist *m;* **~citaire** *a* Werbe-, Reklame-; *s m* Werbefachmann *m; film m ~* Werbefilm *m;* **~cité** *f* Publizität, Offenkundigkeit; Öffentlichkeit *f;* Reklame(wesen *n*), (Kunden-)Werbung *f; faire de la ~* Reklame machen, werben; *agence f de ~* Werbeagentur *f; cadeau m de ~* Reklameartikel *m; campagne f de ~* Werbefeldzug *m; chef, département m de la ~* Werbeleiter *m,* -abteilung *f; exemplaire m de ~* Werbeexemplar *n; frais m pl de ~* Werbekosten *pl; office m de ~* Annoncenbüro *n,* Anzeigenannahme *f; ~ aérienne* Himmelsschrift *f; ~ par affiches* Plakatwerbung *f; ~ dans les cinémas* Kinoreklame *f; ~ à l'étalage, par haut-parleurs* Schaufenster-, Lautsprecherreklame *f; ~ par le film* Filmreklame *f; ~ par images* Bildwerbung *f; ~ lumineuse* Lichtreklame *f; ~-presse f* Zeitungswerbung *f; ~ radiophonique, parlée* Werbefunk *m;* Funkwerbung *f; ~ télévisée* Werbefernsehen *n; ~ touristique* Verkehrswerbung *f;* **~er** [-blije] veröffentlichen, heraus=geben, bringen, verlegen *(Druckwerk);* bekannt=machen, verkünden; verbreiten; *~ les bans (de)* auf=bieten; *~ sur les toits (fam)* aus=posaunen.

puce [pys] *s f* Floh *m; inform* Chip *m; a* flohbraun; *avoir la ~ à l'oreille* argwöhnisch geworden sein, den Braten gerochen haben; *mettre la ~ à l'oreille à qn (fam)* jdn unruhig, argwöhnisch werden lassen; *secouer les ~s à qn (fam)* jdm den Kopf waschen; *marché aux ~s* Flohmarkt *m; ~ électronique (inform)* Chip, Baustein *m.*

puc|eau, elle [pyso, -sɛl] *a* jungfräulich *f,* unberührt, unerfahren; *fig* unbenutzt; *s f* Jungfrau *f; la P~elle d'Orléans* die Jungfrau von Orléans; **~elage** *m* Jungfräulichkeit, Unberührtheit *f;* **~eron** *m* Blattlaus *f; ~ de mer* Strandfloh *m.*

pucier [pysje] *m pop* Flohkiste *f,* Bett *n.*

puch|e [pyʃ] *f* Krabbennetz *n;* **~eux** *m* Schöpflöffel *m.*

puddl|age [pydlaʒ] *m tech* Puddeln, Frischen *n;* **~é:** *acier, fer m ~* Puddelstahl *m,* -eisen *n;* **~er** puddeln, frischen; *four m à ~* Puddelofen *m;* **~eur** *m* Puddler *m.*

pud|eur [pydœr] *f* Scham(haftigkeit), Verschämtheit; Sittsamkeit *f;* Zart-, Feingefühl *n,* Takt *m;* Zurückhaltung *f; sans ~* schamlos; *blesser la ~* das Schamgefühl verletzen; **~ibond, e** [-dibɔ̃, -ɔ̃d] , *a* übertrieben schamhaft; *s m f* Tugendbold *m;* **~ibonderie** *f* übertriebene, falsche Schamhaftigkeit; Prüderie *f;* **~icité** *f* Reinheit, Keuschheit, Züchtigkeit; Ehrbarkeit *f;* **~ique** schamhaft; sittsam; keusch, züchtig, rein.

puer [pɥe] stinken, riechen (*qc* nach etw); ~ *comme un bouc, une charogne, la peste, un rat mort* stinken wie die Pest; ~ *de la bouche* aus dem Munde riechen; ~ *au nez à qn (fig)* jdm zum Halse heraus=hängen, jdn an=widern.

puerpéral, e [pɥɛrperal] *a med* Kindbett-; *fièvre f ~e* Kindbettfieber *n.*

puér|iculture [pɥerikyltyr] *f* Säuglings-, Kinderpflege, -fürsorge *f;* **~il, e** [-ril] kindlich, kindisch; **~ilité** *f* kindische(s) Wesen *n;* Kinderei *f.*

pug|ilat [pyʒila] *m* Faustkampf *m;* (wilde) Boxerei *f;* **~iliste** *m* Faustkämpfer *m.*

pugnace [pyɲas] rauflustig; streitsüchtig.

puine [pɥin] *m* Buschholz *n.*

puîné, e [pɥine] *a vx* später geboren, jünger; *s m f* Jüngere(r *m*) *f; frère m* ~ jüngere(r) Bruder *m.*

puis [pɥi] *adv* dann, darauf; *et* ~ und dann, danach; (und) außerdem; *et ~?* und was sonst? und was dann?

puis|ard [pɥizar] *m* Gully *m,* Senkloch *n;* Einsteigeschacht; *tech* Sumpf *m,* Ölwanne *f; min* Schachtsumpf *m;* **~atier** *m* Brunnengräber; *min* Schachtabteufer *m;* **~er** schöpfen *a. fig* (*à, dans* aus); *fig* entlehnen (*à, dans* bei); *tech* aus=schöpfen; *(Garn)* ab=decken; **~eur, se** *m f* (Aus-)Schöpfer(in *f*) *m;* ~ *de tourbe* Torfstecher *m;* **~oir** *m* Schöpfkelle *f,* -löffel *m.*

puisque [pɥisk] da ja, da (nun) einmal, weil doch.

puiss|amment [pɥisamɑ̃] *adv* gewaltig, stark, mächtig; (tat)kräftig; **~ance** *f* Macht; Gewalt; Herrschaft, Regierungsgewalt; Kraft, Stärke *f;* Vermögen *n,* Fähigkeit; Wirksamkeit; *agr* Ertragfähigkeit; *geol* Mächtigkeit; *math* Potenz; *phys* Kraft, Energie; *tech mot* Leistung(sfähigkeit); Wirkung; *mil* Schlagkraft *f; pl* Mächtige, Gewaltige *m pl; à la ~ 4 (math)* in der der vierten Potenz, hoch vier; *consommant un minimum de* ~ mit dem geringsten Kraftaufwand, -bedarf; *avoir en sa* ~ in s-r Gewalt haben; *élever à une ~ (math)* in e-e Potenz erheben; *être en ~ de* abhängig sein von; unterstehen, untergeordnet sein *dat; augmentation f de* ~ Leistungssteigerung *f; déchéance, privation f, retrait m de la ~ paternelle* Entziehung *f,* Entzug *m* der elterlichen Gewalt; *facteur m de* ~ Leistungsfaktor *m; grande* ~ Großmacht *f; les hautes ~s contractantes* die Hohen Vertrags-, vertragschließenden Mächte *f pl; indicateur m de* ~ Leistungsanzeiger, -messer *m; perte f de* ~ Leistungsabfall, -verlust *m; réserve f de* ~ Kraftüberschuß *m; sphère f de* ~ Machtsphäre *f; station f de grande* ~ Großkraftwerk *n; transmission f de* ~ Kraftübertragung *f; unité f de ~ (phys)* Krafteinheit *f;* ~ *absorbée* Kraftverbrauch *m;* ~ *absorbée nominale (el)* Nennbedarf *m;* ~ *active* Wirkleistung *f; ~s alliées* Alliierte(n) *pl;* ~ *d'anodes, anodique (radio)* Anodenaufnahme *f;* ~ *dans l'antenne* Antennenleistung *f;* ~ *ascensionnelle (aero)* Steigfähigkeit, m -leistung *f; ~s belligérentes* kriegführende Mächte *f pl;* ~ *en bougie (el)* Kerzenstärke *f;* ~ *calorifique* Heizkraft *f;* ~ *du champ (phys)* Feldstärke *f;* ~ *de choc* Schlag-, Stoßkraft *f;* ~ *continue, de durée, d'utilisation* Dauerleistung *f; ~s contractantes* Vertragsmächte *f pl;* ~ *de crête, de pointe* Spitzenleistung *f;* ~ *détentrice* Gewahrsamsstaat *m;* ~ *dilaniatrice* Sprengwirkung *f;* ~ *effective, utile* Nutzleistung *f;* ~ *d'effet d'anodes* Anodennutzleistung *f;* ~ *d'émission (radio)* Sendeenergie *f;* ~ *de feu* Feuerkraft *f;* ~ *fiscale* Steuerleistung *f;* ~ *au frein* Bremsleistung *f;* ~ *homologuée, nominale* Nenn-, Nominalleistung *f;* ~ *hydraulique* Wasserkraft *f;* ~ *individuelle* Einzelleistung *f;* ~ *législative, exécutive* gesetzgebende, vollziehende Gewalt *f;* ~ *lumineuse* Lichtstärke, Leuchtkraft *f;* ~ *des machines* Maschinenleistung *f;* ~ *maritime* od *navale, continentale* See-, Kontinental- *od* Landmacht *f;* ~ *maxima* od *maximum, minimum* Höchst-, Mindestleistung *f;* ~ *mondiale* Weltmacht *f;* ~ *du moteur* Motorleistung, -stärke *f;* ~ *motrice* Antriebskraft *f;* ~ *nécessaire, requise* Kraftbedarf *m;* ~ *nucléaire* Atomkraft *f; ~s occultes* übernatürliche Mächte *f pl;* ~ *occupante, d'occupation* Besatzungsmacht *f;* ~ *offensive* Kampfkraft *f;* ~ *de pénétration, de perforation (Geschoß)* Durchschlagskraft *f;* ~ *de plaque* Anodenleistung *f;* ~ *pleins gaz, à pleine admission* Vollgasleistung *f;* ~ *de poussée (Rakete)* Schubleistung *f;* ~ *protectrice* Schutzmacht *f;* ~ *réelle* Wirkleistung *f;* ~ *de sélection (radio)* Selektivität *f;* ~ *signataire* Signatarmacht *f;* ~ *du son, du ton (radio)* Laut-, Klangstärke *f;* ~ *de sortie (radio)* Ausgangsleistung *f; ~ de traction* Zugleistung *f; ~ de travail* Arbeitskraft *f,* -potential *n;* **~ant, e** *a* mächtig, gewaltig; stark, (tat)kräftig; wirksam, einflußreich; fähig, geschickt; tüchtig; *tech* leistungsfähig; *radio* lautstark; *peu ~ (radio)* lautschwach.

puits [pɥi] *m* Brunnen *m;* (tiefes) Loch *n,* Grube *f, min* Schacht *m; fig* Quelle *f;* Abgrund *m; descendre dans un ~* e-n Schacht befahren; *(fig) être un ~ de science* ein Abgrund *m* der Gelehrsamkeit *f* sein, *fam* ein gelehrtes Haus sein; *bâtiment m de ~* Schachtgebäude *n; charpente f du ~* Bohrturm *m; ~ absorbant, perdu* Senkgrube *f,* -loch *n; ~ d'aérage, d'air* Wetter-, Luftschacht *m; ~ artésien* artesischer Brunnen *m; ~ d'amour (Art)* Blätterteigtörtchen *n; ~ à câbles* Kabelschacht *m; ~ d'éclatement* Spreng-, Granattrichter *m; ~ d'élévateur* Aufzugsschacht *m; ~ d'extraction* Förderschacht *m; ~ au jour* Lichtschacht *m; ~ naturel* Erdloch *n; ~ à pétrole* (Öl-)Bohrloch *n; ~ à roue* Ziehbrunnen *m; ~ de sondage* Bohrloch *n; ~ de tunnel* Tunnelschacht *m.*

pull [pyl] *m fam* Pullover; Pulli *m; ~-over* [-ovɛ(œ)r] *m* Pullover *m.*

pull|ulation [pylylasjɔ̃] *f,* **~ulement** *m* schnelle u. starke Vermehrung *f;* Gewimmel; Gedränge; *med* Wuchern *n,* Wucherung *f;* **~uler** sich schnell u. stark vermehren; üppig gedeihen, wuchern *a. fig;* wimmeln; überhand=nehmen; *les fautes ~ulent* es wimmelt von Fehlern (*dans* in *dat*); *les vers ~ulent dans ce fromage* dieser Käse wimmelt von Maden.

pulmon|aire [pylmɔnɛr] *a* Lungen-; *s f* Lungenkraut *n; artère, veine f ~* Lungenschlagader, -vene *f.*

pulp|e [pylp] *f* (Frucht-)Fleisch *n; pharm* Brei *m; tech* Pülpe *f; (Papierfabrik)* Ganzzeug *n,* -stoff *m; ~ cérébrale* Gehirnmark *n; ~ dentaire* Zahnmark *n, fam* -nerv *m; ~ de fruits* Fruchtmark *n;* **~eux, se** fleischig; pulpös, markig; breiig, breiartig.

puls|ateur, trice [pylsatœr, -tris] stoßend, klopfend; **~atif, ive; ~oire** den Puls erhöhend, Herzklopfen verursachend; **~ation** *f* Schlagen, Klopfen; Herzklopfen *n;* Puls(schlag) *m; phys* Schwingung; *el* Kreisfrequenz *f; tech* Kolbenhub *m;* **~ion** [-sjɔ̃] *f* Antrieb *m;* **~oréacteur** *m* Pulsodüsentriebwerk *n.*

pulvér|isable [pylverizabl] pulverisierbar; zerstäubbar; **~isateur** *m* Zerstäuber *m;* **~isation** *f* Pulverisieren, Zerstäuben; *mot* Absprühen *n;* **~iser** pulverisieren *a. fig; fig* vernichten; *(Feind)* (völlig) auf=reiben; *(Einwand)* entkräften; zerstäuben; *(Rekord)* brechen; **~ulence** *f* pulverförmige(r) Zustand *m;* Staubigkeit *f;* **~ulent, e** pulverförmig; staubig.

puma [pyma] *m zoo* Puma *m.*

pum(ic)ite [pym(is)it] *f* Bimsstein *m.*

punaise [pynɛz] *f* Wanze *f;* Reißnagel, -brettstift *m,* Heftzwecke *f; plat comme une ~ (pop fig)* ganz platt; *~ des bois, d'eau, des lits* Baum-, Wasser-, Bettwanze *f.*

punch [pɔ̃ʃ] *m* Punsch *m; sport* [pœnʃ]: *avoir du ~* schlagkräftig sein *m.*

punching|-bag [pœntʃiŋbag] Sandsack, **~-ball** [-bol] *m* Übungsball *m (für Boxer).*

pun|ir [pynir] (be)strafen (*de* mit); *en être ~i* es büßen müssen; **~issable** strafbar; sträflich; *acte m ~* Straftat *f;* **~itif, ive** *a* Straf-; *expédition f ~ive* Strafexpedition *f;* **~ition** *f* Bestrafung; Strafe *f; ~ antécédente* Vorstrafe *f; ~ corporelle* körperliche Züchtigung *f; ~ disciplinaire* Disziplinarstrafe *f.*

punk [pœ̃k] *a* Punk-; *s m f* Punker(in *f*) *m; musique ~* Punkrock *m.*

pup|illaire [pypilɛr] *a* Mündel-; Pupillen-; **~ille** [-pil, fam. -pij] **1.** *m f* Mündel *n;* **2.** *f* Pupille *f.*

pupini|sation [pypinizasjɔ̃] *f el* Pupinisierung, Bespulung *f;* **~ser** *el* pupinisieren, bespulen.

pup|itre [pypitr] *m* (Schreib-, Lese-) Pult *n; inform* Pult *n; ~ de commande, de distribution (el)* Schaltpult *n; ~ de musicien, d'orchestre* Noten-, Dirigentenpult *n;* **~itreur, se** *m f* Anlagebediener(in *f*) *m.*

pur, e [pyr] rein; lauter, schier, pur; unge-, unvermischt; klar, ungetrübt; sauber; hell; heiter; unberührt, makellos; frei (*de* von); *(Geschmack)* fein; *radio* klangrein; *(vorgestellt)* rein, bloß, einfach, (weiter) nichts als; *de ~ sang* reinrassig; *en ~e perte* vergeblich, umsonst; *par ~e malice* aus reiner Bosheit; *~ et simple* einzig u. allein; *être ~ d'intention* keine bösen Absichten haben; *c'est ~e folie* das ist glatter, blanker, barer Unsinn, reiner Wahnsinn; *(cheval m) ~ sang m* Vollblutpferd *n.*

pureau [pyro] *m* freiliegende(r) Teil *m* e-s Dachziegels.

purée [pyre] *f* Püree *n,* Brei *m,* Mus *n; pop* Klemme *f; ~ de pois* Erbspüree *n,* -brei *m; arg aero* Waschküche *f; ~ de pommes* Apfelmus *n; ~ de pom-*

mes de terre Kartoffelpüree *n*, -brei *m*, Quetschkartoffeln *f pl.*
purement [pyrmɑ̃] *adv* ausschließlich; einzig u. allein; bloß, nur; ~ *et simplement* schlicht u. einfach; lediglich.
purer [pyre] *(Bier)* ab=schäumen.
pureté [pyrte] *f* Reinheit; Klarheit; Unberührtheit *f;* ~ *de l'audition, de la réception (radio)* Klangreinheit *f;* ~ *des mœurs* Sittenreinheit *f;* ~ *du sang* Reinrassigkeit *f.*
purg|atif, ive [pyrgatif, -iv] *a* abführend; reinigend; Abführ-; *s m* Abführmittel *n;* **~ation** *f med* Reinigung *f;* Abführmittel *n;* **~atoire** *s m rel* Fegefeuer *n;* **~e** [pyrʒ] *f med* Reinigung *f;* Abführmittel *n;* Desinfektion *f; tech* (*a.* **~eage** *m*) Reinigung, Läuterung; Spülung, Entwässerung; *(Hypothek)* Ablösung; *pol* Säuberungsaktion *f;* **~eoir** *m (Wasserversorgung)* Klärbassin, -becken *n;* **~er** *tech* reinigen; spülen, ntwässern; ein Abführmittel geben (*qn* jdm); *(Schulden)* tilgen; *(Hypothek)* ab=lösen, löschen; *(Strafe)* verbüßen, ab=sitzen; *fig* befreien, frei machen (*de* von); *vx* entlasten, rechtfertigen; *vx* läutern; *se* ~ ein Abführmittel nehmen; ~ *son bien de dettes* s-e gesamten Schulden tilgen; **~eur** *m* Reiniger; *tech* Ablaßhahn; Kondenstopf *m;* ~ *d'air* Entlüftungshahn *m.*
pur|ifiant, e [pyrifjɑ̃, -ɑ̃t] reinigend; **~ificateur, trice** *a* reinigend; *s m f* Reiniger *m;* **~ification** *f rel tech* Reinigung, Läuterung *f;* **~ificatoire** *rel* reinigend; *s m* Kelchtuch *n;* **~ifier** *tech rel fig* reinigen, läutern.
purin [pyrɛ̃] *m agr* Jauche *f.*
puri|sme [pyrizm] *m (sprachl.)* Purismus *m;* **~ste** *s m f* Purist, Sprachreiniger *m; a* puristisch.
puri|tain, e [pyritɛ̃, -ɛn] *a rel* puritanisch; *fig* sittenstreng; *s m f* Puritaner(in *f*) *m a. fig;* **~tanisme** *m* Puritanismus *m; fig* Sittenstrenge *f.*
purot [pyro] *m* Jauchegrube *f.*
purotin [pyrɔtɛ̃] *m pop* Pechvogel; arme(r) Teufel *m.*
purpurin [pyrpyrɛ̃, -in] *a* purpurfarben, -rot; *s f* Purpurin *(Farbstoff);* Bronzepulver *n.*
puru|lence [pyrylɑ̃s] *f* (Ver-)Eiterung *f;* **~lent, e** eit(e)rig, vereitert; *foyer m* ~ Eiterherd *m.*
pus [py] *m* Eiter *m.*
pusillani|me [pyzilanim] kleinmütig, furchtsam; zaghaft, schüchtern; **~mité** *f* Kleinmut *m*, Furchtsamkeit; Zaghaftigkeit, Schüchternheit *f.*
push-pull [puʃpul] *m tech* Gegentakt *m; montage m en* ~ Gegentaktschaltung *f.*
pustul|ation [pystylasjɔ̃] *f* Pustelbildung *f;* **~e** *f* Pustel *f*, Eiterbläschen *n;* ~ *maligne* Milzbrand *m;* ~ *(variolique)* Pocke *f;* **~eux, se** pustulös, mit Pusteln behaftet.
putain [pytɛ̃] *f* Dirne; *vulg allg* Hure *f.*
putatif, ive [pytatif, -iv] vermeintlich.
putois [pytwa] *m zoo* Iltis *(a. Pelz); (Töpferei)* Pinsel *m; crier comme un* ~ *(pop)* wie am Spieß schreien.
putr|éfactif, ive [pytrefaktif, -iv] Fäulnis verursachend *od* erregend; **~éfaction** *f* Fäulnis; Verwesung *f; tomber en* ~ in Verwesung über=gehen; **~éfier** in Fäulnis, Verwesung übergehen lassen; *se* ~ sich zersetzen; faulen; verwesen; **~escence** *f* (Ver-)Faulen *n;* **~escent, e** (ver)faulend; **~escible** verweslich; faulend, sich zersetzend; **~ide** faul(ig).
putsch [putʃ] *m* Putsch *m;* **~iste** *m* Putschist *m.*
puzzle [pœzl(ə)] *m* Puzzle(spiel) *n.*
puy [pɥi] *m (Auvergne)* Berg(kuppe *f*) *m.*
pygargue [pigarg] *m* Seeadler *m.*
pyg|mée [pigme], Pygmäe; *fig* Zwerg *m;* **~méen, ne** *fig* zwerg(en)haft.
pyjama [piʒama] *m* Pyjama, Schlafanzug *m.*
pyl|ône [pilon] *m arch* Pylon, Standpfeiler; *tech* Kranbaum; Leitungs-, Licht-, (*~-antenne m)* Antennenmast; Sprung-, Verkehrsturm *m.*
pylore [pilɔr] *m anat* Pförtner *m.*
pyr|amidal, e [piramidal] pyramidenförmig; *fig* gewaltig, erstaunlich; **~amide** *f arch math allg* Pyramide *f;* ~ *des âges* Alterspyramide *f.*
pyrénéen, ne [pireneɛ̃, -ɛn] pyrenäisch; **Pyrénées, les** *f pl* die Pyrenäen *pl.*
pyrite [pirit] *f min (~ jaune)* Pyrit, Schwefel-, Eisenkies *m.*
pyro|électricité [pirɔelɛktrisite] *f* Thermoelektrizität *f;* **~gravure** *f* Brandmalerei *f;* **~ligneux, se** *a: acide m* ~ Holzessig *m;* **~lyse** *f* Pyrolyse, Verschwelung *f;* **~mètre** *m* Pyrometer *n*, Hitzemesser *m;* **~phorique** luftentzündlich; **~phosphate** *m chem* Pyrophosphat *n;* **~sis** [-ozis] *f med* Sodbrennen *n;* **~technie** *f* Feuerwerkerei *f;* **~technique** pyrotechnisch.
python [pitɔ̃] *m* Pythonschlange *f.*
pythonisse [pitɔnis] *f lit* Wahrsagerin *f.*
pyxide [piksid] *f bot* Deckelkapsel *f.*

Q

quadra|génaire [kwadraʒenɛr] *a* vierzigjährig; *s m f* Vierzigjährige(r *m*) *f;* Vierziger(in *f*) *m;* ~**gésimal, e** *a rel* Fasten(zeit)-; ~**gésime** *f rel* Fastenzeit *f; (dimanche m de la) Q~* erste(r) Fastensonntag, Invokavit, Quadragesimä *m.*

quadr|angle [kadrɑ̃gl] *m vx* Viereck *n;* ~**angulaire** viereckig; *(Prisma, Pyramide)* vierseitig; ~**ant** [k(w)a-] *m* Quadrant, Viertelkreis *m.*

quadra|tique [kwadratik] quadratisch; ~**ture** *f math* Quadratur *f; s. a. cadrature; ~ du cercle* Quadratur *f* des Kreises; *fig* unlösbare Aufgabe *f.*

quadri|ennal, e [kwadrijenal] vierjährig; alle vier Jahre stattfindend; *plan m ~* Vierjahresplan *m;* ~**folié, e** *bot* vierblätt(e)rig.

quadrige [k(w)adriʒ] *m* Quadriga *f,* Viergespann *n.*

quadri|latéral, e [k(w)adrilateral] vierseitig; ~**latère** *m math* Viereck *n.*

quadr|illage [kadrijaʒ] *m* Quadrierung *f; (Karte)* Gitternetz *n; (Stoff)* karierte(s), gewürfelte(s) Muster *n; min* Auspfeilern *n; (Bildfunk)* Raster *m; mil (Polizei)* Besetzung *f* des Geländes durch ein netzartiges Stützpunktsystem; *en ~* Quadrate bildend; ~**ille** [kadrij] *m* Quadrille *f (Tanz);* ~**illé, e** [ka-] kariert, gewürfelt.

quadri|moteur, trice [k(w)adrimɔtœr, -tris] *a* viermotorig; *s m* viermotorige(s) Flugzeug *n;* ~**parti, e,** ~**partite** *a* Vierer-; *conférence f ~(t)e* Viererkonferenz *f;* ~**place** *a* viersitzig; *s m* Viersitzer *m;* ~**syllabique** viersilbig.

quadru|mane [k(w)adryman] *a zoo* vierhändig; *s m* Vierhänder *m;* ~**pède** *a* vierfüßig; *s m* Vierfüß(l)er *m.*

quadru|ple [k(w)adrypl] *a* vierfach; *s m: le ~* das Vierfache; ~**pler** (sich) vervierfachen; ~**plés, ées** *m f pl* Vierlinge *m pl.*

quai [ke(ɛ)] *m* Kai; Ufer-, Hafendamm *m;* Uferstraße; Rampe *f;* Bahnsteig *m; billet, ticket m de ~* Bahnsteigkarte *f; droit m de ~* Hafengeld *n,* -gebühr *f; livré à ~* franko Kai; *Q~ des Orfèvres* der Quai des Orfèvres *(Sitz der französischen Polizei in Paris); Q~ d'Orsay (Pariser Straße)* franz. Außenministerium *n; ~ d'arrivée, de départ* Ankunfts-, Abfahrtsbahnsteig *m; ~ en bout* Kopframpe *f; ~ de chargement, d'embarquement* Verladerampe *f;* ~**age** *s. quayage.*

quaker, esse [kwɛkœr, -krɛs] *m f rel* Quäker(in *f*) *m;* ~**isme** *m* Quäkertum *n.*

quali|fiable [kalifjabl] qualifizierbar; bestimmbar; benennbar, zu bezeichnen(d); ~**ficatif, ive** *a gram* (näher) bestimmend; *s m* Bestimmungswort *n;* ~**fication** *f* Qualifikation, Anerkennung (*de* als); Eignung, Befähigung (*à* zu); Benennung, Bezeichnung; *sport* Zulassung *f;* ~**fié, e** berufen, befähigt, geeignet, qualifiziert (*pour* zu); geschult, bezeichnet, ausgegeben (*de* als); *jur* schwer; *sport* qualifiziert, zugelassen; *ouvrier m ~* Facharbeiter *m;* ~**fier** bezeichnen (*qc* als *acc; qn de qc* jdn als etw *acc*), bestimmen, benennen; erklären (*de* für *acc*); *gram* näher bestimmen; *se ~* sich bezeichnen, sich aus=geben (*de* als *acc*); sich qualifizieren, sich aus=weisen (*pour* als *acc*); s-e Befähigung nach=weisen (*pour* für); *sport* sich qualifizieren (*pour* zu).

quali|tatif, ive [kalitatif, -iv] qualitativ; der Beschaffenheit, der Qualität, der Güte nach; ~**té** *f* Eigenschaft (*de* als); Qualität; *(Ware)* Güte; hervorragende Eigenschaft; Befähigung; Befugnis; Legitimation *f;* (Rechts-)Titel; Stand *m; de ~ inférieure* minderwertig; *en ~ de ...* in s-r Eigenschaft als ...; *avoir ~* berechtigt sein (*pour* zu); *produit m de ~* Qualitäts-, Güteerzeugnis *n; ~ d'associé* Teilhaberschaft *f; ~ d'auteur* Urheber-, Verfasserschaft *f; ~ d'héritier* Erbeneigenschaft *f; ~(s) marine(s), de vol* See-, Lufttüchtigkeit *f; ~ de membre* Mitgliedschaft *f; ~s d'organisation* Organisationstalent *n; ~ sélective* Trennfähigkeit *f; ~ du sol* Bodenbeschaffenheit *f.*

quand [kɑ̃, *gebunden* kɑ̃t] *adv* wann? *conj* als; wenn; *depuis ~?* seit wann? wie lange? *(jusqu')à ~?* bis wann? wie lange? *~ même* dennoch, trotzdem; *~ (bien) même* selbst wenn, wenn auch.

quant [kɑ̃] **1.** *vx a: toutes et ~es fois que* sooft, jedesmal wenn; **2.** *adv: ~ à* was *(acc)* ... betrifft; *~ à moi* ich meinerseits; *~-à-moi, ~-à-soi m fam* Zurückhaltung, Reserviertheit *f;* Egoismus *m; tenir son ~, rester sur son ~* sehr reserviert, hochnäsig sein; **~ième** [-tjɛm] *m* welches Datum *n,* welcher Tag *m.*

quantification [kɑ̃tifikasjɔ̃] *f* Quantifizierung *f.*

quantique [k(w)ɑ̃tik] *a phys* Quanten-; *mécanique f ~* Quantenmechanik *f.*

quanti|tatif, ive [kɑ̃titatif, -iv] quantitativ; Mengen-; der Menge nach; **~té** *f* Quantität; Menge *f;* Gehalt *m* (*de* an *dat*); Anzahl; *math* Größe *f; gram mus* Zeit-, Silbenmaß *n; ~ de* e-e Menge, viele; *en ~* in Menge, haufenweise; *par petites ~s* in kleinen Mengen; *~ d'électricité, d'énergie, de précipitation, de production* Elektrizitäts-, Energie-, Niederschlags-, Produktionsmenge *f; ~ de mouvement* Impuls *m; ~ nécessaire* Bedarf *m; ~ de travail* Arbeitsleistung *f,* Nutzeffekt *m.*

quantum [kwɑ̃tɔm] *m* Quantum *n,* (An-)Teil *m;* Summe *f,* Betrag *m; phys* (*pl* **~a** [kw-, kɑ̃ta]) Quant *n; théorie f des ~a* Quantentheorie *f.*

quarant|aine [karɑ̃tɛn] *f* (etwa) vierzig; *fam* (die) Vierzig, (Alter *n* von) 40 Jahre(n) *n pl;* Fastenzeit; *mar* Quarantäne; *fig* Nicht(be)achtung, gesellschaftliche Isolierung *f; mettre qn en ~* den Verkehr mit jdm ab=brechen; **~e** vierzig; *les Q~* die Vierzig *(Mitglieder der Académie française); ~-cinq tours m* Singleplatte *f;* **~ième** *a* vierzigste(r, s); *s m* Vierzigstel *n.*

quart [kar] *m* Viertel; Viertel(pfund) *n;* Viertelliter(flasche *f*) *m* od *n; mil* Trinkbecher *m; mar* Wache *f;* Kompaßstrich *m; au ~ de tour (fam)* sofort; le tiers et le ~ dieser u. jener, alle Welt; *aux trois ~s* fast ganz; *les trois ~s du temps* meist(ens); *deux heures et (un) ~* (ein) Viertel nach zwei, (ein) Viertel drei; *deux heures moins le* od *un ~* (ein) Viertel vor zwei, drei Viertel zwei; *passer un mauvais ~ d'heure* unangenehme, bange Minuten durchleben; *il est ~, le ~ a sonné* es ist (ein) Viertel, es hat (ein) Viertel geschlagen; *~ d'heure* Viertelstunde *f; ~ de soupir (mus)* Sechzehntelpause *f;* **~aut** [-to] *m dial vx* kleine(s) Faß *n;* **~e** *f mus (Fechten)* Quart(e) *f; tech* Viererkabel *n;* **~eron** *m* Viertelhundert *n fig péj* kleiner Haufen *m;* **~ette** [kwartɛt] *m mus* kleine(s) Quartett *n;* **~ier** [-tje] *m* Viertel *n (a. Mond, Schlachttier);* Teil *m,* Stück; große(s) Stück *n,* Block *m;* Vierteljahr, Quartal *n;* Stadtteil *m,* (Stadt-) Viertel *n; dial* Wohnung; *vx* Gnade *f;* vierteljährliche Zahlung; *(Gymnasium)* Abteilung *f; mil* Quartier *n;* Ortsunterkunft; Kaserne *f;* Bataillonsabschnitt; *mar* Küstenbezirk *m; (Schuh)* Oberleder *n; demander ~* um Gnade bitten; *donner, faire ~ à qn* jdm das Leben schenken; *fournir 16 ~s de noblesse* 16 Ahnen nach=weisen; *mettre en ~s* in Stücke reißen; *bois m de ~* Scheitholz *n; cinquième ~ (Fleisch)* Innereien *f pl; premier, second, troisième, quatrième* od *dernier ~ (Mond)* 1., 2., 3., letzte(s) Viertel *n; ~ d'affaires, commercial, de commerce* Geschäftsviertel *n; ~ général (mil)* Hauptquartier *n; ~ d'habitation, résidentiel* Wohnviertel *n; Q~ latin* Universitäts- u. Institutsviertel *n* von Paris; Pariser Studenten *m pl; ~-maître m (mar)* Maat *m; ~ ouvrier* Arbeiterviertel *n; ~ perdu (fam)* abgelegene(r) Stadtteil *m;* **~o** [kwarto] *adv* viertens.

quartz [kwarts] *m min* Quarz *m;* **~eux, se** Quarz-; quarzhaltig; **~ite** *m* Quarzfels *m.*

quasar [kazar] *m astr* Quasar *m.*

quasi [kazi] **1.** *m* Teil *m* des Mittelschwanzstückes *(Rind) od* der Keule *(Kalb);* **2.** *adv* fast, beinahe; gewissermaßen; *(vor s)* Halb-, Schein-; **~ment** *adv fam* beinahe; gewissermaßen.

Quasimodo [kazimɔdo] *f* Sonntag *m* nach Ostern.

quaternaire [kwatɛrnɛr] *a* vier betragend; durch vier teilbar; quaternär; Vier(er)-; *chem* aus vier Grundstoffen aufgebaut; *s m* u. *ère f ~ (geol)* Quartär *n.*

quatorz|e [katɔrz] vierzehn; *s m* Vierzehn(er *m*) *f;* der Vierzehnte; *le ~ juillet* der 14. Juli *(französischer Nationalfeiertag)* **~ième** *a* vierzehnte(r, s); *s m* Vierzehntel *n.*

quatrain [katrɛ̃] *m* Vierzeiler *m.*

quatre [katr] vier; *s m* Vier(er *m*) *f;* der Vierte; *à ~* zu viert, zu vieren; *~ à ~* drei Treppenstufen überspringend; *à ~ pas de* drei Schritt(e) von; *à ~ pattes* auf allen vieren; *~ à ~ et le reste en gros* aufs Geratewohl; ne *pas y aller par ~ chemins* gerade, ohne Umweg, direkt darauf los=gehen; *couper les cheveux en ~* Haare spalten; *courir les ~ coins et le mi-*

lieu de la ville alles auf≈bieten, keine Mühe scheuen; von Pontius zu Pilatus laufen; *manger comme* ~ für drei essen; *se mettre en* ~ *(fig), se tenir à* ~ sich zs.≈reißen, -nehmen; *les* ~ *règles* die vier Grundrechnungsarten; *tiré à* ~ *épingles* geschniegelt und gebügelt; *~-ans m* Vierjährige(r) *m (Rennpferd); Q~-Cantons: le lac m des* ~ der Vierwaldstätter See; *~-feuilles m inv arch* Vierpaß *m; ~-mâts m inv mar* Viermaster *m; ~-mendiants m pl* Studentenfutter *n; ~-pans m inv* Vierkant *m; ~-~ m mus* Vierviertel-takt *m; ~-places f inv mot* Viersitzer *m; ~-saisons: marchand(e f) m des* ~ Obst- u. Gemüse-Straßenhändler(in *f*) m; *~-temps m pl rel* Quatember *m pl;* [katt͂ɑ] *sing* Viertaktmotor *m; ~-vingt(s)* [katrə-] achtzig; *~-vingtième a* achtzigste(r, s); *s m* Achtzigstel *n; ~-vingt-dix* neunzig.

quatrième [katrijɛm] *a* vierte(r, s); *s m* der 4. *(e-s Monats);* 4. Stock; vierte(r) Mann *m (Spiel); s f (Schule)* 4. Klasse; *(Spiel)* Quarte *f; mot* vierte(r) Gang *m; en* ~ *vitesse* ruck, zuck! **~ment** *adv* viertens.

quatuor [kwatɥɔr] *m mus* Quartett *n;* ~ *à cordes* Streichquartett *n.*

quayage [kɛjaʒ] *m mar* Kaigeld *n,* -gebühr *f.*

que [kə] **1.** *prn (relativ)* den, die; das; welche(n, s); was; *(nach Zeitangaben)* in, an dem, der; *(fragend)* was? *advienne* ~ *pourra!* komme, was da wolle! *ce* ~ was; *faites ce* ~ *bon vous semble* handeln Sie ganz nach Ihrem Belieben; ~ *diable (fam)* was zum Teufel; *qu'est-ce?, qu'est-ce* ~ *c'est* ~ *cela?* was ist das? *qu'est-ce* ~ *...?* was ...? *n'avoir* ~ *faire de qc* etw nicht gebrauchen können, für etw keine Verwendung haben; *n'avoir* ~ *faire à qc* an *dat,* für etw kein Interesse haben; *n'avoir* ~ *faire là (fig)* fehl am Platze, nicht angebracht sein; *(vx) si j'étais* ~ *de vous* ich an Ihrer Stelle; *je ne sais* ~ *faire* ich weiß nicht, was ich tun soll; **2.** *adv* wie (sehr); so-, wieviel(e); warum; ~ *c'est bon!* wie gut (das ist, tut, schmeckt)! ~ *de fois* wie viele Male, wie oft; ~ *de monde!* wieviel Leute! ~ *je sache* soviel ich weiß; ~ *si,* ~ *non!* ja doch, nein doch! **3.** *conj* daß; *(bes. nach Komparativ, autre)* als; *(nach (aus)si, (au)tant, même, tel)* wie; *(wiederholend od stellvertretend für andere conj)* als, wenn, bevor, nachdem, seit, bis, da, obgleich; *ne ...* ~ nur; *non (pas)* ~ *... (mit subj)* nicht als ob ...; *il y a deux ans qu'il est mort* er ist seit 2 Jahren tot; *attendez qu'il revienne* warten Sie, bis er zurückkommt; *autre* ~ *lui* ein anderer als er; *je crois* ~ *non* ich glaube nicht; *tant* ~ *tu voudras* soviel, solange du willst; *tant bien* ~ *mal (fam)* so einigermaßen; *tel* ~ *je le connais* so, wie ich ihn kenne; *qu'il vienne!* käme er doch! er ist willkommen! *qu'il vienne ou non* einerlei *od* gleich(gültig), ob er kommt.

Québ|ec [kebɛk] *m* Quebec *n;* **q~écois, e** *a* aus Quebec; *Q~ s m f* Einwohner(in *f*) *m* von Quebec; *m* das Französisch, das in der Provinz Quebec gesprochen wird.

quel, le [kɛl] *prn* welche(r, s)? was für ein(e), *pl* was für? *tel* ~ (mittel)mäßig; (x-)beliebig; Zufalls-; ~ *âge as-tu?* wie alt bist du? *~le chance!* was für ein Glück! *~le heure est-il?* wie spät ist es? ~ *que (mit Konjunktiv)* welches, was für ein, wie (groß) auch immer.

quelconque [kɛlkɔ̃k] irgendein(e, r); belanglos; nebensächlich, unbedeutend; (mittel)mäßig; (x-)beliebig; hergelaufen; *d'une manière* ~ irgendwie.

quelque [kɛlk] *adj* irgendein(e); ein gewisser, eine gewisse; etwas; *pl* einige, manche, ein paar; *adv* ungefähr, etwa; ein wenig; *30 ans et ~s* etwas über 30 Jahre; ~ *chose* etwas; ~ *jour* e-s (schönen) Tages; ~ *part* irgendwo(hin); *fam* mal wohin *(aufs WC);* in den Hintern; ~ *peu* ein wenig; ~ ... *que* wie, so ... auch (immer); *~s ... que* welche, was für ... auch (immer); ~ *temps* eine Zeitlang; *être* ~ *chose* etwas sein, vor≈stellen; *cela me dit* ~ *chose* das sagt, bedeutet mir etwas; **~fois** [-kə-] *adv* manchmal, bis-, zuweilen, mitunter, hin u. wieder.

quelqu'un, e [kɛlkœ̃, -yn] *prn* (irgend-)eine(r, s); (irgend) jemand; *pl quelques-un(e)s* einige, ein paar; manche; *être* ~ e-e (bedeutende) Persönlichkeit sein.

quémand|er [kemɑ̃de] *tr itr* (aufdringlich) betteln, nach≈suchen (*qc* um etw); **~eur, se** *s m f* lästige(r), aufdringliche(r) Bettler(in *f*), Bittsteller(in *f*) *m; a* aufdringlich bettelnd.

qu'en-dira-t-on [kɑ̃diratɔ̃] *m inv fam* Gerede *n* der Leute.

quenelle [kənɛl] *f* Fleischklößchen *n (in Pastete).*

quenotte [kənɔt] *f fam* Beißerchen, (Kinder-)Zähnchen *n.*

quenouil|le [kənuj] *f* Spindel, Kunkel *f,* Spinnrocken *m; tomber en* ~ *fig fam* in Vergessenheit geraten; schief≈gehen; (*a.* **~lée** *f*) Spindelvoll *f; tech* Stopfen; *bot* Stengel *m; en* ~ spindelförmig.

quér|able [kerabl] *a: dette f* ~ u. ~**abilité** *f* Holschuld *f;* ~**ir:** *lit aller, venir* ~ (ab=)holen; *envoyer* ~ (ab=)holen lassen.

querell|e [kərɛl] *f* Streit, Zank *m; pl* Streitigkeiten *f pl; chercher ~ à qn* mit jdm Streit an=fangen; ~ *d'Allemand* vom Zaun gebrochene(r) Streit *m;* ~ *conjugale, de ménage* Ehestreit *m;* ~**er** zanken, streiten (*qn* mit jdm); aus=zanken, -schimpfen, -schelten; *se* ~ sich zanken, streiten (*avec qn* mit jdm); ~**eur, se** *a* zank-, streitsüchtig, zänkisch; *s m f* Zänker *m,* Xanthippe *f.*

quest|eur [k(ɥ)ɛstœr] *m hist* Quästor; *parl* Schatzmeister *m;* ~**ure** *f* Quästur; Schatzmeisterei *f.*

question [kɛstjɔ̃] *f* (An-)Frage; *vx* Folter *f; en* ~ fraglich, bewußt; *sur la* ~ auf die F.; *être en* ~ zur Debatte stehen; *faire* ~ fraglich, -würdig sein; *poser une* ~ e-e F. stellen; *inscrire, mettre une ~ à l'ordre du jour* e-e F. auf die Tagesordnung setzen; *mettre qn à la ~ (fig fam)* jdn auf die Folter spannen; *(re)mettre en* ~ (wieder) in Frage stellen; *presser de ~s* mit Fragen bestürmen; *rappeler qn à la* ~ jdn bitten, bei der Sache zu bleiben; *répondre à une* ~ e-e F. beantworten; *résoudre, soulever, traiter une* ~ e-e F. lösen, auf=werfen, behandeln; *sortir de la* ~ vom Thema ab=kommen, -schweifen; *à la ~!* zur Sache! *belle, quelle ~!* dumme Frage! *c'est une* ~ das ist die Frage; *c'est une ~ de temps* das ist e-e F. der Zeit; *il est ~ de* es handelt sich um; es ist die Rede von (*que* davon, daß); *il n'en est pas* ~ es kommt nicht in Frage; *la ~ n'est pas là* darum geht es (hier) nicht; ~ *d'actualité, à l'ordre du jour* aktuelle Frage *f;* ~ *d'argent, financière* Geldfrage *f;* ~ *capitale* Kernfrage *f;* ~ *de confiance, de cabinet (parl)* Vertrauens-, Kabinettsfrage *f;* ~ *de culpabilité (jur), des responsabilités* Schuldfrage *f;* ~ *décisive, fatale* Schicksalsfrage *f;* ~*s diverses* Verschiedenes *n;* ~ *de droit, juridique* Rechtsfrage *f;* ~ *de (point de) fait (jur)* Tatfrage *f;* ~ *des frais* Kostenfrage *f;* ~ *indécise* offene F.; ~ *litigieuse* Streitfrage *f;* ~ *pendante, en suspens* schwebende F.; ~*-piège f* Fangfrage *f;* ~ *préalable, préliminaire (parl)* Vorfrage *f;* ~ *de procédure* Verfahrensfrage *f;* ~ *raciale* Rassenfrage *f;* ~ *des responsabilités de guerre* Kriegsschuldfrage *f;* ~ *sociale* soziale F.; ~**naire** [-tjɔ-] *m* Fragebogen *m;* ~**ner** *tr* be-, aus=fragen (*sur* nach); *parl* an=fragen; ~**neur, se** *s m f* (Aus-)Frager(in *f*) *m; a: être* ~ viel *od* gern fragen.

quêt|e [kɛt] *f* Suche(n *n*); (Geld-)Sammlung; (Kirchen-)Kollekte *f; être en* ~ auf der Suche sein (*de* nach); *faire la ~ (Geld)* sammeln; ~ *à domicile* Haussammlung *f;* ~**er** [ke(ɛ)-] *tr fig (chasse)* jagen (*qc* nach etw); *fig* erbetteln; *itr (Spenden)* sammeln; *aller* ~ auf die Suche gehen (*qc* nach etw); ~**eur, se** *s m f* (Geld-)Sammler(in *f*) *m; a: chien m* ~ Spürhund *m; frère m* ~ Bettelmönch *m.*

quetsche [kwɛtʃ] *f* Zwetsch(g)e *f;* Zwetsch(g)enwasser *n.*

queu|e [kø] *f* **1.** Schwanz, Schweif *a. fig (Komet);* Stiel *a. bot;* Griff; Zipfel *m,* Ende *n a. fig; fig* Schluß, Rest *m;* Folgen *f pl;* Schlange *(von Menschen); fam* Latte *f (Schulden); (Partei)* Reste *m pl;* Queue *n,* Billardstock *m; (Kleid)* Schleppe *f; (Perücke)* Zopf; *tech* Schaft *m,* Heft *n,* Kolben, Zapfen *m,* Zinke; *(Säge)* Angel; *(Buchstabe)* Unterlänge *f;* **2.** Weinfaß *n (400 l);* **3.** *s.* ~*x; à la ~ leu leu* im Gänsemarsch; *en* ~ hinten; *fig* auf den Fersen; *pas la ~ d'un(e) (pop)* kein Schwanz, niemand; *la ~ entre les jambes* mit eingezogenem Schwanz, wie ein begossener Pudel; *brider l'âne* od *son cheval par la ~ (fig)* das Pferd am Schwanz auf=zäumen; *commencer, prendre par la ~ (Roman)* von hinten an=fangen; *faire la* ~ Schlange stehen, an=stehen; *finir en ~ de rat* od *poisson (fig)* im Sande verlaufen; *prendre la ~, se mettre à la* ~ sich (hinten) an=stellen; *prendre par la tête et par la ~ (fig)* von allen Seiten betrachten; *tenir la ~ de la poêle (fig)* das Heft in der Hand haben; *tirer le diable par la* ~ sein Leben kümmerlich fristen; *cela n'a ni ~ ni tête* das hat weder Hand noch Fuß; *quand on parle du loup, on en voit la* ~ wenn man vom Wolf spricht, ist er nicht weit; *bouton m à* ~ Ösenknopf *m; piano m à ~ (mus)* Flügel *m; robe f à* ~ Schleppkleid *n; ruban m de* ~ schnurgerade Straße *f;* ~ *à l'anglaise (Pferd)* Stutzschwanz *m;* ~*-d'aronde,* ~*-d'hirondelle f (tech)* Schwalbenschwanz *m;* ~*-de-carpe f* flache(r) Krampe(n *m*) *f;* ~ *de cheval, de bœuf* Pferde-, Ochsenschwanz *m;* ~*-de-morue f* Lackierpinsel; ~ *de pie (Frack)* Schwalbenschwanz *m; il lui a fait une ~ de poisson (arg mot)* er hat ihn geschnitten; ~ *prenante* Wickel-, Greifschwanz *m;* ~*-de-rat f* Nadel-, Loch-

feile; Stichsäge; *Art* Litze; Tabaksdose *f* (mit Lederstreifen); *~-de-renard m (bot tech)* Fuchsschwanz *m;* **~ter** *(Billard)* zwei Bälle an=stoßen.
queux [kø] *f Art* Wetzstein *m.*
qui [ki] *prn* der, die das; welche(r, s); wer; wen; den, der; *(Frage)* wer? wen? was? ~ ... ~ der eine ..., der andere; die einen ..., die anderen; *à ~* (zu) wem; *à ~ est?* wem gehört? *ce ~* was; *c'est moi ~ (betont)* ich; *c'est à ~* ... es kommt darauf an, wer ...; *celui ~* der(jenige), welcher; *de ~* wessen, von wem; *à ~ de droit* wem es zukommt, gebührt; die zuständige Stelle; *~ est-ce ~ ...?* wer ...? *à ~ mieux mieux* um die Wette; *~ pis est* was noch schlimmer ist; *~ plus est* was noch mehr heißen will; *~ que ce soit, ~ que puisse être* wer es auch (immer) sei, sein möge; *un je ne sais ~* ein x-beliebiger; *trouver à ~ parler* s-n Mann finden; *à ~ le tour?* wer ist an der Reihe? *~ va là? ~ vive?* wer da? *être sur le ~-vive* auf alles achten, auf=passen; *se tenir sur le ~-vive* auf der Hut sein; *voici, voilà ~* das; *voilà ~ me plaît* so gefällt es mir.
quia [kɥia] *vx adv: être (réduit) à ~* nicht wissen, was man sagen soll; am Ende sein; *mettre qn à ~* jdm den Mund stopfen.
quibus [kɥibys] *m pop vx* Geld *n.*
quiche [kiʃ] *f* (lothring.) Speckkuchen *m.*
quiconque [kikɔ̃k] *prn* wer auch immer; jeder, der ...; jede, die.
quidam [kidam] *m: un ~,* ein gewisser Jemand, e-e gewisse Person.
quié|tisme [kɥietism] *m* Quietismus *m;* **~tiste** *a* quietistisch; *s m* Quietist(in *f) m.*
quiétude [kjetyd] *f* Seelenruhe; Gottseligkeit; *(verächtl.)* Gleichgültigkeit *f.*
quignon [kiɲɔ̃] *m* (Brot-)Ranken *m.*
quill|e [kij] *f* **1.** *(Spiel)* Kegel *m;* Weißweinflasche *f; pop* Bein *n; (Kleidungsstück)* Zwickel; Keil; Handschuhweiter *m; mil fam* Entlassung *f;* **2.** *mar* Kiel *m; arch* Oberschwelle *f; donner à qn son sac et ses ~s (fam) (vx)* jdm den Laufpaß geben; *être sur ses ~s (pop)* auf den Beinen, *fig* auf dem Posten, wohlauf sein; *être planté comme une ~ (fam)* unbeweglich da=stehen; *jouer aux ~s* Kegel schieben, kegeln; *lancer, faire rouler la boule de ~s* die Kegelkugel werfen; *prendre, trousser son sac et ses ~s (fam) (vx)* mit Sack u. Pack davon=gehen, sich aus dem Staube machen; *recevoir qn comme un chien dans un jeu de ~s* jdn sehr ungnädig empfangen; *jeu m de ~s* Kegelspiel *n;* **~er** (die) Kegel auf=stellen; **~eur** *m* Kegelaufsteller, -junge *m;* **~ier** [kije] *m* (Kegel-)Kreuz; Kegelbrett *n; le ~* die (neun) Kegel *m pl.*
quinaire [kinɛr] durch 5 teilbar; Fünfer-.
quinaud, e [kino, -d] *vx* bestürzt, sprachlos.
quin|caillerie [kɛ̃kajri] *f* Haus- u. Küchengeräte *n pl,* Eisenwaren(-handlung *f,* -handel *m) f pl; grande ~ (com)* Werkzeug(e *pl) n; ~ du bâtiment* Bau-, Handwerksbedarf *m;* **~caillier** *m* Eisenwarenhändler *m.*
quinconce [kɛ̃kɔ̃s] *m* Anordnung *f* nach Art der Fünf auf d. Würfel.
quin|e [kin] *m (Lotterie) (vx)* fünffache Nummer *f; (Würfel)* Pasch *m* 5, zwei Fünfen *f pl; (Domino)* Quinterne *f; c'est un ~ à la loterie* das ist ein großes *od* seltenes Glück, *fam* ein Dusel; **~é, e** *bot* zu je fünf angeordnet.
quinine [kinin] *f pharm* Chinin *n.*
quinqua|génaire [k(ɥ)ɛ̃k(w)aʒenɛr] *a* fünfzigjährig; *s m f* Fünfzigjährige(r *m) f;* Fünfziger(in *f) m;* **~gésime** [kɥɛ̃kwa-] *f* Sonntag vor Fastnacht, Quinquagesima *f.*
quinquennal, e [k(ɥ)ɛ̃k(ɥ)ɛnal] fünfjährig; alle fünf Jahre stattfindend; *plan m ~* Fünfjahresplan *m.*
quinquet [kɛ̃kɛ] *m Art* Öllampe *f; pop* Auge *n; allumer ses ~s (pop)* die Augen gut auf=machen; *ouvre tes ~s! (fam)* mach doch deine Augen auf!
quinquina [kɛ̃kina] *m pharm* China-, Fieberrinde *f;* Chinarindenbaum *m.*
quint [kɛ̃] der fünfte *nur in: Charles(-) Q~(Kaiser)* Karl V.; *Sixte(-) Q~ (Papst)* Sixtus V.; **~aine** [-tɛn] *vx f: servir de ~ (fig)* Zielscheibe sein; **~al** *m* Zentner *m;* **~e** *f mus* Quinte *f (a. Fechten); (Pferd)* plötzliche(s) Stehenbleiben *n;* Hustenanfall *m; fig* (Anfall *m* von schlechter) Laune, Schrulle *f.*
quin|tefeuille [kɛ̃t fœj] *f* Fingerkraut *n;* **~tessence** *f fig* Quintessenz, Hauptsache *f;* (das) Wesentliche, Höchste, Beste; **~tessencié, e** spitzfindig; **~tessencier** die Quintessenz ziehen (*qc* aus etw); ver-, überfeinern; **~tette** [k(ɥ)ɛ̃-] *f mus* Quintett *n.*
quinteux, se [kɛ̃tø, -øz] *a med* in Anfällen auftretend; *fig vx* wunderlich, schrullen-, launenhaft, launisch; *(Pferd, Hund)* bockig; *s m f vx* wunderliche(r), launische(r) Mensch *m.*
quintu|ple [kɛ̃typl] *a* fünffach; *s m: le ~* das Fünffache; **~pler** verfünf-

fachen; ~**plés, ées** *m f pl* Fünflinge *m pl.*

quinz|aine [kɛ̃zɛn] *f* (etwa) fünfzehn; 14 Tage *m pl;* ~**e** fünfzehn; *s m* Fünfzehn(er *m*) *f;* der Fünfzehnte; *Art* Kartenspiel *n; sport* Rugbymannschaft *f; (d')aujourd'hui, (de) demain, (de) lundi en* ~ (heute, morgen, Montag) in 14 Tagen; ~ *jours* 14 Tage *m pl;* ~**ième** *a* fünfzehnte(r, s); *s m* Fünfzehntel *n.*

quiproquo [kiprɔko] *m* Verwechs(e)lung *f.*

quittan|ce [kitɑ̃s] *f* Quittung, (Empfangs-, Zahlungs-)Bescheinigung *f; contre* ~ gegen Q.; *donner* ~ *(de)* quittieren, den Empfang bescheinigen *gen; fig* befreien von; *établir, faire une* ~ e-e Q. aus=stellen, schreiben; *formulaire m de* ~ Quittungsformular *n; livre(t), carnet m de* ~*s* Quittungsbuch *n; (livret m de)* ~*s de loyer* Mietquittung(sbuch *n*) *f; timbre m de* ~ Quittungsstempel *m;* Steuermarke *f;* ~ *en blanc* Blankoquittung *f,* Blankett *n;* ~ *comptable* Belegquittung *f;* ~ *d'entrepôt* Lagerschein *m;* ~ *de prime* Prämienschein *m;* ~**cer** quittieren, den Empfang bescheinigen (*qc* e-r S).

quit|te [kit] *a* (be)frei(t), los, ledig; quitt (*envers qn* jdm gegenüber); ~ *à (inf)* auf die Gefahr hin, daß ...; *(en) être* ~ *pour* ... nichts auszustehen haben außer ...; *être* ~ *de (ses dettes, d'un souci)* (s-e Schulden, e-e Sorge) los sein; *etw* überstanden haben; *en être* ~ *à bon marché* gut dabei weggekommen sein; *en être* ~ *pour la peur* mit dem bloßen Schrecken davon=kommen; *être, faire* ~ *à* ~ *(vx)* quitt sein; *jouer (à)* ~ *ou (à) double (Spiel)* alles ein=setzen; *fig* alles aufs Spiel setzen; *tenir* ~ *de* befreien, los=sprechen von; ~ *de (ses) dettes* schuldenfrei; *nous sommes* ~*s* wir sind quitt; ~**ter** *tr* verlassen; *(Dienst, Gewohnheiten)* auf=geben; los=, fahren=lassen; sich trennen (*qc* von etw); *(Kleider)* ab=legen, aus=ziehen; *itr (Anker)* sich lösen; *se* ~ sich trennen; vonea. Abschied nehmen; ~ *le deuil* die Trauer(kleidung) ab=legen; ~ *le droit chemin (fig)* vom geraden Weg ab=weichen; ~ *le lit, la chambre (Kranker)* wieder auf=stehen, aus=gehen; ~ *la partie (das Spiel)* auf=geben; *fig* es auf=geben; ~ *sa peau* sich häuten; *fig* sich ändern; ~ *prise* los=lassen; *(Schiff)* sich ab=setzen; *fig* es auf=geben; *ne pas* ~ *des yeux* nicht aus den Augen lassen; *son image ne me* ~*e pas* ich habe ihn immer vor Augen; *ne* ~*ez pas (l'écoute) (tele)* bleiben Sie am Apparat.

quitus [k(ɥ)itys] *m* Schluß-, Generalquittung; Schlußbescheinigung; Entlastung *f; donner* ~ Entlastung erteilen.

quoi [kwa] *prn* was; was? *interj* was! wie! *à* ~ woran, wozu, worauf; *après* ~ worauf; darauf, danach; *avoir de* ~ *vivre* zu leben, das Nötige zum Leben haben; *avoir de* ~ *(pop)* Geld haben; *à* ~ *bon?* wozu (ist das gut)? zu was? *c'est, voici, voilà de, à* ~ davon *od* darüber, daran *od* dazu; *comme* ~ *(pop)* wie(so); *de* ~ wovon, worüber; *eh* ~*!* was! wie! *(en)* ~ *faisant* indem ich *etc* das tue, tat; ~ *de neuf?* was (gibt's) Neues? *(il n'y a) pas de* ~ keine Ursache! (zu danken); ~ ... *que* was ... auch (immer); ~ *qu'il en soit* wie dem auch (immer) sei, was auch (immer) daran sein mag; *un je ne sais* ~ ein gewisses Etwas; *sans* ~ sonst; *ne savoir* ~ *faire* nicht wissen, was man tun soll; ~**que** [kwak(ə)] *conj m. subj.* obgleich, obwohl.

quolibet [kɔlibɛ] *m* Anzüglichkeit *f* Witzelei, Stichelei *f;* faule(r) Witz; Kalauer *m.*

quorum [k(w)ɔrɔm] *m parl* Quorum *n,* Zahl *f* der zur Beschlußfähigkeit erforderlichen Mitglieder; *constater que le* ~ *est atteint* die Beschlußfähigkeit fest=stellen.

quot|a [k(w)ɔta] *m* Quote *f,* Kontingent *n;* ~**e-part** [kɔtpar] *f* Anteil *m;* Rate; Quote *f; répartition f des* ~*es-parts* Quotenverhältnis *n;* ~ *d'amortissement* Rückzahlungsrate *f;* ~ *des bénéfices* anteilmäßige(r) Gewinn *m;* ~ *des frais de construction* Baukostenzuschuß *m;* ~ *de liquidation* Liquidationsrate *f;* ~ *de prime* Prämienanteil *m,* -rate *f.*

quotidien, ne [kɔtidjɛ̃, -ɛn] *a* täglich; alltäglich, (wie) gewöhnlich; *s m* Alltag *m;* Tageszeitung *f.*

quotient [kɔsjɑ̃] *m math* Quotient *m;* ~ *intellectuel* Intelligenzquotient *m.*

quotité [kɔtite] *f* Anteil; Betrag *m.*

R

ra [ra] *m inv vx* Trommelwirbel *m.*
rabâch|age [rabɑʃaʒ] *meist pl fam* endlose(s) Wiederholen *n,* -holung *f;* Wiederkäuen *n;* Unsinn, Quatsch *m;* **~er** *fam itr* immer dasselbe reden, quatschen; *tr* endlos wiederholen, wieder=käuen; **~eur, se** *m f* langweilige(r) Schwätzer *m.*
rabais [rabɛ] *m* Herabsetzung *f;* Abzug; Rabatt, (Preis-)Abschlag, Nachlaß *m,* Ermäßigung *f; (adjudication f au ~)* Zuschlag *m* an den Mindestfordernden; *(Hochwasser)* Rückgang *m,* Fallen, Sinken *n; au ~ (fam)* für ein Butterbrot; zweitklassig; *adjuger au ~* dem Mindestfordernden zu=schlagen; *compter au ~* zum Mindestpreis berechnen; *mettre au ~ (fig)* herab=setzen, -würdigen; *vendre au ~* zu herabgesetzten Preisen verkaufen; *vente f au grand ~* Verkauf *m* zu stark herabgesetzten Preisen; **~sement** [-smɑ̃] *m* Herabsetzung, Verminderung, Verringerung *f;* **~ser** niedriger stellen, setzen, legen, hängen, machen, an=bringen; herab=setzen, vermindern; *(Zweig)* zurück=schneiden; *fig* herab=setzen, -würdigen; demütigen; schmälern; dämpfen; *se ~* sich erniedrigen.
raban [rabɑ̃] *m mar* Zeising, Seising, Bändsel *n.*
rabane [raban] *f* Raffiabast *m.*
rabat [raba] *m* Verminderung *f;* (Preis-)Nachlaß, Abschlag *m;* Treibjagd *f; (Kleidung)* Umschlag; *(Tasche)* Umschlag *m,* Klappe *f; rel* Beffchen *n; tech* Prellklotz, -stock *m; ~-joie m inv* Störenfried, Spielverderber; Miesmacher *m;* **~table** [-tabl] herunterklappbar; **~tage** *m* Treibjagd *f; (Baum)* Beschneiden *n;* **~tant** *m (Briefumschlag)* Klappe *f;* **~tement** *m math* Umklappen; *mot* Einreihen *n; à ~* umlegbar; um-, herunterklappbar; **~teur** *m (Jagd)* Treiber; *min* Häuer *m;* **~tre** *irr tr* um=, herunter=klappen, -schlagen; um=legen, -biegen; herunter, nieder=drükken; herunter, herab, nach=lassen; ein=ebnen; ab=flachen, glatt machen, glätten; *(vom Preis)* herunter=lassen, ab=setzen; ab=ziehen (*de, sur* von); *fig* herab=setzen, -ziehen, mindern, (nieder=)drücken, herunter=schrauben, dämpfen; demütigen; *(Worte)* zurück=nehmen; *agr* glatt=walzen; die Zweige ab=sägen (*un arbre* an e-m Baum); *(Wild)* treiben; *(Fechten)* ab=schlagen, -wehren; *tech* aus, flach, platt=hämmern, strecken; (ab=) schmirgeln; *(Naht)* kappen; *(Wasserspiegel)* ab=senken; *itr* plötzlich ab=biegen; sich begeben (*sur qc* nach etw); sich wenden (*sur qn* an jdn); *(im Preis)* zurück=gehen (*de qc* um etw); nach=lassen (*de qc* von etw), zurück=gehen (*de qc* mit etw); mäßigen, ein=schränken (*de qc* etw); *se ~* nieder=gehen, sinken; ab=biegen, (plötzlich) um=kehren, kehrt=machen; *fig* plötzlich über=gehen (*sur qc* auf e-e S); sich (schadlos) halten (*sur qc* an e-r S); sich beschränken (*sur qc* auf e-e S); *en ~ (fig)* e-n Pflock zurück=stecken; *n'en vouloir rien ~* auf s-r Forderung bestehen; *~ le caquet à qn (fam)* jdm das Maul stopfen; *~ du prix* mit dem Preis herunter=gehen, den Preis herab=setzen; *il n'y a rien à ~* dabei bleibt's; **~tu, e** *a bot* herabhängend; *(Naht)* verstürzt, gekappt; *chapeau m à bords ~s* Hut *m* mit heruntergeschlagenem Rand; *col m ~* Umlegkragen *m.*
rabbin [rabɛ̃] *m rel* Rabbiner *m; grand ~* Großrabbiner *m;* **~at** *m* Rabbinat *n;* **~ique** rabbinisch.
rabelaisien, ne [rablɛsjɛ̃, -ɛn] Rabelais-; derb, freimütig; *un langage ~* eine derbe Ausdrucksweise.
rabêtir [rabe(ɛ)tir] *vx tr* dümm(er) machen, verdummen; *itr* dümm(er) werden, verdummen.
rabibo|chage [rabibɔʃaʒ] *m fam* Versöhnung *f;* **~cher** *fam* in Ordnung bringen, (zurecht=)flicken; *fig* ver-, aus=söhnen; *se ~ (fam)* sich wieder vertragen.
rabiole [rabjɔl] *f* Kohlrabi *m; Art* Kohlrübe *f.*
rab|iot, ~iau, ~e *m arg mil mar* übriggebliebene *od* zusätzliche Verpflegung *f;* Überschuß; Nachdienst *m; faire du ~* Überstunden machen, *mil* nach=dienen.
rabique [rabik] *a med* Tollwut-.
râbl|e [rɑbl] *m* **1.** *(Hase)* Rücken *m; fam (Mensch)* Kreuz *n;* **2.** *tech* Kratze; Rührstange, -krücke *f;* Schürha-

ken; Löffelräumer *m; arch* Kalkschaufel, -krücke *f;* **~é, e; ~u, e** untersetzt, stämmig, vierschrötig; **~er** *tech (Feuer)* schüren.

rabot [rabo] *m* Hobel *m; donner des coups de ~ à qc (fig)* etw aus≈feilen; *~ plat* Schlichthobel *m;* **~age** [-ɔtaʒ] *m* (Ab-, Be-)Hobeln *n;* **~er** (ab≈, be-) hobeln; *fig* (aus≈)feilen, glätten; zu(recht≈)stutzen; *pop* stibitzen; **~eur** *m* Hobler *m;* **~euse** *f* Hobelmaschine *f;* **~eux, se** knorrig, knotig; holp(e)rig *(a. Stil); fig* ungeschliffen, rauh.

rab|ougri, e [rabugri] *a* verkümmert, verkrüppelt; kümmerlich; **~ougrir** *tr* verkümmern, verkrüppeln lassen; *itr* u. *se ~* verkrüppeln, verkümmern *a. fig;* **~ougrissement** *m* Verkümmerung *f.*

rabouiller [rabuje] *vx (Gewässer)* trüben.

rabouillère [rabujɛr] *f* Kaninchenloch *n.*

rab|outer [rabute] **~outir** an≈stücken, -setzen; zs.≈nähen; **~outissement** *m* Anstücken, -setzen *n.*

rabrouer [rabrue] *fam* an≈schnauzen, -brüllen, -fahren.

racaille [rakɑ(a)j] *f* Auswurf *m (der Gesellschaft),* Gesindel, Pack *n* Mob *m; vx* Ausschuß(ware *f*), Schund *m.*

raccommod|able [rakɔmɔdabl] auszubessern(d); **~age** *m* Ausbesserung *f,* Flicken *n,* Instandsetzung, Reparatur *f;* **~ement** *m* Aussöhnung *f;* **~er** aus≈bessern, flicken, instand setzen, reparieren; *(Strümpfe)* stopfen; *fig vx* ordnen, (wieder) in Ordnung bringen; verbessern, um≈arbeiten; wiedergut≈machen; aus≈söhnen; *se ~* sich aus≈söhnen, sich wieder vertragen; **~eur, se** *m f* Ausbesserer *m,* Ausbesserin *f.*

raccord [rakɔr] *m* Anschluß(stück *n*) *m;* Verbindung(sstück *n*); Muffe *f,* Paßrohr *n,* Rohranschluß *m,* -verbindungsstück *n;* Nippel *m (~ à vis, fileté);* Lötstelle *f; tele* Anschluß; *fig faire un ~* e-e Verbindung her≈stellen; *faire le ~ (fam)* das Make-up auf≈frischen; *~ à bride(s)* Flanschverbindung *f; ~ de câble* Kabelschuh *m; ~ en caoutchouc* Anschlußschlauch *m; ~ coudé, courbé* Kniestück *n,* Bogen(rohr *n*) *m; ~ flexible* Verbindungsschnur *f; ~ de liaison* Kupplungsstück *n; ~ de rail (loc)* Anschlußschiene *f; ~ de réduction* Übergangsstück, -rohr *n; ~ à rotule* Gelenkverbindung *f; ~ de tube* Fitting *n; ~ à la voie* Gleisanschluß *m;* **~ement** [-də-] *m* Verbindung, Vereinigung; Kupp(e)lung *f;* Verbindungsstück; *loc* Anschlußgleis *n; el* Schaltung *f; tele* Anschluß *m; boîte f de ~ (el)* Kabelkasten *m; borne f, fil m de ~* Anschlußklemme *f,* -draht *m; ~ au chemin de fer* Bahnanschluß *m; ~ collectif (tele)* Sammelanschluß *m; ~ interurbain (tele)* Fernanschluß *m; ~ de trois itinéraires* Straßendreieck *n; ~ principal, auxiliaire* od *secondaire (tele)* Haupt-, Nebenanschluß *m; ~ à vis* Schraubverbindung, Verschraubung *f; ~ de voie ferrée* Gleisanschluß *m;* **~er** verbinden, zs.≈fügen, -passen; *tele* an≈schließen; *(Texte)* verbinden; *(Gemälde)* aus≈bessern.

raccoupler [rakuple] *(Paar)* wieder zs.≈bringen, vereinigen.

raccour|ci, e [rakursi] *a* verkürzt; *fig* abgekürzt, zs.gefaßt; *s m* Ver-, Abkürzung *f;* Abriß *m;* Zs.fassung; *(Kunst)* Verkürzung *f; à bras ~ (s)* aus Leibeskräften; *en ~* kurz zs.gefaßt, im Auszug; **~cir** *tr* ver-, ab≈kürzen, kürzer machen; *pop* e-n Kopf kürzer machen; *itr* kürzer werden; sich zs.≈ziehen, ein≈laufen, schrumpfen; e-n kürzeren Weg ein≈schlagen; **~cissement** *m* Verkürzung *f.*

raccoutumer, se [rakutyme] sich wieder gewöhnen *(à* an *acc).*

raccro|c [rakro] *m vx (Spiel)* Zufallstreffer *m; fig* Glückssache *f; par ~* durch glückliche Umstände; unerwartet; durch Zufall; **~chage** *m* Ansprechen *n* von Passanten; **~cher** *tr* wieder an≈, auf≈hängen, *tele* wieder auf≈legen, ein≈hängen; *fam vx* (wieder) erwischen, ergattern, auf≈gabeln; *(Passanten)* an≈halten, an≈sprechen; *itr (Spiel)* Glück, Dusel haben; *~ les gants (Boxen)* seine Karriere beenden; *se ~* sich hängen, *fig* sich klammern (*à qc* an e-e S); **~cheur, se** *f, a (selten)* marktschreierisch, Straßendirne *f.*

rac|e [ras] *f* Geschlecht *n;* Stamm *m,* Haus *n;* Generation *f; allg* Volk *n,* Sippe, Sippschaft *f;* Gezücht *n,* Brut; *biol* Rasse *f; de grande ~ (fig)* von Format; *de ~ pure* reinrassig; *bon chien chasse de ~ (prov)* der Apfel fällt nicht weit vom Stamm; *cheval, chien m de ~* Rassepferd *n,* -hund *m; ~ bovine, canine, chevaline, ovine, porcine* Rinder-, Hunde-, Pferde-, Schaf-, Schweinerasse *f; la ~ humaine* das Menschengeschlecht; *~ de vipères (bibl)* Otterngezücht *n;* **~é, e** *a* rassig, Rasse-; vornehm.

racer [rɛsœr] *m sport* Rennpferd *n,* -wagen *m,* -jacht *f,* -boot *n.*

rac|eur, se [rasœr, -øz] *m f* Zuchttier

n; ~**ial, e** [-sjal] rassisch; ~**isme** *m* Rassismus *m;* ~**iste** *a* rassistisch; *s m f* Rassist(in *f*) *m.*

rach|at [raʃa] *m* Rückkauf; Los-, Freikauf *m;* Ab-, Einlösung; *com* Tilgung *f;* Abstand(ssumme *f*) *m; rel* Erlösung *f; billet, certificat m de* ~ Einlösungsschein *m; faculté f* od *droit m, valeur f de* ~ Rückkaufsrecht *n,* -wert *m; obligation f de* ~ Einlösungspflicht *f;* ~ *de rente* Rentenablösung *f;* ~**etable** rückkäuflich; ein-, ablösbar; tilgbar; ~**eter** zurück≈, wieder≈kaufen; ab≈, ein≈lösen; tilgen; ein≈ziehen; sich los≈, frei≈kaufen (*qc* von etw); *fig* sühnen; wiedergut≈machen, aus≈gleichen; frei≈kaufen; *rel* erlösen; *se* ~ sich los≈, frei≈kaufen.

rach|idien, ne [raʃidjɛ̃, -ɛn] *a* Wirbel(säulen)-; *bulbe m* ~ verlängerte(s) Mark, Nachhirn *n; canal m* ~ Wirbelkanal *m; nerf m* ~ Rückenmarksnerv *m; trou m* ~ Wirbelloch *n;* ~**is** [-ʃis] *m* Wirbelsäule *f;* ~**itique** *med* rachitisch; ~**itisme** *m* Rachitis, englische Krankheit *f.*

racin|age [rasinaʒ] *m* Wurzelwerk; Wurzel-, Knollengemüse; *(Papier)* Wurzelmuster; Auskochen *n* von Gerbsäure; ~**al** *m arch* Schwelle *f,* Grundbalken *m;* ~**e** *f bot* Wurzel *a. math fig;* (Zahn-, Haar-)Wurzel; (Sprach-)Wurzel *f; geol* Wurzelgebiet; *tech* Wurzelholz; *(Papier)* Wurzelmuster *n; fig* Grundlage *f,* Ursprung *m; pl* Wurzelwerk; *pl* Wurzel-, Knollengemüse *n; sans* ~ wurzellos; *aller à la* ~ *de qc* e-r S auf d. Grund gehen; *avoir de profondes* ~*s dans (fig)* stark verwurzelt sein in *dat; couper le mal dans ses* ~*s* od *à sa* ~ das Übel mit der Wurzel aus≈rotten; *extraire une* ~ *(math)* e-e Wurzel ziehen; *jeter des* ~*s dans (fig)* verwachsen mit; *prendre* ~ Wurzel fassen *od* schlagen, *(fig)* sich fest≈setzen *a. fig; extraction f d'une* ~ *(math)* Wurzelziehen *n;* ~ *aérienne, à crampons, fasciculée, pivotante, traçante* Luft-, Haft-, Büschel-, Pfahl-, Seitenwurzel *f;* ~ *carrée, cubique* Quadrat-, Kubikwurzel *f;* ~ *du nez* Nasenwurzel *f;* ~ *n*ième *(math)* n-te Wurzel *f;* ~ *tuberculeuse (bot)* Wurzelknollen *f pl;* ~**er** *itr bot* Wurzeln treiben; *tr* mit e-m Wurzelmuster versehen; nußbraun tönen.

rack [rak] *m* Arrak *m.*

racket [rakɛt] *m* Erpressung *f* (durch Gewaltandrohung); ~**ter** [-ɛtœr] *m* Erpresser *m.*

racl|age [raklaʒ] *m* (Ab-)Kratzen, Schaben; *(Wald)* Auslichten *n; fagots m pl de* ~ Well-, Knüppelholz *n;* ~**e** *f* Kratz-, Schabeisen; Abstreichmesser *n;* ~**ée** *f fam* Tracht *f* Prügel; ~**ement** *m* Kratzen, Schaben *n;* ~**er** *tr* (ab≈)kratzen, schaben; *com (Maß)* ab≈streichen; *(Wald)* lichten; *itr pop* keuchen; grölen; *se* ~ *la gorge* sich räuspern; ~ *le gosier* im Halse kratzen; ~ *du violon* auf der Geige kratzen; ~**ette** *f,* ~**oir** *m* Kratzeisen; *(Straßenreinigung)* Schabeisen *n;* ~**eur** *m tech* (Band-)Abstreicher *m;* ~**oire** *f* Abstreichmesser, -brett, -holz *n;* Band-, Speichenhobel *m;* ~**ure** *f* (Ab-)Schabsel *n.*

rac|olage [rakɔlaʒ] *m* Werben, Keilen; Pressen *n;* Kundenfang *m;* ~**oler** *fam* keilen, werben; pressen; ~**oleur** *m* Werber *m; a: titre m* ~ reißerische(r) Titel *m;* ~**oleuse** *f* Straßendirne *f.*

racon|table [rakɔ̃tabl] zu erzählen(d); ~**tar** *m fam meist pl* Gerede, Geschwätz *n,* Klatsch *m;* ~**ter** erzählen, berichten; sagen; *en* ~ lang u. breit erzählen; vor≈machen (*qc à qn* jdm e-e S); *en* ~ *de belles* nette Geschichten erzählen; ~**teur, se** *s m f* (Geschichten-)Erzähler(in *f*) *m.*

raccor|ni, e *fig* verhärtet; veraltet; ~**nir** hart machen, härten; *se* ~ hart werden; *fig* verknöchern; ~**nissement** *m* Verhärtung *f,* Hartwerden *n.*

rad [rad] *m (Maßeinheit)* Rad *n.*

radar [radar] *m* Radar *m* od *s,* Radar-, Funkmeßgerät *n; pl* Radarstation *f; brouillage m* ~ Funkmeßstörungen *f pl; matériel m* ~ Funkmeßgerät *n; technique f du* ~ Funkmeßtechnik *f;* ~ *de bord (pour chasseurs)* Bord(jagd)gerät *n;* ~ *de grande distance* Großraumübersichtsgerät *n;* ~ *de guet* Flugmeldegerät *n;* ~ *d'interception de bord* Bordfunkmeßgerät *n;* ~ *de (conduite de) tir* radargesteuerte(s) Feuerleitgerät *n;* ~ *de veille éloignée* Fernwarnmeldegerät *n;* ~**iste** *m* Radarbeobachter *m.*

rad|e [rad] *f* Reede *f,* Ankerplatz *m; être en* ~ auf d. Reede liegen; *grande, petite* ~ Außen-, Binnen- *od* innere R.; ~ *fermée, foraine* geschlossene, offene R.; *fig fam laisser en* ~ *(Mensch)* im Stich lassen; *(Sache)* auf≈geben; ~**eau** *m* Floß *n;* ~ *pneumatique* Schlauchboot *n;* ~**er 1.** *mar* auf die Reede bringen; **2.** *com vx* glatt≈streichen.

radi|aire [radjɛr] *zoo* strahlenförmig; ~**al, e** radial, strahlig; *anat* Radial-, (Arm-)Speichen-; ~**ance** *f* Strahlen *n,* Strahlung *f;* ~**ant, e** strahlend;

chauffage m ~ elektrische Heizung *f;* **~ateur** *s m (~ d'appartement)* Heizkörper *m; (~ électrique)* Heizsonne *f; (~ à gaz)* Gasofen *m; (~ d'automobile)* Kühler *m a. aero;* Kühlschlange *f; bouchon m de ~* Kühlerverschluß *m,* -kappe *f; volet m de ~* Kühlerklappe, -kulisse, -jalousie *f; ~ à accumulation de chaleur* Nachtspeicherofen *m; ~ à ailettes* Rippenheizkörper *m; ~ frontal, à nid d'abeilles, à serpentins, tubulaire* Nasen-, Waben-, Schlangen-, Rohrkühler *m; ~ soufflant* Elektroraumheizer *m;* **~ation** *f* **1.** (Aus-)Strahlung *f; pl a.* Strahlen *m pl;* **2.** Aus-, Durchstreichen *n;* Streichung; *jur* Löschung *f; ~ atomique* radioaktive Strahlung, Radioaktivität *f; ~ solaire, terrestre* Sonnen-, Erdstrahlung *f; ~ thermique* Wärmestrahlung *f.*

radi|cal, e [radikal] *a bot* Wurzel-; *gram* Stamm-; *fig* Grund-, Radikal-; gründlich; *pol* radikal; *s m gram* Stamm *m,* Wurzel *f; math* Wurzelzeichen; *chem* Radikal *n; pol* Radikale(r) *m;* **~calement** *adv* gründlich, von Grund aus, vollkommen, vollständig; **~calisation** *f* Radikalisierung *f;* **~caliser** radikalisieren; **~calisme** *m* Radikalismus *m.*

radi|cant, e [radikɑ̃, -t] *bot* Seiten- *od* Haftwurzeln treibend; **~cation** *f* Wurzelstand *m,* Wurzelbildung *f;* **~celle** *f* Nebenwurzel *f,* Würzelchen *n;* **~civore** wurzelfressend; **~cule** *f* Wurzelkeim *m.*

radi|é, e [radje] strahlig, strahlenförmig (angeordnet); Strahlen-; ausgestrichen; *fig* entlassen; **~er** [-dje] **1.** *v* strahlen, glänzen; **2.** *v* (aus=, durch=) streichen; *jur* löschen; **3.** *s m arch* (Pfahl-)Rost *m;* (Kanal-, Schleusen-) Bett *n,* Boden *m;* Sohle *f.*

radiesthé|sie [radjɛstezi] *f* Radiästhesie, Strahlenfühligkeit *f;* **~siste** *s m* (Wünschel-)Rutengänger *m.*

radieux, se [radjø, -z] strahlend, glänzend (*de* vor *dat*) *a. fig; fig* herrlich, prächtig; freudestrahlend; frisch, blühend.

radifère [radifɛr] radiumhaltig.

radin [radɛ̃] *m pop* Geizhals *m;* **~ner** [-dine] *pop* (an=)kommen.

radio [radjo] *m* Funkspruch; (*aero* Bord-)Funker *m; f* Radio *n,* Rundfunk *m;* Rundfunkgerät *n,* Radioapparat *m; med* Röntgenaufnahme, -untersuchung *f; in Zssgen:* **1.** (Arm-)Speichen-; **2.** Radio-, Rundfunk-; *à la ~* im, über den Rundfunk; *par ~* durch Funkspruch, drahtlos; *appareil m (de) ~* Funkgerät *n; équipement-~ m, installation-~ f* Funkanlage *f,* -gerät *n; poste m de ~ portatif* Kofferradio *n; véhicule m ~* Funkwagen *m; auto-~ f* Autoradio *n; ~ m de bord (aero)* Bordfunker *m;* Bordfunkanlage *f,* -gerät *n; ~ locale* Regionalsender *m; ~ m navigant* Bordfunker *m; ~ pirate* Piratensender *m; ~ f scolaire* Schulfunk *m;* **~actif, ive** radioaktiv; **~activité** *f* Radioaktivität *f;* **~-alignement** *m* Leitstrahlfunkfeuer *n;* **~-astronomie** *f* Radioastronomie *f;* **~balise** *f* Funk-, Signalbake *f;* **~chronomètre** *m med* Aktinometer *n;* **~cinématographie** *f* Schirmbildphotographie, röntgenologische Reihenuntersuchung *f;* **~-combiné** *f* Rundfunkgerät *n* mit Plattenspieler; **~communication** *f* Funkverkehr *m,* Funkverbindung *f;* Funkspruch *m; station f de ~* Funkanlage *f,* Sender *m;* **~-compas** *m* Peil-, Funkkompaß *m;* Zielfluggerät *n;* **~-correction** *f* Funkbeschickung, Fehlweisung *f;* **~dermite** *f med* Röntgen-, Strahlendermatitis *f;* **~détection** *f* Funkpeilung *f;* **~diagnostic** *m* Röntgendiagnose *f;* **~diffuser** (im Rundfunk) übertragen, über d. Radio verbreiten; **~diffusion** *f* Rundfunk(übertragung *f*) *m; station f de ~* Rundfunksender *m; ~ par fil* Drahtfunk *m;* **~-électricité** *f* drahtlose Fernmeldetechnik; Funktechnik *f;* **~-électrique** radioelektrisch; *par voie ~* auf dem Funkweg; **~-élément** *m* radioaktive(r) Stoff *m,* Radioelement *n;* **~-émetteur** *m* Strahlungssender *m;* **~goniomètre** *m* Funkpeilgerät *n,* -anlage *f,* Peiler *m; récepteur m du ~* Peilempfänger *m; ~ d'atterrissage* Bodenpeiler *m; ~ de bord (aero)* Bordpeiler *m,* Bord-, Eigenpeilgerät *n; ~ homing* Zielflug-Peilanlage *f; ~ de jour* Rahmenpeiler *m;* **~gramme** *m* Funkspruch *m;* **~graphie** *f* Röntgen(aufnahme *f*) *n;* **~graphier** röntgen; **~graphique** *a* Röntgen-; *examen m ~* Röntgenuntersuchung *f;* **~guidage** *m* Funkpeilung *f,* Leitstrahlverfahren *n;* **~guidé, e** funkgesteuert; **~laire** *m* Radiolarie *f,* Strahlentierchen *n;* **~lettre** *f Art* Funktelegramm *n;* **~logie** *f med* Röntgenologie *f;* **~logique** röntgenologisch; **~logue, ~logiste** *m* Röntgenologe *m;* **~mètre** *m* Radiometer *n,* Strahlungsmesser *m;* **~navigant** *m* Radionautiker *m;* **~navigation** *f* Radionautik *f;* **~pathie** *f med* Röntgenschädigung *f;* **~phare** *m* Funkfeuer *n,* Bakensender *m; ~ d'alignement* Leitstrahlfunkfeuer *n,* Leitstrahlbake(nsender *m*) *f*; ~ *d'approche, de direction* Ansteuerungsfunkfeuer *n*; ~ *d'atterrissage* Landefunkfeuer *n*; ~ *directionnel* Richtfunkfeuer *n*, Richtstrahlsender *m*; Ansteuerungsfunkfeuer *n*; ~ *de repérage* Zielflugfunkfeuer *n*; ~ *tournant* Drehfunkfeuer *n*, Drehstrahlbake(nsender *m*) *f*; **~phonie** *f* Rundfunk(technik *f*) *m*; Funkfernsprechen *n*; ~ *scolaire* Schulfunk *m*; **~phonique** *a* Rundfunk-; *pièce f* ~ Hörspiel *n*; **~-phono** *f*, **~-pick-up** *m* Phono-Radio *n*, Empfänger *m* mit Plattenspieler; *meuble m* ~ Musiktruhe *f*; **~repérage** *m* Funkortung *f*; **~reportage** *m* Rundfunk reportage *f*, Hörbericht *m*; **~reporter** [-ɛr] *m* Rundfunk-Berichterstatter *m*; **~réveil** *m* Radiowecker *m*; **~scopie** *f* Radioskopie, Röntgendurchleuchtung *f*; **~sensibilité** *f med* Strahlenempfindlichkeit *f*; **~signalisation** *f mar aero* Funkzeichengebung *f*; **~sonde** *f* Radio-, Ballonsonde *f*; **~-taxi** *m* Funktaxi *n*; **~technie** *f* Radio-, Funktechnik *f*; **~technique** funktechnisch; **~télégramme** *m* Funkspruch *m*; **~télégraphie** *f* Funken, Funkwesen *n*; **~télégraphier** funken; **~télégraphiste** *m* Funker *m*; **~téléphone** *m* Autotelefon *n*; **~téléphonie** *f* Funkfernsprechen *n*; **~téléscope** *m astr* Radioteleskop *n*; **~télévisé, e** in Rundfunk und Fernsehen übertragen; **~téléviser** im Fernsehfunk übertragen; **~télévision** *f* Fernsehfunk *m*; **~thérapie** *f med* Röntgentherapie *f*; **~toxémie** *f* Strahlenkrankheit *f*.

radis [radi] *m* Radieschen *n*; *n'avoir plus un* ~ *(pop)* keinen Pfennig Geld mehr haben, völlig abgebrannt sein; ~ *noir* Rettich *m*.

radium [radjɔm] *m* Radium *n*; **~thérapie** *f med* Radiumbehandlung *f*.

radius [radjys] *m anat* Speiche *f*.

radjah [radʒa], **rajah** [raʒa] *m* Radscha *m*.

radon [radɔ̃] Radon *n*.

radot|age [radɔtaʒ] *m* (dummes) Geschwätz *n*, Faselei *f*, *fam* Gequassel *n*; Geschwätzigkeit *f*; *tomber dans le* ~ *(vx)* kindisch werden; **~er** schwatzen, dummes Zeug, *fam* Blech reden, faseln, *fam* quasseln; **~erie** *f* Geschwätzigkeit *f*, Geschwätz *n*; dumme Reden *f pl*; **~eur, se** *a* geschwätzig, schwatzhaft; *s m f* Schwätzer(in *f*) *m*, *fam* Quasselstrippe *f*.

radou|b [radu(b)] *m mar* Ausbesserung *f*; *bassin m de* ~ (Trocken-)Dock *n*; **~ber** *mar, fam, a. allg* aus⸗bessern, reparieren; **~beur** *m* Dockarbeiter *m*.

radou|cir [radusir] mildern; *fig* besänftigen, umgänglich(er) machen; *tech* enthärten; *se* ~ *(Wetter)* gelinder, milder werden; **~cissement** *m* Nachlassen *n*, Linderung; *(Wetter)* Milderung *f*.

rafal|e [rafal] *f* Windstoß *m*, Bö *f*; *mil* Feuerstoß; *fig* Schicksalsschlag *m*; *transmission par ~s (inform)* Stoßbetrieb *m*; ~ *d'applaudissements* Beifallssturm *m*; **~é, e** *mar* durch e-e Bö beschädigt.

raffer|mir [rafɛrmir] fester machen, festigen *a. fig*, kräftigen; *fig* stärken, beleben; bestärken (*dans qc* in e-r S); *se* ~ sich festigen, sich kräftigen; *il se ~it dans sa résolution* er wurde in s-m Entschluß bestärkt; **~missement** *m* Festigung, Kräftigung, Stärkung *f a. fig*.

raffi|nade [rafinad] *f* Raffinade(zucker *m*) *f*; **~nage** *m* Raffinieren *n*, Verfeinerung, Vered(e)lung *f*, Reinigen *n*, Läuterung *f*; *(Stahl)* Gärben *n*; **~né, e** *a* verfeinert, fein, gepflegt; raffiniert *a. tech*; durchtrieben, gerissen, abgefeimt; spitzfindig; *s m* Mann von Geschmack, Kenner *m*; *(Papier)* Zeug *n*; **~nement** *m* Verfeinerung *f a. fig*; *tech* Raffinieren; *fig* Raffinement *n*, Feinheit; Raffinesse, Raffiniertheit, Durchtriebenheit *f*; **~ner** *tr* verfeinern *a. fig*; *tech* raffinieren, reinigen, läutern, veredeln; *(Stahl)* gärben; *(Käse)* fermentieren; *itr* sich verfeinern, feiner werden; überspitzen, auf die Spitze treiben (*sur qc* e-e S); **~nerie** *f tech* Raffinerie *f*; ~ *de sucre, d'huile* Zucker-, Ölraffinerie *f*; **~neur, se** *s m f* Raffineur; Raffineriebesitzer(in *f*) *m*; *f (Papierfabr.)* Ganzholländer *m*.

raffoler [rafɔle] *fam* vernarrt sein (*de* in *acc*), schwärmen (*de* für); *(Süßigkeiten)* leidenschaftlich gern essen.

raffut [rafy] *m fam* Spektakel, Lärm *m*.

rafi|au, ~ot [rafjo] *m fam* Ruderboot *n* (mit Segel); alte(r) Kahn *m*.

rafistol|age [rafistɔlaʒ] *m fam* Zusammenflicken *n*; **~er** *fam* zusammen⸗flicken.

rafl|e [ra(ɑ)fl] *f* **1.** (Trauben-)Strunk *m*; **2.** Razzia *f*, Massenverhaftung *f*; *Art* Jagdnetz *n*; *(Würfel)* Pasch *m*; *faire une* ~ alles weg⸗schleppen *od* ein⸗sacken; **~er** *tr* mit⸗nehmen, mitgehen heißen; *itr (Würfel)* e-n Pasch werfen.

rafraîch|ir [rafre(ɛ)ʃir] *tr* (ab⸗, aus⸗) kühlen, kühler machen; erfrischen;

(Zimmer) lüften; *fig* auf=, erfrischen; (neu) beleben; erneuern, aus=bessern, wiederher=stellen; auf=helfen (*qn* jdm); *vx* sich erholen lassen; auf=frischen (*de* mit); *(Haare)* (nach=) schneiden; *(Gemälde, das Blut)* reinigen; *agr* um=graben; *arch* neu behauen; *tech* frischen; *itr* ab=kühlen; frisch werden; *se* ~ sich erfrischen; sich aus=ruhen, sich erholen; ab=kühlen; *fam* e-n Schluck trinken, e-n kleinen Imbiß nehmen; *se* ~ *l'esprit* geistig aus=spannen; ~ *la mémoire de qn (sur tel ou tel point)* jdm etw ins Gedächtnis zurück=rufen; **~issant, e** *a* erfrischend, Erfrischungs-; *pharm* abführend, Abführ-; *s m* Beruhigungs-, Abführmittel *n;* **~issement** *m* (Ab-) Kühlung; Auffrischung *a. fig; fig* Belebung; Erneuerung, Wiederherstellung; Ausbesserung; *vx* Erholung *f; pl* Erfrischungen *f pl;* **~issoir, ~isseur** *m vx* Kühlgefäß, -schiff *n.*

ragaillardir [ragajardir] auf=heitern, heiter stimmen; stärken.

rag|e [raʒ] *f med* Tollwut *f;* wütende(r), rasende(r) Schmerz *m;* Wut *a. fig;* Sucht *f; écumer de* ~ vor Wut schäumen; *faire* ~ wüten, toben *a. fig; accès m de* ~ Wutanfall *m;* ~ *de dents* wahnsinnige Zahnschmerzen *m pl;* ~ *de la destruction* Zerstörungswut *f;* **~eant, e** *fam* ärgerlich; **~er** *fam* wüten, toben *a. fig;* sich tot=ärgern; **~eur, se** *a* jähzornig; wütend, wutschnaubend; *s m f* Hitzkopf *m.*

raglan [raglɑ̃] *s m* Raglan, Slipon *m.*

ragot, e [rago, -ɔt] *a vx* klein u. dick, *fam* pummelig; *s m* kleine(r), dicke(r) Mensch; Knüppel; zweijährige(r) Keiler; *fam* Klatsch *m;* **~in** *m* häßliche(r) Zwerg *m.*

ragoût [ragu] *m* Ragout *n; vx fig* Reiz *m; (Malerei)* reizvolle(s) Kolorit *n;* ~ *de mouton* Hammelragout *n;* **~ant, e** [-tɑ̃, -ɑ̃t] appetitanregend, appetitlich, lecker; *fig* anziehend, reizend, angenehm; *peu* ~ abstoßend, unangenehm.

ragrafer [ragrafe] wieder ein=, zu=haken.

ragré|er [ragree] *arch* (neu) verputzen; *tech mar* den letzten Schliff geben; *fig* Glanz verleihen (*qc* e-r S *dat*), heben; **~ment** *m* Verputzen, letzte(s) Handanlegen *n;* letzte(r) Schliff *m.*

raguer [rage] *mar tr* durch=scheuern, ab=nutzen; *itr* (sich durch=)scheuern.

rai [rɛ] *m* Strahl *m;* Radspeiche *f.*

raid [rɛd] *m mil* Einfall, -bruch, Vorstoß; *aero* Langstrecken-, Fern-, Dauerflug; Luftangriff *m (~ aérien); sport* Dauerübung *f,* -lauf, -ritt *m,* -fahrt; Fernfahrt *f.*

raid|e [rɛd] *a* steif, starr, stramm; gespannt *a. fig; fig* unnachgiebig, unbeugsam; hart, scharf, schroff; verstockt; starrsinnig, halsstarrig; steil, jäh; stark, schwer zu schlagen(d); *fam* abgebrannt, blank; *pop* erstaunlich, unglaublich; *mener* ~ *(fam vx)* zu eifrig betreiben; hart an=fassen, scharf zu=setzen (*qn* jdm); *(se) tenir* ~ *(vx)* sich hartnäckig widersetzen; *tomber* ~ *mort, être tué* ~ auf der Stelle tot um=fallen; *c'est un peu* ~ das ist ein starkes Stück; **~eur** *f* Steifheit; Unbeholfenheit; *fig* Starre, Schroffheit *f;* Starrsinn *m,* Halsstarrigkeit, Unnachgiebigkeit; *(Berg, Weg)* Steilheit *f; avec* ~ steif; schroff; jäh; **~illon** [-jɔ̃] *m* steile(r) Pfad *od* Abhang *m;* **~ir** spannen, straffen, steif machen; ab=, versteifen; *fig* unbeugsam machen; *se* ~ *(fig)* sich stemmen (*contre* gegen); hart, steif werden; **~issement** *m* Spannen, Straffen *n; tech* Ver-, Aussteifung; *pol* Versteifung *f;* **~isseur** *m* Drahtspanner *m.*

raie [rɛ] *f* **1.** *zoo* Rochen *m;* **2.** Strich, Streifen *m;* Rille *f;* Scheitel *m; à ~s* gestreift; ~ *médiane* Mittelscheitel *m.*

raifort [rɛfɔr] *m* Meerrettich; *pop* Rettich *m.*

rail [rɑ(a)j] *m* Schiene; *fig* Eisenbahn *f; sortir des ~s* entgleisen; *file f de* ~ Schienenstrang *m; grève f du* ~ Eisenbahnerstreik *m;* ~ *guide, de sûreté* Führungsschiene *f;* ~ *de prise de courant, conducteur* Stromschiene *f;* ~ *de sécurité* Leitplanke *f;* ~ *de tramway* Straßenbahnschiene *f.*

raill|er [rɑje] *tr* verspotten, verlachen, sich lustig machen (*qn* über jdn), auf=ziehen, zum besten haben; *itr vx* scherzen, Spaß machen; *se* ~ sich lustig machen *(de* über *acc); je ne ~e pas* das ist mein Ernst; **~erie** *f* Spott; *vx* Scherz, Spaß *m; (n')entendre (pas)* ~ (keinen) Spaß verstehen; ~ *à part* Scherz beiseite, im Ernst; *cela passe la* ~ *(fam vx)* das geht zu weit; **~eur, se** *a* schalkhaft, spöttisch; *vx* scherzhaft; *s m f* Spaßvogel *(vx),* Spötter(in *f) m;* **~eusement** *adv* scherzhaft, im Scherz.

rain|eau [rɛno] *m arch* Bindebalken *m;* Oberschwelle *f;* **~er** *tech* nuten.

rainette [rɛnɛt] *f* Laubfrosch *m.*

rainure [rɛnyr] Nut(e), Rille *f,* Schlitz *m.*

raiponce [rɛpɔ̃s] *f bot* Rapunze(l) *f.*

raire [rɛr] *(Hirsch)* röhren, schreien.

rais [rɛ] *m s. rai.*
raisin [rɛzɛ̃] *m* Weintraube *f;* Papierformat *(50×65 cm); grain m de ~* Weinbeere *f; ~s de Corinthe, secs, de Smyrne* Korinthen, Rosinen, Sultaninen *f pl;* **~é** *m* Weintraubengelee *n; vx pop* Blut *n.*
raison [rɛzɔ̃] *f* Vernunft *f;* Verstand *m;* Billigkeit *f;* Recht *n;* Grund *m,* Ursache *f,* Anlaß *m;* Erklärung; Rechenschaft; Genugtuung; *com* Firma; *math* Proportion *f,* Verhältnis *n; à ~ de* zum Preise von; *à ~ de trois gouttes par jour* drei Tropfen täglich; *avec (fam) ~* mit gutem Recht, mit Fug u. Recht; *à plus forte ~* mit um so größerem Recht, um so eher *od* mehr; geschweige denn ...; *comme de ~* wie (es) recht u. billig ist; *en ~ de* mit Rücksicht auf *(acc),* in Anbetracht, auf Grund *gen;* im Verhältnis zu *(a.: à ~ de); par la ~ que* aus dem Grunde, daß; *plus que de ~* mehr als recht, gut ist; *pour des ~s de commodité* der Einfachheit halber; *pour n'importe quelle ~* aus irgendeinem Grund; *en ~ de quoi* deswegen, -halb, aus diesem Grunde; *pour ~ de santé* aus Gesundheitsgründen; *avoir ~* recht haben; *avoir de bonnes ~s* s-e (guten) Gründe haben; *avoir toute sa ~* bei vollem Verstande sein; *demander ~* Genugtuung verlangen (*de* für); *donner ~ à qn* jdm recht geben; *entendre ~* Vernunft an=nehmen; *être en ~ directe, inverse (math)* direkt, umgekehrt proportional sein; *se faire une ~* sich ins Unvermeidliche schikken; *mettre à la ~* zur Vernunft bringen; *parler ~* vernünftig reden; *perdre la ~* den Verstand verlieren; *rendre ~* Rechenschaft ab=legen *(de* über *acc); fig* erklären; *il y a ~ en, pour tout* alles hat s-e Grenzen; *~ n'a point de lieu* Gewalt geht vor Recht; *~ de plus* das ist ein Grund mehr; *cela n'a ni rime ni ~* das hat weder Hand noch Fuß; *âge m de ~* urteilsfähige(s) Alter *n; dernière ~* letzte(r) Ausweg *m; mariage m de ~* Vernunftehe *f; ~ d'État* Staatsräson *f; ~ d'être* Existenz-, Daseinsberechtigung *f; ~ du plus fort* Recht *n* des Stärkeren; *~ probante* Beweisgrund *m; ~ sociale, de commerce* Firmenbezeichnung, Firma *f; ~ valable* triftige(r) Grund *m;* **~nable** vernünftig; verständig; anständig, geziemend; angemessen *(a. Preis);* ausreichend, genügend; **~nant, e** *vx* zum Widerspruch geneigt; **~né, e** durchdacht; systematisch; theoretisch, wissenschaftlich begründet; **~nement** *m* Urteil(skraft *f*) *n;* Schluß(folgerung *f*) *m;* Beweisführung; Rechthaberei, Tadelsucht; Bemerkung, Ausführung *f; pl* Einwände *m pl,* Widerreden *f pl;* **~ner** *itr* (vernünftig) denken, urteilen; schließen, Schlußfolgerungen ziehen; sich ausea.=setzen (*avec qn* mit jdm); Überlegungen an=stellen; Widerreden machen, widersprechen; *tr* durchdenken, überlegen; begründen; zu überzeugen suchen, gut zu=reden (*qn* jdm); *(Schiff)* an=rufen; *se ~* Vernunft an=nehmen; *~ comme une pantoufle (fam)* dummes Zeug, Unsinn reden; *~ politique vx* über Politik sprechen; **~neur, se** *s m f* (scharfer) Denker; rechthaberische(r) Mensch; Widerspruchsgeist; Nörgler *m; a* zum Widerspruch geneigt; tadelsüchtig.
ra|jeunir [raʒœnir] *tr* verjüngen *a. fig;* jung, jünger machen *od* erscheinen lassen; jünger schätzen; *itr* wieder jung werden; jünger aus=sehen; *fig* sich erneuern, sich verjüngen; *se ~* sich jünger machen; *fig* sich verjüngen; **~jeunissant, e** jung machend, jugendlich wirkend; **~jeunissement** *m* Verjüngung; *fig* Erneuerung *f.*
rajouter [raʒute] (aufs neue) hinzu=fügen.
ra|justement [raʒystəmɑ̃] *m* Ausbesserung, Instandsetzung, Reparatur; *com* Angleichung *f;* **~juster** (wieder) in Ordnung bringen, aus=bessern, reparieren, instand setzen; an=gleichen; *tech* nach=stellen; *vx fig (Streit)* schlichten; aus=söhnen; *se ~* sich wieder zurecht=machen, s-e Kleider ordnen; *vx fig* sich aus=söhnen, sich wieder vertragen.
râl|ant, e [rɑlɑ̃, -ɑ̃t] röchelnd; *c'est ~ (pop)* das ist ärgerlich; **~e** *m* **1.** Röcheln *n* (*a.* **~ement** *m*); **2.** *orn* Ralle *f;* **~er** röcheln; im Sterben liegen; *fig pop (unzufrieden)* meckern, brumme(l)n, schimpfen; **~eur, se** *s m f pop* Nörgler, Meckerer *m; a fam* hitzig, leicht aufbrausend.
ralen|ti [ralɑ̃ti] *m mot aero* Leerlauf *m; film* Zeitlupenaufnahme *f; au ~* mit der Zeitlupe, in Zeitlupenaufnahme; *mettre au ~* langsamer (ab=)laufen lassen; (ab=)drosseln; **~tir** *tr* verlangsamen; *(Geschwindigkeit)* herab=setzen; *fig* ab=schwächen; lokkern; dämpfen; *itr* langsamer werden; nach=lassen, sich ab=schwächen; **~tissement** *m* Verlangsamung *f;* Nachlassen *n,* Rückgang *m;* Abnahme *f* (der Geschwindigkeit); *fig* Erlahmen *n;* **~tisseur** *m* Zeitlupe *f.*
ralingu|e [ralɛ̃g] *f mar* Liek *n; aero*

Gurt *m;* ~**er** *tr (Segel)* mit dem Liek ein=fassen; *itr (Segel)* flattern; *fig fam* schwanken, unschlüssig sein.

ralli|é, e [ralje] *a pol* einverstanden (*à* mit); *s m* Anhänger *m,* ausgesöhnter (politischer) Gegner; ~**ement** [-limɑ̃] *m* Aussöhnung *f; mil* Sammeln *n; mot m de* ~ *(mil)* Losungs-, Kenn-, Erkennungswort *n; point m de* ~ *(mil* u. *fig)* Sammelpunkt *m; signe m de* ~ Zeichen, Signal *n* zum Sammeln; ~ *à un parti* Unterstützung *f* einer Partei, Anschluß *m* an einer Partei; ~**er** [-lje] *tr* (wieder) (ver)sammeln, zs.=führen, -bringen, -ziehen; *fig* vereinen, *fam* unter e-n Hut bringen; *(um sich)* sammeln, scharen; für sich, für e-e Sache gewinnen; *(Posten)* wieder ein=nehmen, zurück=kehren (*qc* auf e-e S); *aero* regelmäßig an=fliegen; *itr mil* zu s-r Einheit zurück=kehren; *se* ~ *(fig)* sich an=schließen (*à* an *acc*).

rallong|e [ralɔ̃ʒ] *f* Verlängerung(sstück *n*) *f; (Finanzen)* Zuschuß *m; elec* Verlängerungskabel *n; fig* Zusatz *m; servir de* ~ *à (fig)* hinzu=kommen zu; *table f à* ~*(s)* Ausziehtisch *m;* ~**ement** *m* Verlängerung *f;* ~**er** verlängern; *(Tisch)* aus=ziehen; *se* ~ länger werden.

rallumer [ralyme] *tr* wieder an=zünden, an=stecken; *fig* wieder entfachen, erwecken, aufleben lassen; *se* ~ *(fig)* wieder in Gang kommen, sich erneuern.

rallye [rali] *m sport* Sternfahrt Rallye *nf;* ~*-ballon m* Ballon-Sternfahrt *f;* ~*-paper* [-pepœr] *m, a. rallie-papier m* Schnitzeljagd *f.*

ramadan [ramadɑ̃] *m* Ramadan *m (islamischer Fastenmonat).*

rama|ge [ramaʒ] *m* **1.** Laubwerk, Rankenmuster *n; (Vögel)* Gesang *m,* Zwitschern; *(Kinder)* Plappern *n;* **2.** *(Textil)* Spannen *n;* ~**ger** *tr* mit e-m Rankenmuster verzieren; *itr (Vögel)* singen, zwitschern; *(Kinder)* plappern; *fam* trällern.

ramas [rama] *m vx* (Auf-)Sammeln; *(Holz)* Lesen *n; péj* Haufen *m (Plunder, Gesindel);* Sammelsurium *n; un* ~ *d'erreurs* e-e Menge Fehler; ~**sage** [-ma-] *m* (Auf-)Lesen, (Auf-, Ein-) Sammeln *n;* ~ *scolaire* Schülerabholdienst *m;* ~**se** *f Art* Rodelschlitten *m;* ~*-miettes m inv* Krümelbürste *f* mit Schaufel; ~*-monnaie m inv* Zahlteller *m;* ~*-poussière m inv (Belgien)* Staubfänger *m;* ~**sé, e** untersetzt, stark, kräftig; *(Stil)* gedrungen; straff; *(Ausdrucksweise)* knapp; zs.gekauert; (zs.)geballt *a. fig; fig* gesammelt, zurückgezogen; ~**ser** (auf=, ein=)sammeln, (auf=)lesen; zs.=bringen; um sich scharen; zs.=ballen; *fig* sammeln, zs.=nehmen, -raffen, -fassen; (wieder) auf=heben, auf=lesen, -greifen, mit= nehmen; *fam* erwischen, fest=nehmen; *pop* ab=kanzeln, fertig=machen, aus=schimpfen; *(Segel)* an=ziehen; *se* ~ sich (an=)sammeln, zs.=kommen; *(Igel)* sich zs.=rollen; *fig pop* wieder auf=stehen; *a.* (hin=)fallen; ~ *une bûche, une pelle (pop)* (hin=)fallen, stürzen; ~**seur** *m tech* Sammler *m;* ~**sis** [-si] *m* Haufen *m;* Gesindel *n.*

rambarde [rɑ̃bard] *f mar* Laufstange *f,* -seil *n.*

ram|e [ram] *f* **1.** (Bohnen-)Stange *f;* Erbsbusch *m;* **2.** Ries *n (500 Bogen Papier);* 20 Rollen *f pl* Tapete; *loc* (Wagen-)Zug; *mar* Schleppzug *m; pop* Faulheit *f; ne pas en ficher une* ~ stinkfaul sein; **3.** Ruder *n;* Rudersport *m; à deux* ~*s* zweirud(e)rig; *être, tirer à la* ~ *(pop vx)* schuften wie ein Brunnenputzer; *faire force de* ~*s* kräftig drauflos=rudern; ~ *de métro* U-Bahn *f;* ~**é, e** *a: haricots, pois m pl* ~*s* Stangenbohnen, Buscherbsen *f pl;* ~**eau** *m* (kleiner) Zweig *m a. fig; fig* Ab-, Verzweigung, Verästelung *f a. anat; (Gebirge)* Ausläufer *m; min* Ader; *(Familie)* Seitenlinie *f; dimanche, jour m des R*~*x* Palmsonntag *m;* ~ *d'olivier* Ölzweig *m;* Sieges-, Friedenspalme *f;* ~**ée** *f* (abgehauene) grüne Zweige *m pl,* Laubwerk; Laubdach *n.*

ramenable [ramnabl] *vx* rückführbar, zurückziehbar; zu bessern(d), zu überzeugen(d).

ramender [ramɑ̃de] *(Fischnetz)* flikken; *(Acker)* zum zweitenmal düngen; neu vergolden; *(Textil)* nach=färben.

ramener [ramne] zurück=führen, -bringen; nach Hause, heim=bringen; *(Feind)* zurück=schlagen, -weisen; *(Mode)* wieder=beleben, wieder aufleben lassen; *(Ruhe)* wiederher=stellen; *(Blicke)* wieder schweifen lassen; wieder lenken, aufmerksam machen (*à* auf *acc*); *(Kleidung)* zurecht=rükken, -schieben; *(Rede)* wieder bringen (*à* auf *acc*); mit=bringen; *(Gliedmaßen)* ein=ziehen; an sich *(acc)* nehmen *od* ziehen; *fig* zurück=stekken, -schrauben; zurück=führen, -bringen (*à* auf *acc*) *a. math; (Spiel)* parieren; *(Haare)* nach vorn kämmen; *se* ~ hinaus=laufen, sich zurück=führen lassen (*à* auf *acc*); *la* ~ *(pop)* dick=tun; *arg* meckern; ~ *la paix* den

Frieden wiederher=stellen; ~ *à la raison* wieder zur Vernunft bringen; ~ *à la vie* ins Leben zurück=rufen.
ramequin [ramkɛ̃] *m Art* Käsekuchen *m*.
ramer [rame] **1.** *(Erbsen)* mit Büschen, *(Bohnen)* mit Stangen versehen; *(Gewebe)* spannen; *il s'y entend comme à ~ des choux (fam)* er versteht davon soviel wie die Katze vom Sonntag; **2.** rudern; ~ *contre le fil de l'eau (fig)* gegen den Strom schwimmen.
ramer|eau [ramro], **~ot** *m (selten)* junge Ringeltaube *f*.
rameur, se [ramœr, -øz] *s m f* Ruderer *m*, Ruderin *f*.
ram|eux, se [ramø, -z] (stark) verzweigt, verästelt; **~ier** [-mje] *m* **1.** (abgehauene) grüne Zweige *m pl;* **2.** Große Holz-, Ringeltaube *f;* **~ification** *f bot* u. *fig* Verzweigung, Verästelung *f;* **~ifier, se** *bot* u. *fig* sich verzweigen, sich verästeln; **~ille** [-ij] *f* Zweigende *n; pl* Reisig *n;* **~ure** *f* Gezweig, Geäst; *(Hirsch)* Geweih *n*.
ramoll|i, e [ramɔli] *a* aufgeweicht; *fam* an Gehirnerweichung leidend; *s m f* Schwachsinnige(r *m*) *f;* **~ir** *tr* weich machen, auf=weichen; *med* erweichen; *fig* verweichlichen; *itr* erschlaffen; *fam* schwachsinnig werden; *se* ~ weich werden, auf=weichen; *fig* erschlaffen; **~issement** *m* Aufweichen, Weichwerden *n;* Verweichlichung, Erschlaffung *f;* ~ *cérébral* Gehirnerweichung *f*.
ramon|age [ramɔnaʒ] *m* Schornsteinfegen *n; pop* Magen- *od* Darmreinigung *f;* **~er** *(Schornstein)* fegen; **~eur** *m* Schornsteinfeger, Kaminkehrer *m*.
ramp|ant, e [rɑ̃pɑ̃, -ɑ̃t] *a* kriechend; *fig* kriecherisch; *arch* geneigt, einhüftig; *(Stil)* flach, platt; *s m arch* Neigung *f;* Schrägdach *n; personnel m ~ (arg aero)* Bodenpersonal *n; plante f ~e* Kletterpflanze *f;* **~e** *f* Treppenteil *m;* Treppengeländer *n;* Auffahrt, Rampe *a. loc theat;* Neigung *f*, (Ab-)Hang *m;* Steigung *f; theat (feu m de la ~)* Rampenlicht *n;* Schaufensterbeleuchtung; *tech* (Führungs-)Schiene *f; passer la ~ fig* Anklang finden; wirkungsvoll sein; ~ *de chargement, de démarrage* Lade-, Ablauframpe *f;* ~ *de commande (aero)* Steuerkante *f;* ~ *découverte* Laderampe *f;* ~ *de lancement* Abschußrampe *f;* ~ *lumineuse* Leuchtröhre *f;* ~ *roulante* tragbare, bewegliche R.; **~ement** *m* Kriechen *n;* **~er** kriechen; *fig* sich hin=schleichen, -schlängeln; langsam ziehen; *bot* ranken, Ranken bilden; sich verzweigen, sich verästeln; *fig* (im Staube) kriechen; *(Stil)* platt, gewöhnlich sein.
rampon(n)eau [rɑ̃pɔno] *m vx* Stehaufmännchen *n; fam* Schubs, Puff, Stoß *m*.
ranatre [ranatr] *f* Wasserwanze *f*.
ran|card [rɑ̃kar] *m arg* Erkundigung *f*, Verabredung *f*, Rendezvous *n; aller aux ~s* sich erkundigen; **~carder** *pop* heimlich benachrichtigen; *se* ~ sich erkundigen.
rancart [rɑ̃kar] *m: mettre au(x) ~(s) (fam)* zum alten Eisen werfen.
rance [rɑ̃s] *a* ranzig; *fig* veraltet, überholt; *s m: sentir le* ~ ranzig schmekken.
ranch|e [rɑ̃ʃ] *f* (Leiter-)Sprosse; *(Wagen)* Runge *f;* **~er** *m* Stangen-, Sprossenleiter *f;* Wagenschütz(e *f*) *n*.
ranc|idité [rɑ̃sidite] *f*, **~i** *m* ranzige(r) Geruch *od* Geschmack *m;* **~ir (, se)** ranzig werden; *fig* leiden, nach=lassen; aus der Mode kommen; **~issement** *m*, **~issure** *f* Ranzigwerden *n;* ranzige(r) Geruch *od* Geschmack *m*.
rancœur [rɑ̃kœr] *f* Groll *m*.
rançon [rɑ̃sɔ̃] *f* Lösegeld *n; fig* Preis *m;* **~nement** *m fig* Brandschatzung; Erpressung *f; fam* Nepp *m;* **~ner** ein Lösegeld auf=erlegen (*qn* jdm); brandschatzen; erpressen; *vx* übervorteilen, -teuern, prellen, *fam* neppen; **~neur, se** *m f* Erpresser(in *f*) *m*.
rancun|e [rɑ̃kyn] *f* Groll *m;* Gehässigkeit *f;* nachtragende(s) Wesen *n*, Rachsucht *f; sans ~ (fam)* nichts für ungut; *garder ~ à qn, avoir de la ~ contre qn* jdm etw nach=tragen; **~ier, ère** [-nje, -ɛr] nachtragend, gehässig, rachsüchtig.
randonnée [rɑ̃dɔne] *f fam* große(r) Marsch *m*, Tour *f*, Ausflug *m*, Fahrt *f*, Flug *m;* Fernfahrt *f*, -flug *m*.
rang [rɑ̃] *m* Reihe(nfolge), (An-)Ordnung *f;* Rang(stufe *f*) *a. theat*, Stand *m*, Stellung; Stelle *f*, Platz *m; mil* Glied *n; arch* (Stein-)Schicht *f; typ* Setzregal *n; en ~s* in Reih u. Glied; *en ligne sur trois ~s* in Linie zu 3 Gliedern; *en ~ d'oignons* in einer Reihe, einer hinter dem anderen; *par ~ d'ancienneté* nach dem Dienstalter; *par ~ de taille* der Größe nach; *avoir ~ de* ... den Rang e-s (e-r) ... haben; *avoir le ~ sur qn* den Vortritt vor jdm haben; *être au ~ de* gehören zu; den Rang, die Stellung *gen* haben; *être, se mettre sur les ~s (bei e-m Wettstreit)* mit=machen, unter den Mitbewerbern sein, kandidieren; *garder, tenir son ~* s-e Stellung behaup-

ten *od* bewahren; *(se) mettre au ~ de* (sich) rechnen zu; *prendre ~* (mit=) zählen; e-n festen Platz haben; sich ein=reihen (*parmi* unter *acc*); *prendre ~ avant qn* vor jdm den Vorrang haben; *rentrer dans les ~s (mil)* ins Glied zurück=treten; *rompre les ~s (mil)* weg=treten; *serrer les ~s (mil)* auf=schließen; *sortir des ~s (mil)* aus dem Glied treten; *sorti des ~s (mil)* aus dem Mannschaftsstand hervorgegangen; **~é, e** [-ʒe] *a (Mensch)* ordentlich, *fam* akkurat; **~ée** *f* Reihe, Linie *f (a. Spiel);* **~ement** *m fam* (An-)Ordnen, Aufräumen (Um-)Stellen *n;* Anordnung, Aufstellung; Ablage *f;* **~er** (an=)ordnen, (um=, auf=) stellen; in Ordnung bringen; weg=, auf=räumen; *(Kleider)* weg=hängen; ab=, auf=stellen; *mot* parken; *fig* rechnen, zählen (*parmi* zu), ein=reihen (*parmi* unter *acc*); *(auf s-e Seite)* bringen; *mar* entlang=fahren (*qc* an e-r S *dat*); *se ~* sich (an=)ordnen; sich stellen; zur Seite gehen *od* treten; Platz machen; sich ein=richten (*dans* in *dat*); *fig* sich stellen (*du côté de* auf die Seite *gen*); zu=stimmen, bei=pflichten (*à un avis* e-r Meinung); sich an=passen.

rani|mation [ranimasjõ] *f s. réanimation;* **~mer** wieder=beleben; *fig* neu entfachen, auf=frischen; wieder aufleben lassen; an=feuern.

ranz [rɑ̃z(ts)] *m: ~ des vaches* Kuhreigen *m.*

raout [raut] *m vx* große Gesellschaft *f (Veranstaltung).*

rapac|e [rapas] *a* räuberisch; *fig* hab-, gewinnsüchtig; *s m pl* Raubvögel *m pl;* **~ité** *f* Raubgier; *fig* Habsucht, -gier *f.*

rapatri|é, e [rapatrije] *m f* Repatriierte(r *m*) *f,* Heimkehrer, Rückwanderer *m; les ~s d'Algérie* die Algerienheimkehrer, -umsiedler *m pl;* **~ement** [-trimɑ̃] *m* Repatriierung, Rückführung; Heimkehr *f;* **~er** repatriieren.

râp|e [rɑp] *f* Reibe, Raspel; (grobe) Feile *f; (Weinbau) s. rafle; ~ à fromage, à muscade* Käse-, Muskatreibe *f;* **~é, e** *a* gerieben; abgeschabt, -genutzt, -getragen, fadenscheinig, schäbig; *s m Art* Traubensaft; Nachwein; geriebene(r) Käse; versetzte(r) Wein; Weinzusatz; **~er** reiben, raspeln, schaben; kratzen; (grob) feilen ab=raspeln; *fam* ab=nutzen; **~eux, se** raspelartig; rauh.

rapet|assage [raptasaʒ] *m fam* Ausbessern, Flicken; Flickwerk *n a. fig;* **~asser** *fam* aus=bessern, flicken; *fig* zs.=stoppeln.

rapet|issement [raptismɑ̃] *m* Verkleinerung; *fig* Herabsetzung, -würdigung *f;* **~isser** *tr* verkleinern; *fig* zs.=ziehen; kleiner erscheinen lassen; *itr* kleiner, kürzer werden, ab=nehmen; *se ~* sich kleiner machen; *fig* bescheiden auf=treten.

raphia [rafja] *m* Nadelpalme *f;* Raffiabast *m.*

rapiat, e [rapja, -at] *a pop* raffig; knick(e)rig.

rapid|e [rapid] *a* schnell, rasch; *(Zeit)* schnell vorüber-, vergehend, verfließend, flüchtig; *(Fluß)* reißend; abschüssig, steil; *fig* lebhaft, lebendig *(a. Stil); pharm* schnell wirkend; *s m* Stromschnelle *f; (train) ~ m* Schnellzug, D-Zug *m;* **~ité** *f* Schnelligkeit; *(Zeit)* Flüchtigkeit; Steilheit; *fig* Lebhaftigkeit, Lebendigkeit *f.*

rapi|éçage, ~ècement [rapjesaʒ, -pjɛsmɑ̃] *m* Flicken *n;* geflickte Stelle; *fig* Flickerei *f,* Flickwerk *n;* **~écer** flicken; *fig* zs.=schustern.

rapière [rapjɛr] *f* Rapier *n.*

rapin [rapɛ̃] *m fam vx* Malerlehrling; *péj* Farbenkleckser *m.*

rapin|e [rapin] *f* Raub *m;* Plünderung; Erpressung; Beute *f;* **~er** *itr tr vx* rauben, plündern; *tr* erpressen; erbeuten.

rappar|eiller [raparɛje] vervollständigen, wieder vollständig, -zählig machen; **~iement** [-rimɑ̃] *m (paarweise)* Ergänzung *f;* **~ier** [-rje] *(paarweise)* ergänzen, vollständig machen.

rappel [rapɛl] *m* Zurückrufen *n; pol* Zurück-, Abberufung *f,* Abruf *m;* Erneuerung, Wiederaufnahme; Erinnerung, Mahnung, Aufforderung (*à* an, zu); Nachforderung; Nachzahlung *f; com* Aufruf *m; theat* Herausrufen *n,* Vorhang; *tele* Rückruf *m; mil* Wiedereinberufung *f;* Zeichen *n* zum Sammeln; *com* Nachfaßbesuch *m; battre, sonner le ~ (mil)* zum Sammeln trommeln *od* blasen; *numéro m de ~ (com)* Bestellnummer *f; ~ de compte* Zahlungsaufforderung, -erinnerung *f; ~ d'impôt* Steuernachforderung *f; ~ à l'ordre (parl)* Ordnungsruf *m;* **~er** [-ple] zurück=(be)rufen, ab=berufen; erinnern (*qc à qn* jdn an e-e S), mahnen (*qn à qc* jdn an e-e S); ins Gedächtnis zurück=rufen; *theat* heraus=rufen; *mil* ein=berufen; zum Sammeln trommeln *od* blasen; *(Gesetz)* auf=heben; *(~ au téléphone)* zurück=rufen; *se ~* sich erinnern (*qc* an e-e S); sich ins Gedächtnis zurück=rufen; *~ à l'ordre (parl)* zur Ordnung rufen; *~ à sa succession* als Erben ein=setzen, zum Erben bestimmen.

rappliquer [raplike] *tr* wieder an=bringen; *itr pop* (wieder=, zurück=, nach Hause) kommen.

rapport [rapɔr] *m* Ertrag *m;* Erträgnisse *n pl,* Einkünfte *pl;* Bericht(erstattung *f*) *m,* Referat; Gutachten; Zeugnis *n;* Äußerung, Aussage, Angabe; *mil* Meldung *f; (Muster)* Rapport *m;* Beziehung *f a. gram;* Vergleich *m* (*à* mit); Verhältnis *n a. math; pl* Beziehungen *f pl,* Verkehr, Umgang *m; com* Berechtigung *f; (Steuer)* Aufkommen *n; de* ~ zs.gesetzt; *de bon* ~ rentabel, einträglich; *en* ~ *avec* in Zs.hang mit; *par* ~ *à* in bezug auf *acc,* was ... betrifft; im Vergleich zu, mit; *(a. sous le* ~ *de)* in Hinsicht, im Hinblick auf *acc; sous tous les* ~*s* in jeder Hinsicht; *sur le* ~ *de* nach Aussage *gen; avoir* ~ *à qc* sich auf e-e S beziehen; *avoir un* ~ manches gemein haben (*avec* mit); *élaborer, r édiger, présenter un* ~ e-n Bericht aus=arbeiten, ab=fassen, vor=legen; *entendre un* ~ e-n Bericht entgegen=nehmen; *entrer en* ~ *avec* in Beziehung treten zu, in Berührung kommen mit; *entretenir des* ~*s* Beziehungen unterhalten; *être en* ~ in Beziehung stehen; *être en plein* ~ einträglich sein; *faire un* ~ Bericht erstatten (*sur* über *acc*); *mettre en* ~ in Beziehung setzen (*avec* zu); in Verbindung bringen (*avec* mit); *rompre, cesser tous* ~*s avec qn* alle Beziehungen zu jdm ab=brechen; *année f du* ~ Berichtsjahr *n; maison f de* ~ Mietshaus *n; valeur f de* ~ Ertragswert *m;* ~ *d'affaires, d'exploitation, commercial* Geschäftsbericht *m;* ~*s d'affaires* od *de commmerce, d'amitié* geschäftliche, freundschaftliche Beziehungen *f pl;* ~ *de causalité, causal, de cause à effet* Kausalzusammenhang *m;* ~ *de compression (tech)* Verdichtung(sgrad *m*) *f;* ~ *de densité, de mélange, des pressions (tech)* Dichte-, Mischungs-, Druckverhältnis *n;* ~ *de dépendance, de subordination* Abhängigkeitsverhältnis *n;* ~ *de droit,* ~*s juridiques* Rechtsverhältnis *n;* ~ *d'épreuve, d'essayage (tech)* Prüfungsbericht *m;* ~ *d'expert* Sachverständigengutachten *n;* ~ *final* Schlußbericht *m;* ~ *de gestion* Geschäfts-, Rechenschaftsbericht *m;* ~ *intime* innere(r) Zs.hang; *pl* Geschlechtsverkehr *m;* ~ *locatif* Mietvertrag *m;* ~ *médical* ärztliche(s) Gutachten *n;* ~ *monétaire* Währungsverhältnis *n;* ~ *d'obligation, obligatoire* Schuldverhältnis *n;* ~ *préliminaire, provisoire* Vor-, Zwischenbericht *m;* ~ *sur la production* Produktionsbericht *m;* ~ *quotidien, hebdomadaire, mensuel, annuel* Tages-, Wochen-, Monats-, Jahresbericht *m;* ~ *de service, de travail* Dienst-, Arbeitsverhältnis *n;* ~*s sexuels* Geschlechtsverkehr *m;* ~ *sur la situation générale, de la caisse, du marché* Lage-, Kassen-, Marktbericht *m;* ~ *télégraphique, par câble* Draht-, Kabelbericht *m;* ~ *de transmission, de multiplication (tech)* Übersetzung(sverhältnis *n*) *f;* ~ *de visite (com)* Besuchsbericht *m;* ~ *de vitesse (mot)* Drehzahlverhältnis *n;* ~*s de voisinage* nachbarliche Beziehungen *f pl.*

rapport|able [rapɔrtabl] heranzuschaffen(d); zurückzuführen(d) (*à* auf *acc*); ~**er** *tr* wieder=, zurück=bringen, zurück=erstatten; mit=bringen; an=setzen, -fügen, -stücken; heran=schaffen, an=fahren; *(Hund)* apportieren; *com* (ein=)bringen, ab=werfen; *(Zinsen)* tragen; *(Beweis)* erbringen; melden, berichten; dar=legen, ausea.=setzen; an=führen, zitieren; zu=tragen, weiter=sagen, an=geben; beziehen (*à* auf *acc*); zu=schreiben, zugute halten (*à* dat); ein=ordnen (*à* in *acc*); *(Maßnahme, Gesetz)* zurück=nehmen, widerrufen, für ungültig erklären, auf=heben; *(Lot)* messen; *itr* einträglich sein; petzen, an=geben; *se* ~ *(gram)* sich beziehen (*à* auf *acc*); sich berufen (*de qc à qn* in e-r S auf jdn); *s'en* ~ sich verlassen (*à* auf *acc*); ~ *gros* viel ein=bringen; *(Werbung)* ziehen; ~**eur, se** *s m f* Zuträger(in *f*), Angeber(in *f*), Petzer *m,* Klatsche *f; jur parl* Berichterstatter, Referent *m; math* Winkelmesser *m; a* petzend; berichterstattend.

rapprendre [raprɑ̃dr] *irr* von neuem, noch einmal lernen.

rappro|ché, e [raprɔʃe] nahe, dicht beiea. liegend *od* befindlich; verwandt *fig; combat m, reconnaissance, sûreté f* ~*(e)* Nahkampf *m,* -aufklärung, -sicherung *f;* ~**chement** *m* Zs.rücken, -bringen; Heranrücken, Näherbringen *n; fig* Annäherung; *pol* Verständigung; Aus-, Versöhnung *f;* Nebenea.stellen *n,* Vergleich(ung *f*) *m;* ~**cher** wieder, näher heran=rükken (*de* an *acc*); *opt* näher erscheinen lassen; *(zeitlich)* näher=bringen; *fig* (ea.) näher=bringen; (mitea.) aus=, versöhnen; *(Abstand)* verringern; an=nähern; zs.=bringen, in Berührung bringen; gegenüber=, nebenea.=stellen, vergleichen (*de* mit); gleichzeitig ins Auge fassen; *se* ~ sich nähern, heran=nahen, -kommen (*de* an *acc*);

fig sich an=nähern, näher=treten; sich *dat* näher=kommen.
rapt [rapt] *m* Menschen-, Frauen-, Kinderraub *m;* Entführung *f.*
râpure [rɑpyr] *f* Schabsel, Feilicht *n.*
raquer [rake] *pop* blechen.
raquette [rakɛt] *f* (Tisch-)Tennisschläger; Schneereifen *m; venir sur la ~ (fam) (vx)* (ganz) von selbst kommen.
rar|e [rar] selten, *fam* rar; knapp; dünn (gesät), spärlich; *(Haar)* schütter; *(Puls)* schwach; *phys chem* dünn; *se faire ~* sich rar machen; sich nur noch selten sehen lassen; **~éfaction** *f* Verdünnung; *com* Verknappung *f; ~ des capitaux, des marchandises* Kapital-, Warenverknappung *f; ~ de l'offre* Rückgang *m* des Angebots; **~éfiable** verdünnbar; **~éfier** verdünnen; *fam* zs.=schrumpfen lassen; *se ~* sich verdünnen, dünner werden; knapper, seltener werden; **~ement** *adv* selten; **~escent, e** dünner werdend; selten, knapp werdend; **~eté** *f* Seltenheit; Rarität, Kuriosität; Knappheit *f,* Mangel *m; phys chem* Dünne *f; être, devenir d'une grande ~ (fam)* sich sehr rar machen; *~ des vivres* Lebensmittelknappheit *f;* **~issime** *a fam* sehr selten, sehr rar.
ras, e [rɑ, -ɑz] *(s. a. raz) a* glatt (rasiert); kurz(geschoren); kurzhaarig, -florig; *(Hund)* glatthaarig; flach, eben; *(Maß)* gestrichen voll; *s m* Rasch *m (Gewebe); à, au ~ de la terre* unmittelbar am Erdboden, dicht am Boden; *très ~ (adv)* ganz kurz (schneiden); *en avoir ~ le bol* die Nase voll haben; *être à ~ de l'eau (mar)* bis an den (oberen) Rand im Wasser sein; *faire table ~e* auf=räumen, reinen Tisch machen (*de* mit); *table f ~e (fig)* unbeschriebene(s) Blatt *n; ~e campagne f* flache(s) Land; offene(s) Gelände *n;* **~ade** [razad] *f* bis an den Rand gefüllte(s) Glas *n;* **~age** *m* Rasieren *n,* Rasur *f;* **~ant, e** streifend; niedrig; *(Strahlen, Blick)* flach; *pop* auf die Nerven gehend; langweilig; *tir m ~ (mil)* rasante(s) Feuer *n.*
rase [raz]: *en ~-flots, en ~-mottes (aero)* im Tiefflug (über das Wasser, das Land).
ras|é, e [raze] geschoren; *bien, mal ~* gut, schlecht rasiert; **~ement** *m* (Sich-)Abschleifen; *(Festung)* Schleifen *n;* **~er** rasieren; scheren; *(Samt)* glatt=schneiden; *(Gebäude)* ab=brechen, -reißen, schleifen; *(e-m Schiff)* die Masten ab=nehmen; streifen, flach weg=fliegen (*qc* über e-e S); entlang=sausen, -rasen (*qc* an e-r S *dat*); *(Maß)* gestrichen voll machen; *pop* auf die Nerven gehen (*qn* jdm); an=öden, langweilen; *se ~* sich rasieren; sich ab=schleifen; *(Wild)* sich ducken; *pop* sich langweilen; **~ette** *f min* Kratze *f; (Orgel)* Stimmdraht *m,* -krücke *f;* **~eur, se** *m f* (Selbst-)Rasierer; *tech* Scherer *m; pop* Nervensäge *f;* langweilige(r) Mensch *m;* **~ibus** [-ys] : *~ de (pop)* ganz dicht vorbei an *dat;* **~oir** *s m* Rasiermesser *n,* -apparat *m; pop* langweilige(r, s) Mensch *m,* Zeug *n; a* langweilig; *cuir m à ~* Streichriemen *m; ~ électrique* elektrischer Rasierapparat *m; ~ mécanique* Rasierapparat *m.*
rass|asiant, e [rasazjɑ̃, -ɑ̃t] sättigend; **~asiement** *m* Sättigung *f;* **~asié, e** satt; *fig* überdrüssig (*de* gen) **~asier** sättigen, satt machen; *fig* stillen, befriedigen; überfüttern (*de* mit) *a. fig; fig* überhäufen, -schütten; *se ~ (de)* sich satt essen (an *dat*), *fig* sich erfreuen (an *dat*), sich überladen (mit); satt werden; *fig* satt bekommen, *fam* kriegen; *je (me) suis ~é de cela* das hängt mir zum Halse heraus, *fig* das habe ich satt.
rassem|blement [rasɑ̃bləmɑ̃] *m* Sammeln *n; mil a.* Zs.ziehung; Ansammlung *f,* Auflauf *m; pol* Versammlung Sammlung(sbewegung) *f; ~! mil* Antreten! *zone f de ~* Sammelplatz *m;* **~bler** wieder zs.=führen; versammeln, vereinigen; *mil* zs.=ziehen; zs.=bringen, -stellen, -setzen, -fügen; sammeln *a. fig; se ~* sich versammeln; an=treten; *~ ses forces* Kräfte sammeln.
rasseoir [raswar] *irr* wieder hin=setzen, -legen, -stellen, auf=richten; *se ~* sich wieder (hin=)setzen; *(Flüssigkeit)* sich setzen.
rassé|rénant, e [raserenɑ̃, -t] aufheiternd; **~rènement** *m* Aufheiterung *(a. Meteorologie);* Beruhigung *f;* **~réner** wieder auf=hellen, -heitern; *fig* wieder beruhigen; *se ~* sich (wieder) auf=heitern, -hellen, -klären; *fig* sich (wieder) beruhigen.
rassis, e [rasi, -z] *a* abgelagert; *(Brot)* altbacken; *(Land)* lange brachliegend; *fig* gesetzt, ruhig, gelassen, besonnen, sinnig.
rassor|timent [rasɔrtimɑ̃] **réassortiment** *m com* Ergänzung, Auffüllung, Auffrischung *(e-s Warenbestandes);* Nachlieferung *f (von Einzelnummern);* **~tir** *com (Waren)* wieder ergänzen; *(Bestand)* auf=füllen, -frischen; *(Lager)* mit neuen Waren versehen.
rassu|rant, e [rasyrɑ̃, -t] *a* beruhi-

gend; ~**rer** beruhigen, ruhig machen; Mut ein=flößen (*qn* jdm); *se* ~ sich (wieder) beruhigen, ruhiger werden; *(Wetter) vx* sich beruhigen; *~ez-vous!* seien Sie unbesorgt!

rasta(quouère) [rasta(kwɛr)] *m* Angeber; Hochstapler *m.*

rat [ra] *s m* Ratte; *fig vx* Laune, Marotte *f; fam* Knicker, Geizhals; *arg* Dieb; Einbrecher *m; (petit ~ de l'Opéra)* Ballettratte *f; a pop* filzig; geizig; *(vx) être comme ~s en paille* wie die Made im Speck leben; *pauvre comme un ~ d'église* arm wie e-e Kirchenmaus; *mort f aux ~s* Rattengift *n; nid m à ~s (fig)* Ratten-, Dreckloch *n; ~ de bibliothèque (fig)* Bücherwurm *m,* Leseratte *f; ~ des bois* Waldmaus *f; ~ à bourse* Beutelratte *f; ~ de cave* Wachsstock; *péj* Schnüffler *m; ~ d'eau* Wasserratte *f; ~ d'église (péj)* Betbruder *m,* -schwester *f; ~ fouisseur* Wühlmaus *f; ~ d'hôtel* Hoteldieb *m; ~ noir* Hausratte *f; ~ sauteur* Springmaus *f.*

rata [rata] *m vx arg mil, pop* Pamp(f), Fraß *m.*

rafia [rafja] *m Art* Likör *m.*

ratage [rataʒ] *m* Scheitern *n.*

rataplan [rataplɑ̃] rumtata.

ratati|né, e [ratatine] eingeschrumpft; faltig; *fam* verschrumpelt, schrump(e)lig; zerknittert; verhutzelt; ~**ner, se** ein=, zs.=schrumpfen; faltig werden.

ratatouille [ratatuj] *f pop* schlechte(s) Ragout *n; (~ niçoise)* ein provenzalisches Gericht.

rate [rat] *f* **1.** (weibliche) Ratte *f;* **2.** *(Schweiz)* Rate *f;* **3.** *anat* Milz *f; décharger sa ~ (fam)* s-m Herzen, Ärger Luft machen; *désopiler, dilater la ~ à qn (fam)* jdn zum Lachen bringen, erheitern; *ne pas se fouler la ~ (fam)* sich kein Bein aus=reißen.

raté, e [rate] *a* mißlungen, verfehlt, gescheitert, *fam* verpatzt; *s m tech* Versager; Blindgänger *m;* Ladehemmung; *(~ d'allumage) mot* Fehlzündung *f;* Gescheiterte(r), *fam* Versager(in *f*) *m; avoir, faire des ~s (mot)* stottern, aus=setzen.

ratel [ratɛl] *m* Honigdachs *m.*

râte|au [rato] *m* Harke *f,* Rechen; *arg* Kamm *m;* ~**lage** [-tlaʒ] *m* Harken, Rechen *n;* ~**lée** *f* Harkevoll *f;* ~**ler** (zs.=)harken; ~**leur, se** *m f agr* Heuer(in *f*) *m;* ~**lier** [-təlje] *m agr* Raufe *f; fam* (*bes.* falsches) Gebiß; *tech* Gestell *n,* Ständer *m; manger à deux, à plusieurs ~s (fam)* zwei, mehrere Eisen im Feuer haben; ~ *d'armes* Gewehrständer *m.*

rater [rate] *itr* versagen; *(Gewehr)* nicht los=gehen; *fig* mißlingen, scheitern, fehl=schlagen, *fam* nicht klappen; *tr (Ziel)* verfehlen; *fig* verpassen, versäumen; *(Stelle)* nicht erhalten; *(Prüfung)* nicht bestehen, durch=fallen (*un examen* in e-r Prüfung).

ratiboiser [ratibwaze] *fam* klauen; fertig=machen, ruinieren; *être ~é* erledigt sein.

ratichon [ratiʃɔ̃] *m arg* Pfaffe *m.*

raticide [ratisid] *m* Rattengift *m.*

rat|ier [ratje] *s m* u. *a: chien m ~* Rattenfänger *m (Hund);* ~**ière** *f* Rattenfalle; *fig* Mausefalle *f.*

rati|ficatif, ive [ratifikatif, -iv] bestätigend; Bestätigungs-; *acte m ~* Ratifikationsurkunde *f;* ~**fication** *f* Bestätigung, Billigung, Ratifizierung, Ratifikation(surkunde) *f; ~ verbale, par écrit* mündliche, schriftliche Bestätigung *f;* ~**fier** bestätigen, billigen, ratifizieren.

rat|inage [ratinaʒ] *m (Textil)* Ratinieren *n;* ~**ine** *f* Ratiné *m (Stoff);* ~**iner** ratinieren, kräuseln.

ratiociner [rasjɔsine] *péj* kleinliche Einwände erheben; über e-e S spintisieren.

ration [rasjɔ̃] *f* Ration *a. mil.* Zuteilung; (tägliche) Nahrungsmenge *f,* -bedarf *m; mettre qn à la ~* jdn auf Rationen setzen; ~ *de base* Grundzuteilung *f;* ~**alisation** [-sjɔ-] *f com* Rationalisierung *f;* ~**aliser** rationalisieren; ~**alisme** *m* Rationalismus *m;* ~**aliste** *a* rationalistisch; *s m* Rationalist *m;* ~**alité** *f* Vernünftigkeit; *math* Rationalität, Berechenbarkeit *f;* ~**naire** *a* e-e Ration empfangend; *s m f* Rationsempfänger(in *f*) *m;* ~**né, e** *a* rationiert, bewirtschaftet; ~**nel, le** rational *a. math;* rationell; vernunftgemäß, vernünftig; ~**nement** *m* Rationierung, Bewirtschaftung; *(régime m de ~)* Zwangswirtschaft *f; soumis au ~* rationiert, (zwangs)bewirtschaftet; ~ *alimentaire* Lebensmittelrationierung *f; ~ des logements* Wohnraumbewirtschaftung *f;* ~**ner** rationieren, bewirtschaften; auf Rationen setzen.

Ratisbonne [ratisbɔn] *f* Regensburg *n.*

ratiss|age [ratisaʒ] *m* Schaben, Harken; *mil* Durchkämmen *n;* ~**er** schaben, harken; *(Gelände)* durch=kämmen; *se faire ~ (fam) (Spiel)* alles verlieren; ~**oire** *f* Jäthacke *f,* -eisen *n;* ~**ure** *f* Abschabsel *n pl.*

raton [ratɔ̃] *m* **1.** *zoo* kleine Ratte *f;* Waschbär *m (a. ~ laveur);* **2.** *Art* Käsekuchen *m;* **3.** *Schimpfname für Algerier.*

rattach|age, ~ement [rataʃaʒ, -mɑ̃] *m* Befestigung; Verbindung *f;* Anschlag *m; pol* Rückgliederung *f,* Anschluß *m;* **~er** (wieder) an=binden, befestigen, zu=machen; fest=machen, -halten; *fig* in Verbindung, Zs.hang bringen (*à* mit); *fig* binden, fesseln, fest=halten (*à* an *dat*); *pol* rückgliedern, an=schließen; *se* ~ sich an=schließen (*à* an *acc*); zs.=gehören (*à* mit), gehören (*à* zu); **~eur, se** *m f (Textil)* Anknüpfer(in *f*) *m.*

rattrap|age [ratrapaʒ] *m* Wiederergreifung *f;* Ein-, Aufholen; *typ* Ansatzstück *(e-s Absatzes); tech (Spielraum)* Nachregulieren, Justieren; *(Lager)* Nachstellen *n; à ~ de jeu (tech)* nachstellbar; **~er** wieder ergreifen, *fam* erwischen, ein=fangen; ein=holen *a. fig;* wieder=erlangen, -bekommen, *fam* -kriegen; *fig* (wieder) auf=, nach=holen; *typ* an=setzen; *tech* nach=regulieren, justieren, nach=stellen; *se ~ (Verlust)* wieder auf=holen; nach=holen; sich erholen (*de* von); sich schadlos halten (*sur* an *dat*); sich fest=halten (*à* an *dat*); *se ~ aux branches (fig)* sich zu helfen wissen; *on ne m'y ~era plus!* das soll mir nicht wieder, nicht noch einmal passieren; *si je le ~e!* wenn ich den erwische! wenn mir der zwischen die Finger kommt!

ratur|e [ratyr] *f (Schrift)* Streichung *f; tech* Abschabsel *n;* **~er** (aus=, durch=) streichen; *fig* aus=löschen; *tech* (ab=) schaben.

rau|cité [rosite] *f (Stimme)* Rauhigkeit; *fig* Heiserkeit *f;* **~que** [rok] *(Stimme)* rauh; *fig* heiser; **~quement** *m (Tiger)* Brüllen, Gebrüll *n;* **~quer** *(Tiger)* brüllen.

ravag|e [ravaʒ] *m* Verwüstung, Verheerung *f; pl* (Unwetter-, Kriegs-) Schäden *m pl;* üble Folgen *f pl; faire (bien) du, des (de grands) ~(s)* (großen) Schaden an=richten; *(Epidemie)* wüten; *les ~s du temps* der Zahn der Zeit; **~er** verwüsten, verheeren; heim=suchen; entstellen, verunstalten; *fig* verderben.

raval|ement [ravalmɑ̃] *m (Baumstumpf)* völlige(s) Entfernen *n; arch* Einkerbung, Profilierung; Verjüngung *f;* (Ver-)Putz, Bewurf *m;* Abputzen *n;* **~er** herab=setzen, -würdigen, schmälern, verächtlich machen, geringschätzig sprechen (*qn* über jdn); (wieder) hinunter=schlucken; *fig* für sich behalten; *arch* ab= *od* verputzen; *(Gold-, Silberfolie)* an=reiben; *min* ab=teufen; *se* ~ sich erniedrigen, sich gemein machen; *je lui ferai bien ~ ses paroles!* das soll er mir noch mal sagen!

ravaud|age [ravodaʒ] *m,* **~erie** *f* Ausbessern, Stopfen, Flicken *n; péj* Flickarbeit, Flickerei *f; fig* Flickwerk *n;* **~er** aus=bessern, stopfen, flicken; **~eur, se** *m f* Ausbesserer *m,* Flickerin *f.*

rave [rav] *f* Kohlrabi(knolle *f*) *m; (petite) ~* Radieschen *n.*

ravi, e [ravi] *a* hocherfreut, entzückt (*de* über *acc*); bezaubert, hingerissen, außer sich; *j'en suis ~* es freut mich sehr.

rav|ier [ravje] *m* Vorspeisen-, Salat-, Kompotteller *m;* **~ière** *f* Rübenacker *m,* -feld *n.*

ravigo|tant, e [ravigɔtɑ̃, -t] *a* kräftigend; **~te** *f* pikante Kräutertunke *f;* **~ter** *fam* wieder auf die Beine, zu Kräften bringen, stärken; *fig* auf=muntern.

ravi|lir herab=setzen, -würdigen; **~lissement** *m* Herabsetzung *f.*

ravi|n [ravɛ̃] *m* Schlucht *f;* Hohlweg *m;* **~ne** *f* Gebirgs-, Gieß-, Sturzbach *m;* Schlucht *f,* **~née** *f* Bett *n* e-s Gießbaches; **~nement** *m geol* Auswaschung; Schluchtenbildung *f;* **~ner** *geol* aus=waschen; **~neux, se** ausgewaschen, schluchtenreich, voller Schluchten.

ravioli [ravjɔli] *m pl (Küche)* Ravioli *pl,* Maultaschen *f pl.*

ravir [ravir] rauben *a. fig,* entführen; *fig* hin=, mit=reißen, entzücken, bezaubern; *à ~* wundervoll.

ravi|sement [ravizmɑ̃] *m* Sinnes-, Meinungsänderung *f;* **~ser, se** sich (e-s Besseren) besinnen, s-e Meinung ändern.

ravis|sant, e [ravisɑ̃, -t] *a fig* bezaubernd, entzückend, hinreißend; **~sement** *m* Raub *m,* Entführung *f; fig* Entzücken *n; rel* Verzückung *f; être dans le ~* ganz hingerissen sein; **~seur, se** *a* räuberisch; *s m f* Räuber; *m* Entführer *m.*

ravi|taillement [ravitajmɑ̃] *m* (Lebensmittel-)Versorgung (*en qc* mit etw), Verproviantierung *f; mil* (Lebensmittel-, Munitions-)Nachschub; Ersatz *m;* Ausgabe *f,* Empfang *m* (von Lebensmitteln, Munition); *base f de ~* Versorgungsstützpunkt *m; ministre m du ~* Ernährungsminister *m; office m de ~* Wirtschaftsamt *n,* Kartenstelle *f; poste m de ~ en essence* Tankstelle *f; ~ en viande* Fleischversorgung *f;* **~tailler** (mit Lebensmitteln *od* Munition) versorgen; *se ~*

sich (mit Lebensmitteln *od* Munition) versorgen; *se ~ en vol (Flugzeug)* in der Luft auf=tanken; *fam* sich stärken; ~**tailleur** *m* (Verpflegungs-, Munitions-)Lagerverwalter; Munitionsträger *m;* Mutterschiff; Tankflugzeug *n.*

raviver [ravive] wieder=beleben *a. fig;* auf=frischen; *(Feuer)* an=fachen; *se ~* wieder auf=leben; sich neu entfachen.

ravoir [ravwar] *(nur Infinitiv)* wieder=haben; wieder=bekommen.

ray|age, ~ement [rɛjaʒ, -mɑ̃] *m* Streichung *f; (Feuerwaffe)* Versehen *n* mit Zügen; ~**é, e** *a* gestreift; *(Feuerwaffe)* gezogen; *~ en diagonal, en long, en travers* schräg-, längs-, quergestreift; *~ de noir* schwarzgestreift; ~**er** lin(i)ieren; ritzen, (zer)kratzen; (aus-, durch=)streichen; *fig (Ausgabe)* streichen; *(Feuerwaffe)* mit Zügen versehen; *~ qn du nombre de* jdn nicht mehr zählen zu, rechnen unter *acc; ~ez la mention inutile, les mentions qui ne conviennent pas* Nichtzutreffendes streichen; *~ez cela de vos tablettes* od *papiers* damit können Sie nicht mehr rechnen; ~**ère** *f (Turm)* Mauerspalt *m,* -öffnung *f.*

rayon [rɛjɔ̃] *m* (Licht-)Strahl; *math* Radius, Halbmesser *m; (Rad)* Speiche *f;* Fach, Regal, Bücherbrett *n;* (Honig-)Wabe *f (~ de miel); fig* Schimmer *m,* kurze(s) Aufleuchten *n; agr* Rille, Furche; *com* Abteilung, Sparte *f,* Sektor; Bereich, Bezirk; Umkreis; *(~ douanier)* Zoll(grenz) bezirk *m; à 10 km de ~, dans un ~ de 10 km* im Umkreis von 10 km; *en ~ (com)* auf Lager; *chef m de ~* Abteilungsleiter *m; maladie f des ~s* Strahlenkrankheit *f; tube m à ~s cathodiques (phys)* Braunsche Röhre *f; ~ d'action* Aktionsradius *a. mil,* Wirkungskreis *m,* Verbreitungsgebiet *n; ~s caloriques* Wärmestrahlung *f; ~s cosmiques* kosmische Strahlung *f; ~ direct, de sol* od *de surface* direkte(r) Strahl *m,* Bodenwelle *f; ~ de distribution (Post)* Zustellbezirk *m; ~ d'espérance* Hoffnungsschimmer, Lichtblick *m; ~ frontalier* Grenzbezirk *m; ~s gamma* Gammastrahlen *m pl; ~ laser* Laserstrahl *m; ~ de lumière, lumineux* Lichtstrahl *m a. fig; ~ de raccordement* Krümmungsradius *m; ~ de vente* Verkaufs-, Vertriebsabteilung *f; ~s X, de Rœntgen* Röntgenstrahlen *m pl;* ~**nage** [-jɔ-] *m agr* Rillenziehen, Drillen; Fächergestell, Regal *n;* ~**nant, e** strahlend, glänzend; Strahlungs-; *être ~ de bonheur, de joie, être (tout) ~* vor Glück, Freude strahlen; *gothique, style m ~ (arch)* Hochgotik *f; pouvoir m ~ (phys)* äußere Leitfähigkeit *f.*

rayonne [rɛjɔn] *f* Kunstseide *f.*

rayon|né, e [rɛjɔne] strahlenförmig angeordnet; ~**nement** *m* Strahlen *n;* (Aus-, Ab-)Strahlung, Verbreitung, Streuung *f; fig* Glanz *m,* Leuchten *n; ~ calorifique* Wärmestrahlen *m pl;* ~**ner** *itr* (aus=)strahlen; (er)strahlen, glänzen, leuchten *a. fig;* aus=gehen, -strahlen; sich erstrecken; *agr* Rillen ziehen; *tr* mit Regalen, Fächern versehen; *~ de bonheur, de joie* vor Glück, vor Freude strahlen.

rayure [rɛjyr] *f* Streifung *f;* Streifen *m pl;* Ritz *m,* Kratzspur; *(Schrift)* Streichung *f; (Feuerwaffe)* Zug, Drall *m; à larges ~s* breitgestreift; *~ diagonale, longitudinale, transversale* Schräg-, Längs-, Querstreifen *m pl.*

raz, ras [rɑ] *m* starke Strömung *f,* Strudel *m (in Küstennähe) (~ de courant);* Sturm-, Springflut *f (~ de marée).*

razzia [ra(d)zja] *f* Beutezug *m;* Strafexpedition; Razzia *f.*

re, ré [rə, re] *pref* wieder-; wider-, gegen-; (zu)rück-; neu, aufs neue, von neuem; (Zu-)Rück-.

ré [re] *m mus* d, D *n; ~ bémol* des, Des *n; ~ dièse* dis, Dis *n.*

réa [rea] *m tech* Blockscheibe, Seilzugrolle *f.*

ré|abonner [reabɔne] wieder, aufs neue abonnieren (*qn* für jdn); ~**accoutumer** wieder gewöhnen (*qn à qc* jdn an e-e S); ~**acheminement** *m (Post)* Weiterbeförderung *f;* ~**acheminer** *(Post)* weiter=leiten.

réac [reak] *a fam* reaktionär; *s m* Reaktionär.

réact|ance [reaktɑ̃s] *f el radio* Blindwiderstand *m;* ~**eur** *m aero* Düse(nantrieb *m*) *f,* Strahl-, Rückstoßtriebwerk; Düsenflugzeug *n;* Reaktor *m,* Atomkraftwerk *n; ~ à eau bouillante* Siedewasserreaktor *m; ~ expérimental* Versuchsreaktor *m; ~ de fission* Spaltreaktor *m; ~ nucléaire* Atomreaktor *m; ~ à turbine* Turbinen-, Turbotriebwerk *n;* ~**if, ive** *a phys* rückwirkend; *chem* reagierend; *s m chem* Reagens, Fällungsmittel *n;* ~**ion** [-ksjɔ̃] *f phys chem biol med* Reaktion, Rück-, Gegenwirkung; *chem* Umsetzung; *med* Probe; *allg* (Rück-)Wirkung, *bes. pol* Reaktion *f; péj* Rückschritt *m; radio* Rückkopp(e)lung *f; moteur m à ~* Düsenmotor *m; pouvoir m de ~* Reaktionsfähigkeit *f; ~s affectives* Seelenregungen *f pl; ~ ansérine (med)* Gänsehaut *f;* ~ *en chaîne (phys)* Kettenreaktion *f;* ~ *chimique* chemische(r) Prozeß *od* Vorgang *m;* ~ *défensive (med)* Abwehrreaktion *f;* ~ *de fission, de fusion (phys)* Spaltungs-, Aufbaureaktion *f;* ~ *nucléaire (phys)* Kernreaktion *f;* ~ *secondaire (chem)* Neben- *od* Sekundärprozeß *m; med* Nebenwirkung *f;* ~ *ultérieure* Folgereaktion *f;* **~ionnaire** *a pol* reaktionär, fortschrittsfeindlich; *s m* Reaktionär *m;* **~ionner** *jur* wieder belangen; *com* reagieren, nach=geben, fallen; **~iver** *med* reaktivieren; *allg* wieder=beleben, wieder in Tätigkeit setzen; **~ivité** *f med* Reaktionsfähigkeit, Ansprechbarkeit *f.*

ré|adaptation [readaptasjõ] *f biol* Wiederanpassung; *com* Umstellung *f;* ~ *des armements* Umrüstung *f;* ~ *fonctionnelle (med)* Wiedergewinnung *f* der Funktionsfähigkeit; **~adapter** wiederan=passen; *(Betrieb)* um=stellen; ~ *les armements* um=rüsten; **~agir** reagieren *a. phys chem biol med;* zurück=wirken (*à* auf *acc*); widerstehen (*contre* dat); *radio* (rück)koppeln; *tele* an=sprechen *itr;* **~alésage** *m mot* erneute Ausbohrung *f.*

réalgar [realgar] *m min chem* Realgar *n,* Arsenblende *f,* -bisulfid *n.*

réali|sable [realizabl] *a* realisier-, ausführbar, zu verwirklichen(d); *com* umsetz-, greifbar, zu Geld zu machen(d); *s m* flüssige Mittel *n pl;* **~sateur, trice** *a* u. *s m f* Filmregisseur, Spielleiter *m;* **~sation** *f* Verwirklichung, Realisierung; Gestaltung; Aus-, Durchführung, Erledigung, Erfüllung; Leistung; *com* Umsetzung, Flüssigmachung *f;* Verkauf *m;* ~ *cinématographique* Film(-schöpfung *f*) *m;* ~ *d'une construction* Bauausführung *f;* ~ *d'un gain* Gewinnerzielung *f;* ~ *du sinistre* (Eintritt des) Schadensfall(es), Versicherungsfall *m;* **~ser** verwirklichen, in die Tat um=setzen, zur Wirklichkeit machen; gestalten; durch=, aus=führen, erledigen; vollbringen, zustande bringen; *(Film)* auf=nehmen; *com* um=setzen; zu Geld machen, flüssig=machen; verwerten; *(Geld)* ein=bringen; *fam* sich vor=stellen, sich e-n Begriff machen (*qc* von etw); *se* ~ sich verwirklichen, Wirklichkeit werden; in Erfüllung gehen; sich aus=leben; ~ *un accord* e-n Vertrag schließen; ~ *un bénéfice* e-n Gewinn erzielen; ~ *des bouts d'essai (film)* Probeaufnahmen drehen; ~ *des économies* Ersparnisse machen; ~ *par étapes* schrittweise verwirklichen, abschnittsweise durch=führen; ~ *des miracles (fig)* Wunder wirken; **~sme** *m* Realismus *m;* Wirklichkeitsnähe; wirklichkeitsnahe, naturgetreue Darstellung *f;* **~ste** *s m* Realist *m; a* realistisch; wirklichkeitsnah; naturgetreu; **~té** *f* Wirklichkeit, Realität, Tatsächlichkeit, Tatsache; *rel* Gegenwart *f; en* ~ in Wirklichkeit.

réan|imation [reanimasjõ] *f med* Wiederbelebung *f; (service de)* ~ Intensivstation *f;* **~imer** wieder=beleben.

réapp|araître [reaparɛtr] *irr* wieder erscheinen, w. in Erscheinung treten; **~arition** *f* Widererscheinen, -auftreten *n; faire sa* ~ wieder auf=tauchen, w. auf der Bildfläche erscheinen.

réargenter [rearʒɑ̃te] neu versilbern.

ré|armement [rearməmɑ̃] *m* Wiederbewaffnung, -aufrüstung *f;* ~ *moral* moralische Wiederaufrüstung *f;* **~armer** wieder=bewaffnen, -auf=rüsten.

réassortiment [reasɔrtimɑ̃] *m s. rassortiment.*

ré|assurance [reasyrɑ̃s] *f* Rückversicherung *f; contrat m de* ~ Rückversicherungsvertrag *m;* **~assuré** *m* Rückversicherte(r) *m;* **~assurer** rückversichern.

rébarbatif, ive [rebarbatif, -iv] abstoßend, garstig; *fig* abweisend, unfreundlich.

rebâtir [rəbɑtir] wiederauf=bauen, -her=stellen.

rebatt|re [rəbatr] *irr* wieder, aufs neue schlagen; *fig* ständig wiederholen; *(Matratze)* auf=klopfen; *(Karten)* noch einmal mischen; *mus (Note)* wiederholen; ~ *les oreilles à qn de qc* jdm mit etw (beständig) in den Ohren liegen; **~u, e** zerpflückt *fig;* abgedroschen; abgeklappert; *(Weg)* viel benutzt; *j'en ai les oreilles* ~*es (fig)* das hängt mir zum Hals heraus, das habe ich satt.

rebell|e [rəbɛl] *a* aufrührerisch; aufsässig; widerspenstig; *med* hartnäckig; *tech* strengflüssig; *s m f* Rebell(in *f*), Aufrührer(in *f*) *m;* **~er, (se)** rebellieren, sich empören, revoltieren.

rébellion [rebɛljõ] *f* Aufstand, Aufruhr *m a. fig,* Rebellion *f.*

reb|équer, (se) [rəbeke] *vx* frech, patzig antworten *(bes. e-m Vorgesetzten);* **~iffer, (se)** *pop* auf=mucken, -begehren, rebellisch werden, rebellieren.

rebois|ement [rəbwazmɑ̃] *m* (Wieder-)Aufforstung *f;* **~er** (wieder) auf=forsten.

rebond [rəbõ] *m* Rückprall *m;* **~i, e** [-di] *a* prall; dick u. rund; **~ir** zurück=

prallen; *fig* wieder in Gang kommen; wieder aktuell werden; **~issement** *m* Zurückprallen *n; fig* Rückschlag *m,* -wirkung *f;* Wiederaufleben *n.*

rebord [rəbɔr] *m* (erhöhter *od* umgebugter, umgebogener) Rand *m;* Randleiste; Einfassung *f;* Sims *m* od *n,* Gesims *n; tech* Spurkranz; (Kragen-)Umschlag *m;* (Hut-)Krempe *f; ~ (de la fenêtre)* Fensterbank *f.*

rebouch|age [rəbuʃaʒ] *m* Verkitten *n* (e-s Loches); **~er** (wieder) zu=stopfen; w. zu=korken; *~ un trou (fig)* ein Loch stopfen, Schulden bezahlen.

rebours [rəbur] *a fig* widerhaarig, -spenstig, störrisch; *(Holz)* knotig, knorrig; *s m (Stoff)* Gegenstrich *m; fig* Gegenteil *n,* -satz *m; à, au ~* gegen den Strich *a. fig;* rückwärts *(lesen, gehen); fig* im entgegengesetzten Sinne, verkehrt; *au ~ de (prp)* gegen, im Gegensatz zu, zuwider *(nachgestellt); compter à ~* rückwärts zählen; *prendre le ~ de qc* etw gegen den Strich bürsten *od* kämmen; *fig, a. prendre qc à ~* etw falsch auf=fassen *od* verstehen.

rebout|ement [rəbutmɑ̃] *m med* Wiedereinrenkung *f;* **~er** *(Knochen)* wiederein=renken *(nicht von Ärzten);* **~eur, ~eux** *m (nichtärztlicher)* Operateur; Heilpraktiker *m.*

reboutonner wieder zu=knöpfen.

rebras [rəbra] *m* Stulpe *f.*

rebrousse|ment [rəbrusmɑ̃] *m* Zurückbürsten *n; loc* Spitzkehre *f; point m de ~ (math)* Umkehrpunkt *m;* **~-poil:** *à ~* gegen den Strich; **~r** *tr* gegen den Strich bürsten *od* kämmen; *fig fam vx* vor den Kopf stoßen (*qn* jdn); *itr* um=kehren; *~ chemin* um=kehren, kehrt=machen.

rebuffade [rəbyfad] *f* schlechte(r) Empfang *m; fam* Abfuhr *f; essuyer une ~* e-e Abfuhr ein=stecken.

rébus [rebys] *m* Bilderrätsel *n.*

rebut [rəby] *m* Ausschuß(ware *f*), Abfall; Schund; Schrott *m;* unzustellbare Sendung *f; fig* Auswurf *m; au ~ (Post)* unbestellbar; *... de ~* Ausschuß-, Abfall-; *jeter au ~* verschrotten; *mettre au ~* (als unbrauchbar) beiseite legen; *marchandises f pl de ~* Ausschußware *f; ~ des humains* Abschaum *m* der Menschheit; **~ant, e** abweisend, -schreckend, entmutigend; abstoßend, widerlich; *(Empfang)* kalt; **~é, e** entmutigt, mutlos; **~er** (glatt, rundweg) ab=weisen; *fam* e-e Abfuhr erteilen (*qn* jdm), ab=blitzen lassen; ab=, zurück=weisen; aus=scheiden; *(Bitte)* ab=schlagen; verwerfen, nicht an=nehmen, verschmähen; ab=stoßen, an=widern, -ekeln; ab=schrecken, entmutigen; *se ~* sich ab=schrecken lassen; den Mut sinken lassen; entmutigt, mutlos werden.

récalcitrant, e [rekalsitrɑ̃, -ɑ̃t] widerspenstig, störrisch.

recaler [rəkale] e-n neuen Keil legen (*qc* unter e-e S); glatt=hobeln; *fam (Schule)* durchfallen lassen.

récapitul|atif, ive [rekapitylatif, -iv] (kurz) zs.fassend; **~ation** *f* Zs.fassung, kurze Wiederholung *f;* **~er** zs.=fassen, kurz wiederholen.

recasement [rəkɑzmɑ̃] *m* (Wieder-) Unterbringung *f* (Obdachloser).

recéder [rəsede] *tr* (wieder) ab=treten; überlassen.

rec|el [rəsɛl], **~èlement** *m* Hehlerei; Verheimlichung; Unterschlagung *f; ~ de biens* Beiseiteschaffung *f* von Vermögenswerten; **~elé** [-sle] *m* Unterschlagung, Veruntreuung *f;* **~éler, ~eler** bergen, in sich tragen, haben, enthalten; *jur* (ver)hehlen; verheimlichen; verbergen; verborgen halten, Unterschlupf gewähren (*qn* jdm); *se ~* sich verbergen, sich versteckt halten; **~eleur, se** [-slœr, -øz] *m f* Hehler (-in *f*) *m.*

récemment [resamɑ̃] *adv* neulich, kürzlich, vor kurzem.

recens|ement [rəsɑ̃smɑ̃] *m* (Volks-, Stimm-)Zählung *f,* Zensus *m;* Registrierung, Bestandsaufnahme; *mil* Erfassung; (erneute) Besichtigung, Kontrolle *f; ~ du bétail* Viehzählung *f; ~ des biens* Vermögenserfassung *f; ~ de circulation, industriel* Verkehrs-, Betriebszählung *f; ~ de la population, des suffrages* od *des voix* od *des votes* Volks-, Stimmzählung *f; ~ du contingent* Registrierung *f* der Wehrpflichtigen, Wehrerfassung *f;* **~er** *(Bevölkerung, Stimmen)* zählen; (erneut) besichtigen, kontrollieren; **~eur** *m* (Volks-, Stimm-)Zähler *m.*

recension [rəsɑ̃sjɔ̃] *f* Textvergleichung, Kollation *f;* kollationierte(r) Text *m;* Rezension *f.*

récent, e [resɑ̃, -ɑ̃t] neu, frisch; *med* im Anfangsstadium.

récépissé [resepise] *m* Empfangs-, Annahmebescheinigung *f; (~ postal)* Einlieferungsschein *m; ~ de dépôt* Hinterlegungs-, Aufbewahrungsschein *m; ~ d'entrepôt, ~-warrant m* Lagerschein *m; ~ d'expédition, de livraison* Verlade-, Lieferschein *m; ~ de paiement* Zahlungsbeleg *m,* Quittung *f.*

récept|acle [resɛptakl] *m* Sammelbekken *n,* -punkt; *péj* Schlupfwinkel; *bot*

Blütenboden; *arch tech* (*bes.* Wasser-)Behälter *m;* ~**eur, trice** *a* Empfangs-; *s m arch tech* (Sammel-)Behälter; *tele* Hörer; *radio* Empfänger *m,* Empfangsgerät *n; décrocher, raccrocher le* ~ den Hörer ab=nehmen, auf=legen; *poste m* ~ Empfangsgerät *n,* Empfänger *m;* ~ *à cadre* Rahmenempfänger *m;* ~ *(à montage) direct* Geradeausempfänger *m;* ~ *d'écoute* Horchgerät *n;* ~ *à galène* Detektor *m;* ~ *d'images* Bildempfänger *m;* ~ *à lampes* Röhrenempfänger *m;* ~ *radiogoniométrique,* ~*-gonio m* (Funk-)Peilgerät *n;* ~ *piles et secteur* Empfänger *m* mit Batterie und Netzanschluß; ~ *portatif* Kofferradio *n;* ~ *radiophonique, de T.S.F., de télévision* Rundfunk-, Fernsehempfänger *m,* -gerät *n;* ~ *alimenté par le réseau* Netzempfänger *m;* ~ *superhétérodyne, à changement de fréquence* Überlagerungsempfänger, Superhet *m;* ~ *tous-courants, toutes ondes* Allstrom-, Allwellenempfänger *m;* ~**if, ive** *med* ansprechend (*à* auf *acc*), empfänglich (*à* für); ~**ion** [-sjõ] *f* Empfang *a. radio;* Erhalt *m,* Entgegennahme; Auf-, Annahme, Einführung *(bes. in e-e Gesellschaft, ein Amt);* Übernahme *(e-s Rechtes); arch tech* Abnahme *f; dans les 3 jours après la* ~ innerhalb von 3 Tagen nach Empfang; *accuser* ~ *de qc* den Empfang e-r S bestätigen; *se mettre sur* ~ *(radio)* auf Empfang gehen; *prendre* ~ *de qc* etw in Empfang nehmen; *accusé m de* ~ Empfangsbestätigung *f; avis m de* ~ *(Post)* Empfangsbescheinigung *f; circuit m de* ~ *(radio)* Empfangskreis *m; essai m de* ~ Abnahmeprüfung *f; jour m de* ~ Empfangstag *m; mention f de* ~ Eingangsvermerk *m;* ~ *sur antennes espacées, multiple* Mehrfachempfang *m;* ~ *auditive, visuelle* Hör-, Sichtempfang *m;* ~ *sur cadre, sur détecteur, sur galène* Rahmen-, Detektorempfang *m;* ~ *collective* Gemeinschaftsempfang *m;* ~ *à grande distance, locale* od *régionale* Fern-, Ortsempfang *m;* ~ *d'émissions radiophoniques* Rundfunkempfang *m;* ~ *en haut-parleur* Lautsprecherübertragung, -wiedergabe *f;* ~**ionnaire** *s m* u. *a: agent m* ~ Abnahmebeamte(r), -ingenieur *m; territoire m* ~ Aufnahmegebiet *n;* ~**ionner** *(Waren)* empfangen, ab=nehmen, prüfen; ~**ionniste** *m f* Empfangschef *m,* -dame *f;* ~**ivité** *f* Aufnahmefähigkeit *(für Sinneseindrücke); med* Empfänglichkeit, Anfälligkeit *f.*

récess|if, ive [resεsif, -iv] *biol* rezessiv; ~**ion** *f fig* Rückgang *m;* Rezession *f,* rückläufige Konjunktur *f.*

recette [r(ə)sεt] *f com* Einnahme *f;* Erlös, Ertrag *m;* (Ein-)Kassieren *n;* Steuereinzug *m,* -erhebung *f;* Steueramt *n,* -kasse; *mar* (Waren-)Annahme *f; min* Anschlag *m; allg* Rezept (*de qc* für etw); Kochrezept *n,* -vorschrift *f; pl* Einkünfte *pl;* Eingänge *m pl; film* Einspielergebnisse *n pl; faire la* ~ (ein=) kassieren (*de qc* etw); *porter en* ~ in Einnahme bringen *od* stellen; *article m de* ~ Einnahmeposten *m; exédent m de* ~*s* Mehreinnahme *f,* -ertrag; Einnahmeüberschuß *m; garçon m de* ~*s* Kassenbote, Kassierer *m; livre m de* ~*s* Einnahmebuch *n;* ~*s accessoires* Nebeneinnahmen *f pl,* -verdienst *m;* ~ *annuelle, journalière* Jahres-, Tageseinnahme *f;* ~ *arriérée* Rückstand *m;* ~ *brute, nette* Brutto- *od* Roh-, Netto- *od* Reineinnahme *f;* ~ *de caisse* Kasseneingang *m;* ~*s et dépenses f pl* Einnahmen u. Ausgaben *f pl;* ~ *des douanes* Zollamt *n;* ~*s fiscales* Steuereinnahmen *f pl;* ~ *du fond (min)* Füllort *m;* ~ *du jour* Tageskasse *f;* ~ *totale* Gesamteinnahme *f.*

recev|abilité [rəsəvabilite] *f* Annehmbarkeit; *jur* Zulässig-, Statthaftigkeit *f; non-*~ Unannehmbarkeit; *jur* Unzulässigkeit *f;* ~**able** annehmbar; *jur* zulässig, statthaft; *(Person)* zulassungsfähig; *jur* berechtigt (*à qc* zu etw); ~**eur, se** *m f* Empfänger(in *f*) *m;* Kassierer(in *f*), Kassenbeamte(r); Rendant, Rentmeister; Vorsteher *(e-s Zoll-, Postamtes); (Straßenbahn-, Omnibus-)* Schaffner(in *f*); *theat* (Billett-)Kontrolleur; *typ* Bogenfänger(in *f*) *m;* ~ *des contributions* Steuereinnehmer *m;* ~**oir** *irr tr* an=, entgegen=, in Empfang nehmen; empfangen; erhalten, bekommen, *fam* kriegen; *poet* teilhaftig werden *gen; (Geld)* ausgezahlt, *(Orden)* verliehen bekommen; *(Person) (bei sich* od *feierlich)* auf=nehmen, ein=führen; *(Form, Gesetz)* an=nehmen; *(Besuch, die Taufe)* empfangen; *arch tech tele* ab=nehmen; *(Feinden)* entgegen=treten (*qn* jdm); zu=lassen, gestatten, erlauben, genehmigen; *(Brauch)* übernehmen; *(in e-m Gefäß)* auf=fangen; *itr* empfangen *a. radio,* Besuchstag haben; *se* ~ sich (gegenseitig) besuchen; *sport* auf=springen; *être reçu* in Gebrauch kommen, sich durch=setzen; *(Kandidat)* an-, aufgenommen werden, bestehen; ~ *un bon, mauvais accueil* gut, schlecht empfangen, aufgenommen werden; ~ *des applaudissements, des éloges* Beifall, Lob ernten; ~ *l'autorité de la chose jugée* rechtskräftig werden; ~ *dans une commune* ein=gemeinden; *être reçu docteur* promovieren *itr;* ~ *des injures* Beleidigungen hin=nehmen *od* ein=stecken (müssen); ~ *diverses interprétations* sich verschieden auf=fassen lassen; ~ *les ordres de qn* sich nach jds Wünschen erkundigen; ~ *des renforts (mil)* Verstärkung erhalten; *j'ai été bien reçu!* da bin ich schön angekommen! *j'ai reçu ses confidences* er hat sich mir anvertraut; *la famille s'excuse de ne pas* ~ von Beileidsbesuchen bitten wir abzusehen; *j'en ai reçu une bonne, mauvaise impression* das hat e-n guten, schlechten Eindruck auf mich gemacht; *je n'ai pas à* ~ *d'ordres de vous* Sie haben mir nichts zu befehlen *od* zu sagen; *j'ai reçu sa parole* er hat mir sein Wort gegeben; *il ne reçoit personne* er ist für niemanden zu sprechen; ~*ez mes salutations (les plus) distinguées* mit vorzüglicher Hochachtung; *il vaut mieux donner que* ~ *(prov)* geben ist seliger denn nehmen.

réchampir [reʃɑ̃pir] *(Kunst)* (vom Hintergrund) ab=heben.

rechan|ge [rəʃɑ̃ʒ] *m* (Aus-)Wechseln *n; com* Rückwechsel *m;* Ersatzteil *n; ... de* ~ Ersatz-, Reserve-, Ausweich-; ... zum Wechseln; *(linge m de)* ~ Wäsche *f* zum Wechseln; *pièce f de* ~ Ersatzteil *n; pneu m de* ~ Ersatzreifen *m; roue f de* ~ *(mot)* Reserverad *n; solution f de* ~ Ersatzlösung *f (e-r Frage);* ~**ger** (aus=)wechseln.

recha|page [rəʃapaʒ] *m mot* Runderneuerung *f;* ~**pé** *pneu* ~ *(mot)* runderneuerte(r) Reifen; ~**per** *mot (Reifen)* runderneuern.

réchapp|é, e [reʃape] *m f* Davongekommene(r *m*) *f;* ~**er** *(Gefahr, Krankheit)* (heil, gesund, glücklich) überstehen (*de qc* etw), davon=kommen.

recharg|ement *m,* ~**e** *f* [rəʃarʒ(əmɑ̃)] Wiederbe-, -aufladen; Aufschütten *n (von Erde, Kies); tech (~ par soudage)* Auftragschweißung *f;* ~**eable** *(Feuerzeug)* zum Nachfüllen, nachfüllbar; *(Batterie)* wiederaufladbar; ~**er** wieder (auf=, be)laden *(a. Gewehr, Akku);* aufs neue an=greifen; neu beauftragen (*de qc* mit etw); *tech* (*abgenutzte Stelle*) wieder verstärken, mit e-r Auflage versehen; *(Straße, Gelände)* auf=schütten, -schottern; e-n neuen Film ein=legen (*son appareil* in s-n Apparat).

réchaud [reʃo] *m* Schüssel-, Tellerwärmer; Kocher *m;* ~ *à alcool, à pétrole, à gaz, électrique* Spiritus-, Petroleum-, Gas-, elektrische(r) Kocher *m od* Heizplatte *f.*

réchauf|fage [reʃɔfaʒ], ~**fement** *m* (Wieder-)Aufwärmen *n;* (Wieder-)Erwärmung *f;* ~**fé, e** *a* aufgewärmt; *s m* Aufgewärmte(s) *n; fig fam* aufgewärmte(r) Kohl *m,* olle Kamelle, alte Geschichte *f;* ~**fer** *(Person, Glieder, Speise)* (wieder) auf=wärmen; *tech* vor=, an=wärmen; *fig* wieder an=feuern, auf=muntern; w. auf=frischen; wieder=beleben, -entflammen, -auf=leben lassen; *se* ~ sich auf=wärmen; *fig (Streit)* wieder auf=leben; ~**feur** *m tech* Vorwärmer *m.*

rechausser [rəʃose] die Schuhe *od* Strümpfe wieder an=ziehen (*qn* jdm); *agr* Erde an=häufeln (*qn* um etw); *(Mauer)* in ihrem unteren Teil verstärken; *(Zahn-, Getrieberad)* mit neuen Zähnen versehen; *(Zahnfleisch)* festigen; *se* ~ sich die Schuhe *od* Strümpfe wieder an=ziehen.

rêche [rɛʃ] rauh; herb *(im Geschmack); fig (Charakter)* widerspenstig, schwierig, unangenehm, unfreundlich.

recherch|e [rəʃɛrʃ] *f* Suche *f;* Trachten, *péj* Haschen *n* (*de* nach); Versuch *m,* Probe; Analyse; (Nach-, Er-) Forschung; Untersuchung; Nachfrage; *fig* Gesucht-, Geziertheit, Künstelei *f; min* Schürfen; *tele* Wählen; *mil* Aufsuchen *n,* Ermitt(e)lung *f; pl* Forschung(sarbeit)en *f pl; à la* ~ *de* auf der Suche nach; *sans* ~ ungekünstelt, natürlich; *aller à la* ~ *de* auf die Suche gehen nach; *faire des* ~*s* Nachforschungen an=stellen (*sur* nach); Forschungen treiben; *travail m de* ~ Forschungsarbeit *f; la* ~ *du bonheur* die Jagd nach dem Glück; ~ *auprès des consommateurs* Verbraucheranalyse *f;* ~ *dirigée, de l'ennemi (mil)* Aufklärung *f;* ~*(s) fondamentale(s)* Grundlagenforschung *f;* ~*(s) de marché* Marktforschung *f;* ~ *opérationnelle* Betriebsforschung *f;* ~ *des parasites (radio)* Störungssuche *f;* ~*s de la police* polizeiliche Ermitt(e)lungen *f pl;* ~ *du renseignement par les moyens radio* Funkaufklärung *f;* ~**é, e** (aus)gesucht, selten; beliebt, gefragt; geziert, gekünstelt, affektiert, gesucht; *être très* ~ stark gefragt sein; ~**er** von neuem, (immer) wieder suchen; erforschen, forschen (*qc* nach etw); suchen, streben, trachten, haschen, jagen (*qc* nach etw); sich bemühen, sich bewerben (*qc* um etw); ~

qn sich um jdn bemühen *od* reißen; *jur* fahnden (*qn* nach jdm); *(~ en justice)* gerichtlich belangen; Klage erheben (*qn* gegen jdn); *tech* den letzten Schliff geben (*qc* e-r S); *se ~* sich, ea. suchen.

rechign|é, e [rəʃiɲe] *a* verdrießlich, mürrisch, griesgrämig; *s m* Griesgram *m;* **~er** sich sträuben (*à* gegen); das Gesicht verziehen *(vx);* ein verdrießliches, *fam* saures Gesicht machen (*à* zu).

rechute [rəʃyt] *f rel med allg* Rückfall *m.*

récidiv|e [residiv] *f jur med* Rückfall *m;* **~er** e-n Rückfall haben, *med* erleiden *jur* rückfällig werden; *(Krankheit, Symptom)* wieder auf=treten; **~iste** *s m* Rückfällige(r), Vorbestrafte(r) *m; a* rückfällig; **~ité** *f jur med* Neigung *f* zu Rückfällen.

récif [resif] *m geog* Riff *n; ~ corallien* Korallenriff *n.*

récip|iendaire [resipjɑ̃dɛr] *m f* Kandidat *m (für e-e Akademie);* **~ient** [-jɑ̃] *m* Behälter *m,* Gefäß *n; phys* Rezipient *m,* (Glas-)Glocke, *chem* Vorlage *f (für ein Destillat); ~ d'eau, de sable* Wasser-, Sandbehälter *m.*

récipro|cité [resiprɔsite] *f* Gegen-, Wechselseitigkeit; Wechselbeziehung *f; à titre de ~* auf Gegenseitigkeit; *par ~* gegenseitig; **~que** *a math gram* reziprok, umgekehrt; gegenteilig; gegen-, wechselseitig; *la ~* das Gleiche; *rendre la ~ à qn (fig)* jdm nichts schuldig bleiben; *raison f ~* umgekehrte(s) Verhältnis *n;* **~quement** *adv* gegen-, wechselseitig; umgekehrt.

récit [resi] *m* Bericht *m;* Erzählung, Geschichte *f; mus* Rezitativ *n;* Solopartie *f; faire le ~ de qc* über e-e S berichten, von etw erzählen; *~ inversé (film)* Rückblendung *f; ~ véridique* Tatsachenbericht *m;* **~al** [-tal] *m* Solokonzert *n; ~ de chants, de piano* Liederabend *m,* Klavierkonzert *n;* **~ant, e** *a mus* Solo-, Haupt-; *s m* Deklamator *m; partie f ~e* Solopartie *f;* **~atif** *m mus* Rezitativ *n; ~ obligé* R. mit Instrumentalbegleitung; **~ation** *f* Auf-, Hersagen *n,* Vortrag *m; mus* Rezitation *f;* **~er** auf=, her=sagen, vor=tragen; *faire ~ qn* jdn ab=hören.

récla|mant, e [reklamɑ̃, -ɑ̃t] *m f* Beschwerdeführer(in *f*) *m;* **~mation** *f* Beschwerde *f;* Einspruch, Einwand *m; jur* Geltendmachung *f;* Anspruch *m; com* Mangelrüge; Reklamation, Beanstandung; (Zurück-)Forderung *f; en cas de ~* im Falle e-r Beschwerde; *sans ~* unbeanstandet; *déposer une ~ contre* Einspruch erheben gegen; *donner lieu à des ~s* zu Beschwerden Anlaß geben; *élever des ~s contre* sich beschweren über *acc; lettre f de ~* Beschwerdebrief *m; registre m des ~s* Beschwerdebuch *n;* **~me** *f (Zeitung)* nichtredaktionelle Mitteilung; Reklame, (Kunden-)Werbung, Anpreisung *f; theat* Stichwort *n; typ* Kustos, Kustode *m; aux fins de ~* zu Werbezwecken; *faire de la ~* Reklame machen; *article m de ~* Reklameartikel *m; panneau m ~* Reklametafel *f; semaine f de ~* Werbewoche *f; vente f ~* Werbeverkauf *m; ~ aérienne* Himmelsschrift *f; ~ par le cinéma, à l'étalage* Kino-, Schaufensterreklame *f; ~ lumineuse, murale* Licht-, Wandreklame *f;* **~mer** *tr* fordern (*qc à qn* etw von jdm), verlangen, beanspruchen, Anspruch erheben (*qc* auf e-e S); erfordern, benötigen, brauchen; reklamieren, sich beschweren (*qc auprès de qn* über e-e S bei jdm); *itr* reklamieren; Einspruch erheben *a. jur; se ~ de* an=rufen, appellieren an *acc;* sich berufen auf *(acc),* für sich in Anspruch nehmen; *non ~é (com)* nicht abgeholt.

reclas|sement [rəklasmɑ̃] *m* Neuordnung, -einteilung *f; loc* Ausrangieren *n; ~ des salaires* Besoldungsneuregelung *f;* **~ser** neu ordnen, neu ein=teilen.

reclouer [rəklue] wieder, neu an=, fest=nageln.

recl|ure [rəklyr] *irr* ein=sperren, -schließen; *se ~* sich in e-e Klause, sich völlig (von der Welt) zurück=ziehen; **~us, e** [-kly, -yz] *a* in e-r Klause, völlig abgeschlossen lebend; *s m f* Klausner(in *f*) *m.*

réclusion [reklysjɔ̃] *f* völlige Zurückgezogenheit *f;* Zuchthaus(strafe *f*) *n; ~ perpétuelle, à vie* lebenslängliche(s) Zuchthaus *n;* **~naire** *m* Zuchthäusler, Sträfling *m.*

récognit|if, ive [rekɔgnitif, -iv] Erkennungs-; *jur* Anerkennungs-; *acte m ~* Anerkennungsurkunde *f;* **~ion** *f* (Wieder-)Erkennen *n; jur* Anerkennung *f.*

recoiffer [rəkwafe] neu frisieren; die Haare ordnen (*qn* jdm); *se ~* sich die Haare wieder in Ordnung bringen, sich über=kämmen; sich wieder bedecken, den Hut wieder auf=setzen.

recoin [rəkwɛ̃] *m* (verborgener) Winkel; Schlupfwinkel *m; les ~s du cœur* die geheimsten Falten *f pl* des Herzens; *(tous) les coins et ~s* alle Winkel u. Ecken.

récol|ement [rekɔlmɑ̃] *m* (Waren-)Bestandsaufnahme; *jur* Überprüfung *(e-s Inventars, e-r Liste);* Verlesung *(e-r Zeugenaussage* od *e-s Protokolls); tech arch* Abnahme, Überprüfung *(e-r Neuanlage);* Kontrolle *f (e-s Holzeinschlages);* **~er** über=, nach=prüfen, kontrollieren, besichtigen; *jur (e-e Zeugenaussage* od *ein Protokoll)* verlesen.

recoll|age [rəkɔlaʒ] *m* Wiederankleben, -leimen *n;* **~ement** *m fam* Wiedervereinigung *f;* **~er** wieder an=, fest=kleben, -leimen; *se ~ (Wundränder)* wieder anea.=wachsen.

récollection [rekɔlɛksjɔ̃] *f rel* Sammlung, Andacht *f.*

récolt|e [rekɔlt] *f* Ernte(ertrag *m,* -zeit) *f;* (Ab-, Ein-)Ernten, (Ein-)Sammeln; *fig* Ergebnis *n,* Folge; *min* Förderung, Gewinnung *f; tech* Ausstoß *m,* Ausbringung *f; rentrer la ~* die Ernte ein=bringen; *prévisions f pl de la ~* Ernteaussichten *f pl; ~ des blés, des pommes de terre, des betteraves, des fruits, des foins* Getreide-, Kartoffel-, Rüben-, Obst-, Heuernte *f; ~ du bois* Holzeinschlag *m; ~ dérobée* zweite Ernte *f; ~ déficitaire, en déficit* Mißernte *f; ~ mondiale* Welternte *f; ~ sur pied* Ernte *f* auf dem Halm; **~er** (ein=)ernten *a. fig;* (ein=) sammeln, lesen; *fig* gewinnen, erzielen; *fam* ein=heimsen; *on ~e ce qu'on a semé (prov)* wie die Saat, so die Ernte.

recommand|able [rəkɔmɑ̃dabl] empfehlenswert, zu empfehlen(d); schätzenswert; **~ataire** *m (Wechsel)* Notadressat *m;* **~ation** *f* Empfehlung; Ermahnung; Achtung, Hochschätzung *f; (Post)* Einschreiben *n; rel* Fürbitte *f; sur la ~ de* auf Empfehlung, Anraten *gen; frais m pl de ~* Einschreibgebühr *f; lettre f de ~* Empfehlungsschreiben *n;* **~é, e** *(Post)* eingeschrieben; *sous pli ~* mittels eingeschriebenen Briefes; *lettre f ~e* Einschreib(e)brief *m;* **~er** ein=schärfen, nahe=legen, dringend raten, empfehlen, ans Herz legen (*qc à qn* jdm etw, *à qn de faire qc* jdm etw zu tun); ermahnen; empfehlenswert machen; *(Brief)* ein=schreiben lassen; *~ qn* jdn empfehlen; *se ~* sich empfehlen, sich in Empfehlung bringen; *de qn, qc* sich auf jdn, etw berufen, beziehen.

recommenc|ement [rəkɔmɑ̃smɑ̃] *m* Wiederbeginn *m;* **~er** *tr* wieder an=fangen; *itr* wieder beginnen, w. an=fangen, w. ein=setzen (*à, de* zu); *~ de plus belle* mit verstärktem Eifer fort=fahren; *cela ~e de plus belle!* das wird ja immer schöner! *c'est toujours à ~* das wird nie fertig.

récompen|se [rekɔ̃pɑ̃s] *f* Belohnung *f,* Lohn *m a. ironisch* (*de* für); *en ~* dafür; *en ~ de qc* für etw; *pour ~* zur Belohnung, zum Lohn, zum Dank; *promesse f de ~* Auslobung *f; ~ militaire* militärische Auszeichnung *f;* **~ser** belohnen (*de* für) *a. ironisch.*

recomp|osable [rəkɔ̃pozabl] wieder zs.setzbar; **~oser** wieder zs.=setzen; w., neu zs.=stellen, neu bilden, um=gestalten; neu komponieren; *typ* neu setzen; **~osition** *f* Wiederzs.setzung; Um-, Neubildung, -gestaltung; *chem* Synthese *f; typ* neue(r) Satz, Neusatz *m.*

recompter [rəkɔ̃te] nach=zählen, -rechnen.

réconcili|able [rekɔ̃siljabl] *a* zu versöhnen(d); **~ateur, trice** *m f* Versöhner(in *f*) *m;* **~ation** *f* Ver-, Aussöhnung; *rel* Neuweihe *f; ~ des peuples* Völkerversöhnung *f;* **~er** ver-, aus=söhnen (*avec qn* mit jdm); *se ~* sich ver-, aus=söhnen (*avec* mit); *se ~ avec soi(-même)* mit sich (selbst) ins reine kommen.

recondu|ction [rəkɔ̃dyksjɔ̃] *f* Erneuerung (e-s Miet- *od* Pachtvertrages); Weiterführung; *(Preis)* Beibehaltung *f;* **~ire** [-dɥir] *irr* zurück=, hinaus=begleiten; *péj* heim=leuchten (*qn* jdm); hinaus=werfen, -jagen; *com* verlängern, erneuern; *~ qn à la maison* jdn nach Haus begleiten *od* bringen; **~ite** *f* Geleit *n; péj* Abfuhr *f.*

réconfort [rekɔ̃fɔr] *m* Trost *m;* Stärkung; Hilfe *f; maigre ~* schwache(r) Trost *m;* **~ant, e** *a* stärkend; *s m* Stärkungsmittel *n;* **~er** stärken, neue Kraft geben (*qn* jdm); trösten; *se ~* wieder zu Kräften kommen (*par* durch).

reconn|aissable [rəkɔnɛsabl] erkennbar, kenntlich, zu erkennen(d), wiederzuerkennen(d); **~aissance** *f* (Wieder-)Erkennung *f;* Erkennen *n;* Anerkennung *f a. jur pol;* Zugeständnis *n;* Erkenntlichkeit, Dankbarkeit; (amtliche) Besichtigung; *mil* Aufklärung, Erkundung *f; avec ~* dankbar; *par ~* aus Dankbarkeit; *aller en ~ (mil)* erkunden, auf=klären; *faire la ~ de qc* etw besichtigen, in Augenschein nehmen; *détachement m de ~ (mil)* Aufklärungszug *m; patrouille f de ~* Spähtrupp *m; signal m de ~ (mar)* Erkennungssignal *n; signe m de ~* Erkennungszeichen *n; ~ aérienne, terrestre* Luft-, Erdaufklärung *f; ~ de la banque* Depositenschein *m; ~ de contact, de combat* Gefechtsaufklärung *f;* ~ *de dette* Schuldanerkennung *f;* ~ *d'écriture* Anerkennung *f* e-r Unterschrift; ~ *de légitimité, de paternité* Ehelichkeits-, Vaterschaftsanerkennung *f;* ~ *des lieux (jur)* Lokalbesichtigung *f,* Augenschein *m;* ~ *du mont-de-piété* Pfandschein *m;* ~ *photo(graphique)* (Luft-)Bildaufklärung *f;* ~ *rapprochée, à (grande) distance* od *lointaine* Nah-, Fernaufklärung *f;* ~ *du terrain* Geländeerkundung *f;* ~ *à vue, visuelle* Augenerkundung, -aufklärung *f;* **~aissant, e** erkenntlich, dankbar (*de* für); **~aître** *irr* (wieder=)erkennen (*à* an *dat*); *je l'ai reconnu à sa voix* ich habe ihn an s-r Stimme erkannt; *(admettre l'existence)* an=erkennen *a. pol jur; il l'a reconnu comme* od *pour son héritier* er hat ihn als *od* zum Erben eingesetzt; *son innocence a été reconnue* es hat sich herausgestellt, daß er unschuldig ist; zu=geben, ein=gestehen; *il reconnaît sa faute* er gibt zu, daß er sich geirrt hat; *jur* zu=erkennen (*qc à qn* jdm e-e S); *(Wohltat)* belohnen; dankbar sein (*qc* für etw); *(explorer)* besichtigen, *mil* auf=klären, *(Gelände)* erkunden; *aero* an=sprechen; *se* ~ *(Passiv)* erkannt werden; *un bon cuisinier se reconnaît à* einen guten Koch erkennt man an *(dat); (s'y retrouver)* sich orientieren, sich zurecht=finden; *fig* zu sich, zur Besinnung kommen; sich (selbst) wiederer=kennen (*dans* in *dat*); *se* ~ *coupable* sich schuldig bekennen; *se faire* ~ sich zu erkennen geben; *ne plus s'y* ~ *(fig)* sich nicht mehr aus=kennen; *cela se reconnaît à* das erkennt man an *(dat); je vous reconnais bien là* das sieht Ihnen ähnlich.

recon|quérir [rəkɔ̃kerir] zurück=erobern; *fig* zurück=, wieder=gewinnen; **~quête** *f* Wiedereroberung *f.*

recons|tituant, e [rəkɔ̃stitɥɑ̃, -t] *a med* stärkend; *s m* Stärkungs-, Kräftigungsmittel *n;* **~tituer** wiederher=stellen; wieder in Gang bringen; **~titution** *f* Wiederherstellung *f.*

recons|truction [rəkɔ̃stryksjɔ̃] *f* Wiederaufbau *m; plan, travail m de* ~ Wiederaufbauplan *m,* -arbeit *f;* ~ *financière* Finanzsanierung *f;* **~truire** *irr* wieder auf=bauen; *com* sanieren.

reconventionnel, le [rəkɔ̃vɑ̃sjɔnɛl] *a: action, demande f* ~*le* Gegenklage *f.*

reconver|sion [rəkɔ̃vɛrsjɔ̃] *f* Umgestaltung, (Wieder-)Umwandlung, Umstellung *f;* Umschulung *f;* **~tir** *tr (Industrie)* um=stellen; *se* ~ *(dans)* um=lernen; auf etw um=steigen.

recopier [rekɔpje] wieder, noch einmal ab=schreiben; ab=tippen.

recoquiller [rəkɔkije] *vx* ein=rollen; *se* ~ sich ein=rollen, s. krümmen.

record [rəkɔr] *s m sport* Rekord *m,* Höchst-, Best-, *allg* Spitzenleistung *f* (*de* in *dat*); *a* Rekord-; *améliorer, baisser le* ~ den R. verbessern, drükken; *battre le* ~ den R. brechen; *détenir le* ~ den R. halten; *de qc (fig)* in e-r S unübertroffen sein, an der Spitze e-r S *gen* stehen; *tenter un* ~ e-n R. aufzustellen *od* zu brechen versuchen; *établir un* ~ e-n R. auf=stellen; *égaler un* ~ e-n R. ein=stellen; *chiffre m* ~ Rekordziffer *f;* ~ *d'altitude, de durée, de vitesse* Höhen-, Dauer-, Schnelligkeitsrekord *m;* ~ *de fond, de demi-fond, de sprint* Lang-, Mittel-, Kurzstreckenrekord *m;* ~ *du monde* Weltrekord *m.*

recor|dage [rəkɔrdaʒ] *m* Neubesaitung *f;* **~der** wieder, neu verschnüren; *(Tennisschläger)* neu besaiten.

record|man [rekɔrdman] *m,* **~woman** [-wuman] *f* Rekordinhaber(in *f*) *m.*

recoucher [rəkuʃe] wieder hin=legen; w. zu Bett bringen; *se* ~ sich wieder hin=legen, ins Bett legen, w. zu Bett gehen.

recoudre [rəkudr] *irr* wieder (an=, zu=, zs.=)nähen; *fig* wieder zs.=bringen.

recou|page [rəkupaʒ] *m* Nachpflügen *n;* **~pe** *f* Kleienmehl *n; (Edelstein)* Splitter *m; (Edelmetall)* Späne; *(Stoff)* Abfälle *m pl; (Spirituosen)* Verschnitt *m; agr* Grum(me)t *n;* **~pement** *m arch* Absetzen *n;* Überschneidung *f; fig* Vergleich *m,* (Nach-)Prüfung *f;* **~per** *tr* wieder (ab=, zer)schneiden; kontrollieren; *(Aussage)* prüfen; *(Wein)* noch einmal verschneiden; *arch* ab=setzen; *min* erschließen; bestätigen, sich dekken (*qc* mit etw).

recouponner [rəkupɔne] *(Zinsschein)* erneuern.

recourb|ement *m,* **~ure** *f* [rekurbəmɑ̃, -yr] Biegung, Krümmung *f;* **~er** (um=)biegen, krümmen.

recourir [rəkurir] *irr* zurück=laufen, -rennen, -eilen; wieder laufen; s-e Zuflucht nehmen (*à* zu), sich (um Hilfe) wenden (*à* an *acc*); *jur* Berufung ein=legen; sich berufen (*à* auf *acc*); ~ *en cassation (jur)* Nichtigkeitsbeschwerde erheben *od* ein=reichen; ~ *à la force* Gewalt an=wenden; ~ *à la justice* gerichtliche Schritte unternehmen; ~ *à des mesures sévères* strenge Maßnahmen ergreifen.

recours [rəkur] *m* Zuflucht *f;* Rechtsmittel *n;* Berufung, Beschwerde *f;* Rück-, Ersatzanspruch, Regreß, Rückgriff *m; en dernier ~* als letztes Mittel; *sans la possibilité d'un ~ aux tribunaux* unter Ausschluß des Rechtsweges; *admettre un ~* e-e Berufung an=nehmen; *avoir ~ à* s-e Zuflucht nehmen zu; *avoir ~ contre* Regreß nehmen gegen; *voies f pl de ~* Rechtsmittel *n pl; ~ en cassation, annulation, nullité* Nichtigkeitsbeschwerde *f; ~ en grâce* Gnadengesuch *n; ~ hiérarchique* dienstliche Beschwerde *f; ~ en révision* Revisionseinlegung *f.*

recouvr|able [rəkuvrabl] *jur* eintreibbar; **~age** *m* Neubeziehen, -bespannen *n;* **~ement** [-vrə-] *m* **1.** Wiedererlangung; *jur* Ein-,Beitreibung; Einziehung *f; pl com* Forderungen *f pl,* Rück-, Außenstände *m pl;* **2.** Wiederbedecken; *(Dach)* Neudecken *n;* (völlige) Bedeckung, Verkleidung; *geol* Überschiebung, Verwerfung; *phys* Überlagerung; *mot* Runderneuerung; *tech arch* Überlappung; *mot radio* Überschneidung; *phot* Überdeckung *f; arch* Bewurf, Putz *m;* Verblendung; Täfelung *f; à défaut du ~* im Nichtbeitreibungsfalle; *agence f de ~* Inkassobüro *n; mandat m de ~* Vollstreckungsbefehl *m; mandat m de ~ postal* Postauftrag *m; panneau m à ~* Deckplatte *f; service m de ~* Inkassoabteilung *f; ~ par contrainte, de force* Zwangsbeitreibung *f; ~ des impôts* Steuereinziehung, -treibung *f.*

recouvrer [rəkuvre] wieder=erlangen; ein=kassieren, ein=ziehen, bei=treiben.

recouvrir [rəkuvrir] *irr* wieder bedekken; *(Dach)* neu decken; *(Schirm)* neu bespannen; *(Polster)* neu beziehen; völlig be-, zu=decken, überziehen (*de* mit); *fig* verdecken, verhüllen, verschleiern; verheimlichen, verbergen, verstecken, bemänteln.

récré|ance [rekreɑ̃s] *f: lettres f pl de ~ (pol)* Abberufungsschreiben *n;* **~atif, ive** auf-, erheiternd, ergötzlich; **~ation** *f* Entspannung, Erholung(spause); (Ruhe-)Pause *f;* Zeitvertreib *m; être en ~* Pause haben; **~er** auf=, erheitern, ermuntern; belustigen, heiter stimmen, erfreuen; *se ~* sich zerstreuen, sich erholen; sich die Zeit vertreiben.

recréer [rəkree] wieder (er)schaffen.

recrépir [rəkrepir] *arch* wieder, neu verputzen; *vx fam (Gesicht)* an=malen, stark schminken; *fig* wieder auf=frischen.

récrier, se [rekrije] in e-n Ausruf der Verwunderung aus=brechen (*à qc* über e-e S; protestieren (*contre qc* gegen etw).

récri|mination [rekriminasjɔ̃] *f* Gegenbeschuldigungen, -anklagen *f pl;* **~minatoire:** *plainte f ~* Gegenklage *f;* **~miner** *jur* Gegenbeschuldigungen erheben, Gegenanklagen vor=bringen; *allg* sich beklagen, sich beschweren; *fam* meckern.

récrire [rekrir] *irr tr* noch einmal, neu schreiben; *(Geschriebenes)* um=arbeiten; *itr* zurück=schreiben, (brieflich) antworten.

recroque|villé, e [rəkrɔkvije] zs.geschrumpft, schrump(e)lig; **~viller** zs.schrumpfen lassen; *se ~* zs.=schrumpfen, schrump(e)lig werden.

recru, e [rəkry] erschöpft.

recrû [rəkry] *m (Holz)* Nachwuchs *m,* junge Reiser *n pl.*

recrudes|cence [rəkrydɛsɑ̃s] *f med* Wiederausbruch *m;* neue(s) Anwachsen *n;* Verschärfung *a. allg;* Verschlimmerung; Verrohung *f;* **~cent, e** *med* sich wieder verschlimmernd, wieder schlimmer werdend.

recru|e [rəkry] *f mil* Rekrut *m; allg* Verstärkung; Vermehrung *f;* Nachwuchs, Zuwachs; neue(r) Mitarbeiter, Neuling *m;* **~tement** *m* Rekrutierung, Aushebung; Ergänzung *f,* Ersatz *m; bureau m de ~* Wehrbezirkskommando *n; liste f de ~* (Wehr-) Stammrolle *f; soumis au ~* stellungspflichtig; *~ forcé* Zwangsaushebung *f;* **~ter** *mil* aus=heben, rekrutieren; (an=)werben; ergänzen; *fig* an sich *(acc)* ziehen, um sich sammeln; *se ~* sich rekrutieren, sich ergänzen; **~teur** *s m* Werber; *a* Werbe-.

recta [rɛkta] *adv fam* pünktlich; haargenau; *payer ~* auf Heller u. Pfennig bezahlen.

rectal, e [rɛktal] *a* Mastdarm-.

rectan|gle [rɛktɑ̃gl] *a* rechtwink(e)lig; *s m* Rechteck *n; triangle m ~* rechtwink(e)lige(s) Dreieck *n;* **~gulaire** rechtwink(e)lig, rechteckig.

recteur, trice [rɛktœr, -tris] *a* leitend; *s m* Rektor *m (e-r académie der Université de France); s f* u. *penne f ~trice (orn)* Schwanzfeder *f.*

recti|fiable [rɛktifjabl] *a* zu berichtigen(d), richtigzustellen(d); *math* in e-e Gerade zu verwandeln(d); **~ficateur, trice** *a* berichtigend; *s m radio* Gleichrichter *m;* **~ficatif, ive** *a* berichtigend; Berichtigungs-; *s m* u. *acte m ~ (jur)* Berichtigung(surkunde) *f;* **~fication** *f* Berichtigung; Richtigstellung; *(Straße)* Begradigung; *math* Abwick(e)lung *(e-r Kurve); chem*

Läuterung *f; tech* Schleifen *n,* Schliff *m;* **~fier** berichtigen, richtig=stellen; korrigieren; *(Straße)* begradigen; *math (Kurve)* ab=wickeln; *chem* läutern, rektifizieren; *tech* (ein=)schleifen; *pop* um=bringen; *machine f à ~* Schleifmaschine; **~fieuse** *f* Schleifmaschine *f;* **~fieur** *m* Schleifer *m.*

rectiligne [rɛktiliɲ] geradlinig *a. fig.*

rectite [rɛktit] *f* Mastdarmentzündung *f.*

rectitude [rɛktityd] *f* Richtigkeit, Korrektheit; Geradheit, Aufrichtigkeit, Redlichkeit *f.*

recto [rɛkto] *m typ* Vorderseite, rechte, ungerade Seite *f,* Rekto *n; au ~* auf der Vorderseite.

rectorat [rɛktɔra] *m* Rektorat *n.*

rectum [rɛktɔm] *m* Mastdarm *m.*

reçu, e [rəsy] *pp recevoir a* feststehend, gültig, anerkannt; üblich; *(inv vorangestellt)* (dankend) erhalten; *s m* Quittung, Empfangsbescheinigung *f;* Ein-, Ablieferungs-, Hinterlegungsschein *m; au ~ de* bei Empfang *gen; donner ~ de qc* etw quittieren, den Empfang e-r S bescheinigen; *être ~* das Examen bestanden haben; *il est ~ que* es steht fest, daß; *~ de dépôt* Depositenschein *m.*

recueil [rəkœj] *m* (Lieder-, Gesetz-, Graphik-)Sammlung; *fig* Blütenlese *f;* **~lement** *m* (innere) Sammlung; Konzentration; Andacht *f;* **~li, e** (innerlich) gesammelt; konzentriert; andächtig; **~lir** *irr fig* ernten; (ein=)sammeln; zs.=lesen, -tragen; *(Flüssigkeit)* auf=fangen; empfangen, erhalten; *(Erbschaft)* übernehmen, an=treten; entnehmen (*qc à qc* e-r S etw); *parl (Stimmen)* (aus=)zählen; *(Person)* (bei sich) auf=nehmen; *(Erkundigungen)* ein=ziehen; *se ~* sich sammeln; in Ruhe, ruhig nach=denken, überlegen; *~ du profit de qc* aus etw Nutzen ziehen; *~ des voix (pol)* Stimmen auf sich *(acc)* vereinen.

recui|re [rəkɥir] *irr* noch einmal kochen *od* backen; *tech (Metall)* (aus=) glühen, an=lassen, tempern; *(Glas)* kühlen; **~t, e** *a fam* zerkocht; *s m tech* (Aus-)Glühen, Anlassen, Tempern *n.*

recul [rəkyl] *m* Zurücktreten; Zurückgehen, -weichen *n; fig* Abstand; *fig* Rückgang *m,* Absinken *n;* Rückwärtsbewegung *f,* Rückzug; *tech* Rücklauf; *(Feuerwaffe)* Rückstoß; *fig* Rückgang, -schlag; (Zu-)Rückzieher *m; marquer un ~* nach=lassen; **~ade** *f* Zurückweichen, -gehen, -treten, -fahren *n; fig* Rückzug; Rückgang, -schritt *m;* **~é, e** entfernt, abgelegen; *(Zeit)* alt; *(Zukunft)* fern; *fig* zurückgeblieben; **~ement** *m vx* Zurücktreten, -gehen, -weichen, -fahren *n; (Grenze, Front)* Rückverlegung, Zurücknahme *f; en ~ (arch)* zurückgebaut, -gesetzt; **~er** *itr* zurück=gehen, -treten, -weichen, -fahren; *fig* nach= geben; aus=weichen; zurück=schrekken (*devant* vor *dat*); scheuen; *fam* kneifen; zögern, zaudern; auf=schieben (*à, de qc* etw); rückwärts schreiten; nach=lassen; *tr* zurück=setzen, -stellen, -legen, -schieben, -tragen; weiter entfernt halten, weg=rücken, -schieben, -stellen; *(Grenze)* zurück= nehmen, -verlegen; entfernen; beseitigen *a. fig; (zeitlich)* hinaus=, auf= schieben; *fig* zurück=, hintan=stellen; *(zeitlich)* zurück=verlegen; *faire ~ (Feind)* zurück=treiben; zum Wanken bringen; *ne ~ devant rien* vor nichts zurück=schrecken; *quand on n'avance pas, on ~e* Stillstand ist Rückschritt; **~ons:** *à ~* rückwärts.

récupér|able [rekyperabl] *jur* beitreibbar; erfaßbar; noch brauchbar; **~ateur** *m tech* Wärmespeicher, Winderhitzer *m;* **~ation** *f* Wiedererlangung, -gewinnung; Beitreibung; Bergung; Erfassung; *tech* Wieder-, Rückgewinnung; (Wieder-)Verwertung, Verarbeitung *f;* **~er** *tr* zurück= holen; *(Zeit)* nach=holen; *(Ideen, Menschen)* für sich aus=nutzen; *itr* nach=, *fam* auf=holen; sich erholen; *(vx) se ~* s-n Verlust wieder ein=bringen; sich von s-n Verlusten erholen; *~ ses frais* auf s-e Kosten kommen; *(vx) se ~ de ses pertes* s-e Verluste wieder ein=bringen; sich schadlos halten.

récur|age [rekyraʒ] *m* Scheuern *n;* **~er** (aus=)scheuern, reinigen.

récur|rence [rekyrɑ̃s] *f* Rückläufigkeit *f;* **~rent, e** rückläufig *a. math anat.*

récursoire [rekyrswar] *a jur: action, demande f ~* Regreß-, Rückgriffsklage *f.*

récus|able [rekyzabl] *jur* zurückweis-, bestreitbar; unglaubwürdig, verdächtig; **~ation** *f jur* Ablehnung, Zurückweisung; Verwerfung *f;* **~er** *jur* ab= lehnen, zurück=weisen; verwerfen; *se ~* in den Ausstand treten; sich für unzuständig *od* befangen erklären.

recy|clable [rəsiklabl] wieder=verwertbar; **~clage** *tech ecol* Wiederverwertung *f,* Recycling *n;* Wiederaufbereitung *f; ~ professionnel* Weiterbildung *f;* **~clé, e:** *papier ~* Umweltschutzpapier *n;* **~cler** *tech ecol* wieder=verwerten, wieder=aufbereiten; weiter=bilden, um=schulen.

rédact|eur, trice [redaktœr, -tris] *m f* Verfasser(in *f*); *(Zeitung)* Redakteur, Schriftleiter(in *f*) *m;* ~ *en chef* Chefredakteur *m;* ~ *sportif* Sportschriftleiter *m;* **~ion** [-ksjɔ̃] *f* Aufsetzen *n,* Ausarbeitung; Abfassung; Redaktion, Schriftleitung *f;* **~ionnel, le** redaktionell; Redaktions-.

redan, redent [rədɑ̃] *m* Felszacken *m; arch* Auszahnung *f;* (Mauer-)Vorsprung *m; min* Stufenfolge; *aero (~ de flotteur d'hydravion)* (Schwimmer-)Stufe *f.*

reddition [re(ɛ)disjɔ̃] *f* Zurückgabe; Auslieferung; *mil* Übergabe *f;* ~ *de compte (com)* Rechnungs(ab)legung *f.*

redemander [rəd(ə)mɑ̃de] noch einmal fragen *od* bitten; noch einmal, nach≈fordern; zurück≈fordern, -verlangen.

rédempt|eur, trice [redɑ̃ptœr, -tris] *a rel* erlösend; Erlösungs-; *s m* Erlöser *m;* **~ion** [-psjɔ̃] *f rel* Erlösung; *com* Ablösung *f.*

redescendre [rədɛsɑ̃dr] *itr tr* wieder hinab≈steigen; *itr (Weg)* wieder hinab≈führen; *(Barometer)* wieder fallen; *fig* hinab≈steigen, sinken; *tr* wieder tiefer hängen, w. herunter≈nehmen.

redev|able [rəd(ə)vabl] *a: être ~ de qc à qn* jdm etw schuldig sein, schulden; *fig* jdm zu etw verpflichtet sein, jdm etw verdanken; ~ *de l'impôt* steuerpflichtig; **~ance** *f* Abgabe *f,* Zins *m,* Lasten *f pl;* Stand-, Platzgeld *n;* **~ancier, ère** *m f* Abgabe-, Zinspflichtige(r *m*) *f.*

redevenir [rəd(ə)vənir] *irr* wieder werden.

redevoir [rəd(ə)vwar] *irr* noch schulden, schuldig bleiben (*qc à qn* jdm etw).

rédhibit|ion [redibisjɔ̃] *f jur* Wandlung, Rückgängigmachung *f* e-s Kaufvertrages; **~oire** *jur* redhibitorisch; *n'être pas* ~ kein Hindernis sein.

rédiger [rediʒe] auf≈setzen, aus≈arbeiten; ver-, ab≈fassen; nieder≈schreiben; *(Zeitung)* redigieren; Redakteur sein *gen.*

redingote [rədɛ̃gɔt] *f* Gehrock; auf Taille gearbeitete(r) Damenmantel *m.*

redi|re [r(ə)dir] *irr tr* noch einmal sagen; wiederholen, weiter≈sagen, aus≈plaudern; *fig* zum Ausdruck bringen; *itr: trouver à* ~ etw auszusetzen haben (*à qc* an e-r S); *se* ~ sich, ea. immer wieder sagen; *ne pas se le faire* ~ aufs Wort gehorchen; **~te** *f* (unnütze) Wiederholung *f.*

redon|dance [rədɔ̃dɑ̃s] *f* Wortschwall *m;* Weitschweifig-, Langatmigkeit *f; gram* Redundanz *f;* **~dant, e** weitschweifig, langatmig; **~der** *vx* im Übermaß, reichlich vorhanden sein; ~ *de qc* vor *od* von etw strotzen, *fam* wimmeln.

redonner [rədɔne] *tr* aufs neue, (immer) wieder geben; wieder≈, zurück≈geben; *(Schläge)* erwidern; weiter≈geben, übermitteln; an den Tag bringen; *(Jagd)* wieder auf≈scheuchen; *theat* wieder spielen; *itr* zurück≈fallen (*dans* in *acc*); wieder ein≈setzen *od* an≈fangen; (aufs) neu(e) an≈greifen; *se* ~ sich wieder, aufs neue hin≈geben *od* widmen (*à* dat); sich (gegenseitig) zurück≈geben; ~ *du courage à qn* jdm wieder Mut machen.

redoubl|ant, e [r(ə)dublɑ̃, -ɑ̃t] *m f (Schule)* Sitzengebliebene(r *m*) *f;* **~é, e** verstärkt, -mehrt, -doppelt; Doppel-; *pas m ~ (mil)* Geschwindschritt *m; rimes f pl ~es* Doppelreim *m;* **~ement** *m* Verstärkung, -doppelung; Zunahme; *gram* Reduplikation *f;* **~er** *tr* verstärken, -mehren, -doppeln, steigern; wieder füttern; *itr* stärker werden, sich verdoppeln, zu≈nehmen; *fam* (noch einmal) von vorn an≈fangen; verstärken, -doppeln (*de* acc); ~ *(une classe) (Schule)* e-e Klasse wiederholen, sitzengeblieben sein; ~ *d'efforts, de soins* mit verstärkten Kräften, mit vermehrter Sorgfalt ans Werk gehen.

redout|able [rədutabl] furcht-, grauenerregend; furchtbar, fürchterlich; **~er** (sehr) (be)fürchten, sich (sehr) fürchten (*qc* vor etw); *vous n'avez rien à ~* Sie brauchen keine Angst zu haben.

redress|ement [rədrɛsmɑ̃] *m fig* Berichtigung, Verbesserung; Wiedergutmachung *f;* Wiederaufstieg, -bau *m; com* Sanierung *f;* ~ *économique* Belebung *f,* Aufschwung *m* der Wirtschaft; **~er** (wieder) auf≈, gerade≈richten; w. auf≈stellen; *fig (Fehler)* berichtigen, richtig≈stellen; wieder in Ordnung bringen; *(Unrecht)* wieder-gut≈machen; *(Mißbrauch)* ab≈stellen; erheben, auf≈richten; *vx fam* gehörig die Meinung sagen, den Kopf waschen (*qn* jdm); *(Kurs)* befestigen; *(Wirtschaft)* beleben, an≈kurbeln, sanieren; *tech* (nach≈, gerade≈)richten; *el* gleich≈richten; *aero* ab≈fangen; *se* ~ sich wieder auf≈richten; sich in die Brust werfen; wieder auf≈stehen; sich w. erheben; sich bessern; **~eur** *m el radio* Gleichrichter *m;* ~ *de torts (fam ironisch)* Weltverbesserer *m.*

redû [rədy] *m* Restschuld *f.*

réduc|teur, trice [redyktœr, -tris] *a* reduzierend; *s m chem* Reduktionsmittel *n; tech* Verminderer *m;* Vorgelege *n; el* Spannungsteiler *m; division f ~trice (biol)* Reifeteilung *f; ~ à engrenages* Zahnradgetriebe *~ à satellites* Planetengetriebe *n; ~ de vitesse* Untersetzungsgetriebe *n;* **~tibilité** *f* Reduzierbarkeit *f;* **~tible** reduzierbar; zerlegbar; **~tion** [-ksjɔ̃] *f* Verringerung, -minderung; Abschwächung; Herabsetzung; Einschränkung; Vereinfachung; Zurückführung; Umwandlung, -setzung; *(Zeit)* Verkürzung; *math* Kürzung; *(Bild)* Verkleinerung, -kürzung, Verjüngung; *(Preis, Gebühr)* Senkung, Ermäßigung *f,* Nachlaß, Abschlag *m; com* Umrechnung, Konvertierung; *(Gehalt)* Kürzung; *phys chem* Reduktion; *med* Einrenkung; *tech* (Ver-) Minderung, Drosselung; *(~ de vitesse)* Untersetzung, Übersetzung (ins Langsame); Zerkleinerung; *min* Aufschließung *f; tableau m de ~* Umrechnungstabelle *f; ~ de capital* Kapitalzs.legung, -einziehung *f; ~ chromatique (biol)* Reifeteilung *f; ~ de la consommation (com)* Verbrauchsrückgang *m; ~ de course* Hubminderung *f; ~ (par ébullition)* Einkochen *n; ~ des naissances* Geburtenrückgang *m; ~ du personnel* Personalabbau *m; ~ de la pression* Druckverminderung *f; ~ de prix, d'impôts, du taux d'escompte* Preis-, Steuer-, Diskontsenkung *f; ~ de rentes, de traitements* Renten-, Gehaltskürzung *f; ~ de salaires* Lohnabbau *m; ~ du temps de travail* Arbeitszeitverkürzung *f.*

ré|duire [redɥir] *irr* verringern, -mindern; ab≈schwächen, herab≈setzen; ein≈engen, ein≈schränken, vereinfachen, zurück≈führen (*à* auf *acc*); ver-, um≈wandeln (*en* in *acc*); beschränken (*à* auf *acc*); *(in e-n Zustand)* bringen, versetzen *(à, dans* in *acc*); unterwerfen, zwingen, nötigen; *(Widerstand)* brechen; *(Zeit)* verkürzen; *math* kürzen, reduzieren; *(Bild)* verkleinern, verkürzen, verjüngen; *(Preis, Gebühr)* senken, ermäßigen; *(Maß)* um≈rechnen *a. com; com* konvertieren; *(Gehalt)* kürzen; *(Personal, Beamte)* ab≈bauen; *(~ par ébullition) (Flüssigkeit)* ein≈kochen, -dicken; *phys chem (Oxyd)* reduzieren; *med* ein≈renken; *tech* (ver)mindern; drosseln; *(~ en petits morceaux, fragments)* zerkleinern; *min* auf≈schließen; *se ~* sich vermindern, -ringern; sich vereinfachen, sich verwandeln (*en qc* in *acc*); ein≈kochen *itr;* nur bestehen (*à* in *dat*); beschränkt sein, sich zurückführen lassen, hinaus≈laufen (*à* auf *acc*); sich beschränken (*à* auf *acc*); *(vx) ~ en acte, en effet* in die Tat um≈setzen; *~ en cendres* nieder≈brennen; *~ au même dénominateur (math)* auf einen Nenner bringen; *~ au désespoir* zur Verzweiflung treiben *od* bringen; *~ le prix de qc* etw verbilligen; *~ à rien, en poussière* völlig zerstören, vernichten, in nichts auf≈lösen, pulverisieren *a. fig; être ~it à qc* auf e-e S angewiesen sein; *~ au silence, à l'obéissance, à la raison, à la mendicité* zum Schweigen, zum Gehorsam, zur Vernunft, an den Bettelstab bringen; **~duit, e** [-dɥi, -it] *a* verkleinert, -mindert; vereinfacht; be-, eingeschränkt; eingedickt; ge-, verkürzt; *(Preis)* ermäßigt, herabgesetzt; *fig fam* heruntergekommen; *s m* stille(s) Plätzchen *n,* Klause *f fig;* Verschlag; (dunkler) Winkel *m;* (finsteres) Loch *n,* Höhle *f fig; f math* reduzierte Gleichung *f; être ~ à rien* völlig mittellos da≈stehen; *à prix ~s* zu herabgesetzten Preisen; *~ à soi--même* auf sich *(acc)* selbst angewiesen *od* gestellt.

réduplication [redyplikasjɔ̃] *f gram* Reduplikation, Verdopp(e)lung, Wiederholung *f.*

rééd|ification [reedifikasjɔ̃] *f* Wiederaufbau *m a. fig;* **~ifier** [-fje] wieder auf≈bauen *a. fig.*

réédi|ter [reedite] *(Buch)* wieder, neu herausgeben; *fig (Gerücht)* wieder in Umlauf setzen *od* bringen; *(Sportsieg)* wiederholen; **~tion** *f* Neuausgabe, -auflage *f,* -druck *m.*

réédu|cation [reedykasjɔ̃] *f med* Heilgymnastik; *(~ professionnelle)* Umschulung; Umerziehung *f;* **~quer** *med* wieder funktionsfähig machen; wieder an≈leiten, -lernen; um≈erziehen, -schulen.

réel, le [reɛl] *a* wirklich; *math* real; *jur* dinglich; Real-; *s m* (das) Wirkliche; *dans le ~* in (der) Wirklichkeit; *action f ~le* dingliche Klage *f; charge f ~le* Reallast *f; droit m ~* dingliche(s) Recht *n; garantie, sûreté f ~le* Real-, dingliche Sicherheit *f; saisie f ~le* Grundstückspfändung *f;* **~lement** *adv* wirklich, tatsächlich, in der Tat.

réél|ection [reelɛksjɔ̃] *f pol* Wiederwahl *f;* **~igibilité** *f* Wiederwählbarkeit *f;* **~igible** wiederwählbar; **~ire** *irr* wieder≈wählen.

réemption [reɑ̃psjɔ̃] *f* Rückkaufsrecht *n.*

réen|gagement [reɑ̃gaʒmɑ̃] *m,* **~ga-**

ger *s. rengag ...;* ~**rouler** wieder auf=rollen; ~**semencer** wieder, neu besäen.

réescompt|e [reɛskõt] *m* Rediskont(ierung *f*) *m;* ~**er** rediskontieren.

réévalu|ation [reevalɥasjõ] *f* Neubewertung; Wertberichtigung *f;* Aufwertung *f;* ~**er** [-lɥe] neu bewerten; auf=werten.

réexp|édier [reɛkspedje] weiter=befördern; *(Post)* nach=senden; ~**édition** *f* Weiterbeförderung; *(Post)* Nachsendung *f;* ~**ortation** *f com* Wiederausfuhr *f;* ~**orter** wiederaus=führen.

réfaction [refaksjõ] *f com* Nachlaß *m,* Ermäßigung, Herabsetzung, Senkung *f.*

refaire [rəfɛr] *irr tr* noch einmal, neu machen, um=arbeiten; wieder von vorn an=fangen; wiederher=stellen *a. med;* reparieren, aus=bessern, wieder in Ordnung bringen; *(Küche)* schmoren, dämpfen; *pop* betrügen; *itr (Spielkarten)* noch einmal geben; *se* ~ wieder zu Kräften kommen, sich wieder erholen *a. com; (Spiel)* (wieder) auf=holen; ~ *le plein d'essence (mot)* (auf=)tanken; *se* ~ *la santé* s-e Gesundheit wiederher=stellen; *c'est fait et refait* das ist längst erledigt.

réfection [refɛksjõ] *f* Wiederherstellung, -instandsetzung, Ausbesserung; Erholung *f;* ~**ner** [-sjɔ-] wiederher=stellen.

réfectoire [refɛktwar] *m* Speisesaal *m; arch rel* Refektorium *n.*

refend [rəfã] *m* Spalten *n; agr* Spalierwand *f; bois, cuir m de* ~ Spaltholz, -leder *n; ligne f de* ~ Mauerfuge, -rille *f; mur m de* ~ Scheidewand *f; pierre f de* ~ Eckstein *m;* ~**re** [-fãdr] (noch einmal) spalten; (der Länge nach) (zer)sägen; *(Metall)* schneiden.

référ|é [refere] *m jur* Antrag *m* auf vorläufige Entscheidung; *appeler* od *plaider, prononcer en* ~ e-e vorläufige E. beantragen, treffen; *jugement m, ordonnance f de* ~ vorläufige Entscheidung, einstweilige Verfügung *f;* ~**ence** *f* Hinweis *m;* Verweisung, Stellenangabe; Bezugnahme *f; com* Musterbuch *n; pl* Referenzen, Empfehlungen *f pl; votre* ~ *(com)* Ihr Zeichen; *donner des* ~*s* Referenzen bei=bringen; *prendre des* ~*s sur qn* Referenzen über jdn ein=holen; *note f de* ~ (Akten-)Zeichen *n; numéro m de* ~ Verweisungsnummer *f; ouvrage m de* ~ Nachschlagewerk *n;* ~ *publicitaire (com)* Quellenangabe *f.*

référendaire [referãdɛr] *a: conseiller m* ~ *(à la Cour des comptes)* Rechnungsrat *m* (an der Oberrechnungskammer).

référendum [referãdɔm] *m* Volksentscheid *m;* Urabstimmung *f.*

référer [refere] beziehen (*à* auf *acc*); vergleichen (*à* mit); zu=schreiben, bei=messen (*à* qn jdm); *jur (Eid)* zu=schieben (*à qn* jdm); *itr: en* ~ berichten, Bericht erstatten (*à* dat); sich berufen (*à* auf *acc*); *se, s'en* ~ *à* sich beziehen auf *acc;* sich halten an *acc;* sich berufen auf *acc; (en) nous* ~*ant* unter Bezugnahme (*à* auf *acc*).

refermer [rəfɛrme] wieder schließen *od* zu=machen; *se* ~ sich wieder schließen.

referrer [rəfɛre] *(Pferd)* neu beschlagen.

réflé|chi, e [refleʃi] überlegt; umsichtig; bedächtig; *gram* reflexiv, rückbezüglich; Reflexiv-; ~**chir** *tr phys* zurück=werfen, -strahlen, reflektieren; *fig* aus=strahlen (*sur* auf *acc,* über *acc*); *itr fig* zurück=fallen (*sur* auf *acc*); nach=denken (*à* über *acc*), überlegen (*à, sur qc* etw); *se* ~ sich spiegeln (*dans* in *dat*) *a. fig;* ~ *mûrement sur qc* sich etw reiflich überlegen; *après avoir mûrement* ~*i* nach reiflicher Überlegung; ~*issez mûrement!* überlegen Sie sich das gut! ~**chissant, e** zurückstrahlend; Rückstrahl-; ~**chissement** *m* Rückstrahlung *f.*

réflecteur, trice [reflɛktœr, -tris] *a* zurückwerfend, -strahlend; *s m* Reflektor, Hohlspiegel, Scheinwerfer *m;* ~ *rouge* Rückstrahler *m,* Katzenauge *n.*

refl|et [rəflɛ] *m opt* Reflex, Widerschein *m; (Stoff)* Glanzlicht *n; fig* Abglanz, Spiegel(bild*n*); *pl* Schimmer, Glanz *m; à* ~*s bleus* blau schimmernd; ~*s métalliques* Metallglanz *m;* ~**éter** *tr (Licht)* zurück=werfen, -strahlen, (wider=)spiegeln *a. fig; fig* wieder=geben; *itr* u. *se* ~ sich wider=spiegeln *a. fig; fig* sich ab=malen (*sur* auf *acc*); *fig* s-n Glanz, s-n Schimmer werfen (*sur* auf *acc*).

refleu|rir [rəflørir] *irr* wieder, zum zweitenmal blühen; *fig* wiederauf=blühen, -leben; *faire* ~ e-n Aufschwung geben *dat;* ~**rissement** *m* zweite Blüte *f (in e-m Jahr).*

réflex|e [reflɛks] *a phys* reflektorisch; *(Physiologie)* unwillkürlich, Reflex-; *s m (Physiologie)* Reflex *m; avoir ses* ~*s* schnell reagieren; *action f, phénomène m* ~ Reflexbewegung *f;* ~**ible** reflektierbar; ~**ion** *f phys* Reflexion, Rückstrahlung, Spiegelung *f,* Widerschein *m;* Nachdenken, -sinnen *n;* Überlegung, Betrachtung *f; à la* ~ wenn man (so) darüber nachdenkt; *sans* ~ unüberlegt, ohne Überlegung; *(toute)* ~ *faite* nach reiflicher Überlegung; *faire de sérieuses* ~*s* ernsthafte Betrachtungen an=stellen; *cela mérite* ~ das wäre zu überlegen.

re|fluer [rəflye] zurück=fließen, -fluten, -strömen *a. fig; fig* zurück=kehren; ~**flux** [-y] *m* Ebbe; *fig* Rückwärtsbewegung *f,* Zurückströmen *n.*

refon|dre [rəfɔ̃dr] *tech* um=, ein=schmelzen, um=gießen; *(Papier)* ein=stampfen; *fig* (völlig) um=arbeiten, neu schreiben; *fam* völlig um=krempeln; ~**te** *f* Um-, Einschmelzen, Umgießen; *(Papier)* Einstampfen *n; (Schiff)* Umbau *m; fig* Umarbeitung, Umgestaltung *f.*

réform|able [refɔrmabl] abzuändern(d); *(Mißbrauch)* abzustellen(d); besserungsfähig; ~**ateur, trice** *a* reformatorisch; Reform-; *s m f* Reformer(in *f*); *rel* Reformator *m;* ~**ation** *f* Reform; Umwandlung; *la R*~ *(rel)* die Reformation; *fête f de la R*~ Reformationsfest *n;* ~**e** *f* Wiederherstellung; Reform; Um-, Neugestaltung; *vx* Einschränkung; Verringerung, Verkleinerung; Vereinfachung; *(Mißbrauch)* Abstellung; *jur (Urteil)* Aufhebung; Verbesserung; *(Lebensweise)* Umstellung; *mil* Entlassung; Ausmusterung; Außerbetriebsetzung *f; la R*~ *(rel)* die Reformation; *de* ~ *(mil)* ausgemustert; ~ *agraire, électorale, fiscale, monétaire* Boden-, Wahl-, Steuer-, Währungsreform *f;* ~ *de l'enseignement* Schulreform *f;* ~ *temporaire (mil)* Zurückstellung *f;* ~**é, e** *a rel* reformiert; *s m* Reformierte(r), Evangelische(r), Protestant; Angehörige(r) e-s Reformordens; *mil* wegen Dienstuntauglichkeit entlassene(r) Soldat *m;* ~**er** reformieren; um=gestalten; *vx* ein=schränken; verringern, verkleinern; vereinfachen; *(Mißbrauch)* ab=stellen; *(Betragen)* bessern; *mil* wegen Dienstuntauglichkeit entlassen; aus=mustern; ~**iste** *a* reformfreundlich; reformerisch; *s m* Reformanhänger; Reformist *m.*

reformer [rəfɔrme] neu bilden; *mil* neu formieren; *se* ~ *(mil)* sich wieder formieren; ~ *les rangs (mil)* wieder an=treten.

refouill|ement [rəfujmɑ̃] *m tech* Aushöhlung, -bohrung; *arch* Durchbohrung *f;* ~**er** aufs neue durchsuchen; *tech arch* ein Loch hauen *od* bohren (*qc* in *od* durch etw).

refoul|ement [rəfulmɑ̃] *m mil* Zurückdrängung; *(Ausländer)* Abweisung *f; (Wasser)* Stauung *f;* Zurückfluten, -strömen; *(Tränen)* Zurückhalten; *(Gefühl)* Unterdrücken *n; (Psychologie)* Verdrängung *f; tech* Pumpen *n; (Eisen)* Stauchung; *(Pumpe)* Förderung *f; loc* Rückwärtsfahrenlassen *n;* ~**er** *tr (Feind)* zurück=drängen; ab=wehren; *(Ausländer)* ab=weisen; *(Angriff)* ab=wehren, ab=weisen; *(Wasser)* auf=stauen; *(Tränen)* zurück=halten; *(Gefühl)* unterdrücken; *(Psychologie)* verdrängen; zs.=drücken, -pressen; auf=pumpen; *chem* komprimieren, *tech* stauchen; *(Pumpe)* fördern; *loc* rückwärts fahren lassen, r. schieben; *itr tech* sich nicht ein=schlagen, -treiben lassen.

réfract|aire [refraktɛr] *a* aufsässig; widerspenstig; *tech* feuerfest; strengflüssig; *s m* Widerspenstige(r); ~**er** *opt* brechen; *se* ~ *(Licht)* sich brechen; ~**ion** [-ksjɔ̃] *f (Licht, Schall)* Brechung *f.*

refrain [rəfrɛ̃] *m* Refrain, Kehrreim *m; fig* ständige Redensart *f.*

réfrang|ibilité [refrɑ̃ʒibilite] *f opt* Brechbarkeit *f;* ~**ible** *opt* brechbar.

refrapper [rəfrape] wieder schlagen; *(Geld)* neu prägen.

refr|ènement [rəfrɛnmɑ̃] *m fig* Zügelung *f;* ~**éné, e** *(Psychologie)* gehemmt; ~**éner** *fig* zügeln, im Zaum halten, Einhalt gebieten (*qn, qc* jdm, e-r S).

réfrigér|ant, e [refriʒerɑ̃, -ɑ̃t] *a* kühlend; *fig* eisig; Kühl-; *s m* Kühlgefäß *n,* -apparat *m,* -schiff, -mittel *n;* ~**ateur** *m* Kühlschrank *m;* ~**atif, ive** *a pharm* kühlend; Kühl-; *s m* kühlende(s) Mittel *n;* ~**ation** *f tech* (Ab-) Kühlung; *med* Kühlung *f;* ~**er** abkühlen.

réfring|ence [refrɛ̃ʒɑ̃s] *f opt* Brechfähigkeit *f;* ~**ent, e** lichtbrechend.

refroid|ir [rəfrwadir] *tr* ab=kühlen (lassen); *fig* kühler, lau werden lassen, abschwächen, vermindern; ~ *qn* jds Begeisterung dämpfen; *arg* kaltmachen, ab=murksen, killen; *itr* kälter werden, ab=kühlen, erkalten *a. fig; fig* lau, schwächer werden, nach=lassen; *se* ~ *(med)* sich erkälten; kälter, *fig* lau werden; ~*i par l'air, par l'eau* luft-, wassergekühlt; ~**issement** *m* Erkalten *n,* Abkühlung; *med* Erkältung; *fig* Abkühlung, -schwächung *f,* Nachlassen *n; tech mot* Kühlung *f; prendre un* ~ sich e-e Erkältung zu=ziehen; *(chambre à) eau f à* ~ Kühlwasser(raum *m*) *n; perte f par* ~ Wärmeverlust *m;* ~ *par air, par* od *à eau, à huile* Luft-, Wasser-, Ölkühlung *f;* **~isseur** *m tech mot* Kühler, Kühlapparat *m,* -anlage *f.*

refuge [rəfyʒ] *m* Zufluchtsort *m,* Asyl *n;* Treffpunkt *m; fig* Zuflucht *f;* Retter (in der Not) *m;* Verkehrsinsel; Schutzhütte; *fig* Ausflucht *f; chercher, trouver ~* Zuflucht suchen, finden; *(maison f de) ~* Übernachtungsheim *n.*

refuite [rəfɥit] *f (Wild)* Wechsel *m.*

réfugi|é, e [refyʒje] *m f* Flüchtling *m;* **~er, se** sich zurück=ziehen; (sich) flüchten, Zuflucht suchen (*chez, auprès de* bei).

refus [rəfy] *m* (Ver-)Weigerung; Ablehnung, Absage, abschlägige Antwort *f,* abschlägige(r) Bescheid *m; en cas de ~* im Weigerungsfall; *essuyer, éprouver, s'attirer un ~* abschlägigen Bescheid *od* e-n Korb bekommen; *ce n'est pas de ~* so etw schlägt man nicht ab *od* aus; *~ d'acceptation, de paiement* Annahme-, Zahlungsverweigerung *f; ~ de lait (med)* Ausbleiben *n* der Milch; *~ d'obéissance (mil)* Befehlsverweigerung *f; ~ de travailler* Arbeitsverweigerung *f;* **~é, e** [-ze] *m f (Prüfung)* Durchgefallene(r *m) f;* **~er** nicht an=nehmen, ab=, aus=schlagen *(a. Heirat),* zurück=weisen, ab=lehnen; verweigern; sich weigern (*de faire qc* etw zu tun); be-, ab=streiten, nicht zu=billigen, nicht an=erkennen; *(Prüfung)* durchfallen lassen; *fig* nicht können (*de faire qc* etw tun); *mil* sich nicht ein=lassen auf, in *(acc); tech* nicht mehr funktionieren wollen; versagen; *mar (Wind)* ungünstig sein; *se ~* sich weigern, es ab=lehnen (*à faire qc* etw zu tun); *à qc* sich gegen etw sperren, etw ab=lehnen; *qc* sich etw versagen, nicht gönnen; *ne se ~ à rien* nicht nein sagen können; *~ sa porte à qn* jdn nicht empfangen; *ne ~ aucun travail* keine Arbeit scheuen; *cela ne se ~e pas* das schlägt man nicht ab *od* aus; *il ne se ~e rien* er läßt sich nichts abgehen; *il se ~e tout plaisir* er gönnt sich nicht das geringste Vergnügen; *la plume se ~e* die Feder sträubt sich.

réfut|able [refytabl] widerlegbar; **~ation** *f* Widerlegung *f;* **~er** widerlegen.

regagner [rəgɑ(a)ɲe] zurück=, wieder=gewinnen; wieder=, zurück=bekommen; *(Ort)* wieder erreichen, zurück=kehren (*qc* nach etw); *(Zeit)* wieder ein=holen, -bringen; *qn* jdn wieder für sich gewinnen; *~ du terrain (fig)* Boden gewinnen.

regain [rəgɛ̃] *m agr* Grum(me)t; *fig* Wiederaufblühen, -leben *n;* Erneuerung *f; ~ d'activité (com)* Neubelebung *f.*

régal, e [regal] *s m* Festmahl, (Fest-) Essen; *fam fig* Festessen *n; pop* Mokka *m* mit Weinbrand; *fig* Wonne *f,* Vergnügen *n,* Genuß *m; s f hist* Regal; Hoheitsrecht *n; a: eau ~e (chem)* Königswasser *n; ~ pour l'œil, pour l'oreille* Augenweide *f;* Ohrenschmaus *m;* **~ade** *f* Schmaus(erei *f*); Reisig-, helle(s) Feuer *n; boire à la ~* aus der Flasche trinken, ohne anzusetzen.

régal|age [regalaʒ], **~ement** *m* Einebnen, Planieren *n.*

régaler [regale] **1.** *tr* (festlich) bewirten; traktieren (*de* mit); *fig* auf=tischen (*qn de qc* jdm etw); unterhalten, erfreuen (*de* mit); *pop* frei=halten; *itr pop* die Zeche bezahlen; **2.** *tech* ein=ebnen, planieren; gleichmäßig verteilen; verstreichen; *se ~* gut essen; sich gütlich tun (*de qc* an e-r S); *fig* genießen (*de* acc), sich erfreuen (*de* an *dat*); sich (gegenseitig) zum Essen ein=laden.

régalien, ne [regaljɛ̃, -ɛn] *hist* Königs-; hoheitlich; *droit m ~* Hoheitsrecht *n.*

regard [rəgar] *m* Blick *m; pl* Aufmerksamkeit *f; tech* Licht-, Sehloch *n;* (Einsteig-)Schacht *m; au ~ de* in Hinblick auf *(acc);* verglichen mit; *d'un seul ~* mit einem Blick; *en ~ (typ)* gegenüberstehend; *abaisser son ~* den Blick senken; *attacher, fixer ses ~s sur* unverwandt blicken, starren auf, fixieren (*sur qc* e-e S); *attirer les ~s* die Blicke auf sich ziehen; *jeter un ~ curieux* e-n neugierigen Blick werfen (*sur* auf *acc*); *lancer des ~s furieux* wütende Blicke schleudern; *mettre en ~ de* gegenüber=stellen *dat,* vergleichen mit; *mitrailler du ~* mit Blicken töten; *promener ses ~s* s-e Blicke schweifen lassen; *angle m, direction f de ~* Blickwinkel *m,* -richtung *f; ~ en arrière* Rückblick *m; ~ de connaisseur* Kennerblick *m;* **~ant, e** [-dɑ̃, -ɑ̃t] kleinlich, genau *(im Ausgeben, Verbrauchen);* **~er** *tr* an=blicken, -sehen, -schauen; blicken, sehen, schauen (*qc* auf e-e S); betrachten *a. fig,* besehen, in Augenschein nehmen; halten (*comme* für), an=sehen (*comme* als); beachten, bedenken; in Erwägung ziehen, berücksichtigen; an=gehen, betreffen; *(Gebäude)* gegenüber=stehen (*qc* e-r S); liegen; *(Magnetnadel)* zeigen, weisen (*qc* nach etw); *itr* sehen, schauen, blicken (*à* auf *acc, par la fenêtre* zum Fenster hinaus); her=sehen, -schauen; achten, großen Wert legen (*à* auf *acc*); *se* ~ auf sich (selbst) achten, sich (selbst) prüfen; sich (gegenseitig) an=schauen, -sehen; *(Gebäude)* sich gegenüber=stehen; ~ *qn comme une bête curieuse* jdn an=gaffen; ~ *qn dans le blanc des yeux* jdn scharf an=sehen; ~ *derrière soi* sich um=sehen, -schauen; *y* ~ *à deux fois* es sich genau überlegen; ~ *par--dessus l'épaule* über die Schulter an=sehen; ~ *en face, fixement* an=starren, -stieren; ~ *de haut en bas* von oben bis unten, von Kopf bis Fuß an=sehen; ~ *de près* aus der Nähe betrachten; *fig* genau achten (*qc* od *à qc* auf e-e S); *ne pas y* ~ *de trop près* ein Auge zu=drücken, fünf gerade sein lassen; ~ *de travers (fig)* schief *od* böse an=sehen; *cela ne me* ~*e pas* das geht mich nichts an, ist nicht meine Sache; das betrifft mich nicht; *il ne faut pas y* ~ *de si près* das darf man nicht so genau nehmen.

régate [regat] *f mar* Regatta; Matrosenschleife *f.*

régence [reʒɑ̃s] *f* Regentschaft *f.*

régénér|ateur, trice [reʒeneratœr, -tris] *a* regenerierend; Regenerierungs-; *s m* Erneuerer; *tech* Regenerator, Wärmespeicher, Luftvorwärmer *m;* ~**atif, ive** regenerierend; ~**ation** *f biol* Regeneration, Neubildung; *fig* Wiederherstellung, Erneuerung; *rel* Wiedergeburt; *radio* Entzerrung *f,* ~ *(des forêts)* Wiederaufforstung *f;* ~**er** regenerieren, neu bilden; *fig* wiederher=stellen, erneuern; *se* ~ sich neu bilden, nachwachsen; sich erneuern; ~**escence** *f* Erneuerung *f.*

régent, e [reʒɑ̃, -ɑ̃t] *m f* (Prinz-)Regent(in *f*) *m;* ~**er** schulmeistern.

régicide [reʒisid] *m* Königsmörder; Königsmord *m.*

régie [reʒi] *f* Regie, Verwaltung *f* der indirekten Staatseinkünfte; Regiebeamte(n) *m pl; radio* Regieraum *m; mauvaise* ~ Mißwirtschaft *f;* ~ *financière* Finanzverwaltung *f;* ~ *des tabacs* Tabakregie *f.*

regimber [rəʒɛ̃be] *(Pferd)* aus=schlagen; *fig* u. *se* ~ sich sträuben, sich auf=lehnen (*contre* gegen).

régime [reʒim] *m* Regime *n,* Regierungs-, Staatsform; *(~ administratif)* Verwaltung(ssystem *n,* -norm); Regelung, Einrichtung, Ordnung *f;* System, Wesen *n;* Bereich *m;* Verhältnisse *n pl;* Lebensweise *f; gram* Objekt *n,* (Satz-)Ergänzung; *med* Diät, Krankenkost *f; bot* (Blüten-)Kolben *m; (Bananen, Datteln)* Büschel *n; tech* (normaler) Leistungsbereich *m; mot* Drehzahl *f; à* ~ *rapide, lent* schnell, langsam laufend; *mettre au* ~ *(med)* auf Diät setzen; *suivre un* ~ Diät halten; *plein* ~ *(mot)* Vollgas *n;* ~ *de base, additionnel* Grund-, Beikost *f;* ~ *de la communauté des biens (réduite aux acquêts)* eheliche Güter(-Zugewinn-, -Errungenschafts)gemeinschaft *f;* ~ *de compensation* Verrechnungssystem *n;* ~ *de consommation* Verbrauchslenkung *f;* ~ *des crédits* Kreditwirtschaft *f,* -system *n;* ~ *cru, carné, végétal* Roh-, Fleisch-, Pflanzenkost *f;* ~ *direct, indirect* Akkusativ-, präpositionale(s) Objekt *n;* ~ *douanier (protecteur)* (Schutz-)Zollsystem *n;* ~ *féodal* Lehnswesen, -system *n;* ~ *financier* Finanzgebarung *f;* ~ *fiscal* Steuergesetzgebung *f,* -recht *n;* ~ *légal* gesetzliche(r) Güterstand *m;* ~ *monarchique, républicain, représentatif* monarchische, republikanische, parlamentarische Staats-, Regierungsform *f;* ~ *monétaire* Geldwesen; Währungssystem *n;* ~ *des passeports* Paßwesen *n;* ~ *pénitentiaire* Strafvollzugsordnung *f,* Gefängniswesen *n;* ~ *policier* Polizeistaat *m;* ~ *sanitaire* gesundheitspolizeiliche Maßnahmen *f pl,* Gesundheitswesen *n;* ~ *sec, lacté* Trocken-, Milchdiät *f;* ~ *de la séparation des biens* Gütertrennung *f;* ~ *transitoire* Übergangsregelung *f.*

régiment [reʒimɑ̃] *m mil* Regiment *n; un* ~ *de (fig fam)* ein ganzes Heer von; ~ *de chars, du génie, d'infanterie portée* Panzer-, Pionier-, Panzergrenadierregiment *n;* ~**aire** *a* Regiments-.

région [reʒjɔ̃] *f* Gegend *f a. fig,* Landstrich *m,* Gebiet *n,* Bezirk; *mil* Raum *m; fig* Bereich *m* od *n,* Gebiet, Feld *n; (Gesellschaft, Luft)* Schicht; *anat* (Körper-)Gegend *f; math* Abschnitt *m; hautes* ~*s (fig)* höhere Regionen *f pl;* ~ *désertique* Wüstengebiet *n;* ~ *économique* Wirtschaftsgebiet *n;* ~ *frontalière, limitrophe* Grenzgebiet *n,* -bezirk *m; des* ~*s à faible peuplement* dünn besiedelte Gebiete *n pl;* ~ *à haute, basse pression (Meteorologie)* Hoch-, Tiefdruckgebiet *n;* ~ *industrielle* Industriegebiet *n;* ~*-pilote f* Musterbezirk *m;* ~ *vinicole* Weingegend *f;* ~**al, e** *a* regional; Gebiets-; *s m* große Provinzzeitung *f; informations f pl* ~*es (radio)* Regionalnachrichten *f pl;* ~**alisation** *f* Regionalisierung *f;* ~**aliser** regionalisieren; ~**alisme** *m* Regionalismus *m.*

régi|r [reʒir] regieren, verwalten; regeln, lenken, leiten *a. fig; gram* regieren, stehen (*qc* mit etw); *être ~i par une loi* unter e-m Gesetz stehen; **~sseur, se** *m f* (Guts-)Verwalter(in *f*); *theat film* Regieassistent(in *f*) *m.*

registre [rəʒistr] *m* Register *a. typ,* Verzeichnis *n,* Liste *f; tech* (Regulier-)Schieber *m,* Zug-, Luftklappe; Orgelklappe *f,* Register *n;* Stimmlage *f; inform* Register *n,* Kurzspeicher *m; mettre, mentionner, inscrire sur un ~* in ein Register ein=tragen; *tenir ~ de qc* über e-e S Buch führen; *je tiens ~ de tout* ich merke mir alles, mir entgeht nichts; *~ des associations* Vereinsregister *n; ~ du commerce* Handelsregister *n; ~ des entrées et sorties* Warenein- u. -ausgangsbuch *n; ~s de l'état civil* Standesregister *n; ~ foncier* Grundbuch *n; ~ d'inventaire* Inventarverzeichnis *n; ~ des naissances, des mariages, des décès* od *mortuaire* Geburts-, Heirats-, Sterberegister *n; ~ pénal* Strafregister *n; ~ des plaintes, des réclamations* Beschwerdebuch *n; ~ paroissial* Kirchenbuch *n; ~ des voyageurs* Fremdenbuch *n.*

régl|able [reglabl] regulier-, verstellbar; **~age** *m (Papier)* Lin(i)ierung; *tech* Regulierung, Regelung, Ein-Ver-, Nachstellung, Justierung, Steuerung, Bedienung; *radio* Abstimmung *f; mil* Einschießen *n; vis f de ~* Stellschraube *f; ~ de l'allumage (mot)* Zündeinstellung *f; ~ approximatif* od *grossier, de précision* od *parfait* Grob-, Feineinstellung *f; ~ automatique* Selbstregelung *f; ~ de la consommation, de la puissance, du refroidissement* Verbrauchs-, Leistungs-, Wärmeregelung *f; ~ économique* Spareinstellung *f; ~ de tonalité (radio)* Klangfarbenregelung *f.*

règle [rɛgl] *f* Lineal; Richtscheit *n;* Meßlatte; *fig* Regel, Richtschnur *f,* Leitsatz *m;* Vorschrift; *rel* (Ordens-) Regel; Grundrechnungsart *f; typ* Durchschuß *m; pl fig* Richtlinien *f pl; (Physiologie)* Regel *f; dans la ~, en bonne ~* in der R.; in Ordnung; wie es sich gehört; *en ~* regelrecht, vorschriftsmäßig; im reinen; *en ~ générale* in der Regel, gewöhnlich; *pour la bonne ~* ordnungshalber; *sans ~s* regellos, unregelmäßig; *selon toutes les ~s* nach allen Regeln der Kunst *(a. ironisch); se faire une ~ de qc* sich etw zur R. machen; *c'est la ~* das ist die R., das übliche; *il est de ~ de* es entspricht der Vorschrift, ist üblich, zu; *il n'y a pas de ~ sans exception* keine R. ohne Ausnahme; *l'exception confirme la ~* Ausnahmen bestätigen die R.; *~ brisée* Zollstock *m; ~ à calcul, logarithmique* Rechenschieber *m; ~ courbe* Kurvenlineal *n; ~ à dessiner* Reißschiene *f; ~ graduée* Lineal *n* mit Maßstab; *~s de tir (mil)* Schießvorschriften *f pl; ~ de trois (math)* Dreisatz *m;* **~ment** *m* [rɛgləmɑ̃] *m* Regelung, Abwick(e)lung, Erledigung, Bereinigung, Beilegung; *com* Begleichung, Abrechnung, Zahlung; Satzung *f,* Statuten *n pl,* Bestimmung, Vorschrift; *pol parl* Geschäftsordnung *f; en ~ de* zum Ausgleich, zur Begleichung *gen; arrêter, établir son ~* sich e-e Geschäftsordnung geben; e-e G. auf=stellen; *observer le ~* die G. ein=halten; *~ amiable* gütliche Beilegung *f; ~ d'application, d'exécution* Durchführungsbestimmung *f; ~ de bourse, de circulation, disciplinaire, électoral, d'entreprise* od *d'exploitation, de maison, de service, de travail* Börsen-, Verkehrs-, Disziplinarstraf-, Wahl-, Betriebs-, Haus-, Dienst-, Arbeitsordnung *f; ~ sur le service en campagne* Felddienstordnung *f; ~ de comptes* Abrechnung *f a. fig; ~ de comptes annuel (com)* Jahresabschluß *m; ~ d'un concours* Wettbewerbsbedingungen *f pl; ~ des dettes* Schuldenbegleichung *f; ~ final* Abschlußzahlung *f; ~ d'instruction* Ausbildungsvorschrift *f; ~ sur les lettres de change* Wechselordnung *f; ~ sur le tir* Schießvorschrift *f; ~ militaire disciplinaire* Disziplinarstrafordnung *f; ~ nouveau* Neuregelung, -ordnung *f; ~ pacifique, politique (pol)* friedliche, politische Lösung *f; ~* de police Polizeiverordnung *f; ~ de sécurité* Sicherheitsvorschriften *f pl; ~ de service* Dienstvorschrift *f; ~ par virement (com)* Überweisungsverkehr *m.*

régl|é, e [regle] lin(i)iert; *fig* vernünftig, ordentlich; **~ementaire** [-glə-] vorschrifts-, ordnungsmäßig; *manie f ~* Reglementiersucht *f;* **~ementation** *f* gesetzliche Regelung, Reglementierung; *com* Bewirtschaftung *f; prescription f de ~* Bewirtschaftungsbestimmung *f; ~ des changes, des devises* Devisenbewirtschaftung *f; ~ de la circulation* Verkehrsregelung *f; ~ du marché* Marktordnung *f; ~ des professions* Gewerbeordnung *f; ~ du travail* Arbeitsregelung, -lenkung *f;* **~ementer** *tr* gesetzlich regeln, durch Verordnungen bestimmen; *com* bewirtschaften; *itr* (zahlreiche) Verordnungen erlassen; **~er** lin(i)ieren; regulieren; fest=setzen, bestimmen; ordnen; ein=teilen, regeln, ein=richten (*sur qc* nach etw); Ordnung bringen (*qc* in e-e S); ab=schließen, erledigen, bereinigen, ab=wickeln, bei=legen; *(Streit)* schlichten; *com* be-, aus=gleichen, berichtigen, ab=rechnen, bezahlen, *(Schulden)* ab=tragen; *(Uhr)* stellen (*sur* nach); *tech* ein=stellen, justieren; normen; *radio* ein=stellen, ab=stimmen; *se* ~ sich richten (*sur* nach); sich beschränken (*à* auf *acc*); *non ~é* offenstehend, unbezahlt; *avoir un compte à ~ avec qn (fig)* mit jdm ein Hühnchen zu rupfen haben; *tenir qc pour ~é* etw als erledigt betrachten; *~ à l'amiable* gütlich bei=legen; *~ son compte à qn* mit jdm ab=rechnen *a. fig fam; ~ le* od *son tir* sich ein=schießen; *vis f à ~* Stellschraube *f;* **~et** [-glɛ] *m* Maßband; Richtscheit; Winkelmaß; *arch* Band *n;* Leiste *f;* Streifen *m; typ* Querlinie *f;* **~ette** *f* Kantel *m* od *n; typ* Durchschuß *m,* Reglette *f; tele* Streifen *m;* **~eur, se** *m f* Lin(i)ierer(in *f*) *tech* Justierer *m; f* Lin(i)iermaschine *f; ~ de puissance (radio)* Lautstärkeregler *m.*

réglisse [reglis] *f m bot* Süßholz *n; jus m de ~* Lakritzensaft; *bâton m de ~* Lakritzenstange *f.*

réglure [reglyr] *f* Lin(i)ierung *f.*

régn|ant, e [reɲɑ̃, -ɑ̃t] regierend; *fig* (vor)herrschend; *maison f ~e* Herrscherhaus *n;* **~er** regieren, herrschen *a. fig* (*sur* über *acc*); *fig* an der Tagesordnung, en vogue *od* in Mode sein; *(Krankheit)* wüten; *le silence règne* es herrscht Schweigen.

règne [rɛɲ] *m* Regierung(szeit); Herrschaft *f,* Reich *n; sous le ~ de* unter der Regierung *gen; ton ~ vienne! (rel)* dein Reich komme! *~ minéral, végétal, animal* Mineral-, Pflanzen-, Tierreich *n.*

regonfl|ement [rəgɔ̃fləmɑ̃] *m (Ballon)* Wiederaufblasen, -füllen; *(Fluß)* Steigen *n;* **~er** *tr (Ballon)* wieder auf=blasen; *(Reifen)* w. auf=pumpen; *pop* wieder Mut machen (*qn* jdm); *itr (Fluß)* steigen; *itr* u. *se ~ (med)* wieder an=schwellen, w. dicker werden.

regorg|eant, e [rəgɔrʒɑ̃, -ɑ̃t] *a* strotzend (*de* von); **~ement** [-ʒə-] *m* Überlaufen, -fließen, -strömen; *med* Austreten *n (e-r Flüssigkeit);* **~er** *tr fig* heraus=rücken, -geben; über=laufen, -fließen, steigen; (über)voll sein, strotzen (*de* vor *od* von); im Überfluß, reichlich vorhanden sein; *~ (de richesse) (Mensch)* im Überfluß schwimmen; *~ sur ses rives* über die Ufer treten; *~ de santé* vor *od* von Gesundheit strotzen.

regratter [rəgrate] *tr* (wieder) ab=kratzen; *(vx) qc sur qc* etw von etw ab=handeln; *itr* herum=handeln, feilschen.

régress|er [regrɛse] zurück=gehen; **~if, ive** rückläufig; *biol* Rückbildungs-; **~ion** *f* Zurückgehen *n,* Rückgang *m; biol* Rückbildung *f; geol* Sinken *n* des Meeresspiegels.

regret [rəgrɛ] *m* Bedauern *n;* Reue *f; pl* Klagen *f pl; à ~* ungern, wider Willen; *à mon grand ~* zu meinem großen Bedauern; *exprimer ses ~s* sein Bedauern aus=drücken; *je suis au(x) ~(s), tous mes ~s* es, das tut mir sehr leid; *je suis au ~ de (inf)* ich bedauere, daß ich; *j'ai le ~ de vous dire ...* ich muß Ihnen leider mitteilen ...; **~table** [-tabl] beklagens-, bejammernswert; bedauerlich; **~ter** *(Abwesende, Verlorenes)* vermissen; bedauern; bereuen; beklagen; *notre ~é ami* unser lieber verstorbener Freund.

regrèvement [rəgrɛvmɑ̃] *m* Steuererhöhung *f.*

regrou|pement [rəgrupmɑ̃] *m* Umgruppierung, -stellung, -schichtung *f; mil a.* Sammeln *n; chantier m, zone f de ~* Sammelplatz *m; ~ social* soziale Umschichtung *f;* **~per** um=, neu gruppieren; *(Betrieb)* um=stellen; *(Bevölkerung)* um=schichten.

régul|arisation [regylarizasjɔ̃] *f com* Erledigung, Regulierung *f,* Ausgleich *m; fonds m de ~* Ausgleichsfonds *m;* **~ariser** ins reine, in Ordnung bringen, regeln; *com* regulieren; *~ sa situation* s-e Verhältnisse ordnen; **~arité** *f* Regelmäßigkeit; Pünktlichkeit; Korrektheit; Ordnung *f;* **-ateur, trice** *a* ordnend; Ordnungs-; regulierend; *s m* Ordnungs-, ordnende(s) Prinzip *n; biol tech* Regler; Regulator *m; gare f ~trice* Verteilerbahnhof *m; poste m ~ de mouvements (mil)* Frontleitstelle *f; ~trice f des transports* Transportkommandantur *f; ~ d'air (mot)* Luftklappe *f; ~ d'amplification, de marche, de phase, de potentiel, de pression (de freinage)* Verstärkungs-, Fahrt-, Phasen-, Spannungs-, (Brems-)Druckregler *m; ~ à papillon* Drosselklappe *f; ~ de son* Tonblende *f; ~ de tonalité* Klangregler *m; ~ des transports (mil)* Transportoffizier *m; ~ (de vitesse) (mot)* Geschwindigkeits-, Drehzahlregler *m;* **~ation** *f biol tech* Regulierung, *tech* Regelung; *mil* Steuerung, Weiterleitung *f; ~ automatique (tech)* Selbstregelung *f; ~ des naissances* Geburtenregelung *f; ~ thermique (biol)* Wärmeregulierung *f; ~ du trafic* Verkehrsregelung *f;* **~e** *m chem* *mot* Weiß-, Lager-, Gleit-, Babbittmetall *n;* **~er** *mot* mit Lager-, Gleitmetall aus=gießen; *mil* weiter=leiten; **~ier, ère** [-lje, -ɛr] *a* regel-, gleich-, ebenmäßig; geordnet; regelrecht; *(Mensch)* pünktlich; *mil* regulär; *rel* Ordens-; *s m pl* reguläre Truppen *f pl; clergé m* ~ Ordensgeistlichkeit *f.*

regurgit|ation [regyrʒitasjɔ̃] *f med* Würg-, Brechbewegung *f;* **~er** wieder von sich geben.

réhabi|litable [reabilitabl] rehabilitierbar; **~litation** *f* Rehabilitierung *f;* **~liter** rehabilitieren, wieder in die verlorenen Ehren u. Rechte ein=setzen.

réhabituer (, se) [reabitɥe] (sich) wieder gewöhnen (*à* an *acc*).

re|haussement [rəosmɑ̃] *m arch* Erhöhung *f;* **~hausser** erhöhen; *(Stimme)* heben; *fig* größer erscheinen lassen; hervor=heben, zur Geltung bringen; steigern, vermehren; *se* ~ sich größer machen, sich Geltung verschaffen; **~haut** *m (Kunst)* helle(r) Farbauftrag *m.*

réhydrater [reidrate] *(Trockengemüse)* wieder quellen.

reillère [rɛjɛr] *f (Mühle)* Wasserzuleitung *f,* Gerinne *n.*

réimpor|tation [reɛ̃pɔrtasjɔ̃] *f* Wiedereinfuhr *f;* **~ter** wiederein=führen.

réimpo|ser (steuerlich) neu veranlagen; *typ* neu aus=schießen; **~sition** *f (Steuer)* Neuveranlagung *f;* neue(r) Steuerbetrag *m; typ* neue(s) Ausschießen *n,* neue Formeneinrichtung *f.*

réim|pression [prɛ̃prɛsjɔ̃] *f* Neudruck *m,* -ausgabe *f;* **~primer** neu drucken *od* heraus=geben.

rein [rɛ̃] *m* Niere *f; arch* (Gewölbe-) Zwickel *m; pl* Nieren-, Hüftgegend *f,* Kreuz *n; avoir les ~s forts* od *solides, faibles* wohlhabend, einflußreich *od* mächtig, schlecht gestellt *od* mittellos sein; e-r Aufgabe (nicht) gewachsen sein; *avoir les ~s souples (fig)* geschmeidig *od* kriecherisch sein; *se casser les ~s* sich das Kreuz brechen, ruinieren; *tour m de ~s* Hüftverrenkung *f;* Hexenschuß *m; ~ mobile, flottant* Wanderniere *f.*

réin|carcérer [reɛ̃karsere] wieder ein=kerkern; **~carnation** *f rel* Reinkarnation, Wiederverkörperung *f;* **~corporer** wiederein=verleiben, -eingliedern, wieder auf=nehmen.

reine [rɛn] *f* Königin *a. fig; (Schach)* Dame *f; bouchée f à la ~* Königinpastete *f; ~ des abeilles* Bienenkönigin *f; ~ de beauté* Schönheitskönigin *f; ~ des bois (bot)* Waldmeister *m; ~-claude f (bot)* Reneklode *f; ~-marguerite f* (gefüllte) Gartenaster *f; ~-mère f* Königinmutter *f; ~-des-prés f* (ulmenblättrige) Spiräe *f.*

reinette [rɛnɛt] *f* Renette *f (Apfelsorte).*

réin|sertion [reɛ̃sɛrsjɔ̃] *f (Straffällige)* Wiedereingliederung *f;* **~sérer** *tr* wieder=eingliedern; *se* ~ sich wieder=eingliedern.

réintégr|able [reɛ̃tegrabl] wiedereinsetzbar; **~ation** *f jur* Wiedereinsetzung; Rückkehr; Rückführung, -gliederung *f; ~ du domicile conjugal* Rückkehr *f* in die eheliche Wohnung; *~ dans le droit de cité* Wiedereinbürgerung *f;* **~er** *jur* wiederein=setzen, -ein=gliedern (*dans ses droits, ses fonctions* in s-e Rechte, sein Amt); zurück=führen; wieder an Ort u. Stelle bringen *od* schaffen; zurück=kehren (*qc* in *acc*).

réitér|able [reiterabl] wiederholbar; **~atif, ive** wiederholend; Wiederholungs-; **~ation** *f* Wiederholung *f;* **~é, e** wiederholt; nochmalig; **~er** wiederholen.

reître [rɛtr] *m fig* Haudegen *m.*

rejaill|ir [rəʒajir] *(Flüssigkeit)* (auf=) spritzen; *(fester Körper)* zurück=, ab=prallen; *(Licht)* zurückgeworfen werden, zurück=strahlen; *fig* zurück=fallen (*sur* auf *acc*); **~issant, e** aufspritzend; **~issement** *m* Aufspritzen; Abprallen *n.*

rejet [rəʒɛ] *m* Auswerfen, -stoßen, -brechen *n;* Auswurf *m,* Ausgeworfene(s) *n; med* Abstoßen *n; fig* Ablehnung *f; com* Übertrag *m;* Streichung *f; agr* Aushub *m,* ausgehobene Erde *f; (Baum)* Schößling *m; geol* Sprunghöhe *f; (Gedicht)* Zeilensprung *m; ~s industriels, urbains* Industrie-, Haushaltsmüll *m.*

rejet|er [rəʒte] weg=, zurück=werfen, wieder, aufs neue werfen; von sich geben, aus=werfen; *mil (Feind)* zurück=werfen; *(Angriff)* ab=weisen; *fig* zurückfallen lassen (*dans* in *acc, sur* auf *acc*); *(Verantwortung, Schuld)* zu=schieben (*qc sur qn* jdm etw), ab=wälzen (*sur* auf *acc*), verantwortlich machen (*qc sur qn* jdn für etw); zurück=, ab=weisen, ab=lehnen, abschlägig bescheiden; *(Menschen)* verstoßen; nicht gelten lassen, nicht an=erkennen, nicht glauben (*qc* an e-e S); *(vom Thema)* ab=bringen, -führen; *(zeitlich)* verweisen (*qn à qc* jdn auf e-e S); *se* ~ sich entschuldigen (*sur* mit); sich wieder werfen, stürzen (*sur* auf *acc*); sich zurück=werfen, zurück=prallen; *fig* sich (gegenseitig) vor=werfen, -halten; ~ *en arrière* nach hinten versetzen; **~on** [-ʒtõ] *m* Schößling, Ableger *a. fig; poet* Sproß *m.*

rejoindre [rəʒwɛ̃dr] *irr tr* wieder zs.= fügen, -bringen, vereinigen; stoßen, sich an=schließen (*qn* an jdn), wieder stoßen (*qn, qc* auf jdn, etw; zu jdm, etw); wieder treffen, wieder ein=holen, kommen, gehen (*qn* zu jdm); *mil (zu s-r Einheit)* zurück=kehren; *se ~* sich wieder vereinigen, wieder zs.= kommen, -stoßen; sich wiedertreffen.

réjou|i, e [reʒwi] *a* heiter, fröhlich, froh(sinnig); **~ir** erfreuen; er-, auf= heitern, belustigen; gut=, wohl=tun, angenehm sein (*qn* jdm); *se ~* lustig, in froher, heiterer Stimmung sein; *se ~ de qc* sich an e-r S erfreuen, sich über e-e S freuen; **~issance** *f* Freude; Lustigkeit, Fröhlichkeit; frohe, heitere Stimmung *f; pl* Belustigungen *f pl,* Freudenfest *n; ~s publiques* Volksbelustigungen *f pl;* **~issant, e** er-, aufheiternd, ergötzlich; *fam (Mensch)* lustig, unterhaltsam.

relâch|ant, e [rəlɑʃɑ̃, -ɑ̃t] *a med* abführend; *s m* Abführmittel *n;* **~e** *m* Unterbrechung, Pause, Erholungs-, Ruhepause, Ruhe *f; f* (Aufenthalt *m* in e-m) Zwischenhafen *m; sans ~* ohne Unterbrechung, pausenlos; *ne pas donner de ~ à qn* jdm keine Ruhe lassen; *prendre un peu de ~* e-e Pause machen, mit der Arbeit aus=setzen; *il y a ~ (theat)* keine Vorstellung; geschlossen; **~é, e** lax, lasch; lose, locker *fig;* **~ement** *m (Seil)* Entspannen *n,* Lockerung *f,* Schlaffwerden *n;* Abschwächung *f;* Nachlassen *n,* Milderung *f a. fig; fig (Eifer)* Erlahmen *n;* Erschlaffung; *(Disziplin)* Lockerung; *(Geist)* Auflockerung, Entspannung; *med* Erschlaffung; Relaxation, Erleichterung *f;* **~er** *tr (Seil)* entspannen, lockern; ab=schwächen, mildern; (ver)mindern; *fig* Abstriche machen (*de* von); *(Gefangenen)* frei= lassen; *(Schiff)* weiterfahren lassen; *(Stuhlgang)* erleichtern; *itr mar* e-e Zwischenlandung machen; *el* ab=fallen; *se ~ (Seil)* locker werden, sich lockern; sich ab=schwächen, schwächer werden, erschlaffen; *(Wetter)* milder werden, sich mildern; *(Schmerz)* nach=lassen; *(Disziplin)* sich lockern; *(Eifer)* erlahmen; *arch* nach=geben; *(Person)* nachlässig werden, sich gehen=lassen; nach=lassen.

relais [rəlɛ] *m* **1.** *sport* Staffel, Stafette *f; tele* Relais *n;* Verstärker *m; radio* Übertragung; Relaisstation; Raststätte *f;* **2.** vom Wasser freigegebene(s) Land *n; ... de ~* Wechsel-; zum Wechseln; *être de ~* (gerade) frei sein, frei haben; *prendre le ~* an die Stelle treten (*de* gen); *chaîne f des ~* Relaiskette *f; course f à, de ~ (sport)* Staffel-, Stafettenlauf *m; ~-radar m* Radarstation *f.*

relanc|e [rəlɑ̃s] *f (Spiel)* neue(r), höhere(r) Einsatz *m; fig* Wiederbelebung, -ankurbelung *f,* neue(r) Aufschwung *m;* **~ement** *m* Zurückschleudern, -werfen *n;* **~er** zurück=schleudern, -werfen; *(Jagd)* wieder auf=scheuchen; *fig* auf=stöbern; (hart) zu=setzen (*qn* jdm); wieder in Schwung bringen, an=kurbeln; *(Spiel) (Einsatz)* erhöhen, überbieten.

relaps, e [rəlaps] *a bes. rel* rückfällig; *s m f* Rückfällige(r *m*) *f;* rückfällige(r) Ketzer *m.*

relat|er [rəlate] (ausführlich) berichten, (genau) erzählen, auf=zählen; erwähnen, nennen, zitieren; **~if, ive** bezüglich (*à* gen) sich beziehend (*à* auf *acc*), verbunden (*à* mit); relativ; bedingt; *gram* rückbezüglich, Relativ-; *pronom m ~* Relativpronomen *n; proposition f ~ive* Relativsatz *m;* **~ion** *f* Beziehung *f,* Verhältnis *n;* Verbindung *f;* Bericht *m,* genaue Erzählung *f; pl* (persönliche) Beziehungen *f pl;* (Liebes-)Verhältnis *n;* Bekannte *pl; avoir de nombreuses ~s* ausgedehnte Beziehungen haben; *être, entrer en ~ avec qn* mit jdm in Verbindung stehen, treten; *se mettre en ~* sich in V. setzen (*avec* mit); *~s commerciales, d'affaires* Handels-, Geschäftsbeziehungen *f pl;* **~ivement** *adv* verhältnismäßig, vergleichsweise; *~ à ...* mit Bezug auf *acc,* in Zs.hang mit ...; **~iviser** relativieren; **~ivisme** *m (Philosophie)* Relativismus *m;* **~iviste** *a* relativistisch; *s m* Relativist *m;* **~ivité** *f* Relativität, Bedingtheit *f; théorie f de la ~ (restreinte, générale* od *généralisée)* (spezielle, allgemeine) Relativitätstheorie *f.*

relaver [rəlave] nach=waschen.

rela|x [rəlaks] *m fam* Entspannung *f;* **~xation** *f (Muskel)* Entspannung *a. allg.; jur* Freilassung *f;* **~xe** *f* Freilassung *f;* **~xer** *(Gefangenen)* frei=lassen; *se ~ (fam)* sich entspannen.

relayer [rəlɛje] *tr (bei e-r Tätigkeit)* ab=lösen; *radio* an=schließen; *(Sendung)* über=nehmen, -tragen; *se ~* sich (gegenseitig) vertreten.

relég|ation [rəlegasjõ] *f* Verweisung; (lebenslängliche) Verbannung *f* in e-e Kolonie; **~uer** [-ge] *(in e-e Kolonie)* verbannen *a. fig; (in die Provinz)* strafversetzen; relegieren, verweisen (*de* von, *à* an *acc*) *a. fig* (*parmi* unter *acc*); *(Gegenstand)* ab≈stellen, aus≈rangieren.

relent [rəlɑ̃] *m* muffige(r) Geschmack; schlechte(r), üble(r) Geruch; *fig* Beigeschmack *m*.

rel|evable [rəlvabl] aufklappbar; einziehbar; **~evage** *m* (Auf-)Heben *n; tech* (senkrechter) Rücklauf, -hub, -schub *m: (Kran)* Einziehen *n;* **~evailles** [-ɑ(a)j] *f pl* erste(r) Kirchgang *m* (e-r Wöchnerin); **~ève** *f* Ablösung(smannschaft) *f;* **~evé, e** *a fig* gehoben; erhaben; stolz; *(Küche)* pikant; *tech* geschweift; *s m* (Rechnungs-)Auszug *m;* Aufstellung *f,* Verzeichnis *n,* Liste; Erhebung; Aufnahme *f; (Zähler)* Ablesen *n; (faire un) ~ de compte* (e-n) Kontoauszug *m* (aus≈fertigen); *~ des cotes* Vermessen *n; ~ de fin de mois (com)* Monatsausweis *m; ~ de fortune* Vermögensaufstellung *f; ~ topographique* topographische (Landes-) Aufnahme *f;* **~èvement** *m* Wieder-auf-, -hochheben; Aufklappen *n; arch fig* Wiederaufrichtung; *fig* Hebung, Besserung; *com* Erhöhung; Aufstellung; topographische Aufnahme *f; mar* Wiederflottmachen *n;* Peilung *f; faire le ~ de qc* etw topographisch auf≈nehmen; *~ de salaire, de traitement* Lohnerhöhung, Gehaltsaufbesserung *f*.

relever [rəl(ə)ve] *tr* (wieder) (auf≈, hoch≈, er)heben; erhöhen; wieder auf≈richten; *(Masche)* auf≈nehmen; *tech* ab≈heben; auf≈klappen; *(Fahrgestell)* ein≈ziehen; *(Kleid)* raffen; *(Kragen)* hoch≈schlagen; *(Ärmel)* um≈krempeln; *(Haar)* auf≈stecken; *mar* wieder flott≈machen; *mar* peilen; *(Spielkarten)* auf≈nehmen; *(Briefkasten)* leeren; *(Zähler)* ab≈lesen; *(Pflanze)* aus≈ziehen; *arch* entfernen; *fig (Geschäft, sittlich)* heben; stärken, neu beleben; *(Preis)* erhöhen; *(Gehalt)* herauf≈setzen; zur Geltung bringen, heraus≈heben, -kehren, -stellen, heben; vorteilhaft sein (*qc* für etw); hervor≈heben, unterstreichen; *(Fehler)* an≈streichen, verbessern; *tele (Störung)* beseitigen; *(Beleidigung)* zurück≈geben; auf≈schreiben, notieren; *(topographisch)* auf≈nehmen; *(mil, in der Arbeit)* ab≈lösen; *~ de qc* von etw ab≈berufen, entheben *gen,* entbinden von; *itr: ~ de* hervor≈gehen aus; beruhen auf *dat,* ab≈hängen, abhängig sein von *(a. Literatur, Kunst);* der Zuständigkeit unterliegen (*de qn* jds); unterstehen (*de qn* jdm); *(Krankheit)* überstehen, sich erholen (*de* von) *(a. von e-m Verlust); se ~* (wieder) auf≈stehen, sich erheben; sich (gegenseitig) ab≈lösen; *fig* sich wieder heben, empor≈kommen; *(Kurs)* sich erholen; *~ l'ancre* den Anker lichten; *~ de la compétence de qn* jdm unterstehen; *~ un compte* e-n Kontoauszug machen; *~ les cotes de qc* etw vermessen; *~ le défi (a. fig)* e-e Herausforderung an≈nehmen; *~ le gant (fam)* die Herausforderung an≈nehmen; *ne ~ de personne* von niemandem abhängig, unabhängig sein; *~ qn de ses fonctions* jdn s-s Amtes entheben, entbinden; *~ la tête* wieder Mut fassen, s-n Stolz zurück≈gewinnen; *cela ~ève de ...* dafür ist ... zuständig.

relief [rəljɛf] *m* Relief *n;* erhabene Arbeit *f;* Bodenprofil *n;* (Boden-)Erhebung; *(Schiff)* Höhe; *film* (räumliche) Tiefe *f; pl (Speisen)* Abhub *m,* Reste *m pl; en ~* Relief-, erhaben, (plastisch) hervortretend; *avoir du ~* hervor≈treten, sich ab≈heben; *donner du ~ à qc* etw hervor≈treten lassen, hervor≈heben; *mettre en ~* hervor≈heben, klar heraus≈stellen; *plan m en ~* Reliefkarte, -darstellung *f; plein ~* od *~ entier* od *haut-~, bas-~ m* Hoch-, Flachrelief *n; ~ du sol (geol)* Bodengestaltung *f*.

reli|er [rəlje] *tr* wieder (zs.≈)binden; *(Verkehr) el* an≈schließen (*à* an *acc*); *tele fig* verbinden (*à* mit); *fig* mitea. verbinden, vereinigen; *(Buch)* (ein≈) binden; *itr* binden; *se ~* verbunden sein (*à* mit); **~eur, se** *m f* Buchbinder(in *f*) *m*.

religi|eusement [rəliʒjøzmɑ̃] *adv vx* gewissenhaft; **~eux, se** *a* religiös; fromm, gottesfürchtig; Ordens-; *s m* Mönch, Ordensbruder *m; f* Nonne, Ordensschwester; *zoo* Gottesanbeterin *f; année f ~se* Kirchenjahr *n; articles m pl ~* Devotionalien *pl; communauté f ~se* Religionsgemeinschaft *f; habit m ~* Ordenskleid *n; ordre m ~* (Mönchs-)Orden *m;* **~on** *f* Religion *f,* Glaube *m;* Frömmigkeit *f; entrer, mettre en ~* ins Kloster gehen, stecken; *se faire une ~, un point de ~ de qc* sich ein Gewissen aus etw machen; *guerre f de ~* Religionskrieg *m; ~ d'État* Staatsreligion *f; ~ mondiale, nationale* Welt-, Volksreligion *f;* **~osité** *f* Religiosität *f*.

reliqu|aire [rəlikɛr] *m rel* Reliquiar *n;* **~at** [-ka] *m com* Rest(summe *f,* -betrag), Saldo; *fig* (letzter) Rest *m; pl* *fam* Überreste *m pl*, -bleibsel *n pl; med* Nachwirkungen *f pl; paiement m du* ~ Restzahlung *f;* ~ *d'impôts* Steuerrückstand *m;* **~ataire** *m com* rückständige(r) Schuldner *m;* **~e** *f rel* Reliquie *f; pl poet* Überreste *m pl; garder comme une* ~ wie s-n Augapfel hüten; *culte m des ~s* Reliquienkult *m.*

relire [rəlir] *irr* noch einmal (über)lesen, wieder lesen; *lire et* ~ immer wieder lesen.

reliure [rəljyr] *f* (Buch-)Einband *m;* Binden *n;* ~ *éditeur* od *originale, privée* Verlags- *od* Original-, Privat- *od* Handeinband *m;* ~ *pleine, demi-~ f* Ganz-, Halbleder(ein)band *m;* ~ *toile (pleine), demi-toile, papier* (Ganz-)Leinen-, Halbleinen-, Papp(ein-)band *m.*

relo|gement [rəlɔʒmɑ̃] *m* Umquartierung *f;* **~ger** um=quartieren.

re|louage [rəlwaʒ] *m (Heringe)* Laichen *n;* Laichzeit *f;* **~louer** [-lwe] **1.** untervermieten; wieder=vermieten; **2.** wieder loben.

réluctance [relyktɑ̃s] *f* magnetische(r) Widerstand *m.*

relu|ire [rəlɥir] *irr* leuchten, scheinen, glänzen, schimmern; *tout ce qui ~it n'est pas or* es ist nicht alles Gold, was glänzt; **~isant, e** leuchtend, schimmernd, glänzend (*de* von); *fig fam* glänzend, großartig.

reluquer [rəlyke] von der Seite, *fig* schief ansehen; *fig* neidische *od* begehrliche Blicke werfen (*qc* auf e-e S).

relustrer [rəlystre] *(Stoff)* wieder glänzend machen; *fig* neuen Glanz verleihen (*qc* dat).

rem [rɛm] *m (Maßeinheit)* Rem *n.*

remâch|ement [rəmaʃmɑ̃] *m* Wiederkäuen *n;* **~er** wieder=käuen; *fig fam* nicht los=kommen (*qc* von etw), hin u. her überlegen.

remani|ement [rəmanimɑ̃] *m* Veränderung, Umarbeitung *f;* Umbau; *typ* Umbruch *m; fig* Um-, (Neu-)Bearbeitung *f;* ~ *de cabinet* Kabinettsumbildung *f;* ~ *gouvernemental, ministériel* Regierungsumbildung *f;* **~er** [-nje] immer wieder in die Hand nehmen; an=fassen, betasten, -fühlen; um=schichten; *(Ziegel)* um=legen; *fig* um=arbeiten, neu bearbeiten; *typ* ab=ändern, um=setzen; *(Regierung, Kabinett)* um=bilden; ~ *(la composition) (typ) (die Seiten)* um=brechen.

remari|age [rəmarjaʒ] *m* Wiederverheiratung *f;* **~er, se** sich wieder=verheiraten.

remarqu|able [rəmarkabl] bemerkenswert, beachtlich, bedeutend; **~e** *f* Bemerkung; Beobachtung; *(Buch)* Anmerkung *f;* **~er** an=, bemerken; erblicken; be(ob)achten; *(Wäsche)* neu zeichnen; *se* ~ *(fig)* sich hervor=heben; *faire* ~ aufmerksam machen (*qc à qn* jdn auf etw *acc*); *se faire* ~ sich bemerkbar machen, sich aus=zeichnen.

remballer [rɑ̃bale] wieder, neu verpacken; wieder ein=packen; *fig fam (Person)* wieder weg=schicken; zum Teufel jagen.

rembarqu|ement [rɑ̃barkəmɑ̃] *m* Wiedereinschiffung *f;* **~er** *tr* wieder ein=schiffen; *se* ~ *dans une affaire (fig)* in ein Geschäft wieder ein=steigen.

rembarrer [rɑ̃bare] *fig fam* e-e Abfuhr erteilen (*qn* jdm), zurecht=weisen.

remblai [rɑ̃blɛ] *m* Aufschüttung, -füllung *f;* Damm *m;* Aufschütt-, Auffüllmaterial *n; arch* Anschüttung *f; min* Bergeversatz *m.*

rembla|ver [rɑ̃blave] nach=säen (*qc* auf etw); **~vure** *f* Nachsäen *n,* -saat *f.*

rembla|yage [rɑ̃blɛjaʒ] *m* Aufschütten, -füllen *n; min* Bergeversatz *m;* **~yer** auf=schütten, -füllen; *arch* an=schütten; *min* versetzen; **~yeur** *m* Erdarbeiter; *min* Versatzarbeiter *m.*

rembourr|age, ~ement [rɑ̃buraʒ, -mɑ̃] *m* Polstern *n;* Polsterung *f;* **~é, e** gepolstert; **~er** polstern; füllen.

rembours|able [rɑ̃bursabl] ein-, ablösbar; rückzahlbar; tilgbar; ~ *sur demande* kündbar; **~ement** *m* (Zu-)Rückzahlung, (Rück-)Erstattung, (Rück-)Vergütung; Ein-, Ablösung; Abtragung, Tilgung; *(Kredit)* Abdekkung *f; contre* ~ unter, gegen Nachnahme; *disposer d'un montant par* ~ e-n Betrag durch Nachnahme erheben; ~ *si pas satisfait* bei Nichtgefallen Geld zurück; *date f de* ~ Einlösungstermin *m; délai m de* ~ Tilgungsfrist *f; envoi m contre* ~ Nachnahmesendung *f;* ~ *des droits (de douane)* Zollvergütung *f;* ~ *fiscal* Steuerrückvergütung *f;* ~ *des frais de représentation* Aufwandsentschädigung *f;* ~ *de l'impôt* Steuerrückerstattung *f;* **~er** zurück=zahlen, (zurück=)erstatten (*a. qn de qc* jdm etw); (zurück=)vergüten; ein=, ab=lösen; *(Schulden)* ab=tragen, tilgen; *se faire* ~ *(com)* nach=nehmen; ~ *les frais à qn* jdm die Kosten erstatten; ~ *qn de ses frais* jdm s-e Auslagen vergüten *od* ersetzen; *se* ~ *en traite sur qn* auf jdn e-n Wechsel ziehen.

rembrun|ir [rɑ̃brynir] bräunen, braun(er), dunkler machen; *vx fig (Miene)* verdüstern; *(Stirn)* umwölken; *se* ~ braun(er), dunkler werden; *(Gemälde)* nach=dunkeln; *fig (Blick)* sich verdüstern; *vx le temps se ~it* der Himmel bezieht sich, bedeckt sich; **~issement** *m fig* Verdüsterung *f.*

rem|ède [rəmɛd] *m* (Heil-, Hilfs-)Mittel *n;* Arznei; Abhilfe *f; sans* ~ unheilbar; *porter* ~ *à qc (fig)* e-r S ab=helfen; *il y a* ~ *à cela* dem kann abgeholfen werden; *il y a* ~ *à tout, hors à la mort (prov)* wider den Tod ist kein Kraut gewachsen; ~ *de cheval (fig)* Roßkur *f;* ~ *de bonne femme* Hausmittel *n;* ~ *à tous maux* Allheilmittel *n;* ~ *secret* Geheimmittel *n;* **~édiable** heilbar; **~édier** heilen (*à qc* e-e S); *fig* ab=helfen (*à qc* e-r S).

remembrement [rəmɑ̃brəmɑ̃] *m:* ~ *(rural)* Flurbereinigung *f.*

remémorer [rəmemɔre] erinnern (*qc à qn* jdn an e-e S), ins Gedächtnis zurück=rufen (*qc à qn* jdm e-e S); *se* ~ sich wieder erinnern (*qc* an e-e S).

remerc|iement [rəmɛrsimɑ̃] *m* Dank(esworte *n pl,* -sagung *f*) *m; avec mes ~s* mit Dank zurück; *faire ses ~s de qc* s-n Dank für etw aus=sprechen; *lettre f de* ~ Dankschreiben *n;* **~ier** [-sje] danken (*qn de, pour qc* jdm für etw); dankend ab=lehnen; *(ironisch)* sich bedanken; verabschieden, entlassen, ab=setzen; *se* ~ sich gegenseitig bedanken; *je vous ~ie* danke (, nein)!

réméré [remere] *m* Rückkauf *m; droit m de* ~ Rückkaufsrecht *n; vente f à* ~ Verkauf *m* mit Rückkaufsrecht.

remettre [rəmɛtr] *irr tr (Kleidung)* wieder an=ziehen; *(Hut)* wieder auf=setzen; wieder (hin=)stellen, -setzen, -legen, -hängen; wieder (hinein=)stekken; *med* wieder ein=renken, wieder in Ordnung bringen; *fig jur* wieder-ein=setzen (*dans* in *acc*); *med* wiederher=stellen, wieder auf die Beine bringen; beruhigen; ver-, aus=söhnen; zurück=schicken (*à* zu); wieder=erkennen, sich wieder erinnern (*qn, qc* an jdn, etw); *(Stadt)* übergeben; *(Brief)* überbringen, ab=liefern, -geben; (mit=)geben; an=vertrauen, aus=händigen, aus=folgen; überreichen; *(Geld)* überweisen; überlassen; anheim=stellen; *(Verbrecher der Justiz)* übergeben, -antworten; aus=liefern; zurück=geben, verzichten (*qc* auf e-e S); *(Amt)* zur Verfügung stellen, nieder=legen; *(Strafe, Schuld)* erlassen; *(Sünde)* vergeben; *(Vorhaben)* ver-, auf=schieben; *(Spiel, Partie) (nach Unentschieden)* neu beginnen; *(Zug)* noch einmal machen lassen; *com* e-n Nachlaß gewähren (*5 % sur* 5 % auf); *theat* ab=sagen, -setzen; *fam, bes. mil* ab=blasen; *(Wein)* auf=bessern; *itr* auf=schieben; *se* ~ *(med com fig)* sich erholen (*de* von); sich beruhigen *(a. Wetter);* sich wieder fassen; sich erinnern (*qc* an e-e S); sich aus=söhnen; *se* ~ *à qc* sich wieder an e-e S machen, etw wieder an=fangen; auf e-e S zurück=kommen; sich wieder setzen, legen (*à* an, in *acc*); sich wieder hin=geben (*à* dat); sich wieder versetzen (*dans telle situation* in e-e bestimmte Lage); in s-e Rechte treten; sich verschieben, sich hin=ziehen; *mil* in die Ausgangsstellung zurück=kehren; *(jagdbares Geflügel)* ein=fallen; *sous (fig)* sich wieder unterstellen *dat; sur* sich wieder verlegen auf *(acc); en* ~ *(fam)* übertreiben; *s'en* ~ *à* sich verlassen auf *(acc); pour* ~ *à* zu Händen *gen;* ~ *ça (pop)* wieder an=fangen; e-e neue Runde aus=schenken; ~ *en crédit, en honneur* wieder zu Ansehen, zu Ehren bringen; ~ *dans ses droits* wieder in s-e Rechte ein=setzen; ~ *les gaz (mot)* durch=starten; ~ *au hasard* dem Zufall überlassen; *se* ~ *entre les mains de Dieu* alles in Gottes Hand legen; ~ *à neuf* erneuern, neu machen, instand setzen; *fam* auf neu bringen; *tech* überholen; ~ *qn au pas (fig)* jdn auf Trab bringen; ~ *à sa place (fig)* zurecht=weisen; ~ *en place (fig)* wieder in Ordnung bringen; ~ *à plus tard* auf=schieben; ~ *en question* wieder in Frage stellen; ~ *à la scène, au théâtre* wiederauf=führen; *se* ~ *à la table, au lit* sich wieder an den Tisch setzen, ins Bett legen; ~ *sur le tapis* wieder zur Sprache bringen; ~ *au point* klar=stellen; *se* ~ *au travail* sich wieder an die Arbeit begeben; ~ *en usage, en vogue* wiederauf=bringen; ~ *en vigueur* wieder in Kraft setzen; ~ *devant, sous les yeux* wieder vor Augen stellen.

rémige [remiʒ] *f orn* Schwungfeder *f.*

remilitaris|ation [rəmilitarizasjɔ̃] *f* Remilitarisierung *f;* **~er** remilitarisieren.

réminiscence [reminisɑ̃s] *f* (dumpfe) Erinnerung *f,* Nachklang; *poet, (Kunst)* Anklang *m.*

remis, e [rəmi, -iz] *(Spiel)* unentschieden; *c'est partie ~e* das muß noch mal gemacht werden; *ce n' est que partie ~e* aufgeschoben ist nicht aufgehoben; **~e** *f* Wiederanbringung; Abgabe; Übergabe, Aushändigung (*à* an *acc*); Ab-, Auslieferung, Überreichung; Gestellung; *(Post)* Zustellung;

(Post) Aufgabe; Auf-, Verschiebung, Verlegung; *(Amt)* Niederlegung *f; (Strafe)* Erlaß; Einstellraum *m,* Wagenhalle *f;* Lokomotivschuppen; *com* Nach-, Erlaß *(e-r Schuld);* Abzug, Rabatt; *(Preis)* Nachlaß, Abschlag *m;* Warenskonto *n,* Rimesse *f; faire une ~* e-n Nachlaß gewähren (*de* von); *~ des bagages à l'arrivée* Gepäckausgabe *f; ~ en dépôt* Hinterlegung *f; ~ en état* Instandsetzung *f; ~ par exprès* Zustellung *f* durch Eilboten; *~ de faveur* Vorzugsrabatt *m; ~ de l'impôt* Steuernachlaß *m; ~ à neuf (tech)* Überholung *f; ~ en route* (Wieder-)Ingangsetzung *f; ~ en vigueur* Wiederinkraftsetzung *f;* **~er** *(Wagen)* ein=, unter=stellen; ab=stellen; weg=räumen; *pop* e-e Abfuhr erteilen (*qn* jdm); *se ~ (Rebhuhn, Fasan)* sich setzen; *~ au garage* in die Garage stellen; **~ier** *m* Börsenvermittler *m.*

rémi|ssibilité [remisibilite] *f* Verzeihlichkeit *f;* **~ssible** verzeihlich, erläßlich; **~ssion** *f* Verzeihung; *rel* Vergebung; *jur* Erlassung *f; med* Nachlassen *n,* Erleichterung; *phys* Abschwächung, Verminderung *f; sans ~* ohne Unterlaß, ununterbrochen, pausenlos; unerbittlich, unnachsichtig; *~ des péchés* Vergebung *f* der Sünden.

rémiz [remiz] *m orn* Beutelmeise *f.*

rem|maillage, remaillage [rɑ̃majaʒ, rə-] *m* Aufmaschen *n;* **~mailler** auf=maschen; **~mailloter** *(Kind)* neu wickeln; **~mancher** mit e-m neuen Stiel versehen; **~mener** *(Mensch, größeres Tier)* (wieder) zurück=bringen, -führen.

remodel|age [rəmɔdlaʒ] *m* Umgestaltung *f;* **~er** um=gestalten.

remont|age [rəmɔ̃taʒ] *m mar* Bergfahrt *f; tech* Wiederaufstellen, -zs.setzen; *(Feder, Uhr)* Aufziehen; Vorschuhen *n;* **~ant, e** *a bot* remontierend, zweimal (jährlich) blühend; *pop* stärkend, belebend; *s m* Stärkungstrunk *m;* **~e** *f* Bergfahrt; *mil* Remonte(depot *n*) *f;* Nachwuchs-, -schubpferde *n pl; (Pferde)* Decken *n;* **~ée** *f* Wiederaufstieg *a. fig m; min* Ausfahren *n; ~ mécanique,* **~e-pente** *m* (Schi-)Lift *m;* **~er** *itr* wieder hinauf=steigen; wieder ein=steigen (*en auto* ins Auto); *(Gelände)* an=steigen; sich heben, steigen *(a. Barometer); fig* sich erheben; *(im Wert)* wieder steigen; *(zeitlich)* zurück=gehen, sich zurück=verfolgen, -führen lassen (*à* bis); *(Fehler)* zurück=gehen, -fallen (*à* auf *acc*); *bot* remontieren, zweimal (im Jahr) blühen; *mar* nach Norden fahren; *(Wind)* von Süden kommen; *tr (Treppe, Berg)* hinauf=steigen; (hinauf=)tragen, -bringen, -schaffen *(auf den Dachboden etc); (Bild)* höher hängen; *arch* erhöhen; an=heben, höher=drehen, -schrauben; *(Kragen)* hoch=schlagen; *(Feder, Uhr, Grammophon, Spielzeug)* auf=ziehen; *(Fluß)* aufwärts, hinauf=fahren, -schwimmen; *(Küste)* entlang=fahren (*qc* an e-r S); wieder auf=stellen *a. tech;* wieder montieren; wieder, neu zs.=setzen *od* auf=stellen; *(Bestand, Warenlager, Garderobe, Bibliothek)* ergänzen; ein neues Pferd geben (*qn* jdm); *fig (Mut, Stimmung)* heben; *(Wein, Schnaps)* stärker machen; *(Stiefel)* vor=schuhen; *(Gewehr)* neu schäften; *(Saiteninstrument)* neu beziehen; *(Schmuck)* neu fassen; *(Graphik)* auf=ziehen; *(Farbe)* auf=frischen; *(Vorrat)* wieder auf=füllen; *theat* neu inszenieren; *se ~* wieder zu Kräften kommen; sich wieder versorgen (*en* mit); sich ein neues Pferd besorgen; *fig fam* sich (seelisch) stärken; *~ à cheval* wieder auf=sitzen; *~ au déluge (fig fam)* sehr weit aus=holen; *ses actions ~ent (fig fam)* s-e Aktien steigen; **~oir** *m (Uhr)* Aufziehvorrichtung *f,* Stellrad *n; (montre f à ~)* Remontoiruhr *f.*

remontr|ance [rəmɔ̃trɑ̃s] *f* Vorstelligwerden *n,* Verweis *m,* Ermahnung *f; pl* Vorstellungen *f pl; faire des ~s à qn* bei jdm vorstellig werden, jdm Vorhaltungen machen; **~er** *tr* noch einmal, wieder zeigen; *(Unrecht)* vor=halten; *itr* vorstellig werden; *en ~ à qn* jdm Vorhaltungen machen; jdm überlegen sein; *c'est Gros-Jean qui en ~e à son curé* das Ei will klüger sein als die Henne.

remordre [rəmɔrdr] wieder an=, zu=beißen; *fig* wieder heran=gehen (*à* an *acc*).

remords [rəmɔr] *m* Gewissensbiß *m.*

remorqu|age [rəmɔrkaʒ] *m mar* (Ab-)Schleppen; Bugsieren *n;* **~e** *f* Schleppen; Schlepptau *n,* -kahn; *mot* Anhänger *m; se mettre, être à la ~ de qn (fig)* sich von jdm ins Schlepptau nehmen lassen; *prendre à la ~* ins Schlepptau nehmen; ab=schleppen; *train m de ~, de ~age* Schleppzug *m; ~ camping* Wohnwagenanhänger *m; ~ latérale (mot)* Beiwagen *m; ~ porte-chars (mil)* Tieflader *m;* **~er** *mar mot loc* schleppen, ziehen; bugsieren; *mot* ab=schleppen; *fam (Person)* mit=schleppen; *se laisser ~ par qn (fig fam)* sich von jdm ins Schlepptau nehmen lassen; **~eur, se** *s m* u. *a:*

bateau m ~ Schleppdampfer *m; s m mot loc* Schlepper; Schlepperführer *m.*

remoudre [rəmudr] *irr* noch einmal mahlen.

remous [rəmu] *m* Kielwasser *n;* Wirbel *m;* Stauung; Gegenströmung *f; fig* Hin u. Her *n.*

rémoulade [remulad] *f* Remoulade(nsoße) *f.*

rémouleur [remulœr] *m* Scherenschleifer *m.*

rempaill|age [rãpɑ(a)jaʒ] *m* Stuhlflechten *n;* **~er** *(Stuhl)* neu flechten; *(Tier)* neu aus=stopfen; **~eur, se** *m f* Stuhlflechter(in *f*) *m.*

rempart [rãpar] *m* Wall *m; fig* Bollwerk *n,* Schutz(wehr *f*) *m.*

rempiler [rãpile] *arg mil* sich länger verpflichten.

rempla|çable [rãplasabl] ersetzbar; **~çant, e** *a* stellvertretend; *s m f* (Stell-)Vertreter(in *f*); *mil sport* Ersatzmann *m; instituteur m, trice f* ~, *e* Hilfslehrer(in *f*) *m;* **~cement** *m* (Stell-) Vertretung *f;* Ersatz *m; en* ~ zum Ersatz *a. fig;* **~cer** ersetzen (*de, par* durch) *a. fig;* an die Stelle setzen *od* treten (*qn par qn* jdn an jds; *qn, qc* jds., e-r S *gen*); vertreten; *fig* wiedergut=machen.

rempl|age [rãplaʒ] *m arch* Mauerfüllung *f,* Füllmaterial; *(Wein)* Nachfüllen *n;* **~i** *m* Aufnäher, Einschlag *m;* **~i, e** *a (Zeit)* ausgefüllt; *(Stil)* gedrängt; *être* ~ *de soi-même* sehr von sich (selbst) überzeugt, eingenommen, *fam* überzogen sein.

remplier [rãplije] auf=nähen, ein=schlagen.

rempl|ir [rãplir] *tr* (wieder) (auf=, an=) füllen; voll=machen, -gießen, -schenken; *(Graben)* zu=schütten; *(Pfeife)* stopfen; *(Land)* überschwemmen *fig; (Zeit)* aus=füllen, gebrauchen, (aus=) nutzen; *(Amt)* versehen, aus=üben; *(Pflicht, Versprechen, Wunsch, Aufgabe, Hoffnung, Schicksal)* erfüllen; ~ *qn de qc* jdn mit etw erfüllen; *(Formular)* aus=füllen; *(Spitzen)* aus=bessern; *itr (Speise)* füllen, stopfen, satt machen, sättigen; *se* ~ sich füllen (*de* mit); voll, *fig* erfüllt werden; *pop* sich (den Leib) voll=schlagen; sich ganz einnehmen, durchdringen lassen (*de* von); *(jur)* ~ *qn de ses frais* jdm s-e Unkosten erstatten; ~ *ses obligations* s-n Verbindlichkeiten nach=kommen; **~issage** *m* (Auf-, An-, Aus-)Füllung *f; fig* Füllwerk, -sel *n;* **~isseuse** *f* Spitzennäherin; (Flaschen-)Abfüllmaschine *f.*

remplo|i [rãplwa] *m (Kapital)* Wieder-, Neuanlage; *(Gelder)* Wiederverwendung *f;* **~yable** wiederverwendbar; **~yer** wieder, noch einmal verwenden.

remplumer [rãplyme] mit neuen Federn besetzen; *se* ~ *(orn)* neue Federn bekommen; *fig* sich (gesundheitl. *od* wirtschaftlich) gut wieder heraus=machen.

rempocher [rãpɔʃe] *fam* wieder ein=stecken, wieder in die Tasche stekken.

rempoissonner [rãpwasɔne] wieder mit Fischbrut besetzen.

remporter [rãpɔrte] weg=tragen, -holen; (wieder) mit=nehmen; *(Sieg)* erringen; *(Preis)* gewinnen; ~ *une course, un combat* ein Rennen, e-n Kampf gewinnen; ~ *la victoire, (poet) la palme* den Sieg davon=tragen.

rempo|tage [rãpɔtaʒ] *m bot* Umtopfen *n;* **~ter** *(Pflanze)* um=topfen.

remu|able [rəmɥabl] beweglich; **~age** *m* Umrühren, -schaufeln, -füllen *n;* **~ant, e** sich bewegend; *(Mensch)* lebhaft, immer in Bewegung; *(Geist)* unruhig; **~e-ménage** [-my-] *m inv fam (Möbel)* Umstellen; *fig* Durcheinander *n,* Unordnung, Verwirrung *f;* **~ement** *m* Bewegung *f;* **~er** [-mɥe] *tr* bewegen; um=rühren, -schaufeln, -graben, -füllen; fort=bewegen, -schaffen; *(Möbel)* rücken, um=stellen; rütteln (*qc* an e-r S); wakkeln (*qc* mit etw); wedeln (*la queue* mit dem Schwanz); *(Frage)* ventilieren; *itr* sich bewegen, sich rühren; wackeln; *fig* sich rühren, rührig sein; Unruhe stiften; *se* ~ sich bewegen, sich rühren; sich bemühen (*en faveur de qn* für jdn), sich Mühe geben; ~ *ciel et terre* alle Hebel in Bewegung setzen; *ne (pouvoir)* ~ *ni pied ni patte* sich nicht rühren (können); **~eur, se** *a* lebhaft, unruhig; *s m* Rührwerk *n;* Kornschaufler; Unruhestifter *m.*

remugle [rəmygl] *m vx* o. *lit* muffige(r) Geruch *m; sentir le* ~ muffig riechen.

rémunér|ateur, trice [remyneratœr, -tris] *a* lohnend, einträglich, gewinnbringend; **~ation** *f* Belohnung *f;* Lohn *m,* Entlohnung *f,* Entgelt *n,* Vergütung; *(Kapital)* Verzinsung *f,* Ertrag *m; pl* Bezüge *m pl,* Arbeitseinkommen *n;* ~ *en nature* Natural-, Sachleistung *f,* Deputat *n;* **~atoire** zur Belohnung dienend; einträglich; **~er** be-, entlohnen; vergüten; verzinsen.

renâcler [rənɑkle] *(Pferd)* schnauben; *(fam)* ~ *à qc* Widerwillen empfinden *od* zeigen, sich sträuben gegen etw; *devant qc* vor e-r S zurück=weichen.

ren|aissance [rənɛsɑ̃s] *s f* Wiedergeburt *bes. rel;* Erneuerung, Wiederkehr *f;* neue(s) Leben, Wiederaufleben, -blühen *n; (Kunst)* Renaissance *f; a* Renaissance-; **~aissant, e** wiedererstehend, -kehrend, -auflebend; **~aître** *irr* wiedergeboren werden *bes. rel;* wieder=erstehen, -auf=leben, -auf=blühen; *fig* wieder auf=atmen; *poet* zurück=, wieder=kehren; *~ à qc* e-r S zurück=gegeben, neu geschenkt werden.

rénal, e [renal] *a anat* Nieren-.

renard [rənar] *m* Fuchs *a. fig;* Fuchspelz; *vx* nicht organisierte(r) Arbeiter; Lohndrücker; Streikbrecher; *vx arg* Spion; Verräter; Kant-, *mar* Kenterhaken; Riß *m* (im Wasserrohr); *arch* Kropfeisen *n;* Teufelsklaue *f; tanière f, terrier m du ~* Fuchsbau *m; ~ argenté, bleu, blanc* Silber-, Blau-, Polarfuchs *m;* **~e** [-nard] *f* Füchsin, Fähe *f;* **~eau** *m* junge(r) Fuchs *m;* **~er** schlau handeln; *arg* verraten; **~ière** *f* Fuchsbau *m.*

renaud|er [rənode] *vx pop* meckern; **~eur** *m vx pop* Meckerer *m.*

rencais|sage, ~sement [rɑ̃kɛsaʒ, -mɑ̃] *m* Wiedereinzahlung *f; (Gärtnerei)* Transport *m* in Kisten; **~ser** wieder ein=zahlen; in e-e andere Kiste pflanzen.

rencard [rɑ̃kar] *m arg* Nachricht *f;* **~er** *arg* benachrichtigen.

rencart [rɑ̃kar] *m arg* Verabredung *f; mettre au ~* zum alten Eisen werfen.

renchér|i, e [rɑ̃ʃeri] *a* reserviert, hochnäsig; *s m f: vx faire le, la ~, e* sich zieren, sich ablehnend, -weisend verhalten; **~ir** *tr* verteuern; *itr* teurer werden, im Preise steigen; *(Versteigerung)* ein höheres Gebot ab=geben; überbieten (*sur qn, qc* jdn, etw) *a. fig; fig* hinaus=gehen (sur über *acc*), übertreiben (*sur qc* e-e S); **~issement** *m* Verteuerung, Preissteigerung *f;* Aufschlag *m;* Überbietung *f;* **~isseur** *m* Preistreiber *m.*

rencontr|e [rɑ̃kɔ̃tr] *f* Begegnung *f,* Zs.treffen *n;* Aufea.prallen, -stoßen *n,* Zs.stoß *m; (combat m de ~)* Treffen, Gefecht; Duell; *sport* Treffen, Spiel *n; astr* Opposition *f; aller, venir à la ~ de qn* jdm entgegen=gehen, -kommen; *éviter la ~ de qn* jdm aus=weichen, aus dem Wege gehen, jdn meiden; *~ finale* Endspiel *n; ~s d'homme à homme* Gespräche *n pl* von Mensch zu Mensch; *~ au sommet* Gipfelkonferenz; Besprechung *f* auf höchster Ebene; *~ sportive* Sportveranstaltung *f;* **~er** *tr* treffen *a. fig,* begegnen (*qn* jdm), stoßen (*qn* auf jdn); *se ~* sich begegnen, sich treffen; aufea.=stoßen, -prallen; *(Flüsse)* zs.=fließen, sich vereinigen; *fig* sich finden, sich treffen; gefunden, angetroffen werden, vor=kommen; sich an=greifen, sich duellieren; *~ des difficultés* auf Schwierigkeiten stoßen; *~ les yeux, les regards de qn* jds Blick begegnen; *cela ne se ~e pas* das gibt es nicht; *cela ne se ~e pas tous les jours* das findet man nicht alle Tage.

rend|ement [rɑ̃dmɑ̃] *m* Ertrag, Nutzen *m,* Ausbeute *f* (*en* an *dat*), Gewinn *m; com* Rendite; *(Physiologie) tech* Leistung *f; tech* Ausstoß *m;* Leistungsfähigkeit, Ergiebigkeit, Einträglichkeit *f;* Wirkungsgrad *m; à gros ~* ertragreich; *à plein ~* mit voller Kraft; *d'un mauvais ~ (économique)* unrentabel, unwirtschaftlich; *augmentation f de ~* Leistungssteigerung *f; capacité f de ~* Ertragsfähigkeit *f; ~ d'un capital* Kapitalertrag *m; ~ économique* Wirtschaftlichkeit *f; ~ effectif* Nutzleistung *f; ~ fiscal* Steueraufkommen *n; ~ journalier, quotidien* Tagesleistung *f; ~ maximum* Höchst-, Spitzenleistung *f; ~ minimum* Mindestertrag *m; ~ par poste-homme (min)* Leistung *f* pro Mann u. Schicht; *~ du travail* Arbeitsertrag *m;* **~ez-vous** [-de-] *m inv* Verabredung *f;* Stelldichein, Rendezvous *n;* Treffpunkt; *fig mil mar* Sammelpunkt *m; sur ~* nach Vereinbarung; *donner un ~, prendre ~* e-e Verabredung treffen, sich verabreden (*pour* für; *avec* mit); *~ spatial* Treffen *n* im All.

rendormir [rɑ̃dɔrmir] *irr* wieder zum Einschlafen bringen; *se ~* wieder ein=schlafen.

rendosser [rɑ̃dɔse] *(Kleidung)* wieder an=ziehen.

rendre [rɑ̃dr] *tr* (zurück=, wieder=, heraus=)geben; (zurück=)erstatten, zurück=zahlen; hin=bringen, -schaffen; zu=stellen, ab=liefern, -geben; *(Ware)* liefern; *(Gesundheit, Augenlicht)* zurück=geben; *(Hoffnung, Mut)* wieder geben; *(Achtung, Vertrauen)* wieder schenken; *(Geschenk, Ware)* nicht an=nehmen; *(Brief)* überreichen, -geben; *(Physiologie, Ton)* von sich geben; *(Milch, Zucker)* geben; *com* ein=bringen, ab=werfen; *(Geruch)* verbreiten; *(auf großes Geld)* heraus=geben; sich revanchieren (*qc* für etw); vergelten; *(Ohrfeige)* zurück=geben; *(bildhaft* od *mit Worten)* wieder=geben; zum Ausdruck bringen, dar=stellen; interpretieren; übersetzen; *(Entscheidung)* treffen, fällen; *(mit a)* machen (*mit s* zu); *itr* Ertrag, Gewinn ab=werfen, Nutzen bringen, sich rentieren, sich bezahlt machen, sich verzinsen; *se* ~ sich begeben (*à, en, dans, chez* nach, in *acc*, zu *dat*); Folge leisten (*à une invitation* e-r Einladung); sich ergeben; *(Fluß)* sich ergießen (*à* in *acc*); nach=geben, -kommen; *(e-m Gesuch)* entsprechen; nach=lassen; *(mit a)* sich machen, zeigen, erweisen als; werden; ~ *l'âme, l'esprit* den Geist auf=geben; ~ *les armes* die Waffen strecken *a. fig; se* ~ *à l'avis de qn* sich jds Ansicht beugen; ~ *bien* einträglich *od* ergiebig sein; ~ *le bien pour le mal* Böses mit Gutem vergelten; ~ *compte à qn* jdm Rechenschaft ab=legen; *mil* jdm Meldung machen; *se* ~ *au désir de qn* jds Wunsch nach=kommen; ~ *les derniers devoirs à qn* jdm den letzten Dienst erweisen; ~ *gorge fig* wieder heraus=rükken, zurück=geben; ~ *grâce(s) à qn* jdm dankbar, erkenntlich sein; ~ *hommage à qn* jdm huldigen; ~ *un jugement* ein Urteil fällen; ~ *justice à qn* jdm Gerechtigkeit widerfahren lassen; ~ *la justice* Recht sprechen; *se* ~ *aux larmes de qn* sich durch jds Tränen erweichen lassen; *se* ~ *maître de qc* etw in Besitz nehmen; ~ *nul (jur)* für nichtig erklären; ~ *de bons offices à qn* jdm gute Dienste leisten; *le* ~, ~ *la pareille,* ~ *la monnaie de sa pièce à qn* jdm mit gleicher Münze heim=zahlen, jdm nichts schuldig bleiben; *se* ~ *sur place* sich an Ort u. Stelle begeben; ~ *des points (Spiel)* e-e Vorgabe machen; ~ *raison de qc* etw erklären; ~ *service à qn* jdm e-n Dienst erweisen *od* leisten; ~ *témoignage à qn* Zeugnis für jdn ab=legen; *se* ~ *à son travail* an die Arbeit gehen; ~ *visite à qn* jdn besuchen; ~ *sa visite à qn* jds Besuch erwidern; *cela* ~ *(fam)* das bringt was ein; *Dieu vous le rende!* vergelt's Gott!

rendu, e [rɑ̃dy] *a* ermüdet, erschöpft; angekommen; *s m com* nicht angenommene Ware *f; fam* Gegenstreich *m;* Gegengeschenk *n; un prêté (pour un)* ~ Wurst wider Wurst; *bien, mal* ~ *(Kunst)* gut, schlecht getroffen; *compte m* ~ Rechenschaftsbericht *m;* ~ *à domicile, à l'usine, en gare* frei Haus, Fabrik, Bahnhof.

renduire [rɑ̃dɥir] neu bestreichen, überziehen.

rendur|cir [rɑ̃dyrsir] verhärten, (noch) härter machen; **~cissement** *m* Verhärten *n;* Verhärtung *f.*

rêne [rɛn] *f* Zügel *m; pl fig* Zügel *m pl; lâcher les* ~*s (fig)* die Zügel locker=lassen; *tenir les* ~*s* die Zügel fest in der Hand halten.

renégat [rənega] *m rel* Renegat; Abtrünnige(r) *m a. pol.*

renfaîter [rɑ̃fɛ(e)te] den First erneuern (*qc* gen); mit e-m neuen F. versehen.

renferm|é, e [rɑ̃fɛrme] *a fam (Mensch)* verschlossen, in sich gekehrt; *s m* dumpfe(r) Geruch *m,* Dumpfigkeit *f; sentir le* ~ dumpfig, muffig riechen; **~er** (wieder) ein=sperren; *(Sache)* (wieder) weg=schließen; eingesperrt, *(Sache)* unter Verschluß halten; *fig* ein=schließen, enthalten, umfassen; geheim=halten, verbergen; beschränken (*en, dans* auf *acc*); *se* ~ sich ein=schließen; *fig* sich zurück=ziehen (*en* auf, in *acc*); *se* ~ *dans le silence* sich in Schweigen hüllen; *se* ~ *en soi-même* sich in sich (selbst) zurück=ziehen.

renflammer [rɑ̃flame] *tr* wieder entflammen; *itr* wieder auf=flammen *a. fig.*

renfl|é, e [rɑ̃fle] *(Säule)* ausgebaucht; **~ement** [-flə-] *m* (An-)Schwellung; *arch* Ausbauchung *f;* **~er** *itr* (an=) schwellen; *(Teig)* auf=gehen; *tr* wieder auf=blasen; an=schwellen, auf=quellen lassen; *fig* aufgeblasen machen; *se* ~ (an=)schwellen.

renflou|age [rɑ̃fluaʒ], **~ement** *m mar* Wiederflottmachen *n;* **~er** *mar* wieder flott=machen *a. fig.*

renfonc|é, e [rɑ̃fɔ̃se] *(Augen)* tiefliegend; **~ement** *m* Eindrücken *n;* Vertiefung; *(Bild)* Tiefe *f; typ* Einrücken *n,* (Zeilen-)Einzug; *pop* Schlag, Stoß *m;* **~er** wieder (hin)ein=drücken, -stoßen, -schlagen; *arch* zurück=setzen, -nehmen; *fig fam (Tränen, Ärger)* unterdrücken; hinunter=würgen; *(Faß)* mit e-m neuen Boden versehen; *typ (Zeile)* ein=rücken; *se* ~ sich wieder zurück=ziehen; (hin)eingedrückt werden.

renfor|çage, ~cement [rɑ̃fɔrsaʒ, -səmɑ̃] *m* Verstärkung *a. fig phot; ~cement m de la taxation* erhöhte Besteuerung *f;* **~cé, e** verstärkt; *fig* ausgemacht, -geprägt; ~ *nylon* nylonverstärkt; **~cer** *tr* verstärken *a. fig phot; fig* erhöhen; *itr* stärker werden; *se* ~ sich *(in s-n Leistungen)* verbessern; sich verstärken; **~cir** *tr pop* stärker machen; *itr* stärker werden.

renformir [rɑ̃fɔrmir] *(Mauer)* aus=bessern, aus=putzen.

renfort [rɑ̃fɔr] *m* Verstärkung *a. tech mil, à grand* ~ *de* mit Hilfe, unter Zuhilfenahme *gen; chevaux m pl de ~* Vorspannpferde *n pl.*

renfrogn|ement [rɑ̃frɔɲ(ə)mɑ̃] *m* (Stirn-)Runzeln *n;* **~é, e** *(Stirn)* gerunzelt; *(Mensch)* verstimmt, verärgert; **~er(, se)** (die Stirn) runzeln, (sein Gesicht) in Falten legen; *~ sa mine* sein Gesicht verziehen, ein saures G. machen.

rengag|é [rɑ̃gaʒe] *m mil* Längerdienende(r) *m;* **~ement** *m mil* Verpflichtung *f* auf e-e längere Dienstzeit; **~er** *tr* neu verpfänden; wieder an=werben, ein=stellen; *fig* wieder binden; w. ermutigen (*à* zu); *(Kampf, Prozeß)* wiederauf=nehmen; *itr mil* freiwillig weiter=dienen; *se ~* sich neu, wieder verpflichten, sich w. ein=lassen (*dans* auf *acc*); w. in Gang kommen.

rengain|e [rɑ̃gɛn] *f* Schlager, Gassenhauer *m; c'est toujours la même ~ (fam)* das ist immer die alte Leier, dieselbe Platte; **~er** *(Degen)* wieder in die Scheide, w. ein=stecken; *fig fam* nicht zu Ende sprechen; zurück=behalten, für sich behalten; *(Vorhaben)* fallen=lassen.

rengorg|é, e [rɑ̃gɔrʒe] *fig* aufgeblasen, *fam* aufgeplustert; **~ement** *m fig* Aufgeblasenheit *f;* **~er, se** sich in die Brust werfen *a. fig; (Vogel* u. *fig fam)* sich (auf=)plustern; *fig* sich brüsten, *pop* dick(e)=tun.

ren|iement [rənimɑ̃] *m* Verleugnung *f;* Fluch *m,* (Gottes-)Lästerung *f;* **~ier** [-nje] *tr* verleugnen; ab=schwören, sich los=sagen (*qn* von jdm), untreu werden (*qn* jdm); *itr* fluchen, lästern; *~ Dieu* Gott lästern.

renifl|ement [rəniflәmɑ̃] *m, pop* **~erie** *f* Schnüffeln *n,* Schnüffelei *f;* **~er** *itr* schnüffeln; schniefen; *fam* die Nase verziehen (*sur* bei), e-n Widerwillen haben (*sur* gegen); *tr (Tabak)* schnupfen; *pop* saufen; *arg* wittern; aus=baldowern, -kundschaften; **~eur, se** *m f fam* Schnüffler(in *f*) *m,* Spürnase *f; arg* Polizist *m.*

renne [rɛn] *m* Ren, Ren(n)tier *n.*

renom [rənɔ̃] *m* Ruf *m;* Berühmtheit *f;* **~mé, e** [-nɔ-] *a* berühmt, bekannt (*pour* durch, für); gut renommiert; *s f* Renommee *n;* Ruf *m;* **~mer** wieder=ernennen.

renonc|e [rənɔ̃s] *f (Kartenspiel)* Nichtbedienen *n;* Fehlfarbe *f; vx se faire une ~* e-e Fehlfarbe ab=werfen; **~ement** *m* Verzicht *m,* Entsagung *f; ~ à soi-même* Selbstverleugnung *f;* **~er** verzichten (*à* auf *acc*); *(Plan, Spiel)* auf=geben (*à qc* etw); aus=schlagen (*à* acc); entsagen (*à* dat); *(Kartenspiel)* nicht bedienen; *~ à soi-même* sich selbst verleugnen; **~iation** [-sja-] *f jur* Verzicht(-leistung *f*) *m* (*à* auf), Ausschlagen *n.*

renoncule [rənɔ̃kyl] *f bot* Hahnenfuß *m (~ bulbeuse); ~ âcre, bouton d'or* Butterblume *f; ~ des bois* Buschwindröschen *n.*

renou|ée [rənwe] *f bot* Knöterich *m;* **~er** *tr* (wieder an=, fest=, zu=)binden; verknoten; *fig (Gespräch, Verhandlung)* wiederauf=nehmen, neu (an=) knüpfen, erneuern; *vx med pop* wieder ein=renken; *itr* wiederan=knüpfen (*avec qn* mit jdm).

renou|veau [rənuvo] *m poet* Lenz, Frühling *m; fig* Erneuerung, neue Blüte *f;* **~velable** *jur com* zu erneuern(d), verlängerbar; **~veler** erneuern, auf=frischen; wiederauf=nehmen; *(Vorrat)* (wieder) ergänzen; *jur com* verlängern, erneuern; wieder zum Leben erwecken, w. auf=leben lassen; *se ~* sich erneuern, wieder ein=setzen, w. beginnen; *rel* e-n neuen Menschen an=ziehen; *~ le souvenir de qc* die Erinnerung an e-e S auf=frischen; **~vellement** *m* Erneuerung; Wiederkehr; Auffrischung *f;* Wiederaufleben *n;* Verstärkung; Ergänzung; *jur com* Erneuerung, Verlängerung; *parl* Neuwahl *f; ~ de l'année* Jahreswechsel *m.*

rénov|ateur, trice [renɔvatœr, -tris] *a* erneuernd; *s m* Erneuerer *m;* **~ation** *f* Erneuerung *(a. Physiologie, Gelübde); fig* Wiederbelebung *f;* **~er** erneuern, auf=frischen; *fig* wieder=beleben.

renseign|é, e [rɑ̃sɛɲe] (gut)unterrichtet; **~ement** *m* Auskunft; Angabe (*sur* über *acc*); Erkundigung; *mil* Meldung, Aufklärung *f; pl* Nachrichten *f pl; donner des ~s* Auskunft erteilen; *prendre des ~s* Erkundigungen ein=ziehen (*sur* über *acc*); *recueillir des ~s (mil)* Nachrichten ein=holen, -ziehen; *pour ~s s'adresser ici* (nähere) Auskunft hier; *pour de plus amples ~s s'adresser à* wegen weiterer Auskünfte wende man sich an; *bureau m de ~s* Auskunftei *f; centre m de ~s (mil)* Nachrichtensammelstelle *f; service m de ~s* Nachrichtendienst *m; ~s de crédit, juridiques* Kredit-, Rechtsauskunft *f; ~s météorologiques* Wetternachrichten *f pl;* **~er** *tr* Auskunft erteilen (*qn sur qc* jdm über e-e S); unterrichten (*qn sur qc* jdn über e-e S); *mil* melden, berichten (*qn sur qc* jdm etw, über e-e S); ein=tragen, -zeichnen (*une carte* in e-e Karte); *itr mil* auf=klären (*sur qc* e-e S); *se* ~ Erkundigungen ein=ziehen (*sur* über *acc*); *se* ~ *sur la situation de l'ennemi* die Feindlage fest=stellen.

renta|biliser [rɑ̃tabilize] rentabel machen, rationalisieren; **~bilité** *f* Rentabilität, Einträglichkeit; Wirtschaftlichkeit *f; limite f de* ~ Rentabilitätsgrenze *f;* **~ble** rentabel.

rent|e [rɑ̃t] *f* Rente; Staatsschuld *f; a. pl* (Vermögens-)Einkommen *n,* Einkünfte *pl; vivre de ses ~s* von s-m Vermögen, *fam* vom Geld(e) leben; *assurance, banque, caisse f de ~(s)* Rentenversicherung, -bank, -anstalt *f; bêtes f pl de* ~ Nutzvieh *n; rachat m de* ~ (Renten-)Ablösung *f; titre m de* ~ Rentenbrief *m; titulaire m f d'une* ~ Rentenberechtigte(r *m*) *f; ~-accident f,* ~ *de maladie* Unfall-, Krankheitsrente *f;* ~ *des ayants cause* Hinterbliebenenrente *f;* ~ *courante, en cours* laufende R.; ~ *entière, partielle* Voll-, Teilrente *f;* ~ *(constituée, consolidée) d'État, de l'État, sur l'État* (fundierte) Staatsschuld; Staatsanleihe, öffentliche Schuldverschreibung; Staatsrente *f;* ~ *foncière* Grundrente *f;* ~ *d'invalidité, de vieillesse* Invaliden-, Altersrente *f;* ~ *perpétuelle, viagère, à fonds perdu* lebenslängliche Leibrente *f;* ~ *professionnelle (min)* Knappschaftsrente *f;* **~é, e** über ein Renteneinkommen verfügend; *être bien* ~ *(fam)* vermögend sein; **~ier, ère** *m f* Rentier(e *f*); Rentner(in *f*) *m; petit* ~ Kleinrentner *m;* ~ *de l'assurance sociale* Sozialrentner, Rentenempfänger *m.*

rentr|age [rɑ̃traʒ] *m* Hineintragen, -bringen, -schaffen *n;* **~ant, e** *a math arch* einspringend; *(Kurve)* in sich (selbst) zurückkehrend; einziehbar; *s m* (für e-n anderen) einspringende(r) Spieler; aus den Ferien Zurückkehrende(r) *m; arch* Nische *f;* **~é, e** *a* hohl, eingefallen; *(Physiologie)* unterdrückt *a. fig; (Hebel)* umgelegt; *fig (Ärger, Zorn)* hinuntergeschluckt, -gewürgt; *aero* eingefahren, -gezogen; *s m* unsichtbare Naht *f;* **~ée** *f* Rück-, Wiederkehr *f;* Heim-, Nachhausekommen *n;* Wiederbeginn *m,* -aufnahme *(e-r Tätigkeit, bes. nach den Ferien, a. jur theat);* Wiedereröffnung *f; (Ernte)* Einbringen *n; (Geldsumme, Steuer)* Einziehung *f,* -treiben *n;* Beitreibung *f; (Geld, Post)* Eingang *m; (Wild)* (Rückkehr *f* zum) Lager *n; (Spiel)* aufgenommene Karten *f pl; mus* Wiederkehr *f (des Hauptmotivs); (Stoff)* Einlaufen *n; Weberei)* Einzug; *typ* (Zeilen-)Einzug *m; pl* eingehende Gelder *n pl,* Eingänge *m pl;* zurückgekommene Waren *f pl; d'une* ~ *difficile* schwer einzutreiben(d); *sauf, sous réserve de* ~ *(com)* Eingang vorausgesetzt; *opérer des ~s* Außenstände ein=ziehen, -treiben; ~ *des classes* Schulanfang *m; ~s fiscales* Steuereinnahmen *f pl;* ~ *journalière* Tageseinnahme *f;* ~ *parlementaire* Wiederzs.treten *n* des Parlaments *(nach den Ferien);* ~ *scolaire* Schulbeginn, -anfang *m.*

rentrer [rɑ̃tre] *itr* zurück=kommen, -kehren; heim=kehren, nach Hause kommen *od* gehen; wieder herein=kommen, w. ein=treten; *pop* ein=treten, hinein=gehen; *(in e-e Organisation, in ein Amt)* wieder ein=treten; die Arbeit, s-e Tätigkeit wiederauf=nehmen; wieder=erlangen (*dans qc* etw); *tech* sich inea.=schieben; hinein=gehen, -passen; enthalten sein (*dans* in *dat*); gehören (*dans* zu); *(Stoff)* ein=laufen; *geog* e-e Einbuchtung machen (*dans* in *acc*); *arch* ein=springen; *med* nach innen schlagen; *(Geld)* ein=gehen, -kommen; *mus (Hauptmotiv)* wieder=kehren; *theat* wieder auf=treten; *aero* zurück=fliegen; *tr* wieder hinein=tragen, -bringen, -schaffen; *(Ernte)* ein=bringen, -fahren; *(Tränen)* unterdrücken; *typ (Zeile)* ein=rücken; *tech* ein=fahren, -ziehen; *(Faden)* ein=ziehen; *mar* ein=ziehen, -holen; *se* ~ hereingeholt, eingefahren werden; ~ *dans sa coquille* sich um s-e eigenen Angelegenheiten kümmern; ~ *en correspondance avec qn* den Briefwechsel, die Verbindung mit jdm wiederauf=nehmen; ~ *en crédit* wieder in Kredit kommen; ~ *dans le devoir* zu s-r Pflicht zurück=kehren; ~ *au fer* ein=bügeln; ~ *dans ses frais* auf s-e Kosten kommen; ~ *dans les bonnes grâces de qn* bei jdm wieder in Gunst kommen; ~ *dans son bon sens* wieder Verstand an=nehmen, w. zur Vernunft kommen; ~ *en soi-même* in sich gehen, mit sich (selbst) zu Rate gehen; ~ *dans le sujet, dans la question* aufs Thema, auf die Frage zurück=kommen; *les jambes me ~ent dans le corps* ich habe mir die Beine in den Leib gestanden, ich bin hundemüde.

renvers|able [rɑ̃vɛrsabl] umkipp-, umkehrbar; **~ant, e** *fam* unglaublich, -faßbar; **~e** *f: tomber à la* ~ auf den Rücken fallen *a. fig;* **~é, e** auf dem Kopf stehend, umgekehrt, verkehrt; *(Kopf)* hintenübergeneigt; *(Gesicht)* verstört, völlig verändert; *bot* umgestülpt; *c'est le monde* ~ da steht einem der Verstand still; *crème f ~e* gestürzte(r) Pudding *m;* **~ement** [-sə-] *m* Umkehrung *a. math;* Verdrehung *f; fig* Umstoßen; Durchea.bringen *n,* Verwirrung; Umwälzung *f;* (Um-)Sturz *m a. pol;* Zerstörung; *med* Umstülpung; *(Meeresströmung, Wind)* Drehung; *(Satzteile)* Umstellung; *mus* Umsetzung; *tech* Umsteuerung; *el* Umschaltung, -polung; *aero* Kehre, Kehrtwendung *f;* **~er** *tr* um=kehren *a. math,* auf den Kopf stellen *a. fig;* um=stülpen; um=wenden; durchea.=bringen, verwirren *(a. Gedanken);* verblüffen; *(Satz)* um=stellen; um=werfen, -kippen, -stürzen, -stoßen *a. fig; fig pol* stürzen; ein=, nieder=reißen, zerstören, dem Erdboden gleich=machen; *fig* zu Fall bringen; *fig fam* um=hauen; *mus* um=setzen; *(Balken)* kanten; *(Wagen)* um=kippen, -werfen; *tech* um=steuern *(~ la marche); el* um=schalten, -polen; *itr* um=fallen, -stürzen, -kippen *(bes. Wagen); (Meeresströmung)* sich drehen; *se ~* rückwärts, auf den Rücken fallen; sich nach hinten legen, sich zurück=lehnen; (um=) fallen, (um=)stürzen; *~ l'esprit, la cervelle à qn* jdn durchea.=bringen, verwirren, jdm den Kopf verdrehen; *ne pas ~!* nicht stürzen! *ça me ~e (fam)* da bleibt mir die Spucke weg.

renvi [rɑ̃vi] *m (Spiel)* Einsatzerhöhung *f.*

renvi|dage [rɑ̃vidaʒ] *m (Garn)* Aufspulen *n;* **~der** *(Garn)* auf=spulen; **~deur, se** *m f* Garnspuler(in *f*) *m; m* u. *a: métier m ~* Aufspulrahmen *m.*

renvo|i [rɑ̃vwa] *m* Zurückschicken *n,* Rücksendung *f;* Zurückwerfen, -schlagen, -strahlen *n;* Auf-, Verschiebung, Vertagung; Verweisung *f (a. jur, im Buch);* Hinweis *m;* Verweisungszeichen *n;* Zusatz *m,* Ergänzung *(in e-m Schriftstück); (Arbeiter, Soldat, Gefangener)* Entlassung *f; (Physiologie)* Aufstoßen, *fam* Rülpsen; *(Schiff)* Schaukeln *n; de ~* (leer) zurückfahrend, -gehend; *numéro m de ~* Verweisungsnummer *f;* **~yer** *tr* zurück=, heim=schicken, nach Haus, weg=, nach=schicken; zurück=schlagen, -werfen, -schleudern, -strahlen; zu=fallen, zu=kommen lassen (*à* dat); überlassen; *(zuständigkeitshalber)* verweisen (*à* an, auf *acc*); hin=weisen (*à* auf *acc*); (zeitlich) auf=, verschieben, vertagen; ab=weisen; vertrösten; *(Gesuch)* zurück=gehen lassen; *(Arbeiter)* entlassen; *(von der Schule)* verweisen; *(Gefangenen)* ent-, frei=lassen; *(Beamten)* ab=setzen; *(Kartenfarbe)* noch mal spielen; *itr (Schiff)* sich auf die Seite legen; *se ~* sich gegenseitig zu=schieben; ea. zu=werfen, ins Gesicht schleudern; *~ l'ascenseur* den Fahrstuhl zurück=schicken; *fig* es jdm heim=zahlen; *~ la balle à qn, se ~ la balle* jdm, ea. die Antwort nicht schuldig bleiben; *~ le circuit (tele)* die Leitung schalten (*sur* auf *acc*); *~ qn de sa demande (jur)* jdn mit s-r Klage ab=weisen; *~ qn de ses fonctions* jdn s-s Amtes entheben; *~ les parties à se pourvoir (jur)* sich für unzuständig erklären; *se ~ des reproches, des injures* sich gegenseitig Vorwürfe machen, ea. beleidigen.

réoccup|ation [reɔkypasjɔ̃] *f* Wiederbesetzung *f;* **~er** wieder besetzen, w. ein=nehmen.

réorganis|ateur, trice [reɔrganizatœr, -tris] *a* reorganisierend; *s m* Reorganisator *m;* **~ation** *f* Reorganisation, Neugestaltung, -regelung *f; ~ des armements* Umrüstung *f;* **~er** reorganisieren; neu gestalten, regeln, gliedern.

réouverture [reuvɛrtyr] *f* Neu-, Wiedereröffnung *f.*

repaire [r(ə)pɛr] *m* Höhle *(wilder Tiere);* Räuberhöhle *f,* Schlupfwinkel *m.*

repaître [rəpɛtr] *irr (Tiere)* füttern, weiden; *fig* ab=speisen, hin=halten, vertrösten (*de* mit); *se ~* zehren (*de* von); sich weiden (*de* an *dat*); sich beschäftigen, sich befassen (*de* mit); *se ~ de chimères* sich Illusionen hin=geben; *~ ses yeux, ses regards de ...* s-e Augen weiden an *dat.*

répand|re [repɑ̃dr] fallen=lassen, (ver)streuen, -schütten, aus=gießen; *(Tränen)* vergießen; aus=, verbreiten; *(Licht, Geruch, fig Schrecken, Lehre, Gerücht)* verbreiten; aus=streuen; aus=, verströmen; aus=teilen, zu=kommen, zugute kommen, zuteil werden lassen (*sur* dat); *se ~* sich zeigen; sich ergehen (*en* in *dat*), sich aus=lassen, sich verbreiten (*sur* über *acc*); *(Lehre, Ansicht)* sich ver-, aus=breiten (*par* über *acc*); *~ son cœur, son âme* sein Herz aus=schütten; *~ le sang* Blut vergießen; **~u, e** verbreitet, gängig, allgemein (anerkannt *od* üblich); bekannt.

reparaître [rəparɛtr] *irr* wieder erscheinen; sich wieder zeigen *od* sehen lassen.

répar|able [reparabl] wiedergutzumachen(d), *(Schaden)* zu beheben(d); zu reparieren(d); **~ateur, trice** *a* wiedergutmachend; heilend, wieder gesund machend; stärkend; *s m* Restaurator *m; ~-mécanicien m* Autoschlosser *m;* **~ation** *f* Reparatur, Ausbesserung, Instandsetzung, Überholung, Wiederherstellung *a. med; fig* Genugtuung; *pol* Reparation, (Kriegs-)Entschädigung, Wiedergutmachung *f; ... de ~ (sport)* Straf-; *en ~* in Reparatur; *demander ~* Genugtuung fordern; *atelier m, frais m pl de ~* Reparaturwerkstatt *f,* -kosten *pl; ~s civiles* Schadenersatz *m; ~s courantes* laufende Reparaturen *f pl; ~ d'honneur* Ehrenerklärung *f;* **~er** reparieren, aus=bessern, instand setzen, überholen, wiederher=stellen *a. med; (s-e Angelegenheiten)* wieder in Ordnung bringen; *(Schaden)* ersetzen, vergüten; *fig* wiedergut=machen; Genugtuung geben (*qc* für etw); *(verlorene Zeit)* wieder auf=holen; *(Kunst) tech* polieren, glatt=schleifen; *se ~* wieder gut werden, w. in Ordnung kommen, w. heil werden; *~ ses forces* wieder zu Kräften kommen.

repart|ie [rəparti] *f* (schnelle, lebhafte) Entgegnung, Erwiderung *f; avoir la ~ prompte, être prompt à la ~* um e-e Antwort nie verlegen sein; **~ir** *itr* wieder auf=brechen, ab=fahren, -reisen; antworten; *tr* erwidern, entgegnen, versetzen.

répart|ir [repartir] *irr* auf=, verteilen (*entre* unter *acc*); *(Aktien)* zu=teilen; *(Gewinn, Dividende)* aus=schütten; *(Kosten)* um=legen; *se ~* sich verteilen; **~iteur** *m com el tele* Verteiler *m;* **~ition** *f* (Ver-, Auf-)Teilung; Zuteilung; Umlage; Ausschüttung; Aufschlüsselung; Gliederung, Schichtung; *el* Verteilung *f; mode m de ~* Verteilerschlüssel *m; ~ des actions* Aktienzuteilung *f; ~ des bénéfices, des dividendes* Gewinn-, Dividendenausschüttung *f; ~ des biens d'une succession* Erbteilung *f; ~ des charges* Lastenausgleich *m; ~ des commandes* Auftragslenkung *f; ~ des contributions* Steuerveranlagung *f; ~ des frais* Kostenverteilung, -umlegung *f; ~ par profession* berufliche Gliederung; Aufschlüsselung *f* nach Berufen; *~ des richesses* Güterverteilung *f; ~ du travail* Arbeitsteilung *f.*

repas [rəpɑ] *m* Mahl(zeit *f*), Essen *n; allocation f de ~* Freitisch *m (für Studenten); d'adieux, de noces* Abschieds-, Hochzeitsessen *n.*

repass|age [rəpɑ(a)saʒ] *m* Schleifen, Abziehen, -streichen; Plätten, Bügeln; Harken *n; (Zugvögel)* Rückflug *m;* **~er** *itr* wieder (vorbei=)kommen, -gehen, fahren, reiten, fliegen; *fig* wieder vor=sprechen; w. über=gehen (*à qc* zu etw); *tr* wieder durch=queren, überqueren, -schreiten; *(mit e-m Boot, e-r Fähre)* wieder über=setzen; noch mal (herüber=)reichen; *(Klinge)* ab=streichen, -ziehen, schleifen, schärfen; *tech* überarbeiten; plätten, bügeln; *(Weg)* (sauber) harken; *mar (Takelwerk)* überprüfen; *fig* sich (ins Gedächtnis) zurück=rufen; (noch einmal) durch=gehen, überprüfen; *(Prüfung)* noch einmal machen; *(Lektion)* wiederholen; *~ un pli à plat* e-e Falte glatt=bügeln; *fer m à ~* Bügel-, Plätteisen *n;* **~erie** *f* Plätt-, Bügelstube *f;* **~eur** *m* Schleifer *m;* **~euse** *f* Plätterin, Büglerin; *(~ mécanique)* Heißmangel *f.*

repêch|age [rəpɛʃaʒ] *m* Herausfischen *n; fam* Wiederholungsprüfung *f;* **~er** wieder fischen, w. angeln; (wieder) aus dem Wasser ziehen; *fig fam* aus der Klemme ziehen, aus der Verlegenheit helfen (*qn* jdm); *(Schule)* die Noten auf=bessern.

repeindre [rəpɛ̃dr] neu (an=)streichen, übermalen; *(schadhaftes Gemälde)* aus=bessern; *fig* wieder, noch einmal schildern.

rependre [rəpɑ̃dr] wieder auf=hängen.

repenser [rəpɑ̃se] noch einmal überlegen, überdenken (*à qc* e-e S).

repen|tant, e [rəpɑ̃tɑ̃, -t] reumütig; zerknirscht; **~ti, e** *a* bußfertig; *s m f* Büßer(in *f*) *m;* **~tir, se** *v irr* bereuen (*de qc* e-e S); *s m* Reue; *typ* Autorkorrektur; *(Gemälde)* Abänderungsspur *f; je m'en ~s* es reut mich; *il s'en ~ira! (fam)* das wird er (schon, noch) bereuen.

repérage [rəperaʒ] *m* Orts-, Standortbestimmung, Ortung, *radio* Peilung *f; (Ziel)* Erkennen; *(Waffe)* Festlegen *n; ~ optique, par le son (mil)* Licht-, Schallmessung *f; section f de ~ optique, par le son* Licht-, Schallmeßtrupp *m.*

répercu|ssion [repɛrkysjɔ̃] *f phys* Zurückwerfen *n;* Rückprall, -stoß; *(~ du son)* Widerhall *m; fig* Rückwirkung *f;* **~ter** *phys* zurück=werfen, -strahlen; *se ~ (fig)* zurück=wirken (*sur* auf *acc*).

rep|ère [rəpɛr] *m* (Kenn-, Merk-)Zeichen *n;* Marke; Markierung; Hilfslinie *f; aero* Merkmal *n; radio* (Peil-)Bezugspunkt *m; point m de ~ (mil)* Richtungs-, Anhaltspunkt *m; ~ de position* trigonometrische(r) Punkt *m;* **~érer** (kenn-)zeichnen, markieren; mit Merk-, Kennzeichen versehen; *mil* orten, ausfindig machen; *(Ziel)* erkennen, fest=stellen, auf=finden; *radio* (an=)peilen; *(Waffe)* fest=legen;

fam aufs Korn nehmen (*qn* jdn); *se* ~ sich zurecht=finden (*sur* in *dat*); sich (Merk-)Zeichen machen.

répert|oire [repɛrtwar] *m* (Sach-)Register, Verzeichnis *n*, Liste; Zs.stellung, (Text-)Sammlung *f;* Nachschlagewerk; lebende(s) Lexikon *(Person); theat* Repertoire *n a. fig,* Spielplan *m;* Rollenliste *f;* ~ *sur fiches* Zettelregister *n;* ~ *publicitaire* Bezugsquellennachweis *m;* **~orier** ein Sachregister an=legen; ins (Sach-)Register auf=nehmen.

repeser [rəpəze] wieder wiegen; *fig* gut, reiflich überlegen; *peser et* ~ hin u. her überlegen.

répét|ailler [repetɑ(a)je] *vx fam tr* ständig wiederholen, wiederkäuen; *itr* immer dasselbe sagen *od* reden; **~er** wiederholen, noch mal sagen *od* machen; nach=sagen, -sprechen, -machen; ein=üben, -studieren *a. theat,* proben; *phys* zurück=werfen; wider=spiegeln; *jur* zurück=fordern (*ses frais sur qn* s-e Auslagen von jdm); *se* ~ sich wiederholen; *phys* zurückgeworfen werden; *ne pas se le faire* ~ *deux fois* es sich nicht zweimal sagen lassen; **~eur** *m tele* Verstärker *m;* **~iteur, trice** *s m f (Schule) vx* Repetent; Aufseher(in *f*), Hilfs- *od* Privatlehrer(in *f*); *m tech* Rückmelder, Wiederholer; *tele* Translator *m;* Signalschiff *n;* **~ition** *f* Wiederholung; Wiederholungs-, Nachhilfestunde *f; arch* Ornamentstreifen *m; jur* Rückforderung; *theat mus* Probe; *(Kunst)* Originalkopie *f; astr* Repetitionskreis *m; tech* Wiedergabe *f; être en* ~ *(theat)* einstudiert werden; ~ *générale, en costume (theat)* General-, Kostümprobe *f.*

repétrir [rəpetrir] wieder kneten; *fig* um=gestalten, -bilden, *fam* -modeln.

repeupl|ement [rəpœpləmɑ̃] *m* Wiederbevölkerung; Wiederbesetzung *(mit Fischen, Wild);* Wiederaufforstung *f;* **~er** wiederbevölkern, *(mit Fischen, Wild)* wieder besetzen, *(mit Bäumen)* wieder bepflanzen; *fig* wieder=beleben.

repiqu|age, ~ement [rəpikaʒ, -mɑ̃] *m (Pflanzen)* Versetzen; *(Straßenpflaster)* Ausbessern *n;* **~er** *(Pflanzen)* versetzen; *(Pflaster)* aus=bessern.

répit [repi] *m com* Aufschub *m,* Frist *f; fig* Augenblick *m;* Ruhe, Atempause *f; sans* ~ pausenlos, unaufhörlich.

repl|acement [rəplasmɑ̃] *m* Wiederaufstellen *n; (Beamter)* Wiederanstellung *f;* **~acer** wieder hin=setzen, -stellen, w. auf=stellen; *(Beamten)* wieder an=stellen; w. unterbringen; *(Geld)* neu an=legen; *se* ~ sich wieder setzen *od* stellen; sich e-e neue Stellung verschaffen.

repl|antation [rəplɛ̃tasjɔ̃] *f,* **~antage** *m* Um-, Neuanpflanzung *f;* **~anter** um=, neu an=pflanzen.

replat [rəpla] *m geog* Terrasse *f.*

replâ|trage [rəplatraʒ] *m arch* Neuverputzen; *fig péj* Flickwerk *n;* oberflächliche Aus-, Versöhnung *f;* **~trer** *arch* neu verputzen; *fig* (oberflächlich) wieder in Ordnung bringen, wiedergut=machen; *péj* zurecht=flicken, *fam* wieder hin=schustern.

replet, ète [rəplɛ, -t] dick, (wohl)beleibt, rundlich.

réplét|if, ive [repletif, -iv] anfüllend; zur Auffüllung; **~ion** [-sjɔ̃] *f* Wohlbeleibtheit; Überfüllung, -ladung *f* mit Speisen.

repli [rəpli] *m* (Doppel-)Falte *f; (Nähen)* Um-, Einschlag *m;* Unebenheit; Krümmung, Biegung, Windung *f; (~ de terrain)* Bodensenkung *f; mil* (planmäßiger) Rückzug *m; pl* geheimste Falten *f pl* des Herzens; *position f de* ~ *(mil)* Auffangstellung *f;* **~able** [-plijabl] zs.klappbar; **~age** *m* Falten, Zs.klappen *n;* **~ement** [-plimɑ̃] *m mil* Absetzbewegung *f;* Abbau *m a. tele;* **~er** [-je] (wieder, neu) (zs.=)falten; ein=, um=schlagen; *(Ärmel)* um=, auf=krempeln; (wieder) zs.=klappen, -legen; krümmen; *(Körper)* weit vornüberneigen; *mil* zurück=ziehen, -nehmen; ab=bauen; *se* ~ sich krümmen, s. winden; s. drehen, s. wenden; *se* ~ *sur soi (fig)* sich sammeln, in sich gehen; sich gegen die Außenwelt verschließen; *mil* sich zurück=ziehen, zurück=gehen.

répliqu|e [replik] *f* Antwort; Wider-, Gegenrede; *(Kunst)* Nachbildung, Wiedergabe, Kopie; *mus* Wiederholung *f; theat* Stichwort *n; c'est sans* ~, *il n'y a pas de* ~ *à cela* dagegen läßt sich nichts sagen; **~er** *tr* erwidern, entgegnen; *itr* Widerreden, Einwände machen.

replonger [rəplɔ̃ʒe] *tr* wieder (ein=) tauchen (*dans* in *acc*); *fig* zurück=stoßen, wieder fallen=lassen; *itr* u. *se* ~ wieder tauchen (*dans* in *acc*); *se* ~ *(fig)* sich wieder stürzen (*dans* in, auf *acc*); wieder versinken (*dans* in *acc*).

répon|dant, -te [repɔ̃dɑ̃, -ɑ̃t] *m* Antwortende(r) *m,* -de *f; rel* Respondent; Verteidiger (e-r Dissertation); Bürge *m,* Bürgin *f;* **~deur** *m:* ~ *automatique* (automatischer) Anrufbeantworter *m;* **~dre** *tr* antworten, erwidern, entgegnen; *jur* Bescheid geben (*qc* auf e-e S); *rel (Messe)* respondieren;

itr antworten, Antwort geben; beantworten (*à* acc); widersprechen; versichern (*que* daß); sich melden (*à qc* auf e-e S); *fig (Vertrauen)* rechtfertigen, *(Hoffnung)* erfüllen, *(Wohltat, Höflichkeit)* erwidern (*à qc* etw); entsprechen, gleich=kommen, gleichwertig sein (*à* dat); bürgen, gut=sagen (*de qn* für jdn); die Verantwortung übernehmen *od* tragen, ein=, gerade=stehen, haften (*de* für); sich aus=wirken (*à* auf *acc*); *(~ à une prime) (Börse)* sich erklären; *se ~* sich entsprechen, aufea. abgestimmt sein; sich (selbst) e-e Antwort geben; sich (gegenseitig) antworten; abwechselnd singen; sich verstehen; *~ à l'attente de qn* jds Erwartungen entsprechen; *j'en ~ds* darauf können Sie sich verlassen; *je ne ~ds de rien* ich stehe für nichts ein; *vous ne ~dez pas* das ist keine Antwort (auf meine Frage); **~s** [-pɔ̃] *m rel* Responsorium *n,* Wechselgesang *m;* **~se** *f* Antwort, *(a. inform)* Erwiderung, Entgegnung; Beantwortung; Antwort(-schreiben *n,* -brief *m*); *mus* Wiederholung *f; jur* Bescheid *m; (Börse)* Erklärung *f; en ~ à votre lettre* in Beantwortung Ihres Schreibens; *avoir ~ à tout* um e-e Antwort nie verlegen sein; *laisser, rester sans ~* unbeantwortet lassen, bleiben; *rester sans ~* keine Antwort bekommen; *~, s'il vous plaît* um Antwort wird gebeten; *prière de rappeler dans votre ~* bei Beantwortung bitte an=geben; *carte f postale avec ~* Antwortkarte *f; un mot de ~* e-e kurze Antwort; *~ affirmative, négative* zustimmende, abschlägige A.; *~ de Normand* unklare A.; *~ payée* (bezahltes) Antworttelegramm *n; ~ provisoire* Zwischenbescheid *m.*

report [rəpɔr] *m com* Über-, Vortrag *m,* Überschreibung; Verschiebung, Vertagung *f;* Report; Kurszuschlag *m;* Prolongation *f; typ* Umdruck *m; opération, transaction f de ~* Reportgeschäft *n; ~ à nouveau* Vortrag *m* auf neue Rechnung; **~age** *m* Reportage *f,* Bericht(erstattung *f*) *m; ~ cinématographique, filmé* Filmreportage *f; ~ illustré, par l'image* Bildbericht *m,* -reportage *f; ~ parlé* Rundfunkreportage *f,* Hörbericht *m; ~ photographique* Fotoreportage *f;* **~er 1.** *v* zurück=tragen, -bringen; wieder=, mit=bringen; *(räuml.)* um=stellen, -hängen; *(zeitlich)* verschieben; *com* übertragen, -schreiben, vor=tragen; reportieren; prolongieren; *se ~ (fig)* sich zurück=versetzen (*à* in *acc*); sich beziehen (*à* auf *acc*); *on se ~a à ...* siehe unter *dat;* **2.** [-tɛr] *s m* Berichterstatter, Reporter *m; ~(-)dessinateur m* Pressezeichner *m; ~(-)photographe m* Bildbericht(erstatt)er *m;* **~eur** *m com* Reportnehmer *m.*

repos [rəpo] *m* Ruhe; (Ruhe-)Pause, Rast, Erholung *f;* Schlaf *m; fig* Ruhe; Pause *f (beim Sprechen); mil* Rühren *n;* Treppenabsatz *m; de tout ~ (jur)* mündelsicher; *allg* ganz sicher; *sans ~* pausenlos, ohne Unterbrechung; *n'avoir pas de ~ (fig)* keine Ruhe haben; *dormir en ~ (fig)* ruhig schlafen (können); *laisser en ~* in Ruhe lassen; *troubler le ~ de qn* jdn im Schlaf stören; *~! (mil)* rührt euch! *cran m de ~ (Gewehr)* Sicherung *f; lit m de ~* Ruhebett *n; position f de ~* Ruhestellung *f; terre f au ~* Brachland *n; ~ éternel* ewige Ruhe; ewige Seligkeit *f; ~ hebdomadaire* wöchentlicher Ruhetag *m;* Sonntagsruhe *f;* **~ant, e** [-zɑ̃, -ɑ̃t] beruhigend; *tech* auf zwei Stützen; **~é, e** *a* ausgeruht, erholt, frisch; *fig* frei (*de* von); *(Wein)* abgelagert; *s f (Wild)* Lager *n; à tête ~e* in Ruhe, reiflich *(überlegen);* **~e-pied** *m inv mot* Fußraste *f;* **~er** *tr* wieder, zurück=legen, -setzen, -stellen; *(Gewehr)* ab=nehmen, -setzen; (aus=)ruhen, sich erholen lassen; frisch machen, auf=frischen; *itr* ruhen, liegen; *fig* bleiben, wohnen; begraben liegen, ruhen; stilliegen (still=liegen); schlafen; gegründet sein, beruhen (*sur* auf *dat*); *se ~* (sich aus=)ruhen, sich erholen; sich verlassen (*sur* auf); *agr* brach=liegen; *(Wein)* sich setzen; *laisser ~* (sich aus=)ruhen, *agr* brachliegen, *fig* aus=reifen lassen; *se ~ sur ses lauriers (fig)* auf s-n Lorbeeren aus=ruhen; *n'avoir pas où ~ sa tête* keine Bleibe haben; *~ ses yeux, sa vue sur qc* auf *dat* s-e Augen ruhen lassen; *~ez armes!* Gewehr ab! **~oir** *m* Ruhealtar *m.*

repouss|ant, e [rəpusɑ̃, -ɑ̃t] abweisend; *fig* abstoßend, -schreckend; widerlich, ekelhaft; **~é, e** *a (Metall)* getrieben, gepunzt; *s m* getriebene Arbeit *f;* **~ement** *m (Feuerwaffe)* Rückstoß *m; fig* Abweisung *f;* **~er** *tr* wieder stoßen *od* schieben; zurück=stoßen, -schieben, -treiben; *(Feind)* zurück=schlagen; *(feindl.)* begegnen, entgegen=treten (*qn* jdm); ab=weisen, -schlagen, von sich weisen; *bot* neu, wieder treiben; *(Schreie)* wieder aus=stoßen; *fig* ab=lehnen, zurück=weisen; *itr* zurück=stoßen; wieder aus=schlagen, nach=wachsen; *tech* treiben, punzen; **~oir** *m* Bolzen; Durchschlagstift *m;* Treibeisen *n;* Auftiefmeißel; *fig fam* Hintergrund, Gegensatz *m.*

répréhens|ible [repreɑ̃sibl] tadelnswert; sträflich; **~if, ive** tadelnd; **~ion** *f* Tadel, Verweis *m.*

reprendre [rəprɑ̃dr] *irr, tr* wieder (hin=)nehmen; zurück=nehmen *(a. fig sein Wort, Versprechen);* wieder in Besitz nehmen; w. B. ergreifen (*qc* von etw); wieder ergreifen, fassen, *fig* überkommen, -fallen; wieder=gewinnen *a. fig;* wieder *(Mut)* fassen, *(Hoffnung)* schöpfen, *(Einfluß)* gewinnen; *(Stadt)* wieder ein=nehmen, zurück=erobern; wieder ab=, weg=, fort=nehmen; *(Gewohnheit)* wieder an=, *(Tätigkeit)* wiederauf=nehmen, *(Haltung)* w. ein=nehmen; wieder auf=, w. zu sich nehmen; zurück=kaufen; *com* in Zahlung nehmen, übernehmen; *(Wohnung)* wieder beziehen; *(Kleider)* w. an=ziehen; beanspruchen, Anspruch erheben (*qc* auf e-e S); *(Person)* wieder ab=holen; *(Weg)* erreichen, w. ein=schlagen; *(Masche, Erzählung)* wiederauf=nehmen; tadeln; *theat (Stück)* wieder spielen; *jur (Prozeß)* wiederauf=nehmen; *(Kleidung)* enger machen; *(Strumpf)* stopfen; *(Mauer)* aus=bessern; *itr* (wieder) an=wachsen, w. Wurzeln schlagen; wieder (zu=, zs.=) heilen; wieder zu Kräften kommen, sich w. erholen; wieder an=fangen, w. in Gebrauch, in Mode kommen; erwidern, versetzen; tadeln; *fig* steigen, sich heben; wieder (zu=)frieren; *(in der Rede)* fort=fahren; wieder zurück=kommen (*sur* auf *acc*); *se ~ (fig)* sich wieder klammern, hängen (*à* an acc); zurück=kommen (*à* auf *acc*); sich verbessern; sich erholen *a. com;* s-r wieder Herr werden, w. zu sich kommen, sich wieder in die Gewalt bekommen; *en ~ (Jagdhund)* die Fährte wieder=finden; *~ en compte* in Zahlung nehmen; *~ son cours* wieder s-n Lauf nehmen; *~ le dessus* wieder die Oberhand gewinnen; *~ des forces* wieder zu Kräften kommen; *~ haleine* wieder Luft schöpfen; *~ de plus haut (fig)* weiter aus=holen; *~ son poste* auf s-n Posten zurück=kehren; *on ne m'y reprendra plus* das soll mir nicht wieder passieren; *que je ne vous y reprenne plus!* daß mir das nicht noch mal vorkommt! *la fièvre m'a repris* ich habe wieder Fieber bekommen.

représailles [rəprezɑ(a)j] *f pl* Vergeltungsmaßnahmen, Repressalien *f pl; user de ~* Repressalien an=wenden, Vergeltung üben.

représen|table [rəprezɑ̃tabl] *theat* aufführbar; **~tant, e** *m f* (Stell-)Vertreter(in *f*); Repräsentant; *jur com fig* Vertreter(in *f*) *m; ~ de commerce, du peuple, exclusif, légal* Handels-, Volks-, Allein-, gesetzliche(r) Vertreter *m;* **~tatif, ive** vor-, darstellend (*de qc* etw); typisch; stellvertretend; *gouvernement, système m ~* parlamentarische Regierungsform *f;* **~tation** *f* Vorlage, -legung *(e-r Urkunde) f;* Vorstellung *f,* Bild *n;* Vorstellung, -haltung; *(Kunst)* Darstellung *f;* Sinnbild *n; theat* Auf-, Vorführung, Vorstellung *f;* (Stell-)Vertretung *a. jur pol com;* Repräsentation *f,* Aufwand *m; faire des ~s* vorstellig werden; *frais m pl de ~* Repräsentationskosten *pl; ~ cinématographique* Filmvorführung *f; ~ diplomatique, consulaire* diplomatische, konsularische Vertretung *f* (*auprès de* bei); *~ exclusive (com)* Alleinvertretung *f; ~ juridique* Rechtsvertretung *f; ~ de music-hall* Varietévorstellung *f; ~ du peuple, nationale* Volksvertretung *f; ~ professionnelle* Berufsvertretung *f; ~ topographique* Geländedarstellung *f;* **~tativité** *f* repräsentative(r) Charakter *m (e-r Veranstaltung);* **~ter** *tr* (wieder) vor Augen führen *od* stellen *a. fig; fig* vor=stellen (*qc à qn* jdm etw); ein=wenden; dar=stellen, schildern, dar=legen; *(vorteilhaft)* heraus=stellen, -streichen; zur Darstellung bringen, wieder=geben; versinnbildlichen; wieder an=bieten; *pol jur* vertreten; *(Urkunde)* vor=legen, -weisen, bei=bringen; *(Person)* vor=führen; *theat* auf=führen, spielen; *itr* repräsentieren; standesgemäß, würdig auf=treten; etw dar=, vor=stellen; *se ~* sich (e-e S) vor=stellen; wieder erscheinen, sich wieder zeigen (*à, devant* vor *dat*); *jur* sich (wieder) stellen (*à* dat).

répress|ible [represibl] strafbar; **~if, ive** be-, einschränkend; *loi f ~ive* Strafgesetz *n; mesure f ~ive* Zwangsmaßnahme *f;* **~ion** *f* Strafandrohung, -verfolgung, Bestrafung, Ahndung *f.*

réprim|andable [reprimɑ̃dabl] tadelnswert; **~ande** *f* (scharfer) Verweis, Tadel *m;* **~ander** tadeln, e-n Verweis erteilen (*qn à cause de qc* jdm für, wegen etw); Vorwürfe machen.

réprimer [reprime] unterdrücken, -binden; ab=stellen; ein=schränken, in Schranken halten; bekämpfen, verfolgen; unter Strafe stellen; bestrafen.

repris [rəpri] *m: ~ de justice* Vorbestrafte(r) *m.*

repris|age [rəprizaʒ] *m* Stopfen, Ausbessern *n;* **~e** *f* Wiedereinnahme, -eroberung; Wiederergreifung; Wiederaufnahme *f,* -beginn *m,* -ingangkommen, -aufleben *n; com* Aufschwung *m; (Kurse)* Wiederanziehen; *bot* Wurzelschlagen, Anwurzeln *n;* Über-, *bes. jur* Rücknahme *f; (Wäsche)* Ausbessern, Stopfen *n;* Stopfnaht; *arch* Ausbesserung, Überholung *f; mot* Auf-Touren-Kommen *n; sport* Runde *f,* Gang *m;* Reitstunde *f; (Billard)* Stoß *m; mus* Wiederholung(szeichen *n) f; theat* Wiederaufführung *f; à deux, dix ~s* zwei-, zehnmal; *à plusieurs, diverses ~s* mehrmals, -fach, wiederholt; *à la ~* nach der Pause; *faire des ~s à qc* etw aus=bessern, stopfen; *~ en compte* Inzahlungnahme *f; ~ de dette* Schuld(en)übernahme *f; ~ économique* wirtschaftliche(r) Aufschwung *m; ~ d'instance (jur)* Wiederaufnahme *f* des Verfahrens; *~ perdue* Kunststopfen *n;* **~er** stopfen, aus=bessern.

réprobat|eur, trice [reprɔbatœr, -tris] tadelnd, vorwurfsvoll; **~ion** *f rel* Verdammung; Mißbilligung *f;* scharfe(r) Tadel *m.*

reproch|able [rəprɔʃabl] *(Zeuge)* ablehnbar; **~e** *m* Vorwurf, Tadel *m; sans ~* untadelig; ohne Ihnen (dir) damit etw vor=werfen zu wollen; *sans peur et sans ~* ohne Furcht u. Tadel; *faire un ~ à qn de qc* jdm e-n Vorwurf aus etw machen; *~s de la conscience* Gewissensbisse *m pl;* **~er** vor=werfen, -halten; mißgönnen; *(Zeugen)* verwerfen; *~ la nourriture à qn* jdm die Bissen im Munde zählen.

reproduc|teur, trice [rəprɔdyktœr, -tris] *a* Zeugungs-, Fortpflanzungs-, Geschlechts-; *s m* männliche(s) Zuchttier *n;* **~tibilité** *f* Fortpflanzungsfähigkeit *f;* **~tible** fortpflanzungsfähig; erzeugbar; **~tif, ive** zeugungsfähig; reproduktiv; **~tion** [-ksjɔ̃] *f* Fortpflanzung, Zeugung; *typ* Vervielfältigung *f;* Neu-, Nachdruck *m;* Reproduktion, Wiedergabe *f; phot* Abzug *m; zoo* wieder nachgewachsene(s) Glied *n; droit m de ~* Vervielfältigungsrecht *n; pouvoir m de ~* Fortpflanzungsfähigkeit *f; ~ des sons* Tonwiedergabe *f;* **~tivité** *f* Fortpflanzungs-, Zeugungsfähigkeit *f.*

reproduire [rəprɔdɥir] (wieder) hervor=bringen; *(Gründe)* wieder vor=bringen; zeugen; *zoo* neu bilden; (wieder) ab=, nach=, neu drucken; *phot* vervielfältigen; nach=ahmen; *se ~* sich wiederholen; nach=wachsen; *biol* sich fort=pflanzen.

réprouv|able [repruvabl] verwerflich, verdammenswert; **~é, e** *rel* verdammt; *s m f rel* Verdammte(r *m*); Ausgestoßene(r *m*) *f,* Stiefkind *n,* Paria; *fam* Taugenichts, Galgenstrick *m; (vx) visage m, figure, face f de ~* Spitzbubengesicht *n;* **~er** *rel* verdammen; *allg* verwerfen, verurteilen.

reps [rɛps] *m* Rips *m (Stoff).*

rept|ation [rɛptasjɔ̃] *f zoo* Kriechen *n;* **~ile** *a* kriechend; *fig* kriecherisch; *s m fig* Kriecher, Gesinnungslump *m; pl* Kriechtiere, Reptilien *n pl.*

repu, e [rəpy] *pp repaître; a fig* vollgestopft, -gepfropft (*de* mit), voller (*de* gen); überdrüssig (*de* gen), *fam* bedient (*de* mit).

républi|cain, e [repyblikɛ̃, -ɛn] *a* republikanisch; *s m* Republikaner *m;* **~que** *f* Republik *f a. fig,* Freistaat *m; allg* Gemeinwesen *n,* Staat *m; ~ bananière (péj)* Bananenrepublik *f; la R~ démocratique allemande (R. D. A.)* die Deutsche Demokratische Republik; *la R~ fédérale d'Allemagne (R. F. A.)* die Bundesrepublik (Deutschland); *~ de fourmis* Ameisenstaat *m; ~ des lettres* Gelehrtenrepublik *f.*

répudi|ation [repydjasjɔ̃] *f* Verstoßung; *(Schuld)* Nichtanerkennung; *(Erbschaft)* Ausschlagung, Ablehnung *f,* Verzicht *m* (*de* auf *acc*); **~er** *(Frau)* verstoßen; *(Erbschaft)* aus=schlagen; *fig* verschmähen, ab=lehnen, von sich weisen, verzichten (*qc* auf e-e S).

répugn|ance [repyɲɑ̃s] *f* Widerwille *m,* Abneigung *f; avec ~* (nur) widerwillig; *avoir de la ~* abgeneigt sein, etw dagegen haben (*à* zu); **~ant, e** abstoßend, widerlich, ekelhaft; **~er** *(der Vernunft)* widerstreben, zuwider sein; Widerwillen, Abneigung empfinden (*à* gegen); ab=stoßen, an=widern (*à qn* jdn); widerlich sein (*à qn* jdm); *il me ~e* es widerstrebt mir (*de* zu); *cela me ~e* das geht mir gegen den Strich.

répuls|if, ive [repylsif, -iv] *phys* zurück-, abstoßend; *fig* abstoßend; **~ion** *f phys* Abstoßung *f; fig* Widerwille *m,* heftige Abneigung *f.*

réput|ation [repytasjɔ̃] *f* Ruf, Leumund; gute(r) Ruf *m,* Ansehen *n; avoir la ~ de* in dem Ruf stehen *gen od* zu; *connaître qn de ~* jdn vom Hörensagen kennen; *avoir une (certaine) ~* in Ansehen stehen, etw gelten; *perdre qn de ~* jdn um s-n guten

Ruf, in Verruf bringen; ~ *mondiale* Weltruf *m;* **~é, e** berühmt, geschätzt (*pour* als, wegen); **~er** *(pour)* halten für, ansehen als; *être ~é pour* gelten als.

requ|érable [rəkerabl] *a: dette f ~* Holschuld *f;* **~érant, e** *m f* Antragsteller(in *f*); Bewerber(in *f*); Beschwerdeführer; Kläger(in *f*) *m;* **~érir** *irr* suchen, bitten (*qc* um etw); fordern, verlangen, in Anspruch nehmen; an≈fordern, beantragen; *(Person)* ersuchen, auf≈fordern; *~ la force publique* polizeilichen Schutz fordern; *~ une peine* e-e Strafe beantragen; **~ête** *f* Bitte *f*, Ersuchen; *jur* Gesuch *n*, Antrag *m;* Bittschrift *f; (Jagd)* Wiederaufspüren *n; à ~* auf Antrag; *à la ~ de qn* auf jds Bitte *od* Ansuchen; *sur ~* auf Antrag; *demander par ~* beantragen; *présenter ~* ein Gesuch ein≈reichen, e-n Antrag stellen (*à* an *acc*); *maître m des ~s* Berichterstatter *m* im Staatsrat; *~ civile (jur)* Wiederaufnahmeantrag *m;* **~êter** *(Wild)* wieder auf≈spüren.

requiem [rekɥijɛm] *m rel mus* Requiem *n; il a un visage, une face, un air de ~ (fam) vx* er sieht aus wie das Leiden Christi.

requin [rəkɛ̃] *m* Hai(fisch); *fig* Halsabschneider *m.*

requinquer [rəkɛ̃ke] *pop* aus≈staffieren; auf Glanz *od* wieder hoch≈bringen; *se ~* sich hübsch machen; sich auf≈takeln *vx; (Kranker)* sich wieder hoch≈rappeln.

requis, e [rəki, -z] *a* erforderlich; *s m (ziviler)* Dienstverpflichtete(r) *m; âge m ~* Mindestalter *n.*

réquisit|ion [rekizisjɔ̃] *f jur* Antrag *m; mil* Requirierung, Beschlagnahme *f;* **~ionnement** [-sjɔ-] *m* Requirierung, Beschlagnahme *f;* **~ionner** bei≈treiben; requirieren, beschlagnahmen; **~oire** *m* Antrag *m* des Staatsanwalts, Anklagerede *f; fig* heftige Vorwürfe *m pl.*

rescapé, e [rɛskape] *m f* Überlebende(r *m*) *f* (e-r Katastrophe).

rescin|dant [resɛ̃dɑ̃] *m* Nichtigkeitsbeschwerde *f;* **~dement** *m* Ungültigkeitserklärung *f;* **~der** für ungültig, nichtig erklären, annullieren, auf≈heben, kassieren.

rescision [resizjɔ̃] *f* Aufhebung, Ungültig-, Unverbindlichkeitserklärung; operative Entfernung *f.*

rescousse [rɛskus] *f: venir à la ~ de qn* jdm zu Hilfe kommen.

réseau [rezo] *m* Netz *a. fig loc; anat* Netz, Geflecht; *arch* Maßwerk *n; typ* Raster *m; tele* Leitungsnetz *n; radio* Netzanschluß *m; ~ de barbelés, de fils de fer* Stacheldraht-, Drahtverhau *m; ~ de distribution* Verteiler-, Energieversorgungsnetz *n; ~ d'espionnage* Spionagenetz *n; ~ express régional (RER)* Nahverkehrsnetz *n; ~ informatique, de données (inform)* Datennetz *n; ~ de routes* od *routier, d'autostrades, (de voies) ferré(es), de tramways, de canaux, de lignes aériennes* Straßen-, Autobahn-, Eisenbahn-, Straßenbahn-, Kanal-, Flugliniennetz *n; ~ de télécommunication* Nachrichtennetz *n; ~ télégraphique, téléphonique, radiotélégraphique* Telegraphen-, Fernsprech-, Funkspruchnetz *n; ~ de télévision* od *télévisé* Fernsehnetz *n; ~ de haute tension* Hochspannungsnetz *n; ~ urbain, interurbain (tele)* Stadt-, Fernleitungsnetz *n; ~ urbain* Stadtbahn *f.*

résection [resɛksjɔ̃] *f* operative Entfernung *f.*

réséda [rezeda] *m bot* Reseda *f.*

réséquer [reseke] operativ entfernen.

réserv|ataire [rezɛrvatɛr] *a* pflichtteilberechtigt; *s m* Pflichtteilberechtigte(r); Selbstversorger *m; part f ~* Selbstversorgeranteil *m;* **~ation** *f* Reservieren, Zurücklegen, -behalten *n;* **~e** *f* Reservieren *n;* Reserve, Rücklage *f*, Vorrat *m; com* Reinvermögen *n;* Be-, Einschränkung; Bedingung *f;* Vorbehalt *m;* Ausnahme; Reserviertheit, Zurückhaltung, Reserve; *mil* Reserve *f*, Ersatzheer *n*, -truppen *f pl;* Naturschutzgebiet *n;* Schonung *f; à la ~ de, que* mit Ausnahme *gen;* mit der A., daß; *sans ~* rückhalt-, bedingungslos; *sous (toute) ~ de* unter Vorbehalt, vorbehaltlich *gen;* unbeschadet *gen; accumuler des ~s* Reserven schaffen; *émettre, faire des ~s sur qc* gegen etw Bedenken äußern; *faire ses ~s* s-e Vorbehalte machen; *mettre qc en ~* etw auf die Seite legen; *mettre la ~ à contribution* die Rücklagen an≈greifen; *se tenir sur la ~* auf der Hut sein; *accumulation f de ~s (com)* Reservenbildung *f; compte m, fonds m pl de ~s* Reservekonto *n;* -fonds *m; officier m de ~* Reserveoffizier *m; ~ cachée, latente, occulte (com)* stille Reserve *f; ~ de chasse* Jagdrevier, Gehege *n; ~ indienne* Indianerreservation *f; ~ (légale, légitime héréditaire) (jur)* Pflicht-, Erbteil *m* od *n; ~ légale, statuaire* gesetzliche, satzungsgemäße Rücklage *f; ~ mentale* geistige(r), geheime(r) Vorbehalt *m; ~ d'or, de billets, de devises* Gold-, Noten-, Devisenreserve *f; ~ de propriét é* Eigentumsvorbehalt *m; ~ de puissance* Kraftreserve *f; ~ résultant de dispositions fiscales* Rückstellung *f* für Steuern; **~é, e** reserviert, zurückhaltend; umsichtig; *tous droits ~s* alle Rechte vorbehalten; *~ à l'usage externe (pharm)* äußerlich! **~er** reservieren, zurück=legen, zur Seite legen, zurück=behalten; vor=sehen; *(Platz)* belegen; auf=sparen; (auf=)bewahren *a. fig; (Meinung)* für sich behalten; *(Entscheidung)* vertagen; verschaffen; *se ~* für sich reservieren, zurück=legen, -behalten; *fig* sich vor=behalten (*à* od *de faire qc* etw zu tun); sich schonen; **~iste** *m mil* Reservist, Angehörige(r) *m* des Ersatzheeres; **~oir** *m* Reservoir, (Wasser-) Becken, Bassin *n*, Behälter, Speicher; Kanister; Tank; *tech* Windkessel; *fig* Sammelplatz *m*, -stelle *f*, -becken *n; arg mil* Reservist *m; ~ d'eau potable* Trinkwasserbehälter *m; ~ d'essence (mot aero)* Benzinbehälter *m; ~ d'huile* Öltank *m*.

résid|ant, e [rezidɑ̃, -ɑ̃t] *(bes. Ausländer)* wohnhaft; *membre m ~ (Akademie)* ordentliche(s) Mitglied *n;* **~ence** *f* Wohnort, -sitz, Aufenthalt(sort) *m;* Wohnung *f;* Amtssitz *m;* Residenz(stadt) *f;* Amt *n* e-s Residenten; *changer de ~* den Wohnsitz, die Wohnung wechseln; *établir sa ~* s-n Wohnsitz, s-e Wohnung nehmen; *mettre qn en ~ surveillée* jds Haus *od* Wohnung unter Bewachung stellen; *changement m de ~* Wohnsitz-, Wohnungswechsel *m; ~ secondaire* zweite(r) Wohnsitz *m; ~ de service* Dienstort *m;* **~ent** *s m* Gouverneur, Statthalter; Deviseninländer; *(a. ministre m ~)* Ministerresident *m;* **~entiel, le:** *quartier ~* exklusive Wohngegend *f;* **~er** s-n Wohnsitz haben; residieren; *fig* liegen, bestehen (*dans, en* in *dat*); *le pouvoir ~e dans le peuple* die Gewalt geht vom Volk aus.

résidu [rezidy] *m chem tech* Rückstand; Bodensatz; *com* Abfall, Rest; *fig* Hintergrund *m; ~s alimentaires* Speisereste *m pl (im Munde);* **~aire** [-dɥɛr] *a* Abfall-; *eaux f pl ~s* Abwässer *n pl;* **~el, le** [-dɥɛl] *a* -Rückstand.

résign|ation [reziɲasjɔ̃] *f jur* Verzicht *m;* Abtretung, -dankung; *fig* Resignation, Resigniertheit, Entsagung *f*, Verzicht *m; avec ~* resigniert, niedergeschlagen; **~é, e** *a* (in sein Schicksal) ergeben; **~er** *(Amt)* nieder=legen; verzichten (*qc* auf e-e S), ab=treten; *se ~* sich ergeben, s. schicken, s. fügen (*à* in *acc*); entsagen, verzichten (*à* auf *acc*), resignieren; *se ~ à qc* sich mit etw ab=finden; *être ~é à …* gefaßt sein auf *(acc)*.

résil|iable [reziljabl] aufhebbar; kündbar; **~iation** *f*, **~iement, ~îment** [-limɑ̃] *m* Rückgängigmachung; Aufhebung; Kündigung *f;* Rücktritt *m;* **~ience** [-ljɑ̃s] *f tech* Stoß-, Reißfestigkeit, Kerbzähigkeit *f;* **~ier** rückgängig machen; auf=heben; kündigen.

résille [rezij] *f* Haarnetz *n;* Bleiverglasung *f*.

résin|e [rezin] *f bot* Harz *n; ~ synthétique* Kunstharz *n;* **~er** Harz ab=zapfen (*qc* aus etw); mit Harz überziehen; **~eux, se** *a* harzig; *s m* u. *arbre m ~* Nadelbaum *m;* **~ier, ère** *s m f* Harzarbeiter(in *f*) *m; a* Harz-; **~ifère** *a* harzhaltig.

résipiscence [resipisɑ̃s] *f* (tätige) Reue *f; recevoir qn à ~* jdm verzeihen, vergeben; *venir à ~* s-n Fehler ein=sehen, Reue zeigen.

résist|ance [rezistɑ̃s] *f phys el mil pol allg* Widerstand *m;* Hindernis *n;* Widerstandskraft, -fähigkeit; Ausdauer; *tech* Beständigkeit; Haltbarkeit; *bes. tech* Festigkeit *f; el* Heizdraht *m; arch* Tragfähigkeit *f; mil* Gegenwehr *f; pol* Widerstandsbewegung *f; de ~* widerstandsfähig; haltbar, beständig; *sans ~* widerstandslos *adv; bousculer, forcer une ~* e-n Widerstand brechen; *être sans ~* anfällig sein; *faire ~* sich widersetzen; *faire une belle ~* sich tapfer verteidigen; *prendre la ligne de moindre ~* den Weg des geringsten Widerstandes gehen; *trouver de la ~* W. finden, auf W. *(acc)* stoßen; *la ~ se raidit* der W. versteift sich; *ligne f principale de ~* Hauptkampflinie *f; nid m de ~* Widerstandsnest *n; pièce f, plat m de ~ (Essen)* große(r) Brocken *m*, Hauptstück *n; ~ aux acides, au choc, à la compression, à la déchirure, à la flexion, à la rupture, à la traction* Säure-, Stoß-, Druck-, Reiß-, Biege-, Bruch-, Zugfestigkeit *f; ~ de l'air, au frottement* Luft-, Reibungswiderstand *m; ~ à la chaleur, au froid, aux intempéries* Hitze-, Kälte-, Wetterbeständigkeit *f; ~ de la ligne, de la grille, de lampe* Leitungs-, Gitter-, Röhrenwiderstand *m; ~ passive, retardataire* passive(r), hinhaltende(r) W.; **~ant, e** *a* widerstandsfähig, zäh; hart, fest; beständig, haltbar; *s m* Widerstandskämpfer *m; ~ aux acides, au choc, à la compression, au feu, aux intempéries* säure-, stoß-, druck-, feuer-, wetterfest; ~ *à la chaleur, au froid* hitze-, kältebeständig; ~ *au lavage* waschecht; **~er** widerstehen, sich widersetzen, Widerstand leisten; ertragen, aus≈halten (*à qc* e-e S); überstehen, -dauern (*à qc* e-e S); ~ *à la force par la force* Gewalt mit Gewalt begegnen *od* erwidern; ~ *à la tentation* der Versuchung widerstehen; *on n'y peut plus ~ (fam)* das ist nicht mehr zum Aushalten; **~ivité** *f phys* spezifische(r) Leitungswiderstand *m.*

résolu, e [rezɔly], **~ment** *adv* entschlossen, fest, resolut.

résol|uble [rezɔlybl] lösbar, *jur* aufhebbar; **~ution** *f chem mus math* Auflösung; *fig (Problem)* Lösung *f;* Ent-, Beschluß *m;* Entschlußkraft; Entschlossenheit; *pol* Entschließung, Resolution; *jur* Rückgängigmachung; Aufhebung, -lösung *f;* Rückgang *m (e-r Geschwulst); de ~* entschlossen; *adopter, approuver une ~* e-e Entschließung an≈nehmen; *changer de ~* s-n Entschluß ändern; *prendre une ~* e-n Entschluß fassen; **~utoire** *jur* aufhebend, -lösend; **~vant, e** lösend.

réson|ance [rezɔnɑ̃s] *f phys el* Resonanz, *f,* Mitschwingen *n,* Nachklang, -hall *m; (Saal)* Akustik *f; fig* Widerhall *m,* Echo *n,* Anklang *m; caisse f de ~ (mus)* Resonanzboden *m; (Plattenspieler)* Abtastdose *f;* **~ateur** *m phys el* Resonator *m;* **~nant, e** nachhallend, schallverstärkend; *(Stimme)* volltönend, klangvoll; **~ner** erklingen, -tönen, -schallen; e-n vollen Klang haben; nach≈hallen; *fig* voll, erfüllt sein (*de* von).

résor|ber [rezɔrbe] *med* resorbieren, (innerlich) auf≈saugen; *fig* (wieder) auf≈saugen, auf≈gehen lassen (*dans* in *dat*); *se ~ (Geschwulst, Arbeitslosigkeit)* zurück≈gehen; **~ption** [-psjɔ̃] *f med* Resorption, (innere) Aufsaugung; *fig* (Wieder-)Aufsaugung *f;* Aufgehenlassen *n.*

résoudre [rezudr] *irr chem* auf≈lösen, zerlegen; ver-, um≈wandeln (*en* in *acc*); *fig (Problem, math Aufgabe)* lösen; *(Frage)* entscheiden; beschließen (*de* zu); *jur* (auf≈)lösen, auf≈heben; *(Geschwulst)* zurück≈gehen lassen; *mus* auf≈lösen; *se ~* führen (*à* zu); bestehen, auf≈gehen (*dans* in *dat*); sich entschließen, s. entscheiden (*à* zu); sich auf≈lösen, auf≈gehen, ver-, umgewandelt werden (*en* in *acc*); *(Entzündung)* zurück≈gehen; ~ *une difficulté* e-r Schwierigkeit Herr werden.

respect [rɛspɛ] *m* (Hoch-)Achtung *f,* Respekt *m* (*de* vor *dat*); Ehrfurcht, -erbietung; Scheu *f; pl* Hochachtung *f; sauf votre ~* wenn Sie (mir) gestatten; wenn ich mir erlauben darf; mit Verlaub; *tenir en ~* in Schach halten; *je suis avec (un profond) ~ (Brief)* Ihr sehr ergebener; **~abilité** [-kt-] *f* Achtbarkeit *f;* **~able** achtbar, (ehr-) würdig; *com* reell; beachtlich, nennenswert; **~ablement** *adv* beachtlich; **~er** respektieren, achten; Achtung haben (*qc* vor *dat*); (ver)schonen, Rücksicht nehmen (*qc* auf *acc*); nicht stören *od* unterbrechen; *(Termin)* ein≈halten; *se ~* s-n (eigenen) Wert kennen; *fam* etw auf sich halten; sich (gegenseitig) achten; *faire ~* Achtung verschaffen (*à qn* od *qc* jdm *od* e-r S); **~if, ive** gegen-, beider-, wechselseitig; betreffend, diesbezüglich, jeweilig; **~ivement** *adv* gegenseitig, beiderseits; beziehungsweise; jeweils; **~ueux, se** [-tɥø, -øz] *a* respektvoll, ehrerbietig; *s f hum* Dirne *f.*

respir|able [rɛspirabl] atembar; **~ateur** *m* Atemgerät *n;* **~ation** *f* Atmung *f; couper la ~ à qn* jdm den Atem nehmen; *difficulté f de ~* Atemnot *f,* -beschwerden *f pl; ~ cutanée* Hautatmung *f;* **~atoire** *a* Atmungs-; *organes m pl, appareil m ~(s)* Atmungsorgane *n pl,* -apparat *m;* **~er** *itr* atmen, Luft holen; Luft schöpfen, verschnaufen; *fig* auf≈atmen; *fig* leben; zum Ausdruck kommen; *tr* ein≈ *od (selten)* aus≈atmen; ein≈saugen, sich voll≈saugen (*qc* von etw); *fig* zum Ausdruck bringen, verkörpern; voller ... sein.

resplendi|r [rɛsplɑ̃dir] strahlen, glänzen *a. fig* (*de* vor); **~ssant, e** *a* strahlend, glänzend; **~ssement** *m* Glanz, Schimmer; Widerschein *m a. fig.*

respons|abilité [rɛspɔ̃sabilite] *f* Verantwortung; Verantwortlichkeit; Haftbarkeit; Haftung *f; com* Obligo *n; sous sa propre ~* auf eigene Verantwortung; *assumer, décliner la ~* die Verantwortung, die Haftung übernehmen, ab≈lehnen; *engager la ~ de qc* für etw die Haftung, die Verantwortung übernehmen; *sentiment m de ~* Verantwortungsbewußtsein *n; ~ civile* Haftpflicht *f; ~ collective, solidaire* Kollektiv-, Gemeinschaftshaftung *f; ~ (il)limité* (un)beschränkte Haftung *f; ~ pénale* Strafmündigkeit *f;* **~able** *a* verantwortlich (*de* für); haftbar, -pflichtig; zurechnungsfähig; *s m* Verantwortliche(r) *m; ren-*

dre qn ~ *de qc* jdn für etw verantwortlich, haftbar machen.

resquill|e [rɛskij] *f* Schwarzfahrt; Schmarotzerei *f;* ~**er** schmarotzen; nassauern; ~**eur** *m arg* Zaungast; Schwarzfahrer; Nassauer; Zechpreller *m.*

ressac [rəsak] *m* Brandung *f.*

ressaisir [rəse(ɛ)zir] wieder ergreifen *a. fig,* w. an sich bringen, w. Besitz ergreifen (*qc* von etw); wieder in den Besitz setzen (*qn de qc* jdn *gen*); *se* ~ wieder ergreifen, w. in s-e Gewalt bringen (*de qc* gen); *fig* sich wieder in die Gewalt bekommen, sich w. fassen, sich ermannen.

ressasser [rəsase] *vx* wieder beuteln; schütteln; durchea.=bringen, -würfeln; *fig fam* wieder=käuen.

ressau|t [rəso] *m bes. arch* Vorsprung; Steilhang; *fig* (Gedanken-) Sprung *m; loc* Stoßstufe *f;* ~**ter** *itr arch* vor=springen, -stehen.

ressembl|ance [rəsɑ̃blɑ̃s] *f* Ähnlichkeit *f;* ~**ant, e** ähnlich; *(Bild)* getreu; *fig* vergleichbar; ~**er** ähneln; ähnlich sein *od* sehen (*à* dat); nahe=kommen; gleich=kommen, gleichen; *(Bild)* e-e getreue Wiedergabe sein (*à* gen); *se* ~ sich ähneln, sich ähnlich sehen *od* sein; *cela ne vous* ~*e pas* das sieht nicht nach Ihnen aus; *cela ne* ~*e à rien* das ist verrückt; *ils se* ~*ent comme deux gouttes d'eau* sie gleichen sich wie ein Ei dem andern; *(ce) qui se* ~*e s'assemble* gleich u. gleich gesellt sich gern.

ress|emelage [rəsəmlaʒ] *m* Besohlen *n;* (neue, Paar *n*) Sohlen *f pl;* ~**emeler** *(Schuhe)* (be)sohlen.

ressen|timent [rəsɑ̃timɑ̃] *m* Ressentiment *n,* heimliche(r) Groll *m;* ~**tir** *irr* (lebhaft) empfinden, fühlen; mit=, nach=empfinden, -fühlen; *(Gefühl)* hegen; *fig* aus=sehen (*qc* nach etw), den Anschein haben *od* erwecken *gen; se* ~ *de* (die) Nachwirkungen spüren *gen; fig (den Geist)* atmen, die Züge, den Charakter tragen *od* haben *gen,* zum Ausdruck bringen.

resser|re [rəsɛr] *f* Vorratsraum *m,* -kammer *f;* Verschlag *m;* ~ *à outils* Werkzeugschuppen *m;* ~**rement** *m* Eingeengtheit, -engung, -schnürung *f;* Anea.-, Aufrücken *n; com* Knappheit; *med* Vereng(er)ung, *fig* Beklemmung *f;* ~ *de l'argent* Zurückhalten *n* des Geldes; ~ *du marché monétaire* Geldverknappung *f;* ~**rer** wieder binden; ein=engen, -schnüren; *(Verschnürung)* an=ziehen; weg=schließen; zs.=ziehen, verenge(r)n; verkürzen; *(Kleid)* schnüren; *fig (Beziehungen)* enger gestalten *od* werden lassen; *(Bedürfnisse)* ein=schränken; *(Herz)* eng machen; *med* verengen; *se* ~ *(Geld)* zurückgehalten werden, sich verknappen; *(Wetter)* kälter werden; sich ein=schließen, sich zurück=ziehen; *fig* sich zurück=halten; enger werden; sich zs.=ziehen; *mon cœur se resserre (lit)* es schnürt mir das Herz zs.

ressort [rəsɔr] *m* Elastizität, Feder-, Spannkraft; Komprimierbarkeit; Feder(ung); Triebkraft; *fig* treibende Kraft, Triebfeder; Spann-, Tatkraft, Frische *f;* Mittel *n* zum Zweck; *pl* Mittel u. Wege *pl;* Zuständigkeit *f,* Geschäfts-, Aufgaben-, *mil* Befehlsbereich; Gerichtsbezirk *m; pl tech* Triebwerk *n; à* ~*(s) (Wagen, Möbel)* gefedert, mit Federung; *de notre* ~ in unser(e)m Geschäftsbereich; *en premier, dernier* ~ *(jur)* in erster, letzter Instanz *a. fig; faire* ~ federn; auf=prallen (*contre* auf *acc*); *faire jouer tous les* ~*s (fig)* alle Hebel in Bewegung setzen; *ce n'est pas de mon* ~ dafür bin ich nicht zuständig; *justice f de* ~ zuständige(s) Gericht *n; lame f de* ~ *(tech)* Federblatt *n;* ~ *à boudin, à spirale* Schrauben-, Spiralfeder *f;* ~ *de casque (tele, radio)* Kopfhörerbügel *m;* ~ *de choc, de détente, de fermeture, de pression, de traction* Stoß-, Sperr-, Schließ-, Druck-, Zugfeder *f;* ~ *élastique* Sprungfeder *f;* ~ *de montre, de sommier* Uhr-, Matratzenfeder *f;* ~ *de voiture* Federung *f.*

ressor|tir [rəsɔrtir] *irr (ohne Stammerweiterung)* wieder hinaus=gehen; *fig* hervor=treten, sich heraus=heben, zur Geltung kommen; *(mit Stammerw.) jur* zur Zuständigkeit gehören (*à* gen); unterstehen; *fig* gehören (*à* zu); *faire* ~ hervor=treten lassen, zur Geltung bringen; heraus=stellen, hervor=heben; *il ressort de là que* daraus geht hervor, ergibt sich, daß; ~**tissant, e** *a* zur Zuständigkeit gehörend (*à* gen); *s m f* (Staats-)Angehörige(r *m*) *f;* ~*, e m f d'une entreprise* Betriebsangehörige(r *m*) *f.*

ressource [rəsurs] *f* Mittel *n,* Hilfs-, Einnahmequelle *f; aero* Abfangen *n; (Nähen)* (Naht-)Zugabe *f; pl* (Hilfs-) Mittel *n pl,* Hilfsquellen *f pl; sans* ~ unrettbar *adv; sans* ~*s* mittellos; *faire* ~ *de tout* alles zu Geld machen; *homme m de* ~ Mensch *m,* der sich zu helfen weiß; ~*s en argent, financières* Geldmittel *n pl;* ~ *d'énergie, énergétique* Energiequelle *f;* ~*s de l'État* Einnahmequellen *f pl* des Staates; ~*s en hommes* Menschenmaterial, -reservoir *n; ~s personnelles, propres* Eigenkapital *n.*

res|souvenir [rəsuvnir] Erinnerung *f;* schmerzliche(s) Gefühl *n;* **~souvenir, se** sich (wieder) erinnern (*de* an *acc*), sich entsinnen (*de* gen); *(im Groll)* denken (*de* an *acc*), nach=tragen (*de qc* e-e S); *faire ~* erinnern (*de* an *acc*); *il m'en ressouvient* es fällt mir ein, mir fällt ein; *il s'en ressouviendra* er wird noch (mal) daran denken.

ressu|age [rəsɥaʒ] *m* (Aus-)Schwitzen; *tech* Seigern *n;* **~er** [-sɥe] (wieder) schwitzen; *tech* seigern *itr,* sich aus=schmelzen, -scheiden.

ressusciter [resysite] *tr* auf=erwekken; *med* wieder auf die Beine bringen; *fig* wieder (zu neuem Leben) erwecken, erneuern, wieder auf=leben lassen; *itr* auferstehen; *med* wieder auf=kommen; *fig* zu neuem Leben erwachen.

ressuyer [resɥije] trocknen.

restant, e [rɛstɑ̃, -ɑ̃t] *a* übriggeblieben, noch vorhanden; *com* rückständig; *s m* Rest(betrag), Rückstand *m; poste ~e* postlagernd; *~ en caisse* Kassenbestand *m.*

restau|rant, e [rɛstɔrɑ̃, -ɑ̃t] *a* stärkend, kräftigend; *s m* Restaurant, Speisehaus, -lokal *n; ~ d'autoroute* (Autobahn-)Raststätte *f; ~ universitaire* Mensa *f; ~ à libre service* Selbstbedienungsrestaurant *n;* **~rateur, trice** *m f* Gastronom *m,* Speisewirt(in *f*); Wiederhersteller, Erneuerer; *(Kunst)* Restaurator *m;* **~ration** *f arch (Kunst)* Restaurierung; *arch med fig* Wiederherstellung; *fig* Erneuerung; *pol hist* Restauration *f; ~ rapide* Schnellgaststätte *f;* **~rer** erneuern, wiederher=stellen *a. arch med;* zu essen geben (*qn* jdm), wieder auf die Beine bringen; *arch (Kunst)* restaurieren; *pol* wieder ein=setzen; *se ~* sich (wieder) stärken, neue Kräfte sammeln; **~route** *m* Autobahnraststätte *f;* **~-u** [rɛstoy] *m fam* Mensa *f.*

reste [rɛst] *m* Rest *m a. math,* Überbleibsel *n,* -rest; Rückstand; Restbetrag *m;* Übrige(s), Zurückgebliebene(s), -gelassene(s) *n; ~ d'un tirage* Restauflage; *fig* Spur *f* (*de* von); *pl* Trümmer *pl; les ~s (mortels)* die sterblichen Überreste; *le ~* die übrigen, die ander(e)n; *au ~* außerdem, zudem, darüber hinaus; *de ~* mehr als nötig; *du ~* übrigens; *et le ~, ainsi du ~* und so weiter; *ne pas demander son ~* stillschweigend gehen; sich aus dem Staube machen; *donner son ~ à qn (fig)* jdm den Rest geben, jdn erledigen; *ne pas s'embarrasser du ~* sich um nichts anderes kümmern; *être, demeurer en ~ de qc avec qn* jdm etw schuldig sein, bleiben; *jouir de son ~* den letzten Rest, die letzten Tage genießen.

rester [rɛste] übrig sein, übrig=bleiben; (zurück=)bleiben; an=dauern; sich halten; die Zeit(en) überdauern; *poet* verweilen; *fam* wohnen; *il (me, nous) ~ à* ich muß, wir müssen noch; *il ne (me, nous) ~ qu'à ...* ich brauche, wir brauchen nur noch zu ...; *~ sur la bonne bouche* auf=hören, wenn es am besten schmeckt; *fig* am schönsten ist; *~ court* es nicht (ganz) schaffen; *(in der Rede)* stecken=bleiben; *~ debout, assis, couché* stehen bleiben, sitzen bleiben, liegen=bleiben; *en ~ là* stehen=bleiben, nicht weiter=kommen; dabei=bleiben; *ne pas en ~ là* es damit nicht genug sein lassen; *~ longtemps à ...* lange, viel Zeit brauchen, um zu ...; *~ sur une note (mus)* e-e Note halten; *~ en panne (mot)* e-e Panne haben; *~ en route (fig)* nicht zu Ende kommen; *~ chez soi* daheim, zu Hause bleiben *od* sein; *y ~ (fam)* sterben, *mil* fallen; *où en sommes-nous restés?* wo sind, waren wir stehengeblieben?

restitu|able [rɛstitɥabl] zurückzuerstatten(d), zu ersetzen(d); *jur* wiedereinsetz-, -herstellbar; **~er** (zurück=) erstatten, zurück=, wieder=, heraus= geben; ersetzen; *jur* in den vorigen Stand setzen; wiederein=setzen; *phot* entzerren; **~tion** [-ty-] *f* (Rück-)Erstattung, Rückzahlung; Rück-, Herausgabe; Wiederabtretung *f;* Ersatz *m;* Wiederherstellung; Wiedereinsetzung; *phot* Entzerrung *f; ~ d'impôt* Steuerrückerstattung *f; ~ en valeur* Geldentschädigung *f.*

resto|route [rɛstɔrut] *m* Autobahnraststätte *f;* **~-u** [rɛstoy] *m fam* Mensa *f.*

restr|eindre [rɛstrɛ̃dr] *irr* be-, ein= schränken, begrenzen (*à* auf *acc*); ein=engen; drosseln; *med* zs.=ziehen; *se ~* sich ein=schränken (*à* auf *acc*); **~eint, e** [-trɛ̃, -ɛ̃t] beschränkt; **~ictif, ive** be-, einschränkend; **~iction** [-ksjɔ̃] *f* Ein-, Beschränkung, Begrenzung, Einengung *f; avec la ~ que* mit der Einschränkung, daß; *sans ~* unbeschränkt; *être soumis à des ~s* Beschränkungen unterliegen; *~ aux exportations, aux importations, de la production* Aus-, Einfuhr-, Produktionsbeschränkung *f; ~ de la liberté*

Freiheitsbeschränkung *f;* ~ *mentale* geistige(r) Vorbehalt *m.*

résult|ant, e [rezyltɑ̃, -ɑ̃t] *a* hervorgehend (*de* aus); (die) Folge *gen; s f phys* Resultante *f;* **~at** [-ta] *m* Ergebnis, Resultat *n a. math,* Folge *f,* Erfolg *m,* Fazit *n; sans* ~ ergebnislos; *sport* unentschieden; *aboutir à un* ~ zu e-m Ergebnis führen; *compte m des ~s* Erfolgsbilanz *f;* ~ *définitif, final* Endergebnis *n;* ~ *électoral, du vote* Wahlergebnis *n;* ~ *de l'examen* Prüfungsergebnis *n;* ~ *de l'exercice commercial* Jahresabschluß *m;* ~ *d'investigation* Untersuchungsergebnis *n;* ~ *partiel, total* Teil-, Gesamtergebnis *n;* **~er** folgen, sich ergeben, hervor=gehen (*de* aus); *il en ~e* daraus folgt, geht hervor, ist zu schließen.

résum|é [rezyme] *m* Zs.fassung *f,* Resümee *n;* Abriß *m;* Übersicht *f; en* ~ zs.fassend; kurz *adv;* **~er** zs.=fassen, kurz wiederholen, resümieren; *se* ~ sich kurz fassen (lassen).

résurgence [rezyrʒɑ̃s] *f* Wiederaufleben *n fig.*

résurrection [rezyrɛksjɔ̃] *f rel* Auferstehung *a. theat;* Auferweckung; *(übertreibend)* plötzliche Genesung *f; fig* Wiederaufleben, -blühen *n.*

retable [rətabl] *m* Altarblatt *n,* -wand *f;* Altaraufsatz *m.*

rétabl|ir [retablir] wieder herbei=führen; wiederher=stellen *a. med fig;* heilen; wiederein=richten, -auf=stellen; *jur* wieder in Kraft *od* in den vorigen Stand setzen; *(in Rechte, Amt)* wiederein=setzen; *fig* richtig=stellen; *se* ~ wieder gesund werden; *(Wetter)* sich wieder beruhigen; **~issement** *m* Wiederherstellung; Genesung; *jur* Wiedereinsetzung *f;* ~ *sur les poignets (sport)* Klimmzug *m* in den Stütz; ~ *économique* Gesundung *f* der Wirtschaft; ~ *financier, des finances (com)* Sanierung *f.*

retaill|e [rətɑ(a)j] *f* Fetzen, Flicken, Lumpen; (Stoff-, Leder-)Rest *m;* **~er** wieder schneiden; *(Bleistift)* spitzen; *(Holz, Glas)* neu schneiden; *(Feile)* (wieder) auf=rauhen.

rétam|é, e [retame] *pop* besoffen; **~er** neu verzinnen; *pop* an=kratzen; beklauen; ab=murksen; **~eur** *m* Kesselflicker *m.*

retap|e [rətap] *f: faire la* ~ *(pop)* auf die Straße gehen; auf den Strich gehen; *fam* die Reklametrommel rühren; **~er** *(Hut)* auf=arbeiten; *allg* reparieren, in Ordnung bringen; auf=, um=arbeiten, um=ändern; *(Bett)* auf=klopfen; *fam (Kranken)* wieder hoch=, auf die Beine bringen; *se* ~ sich wieder zurecht=machen; sich w. auf=rappeln.

retard [rətar] *m* Verspätung *f;* Zuspätkommen *n;* Verzögerung *f (bes. tech, Uhr); com* Verzug, Rückstand; *mus* Vorhalt *m; deux heures de* ~ zwei Stunden Verspätung; *en* ~ *(com)* rückständig; überfällig; *sans* ~ unverzüglich; *combler un* ~ auf=holen; *être en* ~ zu spät kommen (*de* acc), sich verspätet haben (*de* um); *fig* zurück=bleiben (*sur* hinter *dat*); *com* im Rückstand sein (*pour* mit); *(Uhr)* nach=gehen (*de 10 minutes* 10 Minuten); *supplément m, intérêts m pl de* ~ Verzugszuschlag *m,* -zinsen *m pl;* ~ *à l'allumage (mot)* Spätzündung *f;* ~ *de livraison* Lieferungsverzug *m;* ~ *de paiement* Zahlungsrückstand *m;* ~ *de phase (el)* Phasenverzögerung *f;* **~ataire** [-da-] *a* verspätet, zu spät gekommen, säumig; *com* rückständig; *s m f* Nachzügler; *com* säumige(r) Zahler *m;* **~ateur, trice** *phys* verzögernd; *mil* hinhaltend; **~ation** *f phys* Verzögerung *f;* **~ement** [-də-] *m* Aufschub *m,* Verzögerung *f; avec* ~ *(phot)* mit Selbstauslöser *m; obus m, bombe f à* ~ Zeitzünder *m;* **~er** *tr* auf=, hinaus=schieben; auf=, hin=halten; in Verzug, in Rückstand bringen; *(Bewegung)* retardieren, verzögern, verlangsamen, hemmen *a. fig; (Uhr)* zurück=stellen; *itr (Uhr)* zu langsam *od* nach=gehen (*de* acc); retardieren, zurück=bleiben *a. fig (sur* hinter *dat*); *fam* zu spät kommen, zu spät da sein (*de 5 minutes* 5 Minuten); *se* ~ in Verzug geraten; ~ *sur son temps* hinter s-r Zeit zurück=bleiben.

retenir [rətnir] *irr, tr* zurück=, an=, fest=, be-, da=behalten; zurück=, bei=, ein=be-, vor=enthalten; nicht aus den Händen lassen; *(Atem)* an=, *(Tränen)* zurück=halten; unterdrücken; *(Strahlen)* ab=halten; *fig (Zorn)* mäßigen; *(Person)* beruhigen; *(in Erinnerung, im Gedächtnis)* behalten, sich merken; sich zurück=legen lassen, vor=bestellen, sich vor=merken lassen (*qc* für etw); vorweg engagieren; *(Platz)* belegen; reservieren; *com* ab=ziehen, -setzen (*sur* von); *jur* sich *(e-s Falles)* an=nehmen; sich *(in e-r S)* für zuständig erklären; *(Anklagepunkt)* auf=recht=erhalten; *(Zahl beim Rechnen)* (zurück=)behalten; *se* ~ sich (fest=) halten; plötzlich stehen=bleiben; sich zurück=, an sich halten; ~ *l'attention* die Aufmerksamkeit auf sich *acc* ziehen *od* lenken; ~ *au lit* ans Bett fesseln *fig;* ~ *prisonnier* gefangen=halten; *je vous retiens (fam, iron)* ich werde mich an Sie erinnern; *je ne vous retiens plus* ich halte Sie nicht, gehen Sie nur! *je ne sais ce qui me retient* ich weiß nicht, was mich daran hindert.

rétent|eur, trice [retãtœr, -tris] *(Kraft)* zurückhaltend; **~ion** *f* Einbehaltung *f,* Zurückhalten *n; ~ d'urine (med)* Harnverhaltung *f.*

reten|tir [rətãtir] (wider=)hallen; (er-) schallen, erklingen, -tönen (*de* von); dröhnen; **~tissant, e** (wider)hallend; klangvoll; *fig* aufsehenerregend; **~tissement** *m* Widerhall *m a. fig,* Hallen, Dröhnen *n; fig* (Aus-, Nach-) Wirkung *f;* gute(r) Klang *m (e-s Namens); avoir un grand ~* großes Aufsehen erregen.

retenu, e [rətny] *a* zurückhaltend, bescheiden; *s f* Einbehaltung *f;* einbehaltene(r) Betrag, (Gehalts-)Abzug *m* (*sur* von); *fig* Zurückhaltung, Mäßigung, Bescheidenheit *f; (Schule)* Nachsitzen *n; (beim Rechnen)* (zurück)behaltene Zahl *f; mar* (loses) Tau(ende) *n;* Schleusenkammer *f; être (mettre) en ~e* nach=sitzen (lassen); *~e sur le salaire, sur le traitement* Lohn-, Gehaltsabzug *m.*

réti|cence [retisãs] *f* Verschweigung, (absichtliche) Auslassung, Übergehung *f;* Zögern, Zurückhalten *n;* **~cent, e** zögernd, zurückhaltend.

réti|culaire [retikylɛr] netzförmig; **~cule** *m* Handtäschchen; *opt* Fadenkreuz *n;* **~culé, e** netzartig; Netz-.

rétif, ive [retif, -iv] störrisch, widerspenstig; *fig* starrsinnig, unbelehrbar.

réti|ne [retin] *f anat* Netzhaut *f; décollement m de (la) ~* Netzhautablösung *f;* **~nite** *f* Netzhautentzündung *f; min* Pechstein *m.*

retir|ation [rətirasjɔ̃] *f typ* Widerdruck *m;* **~é, e** *(Ort)* abgelegen, einsam; *(Leben)* zurückgezogen; *~ de* fern von; *vivre ~* ein zurückgezogenes Leben führen; **~er** *tr* (heraus=, zurück=) ziehen, entfernen (*de* aus); (heraus=, zurück=)nehmen (*de* von); gewinnen (*de* aus); *(Gewinn, Nutzen)* ziehen (*de* aus); *(Ruhm)* ernten (*de* von); *(Schlüssel)* ab=ziehen; *(Körperteil, Gerät)* zurück=, *(Kopf)* ein=ziehen; *fig (Versprechen, Beleidigung)* zurück=nehmen; *(Gunst, Führerschein)* entziehen; *(Pfand)* ein=lösen; *(Geld)* ab=heben; *(Ware)* ab=holen; *(Angebot, Meldung)* zurück=ziehen; *(Kleidung)* aus=ziehen; *(Lästiges)* ab=nehmen; (vom Spielplan) ab=setzen; zs.= ziehen, (ein=)schrumpfen lassen; *itr* neu losen; *se ~* sich zurück=ziehen (*de* von); heim=, nach Hause gehen; *mil* sich ab=setzen, sich heraus=lösen; *(Tier)* sich verkriechen; *(Fluß)* in sein Bett zurück=kehren; *(Meer)* zurück= treten; sich zur Ruhe setzen; (das Spiel) auf=geben; sich zs.=ziehen, ein= laufen, (zs.=, ein=)schrumpfen; *(vx) se ~ de qn* sich von jdm zurück=ziehen, mit jdm brechen; *se ~ des affaires, de la politique* sich von den Geschäften, aus der Politik zurück=ziehen; *~ de la circulation* aus dem Verkehr ziehen, außer Kurs setzen; *~ du courrier* Post ab=holen; *~ sa main (fig)* s-e Hand zurück=ziehen; *se ~ de qn* jdn fallen=lassen *fig; ~ sa parole* sein Wort zurück=nehmen; *Dieu l'a ~é du monde* Gott hat ihn zu sich genommen.

retomb|e, ~ée [rətɔ̃b, -tɔ̃be] *f arch* Anfänger *m; ~ées radioactives* radioaktiver Niederschlag *m;* **~er** wieder (hin=, hinunter=)fallen; w. geraten (*dans* in *acc*); zurück=fallen (*sur qn* auf jdn); zurück=sinken (*dans* in *acc*); *fig* zurück=fallen, wieder verfallen (*dans un vice* in ein Laster); (herunter=)hängen; sich wieder werfen, zurück =kommen (*sur* auf *acc, a. Gespräch*); her=fallen (*sur* über *acc*); *faire ~ la faute de qc sur qn* die Schuld an e-r S auf jdn schieben *od* ab=wälzen; *~ malade* wieder erkranken, w. krank werden; *~ dans l'oubli* wieder in Vergessenheit geraten; *~ sur ses pieds (fig)* wieder auf die Beine fallen.

retord|age, ~ement [rətɔrdaʒ, -də-] *m* Zwirnen *n;* **~erie** *f* Zwirnerei *f;* **~eur, se** *m f* Zwirner(in *f*) *m;* **~oir** *m* Zwirnmaschine *f;* **~re** wieder drehen; zwirnen; *donner du fil à ~ à qn* jdm viel zu schaffen machen.

rétorqu|able [retɔrkabl] umkehrbar; **~er:** entgegnen; *~ ses raisons à qn* jdn mit s-n eigenen Waffen schlagen.

retors, e [rətɔr, -rs] *a* gezwirnt; *fig* gerieben, *fam* ausgekocht, mit allen Hunden gehetzt, mit allen Wassern gewaschen; *s m* Zwirn *m;* gezwirnte Ware *f.*

rétorsion [retɔrsjɔ̃] *f: (mesure f de ~)* Vergeltung(smaßnahme), Repressalie *f.*

retouch|e [rətuʃ] *f (Kunst) phot* Retusche; *(Konfektion)* Änderung *f;* **~er** *itr* wieder berühren, w. rühren (*à qc, a. tr: qc* an e-e S); *tr (Kunst) phot* retuschieren; *(Konfektion)* ändern; *allg* durch=sehen, feilen, überarbeiten *(a. itr: ~ à ...);* **~eur, se** *m f* Retuschierer(in *f*) *m.*

retour [rətur] *m* Rückkehr, -reise,

-fahrt *f,* -flug; Rück-, Heimweg *m;* Wiederkehr, -holung; *com* Rücksendung, -lieferung *f;* Rückwechsel *m;* Gegenleistung *f,* -dienst *m,* -liebe; Erwiderung *f;* Gegenstück *n;* Gegenseitigkeit *f; fig* Umschwung, -schlag *m; jur (~ légal)* Heimfall; Winkel *m,* Biegung *f; tech* Rücklauf, -gang; *mot* Knallen *n* (im Vergaser); *(Geschütz)* Rücklauf *m; à mon ~* bei meiner Rückkehr; *en ~ de* (als Gegenleistung) für; *par ~ du courier* postwendend, umgehend; *sans ~* für, auf immer, unwiederbringlich *adv; sur le ~* auf der Rückreise, -fahrt, auf dem Rückflug; *fig* auf dem absteigenden Ast; an der Schwelle des Alters; *avec prière de ~* mit der Bitte um Rückgabe, u. R.; *~ à l'envoyeur* zurück an Absender; *(être) de ~* zurück (sein); *être sur le* od *sur son ~* im Begriff sein *od* stehen heimzukehren; *fig* an der Schwelle des Alters stehen; *faire ~ (jur)* heim=fallen; zurück=kehren (*à* zu); *payer de ~ (Gefühl)* erwidern; *payer de ~ à qn* jdm e-n Gegendienst erweisen; *à beau jeu, beau ~ (prov)* wie du mir, so ich dir; *billet m d'aller et ~* Rückfahrkarte *f; cheval m de ~* Rückfällige(r) *m; choc m de ~ (fig)* Auswirkung *f; esprit m de ~* Absicht *f* zurückzukehren; *frais m pl de ~* Rückspesen, -frachtkosten *pl; fret, chargement m de ~* Rückfracht *f; tours et ~s* Windungen *f pl; ~ d'âge* Schwelle *f* des Alters; Wechseljahre *n pl; ~ d'appel (tele)* Freizeichen *n; ~s de la fortune* Wechselfälle des Lebens; Schicksalsschläge *m pl; ~ de jeunesse* zweite Jugend *f; ~ (en librairie) (Buch)* Remittende *f; ~ offensif (mil)* Gegenoffensive *f; ~ de l'opinion (publique)* Umschlagen *n* der (öffentlichen) Meinung; *~ sur soi-même* Selbstbesinnung *f.*

retournage [rəturnaʒ] *m (Kleidung)* Wenden *n.*

retour|ne [rəturn] *f* Trumpf *m;* Zeitungsartikel *m* mit Fortsetzung auf e-r der folgenden Seiten; **~nement** [-nə-] *m* (Um-)Wenden *n;* Rückentwicklung *f;* **~ner** *tr* um=drehen, (um=) wenden, um=kehren *a. fig; mot* zurück=fahren; *(Kleidung)* wenden; *(Speise)* um=rühren; zurück=senden, -schicken, zurück=gehen lassen; um=, auf=wühlen; um=graben; *fig (Angriff)* kehren (*contre qn* gegen jdn); *(Sinn)* auf den Kopf stellen; *fam (innerlich)* auf=wühlen, erschüttern; herum=kriegen (*qn* jdn); *itr* zurück=kehren, -kommen, -reisen, -fahren, -fliegen; wieder gehen, fahren, reisen (*à* nach); sich kehren, sich wenden (*à* gegen); *~ à qc* sich wieder an etw machen *od* begeben; *jur* heim=fallen (*à* an *acc*); *se ~* sich um=drehen, -wenden, -kehren, sich um=sehen, -schauen; *(öffentl. Meinung)* um=schlagen; andere Maßregeln ergreifen; *s'en ~* um=kehren; weg=, fort=gehen; *~ sa veste (fam)* s-e Meinung, s-e Haltung ändern; *savoir se ~* wendig sein, sich zu helfen wissen; *savoir de quoi il ~ne (fam)* wissen, woran man ist; *se ~ sur soi-même (fig)* in sich gehen; *tourner et ~* hin u. her über=legen, von allen Seiten betrachten; *(durch Fragen)* aus=pressen, -quetschen; *s'en ~ comme on était venu* unverrichteterdinge wieder ab=ziehen; *il ~ne cœur (Kartenspiel)* Herz ist Trumpf; *de quoi ~ne-t-il? fig* was ist los? worum dreht es sich? *si inconnu à l'adresse prière de ~ à l'expéditeur* falls unzustellbar, zurück an Absender.

retracer [rətrase] neu zeichnen, neu entwerfen; dar=stellen, vor Augen stellen, vor=führen, schildern; *se ~* sich wieder vor Augen führen; wieder vor Augen treten.

rétract|able [retraktabl] widerrufbar; **~ation** *f* Widerruf *m,* Zurücknahme *f;* **~er** zurück=, ein=ziehen; *fig* zurück=nehmen, widerrufen; *se ~* widerrufen; das Gesagte, es zurück=nehmen; sich zs.=ziehen; **~if, ive** zs.ziehend; **~ile** *biol* einziehbar; **~ion** [-ksjɔ̃] *f med* Zs.ziehung, Schrumpfung *f.*

retradu|ction [rətradyksjɔ̃] *f* Rückübersetzung *f;* **~ire** (zu)rück- *od* neu übersetzen.

retrai|t, e [rətrɛ, -t] *a (Getreide, Holz)* geschrumpft; **~t** *m* Zs.ziehung, Schrumpfung *f; (Stoff)* Einlaufen; Zurückweichen, -treten *n;* Zurücknahme, -ziehung *f;* Austritt *m (d'une organisation* aus e-r Organisation); Entziehung *f,* -zug *m;* Einziehen, -behalten *n; (Ware)* Abholung; *com* Kündigung; *(Geld)* Abhebung, Rücknahme; *(Pfand)* Einlösung *f;* Rückkauf; *(Banknoten)* Aufruf *m; en ~ (arch)* zurückliegend (*de* hinter *dat*); *~ d'emploi* Amtsenthebung *f; ~ du front, d'un projet de loi* Zurücknahme *f* der Front, e-s Gesetzentwurfes; *~ du permis de conduire* Entzug *m* des Führerscheines; **~te** *f mil* Rückzug; Zapfenstreich; Rück-, Austritt *m;* Ausscheiden (aus dem Amt); Sichzurückziehen *n;* Zurückgezogenheit *f;* Ruhesitz *m;* Klause *f;* Zufluchtsort, Unterschlupf, Schlupfwinkel; Ruhestand *m;* Ruhegehalt *n,* Pension; *(~ des vieux)* Altersrente *f; (Fluß, Fassade)* Zurücktreten; *(Fechten)* Ausweichen *n; com* Rückwechsel *m,* Ritratte *f; en ~* im Ruhestand, außer Dienst; emeritiert; *battre en ~ (mil)* sich zurück=ziehen; *allg* sich in Sicherheit bringen; *fig* nach=geben; *battre, sonner la ~* den Zapfenstreich blasen; *mettre à la ~* in den Ruhestand versetzen, pensionieren, emeritieren; *prendre sa ~* sich zurück=ziehen, ab=, zurück=treten; in den Ruhestand treten, sich pensionieren lassen; *âge m de la ~* Pensionsalter *n; caisse f de ~* Pensionskasse *f; combat m en ~* Rückzugsgefecht *n; (maison f de) ~* Altersheim, Armenhaus *n; mise f à la ~* Pensionierung, Versetzung in den Ruhestand; Emeritierung *f; ~ anticipée* vorzeitige(r), vorgezogene(r) Ruhestand *m; ~ aux flambeaux* Fakkelzug *m;* **~té, e** *a* pensioniert, emeritiert; verabschiedet; im Ruhestand, außer Dienst; *s m f* Beamte(r) *m,* Beamtin *f* im Ruhestand, pensionierte(r) Beamte(r); Ruhegehaltsempfänger(in *f*), Pensionär; Rentenempfänger(in *f*), Rentner(in *f*) *m;* **~tement** *m: ~ (des combustibles)* Wiederaufbereitung *f;* **~ter 1.** wieder behandeln; wieder=aufbereiten; **2.** *vx* in den Ruhestand versetzen, pensionieren; emeritieren.

retranch|ement [rətrɑ̃ʃmɑ̃] *m* Unterdrückung; Abschaffung; Einschränkung; Auslassung; Streichung; *mil* Verschanzung, Schanze *f;* **~er** ab=schneiden, wegfallen lassen; unterdrücken, -binden; ab=schaffen; kürzen, ein=schränken; aus=, weg=lassen, streichen; ab=ziehen; durch Schanzarbeiten befestigen; *se ~* sich verschanzen *a. fig* (*derrière* hinter *dat*), sich ein=graben.

retransm|ettre [rətrɑ̃smɛtr] *tele* weiter=leiten; *radio* übertragen; **~ission** *f* Weiterleitung; *radio* (Weiter-) Übertragung; Wiederholung *f (e-r Sendung).*

rétréc|i, e [retresi] *a fig (Geist)* eng, beschränkt; *(Fahrbahn)* verengt; **~ir** *tr* enger machen *a. fig;* (ein=) schrumpfen; *(Stoff)* ein=laufen lassen; *fig* ein=engen, beschränken, verkümmern lassen; *itr* zs.=, (ein=) schrumpfen; *(Stoff)* ein=laufen; *se ~* (zs.=, ein=)schrumpfen; enger werden, sich verenge(r)n; *fig (Geist)* enger, beschränkter werden; **~issement** *m* (Zs.-, Ein-)Schrumpfen; Engerwerden *n;* Schrumpfung *f;* Verengern *n;* Verengerung *f; (Stoff)* Einlaufen *n; fig* Beschränktheit *f.*

retremp|e [rətrɑ̃p] *f (Stahl)* nochmalige(s) Härten *n;* **~er** wieder ein=tauchen, -tunken; *(Wäsche)* wieder ein=weichen; *(Stahl)* neu härten; *fig* stärken, stählen; *se ~ (fig)* neue Kraft schöpfen (*dans* in *dat*).

rétribu|er [retribɥe] entlohnen, bezahlen, vergüten; **~tion** [-by-] *f* Ent-, Belohnung, Bezahlung, Vergütung *f,* Entgelt *n; fig* Lohn *m,* Belohnung *f.*

rétro [retro] *adj inv adv* im Stil der zwanziger Jahre; *s m fam (Billard)* Effet *n;* Stil *m* der zwanziger Jahre.

rétro|actif, ive [retrɔaktif, -iv] *jur* rückwirkend; *effet m ~,* **~action** *f* Rückwirkung *f;* **~activement** *adv* mit Rückwirkung; **~activité** *f* rückwirkende Kraft; Rückwirkung *f;* **~céder** *jur* wieder ab=treten; rück=übertragen; **~cession** *f* Wiederabtretung; Rückübertragung *f;* **~fusée** *f cosm* Bremsrakete *f;* **~gradation** *f* rückläufige Bewegung *f a. astr.;* Rückschritt *m; mil* Degradierung *f;* **~grade** *a* rückläufig *bes. astr; fig* fortschrittsfeindlich; *pol* reaktionär; *s m pol* Reaktionär *m; effet m ~ (Billard)* Rückprall *m,* Effet *n;* **~grader** *itr* zurück=gehen, -weichen; *fig* rückwärts schreiten; sich rückläufig bewegen *bes. astr; tr mil* degradieren; *mot ~ les vitesses* zurück=schalten; **~gression** *f* Rückwärtsbewegung *f;* **~pédalage** *m (Fahrrad)* Rücktritt *m; (frein m à ~)* Rücktrittbremse *f;* **~projecteur** *m* Overhead-, Tageslichtprojektor *m;* **~réaction** *f radio* Rückkopp(e)lung *f;* **~spectif, ive** *a* zurückblickend, -schauend; *s f* Rückblick *m,* -blende *f; revue f ~ive* Rückschau *f;* **~spection** *f* Rückblick *m,* -blende *f;* **~spectivement** *adv* rückblickend, -schauend.

retrouss|é, e [rətruse] *(Rock, Kleid)* aufgeschürzt; gerafft; *(Lippen)* aufgeworfen; *(Ärmel)* hochgestreift, aufgekrempelt; *nez m ~* Stupsnase *f;* **~ement** *m* Aufschürzen; Um-, Aufkrempeln *n;* **~er** *(Rock, Kleid)* auf=schürzen, (hoch=)raffen; *(Ärmel)* um=, auf=krempeln; *(Haar)* auf=, hoch=stecken, hoch=kämmen; **~is** [-si] *m* Stulpe *f,* Umschlag; *(Hut)* Krempe; *(Rock)* Raffung *f; bottes f pl à ~* Stulpenstiefel *m pl.*

retrou|vailles [rətruvaj] *f pl* Wiedersehen *n;* **~ver** [rətruve] wieder=finden, -erlangen, -gewinnen, -erkunden; wieder (zurück=)finden (*qc* zu etw); wieder=sehen; wieder vor=finden, an=treffen; *fig* wieder=erkennen; *se ~* sich wieder (ein=)finden; sich zurecht=finden; zu sich selbst finden;

selbst erkennen; sich wieder=sehen, -treffen; *s'y* ~ *(fam)* dabei auf s-e Kosten kommen; sich zurecht=finden; *je saurai vous* ~ Sie entgehen mir nicht.

rétro|version [retrɔvɛrsjɔ̃] *f med* Rückwärtslagerung *f;* **~viseur** *m (mot)* Rückspiegel *m;* ~ *panoramique* Panoramaspiegel *m.*

rets [rɛ] *m* Netz; Garn *n a. fig (meist pl).*

réun|ification [reynifikasjɔ̃] *f pol* Wiedervereinigung *f;* **~ifier** wieder=vereinigen; **~ion** [-njɔ̃] *f* (Wieder-) Vereinigung *f,* Zs.schluß *m (de qc à qc* e-r S mit e-r S); (An-)Sammlung; Versammlung, Zs.kunft *f,* Treffen *n;* Verein(igung *f*) *m,* Gesellschaft; *(Truppen)* Zs.ziehung *f,* Aufmarsch *m; tenir une* ~ e-e Versammlung ab=halten; *droit m de* ~ Vereinsrecht *n; salle f de* ~ Sitzungssaal *m;* ~ *de créanciers* Gläubigerversammlung *f;* ~ *de famille* Familientag *m;* ~ *plénière (parl)* Vollversammlung *f;* ~ *publique* öffentliche Versammlung, Kundgebung *f;* **~ir** (wieder=)vereinigen (*à qc* mit etw); wieder zs.=bringen; sammeln; verbinden; *(Truppen)* zs.=ziehen, auf=marschieren lassen; versammeln; *parl* ein=berufen; *fig* in sich vereinigen; *se* ~ zs.=kommen; sich versammeln, zs.=treten, sich treffen, sich vereinigen, tagen; ~ *la documentation* die Unterlagen zs.=stellen; ~ *toutes ses forces* alle Kräfte zs.=nehmen; ~ *toutes les voix (pol)* alle Stimmen auf sich *(acc)* vereinigen.

réuss|i, e [reysi] gelungen, geglückt; **~ir** *itr* Erfolg haben, zum Ziel gelangen *od* kommen, *fam* durch=kommen; *(Sache)* gelingen, glücken; aus=fallen, geraten; *(Pflanze)* gedeihen; gut bekommen; *tr* zustande bringen, fertig=bringen; *(Prüfung)* bestehen (*a. à qc* etw); *ne* ~ *à rien* keinen Erfolg haben, zu nichts kommen; *je ~is à ...* es gelingt, glückt mir zu ...; *je ne ~is pas* es mißlingt mir; *je ne ~is (à) rien* es will mir nichts gelingen *od* glücken; *il ~it en tout, tout lui ~it* es gelingt ihm alles; **~ite** *f* Erfolg *m;* Gelingen; Ergebnis *n,* Ausgang *m; (Spiel)* Patience *f.*

revaccin|ation [rəvaksinasjɔ̃] *f* Wieder-, Nachimpfung *f;* **~er** zum zweitenmal, wieder impfen, nach=impfen.

reval|idation [rəvalidasjɔ̃] *f* Wiederinkraftsetzung *f;* **~ider** wieder in Kraft setzen.

revalo|ir [rəvalwar] heim=zahlen, vergelten; **~risation** *f com* Aufwertung *f;* **~riser** auf=werten.

revanch|ard, e [rəvɑ̃ʃar, -rd] *a* revanchelustig; *politicien m* ~ Revanchepolitiker *m;* **~e** *f* Vergeltung, Revanche, Rache; *(Spiel)* Revanche(partie) *f; à charge de* ~ auf Gegenseitigkeit; *en* ~ zum Ersatz, als Gegenleistung; dafür, dagegen; *prendre sa* ~ Rache, *(Spiel)* Revanche nehmen; Vergeltung üben.

rêv|asser [rɛvase] (tief *od* wirr) träumen; *fam* s-e Gedanken schweifen lassen; dösen; **~asserie** *f* wirre(r) Traum *m;* Träumerei, Grübelei *f;* Hirngespinst *n;* **~e** *m* Traum *m a. fig;* Trugbild *n,* Gaukelei *f; faire un* ~ e-n Traum haben; *ce n'est pas le* ~ *(fam)* ideal ist es nicht.

revêche [rəvɛʃ] herb; rauh; *fig* abweisend, unfreundlich, mürrisch; *tech* spröde.

réveil [revɛj] *m* Auf-, Erwachen *a. fig; mil* Wecken *n; rel* Erweckung *f;* Wecker *m (Uhr); au ~, à mon, ton etc* ~ beim Erwachen; **~le-matin** *m inv* Wecker *m;* **~ler** (auf=)wecken; *fig* (wieder=, neu=)beleben; auf=, ermuntern; hervor=rufen; *(Aufmerksamkeit)* erregen; *(Erinnerung)* wach=rufen, auf=frischen; *se* ~ auf=, erwachen *a. fig; fig* auf=leben.

réveillon [revɛjɔ̃] *m* (Weihnachts-, Neujahrs-)Mitternachtsessen *n;* **~ner** das Mitternachtsessen ein=nehmen.

révél|ateur, trice [revelatœr, -tris] *a* enthüllend, auf die Spur führend, Aufschluß gebend; aufschlußreich; *s m f* Denunziant(in *f*); *phot* Entwickler *m;* **~ation** *f* Aufdeckung, Enthüllung; *rel* Offenbarung *f;* **~er** enthüllen, kund=tun, verkünden; auf=decken, an=zeigen; erkennen lassen; *phot* entwikkeln; *rel* offenbaren; *se* ~ *(acc)* sich zeigen; s. erweisen; sich enthüllen, s. offenbaren (als).

revenant [rəvənɑ̃] *m* Gespenst *n,* Geist *m; il y a des ~s* es spukt.

revendeur, se [rəvɑ̃dœr, -øz] *m f* Wiederverkäufer(in *f*); Zwischenhändler(in *f*) *m.*

revendi|cation *f jur* (Rück-)Forderung *f;* Anspruch *m* (*de* auf *acc*); *action f en* ~ Klage *f* auf Heraus- *od* Rückgabe; *~s de salaires* Lohnforderungen *f pl;* ~ *territoriale (pol)* Gebietsanspruch *m;* **~quer** *jur* zurück=fordern, -verlangen; beanspruchen, Anspruch erheben (*qc* auf e-e S) *a. fig; fig* für sich in Anspruch nehmen; ~ *un attentat* die Verantwortung für e-n Anschlag übernehmen, sich zu e-m Attentat bekennen; ~ *la responsabilité* die Verantwortung übernehmen (*de* für).

revendre [rəvɑ̃dr] wieder=, weiter=

verkaufen; wieder, noch einmal verkaufen; *avoir à ~* mehr als genug, im Überfluß haben (*de qc* etw).

revenez-y [rəvnezi] *m inv* Wiederaufleben *n*, neue(r) Anflug *m* (*de* von); *avoir un goût de ~* nach mehr schmecken.

revenir [rəvnir] *irr* wieder=, zurück=kommen, wieder=, zurück=kehren *a. fig* (*à* zu *dat*, in *acc*); sich wieder machen, begeben, halten (*à* an *acc*); *(Gesundheit, Leben)* wieder=erhalten, *(Gunst)* -erlangen (*à qc* etw); s-e Meinung ändern; sich *(von e-r Krankheit, e-m Schrecken)* erholen (*de qc* von etw); *(Irrtum, Anspruch)* auf=geben (*de qc* acc); *(Ereignis)* sich wiederholen; wieder (nach=)wachsen; *(Name)* wieder ein=fallen; *(Speise)* auf=stoßen (*à qn* jdm) *a. fig;* zu=kommen, -stehen; hinaus=laufen, -gehen (*à* auf *acc*), (letzten Endes) bedeuten (*à* acc); zu stehen kommen (*à* auf), kosten (*à* acc); *(Gewinn, Vorteil)* entspringen (*de* aus); gefallen, zu=sagen; *jur* Berufung ein=legen (*contre* gegen), an=fechten (*contre* acc); wieder zurück=kommen, zu sprechen kommen (*sur qc* auf *acc*); *~ sur qn (jur)* sich an jdn als Bürgen halten; *mot* zurück=schalten (*en* auf *acc*); *en ~ (Krankheit)* überstehen; *pour en ~ à* ... um zurück=zukommen auf *acc; s'en ~ (fam)* zurück=kommen, -kehren; *ne pas en ~ de qc* etw nicht fassen, sich nicht genug über e-e S wundern können; *faire ~* stärken; *(Küche)* an=braten, schmoren; *tech (Stahl)* vergüten, an=lassen; *~ à* (wieder) zurück=bringen, -holen in *acc*, zu; *~ qn de qc* jdn von etw ab=bringen; *~ à la charge* sich nicht ab=weisen, *fam* nicht locker=lassen; *~ sur une décision* e-e Entscheidung widerrufen; *~ sur l'eau* wieder flott=werden; *fig* wiederauf=tauchen; *~ de loin* davon=kommen; wie aus e-m Traum auf=wachen; *fig* sich auf=raffen; *~ au même* auf dasselbe hinaus=laufen, -kommen; *(sembler) ~ de l'autre monde (fig)* vom Mond kommen; *~ sur ses pas* wieder um=kehren, *fig* sich besinnen; *~ à la question, au sujet, au fait, à ses moutons* wieder zur Sache kommen; *~ (à soi)* wieder zu sich kommen; sich wieder fassen; zur Besinnung kommen; *je n'en reviens pas* ich kann es nicht fassen; *il m'est revenu que* es ist mir zu Ohren gekommen, daß; *il me revient 10 francs* ich bekomme, *fam* kriege 10 Francs heraus; *cela revient à dire* ... das heißt mit ander(e)n Worten ...; *cela me revient de droit* das steht mir von Rechts wegen zu; *cela ne me revient pas* ich komme nicht darauf; das paßt, gefällt mir nicht; *la mémoire me revient* ich erinnere mich wieder; *il n'y a pas à y ~* der Fall ist erledigt; *n'y revenez plus!* tun Sie das nicht noch mal! *la raison lui revient* er kommt wieder zur Vernunft.

revente [rəvɑ̃t] *f* Wiederverkauf; Weiterverkauf, -vertrieb *m*.

revenu [rəvny] *m* Einnahme *f*, Ertrag *m;* Einkommen *n; fig* Gewinn, Vorteil *m; tech* Vergüten, Anlassen *n; pl* Einkünfte *pl; à ~ fixe* festverzinslich; *groupes m pl à faibles ~s, à ~s moyens* untere, mittlere Einkommen(sgruppen *f pl*) *n pl; impôt m sur le ~* Einkommensteuer *f; source f de ~s* Erwerbsquelle *f; ~s accessoires* od *casuels, accidentels* Neben-, Sondereinnahmen *f pl; ~annuel* Jahreseinkommen *n; ~ du capital* arbeitslose(s) Einkommen *n; ~ en excédent* Mehreinkommen *n; ~ fiscal, national* Steuer-, Volkseinkommen *n; ~ fixe* feste(s) Einkommen *n; ~ foncier, mobilier* Boden-, Kapitalertrag *m; ~ imposable* steuerpflichtige(s) E.; *~ minimum, net, personnel* od *privé, réel* Mindest-, Netto-, Privat-, Realeinkommen *n; ~s publics, de l'État* Staatseinkünfte *pl; ~ du travail* Arbeitseinkommen *n*.

rêver [re(ɛ)ve] *itr* träumen *a. fig* (*de qn, de qc* von jdm, von etw); phantasieren *a. fam fig;* faseln; *~ à, sur qc* auf etw *acc* sinnen, über etw *acc* nach=sinnen, nach=denken, grübeln; *tr* träumen (*qc* von etw) *a. fig;* im Traum sehen; *fig* sich sehnen (*qc* nach etw), sich erträumen; *~ tout éveillé* mit offenen Augen träumen.

réverb|ération [revɛrberasjɔ̃] *f (Licht, Wärme)* Rückstrahlung *f;* Widerschein *m a. fig;* **~ère** *m* Straßenlaterne *f;* Reflektor *m;* **~érer** zurück=strahlen; spiegeln; *fig* aus=strahlen.

reverd|ir [rəvɛrdir] *tr* grün überstreichen; ergrünen lassen; *fig* jung machen; *itr* wieder grün werden, ergrünen; *fig* wieder auf=leben, wieder erstarken; **~issement** *m* Wiedergrünwerden; *fig* Wiederaufleben *n*.

révér|ence [reverɑ̃s] *f* Ehrerbietung; Verbeugung, -neigung *f*, Diener; Knicks *m; sauf ~, ~ parler (fam)* entschuldigen Sie (den harten Ausdruck), aber ...; *faire sa ~ à qn* jdm s-e Aufwartung machen; *tirer sa ~* sich empfehlen; *fam (ironisch)* sich bedanken; **~enciel, le** ehrerbietig; **~encieux, se** ehrerbietig; übertrieben höflich; *fig* ehrfurchtsvoll; **~end, e** *a* ehrwürdig; *mon ~, ma ~e (rel)* ehrwürdiger Vater! ehrwürdige Mutter! **~endissime** *a rel* hochwürdigst; **~er** verehren.

rêverie [rɛvri] *f* Träumerei *f;* Hirngespinst *n;* Phantasie; Grübelei *f; s'abandonner à la ~* träumen, dösen; grübeln.

revers [rəvɛr] *m* Rückseite, linke, untere Seite, *fig* Kehrseite *f; fig* (harter) Schlag; Rück-, Fehlschlag; Mißerfolg *m,* Niederlage *f;* Unglück *n; (Kleidung)* Aufschlag, Revers *m; (Stiefel)* Stulpe *f; sport* Rückhand (-schlag *m*) *f; prendre, battre à ~ (mil)* im Rükken fassen; *coup m de ~* Schlag *m* mit dem Handrücken *od* der Rückseite; *~ de fortune* Schicksalsschlag *m; ~ de la main* Handrücken *m; ~ de la médaille (fig)* Kehrseite *f* (der Medaille); **~er** wieder ein=, nach=gießen; zurück=gießen; *jur* übertragen; *fig* fallen, kommen lassen (*sur qn* auf jdn); *mar* um=laden.

révers|ibilité [revɛrsibilite] *f phys* Umkehrbarkeit; *jur* Übertragbarkeit *f;* **~ible** *phys* umkehrbar; drehbar; *(Kleidung)* beiderseitig tragbar; *jur* rück-, heimfällig; übertragbar; **~ion** *f jur* Rück-, Heimfall *m;* Übertragung *f (e-r Rente).*

revê|tement [rəvɛtmɑ̃] *m arch* Verkleidung *a. tech;* Verschalung; Bespannung *f; (Möbel)* Bezug *m; tech* Hülle *f,* Mantel, Überzug *m;* Auskleidung *f;* Belag *m;* Decklage, (Straßen-) Decke *f; étoffe f de ~* Bezugstoff *m; ~ en asbeste, en béton, en tôle* Asbest-, Beton-, Blechverkleidung *f,* -mantel *m; ~ en bois* Holzverkleidung; Täfelung *f; ~ calorifuge, isolant* Wärme-, Isolierschutz *m; ~ en caoutchouc* Gummihülle *f;* -überzug *m; ~ de la chaussée* Straßendecke *f; ~ de murs, de radiateurs* Wand-, Heizkörperverkleidung *f; ~ du radiateur (mot)* Kühlerhaube *f;* **~tir** *irr (Person)* wieder an=kleiden, an=ziehen; (ein=)kleiden; *(feierl. Kleidung)* an=legen, -ziehen; *fig* verkleiden, -hüllen, versehen, aus=statten (*de* mit) *a. jur;* kleiden (*de* in *acc*); *(Gestalt, Charakter)* an=nehmen; *arch* verkleiden *a. tech;* verschalen; *(Straße)* befestigen; *tech* ver-, aus=kleiden; umhüllen, -wickeln, -manteln; bespannen, überziehen; belegen (*de* mit); *(Ofen)* füttern; *(Tunnel)* aus=mauern; *se ~* an=ziehen, -legen (*de qc* etw), sich kleiden (*de qc in* e-e S); *fig* Gestalt, Aussehen an=nehmen (*de qc* gen); *~ l'apparence* sich den Anschein geben (*de* gen *od* zu); *~ qn de pouvoirs* jdn bevollmächtigen, jdm Vollmacht erteilen; *~ l'uniforme, la tenue bourgeoise* Uniform, bürgerliche Kleidung *f od* Zivil tragen *n.*

rêveu|r, se [rɛvœr, -øz] *a* träumerisch, verträumt; (wie) abwesend; *s m f* Träumer(in *f*), Grübler *m.*

revient [rəvjɛ̃] *m: prix m de ~* Gestehungs-, Fabrik-, Selbstkostenpreis *m.*

revi|rement [rəvirmɑ̃] *m* Umschlagen *n,* -schwung *m,* Wendung, Schwenkung *f; mar* Wiederumwenden *n; pl* Schwankungen *f pl,* Wechselfälle *m pl; ~ de fonds (com)* Schuldübertragung, Umschuldung *f;* **~rer** *mar* wieder (um=)wenden.

révis|able [revizabl] *(Verfassung)* abänderungsfähig; **~er** revidieren; durch=, nach=sehen *a. typ,* (über)prüfen; nach=rechnen; *mil* mustern; *tech* überholen; **~eur** *m com* Rechnungs-, Buchprüfer; *typ* Korrektor *m;* **~ion** *f* Revision *a. typ,* Durchsicht, Über-, Nachprüfung; *jur* Wiederaufnahme; *mil* Musterung; *mus* Bearbeitung *f; faire une ~ (complète) (tech)* gründlich überholen (*de qc* etw); *conseil m de ~* Musterungskommission; Wehrersatzinspektion *f; instance f de ~ (jur)* Wiederaufnahmeverfahren *n; ~ constitutionnelle (pol)* Verfassungsänderung *f;* **~ionnisme** *m* Revisionismus *m;* **~ionniste** *a* verfassungsändernd; revisionistisch; *s m* Revisionist *m.*

reviv|ification [rəvivifikasjɔ̃] *f* Wiederbelebung *f a. fig; tech* Frischen *n;* **~ifier** wieder=beleben *a. fig; fig* zu neuem Leben erwecken; *rel* lebendig machen; *tech* frischen.

revivre [rəvivr] *itr* zu neuem Leben erwachen; *fig* wiederauf=leben, -blühen; *(Brauch, Mode)* wieder auf=kommen; sich erneuern; *tr (im Geist)* an sich vorüberziehen lassen; *faire ~* ins Leben zurück=rufen, zu neuem Leben erwecken; wieder auf=leben, -blühen lassen; wieder zu Ehren bringen.

révoca|bilité [revɔkabilite] *f* Widerrufbar-, Absetzbarkeit *f;* **~ble** widerruflich; absetzbar; **~tion** *f* Widerruf(ung *f*) *m;* Aufhebung; Absetzung, Entlassung; Abberufung *f; jusqu'à ~* bis auf Widerruf, widerruflich; **~toire** *a* widerrufend.

revoici, revoilà [rəvwasi, -la] *fam* da ist *bzw* sind wieder; *me ~* da bin ich wieder.

revoir [rəvwar] *v irr* wieder=sehen, -treffen, wieder begegnen (*qn* jdm); zurück=kehren (*qc* zu, nach, in *acc*);

durch=sehen, -gehen, revidieren, überprüfen; *se* ~ sich wieder sehen, (be)finden: sich, ea. wieder=sehen; wieder zu sehen sein; *s m* Wiedersehen *n; au ~!* auf Wiedersehen!

révolt|ant, e [revɔltɑ̃, -ɑ̃t] empörend; **~e** *f* Aufruhr, -stand *m a. fig,* Revolte *f;* **~é, e** aufrührerisch, -sässig; *s m* Aufständische(r), -rührer *m;* **~er** auf=wiegeln, aufsässig machen; *fig* auf=bringen, in Empörung versetzen; verhöhnen, ins Gesicht schlagen *fig* (*qn, qc* jdm, e-r S); *se* ~ sich erheben (*contre* gegen) *a. fig,* revoltieren; *fig* sich entrüsten.

révolu, e [revɔly] *astr (Umlauf)* vollendet; *(Zeit)* abgelaufen, verstrichen, vergangen; *à 80 ans ~s* mit der *od* nach Vollendung des 80. Lebensjahres; *avoir 80 ans ~s* volle 80 Jahre alt sein.

révoluté, e [revɔlyte] *bot* nach außen eingerollt.

révolution [revɔlysjɔ̃] *f* Um-, Ablauf(szeit *f*), Wechsel *m; (Rad)* Umdrehung *a. astr; fig* Umwälzung, (umwälzende) Veränderung *f,* Umschwung, Wechsel *m;* Verwirrung, heftige Unruhe; Revolution, Volkserhebung *f; la ~ culturelle* die Kulturrevolution; *la R~ française* die Französische Revolution; *la ~ industrielle* die industrielle Revolution; **~naire** *a* revolutionär, umstürzlerisch; *(Maßnahmen)* umstürzend; Revolutions-; *s m* Revolutionär *m;* **~ner** in Aufruhr versetzen, revolutionieren; *fig* in Aufregung versetzen, bestürzen, verwirren, auf=wühlen.

revolv|er [revɔlvɛr] *m* Revolver *m; ~ d'ordonnance, de poche* Dienst-, Taschenrevolver *m;* **~ériser** *fam* (mit e-m R.) erschießen; *~ du regard* mit Blicken erdolchen.

révoquer [revɔke] widerrufen, auf=heben, annullieren; ab=setzen, entlassen; *~ en doute* in Zweifel ziehen, be-, an=zweifeln.

revu|e [rəvy] *f* Durchsicht; Übersicht, Aufzählung; Zeitschrift, Rundschau, Revue; *theat* aktuelle Revue *f;* Bericht; *mil* Appell *m,* Besichtigung, Parade *f; être de la ~ (pop)* das Nachsehen haben; *passer en ~* durch=sehen, -gehen, (genau) prüfen; *mil (Truppe)* besichtigen; *année f passée sous ~* Berichtsjahr *n; ~ de détail* Appell *m* in allen Sachen; *~ d'effectif* Anwesenheitsappell *m; ~ hebdomadaire, du marché* Wochen-, Marktbericht *m; ~ de modes, de modèles* Moden-, Modellschau *f; ~ navale* Flottenparade *f; ~ de (la) presse* Presserundschau *f,* -spiegel *m; ~ spéciale* od *professionnelle, de cinéma, de T.S.F., pour la jeunesse* Fach-, Film-, Rundfunk-, Jugendzeitschrift *f; ~ à grand spectacle (theat)* Revue *f;* **~iste** [-vyist] *m theat* Verfasser *m* von Revuen.

révuls|é, e [revylse] entstellt; *avoir les yeux ~s* die Augen verdrehen; **~if, ive** *a* u. *s m pharm* ableitend(es Mittel *n*); **~ion** *f med* Ableitung *f.*

rez-de-chaussée [redʃose] *m inv* Erdgeschoß *n.*

rhabill|age, ~ement [rabijaʒ] *m* Reparatur, Ausbesserung *f;* **~er** wieder an=ziehen, -kleiden; (neu) ein=kleiden; *fig* kleiden (*avec* in *acc*); bemänteln, in ein günstiges Licht stellen; *tech* reparieren, aus=bessern, wieder her=richten.

rhénan, e [renɑ̃, -an] rheinisch; Rhein-; *R~, e s m f* Rheinländer(in *f*) *m; le Massif schisteux ~* das Rheinische Schiefergebirge; *pays m pl ~s* Rheinlande *n pl;* **R~ie, la** das Rheinland *n; la R~-Palatinat* Rheinland-Pfalz *n; la ~-(du-Nord-)Westphalie* Nordrhein-Westfalen *n.*

rhéostat [reɔsta] *m el* Rheostat, Meßwiderstand *m; (~ de chauffage) radio* (Heiz-)Widerstand *m.*

rhésus [rezys] *m zoo* Rhesusaffe *m; med* Rhesus *m; facteur ~* Rhesusfaktor *m; ~ positif, négatif* Rhesus positiv, negativ.

rhét|eur [retœr] *m* Rhetor *m péj* Phrasendrescher *m;* **~orique** *f* Redekunst; *péj* Phrasendrescherei *f,* Wortgeklingel *n.*

rhéto-roman, e [retɔrɔmɑ̃, -an] rätoromanisch.

Rhin, le [rɛ̃] der Rhein; *le ~ antérieur* der Vorderrhein; *le ~ postérieur* der Hinterrhein.

rhin|ite [rinit] *f* Nasenschleimhautentzündung *f;* **~océros** [-erɔs] *m* Rhinozeros, Nashorn *n;* **~opharyngite** *f* Nasenrachenentzündung *f;* **~oplastie** *f* Rhinoplastik *f;* **~oscopie** *f* Nasenuntersuchung *f.*

rhizome [rizom] *m bot* Wurzelstock *m.*

rhodanien, ne [rɔdanjɛ̃, -ɛn] *a geog* Rhone-.

Rhodes [rɔd] *f geog* Rhodos *n.*

Rhodésie [rɔdezi] *f* Rhodesien *n.*

rhododendron [rɔdɔdɛ̃drɔ̃] *m bot* Rhododendron *n.*

rhomb|e [rɔ̃b] *m vx math* Rhombus *m,* Raute *f;* **~iforme, ~ique** rhombisch, rautenförmig; **~oèdre** *m math* Rhomboeder *n.*

Rhône, le [ron] *geog* die Rhone.

rhubarbe [rybarb] *f* Rhabarber *m.*
rhum [rɔm] *m* Rum *m.*
rhuma|tisant, e [rymatizɑ̃, -t] *a* an Rheuma leidend; *s m f* Rheumatiker(in *f*) *m;* ~**tismal, e** rheumatisch; ~**tisme** *m* Rheuma(-tismus *m*) *n;* ~ *articulaire* Gelenkrheumatismus *m;* ~**tologue** *m f* Rheumatologe *m.*
rhume [rym] *m* Katarrh *m,* Erkältung *f;* ~ *de cerveau, de poitrine* Schnupfen, Husten *m;* ~ *des foins* Heuschnupfen *m.*
riant, e [rjɑ̃, -ɑ̃t] lachend; strahlend; lustig, ausgelassen; fröhlich, froh; heiter.
ribambelle [ribɑ̃bɛl] *f fam* (ganze) Reihe, Menge *f,* (ganzer) Haufen *m* (*de* gen).
ribaud, e [ribo, -d] *a vx* liederlich.
ribonucléique [ribonykleik] *a: acide* ~ Ribonukleinsäure *f.*
ribo|te [ribɔt] *f vx pop* Sauferei, Besäufnis *f; être en* ~ besoffen sein; *faire* ~ sich besaufen; ~**ter** sich besaufen.
ribouldingue [ribuldɛ̃g] *f pop* Remmidemmi, Trubel *m.*
ric|anement [rikanmɑ̃] *m* (höhnisches *od* albernes) Grinsen; Gekicher *n;* ~**aner** höhnisch, hämisch *od* albern lachen, grinsen, kichern.
ric-rac [rikrak] *adv* haargenau; auf Heller u. Pfennig.
rich|ard [riʃar] *m fam* Krösus, schwerreiche(r) Mann *m;* ~**e** *a* reich *a. fig* (*en* an *dat*); wohlhabend, vermögend; fruchtbar, ergiebig *a. fig;* gehaltvoll; kostbar, prächtig, herrlich; *pop* gewaltig, großartig; *s m* Reiche(r) *m;* ~ *en fruits, en poissons* obst-, fischreich; *mélange m* ~ *(mot)* gasreiche(s) Gemisch *n; nouveau* ~ *m* Neureiche(r), -reich *m; trop* ~ *(Nahrung)* zu fett; *(Gas)* übersättigt; ~ *idée* ausgezeichnet; ~ *mine f* blühende(s) Aussehen *n;* ~ *parti m* gute Partie *f (Heirat);* ~**ement** *adv* reich, gut; *fam* reichlich; ~**esse** *f* Reichtum *a. fig* (*en* an *dat*); Wohlstand *m,* Wohlhabenheit *f;* Überfluß *m,* (Über-)Fülle *f;* Fruchtbarkeit, Ergiebigkeit; Kostbarkeit, Pracht *f;* Schatz *m a. fig; pl* Reichtümer, Schätze *m pl;* ~ *en forêts, en gibier, en mots* Wald-, Wild-, Wortreichtum *m;* ~*s souterraines, du sol* Bodenschätze *m pl;* ~**issime** *a fam* stein-, schwerreich.
ricin [risɛ̃] *m bot* Rizinus *m; huile f de* ~ *(pharm)* Rizinusöl *n.*
rico|cher [rikɔʃe] ab≈prallen; *fig* überspringen, sich übertragen (*sur* auf *acc*); ~**chet** [-ʃɛ] *m* Abprall *m; fig* indirekte(s) Wirken, Weiterwirken *n; mil* Querschläger; Abpraller *m; par* ~ indirekt; auf Umwegen.
rictus [riktys] *m* krampfhafte(s) Lachen *n.*
rid|e [rid] *f* Runzel, Falte *a. fig; allg* Rille *f;* ~**é, e** *a* runzlig, faltig; schrump(e)lig, welk; *(Wasserfläche)* gekräuselt; *s f* Lerchennetz *n.*
rideau [rido] *m* Gardine *f,* Vorhang *a. theat; fig* Schleier *m;* Baumwand; Böschung; Stützmauer *f; lever, baisser le* ~ *(theat)* den Vorhang auf≈ziehen, fallen lassen; *se tenir derrière le* ~ *(fig)* sich im Hintergrund halten; nicht ans Tageslicht treten; *tirer le* ~ den Vorhang, die Gardine auf≈ *od* zu≈ziehen; *sur qc (fig)* e-n Schleier über e-e S breiten, etw auf sich *(dat)* beruhen lassen; ~ *de fer (theat)* eiserne(r) Vorhang *m; a. pol* Eiserne(r) Vorhang *m;* ~ *de feu (mil)* Feuervorhang *m;* ~ *de fumée (mil)* Rauchschleier *m.*
ridelle [ridɛl] *f* Wagenwand *od* -leiter *f.*
rider [ride] *v* runzeln, in Falten ziehen; faltig, runzlig machen; *(Wasserfläche)* kräuseln; *mar* reffen, spannen; *se* ~ sich in Falten legen; faltig, runz(e)lig werden.
ridicu|le [ridikyl] *a* lächerlich, lachhaft; *s m* Lächerlichkeit *f; le* ~ das Lächerliche *n; tomber dans le* ~ sich lächerlich machen; *tourner qn en* ~ jdn lächerlich machen; *cela est d'un* ~ *achevé, parfait* das ist wirklich lächerlich; ~**liser (, se)** (sich) lächerlich machen.
rien [rjɛ̃] *unbest. prn* etwas; (so gut wie) nichts; *beim v: ne* ... ~ nichts; *s m* Nichts *n;* Kleinigkeit *f; pl* Kleinigkeiten, Bagatellen, Lappalien, Nichtigkeiten *f pl; adv pop* tüchtig, gewaltig, mächtig, kolossal; fürchterlich, furchtbar, schrecklich *adv;* ~ *d'autre* nichts anderes, weiter nichts; *comme si de* ~ *n'était* als wenn nichts geschehen, *fam* los wäre; *de* ~ unbedeutend, belanglos; macht nichts, hat nichts zu sagen; bitte! *(nach Dank);* ~ *de* ~ rein gar nichts, absolut nichts; *en* ~ *(du tout)* keineswegs, durchaus nicht; *en moins de* ~, *en un* ~ *de temps* im Nu; ~ *moins que* ... keineswegs ...; ~ *de moins que* ganz u. gar; ~ *de moins (que)* nichts weniger (als); *si peu que* ~ so gut wie nichts; ~ *de plus* weiter nichts; *pour* ~ *(fam* für) umsonst, für nichts u. wieder nichts; *pour* ~ *au monde* nicht um alles in der Welt; ~ *que* nichts als, nur; ~ *qu'en (entrant)* schon beim (Eintreten); ~ *que d'y penser* wenn ich bloß,

nur daran denke; ~ *du tout* wirklich, gar, *fam* absolut nichts; *ne* ~ *dire* nichts sagen (schweigen *od* nichtssagend, gleichgültig sein); *sans* ~ *dire* ohne ein Wort, *fam* e-n Ton zu sagen; *n'être pour* ~ *dans qc* mit etw nichts zu tun, zu schaffen haben; *se fâcher pour un* ~ sich über jede Kleinigkeit, *pop* über jeden Dreck ärgern; *ne* ~ *faire* nichts tun, nicht arbeiten, arbeitslos sein, *fam* feiern; nicht verkaufen *od* ab=setzen *od* los=werden; *n'en* ~ *faire* nichts dergleichen tun; *faire semblant de ne* ~ *voir* so tun, als sähe man nichts, als ob man nichts sähe; *il n'y a* ~ *à dire à cela* dazu ist nichts zu sagen; dagegen ist nichts einzuwenden; *ce n'est* ~ das ist nicht schlimm, das hat nichts zu sagen, zu bedeuten; *il n'en est* ~ da ist nichts daran, das ist nicht der Fall; *cela ou* ~, *c'est tout un* das ist so gut wie gar nichts; *cela ne fait* ~ das macht nichts; *il ne faut jurer de* ~ man kann nie wissen; *il ne m'est* ~ er bedeutet mir nichts; *il est parti de* ~ er hat mit nichts angefangen; *il ne reste plus* ~ das wäre, ist alles; *homme m de* ~ hergelaufene(r) Mensch; Taugenichts *m.*

rieur, se [rjœr, -øz] *a* lachlustig; *s m f* Lacher(in *f*) *m,* Kicherliese *f;* Spötter(in *f*), Spottvogel *m; avoir les* ~*s de son côté* die Lacher auf s-r Seite haben; *être* ~, *se* dauernd lachen, kichern; *pigeon m* ~ Lachtaube *f; (mouette f) rieuse* Lachmöwe *f.*

rififi [rififi] *arg m* Keilerei *f.*

riflard [riflar] *m* **1.** Rauhbank; Raspel *f (grobe Feile);* Spa(ch)tel *m od f;* gröbste Wolle *f;* **2.** *pop* große(r) Regenschirm *m.*

rifle [rifl] *Art* Karabiner.

rifler [rifle] mit der Rauhbank ab=hobeln; feilen; ab=spa(ch)teln; *vx pop (Dieb)* mit=gehen lassen, ein=stecken.

rig|audon, ~**odon** [rigodɔ̃] *m* Rigaudon *m (provenzalischer Volkstanz).*

rigi|de [riʒid] steif, starr *a. tech; fig* streng(gläubig); hart; ~**dité** *f* Steifheit; Starre, Starrheit *a. fig; fig* Strenge; Starrköpfigkeit *f;* ~ *cadavérique* Leichenstarre *f.*

rigolade [rigɔlad] *f pop* Scherz, Spaß, Ulk *m.*

rigolage [rigɔlaʒ] *m (Gärtnerei)* Rillen-, Furchenziehen *n.*

rigolard [rigɔlar] *m pop* Spaßvogel *m.*

rigole [rigɔl] *f* Rinne *f,* Abzugsgraben *m.*

rigo|ler [rigɔle] *fam* lachen; lustig sein; Spaß, Ulk machen; scherzen, spaßen, nicht im Ernst sprechen; ~**leur, se** *a pop* lustig, spaßig, ulkig; *s m f* Spaßvogel, Bruder Lustig *m; m arg* Revolver.

ri|gorisme [rigɔrizm] *m* (Sitten-)Strenge, Unduldsamkeit *f;* ~**goriste** *a* u. *s m f* (sitten)streng(er Mensch *m*); ~**goureux, se** streng, rigoros; peinlich gewissenhaft, übergenau; unnachsichtig; hart, unerbittlich; *(Klima)* rauh; unbestreitbar, unwiderlegbar; uneingeschränkt; ~**gueur** [-gœr] *f* Strenge, Härte; Unnachsichtigkeit, Unerbittlichkeit; Schärfe *f; à la* ~ im Notfall, äußersten-, schlimmstenfalls; *de* ~ unerläßlich; *tenir* ~ übel=nehmen (*de qc à qn* jdm e-e S).

rill|ettes [rijɛt] *f pl* gebratene(s) Schweinemett, Hackfleisch *n;* ~**ons** *m pl* Grieben *f pl.*

rim|ailler [rimɑje] *fam itr* Reime schmieden; *tr* in schlechte Verse bringen; ~**ailleur, se** *m f* Reimschmied *m.*

rimaye [rimaj] *f geol* Bergschrund *m.*

rim|e [rim] *f* Reim; Vers *m; n'avoir ni* ~ *ni raison* weder Sinn noch Verstand haben; *n'entendre ni* ~ *ni raison* keine Vernunft an=nehmen wollen; ~**er** *itr* reimen, Verse machen; sich reimen *a. fig; fig* zuea. passen; *tr* in Verse bringen; *ne* ~ *à rien* keinen Sinn haben; *à quoi ça* ~*e? fam* was soll das heißen? ~**eur** *m* Reimer, Reimschmied *m.*

rinçage [rɛ̃saʒ] *m* Spülen *n; (Waschmaschine)* Spülprogramm *n.*

rinceau [rɛ̃so] *m* Rankenornament *n.*

rince|-bouteilles *m inv* Flaschenspüler *m (Gerät);* ~**-doigts** Schale *f* zum Fingerspülen; ~**-légume** *m inv* Gemüsespüler *m (Gerät).*

rin|cer [rɛ̃se] (ab=, aus=, nach=)spülen; *fam* durchweichen, -nässen; *pop vx* verdreschen; *arg* aus=plündern; *être* ~*é comme un verre à bière (pop fig)* blank, abgebrannt, ohne e-n Pfennig sein; *se* ~ *la dalle (pop)* e-n heben, hinter die Binde gießen; *se* ~ *l'œil (fam)* sich an einem angenehmen Anblick weiden; ~**ceur, se** *m f* Geschirr-, Tellerwäscher(in *f*) *m; f* Spülmaschine *f;* ~**çoir** *m* Spülgefäß, -bekken *n;* ~**çure** *f* Spülwasser *n a. fam; fig* verdünnte(r) Wein *m.*

ring [riŋ] *m* (Box-)Ring *m.*

ringard [rɛ̃gar] *m* Schüreisen *n,* -haken *m.*

rip|aille [ripɑ(a)j] *f pop* Schlemmerei *f; faire* ~, ~**ailler** *pop* schlemmen; ~**ailleur, se** *m f pop* Schlemmer(in *f*) *m.*

ripaton [ripatɔ̃] *m pop* Fuß; Schuh *m.*

rip|e [rip] *f arch* Kratz-, Schabeisen *n;*

~**er** *arch* ab=kratzen, -schaben; verschieben; *mar* gleiten lassen.

ripos|te [ripɔst] *f (Fechten)* Gegenstoß; *allg* Gegenschlag *m; fig* schnelle Antwort *f; être prompt à la* ~ nicht auf den Mund gefallen, um e-e Antwort nicht verlegen sein; ~**ter** *(Fechten)* e-n Gegenstoß führen; *allg* zurück=schlagen; *fig* rasch antworten, die Antwort nicht schuldig bleiben.

riquiqui [rikiki] *fam* armselig, hungrig.

rire [rir] *v irr* lachen; heiter, froh, fröhlich, lustig sein; sich lustig machen, spotten (*de* über *acc*); aus=, verlachen, verspotten (*de qn* jdn); in den Wind schlagen (*de qc* e-e S); an=lachen (*à qn* jdn); lachen, glänzen, strahlen; *s m* Lachen, Gelächter *n; se* ~ scherzen; sich lustig machen, lachen *de* über *acc*), nicht ernst nehmen (*de qc* etw); *pour* ~ zum Spaß, im Scherz; *mourir de* ~ sich totlachen wollen; *prêter à* ~ zum Lachen heraus=fordern; *pouffer, se pâmer de* ~ platzen, sich den Bauch halten vor Lachen; *se tordre de* ~ sich biegen vor Lachen; ~ *du bout des dents, des lèvres,* ~ *jaune* gezwungen lachen; ~ *sous cape, dans sa barbe* sich ins Fäustchen lachen; ~ *aux éclats, à gorge déployée* schallend, laut los=lachen; ~ *aux larmes* Tränen lachen; ~ *au nez de qn* jdm ins Gesicht lachen; *il n'y a pas là de quoi* ~ da ist, da gibt's nichts zu lachen; *rira bien qui rira le dernier* wer zuletzt lacht, lacht am besten; *tel qui rit vendredi, dimanche pleurera* man soll den Tag nicht vor dem Abend loben.

ris [ri] *m* **1.** (Kalbs-, Lamm-)Brieschen, Bröschen *n;* **2.** *mar* Reff *n;* ~**ée** *f* **1.** (schallendes, allgemeines) Gelächter *n;* Spott *m,* Gespött *n (a. Person);* **2.** (starke) Bö *f;* ~**ette** *f* (fröhliches) Kinderlachen *n;* ~**ible** spaßig, ulkig, komisch.

risqu|e [risk] *m* Gefahr *f,* Wagnis; *com* Risiko *n; au* ~ *de* auf die Gefahr *gen* hin; *à tout* ~ auf gut Glück; *à ses* ~*s et périls* auf eigene Rechnung u. Gefahr; *comporter des* ~*s* Gefahren mit sich bringen; *courir un* ~ sich e-r Gefahr aus=setzen, Gefahr laufen; *prendre un* ~ ein Risiko auf sich nehmen; *assurance f contre les* ~*s du transport* Transportversicherung *f; catégorie f de* ~*s* Gefahrenklasse *f; prime f de* ~ Risikoprämie *f;* ~ *des affaires, d'entrepreneur, d'exploitation* Geschäfts-, Unternehmer-, Betriebsrisiko *n;* ~*e-tout m inv* Wagehals, Draufgänger *m;* ~**é, e** gewagt; ~**er** *tr* wagen; aufs Spiel setzen; *fam* riskieren; *itr* Gefahr laufen (*de* zu); die Gefahr mit sich bringen (*de* zu); *se* ~ sich wagen (*dans, sur* in *acc,* auf *acc*); ~ *le tout pour le tout* alles aufs Spiel, auf e-e Karte setzen; *qui ne* ~*e rien n'a rien* wer nicht wagt, der nicht gewinnt; *il risque de pleuvoir* es könnte regnen.

rissol|e [risɔl] *f* **1.** *Art* Pastete *f;* **2.** feinmaschige(s) Fischnetz *n (zum Sardinenfang);* ~**er** *(Küche)* goldbraun braten; *se* ~ braun werden; *se faire* ~ *(fam)* sich *(von der Sonne)* braun braten lassen.

ristourne [risturn] *f com* Storno *m* od *n,* Rückvergütung *f.*

rite [rit] *m rel* Ritus *m.*

ritournelle [riturnɛl] *f mus* Ritornell *n; fig fam* alte Leier *f.*

rituel, le [ritɥɛl] *a rel* rituell; *s m* Ritual *n (a. Buch).*

rivage [rivaʒ] *m* Ufer *n;* Küste(nstrich *m) f,* Strand *m; poet* Gestade *n.*

rival, e [rival] *s m f* Rivale *m,* Rivalin *f;* Nebenbuhler(in *f*) *m; a* rivalisierend; ~**iser** rivalisieren, wetteifern (*de qc avec qn* mit jdm in e-r S); ~**ité** *f* Rivalität, Nebenbuhlerschaft *f;* Wetteifer, -streit *m.*

rive [riv] *f* Ufer *n;* Küste(nstreifen *m*) *f; tech* Rand(streifen); *mar* Treidelpfad *m; pain m de* ~ durchgebackene(s) Brot *n.*

rivelaine [rivlɛn] *f min* Schrameisen *n.*

river [rive] (ver)nieten; *fig* zs.=schweißen, anea.=binden; ~ *à chaud, à froid* kalt=, warm=nieten; ~ *son clou à qn (fam)* jdm die passende Antwort geben, jdn zum Schweigen bringen.

riverain, e [rivrɛ̃, -ɛn] *a* an e-m Fluß, Wald, an e-r Straße wohnend; *s m f* Anwohner(in *f*); -lieger(in *f*); -rainer *m.*

rivet [rivɛ] *m tech* Niet(e *f*) *m;* ~**age** [-vtaʒ] *m tech* (Ver-)Nietung *f;* ~**er** (ver)nieten.

riveur, se [rivœr, -øz] *m f* Nieter(in *f*) *m; f* Nietmaschine *f.*

rivière [rivjɛr] *f* Fluß; *fig* Strom *m; sur la* ~ (unmittelbar) am Fluß; *porter l'eau à la* ~ *(fig)* Eulen nach Athen tragen; *poisson m de* ~ Flußfisch *m;* ~ *côtière, de montagne* Küstenfluß, Gebirgsbach *m;* ~ *(de diamants)* (Diamanten-)Kollier *n;* ~ *marchande* schiffbare(r) Fluß *m.*

rivure [rivyr] *f* (Ver-)Nietung *f.*

rixe [riks] *f* Zank, Streit *m;* Schlägerei, Rauferei.

riz [ri] *m* Reis *m; farine, paille f, papier m, poudre f de* ~ Reismehl, -stroh, -papier *n,* -puder *m; gâteau m de* ~ (überbackener) Reispudding *m;*

potage m au ~ Reissuppe *f; poule f au* ~ Huhn *n* in, auf Reis; ~ *au gras, au lait* Bouillon-, Milchreis *m;* ~**iculteur** [-zi-] *m* Reisbauer *m;* ~**iculture** *f* Reisbau *m;* ~**ière** *f* Reisfeld *n.*

rob|e [rɔb] *f* (Damen-, Kinder-)Kleid *n;* Talar *m; allg poet fig* Gewand *n; (Tier)* (Färbung *f* des) Haar-, Federkleid(es) *n; (Frucht, Knolle)* Schale, Haut, Hülse; *(Wurst)* Pelle *f; (Zigarre)* Deckblatt *n; (Pappe)* (Papier-) Überzug *m; prendre la* ~ Rechtsanwalt werden; *(gens pl de)* ~ Richter u. Anwälte *m pl; noblesse f de* ~ *(hist)* Amtsadel *m; pommes f pl de terre en* ~ *de chambre* Pellkartoffeln *f pl;* ~ *d'après-midi, de bal, de fillette, d'intérieur, de mariée, de soirée* od *du soir, de sport, de ville* Nachmittags-, Ball-, Kinder-, Haus-, Braut-, Abend-, Sport-, Straßenkleid *n;* ~*-bain f de soleil* Strandkleid; schulterfreie(s) Sommerkleid *n;* ~ *de chambre* Morgen-, Schlafrock *m;* ~ *de magistrat* Amtstracht *f;* (langes) Nachthemd *n;* ~ *à panier* Reifrock *m;* ~**er** *(Krapp)* schälen; *(Zigarren)* mit (dem) Deckblatt versehen.

robin [rɔbɛ̃] *m vx péj* Rechtsverdreher *m; R*~ *des Bois* Freischütz *m.*

robinet [rɔbinɛ] *m* (Wasser-, Gas-) Hahn; *tech* Drehschieber *m; fermer le* ~ den Hahn zu=drehen; *fig fam* nichts, kein Geld mehr heraus=rükken; *ouvrir, tourner, lâcher le* ~ den Hahn auf=drehen *od* öffnen; ~ *d'admission* od *d'arrivée, de décharge* od *de vidange* Zuleitungs-, Abfluß- *od* Ablaßhahn *m;* ~ *à eau, d'essence, à gaz* Wasser-, Benzin-, Gashahn *m;* ~ *d'eau tiède (fig fam)* langweilige(r) Schwätzer *m;* ~**terie** *f* Hahnfabrik(ation) *f;* Armatur(en *pl*) *f.*

robinier [rɔbinje] *m bot* Robinie, (falsche) Akazie *f.*

robot [rɔbo] *s m* Roboter *m; a: cerveau m* ~ Elektronengehirn *n.*

robus|te [rɔbyst] stark, kräftig, stämmig, robust; strapazier-, widerstandsfähig; gesund; *(Maschine)* stabil (gebaut); ~**tesse** *f* Stämmigkeit, Stärke, Kraft; Widerstandsfähigkeit, Gesundheit; *(Maschine)* Stabilität *f.*

roc [rɔk] *m* Fels(en) *m,* Felsgestein *n;* ~**ade** *f* Umgehungs-, Ringstraße *f;* ~**aille** [-ɑ(a)j] *s f (Kunst)* Muschelwerk *n,* -verzierung *f; a* Rokoko-; *style m* ~ Rokoko(stil *m*) *n;* ~**ailleux, se** steinig; *fig (Stil)* holp(e)rig; *(Stimme)* rauh.

rocambolesque [rɔkɑ̃bɔlɛsk] *fam* phantastisch, unglaublich.

roch|e [rɔʃ] *f* Fels(block *m,* -gestein *n*), Felsen; *(pierre f de* ~*)* Felsstein *m; mar* Klippe *f; min* Gestein *n; (Edelstein)* Einschluß *m; de la vieille* ~ von altem Schrot u. Korn; *clair comme (de) l'eau de* ~ sonnenklar, *hum* klar wie Kloßbrühe, wie dicke Tinte; *cristal m de* ~ Bergkristall *m;* ~*s éruptives, sédimentaires (geol)* Eruptiv-, Sedimentgesteine *n pl;* ~*-mère f* Muttergestein *n;* ~ *préexistante* Urgestein *n;* ~**er 1.** *s m* Fels(en) *m;* Klippe *f; anat* Felsenbein *n;* **2.** *v tr (zum Schweißen)* mit Borax bestreuen; *itr tech* spratzen; *(Bier)* moussieren; *faire fendre les* ~*s* (fig) Steine erweichen.

rochet [rɔʃɛ] *m* **1.** *rel* Chorhemd *n;* **2.** *tech* Ratsche; *(Textil)* Seidenspule *f.*

rocheux, se [rɔʃø, -z] felsig; *les (Montagnes) Rocheuses* die Rocky Mountains *pl,* das Felsengebirge.

rocking-chair [rɔkiŋʃɛr] *m* Schaukelstuhl *m.*

rococo [rɔkɔko] *s m* Rokoko *n; a inv* Rokoko-; verschnörkelt, zopfig, verstaubt (*a. Stil).*

rod|age [rɔdaʒ] *m tech mot* (Ventil-) Einschleifen; *mot* Einfahren *n;* ~**er** ein=schleifen; *mot* ein=fahren.

rôd|er [rode] umher=schweifen, -streifen; herum=schleichen (*autour de* um); herum=lungern; ~**eur, se** *s m f* Vagabund(in *f*) Strolch *m.*

Rodolphe [rɔdɔlf] *m* Rudolf *m.*

rodomontade [rɔdɔmɔ̃tad] *f* Prahlerei *f.*

rogat|ions [rɔgasjɔ̃] *f pl rel* Bittgang *m;* Bittwoche *f;* ~**oire** *a* Bitt-, Ersuchungs-; *commission f* ~ Rechtshilfeersuchen *n.*

rogaton [rɔgatɔ̃] *m* Schund; Ausschuß; Abfall; (Über-)Rest *m; pl* Speisereste *m pl.*

rogn|age, ~ement [rɔɲaʒ, -(ə)mɑ̃] *m* Beschneiden *n.*

rogne [rɔɲ] *f med pop vx* Krätze; Räude *f;* Grind *m; fam* Stinkwut; *bot* Flachsseide; *agr* Baumflechte *f.*

rogner [rɔɲe] beschneiden *a. fig,* stutzen; *fig (Beträge)* kürzen; *tailler et* ~ *(fam fig)* herum=schnippeln; ~ *les ailes à qn (fig fam)* jdm die Flügel stutzen.

rogneux, se [rɔɲø, -z] *a* krätzig, räudig.

rognon [rɔɲɔ̃] *m* Niere *f (als Speise);* ~**ner** *pop* brumme(l)n, etw in den Bart murmeln.

rognure [rɔɲyr] *f* Späne, Abfälle *m pl,* Schnitzel *n* od *m pl a. fig;* ~ *de papier* Papierabfälle *m pl.*

rogomme [rɔgɔm] *m pop vx* Schnaps *m; voix f de* ~ Säuferstimme *f.*

rogue [rɔg] **1.** *a* hochmütig, -fahrend, abweisend; **2.** *s f (Fisch)* Rogen *m.*
rogué, e [rɔge] *a: poisson m* ~ Rogener *m.*
roi [rwa] *m* König *m a. fig; du* ~ königlich, Hof-; *de par le* ~ im Namen des Königs; *fête f des* ~*s* Dreikönigstag *m,* Erscheinungsfest *n.*
roi|de [rwad], ~*deur,* ~*dir s. raide etc.*
roitelet [rwatlɛ] *m* Duodezfürst *m; orn* Goldhähnchen *n;* Zaunkönig *m.*
rôle [rol] *m theat fig* Rolle; Liste, Aufstellung *f,* Verzeichnis *n; (~ des contributions)* Steuerrolle *f; à tour de* ~ der Reihe nach, *allg* nachea.; turnusgemäß; *créer un* ~ e-e Rolle zum erstenmal spielen; *distribuer les* ~*s* die Rollen verteilen; *jouer un grand, petit* ~ *(fig)* e-e große, geringe Rolle spielen; *premier* ~ Hauptrolle *f,* -darsteller *m;* ~ *d'équipage (mar)* Mannschaftsliste *f;* ~**t** [-lɛ] *m theat* kleine Rolle; *fig* Rolle *f; être au bout de son* ~ am Ende s-r Kunst sein, nicht mehr weiter wissen *od* können.
rom|ain, e [rɔmɛ̃, -ɛn] *a* römisch *(a. Ziffer); R~, e s m f* Römer(in *f*) *m; m pl* u. *a: caractères m pl* ~*s (typ)* Antiqua *f; f* römische(r) Salat *m; (balance, bascule f* ~*e)* Schnellwaage *f;* ~**an, e** *a (Sprache, Kunst)* romanisch; *s m* Vulgärlatein *n;* romanische Volkssprache *f;* Roman *m; héros m de* ~ Romanheld *m;* ~ *d'anticipation, d'aventures, épistolaire, historique, de mœurs, policier, psychologique* Zukunfts-, Abenteuer-, Brief-, historische(r), Sitten-, Kriminal-, psychologische(r) Roman *m;* ~*-feuilleton m* Fortsetzungs-, Zeitungsroman *m;* ~*-fleuve m* Romanzyklus *m;* ~*-photo m* Photoroman *m.*
rom|ance [rɔmɑ̃s] *f* Romanze *f;* ~**ancé, e** *a* romanhaft, in Romanform; *vie f* ~*e* Lebensroman *m;* ~**ancer** *tr* in Romanform bringen, zu e-m Roman gestalten, e-n Roman machen (*qc* aus etw); *itr jur* frei erfinden.
romanche [rɔmɑ̃ʃ] *m* Rätoromanisch(e) *n; R~s m pl* Rätoromanen *m pl.*
romancier, ère [rɔmɑ̃sje, -ɛr] *m f* Romanschriftsteller(in *f*), -dichter(in *f*) *m.*
romand, e [rɔmɑ̃, -d] *la Suisse* ~*e* die französische Schweiz.
romandur [rɔmɑ̃dyr] *m* Romadur *m (Käse).*
romanesque [rɔmanɛsk] romanhaft, phantastisch, übertrieben; überspannt, schwärmerisch.
romani [rɔmani] *m,* ~**chel, le** *m f péj* Zigeuner(in *f*) *m.*
romaniste [rɔmanist] *m* Romanist *m.*
roman|tique [rɔmɑ̃tik] *a* romantisch; *s m f* Romantiker(in *f*) *m; m* Romantik *f (als Geschmack);* ~**tisme** *m* Romantik *f (als Richtung).*
romarin [rɔmarɛ̃] *m bot* Rosmarin *m.*
rombière [rɔ̃bjɛr] *f arg* Weib *n; pop* alte Schachtel *f.*
Rome [rɔm] *f* Rom *n.*
romp|re [rɔ̃pr] *tr* zer-, ausea.=, ab=, auf=, durch=brechen; *(Fesseln)* zerreißen *a. fig; (Straße)* auf=reißen, -wühlen; *(Gewalt, Naturkraft)* brechen, hemmen, (ab=)schwächen, ein=dämmen; unterbrechen, stören; *fig (Vertrag, Gelübde)* brechen, verletzen, nicht (ein=)halten; *(Kauf)* rückgängig machen; *(Beziehungen, Unterhaltung, Unternehmen)* ab=brechen; *(Sitzung)* auf=heben, schließen, *(Versammlung)* auf=lösen; *(Ordnung)* durchbrechen, *(Gleichgewicht)* zerstören; *(Leidenschaft)* überwinden, bezähmen; *(Anstrengung)* an=greifen, mit=nehmen, alle Kraft nehmen (*qn* jdm), *fam* fertig=machen; *(Wiese)* um=pflügen; *(Farbe) (durch Beimischung e-r ander(e)n)* mildern, ab=tönen, -stufen; *typ (Platte)* unbrauchbar machen; *tech* um=rühren; mischen; *mil (Verbindung)* unterbrechen, ab=schneiden; *(Brücke)* sprengen; *(feindl. Einheit)* zerschlagen; *(Jagd) (Hunde)* zurück=rufen; *itr* (zer-, ausea.=, ab=, auf=, durch)brechen, (zer)reißen, (zer-)springen; *fig* brechen, *fam* Schluß machen (*avec qn, qc* mit jdm, e-r S); *(Wein)* s-e Farbe verlieren; schal werden, ab=stehen; *se* ~ (zer)brechen, (zer-, ab=)reißen; *(Welle)* sich brechen, *(Strahl)* abgelenkt, gebrochen werden; *à tout* ~ stürmisch, lebhaft, heftig, laut *adv; applaudir à tout* ~ tobenden, tosenden Beifall spenden (*qn* jdm); ~ *à l'amiable* im guten ausea.=gehen; ~ *le cou à qn* jdm den Hals brechen; ~ *les desseins de qn* jdm e-n Strich durch die Rechnung machen; ~ *la glace (fig)* das Eis brechen, zum Schmelzen bringen; ~ *une lance (fig)* e-e Lanze brechen, ein (gutes) Wort ein=legen (*pour* für); ~ *les os à qn* jdn windelweich schlagen; ~ *la tête à qn (fig)* jdm den Kopf, die Hölle heiß machen, in den Ohren liegen, lästig fallen; ~*ez! (mil)* wegtreten! ~**u, e** ge-, zerbrochen; gewöhnt (*à* an *acc*), vertraut (*à* mit), bewandert (*à* in *dat*); *(Stil)* abgehackt; *(Farbe)* gemischt; *(Farbton)* abgestuft; *(Wein)* abgestanden, schal; *à bâtons* ~*s* mit Unterbrechungen; ohne Zs.hang; ~ *de*

fatigue wie gerädert, völlig zerschlagen, *fam* fertig, erschossen, erledigt.

romsteck *s. rumsteck.*

ronc|e [rɔ̃s] *f* Brombeerstrauch *m; pl fig* Dornen *m pl,* Plagen, Mühen *f pl;* **~eraie** *f,* **~ier** *m* Brombeergestrüpp, -gebüsch *n;* **~eux, se** dornig, dornbestanden; *(Holz)* gemasert.

Roncevaux [rɔ̃səvo] *m* Roncesvalles *n; le col de ~* der Paß von Roncesvalles.

ronchonn|er [rɔ̃ʃɔne] *pop* brumme(l)n, knurren; **~eur, se** *m f* Brummbär *m,* brummige Person *f.*

rond, e [rɔ̃, rɔ̃d] *a* rund *(a. Gesicht, Zahl);* kreis-, kugel-, zylinder-, kegelförmig; *(Geldbörse)* prall, voll; *(Summe)* rund, nett, bedeutend; *(Stimme)* voll, kräftig; *fam (Mensch)* rundlich, klein u. dick; *fig* frei, offen, geradeheraus; *pop* besoffen, voll; *(Mehl)* grob; *s m* Rund(ung *f*) *n,* Kreis *m,* kreisförmige Linie *f;* runde(r) Gegenstand; Ring; Untersatz *m (für Gläser, Schüsseln etc); arg* Sou *m; f* Runde *f a. sport,* Rund-, Kontrollgang *m;* Kontrollstrecke; *mil* Patrouille; Rundschrift *f;* Rundgesang, -tanz; Reigen *m; mus* ganze Note *f; à la ~e* in der Runde, im Umkreis; im Kreis (herum); *en ~* im Kreis; *en nombre ~* rund (gerechnet) *adv; s'asseoir en ~* sich im Kreis setzen; *n'avoir pas le ~ (pop)* keinen Pfennig in der Tasche haben; *danser en ~* im Kreis tanzen; *bois m ~* Rund-, Knüppelholz *n; chemin m de ~e* Wehrgang *m; contrôleur m de ~e* Kontrolluhr *f; lettres f pl ~es* Rundschrift; *typ* Rotunda *f; ~ en affaires (com)* entgegenkommend, kulant; *~ comme une boule (pop)* voll wie e-e Strandhaubitze, ein Eimer; *~-de-cuir m* Sitzkissen *n; (fam)* Aktenmensch *m; ~e éliminatoire, finale (sport)* Ausscheidungs-, Endrunde *f; ~e des six jours* Sechstagerennen *n; R~e de nuit (Kunst)* Nachtwache *f; ~-point m (Stadt)* runde(r) Platz, Stern *m; ~ de serviette* Serviettenring *m.*

rond|ache [rɔ̃daʃ] *f mil hist* Rundschild *m;* **~eau** *m hist* Ringelgedicht; *mus* Rondo *n;* **~elet, te** *a fam* rundlich; recht, ziemlich rund; *(Mensch)* drall; *(Bauch)* stattlich; *(Portemonnaie)* prall; **~elle** *f tech* (Unterleg-, Stoß-)Scheibe *f; (Schi)* Schneeteller *m; ~ en caoutchouc, en cuir, en liège* Gummi-, Leder-, Korkring *m; ~ élastique, à ressort* Sprengring *m; ~ isolante* Isolierscheibe *f; ~ de joint* Dichtungsring *m;* **~ement** *adv* prompt, flink, schnell; eifrig, schwungvoll, mit Schwung *od* Nachdruck; tüchtig; sicher; geradeheraus, offen (u. ehrlich), (frank u.) frei; *y aller ~* s-n geraden Weg gehen, unbeirrt auf sein Ziel zu⸗gehen; **~eur** *f* Rundung *f,* Runde(s) *n; fig* Offenheit, Geradheit *f,* Freimut *m; (Stil) mus* Abrundung, Abgerundetheit *f;* **~in** *m* Rund-, Knüppelholz *n.*

ronéotyper [rɔneotipe] vervielfältigen.

ronfl|ant, e [rɔ̃flɑ̃, -ɑ̃t] schnarchend; brummend, dröhnend; *fig* hohl(tönend), leer; großsprecherisch, hochtrabend; **~ement** [-flə-] *m* Schnarchen; Brummen, Dröhnen *n;* **~er** schnarchen; schnauben; dröhnen, brummen *a. mot;* **~eur** *m* Schnarcher *m; arg* Telefon *n; tele* Summer *m.*

rong|é, e [rɔ̃ʒe] *a* zerfressen; *fig* verlebt; *(Papier, Buch)* beschnitten; *~ de chagrin* vergrämt verhärmt; **~eant, e** *a (Geschwür)* fressend; *fig (Kummer)* nagend; *(Sorgen)* quälend, lastend, drückend; **~er** be-, an⸗, zernagen; zerfressen; kauen, herum⸗beißen (*qc* auf, an e-r S); *allg* ab⸗nutzen, zersetzen, zerfressen, ätzen, an⸗greifen; unterwühlen, -spülen, aus⸗waschen; verschlingen, vernichten, zerstören; *fig* nagen (*qn, qc* an jdm, e-r S), quälen, keine Ruhe lassen (*qn* jdm); *se ~* sich ab⸗nutzen; *fig* sich verzehren, vergehen (*de* vor *dat*); *se ~ les ongles* an den Nägeln kauen; **~eur, se** *a* nagend; *allg* fressend *(a. Geschwür); fig (Gewissensbisse, Sorgen)* quälend; *s m pl* Nagetiere *n pl.*

ronron, ~nement [rɔ̃rɔ̃, -ɔnmɑ̃] *m (Katze)* Schnurren; *(mot)* Surren *n;* **~ner** *(Katze)* schnurren; *(Motor)* surren.

roque [rɔk] *m (Schach)* Rochade *f.*

roquefort [rɔkfɔr] *m* Roquefort *m (Käse).*

roquentin [rɔkɑ̃tɛ̃] *m* alte(r) Geck *m.*

roquer [rɔke] *(Schach)* rochieren.

roquet [rɔkɛ] *m* Mopsbastard; *pop* kleine(r) Köter; *fig* Kläffer *m.*

roquette [rɔkɛt] *f bot* Rautenkohl *m; mil* Rakete(ngeschoß *n*) *f.*

rorqual [rɔrkwal] *m zoo* Finnwal *m.*

ros|ace [rozas] *f arch* Rosette; (Fenster-)Rose *f;* **~acé, e** rosenartig; Rosen-; *s f pl* Rosazeen *f pl,* Rosengewächse *n pl;* **~aire** *m rel* Rosenkranz *m; réciter, (fam) dévider le ~* den Rosenkranz (*fam* her⸗)beten; *fête f du R~* Rosenkranzfest *n;* **~at** [-za] *a inv* Rosen-; **~âtre** schmutzigrosa.

rosbif [rɔzbif] *m* Roastbeef *n,* Rostbraten; *arg* Engländer *m.*

ros|e [roz] *s f bot arch* Rose; *(Dia-*

mant) Rosette *f; m* Rosa *n,* Rosenfarbe *f; a* rosa, rosenfarben; *avoir un teint de lis et de ~s* wie Milch u. Blut aus=sehen; *voir tout couleur de ~, en ~ (fig)* alles in rosigem Licht sehen; *il n'y a point de ~s sans épines (prov)* keine Rose ohne Dornen; *bois m de ~* Rosenholz *n; eau f (de) ~* Rosenwasser *n; teint m de ~* rosige(r), frische(r) Teint *m; ~ des Alpes* Alpenrose *f; ~ cent-feuilles* Zentifolie *f; ~ de(s) chien(s), sauvage* Hunds-, Heckenrose *f; ~-croix m* Rosenkreuzer *m; ~ de tous les mois* Monatsrose *f; ~-mousse f* Moosrose *f; ~ de Noël, d'hiver* Christrose *f; ~ de Notre-Dame* Pfingstrose *f; ~-thé f* Teerose *f; ~ trémière* Stockrose *f; ~ des vents* Windrose *f;* **~é, e** *a* zartrosa; rosen(strauch)ähnlich; *s m* Bleichert *m (Wein); f pl* Rosen *f pl (als Gattung).*

roseau [rɔzo] *m* Schilf(rohr) *n.*

rosée [roze] *f* Tau *m; goutte f de ~* Tautropfen *m; point m de ~ (phys)* Taupunkt *m; ~ du soleil (bot)* Sonnentau *m.*

roselet [rozlɛ] *m com* Hermelin *m (Pelz).*

roséole [rozeɔl] *f med* Röteln *pl.*

roser [roze] *(Wangen)* röten.

roseraie [rozrɛ] *f* Rosengarten *m.*

rosette [rozɛt] *f* (Schleifen-)Rosette; (Ordens-)Bandschleife; *tech* Manschette; *(Uhr)* Stellscheibe; rote Kreide *od* Tinte *f;* Art *f* Salami; *recevoir la ~* Offizier der Ehrenlegion werden.

ros|ier [rozje] *m* Rosenstrauch, -stock *m; ~ buissonnant, sarmenteux, sauvage* Busch-, Kletter-, Heckenrose *f (als Pflanzen);* **~ière** *f* Rosenmädchen *n;* **~iériste** *m* Rosenzüchter *m.*

rosir [rozir] erröten, rot werden.

ross|ard [rɔsar] *m* Schindmähre *f; fam fig* Faulenzer, Nichtstuer, Taugenichts *m;* **~e** *s f* Mähre *f; fig* schamloser, gemeine(r) Mensch; Leuteschinder *m; a arg, bes. theat* zynisch, sarkastisch, kaltschnäuzig.

ross|ée [rɔse] *f fam* Tracht *f* Schläge, Prügel *m pl,* Abreibung, Keile *f;* **~er** *fam* verprügeln, durch=bleuen.

rossignol [rɔsiɲɔl] *m orn* Nachtigall *f;* Ladenhüter *m (Ware);* Weidenpfeife *f (für Kinder);* Dietrich, Nachschlüssel; *(Zimmerei)* Keil *m.*

rossinante [rɔsinɑ̃t] *f* Schindmähre *f.*

rossolis [rɔsɔli] *m* **1.** *bot* Sonnentau *m;* **2.** Rosolio *m (Likör).*

rot [ro] *m* Rülps *m,* Aufstoßen *n.*

rôt [ro] *m s. rôti.*

rotacé, e [rɔtase] *bot* radförmig.

rot|ateur, trice [rɔtatœr, -tris] *a* Dreh-; **~atif, ive** *a* rotierend, kreisend; Rotations-; *s f* u. *presse f ~ive (typ)* Rotationsmaschine *f;* **~ation** *f phys astr* Rotation, (Um-)Drehung *f;* Umlauf *(a. e-s Verkehrs- od Transportmittels); com* Umschlag *m; centre, nombre, sens m de ~* Drehpunkt *m,* -zahl *f,* -sinn *m od* -richtung *f; mouvement m de ~* Kreisbewegung *f; temps m, vitesse f de ~* Umlaufs-, Umdrehungszeit; Umlauf-, Umdrehungs-, *com* Umschlagsgeschwindigkeit *f; ~ des cultures (agr)* Wechselwirtschaft *f; ~ à droite, à gauche* Rechts-, Linksdrehung *f; ~ de la terre* Erdumdrehung *f;* **~atoire** *a* Dreh-, Kreis-.

rote [rɔt] *f: tribunal m de la ~* Rota Romana *f.*

roter [rɔte] *pop* rülpsen, auf=stoßen; *en ~* es schwer haben.

rôti, e [roti] *a* gebraten; *s m* Braten *m; s f (Kanada)* Toast *m,* Röstbrot *n; bœuf, veau, mouton, porc m, oie f ~(e)* Rinder-, Kalbs-, Hammel-, Schweine-, Gänsebraten *m; ~ de bœuf, de porc* Rinder-, Schweinebraten *m.*

rotifères [rɔtifɛr] *m pl* Rädertiere *n pl.*

rotin [rɔtɛ̃] *m bot* Rotang *m;* spanische(s) Rohr *n; n'avoir plus un ~ (pop)* blank sein, keinen Pfennig Geld mehr haben.

rôt|ir [rotir] braten, rösten, grillen; aus=dörren, verbrennen, versengen; *se ~* sich braten lassen; *~ le balai* ein armseliges Leben führen; ein lockeres Leben führen; *feu m à ~ un bœuf (fig)* Höllenfeuer *n;* **~issage** *m* Braten, Rösten *n;* **~isserie** *f* Garküche *f;* **~isseur, se** *m f* Inhaber(in *f*) *m* e-r Garküche; **~issoire** *f* Bratenröster *m,* Grillgerät *n.*

roto [rɔto] *f fam typ* Rotationsmaschine *f.*

roto|graphie [rɔtɔgrafi] *f* Offsetdruck *m;* **~gravure** *f* Rotationstiefdruck *m.*

roton|de [rɔtɔ̃d] *f arch* Rundbau *m,* Rotunde *f; loc* Lokomotivschuppen *m; en ~ (arch)* rund; Rund-; **~dité** *f* Rundheit; *fam* Wohlbeleibtheit *f.*

rotor [rɔtɔr] *m el* Rotor, Läufer *m;* Hubschraube *f; mot* Verteilerfinger *m.*

rotu|le [rɔtyl] *f anat* Kniescheibe *f; tech* Kugelkopf *m,* -gelenk *n,* -zapfen; Turbinenläufer *m;* Rolle *f (unter Möbeln); à ~s (Möbel)* Roll-; *sur les ~s (sport)* erschöpft; **~lé, e** *biol* radförmig; **~lien, ne** Kniescheiben-; *réflexe m ~* Kniescheibenreflex *m.*

roturier, ère [rɔtyrje, -ɛr] *a* nicht ad(e)lig; *s m f* Nichtad(e)lige(r *m*) *f*.
rouage [rwaʒ] *m* Räder(werk *n*) *n pl*, Getriebe; Zahnrad; *(Uhr)* Werk *n*.
rouan, ne [rwɑ̃, -an] *(Pferd, Rind)* weiß, fuchsig u. schwarz gemischt; *s m* Mohrenrotschimmel *m*.
roublard, e [rublar, -d] *a pop* gerissen, gerieben; *s m f* gerissene(r) Kerl *od* Hund *m*, gerissene Person *f*; **~ise** *f* Gerissenheit *f*.
rouble [rubl] *m* Rubel *m*.
roucou|lement [rukulmɑ̃] *m (Taube)* Gurren *n*; **~ler** *itr* gurren; *fig fam* girren; Süßholz raspeln; schmalzig singen *a. tr*.
rou|e [ru] *f* Rad *n*; *à deux, trois quatre ~s* zwei-, drei-, vierräd(e)rig; *être la cinquième ~ d'un* od *à un carrosse (fig)* das fünfte Rad am Wagen sein; *faire la ~ (Pfau)* ein Rad schlagen; *fig* sich brüsten, sich auf≈plustern, -spielen; *sport* rad≈schlagen; *mettre, jeter à qn des bâtons dans les ~s* jdm e-n Knüppel zwischen die Beine werfen; *pousser à la ~ (fig fam)* mit≈helfen; *~ ailée* Flügelrad *n*; *~ à aubes, à augets* Schaufelrad *n*; *~ avant* od *de devant, arrière* od *de derrière* Vorder-, Hinterrad *n*; *~ conique* Kegelrad *n*; *~ dentée* Zahnrad *n*; *~ éolienne* Windrad *n*; *~ de la Fortune* Glücksrad *n*; *~ du gouvernail (mar)* Steuerrad *n*; *~ hydraulique* Wasserrad *n*; *~ libre* Freilauf *m*; *~ de secours, de rechange (mot)* Ersatzrad *n*; *~ vivante* Rhönrad *n*; *~ de voiture* Wagenrad *n*; *~ volante* Schwungrad *n*; **~é, e** [rwe] *a* durchtrieben; *s m f* Durchtriebene(r *m*), Gerissene(r *m*) *f*; *~ de coups* braun u. blau (von Schlägen); **~elle** *f* (runde) Scheibe *f*, Scheibchen *n*; *(Kalb)* Teil *m* der Keule; **~er** *hist* rädern; *~ de coups (fam)* halbtot schlagen; **~erie** *f* (schlauer) Trick *m*, Gaunerei *f*; **~et** [rwɛ] *m* Spinnrad *n*; *tech allg* (runde) Scheibe, Rolle *f*.
roug|e [ruʒ] *a* rot; *(Eisen)* (rot)glühend *a. fig*; *(Augen)* gerötet; verweint; *(Haar)* feuer-, brandrot; *(Mensch)* rothaarig; *s m* Rot *n*, Röte *f*; rote(r) Farbstoff; rote Schminke *f*; *(~ à lèvres)* Lippenstift *m*; Rouge *n*; *(Spiel)* rote Karte; *(Billard)* rote Kugel *f*; *pol* Rote(r) *m*; *m f* Rothaarige(r *m*) *f*; *se fâcher (tout) ~* sich schwarz ärgern, tot≈ärgern; *(se) mettre du ~* Rouge auf≈legen; *voir ~ (fig)* rot sehen; *le ~ lui monte au visage* er läuft rot an; *bâton m de ~* Lippenstift *m*; *maladies f pl ~s (med)* Rotlauf *m (der Schweine)*; *la mer R~* das Rote Meer; *Peau-R~ m* Rothaut *f (Indianer)*; *~ bordeaux, brique, cerise, sang* wein-, ziegel-, kirsch-, blutrot; *~ clair, foncé* hell-, dunkelrot; *~ comme un coq, une écrevisse, une pivoine* puter-, krebs-, feuerrot; *~-gorge m orn* Rotkehlchen *n*; *~-queue m orn* Rotschwänzchen *n*; *~ sombre, blanc* Rot-, Weißglut *f*; **~eâtre** rötlich; **~eaud, e** *fam* mit rotem Gesicht; **~eole** [-ʒɔl] *f med* Masern *pl*; **~eoleux, se** *a* an Masern erkrankt; **~eoyer** auf≈glühen; ins Rötliche gehen; **~et, te** [-ʒɛ, -ɛt] *a* leicht gerötet; *s m* Rötling *(Fisch)*; *med* Rotlauf *(der Schweine)*; *m f pop* Rotfuchs *m*, Rothaarige(r *m*) *f*; **~eur** *f* rote Farbe; *(Haut)* Rötung *f*; Erröten *n*; *pl med* rote Flecken *m pl*; *~ de la colère, de la pudeur* Zornes-, Schamröte *f*; **~i, e** gerötet; *~ par les larmes* verweint; **~ir** *tr* rot färben *a. tech*, röten; *(Eisen)* glühend machen; *(Wasser)* mit etw Rotwein versetzen; *itr* rot werden, erröten (*de* vor *dat*); schamrot werden, sich schämen *gen*; *(Weißwein)* e-e leicht rote Färbung an≈nehmen; *faire ~ qn* jdm die Schamröte ins Gesicht treiben, jdn in Verlegenheit bringen; *~ jusqu'au blanc des yeux* bis über die Ohren rot werden; *~ ses mains dans le sang (fig)* s-e Hände in Blut tauchen; *ne plus ~ de rien* abgebrüht sein; **~issant, e** sich rötend, errötend.
roui [rwi] *m (Flachs)* Röste *f*; *sentir le ~ (Speise)* muffig riechen.
rouill|e [ruj] *f* Rost; *bot* Brand *m*; *arg* Flasche *f*; **~é, e** verrostet, rostig; brandig; *fig* eingerostet; **~er** rostig *od* brandig machen; *fig* ein≈rosten, verkümmern lassen; *se ~* rostig werden, verrosten; *fig fam* ein≈rosten; alt werden; **~eux, se** rostfarben, -rot, -braun.
rou|ir [rwir] *(Flachs)* rösten, rotten; **~issage** *m* Rösten *n*.
roul|ade [rulad] *f (Küche)* Roulade *f*; *mus* Triller *m*; Koloratur *f*; **~age** *m* (leichtes) Fahren *n*; Straßentransport *m*, Spedition *f*; Rollgeld; *agr* Walzen *n*; *min* Förderung *f* bis zum Füllort; *service m de ~* Fahrbereitschaft *f*; **~ant, e** *a* rollend; laufend; *(Wagen)* leicht fahrend; *vx (Straße)* glatt, in gutem Zustand; *s m arg* Reisende(r) *m*; *f mil* Feldküche, *arg* Gulaschkanone *f*; *arg* Wagen *m*; Nutte, Dirne *f*; *c'est ~! (pop)* das ist zum Schießen! *caisse f ~e (mus mil)* Roll-, Rührtrommel *f*; *escalier m ~* Rolltreppe *f*; *fauteuil m ~* Rollstuhl *m*; *feu m ~ (mil)* Trommelfeuer; *fig* Feuerwerk

n; fonds m pl ~*s* Betriebskapital *n,* laufende Mittel *n pl; matériel m* ~ *(loc)* Betriebsmittel *n pl; pont m* ~ Laufkarren *m; tapis m* ~ Förderband *n;* ~**é, e** *a fam: bien, mal* ~ *(Mensch)* gutgebaut, schlechtgewachsen; *s f pop* Tracht *f* Prügel; ~**eau** *m* Rolle *a. sport,* Walze *f a. agr,* Zylinder *m;* Buch-, Schriftrolle; Teig- *od* Wäscherolle; *(~ compresseur)* Straßenwalze *f;* Rolladen (Roll=laden) *m,* (Spring-)Rollo; *(Kunst)* Spruchband; zylindrische(s) Gefäß *n; être à bout de son ~ (fam)* am Ende s-r Kunst *od* Kraft sein; *mettre en ~x (Geld)* ein=rollen; *passer au ~* walzen, rollen; *essuie-main m à ~* Rollhandtuch *n; ~ balayeur* Kehrwalze *f; ~ en caoutchouc* Gummiwalze *f; ~ d'encrage, d'imprimerie, offset, toucheur (typ)* Farb-, Druck-, Offset-, Auftragwalze *f; ~ de film* Filmrolle *f; ~ pour gazon* Rasenwalze *f; ~ de papier, de parchemin* Papier-, Pergamentrolle *f;* ~**ement** *m* Rollen *n a. mus; (Fahrzeug)* Lauf, Gang; Umlauf, -satz; (Personen-, Beamten-)Wechsel; *mil* Wechsel *m* der Einheiten; Turnus, Dienstplan *m; (Zuckerindustrie)* Kampagne *f; math* Abrollen; *aero* An-, Ausrollen *n; mus* (Trommel-) Wirbel *m; (Donner)* Rollen, Grollen *n; par ~* abwechselnd, schichtweise; *fonds m de ~* Kassenbestand *m;* Betriebskapital *n; ~ à billes, à ~eaux (tech)* Kugel-, Rollenlager *n; ~ de fonds* Geldumlauf *m; ~ du service* Diensteinteilung *f; ~ à vide* Leerlauf *m; ~ d'yeux* Augenrollen *n.*

roul|er [rule] *tr* (weg=)rollen, wälzen; auf=, zs.=, ein=rollen; auf=wickeln; *(Zigarette)* drehen; *(Acker)* walzen; *(Augen)* verdrehen; hin- u. her=rollen, -wälzen, *fig* überlegen; *arg* ein=wickeln, übers Ohr hauen; *itr* rollen *(a. Donner); (Auto, Person im A.)* fahren; hinab=, hinunter=rollen, -purzeln; auf den Beinen, unterwegs, *fam* auf der Walze sein; *fig* s-n Gang gehen, s-n Weg nehmen; *(Gespräch)* sich drehen (*sur* um); ab=hängen (*sur* von), ver-, hinweg=gehen (*sur* über *acc*); durch=kommen; *fig (im Kopf)* (her)um=gehen; sich bewegen, schwanken (*autour de* um, *entre* zwischen *dat*); *(Geld)* rollen; beruhen (*sur* auf *dat*); *(Spiel)* würfeln, werfen; *mar* schlingern; *aero* trudeln; *(Druckmaschine)* rotieren, rollen, laufen; *se ~* sich (auf=)rollen; sich wälzen (*sur* auf *dat, dans* in *dat*); *fam* sich biegen vor Lachen; *~ sa bosse (pop)* ständig auf der Achse liegen, unterwegs sein; *~ sur l'or* im Gold(e) schwimmen; *~ partout* überall herum=kommen; *~ à plat, dégonflé* auf der Felge fahren, Plattfuß haben; *~ à vide* leer=laufen; *~ les yeux, les r* die Augen, das R rollen; *ça ~e (pop)* es ist alles in Butter; *tout ~e là-dessus* darum dreht sich alles; ~**ette** *f* Rolle *f (unter Möbeln);* Sporn-, Teig-, Schnittmusterrädchen; Roulett(spiel) *n; cela va comme sur des ~s* das geht wie am Schnürchen, wie geschmiert; *patin m à ~s* Rollschuh *m; sifflet m à ~s* Trillerpfeife *f; ~ d'arpentage* Bandmaß *n;* ~**eur** *m zoo* Blattwickler; *bes. min* Karrenschieber; *vx* häufig den Arbeitsplatz wechselnde(r) Arbeitnehmer *m;* ~**ier, ère** *a* (Roll-)Fuhr-; *s m vx* (Roll-) Fuhrmann; *f* Fuhrmannskittel *m; industrie f ~ère* Spediteursgewerbe *n;* ~**is** [-li] *m mar* Schlingern; *aero* Rollen; *fig* Schwanken *n; avoir du ~ (pop) (Betrunkener)* Schlagseite, hohen Seegang haben; ~**otte** *f* Wohnwagen, -anhänger *m;* ~**ure** *f* (Auf-) Rollen *n; (Holz)* Schälriß *m; pop* Nutte *f.*

roum|ain, e [rumɛ̃, -ɛn] *a* rumänisch; *R~, e s m f* Rumäne *m,* Rumänin *f;* **R~anie, la** Rumänien *n.*

round [rawnd, rund] *m sport* Runde *f.*

roupie [rupi] *f* **1.** Tropfen *m* an der Nase; **2.** Rupie *f (Münze in Indien, Pakistan etc.).*

roup|iller [rupije] *pop* schlafen, pennen; ~**illeur, se** *m f* Penner *m;* ~**illon** *m pop* Schläfchen *n.*

rouquin, e [rukɛ̃, -in] *a fam* rothaarig, fuchsig; *s m f* Fuchs *m,* Rothaarige(r *m) f; m arg* Rotwein *m.*

rouspét|ance [ruspetɑ̃s] *f pop* Nörgeln, Meckern *n,* Meckerei *f;* ~**er** *pop* meckern, schimpfen; ~**eur, se** *s m f* Meckerer, Nörgler *m,* Meckerziege *f; a* nörgelnd.

rouss|able [rusabl] *m* Heringsräucherei *f;* ~**aille** [-ɑ(a)j] *f* kleine Weißfische *m pl.*

roussâtre [rusatr] rötlich.

rousse [rus] *f arg* Polente, Polizei *f.*

rousseau [ruso] *a m* rothaarig; *s m* Fuchs, Rothaarige(r) *m.*

rousserolle [rusrɔl] *f orn* Schilf-, Rohrsänger *m.*

roussette *f* [rusɛt] fliegende(r) Hund *(Fledermaus); (grande ~)* Katzen-, *(petite ~)* Hundshai *m; orn* Goldammer *f; Art* Kleingebäck *n.*

rousseur [rusœr] *f* rote (Haar-)Farbe, Rothaarigkeit *f; taches f pl de ~* Sommersprossen *f pl.*

rouss|i [rusi] *m* **1.** Brandgeruch *m;* **2.**

Juchten(leder *n*) *m* od *n; sentir le* ~ angebrannt, angesengt, *fig* verdächtig, nach Ketzerei riechen; ~**ir** *tr* rötlichgelb färben; an=brennen lassen; an=, versengen; *itr (Haar)* rot werden; angesengt werden; ~**issement** *m*, ~**issure** *f* Rotwerden; Ansengen *n;* angesengte Stelle *f.*

rou|tage [rutaʒ] *m (Post)* Sortieren *n* der Drucksachen; ~**te** *f* (Land-)Straße, Chaussee; Allee; Schneise; Route *f*, Reiseweg *m*, -strecke; *allg fig* Bahn *f*, Weg; *(Fluß)* Lauf; *mil* Marsch *m; mar* Fahrt *f*, Kurs *m; aero* Flugstrekke *f; en* ~ unterwegs, auf dem Wege (*pour* nach), *fam* auf Achse; *couper la* ~ *à qn* jdm den Weg ab=schneiden; *demander la* ~ *(mot)* überholen wollen; *faire* ~ (ab=)reisen (*pour* nach); *mar* Kurs nehmen (*pour* auf *acc*); *faire* ~ *avec qn* mit jdm zs. reisen *od* fahren; *faire de la* ~ schnell fahren *a. mar*, Kilometer fressen; *faire fausse* ~ vom Wege ab=kommen, sich verirren; *fig* sich irren, sich versehen, auf dem Holzweg sein; *se mettre en* ~ sich auf den Weg machen, auf=brechen; *prendre sa* ~ s-n Weg nehmen (*par* über *acc*); *bonne* ~*!* gute Fahrt! *en* ~*!* auf! ~ *glissante!* Rutsch-, Schleudergefahr! *code m de la* ~ Straßenverkehrsordnung *f; colonne f de* ~ Marschkolonne *f; grande* ~ Hauptverkehrsstraße; *fig* große Straße *f; délais m pl de* ~ *(mil)* Marschzeit *f; usager m de la* ~ Straßenbenutzer *m;* ~ *aérienne* Luftweg *m;* ~ *alpestre, asphaltée, d'accès* Alpen-, Asphalt-, Zubringerstraße *f;* ~ *en béton (précontraint)* (Spann-)Betonstraße *f;* ~ *à grande circulation* Fernverkehrsstraße *f;* ~ *de col* Paßstraße *f;* ~ *côtière* Küstenstraße *f;* ~ *départementale* Straße *f* 1. Ordnung; ~ *empierrée, d'évitement, goudronnée, de montagne* Schotter-, Umgehungs-, Teer-, Gebirgsstraße *f;* ~ *nationale* große Durchgangs-, Bundesstraße *f;* ~*s de navigation* Schiffahrtswege *m pl;* ~ *à priorité* Vorfahrtsstraße *f;* ~ *rapide, express* Schnellverkehrsstraße *f;* ~ *non revêtue* unbefestigte Straße *f;* ~ *de terre, maritime* Land-, Seeweg *m;* ~ *verglacée et enneigée* vereiste u. mit Schnee bedeckte Straße *f;* ~**ter** *(Post) (Drucksachen)* sortieren; ~**tier, ère** *a* Straßen-; *s m* Seeatlas; Fern(last)fahrer; *(Rennsport)* Straßenfahrer *m; les R*~*s* Fernfahrerheim *n; f* Tourenrad *n; mot* Reisewagen *m;* Straßendirne *f; être un vieux* ~ mit allen Wassern gewaschen sein; *carte f* ~*ère* Straßenkarte *f; circulation f* ~*ère* Straßenverkehr *m; gare f* ~*ère* Autobusbahnhof *m; (scout-)*~ ältere(r) Pfadfinder *m.*

routi|ne [rutin] *fig* Routine, Übung(ssache), Gewohnheit *f;* ausgetretene(r) Weg, Schlendrian *m;* ~**nier, ère** *a* Gewohnheits-, Routine-; Schablonen-; routiniert; schablonenhaft; *s m f* Gewohnheitsmensch *m.*

rouv|raie [ruvrɛ] *f* Eichenwäldchen *n;* ~**re** *m* (Stiel- u. Stein-)Eiche *f.*

rouvrir [ruvrir] *tr* wieder (er)öffnen, w. auf=machen; *(Wunde)* wieder auf=reißen *a. fig; itr theat* wieder eröffnen, s-e Pforten wieder öffnen; *se* ~ sich wieder öffnen, wieder auf=gehen; *(Wunde)* wieder auf=platzen; ~ *une blessure, une plaie (fig)* e-n Schmerz erneuern.

roux, rousse [ru, -us] *a (Haar)* rot(blond), fuchsig; *(Mensch)* rothaarig; *s m f* Rothaarige(r *m*) *f; m* Rotblond, Gelbrot *n; (Küche)* Mehlschwitze *f; lune f rousse* Zeit *f* der späten Nachtfröste, April *m; fig* kritische Zeit *f (in der Ehe); vent m* ~, ~ *vent* kalte(r) Aprilwind *m.*

roy|al, e [rwajal] königlich *a. fig;* Königs-; *fig* fürstlich; *aigle m* ~ Königs-, Kaiseradler *m; papier m* ~ feinste(s) Schreibpapier *n; prince m* ~ Kronprinz *m; tigre m* ~ Königstiger *m;* ~**alisme** *m* Königstreue *f;* ~**aliste** *s m f* Königstreue(r *m*) *f;* Royalist(in *f*), Monarchist(in *f*) *m; a* königstreu; royalistisch, monarchistisch; *être plus* ~ *que le roi (fig)* päpstlicher sein als der Papst; ~**aume** [-jom] *m* (König-)Reich *n; pas pour un* ~ *(fam)* nicht um alles in der Welt; *au* ~ *des aveugles, les borgnes sont rois (prov)* unter Blinden ist der Einäugige König; ~ *céleste, des cieux, éternel (rel)* Himmelreich *n;* ~ *de Dieu* Reich *n* Gottes; *le R*~*-Uni* das Vereinigte Königreich *(Großbritannien u. Nordirland);* ~**auté** *f* Königswürde *f;* Königtum *n;* Krone *fig;* Monarchie; *fig* beherrschende(r) Stellung *f od* Einfluß *m.*

ru [ry] *m* Rinnsal, Gerinnsel, Bächlein *n.*

ruade [ryad] *f (Pferd)* Ausschlagen *n; fig* Grobheit *f.*

rubac(ell)e [rybas(ɛl)] *f min* Rubizell, gelbliche(r) Spinell; unechte(r) Rubin *m.*

ruban [rybɑ̃] *m* Band *n*, Streifen; *(Faß)* Reifen *m;* Haarschleife *f;* (Ordens-)Band; *arch* Band(ornament) *n; (~ de route)* (lange) gerade Strecke *f; scie f* *à* ~ Bandsäge *f;* ~ *d'acier* Stahlband *n;* ~ *adhésif* Klebstreifen *m;* ~ *d'attache* Aufhänger *m;* ~ *bleu* Blaue(s) Band *n (Preis);* ~ *élastique* Gummiband *n,* -litze *f;* ~ *encreur, encré (Schreibmaschine)* Farbband *n;* ~ *sans fin* laufende(s) Band *n;* ~ *de fumée* Rauchfahne *f;* ~ *isolant* Isolierband *n;* ~ *magnétique (inform)* Magnetband *n;* ~ *rouge* Band *n* der Ehrenlegion; ~ *violet (akademische Auszeichnung);* **~é, e** Band-; bebändert; gestreift; **~er** mit Bändern versehen, verzieren, bebändern; in Streifen (walzen u.) schneiden; **~erie** *f* Bandwirkerei *f,* -handel *m;* **~ier, ère** *a* Band-; *s m* Bandwirker *m.*

rubéfier [rybefje] *(die Haut)* reizen, röten.

rubellite [rybɛlit] *f min* Rubellit, rosenrote(r) Turmalin *m.*

rubéole [rybeɔl] *f med* Röteln *pl.*

rub|escent, e [rybɛsɑ̃, -t] rötlich, sich rötend; **~icond, e** *(Gesicht)* gerötet, (hoch)rot.

rubiette [rybjɛt] *f orn* Rotkehlchen *n.*

rubigineux, se [rybiʒinø, -z] rostig, verrostet; rostfarben; rostend.

rubis [rybi] *m min* Rubin; *med fam vx* Pickel *m,* Stippe *f; poet* (Hoch-)Rot *n; (Uhr)* Stein *m; faire* ~ *sur l'ongle* sein Glas bis auf den letzten Tropfen leeren; die Nagelprobe machen; *payer* ~ *sur l'ongle* auf Heller u. Pfennig bezahlen; *verre m* ~ Rubinglas *n.*

rubri|que [rybrik] *f Art* Rötel *m;* Überschrift *f,* Titel *m;* Rubrik, Abteilung; Ziffer *f,* Paragraph, Artikel *m; sous la* ~ unter der Rubrik, Ziffer, in Artikel, Paragraph; *sous la* ~ *de (Zeitungsmeldung)* aus; ~ *de publicité, sportive (Zeitung)* Anzeigen-, Sportteil *m;* **~quer** rubrizieren; ein=ordnen; ein=teilen.

ruch|e [ryʃ] *f* Bienenkorb, -stock *m,* -volk *n; fig* Bienenstock, Ameisenhaufen *m; (Mode)* Rüsche *f (a.* **~é** *m*); **~ée** *f* Bienenvolk *n,* -schwarm *m;* **~er** *s m* Bienenhaus *n; v* mit Rüschen verzieren.

rud|e [ryd] roh, rauh, grob; hart; herb *(a. Wein); (Weg)* uneben, holp(e)rig; *(Hand)* schwer, unbeholfen; *fig* schwer, schwierig, beschwerlich, mühsam, mühevoll; hart; *(Klima)* rauh; *(Wetter)* unfreundlich; *(Winter)* streng; *(Sturm, Angriff)* heftig; ungestüm, stürmisch; *(Mensch)* schwer zu nehmen(d); abweisend, -stoßend; furchtbar; streng, hart (*à* gegen); *fam (Appetit)* tüchtig; *pop* prima, Mords-; *passer par de ~s épreuves* viel, Schweres durch=machen; *c'est* ~ das ist nicht auszuhalten; *c'est un* ~ *joueur* mit ihm ist nicht gut Kirschen essen; *cela me paraît* ~ das will mir nicht in den Kopf; *un* ~ *homme, un* ~ *lapin (pop)* ein toller Hecht; **~ement** *adv fig fam* mächtig, schrecklich, furchtbar, arg; *se réjouir* ~ sich schrecklich, furchtbar freuen (*de* über *acc, à la pensée de* ... auf *acc*).

rudéral, e [ryderal] *a bot: plante f ~e* Schuttpflanze *f.*

rudesse [rydɛs] Rauheit; Härte; *(Wein)* Herbheit; *fig* Schwierigkeit, Mühe; *(Wetter)* Unfreundlichkeit; *(Winter)* Strenge; *allg* Härte, Schärfe; Heftigkeit *f;* abstoßende(r, s) Charakter *m od* Verhalten *n;* Roheit, Grobheit *f.*

rudiment [rydimɑ̃] *m biol* Rudiment *n,* Ansatz *m* Andeutung *f,* Umriß *m; (bes. latein.)* Elementarbuch *n; pl* Anfangsgründe *m pl,* Grundlagen *f pl (e-r Wissenschaft);* **~aire** rudimentär, (noch) unentwickelt; (noch) in den Anfängen steckend; Anfangs-, Grund-.

rud|oiement [rydwamɑ̃], **~oyement** *m* Anfahren *n,* grobe Behandlung *f;* **~oyer** an=fahren, grob behandeln, hart an=fassen *fig.*

rue [ry] *f* **1.** Straße, Gasse *f; min* Gang *m;* **2.** *bot* Raute *f; dans la, (franz. Schweiz) en* ~ auf der Straße; *en pleine* ~ auf offener Straße; *jeter à la* ~ auf die Straße, hinaus=werfen; *fille f des ~s* Dirne *f; grande, petite* ~ Haupt-, Nebenstraße *f; vieux comme les ~s* stein-, uralt; ~ *adjacente, de traverse* Neben-, Querstraße *f;* ~ *d'affaires, d'habitation, de lotissement, de magasins* Geschäfts-, Wohn-, Siedlungs-, Ladenstraße *f;* ~ *barrée* Straße *f* gesperrt! gesperrte Straße; ~ *passante* belebte Straße *f;* ~ *réservée aux jeux* Spielstraße *f;* ~ *à sens unique* Einbahnstraße *f.*

ruée [rɥe] *f* **1.** Herfallen, Sichstürzen *n;* (An-)Sturm *m;* **2.** Strohkomposthaufen *m.*

ruelle [rɥɛl] *f* (enge) Gasse *f,* Gäßchen *n; vx* Gang *m* zwischen Bett u. Wand.

ruer [rɥe] *(Pferd)* aus=schlagen; *fig* sich sträuben; *se* ~ her=fallen (*sur* über *acc*), sich stürzen (*sur* auf *acc*); ~ *à tort et à travers (fam)* um sich hauen, wild drauflos=schlagen.

ruf(f)ian [ryfjɑ̃] *m* Wüstling; Kuppler *m.*

rug|ir [ryʒir] *itr (bes. Löwe)* brüllen; *allg* schreien, heulen (*de* vor); *tr (Drohung)* aus=stoßen; **~issant, e** brüllend *a. fig; (Wind)* heulend;

(Meer) tobend; ~**issement** *m* Brüllen, Gebrüll; *allg* Geschrei, Toben *n.*

rug|osité [rygozite] *f* Unebenheit *f;* ~**ueux, se** [-gø, -øz] *(Fläche)* rauh, uneben; runz(e)lig.

Ruhr, la [rur] die Ruhr; *(le bassin de la ~)* das Ruhrgebiet.

ruin|e [rɥin] *f (meist pl)* Ruine *f; pl* Trümmer *pl; fig* Sturz, Zs.bruch *m;* Zerstörung, Vernichtung; Zerrüttung *f;* Verfall; Ruin, Untergang, Verderb(en *n*); (wirtschaftl.) Zs.bruch; Verlust *m* des Vermögens; *courir à sa ~* s-m Untergang entgegen≈gehen; *(être) en ~s* in Trümmern (liegen); *menacer ~* baufällig sein; *tomber en ~* ein≈stürzen, zs.≈brechen; verfallen; *ce n'est plus qu'une ~, c'est une ~ humaine* er ist nur noch ein Wrack; ~**é, e** verfallen; *fig* zerrüttet; ruiniert; ~**er** *(Gebäude u. allg)* zerstören, vernichten; *fig* untergraben, ruinieren, zugrunde richten; um≈werfen, -stoßen, verderben; zuschanden machen; zerrütten; vernichten; *se ~ (Gesundheit)* zerrüttet werden; sich zugrunde richten, sich ruinieren; ~**eusement** *adv* in verheerender Weise; ~**eux, se** verderblich, verheerend; zum Zs.bruch, zum Untergang, zum Ruin führend; sehr kostspielig; äußerst verschwenderisch; ~**iforme** *geol* trümmerförmig; ~**ure** *f (Balken)* Fuge, Kerbe *f.*

ruiss|eau [rɥiso] *m* Bach; Graben *m;* Gosse *f a. fig; pl fig* Ströme *m pl* (*de* von); *ramasser dans le ~* von der Straße, aus der Gosse auf≈lesen; *traîner dans le ~ (fig)* auf der Straße liegen; ~**elant, e** strömend, rinnend; triefend; *~ de sueur* schweißtriefend; ~**eler** strömen, in Strömen laufen, rieseln, rinnen; triefen (*de* vor *dat*); ~**elet** [-slɛ] *m* Bächlein *n;* ~**ellement** *m* Rinnen, Rieseln, Geriesel, Strömen; Glänzen, Glitzern *n.*

rumb, rhumb [rɔ̃b] *m* Strich *m (der Windrose).*

rumba [rumba] *f* Rumba *f* od *m (Tanz).*

rumen [rymɛn] *m* Pansen, Wanst *m (der Wiederkäuer).*

rumeur [rymœr] *f* Stimmengewirr, Gemurmel, Murren *n;* allgemeine Unruhe, Aufregung *f;* dumpfe(s) Geräusch *n; (meist pl)* Gerücht(e *pl*); Gerede *n; ~ publique* Volksmeinung, -stimme *f.*

rumex [rymɛks] *m bot* Ampfer *m.*

rumi|nant, e [ryminɑ̃, -t] *a* wiederkäuend; *s m pl zoo* Wiederkäuer *m pl;* ~**nation** *f* Wiederkäuen *n;* ~**ner** *tr itr* wieder≈käuen; *fig tr* hin u. her, sich reiflich überlegen, sich durch den Kopf gehen lassen, *fam (Problem)* wälzen; *itr* in Gedanken (versunken) sein.

rumsteck, romsteck [rɔmstɛk] *m (Küche)* Rumpsteak *n.*

run|es [ryn] *f pl* Runen *f pl;* ~**ique** *a* Runen-; *caractères m pl ~s* Runenschrift *f.*

ruolz [rɥɔls] *m* Alpaka, Alfenid *n (Metallegierung).*

rupestre [rypɛstr] *a bot (Kunst)* Fels-; *peinture f ~* Felsmalerei *f.*

rup|in, e [rypɛ̃, -in] *a pop* betucht; piekfein, schick; *s m f* reiche(r) *od* feine(r) Kerl *m;* ~**iner** *arg (Schule)* (im Examen) glänzen.

rupt|eur [ryptœr] *m mot* Unterbrecher *m; ~ d'allumage* Zündunterbrecher *m;* ~**ure** *f* Bruch; Riß *m,* Abreißen *n; fig* Unterbrechung; Aufhebung, Annullierung, Nichtig-, Ungültigkeitserklärung *f;* Bruch *m,* Trennung; Auflösung *f (e-r Gesellschaft);* Abbruch *m (der Beziehungen, e-s Unternehmens); el tele* Unterbrechung, Trennung *f; ils en sont venus à une ~* es ist zwischen ihnen zum Bruch gekommen; *point m de ~ (tech)* Bruch-, *(Verkehr)* Umschlag-, *mil* Einbruchstelle *f; résistance f à la ~* Bruchfestigkeit *f; tentative f de ~ (mil)* Durchbruchsversuch *m; ~ d'une conduite, d'une digue* Rohr-, Dammbruch *m; ~ de contrat, du tarif* Vertrags-, Tarifbruch *m; ~ d'équilibre* Verlust *m* des Gleichgewichts; *~ d'essieu* Achsbruch *m; ~ de fatigue (tech)* Ermüdungsbruch *m; ~ des fiançailles* Entlobung *f; ~ du front (mil)* Fronteinbruch *m; ~ d'itinéraire* Straßen-, *loc* Streckenunterbrechung *f; ~ des relations diplomatiques* Abbruch *m* der diplomatischen Beziehungen; *~ de la paix (publique)* (Land-)Friedensbruch *m; ~ d'une veine* Aderriß *m.*

rural, e [ryral] *a* ländlich; Land-; *s m pl* Landleute *pl,* Bauern *m pl; propriété, vie f ~e* Landgut, -leben *n.*

rus|e [ryz] *f* List, Finte *f,* Trick *m; recourir à la ~* zu e-r List greifen; *~ de guerre* Kriegslist *f a. fig;* ~**é, e** *a* listig, gerissen; schelmisch, spitzbübisch; *s m f* u. *~ compère m, ~e commère f* schlaue(r) Fuchs, *fam* Schlaumeier *m;* gerissene Peson *f;* ~**er** List an≈wenden, Tricks gebrauchen; sein Spiel treiben *od* spielen (*avec* mit).

rush [rœʃ] *m* Ansturm *m,* letzte Kraftanstrengung *f.*

russ|e [rys] *a* russisch; *R~ s m f* Russe

m, Russin *f;* ~ *m* Russisch(e) *n;* **R~ie, la** Rußland *n; la* ~ *Blanche* Weißrußland *n; la* ~ *d'Europe, d'Asie* das europäische, das asiatische R.; *la* ~ *Soviétique* Sowjetrußland *n;* **~ifier** russifizieren; **~ophile** *a* russen-, rußlandfreundlich; *s m* Russenfreund *m;* **~ophobe** *a* russen-, rußlandfeindlich; *s m* Russenfeind *m.*

russule [rysyl] *f* Täubling *m (Pilz).*

rust|aud, e [rysto, -od] *a* bäu(e)risch, plump, ungehobelt, ungeschliffen; *s m f* (Bauern-)Tölpel, Flegel *m,* Trine *f;* **~icité** *f* bäu(e)rische(s) Wesen *n;* (ländliche) Einfachheit; Derbheit *f;* **~ique** ländlich; Land-; bäuerlich, einfach, schlicht; *(Kleidung)* trachten-, dirndlartig; *(Stil)* Bauern-; bäu(e)risch, derb, plump, roh, grob; *s m* Spitzer *m (der Steinmetzen); meubles m pl ~s* Bauernmöbel *n pl;* **~iquement** *adv* im ländlichen Stil, einfach; bäu(e)risch, derb, plump; **~iquer** *(Stein)* (roh) behauen; *(Mauer)* bewerfen, rauh verputzen.

rustre [rystr] *m* Bauer; Tölpel, Grobian *m.*

rut [ryt] *m* Brunst; *(Jagd)* Brunft *f.*

rutabaga [rytabaga] *m* Kohl-, Steckrübe *f.*

rutacées [rytase] *f pl bot* Rautengewächse *n pl.*

rut|ilant, e [rytilɑ̃, -t] lebhaft, glänzend rot; *fam* blitzsauber; **~iler** glänzen, schimmern; funkeln.

rythm|e [ritm] *m* Rhythmus, Tonfall *m;* Gleich-, Ebenmaß *n;* gleichmäßige(r) Ablauf *m; pl* Verse *m pl;* ~ *cardiaque* Herzbewegung *f,* Pulsschlag *m;* **~é, e; ~er** rhythmisch gliedern, gestalten; skandieren; **~ique** rhythmisch, gleich-, ebenmäßig.

S

sa [sa] *prn s. son.*
sabbat [saba] *m* Sabbat; *fig fam* Hexensabbat, Höllenspektakel *m.*
sabir [sabir] *m* Kauderwelsch *n.*
sabl|age [sablaʒ] *m* Absanden; *(~ antidérapant)* Sandstreuen *n;* Reinigung *f* mit Sandstrahlgebläse; **~e** *m* **1.** Sand; *med* (Harn-)Grieß *m;* **2.** Zobel(pelz) *m; fondé, bâti sur le ~* auf Sand gebaut *a. fig; banc, désert m de ~* Sandbank, -wüste *f; ~ marin, à mortier, pour moulage, mouvant, de projection, de rivière* See-, Bau-, Form-, Treib-, Gebläse-, Flußsand *m;* **~é, e** *a* mit Sand bedeckt; *s m* Sandkuchen; *(Textil)* Sandkrepp *m;* **~er** mit Sand bestreuen; ab=sanden; sandstrahlen; *fig (Wein)* hinunter=stürzen, wie Wasser trinken; **~eux, se** *a* sandig; Sand-; *s f* Sandstreugerät *n; ~se pour décapage* Sandstrahlgebläse *n;* **~ier** [-blije] *m* Sanduhr *f; arch* Sandtopf *m;* **~ière** *f* Sandgrube *f,* -kasten *m; arch* Schwelle *f;* **~on** *m* Feinstsand *m;* **~onneux, se** sandig; **~onnière** *f* Sandgrube, -entnahmestelle *f.*
sabord [sabɔr] *m mar* Ladepforte *f;* **~age** *m (Schiff)* Anbohren, Versenken *n;* **~er** *(Schiff)* an=bohren; *se ~* sich selbst versenken.
sabot [sabo] *m* Holzschuh; *zoo* Huf; Kreisel *m (Spielzeug); fam* schlechte(s) Instrument *od* Werk- *od* Fahrzeug *n,* Schlitten *m,* Wrack *n; tech* Schuh *m,* Bremsbacke, Brücke(nbrett *n) f; dormir comme un ~* wie ein Murmeltier schlafen; *~ d'enrayage, de frein* Hemmschuh, Bremsklotz *m.*
sabo|tage [sabɔtaʒ] *m* Sabotage *f;* **~ter** *tr* sabotieren; *(Schwellen)* dechseln; *(Arbeit)* (absichtlich) zs.=schludern, -pfuschen.
saboterie [sabɔtri] *f* Holzschuhfabrik *f.*
saboteur [sabɔtœr] *m* Saboteur *m.*
sabotier, ère [sabɔtje, -ɛr] *m f* Holzschuhmacher(in *f*), -händer(in *f*); *vx f* Holzschuhtanz *m.*
sabr|e [sabr] *m* Säbel *m; ~-baïonnette m* Seitengewehr *n;* **~er** nieder=säbeln; *fig* zs.=streichen; *(Kandidaten)* durchfallen lassen; *fig fam vx* zs.=pfuschen, -schludern; *fig* herunter=machen; **~eur** *m* Draufgänger; *fig* Pfuscher *m.*
sac [sak] *m* **1.** Sack; Beutel *m;* Tasche; *(~ à main)* Handtasche *f;* Ranzen; *mil* Tornister; *mar* Seesack; *(arg) 1000 francs anciens;* **2.** Plünderung *f; avoir la tête dans le ~ (fig fam)* keine Augen im Kopf haben; *mettre dans le même ~ (fam)* in einen Topf werfen; *prendre qn la main dans le ~* jdn auf frischer Tat ertappen; *vider son ~ (fig)* alles aus=kramen, sein Herz aus=schütten; *l'affaire est dans le ~ (fam)* es ist alles in Butter, die Sache ist so gut wie erledigt; *homme de ~ et de corde* Erzhalunke *m; ~ de bain, à bandoulière, en cuir, de dame, à outils, à provisions, du soir, de voyage* Bade-, Umhänge-, Leder-, Damenhand-, Werkzeug-, Einkaufs-, Abend-, Reisetasche *f; ~ de couchage, à dos, de sable, de papier, postal* Schlaf-, Ruck-, Sand-, Papier-, Postsack *m; ~-poubelle m* Müllsack *m; ~ à vin* Säufer *m.*
sacca|de [sakad] *f* Ruck, Stoß *m; par ~s* ruckweise; **~dé, e** ruckartig; abgehackt.
sacca|ge [sakaʒ] *m* Plünderung; Verwüstung *f;* **~ger** (aus=)plündern, verwüsten; *fig fam* durchea.=bringen.
sacchar|ifère [sakarifɛr] zuckerhaltig; **~ification** *f* Zuckerbildung *f;* **~ifier** *chem* verzuckern; **~imètre** *m* Zukkergehaltsmesser *m;* **~ine** *f* Süßstoff *m,* Sa(c)charin *n;* **~ose** *m* (Rohr- *od* Rüben-)Zucker *m.*
sacerdo|ce [sasɛrdɔs] *m* Priesteramt *n,* -würde; Geistlichkeit *f;* **~tal, e** priesterlich; Priester-.
sach|ée [saʃe] *f* Sackvoll *m;* **~et** [-ʃɛ] *m* Säckchen, Beutelchen *n; ~ de paie* Lohntüte *f.*
sacoche [sakɔʃ] *f* Umhänge-, Geld-, Pack-, Werkzeug-, Satteltasche *f.*
sacquer [sake] *pop* raus=schmeißen, auf die Straße setzen; *(Kandidaten)* durchfallen lassen.
sacr|amentel, le [sakramɑ̃tɛl] sakramental; feierlich; *fig fam* entscheidend; **~e** *m rel* Salbung; Weihe; Konsekration *f;* **~é, e** heilig; geweiht, gesalbt; *mus* sakral; *pop (vor s)* verflixt, verflucht, verdammt; *les ordres ~s* die höheren Weihen *f pl; le ~ collège*

das Kardinalskollegium *n;* **~ebleu, ~edieu** [-krə-] *interj* verflixt! Donnerwetter! **~ement** *m rel* Sakrament *n;* **~er** *tr* weihen, salben, konsekrieren; *itr* fluchen.

sacri|fice [sakrifis] *m rel fig* Opfer *n; faire un, des ~(s)* ein Opfer, O. bringen (*pour* für); **~fier** *tr rel fig* opfern, *fig* zum Opfer bringen; *itr* opfern, (ein) Opfer bringen; sich unter=werfen (*à qc* e-r S), genau befolgen (*à qc* e-e S); *se ~* sich (auf=)opfern; *à des prix ~és* zu Spottpreisen; *je me ~erais pour vous* ich ginge für Sie durchs Feuer.

sacrilège [sakrilɛʒ] *m* **1.** Entheiligung, Entweihung; Freveltat *f;* **2.** Gotteslästerer *m; a* gottlos, frevelhaft.

sacripant [sakripɑ̃] *m* Taugenichts *m.*

sacris|tain [sakristɛ̃] *m* Mesner, Küster *m;* **~ti** *interj* Donnerwetter! **~tie** [-ti] *f* Sakristei *f.*

sacro-saint, e [sakrɔsɛ̃, -t] hochheilig; *(bes. ironisch)* sakrosankt.

sacrum [sakrɔm] *m anat* Kreuzbein *n.*

sad|ique [sadik] sadistisch; **~isme** *m* Sadismus *m;* **~iste** *m* Sadist *m.*

safari [safari] *m* Safari *f; ~-photo m* Photosafari *f.*

safran [safrɑ̃] *m bot* Safran, Krokus *m;* Safrangelb *n;* **~é, e** [-frane] safrangelb; **~er** mit Safran färben.

safre [safr] *m* Kobaltblau *n.*

sagac|e [sagas] scharfsinnig; **~ité** *f* Scharfsinn, -blick *m.*

sag|e [saʒ] *a* weise; verständig, besonnen; umsichtig, klug; *(Mädchen)* zurückhaltend, sittsam; *(Kind)* folgsam, artig, wohlerzogen; *(Pferd)* fromm; *s m* Weise(r) *m; ~ comme une image* kreuzbrav; *~-femme f* Hebamme *f;* **~esse** *f* Weisheit; Klugheit, Umsicht *f;* Verstand *m,* Einsicht; Zurückhaltung; Sittsamkeit; *(Kind)* Artigkeit, Folgsamkeit *f;* gute(s) Betragen *n; dent f de ~* Weisheitszahn *m.*

sagit|taire [saʒitɛr] *m* (Bogen-)Schütze *a. astr; f* Pfeilkraut *n;* **~tal, e** pfeilförmig; *souture f ~e (anat)* Pfeilnaht *f.*

sagou [sagu] *m* Sago *m.*

sagouin, e [sagwɛ̃, -in] *m f fam* Dreckspatz *m.*

sagoutier [sagutje] *m* Sagopalme *f.*

Sahar|a, le [saara] die Sahara; **s~ien, ne** Sahara-.

saign|ant, e [sɛɲɑ̃, -ɑ̃t] blutend *a. fig; (Fleisch)* nicht durchgebraten; **~ée** *f* Aderlaß *m a. fig;* abgezapfte(s) Blut *n; (~ du bras)* Armbeuge; Ellenbogenfalte *f; (Wiese)* Wasser-, Abzugsgraben, Sauger; (Mauer-)Schlitz; *min* Schram; *fig fam* (finanzieller) Verlust *m;* **~ement** *m* Bluten *n; ~ de nez* Nasenbluten *n;* **~er** [sɛ(e)ɲe] *itr* bluten (*du nez* aus der Nase); *tr* zur Ader lassen (*qn* jdm); *(Tier)* ab=stechen; *(Wasser)* seitwärts ab=leiten; *(Wiese)* trocken=legen; *fig* schröpfen; *se ~* sich zur Ader lassen; *fig* sich große Opfer auf=erlegen, sich auf=opfern; *se ~ aux quatre veines* sein Letztes her=geben (*pour* für); **~eur** *m* (Ab-)Schlachter; *fig* Blutsauger *m;* **~eux, se** blutig.

saill|ant, e [sajɑ̃, -ɑ̃t] *arch* vorspringend, vorkragend; *fig* hervorragend, bemerkenswert; hervorstechend; **~ie** *f arch* Vorsprung *m,* Auskragung *f;* Erker; *tech* Ansatz *m; (Wasser)* stoßweise(s) Heraussprudeln; *agr* Beschälen *n; fig* Geistesblitz, witzige(r) Einfall *m; être en ~* vor=springen; **~ir** *itr* (her)vor=springen; *fig* hervor=treten; *tr agr* bespringen, beschälen.

sain, e [sɛ̃, sɛn] gesund *a. fig; (Nahrung)* bekömmlich; unbeschädigt; *fig* richtig, wahr, vernünftig; *~ et sauf* wohlbehalten, unversehrt.

sainbois [sɛ̃bwa] *m bot* Seidelbast *m.*

saindoux [sɛ̃du] *m* (Schweine-)Schmalz *n.*

sainement [sɛnmɑ̃] *adv* gesund; *fig* vernünftig.

sainfoin [sɛ̃fwɛ̃] *m bot* Esparsette *f.*

saint, e [sɛ̃, sɛ̃t] *a* heilig, fromm, brav; *(Erde)* geweiht; *s m f* Heilige(r *m*) *f; toute la ~e journée* den lieben, langen Tag; *ne savoir à quel ~ se vouer* nicht aus noch ein wissen; *l'Écriture f ~e* die Heilige Schrift *f; l'Esprit-S~, le S~-Esprit m* der Heilige Geist *m; jeudi m ~* Gründonnerstag *m; la semaine ~e* die Karwoche; *Vendredi m ~* Karfreitag *m; la S~-Jean* Johanni(stag *m*) *n; la S~-Martin* Martini *n,* Martinstag *m; ~e-barbe f mar hist* Pulverkammer *f; ~-crépin vx m* Schusterwerkzeug *n; fam* Siebensachen *f pl;* Krimskram *m; les ~s de glace* die Eisheiligen *m pl; ~-office m inv* Inquisition(sgericht *n*) *f; ~e-nitouche f* zimperliche, scheinheilige Person *f; le S~-Père* der Heilige Vater; *le S~-Siège* der Heilige Stuhl; die (päpstliche) Kurie; **~eté** *f* Heiligkeit *f.*

sais|i, e [se(ɛ)zi] *a* überrascht, verblüfft, betroffen; *s m jur* Gepfändete(r) *m;* **~ie** *f* Beschlagnahme, Pfändung *f; fig* Erfassen *n; ~ de données (inform)* Datenerfassung *f; ~-exécution f* Zwangsvollstreckung *f; ~-gagerie f* Auspfändung *f;* **~ine** *f (Erbe)* Inbesitznahme *f;* **~ir** *tr* ergreifen, fassen, fangen, packen *a. fig; med* befallen; *(Flüssigkeit)* auf≂fangen; *(Fleisch)* an≂braten; *fig* verstehen, erfassen, begreifen; *jur* beschlagnahmen; vor≂legen (*qn de qc* jdm etw); *se* ~ sich fassen, sich packen; sich an≂eignen, sich bemächtigen (*de qc* e-r S *gen*); ~ *un tribunal de qc* etw vor ein Gericht bringen; **~issable** pfändbar; **~issant, e** packend, erschütternd; *(Kälte)* durchdringend; **~issement** *m* (plötzliche) Ergriffenheit *f;* Schreck, Schock; Kälteschauer *m.*

saison [sɛzõ] *f* Jahreszeit; Zeit(raum *m*) *f;* Leben(salter) *n;* günstige(r) Augenblick *m; com* Saison; Kur *f; de* ~ passend; *hors de* ~ unzeitig; *marchande f des quatre ~s* Gemüsehändlerin *f* (mit e-m Karrenstand); *plein m de la* ~ Hochsaison *f; vente f de fin de* ~ Saisonausverkauf *m;* ~ *des pluies, sèche* Regen-, Trockenzeit *f;* **~nier, ère** jahreszeitlich; Saison-; saisonbedingt; *articles m pl ~s* Saisonartikel *m pl; chute f ~ère* saisonbedingte(r) Rückschlag *m; ouvrier, travail m* ~ Saisonarbeiter *m,* -arbeit *f.*

salac|e [salas] geil; **~ité** *f* Geilheit *f.*

salad|e [salad] *f* Salat; *fig fam* Mischmasch *m,* Durcheinander *n; pl arg* Gerede, Gewäsch *n;* ~ *de laitue, de pommes de terre* Kopf-, Kartoffelsalat *m;* **~ier** *m* Salatschüssel *f.*

salage [salaʒ] *m* (Salz-)Streuen *n.*

salaire [salɛr] *m* (Arbeits-)Lohn *m; toucher son* ~ s-n Lohn empfangen; *toute peine mérite* ~ jeder Arbeiter ist s-s Lohnes wert; *augmentation f de* ~ Lohnerhöhung *f; bloquage m des ~s* Lohnstopp *m; convention f des ~s* Lohnabkommen *n; demande f de* ~ Lohnforderung *f; échelle f des ~s* Lohnskala *f; impôt m sur les ~s* Lohnsteuer *f; mouvement m des ~s* Lohnbewegung *f; paiement m des ~s* Lohnauszahlung *f; prétentions f pl de* ~ Gehaltsansprüche *m pl; réduction f des ~s* Lohnkürzung *f; retenues f pl sur les ~s* (Gehalts-)Abzüge *m pl; revendications f pl de* ~ Lohnforderungen *f pl;* ~ *de base, garanti, hebdomadaire, horaire, journalier, mensuel, minimum, nominal, réel, aux pièces, au rendement* Grund-, Garantie-, Wochen-, Stunden-, Tages-, Monats-, Mindest-, Nominal-, Real-, Stück- *od* Akkord-, Leistungslohn *m.*

salaison [salɛzõ] *f* Einsalzen, (Ein-)Pökeln; Pökelfleisch *n;* gesalzene(r) Fisch *m.*

salamalec [salamalɛk] *m fam* tiefe Verbeugung *f;* übertriebene Höflichkeit *f.*

salamandre [salamɑ̃dr] *f zoo* Salamander; *tech* Dauerbrandofen *m.*

salan|t [salɑ̃] *s m* u. *a: marais* ~ Meersaline *f;* **~que** *f* Meersaline *f.*

sala|rial, e [salarjal] Lohn-; **~riat** [-a] *m* Arbeitnehmerschaft *f;* **~rié, e** *a* besoldet, entlohnt; *s m* Lohn- *od* Gehaltsempfänger, Arbeitnehmer *m;* **~rier** entlohnen.

salaud [salo] *s m f* Schmutzfink *m; fam* Schwein *n;* Schuft, Halunke *m; a* schmutzig, dreckig.

salbande [salbɑ̃d] *f:* ~ *supérieure (geol)* Hangende(s) *n.*

sale [sal] *a* schmutzig *a. (Farbe) fig,* dreckig, verdreckt, schmuddelig; *fig* unanständig; widerlich, gemein; *(Aufgabe)* sehr unangenehm, undankbar.

salé, e [sale] gesalzen *a. fig,* salzig; gepökelt; *chem* kochsalzhaltig; Salz-, Pökel-; *fig* scharf, beißend; schlüpfrig, gewagt; *(Preis, Rechnung)* gepfeffert; empfindlich bestraft; *s m* Pökelfleisch; *arg* Gör *n,* Balg *m* od *n; petit* ~ gekochte(s) Schweinefleisch *n.*

salement [salmɑ̃] *adv* unappetitlich; *fam* mächtig, tüchtig; verflixt.

saler [sale] (ein≂)salzen, (ein≂)pökeln; *fig pop* e-n gepfefferten Preis verlangen (*qc* für etw); empfindlich bestrafen.

saleté [salte] *f* Schmutz *m,* Unreinlichkeit; *fig* Zote; *fam* Gemeinheit *f,* üble(r) Streich; Dreck, Plunder *m; pop* Hure *f.*

saleuse [saløz] *f* Salzstreumaschine *f.*

sali|caire [salikɛr] *f bot* Weiderich *m;* **~cine** [-sin] *f chem* Salizin *n.*

salicoque [salikɔk] *f* Garnele, Krabbe *f.*

sali|corne [salikɔrn] *f bot* Glasschmalz *m,* Salzkraut *n;* **~culture** *f* Salzgewinnung *f;* **~cylate** [-silat] *m* Salizylpräparat *n;* **~cylique:** *acide m* ~ Salizylsäure *f;* **~ère** [-ljɛr] *f* Salzfaß; *fig fam* Salznäpfchen *n (Schönheitsfehler);* **~fère** [-fɛr] salzhaltig; **~fication** *f* Salzbildung *f.*

saligaud, e [saligo, -d] *m f fam* Schmutzfink, Schweinehund *m.*

salignon [saliɲõ] *m* Salzkuchen *m.*

sali|n, e [salɛ̃, -in] *a* salzartig, salzig; Salz-; *s m* Salzgrube *f,* -bergwerk *n; f* Salzsiederei, Saline *f;* Pökelfleisch *n,* gesalzene(r) Fisch *m;* **~nier** *m* Salzfabrikant, -händler *m;* **~nité** *f* Salz(halt)igkeit *f;* Salzgehalt *m.*

sal|ir [salir] beschmutzen, dreckig machen; *fig* besudeln, beflecken; **~issant, e** (leicht) schmutzend; **~isson**

f Schmutzliese *f;* **~issure** *f* Verschmutzung *f,* Schmutz(fleck) *m.*

saliv|aire [salivɛr] Speichel-; *glande f ~* Speicheldrüse *f;* **~ant, e** den Speichelfluß anregend; **~ation** *f* Speichelfluß *m;* **~e** *f* Speichel *m; perdre sa ~ (fig)* sich den Mund fusselig reden; **~er** viel Speichel ab⸗sondern; **~eux, se** speichelartig.

salle [sal] *f* große(s) Zimmer *n,* Saal *m;* Halle *f;* Kino *n; faire ~ comble (theat)* ein volles Haus bringen; *~ d'attente* Wartezimmer *n;* -saal *m; ~ d'audience (jur)* Sitzungssaal *m; ~ de bains* Badezimmer *n; ~ de bal* Tanzsaal *m; ~ des chaudières* Kesselhaus *n; ~ de classe* Klassenzimmer *n; ~ des coffres(-forts)* Tresorraum *m; ~ de commande, de contrôle* Schaltraum *m; ~ de conférences* Vortragssaal *m; ~ des dactylographes* Schreib(maschinen)saal *m; ~ de dessin* Zeichensaal *m; ~ d'eau* Waschraum *m; ~ d'emballage* Packraum *m; ~ d'escrime* Fechtsaal *m; ~ d'exposition* Ausstellungsraum *m; ~ des fêtes* Festsaal *m; ~ frigorifique* Kühlraum *m; ~ de gymnastique* Turnhalle *f; ~ de lecture* Lesezimmer *n; ~ des machines* Maschinenraum *m; ~ à manger* Eß-, Speisezimmer *n; ~ des pas perdus* Vorhalle *f; ~ de police (mil)* Einzelarrest *m; ~ de réunion* Gemeinschafts-, Versammlungsraum *m; ~ des séances* Sitzungssaal *m,* -zimmer *n; ~ de séjour* Wohnzimmer *n;* Aufenthaltsraum *m; ~ de spectacle* Theatersaal, Zuschauerraum *m;* Schauspielhaus *n;* Vorführraum *m; ~ de transit* Transitraum *m; ~ des ventes* Auktionslokal *n.*

salmi|gondis [salmigɔ̃di] *m vx* Ragout *n* von aufgewärmtem Fleisch; *fig fam* Sammelsurium *n;* **~s** [-i] *m* Ragout *n* von gebratenem Wild *od* Geflügel.

saloir [salwar] *m* Salz-, Pökelfaß *n.*

salon [salɔ̃] *m* Salon *m;* Besuchs-, Empfangs-, bessere(s) Zimmer; Wohnzimmer *n;* (Kunst-)Ausstellung *f; ~ de l'agriculture, de l'automobile* Landwirtschafts-, Automobilausstellung *f; ~ de beauté* Schönheitsinstitut *n; ~ de coiffure* Frisiersalon *m; ~ fumoir* Rauchsalon *m; ~ de la radio et de la télévision* Rundfunk- u. Fernsehausstellung *f; ~ de thé* Teestube *f;* **~nard** [-lɔnar] *m* Salonlöwe *m.*

salop|e [salɔp] *a f pop* schmierig, dreckig; *s f pop* Schlampe; Hure *f,* Lottchen *n;* **~er** *pop (Arbeit)* hin⸗schludern; *(Aufgabe)* schlampig erledigen; **~erie** *f pop* Schweinerei *f;* schlechte(r) Witz *m,* Zote *f;* üble(r) Dreh; Schund, Ramsch *m.*

salopette [salɔpɛt] *f* Overall, Arbeitsanzug; Luftanzug *m;* Spielhöschen *n.*

salpêtr|age [salpɛtraʒ] *m* Salpeterbildung *f;* **~e** *m* Salpeter *m; vif comme le ~* quicklebendig; **~er** Salpeter aus⸗wittern *od* aus⸗streuen; **~ière** [-trijɛr] *f* Salpetergrube *f,* -werk *n; la S~* Krankenhaus *n* in Paris.

salpingite [salpɛ̃ʒit] *f* Eileiterentzündung *f.*

salse [sals] *f* Schlammvulkan *m;* **~pareille** *f bot* Stechwinde *f.*

salsifis [salsifi] *m* Haferwurz *f; ~ noir, d'Espagne* Schwarzwurzel *f.*

saltimbanque [saltɛ̃bɑ̃k] *m* Gaukler; Possenreißer.

salubr|e [salybr] gesund(heitsfördernd); **~ité** *f* Gesundheit(spflege) *f.*

saluer [salɥe] (be)grüßen; *mil* e-e Ehrenbezeigung machen, salutieren (*qn* vor jdm); *mar* mit Salutschüssen (be)grüßen; *fig* begrüßen, sich freuen (*qc* über e-e S); *aller ~ qn* jdm s-e Aufwartung machen.

salure [salyr] *f* Salzigkeit *f,* Salzgehalt *m.*

salu|t [saly] *m* Heil, Wohl *n,* Rettung *f; rel* Seelenheil *n,* Seligkeit; Abendandacht *f;* Gruß *m,* Begrüßung *f; interj* guten Tag! auf Wiedersehen! *l'armée f du ~* die Heilsarmee *f;* **~taire** heilsam, nützlich, wohltuend; **~tation** *f* Gruß *m,* Begrüßung *f; avec mes meilleures ~s, mes ~s distinguées* mit vorzüglicher Hochachtung *f;* **~tiste** *m f* Angehörige(r *m*) *f* der Heilsarmee.

salve [salv] *f mil* Salve *f; ~ d'applaudissements* Beifallssturm *m.*

samedi [samdi] *m* Samstag, Sonnabend *m.*

sana(torium) [sana(tɔrjɔm)] *m* Sanatorium *n,* Lungenheilstätte *f.*

sanct|ifiant, e [sɑ̃ktifjɑ̃, -ɑ̃t], **~ificateur, trice** heiligend; **~ification** *f* Heiligung *f;* **~ifier** heiligen; heilig⸗halten.

sanction [sɑ̃ksjɔ̃] *f* Genehmigung, Bestätigung, Zustimmung; natürliche Folge; Sanktion, Strafmaßnahme *f; ~s économiques* Wirtschaftssanktionen *f pl;* **~nement** *m* Sanktionierung *f;* **~ner** bestätigen; billigen; Gesetzeskraft verleihen (*qc* e-r S); *fam* (be)strafen.

sanctuaire [sɑ̃ktɥɛr] *m* Heiligtum *n;* Altarraum *m;* Allerheiligste(s) *n; fig* Kirche *f.*

sandal|e [sɑ̃dal] *f* Sandale *f; ~ de*

bain, de plage Bade-, Strandsandale *f;* **~ette** *f* Sandalette *f.*

sandow [sãdo] *m aero* Gummiseil *n;* ~ *de lancement* Startseil *n.*

sandre [sãdr] *f zoo* Zander *m.*

sandwich [sãdwitʃ] *m* belegte(s) Brot, Brötchen *n; être pris en ~ (fig fam)* in der Klemme sitzen; *homme-~ m* Plakatträger *m.*

sanforiser [sãfɔrize] *(Wäsche)* sanforisieren.

sang [sã] *m* Blut *a. fig; fig* Geblüt *n,* Rasse *f; fig* Leben *n; à ~ chaud, froid (zoo)* warm-, kaltblütig; *tout en ~* blutüberströmt; *avoir le ~ chaud (fig)* heißblütig sein; leicht auf≈brausen; *avoir du ~ de navet dans les veines (fig)* kein Rückgrat haben; *se faire du mauvais ~* sich Sorgen machen (*pour qc* wegen e-r S *dat*); *se ronger les ~s (pop)* vor Sorgen um≈kommen; *suer ~ et eau* sich ab≈schinden, Blut und Wasser schwitzen, sich ab≈quälen; *cela fait bouillir le ~* das bringt e-n zum Kochen; *cela est dans le ~* das liegt im Blut; *cela me tourne le ~* das geht mir zu Herzen; *bon ~ ne peut mentir* man merkt die gute Rasse; *coup m de ~ (med fam)* (Gehirn-)Schlag *m; pur ~* Vollblut *n; ~-froid m* Kaltblütigkeit, Selbstbeherrschung, Gelassenheit *f; de ~* kaltblütig, gelassen; *~-mêlé m* Mischling *m; ~ de rate (med)* Milzbrand *m;* **~lant, e** [-glã, -ãt] blutig, blutbefleckt; blutrot; *(Tod)* gewaltsam; *(Geschichte)* blutrünstig; *fig* beißend, scharf, hart, verletzend.

sangl|e [sãgl] *f* Gurt(band *n*); Tragriemen; *aero* Anschnallgurt *m; ~ de volet roulant* Rolladengurt *m;* **~er** gürten; schnüren; *vx fig fam (Schlag)* versetzen.

sanglier [sãglije] *m* Wildschwein *n; jeune ~* Frischling *m; ~ femelle* Sau, Bache *f; ~ (mâle)* Eber, Keiler *m.*

sanglot [sãglo] *m* Schluchzer *m; pl* Schluchzen *n; éclater en ~s* in Schluchzen aus≈brechen; **~er** [-glɔ-] schluchzen.

sangsue [sãsy] *f zoo* Blutegel; *fig* Blutsauger *m.*

sangui|fication [sãgɥifikasjõ] *f* Blutbildung *f;* **~n, e** [sãgɛ̃, -in] *a* blutreich; Blut-; blutrot; sanguinisch; *s m* Sanguiniker; *f* Rötel(zeichnung *f*) *m;* Blutorange *f; pression f ~e* Blutdruck *m; rouge ~* blutrot; *vaisseaux m pl ~s* Blutgefäße *n pl;* **~naire** [-gi-] *a* blutgierig, -rünstig; *fig* grausam; *s m bot* Blutwurz *f;* **~no-formateur, trice** blutbildend; **~nolent, e** [-gi-] blutig; mit Blut gemischt.

sani|e [sani] *f med vx* Jauche *f;* **~eux, se** [-njø, -øz] *med vx* jauchig.

sanitaire [sanitɛr] *a* gesundheitlich; sanitär; Gesundheits-; *s f mil pop* Sanka *m; compagnie f ~ (mil)* Sanitätskompanie *f; état m ~* Gesundheitszustand *m; installations f pl ~s* sanitäre Einrichtungen *f pl; voiture f ~* Krankenwagen *m.*

sans [sã] *prp* ohne; *~ que (conj mit subj)* ohne daß; *~ cela (fam), ~ quoi* sonst, andernfalls; *~ cesse* unaufhörlich *adv; ~ rien dire, ~ mot dire* ohne ein Wort, *fam* e-n Ton zu sagen; *~ doute* wahrscheinlich, gewiß, sicher(lich); *~ aucun doute* zweifellos, ohne Zweifel; *~ exception* ausnahmslos *adv; ~ faute* unweigerlich, unfehlbar *adv; ~ plus* ohne weiteres; mehr nicht; *~ le vouloir* unwillkürlich *adv; cela va ~ dire* das ist selbstverständlich; (das) versteht sich (von selbst); *~-abri m inv* Obdachlose(r *m*) *f inv; ~ bois* holzfrei; *~-cœur m inv* herzlose(r) Mensch *m; ~ couture, (tech) ~ soudure* nahtlos; *~-culotte m hist* Sansculotte *m; ~ date* undatiert; *~ dents* zahnlos; *~ éblouissement* blendfrei; *~ engagement (com)* freibleibend; *~ exemple* beispiellos; *~-façon m* Ungeniertheit, Ungezwungenheit; Unverfrorenheit *f; ~ fil* drahtlos; *~-fil m* Funkspruch *m; ~-filiste m* Rundfunkhörer, -amateur; Radiobastler *m; ~-gêne a* ungeniert, rücksichtslos; *s m inv* Ungeniertheit *f; ~-logis m* Obdachlose(r) *m; ~ manches* ärmellos; *~-parti m* Parteilose(r) *m; ~-patrie m inv* Vaterlands-, Heimatlose(r) *m; ~ préjudice de …* unbeschadet *gen; ~ ressource(s)* mittellos; *~-le-sou m inv* Habenichts *m; ~-souci m inv* sorglose(r) Mensch *m;* Sorglosigkeit *f; a* sorglos; *~-travail m inv* Arbeitslose(r) *m; ~ valeur* wertlos; *~ vibration* erschütterungsfrei.

sansonnet [sãsɔnɛ] *m orn* Star *m.*

santal [sãtal] *m* Sandelholz *n.*

santé [sãte] *f* Gesundheit; *(état m de ~)* Gesundheitszustand *m,* -verhältnisse *n pl; en bonne ~* gesund; *boire à la ~ de qn* auf jds Gesundheit trinken; *à votre ~!* auf Ihr Wohl! *maison f de ~* (privates) Krankenhaus *n;* Nervenheilanstalt *f; service m de ~ (mil)* Sanitätsdienst *m; ~ publique* öffentliche(s) Gesundheitswesen *n.*

santon [sãtõ] *m* kleine Krippenfigur *f (Provence).*

saoul [su] *s. soûl.*

sapajou [sapaʒu] *m zoo* Rollschwanzaffe; *fig* häßliche(r), lächerliche(r) Gartenzwerg *m*.

sap|e [sap] *f* (kleine) Sense; *min* Hakke; *mil* Sappe; *fig* Untergrabung *f;* **~ement** *m* Unterminieren, -höhlen *n;* **~er** untergraben *a. fig,* -höhlen, -minieren.

sapeur [sapœr] *m mil* Pionier *m; ~s de chemin de fer* Eisenbahnpioniere *m pl; ~-pompier m* Feuerwehrmann *m; pl* Feuerwehr *f*.

saphir [safir] *m* Saphir *m*.

sap|ide [sapid] schmackhaft; **~idité** *f* Schmackhaftigkeit *f*.

sapin [sapɛ̃] *m* Tanne *f; fig fam* Sarg; *(bois m de ~)* Tannenholz *n; de ~* tannen; *sentir le ~ (pop)* mit e-m Fuß im Grabe stehen; *~ blanc, rouge* Edel- *od* Weiß-, Rottanne *od* Fichte *f;* **~e** *f* Tannenholzbrett *n;* Hebebaum *m;* **~ière** *f* Tannenwald *m,* -anpflanzung *f*.

sapo|nacé, e [sapɔnase] seifig; **~naire** *f bot* Seifenkraut *n;* **~nification** *f* Verseifung, Seifenbildung *f;* **~nifier** verseifen.

sapé, e [sape] *être bien ~ (arg)* gut in Schale sein.

sapristi [sapristi] *interj fam* Donnerwetter!

sapropel [saprɔpɛl] *m geol* Faulschlamm *m*.

sarabande [sarabɑ̃d] *f mus* Sarabande *f*.

sarbacane [sarbakan] *f* Blasrohr *n*.

sarcas|me [sarkazm] *m* Sarkasmus, bittere(r) Hohn, beißende(r) Spott *m;* **~tique** sarkastisch, beißend, bissig; höhnisch.

sarcelle [sarsɛl] *f* Knäkente *f*.

sar|clage [sarklaʒ] *m* Jäten *n;* **~cler** jäten; **~cleuse** *f* Jätmaschine *f;* **~cloir** *m* Jäthacke *f;* **~clure** *f* gejätete(s) Unkraut *n*.

sarcome [sarkom] *m med* Sarkom *n*.

sarcophage [sarkɔfaʒ] *m* Sarkophag *m*.

sarcopte [sarkɔpt] *m zoo* Krätzmilbe *f*.

Sard|aigne, la [sardɛɲ] Sardinien *n;* **s~e** *a* sard(in)isch; *S~ s m f* Sardinier(in *f*) *m*.

sardi|ne [sardin] *f* Sardine *f; pl fam fig* (Unteroffiziers-)Tressen *f pl; ~ à l'huile* Ölsardine *f;* **~nier, ère** *m f* Sardinenfischer(in *f*), -konserven-, Fabrikarbeiter(in *f*) *m; f* Sardinennetz *n*.

sardonique [sardɔnik] *a: rire m ~* sardonische(s), höhnische(s) Lachen *n*.

sargasse [sargas] *f bot* Beerentang *m*.

sari [sari] *m* Sari *m*.

sarigue [sarig] *f* od *m zoo* Beutelratte *f*.

sarment [sarmɑ̃] *m* (Wein-)Ranke *f;* **~eux, se** *bot* Ranken treibend.

sarong [sarɔ̃g] *m* Sarong *m*.

sarrasin, e [sarazɛ̃, -in] *a* sarazenisch; *S~, e s m f* Sarazene *m,* Sarazenin *f; m* Buchweizen *m; f (Burg)* Falltor *n*.

sarrau [saro] *m* Fuhrmannskittel *m*.

Sarr|e, la [sar] die Saar; das Saarland, -gebiet; **s~ois, e** *a* saarländisch; *S~, e s m f* Saarländer(in *f*) *m*.

sarriette [sarjɛt] *f bot* Bohnenkraut *n*.

sas [sɑ] *m* **1.** Haarsieb *n;* **2.** Schleusenkammer *f*.

sassafras [sasafrɑ] *m bot* Fenchelholz *n*.

sas|se [sas] *f mar* Schöpfkelle *f;* **~ser** **1.** (durch=)sieben; *fig* genau prüfen; **2.** *m ar* durch=schleusen.

Satan [satɑ̃] *m* Satan *m a. fig;* **s~é, e** [-ta-] *pop* verteufelt, verflixt; **s~ique** teuflisch, satanisch.

satel|liser [satɛlize] *cosm* in die Umlaufbahn ein=schießen; *fig pol* zu e-m Satellitenstaat machen; *se laisser, se faire ~* zum Satellitenstaat werden; **~lite** *m cosm pol* Satellit, Trabant *m; ~ de communications* Nachrichtensatellit *m; ~ de télécommunications* Fernmeldesatellit *m; ~ d'observation* Aufklärungssatellit *m; ~ artificiel* künstliche(r) Satellit *m*.

satiété [sasjete] *f* Sattheit, Sättigung *f; fig* Überdruß *m; manger, boire jusqu'à ~* sich satt essen; trinken, bis man genug hat; *répéter (jusqu')à ~* bis zum Überdruß, *fam* bis es e-m zum Hals heraushängt, wiederholen.

satif, ive [satif, -iv] angepflanzt, gesät.

satin [satɛ̃] *m* Satin, Atlas *m;* **~é, e** *a* satiniert; *fig* wie Atlas glänzend; *s m* Satiné; Atlasglanz *m;* **~er** satinieren, kalandern; **~ette** *f* feine(r) glänzend(r) Baumwollstoff *m*.

sati|re [satir] *f* Satire *f;* **~rique** *a* satirisch; beißend, bissig; *s m* Satiriker *m;* **~riser** mit beißendem Spott verfolgen.

satis|faction [satisfaksjɔ̃] *f* Befriedigung, Zufriedenheit; Genugtuung; *rel* Buße *f; à la ~ générale* zur allgemeinen Zufriedenheit; *donner ~ à qc* etw befriedigen; *donner ~ à qn* jdm Genugtuung geben; **~faire** *irr, tr* zufrieden=stellen, befriedigen; *(e-r Leidenschaft)* willfahren, nach=geben; Genugtuung leisten (*qn* jdm); *itr* Genüge leisten, genug=tun, genügen, gerecht werden (*à qc* e-r S), zufrieden=stellen (*pour qn* jdn); *(Pflicht)* erfüllen (*à* acc); *(Verbindlichkeiten)* nach=kommen (*à qc* e-r S *dat*); *se* ~ s-e Wünsche, Bedürfnisse befriedigen; sich Genugtuung verschaffen; ~ *l'attente de qn* jds Erwartungen entsprechen; ~ *à la demande, aux besoins* die Nachfrage befriedigen, den Bedarf decken; **~faisant, e** [-fəzɑ̃, -ɑ̃t] befriedigend, zufriedenstellend; erfreulich; *(Leistung)* ausreichend, genügend; **~fait, e** befriedigt; zufrieden (*de* mit); **~fecit** [-fesit] *m inv* Lob, lobendes Zeugnis *n;* Anerkennung *f.*

satur|ateur [satyratœr] *m chem* Sättiger *m;* **~ation** *f* Sättigung *f; point m de* ~ Sättigungspunkt *m;* **~é, e** gesättigt, saturiert *a. fig* (*de* mit); *fig* übersättigt; **~er** sättigen, saturieren *a. fig; chem* tränken (*de* mit); *fig* übersättigen (*de* mit).

satur|nales [satyrnal] *f pl* Ausschweifungen *f pl;* **S~ne** *m astr* Saturn *m.*

satur|nin, e [satyrnɛ̃, -in] *med* Blei-; **~nisme** *m med* Bleivergiftung *f.*

satyre [satir] *m* Satyr, Faun; *fig* Lüstling *m; f theat* Satyrspiel *n.*

sauc|e [sos] *f* Soße, *a.* Sauce, Tunke, Brühe *f,* Beiguß; *fam* (Regen-)Guß *m; donner, mettre toute la* ~ *(fam mot)* Vollgas geben; *mettre à toutes les* ~*s* zu allem gebrauchen; *gâter la* ~ *(fig)* den Brei verderben; *la* ~ *fait passer le poisson* es kommt auf das Drum u. Dran an; ~ *du tabac* Tabakbeize *f;* **~é, e** *a fam* patschnaß; *s f fam* Regenguß *m;* **~er** in Soße (ein=) tunken *vx; allg* ein=tauchen, baden (*dans* in *dat*); *(Tabak)* beizen; *fam* durchnässen; ~ *son assiette* s-n Teller aus=tunken; **~ier** *m* Soßenkoch *m;* **~ière** *f* Sauciere, Soßenschüssel *f,* -napf *m.*

saucis|se [sosis] *f* Wurst *f (zum Heißmachen* od *Braten);* (warmes) Würstchen *n; arg aero* Fesselballon *m; ne pas attacher ses chiens avec des* ~*s (fam)* sein Geld nicht zum Fenster hinaus=werfen; ~*s de Francfort* Frankfurter *f pl;* **~son** *m* (Schnitt-)Wurst *f;* ~*-jambon m* Schinkenwurst *f;* ~ *de Lyon* Lyoner-(Wurst) *f.*

sauf, sauve [sof, sov] *a* unbeschädigt, unverletzt, wohlbehalten; *prp* außer, ausgenommen, abgesehen von ...; vorbehaltlich ...; ~ *à (inf)* unter dem Vorbehalt, daß ...; ~ *que (conj)* außer daß ...; ~ *avis contraire* vorbehaltlich gegenteiliger Mitteilung; ~ *contrordre* Abbestellung vorbehalten; ~ *encaissement, bonne fin, rentrée (com)* Eingang vorbehalten; ~ *erreur ou omission* Irrtümer oder Auslassungen vor=behalten; ~ *vente* Zwischenverkauf vor=behalten; ~*-conduit m* Passierschein; Geleitbrief *m a. fig.*

sauge [soʒ] *f bot* Salbei *m* od *f.*

saugrenu, e [sogrəny] albern, abgeschmackt.

sau|laie [solɛ] *f* Weidengebüsch, -dikkicht *n;* **~le** *m* Weide *f;* ~ *pleureur, têtard, des vanniers* Trauer-, Kopf-, Korbweide *f.*

saumâtre [somɑtr] brackig, leicht salzig; *fig pop* ek(e)lig, widerlich; übertrieben, stark.

saum|on [somɔ̃] *s m zoo* Lachs, Salm; *tech (gegossener)* Barren, Kuchen, Floß *m,* Massel *f; a inv* lachsfarben, -rosa; **~oné, e** lachsartig; *truite f* ~*e* Lachsforelle *f.*

saum|ure [somyr] *f* Salzlake, Sole *f;* **~uré, e** gepökelt.

sauna [sona] *m* Sauna *f.*

saun|age [sonaʒ] *m* (Meer-) Salzgewinnung *f,* -handel *m;* **~er** Salz gewinnen; **~erie** *f* Salzsiederei *f;* **~ier** *m* Salzsieder, -händler *m.*

saupiquet [sopikɛ] *m* scharf gewürzte Soße *f.*

saupoudrer [sopudre] *(Salz, Zucker, Mehl)* bestreuen *(de, avec* mit); *fig (Rede)* würzen.

saur [sɔr] *a: hareng m* ~ Bückling *m;* **~er** *(Hering)* räuchern.

sauriens [sɔrjɛ̃] *m pl zoo* (Eid-)Echsen *f pl.*

saurisserie [sɔrisri] Heringsräucherei *f.*

saussaie [sosɛ] *f s. saulaie.*

saut [so] *m* Sprung *a. fig,* Satz, Hopser, Hupf; Sturz, Fall; Wasserfall *m; agr* Bespringen, Beschälen; *fig* Wagnis *n; au* ~ *du lit* beim Aufstehen; *par* ~*s et par bonds* in Sprüngen, sprungweise; *faire le* ~ *(fig)* den Sprung wagen; *faire le* ~ *dans les ténèbres* den Sprung ins Ungewisse wagen; *ne faire qu'un* ~ *chez qn* bei jdm nur auf e-n Sprung vorbei=kommen; ~ *en l'air, de carpe, au cheval, sans élan, de haie, en hauteur, en longueur, à la perche* Luft-, Hecht-, Bock-, Schluß-, Hürden-, Hoch-, Weit-, Stabhochsprung *m;* ~ *à l'écart* Sprung *m* in die Grätsche *f;* ~ *d'essai* Probesprung *m;* ~*-de-lit m* Morgenrock *m;* ~*-de-mouton m* Gleisüberführung *f;* ~ *d'obstacles* Hindernisspringen *n;* ~ *en parachute* Fallschirmabsprung *m;* ~ *périlleux* Salto mortale *m;* **~age** *m* Sprengung *f,* Sprengen *n;* **~e** *f;* ~ *d'humeur* plötzliche(r) Stimmungswechsel *m;* *~-mouton m* Bockspringen *(Kinderspiel); aero* Heckenhüpfen *n; ~-ruisseau m inv* Laufbursche, -junge *m; ~ de vent (mar)* plötzliche(s) Umspringen *n* des Windes; **~é, e** *a* gebraten; *pommes f pl (de terre) ~es* Schwenkkartoffeln *f pl; s m: ~ de veau* Kalbsragout *n;* **~er** *itr* springen, e-n Sprung machen; *(~ sur ses pieds)* auf=springen; *(Knopf)* ab=springen; *(Glas)* zerspringen; *(Sicherung)* durch=brennen; in die Luft fliegen, explodieren; sich stürzen (*sur* auf *acc*); hüpfen (*de joie* vor Freude); *fig* über=wechseln, -gehen; *(Feder)* ab=schnellen; *com* Bankrott machen; *(Bank)* gesprengt werden; *(Wind)* um=springen; *fam* s-e Stelle verlieren, (hinaus=)fliegen; *fam* in die Höhe fahren, auf=fahren; *tr* springen (*qc* über *acc*); *(Hindernis)* nehmen; *(Küche)* in Butter schmoren, schwenken; *sport* überholen; *agr* bespringen, dekken; *pop* schlafen (*qn* mit jdm); *fig* überspringen, aus=lassen; überlesen; *faire ~* sprengen, in die Luft jagen *od* fliegen lassen; *min* zerschießen; *fig (Geld, Flasche)* springen lassen; *(Bank)* sprengen; *faire ~ qn* jdn um s-e Stelle bringen; in Butter schmoren, schwenken; *faire ~ la cervelle à qn* jdm e-e Kugel durch den Kopf jagen; *~ à bas de son lit* aus dem Bett springen; *~ au cou de qn* jdm um den Hals fallen; *~ en parachute* (mit dem Fallschirm) ab=springen; *~ le pas (fig)* zu e-m Entschluß kommen; *~ à pieds joints par-dessus les difficultés* sich über die Schwierigkeiten hinweg=setzen; *~ aux yeux* in die Augen springen; *on la ~e (fam)* ich habe Hunger; *et que ça ~e! (fam)* hopp, hopp! dalli! **~erelle** *f* Heuschrecke; *tech* Schmiege *f; arg* Mädchen *n; ~ de passage* Wanderheuschrecke *f;* **~erie** *f* zwangloser Tanzabend, Tanzerei *f;* **~eur, se** *s m f* (Kunst-)Springer(in *f*); *fig fam* Konjunkturritter *m,* Wetterfahne *f; s f* Schmorpfanne *f; pop* leichte(s) Mädchen *n: a* Spring-; *~ en hauteur, en longueur* Hoch-, Weitspringer *m;* **~illant, e** [-jɑ̃, -ɑ̃t] hüpfend; *(Stil)* abgehackt; **~illement** *m* Hüpfen *n;* **~iller** hüpfen; hopsen; *fig* dauernd das Thema wechseln; **~oir** *m* liegende(s) Kreuz *n; sport* Sprungschanze, -grube; lange Halskette *f; porter en ~* an e-r Halskette, um den Hals gehängt tragen.

sauv|age [sovaʒ] *a* wild; rauh; ungezähmt, ungebändigt; unkultiviert; unzivilisiert; unbewohnt; nicht begangen, nicht befahren; *fig* menschenscheu, ungesellig; gefühllos, gemütlos, unmenschlich; *bot* wildwachsend; *(Geschmack)* unangenehmm; *(Einwanderung)* illegal; *(Plakatieren)* verboten; *s m f* Wilde(r *m*) *f,* unzivilisierte(r) Mensch; *fig* Eigenbrötler, Einzelgänger, Kauz *m; retourner à l'état ~* verwildern; **~ageon** [-zɔ̃] *m bot* Wildling *m;* **~ageonne** *f* menschenscheue(s) Mädchen *n;* **~agerie** *f* Naturzustand *m;* Wildheit, Roheit; *fig* Menschenscheu *f,* ungesellige(s) Wesen *n;* **~agesse** *f* Wilde; *fig* ungebildete Frau *f;* **~agin, e** *a (Vogel)* tranig, nach Wild schmekkend; *s f* Wasservögel *m pl;* Wildbalg *m.*

sauve|garde [sovgard] *f* Schutz *m; clause f de ~* Vorbehaltsklausel *f;* **~garder** schützen; *fig* unter s-e Fittiche nehmen (*qn* jdn), s-e Hand halten (*qn* über jdm); *~ les intérêts* die Interessen wahren; **~-qui-peut** *m inv* Panik, allgemeine Kopflosigkeit *f,* Durcheinander *n.*

sau|ver [sove] retten; in Sicherheit bringen, erretten (*de* vor *dat*); *(den Schein)* wahren; *(Fehler)* verbergen; bemänteln; *mar* bergen; *rel* erlösen; *se ~* sich retten, (sich) flüchten, sich in Sicherheit bringen (*de* vor), entkommen, davon=laufen; sich davon=machen, sich drücken; nicht auf=fallen, verborgen bleiben; aus dem Weg gehen (*de qn* jdm); *fam* machen, daß man wegkommt; *(Milch)* über=kochen, -laufen; *com* sich schadlos halten (*sur qc* an e-r S); *~e qui peut!* rette sich, wer kann! **~vetage** *m mar* Rettung, Bergung *f; canot m, ceinture f, poste m de ~* Rettungsboot *n,* -gürtel *m,* -station *f;* **~veteur** *m* Retter; Angehörige(r) *m* e-r Rettungsmannschaft; **~vette** *f: à la ~* heimlich, verstohlen; Schwarzmarkt-; **~veur** *s m* Retter, Befreier *m; le S~* der Heiland, der Erlöser; *a m* rettend; heilend.

savamment [savamɑ̃] *adv* gelehrt; mit Sachkenntnis.

savane [savan] *f geog* Savanne *f.*

savant, e [savɑ̃, -t] *a* gelehrt; sachkundig, sehr bewandert *od* beschlagen (*en* in *dat*); geschickt, gewiegt, firm; gekonnt; wohldurchdacht; *s m f* Gelehrte(r *m*) *f; ~ atomiste* Atomforscher *m.*

savarin [savarɛ̃] *m* Topf-, Napfkuchen *m.*

savate [savat] *f* alte(r) Pantoffel *od* Schuh; Schlappen; *fig* Tolpatsch, Elefant *m* im Porzellanladen; *fam* Niete, Flasche *f; sport* Beinstoßen *n; traîner la ~ (fam)* schleichen, mühsam gehen; herum=streunen; *fig* am Hungertuch nagen.

Saverne [savɛrn] *f geog* Zabern *n; le col de S~* die Zaberner Steige.

savetier [savtje] *m* Schuhflicker; *pop* Pfuscher *m.*

saveur [savœr] *f* (angenehmer) Geschmack *m; fig* Würze *f; sans ~* fade.

Savoie, la [savwa] Savoyen *n.*

savoir [savwar] *v irr* wissen, kennen, verstehen; *(Nachricht, Ereignis)* um etw wissen, Bescheid wissen; *~ l'allemand* Deutsch können; *~ apprécier un bon vin* e-n guten Wein zu würdigen wissen; *~ le nom de qn* jds Namen kennen; *~ qc de qn* über jdn etw wissen; *il sait cette chanson par cœur* er kann dieses Lied auswendig; *il sait s'occuper des enfants* er versteht, mit Kindern umzugehen; *(lit) il sait ma passion pour la musique* er kennt meine Leidenschaft für die Musik; *je ne le savais pas si timide* ich wußte nicht, daß er so schüchtern ist; *je ne veux pas le ~* ich will nichts davon wissen; können, vermögen; imstande, fähig sein (*faire qc* etw zu tun); *il sait nager* er kann schwimmen; erfahren, beschlagen sein (*qc* in e-r S); Kenntnis haben (*qc* von etw); *fam* etw los haben, zu Hause sein (*qc* in e-r S); hören, erfahren, vernehmen; *~ des nouvelles de qn* von jdm gehört haben; *je le sais de source sûre* ich habe es aus sicherer Quelle; *j'ai su par un ami que* ich habe durch e-n Freund erfahren, daß; *se ~* bekannt sein *od* werden; *il se savait en danger de mort* es war ihm klar, er war sich dessen bewußt, ihm war bewußt *lit,* daß er in Lebensgefahr schwebte; *s m* Kenntnisse *f pl,* Wissen *n;* Wissenschaft, Gelehrsamkeit *f; (à) ~* nämlich; *faire ~* mit=teilen; *~ sur le bout du doigt* aus dem Effeff kennen; in- u. auswendig kennen; *je ne sache personne qui ...* ich wüßte niemand(en), der ...; *je ne saurais vous le dire* ich kann es Ihnen (leider) nicht sagen; *(autant) que je sache, à ce que je sais* soviel ich weiß; meines Wissens; *j'en sais quelque chose* ich kann ein Lied davon singen; *(il) reste à ~* es fragt sich noch; *il n'en veut rien ~* er will nichts davon hören, wissen, *(fam)* er zeigt die kalte Schulter; *c'est bon à ~* gut, daß ich es weiß; *~ s'il ira* wer weiß, ob er geht; *sait-on jamais?* man kann nie wissen; *nous vous saurions gré de (inf)* wir wären Ihnen zu Dank verpflichtet, wenn ...; *sachez!* Sie müssen wissen! *Dieu le sait* Gott weiß; *la question se posait de ~ si ...* es ergab sich die Frage, ob ...; *tout finit par se ~* Lügen haben kurze Beine; *un je ne sais quoi* ein gewisses Etwas; **~-faire** *m inv* Geschicklichkeit, Gewandtheit *f;* Know-how *n;* **~-vivre** *m inv* Lebensart *f,* Manieren *f pl,* Takt, Anstand *m.*

savon [savɔ̃] *m* Seife *f; fig fam* Anschnauzer, Rüffel *m; passer un ~ à qn (fig fam)* jdm den Kopf waschen, e-e Standpauke halten; *bulle, eau f de ~* Seifenblase *f,* -wasser *n; pain m de ~* Stück *n,* Riegel *m* Seife; *~ à barbe* od *à raser, de Marseille, mou, de toilette* Rasier-, Kern-, Schmier-, Toilettenseife *f;* **~nage** [-vɔ-] *m* Einseifen *n;* kleine Wäsche *f;* **~ner** mit Seife waschen; ein=seifen; *fig vx* aus=schimpfen, an=schnauzen; **~nerie** *f* Seifenfabrik, -siederei *f;* **~nette** *f* Toiletten- *od* Rasierseife *f; (montre f à ~)* Taschenuhr *f* mit Sprungdeckel *vx;* **~neux, se** seifig; **~nier, ère** *a* Seifen-; *s m* Seifensieder *m.*

savour|er [savure] (aus=)kosten, (in Ruhe) genießen; **~eux, se** schmackhaft, lecker; *fig* köstlich.

savoyard, e [savwajar, -rd] *a* savoyisch; *S~, e s m f* Savoyer(in *f*), Savoyarde *m,* Savoyardin *f.*

saxatile [saksatil] *bot* auf Felsen wachsend; Stein-.

Saxe, la [saks] Sachsen *n; porcelaine f de ~, s~ m* Meiß(e)ner Porzellan *n.*

saxifrage [saksifraʒ] *f bot* Steinbrech *m.*

saxon, ne [saksɔ̃, -ɔn] *a* sächsisch; *S~, ne s m f* Sachse *m,* Sächsin *f.*

saxo(phone) [saksofɔn] *m* Saxophon *n.*

saynète [sɛnɛt] *f theat* Einakter *m.*

sbire [zbir] *m* Häscher, Scherge *m.*

scabieuse [skabjøz] *f bot* Skabiose *f.*

scabreux, se [skabrø, -z] kitz(e)lig, heikel; anstößig, schlüpfrig.

scaferlati [skafɛrlati] *m* Feinschnitt *m (Tabak).*

scalène [skalɛn] *math* ungleichseitig.

scalp [skalp] *m* Skalp *m;* Kopfhaut *f; tech* Überlauf *m.*

scalpel [skalpɛl] *m* Seziermesser, Skalpell *n.*

scalper [skalpe] skalpieren.

scan|dale [skɑ̃dal] *m* Skandal *m,* Ärgernis *n,* Anstoß *m;* Entrüstung *f;* Aufsehen *n;* **~daleux, se** Anstoß erregend; schändlich, empörend; ärgerlich; **~daliser** Ärgernis geben (*qn* jdm), Anstoß erregen (*qn* bei jdm); *se ~* Anstoß nehmen (*de* an *dat*).

scander [skɑ̃de] skandieren.
scandina|ve [skɑ̃dinav] *a* skandinavisch; *S~ s m f* Skandinavier(in *f*) *m;* **S~vie, la** Skandinavien *n.*
scandix [skɑ̃diks] *m bot* Nadelkerbel *f,* Venuskamm *m.*
scanner [skanɛr] *m inform med* Scanner *m.*
scansion [skɑ̃sjɔ̃] *f* Skandieren *n.*
scaph|andre [skafɑ̃dr] *m* Taucheranzug *m; ~ autonome* Tauchgerät *n; ~ de cosmonaute* Raumanzug *m; ~ d'altitude (aero)* Überdruckanzug *m;* **~andrier** *m* Taucher *m.*
scaphoïde [skafɔid] *a: os m ~ (anat)* Kahnbein *n.*
scapulaire [skapylɛr] *m rel* Skapulier *n; a med* Schulter(blatt)-.
scarabée [skarabe] *m zoo* Mistkäfer *m.*
scari|ficateur [skarifikatœr] *m tech* Aufreißer; *agr* Reißpflug; *med* Schröpfkopf *m;* **~fication** *f tech* Aufreißen; *med* Schröpfen *n;* **~fier** *tech* auf=reißen; *med* schröpfen.
scarlatine [skarlatin] *f, fièvre f ~* Scharlach(fieber *n*) *m.*
scarole [skarɔl] *f bot* wilde(r) Lattich *m.*
sceau [so] *m* Siegel(abdruck *m*) *n; fig* Stempel *m; pl* Staatssiegel *n; sous le ~ du secret* unter dem Siegel der Verschwiegenheit; *mettre le ~ sur qc* e-r S s-n Stempel auf=drücken; *garde m des ~x* Justizminister *m.*
scélérat, e [selera, -at] *a* ruchlos, niederträchtig, schurkisch, schuftig; *s m f* Schurke, Halunke *m;* niederträchtige Person *f;* **~esse** *f* Niedertracht, -trächtigkeit *f.*
scell|é [sɛle] *m* gerichtliche(s) Siegel *n;* **~ement** *m jur* Versiegeln *n; tech* Verkittung *f,* Eingipsen, Einlassen *n; (~ de poutre)* Balkenauflagerung *f;* **~er** (ver)siegeln; *fig* bekräftigen, besiegeln; *(Fugen)* vergießen, verschmieren, -streichen; ein=mauern; (luftdicht) ab=schließen.
scénar|io [senarjo] *m film* Drehbuch *n; (Roman)* Entwurf *m* der Handlung; **~iste** *m* Drehbuchautor *m.*
scène [sɛn] *f theat* Bühne; Szene *f,* Auftritt *m;* Szene *f,* Schauplatz *m;* Bühnenbild *n,* Dekoration *f;* Theater *n,* dramatische Kunst *f; allg* Geschehnis *n,* Begebenheit *f,* Vorkommnis *n;* Krach *m,* Szene *f,* heftige(r) Wortwechsel *m; adapter à la ~* für die Bühne bearbeiten; *entrer en ~* auf=treten; *faire une ~ à qn (fig)* jdm e-e Szene machen; *mettre sur la ~, porter à la ~* auf die Bühne bringen; *mettre en ~* inszenieren; *tenir la ~* sich lange auf der Bühne halten; *la ~ est à ...* das Stück spielt in ...; *éclairage m de la ~ (film)* Szenen-, *theat* Bühnenbeleuchtung *f; metteur m en ~* Regisseur *m; mise f en ~* Inszenierung, Regie *f; ~s additionnelles (film)* Ergänzungsaufnahmen *f pl; ~ en plein air* Freilichtbühne *f; ~ d'amour* Liebesszene *f; ~ de ménage* Ehekrach *m; ~ tournante* Drehbühne *f.*
scénique [senik] Bühnen-, Theater-; bühnenwirksam.
scept|icisme [sɛptisism] *m* skeptische Einstellung, Skepsis *f;* **~ique** *a* skeptisch; *s m* Skeptiker *m.*
sceptre [sɛptr] *m* Zepter *n, a. m.*
schém|a, schème [ʃema, ʃɛm] *m* Schema; Diagramm *n;* Plan *m; (~ électrique)* Schaltbild *n; ~ de montage* Schaltskizze *f;* **~atique** schematisch; **~atiser** schematisch dar=stellen.
schism|atique [ʃismatik] *a rel* schismatisch; *s m* Schismatiker; *allg* Abtrünnige(r) *m;* **~e** *m* Schisma *n,* Kirchenspaltung; *allg* Trennung *f,* Bruch *m.*
schist|e [ʃist] *m* Schiefer *m allg; ~ argileux, bitumineux* Ton-, Ölschiefer *m;* **~eux, se** schief(e)rig; Schiefer-.
schizophr|ène [skizofrɛn] *med* schizophren; **~énie** *f med* Schizophrenie *f.*
schooner [skunœr, ʃunœr] *m mar* Schoner *m.*
sci|able [sjabl] sägbar; **~age** *m* Sägen *n; bois m de ~* Schnittholz *n;* **~ant, e** *fam vx* stinklangweilig; auf die Nerven fallend.
sciatique [sjatik] *a* Hüft-; *s f* Ischias *m, a n u. f.*
scie [si] *f* Säge; *pop* Nervensäge; alte Leier *f; zoo* Sägefisch *m; ~ à chantourner, circulaire, à lames multiples, à main, à m étaux, à ruban* Laub-, Kreis-, Gatter-, Hand-, Metall-, Bandsäge *f; ~ égohine* Fuchsschwanz *m; ~ musicale* singende S.
sciemment [sjamɑ̃] *adv* wissentlich.
scien|ce [sjɑ̃s] *f* Kenntnis *f,* Wissen *n;* Wissenschaft; Lehre Kunde; Einsicht, Erfahrung(en *pl*) *f; pl (~s naturelles)* Naturwissenschaft(en) *f (pl); ~s économiques* Wirtschaftswissenschaften *f pl; lettres et ~s humaines* Geisteswissenschaften *f pl; avoir plus d'heur que de ~* mehr Glück als Verstand haben; *avoir la ~ infuse* die Weisheit mit Löffeln gefressen haben; *l'arbre de la ~ (rel)* der Baum der Erkenntnis; *demi-~ f* Halbwissen *n; ~ accessoire* Hilfswissenschaft *f; les ~s exac-*

tes die exakten Wissenschaften *f pl;* *~-fiction f* Science-fiction *f,* Zukunftsromane *m pl; ~ financière* Finanzwissenschaft *f; ~ du monde* Weltkenntnis *f;* **~tifique** wissenschaftlich; **~tisme** *m* Wissenschaftsgläubigkeit *f.*

sci|er [sje] (durch=, zer-, ab=)sägen; *allg* trennen; *pop* an=öden (*qn* jdn); auf die Nerven gehen (*qn* jdm); **~erie** [siri] *f* Sägewerk *n,* -mühle *f;* **~eur** [sjœr] *m* Säger *m; ~ de long* Brettschneider *m.*

scinder [sɛ̃de] spalten, trennen *fig; se ~* sich (auf=)spalten.

scint|illant, e [sɛ̃tijɑ̃, -ɑ̃t] flimmernd, funkelnd, glänzend *a. fig;* **~illation** [-ij-, *a.* -il-] *f;* **~illement** [sɛ̃tijmɑ̃] *m* Funkeln, Flimmern, Glitzern; *tech* Blinken, Flackern *n;* **~iller** [-j-, *a.* -l-] glitzern, flimmern, funkeln; *tech* blinken, flackern.

scion [sjɔ̃] *m* Schößling *m.*

sciotte [sjɔt] Stein-, Marmorsäge *f.*

sciss|ion [sisjɔ̃] *f* Spaltung, Trennung *f; pol* Riß, Bruch *m;* **~iparité** *f zoo* Fortpflanzung *f* durch Teilung; **~ure** *f anat* Spalte *f,* Riß *m.*

sciure [sjyr] *f (~ de bois)* Sägespäne *m pl,* -mehl *n.*

sciuridés [sjyride] *m pl zoo* Hörnchen *n pl (Familie).*

sclér|ème [sklerɛm] *m med* Sklerem, Sklerom *n;* **~eux, se** *med* sklerotisch, verhärtet; **~omètre** *m tech* Härtemesser *m;* **~ose** *f med* Sklerose *f; ~ des artères* Arterienverkalkung *f; ~ en plaques* multiple S.; **~osé, e** *fig* verkalkt; **~otique** *f anat* Leder-, weiße Augenhaut *f.*

scol|aire [skɔlɛr] Schul-; schulisch; *année f ~* Schuljahr *n;* **~arisation** *f* Einschulung *f;* Schulbesuch *m;* **~arité** *f* Schulzeit *f,* besuch *m.*

scolastique [skɔlastik] *a* scholastisch; *s f* Scholastik *f.*

scoliose [skɔljoz] *f med* Skoliose *f,* seitliche Verkrümmung *f* der Wirbelsäule.

scolopendre [skɔlɔpɑ̃dr] *f zoo* Tausendfüß(l)er *m; bot* Hirschzunge *f.*

scons(e), sconce, skunks [skɔ̃s, skœ̃ks] *m* Skunks *m pl (Pelz).*

scoot|er [skutɛr] *m* Motorroller *m;* **~ériste** *m* Rollerfahrer *m.*

scorbut [skɔrbyt] *m med* Skorbut *m;* **~ique** *a* Skorbut-; *s m f* Skorbutkranke(r *m*) *f.*

score [skɔr] *m sport* Punktzahl *f;* Ergebnis *n.*

scoriacé, e [skɔrjase] schlackig.

scori|e [skɔri] *f* Schlacke *f; ~ de déphosphoration (moulue)* Thomasschlacke(, -mehl *n*) *f;* **~fication** *f* Schlackenbildung *f;* **~fier** verschlakken.

scorpion [skɔrpjɔ̃] *m zoo, S~ (astr)* Skorpion *m.*

scorsonère [skɔrsɔnɛr] *f (~ d'Espagne) bot* Schwarzwurzel *f,* Nattergras *n.*

scotch [skɔtʃ] *m (Warenzeichen)* Tesafilm, Klebestreifen *m.*

scout [skut] *m* Pfadfinder *m;* **~isme** *m* Pfadfinderbewegung *f.*

scrib|e [skrib] *m* Schreiber; *rel* Schriftgelehrte(r) *m;* **~ouillard** [-uj-] *m fam* Schreiberling, Federfuchser *m.*

script [skript] *m* Bilderzeichen *n; com* Interimsschein *m;* **~-girl** [-gœrl] *f film* Ateliersekretärin *f;* **~eur** *m (Graphologie)* Schreiber *m;* **~ural, e** biblisch; *monnaie f ~e (com)* Buchgeld *n.*

scro|fulaire [skrɔfylɛr] *f bot* Knotenwurz *f;* **~fule** *f med* Skrofulose *f;* **~fuleux, se** *med* skrofulös.

scrotum [skrɔtɔm] *m anat* Hodensack *m.*

scru|pule [skrypyl] *m* Skrupel, *(~ de conscience)* Gewissensbiß, Zweifel *m,* Bedenken *n;* Sorgfalt, Gewissenhaftigkeit, (ängstliche) Genauigkeit *f; sans ~* gewissenlos; leichtfertig; *se faire un ~ de qc* wegen etw Bedenken tragen; **~puleux, se** peinlich genau, gewissenhaft; übertrieben vorsichtig.

scru|tateur [skrytatœr] *a m (Blick)* forschend; *s m pol* Stimmzähler *m;* **~ter** eingehend prüfen, erforschen, untersuchen, *fam* unter die Lupe nehmen.

scrutin [skrytɛ̃] *m* Abstimmung *(durch Zettel* od *Kugeln),* Wahl *f; par un ~ public, secret (parl)* in öffentlicher, geheimer Abstimmung; *décider au ~ public, secret* in öffentlicher, geheimer Abstimmung beschließen; *dépouiller le ~* die Stimmen zählen; *ouvrir, fermer le ~* die Abstimmung eröffnen, schließen; *dépouillement m du ~* Stimmenzählung *f; mode m de ~* Wahlsystem *n; tour m de ~* Wahlgang *m; ~ de ballottage, de liste, majoritaire* Stich-, Listen-, Mehrheitswahl *f.*

sculpt|er [skylte] in Stein hauen; aus= hauen, meißeln; schnitzen (*sur bois* in Holz); mit Skulpturen, Schnitzereien verzieren; **~eur** *m* Bildhauer *m; ~ sur bois* Holzschnitzer *m;* **~ural, e** Bildhauer-; Plastik-; wie gemeißelt; prächtig; **~ure** *f* Bildhauerkunst, -arbeit *f;* Bild-, Schnitzwerk *n;* Plastik *f.*

scut|ellaire [skytɛlɛr] *f bot* Schildkraut *n;* **~iforme** *zoo* schildförmig.

se [sə] *prn* sich; einander.

séan|ce [seɑ̃s] *f* Sitzung; Versammlung; Zs.kunft *f,* Treffen *n,* Tagung; Vorstellung, Darbietung *f;* Arbeitsstunden *f pl;* ~ *tenante* auf der Stelle, sofort; *(vx) avoir* ~ Sitz u. Stimme haben (*à* in *dat*); *clore* od *lever, ouvrir, suspendre, tenir une* ~ e-e Sitzung schließen, eröffnen, unterbrechen, ab≈halten; *exclure qn de la salle pour le reste de la* ~ jdn für den Rest der Sitzung aus dem Saal ausschließen; *je déclare ouverte la* ~ ich eröffne hiermit die Sitzung; ~ *de clôture, inaugurale* od *d'ouverture, plénière* Schluß-, Eröffnungs-, Vollsitzung *f;* ~ *d'essayage* Anprobe *f;* ~ *de rayons* Bestrahlung *f;* ~ *de travail* Arbeitstagung *f.*

séant, e [seɑ̃, -t] *a* tagend; *fig* schicklich, anständig; *s m* Sitzfläche *f,* Gesäß *n; se mettre sur son* ~ sich auf-recht hin≈setzen.

seau [so] *m* Eimer, Kübel *m; il pleut à (pleins)* ~*x (fam)* es gießt in Strömen, wie mit Kübeln; ~ *à traire* Melkeimer *m.*

sébacé, e [sebase] Talg-; *glande f* ~*e* Talgdrüse *f; kyste m* ~ Talggeschwulst *f,* Grützbeutel *m.*

sébile [sebil] *f* Holzschale *f.*

sébum [sebɔm] *m (Physiologie)* Hauttalg *m.*

sec, sèche [sɛk, sɛʃ] *a* trocken, (aus)ge-, vertrocknet; *(Obst)* gedörrt, Dörr-; *(Laub)* dürr; *(Wein)* herb; *(Metall)* spröde; *(Schlag)* kurz; *(Mensch)* mager, hager; *fig* knapp; schroff, hart, scharf *a. adv; (Stil)* ledern, hölzern; gefühllos, geistlos; *(Verlust)* vollständig; *(Bremsen)* scharf; *s m* Trockenheit *f;* (das) Trokkene; *agr* Trockenfutter *n;* hagere(r) Mensch *m; s f fam* Zigarette *f; à* ~ auf dem Trockenen (*fig* … trockenen); *à pied* ~ trockenen Fußes; *en cinq* ~ *(pop)* im Handumdrehen; *tout* ~ *(adv)* gerade, genau; ganz einfach, bloß; *avoir le gosier* ~ e-e trockene Kehle, Durst haben; *boire* ~ tüchtig zechen; den Wein unvermischt trinken; *être à* ~ *(fig)* auf dem trock(e)nen sitzen, blank sein; *mettre à* ~ aufs Trockene ziehen; *fruit m* ~ *(fig)* Früchtchen *n,* Taugenichts *m; légumes m pl* ~*s* Trockengemüse *n.*

séc|ant, e [sekɑ̃, -ɑ̃t] *a math* schneidend; *s f* Sekante *f;* **~ateur** [-ka-] *m* Hecken-, Baumschere *f.*

sécession [sesɛsjɔ̃] *f pol* Trennung, Sezession *f.*

séchage [seʃaʒ] *m* Trocknen *n; à* ~ *rapide* schnell trocknend.

sèche [sɛʃ] **1.** *a s. sec;* **2.** *s f arg* Kippe *f.*

sèche|- [sɛʃ] *in Zssgen:* **~-cheveux** *m inv* Fön *(Warenzeichen),* Haartrockner *m;* **~-linge** *m inv* Wäschetrockner *m;* **~-mains** *m inv* Händetrockner *m.*

sèchement [sɛʃmɑ̃] *adv* trocken *a. fig; fig* kalt, unfreundlich.

séch|é, e [seʃe] *a* getrocknet; *s f* Trocknen *n;* ~ *à l'air* lufttrocken; **~er** *tr* (ab≈)trocknen; trocken≈legen; dörren; *pop* bleiben≈, liegen≈lassen; nicht (hin≈)gehen (*qc* zu etw); *(Schule)* schwänzen; *fam* nicht besuchen, versäumen; *pop* aus≈saufen; *itr* (aus≈, ver)trocknen, trocken werden; *(Pflanze)* verdorren; *fig (*~ *sur le fil)* vergeblich warten; *(Schule) fam* keine Antwort wissen; *se* ~ sich (ab≈) trocknen; trocken werden; ~ *un godet (fam)* einen heben; ~ *sur ses livres* immer über s-n Büchern hocken; **~eresse** *f* Trockenheit, Dürre; *fig* (Gefühls-)Kälte, Gefühllosigkeit; Steifheit, Schroffheit; (geistige) Unfruchtbarkeit *f;* **~erie** *f tech* Trokkenanlage *f;* **~eur** *m* Trockenapparat, Trockner *m;* **~euse** *f phot* Trockentrommel *f;* **~oir** *m* Trockenboden, -platz *m (*~ *à linge),* -kammer *f,* -gestell *n,* -ofen *m;* Darre *f;* Trockner; Handtuchhalter; *(* ~ *électrique)* Fön *m;* ~ *à air chaud* Heißlufttrockner *m.*

second, e [s(ə)gɔ̃, -ɔ̃d] *a* zweite(r, s); andere(r, s); Neben-; *s m* Zweite(r *m) f,* Zweite(s) *n; arch* zweite(r) Stock *m; mar* Erste(r) Offizier; Helfer, zweite(r) Mann *m; s f (Schule)* Sekunda, zweite Klasse *a. loc;* Sekunde *f (a. mus);* Augenblick, Moment *m; au* ~ im zweiten Stock; *en* ~ an zweiter Stelle; *billet m de* ~*e* Fahrkarte *f* zweiter Klasse; ~*e commande* Nachbestellung *f;* **~aire** *a* die zweite Stelle einnehmend; untergeordnet, abhängig; sekundär; nebensächlich; *geol* Spezial-; Neben-; *s m* Sekundärspule *f; c'est* ~ das ist Nebensache; *enseignement m* ~ höhere(s) Schulwesen *n; ère f* ~ *(geol)* Mesozoikum *n; ligne, question f* ~ Nebenlinie, -frage *f;* **~ement** *adv* zweitens; **~er** unterstützen; helfen, bei≈stehen (*qn* jdm); begünstigen.

secou|er [s(ə)kwe] (auf≈, aus≈, ab≈, durch≈)schütteln; (durch≈)rütteln; *fig (seelisch)* erschüttern; an≈greifen, *fam* mit≈nehmen *(a. körperlich); fig* auf≈rütteln; an≈schnauzen, zs.≈stauchen; *se* ~ sich (ab=)schütteln; sich Bewegung machen; *fig* sich rühren, nicht müßig, nicht untätig sein; **~eur, se** *m f* Rüttler *m*.

secou|rable [səkurabl] hilfsbereit, hilfreich; **~rir** helfen, bei=stehen (*qn* jdm), unterstützen; **~risme** *m* Erste Hilfe *f*; **~riste** *m f* Ersthelfer(in *f*) *m*.

secours [səkur] *m* Unterstützung(ssumme); Fürsorge *f*; Hilfsdienst *m*; ... *de* ~ Not-, Hilfs-, Rettungs-; *accourir, venir au* ~ *de qn* jdm zu Hilfe eilen *od* kommen; *donner, porter, prêter* ~ Hilfe leisten; *éclairage m de* ~ Notbeleuchtung *f*; *porte, sortie f de* ~ Notausgang *m*; *poste m de* ~ Rettungsstelle *f*; *mil* Truppenverbandplatz *m*; *les premiers* ~ die Erste Hilfe; ~ *aux chômeurs* Arbeitslosenfürsorge, -unterstützung *f*; ~ *en montagne* Bergwacht *f*.

secousse [səkus] *f* (Erd-)Beben *n*; Erschütterung *f*, Stoß *a. fig*; *fig* Schlag; *med* Schock *m*; *par ~s* stoßweise; ~ *tellurique* Erdstoß *m*.

secret, ète [səkrɛ, -ɛt] *a* geheim, verborgen, Geheim-; *s m* Geheimnis *n*; Verborgenheit; Verschwiegenheit *f*; Stillschweigen *n*; Geheimhaltung *f*, -mittel, -fach *n*; verborgene Stelle; geheime Ursache; *jur* Einzelhaft *f*; *dans le plus grand* ~ in aller Heimlichkeit; *en* ~ heimlich, insgeheim, unter vier Augen; unterderhand; *sous le sceau du* ~ unter dem Siegel der Verschwiegenheit; *faire un* ~ *de qc* aus e-r S ein Geheimnis machen; *garder le* ~ das Geheimnis (be)wahren, reinen Mund halten; *tenir* ~ geheim= halten; *conservation f du* ~ Geheimhaltung *f*; ~ *des communications téléphoniques, de la confession, des correspondances, de fabrication, professionnel* Fernsprech-, Beicht-, Brief-, Fabrikations-, Berufsgeheimnis *n*; ~ *médical* ärztliche Schweigepflicht *f*.

secrét|aire [səkretɛr] *m f* Sekretär(in *f*); Schrift-, Protokollführer; Schreibschrank *m*; ~ *m au Département d'État (USA), d'État aux Affaires étrangères (Großbritannien)* Außenminister *m*; ~ *m général* Generalsekretär *m*; ~ *m particulier* Privatsekretär *m*; ~ *f à la réception* Empfangsdame *f*; **~ariat** [-a] *m* Sekretariat *n*; Geschäftsstelle *f*; *remettre au* ~ beim S. ein=reichen; ~ *général* Generalsekretariat *n*.

sécrét|er [sekrete] *(Physiologie)* ab= sondern; **~ion** [-sjɔ̃] *f* Absonderung *f*; ~ *externe, interne* äußere, innere Sekretion *f*.

sect|aire [sɛktɛr] *s m* Sektierer; Fanatiker *m*; *a* sektiererisch; *fig* fanatisch, radikal; **~arisme** *m* Sektierertum *n*, Fanatismus *m*; **~ateur** *m pol* Anhänger; *rel* Sektierer *m*; **~e** *f* Sekte *f*.

secteur [sɛktœr] *m* Kreisausschnitt, Sektor *a. fig*; *mil* (Front-)Abschnitt *m*; *fig* Abteilung *f*, Bezirk(sbüro *n*), Bereich *m*; *el* Stromnetz *n*; *de* ~ *en* ~ abschnittsweise; *branché sur le* ~ vom Netz gespeist; *courant m du* ~ Netzstrom *m*; *tension f du* ~ Netzspannung *f*; ~ *du front* Frontabschnitt *m*; *~-pilote m* Versuchsabschnitt *m*; ~ *postal* Feldpostnummer *f*; ~ *de terrain* Geländeabschnitt *m*.

section [sɛksjɔ̃] *f* Schnitt; Querschnitt *m*, Profil *n*; Abschnitt *m*, Abteilung; Teilstrecke *f*, Teilstück *n*; *loc* Streckenabschnitt *m*; Schnittfläche, Ebene *f*; *mil* Zug *m*, Abteilung; *(Turnen)* Riege *f*; *tele* Feld; *med* Durchschneiden *n*; *par ~s (mil)* zugweise; *chef m de* ~ *(mil)* Zugführer; *loc* Stationsvorsteher *m*; ~ *horizontale* Grundriß *m*; ~ *de raccordement* Anschlußstrecke *f*; ~ *de repérage par le son, de transmissions (mil)* Schallmeß-, Nachrichtenzug *m*; **~ner** in Abschnitte ein=teilen; in Stücke schneiden.

sécul|aire [sekylɛr] alle hundert Jahre stattfindend; (mehr)hundertjährig; uralt; **~arisation** *f* Säkularisation, Verweltlichung *f*; **~ariser** säkularisieren, verweltlichen; **~ier, ère** *a rel* weltlich; *s m* Laie *m*.

secundo [səgɔ̃do] *adv* zweitens.

sécuri|sant, e [sekyrizɑ̃, -t] *a (Psychologie)* beruhigend; *un sentiment* ~ ein Gefühl der Geborgenheit; **~ser** (Psychologie) beruhigen; jdm Geborgenheit bieten.

sécurité [sekyrite] *f* Sicherheit, Geborgenheit, Ruhe; Sicherung; *mil* Abwehr *f*; *en toute* ~ in aller Ruhe; *dispositif m de* ~ *(tech)* Sicherheitsvorrichtung *f*; *mesure f, verre m de* ~ Sicherheitsmaßnahme *f*, -glas *n*; *officier m de* ~ *(mil)* Abwehroffizier *m*; ~ *aérienne, du vol* Flugsicherung *f*; ~ *des données (inform)* Datensicherung *f*; ~ *d'emploi* sichere Handhabung *f*; ~ *du fonctionnement, de l'exploitation, du service* Betriebssicherheit *f*; ~ *sur les routes, routière* Straßenverkehrssicherheit *f*; *S~ sociale* Staatliche Krankenversicherung *f*; ~ *du trafic* Verkehrssicherheit *f*.

séd|atif, ive [sedatif, -iv] *a* u. *s m* schmerzstillend(es Mittel *n*); **~ation** *f med* Linderung *f*.

séden|taire [sedɑ̃tɛr] ortsgebunden; *fig* häuslich; *(Volk)* seßhaft; *vie f* ~ sitzende Lebensweise *f;* **~tariser, se** seßhaft werden; **~tarisme** *m* Seßhaftigkeit *f.*
sédiment [sedimɑ̃] *m geol* Sediment(gestein) *n;* Sinkstoff; Niederschlag, Bodensatz *m;* ~ *détritique* Trümmergestein *n;* **~aire** sedimentär; Ablagerungs-; **~ation** *f* Ablagerung; Niederschlagsbildung *f.*
sédit|ieux, se [sedisjø, -øz] *a* aufrührerisch, aufständisch, rebellisch; *s m f* Aufrührer(in *f*) *m;* **~ion** *f* Aufruhr, Aufstand *m.*
séd|ucteur, trice [sedyktœr, -tris] *s m f* Verführer(in *f*) *m; a* verführerisch; **~uction** [-ks-] *f* Verführung *f; fig* Reiz *m;* **~uire** [-dɥir] *irr* verführen *(a. Mädchen),* verleiten, verlokken; *fig* bezaubern, gefangen=nehmen, betören; **~uisant, e** verführerisch, verlockend; bestechend; bezaubernd, reizvoll, reizend.
segment [sɛgmɑ̃] *m* Segment *n;* Kreisabschnitt *m; tech* Lamelle; *geol* Scholle *f; (Bandwurm)* Glied *n;* ~ *de piston (tech)* Kolbenring *m;* ~ *racleur* Ölabstreifring *m;* **~ation** *f biol* Eifurchung, Teilung *f;* **~er** in Abschnitte gliedern.
ségré|gation [segregasjɔ̃] *f* Absonderung, Trennung; *tech* Entmischung; *min* Seigerung; *geol* Schliere *f;* Diskriminierung *f;* ~ *des races, raciale* Rassentrennung *f;* **~gationnisme** *m* Politik *f* der Rassentrennung; **~gationniste** *a* rassendiskriminierend; *s m f* Befürworter(in *f*) *m* der Rassentrennung; **~ger, ~guer** trennen, ab=sondern.
seiche [sɛʃ] *f zoo* Tintenfisch *m.*
séide [seid] *m* fanatische(r) Anhänger; Helfershelfer *m.*
seigle [sɛgl] *m* Roggen *m.*
seigneur [sɛɲœr] *m* (Lehns-, Guts-) Herr *m; le S~ (rel)* der Herr *(Gott); Notre-S~* der, unser Herr *(Jesus Christus);* **~ial, e** herrschaftlich; Herren-; **~ie** *f* (Lehns-, Guts-)Herrschaft *f.*
seille(au) [sɛj(o)] *f (m)* Wassereimer *m (aus Holz* od *Segeltuch).*
sein [sɛ̃] *m* Busen *m; (weibliche)* Brust *f; fig* Schoß *m,* Herz; Innerste(s) *n; au ~ de, dans le ~ de ...* mitten in *dat;* innerhalb; im Kreise *gen; donner le ~ à ...* stillen; die Brust geben *dat; porter dans son ~* unter dem Herzen tragen; *fig* zärtlich lieben.
seine [sɛn] *f* Schleppnetz *n.*
seing [sɛ̃] *m vx* Unterschrift *f.*
séis|me [seism] *m* Erdbeben *n;* **~mique** seismisch; Erdbeben-; **~mogramme** *m* Seismogramm *n;* **~mographe** *m* Seismograph *m.*
seiz|e [sɛz] sechzehn; *s m* Sechzehn(er *m*) *f;* der Sechzehnte; **~ième** *a* sechzehnte(r, s); *s m* Sechzehntel *n;* **~ièmement** *adv* sechzehntens.
séjour [seʒur] *m* Aufenthalt(sort), Wohnort, -sitz *m; permission, interdiction f de ~* Aufenthaltsgenehmigung *f,* -verbot *n; ~ de détente, thermal* Erholungs-, Kuraufenthalt *m; ~ linguistique* Sprachurlaub *m; ~ de neige* Winterfrische *f;* **~nant, e** *m f* Feriengast *m;* **~ner** sich auf=halten; bleiben, verweilen *a. fig.*
sel [sɛl] *m* Salz *n a. fig; fig* Würze *f,* Witz, Geist *m; ~ pour le bain, de cuisine, gemme, marin, nutritif, potassique* Bade-, Koch-, Stein-, See-, Nähr-, Kalisalz *n; ~s volatils* Riechsalz *n.*
sélect [selɛkt] *a inv fam* auserlesen; vornehm, nobel; **~eur** *m tech* Wähler *m; ~ de préfixe (tele)* Amtswähler *m;* **~if, ive** *radio* trennscharf; **~ion** [-ks-] *f* Auswahl, -lese, Wahl; *biol* Zuchtwahl; *radio* Trennschärfe *f; inform* Absuchen *m; match m de ~ (sport)* Auswahlspiel *n; ~ par boutons (radio)* Druckknopfwähler *m; ~ des semences* Saatzucht *f;* **~ionner** aus=wählen; ab=sondern; *équipe f ~ée* Auswahlmannschaft *f;* **~ionneur** *m* Auswählende(r) *m;* **~ivité** *f radio* Trennschärfe *f.*
sélén|iate [selenjat] *m: ~ de soude* Natriumselenat *n;* **~ium** [-jɔm] *m chem* Selen *n.*
self [sɛlf] *f* (Selbstinduktions-)Spule *f; ~ de choc* Drosselspule *f; ~-induction f* Selbstinduktion *f; ~-service m: (magasin m de) ~* Selbstbedienung(sgeschäft *n*) *f.*
sell|e [sɛl] *f* Sattel; Toilette; *(~ d'appui)* Unterlegplatte; *geol* Sattelfalte *f; pl* Stuhlgang *m; aller à la ~* auf die Toilette gehen; *être bien en ~* fest im Sattel sitzen *a. fig; se mettre en ~* auf=sitzen; *cheval m de ~* Reitpferd *n; ~ de dame* Damensattel *m; ~ de mouton* Hammelrücken *m;* **~er** satteln; **~erie** *f* Sattlerei *f;* Sattelzeug *n;* **~ette** *f* Schemel; Tragriemen; *(Pferdegeschirr)* Kammdeckel; *(Wagen)* Reibschemel; *typ* Deckel *m; mettre qn sur la ~ (fig)* jdn aus=fragen, -quetschen, ins Gebet nehmen; **~ier** *m* Sattler *m.*
selon [səlɔ̃] *prp* gemäß, nach, in Übereinstimmung mit; *~ moi* meiner Auffassung nach, meines Erachtens; *c'est ~ (fam)* das kommt (ganz) darauf an; *~ que (conj)* je nachdem, so wie.

Seltz [sɛls] *m: eau f de* ~ Selterswasser *n.*
semaille [səmɑj] *f meist pl* (Aus-) Saat; Saatzeit *f.*
semaine [s(ə)mɛn] *f* Woche *f;* Wochenlohn *m,* -arbeit *f; des* ~*s entières* wochenlang; *en* ~ wochentags; *deux fois la* ~ zweimal wöchentlich; *trois fois par* ~ dreimal wöchentlich; *la* ~ *seulement* nur an Werktagen, nur werktags; *être de* ~ (Wochen-)Dienst haben; *faire la* ~ *anglaise* Samstag mittag mit der Arbeit auf=hören; *fin m de* ~ Wochenende *f; jour m de* ~ Wochen-, Werktag *m; marché m de la* ~ Wochenmarkt *m;* ~ *de blanc (com)* Weiße Woche *f;* ~ *en cours* laufende Woche *f;* ~ *de cinq jours, de quarante heures* Fünftage-, Vierzigstundenwoche *f; la* ~ *passée, prochaine* (die) letzte *od* vergangene, nächste *od* kommende Woche; *la* ~ *sainte* die Karwoche *f.*
sémantique [semɑ̃tik] *a* semantisch; *s f* Semantik; Wortbedeutungslehre *f.*
séma|phore [semafɔr] *m* Signalmast *m; loc* Flügel-, Lichttagessignal *n;* ~**phoriste** *m loc* Blockwärter *m.*
semblable [sɑ̃blabl] *a* ähnlich *a. math,* gleich(artig); solch, derartig; *s m* Mitmensch; Gleiche(r) *m; mon* ~ meinesgleichen; ~**ment** *adv* in gleicher Weise, ebenso, gleichfalls.
sembl|ant [sɑ̃blɑ̃] *m* Aussehen *n,* (An-)Schein *m; un* ~ *de (fam)* so etwas wie; *faire* ~ *de* sich stellen, so tun als ob; *ne faire* ~ *de rien* sich nichts an=merken lassen; ~**er** scheinen; *ce me* ~*e* so scheint es mir; *que vous en* ~*e?* was halten Sie davon? *si bon vous* ~*e* wenn Sie wollen.
semelle [s(ə)mɛl] *f* (Schuh-, Strumpf-) Sohle; Einlegesohle *f; tech* Schuh, Fuß *m;* Lamelle, Platte *f;* Schlitten *m; (Holz)* Schwelle *f; (Balken)* Gurt *m; arch* Gründung *f,* Fundament *n;* Unterlage *f; (~ de frein)* (Brems-)Belag *m; ne pas avancer d'une* ~ *(fig)* keinen Schritt voran=kommen; *battre la* ~ sich die Füße vertreten; zu Fuß gehen; *mettre des* ~*s* besohlen (*à qc* e-e S); *ne pas reculer d'une* ~ *(fig)* keinen Fußbreit zurück=weichen; ~ *de bois, en caoutchouc, en crêpe, de cuir, de feutre, intérieure* Holz-, Gummi-, Krepp-, Leder-, Filz-, Brandsohle *f;* ~ *de redressement, orthopédique* Senkfußeinlage *f.*
sem|ence [s(ə)mɑ̃s] *f* Same(n) *m;* Saat *f a. fig; fig* Keim *m,* Ursache *f* (*de* gen); *tech* Flachkopfnagel *m; blé, grain m de* ~ Saatgetreide, -korn *n;* ~**er** (aus=)säen; *(Feld)* ein=säen; besäen (*de* mit); *fig* aus=streuen; *(Schrecken, Gerücht)* verbreiten; *(Streit)* stiften; *(Geld)* verteilen *od* verschwenden; *pop (Menschen)* fallen=, links liegen=lassen, ab=hängen; ~ *la consternation* Bestürzung hervor=rufen; *qui sème le vent, récolte la tempête (prov)* wer Wind sät, wird Sturm ernten.
semes|tre [səmɛstr] *m* Semester; Halbjahr *n; par* ~ halbjährlich; ~**triel, le** halbjährlich, -jährig.
semeur, se [səmœr, -øz] *m f* Sämann; *fig* Verbreiter(in *f*), (An-)Stifter(in *f*) *m; f* Sämaschine; *zoo* Bachstelze *f.*
semi|. . . [səmi] *(in Zssgen)* halb-; ~**-circulaire** halbkreisförmig; ~**-coke** *m* Schwelkoks *m;* ~**-conducteur, trice** *a phys* Halbleiter-; *s m phys* Halbleiter *m;* ~**-diurne** halbtägig; ~**-finale** *f sport* Vorschlußrunde *f;* ~**-ouvré, e:** *produit m* ~ Halbfabrikat *n;* ~**-remorque** *f mot* Einachsen-, Sattelschleppanhänger *m;* ~ *porte-pelle* Baggertieflader *m.*
sémillan|ce [semijɑ̃s] *f* Lebhaftigkeit *f,* Temperament *n;* ~**t, e** (sehr) lebhaft, temperamentvoll, lebensprühend.
séminaire [seminɛr] *m* Seminar *n.*
séminal, e [seminal] Samen-.
séminariste [seminarist] *m* Seminarist *m.*
semis [s(ə)mi] *m* Sämlinge *m pl;* Säen; eingesäte(s) Beet, Saatfeld *n;* Schonung *f;* ~ *d'automne* Wintergetreide *n.*
Sémit|e [semit] *s m f* Semit(e) *m,* Semitin *f;* **s~ique** semitisch.
semoir [səmwar] *m* Sämaschine *f,* -tuch *n.*
semonce [səmɔ̃s] *f* Verweis *m,* Mahnung *f;* ~**r** tadeln.
semoule [səmul] *f* Grieß *m.*
sempiternel, le [sɑ̃pitɛrnɛl] immerwährend, ewig.
sén|at [sena] *m* Senat *m;* ~**ateur** *m* Senator *m; train m de* ~ *(fig fam)* schleppende(r) (Fort-)Gang *m;* ~**atorial, e** senatorisch; Senats-.
séné [sene] *m bot* Sennesstrauch *m, (pharm)* -blätter *n pl.*
sénéchal [seneʃal] *m hist* Seneschall *m.*
séneçon [sɛnsɔ̃] *m bot* Kreuzkraut *n.*
sénescence [senɛsɑ̃s] *f* Altern *n.*
sénevé [sɛnve] *m bot* Senf(korn *n*) *m.*
séni|le [senil] greisenhaft, senil; kindisch; Alters-; *maladie f* ~ Altersleiden *n,* -krankheit *f;* ~**lité** *f* Greisenhaftigkeit, Altersschwäche *f;* Kindischwerden *n.*

sens [sɑ̃s] *m* Sinn *a. fig;* Verstand *m,* Vernunft *f,* Urteilsvermögen; Gefühl, Empfinden *n* (*de* für); Bedeutung; Ansicht, Auffassung, Meinung; Richtung, Seite; *pl* Sinnlichkeit *f; à mon ~* meines Erachtens; *au ~ figuré, propre* im übertragenen *od* bildlichen, im eigentlichen Sinn; *en un ~* in einer Hinsicht; *en tous ~* in allen Richtungen; *en ~ inverse* in umgekehrter Richtung; *~ dessus dessous* [sɑ̃dsydsu] *adv* drunter u. drüber; völlig durcheinander *a. fig; ~ devant derrière* [sɑ̃dvɑ̃dɛrjɛr] *adv* verkehrt (herum); *perdre l'usage de ses ~* das Bewußtsein verlieren; *tomber sous le(s) ~ (fig)* sich mit Händen greifen lassen; *se vider de ~* s-e Bedeutung verlieren, bedeutungslos werden; *~ interdit!* Einfahrt verboten! *organes m pl des ~* Sinnesorgane *n pl; ~ des aiguilles d'une montre* Uhrzeigersinn *m; ~ artistique, chromatique* Kunst-, Farbensinn *m; ~ commun, bon ~* gesunde(r) Menschenverstand *m; ~ de l'équilibre* Gleichgewichtssinn *m; ~ giratoire* Kreisverkehr *m; ~ longitudinal* Längsrichtung *f; ~ de la marche* Fahrtrichtung *f; ~ de l'orientation* Orientierungsvermögen *n; ~ social* soziale(s) Empfinden *n; ~ unique, obligatoire* Einbahnstraße *f.*

sensation [sɑ̃sasjɔ̃] *f* Empfindung *f;* große(r) Eindruck *m;* Aufsehen *n,* Sensation *f; faire ~* Aufsehen erregen; *presse f, journal m à ~* Sensationspresse *f,* -blatt, *fam* Revolverblatt *n;* **~nel, le** aufsehenerregend, sensationell; *fam* ganz groß, ganz prima.

sensé, e [sɑ̃se] vernünftig.

sensib|iliser [sɑ̃sibilize] sinnlich wahrnehmbar machen, veranschaulichen; sensibilisieren; *phot* lichtempfindlich machen; *film m ~é* Rohfilm *m;* **~ilité** *f* Empfindlichkeit *a. tech fig; fig* Weichherzigkeit *f,* Gemüt, Mitgefühl *n;* Empfindsamkeit *f;* Empfindungsvermögen *n; (~ à la lumière) phot* (Licht-)Empfindlichkeit *f; ~ aux couleurs, au gel* Farb-, Frostempfindlichkeit *f;* **~le** [-sibl] *a* empfindlich (*à* gegen); *fig* empfänglich (*à* für); empfindsam, leicht gerührt; wahrnehmbar, fühlbar; deutlich, merklich, ins Auge fallend; *s m mus* Septime *f; être ~ à la parole (tele)* auf Sprache an≈sprechen; *rendre ~* veranschaulichen, anschaulich machen; *~ à la lumière* lichtempfindlich; **~lerie** *f* Sentimentalität, Gefühlsduselei *f.*

sens|itif, ive [sɑ̃sitif, -iv] *a* Gefühls-, Empfindungs-; empfindend; *s f bot* Mimose *f; fig* empfindliche(r) Mensch *m;* **~oriel, le** Sinnes-; Empfindungs-; **~ualité** [-sɥa-] *f* Sinnlichkeit *f;* **~uel, le** [-sɥɛl] sinnlich.

sentenc|e [sɑ̃tɑ̃s] *f* Sentenz *f,* Ausspruch *m; jur* Urteil *n,* Richterspruch *m; allg* Entscheidung *f;* **~ieux, se** sentenzenreich; spruchartig; gedankenreich; schulmeisterlich.

senteur [sɑ̃tœr] *f* Duft, Wohlgeruch *m; pois m de ~ (bot)* Gartenwicke *f.*

senti, e [sɑ̃ti] *a* tief empfunden, kräftig erfaßt.

sentier [sɑ̃tje] *m* Pfad, Fußweg *m; reprendre le ~ de la guerre (fig)* das Kriegsbeil wieder aus≈graben; *~ battu (fig)* ausgetretene(r) Weg *m.*

sentiment [sɑ̃timɑ̃] *m* Gefühl, Empfinden; Bewußtsein *n,* Eindruck *m;* Meinung, Ansicht *f; ~ du devoir* Pflichtbewußtsein, -gefühl *n; ~ d'infériorité, de solidarité* Minderwertigkeits-, Solidaritätsgefühl *n;* **~al, e** gefühlvoll, rührselig, sentimental; **~alité** *f* Empfindsamkeit, Rührseligkeit *f.*

sentine [sɑ̃tin] *f mar* Pumpensumpf *m; fig* Lasterhöhle *f.*

sentinelle [sɑ̃tinɛl] *f mil* Wache *f,* Posten (*devant les armes* vor Gewehr); *pop* Kaktus, Kothaufen *m; faire (vx), être en ~* Posten stehen; *allg* auf der Lauer liegen, auf≈passen.

sentir [sɑ̃tir] *irr* **1.** *tr* fühlen; wahr≈nehmen, (be)merken; empfänglich sein (*qc* für etw), empfinden; ein≈sehen, erkennen; **2.** *tr* riechen *fam a. fig;* schmecken (*qc* nach etw); *fig* e-n Beigeschmack haben (*qc* von etw), verraten; *itr* (unangenehm) riechen (*de la bouche* aus dem Mund) *od* schmecken; stinken; *s m* Fühlen *n; se ~* sich fühlen; sich befinden; bemerken, verspüren (*de qc* etw); *se faire ~ (Sache)* sich bemerkbar machen; *ne pouvoir ~ qn (fam)* jdn nicht riechen können; *~ bon, mauvais* gut, schlecht *od* übel riechen; *~ le brûlé* angebrannt schmecken; *ne pas se ~ de joie* außer sich sein vor Freude; *~ de loin* von weitem kommen sehen; *cela ne sent pas bon (fig)* das sieht faul aus.

seoir [swar] *irr, meist imp* sich schikken, sich passen (*à qn* für jdn); (gut) kleiden, stehen (*à qn* jdm); *ppr s. séant; pp s. sis, e.*

sépale [sepal] *m bot* Kelchblatt *n.*

sépar|able [separabl] *a* trennbar, ablösbar; *chem* scheidbar; **~ateur, trice** *a* trennend; *s m chem* Separator, (Ab-)Scheider *m;* Trennanlage *f;*

~atif, ive Trenn-, Trennungs-; **~ation** *f* Trennung, (Ab-)Sonderung; Isolierung; (Aus-)Scheidung; *(mur m de ~)* Trennwand; *min* Sieberei, Klassierung, *(Erz)* Aufbereitung *f; ~ de biens (jur)* Gütertrennung *f; ~ de corps (jur)* Trennung *f* von Tisch u. Bett (*d'avec qn* von jdm); **~atisme** *m* Separatismus *m;* **~atiste** *a* separatistisch; *s m f* Separatist(in *f*) *m;* **~é, e** getrennt; verschieden; geschieden; **~ément** *adv* für sich, besonders, einzeln; **~er** trennen (*de, d'avec* von *dat*); (ab=)sondern, scheiden; ausea.=nehmen; sichten; teilen; *(Personen)* entzweien, ausea.=bringen; *tech* los=machen, ab=nehmen, ab=montieren; *chem* ab=spalten, aus=scheiden; *se ~* sich trennen, ausea.=gehen; *~ le bon grain de l'ivraie (fig)* die Spreu vom Weizen sondern.

sépia [sepja] *f zoo* Tintenfisch *m;* Sepia(zeichnung) *f.*

sept [sɛt] sieben; *s m* Sieben(er *m*) *f;* der Siebente; **~ante** [sɛptɑ̃t] *(Belgien, Schweiz)* siebzig; **~embre** [sɛptɑ̃br] *m* September *m;* **~ennal, e** [sɛp-] siebenjährig; **~ennat** [-p-] *m* siebenjährige Amtszeit *f (des franz. Staatspräsidenten);* **~entrion** *m* Norden *m;* **~entrional, e** nördlich.

septicémie [sɛptisemi] *f med* Blutvergiftung, Sepsis *f.*

septième [sɛtjɛm] *a* siebente(r, s); *s m* Siebentel *n;* sieb(en)te(r) Monat *m (der Schwangerschaft); s f* 7. Klasse; *mus* Septime *f;* **~ment** *adv* sieb(en)tens.

septique [sɛptik] *med* septisch; *fosse f ~* Klärgrube *f.*

sept|œil [sɛtœj] *m zoo pop* Lamprete *f,* Neunauge *n;* **~uagénaire** [sɛptɥa-] *a* siebzigjährig; *s m f* Siebziger(in *f*) *m;* **S~uagésime, la** *f rel* Septuagesima *f;* **~uor** [-tɥɔr] *m mus* Septett *n;* **~uple** siebenfach; **~upler** *tr* (*itr* sich) versiebenfachen.

sépul|cral e [sepylkral] Grab(es)-, Leidens-; **~cre** *m* Grab(mal) *n; le saint ~* das Heilige Grab *(Jesu);* **~ture** *f* Begräbnis *n,* Beerdigung, Bestattung *f;* Grab(stätte *f*) *n.*

séquelle [sekɛl] *f péj vx* Clique *f,* Klüngel *m; vx fig* lange Reihe; Folge, Serie *f vx; med* Nachwehen *pl.*

séquence [sekɑ̃s] *f rel mus* Sequenz; *film* Bildfolge; Szene *f; inform* Folge *f; changement m brusque de ~ (tele)* scharfe Überblendung *f.*

séquestr|ation [sekɛstrasjɔ̃] *f jur* Beschlagnahme; Freiheitsberaubung *f;* **~e** *m jur* Beschlagnahme; Zwangsverwaltung *f,* -verwalter *m;* Hinterlegung *f;* **~er** mit Beschlag belegen; widerrechtlich ein=sperren; beiseite legen *od* schaffen; isolieren.

sequoia [sekɔja] *m: ~ géant* Mammutbaum *m.*

sérac [serak] *m* Gletscherbruch *m.*

sérail [seraj] *m* Serail *n;* Harem *m.*

séra|phin [serafɛ̃] *m rel* Seraph *m;* **~phique** engelhaft; *rel* seraphisch, Franziskaner-.

serb|e [sɛrb] serbisch; *S~ s m f* Serbe *m,* Serbin *f;* **S~ie, la** Serbien *n.*

serein, e [sərɛ̃, -ɛn] *a* heiter, klar, wolkenlos; *fig* ruhig, glücklich, fröhlich; *s m* Abendtau *m.*

sérénade [serenad] *f mus* Serenade *f; fig* Ständchen *n; fam* Katzenmusik *f.*

sérénité [serenite] *f* Klarheit, Heiterkeit; innere(r) Ruhe *f,* Friede *m.*

séreux, se [serø, -øz] *med* serös, wässerig.

serf, serve [sɛrf, sɛrv] *a* leibeigen; *s m f* Leibeigene(r *m*) *f.*

serfouette [sɛrfwɛt] *f agr* (Garten-) Hacke *f.*

serg|e [sɛrʒ] *f* (Kammgarn-)Serge *f;* **~é** *m* ungleichseitige(r) Köper *m.*

sergent [sɛrʒɑ̃] *m mil* Unteroffizier; *tech* Klemm-, Bandhaken *m; ~-chef m* Stabsunteroffizier *m; ~-major m* Schreibstubenunteroffizier *m; ~ de ville* Schutzmann *m.*

sérici|cole [serisikɔl] *a* Seidenraupenzucht-; Seidenraupenzucht betreibend; **~culteur** *m* Seidenraupenzüchter *m;* **~culture** *f* Seidenraupenzucht *f.*

séri|e [seri] *f* Reihe *a. math,* (Reihen-) Folge, Serie; Baureihe *f;* Satz *m a. com; biol* Entwicklungsreihe, Stufenfolge *f; tele* Sendereihe *f; en ~* serienmäßig, -weise; *el* hinterea.; *hors ~* nicht der Norm entsprechend; extra hergestellt; *theat* außer Miete; *fabriquer en ~* serienmäßig herstellen; *construction f en ~* Reihenbau *m; couplage m en ~* Reihenschaltung *f; fabrication f en ~* Serienfertigung *f; numéro m de ~* Seriennummer *f; vente f de fins de ~* Resteverkauf *m; voiture f de ~ (mot)* Serienwagen *m; ~ d'émissions (radio)* Sendereihe *f;* **~er** [-rje] (systematisch) auf=gliedern.

séri|eusement [serjøzmɑ̃] *adv* ernst, im Ernst; ernstlich, -haft; eifrig; **~eux, se** ernst(haft); solide, seriös; zuverlässig; aufrichtig; wirklich, wahr; bedeutsam, wichtig; bedenklich; *s m* Ernst *m,* ernste(s) Wesen *n,* ernsthafte Haltung; *theat* ernste Rolle *f; garder, tenir son ~* ernst bleiben;

prendre au ~ (für) ernst nehmen; *je suis* ~ ich scherze nicht, das ist mein Ernst; *c'est du* ~ das ist kein Scherz; *tout ce qu'il a de* ~ todernst.

serin, e [s(ə)rɛ̃, -in] *m f orn* Zeisig(weibchen *n*) *m; fig* Gimpel, Dummkopf *m;* ~**er** [-ri-] *fig fam* ein≈trichtern, ein≈pauken.

serin|gue [sərɛ̃g] *f med agr* Spritze *f;* ~**guer** *med* ein-, *agr* bespritzen.

serment [sɛrmɑ̃] *m* Eid, Schwur *m;* eidliche Bekräftigung *f; affirmer par* ~ eidlich bekräftigen, beschwören; *déférer le* ~ den Eid zu≈schieben; *faire, prêter* ~ schwören; *je vous en fais le* ~ ich schwöre es Ihnen; *déposition f sous* ~ eidliche Aussage *f; faux* ~ Meineid *m; prestation f de* ~ Eidesleistung *f;* ~ *judiciaire* Eid *m* vor Gericht; ~ *professionnel* Diensteid *m.*

sermon [sɛrmɔ̃] *m* Predigt *f; fig* (lange) Vorhaltungen *f pl;* ~**naire** [-mɔ-] *m* Predigtsammlung *f;* ~**ner** *tr* Vorhaltungen machen (*qn* jdm); ab≈kanzeln; *itr fam* predigen; ~**neur, se** *m f* Kritikaster; Nörgler(in *f*) *m.*

séro|sité [serozite] *f med* Serum *n;* ~**thérapie** *f* Serumbehandlung, -therapie *f.*

serpe [sɛrp] *f agr* Hippe *f; à la* ~, *à coups de* ~ schludrig, schlampig *adv; taillé à coups de* ~ klobig, plump; grob.

serpent [sɛrpɑ̃] *m zoo* Schlange *f a. fig; c'est une langue de* ~ sie hat e-e böse Zunge; *peau f de* ~ Schlangenleder *n,* -haut *f;* ~ *à collier, d'eau* Ringelnatter *f;* ~ *à lunettes, de mer, à sonnettes* Brillen-, See-, Klapperschlange *f;* ~ *de verre* Blindschleiche *f;* ~**aire** [-tɛr] *f bot* Schlangenkraut *n,* -wurzel *f; m zoo* Schlangenadler *m;* ~**eau** *m* kleine Schlange *f; (Feuerwerk)* Schwärmer *m;* ~**er** sich schlängeln; ~**in, e** *a* schlangenartig, -förmig; Schlangen-; *s m* Papierschlange *f; tech* Schlangenrohr *n; f* Schlangenlinie *f; min* Serpentin *m;* ~ *refroidisseur* Kühlschlange *f.*

serpette [sɛrpɛt] *f* Gartenmesser *n,* -hippe *f;* Rebmesser *n.*

serpillière [sɛrpijɛr] *f vx* Wergleinen *n;* Pack-, Sackleinwand *vx;* Scheuertuch *n.*

serpolet [sɛrpɔlɛ] *m bot* Feldthymian, Quendel *m.*

serrage [sɛraʒ] *m* Drücken, Pressen, (Ein-)Spannen; *(Bremse)* Anziehen; *(Schraube)* Festziehen *n; min* Verzahnung, Verspannung; *(Beton)* Verdichtung; *tech* Befestigung *f.*

serre [sɛr] *f (Raubvogel)* Fang *m;* Gewächshaus *n;* ~*-chaude f* Treibhaus *n.*

serre|- [sɛr] *in Zssgen:* ~**-câble** *m* Kabelklemme *f;* ~**-feu** *m inv* Feuerschirm *m;* ~**-file** *m inv mil* am Ende e-r Kolonne marschierender (Unter-) Offizier *m, fam* Schlußlicht *n a. fig; mar* letzte(s) Schiff *n; véhicule m de* ~ letzte(s) Fahrzeug *n* e-r Kolonne; ~**-fils** *m inv el* Klemme *f;* ~**-freins** *m inv loc* Bremser *m;* ~**-joint(s)** *m* Schraubzwinge *f;* ~**-livres** *m inv* Bücherstütze *f;* ~**-papiers** *m inv* Fächergestell *n;* Briefbeschwerer *m;* ~**-tête** *m inv* Stirn-, Kopfband; enganliegende(s) Käppchen *n;* Schutzhaube *f; sport* Sturzhelm; *tele* Kopfhörerbügel *m;* ~**-tôle** *m inv tech* Nieten(an)zieher *m.*

ser|ré, e [sere] *a* gedrängt, zs.gepreßt, eng; straff; *(Gewebe)* fest, dicht; *(Kleidung)* enganliegend, knapp; *(Taille)* geschnürt; *(Reihe)* geschlossen; *(Regen)* dicht; *fig (Logik, Kritik)* streng; *(Stil)* knapp, gedrängt; *(Bild)* mit kräftigen Strichen gezeichnet; *(Konkurrenz)* scharf; *fam* knaus(e)rig, knick(e)rig, filzig; *adv* vorsichtig, überlegt; streng, genau; *avoir le cœur* ~ bedrückt *od* beklommen sein; *avoir la gorge* ~*e* kein Wort heraus≈bringen; *avoir un jeu* ~ kein Risiko ein≈gehen; *tenir qn* ~ jdn kurz≈halten; ~**rement** *m* Drücken *n;* Druck *m;* ~ *de cœur* Bedrücktheit; Beklemmung *f;* ~ *de main* Händedruck *m;* ~**rer** *tr* (zs≈)drücken, (zs.≈) pressen; verengen; zu≈ziehen, zs.≈schnüren; ein≈, ver-, weg≈, ab≈schließen; ab≈sperren; verwahren; *(Bremse, Schraube)* an≈ziehen; befestigen, fest≈binden, -knüpfen; eng nebenea.≈setzen; dicht entlang≈gehen *od* -fahren (*qc* an *dat*); *(die Zähne)* zs.≈beißen; *(den Schwanz)* ein≈ziehen; *(das Herz)* bedrücken, zs.≈schnüren; *(Stil)* straffen; *typ (Form)* schließen, fest≈keilen; *itr mil* an≈, auf≈schließen (*sur la tête* nach vorn), zs.≈rücken; *se* ~ sich drängen; *(Herz)* sich zs.≈schnüren; sich eng an≈lehnen *od* an≈schmiegen (*contre* an *acc*); ~ *(au plus près) sur la droite* (scharf) rechts heran≈fahren; ~ *de près (mil)* nach≈drängen (*qn* jdm); *fig* in die Enge treiben; hart zu≈setzen (*qn* jdm); streng wörtlich übersetzen.

serru|re [sɛryr] *f* (Tür-)Schloß *n;* ~ *à houssette, à mortaise, de sûreté* od *sécurité* Schnapp-, Einsteck-, Sicherheitsschloß *n;* ~**rerie** [-ryrri] *f* Schlosserei; Schlosserarbeit *f;* ~**rier** *m* Schlosser *m;* ~ *en bâtiment* Bauschlosser *m;* ~ *charron* Wagenschmied *m;* ~*-mécanicien m* Maschinenschlosser *m.*

sert|ir [sɛrtir] *tech* (ein=)fassen; *(Stein)* fassen; ein=setzen; falzen; ~**issage** *m* Fassen, Einsetzen *n;* ~**issure** *f* Fassung *f.*

sérum [serɔm] *m* Serum *n.*

servage [sɛrvaʒ] *m hist* Leibeigenschaft; *fig* Knechtschaft *f.*

serval [sɛrval] *m zoo* Serval *m,* Buschkatze *f.*

serv|ant, e *a* dienend; *s m pl* ~*s mil* Bedienungsmannschaft *f; aero* Bodenpersonal *n; sing rel* Ministrant; *(Tennis)* Aufschläger *m; s f* Dienerin; Hausgehilfin; Anrichte; *tech* Stütze *f;* ~**eur, se** *m f* Servierer(in *f*) *m; f* Kaffeekanne *f;* ~**iabilité** [-vja-] *f* Hilfsbereitschaft *f,* zuvorkommende(s) Wesen *n;* ~**iable** zuvorkommend, hilfsbereit.

service [sɛrvis] *m* Dienst *m;* Bedienung; Dienerschaft; Dienststelle, Abteilung, Verwaltung(szweig *m*) *f;* Betrieb, Verkehr *m;* Dienstleistung, -pflicht *f; (~ divin, religieux)* Gottesdienst *m; (~mortuaire)* Seelenmesse *f; (~ de table)* (Eß-)Service, Eßgeschirr; Gedeck *n; (~ de linge)* Tischwäsche *f; com (~ après-ventes)* Kundendienst *m;* Freikarte *f,* -exemplar *n; (~ du public)* Abfertigung *f; (Tennis)* Aufschlag *m; pl mil* Versorgungstruppen *f pl; ... de ~* diensttuend, -habend; *en ~* in Gebrauch; in Betrieb; *hors de ~* unbrauchbar; *prêt pour le ~* betriebsfähig; *être au ~ de qn* bei jdm in Arbeit stehen; *être de ~* Dienst haben; *ne pas être de ~* frei haben; *faire le ~ de qc* etw gratis zu=senden; *mettre en ~* in Dienst stellen, in Betrieb nehmen; *prendre en, à son ~* in Dienst nehmen; *mettre hors ~ (mar), retirer du ~* außer Dienst stellen; *régler le fonctionnement du ~* den Dienstbetrieb regeln; *solliciter les bons ~s de qn* jdn um e-e Gefälligkeit bitten; *utiliser les ~s de qn* jds Dienste in Anspruch nehmen; *qu'y a-t-il pour votre ~?* womit kann ich Ihnen dienen? *toujours disposé à vous rendre ~* zu Gegendiensten stets bereit; *année f de ~* Dienstjahr *n; apte au ~ armé* kriegsverwendungsfähig; *chef m de ~* Abteilungsleiter; *loc* Fahrdienstleiter *m; dérangement m dans le ~* Betriebsstörung *f; entrée f en ~* Dienstantritt *m; heures f pl de ~* Dienststunden *f pl; indications f pl de ~* Dienstanweisungen *f pl; lettre f de ~* Dienstschreiben *n; ligne f de ~ (tele)* Dienstleitung *f; mise f en ~* Inbetriebnahme *f; pièce f de ~* Nebenraum *m; pli m de ~* Dienstsache *f; pression f de ~* Betriebsdruck *m; prestations f pl de ~* Dienstleistungen *f pl; règlement m de ~* Dienstvorschrift, Betriebsordnung *f; règlement m sur le ~ en campagne (mil)* Felddienstordnung *f; (magasin m de) self-~ m* Selbstbedienung(sgeschäft *n*) *f; tableau m de ~* Arbeitsordnung; Bedienungstafel *f; vêtements m pl de ~* Dienstkleidung *f; voie f de ~* Nebengleis *n; ~ des achats* Einkaufsabteilung *f; ~s administratifs* Verwaltungsabteilung *f; ~ aérien* Flugdienst, -betrieb *m; ~s arrières (d'armée) (mil)* rückwärtige Dienste *m pl; ~ de banlieue (loc)* Vorortverkehr *m; ~ des bâtiments* Bauabteilung *f; ~ du bulletin météorologique routier* Straßenwetter- u. -warndienst *m; ~ à café, à dessert, à liqueur, à thé* Kaffee-, Dessert-, Likör-, Teeservice *n; ~ cartographique* Kartenstelle *f; ~ du change* Devisenabteilung *f; ~s chargés de la sécurité aérienne* Flugsicherung *f; ~ des colis postaux* Postpaketdienst *m; ~ de la comptabilité* Buchhaltung *f; ~ du contentieux* Rechtsabteilung *f; ~ des crédits* Kreditabteilung *f; ~ de dépannage* Reparaturwerkstatt *f; ~ des dérangements* Störungsstelle *f; ~ de diffusion météorologique* Wetterfunkdienst *m; ~ de documentation* Nachweisstelle; Bücherei *f; ~ de l'économat* Materialverwaltung *f; ~ d'écoute (radio)* Abhör-, *mil* Horchdienst *m; ~ de l'escompte* Diskontabteilung *f; ~ d'été, d'hiver (loc)* Sommer-, Winterfahrplan *m; ~ de l'expédition* Versandabteilung; ausgehende Post *f; ~ d'exploitation et de relève des dérangements* Betriebs- u. Entstörungsdienst *m; ~ extérieur* Außendienst *m; ~ de factage* bahnamtliche(s) Rollfuhrgeschäft *n; ~ des grandes lignes* Fernverkehr *m; tele* Fernamt *n; ~ météo(rologique)* Wetterdienst *m; ~ de navette* Pendelverkehr *m; ~ de nuit* Nachtdienst *m; ~ (militaire) obligatoire* Wehrpflicht *f; ~ d'ordre* Ordnungsdienst *m; ~ du personnel* Personalbüro *n; ~ de phototélégraphie* Bildtelegraphendienst *m; ~ des Ponts et Chaussées* Straßenbauverwaltung *f; ~ de porte à porte (loc)* Haus(-zu)-Haus-Verkehr *m; ~ du portefeuille* Wechselabteilung *f; ~ de presse* Pressedienst *m;* Besprechungsexemplar *n (Buch); ~ de la prospection* Akquisitionsabteilung *f;*

~ *de la publicité* Werbeabteilung *f;* ~ *public* öffentliche(r) Versorgungsbetrieb *m;* ~ *de ramassage des ordures* Müllabfuhr *m;* ~ *de recouvrement* Inkassoabteilung *f;* ~ *de renseignements* Auskunft *f;* ~ *de répandage (Straße)* Streudienst *m;* ~ *de réparation* Instandsetzungsdienst *m;* ~ *de réserve* Bereitschaftsdienst *m;* ~ *routier à grande, à petite distance* Straßenfern-, -nahverkehr *m;* ~ *de santé* Santitätswesen *n;* ~ *de secourisme* Hilfsdienst *m;* ~ *de subsistances (mil)* Verpflegungsamt *n;* ~ *des trains (loc)* Fahrdienst *m;* ~ *des transmissions (mil)* Nachrichtendienst *m;* ~ *des ventes* Verkaufsabteilung *f.*

serviette [sɛrvjɛt] *f* Serviette *f (~ de table); (~ de toilette)* Handtuch *n;* Aktentasche, Mappe *f;* ~*-éponge f* Frottierhandtuch *n;* ~ *état-major* Diplomatenaktentasche *f;* ~ *sans fin* Rollhandtuch *n;* ~ *hygiénique, périodique* (Damen-)Binde *f.*

servile [sɛrvil] sklavisch *a. fig;* unterwürfig, ohne Rückgrat; Sklaven-; **~lité** *f* Unterwürfigkeit, Willfährigkeit *f.*

servir [sɛrvir] *irr* **1.** *itr (Mensch)* dienen (*comme* als, *chez* bei); ~ *chez des patrons* bei e-r Herrschaft dienen; *il a ~i pendant des années comme simple soldat* er hat jahrelang als gemeiner Soldat gedient; *(Tennis)* auf⸗schlagen; *il sert très mal* er hat e-n sehr schlechten Aufschlag; *(Sache)* dienen (*à* zu, *de* als); brauchbar, nützlich sein, nützen; benutzt werden; begünstigen; *il lui sert de père* er ersetzt ihm den Vater; *cette pile n'a ~i qu'une fois* diese Batterie ist nur einmal benutzt worden; *cela nous sert de presse-papier* das dient uns als Briefbeschwerer; ~ *à faire qc* dazu dienen, etw zu tun; *à quoi sert-il de (inf)* wozu nützt es zu *(inf)*; **2.** *tr* (be)dienen; servieren, auf⸗tragen, vorsetzen (*qc* e-e S); auf⸗warten (*qn* jdm); beliefern (*qn* jdn), arbeiten (*qn* für jdn); *(am Schalter)* ab⸗fertigen; liefern (*contre argent* gegen Geld); *(Rente)* aus⸗zahlen; *(Bestellung)* erledigen; *(Karten)* geben; *arg* um⸗legen; erwischen; verpfeifen; **3.** *se* ~ sich bedienen (*de qc* e-r S *gen*); benutzen, verwenden (*de qc* etw); ein⸗kaufen (*chez* bei); ~ *à boire* ein⸗schenken; *ne* ~ *de rien* keinen Zweck haben; *les circonstances l'ont bien ~i* die Umstände waren günstig für ihn (sie); *à quoi sert-il de ...?* welchen Zweck hat es zu ...?; *Madame est ~ie, (fam) c'est ~i* der Tisch ist gedeckt, *fam* das Essen steht auf dem Tisch.

servi|teur [sɛrvitœr] *m* Diener *m;* **~tude** *f* Knechtschaft, Sklaverei *f; fig* Zwang *m; jur (~ foncière)* Grunddienstbarkeit *f.*

servo|-frein [sɛrvofrɛ̃] *m* Servo-, Ausgleichsbremse *f;* **~-moteur** *m* Servo-, Stellmotor *m.*

ses [se, sɛ] *prn s. son.*

sessile [sɛsil] *bot* ungestielt.

session [sɛsjɔ̃] *f* Sitzung(speriode); Tagung, Konferenz *f; dans l'intervalle des ~s* zwischen den Sitzungsperioden; ~ *au sommet (pol)* Gipfelkonferenz *f.*

set [sɛt] *m (Tennis)* Satz; *film* Aufnahmeraum *m.*

seuil [sœj] *m* (Tür-)Schwelle *f a. geol fig; fig* Anfang, Beginn, Anbruch *m;* ~ *de l'excitation (Physiologie)* Reizschwelle *f.*

seul, e [sœl] allein(stehend); einsam; alleinig; einzig; bloß, schon; *comme un* ~ *homme* wie ein Mann; *d'une ~e pièce* aus einem Stück, einteilig; *(pas) un* ~ (nicht) ein einziger; *un, e ~(e)* ein(e) einzige(r, s); *un homme* ~ ein einsamer Mensch; ~ *à* ~ unter vier Augen; *cela va tout* ~ das geht (ganz) von selbst; **~ement** *adv* nur, bloß; allein; wenigstens; erst; *fam* bloß, aber; *pas* ~ nicht einmal.

sève [sɛv] *f bot* Saft *m a. fig; fig* (Lebens-)Kraft, (jugendliche) Frische *f,* Temperament *n.*

sév|ère [sevɛr] streng *(a. Kälte);* hart; ernst(haft); *(Verweis)* scharf; *(Verlust, Schaden)* schwer; (form)streng, schlicht, einfach, sachlich, nüchtern; **~érité** *f* Strenge, Härte; Schärfe; *fig (a. Stil)* Einfachheit, Schlichtheit, Sachlichkeit, Nüchternheit; Genauigkeit; Ernsthaftigkeit *f.*

sé|vices [sevis] *m pl* Mißhandlung(en *pl*) *f;* **~vir** streng vor⸗gehen (*contre* gegen), rücksichtslos ein⸗greifen; *(Seuche)* wüten, große Verheerungen an⸗richten, grassieren; *(Not, Krise)* herrschen.

sevr|age [səvraʒ] *m (Kind)* Abstillen *n; (Tier)* Absetzen *n;* **~er** *(Kind)* ab⸗stillen; *(Tier)* ab⸗setzen; *fig* berauben; entziehen (*qn de qc* jdm etw).

sexagénaire [sɛksaʒenɛr] *a* sechzigjährig; *s m f* Sechzigjährige(r *m*) *f,* Sechziger(in *f*) *m.*

sex|-appeal [sɛksapil] *m* Sexappeal *m;* **~-shop** *m* Sexboutique *f,* Sexshop *m;* **~isme** *m* Sexismus *m;* **~iste** *a* sexistisch; *s m f* Sexist(in *f*) *m;* **~ologie** *f* Sexologie, Sexualfor-

schung *f;* **~ologue** *m f* Sexologe, Sexualforscher(in *f*) *m.*
sexe [sɛks] *m* Geschlecht *n;* Geschlechtsteile *m pl.*
sexennal, e [sɛksɛnal] sechsjährig; alle sechs Jahre stattfindend.
sextant [sɛkstɑ̃] *m mar* Sextant *m.*
sex|tuor [sɛkstɥɔr] *m mus* Sextett *n;* **~tuple** sechsfach; **~tuplé(e)s** *m (f) pl* Sechslinge *m pl;* **~tupler** versechsfachen.
sexu|alité [sɛksɥalite] *f* Geschlechtlichkeit *f,* Geschlechtsleben *n;* **~el, le** geschlechtlich, sexuell; Geschlechts-.
sexy [sɛksi] *a inv* sexy.
seyant, e [sɛjɑ̃, -ɑ̃t] gutsitzend, kleidsam, gefällig.
shampooing [ʃɑ̃pwɛ̃] *m* Kopfwaschen, Schampunieren *od* Shampoonieren *n.*
shoot [ʃut] *m (Fußball)* Schuß *m;* **~er** *(Fußball)* schießen.
show-business [ʃobiznɛs] *m* Schaugeschäft, Showbusineß, Showgeschäft *n.*
shunt [ʃœt] *m el* Nebenschluß *m;* **~er** nebenea.=schalten.
si [si] **1.** *conj* wenn, falls, wofern; ob; *s m* Wenn *n; ~ ce n'est que ...* wenn nicht ..., außer wenn ...; *~ tant est que ...* wenn es so, an dem, der Fall ist, daß ...; *vous pensez s'il a été content* Sie können sich denken, wie zufrieden er war; **2.** *adv* so; *(beteuernd)* ja, doch; *mais ~!* aber ja! *que ~!* und wie! *~ bien que ...* so daß ...; *~ fait!* doch, jawohl! *~ ... que* so ... auch; **3.** *s m mus* h, H *n; ~ bémol* b, B *n.*
sialisme [sjalism] *m med* Speichelfluß *m.*
Siam, le [sjam] Siam *n;* **s~ois, e** *a* siamesisch; *S~, e s m f* Siamese *m,* Siamesin *f.*
Sibérie, la [siberi] Sibirien *n;* **s~n, ne** *a* sibirisch; *S~n, ne s m f* Sibirier(in *f*) *m.*
sibilant, e [sibilɑ̃, -ɑ̃t] *med* pfeifend.
sibyl|le [sibil] *f* Sibylle *f;* **~lin, e** sibyllinisch; *fig* dunkel, unverständlich.
sicaire [sikɛr] *vx m* gedungene(r) Mörder *m.*
sicc|atif, ive [sikatif, -iv] *a* (schnell) trocknend; *s m* Trockenöl, Sikkativ *n;* **~ité** [siksite] *f* Trockenheit *f.*
Sicil|e, la [sisil] Sizilien *n;* **s~ien, ne** *a* sizilianisch; *S~, ne s m f* Sizilianer(in *f*) *m.*
side-car [sidkar, sajd-] *m mot* Beiwagen *m.*
sidéral, e [sideral] Stern-; siderisch.
sidéré, e [sidere] *fam* verblüfft, baff, wie vom Blitz getroffen.
sidérose [sideroz] *f geol* Eisenspat *m.*
sidérur|gie [sideryrʒi] *f* Eisenindustrie *f;* **~gique** eisenverarbeitend; Eisenhütten-.
siècle [sjɛkl] *m* Jahrhundert; Zeitalter *n;* Epoche; *rel* Welt; *fam* Ewigkeit *f; ~ des lumières* (Zeitalter *n* der) Aufklärung *f.*
siège [sjɛʒ] *m* Sitz(möbel *n*) *(a. d. WC) (~ d'aisances);* Kutschbock *m;* Sitzgelegenheit *f,* (Sitz-)Platz; *fig* (Regierungs-, Amts-, Wohn-)Sitz *(a. e-r Firma, e-s Vereins); jur* Richterstuhl, Gerichtshof; *parl* Sitz *m; mil* Belagerung *f; fam* Gesäß *n; au ~ de la société* am Sitz der Gesellschaft; *à deux ~s* zweisitzig; *prendre un ~* Platz nehmen; *mon ~ est fait (fig) vx* mein Entschluß ist gefaßt; *bain m de ~* Sitzbad *n; état m de ~* Belagerungszustand *m; le ~ apostolique, le Saint-S~* der Heilige Stuhl; *~ avant, arrière* Vorder-, Rücksitz *m; ~ du conducteur* Führersitz *m; ~-couchette f (mot)* Liegesitz *m; ~ éjectable (aero)* Schleudersitz *m; ~ escamotable* Klappsitz *m; ~ d'exploitation, principal (com)* Hauptsitz *m; ~ d'extraction* Schacht-, Förderanlage *f; ~ à pourvoir* zu besetzende(r) Sitz *m; ~ rabattable* Klappsitz *m; ~ rembourré* Polstersitz *m; ~ de réserve* Notsitz *m.*
siéger [sjeʒe] s-n Sitz haben; e-e Sitzung ab=halten, tagen; anwesend sein; den Vorsitz führen; *fig (Problem, Schwierigkeit, Übel)* liegen.
sien, ne [sjɛ̃, sjɛn] *prn* sein(ig), ihr(ig); ihm, ihr gehörig, *fam* von ihm, ihr; *le ~, la ~ne s m f* der, die das Sein(ig)e, Ihr(ig)e; *les ~s* die Sein(ig)en, s-e Angehörigen *m pl; faire des ~nes (fam)* dumme Streiche machen, Allotria treiben; *y mettre du ~* sein(en) Teil bei=tragen, mit=helfen; einen Pflock zurück=stecken *fig; (beim Erzählen)* etwas zu=geben.
sieste [sjɛst] *f* Mittagsschlaf *m,* Siesta *f.*
sieur [sjœr] *m jur (vor e-m Namen)* Herr *m a. péj.*
siffl|ant, e [siflɑ̃, -ɑ̃t] *a* pfeifend, zischend; *s f* Zischlaut *m;* **~ement** *m* Pfeifen, Sausen, Zischen *n;* **~er** *tr* u. *itr* pfeifen; (*un air* e-e Melodie; *un chien* e-m Hund); *theat* aus=pfeifen, -zischen; *pop* hinunter=stülpen, -stürzen; **~et** [-ɛ] *m* Pfeife *f; (coup m de ~)* Pfiff *m; theat* Auspfeifen, Auszischen *n; fam* Kehle *f,* Hals *m; en ~* schräg; *couper le ~ à qn (fig pop)* jdm das Maul stopfen; *donner le coup de ~ (sport)* ab=pfeifen; *essuyer*

des ~s ausgepfiffen werden; *~ à roulettes* Trillerpfeife *f;* **~eur, se** *a* pfeifend; *s m* Pfeifer *m;* **~otement** [-flɔt-] *m* leise(s) Pfeifen *n;* **~oter** *tr* u. *itr* vor sich hin⸗pfeifen.

sigisbée [siʒisbe] *m vx* Hausfreund *m.*

sig|illographie [siʒilɔgrafi] *f* Siegelkunde, Sphragistik *f;* **~le** [sigl] *m* Sigel *n,* (Ab-)Kürzung *f; (Stenographie)* Kürzel *n.*

signal [siɲal] *m* Zeichen, Signal; *radio* Sendezeichen *n; à un ~* auf ein Zeichen; *aborder le ~ (loc)* sich dem Signal nähern; *donner le ~ (fig)* das Zeichen geben (*de* zu); *(Fußball)* ab⸗pfeifen; *entraîner, commander le ~ (loc)* das Signal stellen; *faire des signaux d'alarme* Notzeichen geben; *fermer le ~ (loc)* das Signal auf Halt stellen; *forcer le ~ d'arrêt* das Haltesignal überfahren; *mettre le ~ à l'arrêt, à voie libre* das Signal auf Halt, auf freie Fahrt stellen; *feu m de ~* Signallicht *n; garde-~ m* Signalwärter *m; ~ acoustique (radio)* Pausenzeichen *n; ~ d'alarme (loc)* Notbremse *f; ~ d'appel (tele)* Rufzeichen *n; ~ d'annonce, annonciateur* Vorsignal *n; ~ d'arrêt* Haltesignal; Stoppzeichen *n; ~ de circulation* Verkehrszeichen *n; ~ de danger* Warnzeichen *n, ~ de détresse* Notzeichen, -signal *n; ~ routier de direction* Richtungsschild *n; ~ d'entrée, de sortie (el)* Eingangs-, Ausgangssignal *n; ~ d'identification* (besonderes) Kennzeichen *n; ~ routier d'interdiction* Verbotsschild *n; ~ routier de localisation* Ortsschild *n; ~ lumineux* Lichtsignal; Verkehrslicht *n; ~ de numérotation (tele)* Amtszeichen *n; ~ d'occupation (tele)* Besetztzeichen *n; ~ routier d'obstacle* Warnschild *n; ~ par projecteur* Blinkzeichen *n; ~ de queue (loc)* Schlußsignal, -licht *n; ~ sonore* Lautsignal *n; ~ de fin de transmission (tele)* Schlußzeichen *n;* **~é, e** bemerkenswert, hervorragend; **~ement** *m* Personalbeschreibung *f; lettre f de ~* Steckbrief *m;* **~er** signalisieren; an⸗zeigen, an⸗kündigen; (an⸗)melden; verzeichnen; *fig* hin⸗weisen, aufmerksam machen (*qc* auf e-e S); *(Straße)* beschildern; *(Ziel)* markieren; *se ~* sich hervor⸗tun, sich aus⸗zeichnen; *~ par moyens optiques* blinken; **~étique** beschreibend; *plaque f ~* Typenschild *n;* **~eur** *m* Winker; Blinker *m; tele* Rufeinrichtung *f; ~ de chantier* (Baustellen-)Signalanlage *f;* **~isation** *f* Zeichengebung *f,* Signalisieren *n; (Straße)* Beschilderung *f; panneau m de ~* Verkehrszeichen *n; ~ sur la chaussée* Fahrbahnmarkierung *f; ~ optique* Blinken *n; ~ routière* Verkehrsregelung *f.*

sign|ataire [siɲatɛr] *m* Unterzeichner *m;* **~ature** *f* Unterschrift; Unterzeichnung *f;* Namenszug *m;* Autogramm *n; typ* Signatur, Bogenziffer *f; avoir la ~* zeichnungsberechtigt sein; *contrefaire, légaliser, vérifier une ~* e-e Unterschrift nach⸗machen *od* fälschen, beglaubigen, nach⸗prüfen; *porter la ~ (Sache)* die Unterschrift tragen (*de qn* jds); *présenter à la ~* zur Unterzeichnung, zur Unterschrift vor⸗legen; *revêtir de sa ~* mit s-r Unterschrift versehen; *spécimen m de ~* Unterschriftprobe *f; ~ en blanc* Blankounterschrift *f; ~ sociale* Firmenzeichnung *f.*

sign|e [siɲ] *m* Zeichen *n;* Wink *m;* Marke *f;* Merkmal, Kennzeichen; Muttermal; Anzeichen; *math mus* Vorzeichen *n; de ~ contraire (math fig)* mit umgekehrtem Vorzeichen; *sous le ~ de ...* im Zeichen *gen; ne pas donner ~ de vie* kein Lebenszeichen von sich geben; *faire ~ à qn* jdm (zu⸗)winken, *fig* e-n Wink geben; *~ avant-coureur (allg)* Vorzeichen *n; ~ de correction (typ)* Korrekturzeichen *n; ~ de croix* Kreuzeszeichen *n; ~ lapidaire* Steinmetzzeichen *n; ~ d'omission* Auslassungszeichen *n; ~s précurseurs* Vorboten *m pl,* Vorzeichen *n pl; ~ réjouissant (fig)* Lichtblick *m; ~ de renvoi* Hinweiszeichen *n,* Verweisung *f;* **~er** (unter-)zeichnen; unterschreiben, s-n Namen setzen (*qc* unter e-e S); *fig* besiegeln (*de son sang* mit s-m Blut); *se ~* sich bekreuzigen; *autorisé à ~* unterschriftsberechtigt; *~é de propre main* eigenhändig unterschrieben; **~et** [siɲɛ] *m* Buch-, Lesezeichen *n; ~ coupe-papier* Lesezeichen *n* zum Aufschneiden.

signi|fiant, e [siɲifjɑ̃, -t] bedeutend, bedeutungsvoll; *s m gram* Signifikant *m;* **~ficatif, ive** bezeichnend; bedeutsam, bedeutungsvoll; nachdrücklich; **~fication** *f* Bedeutung; Sinn; *jur (Urteil)* Zustellung *f;* **~fié** *s m gram* Signifikat *n;* **~fier** bedeuten, aus⸗drücken, heißen; mit⸗teilen, dar⸗tun, ausea.⸗setzen; *jur* zu⸗stellen.

silenc|e [silɑ̃s] *m* Stille, Ruhe *f;* (Still-)Schweigen *n;* Verschwiegenheit; Geräuschlosigkeit; *mus* Pause *f; en ~* schweigend; *garder le ~* Stillschweigen bewahren, *fam* den Mund halten; *imposer ~* Ruhe gebieten; *passer sous ~* verschweigen; *réduire au ~*

zum Schweigen bringen; *~!* Ruhe! still (da)! ~, *on tourne! (film)* Achtung! Aufnahme! ~ *de mort* Totenstille *f;* ~ *radio* Funkstille *f;* **~ieux, se** [-sjø, -øz] *a* schweigsam, stumm; still, ruhig; laut-, geräuschlos; *s m* Schweiger; *mot* Schalldämpfer, Auspufftopf *m.*
Silési|e, la [silezi] Schlesien *n;* **s~en, ne** schlesisch; *S~, ne s m f* Schlesier(in *f*) *m.*
silex [silɛks] *m min* Flint, Feuerstein *m.*
silhouet|te [silwɛt] *f* Silhouette *f;* Schattenbild *n,* -riß; *allg* Umriß *m,* Gestalt, Figur *f; cible f* ~, ~ *de tir* Figurenscheibe *f;* ~ *buste* Brustscheibe *f;* **~ter** im Schattenriß zeichnen, silhouettieren; *se* ~ sich ab=zeichnen, -heben.
silic|ate [silikat] *m chem* Silikat *n;* ~ *de potassium* Kaliumsilikat, Wasserglas *n;* **~e** [-lis] *f chem* Kieselerde *f,* Siliziumdioxyd *n;* **~eux, se** kieselhaltig; **~ium** [-sjɔm] *m chem* Silizium *n.*
silique [silik] *f bot* Schote *f.*
sill|age [sijaʒ] *m mar* Kielwasser *n;* Fahrt; *fig* Spur; *min* Bank *f; marcher dans, suivre le* ~ *de qn* in jds Fuß(s)tapfen treten; **~on** *m agr* Furche; *fig* Spur; *tech* Rille, Rinne *f;* Streifen; *(Licht)* Strahl *m; pl* Runzeln *f pl; poet* Gefilde *n pl;* **~onner** durch=ziehen, -furchen, -kreuzen; *~é de rides* runz(e)lig, faltig.
silo [silo] *m agr* Miete *f;* Silo, Schachtspeicher *m;* ~ *à blé, à ciment* Weizen-, Zementsilo *m;* **~tage** [-lɔ-] *m* Einlagerung *f* in e-n Silo.
silure [silyr] *m zoo* Wels *m.*
silurien, ne [silyrjɛ̃, -ɛn] *geol a* silurisch; *s m* Silur *n.*
simagrée [simagre] *f* Täuschungsmanöver *n;* Vorspiegelung *f* falscher Tatsachen; Spiegelfechterei *f; faire des ~s* sich zieren.
sim|ien, ne [simjɛ̃, -ɛn] *a* Affen-; *s m pl* Affen *m pl (Ordnung);* **~iesque** [-mjɛsk] affenähnlich.
simi|laire [similɛr] gleichartig, -lautend; **~larité** *f* Gleichartigkeit *f.*
simili [simili] *(in Zssgen)* Kunst-; *s m* Nachahmung, Imitation *f; en* ~ unecht, nachgemacht; *~-cuir m* Kunstleder *n;* **~gravure** *f typ* Autotypie *f;* **~pierre** *f* falsche(r) Stein *m;* **~ser** [-ze] e-n Seidenfinish-Effekt geben (*qc* e-r S); **~tude** *f* Ähnlichkeit *f.*
simoun [simun] *m* Samum *m.*
simpl|e [sɛ̃pl] *a* einfach; einzig; unkompliziert, natürlich, ungekünstelt, ungezwungen; schlicht; schmucklos; simpel; einfältig, harmlos; *s m* (das) Einfache, Unkomplizierte, Ungekünstelte; Simpel, Einfaltspinsel *m; (Tennis)* Einzel *n; pl bot (einheimische)* Heilkräuter *n pl; c'est la* ~ *vérité* das ist die nackte Wahrheit; ~ *dames, messieurs* Damen-, Herreneinzel *n;* **~ement** *adv* (ganze) einfach; offen; bloß, nur; **~et, te** [-ɛ, -ɛt] etwas einfältig; **~icité** *f* Einfachheit; Natürlichkeit, Schlichtheit; Arglosigkeit, Einfalt *f;* **~ification** *f* Vereinfachung *f;* **~ifier** vereinfachen *a. math;* **~isme** *m* Einseitigkeit *f;* **~iste** einseitig; grob vereinfachend.
simul|acre [simylakr] *m* Trugbild; Blendwerk *n,* Fassade *f;* Schein *m;* ~ *de ...* Schein-; fingiert, vorgetäuscht; *faire le* ~ *de ...* so tun, als ob ...; vor=täuschen; **~ateur, trice** *m f* Simulant(in *f*) *m;* **~ation** *f* Vortäuschung; Heuchelei, Verstellung *f;* Simulieren *n;* **~é, e** vorgetäuscht, fingiert; Schein-; *contrat m, vente f ~(e)* Scheinvertrag, -verkauf *m;* **~er** vor=geben, -täuschen, -schützen; fingieren, erdichten.
simultané, e [simyltane] *a* gleichzeitig; Simultan-; **~ité** *f* Gleichzeitigkeit *f.*
sinapisme [sinapism] *m med* Senfpflaster *n.*
sinc|ère [sɛ̃sɛr] aufrichtig, offen, wahrhaftig, geradsinnig; echt, (ge)treu; *(Text)* authentisch; **~érité** *f* Aufrichtigkeit, Offenheit, Wahrhaftigkeit; *(Text)* Echtheit *f.*
sindon [sɛ̃dɔ̃] *m rel* Grabtuch *n* Christi.
sinécure [sinekyr] *f* Sinekure; einträgliche(s), mühelose(s) Amt *n.*
sing|e [sɛ̃ʒ] *m* Affe; *fig* Nachäffer *m; fam* Affengesicht *n;* häßliche(r) *od* gräßliche(r) Kerl *m;* (der) Alte, Chef; *mil pop* Büchsenfleisch *n;* **~er** nach=ahmen, -äffen; **~erie** *f* Grimasse; geschmacklose Nachahmung; (Vor-)Täuschung, Heuchelei *f;* Streich, Schabernack; Affenkäfig *m; pl* Mätzchen *n pl.*
singul|ariser [sɛ̃gylarize] auf=fallen lassen; *se* ~ sich auffällig benehmen; aufzufallen suchen; **~arité** *f* Eigenheit; Merkwürdigkeit, Abseitigkeit; Seltsamkeit, Sonderbarkeit *f;* **~ier, ère** [-lje, -ɛr] *a* einzeln; einzig(artig); außerordentlich, erstaunlich, beispiellos, ausgezeichnet; eigenartig, seltsam, sonderbar, schrullig; *s m gram* Einzahl *f,* Singular *m;* (das) Ungewöhnliche, Ausgefallene; **~ièrement** *adv* besonders; eigenartiger-, seltsamerweise; *fam* mächtig, gewaltig.
sinistr|e [sinistr] *a* unheilvoll, -verkün-

dend, -drohend; verhängnisvoll; unglückselig, -lich; düster; schlimm, böse, arg, schändlich, verbrecherisch; *s m* Unglück(sfall *m*) n; Unfall; Schaden, Verlust *m;* Unheil *n;* **~é, e** *a* geschädigt; von e-m Unglück betroffen, heimgesucht; verunglückt; abgebrannt; ausgebombt; *s m* Geschädigte(r) *m.*

sinologie [sinɔlɔʒi] *f* Chinakunde, Sinologie *f.*

sinon [sinɔ̃] *conj* sonst, andernfalls, wenn nicht; außer; ~ *que* ... außer daß ...

sinu|eux, se [sinɥø, -øz] gewunden, kurvenreich; kurvig; **~osité** *f* Gewundenheit; Windung, Biegung, Krümmung; Kurve *f.*

sinu|s [sinys] *m med* Höhle *f; math* Sinus *m;* **~site** *f med* Stirnhöhlenvereiterung *f;* **~soïde** *f* Sinuskurve *f.*

Sion [sjɔ̃] *f* Zion, Jerusalem; Sitten *n (Schweiz);* **s~isme** [sjɔ-] *m* Zionismus *m;* **s~iste** *a* zionistisch; *s m* Zionist *m.*

siphon [sifɔ̃] *m* Siphon, (Saug-, Stech-) Heber *m; (Rohr)* Knie *n;* ~ *à eau de Seltz* Sodawasserflasche *f;* **~nage** [-fɔ-] *m* Heberwirkung *f.*

sire [sir] *m hist* Herr *m a. ironisch; (Anrede)* Majestät; *pauvre* ~ kleine(s) Licht *n;* arme(r) Schlucker *m.*

sirène [sirɛn] *f* Sirene *a. tech; fig* Circe *f;* ~ *d'alarme, d'alerte* Alarmsirene *f;* ~ *de brume* Nebelhorn *n.*

siroc(c)o [sirɔko] *m* Schirokko *m.*

sir|op [siro] *m* Sirup, eingedickte(r) Fruchtsaft *m;* **~oter** (langsam u. mit Genuß) schlürfen; nippen; **~upeux, se** sirupartig.

sis, e [si, -iz] *a jur (Gebäude)* gelegen; **~mique** [sis-] Erdbeben-; seismisch; *mouvement n* ~ Erdstoß *m;* **~mographe** *m* Seismograph *m;* **~mologie** *f* Erdbebenkunde *f.*

sit|e [sit] *m* Landschaft, Gegend; (kunst)geschichtlich bedeutsame Anlage; Wohnlage; *mil* Höhe *f; ligne f de* ~ Schußlinie *f;* ~ *de lancement* Abschußbasis *f;* ~ *protégé* Naturschutzgebiet *n.*

sit-in [sitin] *m* Sit-in *n.*

sitôt [sito] *adv* alsbald; *pas de* ~ nicht so bald; ~ *que (conj)* sobald (als).

si|tuation [sitɥasjɔ̃] *f* Lage *a. fig;* Stellung; Haltung *f; com* Stand, Ausweis; Zustand *m,* Umstände *m pl,* Verhältnisse *n pl; en* ~ *(theat)* im Vordergrund, besonders herausgestellt; *être en* ~ Gelegenheit haben (*de* zu); *exposer la* ~ die Lage dar=legen; *la* ~ *s'affermit, empire* die Lage festigt sich, verschlechtert sich; *mise f au courant de la* ~ Unterrichtung *f* über die Lage; *plan m de* ~ Lageplan *m; l'homme de la* ~ der rechte Mann am rechten Platze; ~ *atmosphérique, météorologique* Wetterlage *f;* ~ *de la caisse* Kassenstand *m;* ~ *démographique* Bevölkerungslage *f;* ~ *de départ, initiale* Ausgangslage *f;* ~ *économique* Wirtschaftslage *f;* ~ *d'effectifs (mil)* Stärkenachweis *m;* ~ *de l'ennemi,* ~ *ennemie* Feindlage *f;* ~ *générale de l'exploitation* Betriebsverhältnisse *n pl;* ~ *financière* Vermögens-, Finanzlage *f;* ~ *juridique* Rechtslage *f;* ~ *du marché* Markt-, Absatzlage *f;* ~ *monétaire* Währungslage *f;* ~ *permanente, stable* Lebens-, Dauerstellung *od* gesicherte Position *f;* ~ *de premier plan* leitende Stellung *f;* **~tué, e** [-tɥe] gelegen; *être* ~ liegen (*sur la Seine* an der Seine); **~tuer** hin=setzen, -stellen; placieren; s-e Stelle an=weisen (*qn, qc* jdm, e-r S); ermitteln; *tech* an=ordnen; *(Handlung)* verlegen; *se* ~ liegen, sich befinden; statt=finden.

six [sis, *vor Kons.* si, *vor Vok.* siz] sechs; *s m* Sechs(er *m*) *f;* der Sechste; *~-jours m pl* Sechstagerennen *n;* *~-places f (mot)* Sechssitzer *m;* *~-quatre-deux: à la* ~ *(pop)* husch, husch; flüchtig, schlud(e)rig; **~ain, sizain** [-zɛ̃] *m* Sechszeiler *m (Gedicht);* **~ième** [-zjɛm] *a* sechste(r, s); *s m* Sechstel *n;* sechste(r) Stock *m; f (Schule)* 6. Klasse *f; le* ~ *sens* der sechste Sinn; **~ièmement** *adv* sechstens; **~te** [sikst] *f mus* Sexte *f.*

skating [skɛtiŋ] *m* Rollschuhlaufen *n.*

sketch [skɛtʃ] *m* (lustiger) Einakter *m.*

ski [ski] *m* Schi *m;* Schifahren *n; à ~s* auf Schiern; *aller à ~, faire du* ~ Schi laufen; *bâton m de* ~ Schistock *m;* ~ *d'atterrissage (aero)* Schneekufe *f;* ~ *de fond, nautique, de saut* Langlauf-, Wasser-, Sprungschi *m;* *~-bob m* Schibob *m;* **~er** Schi laufen; **~eur, se** *m f* Schiläufer(in *f*) *m.*

skiff [skif] *m mar* Skiff *n.*

skunks [skœ̃ks] *m s. sconce.*

slack [slak] *m* Slacks *pl,* Damenhose *f.*

slalom [slalɔm] *m sport* Slalom *m;* ~ *géant, spécial* Riesen-, Spezialslalom *m;* **~er** *sport* Slalom fahren; **~eur, se** *m f sport* Slalomfahrer(in *f*) *m.*

slav|e [slav] *a* slawisch; *S~ s m f* Slawe *m,* Slawin *f;* **~isant, ~iste** *m* Slawist *m;* **~iser** slawisieren.

sleeping [slipiŋ] *m* Schlafwagen *m.*

slip [slip] *m* Slip *m;* (enganliegende, beinlose) Unter-, Turn-, *(~ de bain)* (Dreiecks-)Badehose *f;* ~ *pour dames* Damenslip *m,* -höschen *n.*

slipper [slipœr] *m* Slipper *m (Schuh).*
slogan [slɔgɑ̃] *m* Schlagwort *n,* Parole *f;* ~ *électoral* Wahlparole *f.*
smala [smala] *f fam* große Familie; Sippschaft, Bande *f.*
smalt [smalt] *m* Blauglas *n.*
smash [smaʃ] *m sport* Schmetterball *m.*
smic [smik] *m* Mindestlohn *m;* **~ard, e** *m f* Mindestlohnempfänger(in *f*) *m.*
smilax [smilaks] *m bot* Stechwinde *f.*
smog [smɔg] *m* Smog *m.*
smoking [smokiŋ] *m* Smoking *m.*
snack-bar [snakbar], **snack** *m* Imbißstube *f.*
snob [snɔb] *s m* Snob *m; a* snobistisch; **~er:** ~ *qn* von oben herab behandeln; ~ *qc* sich zu gut sein für; **~isme** *m* Snobismus *m.*
snow-boot [snobut] *m* (Über-)Schuh *m.*
sobr|e [sɔbr] mäßig, enthaltsam, nüchtern; *fig* maßvoll, gemäßigt; sparsam, karg (*de* mit); *(Stil)* schmucklos; *(Kleidung)* einfach, schlicht, unauffällig; ~ *en énergie* energiesparend; **~iété** [-brijete] *f* Mäßigkeit, Nüchternheit; *fig* Mäßigung, Zurückhaltung; *(Stil)* Schmucklosigkeit; *(Kleidung)* Schlichtheit, Einfachheit *f;* ~ *en carburant* geringe(r) Brennstoffverbrauch *m.*
sobriquet [sɔbrikɛ] *m* Spitzname *m.*
soc [sɔk] *m agr* Pflugschar *f.*
socia|bilité [sɔsjabilite] *f* Geselligkeit; Ansprechbarkeit; Kontaktfähigkeit *f;* **~ble** gesellig; um-, zugänglich; ansprechbar, gemeinschaftsfähig.
social, e [sɔsjal] gesellschaftlich; sozial; gesellig *a. zoo; com* Gesellschafts-; *année f ~e* Geschäftsjahr *n; assistante f ~e* Werkfürsorgerin *f; assurance f ~e* Sozialversicherung *f; capital m* ~ Gesellschaftskapital *n; charges f pl ~es* Soziallasten *f pl; raison f ~e* Firma, Firmenbezeichnung *f,* -name *m; siège m* ~ Sitz *m* e-r Gesellschaft; **~isation** *f* Sozialisierung *f;* **~iser** sozialisieren; verstaatlichen; **~isme** *m* Sozialismus *m;* **~iste** *a* sozialistisch; *s m f* Sozialist(in *f*) *m; parti m* ~ *unifié d'Allemagne* Sozialistische Einheitspartei Deutschlands (SED).
sociét|aire [sɔsjetɛ̃r] *m com* Gesellschafter *m;* **~é** *f* Gesellschaft *f a. com;* Umgang, Verkehr *m;* Gemeinschaft *f;* Verein(igung *f*) *m; constituer, dissoudre une* ~ e-e Gesellschaft gründen, auf=lösen; *but, statut m d'une* ~ Gegenstand *m,* Satzungen *f pl* e-r G.; ~ *d'abondance* Wohlstandsgesellschaft *f;* ~ *affiliée, filiale* Tochtergesellschaft *f;* ~ *anonyme, par actions* Aktiengesellschaft *f;* ~ *d'assurance(s)* Versicherungsgesellschaft *f;* ~ *en commandite par actions* Kommanditgesellschaft *f* auf Aktien; ~ *coopérative* (eingetragene) Genossenschaft *f;* ~ *de consommation* Konsumgesellschaft *f;* ~ *d'épargne pour prêts à la construction* Bausparkasse *f;* ~ *fiduciaire* Treuhandgesellschaft *f;* ~ *financière* Emissionsbank *f;* ~ *immobilière* Immobiliengesellschaft *f; S~ de Jésus* Jesuitenorden *m;* ~ *mère* Muttergesellschaft *f; S~ des Nations* Völkerbund *m;* ~ *de navigation* Schiffahrtsgesellschaft *f;* ~ *protectrice des animaux, de secours aux animaux* Tierschutzverein *m;* ~ *sportive* Sportverein, -klub *m;* ~ *d'utilité publique* gemeinnützige Gesellschaft.
socio|culturel, le [sɔsjɔkyltyrɛl] soziokulturell; **~-économique** sozioökonomisch; **~-éducatif, ive** sozialpädagogisch; **~linguistique** *a* soziolinguistisch; *s f* Soziolinguistik *f;* **~logie** *f* Soziologie *f;* **~logique** soziologisch; **~logue** [-lɔg] *m f* Soziologe *m,* Soziologin *f.*
socle [sɔkl] *m arch* Sockel *a. el geol;* Mauerfuß, Untersatz *m.*
soc|que [sɔk] *m* Holzüberschuh *m;* Sockelsandale *f;* **~quette** *f (Warenzeichen)* Söckchen *n.*
soda [sɔda] *m* Sodawasser *n.*
sodium [sɔdjɔm] *m chem* Natrium *n.*
sœur [sœr] *f* Schwester *f a. rel;* **~ette** *f fam* Schwesterchen *n.*
soi [swa] *prn* sich; *de, en* ~ an sich; *à part* ~ für sich; *chez* ~ zu Hause, daheim; *prendre sur* ~ *(fig)* auf sich nehmen; *cela va de* ~ das versteht sich von selbst; *~-disant a inv* sogenannt; angeblich; *adv* sozusagen.
soie [swa] *f* Seide *f;* Seidengarn *n;* -zwirn; Spinnfaden *m (der Spinne); (~ de porc)* Borste *f; (Werkzeug)* Griffzapfen *m,* Angel *f; de* ~ seiden; *pure* ~ reine Seide *f;* reinseiden; ~ *artificielle, à boutons, à coudre, grège, naturelle* Kunst-, Knopfloch-, Näh-, Roh-, Naturseide *f;* **~rie** *f* Seidenware *f,* -gewebe *n,* -fabrik *f.*
soif [swaf] *f* Durst *m; fig* Hunger *m,* Gier *f* (*de* nach); *avoir* ~ *de (fig)* dürsten nach; *boire à sa* ~ s-n Durst löschen; *laisser sur sa* ~ dursten lassen; **~fard, e; ~feur, se** *m f pop* Säufer(in *f*) *m.*
soign|é, e [swaɲe] *a* gepflegt; sorgfältig; *pop* tüchtig; **~er** *tr* pflegen; gut versorgen, sorgen (*qn, qc* für jdn, etw); sorgfältig um=gehen (*qc* mit

etw); *fam* tüchtig vor≈knöpfen, -nehmen; *med* behandeln; *se* ~ sich pflegen; sich in acht nehmen; auf s-e Gesundheit acht(≈geb)en; **~eux, se** sorgfältig, umsichtig.

soin [swɛ̃] *m* Sorgfalt; Sorge; *pl* Pflege *f;* Eifer *m,* Bemühungen *f pl; aux bons ~s de* ... bei ... *(auf Briefen); avoir, prendre* ~ Sorge tragen (*de* für); *donner des ~s à qn (med)* jdn behandeln; *donner tous ses ~s à qc* sein ganzes Sinnen u. Trachten auf e-e S richten; *entourer de ~s* umsorgen, umhegen; *être aux petits ~s pour qn* jdm jeden Wunsch von den Augen ab≈lesen; *petits ~s* Aufmerksamkeiten *f pl; les premiers ~s* die Erste Hilfe; *~s de beauté, corporels, dentaires, du visage* Schönheits-, Körper-, Zahn-, Gesichtspflege *f.*

soir [swar] *m* Abend; Nachmittag *m; au, le* ~ abends, am Abend; *du* ~ *(nach Uhrzeit)* nachmittags, abends; *hier (au)* ~ gestern abend; *tous les lundis ~(s)* alle Montagabend; *à ce ~!* bis heute abend! *le ~ tombe, descend* die Nacht bricht herein; *~ de la vie* Lebensabend *m;* **~ée** *f* Abend(gesellschaft *f*) *m; tenue f de ~* Abend-, Gesellschaftskleidung *f; ~ dansante, de gala* Tanz-, Festabend *m; ~-diapos f* Diaabend *m.*

soit [swa(t)] **1.** *conj: ~..., ~* sei es ..., sei es, entweder ... oder; *math* nehmen wir (an), angenommen; gesetzt; nämlich; **2.** *interj* meinetwegen! (nun) gut! schön! **3.** *s. être;* **~-communiqué** *m jur* Eröffnungsbefehl *m.*

soixant|aine [swasɑ̃tɛn] *f: une ~ (de)* etwa sechzig (...); **~e** sechzig; *~-dix* siebzig; **~ième** *a* sechzigste(r, s); *s m* Sechzigstel *n.*

soja [sɔʒa], **soya** [sɔja] *m* Sojabohne *f.*

sol [sɔl] *m* **1.** (Erd-, Fuß-)Boden *m; agr* Erde *f,* Land *n; geol* Boden *m,* Verwitterungsmasse, -decke; *min* Sohle *f;* **2.** *chem* Sol *n;* **3.** *mus* g, G *n; ~ dièse* gis, Gis *n; défense, lutte f au ~* Bodenverteidigung *f,* Erdkampf *m; nature f du ~* Bodenbeschaffenheit *f; ~ caillouteux, calcaire, crayeux, cultivé, désertique, gelé, de remblais, riche en humus, rocailleux, sabl(onn)eux, tourbeux* Kies-, Kalk-, Kreide-, Kultur-, Wüsten-, Frost-, Auffüll-, Humus-, Fels-, Sand-, Moorboden *m; ~ chauffant* Fußboden *m* mit Strahlungsheizung; *~-ciment m* Erd-, Zementbeton *m; ~s figurés* Strukturböden *m pl; ~ d'infrastructure* Bau-, Untergrund *m; ~ naturel, en place* gewachsene(r), ortsgrundständige(r) Boden *m.*

sol|aire [sɔlɛr] *a* Sonnen-; *année f, cadran m, éclipse, heure f, jour, rayon, spectre, système m, tache f ~* Sonnenjahr *n,* -uhr, -finsternis, -zeit *f,* -tag, -strahl *m,* -spektrum, -system *n,* -fleck *m;* **~an(ac)ées** *f pl bot* Nachtschattengewächse *n pl;* **~arisation** *f* Einstrahlung *f;* **~arium** [-arjɔm] *m* Solarium *m.*

soldat [sɔlda] *m* Soldat; *fig* Verteidiger, Streiter *m; ~ de carrière, de métier* Berufssoldat *m; ~ de deuxième (première) classe* (Ober-)Schütze *m;* **~esque** [-tɛsk] *f* rauhe(s) Kriegsvolk *n,* Soldateska *f.*

sol|de [sɔld] **1.** *f; être à la ~ de qn* in jds Diensten stehen; **2.** *m com* Saldo; Rest *m; pl* Aus-, Schlußverkauf *m; pour ~ de mon compte* zum Ausgleich meiner Rechnung; *accuser, présenter un ~* e-n Saldo auf≈weisen (*de* von); *établir le ~* den Saldo fest≈stellen; *reporter un ~ nouveau* den Saldo auf neue Rechnung vor≈tragen; *~ bénéficiaire, créditeur, débiteur* Gewinn-, Haben-, Sollsaldo *m; ~ en caisse* Kassenbestand *m; ~s de fin d'été, d'hiver* Sommer-, Winterschlußverkauf *m; ~s après inventaire* Inventurausverkauf *m;* **~der** *com* be-, aus≈gleichen, saldieren; *(Ware)* im Ausverkauf ab≈setzen, *fam* verramschen; *se ~ par un bénéfice, déficit* mit e-m Gewinn, e-m Fehlbetrag (ab≈)schließen (*de* von *dat*); *se ~ par un succès* von Erfolg gekrönt werden; *~é 300 francs* herabgesetzte(r) Preis 300 Francs; **~deur** *m* Resteverkäufer *m.*

sole [sɔl] *f zoo* Seezunge, Scholle *f;* Herd(platte *f*) *m;* Darre; *tech* Grundplatte *f; (Fußboden)* Unterzug *m; min* Sohle; Schwelle *f; agr* Schlag *m; (Huftier)* Hornsohle *f.*

solécisme [sɔlesizm] *m* (Sprach-)Fehler *m.*

soleil [sɔlɛj] *m* Sonne(nlicht *n*) *f;* Feuerrad *n; bot* Sonnenblume; *rel* Monstranz *f; au ~* in der Sonne, im Sonnenschein; *au coucher du ~* bei Sonnenuntergang; *prendre le ~* sich sonnen; *il fait du ~* die S. scheint; *il fait grand ~* es ist heller Tag; *coup m de ~* Sonnenstich *m; grand ~ (sport)* Überschlag *m; la place au ~ (fig)* der Platz an der S.; *~ artificiel* Höhensonne *f; le ~ levant, couchant* die auf-, untergehende S.

solen|nel, le [sɔlanɛl] feierlich, festlich; gewichtig; hochtrabend; salbungsvoll; *jur* förmlich, in aller Form;

~niser [-la-] feierlich, festlich begehen; **~nité** [-la-] *f* Feierlichkeit, Festlichkeit *f; avec ~* salbungsvoll, hochtrabend *adv.*
solénoïde [sɔlenɔid] *m phys* Solenoid *m.*
solfatare [sɔlfatar] *f geol* Solfatare *f.*
sol|fège [sɔlfɛʒ] *m* Gesangsübung(sbuch *n*) *f;* Solfeggio *n;* **~fier** [-fje] *mus* solfeggieren.
solid|aire [sɔlidɛr] solidarisch, gegenseitig verpflichtet, verantwortlich (*de* für); *jur* gesamtschuldnerisch; Gesamt-; **~ariser** gemeinsam verantwortlich machen; *se ~* sich solidarisch erklären (*avec* mit); gemeinsame Sache machen; **~arité** *f* Solidarität, gegenseitige Verpflichtung, Verantwortung *f; fig* Gemeinschaftsgeist *m,* Zs.gehörigkeitsgefühl *n,* Verbundenheit *f; jur* Gesamtschuldverhältnis *n.*
solid|e [sɔlid] *a* fest *a. phys;* stark, kräftig; haltbar, dauerhaft, gediegen *a. fig,* solide, widerstandsfähig; *(Textil)* strapazierfähig; *(Farbe)* echt; *fig* gewichtig, schwerwiegend; wohlbegründet, stichhaltig, zuverlässig; *(Kenntnisse)* gründlich; *(Firma)* zahlungsfähig; *s m phys* Festkörper *m; arch* gewachsene(r) Boden; *fig* feste(r) Grund *m;* (das) Solide; **~ification** *f* Verfestigung, Stärkung *f;* Erstarren *n;* **~ifier** (ver)festigen; stärken; verdichten; *se ~ (chem)* erstarren; **~ité** *f* Festigkeit; Haltbarkeit, Dauerhaftigkeit, Strapazierfähigkeit, Güte *f;* feste(r) Zustand *m; fig* Gründlichkeit, Gediegenheit, Zuverlässigkeit *f.*
soliloque [sɔlilɔk] *m* Selbstgespräch *n.*
solipèdes [sɔlipɛd] *m pl zoo* Einhufer *m pl.*
soliste [sɔlist] *s m f mus* Solist(in *f*) *m; a* Solo-.
soli|taire [sɔlitɛr] *a* einsam, allein(ig); ungesellig; zurückgezogen, einsiedlerisch; *(Ort)* abgelegen, abgesondert, abgeschieden, *fam* gottverlassen; *bot* a lleinstehend; Einzel-; *s m* Einsiedler; *zoo* alte(r) Keiler; Solitär *m (Diamant); ver m ~* Bandwurm *m;* **~tude** *f* Einsamkeit *f;* Alleinsein *n,* Vereinsamung; Zurückgezogenheit; Abgelegenheit, Abgeschiedenheit *f.*
soli|vage [sɔlivaʒ] *m* Balkenlage *f;* Gebälk *n;* **~ve** *f* (Decken-, Dielen-) Balken *m;* **~veau** *m* kleine(r) Balken *m; fig* taube Nuß *f,* Blindgänger *m;* völlige Null *f.*
sollicit|ation [sɔlisitasjɔ̃] *f* Bewerbung *f;* Gesuch *n;* (dringende) Bitte *f,* Ersuchen *n; com* Bemühung, Anstrengung; *tech* Belastung, Last, Beanspruchung *f;* **~er** an=gehen, ersuchen, dringend bitten (*qc* um etw, *à* od *de* zu); sich bemühen, sich bewerben (*qc* um etw); *(Aufmerksamkeit)* erregen; *tech* beanspruchen; **~eur, se** Bittsteller(in *f*) *m;* **~ude** *f* Fürsorge, Betreuung; Sorge, Besorgnis *f.*
solo [sɔlo] *m, pl* **~s, soli** *mus fig* Solo *n.*
solstice [sɔlstis] *m* Sonnenwende *f.*
solu|bilisation [sɔlybilizasjɔ̃] *f* Auflösung *f;* **~bilité** *f* (Auf-)Lösbarkeit *f;* **~ble** löslich, (auf)lösbar *a. fig; ~ dans l'eau* wasserlöslich; **~tion** *f chem math* Lösung *a. fig; fig* (Auf-)Lösung *f,* Schlüssel *m; (Schwierigkeit)* Beseitigung *f; chercher des ~s de fond* grundsätzliche Lösungen suchen; *~ de continuité* Lücke, Unterbrechung *f;* **~tionner** *fam* (auf=)lösen; **~tionniste** *m* Einsender *m* e-r richtigen Lösung.
sol|vabilité [sɔlvabilite] *f* Zahlungs-, Kreditfähigkeit *f;* **~vable** zahlungs-, kreditfähig, solvent; **~vant** *m* Lösungsmittel *n.*
som|bre [sɔ̃br] düster *a. fig,* lichtlos; *(Wetter)* trübe; *(Himmel)* verhangen; *(Farbe)* dunkel; *fig* verworren, undurchdringlich; *(Mensch)* mürrisch, verdrossen; *(Miene)* finster, trübselig; *(Gedanken)* trübe, finster; **~brer** *mar* ab=sacken, unter=gehen; *fig* Schiffbruch erleiden, scheitern.
sommaire [sɔmɛr] *a* kurz (zs.)gefaßt, gedrängt, gerafft, summarisch; *s m* Zs.fassung, kurze Inhaltsangabe *f.*
sommation [sɔmasjɔ̃] *f* Aufforderung, Mahnung; *jur* Vorladung *f; faire une ~ à qn* jdm e-e Mahnung zugehen lassen; *lettre f de ~* Mahnschreiben *n.*
somme [sɔm] **1.** *f* Summe *f,* Betrag *m; rel* Summa; *fig* Gesamtheit *f;* **2.** *f: bête f de ~* Lasttier *n a. fig;* **3.** *m* Schlaf *m; petit ~* Schläfchen, *fam* Nickerchen *n; en ~ ronde* rund (gerechnet); *en ~, ~ toute* kurz u. gut; summa summarum; *arrondir une ~* e-e Summe ab=, auf=runden; *faire la ~* zs.=rechnen (*de qc* etw); *~ d'argent* Geldsumme *f; ~ de dédommagement* Entschädigungssumme *f; ~ forfaitaire, globale* Pauschalsumme *f; ~ en toutes lettres* Betrag *m* in Worten; *~ en litige* Streitsumme *f; ~ totale* Gesamtsumme *f.*
somm|eil [sɔmɛj] Schlaf *m;* Schläfrig-, Müdigkeit *f; avoir ~* müde, schläfrig sein; *être en ~ (fig)* ruhen; *mettre en ~ (fig)* zu den Akten legen; *tomber de ~* vor Müdigkeit um=fallen; *maladie f du ~* Schlafkrankheit *f; ~ de*

plomb bleierne(r) Schlaf *m;* **~eiller** [-e(ɛ)je] schlummern *a. fig;* dösen; **~eilleux** *m* Schlafkranke(r) *m.*

sommelier, ère [sɔməlje, -ɛr] *m f* Kellermeister; Weinkellner *m;* Wirtschafterin, Beschließerin *f.*

sommer [sɔme] auf=fordern; mahnen; vor=laden; *math* addieren.

sommet [sɔmɛ] *m* Gipfel *m,* Spitze *f,* höchste(r) Punkt; *math* Scheitelpunkt *m; (~ arrondi)* (Berg-)Kuppe *f; fig* Gipfel, höchste(r) Grad *m; au ~ (pol)* auf höchster Ebene; *réunion f au ~* Gipfelkonferenz *f; ~ du nez* Nasenwurzel *f; ~ du poumon* Lungenspitze *f.*

sommier [sɔmje] *m arch* Kämpfer, Tragbalken *m,* Trägerschwelle *f; mus* Orgelkasten *m;* (Auflage-)Matratze *f; ~ élastique* Sprungfedermatratze *f.*

sommité [sɔmite] *f* höchste Höhe; *fig* Kapazität, Größe *f.*

somn|ambule [sɔmnɑ̃byl] *a* nachtwandelnd; *s m f* Nachtwandler(in *f*) *m; de ~* nachtwandlerisch; **~ambulisme** *m* Nachtwandeln *n;* **~ifère** *a* einschläfernd; *fig fam* entsetzlich langweilig; *s m* Schlafmittel *n;* **~olence** *f* Dösen *n;* Schläfrigkeit; Schlaftrunkenheit; *med* Schlafsucht; *fig* Schlafmützigkeit *f;* **~olent, e** dösig, schläfrig, schlaftrunken; todlangweilig; *fig* schlafmützig; **~oler** duseln, dösen.

somptu|aire [sɔ̃ptɥɛr] *vx a* die Ausgaben betreffend; **~eux, se** prächtig, prunkvoll; luxuriös, kostspielig; **~osité** *f* Pracht *f,* Prunk; Luxus, (großer) Aufwand *m.*

son [sɔ̃], **sa,** *pl* **ses 1.** *prn* sein(e), ihr(e); **2.** *s m* Kleie *f; taches f pl de ~ (fam)* Sommersprossen *f pl;* **3.** *m* Ton, Laut *a. gram,* Klang, Schall *m;* Geräusch *n; au ~ des cloches* unter Glockengeläut; *lire au ~ (tele)* nach Gehör auf=nehmen; *mélangeur m de ~ (radio)* Tonmischer *m; mur m du ~* Schallmauer *f; onde f porteuse du ~ (radio)* Tonträger *m; vitesse f du ~* Schallgeschwindigkeit *f; ~ de battement, harmonique* Überlagerungs-, Oberton *m.*

sona|te [sɔnat] *f mus* Sonate *f;* **~tine** *f mus* Sonatine *f.*

sond|age [sɔ̃daʒ] *m* Probebohrung, Sondierung *a. fig,* Baugrunduntersuchung; Lotung; *fig* Stichprobe; Befragung, Umfrage *f;* Erhebung(en) *f (pl); faire des ~s* Untersuchungen an=stellen; *enquête f par ~, ~ d'opinion* Meinungsumfrage *f;* **~e** *f* Sonde *f; ~ atmosphérique* Luftsonde *f; ~ spatiale* Raumsonde *f; ~-écho f* Echolot *n;* **~er** sondieren, untersuchen *a. fig;* loten, peilen; *fig* aus=horchen, -forschen; *~ le terrain (fig)* die Lage peilen, auf den Busch klopfen; *~ les reins et le cœur de qn (fig)* jdn auf Herz u. Nieren prüfen; **~eur** *m* Sondiergerät *n;* Bohrarbeiter *m;* **~euse** *f* Bohrmaschine *f.*

song|e [sɔ̃ʒ] *m* Traum *m; fig* Illusion *f; avoir, faire un ~* träumen *a. fig; ~-creux m* Träumer, Phantast *m;* **~er** denken (*à* an *acc, à inf* daran denken zu *inf*); überlegen (*à qc* etw), nach=sinnen (*à* über *acc*), acht=geben (*à* auf *acc*); in den Wolken schweben; **~erie** *f* Träumerei *f;* **~eur, se** *m f* Träumer(in *f*) *m; a* träumerisch, versonnen.

sonique [sɔnik] Schall-; *vitesse f ~* Schallgeschwindigkeit *f.*

sonn|aille [sɔnɑj] *f* Kuhglocke *f;* **~ailler** *fam* dauernd bimmeln; **~ant, e** klingend, läutend; *(Uhr)* schlagend; *à huit heures ~es* Schlag, Punkt acht Uhr; **~é, e** durch Glockenzeichen angekündigt; vorbei; *fam* verrückt; *pop* vor den Kopf geschlagen; *avoir 50 ans ~s* volle 50 (Jahre) alt sein; **~er** *itr* läuten, klingeln *a. tele; (Uhr)* schlagen; klingen, (er)tönen, (er-)schallen; blasen (*de* auf *dat*); *tele* angekündigt werden; *tr* läuten; klingeln (*qn* jdm); blasen (*la charge* zum Angriff); *(die Stunde)* schlagen; *tele* an=läuten, -rufen (*qn* jdn); *sport pop* um=legen, zu Boden schlagen; *faire ~ qc* auf e-e S den Nachdruck legen; *(Laut)* deutlich hören lassen; *~ bien (fig)* sich hören lassen; *~ les cloches à qn (fam)* jdm die *od* s-e Meinung sagen, die Leviten lesen; *le dîner est ~é* es hat zum Essen geläutet; *midi a ~é* es hat 12 geschlagen; **~erie** *f* (Glocken-) Geläut(e) *n;* Klingel(anlage) *f; (Uhr)* Schlag- *od* Weckerwerk; *loc* Läutewerk *n; tele* Wecker *m;* Horn-, Trompetensignal *n; ~ d'appel* Alarmglocke *f; loc* Vorwecker *m;* **~et** [-ɛ] *m* Sonett *n;* **~ette** *f* Klingel, (Wohnungs-)Glocke; *tech* (Pfahl-) Ramme *f,* Rammhammer *m; bouton m de ~* Klingelknopf *m;* **~eur** *m* Glöckner; (Horn-)Bläser *m; loc* Läutewerk *n;* Signalgeber *m.*

sonomètre [sɔnɔmɛtr] *m* Schalldruckmesser *m.*

sonor|e [sɔnɔr] *a* tönend, klingend, schallend; klangvoll, wohlklingend; *(Ton)* voll; *gram* stimmhaft; *tech* mit guter Akustik; Schall-, Ton-; *s m* Tonfilm *m; onde f ~* Schallwelle *f; reproduction f ~* Tonwiedergabe *f;* **~isation** *f* Tonuntermalung; Tonwiedergabe *f;* ~**iser** *film* mit Ton untermalen; *(Laut)* stimmhaft aus=sprechen; ~**ité** *f* Klangfülle *f,* Tonumfang *m; (Raum)* Akustik *f.*

sophis|me [sɔfism] *m* Trugschluß *m;* ~**te** *m* Sophist *m;* ~**tication** *f* Verfälschung *f;* ~**tique** sophistisch; ~**tiqué, e** geziert; affektiert; *tech* hochentwickelt; *(Methoden)* verfeinert; ~**tiquer** verfälschen.

sopori|fique, ~**fère** [sɔpɔrifik, -fɛr] *a med* einschläfernd; Schlaf-; *fig* (*nur* ~*fique*) langweilig; *s m med* Schlafmittel *n.*

sopra|no [sɔprano] *m, pl* ~**nos,** *a.* ~**ni** Sopran *m.*

sorb|et [sɔrbɛ] *m* Sorbett, Scherbett *m* od *n;* eisgekühlte Limonade *f;* ~**etière** [-bə-] *f* (Speise-)Eismaschine *f.*

sorbier [sɔrbje] *m bot* Eberesche *f;* (~ *des oiseleurs)* Vogelbeerbaum *m.*

sorc|ellerie [sɔrsɛlri] *f* Hexerei, Zauberei *f;* ~**ier, ère** [-sje, -ɛr] *s m f* Zauberer *m;* Hexe *f; fig* Tausendkünstler *m a. fig; être* ~ zaubern können; *il ne faut pas être grand* ~ *pour cela* das ist kein großes Kunststück, dazu gehört nicht viel; *apprenti m* ~ Zauberlehrling *m; chasse f aux* ~*ères* Hexenverfolgung *f.*

sordide [sɔrdid] schmutzig *a. fig,* dreckig, schmierig; *fig* schäbig, gemein.

sornettes [sɔrnɛt] *f pl* Geschwätz, Geschwafel, Gewäsch *n.*

sort [sɔr] *m* Los *(das man wirft* u. *fig*), Geschick, Schicksal *n,* Zufall *m;* Glück *n;* Glücks-, Lebens-, Vermögensumstände *m pl;* Auskommen *n;* Verhältnisse *n pl,* Situation *f; faire un* ~ *à qc (pop)* mit etw fertig werden, etw endgültig erledigen; *jeter un* ~ *à qn, qc* jdn, etw behexen; *tirer au* ~ losen; *il y a, il faut qu'il y ait un* ~ es ist wie verhext.

sortable [sɔrtabl] anständig; gescheit; *il n'est plus* ~ man kann sich mit ihm nicht mehr sehen lassen.

sortant, e [sɔrtɑ̃, -t] ausscheidend, austretend; bisherig.

sorte [sɔrt] *f* Art, Weise, Gattung, Sorte *f; de la* ~ so; *de (telle)* ~ *que, en* ~ *que (conj)* so daß ...; *en quelque* ~ gewissermaßen; *toute(s)* ~*(s) (de ...)* allerlei (...).

sort|i, e [sɔrti] *tech* ausgefahren; *(Nummer)* ausgelost; ~**ie** *f* Ausgang, -stieg, -laß, -tritt *m,* -fahrt *f,* -zug *m,* -scheiden *n,* -reise, -fuhr *f; (Rauch)* Abzug *m;* Hin-, Herausgehen; Verlassen *n* (*de* gen); *theat sport* Abgang; *mil aero* Einsatz *m;* Ausfall *m; pl com* Auszahlungen *f pl; (Waren)* Abfluß, Abgang *m; à la* ~ *de* ... beim Verlassen *gen; se ménager une porte de* ~ sich ein Hintertürchen offen=halten; *bulletin m de* ~ Entleihschein *m; droits m pl de* ~ Ausgangs-, Ausfuhrzoll *m; examen m de* ~ Abschlußexamen *n; puissance f de* ~ *vidéo (tele)* Bildsendeleistung *f; tentative f de* ~ *(mil)* Ausbruchsversuch *m;* ~ *d'air* Luftaustritt *m;* ~ *de bain, de bal* Bade-, Abendmantel *m;* ~ *des classes* Schulschluß *m;* ~ *des données (inform)* Datenausgabe *f;* ~ *dans l'espace (cosm)* Spaziergang *m* im All; ~ d'essai Probefahrt *f;* ~ *privée* Privatausfahrt *f;* ~ *de secours* Notausgang, -ausstieg *m.*

sortilège [sɔrtilɛʒ] *m* Zauberei *f.*

sortir [sɔrtir] *irr, itr* hinaus=, heraus=gehen, -fahren, -treten, -kommen; hervor=gehen, -kommen, her=kommen, her=, ab=stammen; verlassen (*de qc* etw); sich entfernen (*de qc* von etw); *(vom Tisch)* auf=stehen; *(Krankheit)* gerade genesen sein (*de* von); *(aus dem Gefängnis)* eben entlassen sein; *(aus e-m Hafen)* aus=laufen; *(von e-m Thema)* ab=kommen, -weichen; *(Schule)* besucht haben; *(Gegenstand)* heraus=, hervor=ragen (*de* aus); *fig* hervor=treten; keimen, sprießen; zur Welt kommen; *(Buch)* heraus=kommen, erscheinen; *(Film)* an=laufen; *(Fahrgestell)* aus=fahren; *tr* heraus=bringen *a. fam (Worte),* -führen, -nehmen, -schaffen, -ziehen, -fahren (*de* aus); hinaus=werfen; *com* auf den Markt bringen; *pop* raus=schmeißen; *s'en* ~ sich heraus=arbeiten, sich heraus=helfen; sich aus der Affäre ziehen; *au* ~ *de* ... beim Verlassen, gegen Ende *gen; ne pas s'en* ~ es nicht schaffen, nicht damit fertig werden; *se* ~ *d'affaire* sich aus der Affäre ziehen; ~ *de chez qn* eben erst bei jdm gewesen sein; ~ *de faire qc* soeben etw getan haben; ~ *de la mesure* aus dem Takt geraten; ~ *de son rôle* aus der Rolle fallen; ~ *à tour de rôle* turnusmäßig aus=scheiden; ~ *du service* aus dem Dienst aus=scheiden; den D. quittieren; *les yeux lui sortent de la tête* er ist außer sich; *sorti de l'enfance* den Kinderschuhen entwachsen.

sosie [sɔzi] *m* Doppelgänger *m.*

sot, te [so, sɔt] *a* dumm, einfältig, töricht; albern; verwirrt, verlegen, befangen; hirnverbrannt, verbohrt; *fam* blöd(e), lächerlich; *s m* Dummkopf, Dussel, Depp, Narr, Trottel *m; f* dumme, alberne Gans *f;* ~ *comme un panier* stockdumm; *petite* ~*te* Gänschen *n fig; ~ en trois lettres* Schafskopf *m,* Rindvieh *n,* Hornochse *m; ~-l'y-laisse m inv (Geflügel)* Bürzel *m;* **~tise** *f* Dummheit, Torheit, Unvernunft *f;* **~tisier** *m* Fehlersammlung *f.*

sou [su] *m* Sou *m (5 Centimes); ~ à ~, ~ par ~* Pfennig für Pfennig, aus kleinsten Beträgen; *n'avoir pas le ~, être sans le ~* keinen Pfennig Geld haben; *être près de ses ~s* auf den Pfennig achten; *propre comme un ~ neuf* blitzsauber; *question f de gros ~* Geldfrage *f.*

Souabe, la [swab] Schwaben *n; s~* schwäbisch; *S~ s m f* Schwabe *m,* Schwäbin *f.*

soubassement [subasmɑ̃] *m* Grundmauer *f;* Unterbau *m.*

soubresaut [subrəso] *m* plötzliche(r) Sprung *m;* Zs.zucken, -fahren *n; med fig* Schock *m.*

soubrette [subrɛt] *f theat* Kammerzofe *f a. allg.*

souche [suʃ] *f* (Baum-)Stumpf, Stubben, Stumpen; Klotz; *arch* Schornsteinkasten *m;* Kontrollblatt *n,* -abschnitt; Stumpf; *fig* Stammvater; Ursprung; *fam* Blödian, Blödling *m; dormir comme une ~* wie ein Murmeltier schlafen; *faire ~* Nachkommen haben; *rester là comme une ~* wie angewurzelt stehenbleiben.

souci [susi] *m* Sorge, Besorgnis, Besorgtheit; Unruhe *f;* Kummer *m; bot* Ringelblume *f; être en ~ de qc, se faire du ~ pour qc (fam)* sich um etw Sorgen machen; **~er, se** [-sje] sich sorgen, sich Sorgen machen, sich (be) kümmern (*de* um); *je ne me ~e pas* es sagt mir nicht zu, paßt mir nicht (*de* zu); **~eux, se** besorgt (*de* um), bekümmert, sorgenvoll; unruhig.

soucoupe [sukup] *f* Untertasse *f; ~ à sucre* Zuckerschälchen *n; ~ volante* fliegende U.

soudage [sudaʒ] *m* Schweißen, Löten *n.*

soudain, e [sudɛ̃, -ɛn] *a adv* plötzlich, jäh, unvermittelt, schlagartig, unerwartet; sofort(ig); **~ement** *adv* plötzlich; sofort; **~eté** *f* Plötzlichkeit, Schlagartigkeit *f.*

Soudan, le [sudɑ̃] der Sudan; **s~ais, e; s~ien, ne** sudanesisch; **S~ais, e; S~ien, ne** *s m f* Sudanese *m,* Sudanesin *f.*

soudard [sudar] *m péj* alte(r) Haudegen *m.*

soude *f* Soda *f* od *n,* (kohlensaures) Natron *n; ~ à blanchir* Bleichsoda *f; ~ caustique* Natronlauge *f,* Ätznatron *n.*

soud|é, e *med* ver-, zs.gewachsen; **~er** (zu-, ver)schweißen; zs.=löten; *fig* zs.=schweißen; *~ à l'autogène* autogen schweißen; *étain, fer m, lampe f à ~* Lötzinn *n,* -kolben *m,* -lampe *f;* **~eur** *m* Schweißer, Kabellöter *m;* **~oir** *m* Lötkolben *m.*

soudoyer [sudwaje] dingen, (er)kaufen.

soudure [sudyr] *f* Schweißung *f,* Schweißen *n;* Schweißnaht, Lötstelle *f;* Lot, Lötzinn *n; sans ~* nahtlos; *~ autogène, par points* Autogen-, Punktschweißung *f.*

souffl|age [suflaʒ] *m* (Glas-)Blasen *n;* **~ante** *f* Gebläse *n;* **~e** *m* Hauch, Atem(zug), *fam* Schnaufer *m;* Wehen, Blasen *n, tech* Wind, Strahl, Strom, Luftdruck *m; med radio* Pfeifen, *radio* Rauschen *n; fig* Inspiration, Eingebung *f; avoir le ~ coupé* ganz außer Atem sein; *éteindre d'un ~* aus=blasen; *manquer de ~* kurzatmig sein; *fig* sich nicht halten können, ab=sinken; *ne tenir qu'à un ~ (fig)* nur an e-m Faden hängen; *on en a le ~ coupé* es benimmt, verschlägt e-m den Atem; *~ d'air, de vent* Luft-, Windhauch *m; ~ de l'hélice* Luftschraubenstrahl *m; ~ de vie* Lebensfunke *m;* **~é, e** *a fig fam* baff, verdutzt; *tech* mit Belüftung; *s m* Eierauflauf *m,* Soufflé *n;* **~er** *itr* blasen, wehen, pusten, hauchen, schnaufen, keuchen; den Blasebalg treten; Atem holen, verschnaufen; auf=atmen; *tr* an=, auf=, aus=, ein=, weg=blasen; *(Glas)* blasen; *(Feuer)* u. *fig (Streit)* entfachen, schüren; *(Schule)* vor=, ein=sagen, zu=flüstern; *theat* soufflieren; ein=geben, inspirieren; *(Spiel)* weg=nehmen; *fam* (vor der Nase) weg=schnappen; verschwinden lassen; *fam* verblüffen; *ne pas ~ mot* keinen Ton von sich geben, nicht piep sagen; *~ qc à l'oreille de qn* jdm etw ins Ohr flüstern; **~erie** [-flə-] *f* Gebläse *n;* Windkanal *m;* **~et** [-ɛ] *m* Blasebalg; *tech* (Falten-)Balg *m;* Klappverdeck *n; (Tasche)* Ziehharmonikaboden; *(Kleidung)* Zwickel, Keil *m;* Ohrfeige; *fig* Beleidigung *f;* **~eter** ohrfeigen; ins Gesicht schlagen (*qn* jdm) *a. fig;* **~eur, se** *m f theat* Souffleur *m,* Souffleuse *f;* Einsager, -bläser; *tech* Bläser; *(~ de verre)* Glasbläser *m; trou m du ~* Souffleurkasten *m;* **~ure** *f* Luftblase *f.*

souffr|ance [sufrɑ̃s] *f* Leid(en) *n,* Schmerz *m; jur* Duldung *f,* Zugeständnis *n; en ~ (Arbeit)* unerledigt; *(Rechnung)* unbezahlt, unbeglichen; *(Scheck)* ungedeckt; *(Wertpapier)* notleidend; *(Brief)* nicht abgeholt, unbestellbar; **~ant, e** leidend; *je suis ~* mir ist nicht wohl; **~e-douleur** *m inv* Sündenbock, Prügelknabe *m;* **~eteux, se** [-fra-] leidend, kränklich, angegriffen, *fam* angeschlagen; **~ir** *irr, tr* leiden, (er)dulden, ertragen, aus=stehen; *fig* hin=nehmen, über sich ergehen lassen, schlucken, ein=stecken; gestatten, zu=lassen, hin=nehmen; *itr* leiden (*de* an, unter *dat*), dulden, Schmerzen ertragen; *(Handel)* da(r)nieder=liegen; *ne ~ aucun retard* keinen Aufschub dulden; *~ de la tête* Kopfweh haben.

soufr|age [sufraʒ] *m* Schwefeln *n;* **~e** *m* Schwefel *m;* **~er** aus=, ein=schwefeln; mit Schwefel behandeln; **~eux, se** schwefelhaltig; **~ière** [-frigɛr] *f* Schwefelgrube *f.*

souhait [swɛ] *m* Wunsch *m; à ~* nach Wunsch; denkbar ...; *à vos ~s!* Gesundheit! *les meilleurs ~s de bonne année* die besten Wünsche zum Jahreswechsel; **~able** [-tabl] wünschenswert; **~er** wünschen; herbei=sehnen, -wünschen.

souill|e [suj] *f* Suhle, sumpfige Stelle *f;* **~er** besudeln, verdrecken, beklekkern, beschmutzen (*de* mit) *a. fig;* **~on** *m f fam* Schmutzfink *m,* -liese *f;* **~ure** *f* Schmutzfleck *m,* Verunreinigung, Verschmutzung *f; fig* Schandfleck *m.*

souk [suk] *m (arabischer)* Markt *m.*

soûl, e [su, sul] *fig* übersatt; besoffen; *s m fam: manger tout son ~* sich ordentlich satt essen; **~ard, e** *s m f pop* Säufer(in *f*) *m; a* versoffen; **~er** *pop* besoffen machen (*qn* jdn); *se ~* sich besaufen; *fig* sich berauschen (*de* an *dat*); **~erie** *f pop* Sauferei *f.*

soulag|ement [sulaʒmɑ̃] *m* Erleichterung, Linderung *f;* Trost *m; tech* Entlastung *f;* **~er** unterstützen, helfen (*qn* jdm); *(Schmerz)* lindern; *tech* entlasten; *se ~* sich Erleichterung verschaffen; *fam* s-e Notdurft verrichten.

soul|èvement [sulɛvmɑ̃] *m* Anheben, Steigen; *tech* Aufwirbeln *n;* Auftrieb *m; fig* Erhebung *f,* Aufstand *m;* Entrüstung *f; ~ de cœur* Übelkeit *f; ~ dû au gel* Frostaufbruch *m;* **~ever** [-lve] *tr* an=, auf=, hoch=heben, in die Höhe heben; hoch=nehmen; *(Bremse, Schleier)* lüften; *(Staub)* auf=wirbeln; *fig (Schwierigkeiten)* bereiten; *(Frage)* an=schneiden, auf=werfen; *(Punkt)* auf=greifen; in Aufregung versetzen, auf=putschen, auf=wiegeln; hervor=rufen, bewirken, erwecken; *se ~* sich auf=richten; sich heben; in Bewegung geraten; *fig* sich erheben, sich empören; *~ le cœur* Übelkeit erregen.

soulier [sulje] *m* (Halb-)Schuh *m; être dans ses petits ~s* in peinlicher Verlegenheit sein; *chacun sait où le ~ le blesse vx* jeder weiß, wo ihn der Schuh drückt; *~ de bain, de bal, à bride, en daim, de dame, d'enfant, d'été, de gymnastique, d'homme, de sport, de tennis, verni, de ville* Bade-, Tanz-, Spangen-, Wildleder-, Damen-, Kinder-, Sommer-, Turn-, Herren-, Sport-, Tennis-, Lack-, Straßenschuh *m.*

soulign|ement [suliɲəmɑ̃] *m* Unterstreichung *a. fig; fig* Betonung *f;* **~er** unterstreichen *a. fig; fig* betonen, hervor=heben; (besonderen) Nachdruck legen (*qc* auf e-e S).

soulte [sult] *f jur* Ausgleichs-, Zuzahlung *f.*

sou|mettre [sumɛtr] *irr* nieder=, unterwerfen; unter=ordnen, unterstellen; *(zur Genehmigung, zur Unterschrift)* vor=legen; unterbreiten; *se ~* sich unterwerfen, sich fügen; sich unterziehen (*à* dat); sich bereit erklären (*à* dat, zu); *~ à des efforts (tech)* beanspruchen; **~mis, e** [-mi, -iz] unterworfen; unterwürfig; folgsam, gehorsam; *être ~* unterliegen (*à* dat); *~ au droit de timbre, à l'impôt* stempel-, steuerpflichtig; **~mission** *f* Unterwerfung *f,* Gehorsam *m,* Ergebenheit *f; com* Angebot *n,* Ausschreibung, Submission *f; par (voie de) ~* auf dem Submissionswege; *la ~ est ouverte jusqu'au ...* Angebote sind bis zum ... einzureichen; *~ de juridiction* Gerichtsstandklausel *f; ~ de transit* Zollbegleitschein *m;* **~missionnaire** *m* Submittent, Lieferungsbewerber *m;* **~missionner** ein Angebot machen, e-e Offerte ein=reichen.

soupape [supap] *f* Ventil *n; commande f des ~s* Ventilsteuerung *f; ~ d'admission, conique, d'échappement, de sûreté* Einlaß-, Kegel-, Auslaß-, Sicherheitsventil *n; ~ en tête* hängende(s) V.

soupçon [supsɔ̃] *m* Argwohn, Verdacht *m;* Verdächtigung; Vermutung *f; un ~ de ... (fam)* ein bißchen ..., e-e Idee, ganz wenig ...; **~ner** [-sə-] beargwöhnen, verdächtigen (*de fraude* des Betrugs); Argwohn hegen (*qn* gegen jdn); argwöhnen, vermuten, ahnen; **~neux, se** argwöhnisch, mißtrauisch.

soupe [sup] *f* Suppe *f* (mit Brot); *pop* Essen; *mil* Abendbrot *n; trempé comme une ~ (fam)* pudelnaß; *monter* *comme une ~ au lait (fam)* leicht hoch=gehen, auf=brausen; *tailler la ~* Brot für die Suppe schneiden; *tremper la ~* die Suppe über das Brot gießen; *~ aux choux* Kohlsuppe *f; ~ au lait* Milchsuppe *f; fig fam* leicht aufbrausende(r) Mensch *m; ~ populaire* Volksküche *f.*

soupente [supɑ̃t] *f arch* Hängeboden *m.*

souper [supe] *s m* Abendessen, Nachtmahl *n; v* zu Abend essen; *en avoir ~é (pop)* die Nase (davon) voll haben.

soupeser [supəze] mit der Hand ab=wiegen; *fig* ab=wägen.

soupière [supjɛr] *f* Suppenschüssel, -terrine *f.*

soupir [supir] *m* Seufzer *m; mus* Viertelpause *f; rendre le dernier ~* den letzten Atemzug tun; **~ail** [-aj] *m* Kellerfenster, -loch *n;* **~er** seufzen; schmachten, sich sehnen (*après, pour* nach).

soupl|e [supl] biegsam, geschmeidig, gelenkig; schmiegsam; *(Leder)* weich; *fig* wendig, aalglatt; anpassungsfähig; nachgiebig; fügsam, folgsam; **~esse** *f* Biegsamkeit, Geschmeidigkeit; *fig* Wendigkeit; Nachgiebigkeit; Fügsamkeit; *(Leder)* Weichheit *f; (Gewebe)* weiche(r) Fall *m.*

souquenille [suknij] *f* Fuhrmannskittel *m.*

souquer [suke] *tr mar* an=holen; *itr: ~ aux* od *sur les avirons* sich in die Riemen legen; *fig pop* sich ins Geschirr legen, sich ab=rackern.

sourate [surat] *f* Sure *f.*

sourc|e [surs] *f* Quelle *f a. fig hist; fig* Ursprung *m,* Ursache *f,* Grund *m; couler de ~ (fig)* wie von selbst gehen; *être à la ~ (fig)* an der Quelle sitzen (*de* gen); *prendre sa ~ (Fluß)* entspringen; *fig* her=rühren (*de* von); *tenir de bonne ~, de ~ sûre* aus guter, sicherer Quelle wissen; *eau f de ~* Quellwasser *n; ~ de chaleur, de courant, d'énergie, lumineuse* Wärme-, Strom-, Energie-, Lichtquelle *f; ~ d'eau minérale, d'huile, jaillissante, salée, thermale* Mineral-, Öl-, Sprudel-, Salz-, Thermalquelle *f; ~ d'erreurs, de périls, de pertes* Fehler-, Gefahren-, Verlustquelle *f; ~ de feu* Brandherd *m; ~ du mal* Wurzel *f* des Übels; **~ier** [-sje] *m* Rutengänger *m.*

sourc|il [sursi] *m* Augenbraue(nwulst *m*) *f; froncer le ~* die Stirn runzeln; **~ilier, ère** Augenbrauen-; **~iller** [~sije] die Stirn runzeln; *ne pas ~ (fig)* nicht mit der Wimper zucken; **~illeux, se** hochmütig, stolz; sorgenvoll; knifflig.

sourd, e [sur, surd] *a* taub (*à* gegen; *de* auf *dat*), gehörlos; *fig* unempfindlich, gefühllos; *(Stimme, Schmerz)* dumpf; gedämpft; *(Farbe)* matt, glanzlos, stumpf; heimlich, versteckt; *(Gerücht)* vag(e), unbestimmt; *gram* stimmlos; *s m f* Taube(r *m*), Gehörlose(r *m*) *f; faire la ~e oreille (fig)* nichts hören wollen; *frapper comme un ~* blind drauflos=schlagen; *~-muet, ~e-muette a* taubstumm; *s m f* Taubstumme(r *m*) *f; ~ d'une oreille* auf einem Ohr taub; *~ comme un pot, comme une cruche (fam)* stocktaub; **~ement** *adv* dumpf; heimlich; **~ine** *f mus tech* Dämpfer *m; en ~ (mus)* gedämpft; *fig* in der Stille, heimlich; *mettre une ~ à qc (fig)* e-r S e-n Dämpfer auf=setzen, bei etw zurück=stecken.

sourdre [surdr] hervor=quellen.

souric|eau [suriso] *m* Mäuschen *n;* **~ière** [-sjɛr] *f* Mause-, Mäusefalle; *fig* Falle *f.*

sourire [surir] *v irr* lächeln (*de* über *acc,* vor *dat*) *a. fig;* an=, zu=lächeln, *fig* gnädig, günstig sein (*à qn* jdm); e-n freundlichen Anblick gewähren; *s m* Lächeln *n.*

souris [suri] *f zoo* Maus *f a. anat; fam fig* Biene *f; on entendrait trotter une ~* es ist mäuschenstill.

sournois, e [surnwa, -az] *a* verschlossen, hinterhältig, heimtückisch; *s m f* Duckmäuser(in *f*) *m;* **~erie** *f* Heimtücke; Hinterhältigkeit *f.*

sous [su] *prp (örtlich)* unter(halb *gen*); *(zeitlich)* unter; während, zur Zeit *gen;* innerhalb *gen,* in, binnen; *(Verhältnis, Einfluß)* unter; *in Zssgen:* Unter-, Neben-; unter-, neben-; *~ clé* unter Verschluß; *~ (la) main* bei der, zur Hand; *~ peu* in kurzem; *~ la pluie* im Regen; *~ prétexte* unter dem Vorwand (*de* gen); *~ ce rapport* in dieser Beziehung *od* Hinsicht; *(Buch) ~ reliure de* in ...-Einband; *passer ~ silence* mit Stillschweigen übergehen; *rire ~ cape* in sich hinein=lachen; **~-alimentation** [-za-] *f* Unterernährung *f;* **~-alimenté, e** unterernährt; **~-bail** [su-] *m* Untermiete *f;* **~-bailleur** *m* Untervermieter *m;* **~-bois** *m* Unterholz *n;* **~-chef** *m* zweite(r) Direktor; Unterführer; zweite(r) Koch *m; ~ d'atelier* Werkmeister *m; ~ de bureau* stellvertretende(r) Bürovorsteher *m; ~ d'état-major* Generalquartiermeister *m;* **~-commission** *f* Unterkommission *f.*

sous|cripteur [suskriptœr] *m* (Unter-)

Zeichner; *(Wechsel)* Aussteller *m; ~ à un emprunt* Zeichner *m* e-r Anleihe; **~cription** [-ps-] *f* Unterzeichnung, -schrift; *(Brief)* Schlußformel *f; com* Angebot *n,* Zeichnung; Subskription *f; mettre en ~, offrir à la ~* zur Zeichnung auf=legen; *bulletin m de ~* Zeichnungsformular *n; liste, offre f de ~* Zeichnungsliste *f,* -angebot *n; ~ à des actions* Zeichnung *f* von Aktien; **~crire** *irr, tr* unterschreiben, -zeichnen; *(Wechsel)* aus=stellen; subskribieren; *(Bürgschaft)* leisten; *fig* billigen; *itr* zeichnen (*à* auf *acc*); ein=willigen (*à* in *acc*); *~ un abonnement* ein Abonnement ab=schließen; *~ une liste* in e-e Liste ein=schreiben; *~ pour un montant de ...* e-n Betrag von ... zeichnen; **~crit, e** [-kri, -it] unterschrieben, -zeichnet; *com* gezeichnet; subskribiert; ausgestellt; abonniert; *~ plusieurs fois (com)* mehrfach überzeichnet.

sous|-cutané, e [sukytane] *med* subkutan, unter die Haut; **~-développé, e** unterentwickelt; **~-développement** *m* Unterentwicklung *f;* **~-directeur, trice** *m f* Zweite(r) Direktor(in *f*) *m;* **~-économe** [-ze-] *m* Zweite(r) Verwalter *m;* **~-emploi** *m* Unterbeschäftigung *f;* **~-employé, e** unterbeschäftigt; **~-ensemble** *m (in der Mengenlehre)* Teilmenge *f;* **~-entendre** mit darunter verstehen, stillschweigend ein=beziehen, -schließen; **~-entendu, e** *a gram* nicht ausgedrückt; *s m* Hintergedanke, heimliche(r) Vorbehalt *m;* **~-équipé, e** unterbesetzt; **~-équipement** *m* Unterbesetzung *f;* **~-estimation** *f* Unterschätzung *f;* **~-estimer** unterschätzen; **~-exposer** *(phot)* unterbelichten; **~-fifre** [su-] *m: être le ~ (fig)* die zweite Geige spielen; **~-groupement** *m* verstärkte(s) Bataillon *n,* Kampfgruppe *f;* **~-jacent, e** darunter liegend; *fig* zugrundeliegend; **~-lieutenant** *m* Leutnant *m;* **~-locataire** *m* Untermieter *m;* **~-location** *f* Untervermietung *f;* **~-louer** unter=vermieten; **~-main** *m inv* (Schreib-)Unterlage *f; en ~* heimlich; **~-marin, e** *a* unterseeisch; *s m* Unterseeboot, U-Boot *n; pol péj* Wühlmaus *f;* **~-œuvre** *m arch* Unterbau *m,* Fundament *n;* **~-officier** [-zɔ-] *m* Unteroffizier *m (im weiteren Sinn);* **~-ordre** *m inv* Untergebene(r), Untergeordnete(r *m*); Unterordnung *f; en ~* in zweiter Linie; **~-payé, e** unterbezahlt; **~-payer** unterbezahlen; **~-pied** [su-] *m (Hose, Gamasche)* Steg *m;* **~-poutre** *f arch* Unterzug *m;* **~-préfecture** *f* Unterpräfektur, Verwaltung *f* e-s Arrondissements; **~-préfet** *m* oberste(r) Beamte(r) *m* e-s Arrondissements; **~-produit** *m* Nebenprodukt *n;* **~-quartier** *m mil* Kompanieabschnitt *m;* **~-secrétaire** *m* Untersekretär *m;* **~-secteur** *m mil* Regimentsabschnitt *m.*

soussign|é, e [susiɲe] *m f* Unterzeichnete(r *m*) *f;* **~er** unterzeichnen.

sous|-sol [susɔl] *m* Keller-, Untergeschoß *n;* Untergrund *m;* **~-station** *f el* Umspannwerk *n;* **~-tendre** umspannen, umfassen; **~-titre** *m* Untertitel *m a. film;* **~-titré, e** *a film* mit Untertiteln.

soustr|action [sustraksjɔ̃] *f math* Subtraktion *f,* Abziehen *n;* Unterschlagung, Hinterziehung *f;* **~aire** [-ɛr] *math* subtrahieren, ab=ziehen; entwenden, unterschlagen; entziehen (*à* dat), schützen (*à* vor); *se ~* sich entziehen, entgehen (*à* dat).

sous|-traitant [sutrɛtɑ̃] *m* Teilunternehmer, Unterlieferant *m;* **~-ventrière** *f* Bauchgurt *m;* **~-verge** *m inv mil* Handpferd *n; vx fig fam* rechte Hand *f;* **~-verre** *m* Bild *n* unter Glas; **~-vêtements** *m pl* Unterwäsche *f; ~ pour dames, pour hommes* Damen-, Herrenunterwäsche *f.*

soutache [sutaʃ] *f* Litze *f,* Besatz *m.*

soutane [sutan] *f* S(o)utane *f; fig* Priesterstand *m; prendre la ~ (fig)* Priester werden.

soute [sut] *f mar* Bunker *m;* Banse *f,* Magazin *n; mot* Koffer-, *aero* Laderaum *m; mettre en ~* bunkern; *~ à bagages, à essence, à fret* Gepäck-, Tank-, Frachtraum *m; ~ à bombes (aero)* Bombenmagazin *n; ~ à charbon* Kohlenbunker *m.*

sout|enable [sutnabl] zu verteidigen(d), stichhaltig, triftig; erträglich; *tech* haltbar, fest; **~enance** *f* Verteidigung *f* e-r (Doktor-)Dissertation.

soutènement [sutɛnmɑ̃] *m* Abstützung *f; min* Ausbau *m; mur m de ~* Stützmauer *f; ~ de la berge* Uferein-fassung *f.*

soute|neur [sutnœr] *m* Zuhälter *m;* **~nir** *irr* (ab=)stützen, (aufrecht) halten, tragen; *tech* ab=fangen, ab=steifen; *min* aus=bauen; *fig* aus=halten, ertragen; unterstützen; helfen, bei=stehen (*qn* jdm), verteidigen, schützen; behaupten, versichern; *(Meinung)* bleiben (*qc* bei e-r S); *(Gespräch)* in Gang halten; *(Ruf)* behaupten, bewahren; *mus (Ton)* halten; *(Mut)* stärken; *(Familie)* unterhalten, ernähren; *(Ausgaben)* bestreiten; *(Preis)* stützen; *se ~* sich aufrecht halten, sich stärken, sich (er)halten; sich *dat* gleich=bleiben; Bestand haben; *(Material)* beständig sein; verteidigt werden können; sich gegenseitig unterstützen; **~nu, e** *(Börse)* fest, behauptet; *(Stil)* gehoben; *(Bemühungen)* anhaltend, ununterbrochen, gleichmäßig.

souterrain, e [sutɛrɛ̃, -ɛn] *a* unterirdisch; *fig péj* heimlich, geheim; *min* untertägig; *s m* Stollen, Tunnel, Durchstich, unterirdische(r) Kanal; *(~ urbain)* Untergrundbahntunnel *m; abri m ~* bombensichere(r) Unterstand *m; câble m ~* Erdkabel *n; eaux f pl ~es* Grundwasser *n; ouvrier m ~* Kabelbauarbeiter *m.*

soutien [sutjɛ̃] *m* Stütze *a. fig; fig* Unterstützung *f,* Rückhalt; Ernährer, Versorger *m; prix m de ~* Stützpreis *m; ~-gorge m* Büstenhalter *m.*

soutier [sutje] *m mar* Trimmer *m.*

souti|rage [sutiraʒ] *m (Wein)* Umfüllen *n;* **~rer** um=füllen; ab=, an=zapfen; *fig (Geheimnis)* entlocken; *(Geld)* aus der Tasche ziehen, *fam* ab=zapfen, -knöpfen; **~reuse** *f: ~ à bouteilles* Flaschenabfüllmaschine *f.*

souvenir [suvnir] *v irr: se ~* sich erinnern (*de* an *acc*), sich entsinnen (*de qc* e-r S *gen*), sich besinnen (*de* auf *acc*), im Kopf, im Gedächtnis haben (*de qc* etw); *il s'en souviendra* das wird er noch bereuen; *imp: il me souvient que ...* ich entsinne, erinnere mich, daß ...; *autant qu'il m'en souvienne* soweit, soviel ich mich erinnere; *s m* Erinnerung *f,* Gedenken; Gedächtnis; (Reise-)Andenken *n; ~ de X.* Gruß *m* aus X.; *~ visuel* Erinnerungsbild *n.*

souvent [suvɑ̃] *adv* oft(mals), häufig; *plus ~! (fam)* nie(mals) mehr!

souverain, e [suvrɛ̃, -ɛn] *a* oberste(r, s), höchste(r, s); unumschränkt, selbstherrlich, souverän; *fig (Mittel)* probat, unfehlbar; *jur* unanfechtbar; *s m f* Herrscher(in *f*), Fürst(in *f*) *m;* Staatsoberhaupt *n; le ~ pontife* der Papst; **~eté** *f* Souveränität; Staatsgewalt, -hoheit *f; ~ populaire* Herrschaft *f* des Volkes; *~ aérienne, territoriale* Luft-, Gebietshoheit *f; ~ fiscale* Steuerhoheit *f.*

sovi|et [sɔvjɛt] *m* Sowjet *m,* Abgeordnetenversammlung *f* in der UdSSR; **~étique** *a* sowjetisch; Sowjet-; *s m f* Sowjetbürger(in *f*) *m.*

soya [sɔja] *m s. soja.*

soyeux, se [swajø, -øz] *a* seidig, seidenartig, -weich; Seiden-; *s m* Seidenfabrikant, -händler; Seidenglanz *m.*

spacieux, se [spasjø, -øz] geräumig, weit.

spadassin [spadasɛ̃] *m* Haudegen; gedungener Mörder *m.*

spahi [spai] *m mil* Spahi *m.*

sparadrap [sparadra] *m* Heftpflaster *n.*

spar|te [spart] *m* Spartgras *n;* **~terie** *f* Flechtarbeit *f* (aus Spartgras).

spartiate [sparsjat] *a* spartanisch; *S~ s m* Spartaner *m; à la ~* (mit) spartanisch(er Strenge, Einfachheit).

spasm|e [spasm] *m med* Krampf *m;* **~odique** krampfhaft, -artig.

spath [spat] *m min* (Feld-)Spat *m; ~ fluor, pesant* Fluß-, Schwerspat *m.*

spatial, e [spasjal] räumlich; *cosm* Weltraum-, Raum-.

spatio-temporel, le [spasjɔtɑ̃pɔrɛl] raumzeitlich.

spatio|naute [spasjɔnot] *m f* Raumfahrer(in *f*) *m;* **~nautique** Raumfahrt-; **~nef** *m* Raumschiff *n.*

spatule [spatyl] *f* Spa(ch)tel *m* od *f; zoo* Löffelreiher *m.*

speaker, ine [spikœr, -krin] *m f radio* Ansager(in *f*) *m.*

spécial, e [spesjal] *a* besondere(r, s), speziell; Sonder-, Spezial-, Fach-; *s f* Sonderausgabe; mathematische Fachklasse *f;* **~ement** *adv* besonders, eigens, speziell; **~isation** *f* Spezialisierung *f;* **~iser** besonders bezeichnen, eigens an=geben; einzeln an=führen; *se ~* sich spezialisieren (*dans* auf *acc, in* in *das);* **~iste** *m* Spezialist, Fachmann *m; med* Facharzt *m;* **~ité** *f* Besonderheit, Spezialität *f,* (Sonder-)Gebiet, Fach *n,* Sparte *f; com* Markenartikel *m; ~ budgétaire* Unübertragbarkeit *f* der Kreditposten.

spéci|eux, se [spesjø, -øz] scheinbar, mit e-m Schein der Wahrheit *od* des Rechts; Schein-; **~fication** [-si-] *f* Spezifikation, Einzelaufführung *(von Posten),* Aufgliederung; Einzelbezeichnung; *jur* Verarbeitung *f; ~ des poids* Gewichtstabelle *f;* **~fier** einzeln auf=führen, auf=gliedern, spezifizieren; genau an=geben, bezeichnen; **~fique** *a* eigen(tümlich); dem besonderen Fall entsprechend; kennzeichnend; spezifisch; *s m med* spezifische(s) Mittel *n; chaleur f, poids m ~ (phys)* spezifische(s) Wärme *f,* Gewicht *n;* **~men** [-mɛn] *m* Probe *f,* Muster *n;* Probenummer *f,* -heft, -blatt *n; ~ de signature* Unterschriftsprobe *f.*

spect|acle [spɛktakl] *m* Anblick *m,* Schauspiel *n; theat* Vorstellung *f,* Theater *n; ... à ~ (theat)* Ausstattungs-; *aller au* ~ ins Theater gehen; *se donner, être en* ~ *(fig)* sich zur Schau stellen, zur Schau stehen; *pièce f à grand* ~ Ausstattungsstück *n; salle f de* ~ Theatersaal *m;* ~ *de music-hall* Varietévorstellung *f;* **~aculaire** eindrucks-, wirkungsvoll; auffällig, in die Augen springend; Schau-; **~ateur, trice** Zuschauer(in *f*) *m.*

spec|tral, e [spɛktral] gespenstisch; *(phys) analyse f ~e* Spektralanalyse *f;* **~tre** *m* Gespenst, Phantom; *fig* Schreckgespenst; *phys* Spektrum *n;* ~ *solaire* Sonnenspektrum *n;* **~troscope** *m* Spektroskop *n;* **~troscopique** spektroskopisch, spektralanalytisch.

spéculaire [spekylɛr] *a min* schimmernd-blättrig; Spiegel-; *s f bot* Frauenspiegel *m; écriture f* ~ Spiegelschrift *f.*

spécul|ateur, trice [spekylatœr, -tris] *m f* Spekulant(in *f*) *m;* ~ *en bourse* Börsenspekulant *m;* **~atif, ive** *a* spekulativ; theoretisch; sich von der Wirklichkeit entfernend; *s m* Theoretiker *m; valeurs f pl ~ives* Spekulationspapiere *n pl;* **~ation** *f* Spekulation *a. com,* Theorie, theoretische Überlegung *f; se livrer à des ~s* spekulieren; *fig* den Boden der Wirklichkeit verlassen; *achats m pl (ventes f pl) en* ~ Spekulations(ver)käufe *m pl;* ~ *sur les changes* Valutaspekulation *f;* **~er** spekulieren (*sur* auf *acc,* mit); theoretisieren, Spekulationen an=stellen, sich in (reinen) Spekulationen ergehen.

spéculum [spekylɔm] *m med* Spiegel *m.*

speech [spitʃ] *m, pl ~es* kurze Rede *f.*

spéléolo|gie [speleɔlɔʒi] *f* Höhlenkunde, -forschung *f;* **~gue** [-lɔg] *m* Höhlenforscher *m.*

sperm|aticide [spɛrmatisid] *s. spermicide;* **~atozoïde]** *biol* Samentierchen, Spermatozoon *n;* **~e** *m* (männlicher) Samen *m,* Sperma *n;* **~icide** *a* samentötend; *s m* samentötende(s) Mittel *n.*

sphère [sfɛr] *f math* Kugel; *fig* Sphäre *f,* Bereich, Kreis *m;* ~ *d'activité* Wirkungsbereich, -kreis *m;* ~ *d'application, d'influence* Anwendungs-, Einflußbereich *m;* ~ *d'intérêt* Interessensphäre *f.*

sphér|icité [sferisite] *f* Kugelgestalt *f;* **~ique** *a* sphärisch; kugelförmig; *s m aero* Ballon *m;* **~oïde** *m* Sphäroid *n.*

sphincter [sfɛ̃ktɛr] *m* Schließmuskel *m.*

sphinx [sfɛ̃ks] *m* Sphinx *f a. fig.*

spinal, e [spinal] *a anat* Wirbelsäulen-.

spinelle *m min* Spinell *m.*

spir|al, e [spiral] *a* spiralförmig; *s m* Uhrfeder; *f* Spiral(lini)e *f; en ~e* spiral(förm)ig, gewunden; *ressort m* ~ Spiralfeder *f;* **~aler** *(Flugzeug)* kreisen; **~e** *f* Windung *f (e-r Spirale); S~ f geog* Speyer *n.*

spirée [spire] *f bot* Spiräe *f,* Spierstrauch *m.*

spirit|e [spirit] *s m f* Spiritist(in *f*) *m; a* spiritistisch; **~isme** *m* Spiritismus *m;* **~ualisation** [-tɥa-] *f* Vergeistigung *f;* **~ualiser** vergeistigen; **~ualisme** *m* Spiritualismus *m;* **~ualiste** *m* Spiritualist *m;* **~ualité** *f* Geistigkeit, Unkörperlichkeit *f;* **~uel, le** *a* geistig, unkörperlich; geistreich, witzig; geistlich; andächtig, erbaulich; Andachts-; *s m* geistliche Macht *f; vie f ~le (rel)* Leben *n* im Geiste; **~ueux, se** *a* (stark) alkoholisch; *s m pl* Spirituosen *pl,* (hochprozentige) geistige Getränke *n pl.*

spirochètes [spirɔkɛt] *m pl med* Spirochäten *f pl.*

spiromètre [spirɔmɛtr] Atmungsmesser *m.*

spleen [splin] *m* Schwermut *f,* Lebensüberdruß *m.*

splend|eur [splɑ̃dœr] *f* Glanz *m,* Pracht; *pl* Herrlichkeiten *f pl;* **~ide** glänzend, prächtig, strahlend, herrlich.

splén|ique [splenik] *a* Milz-; **~ite** *f med* Milzentzündung *f.*

spoli|ateur, trice [spɔljatœr] *s m f* Räuber(in *f*), Plünderer *m; a* räuberisch; **~ation** *f* Beraubung, Plünderung *f;* **~er** berauben, aus=plündern.

spondée [spɔ̃de] *m* Spondeus *m (Versfuß).*

spon|giaires [spɔ̃ʒjɛr] *m pl zoo* Schwämme *m pl;* **~gieux, se** schwamm(art)ig.

spontané, e [spɔ̃tane] spontan; selbsttätig; selbständig, unaufgefordert, freiwillig; aus eigenem Antrieb, aus freien Stücken (erfolgend); *biol* ohne ersichtliche Ursache erfolgend; *génération f ~e* Urzeugung *f;* **~ité** *f* Selbsttätigkeit, Freiwilligkeit, Spontaneität; Ursprünglichkeit *f;* **~ment** *adv* von selbst.

sporadique [spɔradik] einzelne(r, s), vereinzelt, sporadisch; stellen-, strichweise auftretend *od* vorkommend.

spor|ange [spɔrɑ̃ʒ] *m bot* Sporenkapsel *f;* **~e** *f bot* Spore *f.*

sport [spɔr] *m* Sport *m; pl* Sportarten *f pl;* **~if, ive** *a* sportlich; sportbegeistert; Sport-; *fam* fair; *(Leistung)* tüchtig; *s m f* Sportler(in *f*), Sportfreund(in *f*) *m; le dimanche* ~ (der) Sport am Sonntag; *rubrique f ~ive (Zeitung)* Sportrubrik *f.*

spot [spɔt] *m tech* (Abtast-)Fleck; *tele* Punkt *m; (Lampe)* Strahler *m;* ~ *publicitaire* Werbespot *m.*

sprat [sprat] *m zoo* Sprotte *f.*

spray [sprɛ] *m* Spray *m* od *n.*

sprint [sprint] *m sport* Kurzstreckenlauf *m;* ~**er** [sprintœr] *s m* Sprinter, Kurzstreckenläufer *m; v* [-e] sprinten; spurten.

spu|mescent, e [spymɛsɑ̃, -ɑ̃t] schäumend; *a.* ~**meux, se** schaumig.

sputation [spytasjɔ̃] *f (Physiologie)* Speien *n.*

squale [skwal] *m zoo* Hai(fisch) *m.*

squa|me [skwam] *f* Schuppe *f;* ~**meux, se** schuppig, mit Schuppen bedeckt; ~**mule** *f* Schüppchen *n.*

square [skwar] *m* Grünplatz *m.*

squat|tage [skwataʒ] *m* Hausbesetzung *f;* ~**ter** [-tœr] *m* Hausbesetzer(in *f*) *m;* ~**ter** [-te], ~**tériser** ein Haus besetzen.

squelett|e [skəlɛt] *m* Skelett *a. tech,* Gerippe *a. fig fam; tech* Gerüst *n;* ~**ique** *a* Skelett-; *d'une maigreur* ~ spindel-, klapperdürr.

squille [skij] *f* Heuschreckenkrebs *m.*

squirr(h)e [skir] *m med* Fasergeschwulst *f.*

Sri Lanka [srilɑ̃ka] *m* od *f* Sri Lanka *n.*

stab|ilisateur [stabilizatœr] *m tech* Stabilisator *m,* Kippsicherung *f;* Bodenvermörtelungsgerät *n; aero* Steuersack *m;* Flosse *f;* ~ *gyroscopique* Schiffskreisel *m;* ~**ilisation** *f* Stabilisierung, Konsolidierung; Festigung, Festlegung; *arch* Verfestigung *f;* ~ *des cours, des monnaies* Kurs-, Währungsstabilisierung *f;* ~**iliser** stabilisieren, fest=legen, konsolidieren; (be)festigen, standfest machen; verfestigen; ~**ilité** *f* Standfestigkeit, -sicherheit, Stabilität, Festigkeit; Beständigkeit, Dauer *f,* Bestehen *n;* Haltbarkeit; Wertbeständigkeit *f;* ~ *des prix* Festigkeit *f* der Preise; ~**le** (stand)fest, stabil; beständig, stetig; haltbar, dauerhaft; wertbeständig; ~ *à la lumière* lichtecht.

stabulation [stabylasjɔ̃] *f* Unterstellen *n* im Stall.

stade [stad] *m* Stadion *n,* Kampfbahn *f,* Sportplatz *m; fig* Stadium *n,* Abschnitt, Stufe *f;* ~ *de développement* Entwicklungsstufe *f;* ~ *d'essai, de fabrication* Versuchs-, Fertigungsstadium *n;* ~ *nautique* Schwimmstadion *n.*

stage [staʒ] *m* Praktikum *n,* Probe-, Vorbereitungs-, Übergangszeit *f;* Lehrgang *m; faire un* ~ ein Praktikum machen; *(Schule)* hospitieren.

stagflation [stagflasjɔ̃] *f* Stagflation *f.*

stagiaire [staʒjɛr] *s m* Praktikant, Volontär, Referendar; Lehrgangsteilnehmer *m; a* im Vorbereitungsdienst.

stagn|ant, e [stagnɑ̃, -ɑ̃t] *a* (still)stehend, stagnierend; *fig* gedrückt; *être* ~ stagnieren; ~**ation** [-gna-] *f* Stokkung *f,* Stillstand *m,* Stagnieren *n; com* Flaute *f.*

stakhanoviste [stakanɔvist] *m* Stachanowist, Henneckearbeiter *m.*

stala|ctite [stalaktit] *f geol* Stalaktit *m;* ~**gmite** [-gmit] *f* Stalagmit *m.*

stalle [stal] *f rel* Chorstuhl; *theat* Sperrsitz; *(Pferdestall)* Stand *m; pl* Chorgestühl *n;* ~ *d'orchestre (theat)* Orchestersessel *m.*

stance [stɑ̃s] *f* Stanze, Strophe *f.*

stand [stɑ̃d] *m* (Ausstellungs-)Stand; *(~ de tir)* Schießstand *m; (Rennplatz)* Tribüne *f.*

standard [stɑ̃dar] *s m* Norm *f,* Standard *m,* Muster *n; film* fertige Kopie *f; tele* Fernsprechschrank *m,* -vermittlungsstelle *f; a* genormt; Norm-, Standard-; ~**isation** *f* Normung, Standardisierung, Vereinheitlichung, Typisierung *f;* ~**iser** normen, typisieren, standardisieren, vereinheitlichen; ~**iste** *f* Telefonfräulein *n,* Telefonistin *f.*

standing [stɑ̃diŋ] *m* Rang, Stand *m;* Ansehen *n,* Geltung; Ausstattung *f,* Komfort *m.*

stann|ifère [stanifɛr] zinnhaltig; ~**ique** *a chem* Zinn-.

star [star] *f* (Film-)Star *m;* ~**lett(e)** *f;* Filmsternchen.

start [start] *m* Start, Anfang *m.*

starter [startɛr] *s m sport* Starter; *mot* Anlaßvergaser, Anlasser *m;* ~ *automatique* Startautomatik *f.*

stase [staz] *f med* Stockung *f a. fig.*

station [stasjɔ̃] *f* Halt, Stillstand *m;* (Still-)Stehen *n;* Standort *a. zoo bot;* Halteplatz *m,* -stelle *f;* (Droschken-)Stand *m;* Station *f,* Bahnhof *m; (Krankenhaus)* Station *f;* Wintersportplatz; Erholungsort *m; tele* Amt *n,* Stelle, Station; Anlage; *rel* (Leidens-)Station; *hist* Niederlassung; *bot* Fundstelle *f; chef m de* ~ *(loc)* Stationsvorsteher, Fahrdienstleiter *m;* ~ *aéronautique, côtière, transatlantique* Boden-, Küsten-, Überseefunkstelle *f;* ~ *assise (fam)* Sitzen *n;* ~ *balnéaire* Seebad *n;* ~ *de bord* Bordfunkstelle *f;* ~ *centrale* Zentrale *f;* ~

de charge Landestelle *f; ~ climatique* Luftkurort *m; ~ de commande (el)* Schaltwerk *n; ~ de correspondance* Umsteige-, Übergangsbahnhof *m; ~ debout* (Aufrecht-)Stehen *n; ~ de départ* Abgangsbahnhof *m; ~ droite, verticale* aufrechte Haltung *f; ~ électrique* Kraft-, Elektrizitätswerk *n; ~ émettrice, d'émission(s), de T.S.F.* Sendestelle, Rundfunkstation *f; ~ d'épuration* Kläranlage *f;* Trinkwasseraufbereitungsanlage *f; ~ de l'espace* Weltraumstation *f; ~ d'essais, de recherches* Forschungs-, Versuchsanstalt *f; ~ estivale, hivernale* Sommer-, Winterkurort *m; ~ de forage en haute mer* Bohrinsel *f; ~ hydro-électrique* Wasserkraftwerk *n; ~ hydrominérale* Mineralbad *n,* Badeort *m; ~ maîtresse (inform)* Sendestation *f; ~ météorologique* Wetteramt *n; ~ de métro* Untergrund-, U-Bahn-Station *f; ~ de montagne* Höhenkurort *m; ~ de navire* Seefunkstelle *f; ~ de pompage* Wasserwerk *n; ~ à grande puissance* Großkraftwerk *n; ~ radar* Radarstation *f; ~ radio* Funkstelle *f; ~ ~ de brouillage* Störstelle *f; ~ de rechargement* Ladestelle *f; ~ de repérage* Funkpeilstelle *f; ~ de répétiteurs* Verstärkeramt *n; ~-service f, ~ d'essence* Tankstelle *f; ~ et halte* Rasthaus *n* mit Tankstelle; *~-hôtel m* Motel *n; ~ spatiale (cosm)* (Welt-)Raumstation *f; ~ de sports d'hiver* Wintersportplatz *m; ~ de télévision* Fernsehsender *m; ~ terminus* Endstation, -haltestelle *f; ~ thermale* Badeort *m; ~ de transformation (el)* Umspannwerk *n;* **~naire** *a* stationär, ortsfest, fest-, stillstehend; gleichbleibend; *rester ~* unverändert bleiben; nicht weiter=kommen; **~nement** *m* Halt(en *n*) *m,* Stehenbleiben; *mot* Parken *n;* Aufenthalt *m;* Unterkunft *f; au ~* beim Halten; *en ~* parkend; *~ interdit!* Parken verboten! *feu m de ~ (mot)* Standlicht *n; interdiction f de ~* Parkverbot *n; lieu m de ~* Standort *m; parc m de ~* Parkplatz *m;* **~ner** *itr* parken; (kurz) (an=) halten, stehen=bleiben; *mil* stationieren; *tr* unterbringen; *être ~é* stationiert sein; *défense de ~!* Parken verboten! *sortie de voiture, prière de ne pas ~* Einfahrt frei=halten!

stat|ique [statik] *a* statisch; *s f* Statik *f;* **~isticien** *m* Statistiker *m;* **~istique** *s f* Statistik *f; a* statistisch; *établir une ~* e-e St. auf=stellen; *Bureau, Institut m des ~s* Statistische(s) Amt *n; ~ des accidents* Unfallstatistik *f; ~s démographiques* Bevölkerungsstatistik *f.*

statoréacteur [statɔreaktœr] *m* Staustrahltriebwerk *n.*

stator [statɔr] *m* Stator *m.*

sta|tuaire [statɥɛr] *s m* Bildhauer *m; s f* Bildhauerkunst *f; a* Bildhauer-; **~tue** [-ty] *f* Statue *f,* Standbild *n,* Skulptur *f; ~ équestre* Reiterstandbild *n; ~ de plâtre* Gipsfigur *f.*

statuer [statɥe] *tr* fest=setzen, an=ordnen, bestimmen; *itr* entscheiden (*sur* über *acc*).

statu|ette [statɥɛt] *f* Statuette, Figur *f;* **~fier** *hum* ein Standbild errichten (*qn* jdm).

statu quo [statykwo] *m* Status quo, bisherige(r) Zustand *m.*

stature [statyr] *f* Wuchs *m,* Gestalt *f.*

statut [staty] *m jur* Satzung *f,* Statut *n;* Verordnung; Regelung *f;* Status *m,* Stellung *f,* Stand *m; rédiger les ~s* die Statuten auf=setzen; *~ d'occupation* Besatzungsstatut *n; ~ organique* Grundgesetz *n;* **~aire** satzungsgemäß; durch die Statuten bestimmt.

steamer [stimœr] *m* Dampfer *m.*

stéa|rine [stearin] *f* Stearin *n;* **~rique** Stearin-; **~tite** *f min* Steatit *m.*

steeple(-chase) [stipl, stipəlʃɛz] *m sport* Hindernisrennen *n.*

stèle [stɛl] *f* Stele, (Grab-)Säule *f.*

stellaire [stɛlɛr] *a* Stern-.

stencil [stɛ̃-, stɛnsil] *m* Matrize *f.*

sténo|dactylo(graphe) [[stenɔdaktilo(graf)] *m f* Stenotypist(in *f*) *m;* **~graphe** *m* Stenograph, Kurzschriftler *m;* **~graphie** *f* Kurzschrift *f,* Stenographie *f;* **~graphier** stenographieren; **~graphique** stenographisch; **~type** *f* Stenographiermaschine *f;* **~typer** mit e-r Stenographiermaschine auf=nehmen; **~typie** *f* Maschinenstenographie *f;* **~typiste** *m f* Maschinenstenograph(in *f*) *m.*

steppe [stɛp] *f* Steppe *f; ~ saline* Salzsteppe *f.*

stercor|aire [stɛrkɔrɛr] *m* Mistkäfer *m;* Raubmöwe *f;* **~al, e** *a* Kot-.

stère [stɛr] *m* Ster, Raummeter *m.*

stéréo [stereo] *a* Stereo-; *s f* Stereo *n;* **~chimie** *f* Stereochemie *f;* **~chromie** [-krɔ-] *f* Stereochromie *f;* **~graphie** *f* Stereographie, perspektivische Darstellung *f;* **~métrie** *f* Stereometrie, Raumlehre *f;* **~phonie** *f* Stereophonie *f;* **~phonique** stereophon; **~photogrammétrie** *f* Raumbildmessung *f;* **~photographie** *f* Stereoaufnahme *f;* **~scope** *m* Stereoskop *n;* **~scopique** stereoskopisch; **~statique** *f* Statik *f* der festen Körper; **~typage** *m* Stereotypie *f,* Kli-

schieren *n;* **~type** *a allg* stereotyp; *s m* Stereotypdruck *m;* **~typer** stereotypieren; *fig* e-e feste Form geben (*qc* e-r S); *un sourire ~é* ein stereotypes Lächeln; **~typie** *f* Stereotypgießerei *f.*
stéril|e [steril] *a* unfruchtbar, steril *a. fig;* zeugungsunfähig; *(Ehe)* kinderlos, ohne Nachkommen; *fig* unproduktiv; unergiebig; unschöpferisch; nutzlos, ergebnislos, vergeblich; *min* taub; keimfrei, steril; *s m min* taube(s) Gestein *n; pl* Berge *m pl,* Abraum *m;* **~et** *m (zur Empfängnisverhütung)* Spirale *f;* **~isateur** *m* Sterilisiergerät *n;* **~isation** *f* Sterilisierung, Entkeimung; Unfruchtbarmachung *f;* **~iser** sterilisieren, entkeimen, keimfrei, unfruchtbar machen; *fig* verkümmern lassen; **~ité** *f* Unfruchtbarkeit, Sterilität; *fig* Unergiebigkeit, Unproduktivität *f.*
sterlet [stɛrlɛ] *m zoo* junge(r) Stör *m.*
sternal, e [stɛrnal] *med* Brustbein-.
sterne [stɛrn] *f* Seeschwalbe *f (Möwe).*
sternum [stɛrnɔm] *m* Brustbein *n.*
sternuta|tion [stɛrnytasjɔ̃] *f* Niesen *n;* **~toire** *a* Nies-; *s m* od *poudre f ~* Niespulver *n.*
stéthoscope [stetɔskɔp] *m med* Stethoskop, Hörrohr *n.*
steward [stjuward, stjuwart] *m* Steward, Flugbegleiter *m.*
sthène [stɛn] *m phys* Sekundenmetertonne *f.*
stigmat|e [stigmat] *m med bot* Narbe; *zoo* Atemöffnung *f; rel* Wundmal; Brandmal; *fig* Mal, Stigma *n,* Spuren *f pl;* **~isation** *f* Stigmatisierung; *fig* Brandmarkung *f;* **~iser** stigmatisieren; *fig* brandmarken; *pp fig* gezeichnet.
still|ation [stilasjɔ̃] *f* Tröpfeln *n;* **~atoire** tröpfelnd; **~igoutte** *m* Tropfenzähler *m.*
stimul|ant, e [stimylɑ̃, -ɑ̃t] *a* stimulierend, anregend; *s m med* Reizmittel *n; fig* Anreiz *m;* **~ation** *f* Belebung *f,* Anreiz *m a. fig; fig* Anregung *f;* **~ateur** *m: ~ cardiaque* (Herz-) Schrittmacher *m;* **~er** reizen, an=treiben, -stacheln, -spornen, -regen *a. med; med* beleben, stimulieren.
stipe [stip] *m bot* Stamm, Stengel, Stiel *m.*
stipen|dié, e [stipɑ̃dje] *a* gedungen; *s m* Mietling; **~dier** mieten, dingen.
stipu|lation [stipylasjɔ̃] *f jur* Bestimmung, Klausel; Vereinbarung, Absprache *f; ~ accessoire* Nebenabsprache *f;* **~ler** vertraglich fest=legen *od* bestimmen; verabreden, aus=machen; sich *dat* aus=bedingen; *(Vertrag)* vor=sehen.
stock [stɔk] *m com* Vorrat, (Lager-, Waren-)Bestand *m,* Lager *n; en ~* vorrätig, auf Lager; *jusqu'à épuisement du ~* solange (der) Vorrat reicht; *constituer un ~* e-n Vorrat an=legen; *entamer le ~* den Vorrat an=greifen; *travailler pour le ~* auf Vorrat arbeiten; *rotation f des ~s* Lagerumschlag *m; ~ sur le carreau (min)* Haldenbestand *m; ~s disponibles, en magasin* Lagerbestand *m; ~ et aménagements* Lager *n* samt Einrichtung; *~ de munitions* Munitionsvorrat *m; ~ permanent* eiserne(r) Bestand *m; ~s visibles* greifbare Bestände *m pl;* **~age** *m* (Ein-)Lagerung, Lagerhaltung *f,* Stapeln *n; (~ excessif)* Hortung *f;* Bereitstellung *f; lieu m de ~* Stapelplatz *m;* **~er** (ein=)lagern, (auf=)stapeln, auf Lager nehmen; horten; **~eur** *m* Stapelgerät *n.*
stoï|cien, ne [stɔisjɛ̃, -ɛn] *a* stoisch; *s m f* Stoiker(in *f*) *m;* **~cisme** *m* Stoizismus *m; fig* Unerschütterlichkeit *f;* **~que** stoisch; *fig* unerschütterlich.
stoma|cal, e [stɔmakal] Magen-; **~chique** [-ʃik] magenstärkend; **~tite** *f* Entzündung *f* der Mundschleimhaut; **~toscope** *m* Mundspiegel *m.*
stop [stɔp] *interj* stop(p)! halt! *s m* Stoppschild *n; aller en ~, faire du ~* per Anhalter fahren; *feu m de ~* Bremslicht *n;* **~-over** *m* Zwischenlandung *f;* **~page** *m* (Kunst-)Stopfen *n;* **~per 1.** an=halten, stoppen; ab=stellen; **2.** kunst=stopfen; **~peuse** *f* Kunststopferin *f.*
store [stɔr] *m* (Roll-)Vorhang *m;* Markise *f.*
strabisme [strabism] *m med* Schielen *n.*
strangulation [strɑ̃gylasjɔ̃] *f* Erdrosselung *f.*
strangurie [strɑ̃gyri] *f* Harnzwang *m.*
strapontin [strapɔ̃tɛ̃] *m* Klappsitz *m.*
strass [stras] *m* Straß; *fig* falsche(r) Glanz *m.*
strasse [stras] *f* Flockseide *f.*
stratagème [strataʒɛm] *m* (Kriegs-) List *f.*
strate [strat] *f geol* Schicht, Lage *f; ~s en surplomb* Deckgebirge *n.*
stra|tège [stratɛʒ] *m* Stratege *m;* **~tégie** *f* Strategie *f a. fig;* **~tégique** strategisch; kriegswichtig.
stra|tification [stratifikasjɔ̃] *f geol* Schichtung, Lagerung *f;* **~tifié, e** geschichtet; *roche f ~e* Schichtgestein *n;* **~tigraphie** *f* Schichtenkunde; Lagerung *f.*
strato|cumulus [stratɔkymylys] *m*

Haufenschichtwolke *f;* **~sphère** *f* Stratosphäre *f.*

stratus [stratys] *m* Schichtwolke *f.*

stress [strɛs] *m* Streß *m;* **~ant, e** stressig; **~er** stressen.

strepto|coque [strɛptɔkɔk] *m med* Streptokokkus *m;* **~mycine** *f med* Streptomyzin *n.*

strict, e [strikt] streng, genau; *(Disziplin)* straff.

strid|ent, e [stridɑ̃, -ɑ̃t] schrill, kreischend, gellend, grell; **~ulant, e** zirpend; **~ulation** *f* Zirpen *n;* **~uler** zirpen.

stri|e [stri] *f arch* Rille, Riefe, Kannelüre; *geol* Schramme *f;* ~ *glaciaire* Gletscherschramme *f;* **~é, e** [strije] aderig; gestreift; **~er** rillen, riefeln.

strip|-tease [striptiz] *m* Striptease *m* od *n;* Stripteaselokal *n;* **~-teaseur, euse** *m f* Stripteasetänzer *m,* Stripteasetänzerin *f.*

striure [strijyr] *f* Riefelung; Rille *f.*

strobile [strɔbil] *m bot* Zapfen *m.*

strontium [strɔ̃sjɔm] *m* Strontium *n.*

strophe [strɔf] *f* Strophe *f.*

structur|alisme [stryktyralizm] *m* Strukturalismus *m;* **~aliste** *a* strukturalistisch; *s m f* Strukturalist(in *f*) *m;* Struktur *f,* (Auf-)Bau *m,* Gefüge, Gerüst *n fig,* Gliederung; Bauart, -weise *f;* Bauwerk *n;* **~é, e** aufgebaut, gegliedert, strukturiert; **~er** strukturieren.

strychnine [striknin] *f chem* Strychnin *n.*

stuc [styk] *m arch* Stuck *m;* **~ateur** *m* Stuckarbeiter, Stukkateur *m.*

studieux, se [stydjø, -øz] fleißig, strebsam, rührig, arbeitsam; eifrig (*à* zu).

studio *m* (Künstler-, Film-)Atelier *n; radio* Senderaum *m;* intime(s) Theater; Arbeits-, Herrenzimmer; Wohn-, Eß- u. Schlafzimmer, Alleinzimmer *n;* Einzimmerwohnung *f;* ~ *de télévision* Fernsehstudio *n.*

stup|éfaction [stypefaksjɔ̃] *f* Verblüffung, Bestürzung; Verblüfft-, Betroffenheit *f;* **~éfait, e** verblüfft, betroffen, bestürzt, *fam* wie vor den Kopf geschlagen; **~éfiant, e** *a* betäubend; verblüffend; *s m* Betäubungsmittel; Rauschgift *n;* **~éfier** verblüffen, in höchstes Erstaunen, in Bestürzung versetzen; **~eur** *f* Betäubung, Erstarrung *f a. fig.*

stupi|de [stypid] (stock)dumm, blöde, blödsinnig, stupide, beschränkt, *fam* unterbelichtet; **~dité** *f* Dummheit, Beschränktheit *f;* Blödsinn *m,* Unvernunft *f.*

styl|e [stil] *m* Stil *m,* Ausdrucks-, Darstellungsweise *f; bot* Griffel *m; fig fam* Art *f;* ~ *de vie* Lebensweise *f;* **~é, e** angelernt, abgerichtet; **~er** an=leiten, -lernen, schulen, aus=bilden; instruieren, ab=richten.

stylet [stilɛ] *m* Stilett *n.*

styl|iser [stilize] stilisieren; **~iste** *m* Stilist *m;* ~ *industriel* Formgestalter *m;* **~istique** *f* Stilistik *f.*

stylo [stilo] *m* Füll(feder)halter, Füller *m;* ~ *à bille* Kugelschreiber *m* (mit Druckmine); ~ *à cartouche* Patronenfüller *m;* **~-feutre** *m* Filzstift, Filzschreiber *m;* **~graphique** Füllfederhalter-; *encre f* ~ Füllhaltertinte *f.*

stylomine [stilɔmin] *m (Warenzeichen)* Drehbleistift *m.*

Styrie, la [stiri] die Steiermark.

su [sy] *m* Wissen *n; au vu et au* ~ *de tous* vor aller Augen.

suage [sɥaʒ] *m tech* Schwitzen *n.*

suaire [sɥɛr] *m* Grab-, Leichen-, Schweißtuch *n.*

suant, e [sɥɑ̃, -t] schwitzend.

sua|ve [sɥav] süß, sanft, lieblich; einschmeichelnd, angenehm; anmutig; **~vité** *f* Süße, Lieblichkeit; Sanftheit; Anmut *f.*

sub| . . . [syb] *in Zssgen:* unter-; Unter-; **~alpin, e** am Fuß der Alpen (gelegen); **~alterne** *a* untergeordnet; *s m* Untergebene(r) *m;* **~aquatique** *a* Unterwasser-; **~conscience** *f* Unterbewußtsein *n;* **~conscient, e** *a* unterbewußt; *s m* Unterbewußtsein *n;* **~diviser** unterteilen; **~division** *f* Unterteilung *f,* Abschnitt *m.*

subi|r [sybir] ertragen, erleiden *(a. Verlust);* aus=stehen, durch=machen; über sich ergehen lassen, hin=nehmen; sich gefallen lassen; sich fügen, sich schicken (*qc* in e-e S); sich unterziehen (*qc* e-r S); *(Strafe)* verbüßen; *(Prüfung)* ab=legen, *fam* machen; ~ *l'influence de qn* unter jds Einfluß stehen; ~ *un interrogatoire* verhört werden; ~ *une majoration (Preis)* e-e Erhöhung erfahren.

subit, e [sybi, -t] plötzlich.

sub|jectif, ive [sybʒɛktif, -iv] subjektiv, persönlich; unsachlich; **~jectivité** *f* Subjektivität *f;* persönliche(r) Standpunkt *m;* Unsachlichkeit *f.*

subjonctif [sybʒɔ̃ktif] *m* Konjunktiv *m.*

sub|jugation [sybʒygasjɔ̃] *f* Unterjochung *f;* **~juguer** unterjochen; *fig* beherrschen.

sublim|ation [syblimasjɔ̃] *f chem* Sublimierung; Vergeistigung *f;* **~e** *a* erhaben; *fam* herrlich, prächtig; *s m* (das) Erhabene; **~é** *m chem* Sublimat *n;* **~er** *chem* sublimieren; **~inal, e** im

Unterbewußten; ~**ité** *f* Erhabenheit *f*.

submer|ger [sybmɛrʒe] unter=tauchen, versenken; *(Wogen)* verschlingen; unter Wasser setzen, überschwemmen; *fig* überwältigen, zermalmen; *mil (Panzer)* überrollen; ~**sibilité** *f mar* Tauchfähigkeit *f;* ~**sible** *a* tauchfähig; *s m* Tauch-, U-Boot *n;* ~**sion** *f* Untertauchen *n,* Versenkung *f,* Versenken; Ertrinken *n;* Überschwemmung *f.*

subodorer [sybɔdɔre] *fam* von ferne riechen; *fig* (voraus=)ahnen.

subor|dination [sybɔrdinasjɔ̃] *f* Unterordnung, Abhängigkeit, Unterstellung *f;* Gehorsam *m;* ~**donné, e** *a* untergeordnet (*à* dat), abhängig (*à* von); *s m* Untergebene(r) *m; être* ~ unterstehen, unterstellt sein (*à qn* jdm); *proposition f ~e (gram)* Nebensatz *m;* ~**donner** unter=ordnen, unterstellen, abhängig machen (*à qc* von etw), knüpfen (*à qc* an e-e S).

subor|nation [sybɔrnasjɔ̃] *f* Anstiftung, Verführung; *(~ de témoins)* (Zeugen-)Bestechung *f;* ~**ner** verführen, an=stiften, verleiten; *(Zeugen)* bestechen; ~**neur, se** *m f* Anstifter(in *f*), Verführer(in *f*) *m.*

subrécargue [sybrekarg] *m mar* Superkargo *m.*

subreptice [sybrɛptis] heimlich, verstohlen; *jur* erschlichen.

subro|gation [sybrɔgasjɔ̃] *f jur* Einsetzung *f* in Stelle u. Rechte e-s ander(e)n; ~**gé, e** *a: ~ tuteur m jur* Gegenvormund *m;* ~**ger** *jur* in die Rechte e-s andern ein=setzen; die Rechte übertragen (*qn* jdm).

sub|séquemment [sypsekamɑ̃] *adv* darauf, danach; ~**séquent, e** (nach) folgend, später.

sub|side [sypsid, sybzid] *m* Beisteuer, -hilfe *f,* Zuschuß *m,* Unterstützung, Subvention *f; pl* Subsidien *pl;* ~**sidence** [-ps-, -bz-] *f* Fallbö; *geol* Senkung *f;* ~**sidiaire** [-ps-, -bz-] subsidiär, an die Stelle tretend; Ersatz-, Hilfs-; *conclusion f ~ (jur)* Eventualantrag *m;* ~**sidiairement** *adv* ersatzweise, an zweiter Stelle.

sub|sistance [sybzistɑ̃s] *f* (Lebens-) Unterhalt *m,* Auskommen *n; mil* Verpflegung *f; centre m de distribution des ~s* Verpflegungsausgabestelle *f; dépôt m des ~s* Verpflegungslager *n;* ~**sister** [-bz-] fort=, weiter=bestehen, fort=dauern; noch da-, noch vorhanden sein; noch in Kraft sein; Bestand haben; sich ernähren, leben (*de* von); sein Auskommen haben.

subsonique [sypsɔnik] *a* Unterschall-.

subs|tance [sypstɑ̃s] *f* Substanz *f,* Stoff *m,* Masse *f; fig* Bestand *m;* Wesen *n,* Inhalt, Gehalt *m;* (das) Mark, (das) Wesentliche; *tech* Material *n,* Stoff, Körper; Zusatz *m; en ~* im wesentlichen, in der Hauptsache; *fam* im großen u. ganzen; *vider de sa ~* aus=höhlen; *~ nocive* Schadstoff *m;* ~**tantiel, le** dinghaft, körperhaft, stofflich, materiell, substantiell; *fig* wesentlich; gehaltvoll, inhaltsreich; *fam* nahrhaft, kräftig; ~**tantif** *m* Hauptwort, Substantiv *n.*

subs|tituer [sypstitɥe] an die Stelle setzen (*à* gen), ersetzen, aus=, vertauschen; *(Kind)* unter=schieben; *jur* als Nacherben ein=setzen; *se ~ à qn* sich an jds Stelle setzen; ~**titut** [-y] *m* (Stell-)Vertreter; *jur* Vertreter *m* des Staatsanwalts; *tech* Ersatzmittel *n;* ~**titution** [-sjɔ̃] *f* Ersetzen *n,* Ersatz *m;* Stellvertretung; Unterschiebung; *jur* Einsetzung *f* als Nacherbe; *math* Aus-, Vertauschen; *tech* Auswechseln *n; ~ de consonne* Lautverschiebung *f.*

substrat [sypstra] *m* Substrat *n;* Grund *m,* Unterlage *f.*

subterfuge [syptɛrfyʒ] *m* Ausflucht, Ausrede; List *f,* Trick *m.*

subtil, e [syptil] *(Substanz)* alles durchdringend; *(Sinnesorgan)* scharf; *fig* schlau, listig; scharfsinnig; spitzfindig, subtil; ~**iser** *tr* verflüchtigen, verdünnen; *pop* verschwinden lassen; *itr* tüfteln, grübeln; es (zu) genau nehmen; ~**ité** *f* Scharfsinn *m;* Spitzfindigkeit *f; pl* Kniffe *m pl.*

suburbain, e [sybyrbɛ̃, -ɛn] vorstädtisch; Vorstadt-, Vorort-; *trafic m ~* Vorort-, Nahverkehr *m.*

sub|venir [sybvənir] *irr* entgegen=kommen, Genüge leisten (*à qc* e-r S); *~ aux dépenses de qn* jds Ausgaben bestreiten; ~**vention** *f* Unterstützung, Beihilfe *f,* Zuschuß *m,* Subvention *f;* ~**ventionner** subventionieren, bezuschussen, e-n Zuschuß, e-e Beihilfe gewähren (*qc* e-r S); unterstützen.

sub|versif, ive [sybvɛrsif, -iv] umstürzlerisch; ~**version** *f* Umsturz *m.*

suc [syk] *m* Saft *m; fig* (der) Kern, (die) Substanz, (das) Beste; *~s digestifs* Verdauungssäfte *m pl.*

succéd|ané [syksedane] *m* Ersatz *m,* Surrogat *n; ~ de café* Kaffee-Ersatz *m;* ~**ant, e** nachfolgend; *État m ~* Nachfolgestaat *m;* ~**er** (nach=)folgen (*à qn* jdm); *se ~* aufea.=folgen; *~ à qn* *dans tous ses biens* jds ganzes Vermögen erben.

succès [syksɛ] *m* Erfolg *m*, Gelingen *n; avec* ~ erfolgreich; *sans* ~ erfolglos; *avoir du* ~ Erfolg haben; Beifall, Anklang finden; *avoir grand* ~ großen Erfolg haben, viel Beifall, großen Anklang finden; *chance f de* ~ Aussicht *f* auf Erfolg; *pl* Erfolgsaussichten *f pl;* ~ *électoral, d'estime, fou,* ~ *de rire* Wahl-, Achtungs-, Bomben-, Heiterkeitserfolg *m.*

success|eur [syksɛsœr] *m* Nachfolger *m;* **~ible** erbberechtigt; **~if, ive** aufea.folgend; ununterbrochen, fortwährend; **~ion** *f* Aufea.-, Reihenfolge, Folge; *jur (ordre m de* ~*)* Erbfolge; Erbschaft *f*, Nachlaß *m; recueillir une* ~ e-e Erbschaft an=treten; *droit m de* ~ Erbrecht *n; impôt m sur les* ~*s* Erbschaftssteuer *f; tribunal m des* ~*s* Nachlaßgericht *n;* ~ *des trains (loc)* Zugfolge *f;* **~ivement** *adv* nach u. nach, allmählich; nachea.; **~oral, e** Erbfolge-; *affaires f pl* ~*es* Erbschaftsangelegenheiten *f pl; partage m* ~ Erbteilung *f.*

succinct, e [syksɛ̃, -ɛ̃t] kurz, bündig, knapp, gedrängt; *fam* bescheiden; *(Mahlzeit)* frugal; **~ement** *adv* in, mit wenigen Worten.

succion [syksjɔ̃] *f* Saugen *n;* Saugwirkung *f;* Sog *m.*

succomber [sykɔ̃be] unter-, erliegen; überwältigt werden; zs.=brechen (*sous* unter *dat*); um=kommen, sterben; *fig (e-r Versuchung)* nicht widerstehen können (*à qc* e-r S *dat*).

succu|lence [sykylɑ̃s] *f* Saftigkeit; Schmackhaftigkeit *f;* **~lent, e** saftig; nahrhaft, kräftig; lecker, schmackhaft.

succursale [sykyrsal] *f* Filiale, Zweigniederlassung *f*, -geschäft *n.*

suc|er [syse] (ein=, aus=)saugen, lutschen; *fig* in sich auf=nehmen; *(Menschen)* aus=saugen; *pop* trinken; **~ette** *f* Lutscher, Schnuller *m;* Lutschbonbon *m* od *n*, -stange *f;* **~eur, se** *m f* Sauger(in *f*); *fig* Schmarotzer *m;* ~ *de sang* Blutsauger *m.*

suç|oir [syswar] *m zoo* Saugrüssel *m;* **~on** *m* Saugstelle *f (auf der Haut); fam* Knutschfleck *m; tech* Saugkasten *m;* **~oter** *fam* lutschen.

sucr|age [sykraʒ] *m tech* Zuckern *n (des Weines);* **~e** *m* Zucker *m; casser du* ~ *(sur le dos de qn) (fam)* (über jdn) her=ziehen, (jdn) durch=hecheln; *pain m de* ~ Zuckerhut *m;* ~ *de betterave, brut, candi, de canne, cristallisé, de fruits, de lait, en morceaux, de raisin* Rüben-, Roh-, Kandis-, Rohr-, Kristall-, Frucht-, Milch-, Würfel-, Traubenzucker *m;* ~ *raffiné* Raffinade *f;* **~é, e** gezuckert, (ge)süß(t); *fig* zuckersüß; süßlich; *faire la* ~*e (fam)* sich zieren; *eau f* ~*e* Zuckerwasser *n;* **~er** zuckern; süßen; *fig* versüßen; *se* ~ *(fam)* Zucker nehmen; *fig fam* reichlich für sich sorgen, ab=sahnen; **~erie** *f* Zuckerfabrik *f; pl* Süßigkeiten *f pl;* **~ier, ère** *a* Zucker-; *s m* Zuckerfabrikant *m;* Zuckerdose *f.*

sud [syd] *m* Süd(en); Südwind *m; a inv* südlich; Süd-; *l'Amérique f du S*~ Südamerika *n;* ~*-africain, e a* südafrikanisch; *S*~*, e s m f* Südafrikaner(in *f*) *m;* ~*-est m* Südost(en) *m;* ~*-ouest m* Südwest(en) *m.*

sudation [sydasjɔ̃] *f med* Schwitzen *n.*

Sudètes, les [sydɛt] die (das) Sudeten(land *n*) *pl.*

sudo|rifique [sydɔrifik] *pharm* schweißtreibend; **~ripare** *anat* schweißabsondernd; *glande f* ~ Schweißdrüse *f.*

Su|ède, la [sɥɛd] Schweden *n;* **s~édois, e** schwedisch; *S*~*, e s m f* Schwede *m*, Schwedin *f.*

su|ée [sɥe] *f* Schwitzen *n; pop* Angstschweiß *m; j'en ai eu une* ~ der Angstschweiß brach mir dabei aus, trat mir dabei auf die Stirn; **~er** *itr* schwitzen; *(Sache)* beschlagen; *tr* aus=schwitzen; *fig* verbreiten, aus=strahlen; *fam* riechen (*qc* nach etw); ~ *sang et eau, à grosses gouttes (fig)* Blut u. Wasser schwitzen; sich ab=rackern; *ça me fait* ~ *(fam)* das hängt mir zum Hals heraus; **~eur** *f* Schweiß *m; à la* ~ *de son front* im Schweiße s-s Angesichts.

suffi|re [syfir] *irr* genügen, genug sein; aus=reichen (*à* für); *(Ausgaben)* bestreiten (*à* acc); *fig* gewachsen sein (*à qc* e-r S *dat*); *se* ~ auf eigenen Füßen stehen, niemand(en) brauchen; ~ *seul à qc* etw allein tun können; *à chaque jour* ~*t sa peine* jeder Tag hat s-e Plage; **~samment** *adv* hin-, ausreichend, genügend, sattsam, hinlänglich; **~sance** *f* Genügen *n; fig* Selbstgefälligkeit *f*, Dünkel *m; à, en* ~ genug, ausreichend; zur Genüge; **~sant, e** genügend; hin-, ausreichend; *fig* selbstgefällig, dünkelhaft.

suffi|xe [syfiks] *m* Suffix *n*, Nachsilbe *f;* **~xation** *f* Suffixbildung *f.*

suffo|cant, e [syfɔkɑ̃, -ɑ̃t] erstickend *tr;* drückend; **~cation** *f med* Atemnot *f;* Ersticken *n;* **~quer** *tr* ersticken; den Atem verschlagen *od* benehmen (*qn* jdm); *itr* ersticken *a. fig* (*de colère* vor Zorn).

suffrag|ant [syfragɑ̃] *m (kath.)* Diözesan-, Suffraganbischof; *(evang.)* Vikar *m;* **~e** [-fraʒ] *m* (Wahl-)Stimme; Abstimmung, Stimmabgabe; *fig* Zustimmung *f,* Beifall *m; donner son ~ à qn* jdm s-e Stimme geben; *élire au ~ direct* in direkter Wahl wählen; *recueillir les ~s* die Stimmen ein=sammeln; die Zustimmung finden (*de* gen); *majorité f des ~s* Stimmenmehrheit *f; ~s exprimés* gültige Stimmen *f pl; ~ universel* allgemeine(s) Wahlrecht *n;* **~ette** *f* Frauenrechtlerin *f.*

sugg|érer [sygʒere] ein=geben, -flüstern, nahe=legen, suggerieren; **~estif, ive** suggestiv; anregend; **~estion** *f* Eingebung, -flüsterung; Anregung; Empfehlung *f;* leise(r) Wink; *parl* Antrag *m;* Beeinflussung, Suggestion; *jur* Erschleichung *f; ~ d'amendement (parl)* Abänderungsantrag *m;* **~estionner** beeinflussen; suggerieren; e-n Gedanken auf=drängen (*qn* jdm).

suici|daire [sɥisidɛr] *a* selbstmörderisch; *s m f* Selbstmordkandidat(in *f*) *m;* **~de** *m* Selbstmord *a. fig,* Freitod *m; ~ moral* Selbstaufgabe *f;* **~dé, e** *m f* Selbstmörder(in *f*) *m;* **~der, se** Selbstmord verüben, sich das Leben nehmen.

suie [sɥi] *f* Ruß *m.*

suif [sɥif] *m* Talg *m,* Unschlitt *n; ~ de bœuf, de mouton* Rinder-, Hammeltalg *m; ~ d'os* Knochenfett *n;* **~fer** mit Talg ein=schmieren; **~feux, se** talgartig.

suint [sɥɛ̃] *m* Fett-, Wollschweiß; *(Glas)* Schaum *m;* **~ement** [-tmɑ̃] *m* (Durch-) Sickern; (Aus-)Schwitzen *n;* **~er** *itr* (durch=)sickern; schwitzen; an=laufen; *tr* aus=schwitzen, ab=sondern.

Suisse, la [sɥis] die Schweiz *f;* **s~** *a* schweizerisch, Schweizer; *s m* Türsteher; Kirchendiener; *pl* Schweizergarde *f; boire en ~ (fam)* für sich allein trinken; *petit ~* Sahnekäse *m;* **S~, esse** *m f* Schweizer(in *f*) *m.*

suite [sɥit] *f* Folge, Fortsetzung *f;* (das) Nachfolgende, (das) Weitere; Verknüpfung, Verkettung, Anea.reihung, Aufea.-, Reihenfolge *f;* Zs.hang *m;* (Aus-)Wirkung, Folgeerscheinung; Folgerichtigkeit, Ordnung; Begleitung *f,* Gefolge *n;* Zimmerflucht *f; mus* Suite *f; à la ~ de ...* nach, hinter *dat; comme* od *faisant ~ à ...* im Anschluß an *(acc); dans la ~* in der Folge; *de ~* nachea.; *fam* gleich; *tout de ~* sofort; auf der Stelle; *par la ~* in der Folge, später; *par ~* infolgedessen; *par ~ de* infolge *gen; pour ~ à donner* zur weiteren Veranlassung; *sous ~ de tous frais* Kostenrechnung folgt; *avoir de la ~ dans les idées* konsequent denken; *donner ~ à qc* e-r S Folge leisten *od* statt=geben; *mettre de la ~ dans sa conduite* konsequent sein; *prendre la ~ de qc* etw fortsetzen; *esprit m de ~* folgerichtige(s), logische(s) Denken *n.*

sui|vant, e [sɥivɑ̃, -ɑ̃t] *a* (nach)folgend, nachstehend; *s m* Anhänger, Jünger *m; pl* Gefolge *n; f* Dienerin, Zofe; Begleiterin, Vertraute *f; prp* nach, gemäß, zufolge, laut, entsprechend; längs, entlang; *~ que ...* je nachdem ...; **~vi, e** fortgesetzt, fortlaufend, ununterbrochen; zs.hängend; regelmäßig; gut besucht; im Schwang(e), in der Mode; *(Nachfrage)* anhaltend; *être ~ de qc* etw nach sich ziehen, etw zur Folge haben; **~vre** *irr, tr* folgen (*qn* jdm; *qc* e-r S, auf e-e S); nach=gehen, -fahren, -fliegen (*qn, qc* jdm, e-r S); begleiten, sich an=schließen (*qn* jdm), mit=kommen (*qn* mit jdm); verfolgen *a. fig* (*des yeux* mit den Augen); her sein (*qc* hinter e-r S); befolgen, beherzigen; *(Weg)* gehen, folgen *dat;* entlang=gehen (*qc* an e-r S); *(Richtung)* ein=schlagen; *(Kurs)* teil=nehmen (*qc* an e-r S); *(Vorlesung)* besuchen, hören; *(Sendung)* regelmäßig hören; *(Relais)* an=sprechen; *(Mode)* mit=machen, sich richten (*qc* nach etw); *(Rat)* befolgen, sich halten (*qc* an e-r S); *(Auffassung)* vertreten; *(Religion)* sich bekennen (*qc* zu etw); *(e-r Partei)* an=gehören; beobachten, überwachen; genau, aufmerksam verfolgen; sich angelegen sein lassen; sich überlassen, sich hin=geben (*qc* e-r S); *itr* (nach=)folgen; hinterdrein=gehen, -fahren, -fliegen; nach=kommen, später kommen; nach=rücken *a. mil;* auf=schließen; *(logisch)* folgen (*de* aus); *se ~* aufea.=folgen; *fig* eins aus dem andern folgen; *à ~* Fortsetzung folgt; *faire ~* nach=senden, -schicken; weiter=geben, -leiten *(a. mil); ~ son cours* s-n Gang gehen; normal verlaufen; *~ le mouvement (fig fam)* mit dem Strom schwimmen; *~ qn de la pensée* in Gedanken bei jdm sein; *~ qn toujours et partout* nicht von jdm weichen; *~ les traces, les pas de qn* in jds Fuß(s)tapfen treten; *~ un traitement (med)* sich behandeln lassen; *il suit de là que* es folgt daraus, daß; *comme suit* wie folgt; *prière de faire ~* bitte nachsenden; *mil* weiterleiten!

suj|et, te [syʒɛ, -ɛt] **1.** *a* unterliegend, -worfen, ausgesetzt, verpflichtet (*à* zu), gehalten, gebunden (*à* an *acc*); verbunden (*à* mit); anfällig (*à* für); geneigt (*à* zu); ergeben; ~ *à déclaration, à des droits, à l'impôt* anmelde-, zoll-, steuerpflichtig; ~ *à des inconvénients* mit Nachteilen verbunden; **2.** *s m* Untertan; Staatsangehörige(r), -bürger; Mensch *m*, Person *f*, Kerl *m*, Subjekt *n; med* Patient *m;* Versuchsperson *f*, -tier *n;* Fall *m; (Anatomie)* Leiche; Ursache *f*, Anlaß *m*, Veranlassung *f;* (Beweg-)Grund *m*, Thema *n*, Vorwurf, Stoff, Gegenstand *m*, Motiv *n a. mus;* (Bild-)Inhalt; *gram* Satzgegenstand *m*, Subjekt *n; agr (Veredeln)* Unterlage *f; à ce* ~ diesbezüglich, in dieser Beziehung *od* Hinsicht; *donner* ~ Anlaß geben (*à* zu); *mauvais* ~ Taugenichts *m;* **~étion** *f* Unterwürfigkeit, Dienstbeflissenheit; Abhängigkeit, Gebundenheit *f;* (lästiger) Zwang *m*.

sulfamide [sylfamid] *m pharm* Sulfonamid *n*.

sul|fatage [sylfata~] *m agr* Sulfatieren *n;* **~fate** *m chem* Sulfat, schwefelsaure(s) Salz *n;* ~ *alcalin* Alkalisulfat *n;* ~ *d'aluminium* schwefelsaure Tonerde *f;* ~ *de cuivre* Kupfersulfat *n;* ~ *ferreux, ferrique* Ferro-, Ferrisulfat *n;* ~ *de soude* Natriumsulfat *n;* **~faté, e** schwefelsauer; **~fater** *agr* mit Vitriol spritzen; **~fateuse** *f agr* (Vitriol-)Spritzapparat *m; pop* Maschinenpistole *f;* **~fhydrate** *f:* ~ *de fer* Eisensulfhydrat *n;* **~fhydrique:** *acide m* ~ Schwefelwasserstoff *m;* **~fite** *m* Sulfit *n;* **~focyanate** [-sjanat] *m* Rhodanid *n;* **~furation** *f* Schwefelung *f;* **~fure** *m* Sulfid *n;* ~ *de carbone* Schwefelkohlenstoff *m;* ~ *de plomb* Bleiglanz *m;* **~furé, e** geschwefelt; **~furer** schwefeln; *chem* mit Schwefel verbinden; **~fureux, se** schwefel(halt)ig; **~furique** Schwefel-; *acide m* ~ Schwefelsäure *f;* **~furiser** mit Schwefelsäure behandeln; *papier m ~é* Butterbrotpapier *n*.

sultan, e [syltɑ̃, -an] *m f* Sultan(in *f*) *m; vx m* Duftkissen *n*.

sumac [symak] *m bot* Sumach, Schmack, Färberbaum *m*.

summum [sɔmɔm] *m* Höhepunkt *m*.

super|. . . [sypɛr] *in Zssgen:* Super-, Über-; super-, über-, hoch-.

superbe [sypɛrb] prächtig, pracht-, prunkvoll; herrlich, imposant; *fam* großartig, gewaltig.

super|boulevard [sypɛrbulvar] *m (Kanada)* (gebührenpflichtige) Autobahn *f;* **~carburant** *m* klopffeste(r) Kraftstoff *m*, Superbenzin *n;* **~champion, ne** *m f* Spitzensportler(in *f*) *m*.

supercherie [sypɛrʃəri] *f* Täuschung *f;* Betrug *m;* Übervorteilung *f*.

superféta|tion [sypɛrfetasjɔ̃] *f fig* überflüssige Sache *f;* **~toire** überflüssig, unnötig, -nütz.

super|ficie [sypɛrfisi] *f* Oberfläche *f a. fig;* Flächenraum, -inhalt *m; geog* Fläche *f;* ~ *cultivable* Anbaufläche *f;* **~ficiel, le** Oberflächen-; an der Oberfläche liegend; oberirdisch; *fig* oberflächlich, seicht; *plaie f ~le* äußere Wunde *f*.

super|fin, e [sypɛrfɛ̃, -in] hochfein; **~finition** *f* Feinstbearbeitung *f*.

superflu, e [sypɛrfly] *a* überflüssig, unnütz; *s m* (das) Überflüssige; **~ité** [-flɥite] *f* Überfluß *m;* Überflüssigkeit *f; pl* unnütze Dinge *n pl;* (das) Überflüssige.

supergrand, e [sypɛrgrɑ̃, -d] *pol* Supermacht *f*.

superhétérodyne [sypɛreterɔdin] *f radio* Überlagerungsempfänger *m*.

superhuilage [sypɛrɥilaʒ] *m mot* Obenschmierung *f*.

super-huit [syperɥit] *a inv (Film, Kamera)* Super-8-.

supéri|eur, e [syperjœr] *a* höher (gelegen, stehend); obere(r, s); überragend, beherrschend; hervorragend, vorzüglich; überlegen (*en* an *dat*, in *dat*); besser (*à* als); übergeordnet, vorgesetzt; *s m f* Vorgesetzte(r *m*); *f rel* Oberin *f; échelon m de commandement* ~ *(mil)* vorgesetzte Dienststelle *f; immédiatement* ~ nächsthöher; **~eurement** *adv* hervorragend, vorzüglich, ausgezeichnet; **~orité** *f* Überlegenheit *f* (*en* in, an *dat; sur* über *acc*), Übergewicht *n;* Vorrang *m;* ~ *aérienne, du feu* Luft-, Feuerüberlegenheit *f;* ~ *numérique* zahlenmäßige Ü., Übermacht *f*.

superlatif, ive [sypɛrlatif, -iv] *a* höchste(r, s); *s m gram* Superlativ *m; au* ~ *(fam)* übermäßig, äußerst, ausnehmend.

supermarché [sypermarʃe] *m* Supermarkt *m*.

superphosphate [sypɛrfɔsfat] *m* Superphosphat *n*.

super|posable [sypɛrpɔzabl] überea.legbar; **~posé, e** überea.liegend; *radio* überlagert; **~poser** überea.=, aufea.=legen; auf=stapeln, -schichten; *radio* überlagern; **~position** *f* Überdeckung, Überea.lagerung; Schichtung; *radio* Überlagerung *f;* ~ *des mouvements* Zusatzbewegung *f;*

~**production** *f* Monumentalfilm *m;* ~**puissance** *f* Supermacht *f;* ~**réaction** *f radio* Überkopp(e)lung *f;* ~**sonique** Überschall-; *vitesse f* ~ Überschallgeschwindigkeit *f;* ~**star** *f* Superstar *m.*

supers|titieux, se [sypɛrstisjø, -z] abergläubisch; ~**tition** *f* Aberglaube *m.*

super|structure [sypɛrstryktyr] *f* Über-, Oberbau *m; mar* Aufbauten *m pl;* ~**tanker** *m* Großtanker *m.*

superviser [sypɛrvize] überwachen.

supervitesse [sypɛrvitɛs] *f mot* Schnellgang *m.*

supplanter [syplɑ̃te] ersetzen, an die Stelle treten (*qn, qc* jds, e-r S *gen*); *(aus e-r Stelle)* verdrängen; *(Rivalen)* aus=stechen.

supplé|ance [sypleɑ̃s] *f* Stellvertretung *f;* ~**ant, e** *a* stellvertretend; Ersatz-; *s m f* Stellvertreter(in *f*), Ersatzmann *m;* ~**er** *tr* (ergänzend) hinzu=tun, -fügen; ersetzen; vertreten (*qn* jdn); *itr* ersetzen (*à qc* etw); ab=helfen (*à qc* e-r S *dat*); ~**ment** *m* Ergänzung; *com* Zulage *f; loc* Zuschlag; *(Buch)* Nachtrag, Anhang, Zusatz *m;* Zugabe *f; (Zeitung)* Beilage *f,* -blatt *n; payer un* ~ nach=zahlen; *prendre un* ~ zu=zahlen; nach=lösen; ~ *de poids* Mehr-, Übergewicht *n;* ~ *de prix* Preisaufschlag *m;* ~ *de taxe* Gebührenerhöhung *f;* ~ *de traitement, de vie chère* Gehalts-, Teuerungszulage *f;* ~**mentaire** zusätzlich, ergänzend; Ergänzungs-, Ersatz-; Extra-; *faire des heures* ~*s* Überstunden machen; *frais m pl* ~*s* Extra-, Mehrkosten *pl; heure f* ~ Überstunde *f; paiement m* ~ Zuzahlung *f; train m* ~ *(loc)* Entlastungszug *m;* ~**menter:** *faire* ~ *son billet (loc)* nach=lösen; ~**tif, ive** ergänzend; Ergänzungs-.

suppli|ant, e [syplijɑ̃, -ɑ̃t] *a* flehend, demütig bittend; *s m f* Bittsteller(in *f*) *m;* ~**cation** *f* inständige, demütige Bitte *f.*

suppli|ce [syplis] *m* (Todes-)Strafe *(dernier* ~*); fig* Marter, Pein, Qual *f; être au* ~ *(fig)* wie auf glühenden Kohlen sitzen; *mettre au* ~ foltern, peinigen, quälen; ~*s éternels* Höllenqualen *f pl;* ~ *de Tantale* Tantalusqualen *f pl;* ~**cié, e** Hingerichtete(r *m*) *f;* ~**cier** hin=richten; *fig* martern, quälen.

suppli|er [syplije] inständig, demütig bitten, an=flehen; ~**que** [-plik] *f* Bittschrift *f.*

support [sypɔr] *m tech* Stütze, Auflage *f,* Bock, Pfosten, Träger, Halter *m;* Stützlager *n; tech* Schlitten *m;* Gestell, Stativ *n; min* Ausbau *m; mil* feste Lafette; *mil* Versorgung *f; fig* Beistand, Halt *m,* Hilfe, Stütze; Unterstützung *f; pl mil* Versorgungstruppen *f pl;* ~ *articulé* Gelenkstütze *f;* ~*-chaussettes m* Sockenhalter *m;* ~ *de données (inform)* Datenträger *m;* ~ *de lampe (radio)* Röhrensockel *m;* ~ *pour pieds plats* Plattfußeinlage *f;* ~ *de son* Tonträger *m;* ~**able** [-tabl] erträglich; leidlich; entschuldbar; ~**er** *v* tragen, (unter)stützen, (fest=)halten *fig* (v)ertragen; aus=halten, stand=halten (*qc* e-r S *dat*); (er)dulden, leiden; zu=lassen; *mil* versorgen; ~ *les frais* die Kosten tragen; *s m* [-œr] *sport* Anhänger; Schlachtenbummler *m.*

suppos|é, e [sypoze] *a* angenommen; untergeschoben; falsch; vorausgesetzt; *prp* unter der, bei Annahme *gen;* ~ *que* vorausgesetzt, angenommen, daß; ~**er** an=nehmen, meinen, voraus=setzen, den Fall setzen, vermuten, für möglich halten; *(etw Falsches)* vor=bringen, vor=geben, als wahr hin=stellen; geltend machen; *à* ~ *que, en* ~*ant que* vorausgesetzt, angenommen, daß; *il est permis de* ~ man darf an=nehmen; ~**ition** *f* Annahme, Vermutung; Voraussetzung; falsche Angabe, Erdichtung; *jur* Unterschiebung *f; pure* ~ bloße Vermutung.

suppositoire [sypɔzitwar] *m pharm* Zäpfchen *n.*

suppôt [sypo] *m* Handlanger, Helfershelfer *m.*

suppr|esseur [syprɛsœr] *m tech* Unterdrücker *m;* ~ *d'écho* Echosperre *f;* ~**ession** *f* Unterdrückung; Bekämpfung; *(Aufstand)* Niederschlagung; Beseitigung, Abschaffung, Aufhebung; Einstellung; Streichung *f; (Stelle)* Abbau *m;* Verheimlichung, Verschweigung *f,* Verschwindenlassen *n;* Wegfall *m; med* Ausbleiben *n;* ~ *d'électricité* Stromsperre *f;* ~**imer** unterdrücken, bekämpfen; nieder=schlagen; auf=heben, ab=schaffen; *(Stelle)* ab=bauen; beseitigen, beiseite schaffen; verschwinden lassen *(a. Person);* (weg=)streichen; weg=, aus=lassen, übergehen; verheimlichen, verschweigen.

suppu|ration [sypyrasjɔ̃] *f med* Eiterung *f;* ~**rer** eitern.

suppu|tation [sypytasjɔ̃] *f* Berechnung, Schätzung *f,* Überschlag *m;* ~**ter** berechnen, schätzen, überschlagen.

suprasensible [syprasɑ̃sibl] übersinnlich.

suprématie [sypremasi] *f* Oberhoheit; Überlegenheit *f; ~ aérienne, maritime* Luft-, Seeherrschaft *f.*

suprême [syprɛm] höchste(r, s), äußerste(r, s), oberste(r, s); letzte(r, s); Ober-, Hoch-; *au ~ degré* im höchsten Maße; *l'heure f, le moment, l'instant m ~* das letzte Stündlein, das Ende; *les volontés f pl ~s (jur)* der Letzte Wille.

sur [syr] *prp (Ort)* über, auf; an; bei, zu; *(Richtung)* gegen, an, auf ... zu, nach; *(Zeit)* gegen, (etwa) um; *(Beziehung)* auf, auf ... hin, auf Grund *gen,* an, über, aus, nach; *in Zssgen:* Über-, Ober-; *coup ~ coup* Schlag auf, um Schlag; *sottise ~ sottise* eine Dummheit nach der ander(e)n; *~ ce(la)* darauf(hin); *~-le-champ adv* auf der Stelle, sogleich; *~ l'heure* unverzüglich; *~ soi* bei sich; *~ le soir* gegen Abend; *~ terre et ~ mer* zu Wasser u. zu Lande; *~ toute(s) chose(s) (lit)* vor allem; *être ~ le départ* im Begriff sein abzureisen; *être ~ un travail* bei e-r Arbeit sein; *fermer la porte ~ qn (fig)* die Tür hinter jdm zu=machen; *revenir ~ ses pas* zurück=kehren; *tomber ~ qn* auf jdn stoßen; *travailler ~ qc* an e-r S arbeiten; *la clef est ~ la porte (fam)* der Schlüssel steckt (in der Tür).

sur, e [syr] sauer, herb.

sûr, e [syr] sicher, gewiß; zuverlässig; gefahrlos; *à coup ~, pour ~* gewiß, ohne Zweifel, (ganz) bestimmt; *être ~ de qc* e-r S *(gen)* sicher sein.

sur|abondance [syrabɔ̃dɑ̃s] *f* Überfülle *f* (*de* an *dat*); *fig* Überschwang *m; ~ de population* Übervölkerung *f;* **~abondant, e** überreichlich; überflüssig, -zählig; **~abonder** im Überfluß vorhanden sein; über=fließen (*de, en* von *dat*) *a. fig;* **~aigu, ë** schrill, kreischend; *mus* sehr hoch; *med* äußerst akut; **~ajouter** zum Überfluß hinzu=fügen; **~alimentation** *f* Überernährung; *tech* Aufladung *f;* **~alimenter** überfüttern; *tech* vor=verdichten, auf=laden.

suranné, e [syrane] veraltet, altmodisch; *vx jur* verjährt, ungültig geworden.

surarmement [syrarməmɑ̃] *m* Überbewaffnung *f.*

sur|baissé, e [syrbɛse] *arch* gedrückt; *arc m ~* Flachbogen *m;* **~baisser** *arch* flach bauen, drücken; **~capitalisation** *f* Überkapitalisierung *f;* **~charge** *f* Mehrbelastung, Überlast(ung) *f,* Übergewicht *n,* Auflast; *mot* Überladung; *tele* Übersteuerung; Überschreibung *f;* übergeschriebene(s) Wort *n; en ~* überlastig; überdruckt; *~ par unité de surface* Flächenbelastung *f;* **~charger** über(be)lasten; überladen; überschreiben, -drucken; *se ~ de besogne (fig)* sich (mit Arbeit) überlasten; **~chauffe** *f tech* Überhitzung *f;* **~chauffer** überhitzen, -heizen; **~chauffeur** *m tech* Überhitzer *m;* **~choix** *m* erste Wahl *f;* **~classer** *sport* übertreffen; weit überlegen sein (*qn* jdm); **~compenser** überkompensieren; **~compresser** *tech* überverdichten; **~compresseur** *m* Vor-, Überverdichter *m;* **~compression** *f tech* Überdruck *m,* -verdichtung *f;* **~contrer** *(Bridge)* rekontrieren; **~copier** *phot* überkopieren; **~couper** *(Karten)* übertrumpfen; **~croît** *m* Vermehrung *f,* Zuwachs *m; de, par ~* überdies, obendrein; *~ de dépenses, de travail* Mehraufwand *m,* -arbeit *f.*

surd|i-mutité [syrdimytite] *f* Taubstummheit *f;* **~ité** *f* Taubheit, Schwerhörigkeit *f.*

surdos [syrdo] *m (Pferdegeschirr)* Kammdeckel *m.*

sur|dosage [syrdozaʒ] *m* Überdosis *f;* **~doué, e** überbegabt.

sureau [syro] *m bot* Holunder *m.*

surél|évation [syrelevasjɔ̃] *f* Aufbau *m,* Überhöhung; Aufstockung *f;* **~evé, e** überhöht, hochliegend; *rez-de-chaussée m ~* Hochparterre *n;* **~ever** er-, überhöhen; *arch* auf=stokken.

sûrement [syrmɑ̃] *adv* sicher(lich), gewiß, bestimmt, zweifellos.

suréminent, e [syreminɑ̃, -ɑ̃t] *lit* alles übertreffend.

suremploi [syrɑ̃plwa] *m* Überbeschäftigung *f.*

sur|enchère [syrɑ̃ʃɛr] *f com* höhere(s) Gebot *n,* Überbietung *f a. fig; faire une ~ sur qn* jdn überbieten; **~enchérir** *itr* mehr bieten; *tr* überbieten; *fig* übertreiben; **~enchérissement** *m* höhere(s) Gebot *n;* weitere Preissteigerung *f;* **~enchérisseur** *m* Überbieter *m;* **~entraînement** *m* übertriebene(s) Training *n;* **~entraîner** übertrainieren; **~équipement** *m tech* übermäßige Ausrüstung *f;* **~estaries** [-rɛstari] *f pl* Überliegetage *m pl;* **~estimation** *f* Überschätzung, Überbewertung *f;* **~estimer** überschätzen, überbewerten.

suret, te [syrɛ, -t] säuerlich.

sûreté [syrte] *f* Sicherheit; Gewißheit; Bürgschaft, Gewähr, Garantie; *(me-*

sure f de ~) Sicherheitsmaßnahme, -regel; *S~* Sicherheits-, Kriminalpolizei *f; pour plus de ~* sicherheitshalber; *enlever la ~* entsichern (*de qc* etw); *mettre en ~* in Sicherheit bringen, bergen, sicher=stellen; *deux ~s valent mieux qu'une (fig)* doppelt genäht hält besser; *détachement m de ~ (mil)* Sicherung *f; épingle f de ~* Sicherheitsnadel *f; mise f à la ~ (Waffe)* Sicherung *f;* Sichern *n; serrure, soupape f de ~* Sicherheitsschloß, -ventil *n; service m de ~* Sicherheitsdienst *m; ~ éloignée, rapprochée, en marche, en station (mil)* Fern-, Nah-, Marschsicherung; Sicherung *f* in der Ruhe; *~ de jugement* sichere(s) Urteil *n.*

sur|évaluation [syrevalɥasjɔ̃] *f* Überbewertung *f;* **~évaluer** überbewerten; **~excitable** übererregbar; **~excitation** *f* Überrerregbarkeit; Überreizung; *fig* übermäßige, krankhafte Erregung; Aufregung *f;* **~exciter** überreizen; (übermäßig) erregen; auf=regen; **~exposer** *phot* überbelichten.

surf [sœrf] *m* Surfen *n; faire du ~;* **~eur, se** [sœrfœr, -øz] Surfer(in *f*) *m.*

surfa|ce [syrfas] *f* Überfläche *a. fig;* Fläche(ninhalt *m*); *f;* Schnitt *m; phot* Schicht *f; com* Kredit *m;* Schein *m; en ~ (min)* über Tage; *faire ~* an die Oberfläche kommen, auf=tauchen; *~ de chargement, de chauffe, de la coupe, d'eau, de frein, frottante, habitable, murale, de prise, de rupture, stabilisatrice, sustentatrice* od *portante* Lade-, Heiz-, Schnitt-, Wasser-, Brems-, Reibungs-, Wohn-, Wand-, Angriffs-, Bruch-, Stabilisierungs-, Tragfläche *f; ~ de réparation (sport)* Strafraum *m; ~ de la terre* Erdoberfläche *f;* **~cer** *tech* plandrehen.

surfaire [syrfɛr] überteuern, zuviel berechnen (*qc* für etw); *fig* überschätzen, in den Himmel heben.

sur|fil [syrfil] *m* Überkantstich *m;* **~filer** *(Faden)* hoch=, überdrehen; *(Kante)* umstechen.

sur|fin, e [syrfɛ̃, -in] extrafein; **~fondre** *phys* unterkühlen; **~fusion** *f* Unterkühlung *f.*

sur|gélateur, se [syrʒelatœr, -øz] *a* Tiefkühl.; *s m* Tiefkühltruhe *f;* **~gélation** *f* Tiefkühlen *n;* **~gelé, e** tiefgekühlt; **~geler** tiefgekühlt; **~geler** tief=gefrieren.

surgénérateur [syrʒeneratœr] *m s. surrégénérateur.*

surgeon [syrʒɔ̃] *m bot* Wurzeltrieb, -schößling; *fig* Sproß, Abkömmling *m.*

surg|ir [syrʒir] auf=tauchen *a. fig;* zum Vorschein kommen, *fig* sich erheben; *faire ~* auf=kommen lassen, hervor=, ins Leben rufen; **~issement** *m* Auftauchen *a. fig; fig* Aufkommen *n.*

sur|haussement [syrosmɑ̃] *m arch* Überhöhung *f;* **~hausser** er-, überhöhen; *(Preis)* übermäßig steigern; *fig* übertreiben; **~homme** *m* Übermensch *m;* **~humain, e** übermenschlich; **~imposer** zu hoch belasten *od* besteuern; **~imposition** *f* übermäßige Besteuerung *f;* **~impression** *f phot* Doppelbelichtung *f.*

surin [syrɛ̃] *m agr* Wildling; *arg* Dolch *m,* Messer *n.*

surintendance [syrɛ̃tɑ̃dɑ̃s] *f* Oberaufsicht *f;* **~intendant, e** *m f* Oberaufseher(in *f*); Fürsorger(in *f*) *m.*

surir [syrir] sauer werden.

sur|jet [syrʒɛ] *m* überwendliche Naht *f;* **~jeter** überwendlich nähen.

sur|lendemain [syrlɑ̃dmɛ̃] *m* übernächste(r) Tag *m;* **~menage** [-mə-] *m* Überarbeitung, -anstrengung; Überlastung, Überbürdung; *tech* Überbeanspruchung *f; ~ intellectuel, nerveux* Managerkrankheit *f;* **~mener** überbürden, -lasten; strapazieren; *se ~* sich überarbeiten, -anstrengen; **~moduler** *radio* übersteuern; **~montable** überwindlich; überbrückbar; **~monter** übersteigen, -ragen; sich erheben (*qc* über etw); *fig* überwinden, aus dem Weg räumen; überstehen, meistern; *~ l'attraction terrestre* die Erdanziehung überwinden; **~mouler** von e-m Abguß ab=formen; **~mulot** [-o] *m zoo* Wanderratte *f;* **~multiplicateur** *m mot* Schongang *m;* **~nager** obenauf schwimmen; *fig* fort=dauern, -bestehen; **~natalité** *f* Geburtenüberschuß *m;* **~naturel, le** *a* übernatürlich; ungewohnt, außerordentlich; *s m* (das) Übernatürliche; **~nom** *m* Bei-, Übername *m;* **~nombre** *m* Überzahl *f; en ~* überzählig; *être en ~* in der Überzahl sein; **~nommer** e-n Beinamen geben (*qn* jdm); **~numéraire** *a* überzählig; *s m* Beamtenanwärter *m;* **~offre** *f com* höhere(s) Gebot *n.*

suroît [syrwa] *m mar* Südwest(wind); Südwester *m (Hut).*

suros [syro] *m (Pferd)* Stollbeule *f.*

sur|passer [syrpase] übertreffen, -ragen (*en* an, in *dat*), -steigen (*de* um); größer, länger sein (*de* um); hinaus=ragen (*qc* über e-e S); *com* überzeichnen; *fig* über den Verstand *od* die Mittel gehen (*qn* jds); *se ~* sich selbst übertreffen; ~**paie,** ~**paye** [-pɛ(j)] *f* zuviel bezahlte(r) Betrag *m;* Gratifikation *f,* Lohnzuschlag *m;* ~**payer** zu teuer bezahlen *od* kaufen; e-n zu hohen Lohn zahlen (*qn* jdm); ~**peuplé, e** übervölkert; ~**peuplement** *m* Übervölkerung *f;* ~**plis** [-pli] *m rel* Chorhemd *n;* ~**plomb** *m: en* ~ vorspringend, überhängend; ~**plombement** *m arch* Vorspringen; *geol* Überhängen *n;* ~**plomber** *itr* über⸗hängen; aus dem Lot sein; *tr* hinaus⸗ragen (*qc* über e-e S); ~**plus** [-ply] *m* Überschuß, -hang, Rest *m; au* ~ übrigens, überdies, außerdem; ~ *d'éditeurs* Restauflagen *f pl,* moderne(s) Antiquariat *n;* ~ *de tissus* Überweite *f.*

sur|prenant, e [syrprənɑ̃, -t] überraschend, verwunderlich, erstaunlich; ~**prendre** *irr* überraschen; ertappen, ab⸗fassen, erwischen, überrumpeln; unerwartet, unangemeldet auf⸗, besuchen; in Erstaunen setzen, befremden, verblüffen, frappieren; überlisten, betrügen, hintergehen, täuschen; aus⸗kundschaften; ab⸗fangen.

sur|pression [syrpresjɔ̃] *f* Überdruck *m;* ~**prime** *f* erhöhte Prämie *f.*

surprise [syrpriz] *f* Überraschung; Überrumpelung *f,* Überfall *m;* Erstaunen *n,* Verwunderung *f,* Befremden *n;* Bestürzung, Verwirrung *f;* unerwartete(s) Geschenk *od* Vergnügen *n; com* Attrappe *f; par* ~ überfallartig; *aller de* ~ *en* ~ aus dem Staunen nicht heraus⸗kommen; *prendre par* ~ überrumpeln; *ce m'était une* ~ *agréable* ich war angenehm überrascht; *excursion f* ~ Fahrt *f* ins Blaue; *facteur m* ~ Überraschungsmoment *n;* ~*-partie f* Party *f.*

sur|production [syrprɔdyksjɔ̃] *f* Überproduktion, Mehrerzeugung *f;* ~**profil** *m mot (Reifen)* Übergröße *f;* ~**profondeur** *f (Meer)* Übertiefe *f.*

sur|réalisme [syrrealism] *m* Surrealismus *m;* ~**réaliste** *m* Surrealist *m.*

surrégénérateur [syrreʒeneratœr] *m* schnelle(r) Brüter, Brutreaktor *m.*

sur|rénal, e [syrrenal] *a: capsule, glande f* ~*e* Nebenniere *f;* ~**saturation** *f chem* Übersättigung *f;* ~**saturer** *chem* übersättigen.

sursaut [syrso] *m* Auffahren, -springen *n;* Reflexbewegung *f; fig* Ausbruch *m,* Entladung *f,* Aufflammen *n; en* ~ ruckartig; *s'éveiller en* ~ aus dem Schlaf auf⸗fahren; ~ *de vie* Aufflackern *n* der Lebenskraft; ~**sauter** auf⸗springen, auf⸗fahren, -schrecken.

sur|seoir [syrswar] *jur* ver-, auf⸗schieben; *(Strafe)* aus⸗setzen (*à qc* etw); ~**sis** [-si] *m* Aufschub *m,* Frist, Stundung *f;* Strafaufschub *m;* ~ *d'appel (mil)* Zurückstellung *f;* ~ *de paiement* Zahlungsaufschub *m;* ~**sitaire** *m mil* Zurückgestellte(r) *m.*

sur|taxe [syrtaks] *f* Nach-, Strafporto *n;* (Steuer-)Zuschlag *m;* ~**taxer** mit Strafporto belasten; zu hoch veranschlagen; mit e-m Zuschlag belegen; ~**tension** *f el* Überspannung *f.*

surtout [syrtu] *adv* vor allem, besonders, insbesondere; *s m* Übermantel, Kittel; *(~ de table)* Tafelaufsatz *m.*

sur|veillance [syrvɛjɑ̃s] *f* Aufsicht, Überwachung, Beobachtung; *tech* Wartung, Bedienung *f;* wachsame(s) Auge *n; en* ~ unter (Polizei-)Aufsicht; *sans* ~ unbeaufsichtigt; *service m de* ~ Überwachungsdienst *m; société f de* ~ *d'immeubles* Wach- u. Schließgesellschaft *f;* ~ *de chantier, des travaux* Baustellenüberwachung; Bauaufsicht *f;* ~ *de la circulation* Verkehrsüberwachung *f;* ~ *d'exploitation* Betriebsüberwachung *f;* ~ *des prix* Preisüberwachung *f;* ~ *par télévision en circuit fermé* Videoüberwachung *f;* ~**veillant, e** Aufseher(in *f*); Vorarbeiter; Wärter; Aufsichtsbeamte(r); *tele* Störungssucher *m;* ~ *de la voie (loc)* Bahnmeister, Streckenaufseher *m;* ~ *des wagons (loc)* Schaffner *m;* ~**veiller** überwachen, ein wachsames Auge haben (*qc* auf e-e S), beaufsichtigen; beobachten; *(Maschine)* bedienen, warten, pflegen; *se* ~ sich beobachten.

sur|venance [syrvənɑ̃s] *f jur* unerwartete Ankunft *f;* ~**venir** [-və-] plötzlich dazu⸗kommen; ein⸗treten, sich ereignen.

survente [syrvɑ̃t] *f* Verkauf *m* zu überhöhten Preisen.

survêtement [syrvɛtmɑ̃] *m:* ~ *de sport* Trainingsanzug *m.*

sur|vie [syrvi] *f* Überleben; Leben *n* nach dem Tode; ~**vivance** *f* Überleben *n;* ~**vivant, e** *a* überlebend; *s m f* Überlebende(r *m*) *f;* ~**vivre** *irr* überleben; mit dem Leben davon⸗kommen; weiter⸗, fort⸗leben (*dans* in *dat*); überdauern (*à* acc).

survol [syrvɔl] *m* Überfliegen *n; fig* kurze(r) Überblick *m (de* über *acc*); ~**voler** überfliegen.

sur|voltage [syrvɔltaʒ] *m el* Überspannung *f;* ~**volté, e** *fig fam* übergeschnappt; übernervös; ~**volter** *el* hinauf⸗transformieren; ~**volteur** *m* Aufwärtstransformator *m.*

sus [sy(s)] *adv* (hin)auf; oben; *in Zssgen* vorstehend; oben-; *interj* auf! los! *en* ~ noch dazu; darüber (hinaus);

en ~ de ... über ... hinaus, zu; außer; *courir ~ à qn* auf jdn los=gehen, über jdn her=fallen.

suscep|tibilité [sysɛptibilite] *f* Empfindlichkeit, Reizbarkeit; Aufnahmefähigkeit, Empfänglichkeit *f;* **~tible** empfänglich (*de* für); empfindlich, reizbar; geeignet (*de* für); imstande, fähig (*de* zu).

susception [sysɛpsjɔ̃] *f rel* Empfang *m* (der Weihen).

susciter [sysite] hervor=rufen, entstehen lassen, erwecken, an=stiften; auf=bringen (*contre* gegen).

suscription [syskripsjɔ̃] *f* Auf-, Überschrift *f.*

susdit, e [sysdi, -t], **~mentionné, e, ~nommé, e** *a* obengenannt, -erwähnt; *s m f* Obengenannte(r *m*) *f.*

sus|pect, e [syspɛ, -pɛkt] verdächtig; *être ~ de* im Verdacht stehen zu; **~pecter** verdächtigen (*de* gen), in, im Verdacht haben.

sus|pendre [syspɑ̃dr] *tech* auf=, ein=hängen; *fig* aus=setzen (*qc* mit etw), ein=stellen; unterbrechen, vorläufig auf=heben; des Amtes entheben, suspendieren; *jur* vorläufig außer Kraft setzen; *(Zeitung)* verbieten; *~ les hostilités, les paiements* die Feindseligkeiten, die Zahlungen ein=stellen; **~pendu, e** aufgehängt; hängend, schwebend; *(Wagen)* gefedert; *fig* unterbrochen; aufgehoben; suspendiert; zögernd, unschlüssig, schwankend, hin u. her gerissen; gespannt (*à* auf *acc*); *être ~* schweben; (*aux lèvres de qn* an jds Munde) hängen; *jardin m ~* Dachgarten *m; pont m ~* Hängebrücke *f;* **~pens** [syspɑ̃] *a: en ~* unschlüssig; in der Schwebe, unentschieden; *être en ~* ruhen; *laisser en ~* in der Schwebe lassen; *garder qc en ~* etw unentschieden lassen; **~pense** [syspɛns, syspɑ̃s] *m* Spannung *f;* **~pensif, ive** *jur* aufschiebend; **~pension** *f* Aufhängung, Lagerung *f;* Schweben *n; fig* Einstellung; Unterbrechung, Vertagung *f,* Aufschub; Stillstand *m;* Sperre; Suspendierung, Amtsenthebung; *com (~ des paiements)* Zahlungseinstellung *f; sport* zeitweilige(r) Ausschluß *m; (~ à ressorts)* Federung; *(Zement)* Aufschlämmung; *(lampe f à ~)* Hängelampe *f; à ~ libre* freischwebend; *en ~ (chem)* ungelöst; *matières f pl de ~* Schwebstoffe *m pl; point m de ~* Aufhängepunkt *m; pl gram* Auslassungspunkte *m pl; ~ d'armes* Waffenruhe *f; ~ arrière (mot)* Hinterradaufhängung *f; ~ sur caoutchouc* Gummilagerung *f; ~ de l'exploitation* Betriebseinstellung *f; ~ indépendante* Schwingachse *f; ~ d'instance (jur)* Sistierung *f; ~ du moteur* Motoraufhängung *f; ~ en trois points* Dreipunktaufhängung *f; ~ des relations diplomatiques* Abbruch *m* der diplomatischen Beziehungen; *~ à roues indépendantes* Einzelradaufhängung *f; ~ du trafic* Verkehrsstörung, -sperre *f; ~ (du trafic radio)* Funkstille *f;* **~pensoir** *m med* Suspensorium *n.*

suspente [syspɑ̃t] *f aero* Korbaufhängung *f; ~ du parachute* Trag-, Fangleinen *f pl* des Fallschirms.

suspicion [syspisjɔ̃] *f* Verdacht *m.*

sustent|ateur, trice [systɑ̃tatœr, -tris] tragend; Trag-; **~ation** *f* Schwebefähigkeit *f;* Auftrieb *m;* Ernährung *f,* Unterhalt *m;* **~er** er-, unterhalten, ernähren; *se ~ (fam)* sich stärken.

susurr|ement [sysyrmɑ̃] *m* Säuseln, Rascheln; Flüstern *n;* **~er** flüstern, murmeln; säuseln, rascheln.

sutur|e [sytyr] *f* Naht *f a. anat med bot fig; point m de ~ (fig)* Nahtstelle *f;* **~er** *med* zs.=nähen.

suzerain, e [syzrɛ̃, -ɛn] *a* oberherrlich; *s m hist* Oberherr *m;* **~eté** *f hist* Oberherrschaft, -hoheit *f.*

svastika [svastika] *m* Hakenkreuz *n.*

svelt|e [svɛlt] schlank; **~esse** *f* Schlankheit, schlanke Linie *f.*

sweater [switœr] *m vx* Sweater *m,* Strickweste *f.*

sybarit|e [sibarit] *m lit* Genießer; Weichling *m;* **~ique** *(selten)* genießerisch; weichlich; **~isme** *m lit* Genußsucht; Weichlichkeit *f.*

sycomore [sikɔmɔr] *m bot* Sykomore *f.*

sycophante [sikɔfɑ̃t] *m lit vx* Denunziant, Angeber *m.*

syénite [sjenit] *f min* Syenit *m.*

syl|labaire [sylabɛr] *m* Fibel *f;* **~labe** *f* Silbe *f;* **~labique** Silben-.

syllogisme [silɔʒizm] *m* Syllogismus *m.*

syl|phe [silf] *m,* **~phide** *f* Luftgeist *m.*

syl|vains [silvɛ̃] *m pl* Waldgottheiten *f pl;* **~vestre** Wald-; **~viculteur** *m* Forstwirt *m;* **~viculture** *f* Forstwirtschaft *f.*

symbiose [sɛ̃bjoz] *f biol* Symbiose *f.*

symbo|le [sɛ̃bɔl] *m* Symbol, Sinnbild, Zeichen *n,* Versinnbildlichung *f;* Glaubensbekenntnis *n;* **~lique** *a* symbolisch, sinnbildlich; *s f rel* Dogma *n;* Symbolik *f;* **~liser** sinnbildlich dar=stellen, versinnbildlichen, symbolisieren; **~lisme** *m* Symbolismus *m;* **~liste** *s m* Symbolist *m; a* symbolistisch.

symé|trie [simetri] *f* Symmetrie, Spiegelgleichheit *f; allg* Gleich-, Ebenmaß *n;* ~**trique** symmetrisch, spiegelgleich; ebenmäßig.
sympa|thie [sɛ̃pati] *f* Sympathie; Zuneigung, Vorliebe, Gewogenheit *f;* Mitgefühl *n,* Teilnahme; Seelenverwandtschaft; Übereinstimmung *f,* Einklang *m; témoi gner sa* ~ sein Beileid aus=sprechen; *grève f de* ~ Sympathiestreik *m;* ~**thique** *a* sympathisch *a. anat;* mitfühlend; *(Mensch)* angenehm; *a. s m: système m nerveux* ~, *(nerf) grand sympathique m (anat)* sympathische(s) Nervensystem *n; vx être* ~ *à qc* e-r S nicht abgeneigt sein; *encre f* ~ unsichtbare Tinte *f;* ~**thisant, e** *m f* Sympathisant(in *f*) *m;* ~**pathiser** Sympathie empfinden (*avec* für), sympathisieren, mit=fühlen; zs.=passen, harmonieren (*avec* mit).
sympho|nie [sɛ̃fɔni] *f mus* Symphonie *f;* ~**nique** *mus* symphonisch; ~**niste** *m mus* Symphoniker *m.*
sympo|sium [sɛ̃pɔzjɔm], ~**sion** *m* Symposium *od* Symposion *n.*
symp|tomatique [sɛ̃ptɔmatik] symptomatisch, kennzeichnend; ~**tôme** [-tom] *m med allg* Symptom; *allg* Anzeichen *n,* Vorbote *m;* ~ *d'intoxication* Vergiftungserscheinung *f.*
synagogue [sinagɔg] *f rel* Synagoge *f.*
synallagmatique [sinalagmatik] *jur* zweiseitig.
synchro|n(iqu)e [sɛ̃krɔn(ik)] synchron, gleichzeitig, -laufend; ~**nisation** *f* Gleichschaltung; *film* Synchronisierung; *mil* Steuerung *f;* ~ *des signaux optiques* grüne Welle *f;* ~**niser** aufea. ab=stimmen; gleich=schalten; synchronisieren; steuern; ~**nisme** *m* Gleichzeitigkeit *f; tech* Gleichlauf, -takt *m.*
synclinal, e [sɛ̃klinal] *auge f* ~*e (geol)* Mulde *f.*
syn|cope [sɛ̃kɔp] *f med* Ohnmacht; *mus* Synkope *f;* ~**copé, e** *rythme* ~ synkopierter Rhythmus; ~**coper** *gram vx* zs.=ziehen; *vx fam fig* sprachlos machen, völlig verblüffen; *mus* synkopieren.
synderme [sɛ̃dɛrm] *m* Kunstleder *n.*
syndi|c m [sɛ̃dik] Syndikus; Konkursverwalter; *(Schweiz)* Gemeindeammann *m;* ~**cal, e** syndikalistisch; gewerkschaftlich; genossenschaftlich; *mouvement m* ~ Gewerkschaftsbewegung *f; union f* ~*e* Gewerkschaft *f;* ~**caliser, se** sich (gewerkschaftlich) organisieren; ~**calisme** *m* Syndikalismus *m;* Gewerkschaftsbewegung *f;* ~**caliste** *m* Syndikalist; Gewerkschaftler *m;* ~**cat** [-ka] *m* Gewerkschaft *f;* Syndikat, Konsortium *n,* Ring *m;* Genossenschaft; Vereinigung; ~ *agricole* landwirtschaftliche Genossenschaft *f;* ~ *d'artisans (frz.)* Handwerkerverband *m;* ~ *de banquiers* Bankkonsortium *n;* ~ *de communes* kommunale(r) Zweckverband *m;* ~ *financier* Finanzkonsortium *n;* ~ *des houillères* Kohlensyndikat *n;* ~ *d'initiative* Fremdenverkehrsverein *m;* ~ *des médecins* Ärztekammer *f;* ~ *ouvrier* Arbeitergewerkschaft *f;* ~ *patronal* Arbeitgeberverband *m;* ~ *professionnel* Berufsgenossenschaft *f;* ~**cataire** *m* Mitglied *n* e-s Konsortiums; ~**qué, e** *s m f* Gewerkschaftler(in *f*) *m; a* organisiert; ~**quer** zu e-r Genossenschaft zs.=schließen; in e-m Syndikat zs.=fassen; gewerkschaftlich organisieren; *se* ~ e-e Genossenschaft, ein Syndikat bilden; sich gewerkschaftlich zs.=schließen, organisieren; e-r Gewerkschaft bei=treten.
syndrome [sɛ̃drɔm] *m med* Syndrom *n.*
synecdoque [sinɛkdɔk] *f gram* Synekdoche *f.*
synérèse [sinerɛz] *f gram* Synärese, Kontraktion, Zs.ziehung *f.*
synergie [sinɛrʒi] *f* Synergie *f,* Zs.wirken *n.*
syno|dal, e [sinɔdal] Synodal-; ~**de** *m hist rel* Synode *f; (evangelischer)* Kirchentag *m.*
synony|me [sinɔnim] *a gram* sinnverwandt; *s m* Synonym *n;* ~**mie** *f* Sinnverwandtschaft.
synop|sis [sinɔpsis] *f* Zs.schau, Übersicht *f; film* Exposé *n;* ~**tique** *a* übersichtlich nebenea.gestellt, synoptisch *a. rel; s m pl rel* Synoptiker *m pl; tableau m* ~ Übersichtstafel *f.*
synovie [sinɔvi] *f anat* Gelenkschmiere *f.*
syntaxe [sɛ̃taks] *f* Syntax, Satzlehre *f.*
syn|thèse [sɛ̃tɛz] *f* Synthese; Zs.schau, Zs.fassung *f,* (Gesamt-)Überblick; *chem* Aufbau *m;* ~**thétique** synthetisch; zs.fassend; gesamt-; ~**thétiser** zs.=fassen; umfassen, in sich begreifen; *tech* synthetisch her=stellen; ~**thétiseur** *m* Synthetizer *m.*
syn|tonie [sɛ̃tɔni], ~**tonisation** *f radio* Abstimmung *f;* ~**tonisateur** *m radio* Abstimmknopf *m;* ~**toniser** *radio* ab=stimmen.
syphili|s [sifilis] *f med* Syphilis *f;* ~**tique** syphilitisch.
syri|aque [sirjak] *(Sprache)* syrisch;

S~e, la Syrien *n;* **s~en, ne** *a* syrisch; *S~, ne s m f* Syrer(in *f*) *m.*

syst|ématique [sistematik] systematisch; **~ématiser** in ein System bringen; systematisch ein=teilen *od* ordnen *od* behandeln; **~ème** *m* System *n,* Zs.fassung *f,* Lehrgebäude *n;* Plan *m,* Ordnung *f,* Aufbau *m;* Bauart *f,* Modell *n; geol* Formation; Systematik; *pol* Regierungsform *f;* Kniff *m; taper sur le ~ de qn (pop)* jdm auf den Nerven herum=trampeln; *~ d'alerte (mil)* Warnsystem *n; ~ d'axes, de coordonnées (math)* Koordinatensystem *n; ~ comptable, de clearing* Buchführungs-, Verrechnungssystem *n; ~ D (fam)* Kunst *f,* sich aus der Affäre zu ziehen; *~ décimal* Dezimalsystem *n; ~ dépressionnaire* Tiefdrucksystem *n; ~ économique* Wirtschaftssystem *n; ~ électoral* Wahlsystem *n; ~ de l'enfant unique, de deux enfants* Ein-, Zweikindersystem *n; ~ d'exploitation* Betriebsverfahren *n; ~ informatique (inform)* Datenverarbeitungssystem *n; ~ métrique* metrische(s) System *n; ~ monétaire* Währungssystem *n; ~ montagneux* Gebirgssystem *n; ~ de paiements par acomptes* Teilzahlungssystem *n; ~ progressif souple (opt)* grüne Welle *f; ~ de roulement* Schichtunterricht *m.*

systole [sistɔl] *f (Physiologie)* Systole *f.*

T

T [te, tə] *m* Reißschiene *f; tech* T-Stück *n; en T* T-förmig; *fer m en* ~ T-Eisen *n.*
ta [ta] **1.** *prn s. ton;* **2.** *~, ~, ~! (interj)* ach, was!
taba|c [taba] *s m* Tabak *m; vx arg* Keilerei, Schlägerei *f; pl* Tabakregie *f; a inv* tabakbraun; *passer à ~ (fam)* verprügeln, verdreschen, vertobaken; *c'est le même ~ (pop)* das ist Jacke wie Hose; *passer à ~* zusammen=schlagen; *bureau, débit m de ~* Tabakladen *m; ~ à chiquer, à fumer, à priser* Kau-, Rauch-, Schnupftabak *m;* **~gie** *f péj* verrauchte(s) Zimmer *od* Lokal *n,* Räucherbude *f;* **~gisme** *m* Nikotinvergiftung *f;* **~ssage** *m* Zusammenschlagen *n;* **~sser** zusammen=schlagen; **~tière** *f* (Schnupf-)Tabaksdose; *(fenêtre f à ~)* Dachluke *f.*
tabell|aire [tabɛlɛr] tafelförmig; **~ion** *m vx hum* Notar *m.*
tabernacle [tabɛrnakl] *m rel* Tabernakel *n; (~ du Seigneur)* Stiftshütte *f; Fête f des ~s* Laubhüttenfest *n.*
tablature [tablatyr] *f mus* Tabulatur *f.*
table [tabl] *f* Tisch *m;* Tafel; Kost *f,* Essen *n;* Tischgesellschaft; *arch* Platte, Füllung *f;* Verzeichnis *n,* Tabelle, Auf-, Zs.stellung; *tech* Bahn *f; min* Herd *m; dresser, mettre la ~* den Tisch decken; *faire ~ rase* reinen Tisch machen; *se mettre à ~* sich zu Tisch setzen; *fam* aus=packen; *la sainte ~ (rel)* der Tisch des Herrn; *la ~ et le logement* freie Station *f; ~ alphabétique* Index *m,* Register, alphabetische(s) Verzeichnis *n; ~ de camping, coiffeuse* od *toilette, à dessiner* od *à dessinateur, de jardin, de jeu, de montage, de nuit, d'opérations, à ouvrage, pliante* od *rabattable, à rallonges, de travail* od *~ bureau* Camping-, Frisier-, Zeichen-, Garten-, Spiel-, Montage-, Nacht-, Operations-, Werk-, Klapp-, Auszieh-, Arbeitstisch *m; ~ de conversion, d'intérêts, de pose* Umrechnungs-, Zins-, Belichtungstabelle *f; ~ (d'harmonie) (mus)* Resonanzboden *m; ~ de logarithmes (math)* Logarithmentafel *f; ~ des matières* Inhaltsverzeichnis *n; ~ ronde* Gespräch *n* am runden Tisch; *~ roulante* Teewagen *m; ~s tournantes (Spiritismus)* Tischrücken *n.*
tableau [tablo] *m* Gemälde, Bild *n; (~ noir)* (Schul-, Wand-)Tafel *f;* Schwarze(s) Brett *n;* Tabelle, Liste *f,* Verzeichnis *n;* Plan *m; fig* Aussicht *f,* Anblick *m;* Darstellung, Schilderung *f; theat* (Bühnen-)Bild *n,* Verwandlung; *(vieux ~) fam* alte Schachtel; *arch* äußere Leibung *f; sous forme de ~* tabellarisch; *miser sur deux ~x* auf zwei Karten setzen; *~ d'affichage* Anschlagtafel *f; ~ d'amortissement (com)* Tilgungsplan *m; ~ annonciateur, à volets (tele)* Klappenschrank *m; ~ d'avancement* Beförderungsliste *f; ~ de bord* Instrumenten-, Armaturenbrett *n; ~ de commande, de distribution (el)* Schalttafel *f,* -brett *n; ~ de composition des trains* Tafel *f* der Wagenfolge; ~ d'effectifs Kriegsstärkenachweis *m; ~ de lots* Gewinnliste *f; ~ de pose* Belichtungstabelle *f; ~ de la maladie, nosographique* Krankheitsbild *n; ~ de mortalité* Sterbetafel *f; ~ récapitulatif, synoptique* Übersicht *f; ~ de roulement* Turnus *m; ~ de service* Dienstplan *m; ~ des tirages (Lotterie)* Ziehungsplan *m;* **~tin** *m* kleine(s) Gemälde *od* Bild *n.*
tabl|ée [table] *f* Tischgesellschaft *f;* **~er** setzen (*sur* auf *acc*), rechnen (*sur* mit); **~ette** *f* (Bücher-, Schrank-) Brett *n;* Platte *f,* Gesims *n,* Sims *m* od *n;* Fach; Tischchen *n; (Schokolade etc)* Tafel *f; mettez cela sur vos ~s* merken Sie sich das; *rayez cela de vos ~s* schlagen Sie sich das aus dem Kopf; *~ d'appui de fenêtre* Fensterbank *f; ~ des records* Rekordtafel *f;* **~etterie** *f* Kunsttischlerei *f.*
tablier [tablije] *m* Schürze *f,* Schurz; *tech* Brückenbelag *m,* Fahrbahn *f; (Kamin)* Zugregler *m; loc* Umlaufblech; *(~ des instruments) mot* Armaturenbrett *n;* Motorhaube *f; rendre son ~ (fam)* s-e Stelle auf=geben, sein Amt nieder=legen; *~ blouse, à bretelles, de cuisine* Kittel-, Träger-, Küchenschürze *f.*
tabou [tabu] *a rel fig* tabu; *fig* unantastbar.
tabouret [taburɛ] *m* Hocker, Schemel

m; ~ de bar, de piano Bar-, Klavierhocker *m.*

tabula|ire [tabylɛr] tafelförmig; Tafel-; *enseignement m ~* Anschauungsunterricht *m;* **~teur** *m* Tabulator *m;* **~trice** *f* Tabelliermaschine *f.*

tac [tak] *m: du ~ au ~* schlagfertig *adv.*

tache [taʃ] *f* Fleck(en); *fig* Schandfleck; Makel, Fehler *m; sans ~s* makellos; *faire ~* e-n Fleck machen; *fig* unangenehm auf=fallen; *faire ~ d'huile (fig)* sich langsam verbreiten, allmählich um sich greifen; *~ d'encre, de graisse, d'humidité, de rouille, de sang* Tinten-, Fett-, Stock-, Rost-, Blutfleck *m; ~ hépatique* Leberfleck *m; ~ originelle* Erbsünde *f; ~s de rousseur* Sommersprossen *f pl; ~ solaire* Sonnenfleck *m.*

tâche [tɑʃ] *f* Aufgabe, Arbeit *f;* Tagewerk *n;* Schicht *f; fig prendre à ~* auf sich nehmen, sich angelegen sein lassen (*de* zu); *remplir sa ~* s-e Aufgabe erfüllen; *travailler à la ~* im Akkord arbeiten; *il n'a pas la ~ facile* er hat keine leichte Aufgabe; *ouvrier, travail m à la ~* Akkordarbeiter *m,* -arbeit *f.*

tacher [taʃe] fleckig machen, beschmutzen, beschmieren, besudeln, beflecken *a. fig.*

tâcher [tɑʃe] sich bemühen, trachten (*de* zu), zu=sehen (*de* daß); **~on** [-ʃrɔ̃] *m* kleiner Bauunternehmer *a.* Handlanger *m.*

tacheter [taʃte] Spritzflecken machen (*qc* auf e-e S); sprenkeln.

tachymètre [takimɛtr] *m* Drehzahlmesser *m.*

tacit|e [tasit] stillschweigend; *par ~ reconduction (com)* durch stillschweigende Verlängerung; **~urne** still, schweigsam, verschlossen; stumm; **~urnité** *f* Schweigsamkeit, Verschlossenheit *f.*

tacot [tako] *m fam mot* alte Kiste *f,* Klapperkasten *m; loc* Bimmelbahn *f.*

tact [takt] *m* Gefühl *n,* Tastsinn *m; fig* Feingefühl *n,* Takt(gefühl *n) m; sans ~* taktlos; *avoir du ~, faire preuve de ~* taktvoll sein.

tacticien, ne [taktisjɛ̃, -ɛn] *m* Taktiker *m.*

tactile [taktil] befühl-, betastbar; Tast-; *poil m ~ (Katze)* Schnurrhaare *n pl.*

tactique [taktik] *s f* Taktik *f; a* taktisch.

tadorne [tadɔrn] *m orn* Brandente, -gans *f.*

taffetas [tafta] *m* Taft *m; ~ d'Angleterre, ~ gommé* Heftpflaster *n.*

tafia [tafja] *m* Rum *m.*

taie [tɛ] *f* Kopfkissenbezug; *(Auge)* weiße(r) Hornhautfleck *m.*

taill|able [tajabl] leicht zu schneiden(d); *vx* steuerpflichtig; **~ade** *f* (Ein-)Schnitt, Schlitz *m;* **~ader** (auf=) schlitzen; *se ~* sich schneiden (*la joue* in die Wange); **~age** *m tech* Schneiden *n;* **~anderie** *f* Grobschmiedehandwerk *n,* -werkstatt, -arbeit *f;* **~andier** *m* Grobschmied *m;* **~ant** *m* Schneide; Bohrspitze *f.*

taill|e [taj] *f* (Ein-, Zu-)Schnitt *m;* Schneiden, Behauen, Schleifen *n; (Edelstein)* Schliff *m; min* Streb, Anhieb, Stoß; (Holz-)Schnitt, (Kupfer-)Stich *m;* Kerbholz *n;* (Holz-)Schlag *m;* (Körper-)Größe *f,* Wuchs *m,* Gestalt, Statur, Figur; Taille; *(Bekleidung)* Größe, Taillenweite, Konfektionsgröße; *vx* Steuer *f; par rang de ~* der Größe nach; *être de la même ~* gleich groß sein; *être de ~* Manns genug sein (*à* zu); *prendre par la ~* um die Hüfte fassen; *pierre f de ~* Quaderstein *m; voie f de ~ (min)* Abbaustrecke *f; ~ des cheveux* Haarschneiden *n; ~-crayon(s) m inv* Bleistiftspitzer *m; ~ à la garçonne* Herrenschnitt *m; ~-douce f* Kupferstich *m; ~ de guêpe* Wespentaille *f; ~ marchande* Handelsgröße *f;* **~é, e** (zu)geschnitten; behauen; *(Stein)* geschliffen; *fig* vorbereitet, zugeteilt; wie geschaffen (*pour* für); *il n'est pas ~ pour cela* er ist nicht der Mann dafür; *bien ~* gutgewachsen *od* -gebaut; **~er** *tr* zurecht=, zu=, zerschneiden; (die Haare) schneiden; trimmen; *(Baum)* beschneiden, stutzen; *(Bleistift)* (an=)spitzen; *(Stein)* behauen; *(Stufe)* schlagen; *(Edelstein)* schleifen; *tech* bearbeiten, fräsen; *(Arbeit)* auf=, ein=, zu=teilen; *~ une bavette (fig fam)* e-n Schwatz halten; *~ au ciseau* aus=meißeln, -stemmen; *~ des croupières à qn* jdn übel zu=richten, jdm hart zu=setzen; *~ en pièces (mil)* zerschlagen, vernichten; **~erie** *f* (Stein-)Schleiferei *f;* **~eur** *m* Schneider *m; (costume m ~)* (Schneider-)Kostüm, Jackenkleid, Tailleur *n; ~ pour dames, pour messieurs* Damen-, Herrenschneider *m; ~ de limes* Feilenhauer *m; ~ travaillant sur mesure* Maßschneider *m; ~ de pierres* Steinmetz *m; ~ de verre* Glasschleifer *m;* **~is** [-i] *m* Unterholz, Dickicht *n;* **~oir** *m* Hackbrett *n;* Abakus *m,* Säulendeckplatte *f.*

tain [tɛ̃] *m* Spiegelbelag *m,* Folie *f;* Stanniol *n.*
taire [tɛr] *irr* verschweigen; *se* ~ (still) schweigen; verstummen; für sich behalten (*sur qc* etw), *fam* sich aus⸗schweigen (*sur* über *acc*); *faire* ~ zum Schweigen bringen; Ruhe gebieten (*qn* jdm); *fig (Gerücht)* unterdrücken; beenden.
Tai(-)wan [taiwan] *m* Taiwan *n.*
talc [talk] *m min* Talk *m; poudre f de* ~ Talkum-, Streupulver *n.*
talent [talɑ̃] *m* Anlage, Fähigkeit, Gabe *f,* Talent *n;* ~ *organisateur* Organisationstalent *n;* ~**ueux, se** [-tɥø, -øz] talentiert, begabt, fähig.
taler [tale] *(Obst)* zerdrücken, -quetschen.
talion [taljɔ̃] *hist jur* Vergeltung *f.*
talisman [talismɑ̃] *m* Talisman *m.*
talkie-walkie [tokiwoki] *m (pl talkies-walkies)* Walkie-talkie *n.*
tall|e [tal] *f agr* Wurzelschößling *m;* ~**er** Wurzelschößlinge treiben.
tallipot [talipo] *m* Fächerpalme *f.*
taloche [talɔʃ] *f fam* Ohrfeige; *tech* Reibscheibe, Kelle *f;* ~**r** ohrfeigen.
talon [talɔ̃] *m* Ferse *f,* Hacken; *(Schuh)* Absatz *m; (Strumpf)* Ferse; *arch* Kehlleiste; *tech* Nase *f,* Ansatz; *mot* Wulst *m;* Ende, letzte(s) Stück *n;* Überrest; *com* Kontrollabschnitt; Stock *m* (Spiel-)Karten; *avoir l'estomac dans les* ~*s* e-n Bärenhunger haben; *être toujours sur les, aux* ~*s de qn* dauernd hinter jdm her sein; *marcher sur les* ~*s de qn* jdm an den Fersen hängen; *montrer, tourner les* ~*s* Fersengeld geben; ~ *aiguille, en cuir, de liège* Stift- *od* Pfennig-, Leder-, Korkabsatz *m;* ~ *américain* Keilferse *f;* ~**ner** [-lɔ-] auf den Fersen sein (*qn* jdm) *a. fig;* die Sporen geben (*un cheval* e-m Pferd); *fig* keine Ruhe lassen (*qn* jdm); ~**nette** *f (Schuh)* Ferseneinlage; (Absatz-)Stoßplatte; *(Strumpf)* verstärkte Ferse *f;* ~**nière** *f* Fersenleder; (Hosen-)Stoßband *n.*
talqu|er [talke] mit Talk ein⸗reiben; ~**eux, se** talkhaltig *od* -artig.
talu|s [taly] *m* Böschung *f,* Abhang *m;* Schräge *f; en* ~ schräg; abschüssig; ~**ter** ab⸗böschen, -schrägen.
tamanoir [tamanwar] *m zoo* Ameisenbär *m.*
tamarin [tamarɛ̃] *m* Tamarinde(nschote) *f; zoo* Großohrseidenaffe *m;* ~**ier** *m bot* Tamarinde *f.*
tamaris [tamaris] *m bot* Tamariske *f.*
tambouille [tɑ̃buj] *f pop* Küche *f; péj* Fraß *m.*
tambour [tɑ̃bur] *m mus* Trommel *f a. tech arch;* Trommler *m; tech* Walze *f; (*~ *à broder)* Stickrahmen *m; anat* Trommelfell *n; (partir) sans* ~ *ni trompette* sang- u. klanglos (ab⸗ziehen); *battre du* ~ trommeln; ~ *battant* im Geschwindschritt; *fig* in großer Eile; rücksichtslos; ~ *de basque* Schellentrommel *f;* ~ *à câble* Kabelrolle, Seiltrommel *f;* ~ *à cartouches, de frein, mélangeur* Patronen-, Brems-, Mischtrommel *f;* ~**in** *m* Tamburin *n;* ~**iner** *itr* (*bes.* nervös mit den Fingern) trommeln (*sur* auf *acc*); mehrmals an⸗klopfen (*à la porte* an die Tür); *tr (Marsch)* trommeln; aus⸗trommeln; *fig vx* aus⸗trompeten, -posaunen.
tamis [tami] *m* Sieb *n; min* Drahtkorb *m (der Sicherheitslampe);* Schütteln *n; passer au* ~ *(fig)* unter die Lupe nehmen; ~**age** [-zaʒ] *m* Sieben *n.*
Tamise, la [tamiz] die Themse.
tamis|er [tamize] (durch⸗)sieben, durch⸗seihen; *(Licht)* dämpfen; *fig* sieben, sichten; ~**eur** *m* Siebmaschine *f.*
tampon [tɑ̃pɔ̃] *s m* Pfropfen, Stöpsel; Dübel *m;* Stempelkissen *n; loc* Puffer; *mus tech* Dämpfer; *med* Tupfer; (Watte-)Bausch *m; typ* Rolle *f; a: État m* ~ Pufferstaat *m;* ~*-buvard m* Löscher *m;* ~ *dateur* Datum(s-)stempel *m;* ~ *hygiénique* Tampon *m;* ~**nement** [-pɔ-] *m loc* Zs.stoß *m;* ~**ner** zu⸗stöpseln, verstopfen *(vx);* be-, ab⸗tupfen; zs.⸗stoßen (*qc* mit etw), auf⸗fahren (*qc* auf e-e S); stempeln; *se* ~ aufea.⸗prallen, kollidieren, zus.⸗stoßen; ~ *la sueur de son front* sich den Schweiß von der Stirn tupfen.
tam-tam [tamtam] *m fam* lärmende Reklame *f,* Rummel; Lärm *m;* Tamtam *n.*
tan [tɑ̃] *m* (Gerber-)Lohe, Beize *f.*
tancer [tɑ̃se] aus⸗schimpfen, schelten; e-n Verweis erteilen (*qn* jdm).
tanche [tɑ̃ʃ] *f zoo* Schlei(e *f*) *m.*
tandem [tɑ̃dɛm] *m* Tandem *n; en* ~ *(fig)* zu zweit; ~**iste** *m* Tandemfahrer *m.*
tandis que [tɑ̃dikə] *conj* solange; während, wohingegen.
tangage [tɑ̃gaʒ] *m mar* Stampfen *n.*
tan|gence [tɑ̃ʒɑ̃s] *f math* Berührung *f;* ~**gent, e** *a math* (sich) berührend (*à* dat); *fam* hart am Ziel; *s f math* Tangente; *(Schule) arg* Aufsicht *f* bei Prüfungen; *s'échapper par la* ~*e, prendre la* ~ *(fam)* sich aus der Affäre ziehen, sich aus dem Staube machen; ~**gentiel, le** [-sjɛl] Tangential-.
tangible [tɑ̃ʒibl] berührbar, fühlbar; *fig com* greifbar.

tango [tɑ̃go] *s m* Tango *m; a inv* orangerot.

tanguer [tɑ̃ge] *mar* stampfen; *fig fam* schaukeln, schwanken.

tanière [tanjɛr] *f* Höhle *(wilder Tiere); fig* armselige Behausung *f,* Loch *n.*

tank [tɑ̃k] *m* Tank; *mil* Panzer *m.*

tann|age [tanaʒ] *m* Gerben *n,* Gerbung *f;* ~ *végétal* Lohgerbung *f;* **~ant, e** gerbend; *fig pop* auf die Nerven fallend, unerträglich; **~e** *f med* Finne *f,* Mitesser *m;* **~é, e** gegerbt; *fig* sonn(en)verbrannt, braungebrannt; **~er** gerben; bräunen; *fig fam* auf die Nerven fallen (*qn* jdm); *pop vx* das Fell gerben (*qn* jdm); **~erie** *f* (Loh-)Gerberei *f;* **~eur** *m* (Loh-)Gerber *m;* **~in, tanin** *m* Gerbstoff *m.*

tan-sad [tɑ̃sad] *m mot* Rücksitz, Soziussitz *m.*

tant [tɑ̃] *adv* soviel(e); so, so sehr, dermaßen; ebenso(sehr); ~ *que (conj)* soweit (wie), solange (wie), sosehr (auch); ~ ... *que* sowohl ... als auch; *en* ~ *que* ... (in der Eigenschaft) als ...; insofern (als); *si* ~ *est que* vorausgesetzt, angenommen, wenn dem so ist, daß; wenn überhaupt; ~ *que ça (fam)* soviel; ~ *bien que mal* so gut es (eben) geht, recht u. schlecht; ~ *mieux, pis* um so, desto besser, schlimmer; ~ *et plus* **[tɑ̃teply(s)]** noch (weit) mehr; ~ *plus que moins* nicht mehr u. nicht weniger; *(un)* ~ *soit peu* ein ganz klein wenig; ~ *(il) y a que* wie dem auch sei, kurz; ~ *s'en faut que* weit entfernt zu, daß; *faire* ~ *que de* so weit gehen, es fertig≈bringen zu, daß; *à* ~ *faire que de* wenn man es dazu, so weit bringt, daß; ~ *va la cruche à l'eau qu'à la fin elle se brise* der Krug geht so lange zum Brunnen, bis er bricht.

tantale [tɑ̃tal] *m* **1.** *chem* Tantal *n;* **2.** *supplice m de T~* Tantalusqualen *f pl.*

tante [tɑ̃t] *f* Tante *f; ma* ~ *(pop)* Leihhaus *n.*

tantinet [tɑ̃tinɛ] *m: un* ~ *(de)* ein klein(es) bißchen (...).

tantième [tɑ̃tjɛm] *m* Gewinnanteil *m,* Tantieme *f; allouer les* ~*s* die Gewinnanteile aus≈schütten; ~ *des administrateurs* Aufsichtsrat(s)tantieme *f.*

tantôt [tɑ̃to] *adv* bald, in kurzem, gleich; vor kurzem, soeben, (eben) erst; *s m* Nachmittag *m;* ~ ..., ~ bald ..., bald; *à* ~*!* bis nachher, bis später, bis gleich!

taon [tɑ̃] *m zoo* Bremse *f.*

tap|age [tapaʒ] *m* Krach, Radau, Lärm, Krakeel, Spektakel *m;* Aufsehen *n,* Skandal *m;* ~ *nocturne* nächtliche Ruhestörung *f;* **~ageur, se** *a* lärmend, laut; ausgelassen; lärmerfüllt; *fig* auffällig; *(Farbe)* schreiend, grell; *s m f* Krakeeler, Ruhestörer(in *f*) *m.*

tap|e [tap] *f fam* Klaps, Schlag *m* (mit der Hand); *fam* Schlappe *f,* Reinfall; *tech* Spund *m;* ~*-à-l'œil (a)* auffällig, grellbunt; *s m* Kitsch *m;* **~é, e** *a (Obst)* gedörrt; *fam* treffend, schlagfertig; *pop* verrückt; *s f fam* Haufen *m,* Menge *f; c'est bien* ~ *(pop)* das ist prima; **~ecul** [-ky] *m inv* Schaukel(brett *n*) *f;* Klapperkasten *m (Wagen);* **~er** *tr* e-n Klaps geben (*qn* jdm); klopfen, schlagen; *(~ à la machine)* tippen, auf der Maschine schreiben; *inform* ein≈geben, ein≈tasten; *fam* an≈pumpen (*qn de qc* jdn um etw); *itr (~ à la machine)* tippen; *(auf dem Klavier)* klimpern; stampfen *(des pieds, les pieds)* mit den Füßen; verprügeln (*sur qn* jdn); lästern, her≈ziehen (*sur qn* über jdn); *(Wein)* zu Kopf steigen; *se* ~ *(pop)* sich wischen, in die Röhre gucken, leer aus≈gehen (*de qc* bei etw); *arg* sich genehmigen (*qc* e-e S); ~ *dans l'œil de qn (fam fig)* jdm in die Augen stechen; ~ *dans qc* bei etw tüchtig zu≈langen; mit etw großzügig um≈gehen; ~ *sur les nerfs, sur le système à qn* jdm auf die Nerven fallen; ~ *dans le tas (fam)* blind drauflos≈schlagen; **~ette** *f* kleine(r) Klaps *m; pop* Schwätzer(in *f*) *m; vulg* Schwuler, Tante; *avoir une fière* ~ *(pop)* wie ein Buch reden; **~eur, se** *m f fam* Pumpgenie *n.*

tapin [tapɛ̃] *m fam* Trommler *m vx; fam faire le* ~ auf den Strich gehen.

tapinois [tapinwa] *en* ~ heimlich.

tapioca [tapjɔka] *m* Tapioka-(suppe) *f.*

tapir [tapir] **1.** *s m zoo* Tapir *m;* **2.** *v: se* ~ sich ducken, nieder≈hocken, -kauern.

tapis [tapi] *m* Teppich *m;* Decke *f;* Überzug *m; sport* (Ring-)Matte *f; (~ routier)* (Straßen-)Belag *m; aller au* ~ zu Boden gehen *(Boxen); amuser le* ~ die Gesellschaft unterhalten; *envoyer au* ~ *(sport)* auf die Matte legen *(Ringen); être sur le* ~*, occuper le* ~ Gesprächsthema sein; *mettre sur le* ~ *(fig)* aufs Tapet, zur Sprache bringen; ~ *de bombes* Bombenteppich *m;* ~*-brosse m* Türmatte *f;* ~ *de caoutchouc* Gummimatte *f,* -belag *m;* ~ *d'escalier* Läufer *m;* ~ *de gazon* Rasen(teppich) *m;* ~ *roulant* Rollsteg *m; ~ de montage* Montageband *n; ~ de sol* Bodenteppich *m; ~ de table* Tischdecke *f; ~ de Turquie, oriental* Orientteppich *m; ~ vert (fig)* grüne(r) Tisch *m;* **~isser** tapezieren; mit Gobelins verkleiden; bedecken, überziehen; **~isserie** *f* Tapisserie *f;* Wandbehang, -teppich, Gobelin *m;* Tapete *f; faire ~ (beim Tanz)* sitzen=bleiben, ein Mauerblümchen sein; *~ f de siège* Möbelbezugsstoff *m;* **~issier, ère** *m f* Dekorateur, Polsterer, Möbelhändler(in *f*) *m; f* (offener) Möbelwagen *m.*

tapon [tapɔ̃] *m fam* (Kleider-, Wäsche-)Knäuel *m* od *n,* Bündel *n;* **~ner** in ein Bündel schnüren; zs.=knäueln; *(Haar)* in Locken legen.

tapo|ter [tapɔte] *tr* sanft klopfen (*qc* auf e-e S); *itr (~ du piano)* klimpern; **~tis** [-ti] *m* Klappern *n (der Schreibmaschine).*

taquet [takɛ] *m* Pflock, Anschlag *m,* Nase *f;* Zapfen; *loc* Sperrklotz *m; mar* Klampe *f.*

taquin, e [takɛ̃, -in] *a* neckend; *s m f* Plage-, Quälgeist *m;* **~er** necken, ärgern, reizen; verulken, foppen, hänseln; **~erie** *f* Neckerei; Stichelei, Hänselei *f,* Ulk *m.*

taquoir [takwar] *m typ* Unterlage *f.*

tarabiscot [tarabisko] *m* Leistenhobel *m;* **~é, e** *fig fam* geschraubt, überkandidelt; **~er** *(Stil)* überladen.

tarabuster [tarabyste] *fam* schikanieren, drangsalieren.

taratata [taratata] geh! Unsinn!

taraud [taro] *m* Gewindebohrer *m;* **~age** [-daʒ] *m* Gewindeschneiden; Muttergewinde *n;* **~er** ein Innengewinde schneiden (*qc in e-r S);* **~euse** *f* Muttergewindeschneidmaschine *f.*

tard [tar] spät; *au plus ~* spätestens, nicht später als; *tôt ou ~* früher oder später; *sur le ~* am späten Abend, spätabends; gegen das Lebensende; *il se fait ~* es wird spät; *~-venu, e m f* Spätling *m;* **~er** zögern, zaudern (*à* zu); *sans ~* unverzüglich; *sans plus ~* ohne weiteres Zögern; *~ à arriver* lange auf sich *(dat)* warten lassen; *il me ~e (impers)* ich möchte gern; ich sehne mich (*de, que mit subj* danach zu, daß); **~if, ive** spät; sich spät entwickelnd, spätreif; *fruits m pl ~s* Spätobst *n;* **~iflore** *bot* spätblühend; **~igrade** *a fam* rückständig; *s m pl* Faultiere *n pl;* **~illon** [-ijɔ̃] *m (Tier)* Spätling *m; (Kind)* Nesthäkchen *n,* Nachkömmling *m;* **~iveté** *f (selten)* späte(s) Wachstum *n od* Entwicklung *f.*

tar|e [tar] *f* Tara *f,* Verpackungsgewicht; *(Wagen)* Eigengewicht *n; fig* Makel, Mangel, Fehler *m; faire la ~* die Verpackung berücksichtigen; *~ de caisse* Kassenfehlbetrag *m; ~ congénitale* Geburtsfehler *m; ~ héréditaire* erbliche Belastung *f; ~ réelle, d'usage* Netto-, Usotara *f;* **~é, e** verdorben; beschädigt; mit e-m Fehler behaftet; *fig (Mensch)* verdorben; *héréditairement ~* erblich belastet.

tarentelle [tarɑ̃tɛl] *f* Tarantella *f (Tanz).*

tarentule [tarɑ̃tyl] *f zoo* Tarantel *f; piqué, mordu par la ~ (fig)* wie von der T. gestochen.

tarer [tare] beschädigen *vx;* verderben *vx; com* die Verpackung wiegen (*qc* e-r S); *fig (Menschen)* verderben; *(s-m Namen)* Unehre machen (*qc* e-r S *dat*).

taret [tarɛ] *m zoo* Bohrwurm *m.*

targette [tarʒɛt] *f* Schub-, Fenster-, Drehriegel; *pop* Schuh *m.*

targuer, se [targe] prahlen, sich brüsten (*de qc* mit etw); pochen (*de qc* auf e-e S).

tarière [tarjɛr] *f* Zimmermanns-, Löffelbohrer; *min* Erdbohrer *m; zoo* Legeröhre *f.*

tarif [tarif] *m* Tarif *m;* Preisangabe, -liste; Gebühr *f;* Satz *m;* Taxe *f; à demi-~* zum halben Preis; *à ~ réduit* zu ermäßigten Preisen; *majoration, réduction f du ~* Tariferhöhung, -senkung *f; ~ d'annonces, de chemin de fer, à échelons* od *paliers, de faveur* od *préférentiel, à forfait, de jour, de nuit, postal, de salaires* Anzeigen-, Eisenbahn-, Staffel-, Vorzugs-, Pauschal-, Tages-, Nacht-, Post-, Lohntarif *m; ~ dégressif* Staffelrabatt *m; ~ des honoraires* Gebührenordnung *f;* **~aire** tarifmäßig; Tarif-; **~er** den Tarif, Preis, Zoll fest=setzen, die Gebührensätze auf=stellen (*qc* für etw); **~ication** *f* Tarifgestaltung; Gebühren-, Preis-, Zollfestsetzung *f.*

tarin [tarɛ̃] *m orn* Zeisig; *arg* Zinken *m,* Nase *f.*

tar|ir [tarir] *tr* (aus=)trocknen, trocken=legen, versiegen lassen *a. fig; (Kasse)* leeren; *itr* ver-, aus=trocknen, auf=hören zu fließen, versiegen *a. fig; fig* auf=hören, ein Ende nehmen; *ne pas ~ sur qc* von etw nicht los=kommen, immer wieder auf e-e S (zu sprechen) kommen; *la conversation ~it* die Unterhaltung stockt; **~issable** versiegbar; **~issant, e** versiegend; **~issement** *m* Aus-, Vertrocknen; Versiegen *n.*

tarlatane [tarlatan] *f* Steifgaze *f,* Tarlatan *m.*
tarots [taro] *m pl* Tarockkarten *f pl; faire les ~s* die Karten legen; *jeu m de ~* Tarock(spiel *n) n* od *m.*
taroupe [tarup] *f* Haar *n* zwischen den Augenbrauen.
tarsalgie [tarsalʒi] *f* Plattfuß *m.*
tarse [tars] *m anat* Fußwurzel *f.*
tartan [tartɑ̃] *m* Plaid-, Schottenstoff *od* -umhang *m;* Kunststoff *(Rennbahn).*
tartane [tartan] *f* Tartane *f (kleines Segelschiff im Mittelmeer).*
tartare [tartar] tartarisch; *les T~s* die Tartaren.
tartarin [tartarɛ̃] *m fam* Prahlhans *m;* **~ade** *f fam* Prahlerei *f.*
tart|e [tart] *f* Torte; *arg* Ohrfeige *f; ~ aux cerises, aux fraises* Kirsch-, Erdbeertorte *f,* -kuchen *m;* **~elette** [-tə-] *f* Törtchen *n.*
tarti|ne [tartin] *f* (bestrichene Brot-) Schnitte *f,* Butterbrot *n, fam* (Klapp-)Stulle; *fig* endlose Rede, Tirade *f;* langweilige(r) Zeitungsartikel *m; en faire une ~ (pop)* stark übertreiben, an die große Glocke hängen; *~ de beurre, de confiture* Butter-, Marmeladebrot *n;* **~ner** Butterbrote streichen *od* machen; *fam* endlos reden, schreiben (*sur qc* über e-e S).
tartr|e [tartr] *m* Wein-, Kessel-, Zahnstein *m;* **~eux, se** wein-, kessel-, zahnsteinartig; **~ifuge** *m* Kesselsteinverhütungsmittel *n;* **~ique** Weinstein-.
tartufe [tartyf] *m* Heuchler, Scheinheilige(r) *m;* **~rie** *f* Heuchelei, Scheinheiligkeit *f.*
tas [tɑ] *m* Haufen, Stapel, Stoß *m; fig* Menge, *pop* Masse *f; arch* unfertige(r) Baukörper *m; mettre en ~* in Haufen legen; *se mettre, être en ~* sich zs.≈ballen; *grève f sur le ~* Sitzstreik *m; ~ de bois, de sable* Holz-, Sandhaufen *m; un ~ de gens (fam)* e-e Menge Leute; *un ~ de questions (fam)* ein Haufen, e-e Menge Fragen.
tasse [tas] *f* Tasse *f; demi-~ f* Mokkatasse *f; ~ à café, à chocolat, à thé* Kaffee-, Schokoladen-, Teetasse *f; ~ de café* Tasse *f* Kaffee.
tasseau [taso] *m* Knagge *f,* Kragstein; Handamboß *m.*
tass|ement [tasmɑ̃] *m (Mauer)* Sichsetzen, Sich-Senken *n,* Senkung; *com (Kurse)* Senkung *f,* Rückgang *m;* **~er** *tr* (an≈, auf≈)häufen, (auf≈)stapeln, schichten, zs.≈drängen, zs.≈drücken; fest≈stampfen; *(Menschen)* zs.≈pferchen; *(Kunst)* massieren; *itr bot* sich aus≈breiten, dichter werden; *se ~ (arch)* sich senken, sich setzen; *(Personen)* sich zs.≈drängen; *(Kurse)* zurück≈gehen; *ça va se ~ (fam)* das legt, gibt sich; das geht vorbei, vorüber.
ta(s)te-vin [ta(s)təvɛ̃] *m inv* Stechheber *m;* Probierglas *n.*
tât|ement [tɑt(ə)mɑ̃] *m* Befühlen *n;* **~er** *tr* befühlen, ab≈, betasten; *fig* aus≈forschen, aus≈horchen, sondieren, *fam* auf den Zahn fühlen (*qn* jdm); *(Gegner)* ab≈tasten; *itr* versuchen, probieren (*de qc* etw); *fig fam* aus≈probieren (*de qc* etw); *se ~* mit sich selbst zu Rate gehen; *~ le pouls* den Puls fühlen; *~ le terrain (fig)* das Terrain ab≈tasten.
tatillon, ne [tatijɔ̃, -ɔn] *a* kleinlich; *s m f* Kleinigkeitskrämer(in *f*) *m;* **~ner** sich um Kleinigkeiten kümmern.
tâton|nement [tɑtɔnmɑ̃] *m* Tasten; *fig* Versuchen, Zögern *n; pl* erste Versuche *m pl;* **~ner** herum≈tasten, -tappen; *fig* tastende Versuche machen; zögernd zu Werke gehen; **~s:** *à ~* tastend, tappend; *fig* auf gut Glück, blindlings.
tatou [tatu] *m zoo* Gürteltier *n.*
tatou|age [tatuaʒ] *m* Tätowieren *n;* **~er** tätowieren; **~eur** *m* Tätowierer *m.*
taudis [todi] *m* armselige Behausung *f,* Elendsquartier; *fam* (Dreck-)Loch *n.*
taul|ard [tolar] *m arg* Gefangene(r) *m;* **~e** *f arg* Knast *m,* Gefängnis; *pop* (Hotel-)Zimmer *n;* **~ier, ère** *m f arg* Chef(in *f*); (Gast-)Wirt(in *f*) *m.*
taup|e [top] *f* Maulwurf(sfell *n*) *m; noir comme une ~* pechschwarz; *~-grillon m* Maulwurfsgrille, Werre *f;* Vorbereitungsklasse für die École Polytechnique, Centrale; **~ière** *f* Maulwurfsfalle *f.*
taupin [topɛ̃] *m fam* Kandidat *m* für die École Polytechnique.
taupinière [topinjɛr] *f* Maulwurfshügel, -haufen *m; fig* bescheidene(s) Häuschen *n;* kleine(r) Hügel *m.*
taur|e [tɔr] *f zoo* Färse *f;* **~eau** *m* Stier *a. astr (T~),* Bulle *m; prendre le ~ par les cornes* den Stier bei den Hörnern packen; *course f de ~x,* **~omachie** [-ʃi] *f* Stierkampf *m.*
taux [to] *m* (Prozent-)Satz, Zinsfuß *m;* Quote, Rate *f;* Kurs; Preis *m;* Ziffer *f;* Gehalt; Grad *m;* Verhältnis *n; au ~ de ...* zum Zinsfuß von ...; *à ~ d'intérêt fixe* festverzinslich; *~ d'accroissement* Wachstumsrate *f; ~ d'amortissement* Tilgungsquote *f; ~ d'assurance* Versicherungstarife *m pl; ~ de capitalisation* Rendite *f,* Er-

trag *m; ~ de* od *du change* Wechselkurs *m; ~ de compression (tech)* Verdichtungsgrad *m; ~ de conversion* Umrechnungskurs *m; ~ de la cote du jour (Börse)* Tageskurs *m; ~ de croissance* Wachstumsrate *f; ~ de distribution* Verteilungsschlüssel, Verteiler *m; ~ d'émission* Emissionskurs *m; ~ d'épargne* Sparquote *f; ~ d'escompte* Diskontsatz *m; ~ de fret* Frachtsatz *m; ~ d'imposition* Steuersatz *m; ~ de mortalité* Sterblichkeitsziffer *f; ~ de natalité* Geburtenziffer, -rate *f; ~ de la prime* Prämiensatz *m; ~ des salaires* Lohnsatz *m; ~ de sucre dans le sang* Blutzuckerspiegel *m.*

tavaillon [tavajɔ̃] *m* (Dach-)Schindel *f.*

tavelure [tavlyr] *f (Obst)* fleckige Beschaffenheit *f.*

taverne [tavɛrn] *f* Restaurant *n,* Weinstuben *f pl.*

tax|ateur [taksatœr] *m* Taxator *m;* **~ation** *f* Taxierung, Einschätzung, Veranschlagung; Besteuerung; *jur* Gebührenberechnung *f; valeur f de ~* Schätzwert *m; ~ pour l'impôt* Steuerveranlagung *f;* **~e** *f* Steuer (*sur* auf *acc*); Abgabe; Gebühr(en *pl*) (*de* für); Taxe *f;* Zuschlag; *com* festgesetzte(r) Preis *m; être soumis à une ~* abgabepflichtig sein; *~ d'affranchissement des lettres* Briefporto *n; ~ sur les automobiles* Kraftfahrzeugsteuer *f; ~ sur les chiens* Hundesteuer *f; ~ sur le chiffre d'affaires* Umsatzsteuer *f; ~ civique* Bürgersteuer *f; ~ de compensation* Ausgleichsabgabe *f; ~ de consommation* Verbrauchssteuer *f; ~ d'engagement, d'inscription (sport)* Nenngeld *n; ~ d'enlèvement des ordures ménagères* Müllabfuhrgebühr *f; ~ locale* Gemeindesteuer *f; ~ de luxe* Luxussteuer *f; ~ de livraison* Zustellgebühr *f; ~ sur les postes radio(phoniques), de l'auditeur* Rundfunkgebühren *f pl; ~ professionnelle* Gewerbesteuer *f; ~ sur le revenu* Einkommensteuer *f; ~ sur les salaires* Lohnsteuer *f; ~ de séjour* Kurtaxe *f; ~ sur les spectacles* Vergnügungssteuer *f; ~ supplémentaire* Steuerzuschlag; *pour retard* Säumniszuschlag *m; ~ de stationnement* Parkgebühr *f; ~ successorale* Erbschaftssteuer *f; ~ téléphonique* Fernsprechgebühr *f; ~ de télévision* Fernsehgebühr *f; ~ sur, à la valeur ajoutée, sur la valeur foncière, sur les valeurs mobilières* Mehrwert-, Grund-, Wertpapiersteuer *f;* **~er** mit e-r Steuer belegen, besteuern; veranlagen; den Preis, die Kosten fest≈setzen (*qc* von etw); *fig* beschuldigen (*de* gen).

taxi [taksi] *m* Taxi *n.*

taxi|dermie [taksidɛrmi] *f* Ausstopfen *n (von Tieren);* **~mètre** *m* Taxameter *m;* **~phone** *m* Münzfernsprecher *m.*

taxonomie [taksɔnɔmi] *f* (Wissenschaft *f* von der) Systematik, Einteilung *f.*

tchécoslovaqu|e [tʃekɔslɔvak] tschechoslowakisch; **T~ie, la** die Tschechoslowakei.

tchèque [tʃɛk] *a* tschechisch; *T~ s m f* Tscheche *m,* Tschechin *f.*

te [tə] *prn* dir, dich.

té [te] *m* T-Stück, *(fer m en ~)* T-Eisen *n;* Reißschiene *f; en ~* T-förmig.

techn|icien [tɛknisjɛ̃] *m* Techniker, Fachmann *m; ~ de la publicité* Werbefachmann *m; ~ sanitaire* Gesundheitsingenieur *m;* **~icité** *f* technische(r) Charakter *m;* **~ique** *s f* Technik *f; a* technisch; *mot m, expression f ~* Fachwort *n,* -ausdruck *m; ~ aéronautique, du chauffage, de l'éclairage, des fusées, du radar, de la radiodiffusion* Luftfahrt-, Heizungs-, Beleuchtungs-, Raketen-, Funkmeß-, Rundfunktechnik *f; ~ de pointe* hochentwickelte Technik *f;* **~ocrate** *m* Technokrat *m;* **~ocratie** [-si] *f* Herrschaft *f* der Technik; **~ocratique** technokratisch; **~ocratisation** *f* Technokratisierung *f;* **~ocratiser** technokratisieren; **~ologie** *f* Technologie *f;* **~ologique** technologisch.

te(c)k [tɛk] *m* Teakbaum *m; bois m de ~* Teakholz *n.*

tectonique [tɛktɔnik] *f geol* Tektonik *f,* Bau *m,* Lagerung *f.*

tectrice [tɛktris] *f orn* Schwung- *od* Schwanzfeder *f.*

tégument [tegymɑ̃] *m zoo bot* Hülle, Haut, Decke *f.*

teign|e [tɛɲ] *f zoo* Motte *f; med* (Kopf-)Grind *m;* Räude; *fig fam* (Gift-)Kröte *f;* **~eux, se** *(Tier)* räudig; *(Mensch)* grindig.

teiller, tiller [teje, tije] *(Hanf)* schwingen.

tein|dre [tɛ̃dr] *irr* färben; **~t, e** [tɛ̃, tɛ̃t] *a* gefärbt; *s m* Färbung, Farbe *f;* gefärbte(s) Gewebe *n;* Teint *m,* Gesichtsfarbe *f; s f* Farbton *m,* Färbung, Schattierung *f; fig* Anflug, Anstrich *m; grand ~* wasch-, licht-, farbecht; *fig* aufrichtig; **~té, e** getönt, gefärbt; **~ter** färben; tönen (*de rouge* rot); **~ture** *f* Farbstoff *m,* -lösung *f;* Färben *n;* Färbung; Färberei; *chem* Tinktur *f; fig* Anflug, Anstrich *m; ~ pour les cheveux* Haarfärbemittel *n;*

~ *d'iode* Jodtinktur *f;* **~turerie** [-turri] *f* Färberei *f;* **~turier** *m* Färber *m.*

tel, le [tɛl] *a* solch(er, e, s); solch, so ein(e, er, es); derart(ig); *prn* manche(r, s) manch eine(r, s); *de ~le sorte que* ... so, dergestalt, daß ...; *~ que* ... so wie ...; *~ quel* in demselben Zustand, unverändert; soso, mittelmäßig; *~s ceux qui* ... wie diejenigen, welche ...; ~ ... ~ wie ..., so; ~ *ou* ~ das oder jenes; *il n'y a rien de ~ que* ... es geht nichts über ...; *M. Un ~, Mme Une ~le* Herr, Frau Soundso; ~ *maître, ~ valet* wie der Herr, so 's Gescherr.

télé [tele] *f fam* Fernsehen *n;* Fernseher *m; regarder la ~* fern=sehen.

télé|autographe [teleɔtɔgraf] *m* Fernschreiber; Bildsender *m;* **~avertisseur** *m* Fernmelder *m;* **~benne** *f* Kabinenbahn *f;* **~cabine** *f* Kabinenbahn *f;* **~caméra** *f* Fernsehkamera *f;* **~cinéma** *m* Fernsehkino *n;* **~commande** *f* Fernantrieb *m,* -steuerung *f;* **~commandé, e** ferngesteuert, -gelenkt; ~ *par manipulation, par modulation (aero)* ferngetastet, fernbesprochen; **~communication** *f inform* Fernmeldewesen *n;* -technik *f;* Nachrichtenwesen *n,* -technik *f;* ~ *par satellite* Nachrichtenübertragung *f* mittels Satelliten; **~copie** *f* Fernkopie *f;* **~copieur** *m* Fernkopierer *m;* **~cran** *m* Bildschirm *m;* **~diffusion** *f* Drahtfunk *m;* **~distribution** *f* Kabelfernsehen *n;* **~dynamie** *f* Kraftübertragung *f;* **~enregistreur** *m (Meßtechnik)* Fernschreiber *m;* **~-enseignement** *m* Fernunterricht *m,* Telekolleg *n;* **~gramme** *m* Telegramm *n; envoyer, expédier un ~* ein T. schicken, auf=geben; *transmettre un ~ par téléphone* ein T. telefonisch durch=sagen; ~ *chiffré, codé* Chiffre-, Kodetelegramm *n;* ~ *de condoléances* Beileidstelegramm *n;* ~ *éclair* Blitztelegramm *n;* ~ *de félicitation, de luxe* Glückwunsch-, Schmuckblatttelegramm *n;* ~ *lettre* Brieftelegramm *n;* ~ *mandat* telegraphische Postanweisung *f;* ~ *intérieur, international* Inlands-, Auslandstelegramm *n;* ~ *de service* Diensttelegramm *n;* ~ *téléphoné* zugesprochene(s) T.; **~graphe** *m* Telegraph *m;* **~graphie** *f* Telegraphie *f;* ~ *sans fil* drahtlose T.; **~graphier** telegraphieren, drahten; **~graphique** telegraphisch; *par voie ~* auf telegraphischem Wege; *adresse f ~* Telegrammadresse, Drahtanschrift *f; bureau m ~* Telegraphenamt *n; mandat m poste ~* telegraphische Postanweisung *f; ordre m ~* Kabelauftrag *m; poteau m ~* Telegraphenmast *m; tarif m ~* Telegrammgebühren *f pl;* **~graphiste** *m* Telegraphenbeamte(r) *od* -bote *m;* **~guidage** *m* Fernsteuerung, Fernlenkung *f; groupe m de ~ (Rakete)* Fernsteueranlage *f;* **~guidé, e** ferngesteuert, -gelenkt; **~guider** fern=lenken, -steuern; **~imprimeur** *m* Fernschreiber *m;* **~indicateur** *m* Fernmelder *m;* **~interrupteur** *m el* Fernausschalter *m;* **~matique** *f* Telematik *f;* **~mètre** *m* Entfernungsmesser *m;* **~objectif** *m* Teleobjektiv *n;* **~ologie** *f* Teleologie *f;* **~pathie** *f* Telepathie *f;* **~phérique, ~férique** *m* Seilschwebebahn *f;* Schilift *m;* **~phone** *m* Telefon *n,* Fernsprecher, Fernsprechapparat *m; par ~* telefonisch, fernmündlich; *appeler qn au ~, donner un coup de ~ à qn* jdn an=rufen; *avoir le ~* T. haben; *toucher qn par ~* jdn telefonisch erreichen; *on vous appelle au ~* Sie werden am T. verlangt; *abonné m au ~* (Fernsprech-)Teilnehmer *m; annuaire des abonnés au ~* Telefon-, Fernsprechbuch *n; bureau m du ~* Fernsprechamt *n; central m du ~* (Fernsprech-) Vermittlung *f; coup m de ~* Anruf *m; numéro m de ~* Ruf(nummer *f*) *m;* ~ *arabe* Buschtrommel *f;* ~ *automatique* Selbstanschluß *m;* ~ *privé* Haustelefon *n;* ~ *public* öffentliche Fernsprechstelle *f;* ~ *routier* Autotelefon *n;* **~phoner** *itr* telefonieren; *tr* telefonisch durch=sagen; an=rufen; **~phonie** *f* Telephonie *f;* ~ *radio-train* Zugfunk *m;* **~phonique** telefonisch, fernmündlich; Fernsprech-; *appareil m ~* (Fern-)Sprechapparat *m; appel m ~* Anruf *m; communication f ~* Ferngespräch *n; installation f ~* Fernsprechanlage *f; ligne f, réseau m ~* Fernsprechlinie *f,* -netz *n;* **~phoniste** *m f* Fernsprechbeamte(r) *m,* -beamtin *f;* **~photo(graphie)** *f* Bildfunk *m,* -übertragung f; **~pointage** *m:* ~ *centralisé (mil)* Kommandogerät *n;* **~recherche** *f* Personenrufanlage *f;* **~reportage** *m* Fernsehbericht *m.*

télescop|age [telɛskɔpaʒ] *m loc mot* Zs.stoß *m;* **~e** *m* Teleskop *n;* **~er, se** sich inea.=schieben; *loc* zs.=stoßen, aufea. auf=fahren; **~ique** teleskopisch; inea.schiebbar; ausziehbar.

télé|scripteur, ~type, télex [teleskriptœr, -tip, telɛks] *m* Fernschreiber *m; abonné m au réseau ~* Fernschreibteilnehmer *m;* **~siège** *m* Sesselbahn *f;* **~ski** *m*

(Schi-)Lift, Schlepplift *m; ~ à archets* Bügellift *m; ~ à perche* Tellerlift *m;* **~spectateur, trice** *m f* Fernsehteilnehmer(in *f*), Fernseher *m;* **~technique** *f* Fernmeldetechnik *f;* **~texte** *m* Bildschirmtext *m;* **~traitement** *m inform* Datenfernverarbeitung *f;* **~visé, e** durch Fernsehen übertragen; Fernseh-; **~viser** durch Fernsehen übertragen; **~viseur** *m* Fernsehempfänger *m; ~ couleurs* Farbfernseher *m;* **~vision** *f* Fernsehen *n; appareil m de ~* Fernsehapparat *m; émission f de ~* Fernsehsendung *f;, ~ en couleurs* Farbfernsehen *n; ~ scolaire* Schulbildfunk *m; ~ par fil* Drahtfernsehen *n; ~ stéréoscopique* Raumfernsehen *n.*

télex [telɛks] *m* Fernschreiber *m (Gerät);* **~iste** *f* Fernschreiberin *f.*

tellement [tɛlmɑ̃] *adv* so (sehr), derartig, dermaßen; *pas ~* nicht überwältigend, nicht besonders.

tellière [tɛljɛr] *f* Papierformat *n* 44 × 34 cm.

tell|ure [tɛlyr] *m chem* Tellur *n;* **~urien, ne** Erd-; **~urique** tellurisch, Erd-; *chem* Tellur-; *secousse f ~* Erdstoß *m.*

témér|aire [temerɛr] verwegen, waghalsig, tollkühn, vermessen; dreist, frech; *(Urteil)* leichtfertig; **~ité** *f* Waghalsigkeit, Tollkühnheit, Verwegenheit *f; pl* verwegene Tat *od* Rede *f.*

témoi|gnage [temwaɲaʒ] *m jur* Zeugenaussage *f,* Zeugnis *n; allg* Beweis *m,* Zeichen *n; en ~* zum Beweis, als Zeichen (*de* gen); *appeler en ~* als Zeugen vor=laden; *entendre en ~* als Zeugen hören; *porter, rendre ~* Zeugnis ab=legen (*à* für); *s'en rapporter au ~ de qn* sich auf jds Zeugnis berufen; *rétracter un ~* e-e Zeugenaussage widerrufen; *(droit m de) refuser le ~* die Aussage verweigern; (Recht *n* der Aussageverweigerung); *~ de sympathie* Sympathiekundgebung *f;* **~gner** *itr* bezeugen (*de qc* e-e S), als Zeuge aus=sagen (*contre* gegen; *en justice* vor Gericht); *allg* beweisen, an den Tag legen (*de qc* e-e S); *tr* bezeugen; zeigen, äußern; *~ de son innocence* s-e Unschuld bezeugen.

témoin [temwɛ̃] *m* Zeuge *m,* Zeugin *f; fig* Zeichen *n,* Beweis *m;* Markierung *f;* Erdkegel *m; biol* Versuchstier *n,* -pflanze *f; tech* Probestab *m; assermenter un ~* e-n Zeugen vereidigen; *déposer comme ~* als Zeuge aus=sagen; *être ~* anwesend, Zeuge sein; *prendre à ~ (inv)* als Zeugen an=rufen; sich berufen (*qn* auf jdn); *prendre pour ~* als Zeugen nehmen; *récuser, reprocher un ~* e-n Zeugen ab=lehnen; *mes yeux en sont ~s* ich habe es mit eigenen Augen gesehen; *appel m des ~s* Aufruf *m* der Zeugen; *audition f des ~s* Zeugenverhör *n; déclaration f de ~* Zeugenaussage *f; lampe-~ f* Kontrollampe *f; ~ à charge, à décharge* Be-, Entlastungszeuge *m; ~ de Jéhovah* Zeuge *m* Jehovas; *~ des mariés* Trauzeuge *m; ~ oculaire* Augenzeuge *m; ~ principal, numéro un, ~-clef m* Kronzeuge *m.*

tempe [tɑ̃p] *f anat* Schläfe *f.*

tempér|ament [tɑ̃peramɑ̃] *m* Temperament *n,* Gemütsart, Anlage, Veranlagung, Natur *f,* Charakter *m;* Körper-, Leibesbeschaffenheit *f; acheter à ~* auf Raten kaufen; *achat m, vente f à ~* Teilzahlungs-, Ratenkauf, -verkauf *m; crédit m à ~* Teilzahlungskredit *m;* **~ance** *f* Mäßigkeit, Mäßigung *f;* **~ant, e** mäßig, enthaltsam; **~ature** *f* Temperatur *f;* Wärmegrad *m; med* Fieber *n; avoir, faire de la ~* Fieber, Temperatur haben; *~ de l'air, extérieure, au sol* Luft-, Außen-, Bodentemperatur *f; ~ ambiante* Zimmer-, Ortstemperatur *f; ~ de congélation, d'ébullition, de fusion* Gefrier-, Siede-, Schmelzpunkt *m; ~s diurnes* Tagestemperaturen *f pl; ~ d'inflammation, initiale, de régime* Entzündungs-, Anfangs-, Betriebstemperatur *f; ~ supportable à la main, au toucher* Handwärme *f;* **~é, e** gemäßigt; *fig* ausgewogen, -geglichen; **~er** mäßigen, mildern, ab=schwächen; temperieren.

temp|ête [tɑ̃pɛt] *f* (schwerer) Sturm *m a. fig;* Ungewitter *n; fig* Streit, Krach, Lärm *m;* Ausea.setzung *f; (Beleidigungen)* Hagel *m; ~ de neige* Schneesturm *m;* **~êter** lärmen, toben, wettern; **~étueux, se** stürmisch; *fig* heißblütig.

temp|le [tɑ̃pl] *m* Tempel *m;* (protestantische) Kirche *f; ordre m du T~ (hist)* Templerorden *m;* **~lier [-plije]** *m hist* Tempelherr *m.*

temporaire [tɑ̃pɔrɛr] vorübergehend; einstweilig.

temporal, e [tɑ̃pɔral] *anat* Schläfen-.

tempo|rel, e [tɑ̃pɔrɛl] *a* zeitlich; weltlich, irdisch; *s m* (die) weltliche Macht *f;* **~risant, e** hinhaltend; Verschleppungs- *fig;* **~risateur, trice** *a* zaudernd, zögernd, langsam; *s m f* Zögerer *m;* Zögerin *f;* **~risation** *f* Zögern, Zaudern *n;* Langsamkeit, abwartende Haltung *f;* **~riser** zaudern, zögern, ab=warten.

temps [tɑ̃] *m* Zeit *f,* Zeitabschnitt, -punkt *m,* -alter *n,* -dauer *f;* Stadium; Wetter *n,* Wetterlage, Witterung *f; mus* Tempo *n,* Takt *m,* Zeitmaß; *gram* Tempus *n; (~ de service) mil* Dienstzeit *f; mot* Takt *m; à ~* rechtzeitig; *au ~ jadis* einst(mals), ehemals; *avant le ~* vorzeitig, verfrüht *adv; avec le ~* mit, im Laufe der Zeit; *ces derniers ~* in letzter Zeit; *dans le ~* früher; *de ~ à autre, de ~ en ~* von Zeit zu Zeit, hin u. wieder, dann u. wann; *de tout ~* von jeher; *depuis quelque ~* seit einiger Zeit; *en même ~* gleichzeitig *adv; en son ~* zu s-r Zeit; *en tout ~* zu jeder Zeit, jederzeit; *en ~ opportun, utile* zur rechten, zu gegebener Zeit; *en ~ ordinaire* unter gewöhnlichen Umständen; *entre ~* inzwischen; *par le ~ qui court* heutzutage; *par (un) beau ~* bei schönem Wetter; *par tous les ~* bei jeder Witterung; *la plupart du ~* meistens; *pour un ~* vorübergehend, e-e Zeitlang; *sans perdre de ~* unverzüglich; *avoir le ~* Zeit haben; *avoir fait son ~* aus der Mode gekommen sein; *faire passer le ~ à qn* jdm die Zeit vertreiben; *gagner du ~* Zeit gewinnen; *parler de la pluie et du beau ~* vom Wetter reden; *perdre du ~, le ~* Z. verlieren; *prendre beaucoup de ~* viel Zeit in Anspruch nehmen *od* kosten; *tuer le ~* die Zeit tot=schlagen; *il est grand ~* es ist höchste Zeit; *il y a peu de ~* (noch) vor kurzem; *il n'y a pas de ~ à perdre* es ist keine Zeit zu verlieren; *prenez votre ~* lassen Sie sich Zeit! *caractère m général du ~* Wetterlage *f; changement m brusque de ~* Wetterumschlag *m; épargne, perte f de ~* Zeitersparnis *f,* -verlust *m; moteur m à deux ~, à quatre ~* Zwei-, Viertaktmotor *m; prévision f du ~* Wettervorhersage *f; ~ d'arrêt* Verzug, Aufschub *m; ~ d'attente* Wartezeit *f; ~ à averse* Schauerwetter *n; ~ bouché* diesige(s) Wetter *n; ~ de chute* Fallzeit *f; ~ de cuisson* Kochzeit *f; ~ d'épreuve* Probezeit *f; ~ favorable au vol* Flugwetter *n; ~ de guerre, de paix* Kriegs-, Friedenszeit *f; ~-moteur m (mot)* Arbeitshub *m; ~ d'ouverture* Öffnungszeit *f; ~ du parcours (sport)* Lauf-, *aero* Flugzeit *f; ~ de pose (phot)* Belichtungszeit *f; ~ record* Rekordzeit *f; ~ de réflexion* Bedenkzeit *f; ~ de repos* Ruhezeit *f; ~ sidéral, solaire (astr)* Stern-, Sonnenzeit *f; ~ d'usinage* Herstellungs-, Laufzeit *f; ~ utile de travail* reine Arbeitszeit *f.*

tenable [tənabl] zu halten(d).

tenace [tənas] zäh(e) *a. fig* hartnäkkig, beharrlich; *(Wille)* eisern; *(Fehler, Irrtum)* eingewurzelt; *(Schnee)* pappig.

ténacité [tenasite] *f* Zähigkeit *a. fig,* Festigkeit; *fig* Beharrlichkeit, Hartnäckigkeit, Ausdauer.

tenaill|e [tənɑ(a)j] *f meist pl* (Beiß-) Zange; Kluppe *f; fig* Klauen *f pl; offensive f en ~ (mil)* Zangenbewegung *f;* **~er** *fig* quälen, martern, peinigen.

tenancier, ère [t(ə)nɑ̃sje, -ɛr] *m f* Pächter; *(meist péj)* Inhaber, Besitzer; Wirt; *hist* Lehnsmann *m.*

tenant, e [tənɑ̃, -t] *a: séance f ~e* auf der Stelle; *s m* Herausforderer; Verfechter *m; tout d'un ~, d'un seul ~* in e-m Stück; *les ~s et les aboutissants* die angrenzenden Grundstücke *n pl; connaître tous les ~s et les aboutissants (fig)* die Verhältnisse genau kennen, über alles orientiert sein.

tendable [tɑ̃dabl] dehnbar.

tendan|ce [tɑ̃dɑ̃s] *f* Bestreben *n,* Neigung *f,* Hang *m;* Tendenz; *pol* Gesinnung; *(Börse)* Stimmung *f; avoir une ~ à la baisse* e-e rückläufige Tendenz auf=weisen; *avoir ~ à croire que* zu der Anschauung neigen, daß; *~ hésitante* flaue Stimmung *f;* **~cieux, se** tendenziös; Tendenz-, Zweck-.

tendant, e [tɑ̃dɑ̃, -t] *m mar* Sonnensegel *n.*

tender [tɑ̃dɛr] *m loc* Tender, Kohlenwagen *m.*

tendeur [tɑ̃dœr] *m* Spanner *m,* Spannschraube *f.*

tend|ineux, se [tɑ̃dinø, -z] sehnig; **~on** *m anat* Sehne *f.*

tendr|e [tɑ̃dr] **1.** *a* zart, weich *(a. Speise),* mürbe; *fig* empfindsam, zartfühlend; zärtlich, liebevoll; lieblich, einschmeichelnd, rührend; *dès la (plus) ~ enfance* von früher Jugend an; *avoir l'âme ~* zartbesaitet sein; *n'être pas ~ pour qn* jdn nicht mit seidenen Handschuhen an=fassen; *mot m ~* Kosewort *n;* **2.** *v tr* (an=, auf=)spannen, (aus=)strecken; fest=, an=ziehen; *(Raum)* aus=schlagen, *(Wand)* bespannen (*de* mit); tapezieren; *(die Hand)* aus=strecken, hin=halten, reichen; *(den Geist)* an=strengen; *(s-e Aufmerksamkeit)* richten (*vers* auf *acc*); *(Falle)* stellen; *(Schlinge)* legen; *(Zelt)* auf=schlagen; *itr* ab=zielen (*à* auf *acc*); die Tendenz, die Neigung haben (*à* zu); streben (*à* nach); *se ~* gespannt werden; *~ le cou* den Kopf hin=halten; *~ à sa fin* s-m Ende entgegen=gehen; ~ *l'oreille* die Ohren spitzen; ~ *la perche à qn* jdm Hilfe leisten; **~esse** *f* Zärtlichkeit; Rührung *f; pl* Liebkosungen *f pl;* **~eté** *f (Fleisch, Obst)* Zartheit, Weichheit *f;* **~on** *m bot* Knospe *f; (Kalb)* Brustknorpel; *fig fam* Backfisch *m.*

tendu, e [tɑ̃dy] gespannt *a. fig (Lage, Verhältnis);* straff, prall, stramm; *(Stil)* gezwungen; *(Geist)* angespannt.

tén|èbres [tenɛbr] *f pl* Dunkel *n,* Finsternis, Nacht *f;* **~ébreux, se** dunkel, finster, düster, schwarz; *fig* geheimnisvoll; nebelhaft; dunkel, unverständlich; **~ébrion** [-brijɔ̃] *m* Mehlkäfer *m.*

teneur [tənœr] *f* Wortlaut, Inhalt, Sinn, Tenor; *chem* Gehalt *m* (*en* an *dat*); ~ *en eau, en humidité* Wasser-, Feuchtigkeitsgehalt *m.*

ténia [tenja] *m* Bandwurm *m.*

tenir [tənir] *irr tr* (fest=, in der Hand) halten; fassen, packen (*par le bras* am Arm); stand=halten (*qc* e-r S), aus=halten; enthalten, fassen; *(Platz)* ein=nehmen; bewohnen; in Besitz haben; verdanken (*de* dat), haben (*de* von); gelernt haben (*de* von, bei); geerbt haben (*de* von); *(Rang, Stelle)* inne=haben, bekleiden; *(Bücher, Artikel)* führen; *(Geschäft)* betreiben; *(Gasthaus, -stätte)* bewirtschaften; *(Sitzung)* ab=halten; entlang=gehen (*qc* an e-r S), folgen (*qc* e-r S), sich halten (*qc* an e-r S, *sa droite* rechts); halten (*pour* für); *itr* halten, fest=halten, -sitzen, -stecken; bestehen, dauern, sich halten; *(Schnee)* liegen=bleiben; hängen (*à qn* an jdm); grenzen, stoßen, liegen (*à* an *acc*), benachbart sein (*à qc* e-r S *dat*); her=rühren, her=kommen, ab=hängen (*à* von); ähnlich sein *od* sehen, gleichen (*de qn* jdm); teil=haben (*de* an *dat*); aus=halten, -harren; stand=halten, widerstehen; (großen) Wert legen (*à* auf *acc*); darauf bestehen (*à ce que* daß); Platz finden (*dans, à* in *dat*); ein=treten (*pour* für); **se** ~ sich, ea. halten (*par la main* an der Hand); mitea. verbunden sein; sich fest=halten (*à* an *dat*); stehen (*auprès de* bei); *fig* sich halten (*à* an *acc*); sich zurück=halten; sich verhalten; sich an=sehen, betrachten (*pour* als), sich halten (*pour* für); e-n Halt *od* Zs.hang haben; *(Veranstaltung)* abgehalten werden, statt=finden; *(Gedanken)* zs.=hängen, logisch aufea.=folgen; **1.** *être tenu à* verpflichtet sein zu (*au secret* zum Schweigen); *ne pas* ~ locker, lose sein *od* sitzen, nicht halten; *ne pas* ~ *en place* aufgeregt hin u. hergehen; *en* ~ *(fam)* verknallt, verliebt sein (*pour* in *acc*); *savoir à quoi s'en* ~ wissen, woran man ist; Bescheid wissen; *y* ~ Wert darauf legen (*à* zu, *à ce que* daß); *ne plus y* ~ keinen Wert mehr darauf legen; es nicht mehr aus=halten können; *ne pas y* ~ sich nicht viel daraus machen; **2.** ~ *pour acquis, pour assuré, pour certain que* es für erwiesen, sicher halten, daß; ~ *à bail* in Pacht haben; ~ *la caisse* die Kasse führen; ~ *sous clef* unter Verschluß halten; ~ *compagnie* Gesellschaft leisten; ~ *compte* berücksichtigen (*de qc* e-e S); Rechnung tragen (*de qc* e-r S); (hoch) an=rechnen (*de qc* e-e S); ~ *un compte* ein Konto unterhalten *od* haben (*chez* bei); ~ *le coup (fam), le choc (pop)* aus=halten; *se* ~ *debout* aufrecht stehen; ~ *qn à distance* sich jdn vom Leibe halten; *se* ~ *sur ses gardes* auf der Hut sein; *ne pas se* ~ *de joie* vor Freude außer sich sein; ~ *à jour* auf dem laufenden halten; *ne pas* ~ *le même langage* anea. vorbei=reden; ~ *sa langue* den Mund halten; ~ *lieu* ersetzen (*de qc* e-e S); ~ *la mer* seetüchtig sein; ~ *son rang* standesgemäß leben; ~ *en respect* in Schach halten; ~ *rigueur à qn de qc* jdm etw nicht vergessen *od* verzeihen können; ~ *bien la route (mot)* e-e gute Straßenlage haben; ~ *au sec* trocken auf=bewahren; ~ *qc secret* etw verschweigen; ~ *de bonne source* aus guter Quelle haben; ~ *tête* Widerstand leisten; *se* ~ *tranquille* sich ruhig verhalten, still sein; **3.** *tiens! tenez!* da! da hast du's, haben Sie's! sieh! sehen Sie! hör, hören Sie mal! *tenez-vous bien!* halten Sie sich fest! machen Sie sich auf allerlei *(acc)* gefaßt! *je tiens à vous dire* es liegt mir viel daran, Ihnen zu sagen; *il ne tient qu'à vous* es hängt nur von Ihnen ab; es liegt nur an Ihnen; *cela ne tient pas debout* das hält *od* geht nicht; das hat keinen Sinn; *qu'à cela ne tienne* davon soll es nicht ab=hängen.

tennis [te(ɛ)nis] *m* Tennis *n;* Tennisschuh *m; jouer au* ~ T. spielen; *court m de* ~ Tennisplatz *m;* ~ *de table* Tischtennis *n;* **~man** *m (pl tennismen)* Tennisspieler *m.*

tenon [tənɔ̃] *m tech* Zapfen *m,* Zinke *f.*

ténor [tenɔr] *m mus* Tenor *m.*

ténosynovite [tenɔsinɔvit] *f med* Sehnenscheidenentzündung *f.*

tens|eur [tɑ̃sœr] *m anat* Spanner *m;* **~ion** *f* Spannung *f a. el pol;* Zug *m,* Straffung *f; phys* Druck *m;* Spannkraft; *fig* Anspannung *f; sous ~ (el)* spannungführend; *appliquer une ~ (el)* e-e Spannung an≈legen; *réduire la ~ (pol)* die Spannung (ver)mindern; *basse, haute ~* Nieder-, Hochspannung *f; ~ artérielle* Blutdruck *m; ~ aux bornes, de chauffage, de grille, de régime, de réseau* Klemmen-, Heiz-, Gitter-, Betriebs-, Netzspannung *f.*

tent|aculaire [tɑ̃takylɛr] *zoo* Fühler-; *fig* polypenartig s-e Arme ausstrekkend, alles erfassend *od* erdrückend; **~acule** *m (Insekt)* Fühler *a. fig; (Polyp)* Fangarm *m.*

tent|ant, e [tɑ̃tɑ̃, -t] verlockend; **~ateur, trice** *s m f* Verführer(in *f*) *m; a* verführerisch; **~ation** *f* Versuchung, Lockung *f;* **~ative** *f* Versuch *m; ~ d'assassinat* Mordversuch *m; ~ de conciliation, de corruption, d'extorsion, de fuite* Schlichtungs-, Bestechungs-, Erpressungs-, Fluchtversuch *m; ~ de record* Rekordversuch *m.*

tente [tɑ̃t] *f* Zelt *n; dresser* od *planter, plier une ~* ein Zelt auf≈schlagen, ab≈brechen; *se retirer sous sa ~ (fig)* sich gekränkt zurück≈ziehen; *mât m de ~* Zeltmast *m,* -stange *f m; piquet m de ~* Zeltpflock, Hering *m; toile f de ~* Zeltbahn *f; ~ familiale* Hauszelt *n.*

tenter [tɑ̃te] versuchen, (aus≈)probieren; in Versuchung führen; verlocken, reizen; *être bien ~é* große Lust haben (*de* zu); *~ le coup (fig)* e-n Versuch unternehmen.

tenture [tɑ̃tyr] *f* Behang *m;* Tapete *f.*

tenu, e [təny] *a* gehalten; verpflichtet (*à* zu); *(Wertpapiere)* fest; *bien ~* gepflegt, ordentlich, in Ordnung.

tenue [təny] *f* Haltung *f,* Benehmen, Auftreten *n;* Festigkeit *f,* Halt, Bestand *m,* Dauer *f (a. e-r Sitzung); mus* Halten *n (e-s Tones); fig* Gemessenheit, Korrektheit; *(Bücher, Geschäft)* Führung *f; (Werkstoff)* Verhalten *n;* Anzug *m,* Kleidung; *mil* Uniform *f; en grande ~e* im Festanzug; in Galauniform; *garder une ~e ferme* e-e feste Haltung bewahren; *(bonne) ~e* Anstand *m; grande ~e, ~e de cérémonie, de gala* große(r) Abendanzug *m;* Galauniform *f; petite ~e, ~e de ville* Straßenanzug *m,* Ausgehuniform *f; ~e de campagne, de service* Feld-, Dienstanzug *m; ~e d'équitation* Reitdreß *m; ~e des livres* Buchführung, -haltung *f; ~e en partie double* doppelte B.; *~e de plage* Strandanzug *m; ~e de route, en virage* Straßen-, Kurvenlage *f; ~e de soirée* Abendanzug *m.*

ténu, e [tenu] dünn, schwach, zart, fein; subtil *a. fig; fig* knifflig; **~ité** [-nɥi-] *f* Dünnheit, Zartheit, Feinheit; *fig* Belanglosigkeit *f.*

ter [tɛr] *adv mus* dreimal; *(bei Hausnummern)* C.

téréb|enthine [terebɑ̃tin] *f* Terpentin *s, a. m;* **~inthe** [-bɛ̃t] *f bot* Terebinthe, Terpentinpistazie *f.*

téréb|rant, e [terebrɑ̃, -t] *zoo med (Schmerz)* bohrend; **~rer** durchbohren.

tergivers|ation [tɛrʒivɛrsasjɔ̃] *f* Ausflucht *f;* **~er** Ausflüchte, Winkelzüge machen, aus≈weichen.

terme [tɛrm] *m* Ende *n,* Abschluß *m;* Grenze *f,* Grenzpunkt *m;* Ziel *n;* Termin *m,* Frist, Zeit(punkt *m*) *f;* (vierteljährlicher) Mietzahltag *m;* Vierteljahr(esmiete *f*) *n;* (Fach-)Ausdruck *m; math* Glied; *sport* Mal; *pl* Verhältnis *n,* Beziehungen *f pl;* Zustand *m;* Bedingungen *f pl;* Worte *n pl,* Wortlaut *m; à ~* auf Zeit *od* Kredit; *à ~ échu* nach Ablauf der Frist; *à ~ fixe* zu bestimmter Zeit; *à court, long ~* kurz-, langfristig; *aux ~s de ...* nach dem Wortlaut *gen; en propres ~s* wörtlich; *par ~s* termin-, ratenweise; *demander ~* Aufschub verlangen; *être en bons ~s avec qn* mit jdm auf gutem Fuß stehen; *fixer un ~* e-n Zeitpunkt, Termin fest≈legen; *mettre un ~* ein Ende machen (*à* dat); *parler de qn en bons, en mauvais ~s* gut, schlecht von jdm reden; *payer en, par ~s* in Raten zahlen; *le ~ échoit* die Frist läuft ab; *achat m à ~* Terminkauf *m; argent m prêt à court ~* tägliche(s) Geld *n; contrat m à ~ fixe* Fixgeschäft *n; livraison f à ~* Terminlieferung *f; marché m à ~* Terminmarkt *m; naissance f avant ~* Frühgeburt *f; opération f à ~* Zeit-, Termingeschäft *n; paiement m à, par ~s* Ratenzahlung *f; prolongation f de ~* Fristverlängerung *f; ~ de comparaison* Vergleichspunkt *m; ~ de déclaration* Anmeldefrist *f; ~ d'échéance* Fälligkeitstermin *m;* Laufzeit *f; ~ final* Schlußtermin *m; ~ générique* Übergriff *m; ~ de grâce* Respektfrist *f; ~ de livraison* Lieferfrist, -zeit *f; pl* Lieferbedingungen *f pl; ~ de paiement* Zahlungstermin *m; ~ de préavis* Kündigungstermin *m; ~ de rigueur, fatal* äußerste(r) Termin *m; ~ technique* Fachausdruck *m.*

termin|aison [tɛrminɛzɔ̃] *f* Ende *n; gram* Endung; Vollendung, Fertigstellung; *med* Endigung *f; tech* Abschluß *m; ~ nerveuse (anat)* Nervenende *n;* **~al, e** End-; *bot* gipfelstän-

Bellevue Community College

10 oz asparagus
chicken
bread crumbs

ôté; ôter wegnehmen
la toux [tu]

dig; *classe f ~e* Abschlußklasse *f; s m inform* Terminal *n;* **~er** beenden, vollenden, n, fertig=stellen; *se ~ (gram)* end(ig)en (*en, par* auf *acc*); **~ologie** *f* Terminologie *f;* **~us** [-ys] *m* Endhaltestelle, -station *f.*

termit|e [tɛrmit] *m zoo* Termite *f;* **~ière** [-tjɛr] *f* Termitenhügel *m.*

ternaire [tɛrnɛr] *chem* ternär, dreistoffig.

tern|e [tɛrn] trüb(e), matt, glanzlos; *(Spiegel)* angelaufen; blind; *fig (Stil)* blaß, farblos; **~ir** trübe, matt, glanzlos machen; trüben; mattieren; entfärben; *fig* ab=schwächen, verringern; verdunkeln, in den Schatten stellen; *se ~ (Spiegel)* an=laufen, beschlagen, blind werden; *(Farbe)* matt werden, verschießen; **~issure** *f* Mattwerden *n;* Trübung *f; (Spiegel)* Beschlagen, Anlaufen, Blindwerden *n; fig* (Ab-) Schwächung *f.*

terr|age [tɛraʒ] *m (Zucker)* Bleichen *n; agr* Aufschüttung *f* von Muttererde; **~ain** *m* Boden *a. fig,* Grund (u. Boden) *m;* Feld, Terrain, Gelände, Gebiet *n,* Raum *m; agr* Grundstück *n;* Erde *f;* Erdreich *n; geol* Formation, Gebirgsart *f; min* Gebirge *n; mil* Übungsplatz *m; sport* Spielfeld *n; sur le ~* an Ort u. Stelle; *mil* im Gelände; *disputer le ~ (mil)* s-e Stellung, *fig* sein Recht, s-n Standpunkt behaupten; *être sur son ~ (fig)* in s-m Element, zu Hause sein; *gagner, perdre du ~* Gelände gewinnen, an Boden verlieren; *ménager le ~* s-e Mittel schonen; vorsichtig zu Werke gehen; *préparer, déblayer le ~ (fig)* den Weg ebnen; *rester maître du ~* das Feld behaupten; *sonder, tâter le ~* das Gelände ab=tasten, vor=fühlen; *accident m de ~* Bodenunebenheit *f; appréciation, description* od *étude f du ~ (mil)* Geländebeurteilung, -beschreibung *f; bande f de ~* Geländestreifen *m; configuration f du ~* Geländegestaltung *f; dos m de ~* Höhenrücken *m; figuré m, formes f pl du ~* Boden-, Geländeformen *f pl; levé m du ~* Geländeaufnahme *f; ondulation f du ~* Bodenwelle *f; organisation f du ~ (mil)* Geländeverstärkung *f; pli m de ~* Bodenfalte *f; point m du ~* Geländepunkt *m; reconnaissance f du ~ (mil)* Geländeerkundung *f; remembrement m des ~s à bâtir* Bauplatz *m,* -gelände, -land *n; tout ~ (mot)* geländegängig; *~ accidenté* unebene(s) Gelände *n; ~ argileux* Lehmboden *m; ~ d'atterrissage (aero)* Landeplatz *m; ~ d'aviation* Flugfeld *n; ~ bas* Niederung *f; ~ à bâtir* Baugelände *n,* -grund *m; ~ bâti* bebaute(s) Grundstück *n; ~ caché, coupé, couvert, découvert (mil)* nicht einsehbare(s), durchschnittene(s), bedeckte(s), offene(s) Gelände *n; ~ de camping* Campingplatz *m; ~ de combat* Gefechtsfeld *n; ~ d'entente* Verständigungsgrundlage *f; ~ d'entraînement* Übungsgelände *n; ~ d'exposition* Ausstellungsgelände *n; ~ industriel* Industriegelände *n; ~ de golf* Golfplatz *m; ~ inculte* Ödland *n; ~ de jeux* Spielplatz *m; naturel* gewachsene(r) Boden *m; ~ en avant de la position (mil)* Vorfeld *n; ~ primitif (geol)* Urgebirge *n; ~s de recouvrement (geol)* Deckgebirge *n; min* Abraum *m; ~ rocheux, sablonneux* Fels-, Sandboden *m; ~ de secours (aero)* Notlandeplatz *m; ~ de sport* Sportplatz *m; ~ tourbeux* Torfboden *m; ~ vague* leere(s) Gelände *n; ~ varié* vielgestaltige(s) Gelände *n; ~ de vol à voile* Segelfluggelände *n.*

terrass|e [tɛras] *f* (Garten-, Café-)Terrasse; *(travaux m pl de ~)* Erdarbeiten *f pl arch* Wall *m;* Flachdach *n; en ~, à ~s* terrassenförmig; **~ement** *m* Boden-, Erdbewegung, Planierung; Erdaufschüttung *f,* Damm; *loc* Bahnkörper, Unterbau *m;* **~er** *tr* durch Anhäufung von Erde befestigen; zu Boden schmettern *od* schlagen; nieder=strecken, -schlagen, *fig* -werfen; *fig* völlig mutlos machen, allen Mut nehmen (*qn* jdm), e-e niederschmetternde Wirkung haben (*qn* auf jdn); *itr* Erde bewegen; **~ier** *m* Erdarbeiter *m.*

ter|re [tɛr] *f* Erde *f a. el;* Erdboden, Grund *m;* Land; Feld, Grundstück, (Land-)Gut *n; fig* Welt *f; pl* Ländereien *f pl,* Güter *n pl; chem* Erden *f pl; min* Berge *m pl; de ~* irden; Ton-; *par, à ~* auf dem *od* den Boden, zu Boden; *sous ~* unter der Erde; *fig* heimlich; *sur mer et sur ~* zu Wasser u. zu Lande; *aller à ~ (sport)* zu Boden gehen; *avoir les pieds sur ~ (fig)* mit beiden Beinen auf der Erde stehen; *descendre à ~ (mar)* landen; *être sous ~* unter der Erde liegen, tot sein; *mettre, porter en ~* beerdigen; *mettre à la ~ (el)* erden, an Masse, Erde legen; *mettre pied à ~* ab=steigen; *prendre ~ (mar)* landen; *remuer ciel et ~* Himmel u. Hölle in Bewegung setzen, nichts unversucht lassen; *rentrer sous ~* vor Scham in den Boden sinken; *conducteur m de ~ (el)* Erdleiter *m; fonds m de ~* (Land-) Gut *n; fouille f des ~s* Erdaushub *m; installation f à ~ (aero)* Bodenorganisation *f; ~ arable* Ackererde, -krume *f*, Mutterboden *m;* Kulturland *n; ~ argileuse* Lehm *m; ~ à bail* Pachtgrundstück *n; ~ à briques* Ziegelerde *f; ~ cuite* Terrakotta *f; ~ curative* Heilerde *f; ~ de découverte (min)* Abraum *m; ~ d'élection* Wahlheimat *f; ~ ferme* Festland *n; la T~ de Feu* Feuerland *n; ~ à foulon* Walkerde *f; ~ en friche, en jachère* Brachland *n; ~ glaise* Letten, Lehm *m; ~ grasse* fette(r) Boden *m; ~ labourable* Ackerland *n; la T~-Neuve* Neufundland *n; ~-neuve m inv* Neufundländer *m (Hunderasse); ~ d'ombre* Umbra *f*, Umber *m (Farbstoff); ~ d'os* Knochenmehl *n; ~-plein m* Auf-, *arch* Hinterfüllung *f; ~ à porcelaine* Porzellanerde *f*, Kaolin *n; la T~ promise* das Gelobte Land *(Palästina); ~s rares (chem)* seltene Erden *f pl; ~ réfractaire* feuerfeste(r) Ton *m*, Schamotte *f; ~ de remblai* Füllerde *f; la T~ sainte* das Heilige Land *(Palästina); ~-à-~ (a inv)* alltäglich, gewöhnlich; schwunglos, spießig; *~ végétale,* Humus-, Muttererde *f;* **~reau** [tɛro] *m* Humus-, Muttererde *f;* **~rer** *tr agr* mit frischer Erde bedecken; häufeln; *itr* u. *se ~* sich in die Erde ein=graben; *fig* sich ducken, in Deckung gehen; sich nicht zeigen; *fam* hausen, wohnen; **~restre** *fig* irdisch; Land-, Erd-; *forces f pl ~s* Landstreitkräfte *f pl; globe m ~* Erdball *m; organisation f ~ (aero)* Bodenorganisation *f*.

terreur [tɛrœr] *f* Schrecken *m; répandre, jeter, faire régner la ~* Schrekken verbreiten.

terreux, se [tɛrø, -z] erdig; erdhaltig; erdfarben; Erd-; mit Erde beschmiert; *(Gesicht)* fahl.

terrible [tɛribl] schrecklich, furchtbar, entsetzlich.

ter|ricole [tɛrikɔl] in der Erde lebend; **~rien, ne** *a* landbesitzend, gutsherrlich; Grund-, Land-; *s m* Landwirt; Erdbewohner *m; fam* Landratte *f; propriétaire m ~* (Groß-)Grundbesitzer *m;* **~rier** *m zoo* Bau *m*, *fam* Wohnung *f;* Terrier *m (Hunderasse); ~ à poil ras, dur* Glatt-, Rauhhaarterrier *m*.

terri|fiant, e [tɛrifjɑ̃, -t] schreckenerregend, erschreckend; **~fier** erschrecken, e-n Schrecken ein=jagen (*qn* jdm).

terril [tɛril] *m min* (Berge-)Halde *f*.

terrine [tɛrin] *f* Napf *m*, tiefe Schüssel, Terrine *f;* Fleischpastete *f*.

ter|ritoire [tɛritwar] *m* Gebiet *n;* Bezirk; *fig* Bereich *m; ~ d'application* Anwendungs-, Geltungsbereich *m; ~ douanier* Zollgebiet *n; ~ métropolitain* Mutterland *n; ~ monétaire* Währungsgebiet *n; ~ de vente* Absatzbereich *m;* **~ritorial, e** territorial; Territorial-, Landes-; ländlich, bäuerlich; **~ritorialité** *f* Zugehörigkeit *f* zu e-m Staatsgebiet; **~roir** *m* (Grund u.) Boden *m*, Land *n; (goût m de ~)* Erdgeschmack *m; sentir le ~ (fig)* s-e Herkunft nicht verleugnen können.

terro|riser [tɛrɔrize] in Schrecken versetzen *od* halten, terrorisieren; **~risme** *m* Terrorismus *m;* **~riste** *m* Terrorist *m*.

tertiaire [tɛrsjɛr] *a* drittrangig; *geol* tertiär; *s m geol* Tertiär *n*.

tertio [tɛrsjo] *adv* drittens.

tertre [tɛrtr] *m* kleine(r) Hügel *m*, Anhöhe *f; ~ pour saut(er)* Sprunghügel *m*.

tes [te, tɛ] *prn s. ton.*

tessiture [tɛsityr] *f mus* Stimmlage *f*.

tesson [tɛsɔ̃] *m* Scherben *f pl; tech* Bruch *m*.

test [tɛst] *m* Test *m*, Probe, Prüfung *f;* **~abilité** *f* Testierfähigkeit *f*.

tes|tament [tɛstamɑ̃] *m* Testament *n*, Letzte(r) Wille *m*, letztwillige Verfügung *f; par ~* testamentarisch, letztwillig; *dresser, faire un ~* ein T. machen; *l'Ancien, le Nouveau T~ (rel)* das Alte, das Neue T.; *exécuteur m du ~* Testamentsvollstrecker *m; ouverture f du ~* Testamentseröffnung *f; ~ notarié, olographe* notarielle(s), eigenhändige(s) *od* Privattestament *n;* **~tamentaire** testamentarisch, letztwillig; **~tateur, trice** *m f* Erblasser(in *f*) *m;* **~ter** *itr* sein Testament machen, letztwillig verfügen; *tr* prüfen, testen.

testicule [tɛstikyl] *m anat* Hode(n *m*) *m* od *f*.

testimonial, e [tɛstimɔnjal] Zeugen-; *déposition f ~e* Zeugenaussage *f*.

têt, test [tɛ, tɛst] *m chem tech* Kapelle *f*, Test *m;* Probiergefäß *n*.

têtard [tɛtar] *m zoo* Kaulquappe *f;* Kugelbaum *m*, Kopfweide, -ulme *f; arg* Kind *n*.

tétanos [tetanɔs] *m med* Wundstarrkrampf, Tetanus *m*.

tête [tɛt] *f* Kopf *m a. tech*, Haupt *n;* Schädel; *mil* Gefechtskopf *m; fig* Geist, Verstand *m*, Einsicht; Festigkeit, Entschlossenheit, Willenskraft; Kaltblütigkeit; Geistesgegenwart; Hartnäckigkeit *f*, Eigensinn *m;* Person *f* (*pl* Köpfe *m pl*); Kopfende *n*, oberste(r) Teil *m*, Spitze *f a. fig;* Anfang *m; (Kanal)* Einfahrt *f; (Berg)*

Gipfel; *(Baum)* Wipfel *m; (Hirsch)* Geweih *n; (Buch)* Titel(blatt *n*) *m; (Münze)* Vorderseite *f; (Zeitung)* Leitartikel *m; sport (longueur f d'une ~)* Nasenlänge *f; à la ~ de* an der Spitze *gen; à ~ reposée* mit klarem Kopf, mit Bedacht; *de, en ~* im Kopf; *en ~ de* am Kopf, an der Spitze *gen;* vorn an; *(Liste)* oben auf; *(en) ~(-)à (-)~* unter vier Augen; *la ~ la première* kopfüber; *fig* Hals über Kopf; *par ~* pro Kopf; *avoir de la ~, une bonne ~* ein kluger Kopf sein, *fam* Köpfchen haben; *avoir toute sa ~* bei (vollem) Verstand sein; *avoir la ~ dure* schwer begreifen, *fam* schwer von Begriff sein; *avoir la ~ près du bonnet* leicht auf≈brausen, hitzköpfig sein; *avoir la ~ lourde* e-n schweren Kopf haben; *en avoir par-dessus la ~ (fam)* es satt haben; *donner de la ~ contre les murs, un mur (fig)* mit dem Kopf durch die Wand wollen; *faire la ~ (pop)* schmollen; *faire une ~* verdutzt *od* wütend sein; *n'en faire qu'à sa ~* nur machen, was man will; *jeter qc à la ~ à qn (fig)* jdm e-e S nach≈werfen; *se jeter à la ~ de qn (fig)* sich jdm an den Hals werfen; *laver la ~ à qn (fig)* jdm den Kopf waschen; *mettre à prix la ~ de qn* e-e Belohnung auf jds Kopf aus≈setzen; *monter, porter à la ~* zu Kopf steigen; *monter la ~ à qn* jdn auf≈hetzen; *se payer la ~ de qn* sich über jdn lustig machen; *piquer une ~* e-n Kopfsprung machen; *perdre la ~* den Kopf verlieren; *prendre la ~* die Führung übernehmen; sich an die Spitze setzen; *ne savoir où donner de la ~* nicht wissen, wo e-m der Kopf steht; *tenir ~* die Spitze bieten; *(faire) tourner la ~ à qn* jdm den Kopf verdrehen; *j'en ai par-dessus la ~* ich habe die Nase voll davon; *je mettrais, donnerais ma ~ à couper que* ich wette meinen Kopf, daß; *c'est à se jeter la ~ contre les murs* das ist zum Auswachsen; man könnte rasend werden; *vous en répondez sur votre ~* Sie haften mit Ihrem Kopf dafür; *la ~ me tourne* mir dreht sich alles, mir ist schwindlig; *autant de ~s, autant d'avis* soviel Köpfe, soviel Sinne; *coup m de ~* Dummheit *f (Handlung); forte ~* eigenwillige(r) Mensch; Aufrührer *m; homme m de ~* fähige(r) *od* entschlossene(r) Mensch *m; mauvaise ~* Unruhestifter *m; ~ atomique (Rakete)* Atomsprengkopf *m; ~ baissée* blindlings; *~-bêche adv* verkehrt, umgekehrt; *~ (de bétail)* Stück (Vieh); *~ brûlée* Draufgänger(in *f*) *m; ~ carrée* Dickkopf *m; ~ chaude* Hitzkopf *m; ~ chercheuse (Rakete)* Zielsuchkopf *m; ~ à l'envers* Querkopf *m; ~ de lecture* Tonarm *m; ~ de lettre* Briefkopf *m; ~ de ligne* Kopfstation *f;* Ausgangspunkt *m; ~ de linotte* leichtsinnige(r) Mensch *m; ~s de moineaux* Nußkohlen *f pl; ~-de-nègre* schwarzbraun; *~ du piston (mot)* Kolbenboden, Kreuzkopf *m; ~-plate, ~-ronde f* Flach-, Rundkopf *m; ~̂ de pont (mil)* Brückenkopf *m; ~-à-queue m: faire un ~ ~* sich um s-e eigene Achse drehen; *~ de soupape* Ventilkegel *m; ~-à-~ m inv* vertraute(s) Beisammensein *n* zu zweit; zweiteilige(s) Frühstückservice *n.*

têteau [tɛto] *m* Aststumpf *m.*

téter [tete] saugen (*qc* e-e S *od* an e-r S); *donner à ~* die Brust geben.

têtière [tɛtjɛr] *f* Babymützchen; *(Sessel)* Kopfkissen; *(Zaum)* Kopfstück *n.*

tét|in [tetɛ̃] *m* Brustwarze *f;* **~e** [-tin] *f* Zitze *f,* Euter *n;* Schnuller *m;* **~on** *m (weibl.)* Brust *f; ~ du diable (geol)* Belemnit, Donnerkeil *m.*

tétra|chlorure [tetraklɔryr] *m chem* Tetrachlorid *n;* **~èdre** *m math* Tetraeder *n;* **~gone** *m math* Viereck *n;* **~logie** *f* Tetralogie *f;* **~rque** *m (Bibel)* Tetrarch, Vierfürst *m.*

tétras [tetras] *m (grand ~) orn* Auerhahn *m.*

tette [tɛt] *f* Zitze *f,* Euter *n.*

têtu, e [tety] *a* eigensinnig, dick-, starrköpfig; *s m* Dick-, Starrkopf *m; ~ comme un mulet* halsstarrig.

teuton, ne [tøtɔ̃, -ɔn] teutonisch; **~ique** altdeutsch; *l'ordre T~* der Deutsche (Ritter-)Orden.

texte [tɛkst] *m (a. inform)* Text, Wortlaut *m;* Original *n;* Bibelstelle *f;* Thema *n,* Gegenstand *m.*

textile [tekstil] *a* faserig; Textil-, Spinnstoff-; *s m* Spinnstoff *m; (industrie f ~)* Textilindustrie *f.*

textuel, le [tɛkstyɛl] wörtlich.

texture [tɛkstyr] *f* Webweise, -art *f;* Gewebe *n; fig* Struktur *f;* Aufbau *m,* Gefüge *n,* Zs.hang *m.*

thalidomide [talidɔmid] *f* Contergan *(Warenzeichen) n.*

thaumaturge [tomatyrʒ] *s m* Wundertäter *m; a* wundertätig.

thé [te] *m* (schwarzer) Tee; Teestrauch *m,* -blätter *n pl; prendre du ~* Tee trinken; *boîte f à ~* Teebüchse, -dose *f; mélange m de ~* Teemischung *f; négociant m en ~s* Teehändler *m; ~ dansant* Tanztee *m;* **~ier** [-je] Teestrauch *m.*

théâtr|al, e [teɑtral] bühnenmaßig; Theater-; *fig* theatralisch; **~e** *m* Theater, Schauspielhaus *n;* Bühne; Schauspielkunst *f;* (Bühnen-)Werke *n pl; fig* Schauplatz; Wirkungskreis *m; faire du ~* als Schauspieler auf=treten; *coup m de ~* Knalleffekt *m; ~ amateur* Liebhabertheater *n; ~ d'opérations* Kriegsschauplatz *m; ~ en plein air* Freilichtbühne *f; ~ de verdure* Gartentheater *n.*
thébaïde [tebaid] *f* Einsamkeit, Einöde, Wildnis *f.*
thébaïque [tebaik] Opium-.
théière [tejɛr] *f* Teekanne *f.*
théi|sme [teizm] *m* Theismus *m;* **~ste** *m* Theist *m.*
thématique [tematik] *gram mus* thematisch.
thème [tɛm] *m* Thema *n,* Gegenstand, Stoff *m,* Motiv *n; (Schule)* Übersetzung *f* in die Fremdsprache, Hinübersetzung *f.*
théo|cratie [teɔkrasi] *f* Theokratie *f;* **~cratique** theokratisch; **~dicée** [-se] *f* Theodizee, Rechtfertigung *f* Gottes.
théodolite [teɔdɔlit] *m* Theodolit *m (Meßgerät).*
théogonie [teɔgɔni] *f* Lehre *f* von der Abstammung der Götter; **~logal, e** theologisch; *vertu f ~e* Kardinaltugend *f;* **~logie** *f* Theologie *f;* **~logien** *m* Theologe *m;* **~logique** theologisch.
théo|rème [teɔrɛm] *m math* Lehrsatz *m;* **~ricien, ne** *m f* Theoretiker(in *f*) *m;* **~rie** *f* Theorie, Lehre *f,* Lehrgebäude *n; mil* Unterricht *m; (Pilger)* lange Reihe *f; en ~* theoretisch *adv; tomber dans la ~ (fam)* theoretisch werden; *~ des ensembles* Mengenlehre *f; ~ de l'hérédité* Vererbungslehre *f; ~ des quanta, de la relativité* Quanten-, Relativitätstheorie *f;* **~rique** theoretisch.
théosophie [teɔzɔfi] *f* Theosophie *f.*
théra|peute [terapøt] *m med* Therapeut *m;* **~peutique** *a* therapeutisch; *s f s. thérapie;* **~peutique** *s f* Therapeutik; Therapie *f,* Heilverfahren *n; ~ de choc* Schocktherapie *f; ~ par (les) cellules fraîches* Frischzellentherapie *f;* **~pie** *f* Therapie *f; ~ occupationnelle* Beschäftigungstherapie *f.*
therm|al, e [tɛrmal] Thermal-; *eaux f pl ~es* Thermalwasser *n; établissement m ~* Kurhaus *n; station f ~e* Kurort *m;* **~isme** *m* Bäderwesen *n;* **~es** [tɛrm] *m pl arch hist* Thermen *f pl;* **~ie** *f* 1000 Kilogrammkalorien *f pl;* **~ique** thermisch; *centrale f ~* Wärmekraftwerk *n.*
thermo|dynamique [tɛrmɔdinamik] *f* Thermodynamik, Wärmemechanik *f;* **~-électricité** *f* Thermoelektrizität *f;* **~-électrique** thermoelektrisch; **~-élément** *m* Thermoelement *n;* **~gène** wärmeerzeugend; **~logie** *f* Wärmelehre, Kalorik *f;* **~mètre** *m* Thermometer *n; ~ médical* Fieberthermometer *n;* **~métrie** *f* Wärmemessung *f;* **~nucléaire** thermonuklear; Atom-, Kern-; **~plastique** thermoplastisch; **~plongeur** *m* Tauchsieder *m;* **~propulsion** *f* Strahlantrieb *m;* **~régulateur** *m* Wärmeregler *m.*
thermos [tɛrmɔs] *m* od *f bouteille ~* Thermosflasche *f.*
thermosiphon [tɛrmɔsifɔ̃] *m* Warmwasserheizung *f.*
thermostat [tɛrmɔsta] *m* Thermostat *m.*
thésauris|ation [tezɔrizasjɔ̃] *f* Hortung *f;* **~er** horten; **~eur, se** *m f* Hamsterer *m.*
thèse [tɛz] *f* These, Behauptung; Dissertation; Abhandlung; *(doctorat d'État)* Habilitationsschrift *f; en ~ générale* allgemein *adv; vx changer de ~* das Thema wechseln; s-e Meinung ändern; *(vx) changer la ~* die Fragestellung *ändern od* verschieben; *roman m, pièce f à ~* Tendenzroman *m,* -stück *n.*
Thionville [tjɔ̃vil] *f* Diedenhofen *n.*
thon [tɔ̃] *m* Thunfisch *m;* **~aire** [tɔ-] *m* Thunfischnetz *n.*
tho|racique [tɔrasik] *a* Brust(kasten, -korb)-; **~rax** [-ks] *m anat* Brust(kasten, -korb *m*) *f; ~ en entonnoir* Hühnerbrust *f.*
thorium [tɔrjɔm] *m chem* Thorium *n.*
thrombose [trɔ̃boz] *f med* Thrombose *f.*
thuriféraire [tyriferɛr] *m* Beweihräucherer, Schmeichler *m.*
Thuringe, la [tyrɛ̃ʒ] Thüringen *n.*
tuya [tyja] *m* Lebensbaum *m.*
thym [tɛ̃] *m bot* Thymian *m.*
tyro|ïde [tirɔid] *f, corps m, glande f ~* Schilddrüse *f;* **~ïdien, ne** *a* Schilddrüsen-; **~xine** *f* Thyroxin, Schilddrüsenhormon *n.*
tiare [tjar] *f* Tiara *f.*
tibia [tibja] *m* Schienbein *n.*
tic [tik] *m med* Tic *m,* Zucken *n;* Tick *m,* Angewohnheit, Schrulle *f;* **~(-)tac** *m inv (Uhr)* Ticktack; *(Mühle)* Klippklapp *n.*
ticket [tikɛ] *m* Fahrkarte *f,* -schein *m; ~ de quai* Bahnsteigkarte *f; ~ modérateur* Selbstbeteiligung *f; ~ de ravitaillement* Abschnitt *m* der Lebensmittelkarte, Lebensmittelmarke *f.*

tiède [tjɛd] lauwarm, überschlagen; *(Luft)* lau, (ge)lind(e), mild; *fig* lau.
tiéd|eur [tjedœr] *f* angenehme Wärme; *(Luft)* Milde; *fig* Lauheit *f;* **~ir** *itr* ab=kühlen *a. fig; fig* erkalten, lau werden, ab=flauen; *tr* ab=kühlen lassen.
tien, ne [tjɛ̃, tjɛn] *prn* dein(ig)e *(vgl. mien).*
tiers, tierce [tjɛr, tjɛrs] *a* dritte(r, s); *s m* Drittel *n;* Dritte(r) *(Mann) m; f mus sport* Terz *f;* drei gleiche aufea.folgende (Spiel-)Karten *f pl; typ* Revision; *astr math* 1/10 Sekunde; *rel* Tertie; *être en ~* der Dritte im Bunde sein; *médire du ~ et du quart (fam)* an jedem etw auszusetzen haben; *fièvre f tierce (med)* Tertianafieber *n; ~-point m* Dreikantfeile *f; en ~ (Spitzbogen, Gewölbe)* aus zwei Kreisbogen gebildet; *le ~ et le quart* dieser u. jener, der eine oder der andere; *le T~ État (hist)* der dritte Stand; *le T~ monde (pol)* die dritte (blockfreie) Welt, *a.* die Entwicklungsländer *n pl.*
tiercé *s m* Wette *f (bei Pferderennen).*
tif(fe)s [tif] *m pl arg* Haar(e *pl*) *n.*
tige [tiʒ] *f bot* Stiel, Stengel; *(Baum)* Stamm; *(Feder)* Kiel; *(Säule, Stiefel)* Schaft; *(Strumpf)* Beinling; *(Schlüssel)* Dorn *m; tech* Stange *f,* Hebel, Stift, Bolzen *m,* Spindel *f; fig* Stammvater *m.*
tign|asse [tiɲas] *fam* wilde(r) Haarschopf *m;* **~on** *m fam* Dutt *m,* Nest *n,* (Haar-)Knoten *m.*
tigr|e [tigr] *m zoo* Tiger; *(cœur m de ~)* grausame(r), hartherzige(r) Mensch *m; jaloux comme un ~* sehr eifersüchtig; *~-chat m* Ozelot *m;* **~é, e** getigert, wie ein Tiger gestreift; Tiger-; **~er** tigern; **~esse** *f* Tigerin; *fig* eifersüchtige Frau; Megäre *f.*
tillac [tijak] *m mar vx* Oberdeck *n.*
tilleul [tijœl] *s m* Linde(nbaum *n*); Lindenblüte(ntee *m*) *f; a* lind(grün).
tilt [tilt] *m: faire ~* e-n Aha-Effekt haben.
timbal|e [tɛ̃bal] *f mus* (Kessel-)Pauke *f;* Trinkbecher *m; décrocher la ~ (fig)* den Vogel ab=schießen; **~ier** *m mus* Paukenschläger *m.*
timbr|age [tɛ̃braʒ] *m* Abstemp(e)lung *f;* **~e** *m* (Schlag-)Glocke; (Fahrrad-)Klingel *f;* (Glocken-)Klang *m; (Stimme, Instrument)* Klangfarbe *f;* Stempel(marke *f,* -amt *n*); Poststempel *m;* (Firmen-)Zeichen *n; (~-poste m)* Briefmarke *f; (Kessel)* Betriebsdruck; *arg* Kopf *m; avoir le ~ fêlé (fig)* e-n Vogel haben; *apposer, oblitérer un ~-poste* e-e Briefmarke auf=kleben, entwerten; *droit m de ~* Stempelgebühr *f; ~ de bienfaisance* Wohlfahrtsmarke *f; ~ en caoutchouc* Gummistempel *m; ~ dateur, à dater* Datums-, Tagesstempel *m; ~ fiscal* Steuermarke *f; ~ (de) quittance* Quittungsstempel, (-marke *f*) *m; ~ vignette* Briefverschlußmarke *f;* **~é, e** gestempelt; Stempel-; *fam* verrückt; *bien ~* volltönend, klar; *papier m ~* Stempelpapier *n;* **~er** (ab=)stempeln; e-e (Brief-)Marke auf=kleben (*qc* auf e-e S); *machine f à ~* Stempelmaschine *f;* **~eur** *m* Stempler *m.*
tim|ide [timid] *a* schüchtern, zaghaft, ängstlich; *s m f* schüchterne(r) Mensch *m;* **~idité** *f* Schüchternheit, Zaghaftigkeit; Ängstlichkeit *f.*
timon [timɔ̃] *m* Deichsel *f; mar* Steuer *n a. fig,* Ruderpinne *f;* **~erie** *f mar* Ruderwache *f,* -haus *n;* Steuermannsstand *m; ~erie f des freins* mit Bremsgestänge *n;* **~ier** *m mar* Steuermann *m;* Deichselpferd *n.*
timoré, e [timɔre] ängstlich; übermäßig gewissenhaft; unentschlossen.
tin [tɛ̃] *m* Faßlager *n; mar* Stapelblock *m.*
tincal [tɛ̃kal] *m chem* rohe(r) Borax *m.*
tinctorial, e [tɛ̃ktɔrjal] Färbe-.
tin|e [tin] *f* (Holz-)Eimer, Kübel *m,* (kleines) Faß *n;* Zuber *m;* **~ette** *f* (kleines) Holzgefäß *n;* Kübel; Aborteimer *m.*
tint|amarre [tɛ̃tamar] *m fam* Lärm *m,* Getöse, Dröhnen *n;* **~ement** *m* Klingeln, Bimmeln, Geklingel; *(Glocke)* Anschlagen; *(Gläser)* Klingen; *(~ d'oreille)* Ohrensausen *n;* **~er** *tr (Glocke)* (an=)schlagen; läuten; *itr* klingen, schlagen, (langsam) läuten; *(Ohren)* sausen; **~in** *m; faire ~ de qc (pop)* auf e-e S verzichten müssen; **~innabuler** klingeln; **~ouin** [-twɛ̃] *m fam* Lärm *m;* Sorge *f,* Kopfzerbrechen *n; après bien du ~* nach vielem Wenn u. Aber; *donner du ~* in Verlegenheit bringen (*à qn* jdn).
tipule [tipyl] *f zoo* (Bach-)Schnake *f.*
tique [tik] *f zoo* Zecke *f.*
tiquer [tike] *med* den Tic haben; *fam* zs.=zucken, -fahren, stutzen.
tiqueté, e [tikte] gesprenkelt.
tir [tir] *m* Schießen, *mil* Feuer *n;* Beschuß *m,* Beschießung *f;* Sprengen *n; sport* Schuß *m; (champ m de ~)* Schießstand *m; allonger, raccourcir le ~ (mil)* das Feuer vor=, zurück= verlegen; *régler son ~* sich ein=schießen; *exercice m de ~* Schießübung *f; position f de ~* Feuerstellung *f; ~ à l'aide des armes de bord (aero)* Bordwaffenbeschuß *m; ~ antiaérien*

Flakfeuer *n;* ~ *d'arrêt, de barrage* Sperrfeuer *n;* ~ *à la cible* Scheibenschießen *n;* ~ *de concentration* zs.gefaßte(s) Feuer *n;* ~ *continu* Dauerfeuer *n;* ~ *au coup par coup* Einzelfeuer *n;* ~ *forain* Schießbude *f;* ~ *de harcèlement* Störfeuer *n;* ~ *rapide* Schnellfeuer *n;* ~ *de réglage* Einschießen *n;* ~ *de surprise* Feuerüberfall *m;* ~ *tendu* Flachfeuer *n;* ~**ade** *f* Tirade *f; fig* Schwall *m;* längere Stelle *f (e-s Theaterstückes);* ~**age** *m* Ziehen *n; (Lotterie)* Ziehung, *(~ au sort)* Auslosung *f; (Kamin)* Ziehen *n,* Zug *m a. tech; typ* Drucken *n,* Abdruck *m;* Auflage(nhöhe) *f; phot* Abziehen *n,* Abzug *m;* Balglänge *f;* Luftzug *m; com* Trassierung *f,* Ziehen *n* (e-s Wechsels); *fig* Schwierigkeiten *f pl; avis m d'un* ~ Avis *m* über e-e Entnahme (*sur* auf *acc*); *jour m de* ~ Ziehungstag *m; liste f, tableau m des ~s* Ziehungsliste *f,* -plan *m;* ~ *global* Gesamtauflage *f;* ~ *au sort* Auslosen *n.*

tiraill|ement [tiʀɑjmɑ̃] *m* Hin- u. Herzerren *n; fig* Reibungen, Schwierigkeiten *f pl; med (~s d'estomac)* Magenkrämpfe *m pl;* ~**er** hin- u. her= zerren; *fig* hin- u. her=reißen, keine Ruhe lassen (*qn* jdm); ~**eur** *m* Schütze *m; en ~s* in Schützenlinie.

tir|ant [tiʀɑ̃] *m* (Zug-)Schnur, Strippe; Schlaufe, Öse *f;* Zugband, -eisen *n;* Klammer *f;* Zuganker, Ankerbolzen; *(~ d'eau)* Tiefgang *m;* ~ *d'air* lichte Höhe *f (e-r Brücke);* ~**asse** *f* Streichgarn *n;* ~**e** *f* Zug *m; arg* Auto *n; à ~-d'aile* pfeilschnell; *vol, voleur m à la* ~ Taschendiebstahl, -dieb *m;* ~**-botte** *m* Stiefelknecht; Stiefelhaken *m;* ~**-bouchon** *m* Korken-, Pfropfenzieher *m; pl* Korkenzieherlocken *f pl; en* ~ aufgeringelt; Korkenzieher-; *tech* gemasselt; ~**-bouton** *m* Knopfhaken *m;* ~**-clou** *m* Nagelzieher *m,* -klaue *f;* ~**-filet** *m* Filethobel *m;* ~**-au-flanc** *fam,* ~**-au-cul** *m pop* Drückeberger *m;* ~**-fond** *m* Deckenhaken *m; loc* Schienenschraube *f;* ~**-jus** *m pop* Rotzlappen *m,* Taschentuch *n;* ~**-larigot** *m inv: à* ~ reichlich; ~**-ligne** *m* Reißfeder *f;* ~**-point(e)** *m inv* Ahle *f,* Pfriem *m;* ~**é, e** *a* abgespannt, angegriffen; *s m* Jagd(gebiet *n*) *f;* Wild *n; com* Bezogene(r), Trassat *m; avoir les traits ~s* schlecht, abgespannt aus=sehen; ~ *par les cheveux (fig)* an den Haaren herbeigezogen; ~ *à quatre épingles (fam)* piekfein; ~ *m à part* Sonderdruck *m.*

tirelire [tiʀliʀ] *f* Sparbüchse *f,* Sparschwein *n; arg* Kopf, Magen *m.*

tirer [tiʀe] *tr* ziehen (*les oreilles* an den Ohren; *par le bras* am Arm); zerren; *(Riegel)* vor=schieben; (her)an=, herbei=, (her)aus=ziehen, in die Länge ziehen; entnehmen; (ab=)zapfen, (ab=) schöpfen; *(Kuh)* melken; *(Hut)* ab= nehmen; *(Vorhang)* auf= *od* zu=ziehen; *(Karten)* legen; *(Horoskop)* stellen; *(Zunge)* heraus=strecken; *(Augen)* überanstrengen; *fig (Plan)* entwerfen; *(Wort)* entlehnen (*de* aus); *(Töne)* entlocken *(d'un instrument* e-m Instrument); *com* ziehen, trassieren (*sur* auf *acc*); *(Scheck)* aus=stellen; *typ* drucken; *phot* ab=ziehen; *(Schuß)* ab=schießen, -feuern; schießen (*un oiseau* auf e-n Vogel); *mar* e-n Tiefgang haben (*six mètres d'eau* von sechs Metern); *itr* ziehen (*sur sa cigarette* an s-r Zigarette), e-n Zug aus=üben; (straff) an=ziehen, spannen; (an)gespannt sein; sich wenden, sich richten; *(Vogel)* streichen; *(Farbe)* spielen, über=gehen (*sur le rouge* ins Rote, in Rot); *fam* ähnlich sein *od* sehen (*sur qn* jdm); schlagen, arten (*sur* nach); *com* ziehen, ab=geben, trassieren (*sur* auf *acc*); schießen; *(~ des armes)* fechten; *(~ au sort)* losen; *se ~ (fam)* sich aus dem Staube machen, sich drücken; *s'en* ~ davon= kommen; *ne pouvoir rien* ~ *de qn* aus jdm nichts heraus=bringen, -kriegen; ~ *qn d'affaire* jdm aus der Verlegenheit helfen; *se* ~ *d'affaire* sich aus der Affäre ziehen; ~ *à l'arc* mit dem Bogen schießen; ~ *au clair* auf= klären; ~ *à conséquence* Folgen haben; ~ *la conséquence* die Folgerung ziehen (*de* aus); ~ *à sa fin* s-m Ende zu=gehen; ~ *au flanc (fam), au cul (pop)* sich drücken; ~ *qn de son lit (fam)* jdn aus dem Bett holen; ~ *en longueur* (sich) in die Länge ziehen; ~ *les marrons du feu (fig)* die Kastanien aus dem Feuer holen; ~ *son origine* sich her=leiten (*de* von); ~ *parti, profit, avantage* Vorteil ziehen (*de* aus); ~ *sa source* entspringen (*de* in *dat,* auf *dat*); ~ *une traite* e-n Wechsel ziehen (*sur* auf *acc);* ~ *vanité, gloire* stolz sein, sich etw einbilden (*de* auf *acc*); ~ *vengeance* sich rächen, Rache nehmen (*de qn* an jdm); ~ *à qn les vers du nez* jdn aus=horchen; jdm die Würmer aus der Nase ziehen.

tir|et [tiʀɛ] *m* Gedankenstrich *m;* ~**eté** *m* gestrichelte Linie *f;* ~**ette** *f* Gardinen-, Zugschnur *f; (Möbel)* Ausziehbrett *n;* ~**eur, se** *m f* Schütze, Jäger;

tech Drahtzieher; *min* Abnehmer, Abzieher; *com* Aussteller, Trassant; *f (~se de cartes)* Kartenlegerin *f; ~-au--flanc fam, ~-au-cul m pop* Drückeberger *m;* **~oir** *m* Schublade *f,* -fach *n; tech* Schieber *m.*
tisane [tizan] *f* Absud, (Kräuter-)Tee *m; pop* Tracht *f* Prügel; *~ de Champagne* leichte(r) Champagner *m.*
tisard [tizar] *m tech* Schürloch *n.*
tison [tizɔ̃] *m* halbverbrannte(s) Stück *n* Holz; *~ de discorde (vx)* Unruhestifter; Zankapfel *m;* **~ner** *itr* im Feuer herum=stochern; *tr* schüren; **~nier** *m* Schürhaken *m,* -eisen *n.*
tiss|age [tisaʒ] *m* Weben *n;* Weberei *f;* Gewebe *n;* **~é, e** (ein)gewebt; *~ en couleurs* buntgewebt; *~ de fils d'or* mit Goldfäden durchwirkt; **~er** (ein=, ver)weben; **~erand** [-srɑ̃] *m* (Lein[e]-)Weber *m;* **~eranderie** *f* Weberei *f;* Webwarenhandel *m;* **~erin** *m* Webervogel *m;* **~eur, se** *m f* Weber(in *f*) *m;* **~u, e** *a* gewebt, gewirkt; eingewebt, -gearbeitet; *fig* gesponnen, ausgedacht, -geheckt; *s m* Gewebe *a. anat,* Gespinst *n;* Stoff *m; (Textil)* Ware; Webweise; *fig* Verkettung *f,* Gefüge *n; gants m pl en ~* Stoffhandschuhe *m pl; ~ d'ameublement* Möbelstoff *m; ~ cellulaire, conjonctif (anat)* Zell-, Bindegewebe *n; ~ pour blouses, pour chemises, de coton, ~- éponge m, pour robes* Blusen-, Hemden-, Baumwoll-, Frottee-, Kleiderstoff *m; ~ crin* Roßhaareinlage *f; ~ métallique* Drahtgeflecht *n; ~ solide* strapazierfähige(s) Gewebe *n;* **~ulaire** *a* Gewebe-; **~ure** *f* Webart *f;* **~uterie** *f* Bandwirkerei *f;* **~utier** *m* Bandwirker *m.*
tit|ane [titan] *m chem* Titan *n;* **~anique** titanisch, gigantisch; *chem* Titan-.
titi [titi] *m pop (Paris)* Straßenjunge *m.*
tit|illation [titilasjɔ̃] *f* (leichtes) Kitzeln, Prickeln *n;* **~iller** [-le (-je)] *tr itr* kitzeln; *itr* prickeln.
ti|trage [titraʒ] *m chem* Titrieren *n;* Maßanalyse *f;* **~tre** *m* Titel *m; (Buch)* Titelblatt *n;* Auf-, Überschrift; (Berufs-)Bezeichnung, Eigenschaft *f;* Ehrentitel; *jur* Rechtstitel *m,* Anrecht *n,* Anspruch; *com* Schein, Titel, Ausweis *m,* Urkunde *f; chem* Feingehalt; *(Flüssigkeit)* Gehalt, Titer *m; (~ de fil)* (Garn-)Nummer *f; pl com* Effekten *f pl,* Stücke *n pl; à juste ~* mit vollem Recht; *à plus d'un ~* in mehr als e-r Hinsicht; *à quelque ~ que ce soit* aus welchem Grunde auch immer; *à ~ de ...* (in der Eigenschaft) als ...; *à ~ bénévole* freiwillig; *à ~ d'essai* probeweise; *à ~ exceptionnel* ausnahmsweise; *à ~ expérimental* zu Versuchszwecken; *à ~ gracieux, gratuit* unentgeltlich, gratis, kostenlos *adv; à ~ indicatif, d'information* zur Unterrichtung; zur Kenntnisnahme; *à ~ individuel* einzeln; *à ~ onéreux* gegen Entgelt; *à ~ de paiement* an Zahlungs Statt; *à ~ professionnel* hauptamtlich *adv; à ~ provisoire* provisorisch *adv; à ~ de réciprocité* auf Gegenseitigkeit; *produire des ~s* Urkunden vor=legen; *chapeau m de ~, corps m du ~* Aktienmantel *m; marché m des ~s* Effektenmarkt *m; ~ de circulation* Fahrtausweis *m; ~ de créance* Schuldschein *m; ~ de dette foncière* Grundschuldbrief *m; ~ d'hypothèque* Hypothekenbrief *m; ~ nominatif* Namenspapier *n; ~ d'obligation* Schuldverschreibung *f; ~ paré* Vollstreckungstitel *m; ~s de participation (com)* Beteiligungen *f pl; ~ de permission* Urlaubsschein *m; ~s de placement* Anlagepapiere *n pl; ~ au porteur* Inhaberpapier *n; ~ de rente* Rentenschein *m; ~ de transport* Fahrschein *m;* **~tré, e** betitelt; **~trer** e-n Titel verleihen (*qn* jdm); *chem* titrieren; *~ gros (Zeitung)* in Schlagzeilen bringen (*sur qc* e-e S).
titu|bant, e [titybɑ̃, -ɑ̃t] schwankend; **~ber** (sch)wanken, hin u. her taumeln.
titu|laire [titylɛr] *a* Titular-; *s m (Amt, Dokument)* Inhaber; *sport* Titelverteidiger *m; ~ d'un compte* Kontoinhaber *m; ~ d'un permis de conduire* Inhaber *m* e-s Führerscheins; *~ d'une rente* Rentenempfänger *m;* **~lariser** fest an=stellen.
Titus [titys] *m: coiffure f à la ~* Tituskopf *m.*
toast [tost] *m* Trinkspruch, Toast *m;* Röstbrot *n,* Toast *m; porter un ~* e-n Trinkspruch aus=bringen (*à qn* auf jdn).
toboggan [tɔbɔgɑ̃] *m* Rodel(schlitten) *m;* Rutschbahn; *tech* Rutsche *f.*
toc [tɔk] *interj* tack! *s m* Knacken *n; fam* Schund, Tinnef *m; ~ ~!* tock tock!.
tocade [tɔkad] *f s. toquade.*
tocane [tɔkan] *f* neue(r) Champagner *m.*
tocante [tɔkɑ̃t] *f s. toquante.*
tocard, e [tɔkar, -d] *a arg* alt; mies; *s m pop* schlechtes Rennpferd.
tocsin [tɔksɛ̃] *m* Sturmglocke *f.*
toge [tɔʒ] *f hist* Toga *f.*
tohu-bohu [tɔybɔy] *m fam* Tohuwabohu, Chaos, Durcheinander *n.*
toi [twa] *prn* du; dir, dich (*vgl. moi*).

toi|lage [twalaʒ] *m* Spitzengrund *m;* **~le** *f* Leinwand *f,* Leinen; Gewebe, Tuch *n,* Stoff *m;* Gemälde *(auf Leinen);* Zelt; *mar* Segel *n; theat* Vorhang *m; pl (Jagd)* Garn, Netz *n; demi-~ (Buch)* Halbleinen *n; drap m de ~* Leintuch *n; grosse ~* grobe(s) Leinen *n; village m de ~* Zeltstadt *f; ~ d'araignée* Spinn(en)gewebe *n; ~ à calquer* Pausleinwand *f; ~ pour chemises* Hemdenstoff *m; ~ cirée* Wachstuch *n; ~ de coton* Baumwolleinen *n,* Kattun *m; ~ écrue* Rohleinen *n; ~ d'emballage* Packleinen *n; ~ d'émeri* Schmirgelleinwand *f; ~ de fond* Hintergrund *m; ~ gommée, raide* Steifleinen *n; ~ goudronnée* Teerleinwand *f; ~ métallique* Fliegengitter *n; pleine ~ (Buch)* Ganzleinen *n; ~ de revêtement* Bespannungsstoff *m; ~ à sacs* Sackleinen *n; ~ tailleur* Schneiderleinen *n; ~ de tente* Zeltleinwand *f; ~ vernie* Öltuch *n; ~ à voiles* Segeltuch *n;* **~lerie** *f* Leinenfabrikation *f,* -handel *m.*

toi|lettage [twalɛtaʒ] *m* Hundepflege *f;* **~lette** *f* Wasch-, Toiletten-, Frisiertisch *m; (garniture f de ~)* Waschtischgarnitur; Toilette, Aufmachung *f; en ~* in großer Toilette *od* Aufmachung *f; faire (sa) ~* Toilette, sich fertig=machen; sich waschen, kämmen u. an=kleiden; *faire la ~* putzen, einigen, waschen (*de qc* e-e S); *cabinet m de ~* Ankleidezimmer *n; gant m de ~* Waschlappen *m; ~ d'été* Sommerkleid *n; ~ du soir, de bal* Abend-, Balltoilette *f;* **~lettes** *f pl* Toilette *f.*

toilier, ère [twalje, -ɛr] *a* Leinen-; *s m f* Leinenhändler(in *f*); Lein(e)weber *m.*

tois|e [twaz] *f* Klafter *f;* Größenmaß *n; fig* Maßstab *m;* **~er** ab=messen; *fig fam* mit dem Blick messen; von oben herab an=sehen.

toison [twazɔ̃] *f* Schaffell *n; fam* Mähne *f; la T~ d'or* das Goldene Vlies.

toit [twa] *m* Dach; Haus *n,* Wohnung, Behausung *f; min* Hangende(s) *n; crier sur les ~s* überall aus=posaunen; *~ en appentis, en ardoises, en bardeaux, en bâtière, de chaume, en croupe, à la Mansard, plat, en tôle, en tuiles, en verre* Pult-, Schiefer-, Schindel-, Sattel-, Stroh-, Walm-, Mansarden-, Flach-, Blech-, Ziegel-, Glasdach *n; ~ ouvrant (mot)* Schiebedach *n;* **~ure** [-tyr] *f* Dachstuhl *m,* Bedachung *f; enlever la ~* das Dach ab=decken.

tôle [tol] *f* (Eisen-, Stahl-)Blech *n; ~ fine, forte, ondulée, striée* Fein-, Grob-, Well-, Riffelblech *n.*

tolér|able [tɔlerabl] erträglich; **~ance** *f* Duldsamkeit, Toleranz *a. tech;* Nachsicht, Duldung *f; tech* Spielraum *m; allg* zulässige Abweichung *(vom Maß, von der Regel); com* Freigrenze *f;* **~ant, e** duldsam, tolerant; nachsichtig; **~er** ertragen, dulden; gestatten, zu=lassen, geschehen lassen.

tôl|erie [tolri] *f* Blechschmiede *f,* (Eisen-)Walzwerk *n,* Blechwaren *f pl;* **~ier** *m* Blechschmied *m.*

tol|ite [tɔlit] *f chem* Tolit *n;* **~uène, ~uol** [-lɥɛn, -lɥɔl] *m chem* Toluol *n;* **~uidine** [-lɥi-] *f chem* Toluidin *n.*

tollé [tɔle] *m* Zetergeschrei *n.*

tomaison [tɔmɛzɔ̃] *f typ* Bandbezeichnung, -nummer *f.*

tomate [tɔmat] *f* Tomate *f; concentré m de ~s* Tomatenmark *n.*

tombac [tɔ̃bak] *m* Tombak *m (Legierung).*

tombal, e [tɔ̃bal] Grab-; *pierre f ~e* Grabstein *m,* -platte *f.*

tombant, e [tɔ̃bɑ̃, -t] fallend; *(Haar)* herunterhängend; *(Ton)* schwächer werdend; *à la nuit ~e* bei Einbruch der Dunkelheit.

tom|be [tɔ̃b] *f* Grabplatte *f,* -stein *m;* Grab *n,* Gruft, Ruhestätte *f; ~s à puits (hist)* Schachtgräber *n pl;* **~beau** *m* Grabmal; Grab(stätte *f*) *n,* Gruft *f; fig* Tod *m,* Ende, Verderben *n,* Untergang *m; rouler à ~ ouvert (mot)* wie wahnsinnig rasen.

tombée [tɔ̃be] *f* Fall *m,* Fallen *n; à la ~ de la nuit, du jour* bei Einbruch der Dunkelheit.

tomber [tɔ̃be] *itr* fallen (*à, par terre* zu Boden); herunter=, nieder=fallen; ab=, zu=, hin=, um=fallen; stürzen *a. pol (Regierung),* zu Fall kommen; sinken; *(Bergsteiger, Flugzeug)* ab=stürzen; her=fallen (*sur* über *acc*), sich stürzen (*sur* auf *acc*); stoßen (*sur* auf *acc*), zufällig treffen (*sur qn* jdn); *theat* durch=fallen; *(Fluß)* münden; *(Gespräch, Rede)* kommen (*sur* auf *acc*); zu=fallen (*sur qn* jdm); hinein=geraten, gehen (*dans un piège* in e-e Falle); herunter=kommen; außer Gebrauch kommen, veralten; unterliegen, ein=, verfallen; alt u. schwach werden, an Kraft verlieren, ab=nehmen, nach=lassen, stocken, ins Stokken geraten; *(Wind)* sich legen; *(Meer)* sich beruhigen; *(Stimme)* leiser, schwächer werden; *(Zorn)* ab=kühlen; *(Haare, Zähne)* aus=fallen; *(Feiertag)* fallen (*un lundi* auf e-n Montag); *(Nacht)* herein=brechen; *(Tag)* sich neigen; *com* fällig werden;

tr fam um=legen, nieder=werfen, -strecken; *bien, mal* ~ gerade recht *od* zur rechten, zur unrechten Zeit kommen; *laisser* ~ *qn (fam)* jdn fallen=lassen, im Stich lassen; *qc (fam)* etw fallen=lassen, auf=geben; ~ *d'accord* überein=kommen, sich verständigen (*avec qn* mit jdm); ~ *en arrêt* stehen=bleiben; ~ *sous le coup d'une loi* unter ein Gesetz fallen; ~ *en désuétude* veralten; ~ *dans le domaine public* frei werden *(Schriftsteller);* ~ *les quatre fers en l'air (Pferd)* auf den Rücken fallen; ~ *en flammes (aero)* brennend ab=stürzen; ~ *sous la main à qn* jdm unter die Finger kommen; ~ *sous la main de qn* jdm in die Hände, in jds Hände fallen; ~ *malade* krank werden; ~ *des nues, de son haut* (wie) aus allen Wolken fallen; ~ *dans l'oubli* in Vergessenheit geraten; ~ *dans le panneau (fam)* herein=fallen; ins Garn gehen; ~ *sur ses pieds, debout (fig)* auf die Beine fallen, Glück im Unglück haben; ~ *à plat* platt auf die Erde fallen; ~ *en proie à qc* e-r S verfallen; ~ *raide mort* tot um=fallen; ~ *en ruines* verfallen; ~ *sous le sens* ein=leuchten; ~ *de sommeil* vor Müdigkeit um=fallen; ~ *à plat (fam)* flach=fallen; in den Wind geredet sein; ~ *la veste (fam)* die Ärmel auf=krempeln, tüchtig ran=, an die Arbeit gehen; ~ *sous les yeux à qn* jdm in die Finger fallen; *il tombe de la pluie, de la grêle, de la neige, à seaux* es regnet, hagelt, schneit, gießt wie aus Kübeln; *sa joie tomba* mit s-r Freude war es aus.

tombereau [tɔ̃bro] *m* Kippkarren *m;* ~ *à chenilles* Großraumraupenwagen *m;* ~ *de nettoyage* Müllwagen *m.*

tombeur [tɔ̃bœr] *m* Abbrucharbeiter; *fam (Ringkampf)* Sieger; *fig arg* Verführer *m.*

tombola [tɔ̃bɔla] *f* Tombola, Verlosung *f.*

tome [tɔm] *m* Band, Teil *m* (e-s Werkes).

tom-pouce [tɔmpus] *m* Knirps *(Warenzeichen),* Taschenschirm *m.*

tomographie [tɔmɔgrafi] *f med* Tomographie *f.*

ton [tɔ̃] **1.** *s m* Ton, Klang *m;* Tonart; *fig* Sprache, Redeweise *f;* Farbton *m,* Schattierung *f;* Benehmen *n,* Haltung *f;* Stil *m; med fig* Kraft, Stärke, Energie *f; de bon* ~ geschmackvoll; ~ *sur* ~ Ton in Ton; *sur tous les ~s (fig)* in allen Tonarten; *donner le* ~ den Ton an=geben; *hausser le* ~ lauter reden; schärfere Saiten auf=ziehen; *ne le prenez pas sur ce ~-là* ich verbitte mir diesen Ton; **2.** ~, *ta, tes (prn)* dein(e); **~al, e** *mus* Ton-; **~alité** *f mus* Tonart, Klangfarbe *f;* ~ *occupé* Besetztzeichen *n; régulateur m de* ~ *(radio)* Klangregler *m; signal m de* ~ Summerton *m;* ~ *fondamentale* Grundton *m.*

tond|age [tɔ̃daʒ] *m* (Tuch-)Scheren *n;* **~aille** [ɑ(a)j] *f* Schurwolle *f;* **~aison** *f* (Schaf-)Schur *f;* **~eur** *m* (Schaf-)Scherer *m;* **~euse** *f* (Tuch-)Schermaschine; Haarschneidemaschine *f; (~ à gazon)* Rasen-, Grasmäher *m;* **~re** (ab=)scheren; *(Rasen)* mähen; ab=grasen, kahl=fressen; *(Hecke)* (be)schneiden; *fig fam* neppen, rupfen; *se laisser* ~ *la laine sur le dos* sich alles gefallen lassen; **~u, e** *a (Kopf, Rasen)* geschoren (*de près* kurz); *s m f* Kahlgeschorene(r *m*) *f.*

toni|cité [tɔnisite] *f* Spannkraft *f;* **~fier** stärken, kräftigen; Energie spenden, Spannkraft verleihen (*qc* dat); **~que** *a* stärkend, kräftigend; *mus* Ton-; *gram* Betonung(s)-; *s m* Stärkungsmittel *n; f (note f ~)* Grundton *m; gram* Tonsilbe *f.*

tonitru|ant, e [tɔnitryɑ̃, -t] donnernd; **~er** *(Person)* donnern.

tonnage [tɔnaʒ] *m mar* Schiffs-, Frachtraum *m,* Tonnage; *min* Förderung *f,* Ertrag *m;* (Zug-)Gewicht *n;* ~ *global* Gesamttonnage *f.*

tonnant, e [tɔnɑ̃, -t] *(Stimme)* dröhnend.

ton|ne [tɔn] *f* Tonne *f,* Faß *n; (~ métrique)* Tonne *f (1000 kg);* **~neau** *m* Faß *n,* Tonne *f (a. 1000 kg); aero* Rolle, Kehre *f* (über den Flügel); *être du même ~ (fig)* aus einem Holz geschnitzt sein; *faire plusieurs ~x* sich mehrfach überschlagen; ~ *de bière, de vin* Bier-, Weinfaß *n;* ~ *de registre* Registertonne *f (2,830 m³);* ~ d'arrosage (Straßen-)Sprengwagen *m;* **~nelet** [-nlɛ] *m* kleine(s) Faß, Fäßchen *n;* **~nelier** [-n-ə] *m* Böttcher *m.*

tonnelle [tɔnɛl] *f arch* Tonnengewölbe *n;* Gartenlaube *f;* **~rie** *f* Böttcherei, Küferei; Faßfabrik *f.*

ton|ner [tɔne] donnern *a. fig* (*contre qn* gegen jdn); **~nerre** *m* Donner *a. allg; fam* Blitz; *fig* schwere(r) Schlag *m; (mille) ~(s)!* Donnerwetter! *coup m, voix f de* ~ Donnerschlag *m,* -stimme *f;* ~ *d'applaudissement* stürmische(r) Beifall *m.*

tonsur|e [tɔ̃syr] *f* Tonsur *f;* **~er** die Tonsur geben (*qn* jdm).

tonte [tɔ̃t] *f* (Schaf-)Schur; Zeit *f* der Schur; Schurwolle *f.*

tonton [tɔ̃tɔ̃] *m (Kindersprache)* Onkel *m.*
tonture [tɔ̃tyr] *f (Tuch)* Scheren; *(Rasen)* Mähen; *(Baum, Hecke)* Stutzen, Beschneiden *n; mar* Krümmung *f* (der Hölzer).
tonus [tonys] *m: avoir du ~* Schwung haben.
topaze [tɔpɑz] *f min* Topas *m.*
top|e [tɔp] *interj: ~ (là)!* einverstanden! topp! **~er** einverstanden sein, ein⸗willigen; ein⸗schlagen.
topette [tɔpɛt] *f* (längliches) Fläschchen *n,* Phiole *f.*
topinambour [tɔpinɑ̃bur] *m bot* Topinambur *m* od *f.*
topique [tɔpik] *a med* örtlich; *fig* zur Sache gehörig; *s m med* örtliche(s) Mittel *n; fig* Gemeinplatz *m.*
topo [tɔpo] *m fam* Generalstabskarte; Bau-, Geländeskizze *f;* Entwurf *m;* (*schriftl.* od *mündl.*) Ausführungen *f pl;* **~graphe** [-pɔ-] *m* Topograph *m;* **~graphie** *f* Orts-, Geländebeschreibung, -kunde, Topographie *f;* **~graphique** topographisch; Gelände-; **~nymie** *f* Ortsnamenkunde *f.*
toquade [tɔkad] *f fam* Schrulle, Marotte *f;* Strohfeuer *n fig; avoir une ~ pour qn* in jdn verknallt sein.
toquante [tɔkɑ̃t] *f arg* (Taschen-)Uhr *f.*
toque [tɔk] *f* Barett *n,* Kappe, Mütze *f.*
toqu|é, e [tɔke] *a fam* verrückt; verliebt; **~er, se** *fam* sich verknallen, sich vergaffen (*de qn* in jdn); Feuer u. Flamme sein (*de* für).
toquet [tɔkɛ] *m* Käppchen *n.*
torche [tɔrʃ] *f* Fackel *a. fig;* Taschenlampe *f;* Strohwisch; Tragwulst; Putz-, Wischlappen *m.*
torch|er [tɔrʃe] ab⸗wischen, reinigen, putzen; *pop* hin⸗schlampen, -pfuschen; **~ère** *f* Leuchter, Lampenständer *m,* Stehlampe *f;* **~ette** *f* Strohwisch; Wischlappen *m.*
torchis [tɔrʃi] *m* Stroh-, Kleiberlehm *m.*
torchon [tɔrʃɔ̃] *m* Spül-, Putz-, Wisch-, Scheuerlappen; Strohwisch *m ; fig* Geschmier(e), Geschreibsel *n; fam vx* Schlampe *f;* Revolverblatt *n; le ~ brûle* es ist Streit im Hause; **~ner** *fam* mit e-m Lappen ab⸗wischen; *fam* hin⸗pfuschen, -hauen.
torcol [tɔrkɔl] *m orn* Wendehals *m.*
tordage [tɔrdaʒ] *m tech* Zs.drehen, Zwirnen *n.*
tordant, e [tɔrdɑ̃, -t] *fam* zum Totlachen.
tord|-boyaux [tɔrbwajo] *m inv pop* Rachenputzer; Fusel *m;* **~eur, se** *m f* Zwirner(-in *f*); *f* Kabeldrahtzwirnmaschine *f;* **~-nez** *m* Nasenknebel *m;* **~oir** *m* Zwirn-, Wringmaschine *f.*
tord|re [tɔrdr] (um-, ver)drehen; ab⸗drehen; verwinden; *(Wäsche)* aus⸗wringen, -winden; zwirnen; *fig* verdrehen, falsch (aus⸗)deuten; *se ~* sich winden, sich krümmen (*de douleur* vor Schmerz); *(den Arm)* sich verrenken; *(den Fuß)* sich verstauchen; *~ le cou* den Hals um⸗drehen; *se ~ les mains* die Hände ringen; *se ~ de rire, rire à se ~* sich biegen vor Lachen; **~u, e** *s m f arg* Idiot(in *f*) *m; a* schief gewickelt.
tore [tɔr] *m arch* (Säulen-)Wulst, Rundstab *m a. tech.*
toréador [tɔreadɔr] *m* Stierkämpfer, Torero *m.*
torgn(i)ole [tɔrɲɔl] *f pop* Faustschlag *m* ins Gesicht *od* an den Kopf; Backpfeife *f.*
toril [tɔril] *m (Arena)* Stierkäfig *m.*
tormentille [tɔrmɑ̃tij] *f bot* Blutwurz *f.*
tornade [tɔrnad] *f* Tornado, Wirbelsturm *m.*
toron [tɔrɔ̃] *m* Litze *f; arch* starke(r) Wulst *m;* **~ner** verseilen.
torp|eur [tɔrpœr] *f* Starre, Erstarrung, Betäubung, Gefühllosigkeit; Apathie *f;* **~ide** (er)starr(t), gefühllos; apathisch, stumpf.
torpi|llage [tɔrpijaʒ] *m* Torpedierung *f;* **~lle** [-ij] *f zoo* Zitterrochen; *mil* Torpedo *m; mar* Seemine *f; ~ aérienne, à ailettes* Luft-, Flügelmine *f;* **~ller** torpedieren *a. fig; (Plan, Gesetzesvorschlag)* zu Fall bringen; **~lleur** *s m mar* Torpedoboot, -flugzeug *n;* Torpeder *m; a m* Torpedo-.
torré|facteur [tɔrefaktœr] *m* (Kaffee-)Röster *m;* **~faction** *f* Rösten; Dörren *n;* **~fier** [-fje] rösten; dörren.
torrent [tɔrɑ̃] *m* Gieß-, Sturz-, Wildbach; *fig* Strom *m,* Flut *f; laisser passer le ~ (fig)* warten, bis der Sturm vorüber ist; *la pluie tombe à ~s* es regnet in Strömen; *~ corrigé* Wildbachverbauung *f;* **~iel, le** [-sjɛl] Wildbach-; *pluie f ~le* Wolkenbruch *m;* **~ueux, se** [-tɥø, -øz] wild, brausend; *fig (Leben)* (wild) bewegt.
torride [tɔrid] brennend heiß; *(Klima)* heiß.
tors, e [tɔr, -rs] *a* gedreht, gewunden; *(Faden)* gezwirnt; *tech* drehwüchsig; *s m* (Ver-)Windung, (Ver-)Drehung *f;* Drall *m;* **~ade** *f* Verwindung; gedrehte Franse; *(Uniform)* Raupe *f;* **~e** *m anat* Rumpf; *(Kunst)* Torso *m; bomber le ~* sich in die Brust werfen; **~ion** *f tech* (Ver-)Drehung, (Ver-)Windung, Torsion *f;* Drall *m.*

tort [tɔr] *m* Unrecht; Verschulden *n*, Fehler; Schaden, Nachteil *m; à ~* zu, mit Unrecht; *à ~ et à travers* ohne Überlegung, *fam* ins Blaue, in die Gegend hinein; *à ~ ou à raison* mit Recht oder Unrecht; *pour ~ réciproque* aus gegenseitigem Verschulden; *avoir ~* unrecht haben; *donner ~ à qn* jdm unrecht geben; *être dans son ~* im Unrecht sein; *faire ~ à qn* jdm Unrecht tun *od* zu=fügen; jdm schaden; *faire du ~ à qn* jdn benachteiligen; *mettre qn dans son ~* jdn ins Unrecht setzen.

torticolis [tɔrtikɔli] *m med* steife(r) Hals *m*.

tort|illage [tɔrtijaʒ] *m* konfuse Reden *f pl*, Geschwätz *n;* Ausreden *f pl;* **~illard** *s m* Krummholz *n; loc fam* Bummelzug *m*, Kleinbahn *f; a m* krumm; **~ille, ~illère** *f* gewundene Allee *f;* **~illé, e** gewunden, verschlungen; *fig* verschroben; **~illement** *m* Drehen, Winden *n;* Windung *f;* **~iller** *tr* zs.=drehen, winden; *itr* wackeln (*des hanches* mit den Hüften); *fig* sich drehen u. winden; Ausflüchte suchen; *se ~* sich krümmen, sich winden, sich ringeln; *il n'y a pas à ~ (fam)* da hilft keine Ausrede; **~illon** *m* Wulst *m;* Kopfpolster *n*, Tragkranz *m*.

tortionnaire [tɔrsjɔnɛr] *a* Folter-; *s m* Folterknecht *m*.

tortu, e [tɔrty] *a* schief, krumm, gewunden; *fig* verschroben; *s f* Schildkröte *f; à pas de ~e* im Schneckengang; **~eux, se** [-tɥø, -øz] gewunden, verschlungen; *fig* krumm, unlauter, -sauber; Schleich-; **~re** *f* Folter *a. fig; fig* Qual *f; mettre à la ~* auf die Folter spannen; *se mettre l'esprit à la ~* sich den Kopf zerbrechen; *chambre f, instrument m de ~* Folterkammer *f*, -werkzeug *n;* **~rer** foltern, martern, peinigen; Gewalt an=tun (*un texte* e-m Text).

torve [tɔrv] *(Blick)* scheel.

tôt [to] *adv* früh, bald, (früh)zeitig; *au plus ~* so bald wie möglich; möglichst bald; *~ ou tard* früher oder später.

total, e [tɔtal] *a* gesamt, völlig, vollständig, ganz, restlos; Total-, Gesamt-; *s m (montant m ~, somme f ~e)* Gesamtbetrag *m*, Summe *f;* Ganze(s) *n; s f med* Totaloperation *f; au ~* im ganzen; *se monter au ~* sich insgesamt belaufen (*à* auf *acc*); *recette f ~e* Gesamteinnahme *f; vente f ~e* Totalausverkauf *m; ~ des salaires* Lohnsumme *f;* **~isateur** *m* Totalisator; Registrierapparat *m;* **~isatrice** *f* Summendrucker *m;* **~iser** zs.=zählen; sich insgesamt belaufen auf *(acc);* **~itaire** totalitär; **~ité** *f* Gesamtheit *f; en ~* insgesamt.

toton [tɔtɔ̃] *m* Kreisel *m*.

touage [twaʒ] *m mar* Schleppschifffahrt *f*.

touaille [twɑ(a)j] *f* Rollhandtuch *n*.

toubib [tubib] *m arg mil* Arzt *m*.

tou|chant, e [tuʃɑ̃, -ɑ̃t] *a fig* rührend, (herz)ergreifend; *prp* in bezug auf, betreffs *gen*, betreffend, was ... anbetrifft; **~che** *f* Berühren *n*, Berührung *f; (Fisch)* Anbeißen *n; (Klavier, Schreibmaschine)* Taste *f; (Geige)* Griffbrett *n; mus* Anschlag; *(Malerei)* Pinselstrich *m; (Dichter)* Schreibweise *f*, Stil *m; sport* Seitenlinie *f; (Fechten)* Treffer; *(Fußball)* Einwurf; *tech* Strich *m*, Lamelle, Backe; *fam* Art *f;* Verhalten; Aussehen *n; pl* Tastatur, Klaviatur *f; donner la dernière ~ à qc* die letzte Hand an e-e S an=legen; *faire une ~ (fam)* e-e Eroberung machen; *pierre f de ~ (tech)* Probier-, *fig* Prüfstein *m; ~ de blocage* Feststelltaste *f; ~-à-tout m (inv fam)* Naseweis, Besserwisser *m;* **~ché, e** *a fig* gerührt; heimgesucht; **~cher** *tr* an=, berühren; an=fassen, -stoßen (*de* mit); treffen *(a. Fechten); sport* an=schlagen; *(Haus, Grundstück)* grenzen (*à* an *acc*); *(Orgel)* spielen; *(Laute)* schlagen; *(Farbe)* auf=tragen; *(Scheck)* ein=lösen, -kassieren; *(Geld)* ab=heben, ein=nehmen, vereinnahmen, bekommen, in Empfang nehmen; *fig* rühren, ergreifen (*qn* jdn); betreffen, an=gehen (*ne ... pas* nichts), berühren; zu sprechen kommen (*qc* auf e-e S); sagen, mit=teilen; bei=bringen (*un mot à qn* jdm etw); verwandt sein (*qn* mit jdm); *itr* rühren (*à qc* an e-e S), berühren (*à qc* etw); *(Speise)* an=rühren (*à qc* etw); ganz nahe sein *od* kommen; stoßen, grenzen (*à* an *acc*); *mus* spielen (*de qc* etw); *mar* auf=laufen; an=laufen (*à un port* e-n Hafen); *(Vorrat)* an=greifen (*à qc* etw); *jur* ab=ändern (*à une loi* ein Gesetz); *fig* an=gehen, betreffen (*à qc* etw); *se ~* sich berühren; anea.=stoßen, -grenzen; *s m* Gefühl(ssinn *m*) *n*, Tastsinn; *mus* Anschlag *m; (Stoff)* Anfühlen *n*, Griff *m; au ~* beim Anfühlen; *n'avoir pas l'air d'y ~* so aus=sehen, als könne man keiner Fliege etw zuleide tun; *être doux au ~* sich weich an=fühlen; *se laisser ~ (fig)* sich erweichen lassen; *~ des appointements* ein Gehalt beziehen; *~ au but* das Ziel erreichen; *~ à sa fin* s-m Ende zu=gehen; auf die, zur Neige gehen; *~ au port (fig)* sich dem Ziel nähern; ~ *des roues (aero)* auf=setzen; ~ *qn par téléphone* jdn telefonisch erreichen; ~ *au vif (fig)* mitten ins Herz treffen; *~ez-là!* Hand drauf! eingeschlagen! **~cheur** *m typ* Auftragwalze *f;* ~ *de bestiaux, de bœufs* Vieh-, Ochsentreiber *m.*

tou|e [tu] *f mar* Schleppen *n;* Tauerei *f; (flaches)* Flußschiff *n;* **~ée** [twe] *f mar* Verholen; Verholtau *n;* Taulänge *f* von 120 Faden *(200 m);* **~er** schleppen, verholen, bugsieren; **~eur** *m* Schlepp(dampf)er *m.*

touff|e [tuf] *f* Büschel *n* (*de cheveux, d'herbes* Haare, Gras); **~eur** *f* heiße, stickige Luft *f;* **~u, e** dicht; buschig; mit Baumgruppen bestanden.

touill|age [tujaʒ] *m* Umrühren *n;* **~er** um=rühren.

toujours [tuʒur] immer, stets; immerzu, unaufhörlich; noch immer, immer noch; wenigstens, immerhin, doch; indessen, nur; *depuis* ~ von jeher; *pour* ~ für immer; ~ *est-il que* ... trotzdem, jedenfalls, immerhin; soviel ist sicher, daß ...

toundra [tundra] *f geog* Tundra *f.*

toupet [tupɛ] *m* (Haar-)Büschel; Stirnhaar *n; fig fam* Dreistigkeit, Unverfrorenheit *f; avoir le* ~ die Stirn haben, sich erdreisten (*de* zu); *faux* ~ Toupet *n;* ~ *de cheveux* Haartolle *f,* -schopf *m.*

toupie [tupi] *f* Kreisel *m;* (Holz-)Fräsmaschine; *vieille* ~ *(fig pop)* alte Schachtel *f.*

toupiller [tupije] sich um sich selbst drehen.

touque [tuk] *f* Faß *n.*

tour [tur] **1.** *m* Umdrehung, kreisförmige Bewegung *f,* Umlauf; (Spazier-)Gang, Rundgang *m;* Fahrt, Reise (*du monde* um die Welt); *(Tanz)* Tour; *sport* Runde; Krümmung, Windung *f a. tech;* Rand *m,* Einfassung *f; (Ort)* Umkreis; *(Körper)* Umfang *m; (Kleidung)* Weite *f; (~ de bras)* Armreif; *(~ de cou)* Pelzkragen *m;* Kollier *n; (~ de gorge)* Kragen *m; tech* Tour, Drehbank; *mar* Schraubendrehung *f,* Schlag; *fig* Streich *m;* Kunststückchen *n;* (Rede-)Wendung, Ausdrucksweise *f; (~ d'esprit)* Geisteshaltung; Reihe(nfolge) *f; à* ~ *de bras* mit voller Gewalt *od* Wucht; *en un* ~ *de main* im Handumdrehen; ~ *à* ~, *à* ~ *de rôle* der Reihe nach, e-r nach dem andern; abwechselnd; *accorder le* ~ *de faveur à qn* jdn bevorzugt ab=fertigen; *donner le premier* ~ *de manivelle (film)* mit den Dreharbeiten beginnen; *faire le* ~ *de qc* um etw herum=gehen, -fahren, -reisen; *faire un* ~ *d'horizon* e-n Gesamtüberblick gewinnen *a. fig;* sich im Gelände orientieren; *fermer une porte à double* ~ e-e Tür zweimal ab=schließen; *jouer un mauvais* ~ *à qn* jdm übel mit=spielen; *c'est mon* ~ ich bin dran, an der Reihe; *votre* ~ *viendra* Sie kommen auch noch dran; *à qui le* ~*?* wer ist dran? *fait au* ~ *(fig)* wie gedrechselt; *nombre m de ~s* Dreh-, Umlaufzahl *f;* ~ *d'adresse* Kunststück *n;* ~ *automatique* Drehautomat *m;* ~ *de chant* Repertoire *n (e-s Sängers);* ~ *éliminatoire, d'honneur, de repêchage (sport)* Ausscheidungs-, Ehren-, Zwischenrunde *f;* ~ *à fileter* Gewindedrehbank *f;* ~ *de forage* Bohrturm *m;* ~ *de force* Glanz-, Gewaltleistung; Kraftprobe *f;* ~ *(d'habitation)* Hochhaus *n;* ~ *de hanches, de poitrine, de taille* Hüft-, Brust-, Taillenweite *f;* ~ *de lancement cosm* Startturm *m;* ~ *de main* Hand-, Kunstgriff *m;* ~ *de piste (aero)* Platzrunde *f;* ~ *de potier* Töpferscheibe *f;* ~ *de reins (med)* Hexenschuß *m;* ~ *de scrutin d'élection* Wahlgang *m;* **2.** *f* Turm *m;* ~ *de contrôle, d'église, de sondage* Kontroll-, Kirch-, Bohrturm *m;* ~ *de réfrigération tech* Kühlturm *m;* ~ *de refroidissement* Kühlturm *m;* ~ *de télévision* Fernsehturm *m.*

tour|aille [turaj] *f* Malzdarre *f;* ~ *à sécher le houblon* Hopfendarre *f;* **~aillon** *m* Darrmalz *n.*

tourangeau, elle [turɑ̃ʒo, -ʒɛl] *a* aus der Touraine.

tourb|e [turb] *f* Torf *m; fig* Menge, Meute, Rotte *f;* Pöbel *m; couper, enlever, piquer la* ~ Torf stechen; *gisement m de* ~ Torfvorkommen *n;* ~ *en mottes* Stichtorf *m;* **~er** *itr* Torf stechen; *tr* ab=torfen; **~eux, se** torfartig, -haltig; Torf-; **~ier** *m* Torfstecher, -grubenbesitzer *m;* **~ière** *f* Torfmoor *n od* -grube *f;* ~ *émergée, de plaine* Hoch-, Niedermoor *n.*

tourbillon [turbijɔ̃] *m* Wirbelwind, -sturm; *(Wasser)* Strudel; *tech* Wirbel; *fig* Wirbel, Taumel *m;* ~ *d'air* Luftwirbel *m;* ~ *de neige* Schneegestöber *n;* ~ *de poussière* Staubwirbel *m;* **~nant, e** wirbelnd; **~nement** *m* wirbelnde Bewegung *f;* **~ner** wirbeln; strudeln; sich rasch im Kreise drehen.

tourdille [turdij] : *gris* ~ schmutziggrau.

tour|elle [turɛl] *f* Türmchen *n; mar* (Geschütz-)Turm *m; aero* Maschinengewehrkanzel *f,* MG-Turm, Drehkranz, Stand *m;* **~et** [-rɛ] *m* Rolle, Haspel *f;* Rillenrad, Rädchen *n;* (kleine) Drehbank *f;* Drehkopf; *min* Blindschacht *m.*

tourie [turi] *f* Korbflasche *f.*

tourière [turjɛr] *f* (Kloster-)Pförtnerin *f.*

tourillon [turijɔ̃] *m* Lauf-, Lagerzapfen *m;* **~ner** durch Laufzapfen rotieren lassen.

touring [turiŋ] *m:* *~-car m* Gesellschaftsomnibus *m;* *~ secours m* Straßendienst *m.*

tour|isme [turizm] *m* Fremdenverkehr *m; agence f, bureau m de ~* Verkehrsbüro *n; ~ de masse* Massentourismus *m; publicité f de ~* Fremdenverkehrswerbung *f; voiture f de ~* Personenwagen *m; ~ collectif, individuel* Gesellschafts-, Einzeltourismus *m;* **~iste** *m* Tourist, Ausflügler *m;* **~istique** *a* Reise-, Wander-, Ausflugs-.

tourlourou [turluru] *m fam* Infanterist, Muschkote *m.*

tourmaline [turmalin] *f min* Turmalin *m.*

tour|ment [turmɑ̃] *m* Qual, Pein *f;* Kummer *m;* **~ente** *f* Sturm *m a. fig,* Unwetter *n;* **~enté, e** gequält; stürmisch; *(Gelände)* durchschnitten; *(Gesicht)* verstört, gramzerfurcht; *(Stil)* geschraubt; **~enter** foltern, martern; quälen, plagen *a. fig;* Kummer, Sorgen machen (*qn* jdm), ängstigen; belästigen, auf die Nerven gehen (*qn* jdm); *(Schiff)* heftig hin u. her werfen; *se ~* sich Sorgen machen, sich ängstigen; sich quälen, **~enteux, se** *mar* von Stürmen heimgesucht.

tourn|age [turnaʒ] *m* (Ab-)Drehen *n; film* Dreharbeiten *f pl;* **~ailler** [-ɑ(a)je] *fam* dauernd hin u. her gehen; umher=, herum=schleichen; **~ant, e** *a* sich drehend; rotierend; drehbar, schwenkbar; Dreh-, Schwenk-; *s m (Weg, Fluß)* Biegung, Krümmung; Kurve; (Straßen-)Ecke *f;* Umweg; *(~ d'eau)* Strudel, Wirbel; *tech* Mahlgang *m; fig* Wende(-punkt *m) f; marquer un ~* e-n Wendepunkt bedeuten; *escalier m ~* Wendeltreppe *f; ~ en épingle à cheveux* Haarnadelkurve *f; ~ du siècle* Jahrhundertwende *f;* **~asser** auf der Drehscheibe bearbeiten; **~é, e** *a* gewandt, liegend, gelegen (*vers le nord* nach Norden); *(Milch)* geronnen; *(Wein)* verdorben; *bien ~* gutgebaut *od* gutgewachsen; *(Kompliment)* gelungen; *mal ~* aus der Art geschlagen; unbeholfen.

tourne|-à-gauche [turnagoʃ] *m inv (Säge)* Schränkeisen; *(Schraube)* Windeisen *n;* **~bouler** [-nə-] *fam* den Kopf verdrehen (*qn* jdm); **~broche** *m* Bratenwender *m;* **~-disque** *m* Plattenspieler *m; valise f ~* Phonokoffer *m;* **~dos** [-do] *m* Rinderfilet *n.*

tournée [turne] *f* Dienst-, Geschäftsreise; *theat* Tournee; Rundfahrt *f; (Briefträger)* Gang; *fam* Ausflug *m;* Spazierfahrt *f,* -gang *m; min* Grubenfahrt; *pop* Runde (*de vin* Wein), Lage (*de bière* Bier); *pop* Tracht *f* Prügel.

tourne|-feuille [turnəfœj] *m mus* Blattwender *m;* **~-pierre** *m orn* Steinwälzer *m.*

tourn|er [turne] *tr* drehen, (um=)wenden, um=kehren; herum=gehen, biegen (*qc* um etw); schwenken; *mil (den Feind)* umgehen; *(Buchseite)* um=blättern, wenden; *tech* (ab=)drehen, drechseln; *(Film)* drehen; *(Wasserhahn)* auf, zu=drehen; *(Licht)* ein=schalten; *fig (Tätigkeit)* richten (*vers* auf *acc*); wenden (*à son avantage* zu s-m Vorteil); übersetzen, übertragen *vx;* gestalten, verfassen, schreiben; *itr* sich drehen, herum=gehen, -laufen (*autour de* um); sich wenden; ab=biegen (*à droite, à gauche* rechts, links); kreisen, rotieren, (um=)laufen *a. tech;* sich gestalten (*à* zu); filmen; *(Wind)* um=schlagen; sich verwandeln (*en* in *acc*), werden (*en* zu); aus=gehen, aus=fallen; aus=arten (*en* in *acc*); sich (ver-)ändern; *(Wein)* sauer werden; *(Milch)* gerinnen; *se ~* sich um=wenden (*vers* zu); sich wenden (*contre qn* gegen jdn); sich verwandeln (*en* in *acc*), werden (*en* zu); *faire ~ qn en bourrique (fig)* jdn auf die Palme bringen; *~ à l'aigre* sich verschlechtern, sich verschlimmern; *~ bien, mal* e-e gute, schlechte Wendung nehmen; *~ le bouton* das Licht ein=schalten *od* an=knipsen; *~ casaque (zur Gegenpartei)* über=schwenken, -wechseln; *~ court* ins Wasser fallen; *~ le dos à qn* jdm den Rücken zu=kehren; *~ les intérieurs* die Innenaufnahmen drehen; *~ à la manivelle* kurbeln; *~ de l'œil (pop)* ohnmächtig werden; *~ à plein* auf vollen Touren laufen; *se ~ le pied* sich den Fuß verstauchen; *~ autour du pot* wie die Katze um den heißen Brei herum=gehen; nicht mit der Sprache heraus=rücken (wollen); *~ qn en ridicule* jdn lächerlich, sich über jdn lustig machen; *~ rond (tech)* rund laufen; *fam* gut aus=gehen, gut ab=laufen; *~ le sang (fig)* das Blut erstarren lassen, e-n Schrecken ein=jagen; *~ les talons* sich aus dem Staube machen; *~ la tête à qn* jdm den Kopf verdrehen; ~

au tragique e-e tragische Wendung nehmen; ~ *de travers* mißraten, schlecht aus≈gehen; ~ *à vide (mot)* leer laufen; *la chance a ~é* das Blatt hat sich gewendet; *la tête me ~e* mir wird schwind(e)lig; *je ne sais plus de quel côté me ~* ich weiß nicht mehr, wo mir der Kopf steht; *~ez, s'il vous plaît* bitte wenden! *silence, on ~e (film)* Achtung, Aufnahahme!

tourn|esol [turnəsɔl] *m* Sonnenblume *f; chem* Lackmus *m* od *n;* **~ette** *f vx* Haspelrahmen; Eichhörnchenkäfig *m;* **~eur** *s m* Dreher; Drechsler *m; a* tanzend, sich drehend; Dreh-; **~e-vent** *m* drehbare(r) Schornsteinaufsatz *m;* **~evis** [-əvis] *m* Schraubenzieher *m;* **~iller** [-ije] sich hin u. her drehen; sich vergeblich ab≈mühen; *(Textil)* ab≈ketteln; **~iole** *f med* Nagelgeschwür *n;* **~iquet** [-kɛ] *m* Drehkreuz *n;* Handbohrer; Fensterwirbel, Vorreiber *m;* Kehre *f;* (Postkarten-)Drehständer *m; pol* Rotationssystem *n;* **~is** [-i] *m* Drehkrankheit *f.*

tournisse [turnis] *f* Füllpfosten *m.*

tourn|oi [turnwa] *m* Turnier *n;* Wettbewerb *m;* **~oiement** *m* Drehen, Wirbeln *n;* **~oyer** sich im Kreise drehen, (herum≈)wirbeln, kreisen; strudeln; *fig* sich drehen u. winden, Umschweife machen.

tournure [turnyr] *f* Haltung; Figur, Gestalt *f;* Wuchs, Körperbau *m;* Gestaltung *f,* (Auf-)Bau *m;* Redewendung, Redensart; *(Geschehen)* Wendung *f,* Ausgang; *(Kleidung)* Zuschnitt; *tech* Drehspan *m; prendre une bonne, mauvaise ~* e-e gute, schlechte Wendung nehmen; *~ d'esprit* Geisteshaltung *f.*

tourt|e [turt] *f* Pastete *f; fig pop* Dämel, Dämlack, Schafskopf *m;* **~eau** *m* (Öl-)Kuchen *m,* Trester *pl; zoo* Einsiedlerkrebs *m.*

tourte|reau [turtəro] *m* Turteltäubchen; *pl* Liebespärchen *n;* **~relle** *f* Turteltaube *f.*

tourtière [turtjɛr] *f* Pastetenform *f.*

tous [tus; tu(s, z)] *m pl* alle.

Toussaint, la [tusɛ̃] Allerheiligen *n.*

touss|er [tuse] husten; **~erie** *f vx* (dauerndes) Husten *n;* **~oter** hüsteln.

tout, e [tu, tut] *a* ganz(er, e, es); alle(r, -s); jede(r, -s); *adv* ganz, gänzlich, durchaus, ganz u. gar, völlig, vollständig; *s m* Ganze(s) *n,* Gesamtheit *f; à ~ prendre* alles in allem, im ganzen genommen; *après ~* schließlich, im Grunde, übrigens; *de ~e(s) sorte(s)* allerlei; *du ~, pas* od *point du ~* durchaus nicht, keineswegs, -falls, ganz u. gar nicht; *en ~ ou en partie* ganz oder teilweise; *en ~ temps* jederzeit; *malgré ~* trotz allem; *(pendant) ~e l'année* ganzjährig *adv; rien du ~* gar nichts; *somme ~e* alles in allem; *~ autant* ebensoviel, ebensosehr; *~ de bon* allen Ernstes; *~ comme* gerade wie; als ob; *~ à coup* plötzlich; *~ d'un coup* mit e-m Schlag; *~ à fait* ganz u. gar, gänzlich, völlig, vollständig; *~ à l'heure* soeben, gerade (eben); *~ de même* trotzdem; *~ au moins* wenigstens; *~ le monde* jedermann; *~ au plus* höchstens; *~ … que* wenn auch; so sehr auch; *~ de suite* sogleich, sofort; *à ~ venant* den ersten besten; *changer du ~ au ~* von Grund auf ändern; *être ~ yeux et ~ oreille* ganz Auge u. ganz Ohr sein; *risquer le ~ pour le ~* alles aufs Spiel setzen; *le ~ est de* die Hauptsache dabei ist, zu; *ce n'est pas ~ de* es genügt nicht, zu; *~ est bien qui finit bien* Ende gut, alles gut.

tout-à-l'égout [tutalegu] *m inv* Wasserspülung *f.*

toutefois [tutfwa] *adv* indessen, aber doch, dennoch, gleichwohl; *si ~* wenn überhaupt.

toute-puissance [tutpɥisɑ̃s] *f* Allmacht *f.*

tout-puissant, toute-puissante [tupɥisɑ̃, tutpɥisɑ̃t] allmächtig.

tout|-terrain [tutɛrɛ̃] geländegängig; **~-venant** *m min* Förderkohle *f.*

toutou [tutu] *m (Kindersprache)* Wauwau *m,* Hündchen *n.*

toux [tu] *f* Husten *m.*

toxi|cité [tɔksisite] *f* Giftigkeit *f;* **~cologie** *f* Toxikologie, Lehre *f* von den Giften; **~comane** *m* Süchtige(r), Drogenabhängige(r) *m;* **~comanie** *f* Süchtigkeit, Drogenabhängigkeit, -sucht *f;* **~ne** *f* Toxin *n;* **~que** *a* giftig; *s m* Giftstoff *m.*

toxoplasmose [tɔksɔplasmoz] *f med* Toxoplasmose *f.*

trac [trak] *m pop* Lampenfieber *n,* Bammel *m,* Angst *f; tout à ~* blind drauflos.

traç|age [trasaʒ] *m* Aufreißen, Aufzeichnen *n;* Trassierung *f,* Abstecken *n; min* Vortrieb *m;* **~ant, e** *bot* kriechend; *mil* Leuchtspur-.

tracas [traka] *m* Unrast, Unordnung, *fam* Wirtschaft; Plackerei *f,* Mühen *f pl;* Ärger *m,* Sorgen *f pl; avoir du ~* Ärger haben; *~ des affaires* geschäftliche Schwierigkeiten *od* Sorgen *f pl,* Ärger *m;* **~ser** plagen, quälen; schikanieren, ärgern; beunruhigen, besorgt machen; **~serie** *f* Plackerei, Schikane *f;* **~sier, ère** *a* quälend; auf die Nerven gehend; schikanös; *s m* Quäl-, Plagegeist; Stänk(er)er *m;* **~sin** *m fam* (innere) Unruhe *f.*

trac|e [tras] *f* Spur *a. fig; (~ de pas)* Fußspur, -(s)tapfe; Fährte *f; fig* Hinweis *m;* Überbleibsel; graue(s) Packpapier *n; (Textil)* Schützenbahn *f; pl* Markierungsstiche *m pl; sans laisser de ~s* spurlos; *marcher sur les ~s, suivre les ~s de qn (fig)* jds Spur folgen; jdm (nach=)folgen; *~ de freinage* Bremsspur *f;* **~é** *m* Trasse, Linie(nführung) *f;* (Um-)Riß, Plan *m;* Musterzeichnung *f; (Grenze)* Verlauf *m; ~ général* Lageplan *m;* **~ement** *m* Planung *f;* **~er** *tr* auf, vor=zeichnen; entwerfen, skizzieren; an=reißen; ab=stecken; *(Straße)* trassieren; *(Furche)* ziehen; *fig* schildern, dar=stellen; *itr bot* kriechen, am Boden ranken; *~ une ligne* e-e Linie ziehen; *~ un patron à la roulette* ein Schnittmuster durch=rädeln; **~eret** [-srɛ] *m tech* Anreißer *m;* **~eur, se** *s m f* Zeichner(in *f*) *m; a mil* Leuchtspur-; Spuren-.

trachél|e [traʃe] *f (~-artère)* Luftröhre *f;* **~ite** [-keit] *f med* Luftröhrenentzündung *f;* **~otomie** [-k-] *f med* Luftröhrenschnitt *m.*

trachyte [trakit] *m min* Trachyt *m.*

traçoir [traswar] *m tech* Grabstichel *m.*

tract [trakt] *m* Flugblatt *n.*

tractation [traktasjõ] *f* Ver-, Behandlungsweise *f.*

tract|eur [traktœr] *m* Traktor *m,* Zugmaschine *f,* Schlepper *m; ~ agricole* Ackerschlepper *m; ~ à chenille(s)* Raupenschlepper *m; ~-remorque m* Sattelschlepper *m; ~ routier* Zugmaschine *f;* **~ion** [-sjõ] *f* Ziehen *n,* Zug *m; loc* Beförderung *f; (Propeller)* Vortrieb *m; min* Zugförderung *f;* Betrieb *m; à ~ hippomobile* pferdebespannt; *résistant à la ~* zugfest; *~ avant (mot)* Vorderrad-, Frontantrieb *m; ~ électrique, (à) vapeur* elektrische(r) Betrieb, Dampfbetrieb *m;* **~oire** ziehend; Zug-.

tradition [tradisjõ] Überlieferung, Tradition *f;* Brauch *m; jur* Auslieferung, Übergabe *f;* **~alisme** *m* Verwurzeltsein *n* im Überlieferten; Traditionsbewußtsein *n;* **~aliste** *s m* traditionsgebundene(r) Mensch *m; a* traditionsbewußt; **~nel, le** überliefert, herkömmlich, traditionell.

traduc|teur, trice [tradyktœr, -tris] *m f* Übersetzer(in *f*) *m;* **~tion** [-ksjõ] *f* Übersetzung, Übertragung; *allg* Wiedergabe *f; pour ~ conforme* für die Richtigkeit der Übersetzung.

tradui|re [tradɥir] übersetzen, übertragen; aus=drücken, zum Ausdruck bringen, dar=legen; *jur* überführen; *se ~* sich aus=drücken, zum Ausdruck kommen, sich kund=tun, sich offenbaren, sich erweisen; *~ en justice, devant un tribunal* vor Gericht bringen *od* stellen; gerichtlich belangen; **~sible** übersetzbar.

trafi|c [trafik] *m* Handel; Verkehr *m; suspendre le ~* den Verkehr ein=stellen; *densité, intensité f du ~* Verkehrsdichte *f; heures f pl de faible ~* verkehrsschwache Zeit *f; ligne f à grand ~* Hauptverkehrslinie *f; ~ aérien* Flug-, Luftverkehr *m; ~ commercial* Handelsverkehr *m; ~ à petite, à grande distance* Nah-, Fernverkehr *m; ~ d'excursion* Ausflugsverkehr *m; ~ ferroviaire* Eisenbahnverkehr *m; ~ fluvial* Binnenschiffahrtsverkehr *m; ~ frontalier* Grenzverkehr *m; ~ d'influence* passive Bestechung *f; ~ local* Ortsverkehr *m; ~ marchandises* Güter-, Warenverkehr *m; ~ maritime* Schiffsverkehr *m; ~ d'opium, de stupéfiants* Opium-, Rauschgifthandel *m; ~ d'outre-mer* Überseeverkehr *m; ~ des paiements* Zahlungsverkehr *m; pointe du ~* Hauptverkehrszeit *f; ~ postal* Postverkehr *m; ~-radio m* Funkverkehr *m; ~ sortant* ausstrahlende(r) Verkehr *m; ~ téléphonique* Fernsprechverkehr *m; ~ touristique* Fremdenverkehr *m; ~ de transbordement* Umschlagverkehr *m; ~ en transit* Durchgangsverkehr *m; ~ de va-et--vient* Pendelverkehr *m; ~ voyageurs* Personenverkehr *m;* **~quant, e** *m f* Kaufmann, Händler(in *f*); *(Waffen)* Schieber *m; (Drogen)* Dealer *m; ~ du marché noir* Schwarzhändler *m;* **~quer** *tr* Handel treiben, handeln mit; *péj* Schwarzhandel treiben mit, schieben; *itr fig* Gewinn schlagen (*de* aus), aus=nutzen (*de qc* etw); *(Beamter)* sich bestechen lassen.

tragé|die [traʒedi] *f* Tragödie *f,* Trauerspiel *n;* **~dien, ne** *m f theat* Tragöde *m,* Tragödin *f.*

tragi|-comédie [traʒikɔmedi] *f* Tragikomödie *f;* **~-comique** tragikomisch; **~que** *a* tragisch; *fig* traurig, unglücklich; *s m (das)* Tragische, *(die)* Tragik; Tragiker *m; prendre au ~* tragisch nehmen; *tourner au ~* e-e tragische Wendung nehmen.

trahi|r [trair] verraten, im Stich lassen, verlassen, preis=geben; enthüllen, sehen lassen, erkennen lassen; vereiteln; verleugnen; *(Pflicht)* verletzen; *(Versprechen)* nicht halten; *(Vertrauen)* mißbrauchen; *(Mann, Frau)* untreu sein (*qn* jdm); *(Eid, sein Wort)* brechen; sich versündigen (*qc* an e-r S); *(Gedanken)* verfälschen, nicht richtig wieder=geben; ~ *les intérêts de qn* jdm schaden; **~son** [-zõ] *f* Verrat *m; haute* ~ Hochverrat *m.*

traille [trɑ(a)j] *f* (Seil-)Fähre *f.*

train [trɛ̃] *m* Gang, Lauf *m a. fig;* Gangart *f;* Schritt; *fig* Schwung *m; (~ de vie)* Lebenshaltung, -weise; (lange) Reihe, Serie, Kette *f; sport* Tempo; *(Wagen)* Untergestell *n; mil* Troß; *loc* Zug *m; tech* Walzenstraße *f;* Getriebe *n;* maschinelle Ausrüstung *f;* Gefolge *n,* Hofstaat *m; (~ de bois)* Floß *n; fam* Lärm *m;* Unrast, Unordnung *f; à fond de* ~ blitzschnell; *par le* ~ mit dem Zug; *aller bon* ~ tüchtig aus=schreiten; rasch fahren; *aller son* ~ s-n Gang gehen; *aller son petit* ~ s-n alten Gang, im alten Trott gehen; *baisser, sortir le ~ d'atterrissage (aero)* das Fahrgestell aus=fahren; *changer de ~ (loc)* um=steigen; *être en ~ (fig)* in Fahrt, gut aufgelegt sein; im Werden sein; *être en ~ de ...* im Begriff *od* dabei sein zu ...; *former un* ~ e-n Zug zs.=stellen; *manquer, rater le* ~ den Zug verpassen *od* verfehlen; *mener grand* ~ ein großes Haus führen; *mettre en* ~ in Gang bringen, veranlassen (*de* zu); *typ* zu=richten; *fig* in Schwung bringen, auf=heitern; *permettre l'entrée d'un* ~ e-n Zug ein=fahren lassen; ~ *prendre le ~ en marche (a. fig)* auf den fahrenden Zug auf=springen; *le monde va son* ~ das Leben geht weiter; ~ *d'ambulance, de correspondance, direct, express, de luxe, (de) marchandises, omnibus, (d')ouvrier(s), de plaisir, rapide* Sanitäts-, Anschluß-, Fernschnell-, Schnell-, Luxus-, Güter-, Personen-, Arbeiter-, Ausflugs-, Eilzug *m; ~-atelier m* Werkstattzug *m; ~ d'atterrissage (aero)* Fahrgestell *n; ~-auto* Huckepackverkehr *m; ~-auto-couchette m* Autoreisezug *m; ~ automoteur* Triebwagenzug *m; ~ de banlieue* Vorortzug *m; ~ bis, supplémentaire* Entlastungszug *m; ~ (venant) en sens inverse; de sens contraire* Gegenzug *m; ~ croisière* Rundreisezug *m; ~ de desserte de marchandises* Nahgüterzug *m; ~ d'engrenages* Zahnradgetriebe *n; ~ à feuillards* Bandstraße *f; ~ à grande vitesse (TGV)* Hochgeschwindigkeitszug *m; ~ miniature* Spielzeugeisenbahn *f; ~ de neige* Wintersportsonderzug *m; ~ de permissionnaires (mil)* Urlauberzug *m; ~ planétaire* Umlaufgetriebe *n; ~ de pneus* Satz *m* Reifen; ~ *de réformes* Reformwelle *f; ~ routier (mot)* Lastzug *m; ~ à tôles (tech)* Blechstraße *f; ~ de touage, de péniches (mar)* Schleppzug *m.*

traîn|age [trɛnaʒ] *m* Ziehen, Schleppen *n; min* Förderung *f;* **~ant, e** schleppend *a. fig; (Rede)* langatmig; *(Krankheit)* sich hinziehend; **~ard** *m fam* Nachzügler; bumm(e)lige(r) Mensch; *tech* Vorschubwagen *m;* **~asser** *fam itr* herum=bummeln; *tr (Arbeit)* hängen=lassen, schleppend erledigen; **~e** *f* Schleppen *n;* Schleppe *f;* Schleppseil, -tau, -netz *n; être à la* ~ weit zurück=bleiben; *être à la ~ de qn (fig)* in jds Schlepptau sein; *~-malheur, ~-misère m (inv fam)* arme(r) Schlucker, Hungerleider *m;* **~eau** *m* Schlitten *m; mar* Schleppnetz *n; tech* Schleppe *f; ~ d'un système dépressionnaire (Meteorologie)* Rückseite *f* e-s Tiefs; **~ée** *f* Streifen *m,* Spur *f; phys* Widerstand *m; pop* Nutte *f; se répandre comme une ~ de poudre* sich wie ein Lauffeuer verbreiten; *~s de condensation (aero)* Kondensstreifen *m pl; ~ de profil* Profilwiderstand *m.*

traîn|er [trɛne] *tr* (nach=, hinter sich her=)ziehen, (nach=, fort=, mit sich herum=) schleppen; mit sich führen; *(auf dem Boden)* schleifen; *(~ après soi) fig* nach sich ziehen, mit sich bringen; *(Flügel)* hängen=lassen; *(Arbeit)* schleppend erledigen; *(~ en longueur)* auf die lange Bank schieben; sich in die Länge ziehen; *(Worte)* dehnen; *itr (Kleid)* auf dem Boden schleifen; herum=liegen; sich hin=ziehen, sich hin=schleppen; lange dauern, keinen Fortgang nehmen; auf der Stelle treten; zurück=bleiben; *(bei der Arbeit)* trödeln; *(~ les rues)* herum=lungern; *(Kranker)* dahin=siechen; *se* ~ sich dahin=schleppen, sich mühsam fort=schleppen; *fig* sich hin=ziehen; ~ *dans la boue (fig)* durch den Schmutz ziehen; ~ *la jambe, (fam) la patte* ein Bein nach=ziehen; ~ *partout* in aller Munde sein; ~ *les pieds* schlurfen; *avoir une voix ~ante* (sehr) gedehnt, in schleppendem Ton sprechen; **~eur, se** *m f* Nachzügler(in *f*), Bummelant(in *f*) *m; ~ de sabre* Säbelraßler *m.*

traintrain [trɛ̃trɛ̃] *m: (fam) le ~ (quotidien, journalier)* das (tägliche) Einerlei, der (graue) Alltag; *tout va son petit* ~ es geht alles s-n Gang, es ist alles beim alten, es geht weiter im alten Schlendrian.

traire [trɛr] *irr* melken.

trait [trɛ] *m* Ziehen *n*, Zug; Schluck; *(Waage)* Ausschlag; *(~ de lumière)* (Licht-)Strahl; *(~ de plume)* (Feder-)Strich *m;* Linie *f; (~ de scie)* (Säge-)Schnitt *m; (Pferd)* Zugseil *n;* Strang; *min* Förder-, Seilzug; Pfeil *m*, Geschoß; (Bogen-)Schießen *n; fig* (Charakter-, Gesichts-)Zug *m*, Merkmal *n;* scharfe Bemerkung *f;* Streich; gute(r) Einfall, Geistesblitz, glänzende(r) Gedanke *m; (~ de courage)* tapfere Tat; Beziehung *f* (*à* zu), Bezug *m* (*à* auf *acc*); *(Rede)* schöne Stelle *f; mus* Lauf *m; à grands ~s (fig)* in großen Zügen; *comme un ~* pfeilschnell; *d'un ~ de plume* mit e-m Federstrich; *d'un (seul) ~* in einem Zug; *avoir ~* sich beziehen (*à* auf *acc*); *boire à longs ~s* in langen Zügen trinken; *décocher un ~* e-n Pfeil ab=schießen; *partir comme un ~* wie ein Pfeil los=schnellen; *il ne reste qu'à tirer un ~* u. nun Strich drunter! *dessin m au ~* Umrißzeichnung *f; ~ corrompu* freihändig gezogene Linie *f; ~ de graduation* Teilstrich *m; ~ de lime* Feilenstrich *m; ~ de repère* Strichmarke *f; ~ d'union* Bindestrich *m.*

traitable [trɛtabl] umgänglich, verträglich, fügsam; *tech* schmelzbar.

trai|te [trɛt] *f* nicht unterbrochene Strecke; *com* Tratte *f*, gezogene(r) Wechsel; (Tausch-)Handel *m;* Melken *n; (tout) d'une ~* ohne Aufenthalt, in e-m Stück *od* Zug; *accepter, accueillir une ~* e-n Wechsel akzeptieren; *faire protester une ~* e-n Wechsel protestieren lassen; *tirer une ~ sur qn* e-n Wechsel auf jdn aus=stellen; *la ~ échoit le ...* die Tratte verfällt am ...; *terme m d'échéance d'une ~* Laufzeit *f* e-s Wechsels; *~ des blanches* Mädchenhandel *m; ~ à trente jours* Monatswechsel *m; ~ en souffrance* überfällige(r) Wechsel *m.*

traité [trɛte] *m* Vertrag *m*, Abkommen *n;* Abhandlung *f*, Lehrbuch *n; conclure* od *négocier, dénoncer, signer un ~* e-n Vertrag schließen, kündigen, unterzeichnen; *~ d'alliance, d'amitié, d'arbitrage, d'armistice, de commerce, de navigation, de paix, type* Bündnis-, Freundschafts-, Schiedsgerichts-, Waffenstillstands-, Handels-, Schifffahrts-, Friedens-, Mustervertrag *m; ~ de non-prolifération (mil)* Atom(waffen)sperrvertrag *m.*

trait|ement [trɛtmɑ̃] *m* Behandlung *a. med;* Aufnahme *f*, Empfang *m*, Bewirtung; Besoldung *f*, Gehalt *n; eco* Aufbereitung *f; med* Kur; *tech* Verarbeitung, Aufbereitung *f; toucher un ~ fixe* ein festes Gehalt beziehen; *échelon, groupe, supplément m de ~* Gehaltsstufe, -gruppe, -zulage *f; retenue f sur le ~* Gehaltsabzug *m; ~ annuel, de base, initial, mensuel* Jahres-, Grund-, Anfangs-, Monatsgehalt *n; ~ curatif, médical* Heilverfahren *n*, ärztliche Behandlung *f; ~ des données (inform)* Datenverarbeitung *f; ~ des eaux potables* Trinkwasseraufbereitung *f; ~ de faveur, préférentiel* Begünstigung *f; ~ métallurgique* Verhüttung *f; ~ de la nation la plus favorisée* Meistbegünstigung *f; ~ ultérieur* Nachbehandlung *f;* **~er** *tr (Thema)* behandeln, dar=legen; unter-, verhandeln (*qc* über e-e S); *eco* auf=bereiten; *(Person)* behandeln *a. med*, um=gehen (*qn* mit jdm); nennen, an=reden (*de* mit); heißen (*de qc* etw); bewirten; *inform* verarbeiten; *tech* be-, verarbeiten; *(Erz)* auf=bereiten; vergüten, veredeln; *(~ en usine)* verhütten; *itr* handeln (*de* von, über *acc*); unter-, verhandeln (*de la paix* über den Frieden); *com* verhandeln, Geschäfte machen (*avec* mit); **~eur** *m* (Speise-)Wirt *m.*

traîtr|e, esse [trɛtr, -ɛs] *s m f* Verräter(in *f*) *m; a* verräterisch, falsch, treulos; heimtückisch; *(Wein)* gefährlich; *en ~* durch Verrat; *ne pas dire un ~ mot* kein Sterbenswörtchen sagen; *prendre qn en ~* jdn hinterrücks an=fallen; **~eusement** [-trø-] *adv* verräterisch; **~ise** *f* Tücke *f;* Verrat *m.*

trajectoire [traʒɛktwar] *f* Flugbahn *f; (Satellit)* Geschoßbahn, Bahn, -linie *f.*

trajet [traʒe] *m* Strecke *f*, Weg *m;* Fahrt, Reise; Überfahrt *f; tech* Verlauf; *anat med* Kanal *m*, Bahn *f; ~ de nuit* Nachtfahrt *f.*

tralala [tralala] *m fam* Tamtam, Aufheben *n;* Staat *m; en grand ~* aufgedonnert.

tram [tram] *m fam* Straßenbahn *f;* **~way** [-wɛ] *m* Straßenbahn, *fam* Elektrische *f.*

tram|e [tram] *f (Textil)* Schuß, Einschlag *m; fig* Verschwörung *f*, Komplott *n; typ* Raster *m; fil m de ~* Schußfaden *m; la ~ des événements* die Verkettung der Ereignisse; **~er** *(Textil)* an=, ein=schlagen, ein=, durch=schießen; *fig* an=stiften, an=zetteln; *il se ~e qc* es braut sich etw zs., *fam* es tut sich etw; **~euse** *f* Spulmaschine *f.*

traminot [tramino] *m fam* Straßenbahner *m.*

tramontane [tramɔ̃tan] *f* Nordwind; Polarstern *m; perdre la* ~ *(vx)* nicht wissen, was man tun soll.

tranch|ant, e [trɑ̃ʃɑ̃, -ɑ̃t] *a* schneidend, *(Klinge)* scharf; *(Farbe)* grell, sich stark abhebend; *fig* entscheidend; *(Ton)* entschieden, nachdrücklich, scharf; *s m* Schneide; Schärfe *f; à deux* ~*s* zweischneidig *a. fig; arme f à deux* ~*s (fig)* zweischneidige(s) Schwert *n; instruments m pl* ~*s* Schneidwaren *f pl;* ~**e** *f* Schnitte, Scheibe (*de pain* Brot); (Marmor-) Platte *f;* Abschnitt, Teil *m,* Tranche; Kante *f; (Münze)* Rand; *(Buch)* Schnitt; *tech* Schrotmeißel *m; min* Abbauscheibe; *loc* Wagengruppe; *math* Zahlengruppe *f; (Rind)* Mittelschwanzstück; *fam* Gesicht *n; couper en* ~*s* in Scheiben schneiden; *s'en payer une* ~ *(arg)* sich amüsieren; ~ *horaire* Sendezeit *f;* ~**é, e** *a* scharf getrennt; *(Farbe)* sich scharf abhebend; *s f arch* (Fundament-)Graben; Einschnitt *a. fig,* Durchstich; *mil* Schützengraben *m; pl* heftige Leibschmerzen *m pl; guerre f des* ~*es* Grabenkrieg *m;* ~*e-abri f* Schützen-, Luftschutzgraben *m;* ~*es utérines (med)* Nachwehen *f pl;* ~**er** *tr* durch⸗, ab⸗hauen, ab⸗hacken, (ab⸗, durch⸗, zer)schneiden; *(Kopf)* ab⸗schlagen; *(Frage)* entscheiden; *(Problem)* rasch lösen; *tech* ab⸗schroten; *itr (Farbe)* ab⸗stechen, sich scharf, stark ab⸗heben (*sur, avec* von); besser wissen (wollen) (*sur tout* alles); keine Widerrede dulden; e-n entschiedenen Ton an⸗schlagen; *(le)* ~ *net (fam)* kurz ab⸗brechen, kurzen Prozeß machen, nicht viel Federlesens machen; ~ *dans le vif* energische, strenge Maßnahmen ergreifen; ~**et** [-ʃɛ] *m* Schustermesser *n,* Kneif; Blockmeißel *m;* ~**oir** *m* Hackbrett *n;* Holzteller *m.*

tranquill|e [trɑ̃kil] *a* ruhig, still, friedlich; ~**ement** *adv* ungestört, in (aller) Ruhe; unbesorgt; ~**isant, e** *a* beruhigend; *s m* Beruhigungsmittel *n;* ~**iser** beruhigen; beschwichtigen; *se* ~ ruhig(er) werden, sich beruhigen; *tranquilisez-vous* seien Sie unbesorgt! ~**ité** *f* Ruhe, Stille *f;* Frieden *m;* Unbesorgtheit *f; en toute* ~ getrost.

trans|action [trɑ̃zaksjɔ̃] *f jur* Vergleich *m,* Übereinkommen *n; com* Transaktion *f,* Geschäft *n;* Abschluß; Verkehr *m; sans* ~*s* ohne Abschlüsse; *accepter, conclure une* ~ e-n Vergleich schließen; ~*s annuelles* Jahresumsatz *m;* ~*s bancaires, par chèques, par virements* Bank-, Scheck-, Giroverkehr *m;* ~*s de compensation* Kompensationsgeschäfte *n pl;* ~*s au comptant* Kassageschäfte *n pl;* ~**actionnel, le** [-sjɔ-] Kompromiß-; ~**at(lantique)** [-zat(-)] *a* transatlantisch; überseeisch; *s m* Übersee-, Ozeandampfer; Liegestuhl *m;* ~**bordement** [trɑ̃s-] *m* Umladen *n; com* Umschlag *m;* Umladestelle *f;* ~**border** um⸗laden; ~**bordeur** *s m* u. *a.: pont m* ~ Umladeanlage *f,* Umlader *m,* Schiebebühne; Fähre *f;* ~**cendance** [-sɑ̃-] *f* Transzendenz; Übersinnlichkeit; Überlegenheit *f;* ~**cendant, e** überlegen, hervorragend; transzendent, übersinnlich; ~**cendantal, e** transzendental; ~**continental, e** transkontinental; ~**cripteur** *m* Überträger, Abschreiber *m;* ~**cription** [-psjɔ̃] *f* Abschreiben *n;* Übertragung *f;* Eintrag(ung *f*) *m; mus* Umsetzen *n;* ~**crire** *irr* ab⸗schreiben; ein⸗, übertragen; *mus* um⸗setzen.

transe [trɑ̃s] *f meist pl* (große) Angst, Bangigkeit *f; sing* Trancezustand *m; être dans des* ~*s mortelles* Todesängste aus⸗stehen.

transept [trɑ̃sɛpt] *m arch* Querschiff *n.*

trans|férable [trɑ̃sferabl] übertragbar; ~**fèrement** *m* Übertragung *f;* ~**férer** über⸗führen; verlegen, versetzen; *com* um⸗buchen, übertragen; an⸗, überweisen, transferieren; *jur* übertragen, übergehen lassen, zedieren; ~**fert** [-fɛr] *m* Übertragung, Übereignung, Abtretung, Zession; Überweisung; Umschreibung, Umbuchung; Überführung, Verlegung *f;* Transfer *m;* ~*s de populations* Umsiedlung *f;* ~**figuration** *f rel* Verklärung *f;* ~**figurer** verwandeln, um⸗gestalten; *se* ~ *(rel)* sich verklären; ~**formable** ver-, umwandelbar; ~**formateur** *m el* Transformator, Umspanner, Umformer *m;* ~**formation** *f* Ver-, Umwandlung, Umbildung; Verarbeitung *f,* Umbau *m; el* Umformung, Umspannung; *chem* Umsetzung *f; poste m de* ~ Umspannwerk *n;* ~**formationnel, le:** *grammaire* ~*le* Transformationsgrammatik *f;* ~**former** ver-, um⸗wandeln, um⸗gestalten, um⸗formen, um⸗bauen; modernisieren; *el* um⸗spannen, transformieren; *se* ~ sich (ver)wandeln, sich verändern; sich verstellen; sich verkleiden (*en* in *acc*); ~**formisme** *m biol* Entwicklungslehre *f;* ~**fuge** *m* Überläufer *m;* ~**fuser** *chem* übergießen; *(Blut)* übertragen; ~**fusion** *f (*~ *sanguine)* (Blut-)Übertragung *f;* ~**gresser** *(Gebot, Gesetz)* übertreten; *(Befehl, Grenze fig)* überschreiten; ~**gression** *f* Übertretung; *geol* Transgression *f;* ~**humance** [trɑ̃zymɑ̃s] *f* Almauftrieb *m,* Wanderschäferei *f;* ~**humer** *(Vieh)* auf die Almen *tr* treiben, *itr* ziehen.

transi, e [trɑ̃s(z)i] steif, erstarrt (*de, par le froid* vor Kälte); *fig amoureux* ~ schüchterne(r) Liebhaber *m.*

transiger [trɑ̃ziʒe] e-n Vergleich ab≈schließen, sich ab≈finden (*avec* mit); ~ *avec son devoir* s-e Pflicht nachlässig erfüllen.

transir [trɑ̃zir] *tr* erstarren lassen; *itr* steif, starr werden, erstarren (*de froid, de peur* vor Kälte, vor Angst).

transistor [trɑ̃zistɔr] *m el* Transistor *m; (Radio)* Transistor-, Kofferradio *n.*

transit [trɑ̃zit] *m* Transit, Durchgang *m,* Durchfuhr *f; en* ~ im Durchgang; *commerce, trafic m de* ~ Transithandel *m; droits m pl de* ~ Durchfuhrzoll *m; maison f de* ~ Spedition(sfirma) *f; marchandises f pl de* ~ Durchfuhrgüter *n pl; port m de* ~ Transithafen *m;* ~**aire** *a* Transit-, Durchfuhr-; *s m* (Grenz-)Spediteur *m;* ~**er** *tr* im Transitverkehr verfrachten; *(Land)* passieren; *itr* im Transitverkehr durch≈gehen.

transitif, ive [trɑ̃zitif, -iv] *gram* transitiv, zielend.

transit|ion [trɑ̃zisjɔ̃] *f* Übergang *m;* ~**oire** vorübergehend; *période f* ~ Übergangszeit *f.*

trans|lateur [trɑ̃slatœr] *m tech* Übertrager *m;* ~**latif, ive** *jur* übertragend; ~**lation** *f* Überführung, Beförderung, Verlegung; Versetzung; Übertragung *a. jur; tech* Verschiebung *f; vague f de* ~ *(tele)* Übertragungsgleitwelle *f;* ~**lucide** durchscheinend; ~**metteur** *m tele* Sender, Geber *m;* Sprechkapsel *f,* Mikrophon *n;* ~**mettre** *irr* über≈, weiter≈geben, weiter≈leiten (*à* nach); übermitteln, zu≈stellen; *(Telegramm)* befördern; *(Geld)* überweisen; überlassen, übertragen, übereignen; ab≈treten; *tele* geben, senden; *el* durch≈schalten; *tech* an≈treiben; ~**migration** *f* (Ab-, Aus-, Ein-)Wanderung *f;* ~ *des âmes* Seelenwanderung *f;* ~**missibilité** *f* Übertragbarkeit; Vererbung *f;* ~**missible** übertragbar; erblich; ~**mission** *f* Übertragung (*à la radio* durch den Rundfunk), Weiter-, Übergabe; Übermittlung; Überlassung; Umschreibung; Überweisung *f; tech* Antrieb *m,* (Übersetzungs-)Getriebe; *tele* Senden; Durchsprechen; *radio* Absetzen *n; med* Übertragung, Ansteckung; *biol* Vererbung, Fortpflanzung *f; pl mil* Nachrichtenwesen *n,* -apparat *m; arbre m de* ~ Transmissionswelle *f; courroie f de* ~ Treibriemen *m; réseau m de* ~*s* Nachrichtennetz *n;* ~ *automatique* Maschinensendung *f;* ~ *à cardan* Kardangetriebe *n;* ~ *de la chaleur, d'énergie* Wärme-, Energieübertragung *f;* ~ *de données (inform)* Datenübertragung *f;* ~ *hydraulique* Strömungsgetriebe *n;* ~ *d'images* Bildfunk *m;* ~ *des informations* Nachrichtenübertragung *f;* ~ *des ordres* Befehlsübermittlung *f;* ~ *de pensée* Gedankenübertragung *f;* ~ *radiophonique, de télévision* Rundfunk-, Fernsehübertragung *f;* ~**mu(t)able** [-mɥ(yt)abl] verwandelbar; ~**mutation** *f* Verwandlung *f* (*en* in *acc*); ~**mu(t)er** [-mɥ(yt)e] verwandeln (*en* in *acc*).

transocéanique [trɑ̃zɔseanik] transozeanisch; Übersee-, Transozean-.

trans|paraître [trɑ̃sparɛtr] *irr* durch≈scheinen; *fig* sichtbar werden; ~**parence** *f* Durchsichtigkeit; Rückprojektion *f;* ~**parent, e** *a* durchsichtig; lichtdurchlässig, durchscheinend; *fig* leicht zu durchschauen(d); *s m* Linienblatt; Transparent *n; enveloppe f* ~*e (Brief)* Fensterumschlag *m;* ~**percer** durchbohren, -stechen; dringen (*qc* durch etw); ~*percé par la pluie* völlig durchnäßt; ~**piration** *f* Ausdünstung *f;* Schwitzen *n;* ~**pirer** aus≈dünsten; schwitzen; *fig* durch≈sickern; ~**plantable** verpflanzbar; ~**plantation** *f* Verpflanzung *f a. fig; med* Transplantation *f;* ~ *cardiaque* Herztransplantation *f;* ~**planter** verpflanzen *a. fig; (Haut)* übertragen.

transpor|t [trɑ̃spɔr] *m* Transport *m,* Beförderung, Versendung *f,* Versand *m;* Verlegung *f;* Verkehr *m; jur* Abtretung, Übertragung; *jur* Inaugenscheinnahme *f,* persönliche(s) Erscheinen *n; (~ sur place)* Lokalbesichtigung *f; com* Übertrag(ung *f*) *m,* Umbuchung *f; med (~ au cerveau)* Hirnschlag *m; mar* Transporter *m; tech* Förderung; *fig* Begeisterung; Aufwallung *f,* Anfall, Ausbruch *m; pl* Transportwesen; Verkehrsgewerbe *n; assurance f contre les risques du* ~ Transportversicherung *f; barème m de* ~ Frachttarif *m; compagnie, société f de* ~ Transportgesellschaft *f; courroie f de* ~ Förderband *n;* Umhängeriemen *m; entrepreneur m de* ~*s* Transportunternehmer, Spediteur *m; entreprise f de* ~*s* Rollfuhrunternehmen *n; formations f pl de* ~ Kraftfahrtruppen *f pl; frais m pl de*

~ Transportkosten *pl; livret m de* ~ Fahrtenbuch *n; moyen m de* ~ Beförderungsmittel *n;* ~ *aérien* Beförderung *f* auf dem Luftweg(e); ~ *d'avions* Flugzeugmutterschiff *n;* ~ *de bande (phot)* Filmtransport *m;* ~ *en commun* öffentliche Verkehrsmittel *n pl;* ~ *par eau, par terre* Beförderung *f* auf dem Wasser-, auf dem Landweg(e); ~ *combiné, container, porte à porte* kombinierter Verkehr, Behälterverkehr, Verkehr *m* von Haus zu Haus; ~ *d'énergie* Energieübertragung *f;* ~ *de marchandises* Güterbeförderung *f;* ~ *de marchandises à courte distance* Güternahverkehr *m;* ~ *par mer* Verschiffung *f;* Seetransport *m;* ~ *de personnes* Personenverkehr *m;* ~ *privé* Werkverkehr *m;* ~ *par fer de remorques routières (loc)* Huckepackverkehr *m;* ~ *par route, routier, par voiture* Beförderung *f* per Achse, Straßentransport *m;* ~ *par voie ferrée, par wagon, par chemin de fer* Bahntransport *m;* **~table** [-tabl] transportabel, transportierbar; *(Kranker)* transportfähig; beweglich, osrtsveränderlich; **~tation** *f jur* Verschickung, Deportation *f;* **~té, e** *fig* verzückt, hingerissen, begeistert; *(~ de fureur)* rasend, wütend; deportiert; **~ter** befördern, transportieren; weg=bringen, fort=schaffen, versenden; verlegen, versetzen; *jur* ab=treten; deportieren; *com* übertragen, um=buchen; überweisen; *fig* begeistern, hin=reißen, entzücken; *se* ~ *(fig)* sich begeben (*chez qn* zu jdm); sich (in Gedanken) versetzen; sich hin=reißen lassen; *se* ~ *sur les lieux* sich an Ort u. Stelle begeben; **~teur** *m* Spediteur, Transportunternehmer, Verkehrsträger *m;* Lade-, Transporteinrichtung *f,* Förderer; Zuführer *m.*

trans|posable [trɑ̃spozabl] versetzbar; *mus* transponierbar; **~poser** versetzen, um=stellen *(a. Wort; math* hinüber=schaffen; *mus* transponieren; *typ* verdrucken; **~position** *f* Versetzung, Umstellung *f; math* Hinüberschaffen; *mus* Transponieren *n;* **~saharien, ne** Transsahara-; **~sexuel, le** *m f* Transsexuelle(r *m) f;* **~sibérien, ne** transsibirisch; **~sonique** Überschall-, mit Schallgeschwindigkeit fliegend; **~substantiation** [-sjasjɔ̃] *f rel* Transsubstantiation *f;* **~suder** *(Wasser)* durch=schwitzen; **~vasement** *m* Umfüllung *f;* **~vaser** um=füllen; **~versal, e** Quer-; *coupe f ~e* Querschnitt *m;* **~versalement** *adv* quer.

Transylvanie, la [trɑ̃silvani] Siebenbürgen *n.*

trantran [trɑ̃trɑ̃] *m s. traintrain.*

trap|èze [trapɛz] *s m math sport* Trapez *n; a: muscle m* ~ Trapezmuskel *m;* **~éziste** *m* Trapezkünstler *m;* **~ézoïdal, e** trapezförmig; *courroie f ~e* Keilriemen *m.*

trapp|e [trap] *f* Falle *a. fig;* Klappe, Fall-, Klapptür *f,* Ausstieg *m;* Schiebetürchen, -fenster *n; theat* Versenkung *f; la T~* der Trappistenorden, das Trappistenkloster; *tomber dans la* ~ in die Falle gehen; **~eur** *m* Trapper *m.*

trappiste [trapist] *m* Trappist *m.*

trapu, e [trapy] gedrungen, untersetzt, stämmig.

traqu|enard [traknar] *m* Falle *f a. fig;* **~er** *(Jagd)* treiben, hetzen; umstellen; *allg* verfolgen; *fig* aufs Korn nehmen.

traquet [trakɛ] *m orn* Steinschmätzer *m.*

traqueur [trakœr] *m* Treiber *m.*

traumat|ique [tromatik] *med* Wund-; *fièvre f* ~ Wundfieber *n;* **~isant, e** e-n seelischen Schock bewirkend, traumatisch; **~ser** *tr* e-n seelischen Schock verursachen (bei); **~isme** *m* Trauma *n,* Verletzung *f.*

travail [travaj] *m (pl travaux)* Arbeit(szeit); Tat *f,* Werk *n;* Anstrengung, Mühe; Belastung, Beanspruchung; Be-, Verarbeitung; *chem* Gärung *f; pl* Geburtswehen *pl; sans* ~ arbeitslos; *cesser le* ~ die Arbeit ein=stellen; *être en* ~ in Geburtswehen liegen; *faire du* ~ *supplémentaire* Überstunden machen; *se mettre au* ~ sich an die Arbeit begeben *od* machen; *réduire la durée du* ~ die Arbeitszeit verkürzen; *travaux!* Bauarbeiten! Baustelle! *accident m du* ~ Arbeitsunfall *m; attestation f de* ~ Arbeitsbescheinigung *f; Bureau International du T~* Internationale(s) Arbeitsamt *n; cessation f du* ~ Arbeitseinstellung *f; chantier m de* ~ Arbeitsplatz *m; conditions f pl du* ~ Arbeitsbedingungen *f pl; contrat m de* ~ Arbeitsvertrag *m; division f du* ~ Arbeitsteilung *f; droit m au* ~ Recht *n* auf Arbeit; *durée f du* ~ Arbeitsdauer *f; financement m des travaux* Baufinanzierung *f; heures f pl de* ~ Arbeitsstunden *f pl; incapacité f de* ~ Arbeitsunfähigkeit *f; législation f du* ~ Arbeitsgesetzgebung *f marché m du* ~ Arbeitsmarkt *m; méthode f de* ~ Arbeitsmethode *f; ministère m du* ~ Arbeitsministerium *n; office m du* ~ Arbeitsamt *n; Parti m du T~* (britische) Arbeiterpartei *f;*

poste m de ~ Arbeitsplatz *m; programme m de mise au* ~ Arbeitsbeschaffungsprogramm *n; protection f du* ~ Arbeitsschutz *m; règlement m de* ~ Arbeitsordnung *f; semaine f de* ~ Arbeitswoche *f; supplément m pour* ~ *pénible* Schwerarbeiterzulage *f; surcroît m de* ~ Arbeitsüberlastung *f; vêtements m pl de* ~ Arbeitskleidung *f;* ~ *administratif* Verwaltungsarbeit *f;* ~ *agricole* Landarbeit *f;* ~ *de bureau* Büroarbeit *f;* ~ *à la chaîne* Fließbandarbeit, Arbeit *f* am laufenden Bande; ~ *à domicile* Heimarbeit *f;* ~ *féminin* Frauenarbeit *f;* ~ *à forfait, à la pièce, à la tâche* Akkordarbeit *f;* ~ *illicite, noir* Schwarzarbeit *f;* ~ *intellectuel* Kopf-, Geistesarbeit *f;* ~ *intérimaire* Zeitarbeit *f;* ~ *à la machine, à la main* od *manuel* Maschinen-, Handarbeit *f;* ~ *nécessaire* Arbeitsaufwand *m;* ~ *de nuit* Nachtarbeit *f;* ~ *occasionnel* Gelegenheitsarbeit *f;* ~ *posté* Schichtarbeit *f;* ~ *de précision* Präzisionsarbeit *f;* ~ *préparatoire* Vorarbeit *f;* ~ *produit* Arbeitsleistung *f;* ~ *qualifié* Facharbeit *f;* ~ *réduit* Kurzarbeit *f;* ~ *de remise en état, de réparation* Instandsetzungsarbeiten *f pl;* ~ *saisonnier* Saisonarbeit *f;* ~ *en série* Reihenfertigung *f;* ~ *souterrain* Tiefbau *m;* ~ *temporaire* Zeitarbeit *f;* ~ *utile* Nutzleistung *f; pl* **travaux:** ~ *accessoires* Nebenarbeiten *f pl;* ~ *d'amélioration* Regulierungsarbeiten *f pl;* ~ *d'aménagement* Ausbauarbeiten *f pl;* ~ *d'assainissement* Sanierungsarbeiten *f pl;* ~ *d'art* Kunstbauten *m pl;* ~ *du bâtiment* Bauarbeiten *f pl;* ~ *de bétonnage* Betonarbeiten *f pl;* ~ *de déblaiement* Aufräumungsarbeiten *f pl;* ~ *d'entretien* Unterhaltungsarbeiten *f pl;* ~ *de fondation* Fundierungsarbeiten *f pl;* ~ *forcés* Zwangsarbeit *f;* ~ *d'infrastructure* Tiefbauarbeiten *f pl;* ~ *de montage* Montagearbeiten *f pl;* ~ *de nivellement* Planierungsarbeiten *f pl;* ~ *de peinture* Malerarbeiten *f pl;* ~ *publics* Bauarbeiten *f pl* der öffentlichen Hand; ~ *routiers* Straßenbauarbeiten *f pl;* ~ *de sauvetage* Bergungs-, Rettungsarbeiten *f pl;* ~ *de secours, urgents* Notstandsarbeiten *f pl;* ~ *de superstructure* Hochbauarbeiten *f pl;* ~ *de terrassement* Erdarbeiten *f pl;* ~ *de tournage (film)* Dreharbeiten *f pl;* ~ *de voie ferrée* Gleisarbeiten *f pl;* ~ *de voirie urbaine (Stadt)* Straßenbauarbeiten *f pl.*

travaill|é, e [travaje] *fig* durchgearbeitet, durchgefeilt; *com* gehandelt; ~ *par la fièvre* vom Fieber geschüttelt; **~er** *tr* be-, verarbeiten; durch=kneten; *(Stil)* durch=arbeiten, durch=feilen; *fam (Person)* bearbeiten, zu beeinflussen, zu gewinnen suchen; *(Kunden)* besuchen; ein=üben (*au piano* auf dem Klavier); *fig vx* quälen, plagen; beunruhigen; keine Ruhe lassen (*qn* jdm); *itr* arbeiten (*à, sur* an *dat, dans* bei), schaffen; sich (ab=)mühen (*à* um), sich an=strengen (*à* zu); *(Holz)* sich (ver)werfen, sich verziehen, arbeiten; *(Mauer)* sich werfen; *chem* gären; ~ *à perte (com)* mit Verlust arbeiten; **~eur, se** *s m f* Arbeiter(in *f*) *m;* Werktätige(r *m*), Schaffende(r *m*) *f; a* werktätig, schaffend; Arbeiter-; *f* Nähkasten *m;* ~ *ambulant, à domicile, de force, intellectuel, manuel, saisonnier, salarié* Wander-, Heim-, Zwangs- *od* Schwer(st)-, Kopf- *od* Geistes-, Hand-, Saison-, Lohnarbeiter *m;* ~ *frontalier* Grenzgänger *m;* ~ *indépendant* selbständige(r) Gewerbetreibende(r) *m;* **~iste** *a* der Labour Party; *s m* Mitglied *n* der Labour Party.

trav|ée [trave] *f arch* Feld, Fach; (Gewölbe-)Joch *n;* **~elage** *m (loc)* Schwellenabstand *m.*

travers [travɛr] *m* Breite, Quere; Schiefe; Unregelmäßigkeit *f,* Fehler, Mangel *m; fig* Verkehrtheit, Verschrobenheit, Wunderlichkeit *f; à* ~ *qc, au* ~ *de qc (prp)* quer durch, über etw; *à* ~ *champ* querfeldein; *de* ~ schief, schräg, quer; verkehrt; *en* ~ quer (*de* durch, über), übereck; *entendre de* ~ sich verhören; *se mettre en* ~ *(fig)* sich quer legen *od* stellen; hindern; durchkreuzen (*de qc* etw); *regarder de* ~ von der Seite, scheel an=sehen; *rayé en* ~ quergestreift.

traver|se [travɛrs] *f* Querbalken *m,* -leiste *f,* -riegel *m;* Schwelle *f;* Rahm-, Kämpferholz *n; tech* Kreuzkopf *m,* -stange *f;* Steg *m,* Strebe *f,* Bügel *m; (rue f de* ~*)* Quer-, Seiten-, Nebenstraße *f; fig* Nebenweg *m; fig vx meist pl* Hindernis *n,* Schwierigkeit, Widerwärtigkeit *f; (vx) se jeter, venir à la* ~ dazwischen-, in die Quere kommen; *prendre un chemin de* ~ e-n kürzeren Weg gehen, ab=kürzen; **~sée** *f* Überquerung *f,* Durchgang *m,* -fahrt, Überfahrt, Reise *f* (*d'un pays* durch ein Land); *loc* Bahnübergang *m,* -kreuzung; *tech* Durch-, Überführung *f; min* Durchhieb *m;* **~ser** *tr* durchqueren, -dringen, -fließen, -schreiten; gehen, führen (*qc* durch, über e-e S); überschreiten,

-queren; durchfahren, -reisen; ~ *qc* durch, über e-e S gehen, reiten, fahren, schwimmen; durch etw reisen; *tech* durch=hauen, -brechen; *fig (Plan)* durchkreuzen, vereiteln; *(Krise)* durch=machen; *itr (Balken)* quer liegen; hindurch=, hinüber=gehen; **~sier, ère** *a* Quer-; Seiten-; Überfahrt-; *flûte f ~ière* Querflöte *f;* **~sin** *m* Kopfpolster *n,* Schlummerrolle *f;* Querbalken *m; (Tonne)* Querholz *n;* Waagebalken *m;* **~sine** *f* Querbalken *m; mar* Laufplanke *f.*

travertin [travɛrtɛ̃] *m min* Travertin, Kalktuff *m.*

travest|i, e [travɛsti] *a* verkleidet; *s m* Kostümierung, Verkleidung *f;* (Masken-)Kostüm *n; m f* Kostümierte(r *m*), Verkleidete(r *m*); Transvestit *m; theat* Hosenrolle *f; bal m ~* Kostümball *m;* **~ir** verkleiden, kostümieren (*en* als); *fig* verdrehen, verkehren; schief dar=stellen; falsch auf=fassen; *(Gedicht)* in e-e ulkige Form kleiden; *se ~ (fig)* sich verstellen; **~issement** *m* Verkleidung, Vermummung; *fig* schiefe Darstellung, Verdrehung, Entstellung *f.*

tray|eur, se [trɛjœr, -øz] *m f* Melker(in *f*) *m;* **~on** *m* Zitze *f.*

trébuch|ant, e [trebyʃɑ̃, -ɑ̃t] stolpernd, strauchelnd; *(Münze)* vollwichtig; **~ement** *m* Stolpern *n;* **~er** *itr* stolpern, straucheln *a. fig; fig* versagen; *(Waagschale)* aus=schlagen; *tr (auf der Münzwaage)* wiegen.

trébuchet [trebyʃɛ] *m* Probier-, Münzwaage; (Vogel-)Falle *f a. fig.*

tréfil|age [trefilaʒ] *m* Drahtziehen *n;* **~er** zu Draht ziehen; **~erie** *f* Drahtzieherei *f;* **~eur** *m* Drahtzieher *m.*

trèfle [trɛfl] *m* Klee *m; arch* Kleeblattkreuz *n,* Dreipaß *m; (Karten)* Kreuz, Treff *n; ~ à quatre feuilles* vierblätt(e)rige(s) Kleeblatt *n;* **tréflière** *f* Kleefeld *n.*

tréfonds [trefɔ̃] *m jur* Untergrund *m; savoir le fonds et le ~ de qc* etw in- u. auswendig kennen.

treill|age [trɛjaʒ] *m* Gitter-, Lattenwerk *n; ~ métallique* Drahtzaun *m;* **~ager** vergittern; verlatten; **~e** *f* Weinspalier *n,* -laube *f;* **~is** [-ji] *m* Gitter(werk) *n; el* Brückenschaltung *f;* Drillich *m (Stoff);* Glanzleinen *n; mât m en ~* Gittermast *m; ~ métallique* Maschendraht *m;* Drahtnetz *n; ~ de protection* Schutzgitter *n;* **~isser** vergittern.

treiz|e [trɛz] dreizehn; *s m* Dreizehn(er *m*) *f;* der Dreizehnte; **~ième** *a* dreizehnte(r, s); *s m* Dreizehntel *n;* **~ment** *adv* dreizehntens.

tréma [trema] *m gram* Trema *n.*

tremblaie [trɑ̃blɛ] *f* Espenwäldchen *n.*

tremblant, e [trɑ̃blɑ̃, -t] *a* zitternd, bebend (*de* vor *dat*); *s m (Orgel)* Schwebung *f.*

tremble [trɑ̃bl] *m bot* Espe, Zitterpappel *f.*

trembl|é, e [trɑ̃ble] zitt(e)rig, unsicher; *filet m ~ (typ)* Schlangenlinie *f;* **~ement** [-blə-] *m* Zittern, Beben; *mus* Tremolo *n; tout le ~ (pop) (Personen)* der (ganze) Haufen; *(Sachen)* der (ganze) Krempel; *~ de terre* Erdbeben *n;* **~er** *itr* zittern, beben (*de* vor); schwanken; *fig* Ängste aus=stehen, bangen (*pour qc* um etw); *mus* tremolieren; **~eur, se** *m f* Angsthase *m; m tech* Unterbrecher; Wackelkontakt *m; loc* Alarmglocke *f;* **~otant, e** [-blɔ-] (ein wenig) zitternd; flimmernd; **~otement** *m fam* leichte(s) Zittern; *(Licht)* Flimmern *n;* **~oter** *fam* ein wenig zittern; *(Licht)* flimmern; **~otte** *f arg* Fieber *n.*

trémie [tremi] *f tech* (Füll-, *bes.* Mühl-) Trichter; Rumpf-, Rollkasten, Bunker *m; ~ d'alimentation* Beschickungssilo *m* od *n; ~ de chargement* Fülltrichter *m.*

trémière [tremjɛr]: *rose f ~* Stockrose *f.*

trémolo [tremɔlo] *m mus* Tremolo *n.*

trémousser [tremuse] hin u. her hüpfen *od* springen; *se ~* zappeln, unruhig sein.

trem|pabilité [trɑ̃pabilite] *f tech* Härtbarkeit *f;* **~page** *m* Anfeuchten, Einweichen, Eintauchen; Härten *n;* **~pant, e** *(Stahl)* härtbar; **~pe** *f* Härtung; Härte *f; (Brauerei)* Maischwasser *n; fig* Widerstandsfähigkeit, Willenskraft; Art *f,* Schlag *m,* Kaliber *n; pop* Dresche, Tracht *f* Prügel; **~pé, e** durchnäßt (*jusqu'aux os* bis auf die Haut); eingeweicht; eingetaucht; *(Wein)* verdünnt; *fig* durchdrungen (*de* von); *(Charakter)* energisch, fest; *non ~ (tech)* ungehärtet, ungewässert; *~ de sueur* in Schweiß gebadet; **~per** *tr* durch=, ein=weichen, an=feuchten, tränken; (ein=)tauchen; *(Speise)* ein=tunken, -stippen, -brokken; *(Wein)* verdünnen; *tech* härten; ab=schrecken; *fig* stählen, hart machen; *itr* im Wasser liegen, wässern; *fig* teil=nehmen, -haben (*dans un crime* an e-m Verbrechen); *~ de larmes* mit Tränen benetzen; *~ dans le sang* in Blut tauchen; *~ la soupe* die Suppe über das Brot gießen; **~perie** *f* Härterei *f;* **~pette** *f fam* (Brotschnitte *f* zum) Eintunken *n; faire ~* eingetunktes Brot essen; *(fam)* ein kurzes Bad nehmen.

tremplin [trɑ̃plɛ̃] *m* Sprungbrett *n a. fig; (~ de ski)* Sprungschanze *f.*

trempoire [trɑ̃pwar] *f* Einweichbottich *m.*

trent|aine [trɑ̃tɛn] *f: une ~ (de)* etwa dreißig; *avoir passé la ~ (fam)* über die Dreißig sein, die D. überschritten haben; **~e** dreißig; *s m* Dreißig(er *m*) *f;* der Dreißigste; *se mettre sur son ~ et un (fam)* sich in Schale werfen; *~-trois-tours m* Langspielplatte *f.*

Trente [trɑ̃t] *f* Trient *n.*

trent|enaire [trɑ̃tnɛr] *jur* dreißigjährig; **~ième** *a* dreißigste(r, s); *s m* Dreißigstel *n.*

trépan [trepɑ̃] *m* Bohrmeißel, Stoßbohrer; *med* Schädelbohrer *m;* **~ation** [-pa-] *f med* Trepanation *f;* **~er** *med* trepanieren.

trép|as [trepa] *m* Hinscheiden *n,* Tod *m;* **~assé, e** [-pa-] *m f* Abgeschiedene(r *m*), Verstorbene(r *m*) *f; le jour, la fête des ~s* Allerseelen *n;* **~asser** verscheiden, sterben.

trépi|dant, e [trepidɑ̃, -ɑ̃t] zitternd, bebend; *(Gang)* ungleichmäßig; *fig* erregt, fieberhaft, lebhaft; **~dation** *f* Zittern, Zucken *n a. med;* Erschütterung, Vibration *f;* **~der** zucken, zittern, wackeln.

trépied [trepje] *m* Dreifuß *m,* -bein; *phot* Stativ *n.*

trépi|gnement [trepiɲəmɑ̃] *m* Stampfen, Trampeln *n;* **~gner** (mit den Füßen, auf≈)stampfen, trampeln (*de colère* vor Zorn).

trépointe [trepwɛ̃t] *f (Schuh)* Rahmen, (genähter) Rand *m.*

très [trɛ] *adv* sehr, stark; höchst, übermäßig, -aus, hoch-; recht; *le T~-Haut* der Allerhöchste *(Gott).*

trésaillé, e [trezɑ(a)je] rissig.

trés|or [trezɔr] *m* Schatz *m;* Staatskasse *f,* Schatzamt *n;* Tresor *m; pl* Reichtümer, Schätze *m pl; fig* kostbarste(s) Gut *n;* Fundgrube *f;* **~orerie** [-ri] *f* Schatzamt *n,* Fiskus *m;* Finanzen *f pl,* Geldmittel *n pl; faire face aux besoins de ~* den Kassenanforderungen entsprechen; *certificat m de ~* Schatzanweisung *f;* **~orier, ère** *m f* Schatzmeister(in *f*), Kämmerer; Kassenführer(in *f*), Kassierer(in *f*) *m.*

tressage [trɛsaʒ] *m* Flechten, Geflecht *n; (Kabel)* Umklöppelung *f.*

tress|aillement [trɛsajmɑ̃] *m* (Er-)Zittern, Zs.zucken, Zs.fahren *n,* Schauder *m;* **~aillir** *irr* auf≈, zs.≈fahren, zs.≈zucken, (er)zittern, erschauern, schaudern (*de* vor *dat*); **~auter** [-so-] auf≈fahren, -springen.

tress|e [trɛs] *f* Geflecht *n,* Flechte; Be-, Umflechtung; Litze, Tresse; Schnur *f,* Seil *n; ~ de cheveux* Haarflechte *f; ~ de paille* Strohgeflecht *n;* **~er** (um-, ver-, zs.≈)flechten, umklöppeln; *(Kranz)* winden; **~eur** *m* Flechter *m.*

tréteau [treto] *m* Gestell *n,* Bock *m,* Gerüst, Lager *n; pl theat* (die) Bretter *n pl.*

treuil [trœj] *m tech* Winde; *min* Haspel *f, a. m; mar* Spill *n; ~ à câble* Kabelwinde *f.*

trêve [trɛv] *f mil* Waffenstillstand; *(zwischen Parteien)* Burgfrieden; *fig* Friede *m,* Ruhe, Rast *f; ~ de cérémonies!* keine Umstände! *~ de compliments!* lassen Sie Ihre Komplimente! *~ de discussions!* genug geredet! *~ de railleries!* Scherz beiseite!

Trèves [trɛv] *f* Trier *n.*

tri [tri] *m a. inform* Sortieren *n;* **~age** [-jaʒ] *m* **1.** Aus-, Verlesen, (Aus-)Klauben, Sortieren *n;* Verteilung *f;* Sichten *n,* Musterung, Auswahl *f;* **2.** Forstrevier *n; atelier m de ~* Sichtanlage *f; camp m de ~* Durchgangslager *n; gare f de ~* Verschiebebahnhof *m; voie f de ~* Rangiergleis *n.*

tri|angle [trijɑ̃gl] *m* Dreieck *n; mus* Triangel *m;* **~angulaire** dreieckig; **~angulation** *f (Landmessung)* Triangulation *f;* **~anguler** triangulieren.

trias [trijɑs] *m geol* Trias *f;* **~ique** triassisch; Trias-.

tribo-électricité [tribɔelɛktrisite] *f* Reibungselektrizität *f.*

tribord [tribɔr] *m mar* Steuerbord *n.*

tribu [triby] *f* (Volks-)Stamm *m; fam* Familie *f,* Anhang *m;* Nation *f.*

tribulation [tribylasjɔ̃] *f* Drangsal, Trübsal *f,* Leiden *n; pl* Widerwärtigkeiten *f pl.*

tribun [tribœ̃] *m hist* (Volks-)Tribun *m.*

tribunal [tribynal] *m* Gericht(shof *m*); Gerichtsgebäude *n; (salle f du ~)* Sitzungssaal *(im Gericht); fig* Richterstuhl *m; comparaître devant un ~* vor e-m Gericht erscheinen; *recourir à un ~ supérieur* Berufung ein≈legen; *greffier m du ~* Gerichtsschreiber *m; ~ administratif, arbitral, d'appel, de cassation, civil, de commerce, constitutionnel, militaire, des mineurs, de paix, de prud'hommes, du travail* Verwaltungs-, Schieds-, Appellations-, Kassations-, Zivil-, Handels-, Verfassungs-, Militär-, Jugend-, Friedens-, Gewerbe-, Arbeitsgericht *n; ~ de la pénitence* Beichtstuhl *m; ~ du* *peuple* Volksgerichtshof *m;* ~ *spécial, d'exception* Sondergericht *n.*

tribune [tribyn] *f* (Redner-)Tribüne *f;* (~ *d'orgues)* Orgelnische *f;* ~ *métallique, en tubes d'acier* Stahlrohrtribüne *f;* ~ *de la presse* Pressetribüne *f.*

tribut [triby] *m* Tribut *m,* Zwangsauflage; Abgabe, Steuer *f;* Zins; Lohn; *fig* Zoll *m; payer* ~ *(fig)* Tribut zollen (*à qc* e-r S *dat*); **~aire** [-tɛr] *a* tribut-, zinspflichtig; *geol* tributär; *fig* abhängig (*de* von); unterworfen (*de qn* jdm); *être* ~ *(Fluß)* münden, sich ergießen (*de* in *acc*); *fig* ab=hängen (*de* von), angewiesen sein (*de* auf *acc*).

tri|centenaire [trisɑ̃t(ə)nɛr] *m* Dreihundertjahrfeier *f;* **~céphale** [trisefal] dreiköpfig, -gipf(e)lig; **~ceps** [-sɛps] *m* dreiköpfige(r) Muskel *m.*

trich|e [triʃ] *f fam* Betrug *m,* Schiebung *f;* **~er** *tr* (im Spiel) betrügen, beschummeln; *itr* falsch=spielen, mogeln, schummeln; **~erie** *f* Betrügerei, Schummelei, Mogelei *f;* **~eur, se** *m f* Falschspieler(in *f*), Betrüger(in *f*), Mogler(in *f*) *m.*

trich|ine [trikin] *f zoo* Trichine *f;* **~inose** *f med* Trichinose *f.*

tri|chrome [trikrom] *phot* Dreifarben-; **~chromie** [-k-] *f typ* Dreifarbendruck *m.*

tricolore [trikɔlɔr] dreifarbig; *drapeau m* ~ Trikolore *f; les ~s (sport) f* die französische Nationalmannschaft *f.*

tricorne [trikɔrn] *m* Dreispitz *m (Hut).*

trico|t [triko] *m* Strick-, Wirkware; Strickbluse *f,* Pullover *m;* Trikot *m* od *n;* Strickarbeit *f;* ~ *circulaire, tubulaire* Rund-, Schlauchware *f;* **~tage** [-kɔ-] *m* Stricken *n;* Strickarbeit; Trikotage, Maschenware *f;* **~ter** stricken, wirken; *(Spitzen)* klöppeln; *pop* wetzen, rennen; ~ *à la machine, à la main* maschinen=, hand=stricken; *fil m à* ~ Strickgarn *n;* **~teuse** *f* Strickerin; Strickmaschine *f.*

trictrac [triktrak] *m* Tricktrack, Puffspiel *n.*

tri|cycle [trisikl] *m* Dreirad *n;* ~ *à moteur* dreirädrige(r) Lieferwagen *m;* **~dent** *m* Dreizack *m;* **~èdre** [tri(j)ɛdr] *a math* dreiflächig; *s m* Dreiflächner *m;* **~ennal, e** [-jɛnal] dreijährig.

tri|er [trije] ver-, aus=lesen, (aus=)sortieren, aus=sondern, aus=klauben; sieben, sichten; ~ *sur le volet (fig)* sorgfältig aus=wählen; **~eur, se** *m f* Sortierer(in *f*) *m; m* Sieb *n,* Sichter, Rost; *min* Erzklauber *m; f* Aufbereitungs-, Sortiermaschine *f.*

trifolié, e [trifɔlje] *bot* dreiblätt(e)rig.

trifouiller [trifuje] *pop* durchwühlen.

trigle [trigl] *m* Knurrhahn *m (Fisch).*

triglyphe [triglif] *m arch* Triglyph *m.*

tri|gone [trigɔn] dreieckig, -flächig; **~gonométrie,** *fam* **~go** *f* Trigonometrie *f;* **~gonométrique** trigonometrisch; **~latéral, e** dreiseitig; **~lingue** dreisprachig.

trille [trij] *m mus* Triller *m.*

trillion [trijɔ̃] *m* Billion *f.*

tri|lobé, e [trilɔbe] *bot* dreilappig; *arch* dreipässig; **~logie** *f theat* Trilogie *f.*

trimaran [trimarɑ̃] *m* Trimaran *m.*

trimard [trimar] *m arg vx* Weg *m,* Straße *f;* **~er** stromern, strolchen; **~eur** *m* Stromer, Strolch *m.*

trimbaler [trɛ̃bale] *fam* mit sich herum=schleppen.

trimer [trime] *pop* schuften, sich ab=rackern.

trimes|tre [trimɛstr] *m* Vierteljahr, Quartal *n;* vierteljährliche Zahlung *od* Miete *f; par* ~ vierteljährlich; **~triel, le** vierteljährlich; Vierteljahrs-.

trimmer [trimœr] *m aero* Abgleichkondensator *m.*

trimoteur [trimɔtœr] dreimotorig.

tringl|e [trɛ̃gl] *f (bes.* Gardinen-)Stange; Leiste, Latte *f; pl tech* Gestänge *n; se mettre la* ~ *(pop)* in die Röhre gucken, nichts ab=kriegen; **~er** *tech* ab=schnüren; **~erie** *f* Gestänge *n;* **~ette** *f* kleine Stange *f.*

trinit|aire [trinitɛr] *f bot* Leber-, Märzblümchen *n;* **-é** *f rel* Trinität, Dreieinigkeit, Dreifaltigkeit *f; la T~* das Trinitatis-, Dreifaltigkeitsfest.

trinitro|phénole [trinitrɔfenɔl] *m chem* Pikrinsäure *f;* **~toluène** [-lyɛn] *m chem* Trinitrololuol *n.*

trinôme [trinom] *m math* dreigliedrige Größe *f,* Trinom *n.*

trinqu|er [trɛ̃ke] mit den Gläsern an=stoßen; *fam* trinken; *pop* eins auf den Deckel kriegen; etw einstecken müssen; **~eur, se** *m f* Trinker(in *f*) *m.*

trio [trijo] *m mus* Trio *a. fig,* Terzett *n.*

triode [trijɔd] *f radio* Triode *f.*

triolet [trijɔlɛ] *m* Triolett *n (Gedicht); mus* Triole *f.*

triom|phal, e [trijɔ̃fal] triumphal; Triumph-, Sieges-; **~phant, e** triumphierend, frohlockend; siegreich; **~phateur, trice** *a* triumphierend, siegreich; *s m* Sieger, Triumphator *m;* **~phe** *m* Triumph, Sieg, glänzende(r) Erfolg; Triumphzug; *fig* Freudentaumel *m;* **~pher** *itr* siegen, *fig* Herr werden (*de qn* über jdn), überwinden, bezwingen (*de qn* jdn); (über das ganze Gesicht) strahlen;

triumphieren, frohlocken, jubeln; sich brüsten (*de* mit).
tripaille [tripɑ(a)j] *f (Jagd)* Eingeweide *n.*
tri|parti, e [triparti] *~partite* dreigeteilt; Dreier-; **~partisme** *m (pol)* Dreiersystem *n;* **~partition** *f* Dreiteilung *f.*
tripatouiller [tripatuje] *fam* unerlaubte Änderungen vornehmen (*qc* an e-r S); verfälschen.
tri|pe [trip] *f meist pl (Tier, fam Mensch)* Gedärm(e), Gekröse, Eingeweide *n,* Kaldaunen *f pl; (Zigarre)* Einlage *f;* **~perie** *f* Darmhandlung *f;* **~pette** *f: ne valoir pas ~ (fam)* keinen Pfifferling wert sein.
triphasé, e [trifaze] *el* Dreiphasen-, Dreh-.
tripier [tripje] *m* Darmhändler *m.*
tri|place [triplas] *m aero* Dreisitzer *m;* **~plan** *m aero* Dreidecker *m.*
tri|ple [tripl] *a* dreifach; Drei-; *s m* Dreifache(s) *n; en ~ exemplaire* in dreifacher Ausfertigung; **~plés, ées** *m f pl* Drillinge *m pl;* **~pler** verdreifachen; **~plicata** *m* dritte Ausfertigung *f;* **~plicité** *f* dreifache(s) Vorkommen *od* Auftreten *n;* **~plure** *f* Einlage *f.*
tripolaire [tripɔlɛr] dreipolig.
tripoli [tripɔli] *m min* Tripel *m.*
triporteur [tripɔrtœr] *m* Dreirad *n* (zur Lastenbeförderung).
tripot [tripo] *m* Spielhölle *f;* verrufene(s) Haus *n.*
tripot|age [tripɔtaʒ] *m fam* Manschen *n;* Mischmasch *m;* Intrigen *f pl,* Kniffe *m pl,* Schliche *pl;* Börsenschwindel *m;* faule(s) Geschäft *n;* **~ée** *fam* Tracht *f* Prügel; *pop* Stallvoll *m* (*d'enfants* Kinder); **~er** *fam tr* zs.=manschen, durchea.=werfen, -bringen; ab=tasten, betätscheln; *com* spekulieren (*qc* mit etw); *itr* pan(t)schen; (herum=)wühlen; unsaubere Geschäfte machen; (an der Börse) spekulieren (*sur* in *dat*); intrigieren.
triptyque [triptik] *m mot* Triptik; *(Kunst)* Triptychon *n.*
trique [trik] *f pop* Knüttel, Knüppel *m; sec comme un coup de ~, comme une ~ (fam)* spindel-, klapperdürr; *(Rede)* ledern.
triqueballe [trikəbal] *m* zweirädrige(r) Langholzwagen *m.*
triquer [trike] *fam* (ver)prügeln; *tech* ein=passen.
tris|aïeul, e [trizajœl] *m f* Ururgroßvater *m,* -mutter *f;* **~annuel, le** dreijährig; alle drei Jahre stattfindend.
trisection [trisɛksjɔ̃] *f math* Dreiteilung *f.*
trisme [trism] *m med* Kieferklemme *f.*
trisser [trise] **1.** *itr (Schwalbe)* zwitschern; **2.** *tr mus* zum dritten Mal spielen lassen; *se ~ (arg)* ab=hauen, -ziehen *itr.*
trist|e [trist] traurig, betrübt (*de* über *acc*); trübselig, verdrießlich; unfreundlich; trüb(e), düster, finster, dunkel; betrüblich; erbärmlich, jämmerlich; armselig; *faire ~ mine à qn* jdn unfreundlich empfangen; **~esse** *f* Traurigkeit, Trauer, Betrübtheit, Trübseligkeit *f;* Trübsinn *m;* Schwermut *f.*
trisyllab|e [trisilab] *s m* dreisilbige(s) Wort *n; a* u. **~ique** dreisilbig.
tritium [tritjɔm] *m* Tritium *m.*
triton [tritɔ̃] *m zoo* Wassermolch *m;* Trompetenschnecke *f.*
tritu|rable [trityrable] zerreibbar; **~ration** Zerreiben *n;* **~rer** zerreiben, zerstoßen; (zer-) kauen; *fig* vor=kauen; (gründlich) erledigen.
trivial, e [trivjal] derb, grob; gemein; **~ité** *f* Derbheit, Grobheit; Plattheit *f.*
troc [trɔk] *m* Tausch(handel) *m.*
trocart [trɔkar] *m med* Trokar *m.*
trochaïque [trɔkaik] trochäisch.
trochanter [trɔkɑ̃tɛr] *m anat* Rollhügel, -höcker *m.*
trochée [trɔʃɛ] *m* Trochäus *m.*
trochet [trɔʃɛ] *m* Büschel *n.*
troène [trɔɛn] *m bot* Liguster *m.*
troglodyte [trɔglɔdit] *m* Höhlenbewohner; *orn* Zaunkönig *m.*
trogn|e [trɔɲ] *f fam* Vollmondgesicht *n;* **~on** *m* Kerngehäuse *n,* Griebs; *(Kohl)* Strunk *m; pop* Birne, Rübe *f,* Kopf; *fam* Liebling *m; jusqu'au ~ (pop)* aufs Ganze, total.
Troie [trwa] *f* Troja *n.*
trois [trwɑ] *a* drei; *s m* Drei(er *m*) *f;* der Dritte; *~-mâts m mar* Dreimaster *m;* **~-quarts** *m inv phot* Dreiviertelprofil *n; mus* Dreiviertelgeige *f;* dreiviertellange(r) Mantel *m; les ~ des gens* die meisten (Leute); *les ~ du temps* meist(ens); *~-six m inv pop vx dial* Fusel *m;* **~ième** [-zjɛm] *a* dritte(r, s); *s m* Drittel *n;* dritte(r) Stock *m; f* dritte Klasse *f; la T~ République (hist)* die Dritte Republik; **~ièmement** *adv* drittens.
trôleur *m pop* Landstreicher *m.*
trolley [trɔlɛ] *m* Stromabnehmer *m;* **~bus** [-bys] *m* Oberleitungsomnibus, Obus *m.*
tromb|e [trɔ̃b] *f* (*~ de vent*) Wind-, *(~ d'eau)* Wasserhose *f; arriver en ~* wie ein Wirbelwind dahergefegt kommen; **~one** *m* Posaune(nbläser *m*) *f;* Büroklammer *f;* **~oniste** *m* Posaunenbläser *m.*

tromp|e [trɔ̃p] *f mus* Jagdhorn *n; (~ d'auto)* (Auto-)Hupe; *arch* Gewölbekappe, Trompe *f; zoo* Rüssel *m; med* Eileiter *m; ~ d'Eustache (anat)* Eustachische Röhre, Ohrtrompete *f; ~-l'œil m inv* trügerische(r) Schein *m; ~ soufflante* Wasserstrahlgebläse *n; ~ utérine (anat)* Eileiter *m;* **~er** täuschen, betrügen, hintergehen; hinters Licht führen, übers Ohr hauen; verführen, betören; *(den Erwartungen)* nicht entsprechen; *(Hoffnung)* zuschanden machen; *(Berechnungen)* über den Haufen werfen; *(Wachsamkeit)* überlisten; *(Hunger, Schmerz, Gefühl)* betäuben; *(sich die Zeit)* vertreiben, *(die Zeit)* tot=schlagen; *(Weg)* ab=, verkürzen; *se ~* sich täuschen, sich irren (*sur qn* in jdm); *se ~ de route* e-n verkehrten Weg ein=schlagen; *c'est ce qui vous ~e* darin täuschen Sie sich; darin sind Sie im Irrtum; *c'est à s'y ~* das sieht sich zum Verwechseln ähnlich; **~erie** *f* Betrug *m,* Betrügerei, Täuschung *f.*

tromp|eter [trɔpəte] *itr* trompeten; *tr fig fam* hinaus=posaunen; **~ette** *f mus* Trompete; Klatschbase; *arg* Fresse *f; m* Trompeter, Hornist *m; s'en aller sans tambour ni ~, déloger sans ~* sang- u. klanglos verschwinden; *la ~ du Jugement dernier* die Posaune des Jüngsten Gerichts.

trompeur, se [trɔ̃pœr, -øz] *a* täuschend; (be-)trügerisch; *s m* Betrüger *m.*

tronc [trɔ̃] *m bot* Stamm; *anat* Rumpf; *(Kegel, Pyramide, Säule)* Stumpf; Opferstock *m; (Genealogie)* Stamm *m,* Hauptlinie *f;* **~ature** [-ka-] *f* Abstumpfung *f;* **~onique** *math* abgestumpft, kegelstumpfförmig.

tronçon [trɔ̃sɔ̃] *m* Stummel *m,* Ende, Stück *n;* (Teil-)Abschnitt *m,* (Teil-) Strecke *f; ~ d'autoroute* Autobahnabschnitt *m;* **~ner** [-sɔ-] in Stücke teilen, zerstückeln, zerschneiden.

trôn|e [tron] *m* Thron *m a. fig;* **~er** thronen *a. fig.*

tronqu|é, e [trɔ̃ke] abgestumpft; *fig* verstümmelt; *cône m, pyramide f ~(e) (math)* Kegel-, Pyramidenstumpf *m;* **~er** *arch math* ab=stumpfen; *fig* verstümmeln.

trop [tro] *adv (~ de)* zuviel; zu sehr; (all)zu; sehr, äußerst; *s m* Überfluß *m,* Übermaß, Zuviel *n; de ~, en ~* zuviel, überflüssig; *ne ... pas ~* nicht recht; *par ~* allzusehr, gar zu; *~ peu* zuwenig, nicht genug; *~ ... pour que ...* zu ..., als daß ...; *c'en est ~* das schlägt dem Faß den Boden aus; *vous n'êtes pas de ~ (fam)* Sie können ruhig dableiben; *vous êtes ~ aimable* das ist sehr liebenswürdig von Ihnen; *~-perçu m* Mehreinnahme *f;* zuviel erhobene(r) Betrag *m; ~-plein m* Überfülle *f; tech* Überlauf, -fall *m,* Rücklaufrohr *n.*

trope [trɔp] *m* bildliche(r) Ausdruck *m.*

trop|ical, e [trɔpikal] tropisch; Tropen-; **~isé, e** tropenfest; **~ique** *s m* Wendekreis *m* (*du Cancer* des Krebses, *du Capricorne* des Steinbocks); *pl* (die) Tropen; *a* tropisch; **~osphère** *f* Troposphäre *f.*

trophée [trɔfe] *m* Trophäe *f,* Siegeszeichen *n.*

trophique [trɔfik] *anat med* Ernährungs-.

troquer [trɔke] (aus=, ver-, um=)tauschen; *~ son cheval borgne contre un aveugle* e-n schlechten Tausch machen.

trot [tro] *m* Trab *m; aller au ~* traben; *au (grand) ~* in (aller) Eile; *au ~!* fix! los! zu!

trott|e [trɔt] *f* Weg(strecke *f*) *m; tout d'une ~* in e-m Zug; ohne anzuhalten; *~-menu a inv* trippelnd; **~er** traben; trotten; trippeln; *fam* eilig hin u. her gehen, umher=laufen, -rennen; *se ~ (pop)* ab=hauen, sich aus dem Staub(e) machen; *cela me ~e dans la cervelle, dans la tête* das geht mir im Kopf herum; **~eur, se** *m f* Traber; *m* Trotteurschuh *m,* -kostüm *n; f* Sekundenzeiger *m;* **~in** *m vx* Laufbursche *m,* -mädchen *n;* **~iner** trippeln; *(Pferd)* kurzen Trab gehen; **~inette** *f* (Kinder-)Roller *m;* **~oir** *m* Gehweg, Bürgersteig *m,* Trottoir *n;* Bahnsteig *m; faire le ~ (pop)* auf den Strich gehen.

trou [tru] *m* Loch *n; fig* Lücke; elende Behausung *f;* Nest; *pop* Grab *n,* Grube *f; (Nadel)* Öhr *n; geog* Kessel *m; (Meer)* Ku(h)le *f,* Tief *n; n'être jamais sorti de son ~* nie fortgekommen sein; *faire son ~ (fig)* es zu etwas, weit bringen; *rester dans son ~ (fig)* sich verkriechen; *~ d'air* Luftloch *n a. aero; ~ d'eau* Wasserloch *n; ~ à fumier (agr)* Miste *f; ~ de guetteur (mil)* Postenloch *n; ~ d'homme* Mannloch *n; ~ individuel (mil)* Schützenloch *n; ~-madame m* Art Lochbillard *n; ~ de mémoire* Gedächtnislücke *f; ~ dans les nuages* Wolkenloch *n; ~ d'obus* Granattrichter *m; ~ de la serrure* Schlüsselloch *n; ~ de sonde, de forage* Bohrloch *n; ~ du souffleur* (Souffleur-)Kasten *m; ~ de souris* Mauseloch *n.*

troubadour [trubadur] *m* provenzalische(r) Minnesänger *m.*

troubl|ant, e [trublɑ̃, -ɑ̃t] beunruhigend, aufregend, störend; verwirrend; betörend; **~e 1.** *s m* Unordnung *f,* Durcheinander *n;* Verwirrung, Aufregung, innere Unruhe; Belästigung *f;* Streit *m,* Zwistigkeit, Zwietracht *f; tech* Störgeräusch *n;* (Betriebs-)Störung *f; jur* Eingriff *m; pl pol* Unruhen, *med* Störungen *f pl; a* trüb(e); *(Wasser)* schmutzig; *fig* undurchsichtig, verdächtig; **2.** *s f s. truble; sans ~* störungsfrei; *avoir la vue ~, voir ~* undeutlich, verschwommen sehen *a. fig; pêcher en eau ~ (fig)* im trüben fischen; *~s de la circulation, de la démarche, digestifs, de la vision* Kreislauf-, Geh-, Verdauungs-, Sehstörungen *f pl; ~e-fête m inv* Störenfried, Spielverderber *m; ~ de réception (tele)* Empfangsstörung *f; ~ sensitif* Empfindungsanomalie *f;* **~é, e** *tele* gestört; *fig* verwirrt; unsicher; unruhig; **~er** trüben; stören; durchea.≈bringen, in Unordnung bringen; verwirren, unsicher machen (*qn* jdn); auf≈wühlen; *(Gewissen)* beunruhigen; unterbrechen; Unfrieden stiften (*acc* zwischen *dat*), entzweien; *(Plan)* durchkreuzen; *(Absicht)* vereiteln; *(Spaß)* verderben; *se ~* trüb(e) werden, sich trüben; sich bewölken, sich ein≈trüben; verwirrt, verlegen werden, die Fassung verlieren, außer Fassung, in Verwirrung geraten; sich beunruhigen, unruhig werden (*de* wegen); *(Gedächtnis)* nach≈lassen, schwächer werden.

trou|é, e [true] durchlöchert, leck; **~ée** *f* Loch *n,* Lücke, Öffnung *f;* Durchbruch *m; (Wald)* Schneise; *geog* Senke *f;* **~er** durchbohren, -löchern; perforieren; *se ~* Löcher bekommen.

troufion [trufjɔ̃] *m arg* Muschkote *m.*

trouill|ard, e [trujar, -rd] *s m f pop* Angsthase *m; a* bange; **~e** *f pop* Angst *f; avoir la ~ (pop)* Schiß haben.

troup|e [trup] *f* Schar *f,* Trupp, Haufen, Schwarm *m; (Tiere)* Herde *f,* Rudel *n; (Vögel)* Schwarm, Zug *m,* Volk *n; (Räuber)* Bande; *mil theat* Truppe *f; en ~* truppweise; *hommes m pl de ~ (mil)* Mannschaften *f pl; officier m de ~* Truppenoffizier *m; ~s en opération* Feldtruppen *f pl; ~ scoute* Pfadfindergruppe *f;* **~eau** *m* Herde *f a. fig rel; péj fig* Hammelherde *f;* **~ier** *m fam* Soldat *m.*

trouss|e [trus] *f* Bündel *n,* Pack *m;* Garnitur *f,* Satz *m; (~ pour outils)* (Werkzeug-)Tasche *f;* Etui; *(~ de toilette)* (Reise-)Necessaire; Rasier-, *(~ de couture)* Nähzeug; *med* Besteck *n; min* Tragkranz *m; être aux ~s de qn* hinter jdm her, jdm auf den Fersen sein; *mettre qn aux ~s de qn* jdn jdm auf den Hals hetzen; *je l'ai à mes ~s* er ist hinter mir her; *~ de manucure* Maniküretui *n; ~ de maquillage* Schminktäschchen *n; ~ de pansement* Verband(s)zeug *n; ~ à pharmacie* Taschenapotheke *f; ~e-queue m inv (Pferd)* Schwanzriemen *m; ~ de toilette* Kulturtasche *f; ~ de voyage* Reisenecessaire *n;* **~é, e** hochgeschürzt; *fam* gebaut; gedreht, arrangiert, hergerichtet, ausgeführt; *bien ~* nett; (gut) gelungen.

trousseau [truso] *m* Aussteuer, Ausstattung *f; (~ de clés)* Schlüsselbund *m* od *n.*

troussequin [truskɛ̃] *m* Sattelsteg *m.*

trousser [truse] *(Kleid)* hoch≈raffen, -schlagen, auf≈schürzen; *(Ärmel)* auf≈krempeln; *(Schwanz)* auf≈binden; *(a. Geflügel, Wild)* zs.≈binden, -packen; *(Menschen)* weg≈raffen; *(Arbeit)* rasch erledigen, *fam* hin≈hauen; *(Kompliment)* zustande bringen, *fam* (hin≈)drehen; *se ~* das Kleid auf≈schürzen; *~ bagage* sich davon≈machen.

troussis [trusi] *m* Raffung, Schürzfalte *f.*

trouv|able [truvabl] auffindbar; **~aille** [-ɑ(a)j] *f* (glücklicher) Fund; gute(r) Einfall *m,* glänzende Idee *f, fam* Volltreffer *m;* **~é, e** *fig* gut (ausgedacht); *(Tier)* zugelaufen, -geflogen; *tout ~ (fig)* (wie) gefunden; *bureau m des objets ~s* Fundbüro *n; enfant m ~* Findelkind *n; objet m ~* Fundsache *f;* **~er** (auf≈)finden, (an≈)treffen; begegnen (*qn* jdm), stoßen (*qn, qc* auf jdn, e-e S); ertappen, überraschen; *fig* bekommen; auf≈treiben, sich verschaffen; aus≈denken, entdecken, erfinden; bemerken (*à, en qn* an jdm); finden, erachten, halten für, der Ansicht sein (*que* daß); empfinden als; die Gelegenheit finden (*à* zu); *se ~* sich (ein≈, vor≈)finden, sich treffen; dasein, vorhanden sein; *zoo bot* vor≈kommen; sich befinden (*en, dans* in *dat*); sich fühlen; *aller, venir ~* be-, auf≈suchen; *la ~ mauvaise, raide, saumâtre (fam)* darüber sehr verschnupft sein; *y ~ son compte* dabei auf s-e Rechnung, Kosten kommen; *se ~ bien* sich wohl fühlen; *~ bon (mauvais)* (miß)billigen; *se ~ être* sich heraus≈stellen, sich erweisen als; *se ~ mal* ohnmächtig werden, die Besinnung verlieren; *~ à (re) dire* etw auszusetzen, zu beanstanden haben; *ne pas ~ le temps de qc* zu etw (einfach) nicht kommen; *je ~e le temps long* die Zeit wird mir lang; *il se ~e que ...* es fügt sich, daß ...; *où ~e-t-on?* wo bekommt man?

trouvère [truvɛr] *m* nordfranzösische(r) Minnesänger *m.*

truan|d [tryɑ̃] *m* Gangster *m;* **~der** *fam* beklauen; beschummeln.

truble, trouble [trybl, -u-] *f* Kescher *m,* Fischnetz *n.*

trublion [trybliɔ̃] *m* Unruhestifter *m.*

truc [tryk] *m fam* Wendigkeit, Geschicklichkeit *f;* Kunstgriff, Kniff, Dreh, Pfiff *m; pop* Ding(s) *n; connaître le ~ (fam)* den Dreh heraus=, weg=haben.

trucage [trykaʒ] *m s. truquage.*

truchement [tryʃmɑ̃] *m vx* Dolmetscher; Vermittlung *f; fig* Dolmetsch, (Für-)Sprecher, Vermittler; Zeuge *m.*

trucider [tryside] *tr pop* ab=murksen, den Garaus machen *dat.*

truculen|ce [trykylɑ̃s] *f* Urwüchsigkeit; Wildheit, Roheit *f;* **~t, e** [-lɑ̃, -ɑ̃t] urwüchsig, vital, vollsaftig, temperamentvoll; wild, roh, brutal, grob.

truell|e [tryɛl] *f* (Maurer-)Kelle *f,* Spa(ch)tel *m* od *f;* **~ée** *f* Kellevoll *f.*

truff|e [tryf] *f bot* Trüffel; Hunde-, *pop* Kartoffelnase *f;* **~er** trüffeln, mit Trüffeln zu=bereiten *od* füllen *od* garnieren; *pop* spicken, voll=stopfen, -pfropfen (*de* mit); **~iculture** *f* Trüffelzucht *f;* **~ier, ère** *a* Trüffel-.

truie [trɥi] *f* Mutterschwein *n,* Sau *f.*

truisme [tryism] *m* Binsenwahrheit *f.*

trui|te [trɥit] *f zoo* Forelle *f; ~ saumonée* Lachsforelle *f;* **~té, e** gesprenkelt; *(Keramik)* rissig.

trumeau [trymo] *m (Rind)* Unterschwanzstück *n;* Fenster-, Tür-, Mauerpfeiler; Pfeilerspiegel *m.*

truqu|age [trykaʒ] *m fam* Schwindel *m;* Aufaltmachen *n;* Fälschung *f; phot* Trick(aufnahme *f*) *m,* Photomontage *f; ~ de bilan* Blilanzverschleierung *f;* **~é, e** falsch, betrügerisch; *rien de ~* kein Schwindel, alles echt; **~er** *tr* verfälschen; auf alt zurecht=machen; *itr* Tricks an=wenden, schwindeln; **~eur** *m* Schwindler, Fälscher *m.*

trusquin [tryskɛ̃] *m tech* Streichmaß *n.*

trust [trœst] *m com* Trust *m; ~ de l'acier* Stahltrust *m;* **~er** vertrusten.

tsar [tsar] *m* Zar *m;* **~ine** *f* Zarin *f;* **~iste** zaristisch.

tsé-tsé [tsetse] *f zoo* Tsetsefliege *f.*

tsigane [tsigan] *m* Zigeuner *m.*

tu [ty] **1.** *prn* du; **2.** *pp s. se taire; être à ~ et à toi avec qn* mit jdm auf du u. du stehen.

tu|able [tɥabl] schlachtreif; *fam* wert, totgeschlagen zu werden; **~ant, e** *fam* ermüdend; langweilig; auf die Nerven fallend, zum Auswachsen.

tub [tœb] *m* (Bade-)Wanne *f,* Zuber *m;* Wannenbad *n.*

tuba [tyba] *m mus* Tuba *f.*

tubage [tybaʒ] *m* Rohrlegung *f,* Verrohren *n; radio* Bestückung *f* mit Röhren.

tubbing [tybiŋ] *m min* Tübbing *m.*

tub|e [tyb] *m* Rohr *n,* Röhre *a. radio;* Tube *f; tech* Tubus *m; (~ à essai)* (Reagenz-)Glas *n; anat bot* Kanal, Gang *m; fam* Zylinder(hut) *m;* Rohrpost *f; coup m de ~* Telefonanruf *m; fig pop* Schlager *m* (Schallplatte); *~ d'acier, d'échappement, de raccordement* Stahl-, Auspuff-, Verbindungsrohr *n; ~ capillaire, électronique, lumineux, néon, rectificateur, à vide* Kapillar-, Elektronen-, Leucht-, Neon-, Gleichrichter-, Vakuumröhre *f; ~ digestif (anat)* Verdauungskanal *m; ~-image m* Bildröhre *f; ~ à niveau d'eau* Wasserstandsglas *n;* **~er** Rohre ein=setzen (*qc* in e-e S); *min* verrohren; ~ [tœbe] in e-r Wanne baden.

tubercul|e [tybɛrkyl] *m bot* (Wurzel-)Knolle *f; med* Tuberkel *f,* Knötchen *n;* **~eux, se** *a bot* knollig, knotig; *med* tuberkulös, Tb-krank; *s m f* Tuberkulose-, Tb-Kranke(r *m*) *f;* **~inique** tuberkulös; **~ose** *f med* Tuberkulose *f; ~ osseuse, pulmonaire* Knochen-, Lungentuberkulose *f.*

tub|éreux, se [tyberø, -øz] *a* knollig; *s f bot* Tuberose *f;* **~érifère** knollentragend; **~ériforme** knollenförmig; **~érosité** *f* Auswuchs *m,* Anschwellung *f,* Knoten, Knollen *m.*

tubu|laire [tybylɛr] röhrenförmig; Rohr-; **~leux, se** röhrenartig; **~lure** *f* Rohransatz, Stutzen *m; ~ d'aspiration, de remplissage* Ansaug-, Füllstutzen *m.*

tudesque [tydɛsk] (alt)deutsch.

tué, e [tɥe] *a* getötet, gefallen; *fig* erschöpft, ausgepumpt; niedergeschmettert *fig; (Wein)* abgestanden; *s m f* Tote(r *m*) *f;* Gefallene(r) *m; ~ à l'ennemi* vor dem Feinde gefallen.

tue|-chien [tyʃjɛ̃] *m inv bot* Herbstzeitlose *f;* **~-mouche** *s m inv* Fliegenpilz *m; a: papier ~s* Fliegenpapier *n.*

tue|r [tɥe] töten; tot=, erschlagen; beseitigen, aus dem Wege räumen; um=bringen; den Garaus machen (*qn* jdm); erstechen; *(~ d'un coup de fusil)* erschießen; *(vor Kummer)* unter die Erde bringen; *(Vieh)* schlachten; *(Ungeziefer)* vertilgen; *(Unkraut)* vernichten *a. fig; fig* belästigen; auf die Nerven fallen (*qn* jdm); *fam* kaputt=machen, krank=machen; *se* ~ Selbstmord begehen, sich das Leben nehmen, s-m Leben ein Ende machen; den Tod finden, tödlich verunglücken; sich die größte Mühe geben (*à* zu); ~ *le temps* die Zeit tot=schlagen; *se* ~ *au travail* sich zu Tode arbeiten; ~**rie** [tyri] *f* Metzelei *f*, Gemetzel *n*; *fig* Schlachtbank *f*.

tue-tête [tytɛt] *à* ~ aus Leibeskräften *(schreien)*.

tueur, se [tɥœr, -øz] *m* Schlächter *(im Schlachthaus); (in Zssgen)* Töter *m*; ~ *à gage* gedungene(r) Mörder *m*.

tuf [tyf] *m min* Tuff(stein) *m*; ~**ier, ère** *a* Tuff-.

tuil|e [tɥil] *f* (Dach-)Ziegel *m*, Dachplatte; *fam* unangenehme Überraschung *f*, *fam* Strich *m* durch die Rechnung; ~ *à coulisse* od *ondulée, creuse* od *en S, faîtière* Falz-, Hohl-, Firstziegel *m*; ~ *en écaille, plate* Biberschwanz *m*; ~**eau** *m* zerbrochene(r) Ziegel, Ziegelscherben *m*; ~**erie** *f* Ziegelei *f*; ~**ier** *m* Ziegelbrenner *m*.

tulip|e [tylip] *f* Tulpe; *tech* Lampenglocke *f*; ~**ier** *m* Tulpenbaum *m*.

tull|e [tyl] *m* Tüll *m*; ~ *de soie* Seidentüll *m*; ~**erie** *f* Tüllfabrik *f*; ~**ier, ère** Tüll-.

tum|éfaction [tymefaksjɔ̃] *f med* Schwellung *f*; ~ *ganglionnaire* Drüsenschwellung *f*; ~**éfier** anschwellen lassen; *se* ~ an=schwellen; ~**escence** *f med* Schwellung *f*; ~**escent, e** *med* anschwellend.

tum|eur [tymœr] *f* Tumor *m*; Geschwulst *f*; ~ *cancéreuse* Krebsgeschwulst *f*; ~ *cérébrale* Gehirntumor *m*; ~**oral, e** Geschwulst-.

tumulaire [tymylɛr] *a* Grab-; *pierre f* ~ Grabstein *m*.

tumult|e [tymylt] *m* Tumult, Lärm *m*, Unruhe *f*, Aufruhr, Auflauf *m*; *(Sturm)* Toben *n*; *fig* Sturm *m* (*des passions* der Leidenschaften); Treiben *n* (*du monde* der Welt); *en* ~ in Aufruhr, in Unordnung; ~**ueux, se** [-tɥø, -øz] lärmend, stürmisch, tobend.

tumulus [tymylys] *m* Grabhügel *m*.

tun|age *m*, ~**e** *f* [tynaʒ, tyn] Uferabsteifung *f* (aus Flechtwerk).

tungstène [tœ̃kstɛn] *m chem* Wolfram *n*.

tunique [tynik] *f hist* Tunika *f*; *(Bischof)* Unterkleid *n*; *mil* Waffenrock *m*; *anat bot* Haut *f*; *la sainte* ~ der Heilige Rock *(in Trier)*.

Tunisie, la [tynizi] Tunesien *n*; **t~n, ne** tunesisch; ~**n, ne** *m f* Tunesier(in *f*) *m*.

tunnel [tynɛl] *m* Tunnel, Durchstich *m*; *faire passer un* ~ *sous qc* etw untertunneln; ~ *aérodynamique* Windkanal *m*; ~ *alpestre, pour automobiles, de chemin de fer, routier* Alpen-, Auto-, Eisenbahn-; Straßentunnel *m*; ~ *de lavage* Waschstraße *f*.

turban [tyrbɑ̃] *m* Turban *m*.

turbin [tyrbɛ̃] *m arg* Arbeit *f*.

tur|bine [tyrbin] *f* Turbine *f*; ~ *à air comprimé, à bateaux, à gaz, hydraulique, à vapeur* Preßluft-, Schiffs-, Gas-, Wasser-, Dampfturbine *f*; ~**biner** *pop* schuften; *tech* zur Stromgewinnung aus=nutzen.

turbo|-alternateur [tyrbɔaltɛrnatœr], ~**générateur** *m* Turbogenerator *m*; ~**compresseur** *m* Turboverdichter *m*; ~**moteur** *m* Turbomotor *m*; ~**propulseur** *m* Turbo-Prop-Triebwerk *n*; ~**réacteur** *m* Turbotriebwerk *n*; ~**soufflante** *f* Turbogebläse *n*; ~**statoréacteur** *m* Turbinen-Staustrahltriebwerk *n*; ~**train** *m* Turbozug *m*; ~**voiture** *f mot* Turbo *m*.

turbot [tyrbo] *m zoo* Stein- *od* Glattbutt *m*.

turbulen|ce [tyrbylɑ̃s] *f* Ungestüm, Toben *n*; Ausgelassenheit *f*; *tech* Durchwirbeln *n*, Turbulenz *f*; ~**t, e** [-lɑ̃, -ɑ̃t] ungestüm, wild, unruhig, stürmisch, lärmend, tobend, turbulent.

turc, turque [tyrk] *a* türkisch; *T~, Turque s m f* Türke *m*, Türkin *f*; *t~ m* Türkisch(e) *n*; *zoo* Engerling *m*; *fort comme un T~* stark wie ein Pferd; *tête f de T~ (fam)* Prügelknabe *m*; **T~omans, les** *m* die Turkmenen *m pl*.

turf [tyrf] *m* (Pferde-)Rennbahn *f*, Turf *m*; ~**iste** *m* Freund *m* von Pferderennen.

turgescen|ce [tyrʒɛsɑ̃s] *f* Schwellung *f*; ~**t, e** [-sɑ̃, -ɑ̃t] *med* geschwollen.

turlu|pinade [tyrlypinad] *f* alberne(r) Witz *m*; ~**piner** *fam* auf die Nerven fallen (*qn* jdm); keine Ruhe lassen (*qn* jdm).

turlurette [tyrlyrɛt] *interj vx* trallala!

turlutaine [tyrlytɛn] *f fam* Marotte, Schrulle *f*.

turlututu [tyrlytyty] *interj* papperlapapp! *s m fam* Flöte *f*.

turne [tyrn] *f pop* Bude *f*.

turpitude [tyrpityd] *f* Schändlichkeit, Schande; Verdorbenheit; Schandtat *f*.

turque [tyrk] *s. turc*.

Turqu|ie, la [tyrkiu] die Türkei; **t~in** *a m*: *bleu* ~ türkischblau; **t~oise** *s f min* Türkis *m*; *a* türkisfarben.

tussilage [tysilaʒ] *m bot* Huflattich *m*.

tussor [tysɔr] *m* Tussorseide *f*.

tut|élaire [tytelɛr] schützend; Schutz-;

jur vormundschaftlich; Vormundschafts-; *ange m, puissance f* ~ Schutzengel *m*, -macht *f;* ~**elle** *f jur* Vormundschaft *f; fig* Schutz *m; péj* Bevormundung *f; être sous* (od *en*) ~ unter Vormundschaft stehen; *tenir qn en* ~ *(fig)* jdn am Gängelband führen; ~ *publique* Amtsvormundschaft *f;* ~**eur, trice** *m f* Vormund *m;* Beschützer(in *f*) *m; m (Gärtnerei)* Stütze *f; nommer un* ~ e-n V. bestellen; *constitution f d'un* ~ Bestellung *f* e-s Vormundes; ~**eurer** *(Pflanze)* (ab≈) stützen.
tut(h)ie [tyti] *f chem* Zinkblumen *f pl.*
tut|oiement [tytwamɑ̃] *m* Duzen *n;* ~**oyer** duzen, auf dem Duzfuß stehen (*qn* mit jdm).
tutu [tyty] *m* Ballettröckchen *n.*
tuyau [tɥijo] *m* Rohr *n,* Röhre *f;* Schlauch; *(Lokomotive)* Schornstein; *(~ de paille)* (Stroh-)Halm; (Feder-) Kiel *m; (~ d'orgue)* (Orgel-)Pfeife; *(Kleid)* Röhrenfalte *f; fig fam* Tip, (vertraulicher) Wink; *(Schule)* Spickzettel *m; attache f de* ~ Rohrschelle *f;* ~ *d'amenée* Zuleitung(srohr *n*) *f;* ~ *d'arrosage* Gartenschlauch *m;* ~ *d'aspiration* Saugrohr *n;* ~ *de branchement* Abzweigung(srohr *n*) *f;* ~ *de caoutchouc* Gummischlauch *m;* ~ *de chauffage* Heizungsrohr *n;* ~ *de conduite d'eau* Wasserleitungsrohr *n;* ~ *coudé* Knierohr, -stück *n;* ~ *de décharge* Abflußrohr *n;* ~ *en fonte* Gußrohr *n;* ~ *à manchon* Muffenrohr *n;* ~ *de poêle* Ofenrohr *n; pop* Angströhre *f,* Zylinder *m;* ~ *de prise d'essence* Benzinzuleitung *f;* ~ *de raccordement* Anschlußrohr *n;* ~ *de trop-plein* Überlaufrohr *n;* ~**tage** *m* Rohrleitung *f,* -netz *n; fam* Mogelei *f;* ~**ter** *tr* in Röhrenfalten legen; *fam* vertrauliche Mitteilungen machen (*qn* jdm); *(Schule)* vor≈sagen, ein blasen; *itr* mogeln, *(Schule)* spicken, ab≈schreiben; ~**terie** *f* Rohrleitung(-en *f pl*) *f,* Rohrleitungsnetz, Röhrenwerk *n;* Röhrenhandel *m; raccords m pl de* ~ Fittings *n pl.*
tuyère [ty(ɥi)jɛr] *f tech* Düse; *(Hochofen)* Form *f.*

twis|t [tɥist] *m (Tanz)* Twist *m;* ~**ter** Twist tanzen.
tympan [tɛ̃pɑ̃] *m anat* Trommelfell; *arch* Tympanon, Giebelfeld; *tech* Schöpf-, Trommelrad *n; typ* Preßdekkel *m; à crever le* ~ *(fig)* ohrenbetäubend; *caisse f du* ~ *(anat)* Paukenhöhle *f;* ~**iser** [-pa-] *fam vx* aus≈posaunen; die Ohren voll≈reden (*qn* jdm); ~**isme** *m,* ~**ite** *f med* Blähungen *f pl.*
tympanon [tɛ̃panɔ̃] *m mus* Hackbrett *n.*
typ|e [tip] *s m* Type *f,* Baumuster *n,* -art *f,* Modell *n,* Ausführung *f; allg* Typ(us) *m,* Grundform *f;* Vorbild; Urbild *n; typ* Buchstabe *m,* Letter, (Druck-)Type *f; pop* Kerl, Mann, Mensch *m, péj* Type, Marke *f; a* Modell-, Standard-; *être le* ~ *de qn* jds Typ, Fall sein; ~*-standard,* ~*-courant m* Standardtype *f;* ~**esse** *f pop* Weib *n.*
typhique [tifik] *a med* Typhus-; typhuskrank; *s m f* Typhuskranke(r *m*) *f.*
typhlite [tiflit] *f* Blinddarmentzündung *f.*
typhoïde [tifɔid] *a med* typhusartig; *s f (fièvre f* ~*)* Typhus *m.*
typhon [tifɔ̃] *m* Taifun *m.*
typhus [tifys] *m med (~ exanthématique)* Flecktyphus *m.*
typ|ique [tipik] typisch, charakteristisch; originell, einmalig; bildhaft, sinnbildlich, symbolisch; ~**isation** *f* Typisierung, Standardisierung, Vereinheitlichung *f.*
typo|(graphe) [tipɔ(graf)] *m* (Buch-) Drucker *m;* ~**graphie** *f* Buchdruckerei; Buchdruckerkunst *f;* ~**graphique** typographisch; ~**mètre** *m* Typometer *n;* ~**télégraphe** *m* Drucktelegraph *m.*
tyran [tirɑ̃] *m* Tyrann *m;* ~**neau** [-ra-] *m* kleine(r) Tyrann *m;* ~**nicide** *m* Tyrannenmord *m;* ~**nie** *f* Tyrannei, Gewaltherrschaft *f; fig* Zwang *m;* Grausamkeit; *hist* Tyrannis *f;* ~**nique** tyrannisch; gewalttätig; unwiderstehlich; ~**niser** tyrannisieren; *fig* unterdrücken; völlig beherrschen.
Tyrol, le [tirɔl] Tirol *n; le* ~ *méridional* Südtirol *n;* ~**ien, ne** *m f* Tiroler(in *f*) *m;* ~*ne f* Jodler *m.*
tzar [tsar] *m s. tsar.*
tzigane [tsgan] *m f s. tsigane.*

U

ubac [ybak] *m* Nordhang *m (in den Alpen).*
ubiquité [ybikɥite] *f* Allgegenwart *f; je n'ai pas le don d'~* ich kann nicht überall zu gleicher Zeit sein.
ukase [ykɑz] *m* strikte(r) Anweisung *f od* Befehl, Ukas *m.*
Ukrai|ne, l' [ykrɛn] *f* die Ukraine; **~nien, ne** *a* ukrainisch; *l'~* das Ukrainische; *U~, ne s m f* Ukrainer(in *f*) *m.*
ulc|ération [ylserasjɔ̃] *f med* Verschwärung *f;* Geschwür *n; fig* Verbitterung *f;* **~ère** *m med* Geschwür *n; ~ de l'estomac, gastrique* Magengeschwür *n; ~ de jambe, variqueux* Krampfadergeschwür *n;* **~éré, e** schwärend; *fig* verärgert; *avoir le cœur, la conscience ~(e) (fig)* tief gekränkt *od* verbittert sein, von Gewissensbissen gepeinigt werden; **~érer** *med* ein Geschwür verursachen (*qc* auf etw *dat*); *fig* verbittern, sehr kränken; *s'~* schwären; *fig* verbittert werden; **~éreux, se** schwärend; mit Geschwüren bedeckt.
ulex [ylɛks] *m* Stechginster *m.*
uligi|naire, ~neux, se [yliʒinɛr; -nø, -z] *bot* hygrophil, feuchtigkeitsliebend.
ul|macées [ylmase] *f pl bot* Ulmengewächse *n pl;* **~maire** *f bot* Geißbart *m;* **~mique** *chem* humussauer.
ultérieur, e [ylterjœr] *(örtlich) geog* jenseitig; *(zeitlich)* später; *(Reihenfolge)* fernere(r, s), weitere(r, s); nachträglich; *traitement m ~* Nachbehandlung; Weiterverarbeitung *f;* **~ement** *adv* später, in der Folge, hernach.
ul|timatum [yltimatɔm] *m pol* Ultimatum; *fig* letzte(s) Wort *n;* **~time** (aller)letzte(r, s); äußerste(r, s); **~timo** *adv* zuletzt.
ultra|... [yltra] *in Zssgen:* über-, ultra-; *a fig* übertrieben, extrem; *s m* Extremist *m;* **~-court, e:** *ondes f pl ~es (radio)* Ultrakurzwellen *f pl;* **~microscope** *m* Ultramikroskop *n;* **~montain, e** *rel* ultramontan; **~rouge** ultra-, infrarot; **~(-)son** *m* Ultraschall *m;* **~(-)sonore** *a: ondes f pl ~s* Ultraschallwellen *f pl;* **~(-)sonothérapie** *f med* Ultraschalltherapie *f;* **~violet, te** ultraviolett; *exposition f aux rayons ~s* Bestrahlung *f* mit Höhensonne.
ulul|ation [ylylasjɔ̃] *f,* **~ement** *m* Schreien *n (der Eulen);* **~er** *(Eule)* schreien; *allg* laut jammern.
un, une [œ̃, yn] ein(er, e, s); einzig; ungeteilt; einheitlich; eins; *(nachgestellt): acte, chapitre m ~* erste(r) Akt *m;* erste(s) Kapitel *n; s m* Einer *m;* Eins, *f* erste Blattseite *f; l'~ ..., l'autre* der e-e ... der andere; *l'~ l'autre* einander, sich gegenseitig; *l'~ et l'autre* beide(s); *l'~ dans l'autre* durchschnittlich; *l'~ après l'autre* einer nach dem ander(e)n; *~ à ~* einzeln, hinter-, nachea., einer nach dem ander(e)n; *~ par ~* e-r nach dem anderen; *de l'~ à l'autre* von einem zum ander(e)n; *de deux choses l'~e* eins von beiden; *en ~e pièce* einteilig; *de deux jours l'~* einen um den andern, jeden zweiten Tag; *ni l'~ ni l'autre* keine(r, s) von beiden; *pas ~, ~e* nicht ein(er, e, es), kein(er, e, es); *ne faire qu'~* ein Herz u. eine Seele sein; *c'est tout ~* das ist ganz gleich, einerlei.
unanim|e [ynanim] einstimmig; einmütig, einhellig; *à défaut d'accord ~* falls keine Einstimmigkeit erzielt wird; *être ~(s) sur qc* über e-e S einer Meinung sein; **~ité** *f* Einstimmig-, Einmütig-, Einhelligkeit *f; à l'~* einstimmig, geschlossen *adv; obtenir l'~ des suffrages* einstimmig gewählt werden.
unciforme [ɔ̃sifɔrm] hakenförmig.
unguéal, e [ɔ̃gɥeal] *anat* Nagel-.
uni, e [yni] *a* verein(ig)t, verbunden; einig; *(Stoff)* ungemustert, einfarbig; glatt; *(Fläche)* glatt, eben; *(Leben)* gleichförmig, eintönig; *(Stimme)* ausdruckslos; *(Stil)* einfach, schlicht, schmucklos; *(Mensch) vx* einfach, unkompliziert; *s m* ungemusterte(r), glatte(r) Stoff *m;* **~caule** [-kol] *bot* einstielig; **~cellulaire** *biol* einzellig; **~cellularité** *f* Einzelligkeit *f;* **~cité** *f* Einmaligkeit *f;* **~colore** einfarbig; **~corne** *a* mit einem Horn; **~fication** *f* Vereinigung; Vereinheitlichung *f;* **~fier** vereinigen; zs.=schließen, -tun, -fügen; vereinheitlichen; **~flore** *bot* mit schaftständiger Blütenhülle; **~folié, e** *bot* einblätt(e)rig; **~forme** *a* gleichförmig, -artig, -mä-

ßig; einheitlich; einförmig; *s m* Uniform; Dienstkleidung *f;* **~formément** *adv* gleichförmig; **~formisation** *f* Vereinheitlichung, Uniformierung *f;* **~formiser** vereinheitlichen; *pol* gleich=schalten; **~formité** *f* Ein-, Gleichförmigkeit; Eintönigkeit; Übereinstimmung *f;* **~jambiste** einbeinig; **~labié, e** *bot* einlippig; **~latéral, e** *jur* einseitig, unilateral; **~nominal, e** auf einen Namen lautend; einen N. enthaltend; *scrutin m ~* Persönlichkeitswahl *f.*

union [ynjɔ̃] *f* Zs.schluß *m,* Vereinigung *a. biol,* Verbindung *f;* Verein; Verband, Bund *m;* Bündnis *n,* Union; Genossenschaft, (Arbeits-)Gemeinschaft; Ehe(-bund *m*); Einigkeit *f; l'~ fait la force* Einigkeit macht stark; *~ de crédit* Kreditgenossenschaft *f; ~ douanière* Zollunion *f; hist* Zollverein *m; ~ économique* Wirtschaftsverband *m; U~ Européenne des Paiements* Europäische Zahlungsunion *f; U~ Interparlementaire* Interparlamentarische Union *f; ~ libre* eheähnliche Gemeinschaft *f; U~ Parlementaire Européenne* Europäische Parlamentarische Union *f; U~ Postale Universelle* Weltpostverein *m; U~ Soviétique* Sowjetunion *f.*

uni|pare [ynipar] (nur) ein Junges zur Welt bringend; **~polaire** [ynipɔlɛr] einpolig.

unique [ynik] einzig, alleinig, einzeln; einzigartig, einmalig, unvergleichlich; *fam* eigenartig, komisch; Einzel-; Einheits-; *école f ~* Einheitssschule *f; juge m ~* Einzelrichter *m; liste f ~ (pol)* Einheitsliste *f; magasin m à prix ~* Einheitspreisgeschäft *n; sens m ~* Einbahnstraße *f;* **~ment** *adv* einzig u. allein.

unir [ynir] verein(ig)en, zs.=schließen, verbinden; verheiraten, trauen; *tech* zu=richten, ab=hobeln, -ziehen, glätten; *s'~* sich vereinigen, sich zs.=schließen; sich verheiraten, sich vermählen.

unisexué, e [ynisɛksɥe] *bot* eingeschlechtlich.

unisson [ynisɔ̃] *m* Ein-, Gleichklang *m; à l'~* einstimmig; einmütig; *être à l'~ (fig)* mitea. harmonieren; *se mettre à l'~* sich an=passen (*de* an *acc*), sich richten (*de* nach).

uni|taire [ynitɛr] *a* einheitlich, unitarisch; *s m* Unitarier *m;* **~té** *f* Einheit *a. math phys;* Einheitlichkeit *f; math* Einer *m; tech* Ganze(s) *n; mil* Einheit *f,* Truppenteil, *(grande ~)* Verband *m; chef m de l'~ (mil)* Einheitsführer *m; ~ de commande (inform)* Steuerwerk *n; ~ de longueur, de lumière, de mesure, monétaire, de superficie, de temps* Längen-, Licht-, Maß-, Währungs-, Flächen-, Zeiteinheit *f; ~ de valeur (Universität)* Schein *m.*

univers [ynivɛr] *m* Welt(all *n*) *f,* Universum *n;* **~alisation** [-sa-] *f* Verallgemeinerung *f;* **~aliser** verallgemeinern; **~alité** *f* Allgemeinheit, allgemeine Verbreitung; Viel-, Allseitigkeit; *jur* Gesamtheit *f;* **~el, le** allgemein, umfassend, all-, vielseitig, universal; Welt-; *exposition f ~le* Weltausstellung *f.*

univer|sitaire [ynivɛrsitɛr] *a* Universitäts-, Hochschul-; akademisch; *s m* Hochschullehrer *m; cité f ~* Studentenwohnheim *n; droits m pl ~s* Studiengebühren *pl;* **~sité** *f* Universität, Hochschule *f; l'U~* Lehrkörper *m* (aller französischen Schulen).

univalent, e [ynivalɑ̃, -ɑ̃t] *chem* einwertig.

uran|ate [yranat] *m* Uransalz *n;* **~e** *m* Uranoxyd *n;* **~ine** *f* Uranpecherz *n;* **~ique** *a* Uran-; **~ite** *f* Uranit, Uranglimmer *m;* **~ium** [-jɔm] *m* Uran *n.*

uranographie [yranɔgrafi] *f* Himmelsbeschreibung *f.*

urb|ain, e [yrbɛ̃, -ɛn] städtisch; Stadt-; *agglomération f ~e* städtische Siedlung *f; chauffage m ~* Fernheizung *f; population f ~e* Stadtbevölkerung *f; réseau m ~ (tele)* Orts-, Stadtnetz *n;* **~anisation** *f* Verstädterung *f;* **~aniser** e-n städtischen Charakter verleihen; um=gestalten; verstädtern *tr;* **~anisme** *m* Städtebau *m,* Stadtplanung *f; ~ régional* Landesplanung *f;* **~aniste** *m* Städtebauer *m;* **~anistique** städtebaulich.

urbanité [yrbanite] *f* Höflichkeit *f.*

ur|ée [yre] *f chem* Harnstoff *m;* **~émie** *f med* Urämie, Harnvergiftung *f;* **~etère** *m* Harnleiter *m;* **~étérique** *a* Harnleiter-; **~étral, e** Harnröhren-; **~ètre** *m* Harnröhre *f.*

urgen|ce [yrʒɑ̃s] *f* Dringlichkeit *f; d'~* dringend; *dans les cas d'~* in dringenden Fällen; *il y a ~* die Sache drängt, ist sehr eilig; *admission, habitation, vente f d'~* Notaufnahme, -wohnung *f,* -verkauf *m; degré m d'~* Dringlichkeitsstufe *f; état m d'~ (pol)* Not-, Ausnahmezustand *m; ordre m d'~* Reihenfolge *f* der Dringlichkeit *f;* **~t, e** [-ʒɑ̃, -ɑ̃t] dringend, dringlich, eilig; *(auf Postsendungen)* eilt; *très ~* eilt sehr! *besoin, cas m ~* dringende(r) Bedarf, Fall *m.*

uri|naire [yrinɛr] Harn-; **~nal** *m* Harnglas *n;* **~ne** *f* Harn, Urin *m;* **~ner** Wasser lassen, harnen, urinieren;

~**noir** *m* Bedürfnisanstalt *f;* ~**que:** *acide m* ~ Harnsäure *f.*
urne [yrn] *f* Urne *f;* ~ *électorale* Wahlurne *f.*
uro|cystite [yrɔsistit] *f* Blasenentzündung *f;* ~**dynie** *f* Schmerzen *m pl* beim Wasserlassen; ~**lithe** *m* Blasenstein *m;* ~**logie** *f* Urologie *f;* ~**logue** *m* Facharzt *m* für Krankheiten der Harnorgane, Urologe *m;* ~**scopie** *f* Harnuntersuchung *f.*
urti|cacées [yrtikase] *f pl bot* Urtikazeen *f pl,* Nesselgewächse *n pl;* ~**caire** *f* Nesselsucht *f,* -ausschlag *m;* ~**cant, e** *med* Brennen verursachend; ~**tation** *f* Brennen *n* durch Berühren von Brennesseln.
us [ys] *m pl;* ~ *et coutumes* Sitten u. Gebräuche *pl.*
usa|ge [yzaʒ] *m* Brauch *m,* Gewohnheit, Sitte *f,* Herkommen *n; gram* Sprachgebrauch; Gebrauch *m,* Anwendung, Benutzung *f;* Nutzen, Dienst, Genuß; *jur* Nießbrauch *m,* Nutzungsrecht *n;* Übung, Erfahrung; Lebensart *f; à l'*~ *de ...* für den, zum Gebrauch *gen; d'après les* ~*s* wie üblich; *hors d'*~ außer Gebrauch; nicht mehr gebräuchlich; veraltet; *sous les réserves d'*~ unter üblichem Vorbehalt; *avoir l'*~ *de qc (vx)* mit etw vertraut sein; *être d'*~ gebräuchlich, üblich sein; *faire* ~ benutzen (*de qc* etw); *faire mauvais* ~ *de qc* etw mißbrauchen; *garanti à l'*~ garantiert haltbar; *références f pl d'*~ übliche Referenzen *f pl;* ~ *de commerce* Handelsbrauch *m;* ~ *externe (pharm)* äußerlich; ~ *de la force* Gewaltanwendung *f;* ~ *du monde* gute(s) Benehmen *n;* ~**gé, e** gebraucht; getragen; ~**ger, ère** *a* zum, für den (persönlichen) Gebrauch; *s m f* Benutzer(in *f*), Verbraucher(in *f*), Teilnehmer(-in *f*); *jur* Inhaber(in *f*) *m* e-s Nutzungsrechtes; ~ *de la route* Straßenbenutzer, Verkehrsteilnehmer *m.*
usance [yzɑ̃s] *f com* Wechselfrist *f; lettre f de change à* ~ Usowechsel *m.*
us|é, e [yze] verbraucht, abgenutzt; abgetragen, verschlissen; abgegriffen; ausgeleiert; *(Mensch)* verbraucht, abgelebt; *mil allg* abgekämpft; *(Thema)* abgedroschen; *(Geschmackssinn)* abgestumpft; *eaux f pl* ~*es* Abwässer *n pl;* ~**er** *v itr* an=wenden, (ge)brauchen (*de violence* Gewalt), Gebrauch machen (*de* von); *tr* verbrauchen, ab=nutzen, verschleißen; *(Kleidung)* ab=tragen; *tech* ab=schleifen, ab=scheuern; *fig* auf=reiben, zermürben, schwächen, untergraben; *s'*~ sich ab=nutzen; sich auf=reiben, sich ab=kämpfen, sich verbrauchen, sich ab=stumpfen; *tech* sich durch=scheuern; *(Lager)* aus=laufen; *en* ~ *avec qc (vx)* mit etw um=gehen, verfahren; *en* ~ *avec qn* jdn behandeln.
usi|nage [yzinaʒ] *m tech* Be-, Verarbeitung, Fertigung; Ausführung *f;* ~**ne** *f* Fabrik *f,* Werk *n,* Betrieb *m,* Anlage *f; à l'*~ ab Werk; ~ *aéronautique, d'avions* Flugzeugfabrik *f;* ~ *affiliée* Zweigwerk *n;* ~ *d'agglomération, à briquettes* Brikettfabrik *f;* ~ *d'armement* Rüstungsbetrieb *m;* ~ *de ballast* Schotterwerk *n;* ~*-barrage f* Nahstaukraftwerk *n;* ~ *à chaux* Kalkwerk *n;* ~ *des eaux* Wasserwerk *n;* ~ *d'énergie électrique* Elektrizitätswerk *n;* ~ *à gaz* Gaswerk *n;* ~ *hydraulique* Pumpwerk *n;* ~ *d'accumulation* Speicherkraftwerk *n;* ~ *hydro-électrique, thermo-électrique* Wasser-, Wärmekraftwerk *n;* ~ *d'incinération d'ordures (eco)* Müllverbrennungsanlage *f;* ~ *de laminage* Walzwerk *n;* ~*-livreuse f* Lieferwerk *n;* ~ *de construction de machines-outils* Werkzeugmaschinenfabrik *f;* ~ *métallurgique* Hütte(nwerk *n*) *f;* ~ *de (re)traitement (eco)* (Wieder-) Aufbereitungsanlage *f;* ~ *sidérurgique* Eisenhüttenwerk *n;* ~ *de tissage* (mechanische) Weberei *f;* ~**ner** ver-, bearbeiten, verformen; (fabrikmäßig) her=stellen; ~**nier** *s m* Fabrikant, Fabrikbesitzer *m; a: paysage m* ~ Industrielandschaft *f.*
usité, e [yzite] gebräuchlich, üblich.
ustensile [ystɑ̃sil] *m* Gerät, Werkzeug, *pl* Geschirr *n,* Utensilien *n pl;* ~ *de cuisine, de ménage* Küchen-, Haushaltgerät *n.*
usuel, le [yzɥɛl] gebräuchlich, üblich; gewöhnlich; *art m* ~ Gebrauchskunst *f.*
usufruit [yzyfrɥi] *m* Nutz(nieß)ung *f,* Nießbrauch *m* (*sur* an *dat*); ~**ier, ère** *m f* Nutznießer(in *f*) *m.*
usu|raire [yzyrɛr] wucherisch; Wucher-; *intérêts m pl* ~*s* Wucherzinsen *m pl;* ~**re** *f* **1.** Wucher *m;* **2.** Abnutzung *f,* Verschleiß *m; prêter à* ~ zu Wucherzinsen leihen; *guerre f d'*~ Abnutzungskrieg *m; résistant à l'*~ widerstandsfähig, verschleißfest; *(Kleidung)* strapazierfähig; *valeur f d'*~ Abnutzungswert *m,* Abschreibung *f;* ~**rier, ère** *s m f* Wucherer *m,* Wucherin *f; a* wucherisch.
usur|pateur, trice [yzyrpatœr, -tris] *m f* Usurpator, unrechtmäßige(r) Besitzer(in *f*) *m;* ~**pation** *f* widerrechtliche Inbesitznahme *f;* ~**per** *tr* sich widerrechtlich an=eignen, gewaltsam

in Besitz nehmen; *itr* über≈greifen (*sur* auf *acc*).

ut [yt] *m mus* c, C *n;* ~ *dièse* cis, Cis *n;* ~ *majeur, mineur* C-Dur, c-Moll *n.*

uté|rin, e [yterɛ̃, -in] *anat* Gebärmutter-; mütterlicherseits; **~rus** [-ys] *m anat* Gebärmutter *f.*

util|e [ytil] *a* nützlich, brauchbar, zweckdienlich, vorteilhaft; *s m* (das) Nützliche; *en temps* ~ zur rechten Zeit; *joindre l'~ à l'agréable* das Angenehme mit dem Nützlichen verbinden; *juger, croire* ~ für ratsam halten; **~isable** brauchbar; verwertbar; verwendbar; **~isateur, trice** *m* Benutzer(in *f*) *m,* Verbraucher(in *f*), Abnehmer(in *f*) *m;* **~isation** *f* Verwertung, Ausnutzung; Benutzung, Verwendung *f;* Einsatz *m;* ~ *des déchets* Abfallverwertung *f;* ~ *des eaux usées* Abwasserverwertung *f;* ~ *pacifique de l'énergie atomique* friedliche Nutzung *f* der Atomenergie; ~ *des forces hydrauliques* Nutzung *f* der Wasserkraft; ~ *des immondices* Müllverwertung *f;* ~ *des loisirs* Freizeitgestaltung *f;* **~iser** aus≈nutzen; nutzbar machen; gebrauchen, an≈wenden, benutzen; **~itaire** Nutz-; *article m* ~ Gebrauchsartikel *m; véhicule m* ~ Nutzfahrzeug *n;* **~itarisme** *m* Utilitarismus; *fam* Materialismus *m;* **~ité** *f* Nützlichkeit *f,* Nutzen *m;* Brauchbarkeit, Verwendbarkeit *f; pl theat* Nebenrollen *f pl; d'~ publique* gemeinnützig; *être d'une grande* ~ sehr nützlich, sehr vorteilhaft sein.

utop|ie [ytɔpi] *f* Utopie *f,* Hirngespinst *n;* **~ique** utopisch; **~iste** *m* Utopist, Träumer, Weltverbesserer *m.*

uv|aire [yvɛr] traubenartig; **~al, e** Trauben-; *cure f ~e* Traubenkur *f; station f ~e* Ausschank *m* von Traubensaft; **~iforme** traubenförmig.

uvu|laire [yvylɛr] *anat* uvular; Zäpfchen-; **~le** *f anat* Zäpfchen *n.*

V

va [va] *s. aller; interj* meinetwegen! einverstanden! es gilt! *fam* geh! glaub mir's! *s m (Pharaospiel)* Einsatz *m; ~-et-vient m inv* Hin u. Her; Kommen u. Gehen; *tech* Spiel *n; el* Gegentakt; Wechselschalter *m;* Drahtseilbahn *f* mit Pendelverkehr; *mar* Fährseil *n; mouvement m de ~* Hin- u. Herbewegung *f; ~-nu-pieds m inv* Habenichts *m; ~-tout m inv* Einsatz *m* aller Mittel; *jouer son ~* alles aufs Spiel, auf e-e Karte setzen; *~-vite f: à la ~* oberflächlich, in Eile.

vac|ance [vakɑ̃s] *f* freie, unbesetzte Stelle *f; pl* Ferien *pl; en ~s* in *od* im Urlaub; *combler une ~ (pol)* e-n Sitz neu besetzen; *pourvoir à une ~* e-e offene Stelle besetzen; *prendre des ~s* in Urlaub gehen; *colonie f de ~s* Ferienkolonie *f; ~s f pl annuelles* Jahresurlaub *m; ~s f pl judiciaires, parlementaires* Gerichts-, Parlamentsferien *pl; ~s de neige* Schi-, Winterurlaub *m;* **~ancier** *m* Feriengast; Urlauber(in *f*) *m;* **~ant, e** *(Stelle)* offen frei, vakant, unbesetzt; *(Wohnung)* frei, leer(stehend); *jur* herrenlos.

vacarme [vakarm] *m* (Heiden-)Lärm, Radau, Krach *m,* Getöse *n.*

vaca|taire [vakatɛr] *s m f* Aushilfe *f;* **~tion** *f* Zeitaufwand *m (e-s Beamten);* Dienststunden *f pl;* Betriebszeit *f; pl* Präsenz-, Tagegelder *n pl,* Gebühren *f pl; jur* Gerichtsferien *pl.*

vaccin [vaksɛ̃] *m* (Kuhpocken-)Impfstoff *m; ~ antitétanique* Tetanusimpfung *f;* **~al, e** [-si-] Impf-; **~ation** *f* Impfung *f; ~ jennerienne* Kuhpockenimpfung *f; ~ par voie buccale* Schluckimpfung *f;* **~e** *f* Kuhpocken *pl;* **~er** impfen; *fig fam* immun machen.

vach|e [vaʃ] *s f* Kuh *f;* Kuhfleisch, *(cuir m de ~)* -leder *n; pop* Polizist *m; a pop* gemein, schuftig; *manger de la ~ enragée (fam)* viel durch=machen, sich kümmerlich durch=schlagen; *parler français comme une ~ espagnole* Französisch radebrechen; *~ à eau* Wassereimer *m* aus Segeltuch; *~ à lait* Milchkuh *f a. fig; ~ marine* Walroß *n;* Seekuh *f;* **~er, ère** *m f* Kuhhirt *m,* Stallmagd *f;* **~erie** *f* Kuhstall; *pop* üble(r) Streich *m,* Gemeinheit *f;* **~ette** *f* Vachetteleder *n.*

vacill|ant, e [vasijɑ̃, -ɑ̃t] schwankend *a. fig,* taumelnd; wack(e)lig; *(Licht)* flackernd; *fig* wankelmütig, unbeständig, unschlüssig; **~ation** *f* Schwanken *a. fig,* Wackeln; *(Licht)* Flackern *n; fig* Unentschlossenheit, Unschlüssigkeit *f;* **~ement** *m* Schwanken; Flakkern *n;* **~er** wackeln, (sch)wanken; schlackern, zittern, taumeln; *(Licht)* flackern; *fig* schwanken, unschlüssig *od* unbeständig sein; *(Gedächtnis)* unzuverlässig sein.

vacu|ité [vakɥite] *f* Leere *f;* **~ole** *f biol geol* Höhlung *f,* Hohlraum *m;* **~omètre** *m* Unterdruckmesser *m.*

vadrouill|e [vadruj] *f pop* Bummel *m;* **~er** *pop* bummeln.

vagabond, e [vagabɔ̃, -ɔ̃d] *a* umher=schweifend, unstet, ruhelos; *el* vagabundierend; *s m* Landstreicher, Vagabund, *fam* Tippelbruder *m;* **~age** *m* Landstreicherei *f;* **~er** (herum=)strolchen, vagabundieren; sich herum=treiben; *fig (Gedanken)* schweifen, umher=wandern.

vagin [vaʒɛ̃] *m anat* Scheide *f;* **~al, e** [-ʒi-] Scheiden-; **~isme** *m med* Scheidenkrampf *m;* **~ite** *f med* Scheidenentzündung *f.*

vag|ir [vaʒir] wimmern; *(Neugeborenes)* schreien; **~issement** *m* Wimmern, Schreien *n.*

vague [vag] *s f* Welle *a. fig,* Woge *f; a* unbestimmt, undeutlich, verschwommen, vag(e), unklar; unsicher, unzuverlässig *(Kleidung)* lose, hängend; *(Land)* unbebaut, öde; *s m* (das) Unbestimmte, Leere, Verschwommene; *se perdre dans le ~* ins Blaue hinein reden; den festen Boden unter den Füßen verlieren *fig; rester dans le ~* im unklaren bleiben; *crête f, creux m, hauteur, ligne f des ~s* Wellenberg *m,* -tal *n,* -höhe *f,* -kamm *m; piscine f à ~s* Wellenbad *n; terre f (vaine et) ~* Ödland *n; ~ m à l'âme* unbestimmte Sehnsucht *f,* Weltschmerz *m; ~ f d'assaut, de chaleur, déferlante, de froid, de proue* Angriffs-, Hitze-, Brandungs-, Kälte-, Bugwelle *f; ~ f de sauterelles* Heuschreckenschwarm *m.*

vaguemestre [vagmɛstr] *m mil* mit

der Verteilung der Post beauftragte(r) Unteroffizier *m.*

vaguer [vage] *itr* umher=streifen; *fig (Gedanken)* schweifen, irren; *tr (Bierwürze)* um=rühren.

vaill|amment [vajamɑ̃] *adv* tapfer; **~ance** *f* Tapferkeit, Beherztheit *f,* Schneid *m;* **~ant, e** tapfer, mutig, beherzt; *n'avoir pas un sou* ~ keinen Pfennig Geld *od* roten Heller haben.

vain, e [vɛ̃, vɛn] vergeblich; unnütz, ergebnis-, fruchtlos; leer *(a. Versprechungen),* nichtig; stolz, hochmütig, eingebildet, eitel; *(Befürchtungen)* unbegründet; *en* ~ umsonst, vergebens, vergeblich; **~ement** *adv* umsonst, vergebens, vergeblich.

vain|cre [vɛ̃kr] *irr* besiegen, bezwingen, überwältigen, *mil* schlagen; *fig* überwinden, übertreffen, überflügeln, überrunden; *(Schwierigkeit)* meistern, Herr werden *gen;* **~cu, e** *pp* besiegt, überwunden; *s m f* Besiegte(r *m) f;* **~queur** *s m* Sieger (*de* über *acc*), Überwinder *m; a* siegreich; *fig* unwiderstehlich; ~ *aux points (sport)* Punktsieger *m.*

vair [vɛr] *m* Feh *n.*

vairon [vɛrɔ̃] *a (Augen)* verschieden(farben); glasäugig; *s m* Elritze *f (Fisch).*

vaisseau [vɛso] *m mar* Schiff; *anat bot* Gefäß; *arch* (Kirchen-)Schiff *n;* *~x capillaires, lymphatiques, sanguins* Kapillar-, Lymph-, Blutgefäße *n pl;* *~-école m, de guerre, garde-côte* Schul-, Kriegs-, Küstenwachschiff *n;* *~ de l'espace* (Welt-)Raumschiff *n; le V~ fantôme (Oper)* der Fliegende Holländer; *~ spatial (cosm)* Raumschiff *m.*

vaiss|elier [vɛsəlje] *m* Geschirrschrank *m;* **~elle** *f* (Tafel-, Tisch-)Geschirr *n; faire la* ~ (das) Geschirr spülen; ab=waschen; *eau f de* ~ Spül-, Abwaschwasser *n.*

val [val] *m vx* Tal *n; par monts et par vaux* über Berg u. Tal.

valable [valabl] gültig; annehmbar, zulässig; *(Grund)* triftig; *jur* rechtsverbindlich; *~ pour une semaine* e-e Woche gültig.

Valais, le [valɛ] das Wallis; **~an, e** *m f* Walliser(-in *f*) *m.*

valence [valɑ̃s] *f chem* Wertigkeit *f; gram* Valenz *f.*

valenciennes [valɑ̃sjɛn] *f* Valenciennes-Spitze *f.*

valéria|nate [valerjanat] *m chem* Baldriansalz *n;* **~ne** *f bot pharm* Baldrian *m.*

valet [valɛ] *m* Bediente(r), (Haus-)Diener *m; tech* Angel *f,* Kloben *m,* Stütze *f; (Kartenspiel)* Bube *m; tel maître, tel* ~ wie der Herr, so 's Gescherr; *~ de chambre* Kammerdiener *m; ~ de ferme* (Bauern-)Knecht *m.*

valétudinaire [valetydinɛr] kränklich.

valeur [valœr] *f* Wert *m; com* Valuta *f,* Wertpapier *n;* Bedeutung, Wichtigkeit; Gültigkeit; *(Argument)* Durchschlagskraft; Tüchtigkeit; Tapferkeit *f; mus* Wert *m,* Tondauer *f; pl (Statistik)* Meßzahlen *f pl; à sa* ~ s-m Wert entsprechend; *de* ~ wertvoll; *de faible* ~ geringwertig; *d'une* ~ *de ...* im Werte von; *la* ~ *de ...* ungefähr, etwa ...; *sans* ~ wertlos; nicht stichhaltig; *attacher de la* ~ *à qc* e-r S Bedeutung bei=messen; Wert auf e-e legen; *augmenter de* ~ im Wert steigen; *estimer à sa juste* ~ richtig bewerten; *mettre en ~, donner de la ~ à* zur Geltung bringen; hervor=heben; *agr* bestellen; *augmentation f de* ~ Wertzuwachs *m,* -steigerung *f; clause f de ~ fournie* Währungsklausel *f; colis m en ~ déclarée* Wertpaket *n; déclaration f de* ~ Wertangabe *f; diminution f de* ~ Wertabnahme, -verminderung *f; étalon m, mesure f de* ~ Wertmaßstab *m; mise f en* ~ Auswertung; *agr* Bestellung, Urbarmachung *f; ~ d'achat, d'acquisition* Kauf-, Anschaffungswert *m; ~ alimentaire, nutritionnelle* Nährwert *m; ~ approchée* Näherungswert *m; ~ de bilan* Bilanzwert *m; ~ en bourse* Börsenwert *m; ~ calorifique* Heizwert *m; ~ d'échange* Tauschwert *m; ~ estimative* Schätzwert *m; ~ à l'état neuf* Neuwert *m; ~ faciale, nominale* Nennwert *m; ~ fondamentale* Grundwert *m; ~s immobilisées* Anlagevermögen *n; ~-limite f* Grenzwert *m; ~ litigieuse* Streitwert *m; ~ locative* Mietwert *m; ~ marchande* Handels-, Marktwert *m; ~ maximum, minimum, moyenne* Höchst-, Mindest-, Durchschnittswert *m; ~s minières (min)* Kuxwerte *m pl; ~s mobilières* Effekten *pl; ~ numériques* Zahlenwert *m; ~ or* Goldwert *m; ~s de père de famille, de tout repos* mündelsichere Wertpapiere *n pl; ~s de placement, de portefeuille* Anlagewerte *m pl; ~s au porteur* Inhaberpapiere *n pl; ~ de rachat* Rückkaufswert *m; ~s réalisables et disponibles* Umlauf- u. Barvermögen *n; ~ résiduelle, de récupération* Schrottwert *m; ~ sentimentale* Gefühlswert *m; ~-seuil f* Schwellenwert *m; ~s de spéculation, spéculatives* Spekulationspapiere *n pl; ~ totale* Gesamtwert *m; ~ unitaire* Einheitswert *m; ~ usée, à l'état* *usagé* Altwert *m;* ~ *utile* Nutzwert *m;* ~ *vénale* Verkaufswert *m;* **~eux, se** tapfer.

valid|ation [validasjɔ̃] *f jur* Gültigkeitserklärung, Bestätigung *f;* **~e** gesund, kräftig; *jur* rechtsgültig, -wirksam; **~er** für (rechts)gültig erklären; *(Fahrschein)* gültig machen; **~ité** *f* (Rechts-)Gültigkeit *f; délai m, période f de* ~ Gültigkeitsdauer *f.*

valise [valiz] *f* (Hand-, Reise-)Koffer *m; boucler sa* ~ s-e Koffer packen, ab=reisen; *faire sa* ~ s-n Koffer pakken; *~-armoire f, pour l'avion, tourne-disque* Schrank-, Luft-, Phonokoffer *m;* ~ *diplomatique* diplomatische(s) Gepäck *n.*

valkyrie [valkiri] *f* Walküre *f.*

vall|ée [vale] *f* Tal *n;* ~ *encaissée* (Tal-)Kessel *m;* ~ *fluviale, glaciaire, latérale, de montagne* Erosions-, Gletscher-, Seiten-, Gebirgstal *n;* ~ *de larmes, de misère (fig)* Jammertal *n;* ~ *synclinale* (Tal-)Mulde *f;* **~on** *m* kleine(s) Tal *n;* **~onné, e** hügelig, gewellt; **~onnement** *m* Talbildung *f.*

val|oir [valwar] *irr itr* gelten, wert sein; kosten; taugen, gut sein (*pour* für); *fig* verdienen; *tr* verschaffen, ein=bringen, -tragen; *à* ~ *sur* ... als Abschlag, in Anrechnung auf *acc; autant vaut* es fehlt nicht viel dran; *vaille que vaille* koste es, was es wolle; so oder so; *faire* ~ *qc* etw geltend machen; etw ins rechte Licht setzen, heraus=stellen; etw nutzbar machen; *(Gut)* selbst bewirtschaften; *ne faire rien qui vaille* nichts Brauchbares fertig=bringen, zustande bringen; ~ *mieux* mehr wert *od* besser sein; *ne* ~ *pas la peine* nicht der Mühe wert sein (*de* zu); ~ *son pesant d'or* Gold wert sein; *il vaut mieux* es ist vorteilhafter; *cela ne vous vaut rien* das bekommt Ihnen nicht; *ça ne me dit rien qui vaille (fam)* das lockt mich nicht; **~orisation** *f com* Valorisierung *f;* **~oriser** valorisieren, auf=werten.

vals|e [vals] *f* Walzer *m; ~-hésitation f* Unentschiedenheit *f;* **~er** *itr* (*tr* als) Walzer tanzen; *faire* ~ *l'argent (fam)* Geld springen lassen; **~eur, se** *m f* Walzertänzer(in *f*) *m.*

valv|e [valv] *f bot* Fruchtklappe; *zoo (Muschel)* Klappe *f; tech* Ventil *n;* Klappe; *el* Röhre *f;* **~é, e** mit Klappen versehen; klappenförmig; **~ulaire** *anat med* Klappen-; **~ule** *f anat* Klappe *f;* ~ *du cœur* Herzklappe *f.*

vamp [vɑ̃p] *m film* Vamp *m;* **~er** *fam* verführerisch an=lächeln.

vampire [vɑ̃pir] *m* Vampir; *fig* Blutsauger *m.*

van [vɑ̃] *m* **1.** (Getreide-)Schwinge *f;* **2.** Pferdetransportwagen *m.*

vanadium [vanadjɔm] *m chem* Vanadium *n.*

vandalisme [vɑ̃dalizm] *m* Zerstörungswut *f.*

vandoise [vɑ̃dwaz] *f zoo* Weißfisch *m.*

vanesse [vanɛs] *f* Eckflügler *m (Schmetterling).*

vanille [vanij] *f* Vanille *f.*

vani|té [vanite] *f* Nichtigkeit; Eitelkeit; Einbildung *f; faire, tirer* ~ *de qc* sich etw auf e-e S ein=bilden; **~teux, se** *a* eitel, eingebildet; *s m* eingebildete(r) Mensch, Geck, *pop* Affe *m.*

vann|age [vanaʒ] *m* **1.** *agr* Schwingen *n* des Getreides; **2.** *tech* Wehr *n;* **~e** *f tech* Schütz(e *f*), Staubrett *n,* Schieber *m; pop* Unverschämtheit *f;* ~ *papillon* Drosselklappe *f;* **~é, e** *fam* wie gerädert; **~eau** *m orn* Kiebitz *m;* **~er** *(Getreide)* worfeln, schwingen; *fig pop* fertig= *od* kaputt=machen; **~erie** *f* Korbmacherei *f,* -waren *f pl;* **~euse** *f* Worfelmaschine *f;* **~ier, ière** *m f* Korbmacher(in *f*), -flechter(in *f*) *m.*

vantail [vɑ̃taj] *m* (Tür-, Fenster-)Flügel *m.*

vant|ard, e [vɑ̃tar, -d] *m f* Prahler(in *f*), Großsprecher(in *f*) *m; a* prahlerisch, großsprecherisch; **~ardise** *f* Prahlerei, Großsprecherei *f;* **~er** rühmen, preisen, (überschwenglich) loben; *se* ~ prahlen, auf=schneiden, *fam* an=geben; sich rühmen (*de qc* e-r S *gen*), groß=tun (*de qc* mit etw); sich anheischig machen (*de* zu).

vap|eur [vapœr] **1.** *f* Dampf; *(Wetter, Alkohol) fig* Dunst; **2.** *m* Dampfer *m,* Dampfschiff *n; à la* ~ in Eile; *à toute* ~ mit Volldampf, in Windeseile; *renverser la* ~ Gegendampf geben; *fig* das Steuer herum=reißen; *traiter à la* ~ dämpfen; *bain m de* ~ Dampfbad *n; chaudière, machine f à* ~ Dampfkessel *m,* -maschine *f; tension f de* ~ Dampfdruck *m;* ~ *m bananier, de cabotage, de charge* od *cargo, marchand* Bananen-, Küsten-, Fracht-, Handelsdampfer *m;* ~ *f d'eau, d'échappement* Wasser-, Abdampf *m;* **~oreux, se** [-pɔ-] dunstig; duftig, zart; *(Licht)* gedämpft; *fig* verschwommen, undeutlich; *(Stil)* unklar; **~orisage** *m (Gewebe)* Dampfbehandlung *f;* **~orisateur** *m* Verdampfer; (Parfüm-)Zerstäuber *m;* **~orisation** *f* Verdampfung *f;* **~oriser** verdampfen, verdunsten lassen, zerstäuben; *se* ~ verdampfen, verdunsten.

vaquer [vake] *(Stelle)* offen, erledigt, unbesetzt sein; *(Wohnung)* leer=stehen; *(Gericht)* Ferien haben; ~ *à qc* sich um etw bemühen *od* (be)kümmern; etw besorgen, erledigen; *(e-r Arbeit)* nach=gehen.

varan [varɑ̃] *m zoo* Waran *m*.

varangue [varɑ̃g] *f mar* Bodenspant *n*.

varap|pe [varap] *f (Gebirge)* Kletterwand *f;* Klettern *n;* **~per** klettern.

varech [varɛk] *m* Seegras *n,* Tang *m*.

varenne [varɛn] *f* wildreiche(s) Ödland *n*.

vareuse [varøz] *f* Matrosenbluse; *allg* Jacke *f*.

varia|bilité [varjabilite] *f* Veränderlichkeit *f;* **~ble** veränderlich, wechselnd; *tech* verstellbar; *au ~ (Barometer)* auf veränderlich; **~nte** *s f (Text)* Variante, andere Lesart; *biol* Ab-, Spielart; *allg* Abwandlung *f;* **~tion** [-sjɔ̃] *f* Veränderung, Abwandlung, -weichung, Schwankung *f,* Wechsel *m; math mus* Variation *f; mil* Vorhalt *m; ~ saisonnière* Saisonschwankung *f; ~ de température* Temperaturschwankung *f*.

varice [varis] *f* Krampfader *f*.

varicelle [varisɛl] *f med* Windpocken *pl*.

varicocèle [varikɔsɛl] *f* Krampfaderbruch *m*.

vari|é, e [varje] verschiedenartig, vielfältig, mannigfaltig, abwechslungsreich; abwechselnd; ungleichförmig; *(Farbe)* bunt; *mus* mit Variationen; **~er** *tr* verschiedenartig gestalten, variieren *a. mus;* ab=wandeln, -ändern; Abwechslung bringen (*qc* in e-e S); *itr* sich (ver)ändern, sich wandeln, (ab=)wechseln; sich nicht gleich=bleiben; verschiedener Meinung sein (*sur* über *acc*), nicht überein=stimmen (*sur* in *dat*), vonea. ab=weichen (*sur* in *dat*); *(Wind)* drehen; **~été** *f* Verschiedenartigkeit, Verschiedenheit, Abweichung, Divergenz; Abwechslung; *bot* Spielart *f; pl (Bibliographie)* Vermischte(s) *n; théâtre m de ~s* Varieté(theater) *n*.

vari|ole [varjɔl] *f med* Pocken, Blattern *pl;* **~olé, e** pocken-, blatternarbig; **~oleux, se** *a* Pocken-; *s m f* an Pocken, Blattern Erkrankte(r *m*) *f;* **~olique** Pocken-.

variomètre [varjɔmɛtr] *m aero* Variometer *n*.

variqueux, se [varikø, -z] Krampfader-.

varlope [varlɔp] *f* Rauhbank *f (Hobel)*.

Varsovie [varsɔvi] *f* Warschau *n*.

vascula|ire [vaskylɛr] *anat* Gefäß-; **~risation** *f (Physiologie)* Gefäßbildung *f, -system n*.

vase [vɑz] **1.** *m* (Blumen-)Vase *f,* Gefäß *n;* **2.** *f* Schlamm; *(~ de mer)* Schlick *m; arg* Wasser *n,* Regen *m; vivre en ~ clos* in e-r kleinen Welt leben; ~ en argile Tongefäß *n; ~s communiquants* kommunizierende Gefäße *n pl; ~ de nuit* Nachttopf *m,* -geschirr *n;* **~é, e** schlammig.

vasectomie [vasɛktɔmi] *f* Vasektomie *f*.

vaseline [vazlin] *f pharm* Vaseline *f*.

vas|eux, se [vazø, -z] schlammig; *fig* schmutzig, gemein; *fig fam* schwammig, schwerfällig; *être ~ (fam)* nicht auf dem Damm sein, e-n Kater haben; **~ier, ère** Schlamm-.

vasistas [vazistas] *m* Fenster-, Lüftungsklappe *f;* Guckfenster *n*.

vaso|-constricteur [vazɔkɔ̃striktœr], **~-dilateur** *a m anat* gefäßverengend, -erweiternd; **~-moteur** *a m anat* vasomotorisch.

vasque [vask] *f* Brunnenbecken *n,* Springbrunnenschale *f*.

vass|al, e [vasal] *m f hist* Vasall(in *f*) *m;* **~alité** *f,* **~elage** *m hist* Lehnsverhältnis *n; fig* Abhängigkeit *f*.

vaste [vast] weit, ausgedehnt; *fig* weitgehend, -reichend, gewaltig, umfangreich; umfassend, vielseitig; *(Begriff)* dehnbar.

Vaud [vo] *m* Waadt *f (Schweizer Kanton);* **~ois, e** *s m f* Waadtländer(in *f*) *m; a: v~, e* waadtländisch.

vau|deville [vodvil] *m vx* Singspiel; Vaudeville *n;* **~devilliste** *m* Singspieldichter *m*.

vau-l'eau [volo]: *à ~* stromabwärts; *fig: (s'en) aller à ~* in die Binsen gehen, scheitern, mißglücken, zu Wasser werden, dahin=schwinden.

vaurien [vorjɛ̃] *m* Taugenichts *m*.

vautour [votur] *m orn* Geier; *fig* Aasgeier, Wucherer *m; ~ des agneaux* Lämmergeier *m*.

vautrer, se [votre] sich wälzen; sich hin=lümmeln; *fig* sich ganz hin=geben (*dans* dat).

vau-vent [vovɑ̃]: *à ~ (Jagd)* mit dem Wind im Rücken.

vauvert [vovɛr] *m: au diable ~ (fig fam)* ans, am andere(n) Ende der Welt.

veau [vo] *m* Kalb; Kalbleder, -fleisch *n; s'étendre comme un ~* sich hin=lümmeln; *pleurer comme un ~ (pop)* wie ein Schloßhund heulen; *~ marin, de mer* Seehund *m*.

vect|eur [vɛktœr] *m math* Vektor;

med Träger *m;* **~oriel, le** [-tɔ-] *a* Vektoren-.
vécu, e [veky] *pp s. vivre; a* erlebt; *(Geschichte)* wahr.
vedette [vədɛt] *s f theat* Hauptdarsteller(in *f*); *film* Star *m; sport* Größe; *allg* bekannte Persönlichkeit *f; mar* Vorpostenboot *n; typ* Trennlinie *f;* Kopf *m; pl com* führende Werte *m pl; a* hervorragend, wichtigst; *en ~* in Fettdruck; *fig* ins Auge springend, im Vordergrund; *avoir la ~* die Hauptrolle spielen; *mettre en ~ (fig)* heraus=stellen; *se mettre en ~* in den Vordergrund treten; *~ du cinéma* Filmstar *m; ~-torpilleur m* Torpedojäger *m; ~ rapide* Schnellboot *n.*
végét|abilité [veʒetabilite] *f bot* Wachstumsfähigkeit *f;* **~al, e** *a* pflanzlich; Pflanzen-; *s m* Pflanze *f,* Gewächs *n; règne m ~* Pflanzenreich *n; terre f ~e* Mutterboden, Humus *m;* **~arien, ne** *a* vegetarisch; *s m f* Vegetarier(in *f*) *m;* **~atif, ive** vegetativ; **~ation** *f* Vegetation, Pflanzenwelt *f,* -wuchs *m; bot* Wachstum *n; pl med* Wucherungen *f pl;* **~er** *fig* (dahin=) vegetieren, kümmerlich (dahin=)leben.
véhémen|ce [veemɑ̃s] *f* Heftigkeit *f,* Ungestüm; *fig* Feuer *n;* **~t, e** heftig, ungestüm; hitzig, leidenschaftlich, feurig.
véhicul|e [veikyl] *m* Fahrzeug, Beförderungsmittel *n;* Träger *m a. fig; fig* Mittel *n,* Vermittler *m,* Sprachrohr *n; ~ ambulance* Krankenwagen *m; ~ automobile* Kraftfahrzeug *n; ~ d'amenée du béton* Betontransportfahrzeug *n; ~ blindé, chenillé, de dépannage* Panzer-, Gleisketten-, Pannenhilfefahrzeug *n; ~ électrique* Elektrokarren *m; ~ hippomobile* Pferdewagen *m; ~ lié à la route, sur rails* straßengebundene(s), Schienenfahrzeug *n; ~ d'occasion* Gebrauchtwagen *m; ~ à propulsion électrique* Elektroauto *n; ~ radio* Funkwagen *m; ~ de répandage* (Sand-)Streufahrzeug *n; ~ routier* Straßenfahrzeug *n; ~ spatial (cosm)* Raumschiff *n; ~ tout terrain, tous terrains* geländegängige(s) F.; *~ tracteur* Zugmaschine *f; ~ à traction animale* bespannte(s) F.; *~ à usages multiples* Mehrzweckfahrzeug *n; ~ utilitaire* Nutzfahrzeug *n;* **~er** *tr* befördern, transportieren; *tech* übertragen; *itr* sich fort=bewegen; *~ de l'eau (Kanal)* Wasser führen.
veill|e [vɛj] *f* Wachen *n;* (Nacht-)Wache *f;* Vorabend *m; tele* Hörbereitschaft *f; pl* Nachtarbeit *f,* nächtliche Studien; schlaflose Nächte *f pl; la ~* am Vorabend; tags zuvor, am Tage vorher; *à la ~ des élections* im Vorfeld der Wahlen; *être à la ~ de qc (fig)* (kurz) vor etw stehen; *être à la veille de faire qc* im Begriff sein, etw zu tun; *être en ~ (tele)* hörbereit sein; *~ du Jour de l'an* Silvester *n; ~ de Noël* Heilige(r) Abend *m;* **~ée** *f* Nachtwache *f (mehrerer Personen);* Abendstunden *f pl; ~ funèbre* Totenwache *f;* **~er** *itr* wachen (*auprès de* bei), auf=bleiben; in der Nacht, nachts arbeiten; acht=geben, auf=passen, Sorgfalt verwenden (*à qc* auf e-e S); sorgen (*à* für); Sorge tragen (*à ce que* daß); überwachen, beaufsichtigen, unter s-e Obhut nehmen (*sur qc* etw); *tr* wachen, die Nacht verbringen (*un malade* bei e-m Kranken); *~ au grain (fig)* auf der Hut sein; *~ aux intérêts de qn* jds Interessen wahr=nehmen; **~eur, se** *m f* Wächter(in *f*) *m; ~ de nuit* Nachtwächter *m;* **~euse** *f* Nachtlampe *f,* -licht *n; tech* Zündflamme *f,* Sparbrenner *m;* Kontrollampe *f; mettre en ~* (auf) klein stellen; *fig* dämpfen; *mot* das Standlicht ein=schalten (*qc* e-r S); *~-liseuse f* Leselampe *f; ~ du sanctuaire (rel)* Ewige(s) Licht *n.*
veinard, e [vɛnar, -rd] *s m f* Glückspilz *m; a* glücklich.
vei|ne [vɛn] *f* (Blut-)Ader, Vene; *geol* Ader *f,* Besteg *m;* Flöz *n; (Stein, Holz)* Ader *f a. bot; tech* Strahl *m; fig* dichterische Ader; gute Stimmung *f; fam* Glück *n,* Dusel *m, pop* Schwein *n; avoir de la ~* Glück, *fam* Dusel haben; *n'avoir pas de sang dans les ~s (fig)* kein Mark in den Knochen haben; *être en ~ de qc* zu etw aufgelegt sein; *~ d'air* Luftstrahl *m; ~ cave, porte (anat)* Hohl-, Pfortader *f; ~ de minerai de fer* Eisenerzflöz *n;* **~né, e** geädert, gemasert, marmoriert; aderig, faserig; **~ner** *tech* adern, masern; **~neux, se** *anat* venös; Ader-, Venen-; *(Holz)* gemasert; aderig; **~nule** *f* Äderchen *n;* **~nure** *f* Maserung *f.*
vêl|age, ~ement [vɛlaʒ, -mɑ̃] *m* Kalben *n;* **~er** kalben.
vélaire [velɛr] *a* velar; *s f* Gaumensegellaut *m.*
vélin [velɛ̃] *m* Velin *n (Leder);* Alençonspitze *f; papier m ~* Velin(papier) *n.*
véliplanchiste [veliplɑ̃ʃist] *m f* Windsurfer(in *f*) *m.*
vélivole [velivɔl] Segelflug-.
velléité [vɛleite] *f* Gelüst *n (vx),* Willensregung, Anwandlung *f.*

vélo [velo] *m fam* Fahrrad *n;* ~ *à moteur* Fahrrad *n* mit Hilfsmotor.
véloce [velɔs] gewandt, schnell.
vélocipède [velɔsipɛd] *m vx* Fahrrad *n.*
vélocité [velɔsite] *f* Geschwindigkeit, Schnelligkeit *f.*
vélo|drome [velɔdrɔm] *m* Radrennbahn *f;* ~**moteur** *m* Mofa *n;* ~**pousse** *m* Liefer(fahr)rad *n;* ~**ski** *m* Schibob *m.*
velou|rs [vəlur] *m* Samt *m;* samtartige Beschaffenheit; *fig* Weichheit; *(Wein)* Weichheit u. Schwere; *gram* falsche z-Bindung *f; à pas de* ~ sacht; *jouer sur le* ~ *(pop)* nichts riskieren; *avec qn* mit jdm leichtes Spiel haben; *patte f de* ~ Samtpfötchen *n;* ~ *bouché, côtelé* Noppen-, Kordsamt *m;* ~ *de coton* Velvet *m;* ~**té, e** *a* samtartig, -weich; *(Wein)* weich u. schwer; *(Suppe)* sämig; *s m* Samtglanz *m,* Weiche(s) *n;* Velours-, Flordecke *f;* Samtband *n; (Wein)* Weichheit u. Schwere *f; (Klavier)* leichte(r) Anschlag *m; fig* Unberührtheit *f; (Küche)* Soßenfond *m;* ~**ter** samtartig rauhen; ~**teux, se** samt(art)ig, rauhflorig, wie Plüsch; ~**tine** *f* samtartige(r) Woll- *od* Baumwollstoff *m.*
velu, e [vəly] (dicht) behaart, haarig; *(Stoff)* flauschig.
vélum [velɔm] *m* große(s) Zeltdach *n.*
velvet [vɛlvɛ] *m* Velvet, Baumwollsamt *m.*
venaison [vənɛzõ] *f* Wildbret *n.*
vénal, e [venal] (ver)käuflich, feil; *fig* bestechlich; *valeur f* ~*e* Verkaufswert *m;* ~**ité** *f* (Ver-)Käuflichkeit *a. fig; fig* Bestechlichkeit *f.*
venant, e [vənɑ̃, -ɑ̃t] *a* kommend; *s m* Kommende(r *m*); *le tout-*~ *com* unsortierte Ware *f; à tout (tous)* ~*(s)* jedem beliebigen, dem ersten besten.
vendable [vɑ̃dabl] verkäuflich.
vendan|ge [vɑ̃dɑ̃ʒ] *f* Weinlese, -ernte; *arg* (Diebes-)Beute *f; pl* Zeit *f* der Weinlese, Herbst *m;* ~**geoir** *m* Traubenkorb *m;* Butte; Kelter *f;* ~**ger** Weinlese halten; ~**geur, se** Weinleser(in *f*) *m.*
vendetta [vɑ̃dɛt(t)a] *f* Blutrache *f.*
ven|deur, se [vɑ̃dœr, -øz], *jur* ~**deresse** *m f* Verkäufer(in *f*) *m; cours m* ~ *(Börse)* Verkaufs-, Briefkurs *m;* ~**dre** verkaufen, veräußern; *fig* verraten; *se* ~ *(com)* Absatz finden; verkauft werden; sich verkaufen, sich bestechen lassen; *à* ~ zu verkaufen; verkäuflich; *ne pas se* ~ nicht gehen; *se* ~ *facilement* guten Absatz finden, gut gehen; ~ *en bloc* in Bausch u. Bogen verkaufen; ~ *moins cher que qn* jdn unterbieten; ~ *au comptant, au guichet* bar verkaufen; ~ *à crédit, à perte, à terme* auf Kredit, mit Verlust, auf Termin verkaufen; ~ *au* od *en détail* im Einzelhandel verkaufen; ~ *aux enchères* versteigern; ~ *à la ferraille* als Schrott verkaufen; ~ *en gros* im großen verkaufen; ~ *(à) bon marché* billig verkaufen; ~ *la mèche (fam)* das Geheimnis verraten; ~ *au poids, avec profit* nach Gewicht, mit Gewinn verkaufen; ~ *au prix coûtant* zum Selbstkostenpreis verkaufen; ~ *à tout prix* zu jedem Preis verkaufen.
vendredi [vɑ̃drədi] *m* Freitag *m; V*~ *saint* Karfreitag *m.*
vén|éneux, se [venenø, øz] giftig; ~**énifère** Gift enthaltend.
véné|rable [venerabl] *a* ehrwürdig; ehrfurchtgebietend; ~**ration** *f* Verehrung; Ehrfurcht, Ehrerbietung *f.*
vénéréologie [venereɔlɔʒi] *f* Lehre *f* von den Geschlechtskrankheiten.
vénérer [venere] verehren.
vénerie [vɛnri] *f* Weidwerk *n.*
vénérien, ne [venerjɛ̃, -ɛn] *a: maladies f pl* ~*nes* Geschlechtskrankheiten *f pl; s m f* Geschlechtskranke(r *m*) *f.*
veneur [vənœr] *m* Hetzjäger *m.*
Venezu|ela, le [venezɥɛla] Venezuela *n;* ~**élien, ne** venezilanisch; *s m f V*~ Venezolaner(in *f*) *m.*
veng|eance [vɑ̃ʒɑ̃s] *f* Rache; Rachsucht *f; par* ~ aus Rache; *crier, demander* ~ nach Rache schreien; *tirer* ~ *de qn* sich an jdm rächen; *cela crie* ~ das schreit zum Himmel; ~**er** rächen (*qn, qc* jdn, etw); *se* ~ sich rächen, Rache nehmen (*de qn* an jdm; *de qc sur qn* für etw an jdm); ~**eur, eresse** *a* rächend; *s m f* Rächer(in *f*) *m.*
véniel, le [venjɛl] *(Sünde)* läßlich; *fam (Fehler)* leicht.
ven|imeux, se [vənimø, -øz] *(Tier)* giftig *a. fig; fig* boshaft; ~**in** *m* (tierisches) Gift *n a. fig; fig* Bösartigkeit, Bosheit; *pop* Giftnudel *f (Person).*
venir [vənir] *irr* (herein=, hervor=, hinauf=, hinüber=)kommen; mit=gehen, begleiten (*avec qn* jdn); *(Flüssigkeit)* laufen; *(Wasser)* steigen (*à* bis an *acc*); *(Kleidungsstück)* reichen, gehen (*à* bis); *fig* her=kommen, (ab=) stammen (*de* von, aus); *(in der Reihenfolge)* kommen (*après* nach), folgen (*après* auf *acc*); *(Gewitter)* herauf=ziehen, im Anzug sein; sich zeigen, in Erscheinung treten; statt=finden; ein=treten; gelangen (*jusqu'à* bis zu); *(Erbschaft)* zu=fallen, zu=kommen; wachsen, gedeihen, geraten,

fort=kommen; *gram* stehen (*avant* vor *dat*); *à* ~ zukünftig; *bien* ~ gut wachsen, gedeihen; *en* ~ so weit gehen (*jusqu'à* zu), greifen (*à* zu), es so weit bringen (*à* daß); *en* ~ *là* so weit kommen; *en* ~ *aux mains* handgemein werden, anea.=geraten; *mal* ~ nicht gedeihen *od* fort=kommen wollen, verkümmern, mißraten; *ne pas* ~ aus=bleiben; *y* ~ sich dazu entschließen; darauf zu sprechen kommen; *faire* ~ kommen lassen, bestellen; beziehen; *ne faire qu'aller et* ~ immer in Bewegung, gleich wieder zurück sein; *laisser, voir* ~ auf sich *acc* zu=kommen lassen; ab=warten; *voir* ~ *qn* wissen, was jem vorhat; ~ *en avion, en bateau, en chemin de fer, à pied, en voiture* mit dem Flugzeug, dem Schiff, der Eisenbahn, zu Fuß, mit dem Wagen kommen; ~ *à bien* gut aus=gehen, gelingen; ~ *à bout de qc* etw zustande bringen, fertig=bringen; mit etw fertig werden; ~ *chercher qn* jdn ab=holen; ~ *à l'esprit, à l'idée* in den Sinn kommen, ein=fallen; ~ *à faire qc* zufällig etw tun; ~ *de faire qc* soeben etw getan haben; ~ *à ses fins* s-n Zweck erreichen; ~ *au jour, au monde* an den Tag, auf die *od* zur Welt kommen; ~ *à rien* verkümmern, zugrunde gehen; ~ *voir* besuchen; *je viens vous dire* ich möchte Ihnen (gern) sagen; *d'où vient?* woher kommt es? woran liegt es? *cela viendra* das wird schon werden; *il vient (math)* es folgt; *s'il vient à pleuvoir* sollte es regnen; *il est venu des lettres pour vous* es sind Briefe für Sie da; *vous y venez* Sie kommen der Sache näher; *où voulez-vous* ~? worauf wollen Sie hinaus? was wollen Sie denn?

Venise [vəniz] *f georg* Venedig *n;* **vénitien, ne** *a* venezianisch; *V~, ne s m f* Venezianer(in *f*) *m.*

vent [vɑ̃] *m* Wind *m;* Luft; *(Jagd)* Witterung; *(Physiologie)* Blähung *f; fig fam* leere(s) Gerede *n; au* ~ im Wind; *dans le* ~ nach der neuesten Mode; *en coup de* ~ blitzschnell; *en plein* ~ im Freien; *(Baum)* freistehend; *aller contre* ~ *et marée* sich durch nichts ab=schrecken, ab=halten lassen; *avoir* ~ *de qc* von etw Wind bekommen haben; etw ahnen; *être sous le* ~ vor dem Wind segeln; *être logé aux quatre ~s (fig fam)* sehr luftig wohnen; *filer* ~ *arrière* mit dem Wind segeln; *prendre le* ~ *(fig)* sich orientieren; *tourner à tous les ~s (fig)* auf alles ein=gehen, sehr wendig sein; *quel bon* ~ *vous amène?* welcher glückliche Zufall führt Sie hierher? *autant en emporte le* ~ das sind leere Worte! *il fait du* ~ es ist windig; *le* ~ *mollit, est tombé, se lève, tourne* der Wind flaut ab, hat sich gelegt, frischt auf, springt um; *du ~!* ach was! *carte, rose f des ~s* Windkarte, -rose *f; côté m du* ~ Luv *n; côté m sous le* ~ Lee *n; coup m de* ~ Windstoß *m; direction f du* ~ Windrichtung *f; moulin m à* ~ Windmühle *f; pression f du* ~ Winddruck *m; sautes f pl de* ~ umspringende(r) Wind *m; tourbillon m de* ~ Windhose *f; vitesse f du* ~ Windgeschwindigkeit *f;* ~ *en altitude* Höhenwind *m;* ~ *alizé* Passat *m; ~s anabatiques, catabatiques* auf-, absteigende Winde *m pl;* ~ *arrière* od *bon* ~, ~ *contraire* od *debout* Rücken-, Gegenwind *m;* ~ *de côté, latéral* Seitenwind *m;* ~ *coulis* Zugluft *f;* ~ *chargé de neige* Schneewind *m;* ~ *du nord, du sud, d'est, d'ouest* Nord-, Süd-, Ost-, Westwind *m;* ~ *nul* Windstille *f;* ~ *pluvieux* Regenwind *m;* ~ *rabattant* Fallwind *m;* ~ *à rafales* böige(r) Wind *m;* ~ *relatif* Fahr- *od* Flugwind *m;* ~ *de sable* Sandsturm *m;* ~ *au sol* Bodenwind *m;* ~ *de tempête* Sturmwind *m;* ~ *turbulent* Wirbelwind *m;* **~eau** *m tech* Öffnung *f* des Blasebalgs.

vente [vɑ̃t] *f* Verkauf, Vertrieb, Absatz; *(Wald)* Einschlag *m; de bonne* ~ od *de* ~ *facile, de* ~ *difficile* leicht, schwer verkäuflich; *en* ~ *dans, chez* erhältlich in *dat,* bei; *en* ~ *partout* überall erhältlich; *sauf* ~ Zwischenverkauf vorbehalten; *mettre, offrir en* ~ zum Verkauf an=bieten; *bureau, chef m, chiffres m pl, conditions f pl, contrat m, organisation f, prix, service m, valeur f de* ~ Verkaufsbüro *n,* -leiter *m,* -ziffern, -bedingungen *f pl,* -vertrag *m,* -organisation *f,* -preis *m,* -abteilung *f,* -wert *m; maison f de* ~ *par correspondance* Versandgeschäft *n; possibilités f pl de* ~ Absatzmöglichkeiten *f pl; salle f de* ~, *hôtel m des ~s* Auktionslokal *n,* -halle *f;* ~ *au comptant* Barverkauf *m;* ~ *comptant compté* sofortige Kasse *f;* ~ *au* od *en détail, en disponible, en gros* Klein-, Loko-, Großverkauf *m;* ~ *à l'emporter* Verkauf *m* über die Straße; ~ *aux enchères, à la criée, à l'encan* Versteigerung *f;* ~ *à l'essai* Probeverkauf *m;* ~ *exclusive* Alleinverkauf *m;* ~ *de fin de saison* Saisonschlußverkauf *m;* ~ *forcée* Zwangsverkauf *m;* ~ *de gré à gré* freihändige(r) Verkauf *m;* ~ *de liquidation* Totalausverkauf *m;* ~ *au numéro*

(Zeitung) Einzelverkauf *m; ~ réclame* Werbeverkauf *m; ~ à réméré* Verkauf *m* mit Rückkaufsrecht; *~ à tempérament* Teilzahlungsverkauf *m; ~ à terme* Verkauf *m* auf Kredit, *(Börse)* auf Zeit.

vent|er [vɑ̃te] : *il ~e* es ist windig; **~eux, se** windig; *(Physiologie)* blähend; **~ilateur** *m* Ventilator, Lüfter *m;* Gebläse *n;* **~ilation** *f* Be-, Entlüftung; *min* Bewetterung; *mot* Gebläse *n; jur* Abschätzung; *com* (relative) Verteilung, Aufgliederung *f;* **~iler** be-, ent-, durchlüften, ventilieren; *min* bewettern; *jur* ab⸗schätzen; *com* (verhältnismäßig) verteilen, auf⸗gliedern; **~is** [-i] *m pl* Windbruch *m (im Wald).*

ventouse [vɑ̃tuz] *f zoo* Saugnapf; *med* Schröpfkopf *m;* Entlüftungsventil; *tech* Luftloch *n,* -klappe *f.*

ventr|al [vɑ̃tral] Bauch-; **~e** *m* Bauch *a. tech fig;* Leib *m;* Ausbauchung *f; ~ à terre* in gestrecktem, *fig* in rasendem Galopp; *avoir du ~* e-n Bauch haben; *se coucher à plat ~* sich flach auf den Bauch legen; *se poser sur le ~ (aero)* e-e Bauchlandung machen; *prendre du ~* Fett an⸗setzen, e-n Bauch bekommen; *se remplir le ~* sich den Leib voll⸗schlagen; *nous verrons ce qu'il a dans le ~* wir werden ihm auf den Zahn fühlen; wir werden sehen, was mit ihm los ist; **~ée** *f agr* Wurf; *pop* volle(r) Bauch *m;* **~icule** *m anat* Höhle; *(~ du cœur)* Herzkammer *f;* **~ière** [-trijɛr] *f* Bauchbinde *f,* -gurt, -riemen; *tech* Querbalken *m;* **~iloque** *m* Bauchredner *m;* **~ipotent, e** *fam* dickbäuchig; **~u, e** *fam* dickbäuchig; *tech* stark bauchig.

venu, e [vəny] *pp venir:* gekommen; *a: bien ~* gelungen, gut ausgeführt; *mal ~* mißlungen, mißraten; ungelegen; *s m* Ankömmling *m; le premier ~* der erste beste; *s f* Ankunft *f; fig* Wuchs *m; d'une belle ~e* gutgewachsen; *tout d'une ~e* aus e-m Guß; *allées et ~es* Hin u. Her *n; ~e d'eau* Wassereinbruch *m; ~e souterraine* Grundwassereinbruch *m.*

vêpres [vɛpr] *f pl rel* Vesper *f.*

ver [vɛr] *m* Wurm *m;* Larve, Made *f; tirer les ~s du nez à qn (fig)* jdm die Würmer aus der Nase ziehen; *ce n'est pas piqué des ~s (fam)* das ist ein starkes Stück; *nu comme un ~* splitternackt; *piqué des ~s* wurmstichig; *~ blanc* Engerling *m; ~ du bois, des enfants, de farine, solitaire, de terre* Holz-, Spul-, Mehl-, Band-, Regenwurm *m; ~-coquin m zoo* Drehwurm *m,* -krankheit *f; fig fam vx* Rappel *m; ~ du fromage* Käsemade *f; ~ luisant* Glühwürmchen *n; ~ solitaire* Bandwurm *m; ~ de terre* Regenwurm *m; ~ à soie* Seidenraupe *f.*

véracité [verasite] *f* Wahrhaftigkeit; *(Aussage)* Richtigkeit *f.*

véraison [verɛzɔ̃] *f (Obst)* beginnende Reife *f.*

véranda [verɑ̃da] *f* Veranda *f.*

verbal, e [vɛrbal] mündlich; *gram* Verbal-; *note f ~e (pol)* Verbalnote *f;* **~isation** *f* Protokollaufnahme *f;* **~iser** ein Protokoll auf⸗nehmen; **~isme** *m* leere(s) Gerede *n;* Verharren *n* bei bloßen Worterklärungen.

ver|be [vɛrb] *m* Wort *n; fig* Stimme *f; gram* Zeitwort, Verbum *n; le V~ (rel)* das Wort, der Logos; *avoir le ~ haut* (sehr) laut reden; *fig* das große Wort führen; **~beux, se** wortreich; redselig, geschwätzig; **~biage** *m* Geschwätz *n,* Wortschwall *m; tourner au ~* in Geschwätz aus⸗arten.

verboquet [vɛrbɔkɛ] *m* Lenkseil *n (zum Aufziehen von Lasten).*

verbosité [vɛrbɔzite] *f* Geschwätzigkeit, Schwatzhaftigkeit *f;* Wortschwall *m,* -fülle *f.*

verd|âtre [vɛrdɑtr] grünlich, blaßgrün; **~elet, te** [-dəlɛ] *vx* grünlich; *(Wein)* säuerlich, noch unausgereift; *fig* noch rüstig; **~et** [-dɛ] *m* Kupferazetat *n;* **~eur** *f (Holz)* Saftigkeit *f,* zu frische(r) Zustand *m; (Obst)* Unreife; *(Wein)* Säure, Herbheit, Unausgereiftheit; *fig* Unverblümtheit, Schärfe; *fig* Kraft, Jugendfrische *f.*

verdict [vɛrdikt] *m jur* Spruch *m* der Geschworenen, Urteil *n a. fig;* Entscheidung *f; rendre le ~* das Urteil fällen; *~ d'acquittement* Freispruch *m; ~ de culpabilité* Schuldspruch *m.*

verdier [vɛrdje] *m orn* Grünfink *m.*

verdillon [vɛrdijɔ̃] *m tech* Brechmeißel *m; (Textil)* Einlegestäbchen *n.*

verd|ir [vɛrdir] *tr* grün werden lassen; die grüne Farbe geben (*qc* e-r S); *itr* ergrünen, grün werden; sich mit Grünspan überziehen; **~issant, e** ergrünend; **~issement, ~oiement** *m* Grünwerden, Ergrünen; Grünen *n;* **~oyant, e** grün(end); grünlich; **~oyer** grünen, grün sein; **~ure** *f* Grün *n;* Rasen *m,* Gras; Laub; Grünzeug, Gemüse *n; en pleine ~* mitten im Grünen; *ceinture f de ~* Grüngürtel *m; théâtre m de ~* Gartentheater *n;* **~urette** *f* Grünstickerei *f.*

véreux, se [verø, -øz] wurm(stich)ig; *fig* verdächtig, faul, anrüchig; *(Mensch)* (im Grunde) schlecht; *(Kaufmann)* unreell.

verge [vɛrʒ] *f* Rute, Gerte *f;* Stab, Stock *m;* Stange *f; (~ d'ancre)* (Anker-)Schaft; *(Waage)* Zeiger *m; anat* Rute, männliche(s) Glied *n; être sous la ~ de qn (fig) vx* unter jds Fuchtel stehen; *passer par les ~s* Spießruten laufen (lassen).
vergé, e [vɛrʒe] aus Fäden verschiedener Stärke *od* Farbe gewebt.
verger [vɛrʒe] *m* Obstgarten *m.*
verg|eté, e [vɛrʒəte] mit Striemen; **~eter** aus≈klopfen; die Rute, Stockschläge geben (*qn* jdm), aus≈peitschen; **~ette** *f* kleine Rute; *tech* Eisensprosse *f.*
vergetures [vɛrʒətyr] *f pl* Striemen *f pl.*
vergeure [vɛrʒyr] *f (Papier)* Wasserzeichen *n;* Profildraht *m.*
vergla|cé, e [vɛrglase] *(Straße)* vereist; **~s** [-a] *m* Glatteis *n;* **~ssage** *m* Glatteisbildung *f.*
vergne [vɛrɲ] *m bot* (Schwarz-)Erle *f.*
vergogne [vɛrgɔɲ] *f*: *sans ~* schamlos, unverschämt.
vergue [vɛrg] *f mar* Rahe *f; tech* Arm *m.*
véri|dicité [veridisite] *f* Wahrhaftigkeit *f;* **~dique** wahrhaft(ig), aufrichtig, zuverlässig; der Wahrheit entsprechend.
véri|fiable [verifjabl] nachprüfbar, feststellbar; **~ficateur** *m* Prüfer, Kontrolleur *m; ~ aux comptes* Rechnungsprüfer *m; ~ des contributions* Steuerinspektor *m; ~ des poids et mesures* Eichmeister *m;* **~fication** *f* (Nach-, Über-) Prüfung, Kontrolle, Untersuchung, Feststellung *f; avis m de ~ (com)* Saldoausweis *m; ~ de la caisse* Kassenprüfung *f; ~ des comptes, des écritures* Rechnungsprüfung *f; ~ des livres (com)* Buchprüfung *f; ~ des pouvoirs (pol)* Prüfung *f* der Vollmachten; *~ par prélèvement* Stichprobe *f;* **~fier** (nach≈, über)prüfen (*sur place* an Ort u. Stelle; *de ses propres yeux* mit eigenen Augen); kontrollieren, untersuchen, nach≈rechnen, -zählen; durch≈, nach≈sehen; bestätigen, beglaubigen; *se ~* sich bewahrheiten, sich bestätigen; *~ la gestion des administrations publiques* die Finanzgebarung der Behörden überwachen; *~ le poids* nach≈wiegen (*de qc* etw).
vérin [verɛ̃] *m tech* Winde *f,* Wagenheber *m; ~ à bouteille* Flaschenwinde *f; ~ de levage à air comprimé* Preßlufthebebock *m.*
vérit|able [veritabl] wahr, wahrhaft(ig); echt, wirklich; *photographie ~, ~ photo f* echte Fotografie, echte Fotokarte *f;* **~é** *f* Wahrheit; Wahrhaftigkeit, Aufrichtigkeit; Wirklichkeit *f; à la ~* freilich, zwar, allerdings; *en ~* wahrlich *vx,* in Wahrheit, in der Tat, wahrhaftig; in Wirklichkeit, eigentlich; *à dire la ~* um die W. zu sagen; *dire à qn ses ~s (fam)* jdm die Meinung sagen; *je vous dois la ~* ich muß Ihnen die W. sagen; *~ banale, de La Palice* Binsenwahrheit *f.*
verjus [vɛrʒy] *m* Saft *m* unreifer Trauben; saure(r) Wein *m; c'est jus vert ou ~ (fam)* das ist Hose wie Jacke.
vermeil, le [vɛrmɛj] *a* hoch-, karminrot; *s m* feuervergoldete(s) Silber *n.*
vermicelle [vɛrmisɛl] *m* Fadennudeln *f pl;* (Faden-)Nudelsuppe *f; pl arg* Haare *n pl.*
vermi|cide [vɛrmisid] *a pharm* wurmtötend; *s m* Wurmmittel *n;* **~culaire, ~forme** wurmförmig; *appendice m ~culaire (anat)* Wurmfortsatz *m;* **~culure** *f arch* wurmartige Verzierungen *f pl;* **~fuge** *a* wurmabtreibend; *régime ~* Wurmkur *f; s m* Wurmmittel *n;* **~fuger:** *~ qn* e-e Wurmkur machen (mit).
vermillon [vɛrmijɔ̃] *s m* Zinnober *m; a* zinnoberrot; **~ner** mit Zinnober färben.
vermine [vɛrmin] *f* Ungeziefer *n; agr* Schädlinge *m pl; fig* Gesindel *n; lutte f contre la ~* Schädlingsbekämpfung *f.*
ver|misseau [vɛrmiso] *m* Würmchen *n; fig* Wurm, (elender) Wicht *m;* **~moulu, e** wurm(stich)ig, wurmzerfressen; **~moulure** *f* Wurmfraß *m,* -löcher *n pl,* -mehl *n.*
vermout(h) [vɛrmut] *m* Wermut *m.*
vernaculaire [vɛrnakylɛr] *a* einheimisch; Volks-, Landes-; *s m* Landes-, Eingeborenensprache *f.*
vernal, e [vɛrnal] Frühlings-.
verni, e [vɛrni] *a* lackiert; *s m* Lackleder *n; pl* Lackschuhe *m pl; être ~ (fam)* Glück haben.
vernier [vɛrnje] *m* Nonius *m.*
vern|ir [vɛrnir] lackieren; firnissen; glasieren; **~is** [-ni] *m* Firnis *m;* Politur; Glasur; Lasur *f;* Lack *m; fig* Anstrich, Schein *m; ~ à l'alcool, antirouille, cellulosique, ~-émail m, à polir* Spiritus-, Rostschutz-, Zellulose-, Email-, Schleiflack *m; ~ à l'huile de lin* Leinölfirnis *m; ~ à ongles* Nagellack *m;* **~issage** *m* Glasieren *n;* Lackierung *f;* Firnissen *n; fig (Kunstausstellung)* Vorbesichtigung *f;* **~isser** glasieren; lackieren; firnissen; **~isseur** *m* Lakkierer *m;* **~issure** *f* Firnissen, Glasieren; Lasieren *n,* Lackierung *f.*
vérol|e [verɔl] *f med pop (grosse ~)*

Syphilis *f; petite* ~ Pocken, Blattern *pl;* **~é, e** *a* syphilitisch; blatternarbig; *s m f* Syphilitiker(in *f*) *m.*

véronique [verɔnik] *f bot* Veronika, Männertreu *f,* Ehrenpreis *n* od *m; V~* Veronika *f.*

verrat [vɛra] *m* Eber *m.*

verr|e [vɛr] *m* Glas *n; pl* Augengläser *n pl,* Brille *f; de, en* ~ gläsern; Glas-; *un petit* ~ ein Gläschen (Schnaps); *carreau m, dalle, laine f, papier m de* ~ Glasscheibe *f,* -baustein *m,* -wolle *f,* -papier *n;* ~ *anti-bué, incassable* beschlag-, bruchsichere(s) G.; ~ *à boire* Trinkglas *n;* ~ *à bouteilles, cannelé, cathédral, dépoli, à glace, laiteux, au plomb, de sécurité, à vitre(s)* od *à fenêtre(s)* Flaschen-, Riffel-, Kathedral-, Matt-, Spiegel-, Milch-, Blei-, Sicherheits-, Fensterglas *n;* ~*s de contact* Kontaktschalen *f pl;* ~ *grossissant* Vergrößerungsglas *n;* ~ *à vin* Weinglas *n;* ~ *de vin* Glas *n* Wein; **~erie** [-rəri] *f* Glasbläserei, -hütte, -industrie *f;* Glaswaren *f pl;* ~*(s)!* Vorsicht, Glas! **~ier** *m* Glasbläser *m;* **~ière** *f* Gläserbecken *n od* -korb *m;* gemalte(s) Kirchenfenster *n;* **~oterie** *f* Glasperlen *f pl,* kleine Glaswaren *f pl.*

verr|ou [vɛru] *m* (Tür-, Fenster-)Riegel *m,* Sperrklinke *f,* Verschluß *m; mil* Riegelstellung *f; sous les* ~*s* hinter Schloß u. Riegel; *mettre, pousser, tirer le* ~ den Riegel vor=schieben; ~ *de sûreté (Gewehr)* Sicherung *f;* **~ouillage** [-uj-] *m* Verriegelung, Blockierung *f;* ~ *central des portes (mot)* Zentralverriegelung *f;* **~ouiller** zu=, ver-, ein=riegeln; *mil* ab=riegeln.

verru|e [vɛry] *f* Warze *f; fig* Fehler, Mangel *m;* **~queux, se** warzenartig; mit Warzen behaftet.

vers [vɛr] **1.** *s m* Vers *m;* **2.** *prp* gegen, in Richtung auf, nach, zu; *(zeitlich)* gegen, (etwa) um; ~ *midi, les cinq heures, Pâques, le printemps* gegen Mittag, fünf Uhr, Ostern, das Frühjahr; ~ *l'intérieur du pays* landeinwärts.

vers|ant, e [vɛrsɑ̃, -t] *a* leicht kippend; *s m* Abhang *m,* Seite *f (e-s Gebirgszuges);* ~ *méridional, septentrional* Süd-, Nordrand, -abhang *m;* **~atile** schwankend, wankelmütig; wandelbar; unbeständig, unstet; **~atilité** *f* Unbeständigkeit *f,* Wankelmut *m.*

verse [vɛrs] *f agr* Liegen *n* des Getreides *(vor dem Mähen); tech* Ausgießen *n,* Kippe *f; il pleut à* ~ es gießt in Strömen.

versé, e [vɛrse] vergossen; eingezahlt; erfahren, (wohl)bewandert, geübt (*dans* in *dat*).

Verseau [vɛrso] *m astr* Wassermann *m.*

ver|sement [vɛrsəmɑ̃] *m com* Einzahlung, Einlage, Leistung *f; tech* Ausschütten *n; contre* ~ *de ...* gegen Zahlung *gen; en plusieurs* ~*s* in Raten; *effectuer, faire un* ~ e-e Einzahlung vor=nehmen; *avis m de* ~ Einzahlungsanzeige *f; bulletin m, fiche f de* ~ Einzahlungsformular *n; premier* ~ Anzahlung *f;* ~ *par anticipation, anticipatif* Vorauszahlung *f;* ~*s échelonnés* Ratenzahlungen *f pl;* ~ *en une fois* einmalige Zahlung *f;* ~ *supplémentaire* Nachzahlung *f;* ~ *télégraphique* telegraphische Überweisung *f;* **~ser** *tr* (aus=, weg=, ver-)schütten, -gießen; (hin)ein=gießen, ein=schütten, -füllen, -schenken; *(Tränen, Blut)* vergießen; um=werfen, -kippen; ab=laden; *(Wasser)* ablaufen lassen; auf=schütten; *agr* um=pflügen; *(Getreide auf dem Halm)* um=legen; *com* ein=zahlen (*à* auf *acc,* bei); *itr* um=kippen, -stürzen; *(Getreide)* sich legen; *fig* hin=neigen (*dans* zu); ~ *un acompte* e-e Abzahlung leisten; ~ *à boire à qn* jdm ein=schenken; ~ *dans le fossé (mot)* in den Graben fahren; ~ *dans le ridicule* sich lächerlich machen.

verset [vɛrsɛ] *m* (Bibel-)Vers *m.*

verseur, se [vɛrsœr - -] *m f* Einschenkende(r *m*) *f; m tech* Kipper *m; f* Kaffeekanne *f* (mit seitlichem Griff).

versi|ficateur, trice [vɛrsifikatœr, -tris] *m f* Reimschmied *m;* **~fication** *f* Metrik *f;* **~fier** *itr* Vers schmieden *od* machen; *tr* in Verse bringen.

version [vɛrsjɔ̃] *f* Übersetzung, Übertragung *(aus e-r Fremdsprache);* Version, Fassung, Darstellung, Auffassung, Lesart *f;* Typ; Bericht *m; (Geburtshilfe)* Wendung *f; en* ~ *originale sous-titrée (film)* in Originalfassung mit Untertiteln; ~ *d'entraînement* Übersetzungsübung *f.*

verso [vɛrso] *m* Rückseite, linke Seite *f (e-s Buches); au* ~ umseitig; *voir au* ~ bitte wenden, siehe Rückseite.

versoir [vɛrswar] *m (Pflug)* Streichblech *n.*

vert, e [vɛr, vɛrt] grün; *(Obst)* unreif; *(Gemüse)* frisch; *(Holz)* noch saftig; *(Wein)* unausgereift, säuerlich, sauer, herb; *(Kaffee)* ungebrannt; *tech* noch unbearbeitet; *fig* kräftig, stark, kraftstrotzend; noch rüstig; jugendlich, frisch; *fig (Tadel)* scharf; *(Vorwurf)* heftig; *fam (Ausdruck, Witz)* derb, saftig; *s m* Grün *n;* grüne Farbe *f;* (das) Grüne, die Natur; *agr* Grünfutter *n; (Wein)* Herbe, Säure, mangelnde Reife *f; s f pop vx* (Glas *n*) Absinth *m; en dire de ~es (pop)* lose Reden führen; *envoyer au diable ~* zum Teufel jagen; *en être ~ (de peur) (fam)* kreidebleich sein; *laisser sur le ~ (fig) vx* links liegenlassen; *se mettre au ~ (fig fam)* ins Grüne hinaus=ziehen; *ceinture f ~e* Grüngürtel *m; espace m ~* Grünfläche *f; haricots m pl ~s* grüne Bohnen *f pl; volée f de bois ~* kräftige Tracht Prügel; *~ acide, bouteille, clair, d'eau, émeraude, foncé, mousse, olive, pâle, tilleul* gift-, flaschen-, hell-, see-, smaragd-, dunkel-, moos-, oliv-, blaß-, lindgrün; *~ des feuilles* Blattgrün *n;* **~-de-gris** *m* Grünspan *m; se ~er* Grünspan an=setzen; **~ement** *adv* derb, rauh.

vert|ébral, e [vɛrtebral] *anat* Wirbel-; *colonne f ~e* Wirbelsäule *f;* **~èbre** *f anat* Wirbel *m; ~ cervicale, dorsale, lombaire* Hals-, Brust-, Lendenwirbel *m;* **~ébrés** *m pl* Wirbeltiere *n pl.*

vertex [vɛrteks] *m anat* Scheitel *m.*

vertical, e [vɛrtikal] *a* senk-, lotrecht, vertikal; *s f* Senkrechte, Vertikale *f; coupe f ~e* Längsschnitt *m;* **~isme** *m arch* Streben *n* nach Höhe; **~ité** *f* senkrechte Stellung *f.*

verticille [vɛrtisil] *m bot* Blattkranz, -quirl *m.*

verti|ge [vɛrtiʒ] *m med* Schwindel; *fig* Taumel *m; donner le ~* schwindlig machen (*à qn* jdn); *j'ai le ~* mir ist schwindlig; **~gineux, se** schwindlig; schwindelerregend; **~igo** *m med* Koller *(des Pferdes); fig vx* Rappel *m.*

vertu [vɛrty] *f* Tugend; *tech* Eigenschaft; *allg* Kraft *f,* Vermögen *n,* Wirksamkeit *f; en ~ de ...* kraft, auf Grund, vermöge *gen; ~ curative* Heilwirkung *f;* **~eux, se** [-tɥø, -øz] tugendhaft, sittsam, keusch.

verve [vɛrv] *f* Schwung *m,* Feuer *n,* Begeisterung *f; être en ~* in Schwung sein.

verveine [vɛrvɛn] *f bot* Eisenkraut *n.*

verveux, se [vɛrvø, -z] schwungvoll, feurig, begeistert.

vésanie [vezani] *f med* Irresein *n.*

vesce [vɛs] *f bot* Wicke *f.*

vésic|al, e [vezikal] *anat* Blasen-; **~ant, e; ~atoire** *a pharm* blasenziehend; *s m* Zugpflaster *n;* **~ation** *f med* Blasenziehen , -bildung *f.*

vési|culaire [vezikylɛr] bläschenartig; **~culation** *f* Blasenbildung *f;* **~cule** *f anat* Bläschen *n,* Blase *f a. med; ~ biliaire* Gallenblase *f; ~s pulmonaires, séminales* Lungen-, Samenbläschen *n pl;* **~culeux, se** blasenförmig.

vespasienne [vɛspazjɛn] *f* Bedürfnisanstalt *f.*

vespéral, e [vɛsperal] abendlich.

vespertilion [vɛspɛrtiljɔ̃] *m* Ohrenfledermaus *f.*

vess|e [vɛs] *f* lautlose(r) Blähung *f od* Wind; *pop* Schiß *m,* Angst *f; ~ de loup bot* Bovist *m;* **~er** e-n lautlosen Wind lassen.

vessie [vɛsi] *f anat* (Harn-)Blase *f; faire prendre à qn des ~s pour des lanternes (fam)* jdm ein X für ein U vormachen; *~ de glace* Eisbeutel *m; ~ natatoire* Schwimmblase *f (der Fische).*

vest|e [vɛst] *f* Jacke *f,* Jackett *n,* Joppe; *pop* Schlappe *f,* Fiasko *n,* Reinfall *m; prendre une ~ (pop)* e-e Schlappe erleiden, e-n Reinfall erleben; *retourner sa ~ (fam fig)* um=schwenken; *~ d'alpiniste* Kletterweste *f; ~-blouson f* Lumberjack *m; ~ en cuir* Lederjakke *f;* **~iaire** [-tjɛr] *m* Kleiderablage, Garderobe *f (a. die Sachen);* Umkleideraum *m;* **~ibule** *m* (Vor-)Halle, Diele *f;* Flur, Vorplatz; *anat* Vorhof *m.*

vestige [vɛstiʒ] *m* (Fuß-)Spur *f a. fig; fig* Rest *m; pl* Überreste *m pl.*

vest|imentaire [vɛstimɑ̃tɛr] Kleidungs-; **~iture** *f zoo* Behaarung *f;* **~on** *m* Sakko *m;* Jacke *f; ~ croisé, droit* Zwei-, Einreiher *m; ~ d'intérieur* Hausjacke *f.*

vêtement [vɛtmɑ̃] *m* (Be-)Kleidung *f,* Kleidungsstück; *fig* Gewand *n; pl* Kleider *n pl,* Zeug *n; changer de ~(s)* sich um=ziehen; *industrie f du ~* Bekleidungsindustrie *f; ~s de dessous* Unterwäsche *f; ~s de dessus (pour dames, pour hommes)* (Damen-, Herren-)Oberbekleidung *f; ~ d'été, d'hiver* Sommer-, Winterkleidung *f; ~ de femme, d'homme* Damen-, Herrenkleidung *f; ~s de grossesse* Umstandskleidung *f; ~ pour jeunes gens* Burschenkleidung *f; ~s de sport* Sport(be)kleidung *f; ~s tout faits* Fertigkleidung, Konfektion *f; ~s de travail* Arbeitskleidung *f.*

vétéran [veterɑ̃] *m mil allg* Veteran *m.*

vétérinaire [veterinɛr] *a* tierärztlich; *s m* Tierarzt *m; art m ~* Tierheilkunde *f.*

vétill|ard, e; ~eux, se [vetijar, -rd; -jø, -øz] *s m f* Kleinigkeitskrämer(in *f*) *m; a* kleinlich; (über)genau; *(Arbeit)* pusselig; **~e** *f* Kleinigkeit, Bagatelle Lappalie *f;* **~er** sich mit Kleinigkeiten ab=geben *od* befassen; herum=trödeln.

vêtir [ve(ɛ)tir] *irr* (an=)kleiden; an=ziehen; *fig* in den Besitz setzen (*de qc* e-r S *gen*); *se* ~ sich (an=)kleiden; sich an=ziehen.

veto [veto] *m inv* Veto *n; mettre son ~ à qc* sein Veto gegen etw ein=legen.

vêture [vetyr] *f rel* Einkleidung *f.*

vétust|e [vetyst] alt, abgenutzt, verbraucht; baufällig; **~é** *f* hohe(s) Alter *n;* verfallene(r) Zustand *m;* Baufälligkeit *f.*

veuf, veuve [vœf, vœv] *s m f* Witwe(r *m*) *f; f orn* Paradieswitwe; *arg* Guillotine *f; a* verwitwet; *fig* beraubt (*de* gen); *veuve de guerre* Kriegerwitwe *f.*

veule [vøl] *fam* schlaff, schlapp, schwach, ernergielos; weichlich, feige; **~rie** [vø-] *f* Schwäche, Energielosigkeit, Schlappheit; Weichlichkeit *f.*

veuvage [vœvaʒ] *m* Witwer-, Witwenstand *m.*

vex|ant, e [vɛksɑ̃, -ɑ̃t] ärgerlich; **~ateur, trice** quälend, drückend; **~ation** *f* Schikane, Quälerei, Plage *f;* Verdruß, Ärger *m;* **~atoire** lästig, ärgerlich, schikanös; **~é, e** verärgert; **~er** beleidigen; schikanieren, plagen, quälen *(vx); fam* ärgern, reizen (*qn* jdm); *se* ~ sich ärgern, beleidigt sein.

via [vja] *prp* über (*e-n Ort reisen).*

via|bilité [vjabilite] *f* **1.** Befahrbarkeit; **2.** Lebensfähigkeit *f; travaux m pl de ~* Straßenbauarbeiten *f pl;* **~ble** *(Kind)* lebensfähig *a. fig; fig (Plan)* aus-, durchführbar; *(Weg fig)* gangbar.

viaduc [vjadyk] *m* Viadukt *m.*

viager, ère [vjaʒe, -ɛr] *a* auf Lebenszeit; *fig* vergänglich; *s m* Leibrente *f; v* auf Lebenszeit mieten.

viand|e [vjɑ̃d] *f* Fleisch *n (als Nahrungsmittel od Speise); plat m de ~* Fleischspeise *f; ~ de conserve* Büchsenfleisch *n; ~ fraîche* Frischfleisch *n; ~ frigorifiée, réfrigérée* Gefier-, tiefgekühlte(s) Fleisch *n;* **~é e,** *fam* fett, dick; **~er** *(Rotwild)* äsen; *se ~ (pop)* sich e-e Wunde zu=ziehen; sich weh tun.

viatique [vjatik] *m* Wegzehrung; *rel* Kommunion *f (der Sterbenden).*

vibr|ant, e [vibrɑ̃, -ɑ̃t] schwingend, vibrierend; *(Stimme)* klang-, kraftvoll; *fig* schwungvoll, begeisternd, mitreißend; mitschwingend, empfänglich, ansprechbar; **~ateur** *m el* Vibrator *m;* **~atile** *zoo* Flimmer-; **~ation** *f* Zittern, Beben, Vibrieren *n;* Schwingung; Erschütterung *f; (Beton)* Einrütteln; *(Ventil)* Flattern; *film* Flimmern *n; exempt de ~s* erschütterungsfrei; **~atoire** vibrierend, schwingend; Schwingungs-; **~er** schwingen, vibrieren; zittern, beben; *film* flimmern; *fig* mit=schwingen; hingerissen sein; *faire ~ une corde (fig)* e-e Saite an=schlagen; **~isses** *f pl* Härchen *pl n* in der Nase; *zoo* Schnurrhaare *n pl; orn* Flaum *m.*

vibro-taxie [vibrɔtaksi] *f* Empfindlichkeit *f* gegenüber Erschütterungen; **~masseur** *m* Vibrator *m.*

vic|aire [vikɛr] *m* Vikar, Pfarrverweser; Stellvertreter *m;* **~ariat** [-rja] *m* Amt *n,* Kirche, Wohnung *f* e-s Vikars.

vic|e [vis] **1.** *m* Mangel, Defekt, Fehler *m,* Unzulänglichkeit, schwache Stelle *f;* Laster *n,* Liederlichkeit, Verderbtheit *f; ~ de construction, d'exécution, de fabrication* Konstruktions-, Ausführungs-, Fabrikationsfehler *m; ~ d'emballage* mangelhafte Verpakkung *f; ~ de forme (jur)* Formfehler *m;* **2.** *in Zssgen:* Vize-, Unter-; stellvertretend; *~-consul, -président, -roi m* Vizekonsul, -präsident, -könig *m;* **~ié, e** [-sje] verdorben; *(Luft)* verbraucht; **~ier** verderben; *jur* ungültig machen; **~ieux, se** fehler-, mangelhaft *a. jur;* liederlich, schlecht, lasterhaft; *(Tier)* bösartig; tückisch; *cercle m ~ (fig)* Teufelskreis *m.*

vicinal, e [visinal] : *chemin m ~* Feldweg *m;* Gemeindestraße *f; chemin m de fer ~* Lokalbahn *f.*

vicissitude [visisityd] *f* (plötzlicher) Wechsel, (völliger) Umschwung; Schicksalsschlag *m; pl* Wechselfälle *m pl (des Lebens).*

vicomte, esse [vikɔ̃t, -ɛs] *m f* Vicomte(sse *f*) *m.*

victime [viktim] *f rel* Opfer(tier); *allg* Opfer *n (Person),* Geschädigte(r), Betroffene(r) *m; faire des ~s* Menschenleben, Opfer fordern; *~ de la circulation* Verkehrsopfer *n ~ expiatoire, de guerre* Sühn-, Kriegsopfer *n.*

vict|oire [viktwar] *f* Sieg *m; remporter la ~* den Sieg davon=tragen; *~ aux points (sport)* Punktsieg *m;* **~orieux, se** siegreich; entscheidend.

victuailles [viktɥɑ(a)j] *f pl* Lebensmittel *n pl.*

vid|age [vidaʒ] *m* Entleerung *f;* **~ange** *f* Entleerung *f,* Absenken, Ablassen *n;* Leckage *f; pl* Fäkalien *pl; faire la ~ (mot)* Öl wechseln; *~ d'huile* Ölwechsel *m;* **~anger** *(Abort)* (ent)leeren, aus=räumen; *mot* ab=lassen; *(Öl)* wechseln; **~angeur** *m* Abortleerer *m.*

vide [vid] *a* leer; unbewohnt, unbesetzt; *fig* hohl; unausgefüllt, frei; inhaltlos; nichtig, bedeutungslos; *(Blick)* wesenlos; ~ *de* ... frei, entblößt von ..., ohne; *s m* Vakuum *n*, (luft)leere(r) Raum, Hohl-, Zwischenraum *m;* lichte Öffnung; Pore; *geol* Senkung *f; phys* Unterdruck *m; fig* Lücke; Leere; Nichtigkeit *f; à* ~ *(adv)* leer; *fig* vergeblich; *faire le* ~ aus=pumpen (*dans qc* etw), *autour de qn* jdn fliehen; *lampe f à* ~ Vakuumröhre *f; marche f à* ~ Leerlauf *m;* ~*-ordures m inv* Müllschlucker *m;* ~*-poches m inv mot* Handschuhfach *n; (Zelt)* Innentasche *f;* ~ *poussé* Hochvakuum *n;* ~*-pomme m inv* Apfelentkerner *m.*

vidéo [video] *a inv* Video-; *s f* Video *n;* ~**cassette** *f* Videokassette *f;* ~**disque** *m* Bildplatte *f;* ~**phone** *m* Video-, Bildtelefon *n;* ~**téléphone** *m s. vidéophone;* ~**thèque** *f* Videothek *f;* ~**tex** *m* Videotext *m.*

vider [vide] (aus=, ent)leeren, leer machen; *(Glas)* leeren; *(Teich)* ab=lassen; *(Ort)* räumen; *(Geflügel, Fisch)* aus=nehmen; *(Frucht)* entkernen; *allg* aus=höhlen; *tech* aus=bohren, aus=schneiden; *fig fam* ermüden, aus=pumpen; *(Streit)* beenden, bei=legen; *(Sache)* regeln; *(Rechnung)* begleichen; *pop* raus=schmeißen, an die Luft setzen; ~ *son sac (pop)* mit der Sprache heraus=rücken; *se* ~ *de tout sens* jeden Sinn verlieren.

vidimer [vidime] kollationieren u. die Richtigkeit der Abschrift beglaubigen.

viduité [vidɥite] *f* Witwen-, Witwerstand *m.*

vidure [vidyr] *f* Ausgeleerte(s) *n.*

vie [vi] *f* Leben; Dasein *n;* Lebenskraft, -zeit, -dauer *f,* -lauf *m,* -geschichte, -weise, -führung, -haltung *f,* -unterhalt *m;* Lebendigkeit, Lebhaftigkeit *f; à* ~ auf Lebenszeit; lebenslänglich; *au péril de ma, ta etc* ~ unter Lebensgefahr; *en* ~ am Leben; *entre la* ~ *et la mort* zwischen L. u. Tod; *jamais de la* ~ niemals; *pour la* ~ für immer; *sans* ~ leblos, unbelebt; kraftlos; *la* ~ *durant* sein Leben lang, lebenslang; *avoir la* ~ *dure* ein zähes Leben haben; *donner la* ~ das Leben schenken (*à* dat), ins L. rufen (*à* acc); *gagner sa* ~ s-n Lebensunterhalt verdienen; *rendre la* ~ *dure à qn* jdm das Leben sauer machen; *vivre sa* ~ sich aus=leben; *assurance f sur la* ~ Lebensversicherung *f; coût m de la* ~ Lebenshaltungskosten *pl; dégoûté de la* ~ lebensmüde; *espérance f de* ~ Lebenserwartung *f; femme f de mauvaise* ~ liederliche(s) Frauenzimmer *n; niveau m de* ~ Lebensstandard *m; question f de* ~ *et de mort* Lebensfrage *f; soir m de la* ~ Lebensabend *m; terme m de la* ~ Lebensende *n; train m de* ~ Lebensweise *f;* ~ *de chien (fig)* Hundeleben *n;* ~ *en commun* Gemeinschaftsleben *n;* ~ *économique* Wirtschaftsleben *n;* ~ *d'étudiant, de garçon* Studenten-, Junggesellenleben *n;* ~ *financière, sportive* Börsen-, Sportteil *m (e-r Zeitung).*

vieill|ard [vjɛjar] *m* Greis, alte(r) Mann *m; asile m de* ~*s* Altersheim *n;* ~**e** *s f* alte Frau, Alte, Greisin *f; a s. vieux;* ~**erie** *f* alte(r) Kram, Plunder *m; fig* abgedroschene Sachen *f pl;* ~**esse** *f* (Greisen-)Alter *n;* alte Leute *pl; fig* (hohes) Alter *n;* ~**ir** *itr* altern, alt werden; veralten; außer Gebrauch kommen; *fig* an Kraft verlieren, ab=nehmen, nach=lassen; *tr* alt machen, ein älteres Aussehen geben *od* verleihen (*qc* e-r S *dat*); *laisser* ~ ab=lagern; ~**issant, e** alternd; ~**issement** *m* Altern *n;* Überalterung *f;* ~**ot, te** [-jo, -ɔt] ältlich.

vielle [vjɛl] *f mus* (Dreh-)Leier *f.*

Vienn|e [vjɛn] *f* Wien *n;* **v**~**ois, e** wienerisch; Wiener; *V*~*e s m f* Wiener(in *f*) *m.*

vierge [vjɛrʒ] *s f* Jungfrau *f a. astr (V*~*); la V*~ die Jungfrau Maria; *V*~ Marienbild *n,* Madonna *f; a* jungfräulich, unberührt, unschuldig, rein, *(rel)* unbefleckt; ungebraucht, unbenutzt; *(Metall)* gediegen; *min* unverritzt; *(Papier)* unbeschrieben; *(Film)* unbelichtet; *forêt f* ~ Urwald *m; page f (fig)* ~ unbeschriebenes Blatt *n; vigne f* ~ wilde(r) Wein *m.*

Viêt-nam, le [vjɛtnam] Vietnam *n;* ~ *du Nord (hist)* Nordvietnam *n;* ~ *du Sud (hist)* Südvietnam *n;* ~**ien, ne** *m f* Vietnamese *m,* Vietnamesin *f;* **v**~ *a* vietnamesisch; *s m gram* Vietnamesisch.

vieux, vieil, vieille [vjø, vjɛj] *a* alt; veraltet; langjährig; altersschwach; abgenutzt, abgetragen; *s m f* Alte(r *m*) *f; pl pop* (die) Alten, Eltern *pl; mon* ~*!* mein Lieber! *avoir l'air* ~ alt aus=sehen; *se faire* ~ alt werden; sich alt machen; *ne pas faire de* ~ *os (fam)* nicht alt werden *a. fig; vieilles matières f pl* Altmaterial *n.*

vif, vive [vif, viv] *a* lebendig, lebend, am Leben; lebhaft *a. fig,* beweglich, rege, regsam, betriebsam, aufgeweckt, schneidig, schwungvoll; *(Bewegung)* schnell; hitzig, heftig; stark, streng, scharf *(a. Kälte); (Ausdruck)* drastisch; *(Licht)* hell, grell; *(Firnis)* hell; *(Grat)* scharf; *(Fels)* nackt; *(Kalk)* gebrannt; *(Holz)* frisch, im Saft stehend; *(Wald, Gegend)* wildreich; *el* unter Spannung; *s m* lebende(s) Fleisch; Leben; Herz *n; jur* Lebende(r); *fig* Kern(punkt), entscheidende(r) Punkt *m,* Hauptsache *f; à arêtes vives* scharfkantig; *de vive force* mit nackter Gewalt; im Handstreich; *de vive voix* mündlich; *couper, trancher dans le ~* energisch vor≈gehen gegen ...; *entrer dans le ~ du sujet* zum Wesentlichen, zum Kern der Sache kommen; bis zum Kern der Sache vor≈dringen; *être ~ comme la poudre* leicht auf≈brausen; *piquer au ~* schwer beleidigen; *toucher au ~* ins Mark treffen; *prendre sur le ~* nach der Natur zeichnen *od* auf≈nehmen; aus dem Leben greifen; *eau f vive* Quellwasser *n; haie f vive* lebende Hecke *f; kilo m ~* Kilo *n* Lebendgewicht *n; plaie f vive* offene Wunde *f; vive activité f de patrouilles* lebhafte Spähtrupptätigkeit *f; ~-argent m inv* Quecksilber *n.*

vigi|e [viʒi] *f mar* (Matrose im) Ausguck *m;* Küstenwache *f; loc (~ de frein)* Bremserhäuschen *n;* **~lance** *f* Wachsamkeit *f;* **~lant, e** wachsam, umsichtig, aufmerksam; **~le** *f rel* Vigilie *f.*

vign|e [viɲ] *f (cep m de ~)* Rebe *f,* Weinstock; Weinberg *m; être dans les ~s du Seigneur (fig)* in weinseliger Laune sein; *feuille f de ~* Wein-, *(Kunst)* Feigenblatt *n; raisin m de ~* Weintraube *f; ~ vierge* wilde(r) Wein *m;* **~eron, ne** *m f* Winzer(in *f*) *m.*

vignette [viɲɛt] *f* Vignette *f,* Buchschmuck *m;* Einbandzeichnung; Schmuckleiste *f,* Zierstreifen *m;* Einfassung *f;* (Zier-)Etikett *n;* Gebührenmarke *f; timbre m ~* Briefschlußmarke *f.*

vignoble [viɲɔbl] *s m* Weinberg, -garten *m,* -gegend *f; a* Weinbau-.

vigogne [vigɔɲ] *f* Vikunja(wolle) *f.*

vig|oureux, se [vigurø, -z] kräftig, kraftvoll, stark; fest, nachdrücklich, energisch; **~ueur** [-gœr] *f* (Körper-, Lebens-, Ausdrucks-)Kraft; Stärke *f;* Nachdruck *m,* Energie, Festigkeit; Geisteskraft; *jur* Gültigkeit, Geltung *f; en ~ adv;* geltend; *plein de ~* kraftvoll, -strotzend; *sans ~* kraftlos; *(Kunst)* matt; *entrer, être, mettre en ~* in Kraft treten, sein, setzen; *entrée f en ~* Inkrafttreten *n; mise f en ~* Inkraftsetzung *f.*

vil, e [vil] *a* gemein, niederträchtig; *(Preis)* gering; *à ~ prix* spottbillig, zu e-m Spottpreis; **~ain, e** *a* gemein, schlecht, böse, übel, niederträchtig, schändlich; schmutzig, unsauber; widerlich, häßlich, gräßlich; *(Wetter)* garstig, ungemütlich, *fam* scheußlich; *s m f* schlechte(r) Mensch, gemeine(r) Kerl *m,* niederträchtige(s) Weib *n; hist* Bauer *m.*

vilebrequin [vilbrəkɛ̃] *m tech* Bohrwinde; *mot* Kurbelwelle *f.*

vilenie [vilni] *f* Gemeinheit, Schlechtigkeit, Niederträchtigkeit, Schändlichkeit; Zote *f.*

vilipender [vilipɑ̃de] verächtlich behandeln; gering≈schätzen; schlecht sprechen (*qn* von jdm, über jdn).

villa [vil(l)a] *f* Landhaus *n,* Villa *f; ~ individuelle* Einfamilienhaus *n.*

village [vilaʒ] *m* Dorf *n; ~ de toile* Zeltstadt *f; ~ de vacances* Feriendorf *n;* **~ois, e** *s m f* Dorfbewohner(in *f*) *m; a* ländlich.

ville [vil] *f* Stadt *f; à la ~* in der Stadt *(Gegensatz: auf d. Lande); en ~* in der Stadt, außer Haus; *(postalisch)* hier; *aménagement m des ~s* Stadtplanung *f; chaussure, tenue, robe f de ~* Straßenschuh, -anzug *m,* -kleid *n; grande ~* Großstadt *f; hôtel m de ~* Rathaus *n; petite ~* Kleinstadt *f; sergent m de ~* Polizist *m; vieille ~* Altstadt *f; ~-dortoir f* Schlafstadt *f; ~-Etat f* Stadtstaat *m; ~ jumelée* Patenstadt *f; ~ littorale, moyenne, portuaire, ruban, en ruines, satellite* Küsten-, Mittel-, Hafen-, Band-, Ruinen-, Trabantenstadt *f; ~-musée f* sehenswürdige Stadt *f.*

villégia|teur [vileʒjatœr] *m* Sommerfrischler *m;* **~ture** *f* Sommerfrische *f;* **~turer** in der Sommerfrische sein.

vill|eux, se [vilø, -z] haarig; zottig; **~osité** *f* Behaartheit *f;* zottige(s) Fell *n; ~s intestinales* Darmzotten *f pl.*

vin [vɛ̃] *m* Wein *m;* Weinlaune, -seligkeit *f; entre deux ~s* nicht ganz nüchtern; *cuver son ~* s-n Rausch aus≈schlafen; *mettre de l'eau dans son ~ (fig)* einen Pflock zurück≈stecken, gelindere Saiten auf≈ziehen; *quand le ~ est tiré, il faut le boire* wer A sagt, muß auch B sagen; *grand ~, ~ du cru* Auslesewein *m; pointe f de ~* kleine(r) Schwips *m; pris de ~* betrunken; *tache f de ~* Muttermal *n; ~ blanc, chaud, du cru* od *du pays, de fruits, en fût, de liqueur, médicinal, mousseux, ordinaire, d'origine, rouge* Weiß-, Glüh-, Land-, Obst-, Faß-, Süß- *od* Dessert-, Kranken-, Schaum-, Tisch-, Natur-, Rotwein *m;*

~ *qui a du corps* schwere(r) Wein *m;* ~ *rosé* Rosé, Schiller; Bleichert *m.*
vinage [vinaʒ] *m* Alkoholzusatz *m (zum Wein).*
vinai|gre [vinɛgr] *m* Essig *m; n'être que fiel* od *sel et* ~ *(fig)* Gift u. Galle sein; *faire* ~ *(pop)* schnell machen, rennen; *cornichon m au* ~ Essiggurke *f;* ~ *de bois, de vin* Holz-, Weinessig *m;* **~grer** mit Essig an=machen; **~grerie** [-grə-] *f* Essigfabrik *f;* **~grette** *f* Essigsoße, -brühe *f;* **~grier** *m* Essigfabrikant, -händler *m,* -flasche *f.*
vin|aire [vinɛr] Wein-; **~asse** *f fam* kleine(r) Wein *m;* Schlempe *f.*
vindas [vɛ̃dɑ(s)] *m mar* Gangspill *n;* Rundlauf *m (Turngerät).*
vind|icatif, ive [vɛ̃dikatif, -iv] rachsüchtig; **~icte** *f:* ~ *publique* gerichtliche Verfolgung *f.*
vin|ée [vine] *f* Weinlese *f;* **~er** Alkohol zu=setzen (*le vin* dem Wein); **~eux, se** *(Wein)* geistig, alkoholreich; *(Gegend)* weinreich; weinfleckig; *rouge* ~ weinrot.
vingt [vɛ̃] zwanzig; *s m* Zwanzig(er *m*) *f;* der Zwanzigste; **~aine** *f: une* ~ *de* ... etwa zwanzig ...; **~ième** *a* zwanzigste(r, s); *s m* Zwanzigstel *n;* **~ièmement** *adv* zwanzigstens; **~uple** zwanzigfach.
vini|cole [vinikɔl] *a* Weinbau-; *région f* ~ Weinbaugebiet *n;* **~culture** *f* Weinbau *m;* Weinerzeugung *f;* **~fère** weintragend; **~fication** *f* Weinbereitung *f;* **~que** *chem* Wein-.
viol [vjɔl] *m* Vergewaltigung, Notzucht *f;* **~able** verletzbar.
viola|cé, e [vjɔlase] *a* ins Violette spielend; *bleu, rouge* ~ blau-, rotviolett; *f pl* Veilchengewächse *n pl,* Violazeen *f pl;* **~cer** ins Violette spielen; e-e violette Färbung an=nehmen.
viola|teur, trice [vjɔlatœr, -tris] *m f jur* Übertreter(in *f*); *rel* Kirchenschänder *m;* ~ *des lois* Rechtsbrecher *m;* **~tion** *f* Übertretung, Verletzung *(e-s Gesetzes);* Schändung *f;* ~ *de domicile* Hausfriedensbruch *m;* ~ *de frontière* Grenzverletzung *f;* ~ *de la paix publique* Landfriedensbruch *m;* ~ *du secret des lettres, du secret professionnel* Verletzung *f* des Brief-, des Berufsgeheimnisses; ~ *de sépulture, de tombeau* Grabschändung *f.*
violâtre [vjɔlatr] blaßviolett; *(Haut)* bläulich angelaufen.
viole [vjɔl] *f mus* Viola, Bratsche *f.*
vio|lemment [vjɔlamɑ̃] *adv* heftig; gewaltsam; **~lence** *f* Heftigkeit, Unbändigkeit *f,* Ungestüm *n;* Gewaltsamkeit; Gewalt(tätigkeit) *f; faire* ~ *à qn* jdm Gewalt an=tun; *se faire* ~ sich zs.=nehmen, -reißen, sich zwingen; *user de* ~, *employer la* ~, *faire* ~ *(à)* Gewalt gebrauchen (gegen); **~lent, e** heftig, stürmisch, stark, gewaltig; wild, ungestüm; gewaltsam, gewalttätig; *(Farbe)* grell; **~lenter** zwingen; Gewalt an=tun (*qn, qc* jdm, e-r S); **~ler** verletzen, übertreten; *(Eid)* brechen; entweihen, entheiligen; schänden; vergewaltigen, notzüchtigen.
violet, te [vjɔlɛ, -t] *a* violett, veilchenblau; *s m* Violett *n; s f* Veilchen *n.*
violier [vjɔlje] *m bot* Levkoje *f.*
violon [vjɔlɔ̃] *m mus* Geige, Violine *f;* Geiger *m; pop* Arrestlokal, Polizeigewahrsam *n;* **~celle** *m mus* Cello *n;* **~celliste** *m* Cellospieler, Cellist *m;* **~er** *fam* geigen, Geige spielen; **~eur, ~eux** *m péj* Fiedler *m;* **~iste** *m f* Geiger(in *f*) *m.*
viorne [vjɔrn] *f bot* Schneeball *m.*
vip|ère [vipɛr] *f zoo* Viper, Otter; *fig* Giftnatter *f; langue f de* ~ Lästerzunge *f;* **~ereau** *m* kleine Viper *f;* **~érin, e** *a* Vipern-, Ottern-; *fig* boshaft; *s f bot* Natternkraut *n.*
virage [viraʒ] *m* Wendung *f,* Wenden *n,* Drehung *f,* Drehen *n;* Kurve *a. aero,* Kehre, Straßenbiegung, -krümmung; *phot* Tonung *f,* Tonbad *n;* (Farb-)Änderung *f,* Wechsel *m a. fig; s'engager dans le* ~ in die Kurve gehen; *prendre un* ~ *à la corde* e-e Kurve schneiden; ~ *à droite, à gauche* Rechts-, Linkskurve *f;* ~ *en épingle à cheveux* Haarnadelkurve *f;* ~ *relevé* überhöhte Kurve *f;* ~ *serré* scharfe Wendung; *aero* enge Kurve *f;* ~ *en stemm* Stemmbogen *m;* ~*s successifs* Mehrfachkurve *f;* ~ *à la verticale (aero)* Steilkurve *f.*
virago [virago] *f* Mannweib *n.*
virée [vire] *f fam* Bummel *m.*
vir|ement [virmɑ̃] *m* Wenden *n,* Wendung; *com* Überweisung, Übertragung *f,* Giro *n; effectuer, opérer un* ~ girieren, überweisen; *payer, régler par* ~ durch Überweisung, bargeldlos zahlen; *avis m de* ~, *de débit du* ~ Gutschriftanzeige *f;* Lastschriftbeleg *m; carnet m de* ~*s* Überweisungsheft *n,* -auftrag *m; chèques m pl et* ~*s postaux* Postscheck- u. Giroverkehr *m; compte m de* ~ Girokonto *n; ordre m de* ~ Überweisungsauftrag *m;* ~ *automatique* Dauerauftrag *m;* ~ *bancaire, postal* Bank-, Postüberweisung *f;* ~ *budgétaire, de fonds (Haushalt) (pol)* Übertragung *f* von einem Titel auf e-n andern; **~er** *itr* sich wenden, sich drehen; *mot* die Kurve nehmen,

kurven; *fig* s-e Meinung ändern; *(Farbe)* spielen (*à* in *acc*); *tr* wenden; *com* überweisen (*au compte de* auf das Konto, zugunsten *gen*); *phot* tönen; *(Motor)* durch=drehen; *~ de bord (mar)* wenden; *fig* ins andere Lager über=gehen.

vireux, se [virø, -z] *bot* giftig; *(Geruch, Geschmack)* übel, widerlich.

vire|volte [virvɔlt] *f (Reitkunst)* schnelle ganze Wendung *f;* **~volter** e-e schnelle ganze Wendung aus=führen.

virg|inal, e [virʒinal] jungfräulich; **~inie** *m* Virginia *m (Tabak);* **~inité** *f* Jungfräulichkeit, Reinheit, Unberührtheit *f a. fig.*

virgule [virgyl] *f* Komma *n; ~ flottante* Fließkomma *n.*

vir|il, e [viril] männlich; *fig* mannhaft; Mannes-; **~iliser** vermännlichen; männliche Kraft verleihen (*qn* jdm); **~ilité** *f* Männlichkeit; Mannbarkeit, Manneskraft *f;* Mannesalter *n; fig* Mannhaftigkeit *f.*

virole [virɔl] *f* Zwinge *f,* Reif, Ring; *tech* Schuß *m.*

virologie [virɔlɔʒi] *f med* Virologie *f.*

virtu|alité [virtɥalite] *f* innewohnende Kraft *f,* Wirkungsvermögen *n;* **~el, le** virtuell; der Kraft *od* Möglichkeit nach vorhanden; *(Bild)* scheinbar.

virtu|ose [virtɥoz] *m f* Virtuose *m,* Virtuosin *f;* **~osité** *f* Virtuosität *f.*

viru|lence [virylɑ̃s] *f med* Ansteckungsfähigkeit; *fig* Bissigkeit; Heftigkeit *f;* **~lent, e** *med* sehr ansteckend; *fig* giftig, beißend, heftig.

virure [viryr] *f mar* Gang *m; ~ de bandages (mar)* Plankengang *m.*

virus [virys] *m* Virus *n a. fig; maladie f à ~* Viruskrankheit *f.*

vis [vis] *f* Schraube; Spindel *f; donner un tour de ~ (fig)* die Daumenschrauben an=ziehen; *serrer la ~ à qn (pop)* jdn knapper halten, strenger behandeln; *escalier m à ~* Wendeltreppe *f; ~ à ailettes* Flügelschraube *f; ~ sans fin (tech)* Schnecke *f; ~ régulatrice, de rappel, de réglage* Stellschraube *f.*

visa [viza] *m* Visum *n,* Sichtvermerk *m; ~ d'entrée, de sortie* Ein-, Ausreisevisum *n; ~ de censure* Zensurvermerk *m; ~ de transit* Durchreisevisum *n.*

visa|ge [vizaʒ] *m* Gesicht, *poet* Angesicht, Antlitz *n;* Gesichtsausdruck *m,* Miene *f; fig* Aussehen *n,* Erscheinung *f,* Bild *n;* Mensch *m,* Gesicht *n; à ~ découvert* ohne Maske; *fig* unverschleiert, unverhüllt; *changer de ~* die Farbe wechseln, bleich *od* rot werden; *faire bon ~ à qn* jdn freundlich empfangen; *tourner ~ vx* sich um=drehen, -wenden; *trouver ~ de bois* niemand(en) antreffen; *~ pâle* Bleichgesicht *n;* **~gisme** *m* Schönheitspflege *f;* **~giste** *m* Gesichtschirurg *m;* Kosmetiker(in *f*) *m.*

vis-à-vis [vizavi] *prp* gegenüber (*de* dat); *s m* Gegenüber *n.*

visc|éral, e [viseral] *anat* Eingeweide-; *fig* tiefsitzend; **~ère** *m, meist pl* innere(s) Organ *n; pl* Eingeweide *n pl.*

viscos|e [viskoz] *f* Viskose *f;* **~imètre** *m* Viskosimeter *n;* **~ité** *f* Viskosität, Zähflüssigkeit *f.*

vis|ée [vize] *f* Zielen *n; fig* Absicht *f,* Plan *m,* Augenmerk *n; avoir des ~s sur qc (fig)* etw im Auge haben, sein Augenmerk auf e-e S richten; *appareil m de ~* Zielgerät *n; lunette, fente f de ~* Zielfernrohr *n,* -schlitz *m;* **~er 1.** *itr* zielen (*à* auf *acc); aufs Korn nehmen (*à qn, à qc* jdn, etw); *fig* erstreben (*à qc* e-e S), darauf aus=gehen, es sich angelegen sein lassen (*à* zu); *tr* zielen (*qn* auf jdn); *fig* ins Auge fassen; streben (*qc* nach etw); **2.** *tr* mit Sichtvermerk versehen; ab=zeichnen; ab=haken; *être ~é par une mesure* von e-r Maßnahme betroffen sein; **~eur** *m* Visier; Zielgerät *n; phot* Sucher *m; ~ de bombardement* Bombenzielgerät *n.*

visi|bilité [vizibilite] *f* Sichtbarkeit; Sicht(weite) *f; (conditions pl de ~)* Lichtverhältnisse *n pl;* **~ble** sichtbar (*à* für); wahrnehmbar; *fig* offensichtlich, augenscheinlich; *être ~ pour qn* für jdn zu sprechen sein.

visière [vizjɛr] *f* Helm-)Visier *n;* (Mützen-) Schirm *m; phot* Gegenlichtblende *f; lever la ~ (fig)* Farbe bekennen; *rompre en ~ à qn (fig)* jdm etw ins Gesicht sagen.

Visigoth, e [vizigo] *s. Wisigoth.*

vision [visjɔ̃] *f* Sehen, Sehvermögen; geistige(s) Schauen *n;* Vision *f,* Gesicht *n,* Erscheinung *f;* (Fern-)Sehen *n; double ~* zweite(s) Gesicht *n; troubles m pl de la ~* Sehstörungen *f pl;* **~naire** *a* seherisch; schwärmerisch, phantastisch; *s m f* Seher(in *f*); Träumer(in *f*); Phantast(in *f*), Schwärmer(in *f*) *m;* **~ner** *film* mit dem Bildwerfer betrachten, sich an=sehen; *allg* in Augenschein nehmen; **~neuse** *f film* Bild-, Diabetrachter *m.*

visiophone [visjɔfɔn] *m s. vidéophone.*

visi|tation [vizitasjɔ̃] *f: la V~ (rel)* die Heimsuchung *f* Mariä; **~te** *f* Besuch *m;* Besichtigung; Revision, Überprüfung, Unter-, Durchsuchung *f; être en ~chez qn* bei jdm zu, auf Besuch sein; *faire, rendre ~ à qn* jdn besuchen, jdm e-n Besuch ab=statten, bei jdm vor=sprechen; *carte f de ~* Visitenkarte *f; heures f pl de ~* Besuchszeit *f; ~ des bagages* Gepäckkontrolle *f; ~ de congé, de courtoisie* Abschieds-, Höflichkeitsbesuch *m; ~ domiciliaire* Haussuchung *f; ~ de la douane, douanière* Zollabfertigung *f; ~-éclair f* Blitzbesuch *m,* Stippvisite *f; ~ guidée* Führung *f; ~ des lieux (jur)* Lokaltermin *m;* **~ter** *(Person)* besuchen; *(Sache)* besichtigen, in Augenschein nehmen; *(Arzt)* Kranken-, Hausbesuch machen (*qn* bei jdm); durch-, untersuchen; *rel* visitieren; *rel* heim=suchen; **~teur, se** *m f* Besucher(in *f*); Aufseher, Inspektor *m; infirmière- ~se f* Gesundheitsfürsorgerin *f; ~ forain* Messebesucher *m.*

vison [vizɔ̃] *m zoo* Nerz *m (a. Pelz).*

visorium [vizɔrjɔm] *m typ* Blatthalter *m.*

visqueux, se [viskø, -øz] viskos, zäh(flüssig).

viss|age [visaʒ] *m* Verschraubung, Schraubenverbindung *f;* **~ant, e** aufschraubbar; **~er** (an=, auf=, fest=, zu=) schrauben; *pop* tüchtig ran=kriegen; **~erie** *f* Schrauben(fabrik *f*) *f pl.*

Vistule, la [vistyl] *geog* die Weichsel *f.*

visuel, le [vizɥɛl] visuell; Gesichts-, Seh-; *angle m ~* Blick-, Gesichtswinkel *m; champ m ~* Gesichtsfeld *n; rayon m ~* Sehlinie *f; s m inform* Bildschirmgerät, (Daten-)Sichtgerät *n.*

vital, e [vital] lebenswichtig; *espace m ~* Lebensraum *m; minimum m ~* Existenzminimum *n;* **~ité** *f* Lebenskraft, Vitalität *f.*

vitami|ne [vitamin] *f* Vitamin *n;* **~né, e** mit Vitaminen angereichert, vitaminiert.

vite [vit] *a adv* schnell, rasch, geschwind; *au plus ~* möglichst schnell; schnellstens; *aussi ~ que possible* so schnell wie möglich, auf dem schnellsten Wege; *avoir ~ fait de qc* etw rasch erledigt haben.

vitellus [vitɛlys] *m* (Ei-)Dotter *m* od *n.*

vitesse [vitɛs] *f* Schnelligkeit; Geschwindigkeit; Raschheit, Flinkheit, Zügigkeit *f; mot* Gang *m; tech* Dreh-, Tourenzahl *f; à toute ~* in aller Eile; mit Volldampf; *à la ~ de la lumière* mit Lichtgeschwindigkeit; *en ~ (fam)* schnellstens; *en* od *par grande, petite ~* als Eil-, Frachtgut; *en perte de ~ (fig)* auf dem absteigenden Ast; *changer de ~ (mot)* um=schalten; *descendre la ~ (mot)* zurück=schalten; *être en perte de ~ (fig)* an Bedeutung *od* Einfluß verlieren; *gagner qn de ~* jdm zuvor=kommen; *mettre la première ~, passer en deuxième ~ (mot)* den ersten, zweiten Gang ein=schalten; *réduire la ~* die Geschwindigkeit herab=setzen, ab=bremsen; *boîte f à trois changements de ~ (mot)* Dreiganggetriebe *n; changement m de ~* Umschalten *n; compteur, enregistreur m de ~* Tachometer *n; passage m des ~s* Gangschaltung *f; perte f de ~ (aero)* Geschwindigkeitsverlust *m; ~ de l'air, à l'atterrissage, de chute, de circulation* od *de rotation, de croisière, d'écoulement* Luft-, Lande-, Fall-, Umlaufs-, Reise-, Strömungsgeschwindigkeit *f; ~ initiale, de la lumière, maxima, minima, moyenne, de pointe, du son, supersonique* od *transsonique, du vent, du vol* Anfangs-, Licht-, Höchst-, Mindest-, Durchschnitts-, Spitzen-, Schall-, Überschall-, Wind-, Fluggeschwindigkeit *f; ~ de libération (Raumfahrt)* Fluchtgeschwindigkeit *f; ~ réglementée* Richtgeschwindigkeit *f; ~ tout-terrain (mot)* Geländegang *m.*

viti|cole [vitikɔl] *a* Weinbau-; *industrie f ~* Weinbau *m; production f ~* Weinertrag *m;* **~culteur** *m* Winzer *m;* **~culture** *f* Weinbau *m.*

vitr|age [vitraʒ] *m* Verglasung; Glaswand, -tür *f;* Fenster *n pl;* Glaserarbeiten *f pl;* Scheibengardine *f; ~ double* Doppelfenster *n;* **~ail** [-aj] *m* (*bes.* bemaltes) Kirchenfenster *n;* **~e** *f* Fensterscheibe *f; casser les ~s (fig)* Krach schlagen; *verre m à ~s* Fensterglas *n; ~ anti-buée* Klarsichtscheibe *f;* **~é, e** verglast; Glas-; **~er** verglasen; **~erie** *f* Glaserei *f;* Glaserhandwerk *n,* Glashandel *m,* -waren *f pl;* **~eux, se** glasartig; *(Blick)* glasig; **~ier** [-trije] *m* Glaser *m;* **~ière** *f* Fenstereisen *n;* **~ifiable** zu Glas zu verarbeiten(d); Lackieren *n;* **~ification** *f* Verarbeitung *f* zu Glas; Glasfluß *m;* **~ifier** zu Glas verarbeiten; lackieren; *(Boden)* ein=lassen; **~ine** *f* Vitrine *f,* Glasschrank *m;* Schaufenster *n,* -kasten *m.*

vitriol [vitrijɔl] *m chem* Vitriol *m* od *n; ~ bleu, de cuivre* Kupfervitriol *n;* **~é, e** vitriolhaltig; **~er** mit Vitriol bespritzen.

vitupér|ation [vityperasjɔ̃] *f* scharfe(r) Tadel *m;* **~er** *vx* heftig tadeln, ab=kanzeln; *itr ~ contre* ... schimpfen, protestieren gegen ...

viv|ace [vivas] lebenskräftig; *fig* langlebig; beharrlich; *(Vorurteil)* eingewurzelt; *bot* ausdauernd; **~acité** *f* Lebhaftigkeit; *fig* Heftigkeit, Hitze; Aufgewecktheit, Regsamkeit *f.*

vivandier, ère [vivɑ̃dje, -ɛr] *m f* Marketender(in *f*) *m.*

viv|ant, e [vivɑ̃, -t] *a* lebendig, lebend, am Leben; lebenswahr, -voll; *fig* lebhaft; *(Straße)* belebt, verkehrsreich; *s m* Lebende(r) *m; de son* ~ zu Lebzeiten; *bon* ~ lustige(r) Geselle; Lebemann *m;* **~at** [-va] *interj* er, sie lebe hoch! *s m* Hoch *n;* **~ement** *adv* lebhaft; kräftig; heftig, eifrig, nachdrücklich, scharf; rasch, schnell; tief, innig; **~eur** *m* Lebemann *m;* **~ier** [-vje] *m* Fischteich, -behälter *m;* **~ifiant, e; ~ifacateur, trice** belebend; kräftigend, stärkend; **~ification** *f* Belebung *f;* **~ifier** beleben, mit Leben erfüllen, beseelen, kräftigen, stärken; **~oir** *m (kanadisch)* Wohnzimmer *n;* **~ipare** *a zoo* lebendige Junge zur Welt bringend; **~iparité** *f,* **~iparisme** *m* Fähigkeit *f,* lebendige Junge zur Welt zu bringen; **~isection** [-ksjɔ̃] *f med* Vivisektion *f;* **~oter** [-vɔte] *fam* kümmerlich leben, vegetieren.

vivre [vivr] **1.** *v irr itr* leben *a. fig,* (am Leben) sein, existieren, bestehen; fort=leben, -bestehen, dauern; wohnen; sich ernähren, leben (*de* von); aus=kommen (*avec qn* mit jdm); *tr* (er)leben; *avoir juste de quoi* ~ gerade noch durch=kommen; *faire* ~ am Leben erhalten, ernähren; ~ *âgé sans devenir vieux* alt werden u. jung bleiben; ~ *comme un coq en pâte* leben wie Gott in Frankreich; ~ *d'amour et d'eau fraîche* von Luft und Liebe leben; ~ *au jour le jour* von der Hand in den Mund leben; ~ *en saint* das Leben e-s Heiligen führen; *qui vive?* wer da? **2.** *s m* Leben *n;* Lebensunterhalt *m,* Nahrung *f; pl* Verpflegung *f,* Mundvorrat, Proviant *m; dépôt m de ~s (mil)* Verpflegungslager *n; ~s de réserve (mil)* eiserne Ration *f; ~s de route (mil)* Marschverpflegung *f.*

vizir [vizir] *m* Wesir *m.*

vlan, v'lan [vlɑ̃] *interj* schwupp!

voc|able [vɔkabl] *m* Wort *n,* Benennung *f; (dédié) sous le ~ de saint Joseph (rel)* dem heiligen Josef geweiht; **~abulaire** *m* Wortschatz *m;* Terminologie *f (e-r Wissenschaft);* Wörterverzeichnis, Vokabular *n;* **~al, e** *a* Stimm-; *cordes f pl ~es (anat)* Stimmbänder *n pl; musique f ~e* Vokalmusik *f;* **~alique** *gram* vokalisch; **~alisation** *f gram* Vokalisierung; Vokalbildung; *mus* Stimmübung *f;* **~alise** *f* Stimmübung *f; air m à ~s* Koloraturarie *f;* **~aliser** Stimmübungen machen; *gram* vokalisieren; **~alisme** *m* Selbstlaute, Vokale *m pl;* **~atif** *m gram* Vokativ *m;* **~ation** *f* Berufung, Bestimmung; Neigung, Anlage *f.*

vocifé|rations [vɔsiferasjɔ̃] *f pl* Geschrei, Gebrüll, Gezeter *n;* **~rer** *itr* schreien, brüllen, toben; *tr* heraus=brüllen.

vœu [vø] *m* Gelübde *n;* (Glück-) Wunsch *m; faire* ~ geloben; sich ernstlich vor=nehmen (*de* zu); *faire des ~x pour la prospérité de qn* jdm alles Gute wünschen; *formuler un* ~ e-n Wunsch äußern; *carte f de ~x* Glückwunschkarte *f; ~x de bonne année* Glückwünsche *m pl* zum Jahreswechsel; *~x monastiques* Klostergelübde *n.*

vogue [vɔg] *f* Beliebtheit *f,* Zulauf, Erfolg *m,* Ansehen *n,* Mode *f; être en* ~ beliebt sein, Zulauf haben; Mode, im Schwang(e) sein; **~r** *vx* od *lit* fahren, segeln; schwimmen *a. fig; fig* treiben *itr;* ~ *la galère (fam)* lassen wir die Sache laufen! warten wir ab!

voici [vwasi] hier, da ist, sind; *et ~ comment* u. zwar, nämlich; *la lettre que* ~ dieser Brief hier; *me* ~ da bin ich; *les* ~ da sind sie; ~ *pourquoi* ... aus diesem Grund(e) ...; ~ *venir le printemps* der Frühling steht vor der Tür.

voie [vwa] *f* Weg *m,* Straße, Strecke; Bahn; Fahrbahn *f,* Bahnkörper *m;* Spurweite *f;* Gleis *n; (Jagd)* Spur, Fährte; *min* Strecke *f,* Ort *m;* Fuhre; *(Säge)* Schränkweite *f; anat* Gang, Kanal; *fig* Weg *m,* Vermittlung *f,* Mittel *n; à ~ étroite* schmalspurig; Schmalspur-; *à plusieurs ~s* mehrgleisig; *à quatre ~s* vierspurig; *à ~ unique* eingleisig; *en ~ de* auf dem Wege, im Begriff zu; *en bonne* ~ auf dem richtigen Wege; *en ~ de préparation* in Vorbereitung; *par la ~ de* durch, auf dem Wege *gen; par ~ d'action* auf dem Klagewege; *par ~ d'affiche* durch Anschlag; *par la ~ la plus directe* auf dem kürzesten Wege; *par ~ ferrée* mit der Bahn; *par la ~ hiérarchique* auf dem Dienstweg(e); *être en ~ d'amélioration* Fortschritte machen, sich bessern, besser werden; *être toujours par ~ et par chemin* dauernd unterwegs sein; *faire une ~ d'eau* leck werden; *se laisser aller à des ~s de fait* sich zu Tätlichkeiten hin=reißen lassen; *mettre qn sur la ~ (fig)* jdm auf die Spur, die Sprünge helfen; *mettre sur une ~*

de garage (fig) kalt=stellen, (jdn) aufs Abstellgleis schieben; *ouvrir la ~ à qn (fig)* jdm den Weg ebnen; *prendre la ~ des airs, de mer, de terre* den Luft-, See-, Landweg benutzen; *prendre la ~ des tribunaux* den Rechtsweg beschreiten; *régler par des ~s pacifiques* friedlich bei=legen; *respecter la ~ hiérarchique* den Dienstweg ein=-halten; *l'affaire est en ~ d'accommodement* die Angelegenheit wird zur Zeit beigelegt; *circulation f sur la ~ publique* öffentliche(r) Verkehr *m; ligne f à ~ unique, à double ~* ein-, zweigleisige Strecke *f; ~ d'accès (à l'autoroute)* Auffahrt *f* (zur Autobahn); *~ administrative* Verwaltungsweg *m; ~ d'arrivée, de départ (loc)* Ankunfts-, Abfahrtgleis *n; ~ d'attente, de garage* Warte-, Abstellgleis *n; ~ carrossable* Fahrweg *m*, -straße *f; ~ de ceinture* Ring-, Umgehungsstraße *f; ~ centrale (Straße)* Mittelspur *f; ~ à grande circulation* Hauptverkehrsstraße *f; ~ de communication* Verbindungsstrecke, Verkehrslinie *f; tele* Nachrichtenweg *m; ~ de grande communication* Fernverkehrsstraße *f; ~ de départ (aero)* Startbahn *f; ~s de desserte* An- u. Abmarschstraßen *f pl; ~ de déviation* Umleitung *f; ~ de droit* Rechtsweg *m; ~ d'eau* Wasserstraße *f; (Schiff)* Leck *n; ~ d'écoulement* Ab-, Ausfluß *m; ~ d'embranchement (loc)* Zweiglinie *f; ~ étroite* Schmalspur *f; ~ d'évitement (loc)* Ausweichgleis *n;* Umgehungsstraße *f; ~ express* Schnellstraße *f; ~ de fait (jur)* Tätlichkeit, Gewalttat *f; ~ ferrée* Schienenweg, -strang *m;* Gleis(anlage *f*) *n; ~ lactée (astr)* Milchstraße *f; ~ lymphatique (anat)* Lymphbahn *f; ~ maritime* Schiffahrtsweg *m; ~ de navigation intérieure* Binnenschiffahrtstraße *f; ~ des négociations* Verhandlungsweg *m; ~ nerveuse (anat)* Nervenbahn *f; ~ de pénétration (mil)* Einmarschstraße *f; ~ permanente (loc)* Oberbau *m; ~ prioritaire* Vorfahrtstraße *f; ~ de raccordement (loc)* Anschlußgleis *n; ~ de recours* Rechtsmittel *n; ~s respiratoires (anat)* Atemwege *m pl; ~ secondaire* Nebengleis *n; ~ de service (loc)* Verschiebegleis *n; ~ terrestre* Landweg *m; ~ de tramway* Straßenbahngleis *n; ~ de triage* Verschiebegleis *n; ~ à sens unique* Einbahnstraße *f; ~ suspendue (monorail)* (Einschienen-) Hängebahn *f*.

voilà [vwala] *adv* da, dort, hier ist, sind; *~!* da! *me ~* da bin ich; *nous y ~* da haben wir's! *vous y ~* nun haben Sie's geschafft; *~ ce que c'est que de* ... so geht es, wenn ...; *~ bien parler* das nenne ich reden; *~ pourquoi* deshalb; *~ tout* das ist alles.

voil|e [vwal] **1.** *f* Segel *n; avoir du vent dans les ~s (pop fig)* Schlagseite haben; *faire ~* segeln (*vers* nach); *faire force de ~s, mettre toutes les ~s au vent (fig)* sich ins Geschirr legen, alles in Bewegung setzen; **2.** *m* Schleier *a. fig;* Voile *(Stoff);* Vorhang; tech Schleier *m,* Schürze *f,* Schirm *m;* Schale *f; anat* Velum *n; jeter le ~ sur* ... verschleiern, vertuschen; *pop mettre les ~s* ab=hauen; *~ de deuil, de mariée* Trauer-, Brautschleier *m; ~ de mousseline* Mull *m (Stoff);* **~é, e** verschleiert *(a. Blick),* verhüllt *a. fig; (Himmel)* bewölkt, bedeckt; *(Stimme)* belegt, heiser; *(Vorwurf)* versteckt; *tech* verzogen, verbogen; **~ement** *m tech* Verwinden *n;* **~er** verschleiern, verhüllen *a. fig; fig* verbergen, bemänteln (*de* mit); *phot* überbelichten; *mar* besegeln; *tech* verbiegen; *se ~* sich verbiegen, sich verziehen, sich werfen; **~erie** *f* Segelmacherwerkstatt *f;* **~ette** *f* Hutschleier *m;* **~ier** *m* Segelschiff *n,* Segler; Segelmacher *m; ~ d'entraînement* Segelschulschiff *n;* **~ure** *f mar* Segelwerk *n,* -stellung; *aero* Tragfläche *f,* -flügel *m; (Fallschirm)* Hülle, Kappe *f; (Rakete)* Flugwerk; *tech* Verziehen, Sichwerfen *n; (avion m à) ~ tournante* Drehflügel(-flugzeug *n*) *m.*

voir [vwar] *irr tr* (an=)sehen, erblicken, an=sichtig werden *gen,* zu Gesicht bekommen, wahr=nehmen, bemerken; finden, fest=stellen; besuchen, Umgang haben, verkehren, zs.=kommen (*qn* mit jdm); *(Besuch)* empfangen; mit=erleben; (nach=)prüfen, durch=, nach=sehen; beurteilen, an=sehen, auf=fassen; ein=sehen, verstehen, begreifen, wissen; *itr* sehen (können); die Aussicht haben (*sur* auf *acc*); achten (*à* auf *acc*), sehen (*à* nach), sorgen (*à* für), sich kümmern (*à* um); *se ~* sich sehen; sich befinden; sich (häufig) treffen, zs.=sein; in Verbindung stehen, mitea. verkehren; *aller, venir ~* besuchen (*qn* jdn); besichtigen, an=sehen (*qc* etw); nach=sehen, sich erkundigen; *avoir qc à ~ avec qc* etw mit e-r S zu tun haben; *faire ~* zeigen; *en faire ~ à qn (de toutes les couleurs)* jdm übel mit=spielen, jdn schlecht behandeln; jdm Sorgen, Kummer machen; *se faire ~* sich sehen lassen, sich zeigen; *se faire bien*

~ sich beliebt machen; *laisser* ~ sehen, sichtbar werden lassen; *ne pouvoir* ~ *qn en peinture (fam)* jdn nicht aus≈stehen, nicht riechen können; *y* ~ *clair* im Bilde sein, Bescheid wissen; wissen, wie der Hase läuft; *n'y* ~ *que du feu (fam)* nichts bemerken, verstehen; *n'y* ~ *goutte* nichts sehen; ~ *le jour* das Licht der Welt erblicken; ~ *de loin (fig)* von weitem kommen sehen; *ne pas* ~ *plus loin que le bout de son nez (fig)* nicht über s-e Nasenspitze hinaus≈sehen; ~ *la mort de près* dem Tod ins Auge sehen; ~ *en rose* durch e-e rosa(rote) Brille sehen; ~ *venir* kommen sehen; ab≈warten; es sich überlegen; *qn* jdn durchschauen; *voyons!* na also! hör mal! kein Unsinn! *voyons-les venir* warten wir's ab!; *allons* ~ *(fam)* wir wollen mal sehen; *je demande à* ~ *(fam)* ich muß mal sehen; *j'en ai vu bien d'autres* ich habe (schon) ganz was anderes mitgemacht; *on aura tout vu* das ist doch die Höhe! das auch noch! *c'est tout vu* das ist ein für allemal erledigt; darüber ist kein Wort mehr zu verlieren; *cela n'a rien à y* ~ das hat nichts damit zu tun, tut nichts zur Sache; *cela se voit tous les jours* das ist nichts Besonderes, nichts Neues; *cela ne s'est jamais vu* das ist noch nie dagewesen; *voyez-vous cela?* da haben wir's! *essayez pour* ~ versuchen Sie's mal! *peut-on* ~ *M. X?* Ist Herr X. zu sprechen?

voire [vwar] *adv* sogar, selbst; ~ *même (fam)* ja sogar.

voirie *f* Straßen-, Wegebauamt *n;* Straßen *f pl;* Schuttabladeplatz *m;* städtische Müllabfuhr *f.*

voisin, e [vwazɛ̃, -in] *a* benachbart, Nachbar-; (an)grenzend (*de* an *acc*); nahe (*de* bei); *fig* nahe verwandt; *s m f* Nachbar(in *f*) *m;* ~**age** [-in-] *m* Nachbarschaft; *fig* Nähe, Verwandtschaft, Ähnlichkeit *f; dans le* ~ *immédiat* ganz in der Nähe; ~**er** gute Nachbarschaft halten, mit den Nachbarn verkehren; *fig* stehen (*avec* neben *dat*).

voitur|e [vwatyr] *f* (Pferde-, *loc* Personen-)Wagen *m;* Auto *n,* Wagen *m;* Fuhrwerk *n;* Transport(mittel *n*) *m;* Ladung, Fuhre *f; monter en* ~ ein≈steigen; *en* ~*! (loc)* einsteigen! *la* ~ *tient bien la route (mot)* der Wagen liegt gut auf der Straße; *bâche f de* ~ Plane, Wagendecke *f; lettre f de* ~ Frachtbrief *m;* ~ *accidentée* Unfallwagen *m;* ~*-ambulance f* Krankenwagen *m;* ~*-atelier f mot* Werkstattwagen *m;* ~ *automobile sur rails* Schienenomnibus *m;* ~ *banalisée* Zivilstreifenwagen *m;* ~*-bar f* Eisenbahnwagen *m* mit Bar; ~ *pour bois en long* Langholzwagen *m;* ~ *à bras* Handwagen *m;* ~ *de chemin de fer* Eisenbahnwagen *m;* ~ *à chenilles* Kettenfahrzeug *n;* ~ *à chevaux* Pferdewagen *m;* ~ *de correspondance, directe (loc)* Kurswagen *m;* ~*-couchettes f loc* Liegewagen; *mot* Wohnwagen *m;* ~ *de course (mot)* Rennwagen *m;* ~ *de démonstration (mot)* Vorführwagen *m;* ~ *électrique* Elektroauto *n;* ~ *d'enfant* Kinderwagen *m;* ~ *expérimentale* Versuchswagen *m;* ~ *haut-parleur* Lautsprecherwagen *m;* ~ *à intercirculation, de grandes lignes* D-Zug-, Fernschnellzugwagen *m;* ~ *de laitier* Milchwagen *m;* ~*-lits f* Schlafwagen *m;* ~ *de livraison* Lieferwagen *m;* ~ *de luxe (loc)* Salon-, *mot* Luxuswagen *m;* ~ *motrice* Triebwagen *m;* ~ *d'occasion* Gebrauchtwagen *m;* ~ *d'outillage* Gerätewagen *m;* ~*-panier f* Korbwagen *m;* ~ *panoramique (loc)* Aussichtswagen *m;* ~ *particulière* Privatwagen *m;* ~*-péniche f* Motorboot *n;* ~ *piégée* Autobombe *f;* ~ *de pompiers f* Feuerlöschwagen *m;* ~ *à poupée(s)* Puppenwagen *m;* ~ *radio* Funk(streifen)wagen *m;* ~ *de radiogoniométrie* Funkpeilwagen *m;* ~*-restaurant f* Speisewagen *m;* ~ *à ridelles* Leiterwagen *m;* ~ *de série* Serienwagen *m;* ~ *de sport* Sportwagen *m;* ~ *télégraphique, de transmissions (mil)* Nachrichtenfahrzeug *n;* ~ *tout-terrain* geländegängiges Fahrzeug, Geländefahrzeug *n,* Geländewagen *m;* ~ *à vivres (mil)* Verpflegungswagen *m;* ~**ée** *f* Wagen-, Waggonladung *f;* ~**er** (mit e-m Wagen) transportieren *a. allg;* ~**ette** *f* Hand-, *mot* Kleinwagen *m;* ~**ier** *m* Fuhrmann *m.*

voix [vwa] *f* Stimme *f a. allg fig; allg* Laut, Ton *m;* Geräusch *n; fig* Rat *m,* Mahnung; Ansicht, Auffassung, Meinung; (Wahl-)Stimme *f;* Stimmrecht *n; à basse, à haute* ~ leise, laut; *à demi-*~ halblaut; *à la majorité des* ~ mit Stimmenmehrheit; *à dix* ~ *de majorité* mit 10 Stimmen Mehrheit; *à plusieurs* ~ *(mus)* mehrstimmig; *à l'unanimité des* ~ einstimmig; *de vive* ~ mündlich; *en* ~ bei Stimme; *en cas de partage égal des* ~ bei Stimmengleichheit; *par 3* ~ *contre 2* mit 3 gegen 2 Stimmen; *aller, passer aux* ~ *(parl)* zur Abstimmung schreiten; *avoir* ~ *au chapitre (fig)* ein Wort mitzureden haben; *avoir* ~ *prépondérante* den Ausschlag geben;

avoir toutes les ~ einstimmig gewählt werden; *donner de la* ~ *(Hund)* an⸗schlagen, bellen; *(Mensch)* schreien; *mettre aux* ~ zur Abstimmung stellen; *parler à haute* ~, *à basse* ~ laut, leise reden; *recueillir 10* ~ 10 Stimmen erhalten; *il n'y a qu'une* ~ es herrscht Einstimmigkeit; *achat m de* ~ Stimmenkauf *m; majorité, parité f des* ~ Stimmenmehrheit, -gleichheit *f;* ~ *active (parl)* aktive(s) Wahlrecht; *gram* Aktiv *n;* ~ *consultative* beratende Stimme *f;* ~ *exprimées* abgegebene Stimmen *f pl;* ~ *passive (parl)* passive(s) Wahlrecht; *gram* Passiv *n.*

vol [vɔl] *m* **1.** Flug *m,* Fliegen *n; (Vogel)* Flugstrecke; Spannweite *f;* Schwarm; *fig* (Auf-)Schwung *m; au* ~ im Flug; *à* ~ *d'oiseau* aus der Vogelschau; in Luftlinie, in gerader Linie; *faire, effectuer un* ~ *à voile (aero)* segeln; *prendre son* ~ ab⸗fliegen; *fig* sich frei⸗machen; flügge werden; ~ *acrobatique, de haute-école* Kunstflug *m;* ~ *à basse altitude* od *rasant, en haute altitude* Tief-, Höhenflug *m;* ~ *d'approche* Anflug *m;* ~ *de croisière, de distance, d'entraînement* od *d'exercice, contre l'ennemi, sans escale, d'essai, en formation* Reise-, Fern-, Übungs-, Feind-, Nonstop-, Versuchs-, Verbandsflug *m;* ~ *aux instruments, en pilotage sans visibilité* Blindflug *m;* ~ *libre* Drachenfliegen *n;* ~ *de nuit, de pénétration, en piqué, plané, de reconnaissance, remorqué, seul, supersonique, à voile, à vue* Nacht-, Ein-, Sturz-, Gleit-, Aufklärungs-, Schlepp-, Allein-, Überschall-, Segel-, Sichtflug *m;* ~ *d'oiseau* Luftlinie *f;* ~ *spatial* (Welt-) Raumflug *m;* ~*-au-vent m inv* (Blätterteig-)Pastete *f;* ~ *à voile* Segelfliegen *n;* -flug *m* **2.** Diebstahl; Raub *m; assurance f contre le* ~ Diebstahlsversicherung *f;* ~ *avec effraction, par escalade, à l'étalage, à la tire* Einbruchs-, Einsteige-, Schaufenster-, Taschendiebstahl *m;* ~ *de nourriture* Mundraub *m;* ~ *qualifié* schwere(r) Diebstahl *m.*

volage [vɔlaʒ] flüchtig, flatterhaft, wankelmütig, wetterwendisch, unbeständig, unberechenbar; *(Schiff)* leicht umschlagend.

vola|ille [vɔlaj] *f* Geflügel; Stück *n* Geflügel; *arg vx* liederliche(s) Frauenzimmer *n;* ~**iller** *m* Geflügelhändler, -stall *m.*

vol|ant, e [vɔlɑ̃, -t] *a* fliegend, schwebend; flatternd; *(Handel)* ambulant; *(Markt)* unruhig; *tech* lose, beweglich; *s m mot* Steuer-, Lenkrad; *tech* Schwungrad *n,* -scheibe, Wucht *f;* (Windmühlen-)Flügel *m; (Textil)* Falbel *f,* Volant, Faltenbesatz; Federball(spiel *n*) *m; com* Rücklage, Reserve *f;* Abreißblatt *n; prendre le* ~ sich ans Steuer setzen; *machine f* ~*e* Flugmaschine *f; pont m* ~ fliegende Brücke *f;* ~**atil, e** *a chem* flüchtig; ~**e** *a inv* fliegend, flugfähig; *s m* Stück *n* Geflügel; *pl* Geflügel *n;* fliegende Tiere *n pl;* ~**atilisation** *f chem* Verflüchtigung, Verdunstung *f;* ~**atiliser** verflüchtigen; *fam* stibitzen, klauen; *se* ~ verdunsten; *fam* sich verdünnisieren; ~**atilité** *f chem* Flüchtigkeit; *fig* Leichtheit, Wenigkeit *f.*

volcan [vɔlkɑ̃] *m* Vulkan, feuerspeiende(r) Berg *m;* ~ *de boue* Schlammvulkan *m;* ~ *éteint, sommeillant* erloschene(r), untätige(r) V.; ~**ique** [-ka-] vulkanisch; *fig* hitzig, feurig, glühend; ~**iser** vulkanisch machen; ~**isme** *m* Vulkanismus *m.*

vol|é, e [vɔle] *a* bestohlen; *s m f* Bestohlene(r *m*) *f; s f* Flug; *(Tennis)* Flugball; *(Vögel, Kinder)* Schwarm *m; (Rebhühner)* Volk *n,* Kette; *fig* Menge; *(~e de coups)* Tracht *f* Prügel; *mil* Salve *f; arch* Treppenstück *n,* Lauf; *tech* Hub(-höhe *f*); Abschlag *m; (Einrammen)* Hitze *f; (Kran)* Arm, Ausleger *m;* Spannweite, Ausladung *f; (Glocke)* Schwung; *min* Zündgang *m; fig* Menge *f; à la* ~*e* im Fluge; in vollem Schwung; *fig vx* ohne zu überlegen; *agr* breitwürfig; *de haute* ~*e (fam)* vornehm; *prendre la* ~*e* auf⸗fliegen; *prendre sa* ~*e (fig)* flügge werden; ~**er 1.** (weg⸗)fliegen; eilen; *(Zeit)* verfliegen; ~ *en éclats* zersplittern; **2.** stehlen, entwenden (*qc* e-e S), bestehlen (*qn* jdn); *(Titel)* sich unrechtmäßig an⸗eignen; *ne l'avoir pas* ~*é* es ehrlich verdient haben; ~**erie** *f* Dieberei *f.*

volet [vɔlɛ] *m* Fensterladen *m;* (Verschluß-)Klappe *a. tele aero; (Kühler)* Jalousie; *mot* Drossel(klappe) *f; (Altarbild)* Flügel *m; (Schriftstück)* Blatt *n,* Teil *m; trier sur le* ~ sorgfältig aus⸗suchen; ~ *d'aération* Luftklappe *f;* ~ *d'atterrissage, de cambrure (aero)* Landeklappe *f;* ~*-frein m de piqué* Sturzflugbremse *f;* ~ *roulant* Rolladen *m.*

voleter [vɔlte] (herum⸗)flattern.

voleur, se [vɔlœr, -øz] *a* diebisch; *s m f* Dieb(in *f*); Spitzbube, Gauner; *m el* Haustürkontakt *m;* ~ *à la tire* Taschendieb *m;* ~ *de troncs d'église* Opferstockmarder *m.*

volière [vɔljɛr] *f* Vogelhaus *n.*

volige [vɔliʒ] *f* (Schal-)Brett *n*, Spließ *m*.

vola|ge [vɔlaʒ] *m* Verschalung *f*; **~ger** verschalen, spließen.

voli|tif, ive [vɔlitif, -iv] Willens-; **~tion** *f* Wollen *n*; Willensakt *m*.

volleyeur [vɔlɛjœr] *m* Volleyballspieler *m*.

volont|aire [vɔlɔ̃tɛr] *a* freiwillig; absichtlich; eigenwillig, -sinnig; *s m* Freiwillige(r) *m*; **~airement** *adv* aus freien Stücken; **~ariat** [-a] *m mil* freiwillige(r) Militärdienst *m*; **~é** *f* Wille *m*, Willenskraft, -stärke; Anordnung *f*, Gebot *n*; Verfügung *f*; *pl* Gutdünken *n*, Laune *f*; *à ~* nach Belieben, nach Wunsch; *avoir bonne, mauvaise ~* gut, übel gesinnt sein; *n'en faire qu'à sa ~, faire ses quatre ~s* nur nach s-m Kopf handeln; *acte m de dernière ~* letztwillige Verfügung *f*; *bonne, mauvaise ~* Gut-, Böswilligkeit *f*; *dernières ~s, ~ dernière (jur)* Letzte(r) Wille *m*; *homme m de bonne ~* Mensch *m* guten Willens; *manque m de ~* Willensschwäche *f*; *~ de rendement* Leistungsbereitschaft *f*.

volontiers [vɔlɔ̃tje] *adv* gern, mit Vergnügen; bereitwillig, leicht.

volt [vɔlt] *m el* Volt *n*; **~age** *m el* Spannung *f*; *~ de régime, de service* Betriebsspannung *f*.

voltaïque [vɔltaik] *el* galvanisch.

voltairien, ne [vɔltɛrjɛ̃, -ɛn] aufklärerisch, ungläubig, kirchenfeindlich.

voltampère [vɔltɑ̃pɛr] *m* Voltampere, Watt *n*.

volt|e [vɔlt] *f* Ritt *m* im Kreise; *allg* rasche Wendung; *(Fechten)* Volte *f*; *~-face f inv* Kehrtwendung; *fig* Sinnes-, Meinungsänderung, Schwenkung *f*; **~er** im Kreise reiten; e-e Wendung machen; *mar* gieren; **~ige** *f* (Seil *n* zum) Seiltanzen *n*; **~iger** hin u. her fliegen, flattern *a. fig* (von einer Sache zur ander[e]n); *(Schmetterling)* gaukeln; *vx* Luftsprünge machen; e-e Volte schlagen; **~igeur, se** *m f* Seiltänzer *m*.

voltmètre [vɔltmɛtr] *m el* Voltmeter *n*, Spannungsmesser *m*.

volubile [vɔlybil] *bot* Schling-; zungenfertig, redselig.

volubilis [vɔlybilis] *m bot* Winde *f*.

volubilité [vɔlybilite] *f* Sprech-, Zungenfertigkeit; *fig* Schlagfertigkeit *f*.

volum|e [vɔlym] *m (Buch)* Band; *phys* Volumen *n a com*, Raum-, Körperinhalt *m*; Menge, Größe *f*, Ausmaß *n*, Umfang *m*; *~ maximum de la chambre de combustion (mot)* Zylinderinhalt *m*; *~ de la circulation, de la construction* Verkehrs-, Bauvolumen *n*; *~ d'eau déplacée* verdrängte Wassermenge *f*; *~ de logement* Wohnraum *m*; *~ des ventes* Absatzmenge *f*; *~ de la voix* Stimmfülle; **~étrique** volumetrisch, maßanalytisch; **~ineux, se** umfangreich.

volupt|é [vɔlypte] *f* (Sinnen-)Lust, Wollust, Wonne *f*; Hochgenuß *m*, große(s) Vergnügen *n*; **~ueux, se** [-tɥø, -øz] *a* sinnenfreudig, sinnlich; *s m f* sinnliche(r) Mensch *m*.

volute [vɔlyt] *f arch* Volute, schnekkenförmige Verzierung; *allg* Spirale; *zoo* Schneckenschale *f*, -haus *n*, spiralige Muschel *f*.

volvulus [vɔlvylys] *m med* Darmverschlingung *f*.

vom|ique [vɔmik] : *noix f ~* Brechnuß *f*; **~ir** *tr* (er)brechen, von sich geben; *(Blut, Feuer) fig (Verderben)* speien; heraus⸗schleudern, aus⸗speien; *(Beleidigungen)* aus⸗stoßen; *itr* sich übergeben; schimpfen (*sur* auf *acc*, über *acc*); **~issement** *m*, **~issure** *f* (Er-)Brechen; Erbrochene(s) *n*; **~itif, ive** *a pharm* Brechreiz hervorrufend, Brech-; *s m* Brechmittel *n*.

vorac|e [vɔras] gefräßig; *fig* gierig; **~ité** *f* Gefräßigkeit; Gier *f*.

vos [vo] *prn pl s. votre.*

Vosg|es, les [voʒ] *f pl* die Vogesen *pl*; **v~ien, ne** *a* aus den Vogesen; Vogesen-; *les V~s* die Bewohner *m pl* der Vogesen.

vot|ant, e [vɔtɑ̃, -ɑ̃t] *a* abstimmend; *s m f* Abstimmende(r *m*), Stimmberechtigte(r *m*) *f*; *m pl* abgegebene Stimmen *f pl*; **~ation** *f (Schweiz)* Abstimmung, Wahl *f*; *mode m de ~* Wahl-, Abstimmverfahren *n*; **~e** *m* Abstimmung; (Wahl-)Stimme *f*; Votum *n*; *s'abstenir du ~* sich der Stimme enthalten; *avoir droit de ~* stimmberechtigt sein; *donner son ~* s-e Stimme (ab⸗)geben; *ouvrir le ~* die Abstimmung eröffnen; *procéder à un ~ sur qc* über e-e S ab⸗stimmen; *bulletin m de ~* Wahl-, Stimmzettel *m*; *droit m de ~* Wahl-, Stimmrecht *n*; *local, bureau m de ~* Wahllokal *n*; *majorité f des ~s* Stimmenmehrheit *f*; *résultat m du ~* Abstimmungsergebnis *n*; *~ par acclamations, par bulletins* Abstimmung *f* durch Zuruf, durch Stimmzettel; *~ par appel nominal* namentliche Abstimmung *f*; *~ par assis et levé* Abstimmung *f* durch Sitzenbleiben u. Aufstehen; *~ du budget* Verabschiedung *f* des Haushalts(planes); *~ (au bulletin) secret* geheime Abstimmung *f*; *~ de confiance* Vertrauensvotum *n*; *~ de* *défiance, de censure* Mißtrauensvotum *m; ~ des femmes* Frauenstimmrecht *n; ~ à mains levées* Abstimmung *f* durch Handzeichen, durch Erheben der Hand; *~ nul, en blanc* ungültige Stimme *f; ~ proportionnel* Verhältniswahl *f; ~ au scrutin public* öffentliche Abstimmung *f;* **~er** *itr* (ab=)stimmen (*pour, contre* für, gegen); wählen; *tr* ab=stimmen (*qc* über e-e S); (durch Abstimmung) genehmigen, bewilligen; *(Haushalt)* verabschieden; *~ la confiance à qn (parl)* jdm das Vertrauen aus=sprechen.

votif, ive [vɔtif, -iv] Votiv-, Weih-.

votre, *pl* **vos** [vɔtr, vo] *prn* euer, eure; Ihr(e).

vôtre [votr] *prn* eur(ig)e; Ihr(ig)e; *à la ~! (entgegnend)* auf das Ihre *(Wohl); je suis des ~s* ich mache mit; *les ~s* Ihre Angehörigen, Ihre Familie.

vou|er [vwe] weihen *a. fig,* dar=bringen, widmen *a. fig;* geloben; *se ~ à qc* sich e-r S *(dat)* widmen; *ne savoir à quel saint se ~* nicht ein noch aus wissen; *~é à l'échec* zum Scheitern verurteilt.

vou|loir [vulwar] *v irr tr* wollen, willens sein (*inf* zu); beabsichtigen, sich vornehmen; wünschen, haben wollen; fordern, verlangen, befehlen; erfordern, brauchen; einverstanden sein (*qc* mit etw), ein=willigen (*qc* in e-e S); *itr: en ~* böse sein (*à qn* jdm, auf jdn); *en ~ à qn* es jdm übel=nehmen, zürnen (*de* wegen); trachten (*à* nach), Absichten haben (*à* auf *acc*); *s m* Wollen *n,* Wille *m; sans le ~* (ganz) unabsichtlich; *je voudrais bien* ich hätte, möchte gern; *je voudrais bien savoir* ich möchte gern wissen, wüßte gern; *je le veux bien* ich habe nichts dagegen; *à qui en voulez-vous?* wem soll das gelten? wen meinen Sie damit? *~ du bien à qn* es gut mit jdm meinen; *~ dire* sagen wollen, meinen; bedeuten, zu sagen haben, heißen; *bon ~* Bereitwilligkeit *f;* Wohlwollen *n;* **~lu, e** erforderlich, vorgeschrieben; beabsichtigt; *en lieu ~* am festgesetzten Ort; *en temps ~* zu geeigneter Zeit.

vous [vu] *prn* ihr; Sie; euch; Ihnen; *de ~ à moi* unter uns gesagt.

vouss|oir, ~eau [vuswar, -so] *m arch* Wölb-, Bogenstein *m;* **~ure** *f arch* Wölbung, Kappe *f,* Bauch *m; allg* Krümmung *f.*

voût|e [vut] *f* Gewölbe *n,* Wölbung *f; tech* Schirm *m; ~ en berceau* Tonnengewölbe *n;* **~é, e** gewölbt; gebogen, gekrümmt; *(Mensch)* gebeugt; **~er** (ein=, über=)wölben; *allg* krümmen, beugen.

vou|voiement; ~s(s)oiement [vuvwamɑ̃, -z(s)wa-] *m* Siezen *n;* **~voyer, ~s(s)oyer** siezen.

voyag|e [vwajaʒ] *m* Reise (*en Amérique* nach Amerika, *à Rome* nach Rom); Fahrt; Wanderung; Reisebeschreibung *f; au retour de mon ~* bei meiner Rückkehr; *aller en ~* auf Reisen gehen; *être en ~* auf Reisen, verreist sein; *être en ~ d'affaires* auf Geschäftsreise, geschäftlich verreist sein; *faire un ~* e-e Reise machen, reisen; *partir en ~* e-e Reise an=treten; *agence f, articles m pl, chèque m, frais m pl, nécessaire m de ~* Reisebüro *n,* -artikel *m pl,* -scheck *m,* -kosten *pl,* -necessaire *n; ~ d'affaires, d'agrément, circulaire, d'études, d'exploration, à forfait, en groupe* od *collectif, d'inspection, de service* Geschäfts-, Vergnügungs-, Rund-, Studien-, Forschungs-, Pauschal-, Gesellschafts-, Besichtigungs-, Dienstreise *f; ~ d'aller et retour* Hin- u. Rückreise *f; ~ en amont, en aval* Berg-, Talfahrt *f; ~ astronautique* Weltraumfahrt *f; ~ de début, inaugural (mar)* Jungfernfahrt *f; ~-éclair m* Stippvisite *f; ~ d'essai* Probefahrt *f; ~ organisé* Gruppen-, Pauschalreise *f; ~ spatial, dans l'espace* Raumfahrt *f,* -flug *m;* **~er** reisen, e-e Reise machen *od* unternehmen; fahren; wandern; *allg* sich fort=bewegen; *(Waren)* transportiert werden; *~ pour affaires* in Geschäften reisen; **~eur, se** *s m f* Reisende(r *m*) *f;* Fahrgast, Passagier; Wanderer *m; a* Reise-, Wander-; *pigeon m ~* Brieftaube *f; wagon m de ~s (loc)* Personenwagen *m; ~ de commerce* Handelsreisende(r) *m; ~-kilomètre m* Personenkilometer *m.*

voy|ance [vwajɑ̃s] *f* (das) zweite Gesicht *n;* **~ant, e** *a* sehend; seherisch; *(Farbe)* schreiend, grell; *s m f* Hellseher(in *f*) *m; m* Kontrollicht (Kontrolllicht), Leuchtzeichen *n;* Fall-, Nivellierscheibe *f; phot* Bildfenster *n.*

voyelle [vwajɛl] *f* Vokal, Selbstlaut *m.*

voyer [vwaje] **1.** *s m* Straßenmeister *m;* **2.** *v tech* gießen.

voyeur [vwajœr] *m* Voyeur *m, fam* Spanner *m;* **~isme** *m* Voyeurismus *m.*

voyou [vwaju] *m pop* Straßen-, Gassenjunge; Strolch, Taugenichts *m;* **~te** *f pop* sich herumtreibende(s) Mädchen *n.*

vrac [vrak] *m: en ~ (com)* lose; *fig* unordentlich; *marchandises f pl en ~ (com)* Sturzgüter *n pl.*

vrai [vrɛ] *a* wahr; wahrhaft, aufrichtig, wahrheitsliebend; echt; naturgetreu, lebenswahr, wirklich; rein, unverfälscht; angemessen, zukommend; richtig; wahrheitsgemäß, -getreu; *s m* (das) Wahre, (die) Wahrheit *f; à ~ dire, à dire ~* offen gestanden; eigentlich; *pas ~?* nicht wahr? *pour de ~ (fam)* im Ernst; *être dans le ~* das Richtige getroffen haben; *parler ~* die Wahrheit sagen; *il est ~ que* freilich, zwar, allerdings; *il n'en est pas moins ~ que* nichtsdestoweniger; *~s jumeaux* eineiige Zwillinge *m pl;* **~ment** *adv* wirklich, wahrhaftig; **~semblable** [-sɑ̃-] wahrscheinlich; **~semblance** *f* Wahrscheinlichkeit *f.*

vrill|e [vrij] *f* Bohrer *m; bot* (sich spiralig einrollende) Klettersprosse *f;* **~ée** *f bot* Ackerwinde *f;* **~er** *tr (mit e-m Bohrer)* durchbohren; *itr* sich spiralig ein=rollen; *(Geschoß, Rakete)* in Schraubenlinie auf=steigen; **~erie** *f* Bohrerfabrik(ation) *f;* kleine Eisenwerkzeuge *n pl.*

vromb|ir [vrɔ̃bir] *(Insekt, Motor)* summen, surren, brummen; **~issement** *m* Brummen, Surren, Summen *n.*

vu, e [vy] *pp s. voir; a* geprüft, gesehen; *être bien ~ (fig)* gern gesehen, gut angeschrieben sein (*de qn* bei jdm; *pour qc* wegen e-r S); *être mal ~ partout* überall e-n schlechten Ruf haben; *ni ~ ni connu* heimlich, geheimgehalten; *prp* in Anbetracht (*qc* gen); *~ les circonstances* umständehalber; *~ que (conj)* in Anbetracht dessen, daß; mit Rücksicht darauf, daß; *s m: au ~ (et au su) de tout le monde* vor aller Augen, offenkundig; *sur le ~ des pièces* nach Prüfung der Unterlagen.

vue [vy] *f* Gesichtssinn *m,* Sehkraft *f,* -vermögen; Sehen, Gesicht *n,* Augen(licht *n*) *n pl,* (An-, Aus-)Sicht *f;* (An-, Aus-)Blick *m; fig* Ansicht, Meinung, Auffassung *f;* Gedanken *m pl;* Absichten *f pl,* Pläne *m pl;* Ein-, Voraussicht *f,* Scharfblick *m; com* Sicht *f; jur* Fenster(öffnung *f*) *n; à ~* auf Sicht; *à 3 jours de ~* 3 Tage nach Sicht; *à première ~* auf den ersten Blick; *à ~ de nez (fam)* über den Daumen gepeilt; *à ~ d'œil* nach Augenmaß; zusehends; *à perte de ~* soweit das Auge reicht; *en ~* in Aussicht; *en ~ de ...* angesichts *gen, fig* im Hinblick auf *acc; avoir bonne ~* gute Augen haben; *avoir la ~ courte (fig)* kurzsichtig sein; *avoir des ~s sur qc, qn* etw im Auge, auf jdn Absichten haben; *connaître qn de ~* jdn vom Sehen kennen; *donner dans la ~ de qn (fam vx)* jdm ins Auge stechen *fig; être en ~ (fig)* an hervorragender Stelle stehen; *garder à ~* im Auge behalten; *mettre en ~* offen zeigen; *fig* deutlich sichtbar machen; *mettre en garde à ~* unter Aufsicht stellen; *perdre de ~* aus den Augen verlieren; *prendre les ~s (film)* die Aufnahmen drehen; *argent m à ~* tägliche(s) Geld *n; payable à ~* zahlbar bei Sicht; *prise f de ~s* Filmaufnahme *f; traite f à ~* Sichtwechsel *m; ~ aérienne* Luftbild *n; ~ basse, courte* Kurzsichtigkeit *f; ~ en coupe* Querschnitt *m; ~ d'ensemble, de face, latérale* Gesamt-, Vorder-, Seitenansicht *f; ~ imprenable* unverbaubare Aussicht *f; ~ prise de près* Nahaufnahme *f; ~ du sol (aero)* Bodensicht *f.*

vul|canisation [vylkanizasjɔ̃] *f* Vulkanisierung *f;* **~caniser** vulkanisieren; **~canologie** *f* Vulkanologie *f;* **~canologue** *m f* Vulkanologe *m.*

vul|gaire [vylgɛr] *a* gewöhnlich, gemein, ordinär, vulgär; Volks-; *s m* gemeine(s) Volk *n;* (das) Gemeine; *tomber dans le ~* gemein werden; **~garisateur, trice** *a* verallgemeinernd; *s m* populäre(r) Schriftsteller *m* für wissenschaftliche Themen; **~garisation** *f* allgemeine Verbreitung *f; ouvrage m de ~* populärwissenschaftliche(s) Werk *n;* **~gariser** gemeinverständlich dar=stellen; allgemein verbreiten; **~garité** *f* Gemeinheit; Banalität *f.*

vul|nérabilité [vylnerabilite] *f* Verwundbarkeit *f;* **~nérable** verwundbar; *fig* empfindlich, schwach.

vulnéraire [vylnerɛr] *a* Wundheil-; *s m* Wundheilmittel; *f bot* Wundkraut *n.*

vultueux, se [vyltɥø, -z] *(Gesicht)* rot u. geschwollen.

vulve [vylv] *f anat* weibliche Scham *f.*

W

wagon [vagɔ̃] *m* Eisenbahn-, Güterwagen, Waggon *m;* Wagenladung *f; franco sur ~* franko Waggon; *mise f en place des ~s* Wagengestellung *f; ~ à bagages* Gepäckwagen *m; ~-bar m* Eisenbahnwagen *m* mit Bar; *~ à bascule, basculant* Kippwagen *m; ~ à bestiaux* Viehwagen *m; ~ de grande capacité* Großraumwagen *m; ~-citerne, ~-réservoir m* Kesselwagen *m; ~ complet* ganze Wagenladung *f;* Ortswagen *m; ~ à couloir* Durchgangswagen *m; ~ couvert, découvert* gedeckte(r), offene(r) Güterwagen *m; ~-foudre m* Faßwagen *m; ~ frigorifique, réfrigérant* Kühlwagen *m; ~-lit m* Schlafwagen *m; ~ de marchandises* Güterwagen *m; ~ plat* flache(r) Güterwagen *m; ~-poste m* Postwagen *m; ~ à ranchers* Rungenwagen *m; ~-restaurant m* Speisewagen *m; ~-salon m* Salonwagen *m; ~-trémie m* Trichterwagen *m; ~ de voyageurs (loc)* Personenwagen *m;* **~nage** [-gɔ-] *m* Beförderung *f* mit Wagen; Wagenbedarf *m;* **~net** [-nɛ] *m* Lore *f; min* Förderwagen; Seilbahnwagen *m; ~ basculant* Muldenkipper *m.*

wallon, ne [walɔ̃, -ɔn] *a* wallonisch; *W~, ne m f* Wallone *m,* Wallonin *f.*

water-polo [watɛrpɔlo] *m* Wasserball *m.*

waters [watɛr] *m pl fam* Klosett *n.*

watt [wat] *m el* Watt *n; ~-heure m (pl watts-heures)* Wattstunde *f;* **~age** *m* Watt-, Leistungsverbrauch *m;* **~man** [-man] *m (Straßenbahn, Elektrowagen)* Wagenführer *m.*

week-end [wikɛnd] *m* Wochenende *n.*

western [wɛstɛrn] *m* Wildwestfilm *m; ~-spaghetti m* Italowestern *m.*

Westphalie, la [vɛstfali] Westfalen *n.*

whisky [wiski] *m (pl whiskies)* Whisky *m.*

Wisigoth, e [vizigo, -ɔt] *s m f* Westgote *m,* Westgotin *f.*

wolfram [vɔlfram] *m* Wolframit; *a.* Wolfram *n.*

X

x [iks] *m math* x *n (Unbekannte); arg* (Student *m* der) École polytechnique in Paris; *Monsieur* ~ Herr X; *jambes en* ~ X-Beine; *rayons m pl* ~ Röntgenstrahlen *m pl.*
xénophob|e [ksenɔfɔb] ausländer-, fremdenfeindlich; ~ **ie** *f* Fremdenfeindschaft *f.*
xérès [ks(k)erɛs] *m* Sherry *m (Wein).*
xérophytes [kserɔfit] *f pl bot* Xerophyten *m pl.*
xylo|graphe [ksilɔgraf] *m* Holzschneider, Xylograph *m;* **~graphie** *f* Holzschneidekunst *f;* **~phage** *a* u. *s m: (insecte m)* ~ holzfressend(es Insekt *n*); **~phone** *m* Xylophon *n.*

y [i] *adv* da, dort; dort-, dahin; da, dort hinauf, hinunter; *prn* darin, daran, darauf; dazu, dafür; ~ *compris* ... einschließlich *gen; j'~ suis (fam)* ich verstehe; *j'~ tiens* ich lege Wert darauf; *il ~ a* (*fam* ja) es gibt; *prp (zeitlich)* vor; *il ~ va de qc* es geht um etw; *nous ~ sommes? (fam)* klar?

yacht [jɔt, jak] *m mar* Jacht *f; ~ à voiles* Segeljacht *f;* **~ing** [jɔtiŋ] *m* Segelsport *m; ~ sur glace* Eissegeln *n.*

ya(c)k [jak] *m* Yak *od* Jak *m.*

yaourt [jaur] *m* Joghurt *m* od *n;* **~ière** *f* Joghurtmaschine *f.*

yéti [jeti] *m* Yeti, Schneemensch *m.*

yeuse [jøz] *f bot* Immergrüne, Stecheiche *f.*

yeux [jø] *m pl s. œil.*

yiddish [jidiʃ] *a* jiddisch; *s m* Jiddisch.

yo|ga [jɔga] *m* Yoga *m* od *n;* **~gi** *m* Yogi *m.*

yoghurt [jɔgurt] *m s. yaourt.*

yole [jɔl] *f mar* Jolle *f,* Beiboot *n.*

yougoslav|e [jugɔslav] *a* jugoslawisch; *Y~ s m f* Jugoslawe *m,* -slawin *f;* **Y~ie, la** Jugoslawien *n.*

youpin, e [jupɛ̃, -in] *a péj* jüdisch; *s m f* Jude *m,* Jüdin *f.*

youyou [juju] *m mar* kleine(s), kurze(s), breite(s) Boot *n.*

yo-yo [jojo] *m inv* Jojo *m.*

yucca [juka] *m* Yucca *f.*

Z

z [zɛd] *m: depuis a jusqu'à* ~ von A bis Z.
zabre [zabr] *m zoo* Getreidekäfer.
zain [zɛ̃] *a inv (Pferd, Hund)* ohne ein weißes Haar, einfarbig.
zazou [zazu] *s m pop* junge(r) Geck, Fatzke *m; a* geckenhaft.
zèbre [zɛbr] *m zoo* Zebra *n; arg* Kerl *m.*
zébr|é, e [zebre] gestreift; **~er** mit (Zebra-)Streifen versehen; **~ure** *f* (Zebra-)Streifen *m pl.*
zébu [zeby] *m zoo* Zebu *m,* Buckelochse *m.*
zélateur, trice [zelatœr, -tris] *m f* Fanatiker(in *f*), Eiferer *m* (*de* für).
zèle [zɛl] *m* Eifer *m* (*de* für); Beflissenheit; *avec* ~ eifrig; *faire du* ~ *(fam)* übereifrig sein; *grève f du* ~ Bummelstreik, Eiferstreik *m.*
zélé, e [zele] eifrig, voll Eifer.
zenith [zenit] *m astr* Zenit *m; fig* Höhe(-punkt *m*) *f,* Gipfel *m.*
zéphyre, *a.* **-ire** [zefir] *m* sanfte(r) Wind; Zephir, Zephyr *m (Stoff).*
zeppelin [zɛplɛ̃] *m* Zeppelin *m.*
zéro [zero] *m* Null(punkt *m*); *(~ en chiffre) fig* Null *f (Mensch); être à* ~ auf Null stehen; *reprendre, repartir à* ~ wieder von vorn an=fangen; *c'est* ~ *(fam)* das ist nichts; *5 buts à* ~ 5 zu 0; *cote f par rapport au* ~ Normalnullhöhe *f; point m* ~ *(fig)* Ausgangspunkt *m;* ~ *faute, heure* null Fehler, null Uhr.
zeste [zɛst] *m* Zitronen-, Orangenschale; *(Walnuß)* Scheidewand *f; ne pas valoir un* ~ *(fig)* keinen Pfifferling wert sein.
zéz|aiement [zezɛmɑ̃] *m* Lispeln *n;* **~ayer** lispeln.
zibelin|e [ziblin] *f* Zobel(pelz) *m;* Zibeline *f (Stoff).*
zig|(ue) [zig] *m pop* Kerl, Bursche *m;* **~omar, ~oto** *m: faire le* ~ sich auf=spielen.
zigouiller [ziguje] *fam* ab=murksen.
zigzag [zigzag] *m* Zickzack(linie *f*) *m; fig* Hin u. Her *n; pl pol* Zickzackkurs *m; faire des ~s,* **~uer** [-ge] im Zickzack gehen; hin u. her taumeln, torkeln.
Zimbabwe, le [zimbabwe] Zimbabwe, Simbabwe *n.*
zin|c [zɛ̃g] *m* Zink *n; pop* Theke *f,* Schanktisch *m; arg* Flugzeug *n,* Kiste *f; sur le* ~ an der Theke; ~ *sulfuré* Zinkblende *f;* **~gueur** *m* Verzinker *m.*
zinnia [zinja] *m bot* Zinnie *f.*
zinzin [zɛ̃zɛ̃] *a* bescheuert; *s m* Dingsda *n.*
zircon [zirkɔ̃] *m* Zirkon *m;* **~ium** *m* Zirkonium *n.*
zizanie [zizani] *f* Uneinigkeit, Zwietracht *f; semer la* ~ Zwietracht stiften.
zizi [zizi] *m orn* Zaunammer *f; pop* Pimmel *m.*
zodiaque [zɔdjak] *m astr* Tierkreis *m; signe m du* ~ Tierkreiszeichen *n.*
zona [zɔna] *m med* Gürtelrose *f.*
zone [zon] *f geog allg* Zone *f,* Streifen, Bereich *m,* Gebiet *n,* Bezirk; Raum; Landstrich; *fig* Rang *m;* (soziale) Schicht, Klasse *f; battre une* ~ *(mil)* e-n Raum bestreichen; ~ *d'action* Wirkungsbereich; *mil* Gefechtsstreifen; Befehlsbereich *m;* ~ *(anti)cyclonique, de (haute) basse pression (Meteorologie)* (Hoch-) Tiefdruckgebiet *n;* ~ *arrière (mil)* rückwärtige(s) Gebiet *n;* ~ *d'atterrissage (aero)* Landezone *f;* ~ *boisée* Waldgebiet *n;* ~ *côtière* Küstengebiet *n;* ~ *dangereuse* Gefahrenzone *f,* -gebiet *n;* ~ *démilitarisée* entmilitarisierte Zone *f;* ~ *dénucléarisée* atomwaffenfreie Zone *f;* ~ *de dépression (Meteorologie)* Tiefdruckgebiet *n;* ~ *d'éboulement (geol)* Abbruchzone *f; (fig) de deuxième* ~ zweitrangig; ~ *de libre échange* Freihandelszone *f;* ~ *franche (com)* Freizone *f;* ~ *de gel* Gefrierzone *f;* ~ *de grosse concentration urbaine* Ballungszentrum *n;* ~ *d'habitation* Wohngebiet *n;* ~ *industrielle* Industriegebiet *n;* ~ *d'influence* Einflußbereich *m;* ~ *interdite* Sperrgebiet *n;* ~*monétaire* Währungsraum *m;* ~ *d'occupation* Besatzungszone *f;* ~ *orientale* Ostzone *f;* ~ *piétonne, piétonnière* Fußgängerzone *f;* ~ *de parcage (mot)* Parkzone *f;* ~ *de rassemblement (mil)* Aufmarschgebiet *n,* Versammlungsraum *m;* ~ *de réception (radio)* Empfangsbereich *m;* ~ *résidentielle* Wohngebiet *n;* ~ *principale de résistance (mil)* Hauptkampffeld *n;* ~ *ri-*

veraine Anliegerzone *f; ~s de salaire* Lohnzonen; Gehaltsstufen *f pl; ~ de silence (radio)* tote Zone *f; mot* Gebiet *n,* in dem kein Signal gegeben werden darf; *~ de stationnement (mil)* Unterbringungsraum *m; ~ tampon* Pufferzone *f; ~ de mauvais temps* Schlechtwettergebiet *n; ~ torride, tempérée, glaciale* heiße, gemäßigte, kalte Zone *f; ~ de verdure* Grünstreifen *m (e-r Stadt).*

zoo [zo(o), *in Zssgen* zɔɔ-] *m* zoologische(r) Garten, Zoo *m; in Zssgen* Tier-; **~logie** *f* Zoologie, Tierkunde *f;* **~logique** zoologisch; **~logiste** *m* Zoologe *m;* **~logue** *m f* Zoologe *m;* **~technie** *f* Tierzucht *f;* **~thérapie** *f* Tierheilkunde *f.*

zoom [zum] *m* Zoom *m.*

zoroastre [zɔrɔastr] *m* Zarathustra *m.*

zouave [zwav] *m mil* Zuave; *pop* Draufgänger *m; faire le ~ (pop)* an=geben, renommieren.

zoulou [zulu] *m* Zulu *m.*

zozoter [zɔzɔte] *s. zézayer.*

zut [zyt] *interj fam* Mist!

zyeuter [zjøte] *pop* an=glotzen, -gaffen, -starren.

Konjugation der französischen Verben

Hilfsverb avoir

INDIKATIF		CONDITIONNEL	SUBJONCTIF
Présent	*Passé composé*	*Présent*	*Présent*
j'ai tu as il a nous avons vous avez ils ont	j'ai eu tu as eu il a eu nous avons eu vous avez eu ils ont eu	j'aurais tu aurais il aurait nous aurions vous auriez ils auraient	que j'aie que tu aies qu'il ait que nous ayons que vous ayez qu'ils aient
Imparfait	*Plus-que-parfait*	*Passé 1re forme*	*Imparfait*
j'avais tu avais il avait nous avions vous aviez ils avaient	j'avais eu tu avais eu il avait eu nous avions eu vous aviez eu ils avaient eu	j'aurais eu tu aurais eu il aurait eu nous aurions eu vous auriez eu ils auraient eu	que j'eusse que tu eusses qu'il eût que nous eussions que vous eussiez qu'ils eussent
Passé simple	*Passé antérieur*	*Passé 2e forme*	*Passé*
j'eus tu eus il eut nous eûmes vous eûtes ils eurent	j'eus eu tu eus eu il eut eu nous eûmes eu vous eûtes eu ils eurent eu	j'eusse eu tu eusses eu il eût eu nous eussions eu vous eussiez eu ils eussent eu	que j'aie eu que tu aies eu qu'il ait eu que nous ayons eu que vous ayez eu qu'ils aient eu
Futur simple	*Futur antérieur*	IMPÉRATIF	*Plus-que-parfait*
j'aurai tu auras il aura nous aurons vous aurez ils auront	j'aurai eu tu auras eu il aura eu nous aurons eu vous aurez eu ils auront eu	*Présent* aie ayons ayez	que j'eusse eu que tu eusses eu qu'il eût eu que nous eussions eu que vous eussiez eu qu'ils eussent eu

INFINITIF			
Présent		*Passé*	
avoir		avoir eu	

PARTICIPE			
Présent		*Passé*	
ayant		eu ayant eu	

Hilfsverb être

INDICATIF		CONDITIONNEL	SUBJONCTIF
Présent	*Passé composé*	*Présent*	*Présent*
je suis tu es il est nous sommes vous êtes ils sont	j'ai été tu as été il a été nous avons été vous avez été ils ont été	je serais tu serais il serait nous serions vous seriez ils seraient	que je sois que tu sois qu'il soit que nous soyons que vous soyez qu'ils soient
Imparfait	*Plus-que-parfait*	*Passé 1re forme*	*Imparfait*
j'étais tu étais il était nous étions vous étiez ils étaient	j'avais été tu avais été il avait été nous avions été vous aviez été ils avaient été	j'aurais été tu aurais été il aurait été nous aurions été vous auriez été ils auraient été	que je fusse que tu fusses qu'il fût que nous fussions que vous fussiez qu'ils fussent
Passé simple	*Passé antérieur*	*Passé 2e forme*	*Passé*
je fus tu fus il fut nous fûmes vous fûtes ils furent	j'eus été tu eus été il eut été nous eûmes été vous eûtes été ils eurent été	j'eusse été tu eusses été il eût été nous eussions été vous eussiez été ils eussent été	que j'aie été que tu aies été qu'il ait été que nous ayons été que vous ayez été qu'ils aient été
Futur simple	*Futur antérieur*	IMPÉRATIF	*Plus-que-parfait*
je serai tu seras il sera nous serons vous serez ils seront	j'aurai été tu auras été il aura été nous aurons été vous aurez été ils auront été	*Présent* sois soyons soyez	que j'eusse été que tu eusses été qu'il eût été que nous eussions été que vous eussiez été qu'ils eussent été

INFINITIF			
Présent		*Passé*	
être		avoir été	

PARTICIPE			
Présent		*Passé*	
étant		été ayant été	

Verben auf -er

arriver

INDICATIF		CONDITIONNEL	SUBJONCTIF
Présent	*Passé composé*	*Présent*	*Présent*
j'arrive tu arrives il arrive nous arrivons vous arrivez ils arrivent	je suis arrivé tu es arrivé il est arrivé nous sommes arrivés vous êtes arrivés ils sont arrivés	j'arriverais tu arriverais il arriverait nous arriverions vous arriveriez ils arriveraient	que j'arrive que tu arrives qu'il arrive que nous arrivions que vous arriviez qu'ils arrivent
Imparfait	*Plus-que-parfait*	*Passé 1re forme*	*Imparfait*
j'arrivais tu arrivais il arrivait nous arrivions vous arriviez ils arrivaient	j'étais arrivé tu étais arrivé il était arrivé nous étions arrivés vous étiez arrivés ils étaient arrivés	je serais arrivé tu serais arrivé il serait arrivé nous serions arrivés vous seriez arrivés ils seraient arrivés	que j'arrivasse que tu arrivasses qu'il arrivât que nous arrivassions que vous arrivassiez qu'ils arrivassent
Passé simple	*Passé antérieur*	*Passé 2e forme*	*Passé*
j'arrivai tu arrivas il arriva nous arrivâmes vous arrivâtes ils arrivèrent	je fus arrivé tu fus arrivé il fut arrivé nous fûmes arrivés vous fûtes arrivés ils furent arrivés	je fusse arrivé tu fusses arrivé il fût arrivé nous fussions arrivés vous fussiez arrivés ils fussent arrivés	que je sois arrivé que tu sois arrivé qu'il soit arrivé que nous soyons arrivés que vous soyez arrivés qu'ils soient arrivés
Futur simple	*Futur antérieur*	IMPÉRATIF	*Plus-que-parfait*
j'arriverai tu arriveras il arrivera nous arriverons vous arriverez ils arriveront	je serai arrivé tu seras arrivé il sera arrivé nous serons arrivés vous serez arrivés ils seront arrivés	*Présent* arrive arrivons arrivez *Passé* sois arrivé soyons arrivés soyez arrivés	que je fusse arrivé que tu fusses arrivé qu'il fût arrivé que nous fussions arrivés que vous fussiez arrivés qu'ils fussent arrivés

INFINITIF			
Présent		*Passé*	
arriver		être arrivé	

PARTICIPE			
Présent		*Passé*	
arrivant		arrivé étant arrivé	

Verben auf -ir

finir

INDICATIF		CONDITIONNEL	SUBJONCTIF
Présent	*Passé composé*	*Présent*	*Présent*
je finis tu finis il finit nous finissons vous finissez ils finissent	j'ai fini tu as fini il a fini nous avons fini vous avez fini ils ont fini	je finirais tu finirais il finirait nous finirions vous finiriez ils finiraient	que je finisse que tu finisses qu'il finisse que nous finissions qùe vous finissiez qu'ils finissent
Imparfait	*Plus-que-parfait*	*Passé 1re forme*	*Imparfait*
je finissais tu finissais il finissait nous finissions vous finissiez ils finissaient	j'avais fini tu avais fini il avait fini nous avions fini vous aviez fini ils avaient fini	j'aurais fini tu aurais fini il aurait fini nous aurions fini vous auriez fini ils auraient fini	que je finisse que tu finisses qu'il finît que nous finissions que vous finissiez qu'ils finissent
Passé simple	*Passé antérieur*	*Passé 2e forme*	*Passé*
je finis tu finis il finit nous finîmes vous finîtes ils finirent	j'eus fini tu eus fini il eut fini nous eûmes fini vous eûtes fini ils eurent fini	j'eusse fini tu eusses fini il eût fini nous eussions fini vous eussiez fini ils eussent fini	que j'aie fini que tu aies fini qu'il ait fini que nous ayons fini que vous ayez fini qu'ils aient fini
Futur simple	*Futur antérieur*	IMPÉRATIF	*Plus-que-parfait*
je finirai tu finiras il finira nous finirons vous finirez ils finiront	j'aurai fini tu auras fini il aura fini nous aurons fini vous aurez fini ils auront fini	*Présent* finis finissons finissez *Passé* aie fini ayons fini ayez fini	que j'eusse fini que tu eusses fini qu'il eût fini que nous eussions fini que vous eussiez fini qu'ils eussent fini

INFINITIF			
Présent		*Passé*	
finir		avoir fini	

PARTICIPE			
Présent		*Passé*	
finissant		fini ayant fini	

Verben auf -re

rompre

INDICATIF		CONDITIONNEL	SUBJONCTIF
Présent	*Passé composé*	*Présent*	*Présent*
je romps tu romps il rompt nous rompons vous rompez ils rompent	j'ai rompu tu as rompu il a rompu nous avons rompu vous avez rompu ils ont rompu	je romprais tu romprais il romprait nous romprions vous rompriez ils rompraient	que je rompe que tu rompes qu'il rompe que nous rompions que vous rompiez qu'ils rompent
Imparfait	*Plus-que-parfait*	*Passé 1re forme*	*Imparfait*
je rompais tu rompais il rompait nous rompions vous rompiez ils rompaient	j'avais rompu tu avais rompu il avait rompu nous avions rompu vous aviez rompu ils avaient rompu	j'aurais rompu tu aurais rompu il aurait rompu nous aurions rompu vous auriez rompu ils auraient rompu	que je rompisse que tu rompisses qu'il rompît que nous rompissions que vous rompissiez qu'ils rompissent
Passé simple	*Passé antérieur*	*Passé 2e forme*	*Passé*
je rompis tu rompis il rompit nous rompîmes vous rompîtes ils rompirent	j'eus rompu tu eus rompu il eut rompu nous eûmes rompu vous eûtes rompu ils eurent rompu	j'eusse rompu tu eusses rompu il eût rompu nous eussions rompu vous eussiez rompu ils eussent rompu	que j'aie rompu que tu aies rompu qu'il ait rompu que nous ayons rompu que vous ayez rompu qu'ils aient rompu
Futur simple	*Futur antérieur*	IMPÉRATIF	*Plus-que-parfait*
je romprai tu rompras il rompra nous romprons vous romprez ils rompront	j'aurai rompu tu auras rompu il aura rompu nous aurons rompu vous aurez rompu ils auront rompu	*Présent* romps rompons rompez *Passé* aie rompu ayons rompu ayez rompu	que j'eusse rompu que tu eusses rompu qu'il eût rompu que nous eussions rompu que vous eussiez rompu qu'ils eussent rompu

INFINITIF			
Présent		*Passé*	
rompre		avoir rompu	

PARTICIPE			
Présent		*Passé*	
rompant		rompu ayant rompu	

Reflexive Verben

se reposer

INDICATIF		CONDITIONNEL	SUBJONCTIF
Présent	*Passé composé*	*Présent*	*Présent*
je me repose tu te reposes il se repose nous nous reposons vous vous reposez ils se reposent	je me suis reposé tu t'es reposé il s'est reposé nous nous sommes reposés vous vous êtes reposés ils se sont reposés	je me reposerais tu te reposerais il se reposerait nous nous reposerions vous vous reposeriez ils se reposeraient	que je me repose que tu te reposes qu'il se repose que nous nous reposions que vous vous reposiez qu'ils se reposent
Imparfait	*Plus-que-parfait*	*Passé 1re forme*	*Imparfait*
je me reposais tu te reposais il se reposait nous nous reposions vous vous reposiez ils se reposaient	je m'étais reposé tu t'étais reposé il s'était reposé nous nous étions reposés vous vous étiez reposés ils s'étaient reposés	je me serais reposé tu te serais reposé il se serait reposé nous nous serions reposés vous vous seriez reposés ils se seraient reposés	que je me reposasse que tu te reposasses qu'il se reposât que nous nous reposassions que vous vous reposassiez qu'ils se reposassent
Passé simple	*Passé antérieur*	*Passé 2e forme*	*Passé*
je me reposai tu te reposas il se reposa nous nous reposâmes vous vous reposâtes ils se reposèrent	je me fus reposé tu te fus reposé il se fut reposé nous nous fûmes reposés vous vous fûtes reposés ils se furent reposés	je me fusse reposé tu te fusses reposé il se fût reposé nous nous fussions reposés vous vous fussiez reposés ils se fussent reposés	que je me sois reposé que tu te sois reposé qu'il se soit reposé que nous nous soyons reposés que vous vous soyez reposés qu'ils se soient reposés
Futur simple	*Futur antérieur*	IMPÉRATIF	*Plus-que-parfait*
je me reposerai tu te reposeras il se reposera nous nous reposerons vous vous reposerez ils se reposeront	je me serai reposé tu te seras reposé il se sera reposé nous nous serons reposés vous vous serez reposés ils se seront reposés	*Présent* repose-toi reposons-nous reposez-vous	que je me fusse reposé que tu te fusses reposé qu'il se fût reposé que nous nous fussions reposés que vous vous fussiez reposés qu'ils se fussent reposés

INFINITIF		PARTICIPE	
Présent		*Présent*	
se reposer		se reposant	
Passé		*Passé*	
s'être reposé		s'étant reposé	

Übersicht über die wichtigsten unregelmäßigen und unvollständigen Verben

aller

INDICATIF		CONDITIONNEL	SUBJONCTIF
Présent	*Passé composé*	*Présent*	*Présent*
je vais tu vas il va nous allons vous allez ils vont	je suis allé tu es allé il est allé nous sommes allés vous êtes allés ils sont allés	j'irais tu irais il irait nous irions vous iriez ils iraient	que j'aille que tu ailles qu'il aille que nous allions que vous alliez qu'ils aillent
Imparfait	*Plus-que-parfait*	*Passé 1re forme*	*Imparfait*
j'allais tu allais il allait nous allions vous alliez ils allaient	j'étais allé tu étais allé il était allé nous étions allés vous étiez allés ils étaient allés	je serais allé tu serais allé il serait allé nous serions allés vous seriez allés ils seraient allés	que j'allasse que tu allasses qu'il allât que nous allassions que vous allassiez qu'ils allassent
Passé simple	*Passé antérieur*	*Passé 2e forme*	*Passé*
j'allai tu allas il alla nous allâmes vous allâtes ils allèrent	je fus allé tu fus allé il fut allé nous fûmes allés vous fûtes allés ils furent allés	je fusse allé tu fusses allé il fût allé nous fussions allés vous fussiez allés ils fussent allés	que je sois allé que tu sois allé qu'il soit allé que nous soyons allés que vous soyez allés qu'ils soient allés
Futur simple	*Futur antérieur*	IMPÉRATIF	*Plus-que-parfait*
j'irai tu iras il ira nous irons vous irez ils iront	je serai allé tu seras allé il sera allé nous serons allés vous serez allés ils seront allés	*Présent* va allons allez *Passé* sois allé soyons allés soyez allés	que je fusse allé que tu fusses allé qu'il fût allé que nous fussions allés que vous fussiez allés qu'ils fussent allés

INFINITIF			
Présent		*Passé*	
aller		être allé	

PARTICIPE			
Présent		*Passé*	
allant		allé, e étant allé	

faire

INDICATIF		CONDITIONNEL	SUBJONCTIF
Présent	*Passé composé*	*Présent*	*Présent*
je fais tu fais il fait nous faisons vous faites ils font	j'ai fait tu as fait il a fait nous avons fait vous avez fait ils ont fait	je ferais tu ferais il ferait nous ferions vous feriez ils feraient	que je fasse que tu fasses qu'il fasse que nous fassions que vous fassiez qu'ils fassent
Imparfait	*Plus-que-parfait*	*Passé 1re forme*	*Imparfait*
je faisais tu faisais il faisait nous faisions vous faisiez ils faisaient	j'avais fait tu avais fait il avait fait nous avions fait vous aviez fait ils avaient fait	j'aurais fait tu aurais fait il aurait fait nous aurions fait vous auriez fait ils auraient fait	que je fisse que tu fisses qu'il fît que nous fissions que vous fissiez qu'ils fissent
Passé simple	*Passé antérieur*	*Passé 2e forme*	*Passé*
je fis tu fis il fit nous fîmes vous fîtes ils firent	j'eus fait tu eus fait il eut fait nous eûmes fait vous eûtes fait ils eurent fait	j'eusse fait tu eusses fait il eût fait nous eussions fait vous eussiez fait ils eussent fait	que j'aie fait que tu aies fait qu'il ait fait que nous ayons fait que vous ayez fait qu'ils aient fait
Futur simple	*Futur antérieur*	IMPÉRATIF	*Plus-que-parfait*
je ferai tu feras il fera nous ferons vous ferez ils feront	j'aurai fait tu auras fait il aura fait nous aurons fait vous aurez fait ils auront fait	*Présent* fais faisons faites *Passé* aie fait ayons fait ayez fait	que j'eusse fait que tu eusses fait qu'il eût fait que nous eussions fait que vous eussiez fait qu'ils eussent fait

INFINITIF			
Présent		*Passé*	
faire		avoir fait	

PARTICIPE			
Présent		*Passé*	
faisant		fait ayant fait	

Die Übersicht über die wichtigsten unregelmäßigen und unvollständigen Verben führt folgende Formen auf:
Infinitiv — Indikativ Präsens — Konjunktiv Präsens historisches Perfekt — Futur — Perfekt.
Gebräuchliche Personen und Zeiten der unvollständigen Verben sind besonders bezeichnet.

abattre *s.* **battre**
absoudre — absous, absolvons — absolve, absolvions — *hist. Perfekt fehlt* — absoudrai, absoudrons — j'ai absous, (absoute); *ppr* absolvant.
abstenir, s' *s.* **tenir**
abstraire *s.* **traire**
accroître *s.* **croître** — *jedoch hist. Perfekt* accrus, accrûmes — *Perfekt* il a *od* est accru.
accueillir *s.* **cueillir**
acquérir — acquiers, acquérons, acquièrent — acquière, acquérions, acquièrent — acquis, acquîmes — acquerrei — j'ai acquis.
admettre *s.* **mettre**
aller *s. S. 1028*
apercevoir *s.* **recevoir**
apparaître *s.* **connaître**
appartenir *s.* **tenir**
apprendre *s.* **prendre**
assaillir *s.* **tressaillir**
asseoir — assieds, assieds, assied, asseyons, asseyez, asseyent (*a.* assois, assois, assoit, assoyons, assoyez, assoient) — asseye, asseyions (*a.* assoie, assoyions) — assis, assîmes — assiérai, assiérons (*a.* assoirai, assoirons) — je suis assis.
atteindre — atteins, atteignons — atteigne, atteignions — atteignis, atteignîmes — atteindrai, atteindrons — j'ai atteint.
avoir *s. S. 1022*
battre — bats, battons — batte, battions — battis, battîmes — battrai, battrons — j'ai battu.
boire — bois, buvons, buvez, boivent — boive, buvions — bus, bûmes — boirai, boirons — j'ai bu.
bouillir — bous, bouillons — bouille, bouillions — bouillis, bouillîmes — bouillirai, bouillirons — j'ai bouilli.
braire *s.* **traire**
bruire — *Ind. Präsens* il bruit — *Imperfekt* il bruissait, ils bruissaient — *ppr* bruissant.
ceindre *s.* **atteindre**
choir — *pp* chu *(nur diese beiden Formen sind gebräuchlich).*
circoncire — circoncis, circonsisons — circoncise, circonsisions — circoncis, circoncîmes — circoncirai, circoncirons — j'ai circoncis — *ppr* circoncisant.
clore — *Ind. Präsens* je clos, tu clos, il clôt — *Konj. Präsens* je close *etc* — *Futur* je clorai *etc* — *Konditional* je clorais *etc* — *Imperativ* clos — *pp* clos, e.
combattre *s.* **battre**
commettre *s.* **mettre**
comparaître *s.* **connaître**
complaire *s.* **plaire**
comprendre *s.* **prendre**
compromettre *s.* **mettre**

concevoir *s.* **recevoir**
conclure — conclus, concluons — conclue, concluions — conclus, conclûmes — conclurai, conclurons — j'ai conclu.
conduire — conduis, conduisons — conduise, conduisions — conduisis, conduisîmes — conduirai, conduirons — j'ai conduit.
confire — confis, confisons — confise, confisions — confis, confîmes — confirai, confirons — j'ai confit.
connaître — connais, connais, connaît, connaissons, connaissez, connaissent — connaisse, connaissions — connus, connûmes — connaîtrai, connaîtrons — j'ai connu.
conquérir *s.* **acquérir**
consentir *s.* **dormir**
construire *s.* **conduire**
contenir *s.* **tenir**
contraindre *s.* **craindre**
contredire *s.* **dire** — *jedoch Ind. Präsens 2. Pers. Pl.* contredisez.
contrefaire *s.* **faire**
convaincre *s.* **vaincre**
convenir *s.* **venir**
coudre — couds, cousons — couse, cousions, cousis, cousîmes — coudrai, coudrons — j'ai cousu.
courir — cours, courons — coure, courions, — courus, courûmes — courrai, courrons — j'ai couru.
couvrir — couvre, couvrons — couvre, couvrions — couvris, couvrîmes — couvrirai, couvrirons — j'ai couvert.
craindre — crains, crains, craint, craignons, craignez, craignent — craigne, craignions — craignis, craignîmes — craindrai, craindrons — j'ai craint.
croire — crois, croyons, croie, croyions, crus, crûmes — croirai, croirons — j'ai cru.
croître — croîs, croîs, croît, croissons, croissez, croissent — croisse, croissions — crûs, crûmes — *Konj. Imperf.* crûsse, crût, crûssions — croîtrai, croîtrons — j'ai crû (crue, crus, crues).
cueillir — cueille, cueillons — cueille, cueillions — cueillis, cueillîmes — cueillerai, cueillerons — j'ai cueilli.
cuire *s.* **conduire**
débattre *s.* **battre**
décevoir *s.* **recevoir**
déchoir — *Ind. Präsens* déchois *etc.* déchoyons *etc; Konj. Präsens* déchoie *etc,* déchoyions *etc* — *hist. Perfekt* déchus *etc,* déchûmes *etc* — *Futur* déchoirai *etc,* déchoirons *etc* — *Perfekt* j'ai *od* je suis déchu; *kein Imperfekt.*
découvrir *s.* **couvrir**
décrire *s.* **écrire**
décroître *s.* **croître** — *jedoch hist. Perfekt* décrus, décrûmes — *Perfekt* il a *od* est décru.
dédire *s.* **dire** — *jedoch Indikativ Präsens 2. Pers. Pl.* dédisez.
défaillir — *nur gebräuchlich:* nous défaillons, vous défaillez, ils défaillent — *Imperfekt* défaillais *etc* — *Perfekt u. die anderen zs.gesetzten Zeiten* j'ai défailli — *ppr* défaillant.
défaire *s.* **faire**
démentir *s.* **sentir**
déplaire *s.* **plaire**
desservir *s.* **sentir**
détenir *s.* **tenir**

détruire *s.* **conduire**
devenir *s.* **venir**
devoir — dois, dois, doit, devons, devez, doivent — doive, devions — dus, dûmes — devrai, devrons — j'ai dû (due, dus, dues).
dire — dis, dis, dit, disons, dites, disent — dise, disions — dis, dis, dit, dîmes, dîtes, dirent — dirai, dirons — j'ai dit.
disparaître *s.* **connaître**
dissoudre — dissous, dissolvons — dissolve, dissolvions — *hist. Perfekt fehlt* — dissoudrai, dissoudrons — j'ai dissous (dissoute); *ppr* dissolvant.
dormir — dors, dors, dort, dormons, dormez, dorment — dorme, dormions — dormis, dormîmes — dormirai, dormirons — j'ai dormi.
échoir — *Ind. Präsens* il échoit, ils échoient — *hist. Perfekt* il échut — *Futur* il échoira, ils échoiront — *Konditional* il échorait, ils échoiraient; *ppr* échéant; *pp* échu, e.
éclore *s.* **clore** *im Ind. Präsens* éclot *u.* éclôt.
écrire — écris, écrivons — écrive, écrivions — écrivis, écrivîmes — écrirai, écrirons — j'ai écrit.
élire *s.* **lire**
émettre *s.* **mettre**
émouvoir *s.* **mouvoir** — *jedoch Perfekt* je suis ému.
endormir *s.* **dormir**
enfuir, s' *s.* **fuir**
enquérir *s.* **acquérir**
ensuivre, s' *s.* **suivre**
entreprendre *s.* **prendre**
entretenir *s.* **tenir**
entrevoir *s.* **voir**
envoyer — envoie, envoyons — envoie, envoyions — envoyai, envoyâmes — enverrai, enverrons — j'ai envoyé.
équivaloir *s.* **valoir**
éteindre *s.* **atteindre**
être *s. S. 1023*
exclure *s.* **conclure**
extraire *s.* **traire**
faillir — *hist. Perfekt* je faillis *etc* — *Futur* je faillirai *etc* — *Konditional* je faillirais *etc* — *Perfekt* j'ai failli.
faire *s. S. 1029*
falloir — il faut — il faille — il fallut — il faudra — il a fallu.
feindre *s.* **atteindre**
fleurir — *nur fig. Imperfekt* florissait, *a.* fleurissait — *ppr* florissant *(sonst regelmäßig).*
frire — *Ind. Präsens* je fris, tu fris, il frit — *Futur* je frirai *etc* — *Konditional* je frirais *etc* — *Perfekt* j'ai frit.
fuir — fuis, fuyons — fuie, fuyions — fuis, fuîmes — fuirai, fuirons — j'ai fui.
gésir — *Ind. Präsens* je gis, tu gis, il gît, nous gisons, vous gisez, ils gisent — *Imperfekt* je gisais *etc* — *ppr* gisant. *Der Infinitiv ist nicht gebräuchlich.*
haïr — hais, haïssons, haïssent — haïsse, haïssions — haïs, haïmes — haïrai, haïrons — j'ai haï.
inclure — inclus, incluons — inclue, incluions — inclus, inclûmes — inclurai, inclurons — j'ai inclus. *Bes. gebräuchlich:* ci-inclus.
inscrire *s.* **écrire**
instruire *s.* **conduire**
interdire *s.* **dire** — *jedoch Indikativ Präsens 2. Pers. Pl.* interdisez.

intervenir *s.* **venir**
introduire *s.* **conduire**
joindre — joins, joins, joint, joignons, joignez, joignent — joigne, joignions — joignis, joignîmes — joindrai, joindrons — j'ai joint.
lire — lis, lisons — lise, lisions — lus, lûmes — lirai, lirons — j'ai lu.
luire — luis, luisons — luise, luisions — luisis, luisîmes — luirai, luirons — j'ai lui.
maintenir *s.* **tenir**
maudire — *geht wie* **finir** — *jedoch pp* maudit, e.
méconnaître *s.* **connaître**
médire *s.* **dire** — *jedoch Ind. Präsens 2. Pers. Pl.* médisez — *pp nur m:* médit.
mentir *s.* **sentir**
méprendre, se *s.* **prendre**
mettre — mets, mets, met, mettons, mettez, mettent — mette, mettions — mis, mîmes — mettrai, mettrons — j'ai mis.
moudre — mouds, moulons — moule, moulions — moulus, moulûmes — j'ai moulu.
mourir — meurs, mourons — meure, mourions — mourus, mourûmes — mourrai, mourrons — il est mort.
mouvoir — meus, meus, meut, mouvons, mouvez, meuvent — meuve, mouvions — mus, mûmes — mouvrai, mouvrons — j'ai mû (mue, mus, mues).
naître — il naît, ils naissent — il naisse, ils naissent — je naquis, nous naquîmes — je suis né.
nuire *s.* **luire**
obtenir *s.* **tenir**
offrir — offre, offres, offre, offrons, offrez, offrent — offre, offrions — offris, offrîmes — offrirai, offrirons — j'ai offert.
oindre — *pp* oint, e — *selten sind: Ind. Präsens* oins, oins, oint, oignons — *Imperfekt* oignais, oignions — *hist. Perfekt* oignis, oignîmes — *Futur* oindrai, oindrons — *pp* oignant.
omettre *s.* **mettre**
ouïr — *pp* ouï, e.
ouvrir *s.* **offrir**
paître — pais, paît, paissions — paisse, paissions — *Imperfekt* paissais *etc* — *hist. Perfekt fehlt* — *Konj. Imperfekt fehlt* — paîtrai, paîtrons — *pp fehlt* — *Imperativ* pais, paissons, paissez.
paraître *s.* **connaître**
parfaire *s.* **faire**
partir — pars, pars, part, partons, partez, partent — parte, partions — partis, partîmes — partirai, partirons — je suis parti.
parvenir *s.* **venir**
peindre *s.* **atteindre**
percevoir *s.* **recevoir**
permettre *s.* **mettre**
plaindre *s.* **craindre**
plaire — plais, plais, plaît, plaisons, plaisez, plaisent — plaise, plaisions — plus, plûmes — plairai, plairons — j'ai plu.
pleuvoir — il pleut — il pleuve — il plut — il pleuvra — il a plu.
poindre — *Ind. Präsens* il point — *Futur* il poindra; *Konditional* il poindrait — *Perfekt* il a point — *gelegentlich hist. Perfekt* il poignit.
poursuive *s.* **suivre**
pourvoir — pourvois, pourvoyons — pourvoie, pourvoyions — pourvus, pourvûmes — pourvoirai, pourvoirons — j'ai pourvu.

pouvoir — peux, peux, peut, pouvons, pouvez, peuvent — puisse, puissions — pus, pûmes — pourrai, pourrons — j'ai pu.
Besondere Formen: je ne puis; puis-je?
prédire *s.* **dire** — *jedoch Ind. Präsens 2. Pers. Pl.* prédisez.
prendre — prends, prends, prend, prenons, prenez, prennent — prenne, prenions, prennent — pris, prîmes — prendrai, prendrons — j'ai pris.
prescrire *s.* **écrire**
pressentir *s.* **sentir**
prévaloir *s.* **valoir** — *jedoch Konj. Präsens* il prévale.
prévenir *s.* **venir**
prévoir *s.* **voir** — *jedoch Futur* prévoirai, prévoirons.
produire *s.* **conduire**
promettre *s.* **mettre**
promouvoir *s.* **mouvoir** — *jedoch Perfekt* j'ai promu.
proscrire *s.* **écrire**
provenir *s.* **venir**
rabattre *s.* **battre**
rasseoir, se *s.* **asseoir**
recevoir — reçois, reçois, reçoit, recevons, recevez, reçoivent — reçoive, recevions — reçus, reçûmes — recevrai, recevrons — j'ai reçu.
reconnaître *s.* **connaître**
reconstruire *s.* **conduire**
recouvrir *s.* **offrir**
recueillir *s.* **cueillir**
redire *s.* **dire**
réduire *s.* **conduire**
refaire *s.* **faire**
rejoindre *s.* **joindre**
reluire *s.* **luire**
remettre *s.* **mettre**
repaître *s.* **paître** — *jedoch zusätzliche Formen: hist. Perfekt* repus, repûmes — *Konj. Imperfekt* repût — *pp* repu.
repartir *s.* **partir**
repentir, se *s.* **sentir**
reprendre *s.* **prendre**
requérir *s.* **acquérir**
résoudre — résous, résous, résout, résolvons, résolvez, résolvent — résolve, résolvions — résolus, résolûmes — résoudrai, résoudrons — j-ai résolu *ich habe beschlossen;* j'ai résous (résoute) *ich habe aufgelöst.*
ressentir *s.* **sentir**
ressortir *s.* **dormir**
restreindre *s.* **craindre**
retenir *s.* **tenir**
revêtir *s.* **vêtir**
revenir *s.* **venir**
revoir *s.* **voir**
rire — ris, rions — rie, riions — ris, rîmes — rirai, rirons — j'ai ri.
satisfaire *s.* **faire**
savoir — sais, savons — sache, sachions — sus, sûmes — saurai, saurons — j'ai su — *Imperativ* sache, sachons; sachez — *ppr* sachant.
séduire *s.* **conduire**
sentir — sens, sens, sent, sentons, sentez, sentent — sente, sentions — sentis, sentîmes — sentirai, sentirons — j'ai senti.
seoir — *Ind. Präsens* il sied, ils siéent — *Imperfekt* il seyait, ils seyaient — *Futur* il siéra, ils siéront — *Konditional* il siérait, ils siéraient — *ppr* seyant

und séant; *pp* sis. *Der Infinitiv ist nicht gebräuchlich.*
servir *s.* **sentir**
sortir *s.* **dormir**
souffrir *s.* **offrir**
soumettre *s.* **mettre**
sourire *s.* **rire**
souscrire *s.* **écrire**
soutenir *s.* **tenir**
souvenir, se *s.* **venir**
subvenir *s.* **venir**
suffire — suffis, suffisons — suffise, suffisions — suffis, suffîmes — suffirai, suffirons — j'ai suffi.
suivre — suis, suivons — suive, suivions — suivis, suivîmes — suivrai, suivrons — j'ai suivi.
surprendre *s.* **prendre**
survivre *s.* **vivre**
taire, se — je me tais, nous nous taisons — je me taise, nous nous taisions — je me tus *ich verstummte,* nous nous tûmes — je me tairai, nous nous tairons — je me suis tu.
teindre *s.* **atteindre**
tenir — tiens, tenons, tiennent — tienne, tenions, tiennent — tins, tînmes, tîntes, tinrent — tiendrai, tiendrons — j'ai tenu.
traire — trais, trais, trait, trayons, trayez, traient — traie, trayions — *hist. Perfekt und Konj. Imperfekt fehlen* — trairai, trairons — j'ai trait.
transcrire *s.* **écrire**
transmettre *s.* **mettre**
tressaillir — tressaille, tressaillons — tressaille, tressaillions — tressaillis, tressaillîmes — tressaillirai, tressaillirons — j'ai tressailli.
vaincre — vaincs, vaincs, vainc, vainquons, vainquez, vainquent — vainque, vainquions — vainquis, vainquîmes; vaincrai, vaincrons — j'ai vaincu.
valoir — vaux, valons — vaille, valions — valus, valûmes — vaudrai, vaudrons — j'ai valu.
venir — viens, venons, viennent — vienne, venions — vins, vînmes, vîntes, vinrent — viendrai, viendrons — je suis venu.
vêtir — vêts, vêtons — vête, vêtions — vêtis, vêtîmes — vêtirai, vêtirons — j'ai vêtu.
vivre — vis, vivons — vive, vivions — vécus, vécûmes — vivrai, vivrons — j'ai vécu.
voir — vois, voyons — voie, voyions — vis, vîmes — verrai, verrons — j'ai vu.
vouloir — veux, veux, veut, voulons, voulez, veulent — veuille, voulions — voulus, voulûmes — voudrai, voudrons — j'ai voulu — *Imperativ* veuille, *a.* veux; veuillez, *a.* voulez; ne m'en veux pas; ne m'en voulez pas.

Zahlwörter

1. Grundzahlen

0 zéro *null*
1 un, une *einer, eine, eins; ein, eine, ein*
2 deux *zwei*
3 trois *drei*
4 quatre *vier*
5 cinq *fünf*
6 six *sechs*
7 sept *sieben*
8 huit *acht*
9 neuf *neun*
10 dix *zehn*
11 onze *elf*
12 douze *zwölf*
13 treize *dreizehn*
14 quatorze *vierzehn*
15 quinze *fünfzehn*
16 seize *sechzehn*
17 dix-sept *siebzehn*
18 dix-huit *achtzehn*
19 dix-neuf *neunzehn*
20 vingt *zwanzig*
21 vingt et un *einundzwanzig*
22 vingt-deux *zweiundzwanzig*
23 vingt-trois *dreiundzwanzig*
24 vingt-quatre *vierundzwanzig*
25 vingt-cinq *fünfundzwanzig*
30 trente *dreißig*
31 trente et un *einunddreißig*
32 trente-deux *zweiunddreißig*
33 trente-trois *dreiunddreißig*
40 quarante *vierzig*
41 quarante et un *einundvierzig*
42 quarante-deux *zweiundvierzig*
50 cinquante *fünfzig*
51 cinquante et un *einundfünfzig*
52 cinquante-deux *zweiundfünfzig*
60 soixante *sechzig*
61 soixante et un *einundsechzig*
62 soixante-deux *zweiundsechzig*
70 soixante-dix *siebzig*
71 soixante et onze *einundsiebzig*
72 soixante-douze *zweiundsiebzig*
75 soixante-quinze *fünfundsiebzig*
79 soixante-dix-neuf *neunundsiebzig*
80 quatre-vingt(s) *achtzig*
81 quatre-vingt-un *einundachtzig*
82 quatre-vingt-deux *zweiundachtzig*
85 quatre-vingt-cinq *fünfundachtzig*
90 quatre-vingt-dix *neunzig*
91 quatre-vingt-onze *einundneunzig*
92 quatre-vingt-douze *zweiundneunzig*
99 quatre-vingt-dix-neuf *neunundneunzig*
100 cent *hundert*
101 cent un *hundert(und)eins*
102 cent deux *hundert(und)zwei*
110 cent dix *hundert(und)zehn*
120 cent vingt *hundert(und)zwanzig*
199 cent quatre-vingt-dix-neuf *hundert(und)neunundneunzig*
200 deux cents *zweihundert*
201 deux cent un *zweihundert(und)eins*
222 deux cent vingt-deux *zweihundert(und)zweiundzwanzig*
300 trois cents *dreihundert*
400 quatre cents *vierhundert*
500 cinq cents *fünfhundert*
600 six cents *sechshundert*
700 sept cents *siebenhundert*
800 huit cents *achthundert*
900 neuf cents *neunhundert*
1 000 mille *tausend*
1 001 mille un *tausend(und)eins*
1 010 mille dix *tausend(und)zehn*
1 100 mille cent *tausend(und)einhundert*
2 000 deux mille *zweitausend*
10 000 dix mille *zehntausend*
100 000 cent mille *hunderttausend*
1 000 000 un million *eine Million*
2 000 000 deux millions *zwei Millionen*
2 500 000 deux millions cinq cent mille *zwei Millionen fünfhunderttausend*
1 000 000 000 un milliard, un billion *eine Milliarde*
1 000 000 000 000 un trillion *eine Billion*

2. Ordnungszahlen

1er, 1ère, (le, la) premier, ère *(der, die, das) erste*
2e, 2ème deuxième; 2nd, 2nde second, e *zweite*
3e troisième *dritte*
4e quatrième *vierte*
5e cinquième *fünfte*
6e sixième *sechste*
7e septième *sieb(en)te*
8e huitième *achte*
9e neuvième *neunte*
10e dixième *zehnte*
11e onzième *elfte*
12e douzième *zwölfte*
13e treizième *dreizehnte*
14e quatorzième *vierzehnte*
15e quinzième *fünfzehnte*
16e seizième *sechzehnte*
17e dix-septième *siebzehnte*
18e dix-huitième *achtzehnte*
19e dix-neuvième *neunzehnte*
20e vingtième *zwanzigste*
21e vingt et unième *einundzwanzigste*
22e vingt-deuxième *zweiundzwanzigste*
23e vingt-troisième *dreiundzwanzigste*
30e trentième *dreißigste*
31e trente et unième *einunddreißigste*
32e trente-deuxième *zweiunddreißigste*
40e quarantième *vierzigste*
50e cinquantième *fünfzigste*
60e soixantième *sechzigste*
70e soixante-dixième *siebzigste*
71e soixante et onzième *einundsiebzigste*
72e soixante-douzième *zweiundsiebzigste*
79e soixante-dix-neuvième *neunundsiebzigste*
80e quatre-vingtième *achtzigste*
81e quatre-vingt-unième *einundachtzigste*
82e quatre-vingt-deuxième *zweiundachtzigste*
90e quatre-vingt-dixième *neunzigste*
91e quatre-vingt-onzième *einundneunzigste*
99e quatre-vingt-dix-neuvième *neunundneunzigste*
100e centième *hundertste*
101e cent unième *hundertunderste*
110e cent dixième *hundert(und)zehnte*
195e cent quatre-vingt-quinzième *hundert(und)fünfundneunzigste*
200e deux(-)centième *zweihundertste*
300e trois(-)centième *dreihundertste*
500e cinq(-)centième *fünfhundertste*
1 000e millième *tausendste*
2 000e deux(-)millième *zweitausendste*
1 000 000e millionième *millionste*
10 000 000e dix(-)millionième *zehnmillionste*

3. Bruchzahlen

½ un demi *ein halb*
⅓ un tiers *ein Drittel*
¼ un quart *ein Viertel*
⅕ un cinquième *ein Fünftel*
1/10 un dixième *ein Zehntel*
1/100 un centième *ein Hundertstel*
1/1000 un millième *ein Tausendstel*
1/1000 000 un millionième *ein Millionstel*
⅔ deux tiers *zwei Drittel*
¾ trois quarts *drei Viertel*
⅖ deux cinquièmes *zwei Fünftel*
3/10 trois dixièmes *drei Zehntel*
1½ un et demi *anderthalb*
2½ deux et demi *zwei(und)einhalb*
5⅜ cinq trois huitièmes *fünf drei Achtel*
1,1 un virgule un *eins Komma eins*

4. Vervielfältigungszahlen

simple *einfach*
double *doppelt, zweifach*
triple *dreifach*
quadruple, quatre fois autant *vierfach*
quintuple, cinq fois autant *fünffach*
centuple *hundertfach*

Amtliche französische Maße und Gewichte

Übersicht über die Stufen des Dezimalsystems

Vorsilbe		Zeichen	Vielfaches der Einheit
méga	Mega	M	1 000 000
hectokilo	Hektokilo	hk	100 000
myria	Myria	ma	10 000
kilo	Kilo	k	1 000
hecto	Hekto	h	100
déca	Deka	da	10
...	...	...	...
déci	Dezi	d	0,1
centi	Zenti	c	0,01
milli	Milli	m	0,001
décimilli	Dezimilli	dm	0,000 1
centimilli	Zentimilli	cm	0,000 01
micro	Mikro	μ	0,000 001

Längenmaße

		Zeichen	Vielfaches der Einheit
mille marin	Seemeile	—	1 852 m
kilomètre	Kilometer	km	1 000 m
hectomètre	Hektometer	hm	100 m
décamètre	Dekameter	dam	10 m
mètre	Meter	m	Grundeinheit
décimètre	Dezimeter	dm	0,1 m
centimètre	Zentimeter	cm	0,01 m
millimètre	Millimeter	mm	0,001 m
micron	Mikron, My	μ	0,000 001 m

Flächenmaße

kilomètre carré	Quadratkilometer	km²	1 000 000 m²
hectomètre carré	Quadrathektometer	hm²	} 10 000 m²
hectare	Hektar	ha	} 10 000 m²
décamètre carré	Quadratdekameter	dam²	} 100 m²
are	Ar	a	} 100 m²
mètre carré	Quadratmeter	m²	1 m²
décimètre carré	Quadratdezimeter	dm²	0,01 m²
centimètre carré	Quadratzentimeter	cm²	0,000 1 m²
millimètre carré	Quadratmillimeter	mm²	0,000 001 m²

Kubik- und Hohlmaße

		Zeichen	Vielfaches der Einheit
mètre cube	Kubikmeter	m^3	1 m^3
stère	Ster	st	
hectolitre	Hektoliter	hl	0,1 m^3
décalitre	Dekaliter	dal	0,01 m^3
décimètre cube	Kubikdezimeter	dm^3	0,001 m^3
litre	Liter	l	
décilitre	Deziliter	dl	0,000 1 m^3
centilitre	Zentiliter	cl	0,000 01 m^3
centimètre cube	Kubikzentimeter	cm^3	0,000 001 m^3
millilitre	Milliliter	ml	
millimètre cube	Kubikmillimeter	mm^3	0,000 000 001 m^3

Gewichte

tonne	Tonne	t	1 000 kg
quintal	Doppelzentner	q	100 kg
kilogramme	Kilogramm	kg	1 000 g
hectogramme	Hektogramm	hg	100 g
décagramme	Dekagramm	dag	10 g
gramme	Gramm	g	1 g
carat	Karat	–	0,2 g
décigramme	Dezigramm	dg	0,1 g
centigramme	Zentigramm	cg	0,01 g
milligramme	Milligramm	mg	0,001 g

Abkürzungen — Abréviations

A Ampère.
A 2 Antenne 2.
AC Anciens Combattants.
ACF Automobile Club de France.
ACO Action catholique ouvrière.
AD Anno Domini (année du Seigneur).
ADN Acide désoxyribonucléique.
AEF Afrique Equatoriale Française.
AF Action Française. Allocations Familiales. Anciens francs.
AFNOR Association Française de Normalisation.
AFP Agence France-Presse.
AFPA Agence nationale pour la formation professionnelle des adultes.
AG Assemblée générale.
AIEA Agence Internationale de l'Energie Atomique.
AIT Association Internationale du Tourisme.
AJ Auberge de la Jeunesse.
AME Accord Monétaire Européen.
AMM Association Médicale Mondiale.
Anc. Ancien.
ANPE Agence nationale pour l'emploi.
AOC Appellation d'origine contrôlée.
AOF Afrique Occidentale Française.
AP Assistance Publique.
APEL Association des Parents d'Elèves de l'Enseignement Libre.
Appt Appartement.
apr. J.-C. après Jésus-Christ.
AR Accusé de réception.
arrdt Arrondissement.
art. Article.
AS Assurances Sociales. Association sportive.
ASCOFAM Association Mondiale de la Lutte contre la Faim.
ASSEDIC Association pour l'emploi dans l'industrie et le commerce.
AT Ancien Testament.
av. Avenue.
av. J.-C. Avant Jésus-Christ.

B. A. Bonne action.
B. C. B. G. Bon chic-bon genre.
BCG Vaccin bilié de Calmette et Guérin.
bd Boulevard.
B. D. Bande dessinée.
BE Brevet élémentaire.
BENELUX Union Douanière de la Belgique, du Luxembourg et des Pays-Bas.
BEP Brevet d'études professionnelles.
BEPC Brevet d'Etudes du 1er Cycle.
BF Basse fréquence.
B. H. V. Bazar de l'Hôtel de ville.
BIT Bureau International du Travail.
B. N. Bibliothèque Nationale.
BNP Banque Nationale de Paris.
BO Bulletin officiel.
BP Basse pression. Boîte postale.
BPF Bon pour francs.
BSEC Brevet supérieur d'enseignement commercial.
BT Basse tension. Brevet de technicien.
BTS Brevet de technicien supérieur.

C. Celsius, centigrade.
c.-à-d. C'est-à-dire.
CAF Caisse d'Allocations Familiales.
CAP Certificat d'Aptitude Professionnelle. Certificat d'Aptitude pédagogique (1er degré).
CAPES Certificat d'Aptitude au professorat de l'Enseignement du Second Degré.
CC Corps Consulaire.
CCI Chambre de Commerce Internationale.
CCP Compte Chèques Postaux.
CD Corps Diplomatique.
CE Conseil de l'Europe. Conseil Economique.
C. E. Comité d'entreprise.
CEA Commissariat à l'Energie Atomique (France).
CECA Communauté Européenne du Charbon et de l'Acier.
CED Communauté Européenne de Défense.
CEDEX Courrier d'Entreprise à Distribution Exceptionnelle.
CEE Communauté Economique Européenne (Marché Commun) ou Commission Economique pour l'Europe.
CEEA Communauté Européenne de l'Energie Atomique.
C. E. G. Collège d'enseignement général.
CEN Centre d'Etudes Nucléaires.
CEP Certificat d'Etudes Primaires. Certificat d'éducation professionnelle.

CER Comité d'Expansion Régional.
C. E. R. E. S. Centre d'études, de recherches et d'éducation socialistes.
CERN Centre Européen pour la Recherche Nucléaire.
CES Collège d'Enseignement Secondaire.
CET Collège d'Enseignement Technique.
CF Communauté Française.
CFDT Conféderation Française et Démocratique du Travail.
CFF Chemins de Fer Fédéraux (Suisse).
CFP Communauté Française du Pacifique.
CFTC Confédération Française des Travailleurs Chrétiens.
CGA Confédération Générale de l'Agriculture.
CGAF Confédération Générale de l'Artisanat Français.
CGC Confédération Générale des Cadres.
CGT Confédération Générale du Travail.
CGT-FO Confédération Générale du Travail-Force Ouvrière.
chap. Chapitre.
Chbre Chambre.
Ch. comp. Charges comprises.
Chf. cent. Chauffage central.
CHU Centre hospitalo-universitaire.
CIA Confédération Internationale de l'Agriculture (Internationale Verte).
CIC Centre d'information civique. Confédération Internationale des Cadres. Crédit Industriel et Commercial.
CICR Comité International de la Croix-Rouge.
CIDUNATI Comité d'information et de défense de l'union nationale des artisans et travailleurs indépendants.
CIE Centre International de l'Enfance.
Cie. Compagnie.
CIO Comité international olympique.
CITI Confédération Internationale des Travailleurs Intellectuels.
CNC Comité National de la Consommation.
CNCA Caisse Nationale du Crédit Agricole.
CNE Caisse Nationale d'Epargne.
CNPF Conseil National du Patronat Français.
CNRS Centre National de la Recherche Scientifique.
CNTE Centre national de télé-enseignement.
CNUCED Confédération des Nations Unies sur le Commerce et le Développement.
COMECOM Conseil pour l'aide mutuelle économique.
Cpt. Comptant.
C. Q. F. D. Ce qu'il fallait démontrer.
CRF Croix-Rouge Française.
CROUS Centre régional des œuvres universitaires et scolaires.
CRS Compagnies Républicaines de Sécurité.
CSEN Conseil Supérieur de l'Education Nationale.
CSF Compagnie Générale de Télégraphie sans Fil.
CV Cheval-vapeur (Chevaux-vapeur). Curriculum vitae.

DB Division Blindée.
DCA Défense contre avions.
DDT *(Warenzeichen)* Dichloro-Diphenyl-Trichloréthane.
DEA Diplôme d'Etudes Approfondies.
Dept. Département.
DES Diplôme d'Etudes Supérieures.
DEUG Diplôme d'études universitaires générales.
DI Division d'Infanterie.
DOM Département d'outre-mer.
D. P. Délégué du personnel.
DPLG Diplômé par le Gouvernement.
dr. Droit.
DST Direction de la Surveillance du Territoire.
DUEL Diplôme Universitaire d'Etudes Littéraires.
DUES Diplôme universitaire d'études scientifiques.
DUT Diplôme universitaire de technologie.

E Est.
éd. Edition.
EDF Electricité de France.
édit. Editeur.
EGF Electricité-Gaz de France.
ENA Ecole Nationale d'Administration.
ENI Ecole nationale d'ingénieurs.
ENS Ecole normale supérieure.

ESC Ecole supérieure de commerce.
Et. Etage.
EURATOM Communauté européenne à l'énergie atomique.
ex. Exemple.

F Francs.
FC Football club.
Fco Franco.
FED Fonds Européen de Développement.
FEN Fédération de l'Education Nationale.
FF Francs français.
FFA Forces Françaises en Allemagne.
FFAJ Fédération Française des Auberges de la Jeunesse.
FFI Forces françaises de l'intérieur.
FFL Forces Françaises Libres (1940–44).
FLN Front de Libération Nationale.
FM Franchise Militaire. Modulation de fréquence. Franc-Maçon. Fusil Mitrailleur.
FMI Fonds Monétaire International.
FNL Front national de libération.
FNSEA Fédération Nationale des Syndicats d'Exploitants Agricoles.
FO Force Ouvrière.
FPA Formation professionnelle des adultes.
FR 3 France Régions 3.
FS Faire suivre (Postes). Franc Suisse.
FSM Fédération Syndicale Mondiale.

GDF Gaz de France.
GM Génie Maritime. Génie Militaire. Gouverneur Militaire.
GO Grandes Ondes.
GPL Gaz de pétrole liquéfié.
GQG Grand Quartier Général.

HCR Haut-Commissariat des Nations Unies pour les Réfugiés.
HEC Hautes Etudes Commerciales.
HF Haute Fréquence (Electricité).
HLM Habitation à loyer modéré.
HP Haute pression.
HS Hors service.
HT Haute tension.

I. C. Intercité.
IDI Institut de Développement Industriel.
IEP Institut d'études politiques.
IFOP Institut Français d'Opinion Publique.
INRA Institut national de la Recherche agronomique.
INSEE Institut National de la Statistique et des Etudes Economiques.
INSERM Institut National de la Santé et de la Recherche Médicale.
INSTN Institut National des Sciences et Techniques Nucléaires.
IPES Institut de Préparation aux Enseignements du Second Degré.
IUT Institut universitaire de technologie.
I. V. G. Interruption volontaire de grossesse.

JAC Jeunesse Agricole Catholique.
J.-C. Jésus-Christ.
JEC Jeunesse Etudiante Chrétienne.
JO Journal Officiel. Jeux Olympiques.
JOC Jeunesse Ouvrière Chrétienne.
Jr Junior.

LR Lettre recommandée.

M. Monsieur.
MA Modulation d'amplitude.
Max. Maximum.
Me Maître.
Messrs. Messieurs.
Mes Maîtres.
MF Modulation de fréquence.
M. F. Moyenne fréquence.
MFPF Mouvement français pour le planning familial.
Mgr Monseigneur.
Min. Minimum.
MLF Mouvement de libération des femmes.
Mlle Mademoiselle.
Melles Mesdemoiselles.
MM. Messieurs.
Mme Madame.
Mmes Mesdames.
MNA Mouvement Nationaliste Algérien.
MNEF Mutuelle Nationale des Etudiants de France.
mn Minute.
Mo Métro.
MP Moyenne pression.
MRG Mouvement des radicaux de gauche.
ms manuscrit.
mss manuscrits.

N. Nord.
N. B. Nota bene (Notez bien).
N.-D. Notre-Dame.
NF Norme française. Nouveaux francs.
No. Numéro.
N/Réf. Notre référence.
N.-S.J.-C. Notre Seigneur Jésus-Christ.
NSP Notre Saint Père (le pape).
NT Nouveau Testament.

O. Ouest.
OAA Organisation des Nations Unies pour l'Alimentation et l'Agriculture.
OAS Organisation de l'Armée Secrète.
OC Ondes courtes.
OCDE Organisation de coopération et de développement économique.
OEC Organisation Européenne du Charbon.
OECE Organisation Européenne de Coopération Economique.
OERT Organisation Européenne de Recherche sur le Traitement du Cancer.
OIEA Organisation internationale de l'énergie atomique.
OIR Organisation Internationale des Réfugiés.
OIT Organisation Internationale du Travail.
OLP Organisation de Libération de la Palestine.
OMM Organisation Météorologique Mondiale.
OMS Organisation Mondiale de la Santé.
ONERA Office National d'Etudes et de Recherches Aérospatiales.
ONM Office National Météorologique.
ONU Organisation des Nations Unies.
ONUDI Organisation des Nations Unies pour le développement industriel.
O. P. A. Offre publique d'achat.
op. cit Dans l'ouvrage cité.
O. P. E. Offre publique d'échange.
OPEP Organisation des pays producteurs et exportateurs de pétrole.
O. R. L. Oto-rhino-laryngologie.
ORSEC Organisation des secours.
ORTF Office de la Radiodiffusion et Télévision Française.
OS Ouvrier spécialisé.
OTAN Organisation du Traité de l'Atlantique Nord.
OUA Organisation de l'Unité Africaine.
OVNI Objet volant non identifié.

p. Page, pages.
p. a. Per annum (Par an).
PC Parti communiste. Poste de Commandement.
PCC Pour copie conforme.
PCF Parti communiste français.
PDG Président-directeur général.
p. ex. Par exemple.
PGCD Plus grand commun diviseur.
p. i. Par intérim.
PJ Police Judiciaire.
PME Petites et moyennes entreprises.
PMI Petites et moyennes industries.
PMU Pari mutuel urbain.
PNB Produit National Brut.
PO Petites ondes.
P. p. c. Pour prendre congé.
PPCM Plus petit commun multiple.
Pr. Professeur.
PR Poste restante. Parti républicain.
PS Post-Scriptum. Parti socialiste.
PSU Parti Socialiste Unifié.
P et T Postes et Télécommunications.
P^te^ Porte.
PTT Postes, Télégraphes, Téléphones, Postes et Télécommunications.
P. U. F. Presses universitaires de France.
PV Procès Verbal.
PVD Paquet avec valeur déclarée.

QG Quartier Général.
QI Quotient intellectuel.
QS Quantité suffisante.

r. rue.
RATP Régie Autonome des Transports Parisiens.
RAU République Arabe Unie.
RD Route départementale.
R. D. A. République Démocratique Allemande.
R. d. C Rez-de-chaussée.
Ref. Référence.
RER Réseau express régional.
RF République Française.
R. F. A. République Fédérale d'Allemagne
R. G. Renseignements généraux.
RI Régiment d'Infanterie.

RN Revenu National. Route Nationale.
RP Révérend Père.
RPF Rassemblement du Peuple Français.
RPR Rassemblement pour la république.
RSVP Répondez s'il vous plaît.
Rte Route.
RTF Radiodiffusion Télévision Française.
RTL Radio Télévision Luxembourgeoise.
R-V Rendez-vous.

S. Sud.
SA Société Anonyme.
S. A. M. U. Service d'aide médicale d'urgence.
SARL Société à Responsabilité Limitée.
SDN Société des Nations (1919—1945).
SECAM Séquentiel à mémoire.
SEITA Service d'exploitation industrielle des tabacs et allumettes.
SFI Société Financière Internationale.
SFIO Section française de l'Internationale ouvrière.
S. G. D. G. Sans garantie du gouvernement.
SGEN Syndicat général de l'Education Nationale.
SI Syndicat d'Initiative. Système international.
SICAV Société d'investissement à capital variable.
Sida Syndrome Immuno-Déficitaire Acquis.
SM Sa Majesté.
SMAG Salaire Minimum Agricole Garanti.
SME Système monétaire européen.
SMIC Salaire Minimum Interprofessionnel de Croissance.
SMIG Salaire Minimum Interprofessionnel Garanti.
SJF Syndicat des journalistes français.
SNCF Société Nationale des Chemins de Fer Français.
SNES Syndicat national de l'enseignement secondaire.
SNE Sup Syndicat national de l'enseignement supérieur.
SNI Syndicat National des Instituteurs.
SOFRES Société française d'enquêtes pour sondage.
S. P. Secteur postal.
SPA Société Protectrice des Animaux.
SR Service de Renseignements.
SS Sécurité Sociale. Sa Sainteté.
Sté Société.
SVP S'il vous plaît.

t. Tome.
TCA Taxe sur le Chiffre d'Affaires.
TCF Touring Club de France.
TEE Trans-Europ-Express.
Tél. Téléphone.
TF 1 Télévision française 1.
T. G. V. Train à grande vitesse.
TNP Théâtre National Populaire.
TNT Trinitrotoluène.
TOM Territoire d'Outre-Mer.
TSF Télégraphie sans fil.
TSVP Tournez s'il vous plaît.
TTC Toutes Taxes Comprises (Prix).
Tt cft Tout confort.
TVA Taxe sur (à) la Valeur Ajoutée.

UDF Union pour la démocratie française.
UDR Union des démocrates pour la Ve République.
UEP Union Européenne des Paiements.
UER Unité d'Enseignement et de Recherche.
UNEDIC Union nationale pour l'emploi dans l'industrie et le commerce.
UNEF Union Nationale des Etudiants de France.
URSS Union des Républiques Socialistes Soviétiques.
US. . . Union sportive . . .
UV Unité de valeur. Ultra-violet.

V. Voir, voyez.
VDQS Vin délimité de qualité supérieure.
V. F. Version française.
V. O. Version originale.
V. R. P. Voyageurs de commerce, représentants et placiers.
Vve Veuve.

WC Water-closet.

ZAC Zone d'aménagement concerté.
ZAD Zone d'aménagement différé.
ZUP Zone à Urbaniser en Priorité.

Inhalt und Aufbau der Wörterbuchartikel

abeille [abɛj] *f* Biene *f;* ...

Alle französischen **Stichwörter** sind durch Fettdruck hervorgehoben.

atom|e [atom] *m* Atom *n; fig* Kleinigkeit *f,* Körnchen *n; un* ~ *de* ... ein bißchen ...; **~icité** [-tɔ-] *f chem* Wertigkeit *f;* **~ique** Atom-; atomisch; atomar; *bombe f* ~ Atombombe *f; contrôle m* ~ Atomkontrolle *f*...

Die **Tilde** ~ ersetzt das Hauptstichwort, dessen durch | abgetrennten ersten Teil oder das unmittelbar vorausgehende fettgedruckte Stichwort.

poêle [pwal] **1.** *m* (Zimmer-)Ofen *m;* **2.** *f* (Brat-)Pfanne; *tech* Gradierpfanne *f;* **3.** *m* Bahrtuch *n* ...

Grundlegend verschiedene **Bedeutungen** eines Stichworts sind mittels arabischer Ziffern differenziert.

aster [astɛr] *m* Aster, Sternblume *f.*

Die **Lautschrift** steht in eckigen Klammern hinter dem französischen Stichwort.

'hamac [amak] *m* Hängematte *f.*

Das **aspirierte 'h** ist gekennzeichnet.

histoire [istwar] *f* Geschichte; Geschichtswissenschaft *f,* -werk *n;* Erzählung; erfundene Geschichte, Lüge *f,* Schwindel *m,* Märchen *n;* unangenehme Sache *f; pl fam* Klimbim, Firlefanz *m;* ...

Grammatische Informationen: Bei allen **Substantiven** ist das Geschlecht angegeben; bei mehreren aufeinanderfolgenden Substantiven gleichen Geschlechts erhält jedoch nur das letzte Substantiv der Reihe die Genusangabe.

bail [baj] *m (pl baux)* Miete, Pacht; Vermietung *f;* Pacht-, Mietvertrag *m;* ...

Unregelmäßige Pluralformen der französischen Substantive sind aufgeführt.

grec, grecque [grɛk] *a* griechisch.

Bei allen **Adjektiven** ist das Femininum angegeben.

contrer [kɔ̃tre] *itr (Kartenspiel)* Kontra sagen; *fam* Kontra geben; *tr* entgegen=treten (*qn* jdm); *(Boxen)* kontern.

Bei allen **Verben** wird nach transitiver und intransitiver Bedeutung unterschieden und auf reflexiven oder unpersönlichen Gebrauch hingewiesen.

luire [lɥir] *irr* leuchten *a. fig,* scheinen, glänzen, schimmern; strahlen; blinken, blitzen; ...

Bei den unregelmäßigen und den unvollständigen französischen Verben steht der Hinweis *irr.*

minuter *tr (Urkunde)* ab=fassen, auf=setzen; die zeitliche Dauer fest=legten (*qc* gen); genau ein=richten.

Unfeste Zusammensetzungen von (deutschen) Verben mit Partikeln sind durch **Paralleltilde** = getrennt.

méprendre, se [meprɑ̃dr] sich irren, sich täuschen (*à* in *dat, sur* hinsichtlich *gen*); mißverstehen, falsch verstehen (*sur qn, qc* jdn, etw); ...

Bei Verben, Substantiven und Adjektiven, die mit bestimmten Präpositionen verbunden werden, ist die **zugehörige Präposition angegeben.**